Vollmer
Allgemeines Lexikon
der bildenden Künstler
des 20. Jahrhunderts

Allgemeines Lexikon der bildenden Künstler des 20. Jahrhunderts

Herausgegeben von Hans Vollmer

Band 1
van der Aa – Dzubas

E. A. Seemann Leipzig

Unveränderter Nachdruck der Originalausgabe Leipzig 1953

Die Deutsche Bibliothek – CIP-Einheitsaufnahme
Allgemeines Lexikon der bildenden Künstler. –
Studienausg. – Leipzig: Seemann

ISBN 3-363-00718-3 (Thieme/Becker und Vollmer)

Allgemeines Lexikon der bildenden Künstler
des 20. Jahrhunderts / hrsg. von Hans Vollmer. –
Studienausg. – Leipzig: Seemann
(Allgemeines Lexikon der bildenden Künstler)

ISBN 3-363-00730-2 (Vollmer)

Bd. 1. Van der Aa bis Dzubas. – 1999

Umschlaggestaltung: Konstantin Buchholz,
Grafik-Design, Hamburg
Druck und Binden: Druckerei Parzeller, Fulda
Gedruckt auf alterungsbeständigem Papier
mit chlorfrei gebleichtem Zellstoff
Printed in Germany

ALLGEMEINES LEXIKON DER BILDENDEN KÜNSTLER

DES XX. JAHRHUNDERTS

UNTER MITWIRKUNG VON FACHGELEHRTEN
DES IN- UND AUSLANDES
BEARBEITET, REDIGIERT UND HERAUSGEGEBEN
VON

HANS VOLLMER

ERSTER BAND

A–D

E. A. SEEMANN VERLAG LEIPZIG

Verzeichnis der Abkürzungen

Ahlberg = H. Ahlberg, Mod. Schwed. Architektur, m. e. Vorrede v. W. Hegemann, Berl. o. J. [1925].

Alckens = A. Alckens, D. Denkmäler u. Denksteine d. Stadt München, Münch. 1936.

Amweg = G. Amweg, Les Arts dans le Jura bernois et à Bienne, 1 (1937); 2 (1941).

Apollinaire = G. Apollinaire, Les peintres cubistes, 1913.

Arp-Neitzel = H. Arp u. L. H. Neitzel, Neue franz. Malerei, Lpzg 1913.

Balás-Piry = L. v. Balás-Piry, Die ungar. Malerei des 19. u. 20. Jh.s, Berl. 1940.

Bastelaer = R. v. Bastelaer, La Renaiss. de la Gravure en bois en Belgique, Brüssel 1925.

Baum = J. Baum, Der Materialismus des bürgerl. Zeitalters, S.-A. aus: Die Schwäb. Kunst im 19. u. 20. Jh., Stuttgt 1952.

Baur = Alb. Baur, Schweizer Graphik seit Hodler, Basel 1920.

Bénézit = E. Bénézit, Dict. Crit. et Docum. des Peintres, Sculpt., Dessinat. etc., [2], 1948 ff.

Berk = N. Berk, La Peinture turque, Ankara 1950.

Bernhart = M. Bernhart, D. Münchner Medaillenkst d. Gegenwart, 1917. Ders., Med. u. Plaketten, 1920.

Bettelheim = A. Bettelheim, Biogr. Jahrb. u. Dtsch. Nekrolog, 18 Bde, 1897-1917.

Bie = R. Bie, Dtsche Malerei d. Gegenw., Weimar 1930.

Boëthius = B. Boëthius, Svenskt Biogr. Lex., 1917.

Brandes = G. Brandes, Neue holl. Baukst, Bremen o. J.

Breuer = P. Breuer, Münchner Kstlerköpfe, Münch. o. J. [1937].

Brun = C. Brun, Schweiz. Kstler-Lex., 1–4 (1905–1917).

Calker = H. van Calker, Schilders van heden en morgen, Amsterd. o. J.

Canale = V. Canale, Médailleurs contemp., Paris 1929.

Carrieri = R. Carrieri, Pittura e Scult. d'Avanguardia in Italia, Mailand 1950.

Casson = S. Casson, Some mod. Sculptors, Lo. 1928.

Caw = J. L. Caw, Scott. Painting etc., Lo. 1908.

Chase-Post = G. H. Chase a. C. R. Post, Hist. of Sculpt., New York u. Lo. 1925.

Chi è? = Chi è? Diz. d. Ital. d'oggi, [4] Rom 1940.

Colombo = V. Colombo, Gli Artisti lombardi a Venezia, Mail. 1895.

Comanducci = A. M. Comanducci, I Pittori ital. dell'Ottocento, Mail. 1934.

Coquiot = G. Coquiot, Cubistes, Futuristes, Passéistes, Paris 1914.

Costantini = V. Costantini, Scultura e Pitt. Ital. Contemp. (1880–1926), Mail. 1940.

Croquez = A. Croquez, Les Peintres flamands d'aujoudr'hui, 1910.

D. A. B. = Dict. of Amer. Biogr., New York 1928ff.

D. B. J. = Deutsch. Biogr. Jahrbuch 11 Bde, Stuttgt, Berlin, Lpzg 1925/32.

Dahl-Engelstoft = Dahl og Engelstoft, Dansk biogr. Haandleks., 1 (1919).

Devigne = M. Devigne, La Sculpture belge 1830ń1930, Brüssel 1934.

Dieulafoy = M. Dieulafoy, Gesch. d. Kst in Spanien u. Portugal (Ars una, Species mille), Stuttgt 1913.

Downes = W. Downes, Twelve great Artists, Boston 1900.

Dreßler = W. O. Dreßler, Kstjahrbuch, 1930/II.

Earle = E. L. Earle, Michigan State Library. Biogr. Sketches of Amer. Artists, 1924, [5] 1924.

Éber = L. Éber, Művészeti Lex., [3] Budapest 1934/35.

Eckstein = H. Eckstein, Maler u. Bildh. in München, 1946.

Eekhoud = G. Eekhoud, Les Peintres Animaliers belges, Brüssel 1911.

Einstein = C. Einstein, Die Kunst des 20. Jh.s, [3] Berl. 1931.

Fielding = M. Fielding, Dict. of Amer. Paint. etc., [1926].

Filov = B. Filov, Gesch. d. bulgar. Kst, Berlin/Lpzg 1933.

Fischer = O. Fischer, Schwäb. Kst des 19. Jh.s, Stuttg. 1925.

Fleischhauer = W. Fleischhauer, Das Bildnis in Württembg 1760–1860, Stuttg. 1939.

Fodor = P. M. Fodor, Súčasné slov. maliárstvo, Bratislava (Preßburg) 1949.

Forrer = L. Forrer, Biogr. Dict. of Medall., 1–6 (1904/16); Suppl.: 7 (1923); 8 (1930).

Francés = J. Francés, El año artistico, Madrid 1915ff.

Fries = H. de Fries, Junge Baukst in Deutschld, 1926.

Gerola = G. Gerola, Artisti Trentini all'Estero, Trient 1930.

Ghiringhelli = G. Ghiringhelli, Pittura Mod. Ital., Turin 1949.

Giannelli = E. Giannelli, Artisti Napol. viventi, Neapel 1916.

Giedion-Welcker = C. Giedion-Welcker, Moderne Plastik, Zürich 1937.

Ginisty = P. Ginisty, Les Artistes morts pour la Patrie, Paris 1916 u. 1919.

Grabar = I. Grabar, Gesch. d. russ. Kst (russ.), 1910ff.

Graber = H. Graber, Schweizer Maler, Königstein i. T. u. Lpzg 1913.

Graber 1918 = H. Graber, Jüngere Schweizer Kstler, 1 (Basel 1918).

Grautoff = O. Grautoff, Franz. Malerei seit 1914, Berl. 1921.

Graves = A. Graves, The Roy. Acad. of Arts, 1 (1905)–8 (1906).

Grothe = H. Grothe, Junge Bildh. uns. Zeit (Kanter-Bücher, 14), Königsberg 1940.

Guidi = M. Guidi, Diz. degli Artisti Ticinesi, Rom 1932.

Gudenrath = E. Gudenrath, Norweg. Maler von J. C. Dahl bis Edv. Munch, Berl. o. J. [1940].

Hahm = K. Hahm, Die Kst in Finnland, Berl. 1933.

Verzeichnis der Abkürzungen

Hall = H. van Hall, Repert. v. d. Gesch. d. Nederl. Schilderen Graveerkst, 's-Gravenhage 1936.
Hartlaub = G. F. Hartlaub, Die Graphik des Expressionismus in Deutschland, Stuttg. 1947.
Hegemann = W. Hegemann, Amer. Architektur u. Stadtbaukst, Berl. 1925.
Hekler = A. Hekler, Budapest als Kststadt, Küsnacht o. J. [1933].
Hentzen = A. Hentzen, Dtsche Bildhauer d. Gegenwart, Berlin o. J.
Hess = R. Hess, Neue Glasmal. in d. Schweiz, Basel 1939.
Hoppe = R. Hoppe, Kat. över Thorsten Laurins Samling av Måleri och Skulpt., Stockh. 1936.
Huebner = F. M. Huebner, Die neue Malerei in Holland, Lpzg 1921. Ders., Niederl. Plastik d. Gegenw., Dresd. [1924].
Jansa = F. Jansa, Dtsche bild. Kstler in Wort u. Bild, 1912.
Jenny = H. Jenny, Kstführer d. Schweiz, ² Bern [1934].
Joseph = E. Joseph, Dict. biogr. des Artistes Contemp. 1910–1930, 3 Bde, Paris 1930/34.
Isham = S. Isham, Hist. of Amer. Painting, New York 1905; with suppl. chapters, by R. Cortissoz, New York 1927.
Kállai = E. Kállai, Neue Malerei in Ungarn (Die junge Kst in Europa, Bd 2), Leipzig 1925.
Karl = J. Karl, Aus Münchner Kstler-Ateliers, 2 Bde, Münch. 1928/29.
Kirstein = L. Kirstein, The Latin-American Collect. of the Mus. of Mod. Art, New York [1943].
Klang = M. Klang, Die geistige Elite Österr., Wien 1936.
Klapheck = R. Klapheck, Gußglas, Düsseld. 1938.
Kohut = A. Kohut, Berühmte israel. Männer u. Frauen, 2 Bde, Lpzg 1900/01.
Kondakoff = Kondakoff, Jubil.-Handb. d. kais. Akad. d. Kste 1764–1914 (russ.), o. O. u. J.
Kopera = F. Kopera, Malarstwo w Polsce XIX i XX Wieku, Warschau o. J.
Kovarna = F. Kovarna, Soucasné malířstvi, Prag 1932.
Krackowizer-Berger = F. Krackowizer u. F. Berger, Biogr. Lex. des Landes Österr. ob der Enns, Gelehrte, Schriftst. u. Kstler Oberöst. seit 1800, Passau u. Linz a. d. D. 1931.
Krücken-Parlagi = Krücken u. Parlagi, Das geist. Ungarn, 1918.
Kryszowski = C. Kryszowski, Poln. Buchgraphik, o. O. 1950.
Küppers = P. E. Küppers, Der Kubismus, Lpzg 1920.
Kuhn = A. Kuhn, Die poln. Kst v. 1800 bis zur Gegenwart, Berlin 1930.
Lami = St. Lami, Dict. des Sculpt. de l'Ec. franç. au 19me siècle, 3 Bde, Paris 1914/21.
Langaard-Leffler = J. H. Langaard u. B. Leffler, Moderne norweg. Malerei, Malmö 1931.
Lonchamp = F. C. Lonchamp, Manuel du Bibliophile suisse, 2 Bde, Lausanne o. J.
Looström = L. Looström, Kgl. Akad. för de fria Konsterna Samlingar af Målning och Skulpt., Stockh. 1915.
Loubier = J. Loubier, Die neue dtsche Buchkst, Stuttgt 1921.
Mallett = D. T. Mallett, Library of Reprod., Hackensack, N. J. o. J.
Malpel = Ch. Malpel, Notes sur l'Art d'aujourd'hui et peut-être de demain, Paris 1910, 2 Bde.
Marangoni = G. Marangoni, Acquarellisti lombardi (Profili d'Arte Contemp., Nr 4), Mailand o. J.
Marlier = G. Marlier, Die fläm. Malerei der Gegenw., Jena 1943.
Maryon = H. Maryon, Mod. Sculpture, Lo. 1933.
Matejcek-Wirth = A. Matejcek et Zd. Wirth, L'Art tchèque contemp., Prag 1921.
Matthey = W. v. Matthey, Russ. Kunst, Zürich 1948.
Mazzara = S. M. Mazzara, Pittori dell'Ottocento in Palermo, Pal. 1936.
Meintel = P. Meintel, Zürcher Brunnen, Zürich 1921.
Mellquist = J. Mellquist, Die amer. Kst d. Gegenwart, Berl. 1942.
Messeri-Calzi = A. Messeri-Calzi, Faenza nella Stor. e nell'Arte, Faenza 1909.
Michel = A. Michel, Hist. de l'Art, 1 (1905)–8 (1929).
Mieras Yerbury = J. P. Mieras u. F. R. Yerbury, Holl. Architektur d. 20. Jh.s, Berl. 1926.
Missong = A. Missong, Heil. Wien, Führer (Österr., Religion u. Kultur, IV), 1933.
Monro = I. St. Monro u. K. M. Monro, Index to Reproduct. of Amer. Paintings, New York 1948.
Müller-Schürch = H. Müller-Schürch, Wand- u. Glasmalerei bern. Kstler, Bern 1929.
Muls = J. Muls, Van El Greco tot het Cubisme, Brügge 1929.
N. F. = Nordisk Familjebok, Stockh. ³ 1923/37, 23 Bde.
Nebesky = V. Nebesky, L'Art mod. tchécoslov., Paris 1937.
Nemitz = F. Nemitz, Junge Bildhauer (D. Kstbücher d. Volkes, Kl. Reihe, Bd 3), Berl. [1939].
Niehaus = K. Niehaus, Levende Nederl. Kst, A'dam 1943.
Nilssen = A. N. Nilssen, Moderne Norsk Vieggmaleri, Oslo 1928.
Nordström = E. Nordström, Suomen Taiteilijat, Helsingf. [1926]. Ders., Finlands Konstnärer, Helsingf. o. J. [1926].
Öhquist = J. Öhquist, Suomen Taiteen Historia, 1912. Ders., Neuere bild. Kst in Finnland, Helsingf. 1930.
Ojetti = U. Ojetti, Ritratti d'Artisti ital., Mail. 1911.
Okkonen = O. Okkonen, Die finnische Kunst, ² Berl. 1944.
Oprescu = G. Oprescu, L'Art Roumain de 1800 à nos jours, Malmö o. J. [1935]. Ders., Die Malerei Rumäniens seit 1900. Vom Leben u. Wirken der Romanen. Smlg von Vorträgen, hg. v. E. Gamillscheg, II: Rumän. Reihe, Heft 9, Jena u. Lpzg 1936.
Oud = J. J. P. Oud, Holl. Architektur (Bauhaus-Bücher 10), ² 1929.
Ozinga = M. D. Ozinga, De Protest. Kerkenbouw in Nederl. van Kervorming tot franschen Tijd, Amsterd. 1929.
Pamplona = F. Pamplona, Um Século de Pintura e Escultura em Portugal, 1943.
Persoonlijkheden = Persoonlijkheden in het Koningrijk d. Nederl. in Woord en Beeld (hg. v. H. Brugmans u. N. Japiske), Amsterd. 1938.
Petranu = C. Petranu, L'Art roumain de Transsylvanie, Bukarest 1938.
Pfister = K. Pfister, Dtsche Graphiker d. Gegenw., Lpzg 1920.
Pica = V. Pica, L'Arte Mondiale a Roma 1911, Bergamo 1913.
Plasschaert = A. Plasschaert, Korte Gesch. d. holl. Schilderkst, Amsterd. 1923.
Platz = G. A. Platz, Baukst d. neusten Zeit, Berl. 1927.

Verzeichnis der Abkürzungen

Pogány = G. E. Pogány, Les Révolutionnaires de la Peinture hongroise, o. O. o. J.
Pol de Mont = Pol de Mont, De Schilderkst en België van 1830 tot 1921, Den Haag 1921.
Ponten = J. Ponten, Architektur, die nicht gebaut wurde, 2 Bde, Berl. 1925.
Pupikofer = O. Pupikofer u. and., Die Entwicklg d. Kst in d. Schweiz, St. Gallen 1914.
Raupp-Wolter = K. Raupp u. F. Wolter, Kstlerchronik v. Frauenchiemsee, Münch. 1918; [2] 1924.
Reinhart-Fink = G. Reinhart u. P. Fink, Selbstbildnisse schweiz. Kstler d. Gegenw., Zürich 1918.
Rhaue = H. Rhaue, Das Exlibris, Zürich 1918.
Roffler = Th. Roffler, Schweizer Maler. Reden u. Aufsätze, Frauenfeld-Lpzg 1937.
Roh = F. Roh, Nachexpressionismus, Lpzg 1925.
Rump = E. Rump, Lex. d. bild. Kstler Hamburgs, Hambg 1912.
Salaman = M. Salaman, Modern Woodcuts a. Lithogr. (Studio, Spec. Numb.), 1919.
Salmon = A. Salmon, La Jeune Peinture franç., Paris 1912. Ders., La Jeune Sculpt. franç., Paris 1919.
Sauerland = M. Sauerland, D. Kst der letzten 30 Jahre, 1935.
Schäfer = W. Schäfer, Bildh. u. Maler in d. Ländern am Rhein, Düsseldf 1913. Ders., Die mod. Malerei d. Dtsch. Schweiz (Die Schweiz i. dtsch. Geistesleben, Bd 2), Lpzg 1924.
Scheffler = K. Scheffler, Die europ. Kst im 19. Jh., 2 Bde, Berl. [1926/27].
Schmidt = P. F. Schmidt, Gesch. d. modernen Malerei, Stuttgt 1952.
Schnell = H. Schnell, Kl. süddtsche Kirchenführer.
Seyn = E. de Seyn, Dict. biogr. d. Sciences, d. Lettres et d. Arts en Belgique, 2 Bde, Brüssel 1935/36.
Shaw-Sparrow = W. Shaw-Sparrow, Women Painters of the World, Lo. 1905.
Singer = H. W. Singer D. Mod. Graphik, Lpzg 1914.
Slater = J. H. Slater, Engrav. and their Value, [6] New York 1929.
Small = Small, Handbook of the New Library of Congress, Washington 1899.
Somarè = E. Somarè, Storia dei Pittori Ital. dell'Ottocento, Mail. 1928.
Soubies = A. Soubies, Les Membres de l'Acad. d. B.-Arts, 4 Bde, Paris 1917.
Sperling = E. Sperling, Neue dtsche Bildschnitzkst, Burg b. Magdeburg 1943.
Spielmann = M. H. Spielmann, Brit. Sculpture a. Sculptors of today, Lo. 1901.
Strasser = E. E. Strasser, Neuere holl. Baukunst, Münch.-Gladbach 1926.
Strickland = W. G. Strickland, Dict. of Irish Artists, 2 Bde, Dublin u. Lo. 1913.
Szendrei-Szentiványi = J. Szendrei u. G. Szentiványi, Magyar Képzőművészek Lex., 1 (1915).
Taft = L. Taft, Hist. of Amer. Sculpt., New York 1930.
Teichl = R. Teichl, Österreicher d. Gegenw., Wien 1951.
Th.-B. = Thieme-Becker, Allg. Künstler-Lex.
Thacker-Venkatachalam = M. Thacker u. G. Venkatachalam, Present Day Painters in India.
Thiis = J. Thiis, Nordisk Kunst Idag, Kristiania 1923.
Thomœus = G. Thomœus, Svenska Konstnärer. Biogr. Handbok, [3] Malmö 1947.
Tikkanen = [J. Tikkanen,] Die mod. bild. Kst in Finnland, Helsingf. 1925.
Toman = Toman, Nový slovník českosl. výtvar. umělců, Prag 1947.
Uhde-Bernays = H. Uhde-Bernays, Die Münchner Malerei i. 19. Jh. 1850–1900, Münch. o. J. [1925].
Umanskij = Umanskij, Neue Kunst in Rußland (russ.), 1920.
Underwood = E. G. Underwood, A short History of Engl. Sculpture, Lo. 1929.
Valmy-Baysse = J. Valmy-Baysse, Peintres d'aujourd'hui, Paris o. J.
Vanderpyl = F. R. Vanderpyl, Peintres de mon époque.
Vem är det? 1935 = Vem är det? Svensk biogr. handbok, Stockh. 1935.
Vem och Vad? = Vem och Vad? Biogr. handbok, Helsingf. 1936.
Venturoli = M. Venturoli, Interviste di frodo, Rom 1945.
Vries = R. W. R. de Vries Jr., Nederl. Graf. Kunstenaars uit het einde der negentiende en het begin van de twintigste eeuw, Den Haag 1943.
Waay = S. J. Mak van Waay, Lex. van Nederl. Schilders en Beeldh. 1870–1940, A'dam 1944.
Walden = H. Walden, Einblick in Kunst, [3] Berl. 1925.
Waller = F. G. Waller, Biogr. Woordenboek van Noord Nederl. Graveurs, Den Haag 1938.
Wedderkop = H. v. Wedderkop, Dtsche Graphik des Westens, Weimar 1922.
Weilbach = Ph. Weilbach, Dansk Kunstnerleks., [3] 1947/52, 3 Bde
Weizsäcker-Dessoff = H. Weizsäcker u. A. Dessoff, Kst u. Kstler in Frankf. a. M., 2 Bde, Frankf. 1907/09.
Wennervirta = L. Wennervirta, Finlands Konst – Suomen Taide, 1926.
Wer ist Wer? = Wer ist Wer? Lex. öst. Zeitgen., Wien 1937.
Wer ist Wer? = Wer ist Wer? 9. Ausg. von Degeners Wer ist's?, hg. von W. Habel, Berl. 1951.
Werner = B. E. Werner, Die dtsche Plastik d. Gegenw., Berl. 1940.
Wettergren = E. Wettergren, L'Art décor. mod. en Suède, Malmö 1925.
Who's Who in Latin America = Who's Who in Latin America, 1935, ed. by P. A. Martin Stanford Univ., Calif.
Willard = R. A. Willard, History of Mod. Ital. Art, Lo. 1902.
Zur Westen = W. v. Zur Westen, Reklamekst (Kulturgesch. Monogr., 13), 1914.

A

Aa, Cornelis Joh. van der, holl. Maler, * 14. 7. 1883 Almelo, ansässig ebda. Vater des Folg.

Stud. in Deutschland, Italien, der Schweiz u. Österreich. Hauptsächlich Landschafter.

Lit.: Waay.

Aa, Joh. Henricus Maria van der, holl. Maler, * 22. 10. 1913 Almelo, ansässig ebda. Sohn des Vor.

Schüler von James Anderson in London. Bereiste Italien, Afrika u. Griechenland. Landschaften, Stilleben.

Lit.: Waay.

Aabye, Jørgen, siehe *Olsen-Aabye.*

Aae, Arvid, dän. Bildnismaler, * 1. 7. 1877 Johannishus, Blekinge (Schweden), † 12. 8. 1913.

Stud. an der Akad. in Kopenhagen.

Lit.: Th.-B., 1 (1907).

Aagesen, Astrid, dän. Kstgewerblerin, * 1883 Silkeborg, ansässig in Grevie, Schonen (Schweden).

Stud. an der Techn. Schule in Kopenhagen, weitergebildet in Deutschland, Norwegen u. Schweden. Arbeiten in Zinn u. Silber. Kelch in der Gustav-Adolfs-Kirche in Hälsingborg; Globen für den Tycho-Brahe-Brunnen ebda. Weitere Arbeiten im Nat.-Mus. in Stockholm, im Mus. in Malmö u. im Kstindustriemus. in Oslo.

Lit.: Thomœus.

Aalto, Alvar, finn. Architekt u. Möbelzeichner, * 3. 2. 1898 Kuortane, ansässig in Helsinki, vordem in Turku (Åbo).

Studienreisen im Ausland 1921/27. Ein Hauptvertreter der modernen Bestrebungen in Finnland. Hauptwerke: Finnisches Theater in Turku (Åbo); Haus der Zeitung „Turun Sanomat“ ebda; Tuberkulose-Sanatorium in Pemar (Paimio), 1932; Zellulosefabriken in Toppila (1931) u. in Sunila bei Kotka (1936/38); Volksbibliothek in Viipuri (Wiborg), 1935; Finn. Pavillon auf der Pariser Weltausst. 1937 u. auf der Ausst. New York 1939; Landhaus Gullichsen in Norrmark bei Björneborg; Siedlung in Nymnäshamn (zus. mit Albin Stark).

Lit.: N. F., 21 (Suppl.). — Hahm, p. 21, 22, m. 2 Abbn. — Vem och Vad?, Helsingf. 1936. — Vem är Vem i Norden, Stockh. 1941, p. 405. — Architect. Forum, 86, April 1947, p. 13; 91, Aug. 49, p. 54. — Architect. Record, 101, April 47, p. 98; 106, Aug. 49, p. 10. — Cahiers d'Art, 1931, p. 217/18 (m. 8 Abbn); 1937, p. 269/70 (m. 13 Abbn). — Das Werk (Zürich), 21 (1934) 293/304 (Sanatorium Pemar); 27 (1940) 65–72, m. Abbn, 84f., 90, 103ff. (Volksbibl. Viipuri); 35 (1948) 269/76; 36 (1949) 43; 38 (1951) 112/15. — Apollo (London), 27 (1938) 265. — Art et Décor., 1950 Nr 18, p. 9/12.

Aalto, Ilmari, finn. Maler, * 1891, † 29. 9. 1934.

Stud. in Helsinki u. Paris. Im Ateneum Helsinki: Stilleben u. Selbstbildnis (1923).

Lit.: Hahm. — Vem och Vad?, Helsingf. 1936.

Aaltonen, Aarre, finn. Bildhauer, * 8. 12. 1889 Pöytis, ansässig in Helsinki.

Schüler von Emil Wikström (1910/12), weitergebildet in Petersburg, Florenz u. Rom (1912/13). 1932 in Paris. Im Kstmus. in Turku (Åbo): Violinist Jean de Niwinski (Bronze); Mädchenkopf (Marmor). Im Ateneum in Helsinki: Mutter u. Kind. In der Kirche in Kottby: Skulpturen.

Lit.: Vem och Vad?, Helsingf. 1936.

Aaltonen, Wäinö, finn. Bildhauer (Prof.), * 8. 3. 1894 St. Mårtens, Karinais, ansässig in Helsinki.

Zuerst Malstudien, dann bildhauer. Studien an der Kstschule in Turku (Åbo), 1910/15; Ausbildung in einer Steinmetzenschule u. bei V. Westerholm. 1923 in Italien. Hauptsächlich Porträts u. Idealköpfe, Denkmäler. Verwandte als erster neben Joh. Haapasalo wieder den bodenständigen Werkstoff, den Granit, arbeitete aber auch in Stein, Marmor, für Bronze, gelegentlich auch in Holz. Die stärkste plast. Begabung des modernen Finnland. Im Ateneum Helsinki: Statue des finn. Läufers Paavo Nurmi (Bronze; Abb. im Kat. 1930); Stehender weibl. Akt (schwarzer Granit); Nackter Knabe (Granit); Büsten V. Westerholm u. des Schriftst. Joel Lehtonen; Mädchenkopf (Holz). Auf dem Bahnhofsplatz ebda Denkmal des Schriftst. Alexis Kivi (Bronze, 1934). Im Nat.-Mus. in Stockholm: Stehendes junges Mädchen (Granit) u. Kriegerkopf (desgl.). Männl. Figuren mit Motiv aus Birkala für eine Brücke in Tampere (Tammerfors). Ebda ein Denkm. für Al. Kivi (1928). Gefallenendenkmal in Savonlinna (Nyslott). Denkmal der finnischen Ansiedler in Delaware (1938); Marmorrelief: Die Göttin des Sieges bekränzt die Jugend, im Festsaal der Univ. Helsinki (1940); Büste des Komponisten Jean Sibelius (Bronze) im Mus. Göteborg. Im Mus. Turku (Åbo): Sitzender weibl. Akt (Granit). In der Smlg G. Stenman, Helsinki: Mädchenkopf (Marmor).

Lit.: N. F., 1 u. 21 (Suppl.), m. Fotobildn. u. Abb. — Tikkanen, p. 57, m. 2 Abbn. — Hahm, p. 32, Abbn 88/90. — Vem och Vad?, Helsingf. 1936. — Vem är Vem i Norden, Stockh. 1941, p. 405. — Öhquist, m. 3 Abbn. — Okkonen, p. 43ff., m. 14 Abbn. — Beaux-Arts, 6 (1928) 302f., m. Abb.; Nr v. 2. 1. 48, p. 8 (Abb.). — Kunst og Kultur, 13 (1926) 172/76. — Ord och Bild, 36 (1927), Taf. vor p. 193, 719/27, m. Abbn; 50 (1941), 2 Tafeln vor p. 97. — La Renaiss. de l'Art franç., 11 (1928) 509/16, m. Abbn. — The Internat. Who's Who, [8] 1943/44.

Aamodt, Asbjørn, norweg. Maler u. Zeichner, * 21. 8. 1893 Larvik, ansässig in Oslo.
1912/14 Schüler der Akad. Oslo. Studienaufenthalte in Italien, Frankreich, England u. Deutschland. Zeichnete für „Dagbladet" u. — seit 1925 — für „Arbeiderbladet".
Lit.: Hvem er Hvem?, [4] 1938. — Vem är Vem i Norden, Stockh. 1941, p. 594.

Aarons, George Manuel, russ.-amer. Bildhauer, * 6. 4. 1896 St. Petersburg (Leningrad), ansässig in Brookline, Mass., USA.
Figurenfriese am Telephongeb. in Cleveland, O.
Lit.: Who's Who in Amer. Art, I: 1936/37. — D. Münster, 6 (1953) H. 1/2 p. 43, m. Abb.

Aars, Harald, norweg. Architekt u. Fachschriftst., * 31. 5. 1875 Kristiania (Oslo), ansässig ebda.
Stud. an der Techn. Schule in Kristiania u. am Roy. Coll. of Art in London (1895/97). Studienaufenthalte in England, Frankreich, Italien u. Griechenland. — Pipervikskirche in Oslo; Lovisenkirche ebda.
Lit.: Th.-B., I (1907). — Hvem er Hvem?, [4] 1938. — Vem är Vem i Norden, Stockh. 1941, p. 596.

Aarsleff, Carl, dän. Bildhauer, * 14. 8. 1852 Nyborg, Fünen, † 4. 1. 1918 Kopenhagen.
Lit.: Th.-B., I (1907). — Dahl-Engelstoft, I. — Vor Tid, 2 (1918) 253 ff. — Krak's Blaa Bog, 1910 ff. — Weilbach, [3] I.

Aarts, Johan Joseph, holl. Maler, Graph. u. Kstkritiker (Prof.), * 18. 8. 1871 im Haag, † 19. 10. 1934 Amsterdam.
Schüler d. Haager Akad. Lehrer an ders., seit 1911 an d. Akad. in Amsterdam. Landschaften mit Weidevieh, figürl. Kompositionen. Pflegte den Stich, die Rad., den Holzschnitt, die Lithogr. u. das Monotypverfahren.
Lit.: Plasschaert. — Waay. — Waller. — Niehaus, m. Abb. p. 243. — Apollo (Brüssel), Nr 14, Aug./Sept. 1942, p. 20. — Elseviers geïll. Maandschr., 34 (1907) 217/30, m. Abbn. — Maandbl. v. beeld. Ksten, 12 (1935) 185. — Mededeel. van d. Dienst voor Ksten en Wetensch. d. Gem. 's-Gravenhage, 4 (1937) 3, 51, 64 f.; 5 (1938) 42, m. Abb. — Verslagen omtr.'s Rijksverzamel. van Gesch. en Ksten 1938, Deel 61 (1939) p. 38/49.

Aba-Novák, Vilmos, ungar. Maler u. Rad., * 15. 3. 1894 Budapest, † 1942 ebda.
Kurze Zeit Schüler von K. Ferenczy in Nagybánya u. von F. Olgyay, im übrigen Autodidakt. Wiederholt in Italien. 1928/30 Stipendiat der Ungar. Akad. in Rom. Zuerst Impressionist, dann Annäherung an den Expressionismus. Vorliebe für das Fresko. Erneuerer der ungar. Wandmalerei. Landschaften, Stadtansichten (bes. ital. Plätze), figürl. Kompositionen (Jahrmarkt- u. Zirkusszenen, Bauernbilder, Prozessionen). Fresken u. a. im Mausoleum des Hl. Stephan in Székesfehérvár und in den Kirchen am Városmajor-Park in Budapest (Apotheose des Hl. Stephan) u. in Jászszentandrás (Jüngstes Gericht). Bilder in der Neuen Ungar. Gal. in Budapest (Bergstadt [Abb. im Kat. 1930]) u. im dort. Landesmus. (Straßenmusikanten).
Lit.: Kállai. — Balás-Piry. — Apollo (London), 20 (1934) 55, m. Abb. — Beaux-Arts, 8 (1931) Juni, p. 19, m. Abb. — Emporium, 72 (1930) 227 (Abb.); 83 (1936) 191 (Abb.), 194 l. Sp. — Kirchenkst, 6 (1934) 16/19. — Öst. Kst, 3 (1932) Heft 7. p. 12 (Abb.), 13; 7 (1936) Heft 4, p. 25, m. Abb. — Pro Arte (Genf), 2 (1943) 155 f., m. Abb. — Das schaffende Ungarn, 2 (1941) 30/32. — The Studio, 104 (1932) 321 (Abb.); 113 (1937) 127 (Abb.), 129, 132 (Abb.). — Das Werk (Zürich), 31 (1944), Heft 6, Chronik p. XIII. — Nouv. Revue de Hongrie, 46 (1932/II) 484/88, m. 2 Abbn; 56 (1937/I) 425 ff., m. 2 Abbn. (Fresken mit Szenen a. d. Ung. Gesch. im Ungar. Pavillon d. Pariser Intern. Ausst. 1937); 65 (1941/II) 342/44, m. 4 Abbn. - bild. kunst, 3 (1949) 159. — D. Kst d. Kirche, 19 (1942) 22. — Kat. Ausst. Ung. Malerei d. Gegenw., Berlin 1942/43, m. Abb.

Abarzuza y Rodriguez de Arias, Felipe, span. Genremaler, * 22. 5. 1871 Cádiz, ansässig ebda.
Schüler von Joaquín Sorolla. Prof. an d. Akad. in Cádiz. Im Mus. f. Mod. Kst in Madrid: Illusion u. Wirklichkeit.
Lit.: Th.-B., I (1907). — Bénézit, [2] I (1948).

Abat, Lilian, franz. Landsch.-, Stilleben- u. Bildnismalerin, * Perpignan, ansässig in Paris.
Schülerin von Humbert u. Bergès. Stellte 1926/29 im Salon der Soc. d. Art. Franç., 1931 f. im Salon der Soc. Nat. d. B.-Arts aus.
Lit.: Bénézit, [2] I (1948). — Joseph, I.

Abattucci, Pierre, belg. Landschafts- u. Bildnismaler, Rad. u. Lith., * 20. 5. 1871 Molenbeek-Saint-Jean, ansässig in Brüssel.
Schüler von Portaels u. Stallaert an der Brüsseler Akad. Mitgl. der „Vrije Kunst". Prof. an der Ec. d. Arts décor. in Molenbeek. Lange Zeit in Italien. Im Mus. in Mons: Abend in Sorrent.
Lit.: Th.-B., I (1907). — Seyn, I, m. Fotobildnis. — Bénézit, [2] I. — The Internat. Who's Who, [8] 1943 44.

Abbà, Arturo, ital. Bildnisminiaturmaler, * 31. 1. 1881 Mailand, ansässig ebda.
Autodidakt.
Lit.: Comanducci.

Abbadie, Robert, franz. Akt- u. Bildnismaler, * Paris, ansässig ebda.
Schüler von Ernest Laurent. Mitgl. d. Soc. d. Art. Franç. Stellt seit 1943 auch bei den Indépendants aus.
Lit.: Bénézit, [2] I. — Joseph, I.

Abbal, André, franz. Bildhauer, * 16. 11. 1876 Montech (Tarn-et-Garonne), ansässig in Paris.
Schüler von Falguière u. Mercié. Stellte 1896/1914 im Salon der Soc. d. Art. Franç., nach 1918 im Salon d'Automne aus. Grand Prix auf der Internat. Ausst. Paris 1937. Haut seine Skulpturen direkt aus dem Stein heraus. Öff. Denkmäler in Toulouse u. Moissac. Kinderstatuen, Büsten (Clémenceau, Präsid. Wilson), Bauplastik. Kollekt.-Ausst. Juni 1920 in den „Feuillets d'Art", Paris.
Lit.: Th.-B., I (1907). — Bénézit, [2] I. — Joseph, I. — Kinston Parkes, The Art of Carved Sculpture, Lo. 1932. — L'Art et les Art., N. S. 1 (1919/20) 249 ff., m. Abbn. — Art et Décoration, 33 (1913) 185 (Abb.); 61 (1932) 233, 235, 237 (Abb.). — Chron. d. Arts, 1920 p. 93.

Abbate, Paolo, ital.-amer. Bildhauer, * 12. 4. 1884 in Italien, ansässig in New York, sommers in Torrington, Conn.
Stud. in Italien u. in den USA. Kurator am Mus. in Torrington. — Denkmäler in Newburgh, N. Y., u. in Providence, R. I., Kriegsdenkmal in Fiume; Büsten u. Grabdenkmäler.
Lit.: Fielding. — Amer. Art Annual, 20 (1923) 420. — Who's Who in Amer. Art, I: 1936/37. — The Internat. Who's Who, [8] 1943/44. — Mallett.

Abbe, Albert, schwed. Maler, * 1889 Hälsingborg, ansässig in Glumslöv, Schonen.
Zuerst Stubenmaler, stud. dann an der Malschule

in Stockholm u. bei A. Lhote u. Arango an der Acad. Colarossi in Paris. Studienaufenthalte in Deutschland, Frankreich, der Schweiz u. in Italien. Figürliches, Interieurs, Landschaften (bes. aus Schonen u. von der Westküste). Bilder im Nat.-Mus. Stockholm u. in den Museen Malmö, Hälsingborg u. Landskrona.
Lit.: Thomœus. — Hoppe. — Konstrevy, 12 (1936) 105 (Abb.).

Abbé, Salomon van, holl.-engl. Kaltnadelstecher, Buchillustr. u. Maler (Öl u. Aquar.), * 31. 7. 1883 Amsterdam, ansässig in London. Naturalisierter Engländer.

Kam 5jährig nach England. Schüler von Tripp, Cecil Rae, Walter Bayes u. W. Seymour. Zuerst Pressezeichner, dann Buchillustr. (Arnold Bennett, Edgar Wallace, H. G. Wells, Oppenheim, Galsworthy). Hauptsächl. Darstellgn aus dem Leben der Richter, Polizei-, Zoll- u. Aufsichtsbeamten — Blätter von pakkender psycholog. Schärfe, oft mit satirischem Einschlag.
Lit.: Who's Who in Art, [2] 1929 p. 467. — Apollo (London), 6 (1927) 80, m. Abb.; 13 (1931) 301/04, m. 5 Abbn. — The Print Coll.'s Quarterly, 26 (1939) 292/309, m. 12 Abbn.

Abbehusen, August, s. Art. *Blendermann,* Otto.

Abbey, Iva L., amer. Maler, * 25. 3. 1882 Chester, Conn., ansässig in Wilkes-Barre, Penna.

Schüler von Griffin, Hale, Benson u. C. J. Martin.
Lit.: Fielding. — Amer. Art Annual, 20 (1923) 240.

Abbing, Frederik Hendrik, holl. Maler, * 8. 5. 1901 Teteringen, Brabant, ansässig in Amsterdam.

Schüler von J. Gabrielse in Utrecht u. von G. Westerman in Amsterdam, 1920/24 von Derkinderen an d. Reichsakad. ebda. Stud. nach einigen Jahren selbständ. Tätigkeit die Wand- u. Glasmalerei bei Roland Holst. 2 Gedenkscheiben in der Anglikan. Kirche am Groenburgwal in A'dam.
Lit.: Waay.

Abbo, Jussuff, syrischer Bildhauer u. Zeichner, ansässig in Berlin.

Kollekt.-Ausst. im Kstsalon Ferdin. Möller, Berlin, 1923 (Plastiken u. Zeichngn) u. in d. „Neuen Kunst Fides", Dresden, 1926 (ill. Kat.).
Lit.: D. Cicerone, 15 (1923) 308f.; 16 (1924) 1202; 18 (1926) 750; 20 (1928) 599. — Hellweg (Essen), 3 (1923) 14. — D. Kstblatt, 11 (1927) 33. — D. Kstwanderer, 1926/27, p. 158f., 383.

Abbot, Agnes Anne, dtsch-amer. Malerin u. Zeichnerin, * 15. 8. 1897 Potsdam, ansässig in Harvard, Mass.

Lit.: Amer. Art Annual, 30 (1933).

Abbot, Lillian Moore, amer. Malerin, * Fairfax Co., Va., ansässig in Washington.

Schülerin von E. A. Messer, Rich. N. Brooks, Cather. Critcher u. W. M. Chase.
Lit.: Who's Who in Amer. Art, I: 1936/37. — Amer. Art Annual, 30 (1933).

Abbott, Anne Fuller, amer. Malerin, * Brandon, Vt., ansässig in Washington, D.C.

Schülerin von W. M. Chase, Francis Jones u. d. Nat. Acad. of Design in New York.
Lit.: Fielding. — Amer. Art Annual, 20 (1923) 420. — Who's Who in Amer. Art, I: 1936/37.

Abbott, Edith, amer. Malerin, * 1876 Hartford, Conn., ansässig in New York.

Kollektiv-Ausst. 1946 in den Argent Gall.
Lit.: Who's Who in American Art, I: 1936/37. — The Art Index (New York), Okt. 1942/Sept. 1943, März 1947, Okt. 1948 Okt. 1949.

Abbott, Elenore, geb. *Plaisted,* amer. Malerin, Illustr. u. Plakatkünstlerin, * 1875 Lincoln (Maine), † 1935 Philadelphia. Gattin des Yarnall A.

Schülerin von L. Simon u. Ch. Cottet in Paris.
Lit.: Th.-B., I (1907). — Fielding. — Bénézit, [2] I (1948). — Amer. Art Annual, 20 (1923) 420. — Who's Who in Amer. Art, I: 1936/37. — The Studio, 63 (1915) 314.

Abbott, Francis R., amer. Maler * Philadelphia, † 1925 ebda.

Schüler d. Penna. Acad. of F. Arts in Philadelphia u. d. Acad. Julian in Paris.
Lit.: Fielding. — Amer. Art Annual, 20 (1923) 420. — Bénézit, [2] 1 (1948).

Abbott, Samuel Nelson, amer. Maler u. Illustr., * 1874, ansässig in New York.

Schüler von J. P. Laurens u. B. Constant in Paris.
Lit.: Fielding. — Amer. Art Annual, 20 (1923) 420. — Mallet.

Abbott, Yarnall, amer. Maler, * 23. 9. 1870 Philadelphia, † 1938 ebda. Gatte der Elenore A.

Schüler von Th. Anshutz in Philadelphia, von Collin u. Courtois in Paris.
Lit.: Fielding. — Amer. Art Annual, 20 (1923) 420. — Who's Who in Amer. Art, I: 1936/37. — Art a. Archaeol., 29 (1930) 13/22, m. 11 Abbn. — Monro.

'Abdon, Ida, schwed. Malerin (Öl, Aquar., Pastell), * 1884 Malmö, ansässig in Lund.

Stud. an der Akad. in Kopenhagen, bei Wilhelmson in Stockholm, weitergebildet in Paris u. Florenz. Akte, Landschaften, Stilleben.
Lit.: Thomœus.

Abdul Medjid II., aus dem Haus der Osmanen, Sohn des Sultans Abdul Asis, türk. Maler, * 1869 Konstantinopel, ansässig in Cimiez-Nice (Nizza).

Schüler von Achmed Ali Pascha, einem Schüler des Gérôme, dann von Salvator Valeri an der Kstschule in Konstantinopel. Genre u. Bildnisse. Stellte seit 1914 wiederholt im Salon der Soc. d. Art. Franç. in Paris aus (Selbstbildnis abgeb. im Kat. 1927).
Lit.: Ad. Thalasso, Orient. Maler der Türkei, Berl. 1910, p. 5, 7 (Abb.). — L'Art et les Artistes, 19 (1914) 273/80, m. 5 Abbn u. Fotobildn. — Bénézit, [2] I.

Abdullajeff, Chak, sowjet. Maler, * 1918, Usbekische SSR.

Bildnis des Helden der Sowjetunion Rachimoff, im Bes. der Direktion der Kunstausstellungen u. Panoramas in Moskau.
Lit.: Ill. Rundschau, 2. Jahrg., Nr 22, Nov. 1947, p. 16f., m. Abb. — Kat. d. Ausst. Sowjet. Malerei, im Haus der Kultur der Sowjetunion in Berlin, 1949.

Abdullajeff, Ljutfula, sowjet. Maler, * 1912, Usbekische SSR.

Bild: Eroberer der Wüste, im Bes. der Direktion der Kunstausstellungen u. Panoramas in Moskau.
Lit.: Kat. d. Ausst. Sowjet. Malerei, im Haus der Kultur der Sowjetunion in Berlin, 1949.

Abdurachmanoff, F., sowjet. Bildhauer, * 1915, Künstler der Aserbaidjanischen SSR.

Stalinpreisträger. Standbild des Helden der Sowjet-Union Tschaban.

Abdy, Rowena Meeks, amer. Landschaftsmalerin (Öl u. Aquar.) u. Illustr., * 24. 4. 1887 Wien, von amer. Eltern, ansässig in San Francisco, Calif.

Schülerin von A. F. Mathews in San Francisco. 2 Bilder im Seattle Art Mus. Buchwerk: Old California; foreword by G. Piazzoni, San Francisco 1924.
Lit.: Fielding. — Amer. Art Annual, 20 (1923) 420. — Who's Who in Amer. Art, I: 1936/37.

Abe, Künstlername *Shumpō*, jap. Landsch.- u. Geflügelmaler, * 1877 Fukuoka, ansässig in Kyōto.
Schüler von Kikuchi Hōbūn.
Lit.: Joseph, I. — Bénézit, [2] I. — Kat. d. Expos. d'Art jap., Paris, Grand Palais, 1922, u. Musée du Jeu de Paume, 1929. — Pica, p. 240 (Abb.).

Abeck, Franz, dtsch. Maler, * 20. 12. 1898 Düsseldorf, ansässig in Annaberg i. Erzgeb.
Schüler von Oedrer an d. Düsseld. Akad. Landschaften, Blumen, Tiere (Öl u. Aquar.).

Abegjan, Mger Mansskowitsch, sowjet. Maler u. Buchillustrator, * 1909, Armenische SSR.
Bild: Heimkehr des Sohnes, im Bes. der Staatl. Tretjakoff-Gal. in Moskau.
Lit.: Kat. d. Ausst. Sowjet. Malerei, im Haus der Kultur der Sowjetunion in Berlin, 1949.

Abeking, Hermann, dtsch. Graphiker u. Plakatkstler, * 26. 8. 1882 Berlin, ansässig ebda.
Lit.: Dreßler. — Dtsche Kst u. Dekor., 19 (1906–07) 509 (Abb.). — Velhagen & Klasings Monatsh., 49/II (1934/35) 670, 672 (Abb.).

Abel, Adolf, dtsch. Architekt (Prof.), * 27. 11. 1882 Paris, ansässig in München.
Stud. an d. Techn. Hochsch. Stuttgart, dann bei P. Wallot in Dresden. 1918/21 Assistent bei P. Bonatz in Stuttgart, seit 1921 Dozent an der Techn. Hochsch. ebda u. Leiter der Hochbauabteilg der Neckar-A.-G. Stuttgart. Assoziiert mit Karl Böhringer in Firma Abel & Böhringer. Seit 1925 Stadtbaudirektor von Köln, in welcher Eigenschaft er die Hauptbauten der „Pressa"-Ausstellung 1928, das Stadion der Stadt Köln u. den neuen Universitätsbau erstellte. Seit 1930 ord. Prof. an d. Techn. Hochsch. München. Eigenvilla am Herzogpark gegenüber dem Engl. Garten; Vorprojekt für einen Neubau des Glaspalastes (1932). Schuf zus. mit Karl Böhringer (* 14. 6. 1881 Stuttgart) 1921 einen Wettbewerbs-Entwurf für die Baulichkeiten der Sektkellerei Matheus Müller in Eltville, der mit dem 1. Preis ausgezeichnet und der Ausführung zugrunde gelegt wurde. Weitere Bauten: Handelskammer in Stuttgart: Stauwehr bei Untertürkheim; Staustufe Neckarsulm; Stauwehrbrücke Wieblingen b. Heidelberg; Kraftwerke in Wieblingen, Schwabenheim u. Kochendorf; Friedrich-Ebert-Brücke in Mannheim; Hängebrücke in Köln-Mülheim.
Lit.: Dreßler. — Platz. — L'Architecture, 1931, p. 33/36, m. 8 Abbn. — Dtsche Bauzeitg, 1928, p. 653–60, 669/673; 66 (1932) Nr 49, Beil. p. 1. — De Bouwgids, 21 (1929) 30ff., m. Abbn, 55ff. — D. Christl. Kst, 25 (1928/29) 120. — D. Cicerone, 20 (1928), Beibl. p. XXIII. — D. Kst, 58 (1927/28) 202 (Abb.), 203 (Abb.), 204 (Abb.); 60 (1928/29) 52; 70 (1933/34) 77/88, m. Taf. u. Abbn. — Dtsche Kst u. Dekor., 47 (1920/21) 321/26, m. Abb. — Kst u. Kstler, 31 (1932) 305f., m. Abb. — Wasmuth's Monatsh. f. Baukst, 6 (1921) 53/54, 129/36; 10 (1926) 437ff., m. Abbn; 12 (1928) 381ff., m. Abbn; 16 (1932) 437/39; 21 (1937) 149/64, m. Abbn. — Ostdtsche Monatsh., 17 (1937) 612/17. — Zeitschr. d. Rhein. Ver. f. Denkmalpflege u. Heimatschutz, 21 (1928) H. 2, p. 140 (Abb.), 142, 143/45, m. Abbn, 146/47 (Abbn). — Böhringer betr.: Profanbau, 1912 p. 293, 549; 1914 p. 154/64.

Abel, Adolf, dtsch. Bildhauer, * 10. 9. 1902 Heidelberg, ansässig ebda.
Stud. an der Landeskunstsch. in Karlsruhe u. an den Verein. Staatsschulen für Freie u. Angewandte Kst in Berlin als Meisterschüler Gertels. Studienaufenthalte in Rom u. Paris. Rompreis 1930. Hauptsächlich Bauplastik u. Akte. Kollekt.-Ausst. Juli/Aug. 1951 im Kurpfälz. Mus. in Heidelberg.
Lit.: Nemitz, p. 8, 9 (Abbn). — Burg, Der Bildh. F. A. Zauner u. s. Zeit, Wien 1915. — Das sind Wir. Heidelb. Bildner usw., 1934, p. 159 (Abb.), 160, 161 (Abb.: Selbstbildnis). — Die Kst, 85 (1941/42) 224–28, m. Abbn. — Dtsche Kst u. Dekor., 64 (1929) 302. — Kat. Juryfreie Kstschau Berlin 1929, Nr 1–6 u. Taf. 66 (Büste A.s, modelliert von Aug. Tölken).

Abel, Leona, ungar. Interieur- u. Stilllebenmalerin, * 1872 Budapest, ansässig in Wien.
Stud. in Wien bei K. Moll u. bei Schwill in München.
Lit.: Szendrei-Szentiványi. — Krücken-Parlagi.

Abel, Louise, amer. Bildhauerin, * 7. 9. 1894 Mt. Healthey, Ohio, ansässig ebda.
Schülerin von Barnhorn, Meakin u. Wessel. Hauptsächlich Bildnisstatuetten.
Lit.: Fielding. — Amer. Art Annual, 20 (1923) 240.

Abel, Myer, amer. Maler, * 1904, † 1946.
Gedächtnis-Ausst. Jan. 1947 im Mus. in Cincinnati.
Lit.: Mallett. — Monro. — Art Digest, 1. 12. 1941, p. 18, m. Abb. — Cincinnati Art Mus. Newsnotes, 3. 1. 1947.

Abela, Eduardo, kuban. Maler u. Zeichner, * Havanna, ansässig in Paris.
Stellte 1928 im Salon der Soc. d. Art. Franç. eine Ansicht von Havanna aus. Kollektiv-Ausst. in d. Gal. Zak, Paris, Januar 1929.
Lit.: Bénézit, [2] I (1948). — La Renaiss. de l'Art franç., 12 (1929) 65, m. Abb.

Abelenda, Manuel, span. Landschaftsmaler, * in Galicien.
Lit.: Francés, 1917 p. 358 (Abb.); 1925/26 p. 166.

Abeljanz, Arthur, schweiz. Bildhauer, * 1885 Zürich, ansässig in Berlin.
Stud. zuerst Architektur in Zürich, München u. Darmstadt. Ging in Rom zur Bildhauerei über. Arbeitete bei Floßmann in München, Aktstudien bei Knirr. Seit 1912 hauptsächl. als Bau- u. Porträtplastiker in Zürich, später in Berlin tätig.
Lit.: Dreßler. — Schweiz. Bauzeitg, 69, Taf. 2. — D. Kstblatt, 7 (1923) 362. — D. Werk (Zürich), 1915, Heft 9, p. X, 199, m. Abb. — Kat. Febr.-Ausst. Kstaus Zürich 1914, p. 10, 14.

Abeloos, Sonia, belg. Malerin (bes. Hafen- u. Strandbilder), * 1. 1. 1876 Brüssel.
Lernte bei Verheyden u. Palmer an d. Akad. Brüssel. Stellte in Brüssel, Paris (Soc. Nat. 1910/18), London (1909/18) u. a. O. aus.
Lit.: Joseph, I. — Bénézit, [2] I (1948).

Abeloos, Victor, belg. Landsch.-, Tier- u. Bildnismaler, * 25. 12. 1881 Saint-Gilles (Brüssel).
Schüler von A. Cluysenaar. Impressionist.
Lit.: Th.-B., I (1907). — Seyn, I. — Bénézit, [2] I (1948).

Abercrombie, Gertrude, amer. Malerin, * 17. 2. 1909 Austin, Tex., ansässig in Chicago, Ill.
Lit.: Who's Who in Amer. Art, I: 1936/37. — Mallett. — Monro. — The Art News, 40, Nr v. 1. 1.

1942, p. 22 (Abb.); 44, Nr v. 15. 1. 1946, p. 21. — Art Digest, 20, Nr v. 1. 2. 1946, p. 13, m. Abb.; 15. 4. 46, p. 8 (Abb.). — Chicago Art Inst. Bull., 40 (1946) 41 (Abb.).

Abercrombie, Sir Patrick (Leslie P.), engl. Architekt, * 1879, ansässig in Aston Tirrold, Berks.

1915/35 Prof. für Civic Design an der Univ. Liverpool. Seitdem Prof. für Stadtplanung an der Univ. London.

Lit.: The Internat. Who's Who, [8] 1943/44. — Roy. Instit. of Brit. Architects. Journal, s. 3 vol. 53, Dez. 1945 p. 33, Januar 1946, p. 65; vol. 55, März 1948, p. 223, Juli 1948, p. 379. — Architectural Review (London), 102, Nov. 1947, p. 159/70. — L'Architecture d'aujourd'hui (New York), 20, März 1949, p. VII.

Åberg, Martin, schwed. Maler, * 4. 10. 1888 Ljusnarsberg, Örebro län, † 1946 Stockholm.

Schüler von V. Lindblad in Örebro (1907/09) u. von C. Wilhelmson in Stockholm (1911/17), weitergebildet 1921/25 in Deutschland, Österreich u. Italien. 1925/26 mit Akad.-Stipendium in Frankreich. — Bildnisse, Figürliches, Landschaften, Marinen. Bilder in den Museen in Örebro, Norrköping u. Västerås u. in d. Smlg des Prinzen Eugen (†). 3 Bilder im Nat.-Mus. Stockholm.

Lit.: G. Svensson, M. Å., 1945. — Vem är det?, 1935. — Joseph, I. — Hoppe. — Thomœus. — N. F., 23 (Suppl.). — Konstrevy, 1927, H. 3, p. 20; 1930 p. 115; 1935, p. 95 (Abb.); 1937: Spezial-Nr I A p. 45 (Abb.); 1938 p. 120, m. Abb. — Ord och Bild, 39 (1930) Abb. vor p. 401; 49 (1940) Taf.-Abb. vor p. 241. — Vem är Vem i Norden, 1941 p. 1531. — Nat.-Mus. Stockh. [Bilderbuch], 1948 p. 121.

Åberg, Oskar, schwed. Maler u. Graphiker, * 1864 Uppsala, † 1940 Stockholm.

Schüler von Perséus u. Tallberg. Bildnisse, Genre, Landschaften, Hafenansichten, bisweilen mit Figuren.

Lit.: Thomœus.

Åberg, Per (Pelle), schwed. Figurenmaler, * 1909 Stockholm, ansässig ebda.

Stud. in Italien. Bilder in den Museen Norrköping, Linköping, im Ateneum in Helsinki u. in der Smlg des Prinzen Eugen v. Schweden (†).

Lit.: Thomœus.

Abesser, Hans, s. Art. *Kröger*, Jürgen.

Abin, César, span. Karikaturenzeichner u. Landschaftsmaler.

Lit.: Francés, 1916 p. 115; 1917 p. 28 (Abb.); 1919 p. 304.

Ablett, William Albert, engl. Maler u. Graph., * 9. 7. 1877 Paris, von engl. Eltern, † 1936 ebda.

Schüler von A. Aublet u. Gérôme. Stellte seit 1900 im Salon der Soc. d. Art. Franç u. in der Londoner Roy. Acad. aus. Seit 1909 Mitglied der Soc. Nat. d. B.-Arts. Pflegte bes. das Damenbildnis. Bilder im Mus. in Blois u. in der Smlg Wanamaker in Philadelphia. – Illustr. zu Choderlos de Laclos, „Les Liaisons dangereuses".

Lit.: Th.-B., I (1907). — Joseph, I, m. Abb. — Bénézit, [2] I (1948). — Qui Etes-Vous?, 1924. — The Studio, 59 (1913) 41 (Abb.). — Beaux-Arts, 8 (1930) Nr 2 p. 18, m. Abb.; 9 (1931) Nr v. 25. 7., p. 21. — Revue de l'Art anc. et mod., 69 (1936) 302.

Ablonet, Henri Jean, franz. Bildhauer, * 11. 1. 1877 Bordeaux, ansässig in Paris.

Lit.: Joseph, I (irrig: Maler). — Bénézit, [2] I.

Abonnel, Michel, franz. Bildnismaler, * 15. 1. 1881 Clermont-Ferrand, † 2. 2. 1915 Saint-Chamond.

Schüler von Cormon in Paris. Mitglied der Soc. d. Art. Français. Malte in Öl u. Pastell.

Lit.: Joseph, I. — Ginisty, 1916. — Le Livre d'Or d. peintres expos., 1921 p. VI. — Bénézit, [2] I.

Abonyi, Ernő, ungar. Maler u. Linolschneider, * 1888 Budapest.

Stud. in Budapest bei Ferenczy, in München bei Hollósy, dann in Paris bei J. P. Laurens u. Steinlen. Figürliches. Exlibris.

Lit.: Szendrei-Szentiványi.

Abou, Albert Hippolyte, franz. Maler, * Marseille, ansässig in Paris.

Schüler von Cormon, J. P. Laurens, H. Royer u. Fouqueray. Stellt im Salon der Soc. d. Art. Franç. aus (Kat. z. T. m. Abbn). Genre, Akte, Bildnisse, Landschaften, Stilleben.

Lit.: Joseph, I. — Bénézit, [2] I (1948).

Abrachev, Iwan, bulgar. Wandmaler u. Kstkritiker, * 20. 4. 1903 Sliven, ansässig in Boston, Mass., USA. Bruder des Folg.

Stud. in Sofia u. bei Giozepc Menato in Rom, weitergebildet in Sofia. Arbeiten in Pará, Pernambuco u. Rio de Janeiro.

Lit.: Who's Who in Amer. Art, I: 1936/37.

Abrachev, Nikolai, bulgar. Wandmaler u. Kstkritiker, * 29. 7. 1897 Sofia, ansässig in Boston, Mass., USA. Bruder des Vor.

Stud. in Sofia u. bei Ant. Mancini in Rom. Arbeiten in Pará, Pernambuco, Rio de Janeiro, São Paulo u. a. O. Herausgeber der Kstzeitschr. „Zemja".

Lit.: Who's Who in Amer. Art, I: 1936/37. — The Philadelphia Mus. Bull., 37, Nov. 1941, Part I, p. [5], Abb.

Abraham, Pol, franz. Architekt u. Fachschriftst., * 2. 3. 1891 Nantes, ansässig in Paris.

Sanatorium „Plaine-Joux" am Mont-Blanc; Sanatorium „Guébriant" (La Clairière) in Passy (Haute-Savoie), gemeins. mit Henry Le Même. — Buchwerk: Viollet-le-Duc et le Rationalisme médiéval, Paris 1933.

Lit.: Joseph, I. — L'Architecture, 1929 p. 129/40; 1935 p. 413/32. — L'Art vivant, 1929 p. 639f., m. 7 Abbn; 1935 p. 21 f., m. 2 Abbn. — Monatsh. f. Baukst u. Städtebau, 16 (1932) 216/19. — L'Architecte, Febr. 1933, p. 13/17, m. 2 Taf. u. 8 Abbn; Mai 1933, p. 55/57, m. 2 Taf. u. 8 Abbn; 1934 p. 5/7, m. 1 Taf. u. 5 Abbn; 1935 p. 413/32, m. 44 Abbn. — Beaux-Arts, 1934 Nr 104 p. 2, m. Abb.; Nr v. 1. 2. 1946, p. 2. — Bulletin Monumental, 1934 p. 69/88. — The Studio, 111 (1936) 197 (Abb.), 203 (Abb.). — D. Werk (Zürich), 20 (1933) 91 (Abbn), 92 (Abb.), 94/95 (Abb.).

Abrahamsen, Christian, amer. Landschaftsmaler u. Illustr., * 1887 Norway, Mich.

Lit.: Fielding. — Monro.

Abrahamson, Erik, schwed. Maler u. Zeichner, * 1913 Singö (Stockholm), ansässig in Stockholm.

Schüler von Ollers. Studienreisen im Ausland. Bildnisse, Figürliches. Altartafeln u. a. in Vislanda, Gällaryd u. Trogared u. in der Chorkapelle der Oskar-Frederiks-Kirche in Göteborg. Glasmalereien in Söndrum. Auch Buchillustrationen.

Lit.: Thomœus.

Abrahamsson, Ola, norweg. Maler u. Lithogr., * 30. 6. 1883 Stavanger, ansässig in Oslo.

Stud. an d. Kunst- u. Handw.-Schule u. an d.

Akad. in Oslo, 1912 bei Henrik Sørensen, 1920/21 bei A. Lhote, R. Bissière u. Kisling in Paris. Landschaften, Figürliches. Koll.-Ausst. 1918 bei Blomqvist in Oslo (Kat.). 2 Landschaften in d. Nat.-Gal. Oslo (Kat. 1933).
Lit.: Vem är Vem i Norden, Stockh. 1941, p. 598. — Kunst og Kultur, 19 (1933) Abb. p. 194. — Aftenbl., v. 20. 3. 1918. — Tidens Tegn., 1918 Nr 38. — Verdens Gang, 1918 Nr 33.

Abrahamsson, Rudolf, schwed. Maler, * 1911 Arnäs (Västernorrland), ansässig in Örnsköldsvik.
Stud. an der Techn. Schule in Stockholm, dann in Dänemark u. Deutschland. Figürliches, Landschaften (bes. aus Norrland).
Lit.: Thomœus.

Abrami, Felice, ital. Landschaftsmaler, * 1872 Mailand, † 7. 8. 1919 bei Abbiate Guazzone.
Schüler von Fil. Carcano.
Lit.: Comanducci.

Abramoff, Nikolai, sowjet. Intarsiator.
Stellt Bilder (Landschaften, Tiere, Figürliches, Sagenstoffe) aus dünnen bemalten Holzplatten zusammen, die in Vertiefungen eingelegt u. zum Schluß zusammengeklebt werden.
Lit.: Illustr. Rundschau, August 1947, Nr 15, m. 4 Abbn u. Fotobildnis.

Abramovitz, Albert, lettisch-amer. Maler, * Riga, ansässig in New York.
Autodidakt. Stellte 1912ff. in Paris aus. Landschaften, Blumenstücke, Akte, Interieurs.
Lit.: Fielding. — Bénézit, [2] 1 (1948). — Radical (Paris), Nr 1091 v. 14. 3. 1913. — Art Digest, 20 Nr v. 1. 3. 1946, p. 14, m. Abb.

Abramowskij, Ismael, russ.-amer. Landschafts- u. Porträtmaler, * 10. 9. 1888 Kiew (Ukraine), ansässig in Toledo, Ohio, USA.
Schüler von Laparra, J. P. Laurens u. Jos. Bergès in Paris. Beschickte die offiz. Salons 1923/31. Kollektiv-Ausst. in den Art Gall. in Toledo, Ohio, April 1925, u. im Jewish Mus. in New York, Okt. 1948. Bilder im Luxembourg-Mus. in Paris u. in den Museen Brooklyn, N. Y., u. Toledo, O.
Lit.: Who's Who in Amer. Art, I: 1936/37. — Bénézit, [2] I (1948). — The Art News, Nr 27 v. 11. 4. 1925, p. 7, m. Abb.; 47, Okt. 1948, p. 58.

Abrams, Lucien, amer. Genremaler, * 10. 6. 1870 Lawrence, Kansas, ansässig in Lyme, Conn.
Schüler von J. P. Laurens, B. Constant, Collin u. Whistler an d. Acad. Julian in Paris. Bilder im Dallas Mus. of F. Arts.
Lit.: Fielding. — Amer. Art Annual, 20 (1923) 240. — Who's Who in Amer. Art, I: 1936/37. — Bénézit, [2] I (1948).

Abramson, Rosalind, amer. Malerin u. Rad., * 14. 1. 1901 Norfolk, Va., ansässig in New York.
Schülerin von Bridgman, Bellows u. Du Mond.
Lit.: Fielding. — Amer. Art Annual, 20 (1923) 240.

Abril y Blasco, Salvador, span. Marine- u. Landschaftsmaler, * 1862 Valencia, † 23. 8. 1924 ebda.
Direktor der Kunst- u. Handwerksschule in Valencia. Bilder im Mus. ebda u. im Mus. de Arte mod. in Madrid.
Lit.: Th.-B., 1 (1907). — Archivo de Arte valenc., 10 (1924) 86.

Abt (Apáti), Sándor, ungar. Bildhauer u. Kstgewerbler, * 14. 1. 1870 Torda, ansässig in Budapest.
Stud. 1885/89 an d. kstgew. Hochsch. in Budapest, dann Schüler J. Eberles an der Münchner Akad., 1892/95 Strobls in Budapest. 1898 zum künstler. Leiter der keram. Fabrik Zsolnay berufen, für die er in den folg. Jahren zahlr. Modelle lieferte. Zugleich Prof. an der dort. keram. Schule. Seit 1909 Prof. für Bildhauerkst an der Gewerbezeichensch. in Budapest. Hauptwerke: Miklós-Denkmal in Kecskemét (1896); Königsstatue vor der Ludovika-Akad. in Budapest; Denkmal in Pécs (Fünfkirchen). In der Smlg Eszterházy: Singender Knabe.
Lit.: Szendrei-Szentiványi (s. v. Apáti). — Krücken-Parlagi. — Művészet, 15 (1916) 71.

Acard, Christine, franz. Kinderbildnis- u. Stillebenmalerin, * Auxerre (Yonne), ansässig in Paris.
Schülerin von Marthe Bougleux, Bivel u. Jacques Simon.
Lit.: Joseph, I (Jacqueline A.). — Bénézit, [2] I.

Acerbi, Ezechiele, ital. Genre-, Bildnis- u. Landschaftsmaler, * 10. 4. 1850 Pavia, † 20. 2. 1920 ebda. Vater des Mario.
Schüler von Giac. Trecourt. Selbstbildnis in der Scuola Civica in Pavia.
Lit.: Comanducci, m. Abb.

Acerbi, Mario, ital. Genremaler, * 18. 8. 1887 Pavia, ansässig ebda. Sohn des Vor.
Schüler s. Vaters u. Giorgio Kienerk's.
Lit.: Comanducci.

Acézat, Kéty, franz. Malerin u. Bildhauerin, * Paris, ansässig ebda.
Schülerin von J. Adler u. Bergès, als Bildh. von Emm. Hannaux. Stellte im Salon der Soc. d. Art. Franç. 1927 2 Landschaften u. eine Damenbüste (Gips) aus. Beschickte 1928f. den Salon d'Automne.
Lit.: Bénézit, [2] I (1948).

Acézat, Michel, franz. Glasmaler, * Angers, † 1943.
Hauptsächl. Restaurator u. Kopist von mittelalterl. Glasgemälden.
Lit.: Bénézit, [2] I (1948).

Achard, Georges (Jean G. Pierre), franz. Bildhauer, * 13. 3. 1871 Abzac (Gironde), † 1934 Bordeaux.
Schüler von Falguière. Stellte seit 1894 im Salon aus. Mitgl. d. Soc. d. Art. Franç. Silb. Med. 1922. Hauptsächl. Porträtbüsten (Tolstoj, 1912). Im Luxembourg-Mus. in Paris eine Bleistiftzeichng: Studie zu einem Basrelief.
Lit.: Th.-B., I (1907). — Joseph, I. — Bénézit, [2] I. — Chron. d. Arts, 1913, p. 241. — Revue de l'Art anc. et mod., 66 (1934) 353.

Achenbach, Friedrich, dtsch. Architekt (Reg.- u. Baurat), * 7. 10. 1882, zuletzt ansässig in Schlawe, Pommern.
Stud. an der Techn. Hochsch. Charlottenburg. Pädagogium in Züllichau; Amtsgericht in Olpe i. W.
Lit.: Dreßler.

Achenbach, Hans, dtsch. Maler u. Holzschneider, * 3. 3. 1891 Ohle (Westf.), ansässig in Siegen/Westf.
Szenen aus d. Siegerländer Bauernleben.
Lit.: Dreßler.

Achener, Maurice, elsäss. Landschaftsmaler, Radierer u. Holzschneider, * 17. 9. 1881 Mülhausen, ansässig in Paris.
Stud. in Straßburg u. München (P. Halm u. L. v.

Löfftz), dann in Paris bei J.P. Laurens. Illustr. u. a. zu M. Maeterlinck: La Prinzesse Malaine; G. d'Annunzio: Le Feu; Em. Zola: La Faute de l'Abbé Mouret.

Lit.: Th.-B., 1 (1907). — Joseph, 1. — Bénézit, [2] 1 (1948). — Ill. elsäss. Rundschau, 12 (1910) 20ff.; 14 (1912) 29/40; 15 (1913) Orig.-Rad. nach p. 60. — Revue de l'Art anc. et. mod., 30 (1911) 37, Taf.-Abb. nach p. 40. — Vita d'Arte, 11 (1913) 201 (Abb.), 202. — Cat. Expos. M. A. Son œuvre gravé (du 12 mars du 2 Avril 1927), Le Vésinet, Vorw. v. A. Blum, m. Taf.-Abb.

Acheson, Alice, geb. *Stanley*, amer. Malerin, * 12. 8. 1895 Charlevoix, Mich., ansässig in Washington, D. C.

Schülerin von Howard Smith u. Rich. Meryman.

Lit.: Amer. Art Annual, 30 (1933). — Who's Who in Amer. Art, I: 1936/37. — Art Digest, 16, Nr v. 1. 5. 1942, p. 23. — Beaux-Arts, Nr v. 19. 7. 1946, p. 3, m. Abb.

Achiardi, Pietro D', ital. Maler u. Kunstschriftst., * 28. 8. 1879 Pisa, ansässig in Rom.

1909/13 Direktor der Gall. Borghese, seit 1913 Lehrer f. Kstgesch. an der Accad. di B. Arti in Rom. Hauptsächl. Landschafter. - Buchwerke (Auswahl): Seb. del Piombo, Rom 1909; Les dessins de Fr. Goya, ebda 1908; La nuova Pinac. Vatic., Bergamo 1914; Caratteri e valori d'arte sacra, Rom 1936.

Lit.: Chi è?, 1940. — The Studio, 65 (1915) 137. — Rass. d'Arte ant. e mod., 21 (1921) 114.

Achilles, Henry, dtsch. Innenarchitekt, ansässig in München.

Möbel in bunter Lackarbeit.

Lit.: D. Kunst, 52 (1924/25) 73/79, m. Abbn; 54 (1925/26) 246/52 (Abbn).

Achini, Angiolo, ital. Genre- u. Landschaftsmaler (Öl u. Aquar.), * 1850 Mailand, † 16. 1. 1930 ebda.

Schüler der Brera-Akad. in Mailand. Mehrere Bilder, darunter Verhaftung Savonarola's, in der dort. Gall. d'Arte Mod.

Lit.: Th.-B., I (1907). — Comanducci, m. Abb. — Bénézit, [2] I (1948).

Achleitner, Adolf, dtsch. Jagd- u. Tiermaler, ansässig in München.

Schüler von Schmid-Reutte an der Akad. München.

Lit.: Dreßler.

Achmann, Josef, dtsch. Maler u. Holzschneider, * 26. 5. 1885 Regensburg, ansässig in Schliersee.

Stud. an der Westenrieder-Schule in München u. an der dort. Akad. 1912/14 in Paris. Seit 1919 Herausgeber der Zeitschr. „Die Sichel" (zus. mit Gg. Britting). 1926 in Italien. Hauptsächlich Landschafter. Beeinflußt von Cézanne. Summarisch stilisierender Graphiker. Auch seine Bilder streng, holzschnittartig in der Formgebung. Mappenwerke: Achmann (Heft 6 der Reihe der Kstlerhefte der „Saturne"), 2 sign. Holzschnitte mit Text v. G. Britting, Verlag der Saturne, Konstanz; Die kleine Stadt, 6 Holzschn. (Graphikbücher „Der schwarze Turm"), November-Verl. Kiel, mit Text von G. Britting. Bilder in der Staatsgal. München (Ital. Landschaft) u. in d. Städt. Gal. ebda (Winterlandsch.).

Lit.: Dreßler. — Breuer, p. 69/71, m. 3 Abbn, dar. Selbstbildn. v. 1931. — D. Cicerone, 12 (1920) 763; 13 (1921) 469/471, 473, 476 (Abbn), 477/82, m. 5 Abbn; 20 (1928) 503 (Abb). — Die Kst, 57 (1927/28) 354 (Abb.), 356; 59 (1928/29) Abb. geg. p. 265; 61 (1929/30) 11 (Taf.), 332 (Abb.); 65 (1931/32) Abb. nach p. 40. — D. Kst u. d. schöne Heim, 48 (1949/50) 372 (Abb.). — Velhagen & Klasings Monatsh., 48 (1933/34/II) 40/41 (farb. Taf.), 112. — Westermanns Monatsh., 158 (1935) 84, Abb. am Schluß d. Bandes. — Die Weltkst, 13, Nr 14 v. 9. 4. 1939, p. 2, m. Abb. — Münchener N. Nachr., 17. 12. 1929, Beil.: Die bild. Kste, m. Abb. — Heute, 15. 9. 1946.

Achrem-Achremowicz, Gracjan, poln. Maler u. Graph., * 31. 12. 1899 Mińsk, ansässig in Wilna.

Stud. an der Chelsea School u. der Grosvenor School in London.

Lit.: Czy wiesz kto to jest?, 1938. — Treter.

Achtenhagen, Leopold, dtsch. Architektur- u. Genremaler u. Gebrauchsgraphiker, * 11. 10. 1881 Berlin, ansässig ebda.

Lit.: Dreßler.

Acin, Ramón, span. Blumen- u. Stillebenmaler, * Saragossa.

Stellte 1929 im Salon der Soc. d. Art. Franç. in Paris aus.

Lit.: Francés, 1920 p. 43 (Abb.), 44. — Bénézit, [2] I (1948).

Ackein, Marcelle, franz. Figuren- u. Landschaftsmalerin, * 26. 11. 1882 Algier, ansässig in Paris.

Schülerin von F. Humbert. Mitglied der Soc. d. Art. Franç. (Salon-Kat. z. T. m. Abbn). Stellt auch bei den Indépendants aus. Ansichten aus Marokko, dem Sudan u. Guinea.

Lit.: Joseph, I. — Bénézit, [2] I (1948). — The Studio, 100 (1930/II) 56, 57 (Abb.).

Acker, Herbert, amer. Maler, * 4. 10. 1895 Pasadena, Calif., ansässig in San Marino, Calif.

Schüler von Cecilia Beaux u. Frank V. Du Mond.

Lit.: Amer. Art Annual, 20 (1923) 420. — Who's Who in Amer. Art, I: 1936/37. — Bénézit, [2] 1 (1948).

Ackeren, Carl van, dtsch. Bildhauer, * 1906 Köln, ansässig in Düsseldorf.

Lit.: D. Münster, 2 (1948/49) 201.

Ackermann, Gerald, engl. Landschaftsmaler (Aquar.), * 13. 2. 1876 Blackheath, ansässig in London.

Lit.: Th.-B., 1 (1907). — Who's Who in Art, [3] 1934. — The Studio, 19 (1900) 120 (Abb.). — The Connoisseur, 58 (1920) 239; 69 (1924) 113; 77 (1927) 250. — The Artist, 32 (1946) 89/91.

Ackermann, Max, dtsch. Maler u. Graph., * 5. 10. 1887 Berlin, ansässig in Stuttgart.

Stud. 1906 bei Henry van de Velde an d. Kstschule in Weimar, 1908 bei Rich. Müller in Dresden, 1909 kurze Zeit bei Stuck in München. Seit 1912 in Stuttgart, gefördert von Ad. Hölzel, mit dem er in enger Verbindung blieb. 1918/19 Mitglied des „Blauen Reiter". Begann um 1919 zu radieren. Sittengraphiker, aber weniger ätzend als Dix oder George Grosz. 1920 Ausst. der Abstrakten in Stuttgart. 1924 Kollektiv-Ausst. ebda. 1926 in Paris u. der Normandie. 1928 Begegnung mit Kandinsky. 1930 im Tessin. 1932 Ausst. in Mannheim. 1933 Ausstellungsverbot; 1936 Lehrverbot. Übersiedlung nach Horn am Bodensee. Seit 1946 in Stuttgart. Lehramt für absolute Malerei an der Volkshochschule. Mitgl. der Stuttg. Sezession. Letzte Sammelausst.: Gal. Rosen, Berlin, Juli 1949; Gal. Egon Günther, Mannheim, 1950. Graph. Hauptblätter (meist Kaltnadel, unmittelbar u. ohne Vorzeichnung in das Metall gegraben; meist gr. Formate): Raucher (1920); Extrablatt (1921); Straße (1923); Liebespaar (1923); Café (1924); Radio (1925); Bauplatz (1926); Ladenschluß (1926); Der Maler (1927); Vagabunden (1929); Wochenend (1931); Mädchen auf der Parkbank (1931). Bildnisse: Architekt Hans Schöpfer; Julius Bab; Heinr. Altherr; Heinr. Weizsäcker.

Lit.: Die schöpferischen Kräfte. — D. Graph. Kste (Wien), 56 (1933) 83/88, m. Abbn. — D. Kstwerk, 1 (1946/47) H. 8/9 p. 53; 2 (1947/48) H. 5/6 p. 58, 61 (Taf.); 4 (1950) 88, m. Abb. — D. Kst u. d. schöne Heim, 48 (1950) 149; 50 (1951/52) 165 (Abb.), H. 2 Beil. p. 53. — Prisma (München), 1 (1947) H. 8 p. 34 (Abb.). — Ausst.-Kat.: Maler d. Gegenw. III: Extreme Malerei, Schaezler-Palais, Augsburg, Febr. 1947, m. Abb.; Dtsche Malerei u. Plastik d. Gegenw., Staatenhaus d. Messe, Köln, 14. 5.–3. 7. 1949; Dtsch. Kstlerbund 1950, 1. Ausst. Berlin 1951, m. Abb.

Ackermann, Otto, dtsch. Landschaftsmaler, * 14. 2. 1872 Berlin, ansässig in Düsseldorf.

Schüler von H. Eschke. Bilder in den Gal. in Düsseldorf u. Barcelona.

Lit.: Th.-B., I (1907). — Dreßler. — D. Kunst, 27 (1912/13) 552 (Abb.).

Ackermann, Rudolf, dtsch. Maler, * 30. 10. 1908 Wuppertal, ansässig in Düsseldorf.

Stud. an der Kstgewerbesch. Wuppertal. Lebt seit 1939 in Düsseldorf.

Ackermann-Pasegg, Otto, dtsch. Landschaftsmaler, Rad. u. Kupferstecher (Prof.), * 2. 10. 1882 Plauen i. V., ansässig in Oberammergau.

Lit.: Dreßler.

Ackerson, Floyd Garrison, amer. Maler, * 1. 1. 1889 Portage, Mich., ansässig in Wilkinsburg, Pa.

Stud. an d. Carnegie Art School in Pittsburgh, Pa.

Lit.: Fielding. — Amer. Art Annual, 20 (1923) 420. — Who's Who in Amer. Art, I: 1936/37.

Acket, Désiré, belg. Holzschneider, * 1905 Antwerpen.

Illustr. zu: „Kalewala"; Flaubert, Madame Bovary; Stendhal, Rouge et Noir; Karel van de Woestyne, Romeo oder der Verliebte, usw.

Lit.: Apollo (Brüssel), Nr 10 v. 1. 3. 1942, p. 13 (Abbn). — Kat. d. Ausst. Fläm. Graphik d. Gegenw.,Ksthalle Mannheim 1942.

Ackland, Judith, engl. Landschaftsmalerin (Aquar.), * Bideford, Devon, ansässig ebda.

Lit.: Who's Who in Art, [3] 1934.

Acontz, Nutzi, rumän. Landschaftsmaler, * 1901 Jassy (Iaşi), ansässig in Bukarest.

Stud. an der Kunstsch. in Jassy. Studienaufenthalte in Griechenland u. Frankreich. Aquarell im Mus. Toma Stelian in Bukarest (Kat. 1939).

Acoquat, Louise Marie, franz. Blumen- u. Landschaftsmalerin (Öl u. Aquar.), * Pontivy (Morbihan), ansässig in Neuilly/Seine.

Schülerin von Luigi Loir u. von Mme Dumoulain. Stellte 1879/1939 im Salon aus.

Lit.: Joseph, I. — Bénézit, [2] I.

Acosta, Martínez, span. Maler (bes. Panoramenmal.), * Sevilla, † 1927 Almería.

Gründete um 1905 die Kstakad. in Almería.

Lit.: The Art News, 25, Nr 19 v. 12. 2. 1927, p. 13.

Acquaderni, Carlo Graf, ital. Maler u. Rad., * 3. 10. 1895 Sasso b. Bologna, † 3. 9. 1916 in einem Kriegslazarett.

Stud. 1913ff. an d. Akad. in Bologna.

Lit.: Comanducci. — Cronache d'Arte, 3 (1926) 322/28, m. 7 Abbn.

Ács, Ferencz, ungar. Bildnis- u. Genremaler, * 16. 6. 1876 Klausenburg (Kolozsvár; jetzt Rumänien), ansässig in Budapest.

Stud. 1893/94 bei B. Székely in Budapest, dann bei Hollósy in München, gefördert auch von Lenbach. 1899 zurück nach Klausenburg. 1901/06 in Budapest; dort Sammelausst. 1906.

Lit.: Szendrei-Szentiványi, p. 60.

Ács, Mária, ungar. Malerin, * 10. 10. 1880 Tata-Tóváros.

Stud. in Budapest, Rom u. München.

Lit.: Szendrei-Szentiványi. — Krücken-Parlagi.

Acuña y Gómez de la Torre, José, katal. Bildnismaler, * Barcelona, ansässig in Madrid.

Lit.: Kat. d. Expos. Nac. de Pintura etc., Madrid 1910.

Acuña, Luis Alberto, colombian. Maler, Lithogr., Bildhauer u. Schriftst., * 1904 Suaita, Prov. Santander, ansässig in Bogotá.

Ging 1924 mit Staatsstipendium nach Europa, stud. bei Bouchard u. Landowski in Paris. Stellte 1926/29 bei den Indépendants aus. Reiste viel. 1930 zurück nach Bogotá. Direktor des Colón-Theaters ebda u. Lehrer an der Nat. University. Im Luxembourg-Mus. in Paris eine Plastik: Der Zentaur Nessus. Bilder im Mus. f. Mod. Kst in New York u. im Mus. in San Francisco.

Lit.: Kirstein, p. 45, 93, Abb. p. 46. — Bénézit, [2] I. — Architect a. Engineer, Dez. 1952, p. 6.

Aczél, Henrik, ungar. Maler u. Kstgew., * 18. 6. 1876 Nagyvárad (Großwardein), ansässig in Szabadka.

Schüler von E. Szamossy, dann von B. Székely u. K. Lotz in Budapest. Als Holzschnitzer Schüler von G. Morelli. Studienreise in Italien. 1896 als Maler weitergebildet in München. Entwürfe für Möbel, Lederarbeiten, Spitzen. Leiter der Kunstschule in Szabadka.

Lit.: Szendrei-Szentiványi. — Krücken-Parlagi.

Adães Bermudes, Arnaldo Redondo, portug. Architekt, * 28. 9. 1864 Porto, † 28. 2. 1948 Lissabon.

Stud. an der Akad. in Lissabon. Prof. an der dort. Kunstsch. Mitglied der Kommission zur Erhaltung u. Pflege der Nationaldenkmäler u. des Kunstrates. Als Staatsstipendiat im Ausland, besuchte die Pariser Ec. d. B.-Arts u. die Kurse Paul Blondel's. Beschickte u. a. den Salon des Grémio Artistico 1894, die Pariser Weltausst. 1900, den Salon der Soc. Nat. d. B.-Arts Paris 1911 u. die Panama-Pacific Expos. 1915. Gold. u. Silb. Med. 1900, Ehrenmed. u. Gold. Med. 1915. 1. u. 2. Preise im Wettbewerb um die Restaurierung der Kirche u. des Klosters des hl. Hieronymus in Lissabon 1895; 1. Preis im Wettbewerb um die Wirtschaftsquartiere in Lissabon, Porto u. Covilhã 1897. Valmor-Preis 1910. 1. Preis im Wettbewerb um einen Ausstellungspalast der Stadt Lissabon. — Werke: Denkmal des port. Staatsmannes Marquis v. Pombal in Lissabon (in Zusammenarbeit mit d. Archit. Antonio do Couto u. d. Bildh. Franc. Santos); Agenturen der Bank von Portugal in Bragança, Coimbra, Évora, Faro, Vizeu u. Vila Real; Hospitäler in Oleiros u. Covilhã; Gefängnisse in Anadia u. Sintra; Kirchen in Espinho u. Amorim; Grabmal des Wohltäters der „Santa Casa da Misericordia" in Lissabon Paços do Concelho de Sintra; Erweiterung des Nat.-Mus. für Alte Kunst in Lissabon; Hochschule für Landwirtschaft ebda; Haus des Grafen Agrolongo in Lapa, Lissabon.

Lit.: Gr. Encicl. Port. e Brasil., I 373.

Adam, David Livingstone, schott. Maler, * 1883 Glasgow, † 1924 Chicago, Ill.
Stud. an d. Kstschule in Glasgow, dann bei Jean Delville u. Maur. Greiffenhagen, weitergebildet an d. Akad. Brüssel u. am Art Inst. Chicago.
Lit.: Fielding. — The Art News, 22, Nr 38 v. 19. 7. 1924, p. 4. — Mallett.

Adam, Edwin, dtsch. Maler, * 7. 5. 1882 München, ansässig ebda.
Sohn des Schlachtenmalers Franz A. Stud. an der Ažbè-Schule u. bei L. Willroider in München. Genre, Landsch., Bildnisse (Öl, Tempera, Guasch, Pastell).
Lit.: Karl, I, m. 2 Abbn. — Kstrundschau, 50 (1942) 96. — D. Weltkst, 16, Nr 21/22 v. 24. 5. 1942, p. 5; Nr 23/24 v. 7. 6. 1942, p. 6.

Adam, Emmy, dtsche Blumen- u. Früchtemalerin, * 5. 4. 1871 Dresden, ansässig in Berlin.
Lit.: Dreßler.

Adam, Ethel Lucy, engl. Landschaftsmalerin (Öl u. Aquar.) u. Illustr., ansässig in Hythe, Kent.
Schülerin von F. Spenlove-Spenlove.
Lit.: Who's Who in Art, [3] 1934.

Adam, Josef, dtsch. Bildnismaler u. Graph., * 11. 3. 1883 Glogischdorf, Kr. Glogau, ansässig in Berlin.
Schüler von Wirth in Berlin u. von Ernst Stückelberg in Zürich.
Lit.: Dreßler.

Adam, Louis François, franz. Reproduktionsstecher u. -lithogr., * 11. 8. 1871 Evran (Côtes-du-Nord).
Schüler von Broquelet. Mitglied der Soc. d. Art. Franç., beschickte deren Salon seit 1898. Stach u. a. nach Lhermitte u. Alb. Maignan.
Lit.: Joseph, I. — Bénézit, [2] I (1948).

Adam, Luitpold, dtsch. Maler, * 23. 2. 1888 München, ansässig in Berlin. Sohn des Emil (* 1843, † 1924), Bruder des Richard.
Schüler von Walter Thorm, G. v. Hackl u. C. v. Marr in München.
Lit.: Dreßler.

Adam, Martin, tirol. Maler u. Bildhauer, † 3. 4. 1938 Mals (Vintschgau).
Autodidakt. Kirchl. Schnitzereien. Gr. Kruzifix, Mals, Pfarrk.
Lit.: J. Schmied, Malls, Brixen 1942. — Volksbote, 1938, Nr 14. *J. R.*

Adam, Otto, dtsch. Maler, * 26.11.1901 Konstanz, ansässig ebda.
Stud. an der Akad. Karlsruhe. Studienreisen nach Südfrankreich u. der Schweiz.
Lit.: D. Kst u. d. Schöne Heim, 50 (1951/52) 162 (Abb.).

Adam, Paul, dtsch. Bucheinbandkünstler, zuletzt ansässig in Düsseldorf.
Lit.: Dreßler. — Loubier, Die neue dtsche Buchkst, 1921, p. 121. — Jahrb. d. Einbandkst, 1 (1927) 176ff., m. 12 Taf.

Adam, Richard Benno, dtsch. Tier- (bes. Pferde-), Jagd- u. Porträtmaler, * 5. 3. 1873 München, † 24. (?) 1. 1937 ebda. Sohn des Emil (* 1843, † 1924), Bruder des Luitpold.
Stud. bei N. Gysis u. H Knirr in München, dann bei H. Baisch an d. Akad. Karlsruhe, zuletzt bei s. Vater .Vielbeschäftigter Pferdemaler. 1899 nach Budapest berufen zwecks Ausführung eines gr. Bildes mit einer 47 Reiterbildnisse enthaltenden Jagdgesellschaft.
Lit.: Th.-B., 1 (1907). — Dreßler. — E. List, R. B. A., ein Träger dtsch-ungar. Kstbeziehungen, München 1928. — Das Bayerland, 45 (1934) 379, 382 (Abb.), 395 (Abb.), 396 (Abb.).

Adam, Rudolf, dtsch. Maler, * 28. 6. 1886 Breunsdorf b. Tharandt, ansässig in Dresden.
Schüler von Eugen Bracht.
Lit.: Dreßler.

Adam, Wilbur, amer. Maler, * 1898 Cincinnati, O., ansässig in Chicago.
Lit.: Fielding. — Amer. Art Annual, 30 (1933). — Monro.

Adam-Leonhardt, Karl, dtsch. Landschaftsmaler, † Ende Oktober 1926 Rastatt.
Lit.: Elsaß-Lothringen, 4 (1926) 789.

Adámek, Rudolf, tschech. Maler u. Graph., * 9. 5. 1882 Kuttenberg (Kutná Hora).
Schüler d. Akad. in Prag (F. Ženíšek). Hauptsächlich Illustrator (Märchenillustr. usw.).
Lit.: Veraikon (Prag), 6 (1920) 57f., m. Abbn. — Toman, I 7. *Blž.*

Adametz, Emil (Heinrich E.), dtsch. Marinemaler, * 23. 11. 1884 Düsseldorf, ansässig in Berlin.
Stud. an den Kstgewerbesch. Hamburg u. Altona u. an der Akad. Stuttgart.
Lit.: Dreßler. — Velhagen & Klasings Monath., 42/II (1927/28) farb. Taf.-Abb. geg. p. 448, Text p. 456, 12 farb. Abbn zw. p. 629 u. 636.

Adametz, Hans, öst. Kstgewerbler (Prof.), * 17. 8. 1896 Wien, ansässig in Graz.
Stud. an d. Fachsch. in Znaim u. an d. Kstgewerbesch. in Wien (Strnad, Povolni).
Lit.: Dreßler. — Dtsche Kst u. Dekor., 62 (1928) 192 (Abb.), 193 (Abb.).

Adamovits, Sándor, ungar. Bildhauer, * 3. 11. 1878 Hodmezö-Vasárhely.
Schüler von Ch. v. d. Stappen u. V. Rousseau in Brüssel. Bereiste Belgien, Deutschland, Frankreich, England. Seit 1911 in s. Vaterstadt tätig.
Lit.: Szendrei-Szentiványi.

Adamowicz, Bogusław, poln. Dichter u. Bildnismaler, * 13. 1. 1870 Mińsk, ansässig in Warschau.
Malt in Öl, Pastell u. Miniatur.
Lit.: Czy wiesz kto to jest?, 1938.

Adamowitsch, M. M., sowjet. Porzellanmaler, ansässig in Moskau.
Tätig für die Moskauer Staatl. Porzellanmanufaktur. Wählt als Motive antike Ruinen u. Denkmäler, Ansichten von Leningrad u. Landschaften, in s. Farbenskala einfarbige Töne wie Rotbraun, Blaugrün oder Grau bevorzugend.
Lit.: Ssredi Kollekzioneroff, 1922, Heft 7 p. 84; H. 9 p. 63. — Gollerbach, La Porcel. de la Manuf. d'Etat, 1922, p. 14f., 33 (Abb.). — Die Kunst, 52 (1925) 203f.

Adams, Alfred, engl. Landschaftsmaler (Aquar.), * 3. 12. 1884 Birmingham, † zw. 1930 u. 1934.
Lit.: Who's Who in Art, [2] 1929.

Adams, Bernard, engl. Bildnis- u. Landschaftsmaler, * London, ansässig ebda.
Sohn des Zeichners Robert Henry A. Schüler der Westminster School of Art u. der Antwerpener Akad. Lehrer: G. Harcourt u. F. László.
Lit.: Who's Who in Art, [3] 1934.

Adams, Charles Partridge, amer. Landschaftsmaler, * 12. 1. 1858 Franklin, Mass., † 1942 Los Angeles, Calif.

Lit.: Th.-B., 1 (1907). — Amer. Art Annual, 20 (1923) 421. — Who's Who in Amer. Art, I: 1936/37. — Fielding. — Art in America, 34 (1946) 89.

Adams, Elinor Proby, engl. Bildnis- u. Tiermalerin, Kstkritikerin u. Illustr., * Sudbury, Suffolk, ansässig in Sevenoaks.

Lit.: Who's Who in Art, [3] 1934.

Adams, Herbert, amer. Bildhauer u. Medailleur, * 28. 1. 1858 Concord, Vt., † 1945 New York.

Schüler von Mercié in Paris. Brunnen in Fitchburg, Mass.; Bronzetüren u. Statuen für die Kongreßbibliothek in Washington, D. C.; Bronzetüren der St. Bartholomew's Church in New York; Frauenbüste im Metropol. Mus. ebda; „Infant Burbank" im Mus. Newark; McMillan-Brunnen in Washington; Statue W. C. Bryant in den Anlagen hinter der Public Library in New York.

Lit.: Th.-B., 1 (1907). — Fielding. — Joseph, 1. — Who's Who in Amer. Art, I: 1936/37. — Amer. Art Annual, 11 (1914) Abb. geg. p. 333; 14 (1917) 412, m. Fotobildn. geg. p. 407; 20 (1923) 421; 23 (1926) Abb. vor d. Titelbl.; 27 (1930) 16, 231, Abb. geg. p. 281. — Art Digest, 17, Nr v. 15. 3. 1943, p. 28. — Small, Handbook of the New Library of Congress, Washington 1899, p. 17, 18, 22, m. Abb., 65, 76 (Abb.), 109 (Abb.), 114. — Cat. of Works of Art of City of New York, 1 (1909) 148; 2 (1920) 64, 72. — Monro.

Adams, Hervey, engl. Landschaftsmaler, * 15. 2. 1903 London, ansässig in Pinfarthings, Minchinhampton, Gloucestershire.

Schüler von Bernard Adams.

Lit.: Who's Who in Art, [3] 1934. — Mallett. — Architect. Review, 98 (1945) 116.

Adams, Jean, holl. Maler u. Bildhauer, * 3. 2. 1899, ansässig in Nunhem (Limburg).

Zeichenunterricht an der Akad. Amsterdam. Als Maler u. Bildh. Autodidakt. Hauptsächlich religiöse Vorwürfe u. Bildnisse, auch Landschaften; als Bildhauer kirchl. Kunst u. Bildnisbüsten. Bild: Hl. Familie, im Mus. f. Neue Religiöse Kst in Utrecht. — Ill. Buchwerk: J.A., De oude Appelboom, Heerlen 1946.

Lit.: Waay.

Adams, Jean Crawford, amer. Landschaftsmaler u. Holzschneider, * 1890 Chicago, Ill., ansässig ebda.

Stud. am Art Inst. in Chicago.

Lit.: Who's Who in Amer. Art, I: 1936/37. — Amer. Art Annual, 30 (1933). — Monro.

Adams, John Ottis, amer. Landschaftsmaler, * 8. 7. 1851 Amity, Ind., † 28. 1. 1927 Brookville, Ind. Gatte der Winifred B. A.

Schüler von John Parker in London, dann von Benczúr u. Löfftz in München.

Lit.: Th.-B., 1 (1907). — Fielding. — Bénézit, [2] 1 (1948). — Amer. Art Annual, 20 (1923) 421; 25 (1928), Obituary. — Bull. of the Art Assoc. of Indianapolis, Ind., 14 (1927) 25.

Adams, John Quincey, öst. Porträt-, Genre- u. Landschaftsmaler, * 21. 12. 1874 Wien, † 15. 3. 1933 ebda.

Schüler von L'Allemand u. Eisenmenger in Wien, von Marr u. Herterich in München u. von J. P. Laurens in Paris. Wiederholt ausgezeichnet, u. a. Gr. Gold. Staatsmed. Wien 1906 u. Salzburg 1907. In der Mod. Gal. Wien: Bildnis der Gattin des Kstlers. In d. Gall. Naz. Mod. in Rom ein Tripytchon: Lebensfahrt.

Lit.: Th.-B., 1 (1907). — Dreßler (falsches Geburtsjahr). — Joseph, 1. — Bénézit, [2] 1 (1948). — The Art News, 31 (1932/33) Nr 29, p. 8. — Boll. d'Arte, 1 (1907) fasc. 10 p. 20f. (Abbn). — D. Kst, 25 (1911/12) 439 (Abb.); 29 (1913/14) 413, 420 (Abb.); 67 (1932/33) Beibl. p. XCV. — Monatsbl. d. Altertumsver. zu Wien, 9 (1908) 106. — Öst. Kst, 4 (1933) H. 7, p. 10/12, m. Abbn. — Revue de l'Art anc. et mod., 63 (1933/I), Bull. p. 180. — Velhagen & Klasings Monatsh., 50/II (1936) Taf.-Abb. geg. p. 8, 111. — Zeitschr. f. Kstgesch., 2 (1933) 146.

Adams, John Wolcott, amer. Zeichner u. Illustr., * 1874 Worcester, Mass., † 1925 New York.

Stud. in Boston u. New York. Zeichnete für Harper's Scribner's Century u. and. Magazine. Illustr. zu: J. W. Riley, Hoosier Romance, 1910.

Lit.: Fielding. — Bénézit, [2] 1 (1948). — Amer. Art Annual, 22 (1925), Obituary.

Adams, Katherine Langhorne, verehel. *Pettengill*, amer. Malerin, * Plainfield, N. J., ansässig in Palisades, N. Y.

Schülerin von Du Mond.

Lit.: Fielding. — Amer. Art Annual, 2 (1923) 421. — Who's Who in Amer. Art, I: 1936/37. — Monro.

Adams, Kenneth Miller, amer. Landschaftsmaler, * 1897 Topeka, Kansas, ansässig in Taos, N. M.

1935 4. Preis d. Corcoran Gall. Washington, D. C.

Lit.: Art Digest, 22 (1948) Sept., p. 11 (Abb.). — Amer. Art Annual, 30 (1933). — Monro. — The Studio, 109 (1935) 348, 350 (ganzseit. Abb.).

Adams, Philip, amer. Maler, * 26. 6. 1881 Honolulu, ansässig in Washington, D. C.

Schüler von Bridgman, Paxton, Hale, Benson u. Woodbury in Boston.

Lit.: Fielding. — Amer. Art Annual, 20 (1923) 421.

Adams, Walter Burt, amer. Maler, * 1903 Kenosha, Wis., ansässig in Evanston, Ill.

Lit.: Amer. Art Annual, 30 (1933).

Adams, Wayman, amer. Porträtmaler, * 23. 9. 1883 Muncie, Ind., ansässig in Austin, Texas.

Schüler von W. M. Chase, Wm. Forsyth u. Rob. Henri. Bereiste Italien u. Spanien. Tätig in Indianapolis, seit 1918 in New York. Bilder u. a. im John Herron Art Inst. in Indianapolis (Gruppenbildnis der Maler Th. C. Steele, Otto Stark, J. Ottis Adams u. Wm. Forsyth), in d. Kstschule ebda (Der entmutigte Student), im Art Inst. in Chicago (Joseph Pennell), in d. State Library in Indianapolis (Thomas R. Marshall), in d. Public Library in New York u. in d. Kongreßbibl. in Washington.

Lit.: Fielding. — Who's Who in Amer. Art, I: 1936/37. — Art Index (New York), Okt. 1941/Okt. 49. — The Internat. Who's Who, [8] 1943/44. — Amer. Art Annual, 13 (1916) Abb. vor p. 107; 20 (1923) 421. — Monro. — The Studio, 83 (1922) 342; 105 (1933) 277 (ganzseit. Abb.); 106 (1933) 89 (Abb.); 108 (1934) 145/48, m. 6 Abbn. — The Art Inst. Chicago. Guide to the Paintings etc., 1925, p. 114 (Abb.), 125.

Adams, William Avery, engl. Landschaftsmaler (Öl u. Aquar.), ansässig in Bristol.

Lit.: Who's Who in Art, [3] 1934.

Adams, William Dacres, engl. Genre-, Architektur- u. Landschaftsmaler (Öl u. Aquar.), ansässig in London.

Stud. an d. Kstsch. in Birmingham u. an d. Herkomer-Schule in Bushey. Koll.-Ausst. 1927 in den F. Art Soc. Gall., London

Lit.: Th.-B., 1 (1907) 73. — Graves, I, p. 6, 11. — Bénézit, [2] 1. — Who's Who in Art, [3] 1934. — The Connoisseur, 71 (1925) 118f. — The Studio, 89 (1925) 92 (Abb.), 98. — Apollo (London), 5 (1927) 95.

Adams, Winifred Brady, amer. Blumen- u. Stillebenmalerin, * 8. 5. 1871 Muncie, Ind., ansässig in Brookville, Ind. Gattin des Landschaftsmal. John Ottis A.

Stud. am Drexel Inst. in Philadelphia u. an d. Art Student's League in New York. Bild im Herron Art Inst. in Indianapolis.

Lit.: Fielding. — Amer. Art Annual, 30 (1933). — Who's Who in Amer. Art, I: 1936/37. — M. Q. Burnet, Art a. Artists of Indiana, New York 1921.

Adams-Acton, Gladstone Murray, engl. Innenarchitekt, Fachschriftst. u. Kstsammler, * 12. 10. 1886 London, ansässig ebda.

Sohn des Bildhauers John A.-A. (* 1830, † 1910). Buchwerke: Domestic Architecture and Old Furniture; Ancient Portals of France.

Lit.: Who's Who in Art, [3] 1934. — L'Architecte, 6 (1911) 72, Taf. 54. — The Studio. Year-Book of Decorat. Art, 1912, p. 8, 13 (farb. Abbn); 1913, p. 17 (Abb.), 25 (Abb.), 33 (Abb.).

Adamse, Marinus, holl. Maler, Holzschneider u. Lithogr., * 17. 10. 1891 Dordrecht, ansässig ebda.

Stud. bei Bouvy in Rotterdam, 1911/13 bei Hans Lesker u. Heinemann in München. Ließ sich in Dordrecht, später in Zwartewaal, 1923 in Dordrecht nieder. Bildnisse (bes. Kinder), Blumenstücke u. Stillleben. Bilder im Mus. in Dordrecht, im Gem.-Mus. im Haag, im Mus. Boymans in Rotterdam u. im Nat.-Mus. in Rom.

Lit.: Plasschaert. — Waay. — Wie is dat?, 's-Gravenhage 1935. — Waller. — Hall, p. 256. — Maandbl. v. beeld. Ksten, 3 (1926) 29ff., m. 2 Abbn; 8 (1931) 378f., m. Abbn; 15 (1938) 16/24, m. 9 Abbn.

Adamson, Eric, estnischer Maler, * 18. 8. 1902 Tartu (Dorpat).

Stud. an der Kstschule „Pallas" in Tartu, dann an der Ksthandwerkersch. in Berlin-Charlottenburg und an den Freien Akad. in Paris. Hauptsächlich Landschaften, Stilleben u. Porträts. Ganz auf Tonwirkungen ausgehend, vermeidet er die reinen Lokalfarben und bevorzugt die goldbraunen u. schwärzlichen Töne. Im Museum in Tallinn (Reval) ein Herrenbildnis; im Ateneum in Helsinki ein Damenbildnis; im Bes. des finnischen Staates: Winterliche Ansicht von Tallinn; im Musée du Jeu de Paume in Paris: Bildnis des Vaters des Künstlers.

Lit.: Joseph, I, m. Abb. (Selbstbildnis). — Bénézit, [2] I (1948). — O. Jacobsson, A., Teckningar, Stockh. 1927, 1935 u. 1936; ders., Das große A.-Album, Berlin 1927; ders., Tiere u. Menschen, Berl. 1928, m. 60 Abbn; ders., A. Auswahl für Jung u. Alt. 60 Bilderserien, Berl. 1929. — Vem och Vad?, Helsingf. 1936.

Adamson, Sarah Gough, engl. Malerin, * Manchester, ansässig in London.

Schülerin des Edinburgh College of Art. Malt in Öl, Pastell u. Aquarell.

Lit.: Who's Who in Art, [3] 1934.

Addams, Clifford Isaac, amer. Maler u. Rad., * 25. 5. 1876 Woodbury, N. Y., † 1942 New York.

Schüler von Whistler, weitergebildet auf Studienreisen in Belgien, Holland, Spanien, Frankreich, Italien u. England. Hauptsächlich Miniaturbildnisse (Öl u. Aquar.). Bildnis s. Gattin, der Malerin Inez A. (Schülerin Whistler's), in d. Pennsylv. Acad. of the F. Arts in Philadelphia.

Lit.: Fielding. — Amer. Art Annual, 20 (1923) 422. — Who's Who in Amer. Art, I: 1936/37. — Mellquist. — Monro. — The Studio, 62 (1914) 235, 258, 301; 65 (1915) 129 (Inez); 83 (1922) 346. — Art Digest, 17, Nr v. 15. 11. 1942, p. 17.

Addicks, Christiaan Johan, holl. Maler, * 6. 6. 1871 Rotterdam.

Schüler der Rotterd. Akad. Figürliches, Stilleben, Landschaften.

Lit.: Plasschaert. — Waay.

Ade, Matild, ungar. Illustratorin u. Exlibriskünstlerin, * 8. 9. 1877 Sárbogárd, zuletzt ansässig in Grünwald b. München.

Stud. an der Kstgewerbesch. in München. Mitarbeiterin der „Meggendorfer Blätter". Illustr. für Kinderbücher.

Lit.: Th.-B., 1 (1907). — Szendrei-Szentiványi. — Dressler. — Exlibris, 26 (1916) 203; 27 (1917) 31. — Mitteilgn d. Exlibris-Ver. zu Berlin, 15 (1921) 20.

Adelborg, Louise, schwed. Kunstgewerblerin, * 1885 Östermalma (Södermanland), ansässig in Stockholm.

Stud. in Stockholm. Studienreisen in Frankreich u. Italien. Antependium für die Riddarholmskirche in Stockholm. Tafelservice für Rörstrand, für den königl. Hof u. für schwed. Gesandtschaften im Ausland.

Lit.: Thomœus.

Ader-Bergsma, E. C., holl. Landsch.-, Stillleben- u. Blumenmaler, * 25. 9. 1902.

Schüler von J. Nieweg u. J. J. Voskuil.

Lit.: Waay.

Aderente, Vincent, amer. Maler, * 1880 Neapel, von amer. Eltern, ansässig in New York.

Wandgemälde im Court-House in Yonkers, N. Y., zus. mit A. E. Foringer.

Lit.: E. H. Blashfield, Mural Painting in America, New York 1914, Taf. geg. p. 112. — Amer. Art Annual, 12 (1915).

Adès, Joe (Josiah), engl. Akt- u. Stillebenmaler (Öl u. Aquar.), * 3. 4. 1898 (1899?) Kairo (Ägypten), ansässig in Paris.

Stud. zuerst die Rechte. Ging unter dem Eindruck der Werke Cézanne's zur Kunst über.

Lit.: Joseph, I. — Bénézit, [2] I (1948). — Beaux-Arts, 75e année, Nr 311 v. 16. 12. 1938, p. 3.

Adet, Edouard, franz. Figurenbildhauer, † 14. 10. 1918 Paris.

Stellte bis 1914 im Salon der Soc. Nat. d. B.-Arts aus (Kat. z. T. m. Abbn).

Lit.: Chron. d. Arts, 1917/19 p. 143.

Adie, Edith Helena, engl. Aquarellmalerin, * London, ansässig in Sevenoaks.

Stud. an der South Kensington Art School. Blumenstücke u. Gartenansichten.

Lit.: Graves, I. — Who's Who in Art, [3] 1934. — The Studio, 41 (1907) 140, 141 (Abb.).

Adler, Angela, öst. Malerin, * 10. 11. 1877 Wien, ansässig ebda.

Schülerin von Franz Thiele.

Lit.: Dreßler.

Adler, Arthur, dtsch. Landschaftsmaler, * 9. 11. 1885 Welschufe b. Dresden, ansässig in München.

Schüler von W. Thor. 2 Bilder in d. Städt. Gal. in München.
Lit.: Dreßler.

Adler, Friedrich, dtsch. Kstgewerbler u. Raumkünstler, * 29. 4. 1878 Laupheim b. Ulm, ansässig in Hamburg.

Schüler von H. Obrist u. W. v. Debschitz in München. Lehrer an der Landeskunstsch. in Hamburg. Entwürfe für Möbel, Textilien, Metallgeräte, Glasgemälde, Stukkaturen, Ornamente usw.
Lit.: Th.-B., 1 (1907). — Dreßler. — D. Kst, 28 (1912/13) 233/44, m. Abbn, 248 (Abb.). — Kst u. Handwerk, 1911, p. 305 (Abb.), 309. — D. Kstwelt, 3 (1913 –14) 35 (Abb.), 38 (Abb.).

Adler, Jankel, poln. Figurenmaler, * 26. 7. 1895 Lodz, † April 1949 London.

Schüler von Wiethüchter an d. Kstgewerbesch. in Wuppertal-Barmen. Ließ sich in Düsseldorf nieder. Ging 1933 nach London. Mitgl. der Rhein. Sezession. Bilder in der Ruhmeshalle in Wuppertal-Barmen u. in den Museen in Düsseldorf u. Köln. Gedächtnis-Ausstellgn 1951 in d. Leicester Gall. in London u. in d. New Burlington Gall. ebda.
Lit.: Dreßler. — D. Cicerone, 20 (1928) 443 (Abb.); 21 (1929) 86f., 206, 218. — D. Kreis (Hamburg), 6 (1929), Abb. geg. p. 17, Text p. 20. — D. Kst, 59 (1928 –29) 380. — Kst, I (1948) Halbjahrbuch, p. 83 (Abb.). — Dtsche Kst u. Dekor., 62 (1928) 213 (Abb.), 228, 233 (Abb.); 64 (1929) Taf.-Abb. vor p. 345. — D. Kst u. d. schöne Heim, 50 (1951/52) Beil. p. 111, 127. — Kst d. Zeit, 3 (1928/29) 6 (Abbn), 151f. (Abbn). — D. Kstblatt, 10 (1926) 362f., 367 (Abb.); 13 (1929) 123, 219; 14 (1930) 121 (Abb.), 261 (Abb.). — La Revue d'Art (Antwerpen), 25 (1925) 78. — Weltkst, 20 (1950) H. 4 p. 5. — Zeitschr. f. bild. Kst, 61 (1927 –28), Kstchronik p. 92; 62 (1928/29), Kstchronik p. 144. — Zeitschr. f. Kst, 1 (1947) H. 2, p. 63. — Kat. Ausst. d. Kstsmlgn d. St. Düsseldorf: Smlg Haubrich, 1949. — Art Index (New York), Okt. 1942 –April 1953, passim.

Adler, Jean, franz. Maler u. Bildhauer, * 30. 9. 1899 Paris, ansässig ebda.

Schüler von E. Laurent, Biloul, Baudouin u. Jules Adler. Mitglied der Soc. d. Art. Franç., beschickte deren Salon 1922/31. Stellte auch im Salon des Tuileries (1923ff.) u. bei den Indépendants (1929/37) aus. — Akte, Bildnisse, Landschaften.
Lit.: Bénézit, [2] I (1948).

Adler, Leo, öst. Architekturmaler u. -zeichner, ansässig in Linz a. d. D.

Lit.: Kst in Österr. (Leoben), 1 (1934) 76. — Öst. Kst, 5 (1934) Heft 3 p. 15. — D. getreue Eckart (Wien), 10 (1932/33) 419/28 (Begleitzeichngn zu e. Aufsatz über Stift St. Florian).

Adler, Nils, dtsch. Landsch.- u. Marinemaler, * 21. 6. 1905 Hamburg, ansässig in Berlin.

Autodidakt.
Lit.: Dreßler. — Konstrevy, 1935, p. 62 (Abb.).

Adlersparre, Rolf, schwed. Bildhauer, * 1859 Karlskrona, † 1943 Hälsingborg.

Schüler der Akad. Stockholm. Statuen an der Opernterrasse in Stockholm u. am Familiengrab Röhs in Göteborg.
Lit.: Th.-B., I (1907). — Thomœus.

Adlerz, Emma, geb. *Liljedahl,* schwed. Malerin, * 1870 Sölvesborg, ansässig ebda.

Stud. an der Akad. Stockholm. Bildnisse, Landschaften, bes. aus Norrland u. Blekinge. Bilder im Mus. in Norrköping u. im Gerichtsgebäude in Sölvesborg.
Lit.: Thomœus.

Adlhart, Jakob, dtsch. Stein- u. Holzbildhauer, * 1. 4. 1898 München, ansässig in Hallein b. Salzburg.

Schüler von Hanak an d. Münchner Akad. Pflegt hauptsächl. die kirchl. Plastik: Kolossalkruzifix im Studienkolleg St. Peter in Salzburg; Plastiken an der Fassade der Pfarrk. in Merchingen (Saar).
Lit.: Sperling, m. Abbn p. 92f. — Öst. Bau- u. Werkkst, 3 (1926/27) 4f. (Abbn), 8. — Die Christl. Kst, 24 (1927/28) 238/39 (Abbn); 27 (1930/31) 228, m. Abb., 232. — Kst in Öst. (Leoben), 1 (1934) 82 (Abb.). — Öst. Ksttopogr., 20 (1927). — Teichl. — Velhagen & Klas. Monatsh., 41/II (1926/27) 218 (Abb.), 219.

Adliwankin, S., sowjet. Maler.

Gründete 1921 mit G. Rjashskij u. A. Njurenberg die „Neue Malervereinigung" (N. O. SH) in Moskau, die auf gegenständliche, realist. Schilderung ausgeht.
Lit.: Encykl. d. Union d. Sozial. Sowjetrepubl., 2 (1950).

Adolfsson, Berthold, schwed. Maler (Öl u. Aquar.), * 1911 Bohus-Björkö, Bohus län, ansässig ebda.

Stud. in Göteborg. Strandansichten, Kinderbildnisse.
Lit.: Thomœus.

Adnatz, Friedrich, jugoslaw. Maler u. Graph., * 1. 7. 1907 Pola (Istrien), ansässig in Voitsberg (Steiermark).

Stud. an den Akad. in Wien u. Graz. Hauptsächl. Landschaften. 1936 Silb. Med. d. Stadt Graz.
Lit.: Teichl.

Adnet, Jean Jacques, franz. Landschaftsmaler und Raum-(Möbel-)Künstler, * 1901 Châtillon-Coligny (Loiret).

Erhielt 1927 ein Reisestipendium. Mitgl. des Pariser Salon d'Automne, wo er 1923 u. 1924 ausstellte. Beschickte den Salon des Indépendants, den Salon des Tuileries u. den Salon d'Automne 1934 ff.
Lit.: Bénézit, [2] I (1948). — Art et Décoration, 1928/II, p. 126/28, m. Abbn; 1933 p. 1/10; 1934 p. 291 –99; 1937/II, p. 249/54, m. 7 Abbn.; 11 (1948) Nr 11 p. 6; 1949 Nr 13 p. 42 f.; Nr 14 p. 10 f. — Beaux-Arts, Nr 173 (1936) p. 3, m. 3 Abbn.

Adney, Edwin Tappan, amer. Zeichner u. Illustr., * 13. 7. 1878 Athens, Ohio.

Ausgebildet an d. Art Students' League in New York. Längerer Aufenthalt auf den Karolinen. Zeichnete für „Harper's Weekly" u. „Collier's Weekly".
Lit.: Th.-B., 1 (1907). — Fielding. — Bénézit, [2] 1 (1948).

Adolphy, Fritz, dtsch. Maler u. Graph., * 29. 2. 1884 Bielefeld, ansässig in Berlin.

Schüler von F. H. Ehmke an der Kstgewerbesch. in Düsseldorf. 118 Zeichngn für: Gustav Bücher, Forschung — für Dich. Möglichkeiten u. Unmöglichkeiten aus den Forschungsgebieten der ganzen Welt, 2. Aufl. Leipzig 1944.
Lit.: Dreßler.

Adomeit, George, dtsch-amer. Maler, * 14. 1. 1879 in Deutschland, ansässig in Cleveland, O.

Schüler von F. C. Gottwald.
Lit.: Who's Who in Amer. Art, I: 1936/37. — Amer. Art Annual, 30 (1933). — Bull. of the Cleveland Mus. of Art, Cleveland, O., 14 (1927) 77, 78, 102, 104; 15 (1928) 104, 130, 131; 17 (1930) 123; 19 (1932) 69, 84, 105; 20 (1933) 69, 72, 73, 100. — Monro.

Adour, Pauline, franz. Figuren-, Bildnis- u. Stillebenmalerin, * Paris, ansässig ebda.

Schülerin von L. O. Merson, R. Collin u. J. P. Laurens. Beschickt den Salon der Soc. d. Art. Indépend.
Lit.: Joseph, I. — Bénézit, [2] I (1948).

Adriaans, Gerrit, holl. Architektur- u. Bildnismaler, Linolschneider u. Pastellist, * 15. 2. 1898 Amersfoort, ansässig ebda.
Autodidakt. Arbeitete auf Architekturbüros. Alte Bauten u. Stadtansichten. Bild im Mus. Flehite in Amersfoort.
Lit.: Waay.

Adrian, Fritz, dtsch. Kstgewerbler, * 8. 8. 1889 Danzig, zuletzt ansässig in Danzig-Langfuhr.
Stud. an d. keram. Fachsch. in Bunzlau u. an d. Unterrichtsanstalt des Kstgewerbemus. in Berlin. Hauptsächl. Beleuchtungskörper.
Lit.: Dreßler.

Adrian-Nilsson, Gösta, schwed. Maler, Buchillustr. u. Schriftst., * 2. 4. 1884 Lund, ansässig in Stockholm.
Stud. an der Zahrtmann-Rhode'schen Malschule in Kopenhagen. Einer der ersten konsequenten Vertreter des Kubismus in Schweden. Dekor. Malereien im Festsaal des Industrie- u. Handwerksvereins in Lund (1927) u. im Konzertsaal des Restaurants „Tunnel" in Malmö. Bilder im Nat.-Mus. Stockholm (Militärbegräbnis, Frau vor dem Spiegel, Stadt am Meer), in den Museen Göteborg u. Malmö u. im Kulturhist. Mus. in Lund.
Lit.: G. A. N. Gösta A.-N., Lund 1934 (Bespr. in: Konstrevy, 1934, p. 98). — Vem är det?, 1935. — Bénézit, [2] 1. — Vem är Vem i Norden, 1941 p. 930. — N. F., 21 (Suppl.). — Thomœus. — Kunst og Kultur, 8 (1920) 47/57, m. Abbn. — Nationalmusei Årsbok, N. S. 2 (Stockh. 1932) 145, 146 (Abb.). — Konstrevy, 1932, p. 29, m. Abb.; 1933, p. 150; 1935, p. 46–47, m. 4 Abbn; 1936, H. 3 p. IV (Abb.), 110 (Abb.); 1937, p. 33, 132 (Abb.) u. Sonder-Nr p. 45 (Abb.); 1938 p. 108f., m. 4 Abbn; 1939, p. 49 (Abb.). — Nat.-Mus. Stockh. [Bilderbuch], 1948 p. 109.

Adriani, Elisabeth, geb. *Hovy*, holl. Malerin, Lithogr. u. Rad., * 25. 1. 1873 Amsterdam, ansässig in Utrecht.
Schülerin von E. S. Witkamp u. H. W. Jansen. Ansichten alter holl. Städte in schwarzer Kreide, Pastell oder Aquarell.
Lit.: Plasschaert. — Waay. — Waller, p. 154. — Onze Kunst, 1903/I, p. 228.

Adriani, J. P. V., holl. Malerin, * 5. 9. 1885 Paramaribo (Holl. Guayana).
Schülerin der Haager Akad. u. von Weyns in Rotterdam. 1917 Assistentin von Albert Roelofs an dessen Malschule.
Lit.: Plasschaert. — Waay.

Adrin, Olle, schwed. Bildhauer, * 1918 Hallstahammar, ansässig in Ålsten.
Stud. an der Akad. Stockholm. Hauptsächlich Bildnisbüsten.
Lit.: Thomœus.

Adrion, Lucien, elsäss. Landschaftsmaler (Öl u. Aquar.), * 1889 Straßburg, ansässig in Paris.
Gehört der Maigruppe an. Beeinflußt von Utrillo u. H. Rousseau. Ölbild: Place Vendôme in Paris, im Mus. der Stadt Ulm (3. Bericht d. Mus. d. St. Ulm 1930, p. 29, m. Abb.). Ansicht des Boulevard Montparnasse, im Mus. Straßburg.
Lit.: Joseph, I. — Bénézit, [2] I (1948). — Archives alsac. d'hist. de l'art, I (1922) 132. — Art Digest, v. 15. 5. 1943 p. 18. — The Art News, April 1948, p. 61. — D. Kstwanderer, 1924/25 p. 255 (Abb.), 279; 1925/26 p. 249, 252 (Abb.). — D. Cicerone, 18 (1926) 140, 461; 19 (1927) 229 (Abb.), 456. — Kunst u. Kstler, 24 (1925/26) 250. — Kstchronik, N. F. 35 (1925/26) 687. – Dtsche Kunst u. Dekor., 59 (1926–27) 217 (Abb.).

Adshead, Eveline, engl. Malerin (Aquar. u. Öl), † um 1930 Brighton.
Schülerin von Arthur Wasse.
Lit.: Who's Who in Art, [2] 1929.

Adshead, Mary, verehel. *Bohne*, engl. Malerin, Plakatkstlerin u. Buchillustr., * 15.2. 1904 London, ansässig ebda.
Hauptsächl. figürlich-dekorat. Wandmalereien (in Klubhäusern, Bahnhöfen usw.). Altarbild in d. Marienkap. von St. Columba in Liverpool. Stellt häufig im New English Art Club aus.
Lit.: Who's Who in Art, [3] 1934. — Apollo (London), 11 (1930) 225. — Artwork, 6 (1930) 194 (Abb.). — The Studio, 97 (1929) 370, m. 4 Abbn; 111 (1936) 196, m. Abb.; 115 (1938), m. farb. Taf. geg. p. 278; 139 (1950) 66 (Abb.).

Adsuara Ramos, Juan, span. Bildhauer (bes. Kleinplastik), * Castellón de la Plana, ansässig in Madrid.
Stud. an der Akad. S. Fernando in Madrid. Erhielt auf der Nat. Ausst. 1924 eine Med. 1. Kl.
Lit.: The Studio, 112 (1936) 251 (3 Abbn). — Kat. d. Ausst. Span. Kst d. Gegenw., Berlin, Pr. Akad. d. Kste, 1942.

Aeby, Theo, schweiz. Bildhauer, * 5.6. 1883 Freiburg (Schw.), ansässig ebda.
Stud. in Freiburg u. Paris. Büste des Malers L. Steck im Mus. in Freiburg. 3 Statuen (hll. Barbara, Katharina, Maria Magdalena) für das Seitenportal der dort. Kathedrale.
Lit.: Schweiz. Zeitgenossen-Lex., 1932, p. 16.

Aeckerlin, Christian, dtsch. Bildhauer u. Medailleur, * 15. 9. 1884 Darmstadt, ansässig in Stuttgart.
Stud. an den Kstgewerbesch. in Mainz u. Düsseldorf, bei Fabisch u. an der Akad. Stuttgart.
Lit.: Dreßler.

Aegerter, August u. Karl, schweiz. Maler u. Lithogr., Brüder, ansässig in Basel.
Anfänglich Dekorationsmaler. Längere Zeit in Dresden wohnhaft. Kollekt.-Ausst. im Salon Emil Richter ebda, Dez. 1924.
Lit.: D. Cicerone, 17 (1925) 612. — D. Kstwanderer, 1924/25 p. 119f. — Schweizer Kst, 1945 p. 20 (Abb.).

Aelman, Paul, belg. Figurenmaler u. Bilderrestaurator, * 1899 Gent.
Schüler der Genter Akad. Tätig in Deutschland, Frankreich u. Holland.
Lit.: Seyn, I.

Aelst, Justine van, holl. Kunstbuchbinderin, * 19. 8. 1912 Brüssel, ansässig in Maastricht.
Ausgebildet auf Fachschulen in Rom, Brüssel u. Brügge. Bucheinbände mit Hochreliefschmuck nach eigenen Entwürfen.
Lit.: Waay.

Ängman, Jacob, schwed. Silberschmied, * 29. 1. 1876 Brunflo, Jämtland, † 1942 Älvsjö.
Stud. an der Techn. Schule in Stockholm u. in Deutschland. Altaraufsätze; silb. Taufschale für die Petrikirche in Malmö; Kruzifix für den Dom zu Uppsala; Abendmahlsgeräte (u. a. i. d. Kapelle in Hofors, Gästrikland), Pokale, Juwelenkästchen, Service usw. 4 Arbeiten im Nat.-Mus. Stockholm.

Lit.: C. Hernmarck, J. Ä:s silver, Stockh. 1942. — Vem är det?, 1935. — Thomœus. — Jämten, XV p. 113/21. — D. Kunst, 54 (1925/26) 16 (Abb.), 17 (Abb.), 22, 23 (Abb.), 24 (Abb.). — Sveriges kyrkor, Gästrikland, H. 2 (1936) p. 246, 338. — Vem är Vem i Norden, 1941 p. 1538.

Aeppli, August, schweiz. Maler, Holzschneider, Rad. u. Illustr., * 1. 3. 1894 Winterthur, ansässig in Uetikon, Kt. Zürich.

Stud. bei Ernst Würtenberger u. an der Leipziger Akad. Mappe mit 7 Holzschn. nach Gemälden Alb. Weltis, Zürich 1920; Illustr. zu: F. Schärer, Der schwarze Fritz, Zürich 1919; Meinrad Lienert: Auf alten Scheiben, Holzschn.; M. Lienert: Erzählungen aus der Schweizergeschichte, 20 Zeichngn, Aarau 1930; C. F. Meyer: Huttens letzte Tage, 12 Holzschn.; Meyer: Der Heilige, 9 Holzschn. Zürich, Stadt u. See, 48 Federzeichngn, 1931. Zwingli-Lieder, 8 Zeichnungen, 1931; Zürichsee I. 7 Rad., 1929.

Lit.: Schweiz. Zeitgen.-Lex., 1932. — D. Werk (Zürich), 5 (1918) 47 (Abb.). — D. Schweiz, 25 (1921) 730, Abbn p. 683 u. 685.

Aereboe, Albert, dtsch. Landschafts-, Stilleben- u. Figurenmaler, * Lübeck, ansässig in Kassel.

Kollektiv-Ausst. 1919 in d. Gal. Commeter in Hamburg. In seiner Frühzeit beeinflußt von van Gogh u. Hodler.

Lit.: D. Cicerone, 11 (1919) 464. — Mecklenb. Monatsh., 5 (1929) Taf. geg. p. 32.

Aerens, Robert, belg. Bildnis-, Landsch.- u. Stillebenmaler u. Rad., * 1883 Gent.

Schüler von Jean Delvin. Seit 1924 Prof. an der Genter Akad.

Lit.: Seyn, I, mit Fotobildnis.

Ärlingsson, Erling, schwed. Maler, * 1904 St. Kil, Värmland, ansässig in Karlstad.

Stud. in Paris u. in Spanien. Interieurs mit Figuren, Hafenbilder, Landschaften, figürl. Kompositionen (bes. Bauernbilder). Vertreten in den Museen in Borås u. Gävle.

Lit.: Thomœus. — Konstrevy, 1936 H. 2, p. VI (Abb.).

Aerts, Johan Petrus, holl. Maler, * 22. 8. 1898 Yzendijke, Zeeland, ansässig in Amsterdam.

Schüler von Meijer. Stilleben, Landschaften, Bildnisse. Naturalist.

Lit.: Waay.

Aeschbacher, Hans, schweiz. Bildhauer, * 18. 1. 1906 Zürich, ansässig ebda.

Anfangs Buchdrucker, dann Maurer u. Gipser. Lernte als Maler, wandte sich 1936 der Bildhauerei zu, in der er Autodidakt ist. Koll.-Ausst. Okt./Nov. 1944 im Ksthaus Zürich.

Lit.: Pro Arte (Genf), 2 (1943), m. Abb. — D. Werk (Zürich), 28 (1941) 141 (Abb.); 31 (1944) Heft 12, p. XVII. — N. Zeitg, München, 28. 4. 1947, m. Abb.

Affeltanger, Jean, schweiz. Landschaftsmaler, * 1874 Töß b. Winterthur, ansässig ebda.

Schüler von L. Pétua am Technikum in Winterthur, 1899/1903 der Akad. München. Mit Stipendium nach Italien. Seit 1904 in Töß ansässig. Bilder in den Museen Biel, Le Locle, St. Gallen u. Winterthur.

Lit.: Reinhart-Fink, m. Abb. — N. Zürcher Ztg, 1910, Nr 328. — D. Schweiz, 1911, p. 36, 253, 261, 331; 1914 p. 42, m. Abb.; 1916 p. 597.

Affleck, Andrew F., schott. Maler, Architekturstecher u. Rad., * Ayr, ansässig in London.

Stud. in London, 1900 ff. in Paris. Anfängl. Maler, beschickte als solcher 1903 ff. den Salon der Soc. d. Art. Franç. Ging dann zur Graphik über. Architekturansichten aus Frankreich (Schloß Amboise, Notre-Dame in Paris), Italien (Perugia, Siena) u. Spanien (Dom zu Toledo, Torweg in Burgos).

Lit.: Caw. — Who's Who in Art, [3] 1934. — Revue de l'Art anc. et mod., 24 (1908) 45 (Abb.). — Gaz. d. B.-Arts, 1908/I p. 221 f. — The Connoisseur, 35 (1913) 177 (Abb.), 178.

Afonso (de Almada-Negreiros), Sarah, portug. Porträtmalerin u. Illustratorin, * 13. 5. 1899 Lissabon, ansässig ebda.

Stud. an d. Kstsch. in Lissabon; letzte Schülerin von Columbano, Studienaufenthalte in Paris 1923/24 u. 1928/29. Mitarb. an den Zeitschr. „Eva" u. ‚Presença". Vertreten im Nat.-Mus. zeitgen. Kst, Lissabon.

Lit.: Gr. Enc. Port. e Brasil., I 518, m. Fotobildn. — Pamplona, p. 367. — The Studio, 114 (1937) 125, m. Abb.

Afro siehe *Basaldella,* Afro.

Afzelius, Märta, schwed. Textilkünstlerin, * 14. 5. 1887 Uppsala, ansässig in Stockholm.

Stud. an der Kunsthochsch. in Stockholm. Studienreisen in Italien (1920, 1927, 1930) u. Island (1925). Bildteppich mit Heimkehr des Odysseus im Nat.-Mus. in Stockholm.

Lit.: Boëthius, p. 242, m. Abb. — N. F., 21 (Suppl.). — Vem är det?, 1935. — Thomœus. — Konstrevy, 1936, p. 166, m. Abb.; 1938 p. 165 f., m. Abb. — Vem är Vem i Norden, 1941 p. 931.

Agache, Alfred, franz. Architekt, * 1875, ansässig in Paris.

Schüler der Pariser Ec. d. B.-Arts. Vizepräs. der Soc. Franç. des Urbanistes. Stadtplanungen u. a. für Paris, Dünkirchen, Poitiers, Dieppe, Tours, Orléans, Rio de Janeiro u. Lissabon. — Buchwerk: La Rémodelation d'une Capitale, 1932.

Lit.: The Internat. Who's Who, [8] 1943/44.

Agazzi, Carlo Paolo, ital. Maler (Öl u. Aquar.) u. Radierer, * 1870 Mailand, † 6. 12. 1922 ebda.

Schüler von Gius. Bertini. Genre, Landschaften, Bildnisse. Bilder im Castello Sforzesco in Mailand (Zusammentreffen Garibaldis mit der Marchesina Raimondi) u. in der dort. Gall. d'Arte Mod. (Landschaften).

Lit.: Th.-B., I (1907). — Comanducci. — Bénézit, [2] I (1948). — La Cultura Moderna, 1912/13/I, p. 149. — Emporium, 41 (1915) 182 (Abb.), 408; 56 (1922) 382/84, m. 3 Abbn. — Vita d'Arte, 13 (1914) 144 (Abb.); 14 (1915) 30 (Abb.), 32, 33; 15 (1916) 50, 53 f. (Abbn).

Agger, Knud, dän. Interieur-, Bildnis- u. Landschaftsmaler, * 1895 Westjütland.

Bild im Mus. in Göteborg. Beschickt die Biennale in Venedig. Koll.-Ausst. im Salon Arnbak in Kopenhagen 1937.

Lit.: Emporium, 96 (1942) 355 (Abb.). — Konstrevy, 1937, p. 206, m. Abb. — Kunstmus. Aarsskrift, 1941.

Aggházy, Gyula, ungar. Genremaler u. Illustr., * 20. 3. 1850 Dombóvár, † 13. 5. 1919 Budapest.

Stud. bei Engerth, Geiger, Blaas u. Wurzinger an der Wiener Akad., weitergeb. bei Al. Wagner in München u. bei Munkácsy in Paris. Seit 1875 wieder in Ungarn. 1885 in Italien. Seit 1897 Lehrer an d. Akad. in Budapest. 36 Altarbilder in der Kirche in Bártfa u. in der Matthiaskirche in Budapest.

Lit.: Th.-B., 1 (1907). — Szendrei-Szentiványi. — Éber. — Krücken-Parlagi.

Aggházyné, Mariska, geb. *Balló,* ungar. Figuren- (Akt-) u. Bildnismalerin (bes. Pastellistin), * 1885 Budapest.

Lernte an der Musterzeichensch. bei G. Aggházy u. V. Olgyai, dann bei L. Ebner in Budapest.

Lit.: Szendrei-Szentiványi.

Agnelli, Fausto, Tessiner Figuren- u. Landschaftsmaler, * Lugano, ansässig ebda.

Malte anfängl. hauptsächl. Karnevalszenen, später meist Tessiner Landschaften. Erscheint auf Ausstellungen seit 1909. 2 Bilder im Mus. in Lugano, eine Karnevalszene im Bes. d. Confederazione Svizzera, eine andere im Mus. in Genf.

Lit.: Comanducci. — Emporium, 85 (1937) 190. — D. Werk (Zürich), 29 (1942), Beibl. zu H. 5, p. XVIII.

Agnew, Eric Munro, schott. Maler, *April 1887 Kirkcaldy, ansässig in London.

Lit.: Who's Who in Art, [3] 1934.

Agostini, Carola De, ital. Genre- u. Bildnismalerin, * 1878 Cuggiono (Mailand), ansässig ebda.

Schülerin von Gius. Mentessi u. Filippo Carcano.

Lit.: Comanducci, p. 180.

Agostino, Vincent d', amer. Landschaftsmaler, Rad. u. Lithogr., * 7. 4. 1896 Chicago, Ill., ansässig ebda.

Schüler von Ch. W. Hawthorne, Randell Davey u. George Bellows. Bild im Whitney Mus. of Amer. Art in New York.

Lit.: Who's Who in Amer. Art, I: 1936/37, p. 109.

Ágoston, Emil, ungar. Architekt, * 17. 12. 1876 Aranyos-Maróth, Kom. Bars.

Stud. bei I. Steindl, Al. Hauszmann u. L. Rauscher an der Techn. Hochsch. Budapest. 1899 in Italien. Studienaufenthalte in Berlin, 1903 in Paris. Hauptwerke: Römerbad, Hungáriabad, Hotel Astoria, Ringer-Sanatorium, sämtl. Budapest.

Lit.: Szendrei-Szentiványi. — Krücken-Parlagi. — D. Architektur d. XX. Jh.s, 13 (1913) Taf. 7f.

Ågren, Eva, schwed. Textilkünstlerin, * 1897 Bosarp, Schonen, † 1944 Åkarp, Schonen.

Stud. an der Techn. Schule in Malmö. Arbeiten im Mus. ebda u. im Mus. Röhs in Göteborg.

Lit.: Thomœus.

Ågren, Olof (Olle), schwed. Maler, * 26. 11. 1874 Alsen, Jämtland, ansässig in Misterhult.

Stud. 1898/1903 an den Akad. in Stockholm u. Berlin u. an der Pariser Ec. d. B.-Arts. Lebte 1908/10 in Paris, 1920/27 in Italien u. Südfrankreich. Gehört zur Gruppe der Naivisten. Landschaften mit bäuerlicher Staffage, Hafenansichten usw. Bilder im Nat.-Mus. Stockholm, in den Museen Göteborg u. Norrköping u. in der Smlg Thiel in Stockholm.

Lit.: Vem är det?, 1935. — Joseph, I. — Thomœus. — Arkitektur, 1914, fasc. 1, p. 1/12 passim, m. Abb. — D. Cicerone, 16 (1924) 35 (Abb.), 42. — Konstrevy, 1933, p. 184, m. Abb.; 1936 Heft 6, p. X, m. Abb. — Die Kunst, 61 (1929/31) 205, 209 (Abb.). — Vem är Vem i Norden, 1941, p. 1531.

Agretti, Luigi, ital. Genre- u. Freskomaler, * 16. 8. 1875 Spezia, ansässig ebda.

Stud. an der Akad. in Rom bei Bruschi u. Brugnoli, später deren Gehilfe in Florenz, Perugia u. Palestrina. Fresken u. a. in den Kirchen in Neirone, Favale Malvaro, San Pellegrino di Sturla, im Santuario della Madonna degli Angeli in Arcola u. in der Kathedr. in Castelnuovo Magra.

Lit.: Comanducci, m. Abb. — Bénézit, [2] I.

Agricola, Rudolf, dtsch. Bildhauer, * 3. 4. 1912 Moskau, von dtsch. Eltern, ansässig in Falkenstein i. Taunus.

Schüler von G. Marcks in Halle-Giebichenstein, 1933 bei R. Scheibe in Frankfurt a. M., 1936 der Akad. in Kassel, 1937 Meisterschüler Scheibes an den Verein. Staatsschulen Berlin. 1938 Staatspreis der Pr. Akad. der Kste. 1948 Cornelius-Preisträger. Beeinflußt von Maillol. Hauptsächl. Akte. Arbeiten in der Ksthalle in Hamburg u. in der Städt. Gal. in Frankfurt a. M.

Lit.: Grothe, m. 5 Abbn. — H. W. Keiser, R. A. A., Berlin 1943. — Nemitz, p. 10/11, m. 3 Taf. — Werner, p. 182f., 205 u. Abb. p. 178. — Die Kst, 77 (1938) 200f., Abbn p. 199 u. 202. — Kstchronik, 3 (1950) 115. — D. Kstwerk, 5 (1951) H. 2, p. 39. — Kat. Ausst. Dtsche Malerei u. Plastik d. Gegenw., i. Staatenhaus d. Messe in Köln, 14. 5./3. 7. 1949.

Aguado, Alfredo, span. Bildnis-, Figuren-, Landschafts- u. Architekturmaler.

Lit.: Francés, 1922 Taf. 33; 1923/24 p. 338; 1925/26, Taf. 111.

Aguado, Sebastián, span. Keramiker, ansässig in Toledo.

Strebte in Zusammenarbeit mit s. Gattin Maria Luisa Villalba eine Erneuerung des alten Mudejarstils an.

Lit.: Francés, 1920 p. 394f. — Bol. de la Soc. esp. de Excurs., 36 (1928) 209.

Aguiar, José, span. Maler, * Oviedo (Asturien), ansässig in Madrid.

Erhielt auf der Nat. Ausst. Madrid 1924 eine Med. 1. Kl. Figürliches (bes. Akte).

Lit.: Arte español, 10 (1930/31) 91f., 95, 201, m. Taf.-Abb. zw. p. 202/03. — Emporium, 92 (1940) 27 (Abb.). — Si (Madrid), II, Nr 80 v. 11. 7. 1943, p. 1 (Abb.), 9 (Abb.), 12. — Kat. d. Ausst. Span. Kst d. Gegenw., Berlin, Pr. Akad. d. Kste, 1942.

Aguiar, José, span. Maler, * 1895 auf den Kanarischen Inseln, ansässig in Madrid.

Erhielt auf der Exp. Nac. de B. Artes Madrid 1929 einen 1. Preis. Prof. an der Escuela de Artes y Oficios Artist. in Madrid. Pflegt bes. die Enkaustik-Technik. Figürliches (Akte, Wandgem.), Bildnisse. Malt mit Vorliebe Motive von der Insel Gomera (Die Wallfahrer von San Juan).

Lit.: Francés, 1923/24 p. 278. — Bénézit, [2] I (1948). — The Studio, 112 (1936) 186, Abb. p. 187.

Aguilar y Chassériau, Abel de, span. Maler, * Santa Cruz de Tenerife (Kanar. Inseln), ansässig in Madrid.

Lit.: Kat. d. Exp. Nac. de Pint. etc., Madrid 1910.

Aguilar, Antonio, span. Landschaftsmaler, * Madrid, ansässig in Cartagena.

Schüler von Ant. Muñoz Degrain.

Lit.: Kat. d. Exp. gen. de B. Artes, Madrid 1906.

Aguilar, Fidel, span. Bildhauer, * Gerona, † ebda 22jährig.

Lit.: Francés, 1922 p. 42/45, Taf. 2.

Aguirre, Ignacio, mexik. Maler u. Holzschneider, * 1902 Guadalajara, Staat Jalisco, ansässig in Mexico City.

Fresken in der Bibliothek der Aviación Militar in Mexico City. Plakatentwürfe.

Lit.: Kirstein, p. 95. — bild. kst, 2 (1948) H. 3 p. 14.

Aguirre, Lorenzo, span. Landschafts- u. Bildnismaler.

Lit.: Francés, 1919 p. 122f.; 1920 p. 395; 1921 Taf. 18.

Ahivasi, Jagannath Murlidhar, ind. Maler, * in dem Dorfe Baldev bei Mathura, Uttar Pradesh, Indien, ansässig in Bombay.

Stud. eifrigst die Hindu-Literatur. Begann das Kststudium unter Leitung von Sri Maldev Rana in Porbunder, besuchte die Sir J. J. Kstschule in Bombay u. erhielt Unterricht im Zeichnen u. Malen bei W. E. Gladstone Solomon, Agaskar u. Kelkar. Gewann u. a. die Lord-Mayo-Medaille f. hervorragende Diplom-Prüfung, die Silb. Med. der Art Soc. in Bombay u. den 1. Preis u. Med. im Dolly Cursetjee-Wettbewerb. 1930/34 Mitgl. der Kstschule in Bombay, seit 1935 Prof. f. indische Kst ebda. Arbeitete im Rajput-Stil. Stellte in Bombay u. Simla aus. Einige seiner Gemälde in den Privatsmlgn d. Königin Mary, Lord Linlithgo, Sir John Marschall, Sir Lesley Wilson, M. R. Jayakar, Sri Tata u. bei den Maharajas von Patiala u. Porbunder. Vertreten im Prince of Wales Museum in London u. im Mus. in Patiala. Wandgem. im Secretariat Building in New Delhi.

Lit.: Indian Art through the Ages, p. 66 (Abb.). — Thacker-Venkatachalam.

Ahl, Henry Hammond, amer. Maler, * 20. 12. 1869 Hartford, Conn., ansässig in Newbury, Mass.

Schüler von Alex. Wagner, Peter Paul Müller u. F. Stuck in München, dann von Gérôme in Paris. Landschaftsstudien bei P. P. Ululler. — Bilder u. a. im Art Mus. in Springfield, Mass., im Worcester Art Museum, in der Church of Blessed Sacrament in Providence, R. I. (14 Kreuzwegstationen), u. in St. Michael's Church ebda (desgl.).

Lit.: Fielding. — Who's Who in Amer. Art, I: 1936/37. — Amer. Art Annual, 20 (1923) 422. — Who's Who in America, 18 (1934/35).

Ahlbäck, Johan, schwed. Maler u. Graphiker, * 1895 Smedjebaken, Dalarne, ansässig ebda. Bruder des Folg.

Schüler von Wilhelmson. Studienaufenthalte in Europa u. Südamerika. Figurenkompositionen mit Industrie- u. Landarbeitern, Hafenansichten. Vertreten im Mus. in Växjö.

Lit.: Thomœus.

Ahlbäck, Karl Detlov, schwed. Graphiker, * 1900 Smedjebaken, Dalarne, ansässig ebda. Bruder des Vor.

Autodidakt. Szenen aus dem Arbeiterleben, Tierdarstellungen.

Lit.: Thomœus.

Ahlberg, Gösta, schwed. Bildnis- u. Vedutenmaler, * 1903 Stockholm, ansässig in Aspudden.

Lit.: Thomœus.

Ahlberg, Hakon, schwed. Architekt u. Fachschriftst., * 10. 6. 1891 Harplinge, Halland, ansässig in Stockholm.

Schüler der Techn. Hochsch. u. Akad. Stockholm. 1918/29 Prof. für Ornamentik an ders. 1920/21 Herausgeber der Zeitschr. „Arkitektur". Seit 1922 Herausgeber der Zeitschr. „Byggmästaren". — Präsident des Schwed. Archit.-Vereins. — Hauptwerke: Gemeinde- u. Pfarrhaus für den Bezirk Brännkyrka, Stockholm; Warenhaus Paul U. Bergström, ebda; St. Olafs-Hospital in Visby; Waisenhaus des Freimaurerordens in Blackeberg; Kirchen in Sköndal u. Mälarhöjden. — Buchwerke: Moderne schwed. Architektur, Berlin o. J. [1924]; Nord. votogravyr, Stockh. 1932; Sv. byggn. konst und. ett halvsek., 1938.

Lit.: Vem är det?, 1935. — Ahlberg, p. 37, Taf. 143/48. — The Internat. Who's Who,* 1943/44 — N. F., 21 (Suppl.). — Thomœus. — Sv. Slöidfören. tidskr., 18 (1922) 88/91. — Zentralbl. d. Bauverw., 52 (1932) 181/84.

Ahlberg, Hilding, schwed. Maler u. Goldschmied, * 1888 Hässleholm, ansässig in Klippan.

Stud. in England, Belgien u. in den USA. Landschaften, Stilleben.

Lit.: Thomœus.

Ahlberg, Olof, schwed. Bildhauer, * 18. 11. 1876 Häggenås, Jämtland, ansässig in Stockholm.

Stud. an der Kunstindustriesch. Stockh., Studienaufenthalte in Paris (1908/09) u. Italien (1921 u. 1923). Grabmäler, Bauplastik, u. a. am Rathaus in Östersund, am Haus der Schwed. Handelsbank in Stockh. u. in Östersund; Bildnisbüsten; Marktbrunnen in Strängnäs.

Lit.: Joseph, I. — Thomœus. — N. F., I. — Konst och Konstnärer, 1912, p. 111, 112 (Abb.). — Ord och Bild, 1921, Abb. vor p. 241; 1924, p. 104. — Jämten, 14 (1921) 77/85. — Konstrevy, 1938: Spez.-Nr, p. 44 (Abb.), 55. — Ord och Bild, 1939 p. 341 (Abb.), 345; 1941, Taf.-Abb. vor p. 49. — Sver. kyrkor, Småland, 1 (1940), m. Abb. — Vem är Vem i Norden, 1941.

Ahlbohm, Martin, finn. Bühnenbildner, * 1895 Helsingfors (Helsinki), ansässig in Malmö.

Stud. in Åbo (Turku), arbeitete dann für das dort. Schwed. Theater. 1937/44 für das Stadttheater in Hälsingborg, seit 1945 für das Stadttheater in Malmö tätig. Bühnenentwürfe im Theater-Mus. in Drottningholm.

Lit.: Thomœus.

Ahlbom, Sven, schwed. Architekt, * 1901 Gällivare, ansässig in Västerås.

Stud. an der Techn. Hochschule u. Akad. in Stockholm. Seit 1935 Stadtarchitekt von Västerås.

Lit.: Thomœus.

Ahlbrecht, Karl Friedrich, dtsch. Bildhauer, * 29. 9. 1877 Elliehausen b. Göttingen, ansässig in Hannover.

Stud. 1892/99 an der Kstgewerbesch. in Hannover. 1899/1912 Mitarbeiter von Gundelach ebda. Hauptsächl. Bauplastik, Grabmäler, Kriegerehrungen.

Lit.: Dreßler.

Ahlers, Fritz, dtsch. Maler u. Gebrauchsgraph., * 11. 12. 1890 Düpe (Oldenburg), ansässig in Prieros (Mark Brandenburg).

Autodidakt.

Lit.: Dreßler. — bild. kunst, 3 (1949) 223 (Abb.). — Gebrauchsgraphik, 1 (1924) H. 1 p. 52f. (Abbn); H. 5 p. 33f. (Abbn); H. 6 p. 57 (Abb.); 2 (1925/26) H. 5 p. 32; H. 6 p. 63 (Abbn).

Ahlers-Hestermann, Friedrich (Fritz), dtsch. Maler, Lithogr., Entwurfzeichner für Textilien u. Kstschriftst. (Prof.), * 17. 7. 1883 Hamburg, ansässig in Berlin.

Schüler von A. Siebelis in Hamburg, dann von H. Matisse in Paris, wo er bis zum Ausbruch des 1. Weltkrieges (1914) lebte. Seit 1918 in Hamburg ansässig, 1928/33 Prof. an den Kölner Werkschulen. 1949 Direktor der Landeskstschule in Hamburg. Studienreisen in Frankreich, Italien, Rußland, England. Einflüsse von den verschiedensten modernen Kstströmungen (Renoir, Matisse, Kubismus), die indes völlig selbständig verarbeitet sind. Bildnisse, figürl. Komposition, Landschaften, Stilleben. Bilder u. a. in den öff. Smlgn in Berlin, Darmstadt, Hamburg, Köln, Stettin, Wiesbaden. — Buchwerk: Stilwende. Aufbruch der Jugend um 1900. Aufsätze in d. Zeitschr.: Kst u. Kstler, 16 (Der Deutsche Kstlerkreis des Café du Dôme in Paris) u. 19 (Von den Wandlungen der neueren Kst. Malererlebnisse). Wiederholt Koll.-Ausstellgn bei Commeter in Hamburg. Umfassende Sammelausst. März 1949 im Hamb. Kstverein. Ausst. von Bildstickereien u. Wandbehängen in d. Overbeck-Ges. in Lübeck 1951. — Seit 1916 verheiratet mit der russ. Malerin Kovorina (stellt unter diesem Namen aus).

Lit.: Dreßler. — Neue Blätter f. Kst u. Dichtung, 1 (1918/19) 221 f., m. Abbn. — D. Cicerone, 15 (1923) 329/34, m. 7 Abbn. — D. Kst, 39 (1918/19) 360 (Abb.). — Dtsche Kst u. Dekor., 43 (1918/19) 9 (Abb.); 57 (1925/26) 8 (Abb.), 7; 61 (1927/28) 14 (Abb.), 104 (Abb.); 62 (1928) 227; 65 (1929) 12 (Abb.); 67 (1930–31) 17 (Abb.); 68 (1931) 344 (Abb.); 70 (1932) 59/65, m. Abbn, 66f. (Abbn). — Kst u. Kstler, 15 (1916/17) 581, 582 (Abb.); 25 (1926/27) 111 (Abb.); 28 (1929/30) 345 (Abb.). — D. Kst u. das schöne Heim, 50 (1951–52) Beil. p. 44, 111, 113. — D. Kstblatt, 15 (1915) 131/33 (Abbn); 1919, p. 236. — Kstchronik, 2 (1949) 46. — Velhagen & Klasings Monatsh., 43/I (1928/29), farb. Taf. nach p. 552, 600; 45/II (1930/31), farb. Taf. n. p. 560, 568. — Die Zeit (Hambg), 22. 5. 1947; 10. 3. 1949. — Kat.: Ausst. Dtsche Malerei u. Plastik d. Gegenw., Staatenhaus der Messe, Köln, 14. 5.–3. 7. 1949; Dtscher Kstlerbund 1950, 1. Ausst. Berlin 1951, m. Abb.

Ahlgren, Sven, schwed. Maler u. Zeichner, * 1922 Huddinge, ansässig in Stockholm.

Stud. an der Malschule von Oller in Stockholm.

Lit.: Thomœus.

Ahlgrensson, Björn, schwed. Maler u. Zeichner, * 1872 Stockholm, † 1918 Arvika, Värmland.

Sohn des Bühnenmalers u. Karikaturenzeichners Fritz A. (1838–1902). Stud. in Stockholm bei R. Bergh u. in Paris. Stockholmer Veduten, Interieurs, Landschaften. Bild im Konstmus. in Göteborg (Kat. 1927).

Lit.: Th.-B., 1 (1907). — Thomœus. — N. F., I. — Hoppe. — Nordensvan. — Bénézit, [2] 1.

Ahlkvist, Jonny, schwed. Maler u. Zeichner, * 1920 Hälsingborg, ansässig ebda.

Stud. in Oslo u. Kopenhagen. Bildnisse, Figürliches, Landschaften.

Lit.: Thomœus.

Åhlman, Ebba, schwed. Malerin (Öl u. Aquar.) u. Zeichnerin, * 1901 Stockholm, ansässig in Falun.

Stud. an der Techn. Schule in Stockholm, dann in Chicago u. Paris. Kinderbildnisse, Figürliches, Märchenstoffe usw.

Lit.: Thomœus.

Ahlqvist, David, schwed. Maler u. Graphiker, * 1900 Visby, ansässig in Ljugarn auf Gotland.

Schüler von Wilhelmson u. der Stockholmer Akad. Bildnisse, Landschaften, Interieurs, besonders Motive aus Gotland.

Lit.: Thomœus. — Konstrevy, 1936 Heft 6, p. 202 (Abb.), 203; 1938 p. 25, 26 (Abb.).

Ahlstedt, Margareta, finn. Malerin u. Kstgewerblerin (Textilkünstlerin), * Helsinki.

Tochter des Malers August Fredrik A. (1839–1901). Stud. in Helsinki u. Stockholm. 1925 in Paris, 1933 in London.

Lit.: Vem och Vad?, Helsingf. 1936.

Ahmed, Syed, ind. Maler u. Buchillustrator, * 1889 Aurangabad, Dekkan, ansässig in Haiderabad.

Von früh auf künstlerisch interessiert, hatte er keine Neigung, den üblichen Studiengang durchzumachen. Ging nach Bombay an die J. J. Kstschule u. vollendete sein Studium mit Hilfe eines Stipendiums. Erregte 1911 auf einer ind. Kstausst. in Allahabad Aufsehen. Lieferte 1910/11 gemeinsam mit Nandalal Bose über 500 getreue Kopien buddhistischer Fresken in Ajanta, die z. T. in brit., amer. u. japan. Museen gelangten. Kopierte auch im Auftrage der Lady Herringham Mission mit Kumar Haldar, K. Venkatappa u. Surendra Nath Ganguly. Nach Abschluß dieses Auftrages wirkte er eine Zeitlang als Zeichenlehrer an einer Gewerbesch. in Haiderabad. 1916 Kurator der Ajanta-Höhlen, ein Posten, den er 24 Jahre lang innehatte. 1930 verlieh ihm die ind. Reg. den Titel Khan Ḇahadur für seine hervorragenden Verdienste um die ind. Kst. Unter dem Patronat des Sir Akbar Hydari, eines gr. Kenners u. Kstsammlers, gründete er in Haiderabad die Kst- u. Gewerbeschule, deren Leiter sein Sohn Syed Masood Ahmed wurde. Seine Ajanta-Entwürfe befruchteten das moderne Textilgewerbe in Patna. Einige seiner besten Gemälde in d. Smlg Sir Akbar Hydari.

Lit.: Thacker-Venkatachalam.

Ahner, Alfred, dtsch. Bildnismaler, * 1890 Wickersdorf/Sa., ansässig in Weimar.

Im Staatl. Lindenau-Mus. in Altenburg/Th.: Straßenbild aus Weimar.

Ahnert, Arthur, dtsch. Landschaftsmaler u. Radierer, * 4. 1. 1885 Zwickau, ansässig in Dresden.

Bild im Städt. Mus. in Dresden. Mappenwerke (Rad.): Erzgebirge; Moritzburg.

Lit.: Dreßler.

Ahnert, Elisabeth, dtsche Malerin, * 4. 10. 1885 Chemnitz, ansässig in Ehrenfriedersdorf/Erzgeb.

Stud. an der Kstgewerbeakad. in Dresden. Blumen, Landschaften, Kinderbildnisse in naturalistischer Formgebung. Vertreten in: Dresden, Stadtmus., Staatl. Kstsmlgn Dresden, Oskar-Seyfert-Mus. u. Städt. Kstsmlgn in Chemnitz.

Lit.: Union, 7. 11. 1950. — Sächs. Ztg., 28. 10. 1950. — National Ztg, 6. 11. 1950. — Kstchronik, 3 (1950) 225.

Ahnlund, Åke, schwed. Bildnis- u. Landschaftsmaler, * 1896 Fjällsjö, Ångermanland, ansässig in Norsjö.

Schüler von Hjortzberg u. Kallstenius.

Lit.: Thomœus.

Ahnoff, Tore, schwed. Figuren- u. Landschaftsmaler, * 1917 Hälsingborg, ansässig in Göteborg.

Lit.: Thomœus.

Ahnsjö, Doris, schwed. Bildnis-, Figuren- u. Blumenmalerin, * 1905 Malmö, ansässig in Stockholm.

Stud. in Kopenhagen u. Stockholm.

Lit.: Thomœus.

Ahrbom, Nils, schwed. Architekt (Prof.), * 1905 Hudiksvall, ansässig in Stockholm.

Stud. an der Techn. Hochsch. Stockholm. Eriksdalhalle in Stockholm gemeinsam mit H. Zimdahl; Museums-, Industrie- u. Laboratoriumsbauten in Linköping; Freiluftbad in Älvsjö.

Lit.: Thomœus. — Zentralblatt d. Bauverwaltg, 60 (1940) 811 ff., m. Abbn.

Åhrén, Uno, schwed. Architekt, Raumkünstler u. Fachschriftst., * 6. 8. 1897 Stockholm, ansässig in Abrahamsberg.

Stud. an der Techn. Hochsch. in Stockholm. Seit 1932 Stadtarchitekt in Göteborg. Seit 1943 Chef der schwed. Reichsbauten. — Haus des Studentenkorps der Techn. Hochschule in Stockholm (zus. mit S. Markelius); Fabrikgeb. der Ford-Motorgesellsch. ebda; Glockenturm in Storvik. — 1929/32 Redakteur d. Zeitschr. „Byggmästaren". — Buchwerke: Acceptera (zus. mit Gunnar Asplund), 1931; Bost: fråg som socialt planläggn: problem (zus. mit G. Myrdal), 1933.

Lit.: Vem är det?, 1935. — Thomœus. — D. Kunst, 66 (1931/32) 54 (Abbn), 68 (Abb.). — Sveriges kyrkor, Gästrikland, H. 2 (1936) 365, m. Abb. — The Studio, 105 (1933) 251 (Abb.).

Ahrenberg, Jakob, finn. Architekt, Aquarellmaler u. Schriftst., * 30. 4. 1847 Wiborg (Viipuri), † 1914 ebda.

Studienreisen in Frankreich u. den Mittelmeerländern. Provinzialarchitekt in Wiborg.

Lit.: Th.-B., 1 (1907). — Arkitekten, XVII 172f. — N. F., I, m. Fotobildn.

Ahrens, Franz, dtsch. Architekt (kais. Baurat), ansässig in Berlin-Grunewald.

Warenhaus Jandorf, Berlin; Passage-Kaufhaus, Berlin; Kantonal-Verwaltungsgeb. in Zürich; Allg. Berl. Omnibus-A.-G. in Charlottenburg. 4. Preis im Wettbewerb um ein Rathaus für Schöneberg.

Lit.: Dreßler. — Neue Baukst, 5 (1929) Febr.-Heft, 2. Aufs. p. 1/2, m. Abbn bis p. 18. — Innendekoration, XIX 377ff., m. Abb. — Dtsche Konkurrenzen, 25, Heft 2. — D. Profanbau, 1907 p. 325ff.; 1909 p. 177ff.

Ahrlé, René, Maler u. Gebrauchsgraph., * 28. 10. 1893, ansässig in Berlin.

Schüler der Zeichenakad. in Hanau.

Lit.: Dreßler.

Ahtaja, Aarno Veli, finn. Landschafts- u. Stillebenmaler, * 21. 10. 1898 Åbo (Turku), ansässig in Helsinki.

Schüler der Akad. in Helsinki. Studienaufenthalte in Deutschland, Skandinavien, Belgien u. Frankreich. Bilder in den Museen in Helsinki, Viipuri u. Tampere.

Lit.: Konstrevy, 1939, p. 230 (Abb.). — Briefl. Mitteil. d. Kstlers.

Aich, Richard, dtsch. Bildnis- u. Landschaftsmaler, * 11. 3. 1886 Geislingen/Württ., ansässig in Ulm.

Schüler der Akad. München. In der Ev. Stadtpfarrk. in Weingarten: Christus am Ölberg (1925).

Lit.: Dreßler.

Aichele, Erwin, dtsch. Tiermaler, * 7. 10. 1887 Höhefeld (Baden), ansässig in Eutingen.

Stud. an der Karlsruher Akad. bei Schurth, Weishaupt u. J. Bergmann, dann an der Münchner Akad. bei H. v. Zügel. Bild im Städt. Mus. in Essen. 150 farb. Tafeln zu Fähringer, Vögel Mitteleuropas, Heidelberg 1927.

Lit.: H. Kiefer, E. A., ein dtsch. Tiermaler, Pforzheim 192f. — Das Bild, 6 (1936) Abb. vor p. 65, 84/92, m. 3 Abbn. — Eckhart, Jahrb. f. d. Badnerland, 18 (1937) 104/13, 113/15. — Philobiblon, 8 (1935) 86. — Velhagen & Klasings Monatsh., 42/II (1927/28) farb. Taf.-Abb. geg. p. 128, 231; 47/I (1932/33) 409–14, m. 10 Abbn, 423; 51/I (1936/37) farb. Taf.-Abb. geg. p. 448, 453f.; 53/I (1938/39) 421/24, m. 4 farb. Abbn, 476.

Aichinger, Hermann, öst. Architekt, * 14. 5. 1885 Vöcklabruck, ansässig in Wien.

Schüler von Otto Wagner. Über seine in Gemeinschaft mit Heinr. Schmid ausgeführten Bauten s. d.

Lit. s. Artikel Schmid, Heinr.

Aid, Georges Charles, amer. Maler u. Rad., * 26. 8. 1872 Quincy, Ill., † 1938 Tryon, N. C.

Schüler von J. P. Laurens u. B. Constant in Paris, ansässig in St. Louis, Mo. Bildnisse u. Figürliches.

Lit.: Th.-B., 1 (1907). — Fielding. — Amer. Art Annual, 20 (1923) 422. — Joseph. — Who's Who in Amer. Art, I: 1936/37. — Monro. — Earle.

Ajdukiewicz, Julian, poln. Bildnismaler, * 5. 4. 1883 Krakau, ansässig in Warschau.

Stud. in München u. Paris.

Lit.: Czy wiesz kto to jest?, 1938.

Aigens, Christian, dän. Maler, * 1875.

Im Mus. in Aalborg ein Bildnis des Schriftst. Chr. Engeltoft (Kat. 1926).

Aiglon-Sassy, Attila, ungar. Landsch.- u. Bildnismaler u. Graph., * 1880 Miskolcz, ansässig in Budapest.

Stud. bei Ferenczy in Budapest, weitergebildet bei Ažbè in München. Mitglied der Künstlerkolonie Nagybánya. 1906/07 an der Acad. Julian in Paris. Seit 1907 in Budapest.

Lit.: Szendrei-Szentiványi. — Krücken-Parlagi.

Aigner, Eduard, dtsch. Landschaftsmaler, * 6. 8. 1903 Neuhaus (Oberpfalz), ansässig in München.

Stud. in Nürnberg, 1923 an d. Akad. München. Studienaufenthalte in Paris u. Italien. 1932 Albrecht-Dürer-Preis. Bilder in d. Städt. Gal. in München.

Lit.: Die Kst, 69 (1933/34) 332 (Abb.); 81 (1939/40) 263 (Abb.). — Dtsche Kst u. Dekor., 68 (1931) 353 (Abb.). — Kst- u. Antiquit.-Rundsch., 42 (1934) 369, m. Abb. — Die Weltkst, 24. 5. 1942 p. 3 (Abb.).

Aigner, Heinrich, dtsch. Maler, * 1884 Nürnberg, ansässig in München.

Lit.: Karl, 1, m. 2 Abbn.

Aigner, Richard, dtsch. Bildhauer, ansässig in München.

Stud. 1886/92 bei Eberle an der Münchner Akad. Löwen auf der Mainbrücke in Würzburg. Burmeister-Denkmal in Buenos Aires (1903).

Lit.: Dreßler.

Aigner, Robert, öst. Graphiker u. Maler, * 10. 3. 1901 Waidhofen a. d. Thaya, ansässig in Wien.

Stud. 1925/28 an der Wiener Kstgewerbesch. bei Erich Mallina. Gefördert von Ferd. Schmutzer. Beeinflußt von Sterrer. Malt u. zeichnet (bes. in Kohle) Landschaft u. Bewohner seiner heimatl. Alpenwelt.

Lit.: D. Graph. Kste (Wien), 53 (1930) 35/42, m. Abbn. — Öst. Kst, 3 (1932) H. 12, p. 2 (Abb.). — Velhagen & Klasings Monatsh., 53/II (1938/39) 379 (Abb.), 382.

Aijmer, Lars, schwed. Landschafts- u. Stillebenmaler, * 1905 Stockholm, ansässig ebda.

Stud. an der Techn. Schule u. an der Akad. in Stockholm. Studienaufenthalte in Frankreich u. Italien.

Lit.: Thomœus.

Aiken, Charles Avery, amer. Maler (Öl u. Aquar.), * 29. 9. 1872 Georgia, Vt., ansässig in New York.

Stud. an d. Kunstsch. des Mus. Boston. — Hauptsächlich Wandbilder, u. a. in der Kirche zum Guten

Hirten in Waban, Mass.; Mädchenkopf im Boston Art Club; Schlacht an der Doggerbank in d. War Memorial Coll. der Nat. Gall. in Washington, D. C. Aquarelle im Mus. in Brooklyn u. in der F. Arts Gall. in San Diego, Calif.

Lit.: Fielding. — Who's Who in Amer. Art, I: 1936/37. — Amer. Art Annual, 20 (1923) 422. — The Art News, 22 (1923/24) Nr 9, p. 9, m. Abb.; Nr 20 p. 7; 25 (1925/26) Nr 26, p. 3; 32 (1933/34) Nr 13, p. 6, 12 (Abb.). — Art Digest, 16 Nr v. 1. 10. 1941, p. 9.

Aikman, Walter Monteith, amer. Holzschneider, Kupferstecher u. Landschaftsmaler, * 1857 New York, † 1939 ebda.

Schüler von Frank French u. J. G. Smithwick in New York, dann von Boulanger u. Lefebvre in Paris.

Lit.: Fielding. — Who's Who in Amer. Art, I: 1936/37. — Amer. Art Annual, 20 (1923) 422. — Antiques (New York), 54 (1948) 442 (Abb.).

Aiken, John Macdonald, schott. Bildnis- u. Landschaftsmaler u. Rad., * Aberdeen, ansässig in London.

Stellte u. a. in der Lond. Roy. Acad. u. — 1928ff. — im Salon der Soc. d. Art. Franç. in Paris aus. (Kat. z. T. m. Abbn).

Lit.: Who's Who in Art, [3] 1934. — Apollo (London), 10 (1929) 300 (Abb.).

Aikin, Bertha, geb. *Gorst*, engl. Radiererin, * 24. 2. 1873 Thornton Hough, † zw. 1930 u. 1934 Llangollen, N. Wales.

Lit.: Who's Who in Art, [1] 1929.

Aillet, Edgard Adrien Jean, franz. Maler (Öl u. Miniatur), Pastellzeichner u. Graph., * 5. 3. 1883 Eauze (Gers).

Schüler von Bonnat u. L. O. Merson. Stellte im Salon der Soc. d. Art. Franç. (1912/29), im Salon der Soc. Nat. d. B.-Arts (1930/33) u. bei den Indépendants (1926/45) aus. Landschaften, Akte, Bildnisse. Bild (Altes Quartier von Fuente Rabia) im Bes. der Stadt Paris.

Lit.: Joseph, I. — Bénézit, [1] I (1908).

Aillet, Maxime Pierre Henri, franz. Landschaftsmaler, * 13. 6. 1888 Bordeaux, ansässig in Paris.

Stellt bei den Indépendants, seit 1930 im Salon der Soc. Nat. d. B.-Arts aus.

Lit.: Joseph, I. — Bénézit, [2] I (1948).

Aimé, Paul Charles, franz. Landsch.- u. Stadtvedutenmaler, * Douai, ansässig ebda.

Schüler von Sabatté, Schmy u. Méreau. Stellt seit 1929 im Pariser Salon der Soc. d. Art. franç. aus (Kat. z. T. m. Abbn).

Aimone, Lidio, ital. Bildnis- u. Landschaftsmaler, * 10. 4. 1884 Coggiola (Biella).

Schüler der Akad. in Turin u. Vitt. Cavalleri's. Bild im Mus. Civico in Turin.

Lit.: Comanducci.

Aimone, Vittorio, ital. Bildhauer, * Carpignano di Sesia, ansässig in Paris.

Stellte zw. 1897 u. 1914 im Salon der Soc. d. Art. franç. aus: Figürliches (Ruhende Diana) u. Bildnisbüsten. Denkmal d. Grafen Tornielli in Novara (1910).

Lit.: Joseph, I. — Bénézit, [2] I (1948). — Illustr. Ital., 1910 I, p. 584. — Nuovo Giornale, 7. 6. 1910. — Tribuna, 7. 6. 1910.

Ainscough, Hilda, argent. Bildhauerin u. Holzschneiderin, * Buenos Aires, ansässig in London.

Stud. an der Roy. Acad. School in London.

Lit.: Who's Who in Art, [3] 1934. — Joseph, I. — The Print Coll.'s Quarterly, 27 (1940) 317f., m. Abb.

Ainsworth, Philip, engl. Zeichner u. Illustr., * 20. 7. 1870 Bolton, Lancs., ansässig in Cullompton, Devon.

Stud. an der Kstschule in Manchester.

Lit.: Who's Who in Art, [3] 1934. — The Studio, 93 (1927) 227, m. Abb.

Airaghi, Leonardo, ital. Landschafts- u. Figurenmaler, * 6. 2. 1871 Mailand, † 27. 4. 1900 Intra.

Schüler von Gius. Bertini.

Lit.: Comanducci.

Aird, Reginald, engl. Bildnis- u. Dekorationsmaler, * 14. 1. 1890 London, ansässig ebda.

Ausgebildet in London u. an d. Pariser Ec. d. B.-Arts. Entwürfe für Wandteppiche (Vict. a. Albert Mus.). — Seine Gattin Kathleen, * Sussex, Schülerin von M. Jefferys in Brüssel, ist Malerin u. Illustr.

Lit.: Who's Who in Art, [3] 1934. — The Studio, 83 (1922) 323.

Aires, Frederico, portug. Landschafts- u. Marinemaler, * 28. 7. 1887 Lissabon, ansässig ebda.

Stud. an d. Kstsch. in Lissabon; Schüler von Carlos Reis. Künstler. Mitarb. am „Século". Bilder im Nat.-Mus. zeitgen. Kst u. im Städt. Mus. in Lissabon, in d. Caixa Geral de Depósitos in Bragança, im Mus. Abade de Baçal ebda, im Mus. José Malhôa in Caldas da Rainha u. im Mus. Grão-Vasco in Vizeu.

Lit.: Gr. Enc. Port. e Brasil., I 683, m. Fotobildn. — Pamplona, p. 286.

Airy, Anna, siehe *Pocock*.

Aitken, Janet Macdonald, schott. Bildnis- u. Landschaftsmalerin, * Glasgow, ansässig ebda.

Stud. an der Acad. Colarossi in Paris.

Lit.: Who's Who in Art, [3] 1934.

Aitken, John Ernest, schott. Landsch.- u. Stadtansichtenmaler, * Liverpool, ansässig in Port St. Mary, Insel Man.

Ausgebildet an den Kstschulen in Manchester u. Liverpool u. bei s. Vater James Alfred A. Malte viel in Holland.

Lit.: Who's Who in Art, [3] 1934. — The Connoisseur, 59 (1921) 248.

Aitken, Pauline, engl. Bildhauerin, * 30. 6. 1893 Accrington, ansässig in London.

Stud. an den Kstschulen in Manchester u. London.

Lit.: Who's Who in Art, [3] 1934.

Aitken, Robert Ingersoll, amer. Bildhauer u. Medailleur, * 8. 5. 1878 San Francisco, Calif., † 1949 New York.

Stud. am Mark Hopkins Inst. of Art in San Francisco, bei A. F. Matthews u. Douglas Tilden. 1901/04 Prof. an dem gen. Institut, 1904/07 in Paris. Seitdem in New York ansässig. Direktor der Nat. Acad. of Sciences; Vizepräsid. der Nat. Acad. of Design. — Denkmäler für William McKinley in St. Helena, Calif., u. in Golden Gate Park in San Francisco; Elihu-Burritt-Denkmal in New Britain, Conn.; Denkmal zur Erinnerung an den Sieg des Admirals Dewey in der Manila Bay in San Francisco. Kameradschaft (2 Soldaten), Alpha Delta Phi-Denkmal; Bronzewiederholungen in 25 Stiftshäusern der USA u. Canadas (Taf. in: Amer. Art Annual, 20 [1923] geg. p. 153). Im Metrop. Mus. in New York: Die Flamme. Bauplastik am U. S. Supreme Court.

Lit.: Th.-B., 1 (1907). — Fielding. — Who's Who in Amer. Art, I: 1936/37. — Amer. Art Annual, 12

1915) 313, m. Fotobildn. geg. p. 318; 20 (1923) 422; 27 (1930) 20. — The Internat. Who's Who,[9] 1943/44. — Forrer, 7; 8 p. 308. — Blätter f. Münzfreunde, 50 (1915) Sp. 5880. — Bénézit,[2] 1 (1948). — G. H. Chase a. C. R. Post, Hist. of Sculpt., New York 1925. — Earle. — Time, 53, Nr v. 17. 1. 1949, p. 85 (Nachruf).

Aitken, Russell Barnett, amer. Keramiker, * 20. 1. 1910 Cleveland, O., ansässig ebda.

Stud. in Cleveland, dann bei Mich. Povolny u. Josef Hofmann in Wien u. an der Staatl. Porzellanmanuf. Berlin. — Groteske Tierstatuetten, Phantasieköpfe u. Gruppen (Raub der Dejaneira). Arbeiten u. a. im Cleveland Mus. of Art in Cleveland, O., u. im Whitney Mus. of Amer. Art in New York.

Lit.: Who's Who in Amer. Art, I: 1936/37. — The Brooklyn Mus. Quarterly, 22 (1935) 137, 140 (Abb.). — Bull. of the Cleveland Mus. of Art, 22 (1935) 77, Abb. nach p. 83; 25 (1938) 85 (Abb.), 89 (Abb.). — The Studio, 111 (1936) 174 (Abb.), 175f.; 114 (1937) 168, m. Abb.

Aizpurua, José Manuel de, s. im Artikel *Labayen,* Joaquin.

Akal, Haşmet, türk. Maler, * 1918 Saloniki.

Besuchte die Akad. der Schönen Künste in Istanbul (Konstantinopel), arbeitete dort 7 Jahre lang in der Malabteilung. Nahm 1946 an der Unescu-Kunst-Ausst. in Paris teil. Gehört der türk. modernen Schule an.

Akamatsu, Künstlername: *Unrei,* jap. Landschaftsmaler, * 1892 Ōsaka.

1929 wettbewerbfrei. Mitglied des Nihon Nangwaïn.

Lit.: Jap. Malerei d. Gegenw., Würfel-Verl., Berlin-Lankwitz 1931, Nr 141, m. Abb.

Akatsuka, Künstlername: *Jitoku,* jap. Lackkünstler, * 1871 Tōkyō, ansässig ebda.

Lit.: Bénézit,[2] I (1948). — Kat. d. Expos. d'Art jap., Paris, Grand Palais, 1922, Nrn 186f.

Akbulut, Ahmet Ziya, türk. Maler, * 1869 Istanbul (Konstantinopel), † 1938 ebda.

1887 von der Militärschule diplomiert. Seine Lehrer waren Maler Nuri u. Ali Riza. Stud. an d. Akad. d. Sch. Künste in Istanbul. Einige Werke im Bilder- u. Statuenmus. zu Istanbul. Realist. Genannt „Perspektiver Ziya".

Lit.: Berk,

Akdik, Şeref, türk. Maler, * 1899 Istanbul (Konstantinopel), ansässig ebda.

Stud. bis 1925 an der Malabteilung der Akad. d. Sch. Künste in Istanbul, ging dann nach Paris. Arbeitete dort an d. Acad. Julian. Nach Rückkehr in die Heimat Zeichenlehrer an verschied. Schulen, jetzt Lehrer an der Akad. d. Sch. Künste in Istanbul. Figürliches, Bildnisse. Gehört der türk. realistischen Schule an. Vertreten im Bilder- u. Statuenmus. in Istanbul.

Lit.: Berk, p. 23, Abb. 9.

Akeley, Carl Ethan, amer. Tierbildhauer, * 19. 5. 1864 Claredon, Orleans County, N.Y., † 17. 11. 1926 Kabale, Uganda.

Stud. in Brockport. Knüpfte 1895 Verbindung mit dem Field-Museum in Chicago an, für das er bis 1909 arbeitete. Seitdem tätig für das Naturhistor. Mus. in New York, wo sich zahlreiche Tiergruppen seiner Hand befinden. Weitere Arbeiten im Brooklyn Institute.

Lit.: Fielding. — Amer. Art Annual, 20 (1923) 423. — American Museum Journal, 14 (1914) 175/87, m. Abbn. — The Art News, 25, Nr 9 v. 4. 12. 1926, p. 8 (Nachruf).

Akerbladh, Alexander, schwed. Figuren- u. Landschaftsmaler, * 25. 4. 1886 Sundsvall, ansässig in London.

Schüler von Tony Binder u. Leon. Walker. Bilder im Bes. der Huddersfield Corpor. u. in der Art Gall. in Auckland, Neuseeland.

Lit.: Who's Who in Art,[3] 1934.

Åkerbladh, Ernst, schwed. Bildnismaler u. Karikaturenzeichner, * 1890 Sundsvall, ansässig in Stockholm.

Stud. in Rom, im übrigen Autodidakt.

Lit.: Thomœus.

Åkerblom, Josef (Jocke), schwed. Bildnismaler, * 1906 Timrå, ansässig in Stockholm.

Stud. in Paris u. in Deutschland.

Lit.: Thomœus.

Åkerblom-Sprengel, Knut Werner, schwed. Landschaftsmaler u. Graphiker, * 1877 Stockholm, † 1926 ebda.

Schüler von Tallberg. Studienaufenthalte in Deutschland u. Italien.

Lit.: Thomœus.

Åkerlund, Eva, schwed. Figuren- u. Blumenmalerin, * 1887 Stockholm, ansässig ebda. Tochter der Malerin Pauline A.

Schülerin von Kerstin Cardon u. Carl Wilhelmson, weitergebildet in Kopenhagen u. Paris.

Lit.: Thomœus.

Åkerlund, John, schwed. Architekt, * 15. 8. 1884 Borås, ansässig in Lidingö-Brevik.

Stud. an der Techn. Schule in Borås. Arbeitete 1907/09 bei Torben Grut; seitdem selbständig. — Volkshochsch. Sörängen in Nässjö; Sigtunastift; Handwerksch. für Blinde in Kristinehamn.

Lit.: Vem är det?, 1935. — Thomœus. — Vem är Vem i Norden, Stockh. 1941, p. 1534.

Åkerman, Ingeborg, schwed. Landschaftsmalerin, * 1887 Skabersjö, Schonen, ansässig in Malmö.

Stud. in München u. Paris.

Lit.: Thomœus.

Åkervall, Stig, schwed. Figuren- u. Interieurmaler, * 1919 Hed, Västmanland, ansässig in Älvsjö.

Stud. an den Malschulen Berggren u. Otte Sköld.

Lit.: Thomœus.

Åkesson, Jonas, schwed. Bildnis- u. Figurenmaler, * 6. 9. 1879 Malmö, ansässig ebda.

Stud. an d. Akad. Stockholm u. an d. Ec. d. B.-Arts in Paris. 1908/11 mit Reisestipendium in Deutschland, Italien, Spanien u. Portugal. Arbeiten im Mus. in Malmö u. im Ateneum in Helsinki.

Lit.: Th.-B., I (1907). — Vem är det?, 1935. — Joseph, I. — Bénézit,[2] I (1948). — Thomœus. — Svensk Biogr. Kalender, I: Malmöhus län, 1919, p. 375. — Arktos, 1 (1908/09) 218f., m. Abb. — Ord och Bild, 32 (1923) 239 (Abb.). — Vem är Vem i Norden, 1941 p. 1535.

Akimoff, N., sowjet. Bühnenmaler, * 1901.

Lit.: Encykl. d. Union d. Sozial. Sowjetrepubl., 2 (1950).

Akkeringa, Johan, holl. Maler, * 17. 1. 1864 auf Banka (N. I.), † 12. 4. 1942 Amersfoort.

Stud. an der Akad. im Haag u. in Rotterdam. Figurenbilder, Akte, Landschaften, Stilleben, Blumen-

stücke. Impressionist. Im Sted. Mus. Amsterdam: Netzflickerinnen.
Lit.: Th.-B., 1 (1907). — Plasschaert (falsches Geb.-Jahr). — Bénézit, [2] I (1948). — Wie is dat?, 's-Gravenhage 1935. — Hall, p. 287. — Waller. — Maandbl. v. beeld. Ksten, 9 (1932) 89ff., m. Abb.; 19 (1942) 144, 156/62. — Mededeel. van den Dienst v. Kunsten en Wetensch. d. Gem. 's-Gravenh., Deel II (1926/32) 38.

Akkermann, Theo (Anton Theodor), dtsch. Bildhauer, * 1. 11. 1907 Krefeld, ansässig ebda.
Stud. an der Kstgewerbesch. in Krefeld, an den Akad. in Hamburg u. Berlin u. an der Ec. d. B.-Arts in Paris. Religiöse Plastik, Denkmäler, Brunnen, Bildnisbüsten. Im Mus. in Krefeld: Stehendes Mädchen (Bronze); in München-Gladbach: Mädchentorso; Christus (Porphyr); in Nieukerk: Kriegerdenkmal (1932); Engel bei schlafendem Mann.
Lit.: Westdtsches Jahrbuch, 2 (1939) 311. — Weltbild (Mainz), Okt. 1948 Nr 17, m. 5 Abbn. — Mitteilgn d. Künstlers.

Aksel, Malik, türk. Maler, * 1903 Istanbul (Konstantinopel), ansässig in Ankara.
Besuchte die Lehrerschule in Istanbul, ging dann nach Berlin. Stud. dort an der Akad. d. Sch. Künste. Beeinflußt von Corinth u. Liebermann. Jetzt Leiter der Malabteilung am Gazi Egitim-Instit. zu Ankara. Gehört der türk. modernen Schule an. Interieurs mit Figuren aus dem Volke; Bauerndarstellungen. Vertreten im Bilder- u. Statuenmus. zu Istanbul.
Lit.: Berk, p. 24, Abb. 38.

Al, Christiaan, holl. Holz- u. Linolschneider u. Aquarellmaler, * 17. 7. 1885 Amsterdam, ansässig in Rotterdam.
Lit.: Waller.

Alabjan, Karo S., sowjet. Architekt, * 1897, ansässig in Moskau.
Herausgeber der Zeitschr. Architektura S. S. S. R. Korresp. Mitglied des Roy. Inst. of Brit. Architects. — Zentraltheater der Roten Armee in Moskau (zus. mit Wassilij Simbirtzeff), 1940. Pläne für das Tzvestia-Haus ebda.
Lit.: The Internat. Who's Who, [8] 1943/44. — Encykl. d. Union d. Sozial. Sowjetrepubl., 2 (1950). — 30 Jahre Sowj. Architektur in der RSFSR, Lpzg 1950, Taf. 30 f.

Aladjaloff, Manuil Christoforowitsch, russ. Maler, * 1862, † 1934.
4 Arbeiten in d. Staatl. Tretjakoff-Gal. Moskau.
Lit.: Mir Iskusstwa, 5 (1901) 124, 126 (Abb.); 7 (1902) 178 (Abb.). — Kat. Tretjakoff-Gal., 1952.

Alandt, Max, holl. Maler, * 8. 6. 1875 Amsterdam, † 1929 Den Haag.
Stud. an d. Quellinussch. u. d. Akad. A'dam. Figuren in Landschaft, Bildnisse.
Lit.: Plasschaert. — Waay. — Waller.

Alandt, Wilhelmus, s. *Marsman.*

Alanko, Uuno, finn. Maler u. Architekt, * 12. 10. 1878 Mäntsälä, ansässig in Helsinki.
Stud. Malerei in Paris (1906/07 u. 1910/14). Mitgl. der Künstlervereinig. „Septem". Hauptsächlich Landschafter (Öl u. Aquar.). Stellt in seinen streng tektonisch komponierten Landschaften die Überleitung zum Expressionismus in der finn. Malerei her. Seit 1923 Leiter der Zeichenschule am Ateneum, seit 1929 Lehrer für Figurenzeichnen u. Aquarellmalen an der Techn. Hochsch. ebda. Im dort. Ateneum: Schlafendes Mädchen; In der Küche (Abb. im Kat. 1930); Abendandacht. Altarbild in d. Kirche in Birkala.
Lit.: Hahm, p. 29. — Vem och Vad?, Helsingf. 1936. — Vem är Vem i Norden, Stockh. 1941, p. 407. — Öhquist. — Okkonen, p. 37. — Konstrevy, 1937, H. 9 p. IX, m. Abb.

Alaphilippe, Camille, franz. Bildhauer, * Tours, ansässig in Paris.
Schüler von Barrias. 1898 Rompreis. Stellte bis 1914 im Salon d. Art. Franç. aus. 1914 silb. Med. Brunnen der Damen von Antan in Tours. — Eine Bronze im Mus. in Algier.
Lit.: Joseph, I. — Bénézit, [2] I (1948).

Alarcão, Branca, portug. Bildhauer, * 4. 4. 1902 Lissabon, ansässig ebda.
Stud. an d. Kunstsch. in Porto; Schüler von Teixeira Lopes, Marques de Oliveira, Acácio Lino u. José de Brito. Prof. an den Techn. Schulen in Lissabon. — Kriegerdenkmäler in Tondela u. Benguela.
Lit.: Pamplona, p. 261.

Alarcão (do Nascimento Alarcão), Sarah, portug. Landsch.- u. Blumenmalerin, * 23. 1. 1892 Lissabon, ansässig ebda.
Stud. an d. Kstsch. in Porto; Schülerin von Acácio Lino, Marques de Oliveira, José de Brito u. Ant. Carneiro. Prof. a. d. Techn. Schule Lissabon.
Lit.: Zeitschr.-Jahrgänge: O Tripeiro, Éva, Modas, Bordados.

Alastair, engl. Zeichner u. Illustrator.
Beeinflußt von Aubrey Beardsley. Illustrat. u. a. zu Walter Pater, Sebastian van Storck (1927); Abbé Prevost, Manon Lescaut; O. Wilde, The Sphinx. Mappenwerk: Forty Three Drawings by A., with a Note of Exclamation by Rob. Ross, 1913. Koll.-Ausst. Okt. 1925 in der Weyhe Gall. in New York.
Lit.: The Art News, 24, Nr 4 v. 31. 10. 1925, p. 3. — The Burlington Magaz., 24 (1913/14) 353f.

Alaux, François, franz. Bildnis-, Landschafts- u. Marinemaler, * 11. 10. 1878 Bordeaux, ansässig in Paris.
Beschickte bis 1939 den Salon der Soc. Nat. d. B.-Arts. Bereiste Korsika, Italien, Spanien, Marokko. Lebte längere Zeit in Tanger. Bilder im Bes. des franz. Staates.
Lit.: Joseph, I, m. Selbstbildn. (Kohlezeichn.). — Bénézit, [2] I (1948).

Alaux, Gustave, franz. Bildnis- u. Figurenmaler, * 21. 8. 1887 Bordeaux, ansässig in Paris.
Schüler von M. Baschet u. Henri Royer. Mitglied der Soc. d. Art. franç., beschickt deren Salon seit 1913 (Kat. z. T. m. Abbn). Silb. Med. 1920; Gold. Med. 1927. Im Hôtel de l'Univers. in Saint-Malo: Der Korsarenhafen Saint-Malo.
Lit.: Joseph, I. — Bénézit, [2] I (1948). — Gaz. d. B.-Arts, 1920/I p. 417, m. Abb.

Alban, Constant Jozeph, holl. Maler, Rad. u. Holzschneider, * 20. 1. 1873 Rotterdam, ansässig ebda.
Schüler von van Maasdijk u. Jan de Jong. Stillleben, Bildnisse, Landschaften, Stadtansichten.
Lit.: Waay. — Waller.

Albano, Mario, ital. Genre-, Bildnis- u. Landschaftsmaler, * 27. 7. 1896 Turin, ansässig ebda.
Autodidakt. Stellt seit 1925 aus.
Lit.: Comanducci.

Albarrán y Sánchez, Lorenzo, span. Genre-, Akt- u. Bildnismaler, * Alaraz (Salamanca), ansässig in Madrid.
Lit.: Kat.: Expos. gen. de B. Artes, Madrid 1906; Exp. Nac. de Pint. etc., 1910, m. Abb.

Albe, Gerhard, schwed. Marinemaler u.

Radierer, * 10. 8. 1892 Stockholm, ansässig in Älsten.

Schüler von Ch. Bloche in Kopenhagen (1917/19) u. von Jernberg in Berlin (1919/25). Studienaufenthalte in Paris u. London. Seit 1926 Direktor des Seegeschichtl. Museums in Stockholm.

Lit.: Vem är det?, 1935. — N. F., 21 (Suppl.). — Thomœus. — Vem är Vem i Norden, 1941 p. 934.

Albe, Maurice, franz. Graphiker, * 15. 1. 1900 Beaugency (Loiret), ansässig in Sarlat (Dordogne).

Buchschmuck, Illustr., u. a. zu Eug. Le Roy „L'Année rustique en Périgord", u. „Jacquou le croquant". Stellt bei den Indépendants u. im Salon d'Automne aus.

Lit.: Joseph, I. — Bénézit, ² I (1948).

Albee, Grace, geb. *Arnold,* amer. Kupferstecherin, * 28. 7. 1890 Scituate, R. I., ansässig in New York. Gattin des Folg.

Schülerin von Paul Bornet in Paris.

Lit.: Who's Who in Amer. Art, I: 1936/37. — Amer. Art Annual, 30 (1933). — D. Kstwerk, 6 (1952) H. 1, p. 46 (Abb.). — Magaz. of Art, 36, Jan. 1943, p. 26 (Abb.). — The Studio, 100 (1930) 348, 351 (Abb.). — Art Digest, 23, Nr v. 15. 1. 1949, p. 26. — Carnegie Magaz., 15 (1941) 182 (Abb.).

Albee, Percy Frederick, amer. Maler, * 26. 6. 1883 Bridgeport, Conn., ansässig in New York. Gatte der Vor.

Stud. an der Pennsylvania Acad. of F. Arts in Philadelphia u. der Zeichenschule in Providence. Wandbilder u. a. in der Brown Univ. u. im Roger Williams Park Mus. in Providence.

Lit.: Fielding. — Amer. Art Annual, 20 (1923) 423. — Who's Who in Amer. Art, I: 1936/37. — Art Digest, 17 (1943), Nr v. 15. 1., p. 15.

Albermann, Wilhelm, dtsch. Bildhauer, * 8. 4. 1873 Köln, ansässig ebda. Sohn des Bildh. Wilhelm A. (1835–1913).

Schüler der Münchner Akad. Brunnen in Mühlheim a. Rh.; Hochaltar der Stadtkirche ebda. — Sein Bruder Franz ist als Bauplastiker in Köln tätig.

Lit.: Dreßler. — Dtsche Kst u. Dekor., 67 (1930–31) 190 (Abb.). — Zeitschr. d. Rhein. Ver. f. Denkmalpflege u. Heimatschutz, 23 (1930) Heft 1.

Albers, Anton, dtsch. Maler u. Holzschneider, * 23. 11. 1877 Bremen, zuletzt ansässig in Neurönnebeck a. d. Weser.

Schüler G. Schönlebers in Karlsruhe. Studienaufenthalt in Paris. Landschaften, Bildnisse. Farbenholzschnitte.

Lit.: Th.-B., 1 (1907). — Niedersachsen, 25 (1920) 273.

Albers, Hendrik, holl. Maler, Zeichner, Lithogr. u. Holzschneider.

Autodidakt. Seit 1926 Mitglied der „Onafhankelijken", seit 1938 auch der „Vereen. voor Graf. Kunst". Landschaften, Stilleben, Tiere, Figürliches.

Lit.: Waay. — Waller.

Albers, Josef, dtsch. Maler, Graphiker u. Kstpädagog, * 19.3.1888 Bottrop (Westf.), ansässig in New Haven Conn., USA.

Stud. an d. Akad. Berlin u. München u. am St. Bauhaus Weimar. 1923 33 Lehrer am Bauhaus. 1933/48 Prof. am Black Mountain College, North Carolina, USA, seit 1950 Prof. am Inst. of F. Arts der Yale University, New Haven. Längere Aufenthalte in Mexiko. Mitgl. der „American Abstract Artists". Leitete am Bauhaus die Werkstatt für Glasmalerei, später den Vorkurs. Farbige Glasfenster im ehemal. Weimarer Bauhaus, im Ullsteinhaus Berlin u. im Grassi-Museum Leipzig. Wandglasbilder aus Überfangglas, Ölbilder, Holzschnitte. Geht aus von Material u. Funktion und kommt zu betont konstruktiven Lösungen. In den USA als einer der besten Kunstpädagogen geschätzt. Bild in d. Addison Gall. of Amer. Art in Andover, Mass.

Aufsätze: Werklicher Formunterricht, Bauhaus, II 2/3 p. 3; Kombinationsschrift, ebda, IV 1 p. 2f.; Zur Ökonomie der Schriftform, Offset-Buch und Werbekst, 1926 H. 7; Present and or Past, Design 1946, April p. 16f.; Statements, Kat. des Cincinnati Art Mus., 1949.

Lit.: Bauhausbücher, München, 1925/28 passim, m. Abbn. — Die Maler am Bauhaus, Prestel-Verl. München 1950. — D. Kstwerk, 2 (1948) Heft 8 p. 44; 4 (1950) H. 8/9 p. 88, m. Abb. — Design, 47, April 1946, p. 16f., m. Abb. — The Art News (New York), 15. 10. 41, p. 18 (Abbn); 15. 1. 45, p. 28, m. Abb.; Nov. 46, p. 56; Febr. 49, p. 15, m. Abb. — Art Digest, 19, Nr v. 15. 1. 1945, p. 15ff. — Print (Woodstock, Vir.), 3 (1945) Nr 4, p. 8/9, m. Abb. — Bull. Addison Gall. 1944 p. 6f., 10, 17 (Abb.). — Baltimore Mus. of Art News, 5, Dez. 1942, p. 1. — Brooklyn Mus. Bull., 10 (1949) Nr 3 p. 15 (Abb.). — Kat.: The Artists Gall., New York 1938; Gal. Herrmann, Stuttgart 1948, m. 18 Taf.; Ch. Egan a. Sidney Janis Gall., 1949.

Albert, Andor, ungar. Bildhauer, * 11. 11. 1876 Baja, lebt in Arad (jetzt Rumänien).

Schüler von Mátrai u. Strobl in Budapest. Bildnisbüsten, Grabmäler.

Lit.: Szendrei-Szentiványi. — Krücken-Parlagi.

Albert, E. Maxwell, amer. Maler, * 1. 8. 1890 Chicago, Ill., ansässig in New Canaan, Conn. Sohn des Malers Ernest A. (* 1857).

Stud. an der Art Student's League in New York.

Lit.: Fielding. — Amer. Art Annual, 20 (1923) 423; 30 (1933). — Who's Who in Amer. Art, I: 1936–37. — The Art News, 30 Nr 40 v. 17. 9. 1932, p. 6 (Abb.).

Albert, Gustav, schwed. Landschafts- u. Blumenmaler, * 1883 Karlskrona, ansässig in Tyringe, Schonen.

Lit.: Thomœus.

Albert, Joseph (Josse), belg. Figuren-, Landsch.- u. Stillebenmaler, * 1886 Brüssel.

Schüler der Akad. St-Josse-ten-Oode. Bilder in den Museen Antwerpen, Brüssel, Gent u. Lüttich.

Lit.: Seyn, I.

Albert, Lothar, schweiz. Glasmaler, ansässig in Basel.

Fenster (Totentanz) in d. Pfarrk. in Schwyz.

Lit.: Dreßler. — D. Christl. Kst, 24 (1927/28) 136, 156. — Kstdenkm. d. Schweiz, I: Kt. Schwyz, 2 (1930); Zug (1934/35).

Albert, Maurice Léon, franz. Landschaftsmaler, * Paris, ansässig in Colombes (Seine).

Mitgl. der Soc. d. Art. Indépendants.

Lit.: Joseph, I. — Bénézit, ² I (1948).

Albert, Totila, chilen. Bildhauer, * 30. 11. 1892 Santiago de Chile, ansässig in Berlin.

4 Figuren (Leiden, Denken, Ringen, Handeln) für die Görlitzer „Landeskrone". Porträtbüsten: Albert Einstein, Arthur Holitscher, Bildh. Franz Metzner.

Lit.: Dreßler. — Kstblatt, 7 (1923) 362. — T. A., Monogr., Verl. Jul. Bard, Berlin 1924.

Albert-Lazard, Loulou, lothr. Malerin (bes. Aquar.) u. Lithogr., * 1891 Metz, ansässig in Paris.

Landschaften aus Frankreich (Paris, Marseille), Italien (Siena) u. Spanien (Toledo); Tiere. Impressionistin. Mit sparsamen Mitteln sicher erfaßte Bildnislith. (Derain, Chagall); Mappe: Montmartre (Kiepenheuer, Potsdam).

Lit.: Joseph, I. — Bénézit, [2] I (1948. — D. Cicerone, 17 (1925/I) 478. — Die Dame, 52 (1924/25) Heft 12 p. 9ff. — Beaux-Arts, 5 (1927) 30f., Nr v. 14. 11. 1947 p. 4; 6. 2. 48 p. 1; 12. 3. 1948 p. 8, sämtl. m. Abbn. — La Renaiss. de l'Art franç., 10 (1927) 157f., m. Abb.

Albert-Mathieu, Joseph, franz. Landschaftsmaler, * Albi (Tarn), ansässig in Paris.

Schüler von E. Laurent. Stellt seit 1927 im Salon der Soc. d. Art. Franç. u. bei den Indépendants aus.

Lit.: Bénézit, [2] I (1948).

Albertazzi, Arturo, ital. Figurenmaler, * 1. 2. 1881 Vogogna (Novara), † 15. 9. 1917 Ghiffa.

Schüler der Akad. in Mailand. In der dort. Gall. d'Arte Mod.: Reife Früchte.

Lit.: Comanducci.

Alberti y Barceló, Fernando, span. Genremaler u. Illustr., * 17. 4. 1870 Madrid, ansässig ebda.

Lit.: Th.-B., 1 (1907). — Kat.: Exp. gen. de B. Artes, Madrid 1906; Exp. Nac. de Pint. etc., 1910, m. Abb.

Alberti, Hermann, dtsch. Maler u. Bühnenbildner, * 11. 8. 1901 Dresden, ansässig in Düsseldorf.

Stud. an d. Akad. f. Kstgew. in Dresden.

Lit.: Dreßler.

Albertini, Carlo Degli, ital. Maler, * 25. 12. 1889 Verona, ansässig in Paris.

Zuerst Kavallerieoffizier, ging dann zur Malerei über. Schüler von Ettore Tito in Venedig. Weitergebildet seit 1927 in Paris bei A. Lhote. Figürl. Kompositionen (bes. Akte), Bildnisse, Pferde, Landschaften. Stellt bei den Indépendants aus. Kollektiv-Ausstellg Juni 1932 in der Gal. Carmine in Paris.

Lit.: Bénézit, [2] 3 (1950) 121. — Beaux-Arts, 10 Nr v. 25. 6. 1932, p. 13. — L'Amour de l'Art, 12 (1931) 339. — L'Art et les Art., N. S. 24 (1932) 230/35, m. 6 Abbn u. Selbstbildn. — Die Weltkst, 13. 10. 1940, p. 2.

Albertini, Oreste, ital. Landschaftsmaler, * 28. 3. 1887 Torre del Mangano (Pavia).

Schüler von Borsani, Lorenzoli, Luigi Rossi u. Giov. Buffa in Mailand.

Lit.: Comanducci, m. Abb.

Albertini, Silvio Alberto, ital. Genre- u. Bildnismaler, * 18. 4. 1889 Verona, ansässig ebda.

Schüler von Alfredo Savini. Seit 1916 lehrtätig am Istituto „Ugo Zanoni" in Verona.

Lit.: Comanducci.

Albertis, Eduardo De, ital. Figurenbildhauer u. Medailleur, ansässig in Genua.

Stellt seit 1893 aus. Statue der Poesie für den 1931 in Genua errichteten Siegesbogen.

Lit.: Bénézit, [2] I (1948). — Boll. d'Arte, Ser. III/1 (1931/32) 38. — Emporium, 40 (1914) 320, m. Abb.; 74 (1931) 44, m. Abb., 46, 49 (Abb.). — Rass. d'Arte antica et mod., 1920, Beibl. H. 7, p. V.

Alberto, Luis, chilen. Bildnismaler.

Lit.: La Renaiss. de l'Art franç., 9 (1926) 471 (Abb.).

Albertolli, Giocondo, schweiz. Architekt, * 28. 9. 1870 Bedano b. Lugano.

Wanderte 1893 nach Argentinien aus. Wurde 1. Archit. der „Officina delle opere pubbliche" in Buenos Aires.

Lit.: Th.-B., 1 (1907). — Schweiz. Zeitgen.-Lex., 1932.

Alberts, Jacob, dtsch. Maler u. Graph., * 30. 6. 1860 Westerhever b. Garding (Schleswig), † Nov. 1941 Malente-Gremsmühlen.

Koll.-Ausst. z. 50. Geb.-Tag im Mus. in Flensburg 1910 (ill. Kat.). Bilder in den Museen Altona (Heimat), Danzig (Leutestube in Eiderstädt), Frankfurt a. M. (Beichte auf der Hallig), Kiel (Königspesel auf Hooge), Krefeld (Zimmer auf Vierlande), Leipzig (Halligstube) u. Magdeburg (Predigt auf der Hallig Gröde).

Lit.: Th.-B., 1 (1907). — G. Frenssen, J. A. Ein dtsch. Maler, Berlin 1920. — The Magaz. of Art, 1904 p. 74/76. — Westermanns Monatsh., 158 (1935) Abb. 7 am Schluß d. Bandes. — Niedersachsen, 9 (1903/04) 255/56, m. 3 Abbn. — Nordelbingen, 16 (1940) 272 –300. — Unsere Nordmark, II 248f. — Velhagen & Klasings Monatsh., 50/II (1936), farb. Taf. geg. p. 416, 448.

Alberts, John Bernhard, amer. Maler, * 9. 7. 1886 Louisville, Ky., ansässig ebda.

Schüler von Duveneck u. Meakim in Cincinnati, dann von Tarbell u. Benson in Boston.

Lit.: Fielding. — Amer. Art Annual, 20 (1923) 423.

Albertsen, August, norweg. Architekt, * 15. 3. 1877 Namsos, ansässig in Trondheim.

Stud. an der Techn. Hochsch. Charlottenburg. 1904ff. bei der Restaurierung der Domkirche in Nidaros beschäftigt. 1921/26 Stadtarchitekt von Trondheim.

Lit.: Hvem er Hvem?, [4] 1938. — Vem är Vem i Norden, Stockh. 1941, p. 598.

Albertshofer, Georg, dtsch. Bildhauer, * 19. 10. 1864 Neuburg a. d. Donau, † August 1933 München.

Schüler von W. v. Ruemann. Kneipp-Denkmal in Wörishofen; Hl. Antonius am Georgsaltar der Paulskirche in München; Reliefs an der dort. Universität; Bennosäule vor der St. Bennokirche ebda; Kriegerdenkmale in Berchtesgaden, Fürth, Neuburg u. Rosenheim. Die 4 Elemente am Kurhaus in Aachen.

Lit.: Th.-B., I (1907). — A. Alckens, D. Denkm. u. Denkst. d. St. München, 1936. — Dreßler. — Die Christl. Kst, 7 (1910/11) 230f., Abb. p. 212ff. — Kst u. Handwerk, 1912 p. 195 (Abb.), 200 (Abb.); 1913 p. 94 (Abb.), 337 (Abb.). — D. Weltkst, 3. 9. 1933, p. 4.

Albieri, Gino, ital. Landschaftsmaler, * 20. 7. 1881 Cavarzere (Venedig).

Schüler der Akad. Venedig, dann 8 Jahre von Van Brugge in Kairo. Kehrte 1914 nach Italien zurück. Machte während des 1. Weltkrieges Frontaufnahmen von dem lenkbaren Luftschiff „M 2", von denen ein Teil von der Regierung der USA angekauft wurde.

Lit.: Comanducci.

Albiker, Karl, dtsch. Bildhauer (Prof., Dr.-Ing. h. c.), * 16. 9. 1878 Ühlingen (Bad. Schwarzwald), ansässig in Ettlingen, Baden.

Stud. 1898/99 bei Herm. Volz an der Akad. Karlsruhe (1899/1900) u. bei Rodin in Paris. 1900/03 in München, 1903/05 in Rom, 1906/15 in Ettlingen i. B. 1919 Ruf als Prof. an die Akad. Dresden. Seit 1945 in Ettlingen. Angeregt von Rodin u. der archaisch-griech. Plastik. Thematisch steht im Mittelpunkt s. Kunst der in melodischem Fluß rhythmisch bewegte weibliche Akt. Arbeitet hauptsächl. für Bronze, aber auch in Holz, Stein u. für Terrakotta. Im Krematorium in Hagen i. W. die eindrucksvoll bewegte „Trauernde". In Konstanz das Zeppelin-Denkmal (männl. Idealfig. auf hohem Obelisk). In Freiburg i. Br.: Denkmal für die 1713 bei der Verteidigung von Freiburg gefallenen Grenadiere. An Küchlin's Varieté-Theater in Basel: Betonreliefs mit lebhaft bewegten Männerakten u. musizierenden Mädchen. Am Konzerthaus in Karlsruhe: Skulptur des Giebelfeldes. Im ehem. Reichssportfeld in Berlin: Staffelläufer u. Gruppe zweier Diskuswerfer (Muschelkalk). Im ehem. Haus des Dtsch. Sports ebda: Gutsmuth-Büste. Mehrere Arbeiten (Pallas Athene; Bewegung; Jüngling; Bildnis der Mutter) in der Ksthalle in Mannheim. Stehender Jüngling im Städt. Mus. in Wuppertal. Aufsatz: Die Probleme der Plastik u. das Material des Bildhauers, in: Dtsche Kst u. Dekor., 45 (1919/20) 171/182. Umfassende Koll.-Ausst. 1938 u. Febr./Mai 1940 in d. Städt. Ksthalle Mannheim.

Lit.: Th.-B., 1 (1907). — Dreßler. — Werner, p. 40/44, m. 5 Abbn, 205, m. Fotobildn. — Ekhart. — Hentzen, p. 48ff., mit 5 Abbn u. Fotobildnis. — Jahrb. f. d. Badener Land, 21 (1940) 72/81. — D. Kst, 35 (1916/17) 29/40, 150f. (Abbn); 37 (1917/18) 44 (Abb.), 47; 38 (1917/18) 92/93 (Abbn); 39 (1918/19) 385, 395 (Abb.); 41 (1919/20) 425, 426 (Abb.), 430; 55 (1926/27) 147/150, m. Abbn bis p. 155; 59 (1928–29) 381 (Abb.), 382f.; 61 (1929/30) 260 (Abb.); 69 (1933/34) 342 (Abb.); 75 (1936/37) 11 (Abb.). — Dtsche Kst u. Dekor., 37 (1915/16) 209 (Abb.); 39 (1916/17) 394/403 (Abbn); 52 (1923) 196 (Abb.), 335f. Abbn; 55 (1924/25) 118, 121 (Abb.), 139 (Abb.); 59 (1926/27) 120 (Abb.); 62 (1928) 122, 231; 64 (1929) 295 (Abb.), 302. — Kst u. Kstler, 22 (1923/24) 289 (Abb.), 290; 23 (1924/25) 383 (Abb.), 384; 26 (1927/28) 148 (Abb.); 28 (1929/30) 234 (Abb.). — D. Kst u. d. schöne Heim, 50 (1951/52) 166 (Abb.), 167. — D. Kstwerk, 5 (1951) H. 2, p. 32, m. Abb. — Die Rheinlande, 20 (1920) 117/24, m. Abbn. — D. Plastik, 3 (1913) p. 45, 51, 55, Taf. 54/63; 7 (1917) p. 57, Taf. 56.

Albino, Luca, ital. Genremaler, * 14. 2. 1884 Maiori bei Amalfi.

Schüler von Angelo della Mura, dann von Paolo Vetri u. Vinc. Volpe an d. Akad in Neapel. Längere Zeit in Buenos Aires, Argentinien, ansässig. Seit 1923 wieder in Italien.

Lit.: Comanducci.

Albinmüller, eigentlich Müller, Albin, dtsch. Architekt u. Fachschriftst., * 13. 12. 1871 Dittersbach, Erzgeb., † 1943 Darmstadt.

Stud. an den Kstgewerbesch. Mainz u. Dresden, im übrigen Autodidakt. 1900/06 Lehrer an der Kstgewerbesch. in Magdeburg. Seit 1906 in Darmstadt. Eines der frühsten Mitglieder der Darmst. Kstlerkolonie. Prof. an der Techn. Hochsch. Darmstadt. Vielfach ausgezeichnet, u. a. Grand prix Saint Louis, Brüssel 1910, Staatsmed. u. Gold. Med. Dresden. — Anlagen für d. Darmstädter Ausst. 1908; Einfamilien- u. Reihenhäuser in Darmstadt-Mathildenhöhe (1913); Brunnenanlage ebda (1914); Krematorium in Magdeburg (1919); Boelcke-Denkm. in Dessau (1921); Theater ebda (1923); Dtsche Vereinsbank in Darmstadt; Löwentor ebda. Spezialität: Zerlegbare, transportable Holzhäuser, für die A. auch die gesamte Inneneinrichtung entwarf. — Buchwerke: Architektur u. Raumkunst, Leipzig o. J.; Werke der Darmstädter Ausstellung 1914, Magdeburg o. J.; Holzhäuser, Stuttgart o. J.; Neue Werkkunst, Berlin o. J.; Denkmäler, Kult- u. Wohnbauten, mit Beiträgen von E. Zeh u. Marck Müller [Sohn des Künstlers], m. 34 Abbn, Darmst. 1933.

Lit.: Th.-B., 25 (1931) 218. — Dreßler, p. 691. — Dtsche Bauzeitg, 60/I (1926) 705ff., m. Abbn. — Hellweg (Essen), 3 (1923) 429. — D. Kst, 40 (1918/19) 362 (Taf.), 363, m. Abbn bis p. 367; 46 (1921/22) 123/28, m. Abbn; 48 (1922/23) 85, m. Abbn bis p. 88; 52 (1924/25) 154ff., m. Abbn; 54 (1925/26) 133/35 (Abbn); 68 (1932/33) 192/97, m. Abbn. — Dtsche Kst u. Dekor., 57 (1925/26) 351/60, m. Abbn u. Taf.; 60 (1927) 412/16, m. Abbn. — Volk u. Scholle, 11 (1933) 342.

Albinson, Dewey, amer. Maler, * 9. 3. 1898 Minneapolis, Minn., ansässig ebda.

Stud. an der Art Student's League in New York, weitergebildet in Paris u. Italien (längere Zeit in den Abruzzen u. an d. Adriaküste). Landschaften, Genre. Bilder im Minneapolis Inst. of Arts in Minneapolis u. in d. Addison Gall. of Amer. Art in Andover, Mass.

Lit.: Who's Who in Amer. Art, I: 1936/37. — Monro. — Bull. Minneapolis Inst. of Arts, 1934, p. 6f., m. Abb. — Art Digest, 8. 9. 1944. — The Art News, 30. 1. 1932 p. 10. — The New York Times, 30. 1. 1932.

Albiol López, José, span. Genre-, Bildnis- u. Landsch.-Maler, * Valencia, ansässig in Madrid.

Lit.: Th.-B., 1 (1907). — Kat. d. Exp. gen. de B. Artes, Madrid 1906.

Albisetti, Natale, Tessiner Bildhauer, * Stabio, † 1923 Paris.

Vier Nischenstatuen am Eidgenöss. Polytechnikum in Zürich. Nat.-Denkmal in Bellinzona.

Lit.: Th.-B., 1 (1907). — Art Moderne (Genf), 1896, Lief. 8 (Abb!).

Albissola, Tullio d', ital. Keramiker, Bildhauer u. Dichter, * 2. 12. 1899 Albissola Marina (Savona), ansässig ebda.

Keram. Arbeiten u. Bronzen in den Museen in Genua, Mailand u. Faenza.

Lit.: Chi è?, 1940.

Albitz, Richard, dtsch. Landschaftsmaler, * 31. 1. 1876 Berlin, ansässig ebda.

Stud. an der Berl. Akad. Gold. Med. Wien 1913. 2 Bilder im Bes. der Stadt Berlin.

Lit.: Dreßler. — D. Kst, 25 (1912) 566 (Abb.). — D. Kstschule, 5 (1922) Titelbl. — D. Weltkst, 2. 2. 1936, p. 4.

Albore, Achille D', ital. Genre- u. Interieurmaler, * 13.5.1882 Casapulla (Caserta), † 8. 10. 1915 Caserta.

Schüler der Akad. Neapel. Lehrtätig am Istit. Tecnico in Caserta. Pleinairist.

Lit.: Comanducci, p. 173. — Emporium, 37 (1913) 310 (Abb.), 314. — Museum (Barcelona), 4 (1915) 187 (Abb.), 188.

Alborno, Pablo, paraguayischer Maler u. Kunstschriftst. (Prof.), * 7. 6. 1877 Asunción.

Stud. an den Akad. in Rom u. Venedig. Begründer der Acad. de B. Artes in Asunción (1910). Bilder im Godoy-Mus. ebda.

Lit.: Who's Who in Latin America, 1935.

Albracht, Wilhelm, belg. Landsch.-, Bildnis- u. Interieurmaler, * 1861 Antwerpen, † 1922 ebda.

Schüler von Ch. Verlat. 2 Interieurs im Mus. Antwerpen.

Lit.: Th.-B., I (1907). — Seyn, I. — Bénézit, [2] I.

Albråten, Karin, siehe *Faulkner*.

Albråten, Riborg, geb. *Böving*, schwed. Keramikerin, * 1880 Anderslöv, ansässig in Rackstad, Arvika. Mutter des Folg. u. der Karin Faulkner.

Stud. in Bern u. Karlsruhe. Bereiste Europa u. die USA.
Lit.: Thomœus, p. 368.

Albråten, Väge, schwed. Landschaftsmaler (Öl u. Aquarell), * 1913 Örebro, ansässig in Rackstad. Sohn der Vor.
Studienaufenthalte in der Schweiz u. in Deutschland.
Lit.: Thomœus, p. 368.

Albrecht, Fürst von Urach, Graf von Württemberg, dtsch. Maler (bes. Freskant) u. Graph., * 18. 10. 1903 Hanau, ansässig in Stuttgart.
Stud. an den Akad. Stuttgart, München u. Paris. Doppelbildnis im Bes. des Städt. Kstvereins Bremerhaven.
Lit.: Dreßler.

Albrecht, Clarence John, amer. Bildhauer, * 28. 9. 1891 Waverly, Ia., ansässig in Seattle, Washington.
Stud. bei R. Dill u. am State Mus. in Washington.
Lit.: Amer. Art Annual, 20 (1923) 423.

Albrecht, Hedwig, öst. Holzbildhauerin, ansässig in Wien.
Schülerin der Wiener Frauenakad. unter Heinr. Zita.
Lit.: Öst. Kunst, 7 (1936) H. 7/8 p. 12 (Abb.: Studienkopf in Zirbelholz).

Albrecht, Hermann, dtsch. Maler, * 5. 7. 1871 Berlin, ansässig ebda.
Schüler der Berl. Akad., Meisterschüler A. v. Werners. Hauptsächl. Porträtist.
Mitteilg d. Kstlers.

Albrecht, Karl, mähr. Porzellanmaler u. Zeichner f. Kstgewerbe, * 6. 1. 1859 Znaim, † 27. 2. 1927 ebda.
Lit.: Th.-B., 1 (1907). — Degener, Wer ist's? [8] 1922; [9] 1928 (Nachruf).

Albrecht, Kurd, dtsch. Maler u. Bühnenbildner, ansässig in Berlin.
Lit.: Dreßler. — Daheim, 25. 12. 1926 H. 13 (farb. Titelbl.).

Albrecht, Ludolf, dtsch. Gold- u. Silberschmied u. Bildhauer, * 16. 1. 1884 Haigerloch, ansässig in Schenefeld, Bez. Hamburg.
Stud. an den Kstgewerbesch. München u. Hamburg. Bildnisbüsten, Grabdenkmäler, Bauplastik. Im Landesgewerbemus. Stuttgart: Mädchen (Bronze); im Stadtpark in Altona: Springerin.
Lit.: Dreßler. — Schleswig-Holst. Tagesztg, 25. 1. 1936 (L. A., Meine Arbeit im Dienste einer Idee). — Dtsch. Volkstum, 22 (1920) 255/57. — Velh. & Klasings Monatsh., 41/II (1926/27) Taf. geg. p. 544.

Albrecht, Oskar, dtsch. Maler u. Zeichner, * 23. 9. 1895 Ronneburg, Sa./Altenburg, ansässig in Berlin-Lichterfelde.
Stud. an der Hochsch. für bild. Kst in Weimar, dann Meisterschüler von Klemm. Schloß sich den Expressionisten, später der Gruppe der „Zeitgenossen" an. 1933 Ausstellungsverbot. Hauptsächl. Porträtist (Schauspieler Bassermann, Kstkritiker Jacobsohn, Schriftst. Anna Seghers). Bilder in den Museen in Weimar u. Ulm.
Lit.: Aufbau, 5 (1949) 230 (Abb.), 435 (Abb.), 466 (Abb.); 6 (1950) 521 (Abb.), 1111 (Abb.). — Sonntag (Berlin), 17. 8. 1947 (Gespräch mit E. O. A., m. Abb.: Bildn. Anna Seghers).

Albrecht, Otto, schweiz. Buchillustr., Öl- u. Aquarellmaler u. Entwurfzeichner f. Glasmalerei, * 16. 1. 1882 Jegenstorf, Bern, ansässig in Frauenfeld.
Stud. an der Malschule Knirr in München.
Lit.: Schweiz. Zeitgenossen-Lex., 1932. — D. Schweiz, 1907 p. 113ff.; 1910 p. 46; 1912 p. 147; 1913 p. 391; 1914 p. 295. — D. Werk (Zürich), 3 (1916) 206 (Abb.); 4 (1917) 117 (Abb.), 126ff. (Abbn).

Albright, Gertrude Partington, engl.-amer. Malerin u. Rad., * Heysham, Engl., ansässig in San Francisco, Calif. Gattin des Folg.
Schülerin von J. H. E. Partington u. G. X. Prinet. Im Bes. d. Stadt San Francisco: Bildnis e. Schauspielerin.
Lit.: Fielding. — Who's Who in Amer. Art, I: 1936/37. — Amer. Art Annual, 20 (1923) 423.

Albright, H. Oliver, dtsch-amer. Maler, * 29. 1. 1876 Mannheim, † 1944 San Francisco, Calif. Gatte der Vor.
Gedächtn.-Ausst. April 1947 im Mus. in San Francisco.
Lit.: Fielding. — Who's Who in Amer. Art, I: 1936/37. — Amer. Art Annual, 30 (1933). — Architect a. Engineer (S. Francisco), April 1947, p. 6.

Albright, Henry James, amer. Holzschnitzer, Metallkünstler u. Holzschneider, * 16. 7. 1887 Albany, N. Y., ansässig in Glenmont, N. Y.
Schüler von S. L. Huntley, Ch. L. Hinton, Ch. W. Hawthorne u. J. F. Carlson. Lehrer für Holzschnitzerei an d. Clark School of Art in Albany.
Lit.: Fielding. — Who's Who in Amer. Art, I: 1936/37. — Amer. Art Annual, 20 (1923) 423; 27 (1930) 505; 30 (1933).

Albright, Ivan Le Lorraine, amer. Maler, Bildhauer u. Lithogr., * 20. 2. 1897 Chicago, ansässig in Warrenville, Ill.
Stud. an der Pennsylv. Acad. of F. Arts u. der Nat. Acad. of Design in New York. Bilder u. a. im Milwaukee Art Inst. in Milwaukee, Wis., u. in der Hackley Gall. of F. Arts in Muskegon, Mich.
Lit.: Fielding. — Who's Who in Amer. Art, I: 1936/37. — The Studio, 113 (1937) 16 (Abb.). — Art Index (New York), Okt. 1941/Okt. 1952. — Amer. Art Annual, 30 (1933). — Monro.

Albright, Lloyd Lhron, amer. Maler, Zeichner u. Kstgewerbler, * 9. 8. 1897 Cleburne, Texas, ansässig in Dalhart, Texas.
Lit.: Who's Who in Amer. Art, I: 1936/37. — Amer. Art Annual, 30 (1933).

Albright, Malvin Marr, gen. *Zsissly,* amer. Bildhauer, * 20. 2. 1897 Chicago, Ill., ansässig in Warrenville, Ill.
Schüler von Albin Polasek, Ch. Grafly u. der Ec. d. B.-Arts in Nantes. — Bilder u. a. in der San Diego F. Arts Gall. in San Diego, Calif. (Hl. Franziskus), in Omaha, Neb. (Gerechtigkeit; Befreiung von der Sklaverei), u. in der Carnegie Library in Marion, Ill.
Lit.: Who's Who in Amer. Art, I: 1936/37. — Amer. Art Annual, 30 (1933). — Monro. — Painting in the Un. States. Carnegie Inst. Pittsburgh 1949, Kat. Taf. 48. — Art Digest, 16, Nr v. 15. 4. 1942, p. 6; 19, Nr v. 15. 3. 1945, p. 5 (Abb.), Sept. 1945, p. 25; 20, Nr v. 1. 11. 1945 p. 12, 13. — The Art News, 42, Nr v. 15. 3. 1943, p. 17; 44, Nr v. 1. 4. 1945, p. 18 (Abb.), Nr v. 1. 11. 1945, p. 26; 45, April 1946, p. 40 (Abb.).

Albuquerque, Georgina de, geb. *de Moura Andrade,* brasil. Malerin (Prof.), * 4. 2. 1885 Taubaté, São Paulo, ansässig in Niterói, Staat Rio de Janeiro. Gattin des Folg.

Stud. an der Kunstsch. in Rio de Janeiro (bei H. Bernardelli), an der Acad. Julian in Paris (H. Royer u. P. Gervais) u. an der dort. Ec. d. B.-Arts. 3 Bilder (Morgensonne, Sommertag, Rosensträucher) in d. Nat.-Pinak. in Rio, 1 Bild (Sessão do Conselho de Estado que decidiu a Independencia) im Nat.-Hist. Mus. ebda; Jardim Florido, im dort. Mus. retrosp. Kst; Weibl. Kopf im Mus. in São Paulo.

Lit.: Who's Who in Latin America, 1935.

Albuquerque, Lucilio de, brasil. Maler (Prof.), * 9. 5. 1877 Barras, Staat Piauhy, ansässig in Niterói, Staat Rio de Janeiro. Gatte der Vor.,

Schüler der Acad. Julian in Paris (H. Royer, M. Baschet). Lehrer an der Akad. in Rio. Bilder in d. Nat.-Pinak. in Rio (Despertar de Icaro; Somno; Paraiso restituido; Gavea-Golf), im Mus. São Paulo (Auf dem Lande) u. im Mus. f. retrosp. Kst ebda (Igreja de S. Fransico em S. João d'El Rey).

Lit.: Who's Who in Latin America, 1935.

Alcalá Galiano, Alvaro, span. Genremaler, * 21. 5. 1873 Bilbao, ansässig in Madrid.

Schüler von J. Aranda u. J. Sorolla. Längere Zeit in Paris, wo er bis 1914 den Salon der Soc. d. Art. Franç. beschickte.

Lit.: Th.-B., 1 (1907). — Francés, 1917 p. 263–65; 1920 p. 217 (Abb.). — Joseph, I. — Bénézit, [2] I (1948). — Chron. d. Arts, 1903 p. 111. — Cat. Expos. Nac. de Pint. etc., 1910, m. Abb. p. [59].

Alciati, Ambrogio, ital. Bildnis-, Figuren- u. Landschaftsmaler, * 5. 9. 1878 Vercelli, † 8. 3. 1929 Mailand.

Schüler von Carlo Costa in Vercelli, dann von Ces. Tallone u. V. Bignami an der Brera-Akad. in Mailand. Gewann bedeutenden Ruf als Frauenmaler. Berührt sich in seinen von einer lyrisch-romantischen Stimmung getragenen und in einer verschwimmenden malerischen Technik behandelten Figurenbildern gelegentlich mit Carrière. Ein Pastellbildnis der Mutter des Kstlers in der Gall. d'Arte Mod. in Mailand. Im Municipio in Vercelli: Die Witwe. In der Gall. d'Arte Mod. in Rom: Bildnis d. Signorina Pirotta. Fresken in der Villa Pirotta in Brunate, in der Brera in Mailand u. in einigen Kirchen der Lombardei u. Piemonts. Längere Zeit lehrtätig an der Klasse für Figurenmalerei an der Brera-Akad.

Lit.: Comanducci, m. 2 Abbn, dar. Selbstbildnis. — Bénézit, [2] I (1948). — La Cultura moderna, 24 (1914) 365/72, m. Abbn. — Vita d'Arte, 13 (1914) Taf. geg. p. 217, 220, 230/40, m. Abbn. — Emporium, 40 (1914) 374, 376 (Abb.); 43 (1916) 83/97, m. Abbn; 69 (1929) 127 (Nachruf), m. Fotobildnis. — Pagine d'Arte, 7 (1919) 12, m. Abb. — The Studio, 93 (1927) 3/8, m. 7 Abbn.

Alciati, Evangelina, ital. Bildnis- u. Figurenmalerin, * 1883 Turin, ansässig ebda.

Schülerin von Giac. Grosso an der Accad. Albertina. In der Gall. Naz. d'Arte Mod. in Rom: Violinspielerin; in der Gall. d'Arte Mod. in Turin: Kinderbildnis u. 2 weitere Arbeiten.

Lit.: Comanducci, m. Abb. — Emporium, 50 (1919) 266f., m. 2 Abbn, 270.

Alcorta, Rodolfo, argent. Landschafts-, Bildnis- u. Figurenmaler, * 9. 12. 1876 Buenos Aires, ansässig in Paris.

Beschickte seit 1907 den Pariser Salon d'Automne, seit deren Gründung den Salon der Soc. d. Art. Indépendants u. den Salon des Tuileries (1923 ff.). Seit 1921 Associé der Soc. Nat. d. B.-Arts. Mitglied der Gesandtschaft der Argent. Republik in Paris.

Lit.: Joseph, I, m. Bildnis. — Bénézit, [2] I (1948). — Museum (Barcelona), 3 (1913) 59 (Abb.). — L'Art Décor., 26 (1911/II) 191 (Abb.); 28 (1912/II) 282 (Abb.).

Aldemira, Luiz Varela, portug. Maler u. Kunstschriftst., * 14. 12. 1895 Orense (Span.), natural. als Portugiese 1930, ansässig in Lissabon.

Stud. an d. Kunstsch. in Lissabon; Schüler von Columbano Bordallo Pinheiro u. der Académies Libres in Paris (1924). Stipendiat des „Inst. para Alta Cultura" in Frankr. u. Italien 1933. Prof. an d. Kunstsch. Lissabon. 1. Med. u. Ehrenmed. der Soc. Nac. de B. Artes, Gold. Med. Sevilla 1930, José de Figueiredo-Preis der Staatl. Akad. der Kste. Kunstkritiken: Essays über „Columbano"; José Veloso Salgado, Itenerário Estético; Estudos de Arte e Critica. — Werke im Mus. zeitgen. Kst in Lissabon, in den Smlgn der Staatl. Kstakad. u. Kstschule ebda u. im Mus. Grão-Vasco in Vizeu.

Lit.: Gr. Enc. Port. e Brasileira, I 835. — Pamplona, p. 360. — Quem é Alguém, 1947 p. 627.

Alden, Katharine, amer. Holzschnitzerin u. Weberin, * 8. 1. 1893, ansässig in Boston.

Schülerin von Blanche Colman.

Lit.: Amer. Art Annual, 27 (1930).

Alder, Hans, schweiz. Maler, Holzschneider, Radierer u. Illustr., * 16. 6. 1883 Herisau, Kt. Appenzell, † 22. 11. 1933 London.

Stud. in Genf, Paris, München u. (1909) bei L. Corinth in Berlin. Ließ sich in Obstalden a. Walensee nieder. Bildnisse, Figürliches, Landschaften. Mitglied der „Walze" Obstalden. Hauptsächlich Graphiker. Folge: Das Bad (8 Rad.). Illustr. zu den Werken von Paul Fort. Mehrere Zeichngn im K.-K. d. Öff. Kstsmlg Basel, darunter Aktstudie, Vorzeichng zu der Rad.: Diana.

Lit.: Brun, 4. — D. Ksthaus (Zürich), 1 (1911) Heft 4, p. 1. — Dtsche Kst u. Dekor., 29 (1911/12). — Jahresber. Off. Kstsmlg Basel, N. F. 11 (1915) 16, 21. — O mein Heimatland, 1917, p. 41, 49, m. Abbn. — Schweizerland, 5 (1918/19) 14/15, 54, m. Abbn. — Beaux-Arts, 72 (1933) Nr 49, p. 8, Sp. 6.

Aldernaght, Maria, belg. Blumen- u. Landschaftsmalerin, * 1902 Antwerpen.

Schülerin der Antwerp. Akad.

Lit.: Seyn, I.

Aldin, Cecil Charles Windsor, engl. Aquarellmaler, Sport- u. Plakatzeichner u. Schriftsteller, * April 1870 Slough, Buckinghamshire, † 1935 Purley, Reading.

Schüler von Frank W. Calderon. Um 1930 auf Majorca. Illustr. u. a. zu: Rud. Kipling, „Jungle Book", Duncan Fife, „Scarlet, Blue and Green", Buckland, „Two Little Runaways". — Buchwerke: Time I Was Dead, New York 1934; How to Draw Dogs.

Lit.: Th.-B., 1 (1907). — Who's Who in Art, [3] 1934. — The Connoisseur, 91 (1933) 118. — Apollo, 21 (1935) 114; 24 (1936) 105. — The Studio, 102 (1931) 192/96, m. farb. Taf. u. 2 Abbn; 130 (1945) 42 (Abb.).

Aldinger, August, dtsch. Landschaftsmaler, * 22. 9. 1871 Burgholzhof bei Cannstatt, ansässig in München.

Stud. Theologie, dann Malschüler von Pötzelberger, Landenberger u. H. v. Haug an d. Akad. in Stuttgart. Kollektiv-Ausst. Okt./Nov. 1910 u. 1911 im Stuttg. Kstverein.

Lit.: Mitteil. d. Kstlers.

Áldor, János László, ungar. Maler, * 7. 2. 1895 Nagyigmánd (Komitat Komorn), tätig in Budapest u. Szolnok.

Autodidakt. 1913 in d. Kstlerkolonie von Nagybánya unter István Réti, 1923/25 in d. Kstlerkolonie von Szolnak unter Adolf Rényes tätig. 1926 in Paris u. London, 1928 in Italien. In der N. Ungar. Gal. in Budapest: Abenddämmerung.

Lit.: Jahrb. d. Mus. d. Bild. Kste in Budapest, 8 (1937) 175.

Aldrich, Clarence, amer. Maler, * 1893 Milford, Me., ansässig in Long Beach, Calif.

Lit.: Amer. Art Annual, 30 (1933).

Aldrich, George Ames, amer. Maler, * 3. 6. 1872 Worcester, Mass., ansässig in Chicago, Ill.

Stud. an den Akad. Julian u. Colarossi in Paris, bei Aman-Jean, Whistler, Collin u. Thaulow.

Lit.: Fielding. — Amer. Art Annual, 30 (1933). — Who's Who in Amer. Art, I: 1936/37.

Aldrich, Mary, s. *Fraser,* M.

Aldridge, John, engl. Landschafts- u. Blumenmaler u. Lithogr., * 1905.

Autodidakt. Bild in der City Art Gall. in Leeds. Koll.-Ausst. in den Leicester Gall. London 1936.

Lit.: The Studio, 105 (1933) 190, m. Abb.; 116 (1938) 300 (farb. Abb.); 111 (1936) 225; 125 (1943) 186 (Abb.). — Mallett.

Alebardi, Angelo, ital. Bildnis-, Tier- u. Landschaftsmaler, * 1886 (?) Bergamo, ansässig in Venedig.

Stud. an der Accad. Carrara in Bergamo. Impressionist.

Lit.: Emporium, 47 (1918) 218/24, m. 10 Abbn u. Bildnis, gemalt von Ravaglia; 64 (1926) 266ff., m. 3 Abbn. — V. Pica, L'Arte Mondiale alla VII Espos. di Venezia, 1907 p. 23 (Abb.).

Alef, Thorwald, schwed. Figuren- u. Porträtbildhauer, * 1896 Jönköping, ansässig in Stockholm.

Stud. an den Akad. Stockholm u. Paris. Seine Figuren (Sportathleten, weibl. Akte) zeigen ein burleskes Gepräge. Relief im Stadthotel in Eskilstuna; Fußballspieler auf der Insel Strömsborg (Stockholm).

Lit.: Thomœus. — Konstrevy, 1928, p. 128f., m. 3 Abbn. — The Studio, 107 (1934) 340, m. 3 Abbn.

Aleksander, A., kroat. Genre- u. Bildnismaler, * 1870 Zágreb (Agram).

Stud. an der Wiener Akad.

Lit.: Szendrei-Szentiványi.

Aleman, Hjalmar, schwed. Maler u. Lautensänger, * 26. 9. 1881 Stockholm, ansässig ebda.

Stud. an der Kunsthochsch. Stockh., bereiste Deutschland, Holland u. Frankreich.

Lit.: Vem är det?, 1935.

Ålenius-Björk, Ivar, schwed. Bildhauer, * 1905 Malmö, ansässig in Stockholm.

Schüler der Akad. Kopenhagen. Bildnisbüsten, Genrefiguren. Seemannsdenkmal in Malmö.

Lit.: Thomœus. — Konstrevy, 1937, Heft 1, p. V.

Alessandrini, Nello, ital. Genremaler, * 7. 11. 1885 Empoli.

Schüler von Adolfo de Carolis in Florenz. Bild: Die Flüchtlinge, im Bes. der Soc. di B. Arti in Mailand.

Lit.: Comanducci.

Alessi, C. R., holl. Maler (bes. Aquar.), * 10. 7. 1896, † 13. 12. 1938.

Lit.: Waay.

Alex (eigentl.: *Jelínek*), Adolf J., tschech. Maler u. Graph., * 25. 4. 1890 Strmilov.

Stud. an d. Kstgewerbesch. u. Akad. in Prag (M. Švabinský) u. in München (A. Jank). Sein graph. Werk — meist Radiergn — in der Prager Nat.-Gal.

Lit.: Hollar (Prag), 5 (1928/29) 149f., m. Abbn. — Toman, 13. *Blř.*

Alexander, Arthur Hadden, amer. Maler, * 1892 Decatur, Ill., ansässig in Cleveland, Ohio.

Lit.: Amer. Art Annual, 30 (1933).

Alexander, Charles, kanad. Porträtmaler, * Galt, Ontario, † Juni 1915 London.

Stud. in Paris. Hauptwerk: Gruppenbildnis der Offiziere der Life Guards mit ihrem Chef König Eduard.

Lit.: Th.-B., 1 (1907). — Amer. Art News, 13, Nr 33 v. 12. 6. 1915, p. 5.

Alexander, Clifford Grear, amer. Maler u. Illustr., * 15. 7. 1870 Springfield, Mass., ansässig in Brighton, Mass.

Stud. an der Schule des Boston Mus. of Art.

Lit.: Fielding. — Amer. Art Annual, 30 (1933). — Who's Who in Amer. Art, I: 1936/37.

Alexander, E. M., schott. Tierbildhauer, * 1881 Edinburgh, ansässig in London.

Stud. an d. Roy. Scott. Acad.

Lit.: Who's Who in Art, [3] 1934.

Alexander, Edith Meta, irische Landsch.- u. Blumenmalerin, * Dublin.

Stellte 1928/35 im Salon der Soc. Nat. d. B.-Arts in Paris aus.

Lit.: Joseph, I. — Bénézit, [2] I.

Alexander, Edwin, schott. Tiermaler (Öl u. Aquar.), * 1870 Edinburgh, † 1926 ebda.

Schüler s. Vaters Robert (* 1840 Kibwinning, † 1923 Edinburgh) u. der Kstschule in Edinburgh, weitergebildet in Paris. In der Tate Gall. in London: Pfau u. Pythonschlange. Aquarelle u. Zeichngn mit ägyptischen Landschaftsmotiven, von Caw als seine besten Arbeiten gerühmt.

Lit.: Th.-B., I (1907). — Bénézit, [2] I (1948). — Caw, m. 1 Taf. — The Studio, 63 (1915) 214, 216; 64 (1915) 256ff., m. Abb. p. 259; 65 (1915) 102, 204; 66 (1916) 204; 67 (1916) 259, m. ganzseit. Abb.; 92 (1926) 55.

Alexander, Guy, engl. Maler u. Rad., * 22. 2. 1882 Great Ayton, Yorks., ansässig in London.

Schüler von Sir Wm. Orpen, A. E. John u. Ambr. McEvoy an der Chelsea Art School, London.

Lit.: Who's Who in Art, [3] 1934.

Alexander, Herbert, engl. Landsch.- u. Figurenmaler, * 8. 12. 1874 London, ansässig ebda.

Stud. an der Herkomersch. in Bushey u. an der Slade School in London. Hauptsächl. Aquarellist. Auch schriftstellerisch tätig.

Lit.: Th.-B., 1 (1907). — Who's Who in Art, [3] 1934.

Alexander, James Stuart Carnegie, schott. Landschaftsmaler (Aquar.), * 13. 2. 1900 bei Selkirk, ansässig in Edinburgh.

Lit.: Who's Who in Art, [3] 1934.

Alexander, Margaret, engl. Illuminatorin u. Schriftkstlerin, * 9. 6. 1902 London, ansässig ebda.

Stud. an d. Slade School und an d. Central School of Arts and Crafts.

Lit.: Who's Who in Art, [3] 1934.

Alexander, Marie, geb. *Day,* amer. Landschaftsmalerin, * 31. 10. 1887 Greenfield, Mass., ansässig ebda.

Schülerin von Aug. Vinc. Tack, Phil. Hale u. Wm. Paxton. Bilder in der Mass. Federation of Women's Clubs in Boston u. in der Deerfield Acad. in Deerfield, Mass.

Lit.: Who's Who in Amer. Art, I: 1936/37. — Amer. Art Annual, 30 (1933).

Alexander, Mary Louise, amer. Bildhauerin, ansässig in Cincinnati, Ohio.

Schülerin von Meakim, Duveneck, Barnhorn, Grafly u. Nowottny. Gedenktafel für Vincent Nowottny in d. Art Acad. in Cincinnati.

Lit.: Fielding. — Amer. Art Annual, 30 (1933). — Who's Who in Amer. Art, I: 1936/37.

Alexander, Sara Dora, geb. *Block*, russ. Malerin, * 1. 7. 1888 Suwalki, ansässig in Mission Beach, Calif., USA.

Schülerin von Charles Reiffel.

Lit.: Who's Who in Amer. Art, I: 1936/37. — Amer. Art Annual, 30 (1933).

Alexander, William H. Snowdon, amer. Illustrator, * 7. 4. 1883 Haddonfield, N. Y., † zw. 1935 u. 1940 Philadelphia, Pa.

Schüler des Drexel Inst. u. d. Pennsylvania Acad. of the F. Arts in Philadelphia.

Lit.: Amer. Art Annual, 30 (1933).

Alexandersson, Carl, schwed. Maler, * 1897 Motala, † 1941 Tureberg. Bruder der 2 Folg.

Stud. an der Akad. Stockholm. Hauptsächl. Motive aus dem Industrieleben, Arbeitertypen, Winterlandschaften (Öl u. Tempera). Seit 1925 Mitgl. der Gruppe „Nio Unga". Bild im Nat.-Mus. in Stockholm.

Lit.: Thomœus. — Konstrevy, 1928, p. 103, 104 (Abb.); 1929, p. 144 (Abb.); 1930, p. 112, 121 (Abb.); 1932, p. 67; 1936, p. 30 (Abb.).

Alexandersson, Gustaf, schwed. Maler, * 1901 Motala, ansässig in Ålsten. Bruder des Vor. u. der Folg.

Stud. an der Techn. Schule in Stockholm. Malt in Öl, Aquarell u. Tempera. Landschaften u. Motive aus dem Industriegebiet von Falun. Bilder im Nat.-Mus. Stockholm, im Staatsmus. in Kopenhagen u. im Mus. in Falun.

Lit.: Thomœus. — Konstrevy, 1928, p. 103, 104 (Abb.); 1932, p. 66; 1938, p. 195, m. Abb.

Alexandersson, Märta, schwed. Malerin u. Textilkünstlerin, * 1895 Mjölby, ansässig in Äppelviken. Schwester der beiden Vorigen.

Stud. an der Techn. Schule in Stockholm. Figürliches u. Landschaften (Öl u. Aquar.). Textilien für kirchl. Zwecke.

Lit.: Thomœus. — Konstrevy, 1928, p. 103, m. Abb.; 1932, p. 67.

Alexandrov, Sdrawko, bulgar. Landschaftsmaler, * 1911, ansässig in Sofia.

Lit.: Kat. d. Ausst. Bulgar. Kstler in Deutschland, Leipzig, Kstver., 1941/42.

Alexandrovitch, Alexandre Joseph, russ.-franz. Maler (Öl u. Pastell), Lithogr. u. Rad., * 17. 3. 1873 Telschi (Rußland), ansässig in Asnières (Seine). Naturalisierter Franzose.

Mitglied der Soc. d. Art. franç. Stellte auch bis 1932 bei den Indépendants aus. Hauptsächlich Bildnisse u. Landschaften. Lithogr. Bildnisse: J. Jaurès, Anatole France, Henri Ford, Verlaine, Tolstoj, Gorki, usw.

Lit.: Joseph I. — Bénézit, [2] I (1948).

Alexandrowicz, Nina, poln. Figuren-, Blumen-, Landschaftsmalerin, ansässig in Paris. Mitglied der Soc. du Salon d'Automme, wo sie 1919/38 ausstellte. Malte in Öl u. Aquarell.

Lit.: Bénézit, [2] I (1948). — Kat. Expos. d'Art Polonais, Paris, Soc. Nat. d. B.-Arts, 1921. — Tygodnik Ilustrow., 1924 p. 184 f., m. 5 Abbn.

Alexeieff, Alexandre, russ.-franz. Maler u. Illustrator (Rad., Lithogr., Holzschn.), * 5. 4. 1901 Kasan, ansässig in Paris.

Illustr. u. a. zu Gogol, Journal d'un Fou; Dostojewskij, Les Frères Karamazov; Paul Morand, Bouddha vivant; Phil. Soupault, Le Nègre.

Lit.: Joseph, I. — Bénézit, [2] I (1948). — L'Amour de l'Art, 1929 p. 102/06, m. 6 Abbn. — Le Bibliophile, 1931 p. 181 ff. passim, m. Abb., 230/38, m. 9 Abbn. — Art et Décoration, 61 (1932) 147/54, m. 11 Abbn. — Arts et Métiers graph., 1934 Nr 44, p. 43/47, m. 10 Abbn. — Gaz. d. B.-Arts, sér. 6, vol. 34 (1948) p. 189. — Philobiblon, 9 (1936) 119/24 m. Abbn.

Alexics, István, ungar. Maler, * 23. 12. 1876 Arad, ansässig in Módos.

Schüler s. Vaters Dusán A. (* 1840), dann von Gysis in München. Kirchenbilder, u. a. in Arad, Ujvidék u. Módos; Bildnisse.

Lit.: Szendrei-Szentiványi.

Alexy, Janko, slowak. Maler, * 26. 1. 1894 Liptovský Sv. Mikuláš, tätig in Turčianský Sv. Martin u. Preßburg (Bratislava).

Stud. an der Prager Akad. (M. Pirner u. V. Nechleba). Figürliches, Bildnisse, Landschaften in stark stilisierter Form.

Lit.: J. C. Hronský, J. A., Preßburg 1934. — M. Váross, A., Preßbg 1944. — Toman, I 13. — Fodor, p. 41 m. Abb. — A. Güntherová-Mayerová, J. A., Preßbg 1949. *Blž.*

Alfano, Andrea, ital. Figuren- u. Bildnismaler, auch Bildhauer u. Dichter, * 4. 4. 1879 Castrovillari.

Bildete sich autodidaktisch durch das Studium der alten Meister. Selbstbildnis in der Pinac. in Ravenna. Deckenfresko in der Aula der Präfektur in Reggio Calabria. In der Gall. Naz. d'Arte Mod. in Rom: Der Ziegelbrenner. Im Bes. des Circolo Artistico Antonello da Messina in Messina: Blind.

Lit.: Comanducci. — Emporium, 35 (1912) 421 (Abb.).

Alfaro Siqueiros, David, mexik. Maler u. Lithogr., * 1898 Chihuahua, ansässig in Mexico City.

Stud. an der Akad. San Carlos in Mexico City u. an der Freiluftsch. Martínez in Santa Ani. 1919/21 als Militärattaché an der Mexik. Gesandtschaft in Paris. 1921 zurück nach Mexiko. 1923 in Spanien u. Italien. 1924 nach Moskau, New York u. mehreren Städten Südamerikas. Nahm an der mexik. Revolutionsbewegung teil, seiner kommunistischen Werbetätigkeit wegen einige Zeit in Gefangenschaft. Während des span. Bürgerkrieges 1938 Offizier in der span. republik. Armee. — Stark sozialist. Einschlag in s. etwas brutalen, aber höchst expressiven Kunst. Schwere, düstere Farben. Malte zus. mit Amado de la Cueva Fresken in der Universität in Guadalajara, Staat Jalisco. Weitere dekor. Malereien in der Nat. Vorbereitungsschule in Mexico City, in der Chouinard Art School u. im Plaza Art Center in Los Angeles, Calif. Mehrere Bilder im Mus. of Modern Art in New York, dar.: Proletarier-Opfer (gefesselter weibl. Akt), Echo eines Schreies (Kinderkopf, ein halb verhungertes Proletarierkind aus s. Munde ausspeiend) u. Schluchzende. — Einige Holzschnitte für die revolutionäre Zeitschrift „El Machete", meist der kommunist. Idee dienend. Lithogr. Hauptblätter: Badender, Liegender weibl. Akt, Bildnisse Moïses Saenz u. William Spratling.

Lit.: Who's Who in Latin America, 1935. — Kirstein, p. 57, 95f., Abbn p. 64/67. — La Renaiss. de l'Art franç., 11 (1928) 63, m. Abb. — Parnassus, 1934, April, p. 5/7, m. 2 Abbn. — The Print Coll.'s Quarterly, 23 (1936) 70, 73 (Abb.), 75 (Abb.), 76, 78. — Szabad Müvészet, 1952 p. 287.

Alfejewskij, W. S., sowjetischer Vedutenmaler.

Lit.: bild. kunst, 3 (1949) 119 (Abb.).

Alfen, Klemens, dtsch. Maler u. Kstfotograph, * 27. 4. 1897 Untergartenhof-Hösbach, ansässig in Aschaffenburg.

Stud. an der Zeichenakad. in Hanau.

Lit.: Dreßler.

Alfer, Johannes, dtsch. Maler (Prof.), * 12. 8. 1874, ansässig in Dresden.

Mitgründer der Dresdner Künstlergruppe „Die Elbier". Großes Gemälde: Die Bergpredigt, in der Kirche zu Sachsenburg b. Frankenberg.

Lit.: D. Kstwanderer, 1924/25, p. 28.

Alff, Paul van, holl. Maler, Rad. u. Lithogr., * 10. 3. 1878 Haag, ansässig ebda.

Schüler von Ch. L. Ph. Zilcken an d. Haager Akad. u. von J. Schouten in Delft. Landschaften u. Figürliches.

Lit.: Plasschaert, p. 377. — Waay. — Waller.

Alger, John, amer. Landsch.- u. Genremaler, * 25. 2. 1879 Boston, Mass., ansässig in New York.

Schüler d. Massachusetts Inst. of Techn.

Lit.: Fielding. — Who's Who in Amer. Art, I: 1936/37. — Amer. Art Annual, 20 (1923) 424. — The Art News, 24 Nr 22 v. 6. 3. 1926 p. 7,

Aljakrinskij, P., sowjet. Illustrator von Kinderbüchern u. Märchen, * 1892.

Lit.: bild. kunst, 2 (1948) H. 11/12, p. 11.

Alice, Antonio, argent. Maler (Prof.), * 23. 2. 1886 Buenos Aires, ansässig ebda. Ital. Herkunft.

Schüler von Decoroso Bonifanti, weitergebildet 1904/07 bei Gilardi, Tavernier u. Giacomo Grosso an der Akad. in Turin. Lehrer (Prof.) an der Nat.-Akad. f. Sch. Kste in Buenos Aires. Hauptsächl. Porträtist. Im Regierungspalast in Salta (Argentinien): Tod des Generals Guemes. Weitere Bilder im Nat.-Mus. in Buenos Aires. Im dort. Regierungspalast ein Bildnis des argent. Nationalhelden José de San Martin, das während eines längeren Aufenthalts A.s in Paris entstand, u. die Bildnisse der Bildhauer Davide Calandra u. Edoardo Rubino.

Lit.: Who's Who in Latin America, 1935. — Bénézit,[1] I (1948). — Comanducci. — Joseph, I. — Vita d'arte (Rass. d'arte antica e mod.), 15 (1916) 117/24, m. 13 Abbn u. Taf.-Abb. — Pagine d'arte (Mailand), 2 (1914) 187.

Alin, Pierre, eigentl. *Schuler,* schweiz. Landsch.-, Architektur- u. Stillebenmaler, * 26.7.1879 St-Imier, † 8.10.1920.

Stud. an der Colbert-Schule in Paris, ließ sich dann in Lausanne, 1905 in Paris nieder.

Lit.: Amweg, 1 u. 2 p. 17f.

Aljoschin, S., sowjet. Bildhauer, * 1896.

Figurenreiches Denkmal für Karl Marx in Moskau (1926).

Aliseris Genta, Carlos Washington, uruguayischer Maler, * 19. 1. 1898 Montevideo, ansässig ebda.

Bildnisse, Landschaften, Figürliches.

Lit.: Who's Who in Latin America, 1935. — Bénézit,[2] I (1948).

Alison, David, schott. Bildnis- u. Interieurmaler, * 18. 2. 1882 Dysart, Fifeshire, ansässig in Edinburgh.

Stud. an der Kstschule in Glasgow.

Lit.: Who's Who in Art,[3] 1934. — The Studio, 64 (1915) 59, 60; 65 (1915) 129; 68 (1916) 122; 70 (1917) 43, m. Abb.

Alix, Jeanne, franz. Landschaftsmalerin, * 7. 3. 1884 Paris, ansässig ebda.

Schülerin von D. Maillart, E. Carrière u. J. P. Laurens. Erhielt 1921 den Prix Marie Bashkirtseff. Stellte im Salon d. Art. franç. aus. Silb. Med. 1925.

Lit.: Joseph, I. — Bénézit,[2] I (1948).

Alix, Louise, franz. Landschafts- u. Blumenmalerin, * Paris, ansässig ebda.

Schülerin der Damen Delattre u. Bougleux u. H. Zo's. Mitglied der Soc. d. Art.Franç., beschickt deren Salon seit 1926 (Kat. z. T. m. Abbn). Stellt auch bei den Indépendants aus.

Lit.: Bénézit,[2] I (1948).

Alix, Yves, französischer Maler, Graph., Bühnenbildner, Kostüm- u. Möbelzeichner, * 19. 8. 1890 Fontainebleau, ansässig in Paris.

Schüler von Baschet u. H. Royer an der Acad. Julian in Paris, dann von Bonnard, M. Denis, Roussel, Sérusier u. Vuillard an der Acad. Ranson. Figürliches (Akte), Bildnisse, Landschaften. Gehört zu den bedeutendsten Vertretern des franz. Postexpressionismus. Wuchtige Formgebung. Stellt seit 1912 bei den Indépendants, seit 1921 im Salon d'Automne, seit 1923 auch im Salon des Tuileries aus. — Bilder im Luxembourg-Mus. u. im Petit-Palais in Paris, sowie in den Museen in Algier, Belfort, Orléans, Belgrad, Haag, Riga, Moskau u. New York.

Lit.: R. Allard, Y. A. (Les peintres franç. nouv., 20), Paris 1925, mit 26 Abbn. — M. Raynal, Anthologie de la peint. en France, 1927. — Joseph, I. m. 2 Abbn. — Bénézit,[2] I (1948). — The Internat. Who's Who, 1943/44, 8. Ausg. — Roh. — D. Cicerone, 16 (1924/II) 605 (Abb.), 611; 17 (1925/I) 508, 510 (Abb.). — La Renaiss. de l'Art franç., 7 (1924) 271. — L'Amour de l'Art, 5 (1924) 131/34, m. 5 Abbn; 8 (1929) 1/8, mit Taf. u. 11 Abbn; 9 (1930) 254/60, m. 6 Abbn; 13 (1932) 61/65, m. 8 Abbn; 15 (1934) 313ff. passim, 331ff. passim. — Beaux-Arts, 2 (1924) 62f.; 3 (1925) 109; 1934 Nr 57 p. 5 (Abb.); Nr 58 p. 2, m. Abb.; Nr 64 p. 2 (Abb.); 75e année, Nr 233 v. 18. 6. 1937 p. 3 (Abb.); Nr 252 v. 29. 10. 37, p. 1 (Abb.); Nr 274 v. 1. 4. 38, p. 4, m. Abb.; Nr 306 v. 11. 11. 38, p. 1; Nr 308 v. 25. 11. 38 p. 6, m. Abb.; 76e a., Nr 335 v. 2. 6. 39 p. 1 (Abb.); Nrn v. 15. 3. 1946, p. 1 (Abb.), 22. 11. 46 p. 8 (Abb.), 31. 10. 47, p. 5 (Abb.); 8. 8. 47, p. 6 (Abb.). — Art et Décoration, 61 (1932) 370 (Abb.); 64 (1935) 399/406, m. 11 Abbn. — Revue de l'Art anc. et mod., 65 (1934), Bull. p. 70f.; 67 (1935), Bull. p. 395, m. Abb.; 70 (1936) 189 (Abb.).

Alizard, Joseph Paul, franz. Genre- u. Bildnismaler, * 12. 8. 1867 Langres, ansässig in Paris.

Schüler von J. P. Laurens, B. Constant u. s. Vater Ant. Jul. A. Mitglied der Soc. d. Art. Franç., beschickte deren Salon 1897–1942 (Kat. z. T. m. Abbn). Bilder in den Museen in Langres, Morlaix u. Nizza u. in d. Mairie des 8. Arrond. in Paris.

Lit: Tn.-B., I. — Joseph, I. — Bénézit,[2] I.

Alke, Stephen, amer. Landschaftsmaler, ansässig in New Richmond, Ohio.

Lit.: Fielding.

Alker, Hermann, dtsch. Architekt (Dr.

Ing., Prof.), * 1885 Lambrecht (Pfalz), ansässig in Durlach.

Stud. an d. Techn. Hochsch. Karlsruhe. Prof. an derselben. Siedlung Dornwäldle in Durlach; Krafthaus Sasbachwalden; Krafthaus Zweribach; Radiumsolbad Heidelberg; Hochschulstadion in Karlsruhe; Matthäuskirche ebda; Universitätsstadion in Freiburg i. Br.

Lit.: Platz. — Dreßler. — Wasmuths Monatsh. f. Baukst, 13 (1929) 413/18, m. Abb.; 16 (1932) 7/10.

Allan, Archibald Russell Watson, schott. Maler, * 6. 3. 1878 Glasgow, ansässig in Stirling.

Stud. an der Kstschule in Glasgow u. an den Akad. Julian u. Colarossi in Paris. Malte in Öl, Aquar. u. Pastell. Bild in d. Art Gall. in Glasgow.

Lit.: Who's Who in Art, [3] 1934. — The Studio, 66 (1916) 104, m. Abb. p. 100; 72 (1918) 117, m. Abb.

Allan, Ronald, engl. Bildnis-, Figuren- u. Landschaftsmaler, * 21. 8. 1900 Cheadle Heath, Cheshire, ansässig in Manchester.

Stud. an der Kstschule in Manchester. Stellte 1927–32 im Salon der Soc. d. Art. Franç. in Paris aus (Kat. z. T. m. Abbn).

Lit.: Who's Who in Art, [3] 1934. — Joseph, 1. — Bénézit, [2] 1. — Artwork, 4 (1928) 76 (Abb.), 79.

Allard-l'Olivier, Fernand, belg. Figuren- u. Landschaftsmaler, * 12. 7. 1883 Tournai, † 1933 auf einer Studienreise in Yanongé, Belgisch-Kongo.

Schüler von J. P. Laurens, Bouguereau u. J. Adler in Paris. Malte hauptsächl. Szenen aus d. belg. Arbeiterleben. 3 Bilder im Mus. Tournai. Im Salon der Soc. d. Art. franç. in Paris 1929: Liegender weibl. Akt (Abb. im Kat.).

Lit.: Seyn, I, m. Fotobildnis. — Bénézit, [2] I.

Allcott, Walter Herbert, engl. Bildnis- u. Landschaftsmaler, * 21. 1. 1880 Ladywood, Birmingham.

Stud. an d. Kstschule in Birmingham.

Lit.: Who's Who in Art, [3] 1934.

Alleman, Albert, belg. Figuren- u. Landschaftsmaler, * 1892 Roulers, † 1933 Jette-Saint-Pierre.

Schüler der Brüsseler Akad. Beeinflußt von Laermans, Minne u. Servaes.

Lit.: Seyn, I.

Allen, Anna Elizabeth, amer. Malerin, * 18. 2. 1881 Worcester, Mass., ansässig in Orange City, Fla.

Schülerin von Ch. Woodbury, Hugh Breakenridge, A. G. Randal, Anson K. Cross. Illustr. zu: History of Montague.

Lit.: Who's Who in Amer. Art, I: 1936/37.

Allen, Arthur Baylis, engl. Architekt u. Architekturmaler (Aquar.), * 6. 2. 1889 Burnley, Lancs., ansässig in Beckenham, Kent.

Kollekt.-Ausst. 1927 in den Reid a. Lefevre Gall. in London.

Lit.: Who's Who in Art, [3] 1934. — The Studio, 94 (1927) 46, m. Abb.

Allen, Basil Elsden, engl. Zeichner u. Metallkstler, * 21. 10. 1886 Bury St. Edmunds, ansässig in London.

Stud. an der Kstschule in Birmingham.

Lit.: Who's Who in Art, [3] 1934.

Allen, Cecil (Mary C.), austral. Malerin (Öl u. Aquar.), * 1893, ansässig in den USA.

Stud. an der Slade School in London. Sammelausst. Febr. 1932 im Roerich-Mus., New York.

Lit.: Mallett. — Art News, 41 Nr v. 1. 2. 1943, p. 29 (Abb.). — New York Times, 12. 2. 1932.

Allen, Charles Curtis, amer. Landschaftsmaler, * 13. 12. 1886 Leominster, Mass., ansässig in Waban, Mass.

Stud. an der Kstschule d. Mus. in Worcester, Mass., bei Philip Hale, H. D. Murphy u. Henry W. Rice. — Bilder im Art Mus. Worcester, in den Öff. Bibl. in Leominster u. Fitzwilliam und im Mus. in Boston.

Lit.: Fielding. — Amer. Art Annual, 30 (1933). — Who's Who in America, 18 (1934), Addenda p. 133. — Who's Who in Amer. Art, I: 1936/37.

Allen, Courtney, amer. Kstgewerbler, * 16. 1. 1896 Norfolk, Va., ansässig in New Rochelle, N. Y.

Schüler von Ch. W. Hawthorne, der Corcoran Art School u. der Nat. School of Fine and Applied Art.

Lit.: Amer. Art Annual, 27 (1930) 505. — Who's Who in Amer. Art, I: 1936/37.

Allen, Daphne, engl. Figurenmalerin, Illustrat. u. Schriftst., * 6. 1. 1899 London, ansässig ebda.

Mappenwerke: A Child's Visions; The Birth of the Opal (farb. Zeichngn).

Lit.: Who's Who in Art, [3] 1934. — Athenæum, 12. 12. 1919. — The Connoisseur, 38 (1914) 179. — Apollo (London), 8 (1928) 110.

Allen, Ernest Lupton, engl. Landschaftsmaler, * 23. 7. 1870 Camborne, ansässig in Redditch, Worcestershire.

Stud. an der Acad. Julian in Paris.

Lit.: Who's Who in Art, [3] 1934. — Graves, I.

Allen, Frank Leonhard, amer. Maler, hauptsächl. Aquar., * 19. 11. 1884 Portland, Me., ansässig in Brookline, Mass.

— Schüler von Tarbell, Major u. Denman Ross.

Lit.: Fielding. — Amer. Art Annual, 30 (1933). Who's Who in Amer. Art, I: 1936/37.

Allen, Frederic Warren, amer. Bildhauer, * 5. 5. 1888 North Attleboro, Mass., ansässig in Boston, Mass.

Schüler von Bela Pratt, Landuski u. Paul Bartlett. Lehrer an der Kstsch. des Mus. Boston. Arbeiten u. a. im Mus. of Fine Arts (Torso einer Tänzerin) u. in der City Hall in Boston, im Metropol. Mus. New York (Denkmal für die Soldaten der Revolution) u. im Besitz der New England Hist. Genealog. Soc.

Lit.: Fielding. — Amer. Art Annual, 30 (1933). — Who's Who in Amer. Art, I: 1936/37. — Mus. of Fine Arts Bull. Boston, 13 (1915) 18; 22 (1924) 28.

Allen, Gregory Seymour, amer. Bildhauer, * 8. 7. 1884 Orange, N. J., † 1935 Glendale, Calif.

Schüler von Gutzon Borglum, H. K. Bushbrown, Ph. Martini u. H. M. Shrady.

Lit.: Fielding. — Amer. Art Annual, 30 (1933). — Who's Who in Amer. Art, I: 1936/37.

Allen, Hazel Leig, amer. Bildhauer, * 2. 12. 1892 Morrilton, Ark., ansässig in Milwaukee, Wis.

Schüler des Art Inst. Chicago u. Fred. Koenig's.

Lit.: Amer. Art Annual, 20 (1923) 424; 30 (1933).

Allen, J. H. Dulles, amer. Keramiker, * 11. 2. 1879 Philadelphia, Pa., ansässig in Enfield, Pa.

Leiter u. Chefzeichner der Enfield Pottery and Tile Works.

Lit.: Amer. Art Annual, 27 (1930) 505. — Who's Who in Amer. Art, I: 1936/37.

Allen, James E., amer. Radierer u. Lithogr., * 23. 2. 1894 Louisiana, Mo., ansässig in Larchmont, N. Y.

Schüler von Harvey Dunn, Nicholas Fechin u. Jos. Pennell. Hauptblätter: Steinbrecher (Rad.); Lokomotivbau (Lith.); Die Wellenbrecher (Lith.); Röhrenleger (Lith.); Todeskurve (Lith.); Bitte um Regen (Lith.); Aufrichtung des Krans.

Lit.: Who's Who in Amer. Art, I: 1936/37. — The Print Coll.'s Quarterly, 24 (1937) 100 (Abb.), 214 (Abb.), 332 (Abb.); 25 (1938) 240 (Abb.); 26 (1939) 110 (Abb.); 27 (1940) 386 (Abb.), 506 (Abb.); 28 (1941) 538 (Abb.). — Art Digest, 1. 10. 1944, p. 29 (Abb.).

Allen, Jane Mengel, amer. Malerin (bes. Aquar.) u. Lithogr., * 1. 8. 1888 Louisville, Ky., ansässig in Glenview, Ky.

Schülerin von Hopkins, Hawthorne u. Martin.

Lit.: Who's Who in Amer. Art, I: 1936/37. — Amer. Art Annual, 30 (1933).

Allen, John Donn (Jawne), amer. Maler u. Zeichner, * 29. 11. 1893 Norfolk, Va., ansässig in Washington, D. C.

Schüler von Ch. W. Hawthorne, Rich. Miller u. Felix Mahony.

Lit.: Who's Who in Amer. Art, I: 1936/37. — Amer. Art Annual, 30 (1933).

Allen, Junius, amer. Maler, * 9. 6. 1898 Summit, N. J., ansässig ebda.

Schüler von Browne, Hawthorne, Maynard u. Woelfle. Im Art Mus. in Montclair, N. Y.: Metropolis.

Lit.: Who's Who in Amer. Art, I: 1936/37. — Amer. Art Annual, 30 (1933).

Allen, Louise, geb. *Hobbs*, amer. Bildhauerin, * Lowell, Mass., ansässig in Boston, Mass.

Stud. an der Schule des Boston Mus. of F. Arts. Kriegerdenkmal in East Greenwich, R. I. Eine weitere Arbeit im Cleveland Mus.

Lit.: Fielding. — Amer. Art Annual, 28(1931). — Contemp. Amer. Sculpture, New York 1929.

Allen, Margaret, amer. Bildhauerin, * 3. 12. 1895 (1894?) Lincoln, Mass., ansässig in St. Augustine, Fla.

Schülerin von Fred. Allen, Ch. Grafly, Bela Pratt u. Naum Los. — Bildnisbüsten, Kriegerdenkmäler, Gartenplastik.

Lit.: Who's Who in Amer. Art, I: 1936/37. — Amer. Art Annual, 30 (1933).

Allen, Marion, geb. *Boyd*, amer. Malerin, * 23. 10. 1862 Boston, Mass., † 1941 ebda.

Schülerin von Tarbell u. Benson an d. Schule des Mus. in Boston. Arbeiten in d. Öff. Bibl. in Barre, Mass., in d. College Library in Brunswick, Me., im Harvard Club in Boston u. im Randolph-Macon College in Lynchburg, Va. Hauptsächlich Porträts u. Landschaften.

Lit.: Fielding. — Amer. Art Annual, 20 (1923) 424; 30 (1933). — Who's Who in Amer. Art, I: 1936–37. — The Art News, 25, Nr 7 v. 20. 11. 1926, p. 7. — Art Index Okt. 1941/Sept. 42. — Monro.

Allen, Mary Coleman, amer. Miniaturmalerin, * 9. 8. 1888 Troy, Ohio, ansässig ebda.

Schülerin von Duveneck. Bildnisse, Genre.

Lit.: Fielding. — Amer. Art Annual, 20 (1923) 425; 30 (1933). — Who's Who in Amer. Art, I: 1936/37.

Allen, Mary Gertrude, amer. Malerin u. Bildhauerin, * 7. 10. 1869 Mendota, Ill., ansässig in Lake Stevens, Wash.

Schülerin von Anna Hills, Michel Jacobs u. Dudley Pratt. Bildnisse; Altarbilder, u. a. in d. Ersten Luth Kirche in Portland, Ore., u. in Cedarholme, Wash.

Lit.: Who's Who in Amer. Art, I: 1936/37. — Amer. Art Annual, 30 (1933).

Allen, Pearl, geb. *Wright*, amer. Landschaftsmalerin, * 9. 4. 1880 Kossuth, Miss., ansässig in Muskogee, Okla.

Lit.: Who's Who in Amer. Art, I: 1936/37. — Amer. Art Annual, 30 (1933).

Allen, Walter Godfrey, engl. Architekt, * 1891, ansässig in Chesham Blois, Bucks.

Stud. an King's Coll. in London. 1925/31 Assistant Architect to Dean and Chapter of St. Paul's, dann Architekt der Kathedr. Beratender Architekt für die Kathedr. in Southwark. — Buchwerk: The Preservation of St. Paul's Cathedral, 1930.

Lit.: The Internat. Who's Who, [8] 1943/44.

Allen, Wilhelmina Frances, amer. Juwelierin, * 2. 5. 1898 Franklin, N. H., ansässig in Falmouth, Mass.

Schülerin von George J. Hunt.

Lit.: Amer. Art Annual, 27 (1930) 506. — Who's Who in Amer. Art, I: 1936/37.

Allen, Winifred, irische Landschaftsmalerin (Öl u. Aquar.), * Clifton, Bristol, ansässig in Bristol.

Stud. an der Kstschule in Bristol.

Lit.: Who's Who in Art, [3] 1934.

Allenbach, René, franz. Architektur- u. Landschaftsmaler, Holzschneider u. Rad., * 1889 Nanterre (Seine), ansässig in Straßburg.

Stud. an der Akad. in Leipzig. Stellte seit 1920 im Salon d'Automne u. im Salon der Soc. d. Art. Franç. in Paris aus. Kollekt.-Ausst. Mai 1912 im Elsäss. Kstthaus in Straßburg. Graph. Hauptblätter: Straßburger Münster (Rad.); Rheinhafen in Straßburg (Kaltnadel); St. Thomas in Straßbg (desgl.). Holzschnitte zu: Claude Odilé, Les Quatre Musculus, Straßbg 1927. Die Ungarin (Lith.); Sitzendes Mädchen (Kaltnadelstich); Bohême (Zeichng).

Lit.: Joseph, I. — Bénézit, [2] I (1948). — La Renaiss. de l'Art franç. etc., 9 (1926) Taf. geg. p. 388, 412 (Abb.). — La Vie en Alsace, 1930 p. 202f. — Elsaß-Lothr. Jahrbuch, 12 (1933) 291. — D. Elsässer (Straßbg), 4. 5. 1912.

Allender, Nina E., amer. Malerin u. Illustr., * Auburn, Kansas, ansässig in Washington.

Schülerin von Chase, dann von Henri u. Brangwyn in London.

Lit.: Amer. Art Annual, 30 (1933). — Fielding (irrig: Alexander).

Aller, Carl, dtsch. Maler u. Graph., * 23. 10. 1886 Mühlheim a. d. Ruhr, ansässig in Düsseldorf.

Kstgesch. Studien bei K. Voll u. H. Wölfflin in München. Malstudien ebda u. an d. Akad. in Düsseldorf. Dozent an der Volkshochsch. Hauptsächl. Landschafter.

Lit.: Dreßler.

Alleyne, Mabel, engl. Illustratorin, * 31. 3. 1896 Southampton, ansässig in London.

Stud. an der Roy. Acad. School. Illustr. u. a. zu Shelley's „Adonais" u. „Our Lady of Hope".

Lit.: Who's Who in Art, [3] 1934.

Alli, Aino, geb. *Neuman*, finn. Malerin, * 17. 6. 1879 Uleåborg, ansässig in Helsinki.

Schülerin von E. Järnefelt, weitergebildet an den Akad. Julian, Colarossi u. Chaumière in Paris u. bei Henri Morisset u. Olga Bosznanska ebda. Hauptsächlich Porträtistin (Öl, Pastell u. Miniatur). Als solche vertreten im Luxembourg-Mus. in Paris, im Staatsmus. in Riga u. im Kstmus. in Tampere (Tammerfors). Kollekt.-Ausstellgn in Uleåborg 1912, in Helsinki 1912, 19, 21, 26, 31, in Stockholm 1918, in Åbo 1922.

Lit.: Joseph, I, m. Bildnis. — Vem och Vad?, Helsingf. 1936. — Vem är Vem i Norden, Stockh. 1941, p. 408.

Allier, Paul, franz. Maler u. Graphiker, * Montpellier.

Stellt seit 1913 im Salon d'Automne in Paris aus, anfängl. Entwürfe für Möbel, später Genrebilder u. Porträts. Illustr. (38 Holzschn.) zu E. Jaloux, Fumées dans la Campagne, Ed. Fayard & Cie.

Lit.: Joseph, I. — Bénézit, [2] I. — L'Art et les Art., 18 (1913/14) 188.

Allinson, Adrian Paul, engl. Landschafts- u. Blumenmaler, Presse- u. Bühnenzeichner, Holzschneider u. Kleinplastiker, * 9. 1. 1890 London, ansässig ebda.

Stud. an der Slade School. Zeichnete für „Express", „Graphic", „Weekly Dispatch" u. and. Blätter. Kleinplastik in glasiertem Ton (Mutter mit Kind, Hl. Georg als Drachentöter, Hornraben usw.).

Lit.: Who's Who in Art, [3] 1934. — Apollo, 12 (1930) 170f., m. Abbn. — Art Digest, 19, Nr v. 15. 11. 1944, p. 6 (Abb.). — The Art News, 43, Nr v. 15. 11. 1944, p. 14 (Abb.). — Artwork, 2 (1925/26) H. 5, p. 39 (Abb.). — The Connoisseur, 55 (1919) 185. — The Studio, 101 (1931) 140 (Abb.); 102 (1931), farb. Taf. p. 70; 103 (1932) 104/09, m. 3 Abbn u. 1 farb. Taf.; 110 (1935) farb. Taf. geg. p. 80; 111 (1936) 72 (Abb.); 113 (1937) farb. Taf. geg. p. 104; 114 (1937) 263 (Abb.); 128 (1944) 39 (Abb.); 135 (1948) 95 (Abb.).

Alliot, Lucien, franz. Genrebildhauer, * 16. 11. 1877 Paris, ansässig ebda.

Schüler von Barrias u. Coutan. Mitglied der Soc. d. Art. Français, beschickte deren Salon bis 1939 (Kat. z. T. m. Abbn). Gold. Med. 1920 (Figurenanlage mit 3 über einer Ruhebank postierten Kindergruppen: A l'Enfance!).

Lit.: Joseph, I. — Bénézit, [2] I (1948). — Gaz. d. B.-Arts, 1920/II 18, 19 (Abb.).

Allis, C. Harry, amer. Landschaftsmaler, * 1880 (?) Dayton, Ohio, † 1938 New York.

Stud. an d. Kunstschule des Mus. in Detroit. Bilder in d. Nat. Acad. of Design in New York u. in Detroit, Inst. of Arts.

Lit.: Fielding. — Amer. Art Annual, 30 (1933). — Who's Who in Amer. Art, I: 1936/37. — The Art News, 23, Nr 21 v. 28. 2. 1925, p. 3 (Abb.); Nr 35 v. 6. 6. 1925, p. 1 (Abb.). — Bull. Detroit Inst. of Arts, 9 (1927/28) 95f. — Monro.

Allison, John William, engl. Bildnis- u. Figurenmaler, ansässig in Bridlington.

Stud. am Roy. Coll. of Art. Bis 1926 Inspektor der Londoner Kstschule.

Lit.: Who's Who in Art, [3] 1934.

Allison, Sir Richard John, engl. Architekt, * 8. 1. 1869 London, ansässig ebda.

Stud. an Lambeth School of Art. 1914 Principal Architect, 1920/34 Chefarchitekt an His Majesty Office of Works. Hauptwerke: New Science Museum, South Kensington; Cornwall House, Stamford Street; Brit. Gesandtschaftshäuser im Ausland.

Lit.: Who's Who in Art, [3] 1934. — The Internat. Who's Who, [8] 1943/44.

Allmann, Albert, dtsch. Kleinplastiker u. Kstgewerbler, ansässig in München.

Bronzestatuetten; angewandte Plastik: Schmuckschalen, Dosen usw. mit figürl. Dekor.

Lit.: Dreßler. — D. Plastik, 7 (1918) 26, Taf. 45; 8 (1919) 3, Taf. 8, 42, Taf. 62.

Allmayer, Josefine, öst. Scherenschnittkünstlerin, ansässig in Wien.

Tochter u. Schülerin des Scherenschnittkstlers Hans A. Landschaften, Figürliches, Bildnisse, Tiere. Kollektiv-Ausst. im Graph. Kab. in Winterthur Sept.–Okt. 1925.

Lit.: Das Graph. Kabinett (Winterthur), 10 (1925) Heft 5.

Allnutt, Emily, engl. Miniaturbildnis- u. Landschaftsmalerin, ansässig in London.

Stud. an d. Slade School London u. in Paris.

Lit.: Who's Who in Art, [3] 1934.

Allöder, Carl, dtsch. Bildhauer, * 4. 4. 1898 Badbergen bei Osnabrück, ansässig ebda.

Stud. an der Akad. in Kassel u. an der Kstgewerbesch. in Hamburg. Gefallenen-Denkmal in Omakenbrik.

Lit.: Dreßler.

Allouard, Edmond, franz. Blumen-, Stillleben- u. Landschaftsmaler u. Lithogr., * Paris, ansässig ebda.

Schüler von Lechevallier-Chevignard. Mitglied der Soc. d. Art. franç., beschickte deren Salon 1881–1924.

Lit.: Bénézit, [2] I (1948).

Allwardt, Rudolf, dtsch. Maler u. Holzschneider, ansässig in Malchin.

Kollektiv-Ausst. Jan. 1943 im Kstver. München.

Lit.: Mecklenburg. Monatsh., 5 (1929) 167 (Abb.), 211, 243 (Abb.). — D. Weltkst, 17 Nr 3/4 v. 17. 1. 1943, p. 6.

Alma, Petrus, holl. Maler (bes. Wandmaler), Lithogr. u. Holzschneider, * 18. 1. 1886 Medan auf Sumatra, ansässig in Amsterdam.

Schüler der Haager Akad., weitergebildet bei Humbert in Paris. Tätig im Haag, 1907/14 meist in Paris, seitdem meist in A'dam. Mitglied der „Onafhankelijken". 2 Wandmalereien in d. Vorhalle der Amstelstation in A'dam.

Lit.: Plasschaert. — Huebner, p. 114f., m. Abb. — Niehaus, m. Abb. p. 250. — Waay. — Waller. — Ararat, 2 (1921) 169, 170 (Abb.). — Elsevier's geill. Maandschr., 53 (1917) 484/85. — Emporium, 73 (1931) 6, m. Abb. — De Kunst (A'dam), 7 (1914/15) 250/53. — Kst der Zeit, 3 (1928/29) 43 (Abb.). — Kstblatt, 13 (1929) 336 (Abb.). — Maandbl. v. beeld. Ksten, 1 (1924) 117f.; 17 (1940) 112f., m. Abb., 114 (Abb.). — D. Kstwerk, 4 (1950) H. 8 9 p. 94.

Almada Negreiros, José de, portug. Maler, Bühnenbildner, Zeichner u. Dichter, * 7. 4. 1893 Lissabon, ansässig ebda.

Stud. am Lyceum in Coimbra u. an d. Staatssch. Lissabon, in Paris 1919/20, in Spanien 1927/28. Sonderausstell. 1912, 1916, 1921 u. 1928, in Madrid 1933. Entwarf die Kirchenfenster von Nossa-Senhôra de Fátima in Lissabon. Fresken in den Schiffsstationen von Alcantara u. Santos. Bühnendekorationen zu: „Zauber-Ballett", „Die Prinzessin in stählernen Schuhen", „Garten der Pierrette". Hat sich durch s. künstler. u. literar. Tätigkeit in die vorderste Reihe der modernen Bewegung in Portugal gestellt. Nahm seit 1910 teil an fast allen Bestrebungen nach Neuorientierung der künstler. Gegenwart. Schrieb zahlr. Theaterstücke; Mitarbeiter an mehreren Zeitschr. Mitbegründer der mod. Kulturzeitschrift „Orpheu". Ziel seiner künstler. u. literar. Tätigkeit war nach seinen eigenen Worten die Sammlung aller geistigen Kräfte Portugals um die Kunst als Mittelpunkt. Vertreten im Nat.-Mus. zeitgen. Kunst u. in d. Sammlung des Nat.-Sekretariats f. Information in Lissabon.

Lit.: Gr. Enc. Port. e Brasil., II 20. — Pamplona, p. 294. — Quem é Alguem, 1947, p. 47.

Almeida, Álvaro Duarte de, portug. Maler u. Illustrator, * 20. 11. 1909 Mossâmedes (Afrika), ansässig in Lissabon.

Schüler von Alves Cardoso, Falcão Trigoso, dann der Kunstsch. in Lissabon. Zeichenprof. an der Soc. Nac. de B. Artes. Illustrat. für d. Zeitschr. „Sêda y Oro", „Illustração e Magazine Bertrand", „Domingo Illustrado", „Século Illustrado" u. für die „Gr. Enc. Port. e Brasileira". 1936 Medaille 1. Klasse, Luciano Freire-Preis der Staatl. Akad. d. Kste. Vertreten im Nat.-Mus. zeitgenöss. Kst in Lissabon.

Lit.: Gr. Enc. Port. e Brasil., IX 321. — Pamplona, p. 400 — Quem é Alguem, 1947, p. 283.

Almeida (Neves de Almeida), Leopoldo de, portug. Bildhauer, * 18. 10. 1898 Lissabon, ansässig ebda.

Stud. an d. Kunstsch. in Lissabon; Schüler von Simões de Almeida d. Ält. Als Stipendiat des Legado Valmôr in Paris u. Rom, wo er die 1. Ausst. port. Bildhauerei organisierte. Seit 1934 Prof. an d. Kunstsch. in Lissabon; Mitglied d. Akad. der Schönen Künste; Präsid. der Soc. Nac. de B. Artes ebda, die ihm die Gold. Med. verlieh. — Werke im Nat.-Mus. f. zeitgenöss. Kunst in Lissabon (Kat. 1945 p. 22), im dort. Rathaus, in d. Kirche N. S. de Fátima ebda, in d. Kathedr. Lourenço Marques, Mozambique, Port.-Afrika; in d. Kathedr. in Nova Goa, Indien, in d. Kapelle des Schlosses Arade u. im Palais der Assembleia Nac. in Lissabon: Denkmal der Sängerin Luíza Todi in Setúbal.

Lit.: Gr. Enc. Port. e Brasil., II 59, m. Abb. — Pamplona. — A. Heilmeyer-R. Benet, La Escult. Mod. y Contemp., 1949, p. 251. — Quem é Alguem, 1947, p. 53.

Almès, Pierre Edmond Guillaume, franz. Landschaftsmaler u. Keramiker, * 10. 11. 1880 Béziers (Hérault).

Schüler von Cormon. Im Mus. Toulon: Gemüsemarkt in Cannes.

Lit.: Joseph, I. — Bénézit, [2] I (1948).

Almgren, Edvin, schwed. Bildnis-, Stillleben- u. Landschaftsmaler, * 1884 Morkarla, Uppsala, ansässig in Lidingö.

Stud. an der Akad. München.

Lit.: Thomœus.

Almgren, Erik, schwed. Maler (hauptsächl. Aquar.), * 1910 Sjörup, Schonen, ansässig in Stockholm.

Stud. an der Techn. Schule Stockholm. Bildnisse, Landschaften, Straßenveduten aus Stockholm, Stillleben u. Blumenstücke.

Lit.: Thomœus.

Almgren, Gösta, schwed. Bildhauer, * 17. (7. ?) 10. 1888 Söderala, Gävleb, ansässig in Stockholm.

Stud. 1913/14 in Paris, 1921/22 mit staatl. Reisestipendium in Deutschland u. Italien. Grabdenkmäler. Denkmal für Gustav II. Adolph in Luleå (1921), für den Dichter Elias Sehlstedt in Härnösand (1926). Bildnisbüsten, Bauplastik (Giebelfig. am Gymnasium in Norrköping), Brunnengruppe (Fischfang) im Stadtpark in Härnösand (1930). Im Nat.-Mus. in Stockh.: Büste des Schauspielers Nils Personne.

Lit.: Joseph, I. — Vem är det?, 1935. — N. F., 21 (Suppl.). — Thomœus. — Ord och Bild, 33 (1924) 104, m. Abb. — Vem är Vem i Norden, 1941 p. 936.

Almgren, Hugo, schwed. Maler, Bildhauer u. Graphiker, * 1880 Gillberga, Värmland, ansässig in Umeå.

Stud. an den Akad. in Göteborg u. Kopenhagen u. in England. Landschaften mit Figuren (bes. Akten), Marinen, Bildnisse. Bilder im Mus. in Östersund u. in der Smlg Thiel in Stockholm.

Lit.: Thomœus.

Almquist, Ansgar, schwed. Bildhauer, * 4. 2. 1889 Tranås, ansässig in Stockholm.

Stud. in Stockholm (1908) u. Paris (1911 u. 1913–14). Seit 1931 an der Kunstindustriesch. Stockh. Dekor. Skulpturen am Stadthaus, Konzerthaus u. am Kunstmus. in Göteborg; Figur auf dem Marktbrunnen in Falköping (1931).

Lit.: Vem är det?, 1935. — N. F., 21 (Suppl.). — Thomœus. — Vem är Vem i Norden, 1941 p. 937. — The Studio, 98 (1929) 483, m. Abb.

Almqvist, Ester, schwed. Malerin u. Holzschneiderin, * 3. 11. 1869 Bromma b. Stockholm, † 11. 6. 1934 Lund.

Schülerin von Cederström, Börjeson u. C. Larsson in Göteborg. Bildnisse, Stimmungslandschaften.

Lit.: Th.-B., I (1907). — Vem är det?, 1931. — N. G. Sandblad, E. A., Lund 1935. — Boëthius, 530, m. Abb. — Nordensvan. — Thomœus. — Konstrevy, 1934, p. 32; 1935, p. 125 (Abb.); 1936, H. 4 p. XI (Abb.); 1939, p. 32/33, m. Abbn. — Ord och Bild, 46 (1937) 2 Taf.-Abbn vor p. 529, 550/62, m. Abbn. — Kat. Kstmus. Göteborg 1927.

Almqvist, Holger, schwed. Landschaftsmaler, * 1907 Gällersta, Örebro, ansässig in Stockholm.

Stud. an der Akad. Stockholm, weitergebildet auf Studienreisen in Frankreich u. Spanien. Bild im Mus. in Örebro.

Lit.: Thomœus.

Almqvist, Osvald, schwed. Architekt, * 2. 10. 1884 Trankil, Värmland, lebt in Stockholm.

Stud. an der Techn. Hochsch. u. Kunstakad. in Stockholm, weitergebildet in Holland u. Deutschland. Wohnhäuser, Stadtplanungen, mehrere gr. Kraftwerke (Forshuvudfors, Hammarfors, Krångfors, Månsbo u. Höljebro.

Lit.: Ahlberg, p. 36, Taf. 134 f. — Vem är det?, 1935. — N. F., 21 (Suppl.). — Thomœus. — Byggmästaren, 1 (1922) 81/87.

Aloi, Roberto, sizil. Stilleben-, Landschafts- u. Figurenmaler, * 31. 8. 1897 Palermo, ansässig in Mailand.

Autodidakt. Seine Stilleben (bes. Küchengeräte, kombiniert mit toten Fischen, Vögeln, Kleintieren, Früchten, Pilzen usw.) zeichnen sich durch Sorgfalt der Zeichnung u. durch Wärme der Farbe aus. Bilder in den Mus. d'Arte Mod. in Pavia u. Mailand.

Lit.: Comanducci. — G. T. Rosa, R. A., Mailand [1940], m. 35 Tafeln. — Costantini, m. Abb. — Emporium, 74 (1931) 51 (Abb.), 52; 83 (1936) 327, 328; 89 (1939) 335 f., m. Abb.

Aloisio, Carlo d', ital. Maler u. Holzschneider, * 13. 4. 1896 (Comanducci: 1894) Vasto (Chieti), lebt in Rom.

Autodidakt. Hauptsächlich Aquarellist. Begründete 1930 den von ihm ausgestatteten Almanacco degli Ar-

tisti („Il vero Giotto"). Arbeiten u. a. in d. Gall. d'Arte Mod. in Mailand.
Lit.: Comanducci, p. 174. — Chi è?, 1940.

Alonso, Juan, span. Maler (bes. Pastell), Karikaturenzeichner u. Illustr., * 1886 El Ferrol, ansässig in Buenos Aires.
Kam 16jährig nach Argentinien. Autodidakt. Pflegt bes. die politische Karikatur. Zeichnete u. a. für „La Ultima Hora" u. „Caras y Caretas".
Lit.: Francés, 1917 p. 334/37, m. Fotobildn.; 1923/24 p. 397 ff.

Alphen, Frits van, holl. Radierer u. Lithogr., * 30. 11. 1894 Medan auf Sumatra.
Schüler von W. E. A. F. van Schoonhoven van Beurden.
Lit.: Waller.

Alphen, Tony van, holl. Malerin, * um 1880, † 1910.
Nachlaßausst. Mai 1912 im Haag.
Lit.: Elsevier's geïll. Maandschr., 1912 p. 425/28, m. 3 Abbn.

Alricson, Gullan, schwed. Bildnis-, Landschafts-, Stilleben- u. Blumenmalerin, * 1886 Stockholm, ansässig ebda.
Stud. in Dresden. Öl, Pastell, Aquarell.
Lit.: Thomæus.

Alsleben, Ernst, dtsch. Architekt, * 31. 3. 1887 Köthen i. A., ansässig in Bernburg.
Stud. an der Techn. Hochsch. Charlottenburg. Arbeitete dann an den Stadtbauämtern Köthen, Hamburg, Bernburg. Zuletzt Stadtarchit. in Bernburg. Hochbau, Innenbau, Stadterweiterung.
Lit.: Dreßler.

Alsmark, Eric, schwed. Landschafts-, Interieur- u. Bildnismaler, * 1911 Karlskrona, ansässig in Malmö.
Stud. in Stockholm, München u. Paris.
Lit.: Thomæus.

Alston, Rowland Wright, engl. Landschafts- u. Vogelmaler (Aquar.), * 1895, ansässig in Compton (Surrey).
Schüler von Tonks, Ph. Wilson Steer u. A. W. Rich, Kurator des G. F. Watts-Mus. in Compton. Hauptsächl. Motive aus Surrey u. Sussex, unter Anknüpfung an die engl. Tradition. Koll.-Ausst. bei Martins in Godalming.
Lit.: The Studio, 88 (1924) 221 f., m. Abb.; 130 (1945) 107/11, m. Abb.; 132 (1946) 91 (Abb.); 138 (1949) 50 f.

Altairac, Cécile, franz. Miniatur- u. Pastellmalerin (Bildnisse), * 26. 10. 1879 Paris.
Lit.: Joseph, I. — Bénézit, ²I (1948).

Altana, Peppino, ital. Genre- u. Landschaftsmaler, * 5. 7. 1886 Turin, ansässig ebda.
Schüler von Tavernier.
Lit.: Comanducci.

Altara, Edina, sard. Malerin u. Papiermaché-Künstlerin, * 1899 Sassari, ansässig in Mailand.
Bilder von plakatmäßig-kstgewerbl. Gepräge (Figürliches, Tiere). Kleinplastik in farbigem Papiermaché.
Lit.: Emporium, 46 (1917) 10/17, m. Abbn. — Pagine d'Arte, 5 (1917) 99/102, m. Abbn, 187.

Alten, Mathias Joseph, dtsch-amer. Landschaftsmaler, * 13. 2. 1871 Gusenburg, Rheinprov., † 1938 Grand Rapids, Mich.
Kam 1889 nach Amerika, bildete sich 1899 bei B. Constant u. Whistler in Paris. Bilder (Tarpon Springs, Florida) im Detroit Inst. of Arts in Detroit u. im Mus. in Syracuse.
Lit.: Th.-B., 1 (1907). — Fielding. — Earle. — Amer. Art Annual, 30 (1933). — Who's Who in Amer. Art, I: 1936/37.

Altenbernd, Karl, dtsch. Bildhauer (Stein u. Holz), * 19. 3. 1887 Örlinghausen, Lippe-Detmold, ansässig in Bielefeld.
Stud. an der Kstgewerbesch. in Bielefeld u. an der Akad. in Dresden. — Christusstatue (Holz) im Sennefriedhof bei Bielefeld; Seminardenkmal in Gütersloh; Epitaph in d. Alten Grafschaftskirche in Mark bei Hamm i. W.; Kriegerehrenmal in der Martinik. in Bielefeld; Singender Knabe in d. Städt. Bibliothek ebda; Büste der Dichterin Margarete Windthorst im Droste-Hülshoff-Mus. in Münster i. W.
Lit.: Dreßler. — Niedersachsen, 32 (1927) 53/57, m. 6 Abbn.

Altenburger, Emil, schweiz. Architekt, * 18. 2. 1885 Diessenhofen, ansässig in Pfyn, Thurgau.
Stud. am Polytechnikum in Friedberg in Hessen. Arbeitete dann bei Alex. v. Seger, K. v. Moser u. G. Gull, sämtl. Zürich. Seit 1915 selbständig in Solothurn. Wohnbauten ebda u. Umgebung, in Wangen a. A., Wiedlisbach u. a. O.; Schulhaus u. Turnhallen in Solothurn, Lichtspieltheater.
Lit.: Schweiz. Zeitgenossen-Lex., 1932.

Altenkirch, Otto, dtsch. Landschaftsmaler u. Bühnenbildner (Prof.), * 2. 1. 1875 Ziesar, Bez. Magdeburg, † 20. 7. 1945 Siebenlehn bei Meissen.
Schüler von E. Bracht, P. Vorgang u. Hegenbarth an der Berliner Akad. Weitergebildet an der Akad. in Dresden. 1910/20 Direktor des Malsaales der Dresdner Staatstheater. 2 dekor. Gemälde im Ständehaus in Dresden.
Lit.: Th.-B., 1 (1907). — Dreßler. — A. Grafe, O. A. Ein Maler dtsch. Landschaft, Dresden 1934. — Dresdner Kalender, 5 (1920) 187/96. — D. Kst, 51 (1924/25) Beibl. z. Märzh. 1925 p. XIII. — Mitteil. d. Landesvereins Sächs. Heimatschutz, 13 (1924) 358/72, m. 9 Abbn. — Westermanns Monatshefte, 128 (1920/I) 17/31, m. Abbn. — Über Berg u. Tal, 94 (1926) 27/29, m. 3 Abbn.

Alterdinger, M., öst. Landschaftsmaler u. Bühnenbildner, * 1. 11. 1874 Salzburg, ansässig in Neubrandenburg i. M.
Stud. bei Diefenbach in München, dann in Wien, zuletzt bei Fidus in Woltersdorf bei Erkner. Bilder u. a. im Landesmus. in Neustrelitz u. in d. Städt. Kstsmlg in Neubrandenburg. Mappenwerk: Neubrandenburg, 20 Federzeichngn, Selbstverlag 1920. — Buchwerk: Handbuch d. Theatermalerei u. des Bühnenbaues, München 1910.
Lit.: Dreßler.

Altgelt, Martin, dtsch. Architekt, * 17. 9. 1924 Berlin.
Stud. an der Techn. Hochsch. in Hannover. Arbeitete dann bei Gropius & Schmieden in Berlin. Seit 1888 selbständig ebda. 1894/1900 assoziiert mit A. Messel (Fa. Messel & Altgelt), später mit Heinr. Schweitzer (Fa. Altgelt & Schweitzer). Erstellte zus. mit Messel den älteren Teil des Warenhauses Wertheim in Berlin u. Schloß Schönrade in der Neumark. Über Bauten mit Schweitzer s. d. Baute selbständig Kauf- u. Geschäftshäuser in Berlin u. Schloßbauten in der Mark.
Lit.: Th.-B., 1 (1907). — Dtsche Bauzeitung, 58 (1924) 532 (Nekrol.). — Der Profanbau, 1906, p. 294 ff.

Altheim, Wilhelm, dtsch. Bauern-, Tier-

u. Landschaftsmaler u. Zeichner, * 2. 8. 1871 Groß-Gerau (Hessen), † 25. 12. 1914 Frankfurt a. M.

Stud. am Städel'schen Institut in Frankfurt bei Hassenhorst. Studienaufenthalte in Paris, Holland u. Italien. Machte sich in Eschersheim b. Frankfurt ansässig. Beeinflußt von Pidoll. Malte die Natur u. Menschen seiner engeren Heimat. 12 Bilder im Städelschen Kstinstitut in Frankfurt. Ged.-Ausstellgn im Frankf. Kstverein 1915 u. in d. Ksthandlung Schneider ebda 1921. — Sein Bruder Georg, * 1865, † 19. 7. 1928 Darmstadt, war Landschaftsmal. u. Holzschneider.

Lit.: Th.-B., 1 (1907). — Weizsäcker-Dessoff, 2. — K. Simon, W. A., s. Leben u. s. Werk; mit e. Katalog s. graph. Arbeiten von A. Klipstein, Frankf. a. M. 1927. — Kstchronik, N. F. 26 (1915) 206; 33 (1921/22) 67; 1928/29, p. 142. — D. Cicerone, 7 (1915) 53. — Kst u. Kstler, 13 (1915) 227/30. — Zeitschr. f. bild. Kst, N. F. 26 (1915) 189/96, m. Abbn. — Arena (Stuttgart), H. 10, 1910/11. — D. Rheinlande, 8 (1908/I) 1/8. — Volk u. Scholle (Darmst.), 6 (1928) 285/88, m. 3 Abbn (betr. Georg).

Altherr, Alfred, schweiz. Architekt (bes. Innenarchit.) u. Möbelzeichner, * 23.12.1875 Basel, ansässig in Zürich. Bruder der beiden Folg.

Lernte an der Gewerbesch. in Basel u. an der Unterrichtsanstalt des Kstgewerbe-Mus. in Berlin. 1906 –12 Lehrer f. Architektur u. Raumkst an der Kstgewerbesch. in Elberfeld. Seitdem Direktor des Kstgew.-Mus. u. d. Kstgewerbesch. in Zürich. Hauptsächlich Land- u. Sommerhäuser, deren Innenausstattung auf sachliche Formgebung u. schöne Farbenwirkungen ausgeht. Baute namentlich im Rheinland (u. a. in Barmen) u. in der ital. Schweiz.

Lit.: Th.-B., 1 (1907). — Brun, 4. — Innendekoration, 16 (1905) 57ff., m. Abb., 238ff. (Abb.), 249; 19 (1908) 244ff. (Abb.); 20 (1909) 156ff., m. Abb. — Dtsche Monatshefte (Rheinlande), 1911, p. 341/44 m. Abbn. — D. Werk (Zürich), 3 (1916) 141ff. (Abbn); 4 (1917) 101 (Abb.), 182 (Abb.); 5 (1918) 85 (Abb.), 88f. (Abbn), 92; 8 (1921) 210/12 (Abbn); 25 (1938) 148f., 150f.; 31 (1944) 197ff. — D. Kstblatt, 15 (1931) 175. — Architektur u. Wohnraum, 1949/50, p. 51/54, m. 5 Abbn.

Altherr, Heinrich, schweiz. Maler, * 11. 4. 1878 Basel, † 27.4.1947 ebda. Bruder der Alfred u. Pau .

Stud. bei F. Schider in Basel u. bei Knirr in München, weitergebildet in Rom. 1906/13 in Karlsruhe. Seit 1913 Lehrer einer Komponierklasse an d. Akad. Stuttgart (1919/21 Direktor ders.). Seit 1938 wieder in Basel. Figürliches (bes. relig. Stoffe u. Phantasiekompositionen wie: Vision, Das heil. Feuer, Liebespaar über Wolken schwebend, Fluch) u. Bildnisse. Nähert sich in seiner späteren Produktion dem Expressionismus. Überbetonte Ausprägung der Licht- u. Schattengegensätze. In der Öff. Kstsmlg Basel Bildnisse des Malers Hermann Meyer u. des Kstgelehrten Heinr. Wölfflin. In d. Friedenskirche in Heilbronn Kolossalgem.: Jüngstes Gericht (4×11 m). In der Basler Paulusk. Mosaiken, in der Paulsk. in Darmstadt farbige Glasfenster nach A.s Entwürfen. In der Handelskammer in Elberfeld ein Wandbild: Der Handel. Im Senatszimmer der Neuen Universit. Zürich 5 Wandgemälde mit Themen aus der antiken Mythologie. Im Vestibül des Konverstiinshauses in Baden-Baden 4 allegor. Wandgemälde. Umfassende Gedächtn.-Ausst. Juli 1949 im Bad. Kstverein in Karlsruhe.

Lit.: Th.-B., 1 (1907). — Brun, IV 5, 469. — Schweiz. Zeitgenossen-Lex., 1932. — W. Ueberwasser u. W. Braun, Der Maler H. A., sein Weg u. Werk, Zürich 1937. — Baum, m. Abb. — Die Schweiz, 1904, p. 124 (Abb.); 1905, p. 311 (Abb.). — Die Kstwelt, 2 (1912/13) 523/27, m. Abbn. — Deutsche Monatsh. (Die Rheinlande), 1912, p. 145/48; 1918 p. 126ff., m. Abb.; 1920 p. 157ff., m. Abbn. — Kstchronik, N. F. 24 (1913) 263f.; 25 (1914) 258. — D. Kunst, 27 (1913) 488, 491 (Abb.), 507 (Abb.), 512; 39 (1918/19) 258/64; 57 (1927/28) Taf.-Abb. nach p. 344, 352; 61 (1929/30) 343 (Abb.); 63 (1930/31) 170/78, m. Abbn; 65 (1931/32) p. 36 (Abb.); 69 (1933 –34) 351 (Abb.); 78 (1937/38) Beil. z. Juni-H. p. 16; 81 (1939/40) 188f., m. Abb.; 83 (1940/41) 97/105, m. 9 Abbn. — D. Cicerone, 6 (1914) 21; 16 (1924) 515; 18 (1926) 141, 364. — D. Werk (Zürich), 1 (1914) 22 (Abbn), 31 (Abb.); 6 (1919) 135 (Abb.); 28 (1941) 107, m. Abb.; 1948, p. 385. — Schweizerland, 2 (1915) 56, 171ff., m. Abbn. — Die Kst in d. Schweiz, 1929 p. 142, Taf.-Abb. — Dtsche Kst u. Dekor., 41 (1917/18) Abb. vor p. 149, 150, 152. — Velhagen & Klasings Monatsh., 43/I (1928/29) Taf. n. p. 520, 600; 45/II (1930/31) farb. Taf. n. p. 648, 676; 50/II (1936) farb. Taf. geg. p. 488, 560. — Kst- u. Antiquität. Rundschau, 41 (1933) 252 (Abb.). — Kst u. Kstler, 28 (1929/30) 424 (Abb.). — Jahresber. Öff. Kstsmlg Basel, 1931/32, p. 5, 13. — Oberrhein. Kst, 10 (1942) 194. — Basler Jahrb., 1942, p. 189. — D. Weltkst, 19 (1949) H. 9 p. 6; H. 12 p. 6f., m. 3 Abbn. — Bad. Ztg (Freiburg i. Br.), 5. 7. 1949.

Altherr, Paul, schweiz. Maler, * 18. 5. 1870 Basel, † 1928 ebda. Bruder der beiden Vor. Gatte der Esther Mengold.

Zuerst Kaufmann, ging 1900 zur Malerei über. Autodidakt. Tätig in Basel, 1910 u. ö. in Italien. Tiere (bes. Rinder u. Pferde), Landschaften (bes. Motive der röm. Campagna). Wandbilder im Hof des Rathauses in Rheinfelden (Winkelried u. Ritter St. Georg). Bilder im Mus. Solothurn u. in d. Öff. Kstsmlg Basel.

Lit.: Brun, IV 470. — Die Schweiz, 1912, p. 230, m. Abbn; 1915, p. 300, m. Abb.; 1916, p. 570 (Abb.), 594; 1917 p. 168/70, m. Abbn, Taf. n. p. 142, 150, 167; 1921, p. 698 (Abb.). — Jahresber. Öff. Kstsmlg Basel, N. F. 15 (1919) p. 9, 12; 25/27 (1929/30) 65. — Schweiz. Baukunst, 1920, p. 58f., m. Abbn. — D. Werk (Zürich), 9 (1922) farb. Taf.-Abb. vor p. 95, 95ff., m. Abbn. — Jahrb. f. Kst usw. in d. Schweiz, 5 (1928/29) 83.

Altherr-Mengold, Esther, s. *Mengold.*

Altink, Jan, holl. Maler, * 21. 10. 1885 Groningen, ansässig ebda.

Schüler der „Minerva" in Groningen. Mitglied der dort. Kstlervereinigung „De Ploeg". Landschaften, Bildnisse, Stilleben.

Lit.: Waay. — Waller. — De Hollandsche Revue, 33 (1928) 713/19, m. Abbn.

Altmann, Aaron, amer. Maler, * 28. 10. 1872 San Francisco, Calif., ansässig ebda.

Schüler von A. F. Mathews in San Francisco, von B. Constant, J. P. Laurens u. Gérôme in Paris.

Lit.: Fielding. — Amer. Art Annual, 30 (1933). — Who's Who in Amer. Art, I: 1936/37.

Altmann, Alexander, russ. Landschaftsmaler, * 1885 Sobolewka, Gouv. Kiew, ansässig in Paris.

Geht 10jährig nach Odessa, in allen möglichen Handwerken seinen Unterhalt verdienend, 18jährig, fast mittellos, nach Wien, von dort nach Paris, wo er mit fremder Unterstützung Aufnahme in die Acad. Julian findet. Seine Lehrer werden Bouguereau, Toulouse-Lautrec u. der Bildh. Boucher. Beginnt 1908 im Salon d'Automne, 1909 bei den Indépendants auszustellen. Feiner Licht- u. Luftmaler. Malt mit Vorliebe in Nemours.

Lit.: Joseph, I. — Bénézit, [2] I. — Gaz. d. B.-Arts, 1917, p. 344/48, m. 3 Abbn. — Chron. d. Arts, 1917/19, p. 6. — Der Jude, 5 (1920/21) 354f.

Altmann, Gerard, holl. Maler u. Graph., * 25. 5. 1877 Rotterdam, ansässig ebda.

Stud. an der Akad. Rotterdam, bei Jan de Jong, Jan Striening u. F. Oldewelt. Figürliches, Bildnisse, Landschaften (Holl. Polderland mit Vieh), Blumenstücke.

Lit.: Plasschaert. — Wie is dat?, 's-Gravenhage 1935. — Waay. — Waller.

Altmann, Helmut, dtsch. Maler, Holz- u. Linolschneider, * 18. 9. 1919 Görlitz, ansässig ebda.

Schüler von Schrammek u. Schummers.

Altmann, Nathan, russ. Maler, Buchkstler u. Gebrauchsgraph., * in Russ.-Polen, ansässig in Leningrad.

Lit.: A. Efross, Porträt N. A.s (russ.), Moskau 1923. Vgl. Der Cicerone, 15 (1923) 235. — M. Osborn, Die jüd. Graphik N. A.s (russ.), Petropolis [Leningrad], 1923. — Ssredi Kollekzioneroff, 1923, Heft 5 p. 44f. — Osteuropa, 4 (1928/29) 501. — Arts et Métiers graph., Nr 30 (1932) p. 32f., m. 1 Taf. u. 12Abbn. — Courrier graph., Juni 1936, p. 19/22 passim, m. Abbn.

Alton, Luis, tirol. Maler (Öl u. Fresko), Graph. u. Plakatkstler, * 4. 5. 1894 Krumau, ansässig in Innsbruck.

Wandte sich nach Absolvierung s. jurist. Studien in Innsbruck der Musik zu. Widmete sich in der Folge ganz der Malerei. Stud. bei Skovgaard in Viborg u. bei Herzog u. Gerhardinger an d. Münchner Akad. Mitgl. der „Sezession Innsbruck".

Lit.: D. Schlern, 9 (1928) 498/500. — Innsbr. Nachr. 1926 Nr 251; 1928 Nr 47; 1934 Nr 35; 1936 Nr 285; 1939 Nr 182 u. 285; 1940 Nr 94; 1941 Nr 156; 1942 Nr 161; 1944 Nr 156; 1945 Nr 5. — Tir. Anz., 1928 Nr 238; 1934 Nr 108; 1935 Nr 269; 1936 Nr 296. — Wissensch. u. Kst in Öst., Wien/Lpzg 1938, p. 523f. — Tirol-Vorarlberg, 5. Folge, 1941, Heft 1 u. 4; 1944, H. 1. — D. Bergquell, 1933 Nr 8 u. 16. — Kst dem Volke, 1942, F. 11, p. 1. — Bergland (Innsbruck), 1942 H. 7/9 — Die Weltkst, 13 Nr 26/27 v. 9. 7. 1939 p. 12. *J. R.*

Altorf, Johann Coenraad, holl. Bildh., * 1. (6.?) 1. 1876 Den Haag, ansässig ebda.

Schüler von Aug. Lacomblé an der Akad. im Haag. Grabdenkmäler, bibl. u. and. Figuren u. Tiere in Stein, Holz, Bronze, Elfenbein u. Keramik. Viele Arbeiten im Kröller-Müller-Mus. im Haag. Im Mus. Boymans, Rotterdam: Geier (Bronze).

Lit.: Th.-B., 1 (1907). — Wie is dat?, 's-Gravenhage 1935. — Waay. — L'Art et les Art., 16 (1913) 241 (Abb.). — Beeld. Kunst, hg. v. H. P. Bremmer, 3 (1915/16) Heft 5, Taf. 37; 4 (1916/17) Heft 3, Taf. 22; 5 (1917/18) H. 1 p. 10f., Taf. 8; 6 (1918/19) Nr 71 p. 105. — Maandbl. v. beeld. Kunsten, 2 (1925) 138ff., m. Abbn; 18 (1941) 253; 22 (1946) 60f., m. Abb. — Mededeel. van den Dienst v. Ksten en Wetensch., 2 (1926 32) 271f., m. Abb. — Persoonlijkheden, m. Fotobildn. — N. Rotterd. Courant, 25. 3. 1915. — Elsevier's geill. Maandschr., 1915/I 335.

Altripp, Alo, Pseudonym des Friedrich Schlüssel, dtsch. Maler u. Graphiker, * 25. 9. 1906 Altripp am Rhein, ansässig in Wiesbaden.

Stud. an d. Kstgewerbesch. Mainz, d. Meistersch. für das dtsche Malerhandwerk in München u. d. Akad. für Kunstgew. in Dresden. Studienreisen nach Holland u. der Schweiz. Mit amerik. Stipendium Studienreise an die Ostküste der Vereinigten Staaten, Texas u. Cap Cod. Arbeitet bis 1929 im Stil der neuen Sachlichkeit, dann bis 1934 abstrakt. Arbeiten im Mus. Wiesbaden u. im Bes. der Barnes Foundation Merion.

Lit.: Der Bogen, Heft 7, Jahrg. 1 (3 farb. Abbn). — D. Kstwerk, 1 (1946/47), H. 8/9, p. 53. — Vogue, amer. Ausg., 15. 8. 51, m. 2 farb. Abbn. — The Art News, 48, Juni 1949, p. 52, Abb. — Kstchronik, 5 (1952) 233. — Kat. d. Ausst. A. A., Edgar Ende: Gem. usw., Köln. Kstver., Köln, Juni 1948. *J.*

Altson, Daniel, engl. Maler, Illustr. u. Rad., * 10. 5. 1881 Middlesbrough, ansässig in London.

Stud. an der Acad. Colarossi in Paris u. an der Ec. d. B.-Arts ebda.

Altson, Ralph, engl. Bildnis- u. Dekorationsmaler, * 7. 8. 1908 London, ansässig ebda.

Lit.: Who's Who in Art, [3] 1934.

Altvater, Toni, dtsch. Bildnisminiaturmaler, * 2. 11. 1872 Hansen bei Frankfurt a. M., ansässig in Frankfurt.

Stud. an der Zeichenakad. in Hanau.

Lit.: Dreßler.

Alvárez de Sotomayor y Zaragoza, Fernando, span. Maler, * 25. 9. 1875 El Ferrol (Galicien), ansässig in Madrid.

Schüler von Manuel Domínguez. 1899 Rompreis. Bereiste Italien (Rom), Frankreich, Holland u. Belgien. 1909/13 Direktor der Kunstakad. in Santiago de Chile, seit 1922 Mitgl. der Akad. S. Fernando u. Direktor des Prado-Mus. Madrid. Häufig ausgezeichnet auf internat. Ausstellgn (München 1905, Madrid 1906, Barcelona 1907, Buenos Aires 1910). Mitgl. d. Pr. Akad. d. Künste. Figürliches (bäuerliche Tanzszenen, galicische Bauerntypen), antike Mythologie, Bildnisse, Interieurs, Straßenbilder. Kraftvoller Realist in der Art des Sorolla y Bastida. Im Oratorio del Espíritu Santo (La Consolación) in Madrid: Hll. Monika u. Augustin; im Mus. de Arte Mod. ebda: Die Großeltern. Im Bes. der Hisp. Soc. of America in New York: Bildnis des Herzogs Alba. Im Mus. in Udine ein Kircheninterieur.

Lit.: Th.-B., 1 (1907) u. 31 (1937). — Forma (Barcelona), 3 (1907) 264f., 348 (Abb.). — Francés, 1916 p. 241/45, m. 2 Abbn; 1917 p. 350 (Abb.), 354. 355 (Abb.), 359; 1921 Taf. 48; 1922 p. 45ff., 81, Taf. 11 (Fotobild.); 1923/24 p. 136f., 300. — Bol. de la Soc. esp. de Excurs., 33 (1925) 160; 34 (1926) 222; 36 (1928) 213. — Apollo (London), 10 (1929) 333/37, m. 5 Abbn. — Die Kunst, 85 (1941/42) 186 (Abb.), 188. — The Studio, 93 (1927) 146/49, m. 2 ganzs. Abbn. — Kat.: Expos. gen. de B. Artes, Madrid 1906, m. Abb.; Internat. Exhib. of Paint. Carnegie Inst. Pittsburgh, 1925, m. Abb.; Ausst. Span. Kst d. Gegenw., Berlin, Pr. Akad. d. Kste, 1942, m. Abb.

Alvarez, José Candido Dominguez, portug. Maler, * 23. 2. 1906 Pontevedra, † 17. 4. 1942 Porto.

Stud. an der Kstschule in Porto. Mitglied des Instit. para a Alta Cultura. Vertreten in: Mus. Nac. de Arte Contemp. in Lissabon, Mus. Nac. de Soares dos Reis in Porto, Kstschule ebda. Gedächtnis-Ausst. in Lissabon 1943 (Kat.).

Lit.: Retratos de Artistas no Museu Soares dos Reis, Porto 1946. — Primeiro de Janeiro, Dez. 1942 u. Jan. 1945. — Kat. d. Expos. dos Artistas Portug., Porto 1935.

Alvarez Laviada, Manuel, span. Porträtbildhauer, * Oviedo (Asturien), ansässig in Madrid.

Lit.: Kat. d. Ausst. Span. Kunst d. Gegenw., Berlin, Pr. Akad. d. Kste, 1942, m. Titelbild (Büste des Generalissimus Franco).

Alvarez, Mabel, amer. Malerin, * Waialua, Oahu auf Hawai, ansässig in Los Angeles.
Schülerin von W. V. Cahill u. J. E. McBurney.
Lit.: Fielding. — Amer. Art Annual, 30 (1933). — Who's Who in Amer. Art, I: 1936/37. — Monro.

Alvarez Sala, Ventura, span. Genremaler, * 1871 Gijón (Oviedo), ansässig ebda.
Schüler von Manuel de Ojeda, weitergebildet in Rom. Szenen aus dem astur. Volksleben. 2 Bilder im Mus. de Arte Mod. in Madrid: Das Gelübde, u.: Alles an Backbord!
Lit.: Th.-B., I (1907). — Francés, 1915 p. 138f.; 1919 p. 112. — Dieulafoy, m. Abb. — Bénézit, [2] I (1948). — Kat. Expos. Nac. de Pint. etc., Madrid 1910, m. Abb.

Alvensleben, Werneralvo von, dtsch. Genre- u. Landschaftsmaler u. Schriftst., * 1. 8. 1889 Kassel, lebt z. Zt. im Ausland.
Stud. an der Akad. in München. Ließ sich in Berlin nieder.
Lit.: Dreßler. — Aufbau, 1946, Heft 3, p. 233. — D. Cicerone, 7 (1915) 448.

Alves de Sousa, Antonio, port. Bildhauer, * 9. 1. 1884 Vila Nova de Gaia, † 1922 Paris.
Stud. an d. Kunstsch. in Lissabon; Schüler von Teixeira Lopes. Als Staatsstipendiat in Paris, wo er sich niederließ. — Werke im Mus. Nac. Soares dos Reis in Porto: Kopf des Kstlers; Verzweiflung; Orpheus; Ödipus; Kalvarienberg (Kat. 1947). Entwürfe für eine Allegorie des Span. Krieges u. für das Denkmal des Marquis de Pombal in Lissabon.
Lit.: Pamplona, p. 256. — Ed. de Barcelos, Hist. de Portugal, IV 762. — Arte (Porto), 1 (1905) Nr 12 p. 2, m. Abb. u. Bildnis; 3 (1907) Nr 29 p. 2 m. Abb.

Alves Cardoso, Artur, portug. Porträt-, Landschafts- u. Dekorationsmaler, * 17. 3. 1883 Caneças, † 10. 3. 1930 Lissabon.
Stud. an d. Kstschule in Lissabon; Schüler von Carlos Reis, Cormon u. J. P. Laurens in Paris. Gold. Med. der Soc. Nac. de B. Artes Lissabon 1914 u. der Panama-Pacifik-Ausst. 1915. Ritter des Ordens von Santiago da Espada. Vertreten im Nat.-Mus. zeitgen. Kst in Lissabon und im Mus. Grão-Vasco in Vizeu. Ausmalung der Decke des Sitzungssaales im Pal. S. Bento in Lissabon, des Haupttreppenhauses der Medizin. Schule ebda u. des Pal. Seixas.
Lit.: Gr. Enc. Port. e Brasil., II 222, m. Fotobildn. — Pamplona, p. 276. — Terça-feira, 11. 3. 1930 (Nachruf, m. Fotobildnis).

Alves, Celestino de Sousa, portug. Landschaftsmaler, * 23. 10. 1913 Setúbal, ansässig in Lissabon.
Schüler von Simões de Almeida (d. J.), Luciano Freire, Veloso Salgado u. Henrique Franco an d. Kunstschule in Lissabon; Prof. a. d. Techn. Schule. 1944 Silva Porto-Preis der S. N. B. A., 1947 Amadeu de Sousa Cardoso-Preis des Nat.-Sekretariats f. Information u. Reisestipendium der S. N. B. A. Vertreten im Nat.-Mus. zeitgenöss. Kst in Lissabon u. im Rathaus zu Setúbal, in der S. N. B. A. u. im Fundação da Casa de Bragança.
Lit.: Pamplona, p. 400. — Gr. Enc. Port. e Brasil., II 217.

Alves, Francisco Luiz, portug. Maler, * 24. 12. 1859 Santa Cruz do Alentejo, † 16. 12. 1931 Beja.
Religiöse Stoffe, Bildnisse, Landschaften. Ausschmückung des Schlosses des Visconde de Ribeira Brava u. des Hauses von Dr. Taquenho. Wiederherstellungsarbeiten an Wandgem. der Casa do Capítulo do Convento da Conceição de Beja.
Lit.: Gr. Enc. Port. e Brasil., II 217.

Alves de Sá, João, portug. Maler (bes. Aquar. u. Fayence) u. Rechtsanwalt, * 1. 7. 1878 Lissabon.
Stud. Rechtswiss. an d. Univ. Coimbra; Malstudien an d. Schule der Soc. Nac. de B. Artes in Lissabon, Schüler von Manuel de Macedo. Ehrenmed. der S. N. B. A. Hauptsächl. Landschafter. Fayencemalereien (Azulejos u. a. im Bahnhof „Sul e Sueste", im Governo Civil de Lisboa in Sé do Pôrto u. im Hospital Sanatório da Colónia Portuguesa do Brasil in Coimbra. Vertreten im Nat.-Mus. zeitgen. Kst in Lissabon, im dort. Städt. Mus. u. im Mus. Grão-Vasco in Vizeu.
Lit.: Gr. Enc. Port. e Brasil., II 227, m. Fotobildn. — Pamplona, p. 306. — Quem é Alguém, 1947, p. 64.

Alves, Maximiano, portug. Bildhauer, * 22. 7. 1888, ansässig in Lissabon.
Stud. an d. Kunstsch. in Lissabon; Schüler von Simões de Almeida (Tio). Mitglied der Kommission f. Ästhetik in Lissabon. Gold. Med. Lissabon (Soc. Nac. de B. Artes), Sevilla u. Paris. — Werke im Nat.-Mus. f. zeitgenöss. Kunst in Lissabon (Kat. 1945 p. 22), im Mus. Nac. Soares dos Reis in Porto u. im Mus. d. Kunstsch. in Rio de Janeiro. Denkmal für die Gefallenen des 1. Weltkrieges in Lissabon; Grabmal Machado de Castro ebda; Denkmäler Ferreira do Amaral u. Nicolau Mesquita in Macau; Statuen der „Diplomatie" u. „Gerechtigkeit" für die Assembleia Nac. in Lissabon.
Lit.: Gr. Enc. Port. e Brasil., II 221. — Pamplona. — Quem é Alguém, 1947 p. 61.

Alvin-Correa, Henri, brasil. Maler, * 1876 Rio de Janeiro, ansässig in Paris.
Schüler von H. Detaille u. Jean Brunet in Paris. Malte in der Art von Detaille Szenen aus dem Deutsch-Franz. Kriege 1870/71.
Lit.: Joseph, I. — Bénézit, [2] I (1948).

Aly, Gustave, franz. Landschafts- u. Marinemaler, * Arras (Pas-de-Calais), ansässig in Paris.
Mitglied der Soc. d. Art. Indépendants, beschickte deren Salon 1905/35.
Lit.: Joseph, I. — Bénézit, [2] I (1948).

Alyanak, Hrand, armen. Landschaftsmaler, * Konstantinopel, ansässig in Paris.
Stud. an der Kunstakad. in Konstantinopel. Mitglied der Soc. d. Art. Indépendants, beschickte deren Salon 1926/35.
Lit.: Joseph, I. — Bénézit, [2] I (1948).

Alyhr, Stig, schwed. Bildnis- u. Aktmaler, * 1919 Visby, Gotland, ansässig in Stockholm.
Stud. an Berggren's Malschule u. bei Isaak Grünewald.
Lit.: Thomœus.

Alyre, Ragnar, schwed. Maler u. Bildhauer, * 1894 Visby, Gotland, ansässig in Stockholm.
Ausgebildet auf Studienreisen in Frankreich, Italien u. Deutschland. Bildnisse, Figürliches, Landschaften. Hauptwerke als Bildhauer: Denkmal für Handel u. Seefahrt in Västervik. Bild im Mus. in Hudiksvall.
Lit.: Thomœus. — Konstrevy, 1935, p. 128, m. Abb.

Amadeus-Dier, Erhard, dtsch. Maler, Zeichner u. Exlibriskünstler.
Erscheint in der Jubil.-Ausst. im Kstlerhaus in Wien, Nov. 1941/Febr. 1942, mit einem Öltemperabild: Später Aufbruch bei Morgengrauen, u. in der

Frühjahrsausst. der Preuß. Akad. d. Kste in Berlin, Mai/Juni 1942, mit einer farb. Kreidezeichng: Schlafende Frau.

Lit.: Donauland, 3/II (1919) 821, m. Abb. — Exlibris, 25 (1915) 89; 26 (1916) 121, m. Abb.; 27 (1917), p. 83, m. Abb. — Velhagen & Klasings Monatsh., 54/I (1939/40) 357/64, m. 8 farb. Abbn.

Amadio, Metello, ital. Maler u. Gemälderestaurator, * 13. 10. 1884 Rom, ansässig ebda.

Schüler von Tubino u. De Witt.

Lit.: Comanducci.

Aman-Jean, Céline, franz. Landschaftsmalerin, * Paris, ansässig ebda. Gattin des Edmond.

Mitglied des Salon d'Automne, stellte dort seit 1921 aus. Beschickte gleichzeitig den Salon der Soc. Nat. d. B.-Arts.

Lit.: Joseph, I. — Bénézit, ² I (1948).

Aman-Jean, Charlotte Claire, franz. Bildnis-, Figuren- u. Tiermalerin, * Paris, ansässig ebda.

Seit 1920 Mitglied der Soc. Nat. d. B.-Arts. Stellt seit 1923 auch im Salon des Tuileries aus.

Lit.: Bénézit, ² I (1948).

Aman-Jean, Edmond, franz. Maler, * 1860 Chevry-Cossigny (Seine-et-Marne), † 25. 1. 1936 Paris. Gatte der Céline.

Schüler von Rud. Lehmann, E. Hébert u. L. O. Merson. Geschätzter Damenporträtist u. begabter Dekorateur. Vorliebe für matte, zarte, fein nuanzierte Farben. In allen bedeutenderen franz. Museen u. in mehreren öff. Smlgn der USA vertreten. Ein Damenbildnis im Luxembourg-Mus. in Paris. Im Mus. Metz ein Bildnis des Dichters Verlaine, im Mus. Stuttgart ein Damenbildnis. 3 dekor. Gem. im Pariser Musée d. Arts décoratifs.

Lit.: Th.-B., I (1907). — Joseph, I, m. 2 Abbn. — Bénézit, ² I (1948). — A. Segard, Les Décorateurs: Henri Martin, A.-J., Maur. Denis, Ed. Vuillard, Paris 1917. — E. Langlade, Artistes de mon temps, 1936. — Art et Décor., 11 (1902/I) 133/42. — The Studio, 40 (1907) 285/90; 61 (1914) 89/96. — Le Gaulois, 20. 12. 1913. — Revue de l'Art anc. et mod., 43 (1923) 396f.; 49 (1926) 36ff.; 56 (1929) 44 (Abb.); 69 (1936) 48f. — Gaz. d. B.-Arts, 1924/II 88ff.; 1925/II 35f. — L'Art et les Artistes, N. S. 13 (1926) 295/99. — Qui Êtes-Vous?, 1924. — Beaux-Arts, 8 (1930) Nr 7 p. 18 (Abb.).

Amandry, Robert, franz. Tierbildhauer, * 29. 1. 1905 Romilly-sur-Seine (Aube).

Schüler von Patey-Dropsy u. J. Boucher.

Lit.: Joseph, I. — Bénézit, ² I (1948). — Beaux-Arts, 76ᵉ année, Nr 332 v. 12. 5. 1939 p. 3 (Abb.).

Amann, Carl, dtsch. Maler u. Graph., * 4. 12. 1908 Ulm, ansässig in Chemnitz.

Schüler von Schneidler an d. Kstgewerbesch. in Stuttgart u. von Karl Caspar an d. Hochsch. f. bild. Kste in München. Studienaufenthalte in Italien u. in d. Schweiz.

Lit.: Kat. der 1. Ausst. Erzgeb. Kstler, Freiberg/Sa. 23. 6.–31. 8. 1946, m. Abb.; 2. Ausst. 7. 6.–Aug. 1947: 3. Ausst. Mai–11. 7. 1948, m. Abb.

Amann, Fritz, dtsch. Porträt- u. Landschaftsmaler, * 11. 11. 1878 Gera-Untermhaus, ansässig in Naumburg a. d. S.

Schüler von Thedy an d. Kstsch. in Weimar, von Roth in Düsseldorf u. von H. Obrist u. W. v. Debschitz in München. Bild im Rathaus in Gera.

Lit.: Dreßler.

Amaral (Vaz Pinto do Amaral), Amândio, portugiesischer Architekt, * 27. 7. 1916 Lissabon.

Stud. an den Kunstschulen in Lissabon u. Porto. Schüler von Luiz Cristino da Silva u. Carlos Chambers Ramos. Archit. des Ministeriums der Öffentl. Bauten. Moderne Wohnhäuser in Lissabon u. Cascaes.

Amare, Pierre l', deutscher Maler und Graph., * 5. 7. 1915 Dresden, ansässig in Berlin.

Stud. an d. Akad. in Leipzig u. d. Reimann-Schule in Berlin. Studienreisen nach Frankreich, Italien u. der Schweiz. Langjährige Aufenthalte in Ungarn, Jugoslawien, Rumänien u. Griechenland. Mitarbeiter als Karikaturist für Zeitschriften.

Lit.: 12 Zeichner aus Berlin. Dtsch. Archiv-Verlag, Berlin. — Der Mittag (Düsseldorf), 7./8. 10. 1950, m. Abb. *J.*

Amariglio, Louis, franz. Architekturmaler, * Paris, ansässig ebda.

Schüler von P. Montézin u. A. Bossu. Seit 1929 Mitglied der Soc. d. Art. Franç. (Salon-Kat. z. T. m. Abbn).

Amat, Anna, katal. Bildhauerin u. Plakettenkünstlerin, * Barcelona, ansässig in Paris.

Schülerin von Claude Devenet u. Léo Hermann. Stellte 1930/32 im Salon der Soc. d. Art. franç. aus.

Lit.: Bénézit, ² I (1948).

Amat Pagés, José, katal. Landschaftsmaler, * Barcelona, ansässig ebda.

Stadt- u. Straßenansichten.

Lit.: Kat. d. Ausst. Span. Kunst d. Gegenw., Berlin, Pr. Akad. d. Kste, 1942, m. Abb.

Amatchi, Carmen, franz. Malerin, * Hendaye (Basses-Pyrénées).

Beschickt seit 1928 den Salon des Indépendants in Paris. Hauptsächl. Interieurs u. Landschaften (bes. aus der Umgebung von Brügge).

Lit.: Bénézit, ² I. — Joseph, I. — La Renaiss. de l'Art franç., 12 (1929) 411, m. 2 Abbn.

Amateis, Edmond, ital.-amer. Bildhauer u. Illustr., * 7. 2. 1897 Rom, ansässig in New York.

Stud. an d. Nat. Acad. of Design in New York als Schüler von Solon Borglum, u. an der Acad. Julian in Paris. Rompreise 1921 u. 1924. Kriegerdenkmal in Baltimore. Bildnisbüsten, Bauplastik (Relief am Kriegerdenkm. in Kansas City; Buffalo Histor. Building; Rochester Times Union).

Lit.: Fielding. — Who's Who in Amer. Art, I: 1936/37. — Art Index (New York), Okt. 1941/Sept. 42; Okt. 45/Sept. 46. — Amer. Art Annual, 20 (1923) 425; 27 (1930) 15; 30 (1933). — The Art News, 24 Nr 6 v. 14. 11. 1925 p. 3, 5.

Amato, Luigi, ital. Maler, * Spezzano Albanese.

Naturalist. Stellte 1938 im Salon d. Soc. d. Art. Franç. in Paris, 1939 in der Arlington Gall. in London aus.

Lit.: Bénézit, ² I (1948). — Apollo (London), 29 (1939) 205, m. Abb.

Amato, Nullo d', ital. Maler, * 31. 10. 1913 S. Cesario di Lecce, ansässig ebda.

Lit.: Kat. VI Quadriennale, Rom 1951/52.

Amato, Orazio, ital. Landschafts- u. Figurenmaler, * 1. 5. 1884 Anticoli Corrado, ansässig in Rom.

Bildnis im Mus. Toma Stelian in Bukarest.

Lit.: Comanducci. — Emporium, 79 (1934) 376 (Abb.). — L'Arte, N. S. 10 (1939) 208.

Amaury, Léo, franz. Bildhauer, * 18. 7. 1885 Paris, ansässig ebda.

Schüler von Hannaux. Mitglied der Soc. d. Art. Franç., beschickt deren Salon seit 1911. Silb. Med. 1937. Hauptsächl. Tiere u. Bildnisbüsten.

Lit.: Joseph, I. — Bénézit, ² I (1948).

Amberg, Adolf, dtsch. Bildhauer u. Metallkstler, * 1874 Hanau, † 3. 7. 1913 Berlin.

Stud. an d. Berl. Kstgewerbesch., dann an der Acad. Julian in Paris u. an d. Berl. Akad. Hauptsächl. Kleinplastiker: Schalen, Jardinieren, Medaillen, Plaketten usw. Ratssilber der Stadt Aachen.

Lit.: Th.-B., 1 (1907). — Bettelheim, 18, Sp. 75 u. Totenliste 1913. — Dtsche Kst u. Dekor., 29 (1911/12) 82/89, m. Abbn; 31 (1912/13) 462 (Abb.). — Kstchronik, N. F. 25 (1914) 104.

Amberg, Hugo, dtsch. Landschaftsmaler u. Graph., * 11. 10. 1872 Hamburg, ansässig ebda.

Autodidakt. Holzschnitte, Radierungen.

Lit.: Dreßler.

Amberg, Josef, dtsch. Goldschmied, ansässig in Würzburg.

Monstranz in der Pfarrk. in Hauenstein, Pfalz; Hochaltar u. Monstranz in St. Joseph in Aschaffenburg. Tabernakel für Mespelbrunn.

Lit.: Dreßler. — Schnell, 6 Nr 342/43, p. 6; 7 Nr 455, p. 4, 9. — D. Christl. Kst, 23 (1926/27) 285; 24 (1927/28) 116 (Abb.). — Das Schöne Franken (Würzburg), 2 (1931), Dez.-H. p. 170f., m. 3 Abbn. — D. Münster (München), 5 (1952) 230.

Amberger, Fritz Ludwig, dtsch-schweiz. Maler u. Graph., * 4. 3. 1899 Zürich, ansässig in Wiesbaden.

Stud. an der Kstgewerbesch. in Zürich bei O. Baumberger u. E. Würtenberger. 1925/28 Lehrer an d. Städt. Kstgewerbesch. in Wiesbaden.

Lit.: Dreßler.

Ambourg, Thérèse, franz. Figuren- u. Porträtmalerin, * Nizza, ansässig in Paris.

Stud. bei Jules van Biesbroeck u. Felice Carena. Stellt seit 1935 in Paris aus.

Lit.: Bénézit, ² I (1948). — Beaux-Arts, 76me année, Nr 327 v. 7. 4. 1939, p. 4.

Ambroselli, Gérard, franz. Landschafts-, Bildnis- u. Figurenmaler u. Rad., * Paris, ansässig ebda.

Stellt seit 1927 bei den Indépendants, seit 1934 auch im Salon d'Automne aus. 10 Rad. für: Abel Bonnard, Venise.

Lit.: Joseph, I. — Bénézit, ² I (1948). — Bull. de l'Art anc. et mod., 66 (1934/II) 396, 399 (Abb.). — Art et Décoration, 62 (1933): Les Échos d'Art, Nov.-Heft, p. VIII, X (Abb.). — Beaux-Arts, 1936 Nr 208 p. 8, m. Abb.

Ambrosi, Gustinus, öst. Bildhauer, Graphiker u. Dichter (Prof.), * 24. 2. 1893 Eisenstadt (Kismarton), ansässig in Wien. Ital. Abkunft.

Musikalisches Wunderkind. Als 7jähriger durch Unfall taubstumm geworden. Schüler von Georg Winkler in Graz, im übrigen Autodidakt. Beeinflußt von Rodin u. dem ital. Barock. Einige Zeit in den Niederlanden. Hauptsächl. Bildnisse (Nietzsche, Strindberg [1912; Mod. Gal. Wien], Franz Servaes, Rud. Hans Bartsch, Emil Lucka, Gerh. Hauptmann, A. Wildgans, Arnold Böcklin, Richard Strauß, Alfred Freih. v. Liebig, Ernst Lissauer) u. michelangelesk bewegte, psychisch u. in der plast. Form stark durchwühlte Akte (Sterbende Seele, Ikarus, Kain, Prometheus, Mann u. Schicksal, Die ewige Sehnsucht, Erschaffung Adams usw.). Im Grazer Opernhaus eine Büste Wilh. Kienzls. Im Stedel. Mus. in Amsterdam eine Herrenbüste u. Kinderköpfchen (Kat. 1922, Taf. 4 u. 5). Eine weitere Plastik im Kstmus. in St. Gallen, Schweiz.

Lit.: Fr. Karpfen, G. A., Wien 1923 (m. 78 Abbn). — D. Kstwelt, 3 (1914) 29ff., m. 6 Textabbn u. 1 Taf. — D. Cicerone, 8 (1916) 288. — Kst u. Ksthandwerk (Wien), 19 (1916) 262f.; 22 (1919) 57. — Kstchronik u. Kstmarkt, N. F. 30 (1919) 241f. — Die bild. Kste (Wien), 2 (1919/20) 115, 117 (Abb.); 3 (1920/21), Beih. p. I/III, m. 3 Abbn. — Antiquitäten-Rundschau, 23 (1925) 278. — Pages d'Art, 1924, p. 1/2, m. Abb. — Apollo (London), 6 (1927) 152/57, m. 9 Abbn. — Scherls Magazin, 7 (1931) 316/19. — Westermanns Monatsh., 130/II (1921) 451/56, m. 14 Abbn u. 1 Taf., 513 (Fotobildn.). — Velhagen & Klasings Monatsh., 46/I (1931/32) 428, 431 (Abb.); 50/II (1936) 220 (Abb.), 221. — Öst. Kst, 2 (1931), Heft 11/12 p. 11/14; 4 (1933) Heft 1, p. 4, m. Abb.; 8 (1937) 3/13. — D. Bild, 8 (1938) 154/59, m. Abbn. — Die schöne Frau, 1938 p. 491/96. — Die Kst i. Dtsch. Reich, 4 (1940) 344, 345/49 (Abbn). — A.-Mappe, m. Vorw. v. Fel. Braun, Ed. Strache-Verl. Wien 1921; A.-Mappe, mit Vorw. v. Fr. Karpfen u. 24 Lichtdr., Stein-Verl. Wien 1925. — Teichl.

Ambrosini, Vincent, franz. Landsch.- u. Marinemaler, * Constantine, ansässig in Neuilly-sur-Seine.

Stellte 1926/38 bei den Indépendants in Paris aus.

Lit.: Joseph, I. — Bénézit, ² I.

Ambrosio, Louis d', ital.-franz. Figurenbildhauer, * 21. 6. 1879 Piscinisco, † 1946 Paris. Naturalisierter Franzose.

Schüler von P. Gasq u. H. Gréber. Erhielt 1923 den Prix Albert Maignan, 1925 den Prix de l'Yser. Stellte bei den Indépendants u. im Salon der Soc. d. Art. franç. aus (Kat. z. T. m. Abbn).

Lit.: Joseph, 1. — Bénézit, ² 1 (1948) 142 (irrig 2 ×).

Ambrosio-Donnet, Antoine, franz. Bildhauer, * 11. 6. 1887 Vallauris (Alpes-Maritimes), fiel im 1. Weltkrieg (1914/18).

Schüler von A. Mercié u. Carlès. 2. Grand-Prix 1913.

Lit.: Bénézit, ² I (1948).

Ambrosoli, Lia, ital. Genremalerin, * 27. 9. 1888 Mailand, ansässig ebda.

Schülerin von Ferdinando Brambilla u. Ambrogio Alciati.

Lit.: Comanducci, m. Abb.

Amédée-Wetter, Henri, franz. Maler u. Holzschneider, * Montluçon (Allier), † zwischen 1929 u. 1931.

Mitgl. d. Soc. Nat. d. B.-Arts, beschickte deren Salon seit 1911.

Lit.: Bénézit, ² I (1948). — Joseph, I. — Gaz. d. B.-Arts, 1922/I p. 97, m. Abb.

Améen, Märta, geb. Freiin *Sparre,* schwedische Bildhauerin, * 28. 2. 1871 Wien, von schwedischen Eltern, ansässig in Katrineholm.

Stud. in Paris bei Courtois, Dagnan-Bouveret, Rixens u. J. Dampt. Zuerst Tiermalerin (Hunde, Pferde), ging dann zur Bildhauerei über. Gruppen: Tiere, Figuren.

Lit.: Th.-B., I (1907). — Vem är det?, 1935. — Thomœus. — L'Art, 61 (1902) 267.

Amelin, Albin, schwed. Maler (Öl u. Aquar.), * 25. 1. 1902 Chicago, USA, ansässig in Stockholm.

Stud. an der Techn. Schule in Stockholm. Weitergebildet auf Reisen in Frankreich 1931/32. Kraftvolle, fast brutale Maltechnik. Sozialistischer Einschlag. Figürliches, Interieurs mit Figuren (bes. Arbeiterkneipen), Akte, Bildnisse, Landschaften, Blumenstücke. Bilder im Nat.-Mus. in Stockholm, in den Museen in Göteborg, Malmö, Nyköping u. in der Staatl. Tretjakoff-Gal. in Moskau.

Lit.: Thomœus. — Vem är det?, 1935. — N. F., 21 (Suppl.). — Göteborgs Museum, Årstryck, 1931, p. 58; 1944, p. 42, m. Abb. — Konstrevy, 1929, p. 143 (Abb.); 1933, p. 41, 56/58, m. Abb.; 1934 p. 31, m. Abb.; 1935 p. 20 (Abb.), 160 (Abb.); 1936, p. 200, m. Abb.; 1937, p. 106, m. Abb. u. Spezial-Nr, p. 41 (Abb.); 1939 p. 50 (Abb.). — Kunst og Kultur, 23 (1937) 64. — Ord och Bild, 48 (1939) Taf.-Abb. geg. p. 449. — Nat.-Mus. Stockh. [Bilderbuch], 1948 p. 150.

Amelin, Paul, franz. Landschaftsmaler, * Paris, ansässig ebda.

Schüler von Bouguereau u. T. Robert-Fleury. Seit 1930 Mitglied der Soc. d. Art. franç. (Salon-Kat. z. T. m. Abbn).

Ament, Robert Selfe, amer. Maler u. Rad., * 3. 10. 1879 Brooklyn, N. Y., † um 1940 New York.

Lit.: Fielding. — Amer. Art Annual, 30 (1933). — Who's Who in Amer. Art, I: 1936/37.

Amero, Emilio, mexik. Radierer u. Lithogr. (Bildnisse, Akte), * 1910.

Lit.: The Print Coll.'s Quarterly, 23 (1936) 82. — The Art News, 45, März 1946, p. 10 (Abb.); 46, Febr. 48, p. 8 (Abb.); 47, Sept. 48, p. 11 (Abb.); 48, März 49, p. 8 (Abb.), 50.

Amerongen, Friedrich Freih. von, dtsch. Maler, * 12. 2. 1878 Darmstadt, zuletzt ansässig in München.

Schüler von Burger in Cronberg u. von Trübner in Karlsruhe. Pflegte bes. das relig. Fach, daneben die Landschaft u. das Bildnis.

Lit.: Th.-B., I (1907). — Dreßler. — D. Christl. Kst, 12 (1915/16), Abb. vor p. 33.

Amerstorfer, Siegfried, tirol. Graphiker, * 30. 12. 1920 Innsbruck, ansässig ebda.

Schüler von Oswald Haller. Zeichngn, Linolschnitte, Plakate.

Lit.: Innsbr. Nachr., 1940 Nr 157; 1942 Nr 167.

Ameseder, Hilde, tirol. Malerin u. Kstgewerblerin, * 23. 1. 1907 Innsbruck, ansässig ebda.

Schülerin von Hugo Grimm in Innsbruck. Entwürfe für Applikationswandteppiche, in Anlehnung an gotische Vorbilder.

Lit.: Tir. Tagesztg, 1950 Nr 50. *J. R.*

Amesmayer, Hans, dtsch. Maler, * 8. 12. 1894 Wasserburg, ansässig in Augsburg.

Lernte Dekorationsmaler, dann Schüler von Döllgast an d. Kstschule in Augsburg. Landschaften, Blumenstücke.

Lit.: Kat. Ausst. Augsburg. Kstler, Schaezler Palais, Augsbg 8. 12. 1946–2. 1. 1947.

Amesz, W. O. J., holl. Malerin u. Illustr., * 4. 11. 1897 Amsterdam, ansässig in Utrecht.

Schülerin von N. v. d. Waay an der Amsterd. Akad. Religiöse Sujets, Bildnisse (Öl, Pastell, Zeichng). Illustr. zu Gedichten von Martien Beversluis.

Lit.: Waay.

Amfreville, Henri d', franz. Maler, Lithogr., Kstschriftst. u. Dichter, * 8. 1. 1906 Paris, ansässig ebda.

Beschickte 1938/41 den Salon d'Automne, 1942/43 den Salon des Tuileries u. gelegentlich den Salon des Humoristes.

Lit.: Bénézit, [2] I (1948). — Beaux-Arts, 8 (1930) Nr 4, p. 20 (Abb.); 76 année, Nr 336 v. 9. 6. 1939, p. 4 (Abb.).

Amicis, Cristoforo De, ital. Landschaftsmaler.

Kollektiv-Ausst. Okt./Nov. 1929 in d. Gall. Milano in Mailand (ill. Kat.).

Lit.: Emporium, 70 (1929) 309, 310 (Abb.); 83 (1936) 160, m. Abb.; 94 (1941) 11 (Abb.).

Amick, Robert Wesley, amer. Maler u. Illustr., * 15. 10. 1879 Canon City, Colo., ansässig in New York.

Schüler der Art Student's League, New York.

Lit.: Fielding. — Amer. Art Annual, 30 (1933).

Amiel, Louis Pierre, franz. Bildnis-, Akt- u. Stillebenmaler, * Lézignan-Corbières (Aude), ansässig in Paris.

Schüler von H. Royer u. Guillonnet. Mitglied der Soc. des Art. Franç., beschickte deren Salon 1921/32 (Kat. z. T. m. Abbn).

Lit.: Bénézit, [2] I (1948).

Amiet, Cuno, schweiz. Maler, Graph. u. Zeichner f. Kstgewerbe, * 28. 3. 1868 Solothurn, ansässig auf der Oschwand (Emmental).

Näherte sich nach stark expressiven Anfängen (1906/07 Mitglied der „Brücke") dem Frühstil Hodlers. Kam, seit ca. 1920 unter franz. Einfluß, zu einem malerischen Stil mit starken farbigen Kontrasten. Das Dekorative verbindet sich bei ihm mit einem ausgesprochenen Instinkt für ein unmittelbares Verhältnis zur Natur. — Koll.-Ausst.: Ksthaus Zürich 1914, 1917, 1938; Ksthalle Bern 1919, 1928; Glaspalast München 1931, bei dessen Brand 50 s. Gemälde zerstört wurden, darunter die in Pont-Aven (Bretagne) 1891/92 unter dem Einfluß Gauguin's entstandenen Frühwerke; gr. Koll.-Ausst. in Paris 1932, wo er 1932/39 die Sommer verbrachte; Jubil.-Ausst. Solothurn 1948. — Vertreten in d. Öff. Kstsmlgn in Basel, Bern, Solothurn u. Zürich. Fresken im Neuen Gymnasium in Bern u. in der Loggia des Zürcher Kunsthauses. Ein vollständ. Verz. s. Druckgraphik hat Mandach (s. Lit.) aufgestellt.

Lit.: Th.-B., I (1907). — Bénézit, [2] I (1948). — Joseph, I. — W. George, C. A., Paris o. J. — E. v. Sydow, C. A. Eine Einführung in s. maler. Werk (Zur Kstgesch. d. Auslandes, H. 106), Straßbg 1914 (m. 11 Taf.). — C. v. Mandach, C. A., Bern 1925; ders., C. A. Vollst. Verz. d. Druckgraphik d. Kstlers, Bern 1939. — C. Blass, C. A. Oschwander Erinnergn, Frauenfeld-Lpzg 1928. — G. Charensol, C. A. (Les Art. suisses), Paris 1932. — Reinhart-Fink, Selbstbildnisse schweiz. Kstler der Gegenw., 1918. — W. Schäfer, Die mod. Malerei d. dtsch. Schweiz, 1924, p. 57ff., m. Abbn Nr 14/19. — Einstein. — M. Raynal, Anthologie de la Peint. en France etc., 1927; ders., Hist. de la Peint. mod., Fauvisme et Expressionisme, 1934, p. 77, 80. — Schmidt. — Müller-Schürch, 1929, p. 3, Abbn p. I/III. — L'Art décoratif, 27 (1912) 279/88. — L'Art en Suisse, 1928, p. 75/78. — Beaux-Arts, 15. 11. 1946, p. 3; 19. 3. 1948, p. 3. — The Burlington Mag., 79 (1941) 102ff. (C. v. Mandach). — D. Cicerone, 20 (1928) 246, m. Selbstbildn., 544. — Dtsch Kst u. Dekor., 63 (1928/29) 23ff. — Galerie u. Sammler, 6 (1938) 117–19. — Die Kst, 57 (1927/28) 113ff.; 47 (1949) 169/71. — D. Ksthaus (Zürich), 4 (1914) H. 1, p. 2/4. — D. Kstwerk, 3 (1949) H. 4 p. 39. — Dtsche Monatsh. (Die Rheinlande), 1910 p. 245/55, 257/60; 1920/21 p. 1ff., m. 4 Taf. — Velh. & Klasings Monatsh.,

42/II (1927/28) 505/20, m. 17 farb. Abbn. — N. Schweiz. Rundschau, 1938, p. 103/18. — Neujahrsbl. d. Zürcher Kstgesellsch., 1921. — D. Schweiz, 1919 p. 387ff.; 1923 p. 147/50 m. Taf. u. Abbn. — Schweizer Kst, 1937/38, p. 146/50. — Schweizerland, 4 (1917/18) 113ff. — D. Werk (Zürich), 1 (1914) Heft 1 p. 25 (Abb.); 3 (1916) 139f., 144 (Abb.); 6 (1919) 81/85; 9 (1922) 1/4 (Abbn); 10 (1923) 130 (Abb.); 15 (1928) 184/89; 25 (1938) 129 (Selbstbildn.), 145/46; 30 (1943) 65/79; 35 (1948) Suppl. p. 123, 151.

Amiet, Marie Loïse, elsäss. Malerin u. Zeichnerin, * 17. 4. 1879 Molsheim, ansässig in Straßburg.

1906ff. Schülerin von Schneider u. Sattler in Straßburg. Hauptsächl. Illustratorin. Mitgl. d. Soc. d. Art. Alsac. Stellte gelegentlich auch in Paris (Salon d'Automne) aus.

Lit.: Bénézit, [2] I (1948). — Ill. Elsäss. Rundschau, 14 (1912) 81f., m. Abbn.

Amighetti, Amighetto, ital. Figurenmaler, * 13. 2. 1902 Genua, † 1946 (?) ebda.

Kollektiv-Ausst. in d. Gall. Bardi in Mailand 1926 u. in d. Promotrice in Genua 1928. Gedächtnis-Ausst. April 1946 in d. Gall. Genova-l'Isola in Genua.

Lit.: Chi è?, 1940. — Emporium, 71 (1930) 326 (Abb.); 103 (1946) 198.

Amiguet, Louis Auguste, schweiz. Raumkünstler u. Dekorator, * 25. 11. 1891 Genf.

Gold. Med. Paris, Expos. d. Arts Décor., 1925.

Lit.: Joseph, I. — Die Kst in d. Schweiz, 1930, m. 2 Taf.-Abb. nach p. 24.

Amiguet, Marcel, schweiz. Maler (Öl u. Fresko), * Ollon, Kt. Waadt, ansässig in Paris.

Schüler von R. Collin, Cormon u. Flameng. Stellte 1920ff. im Salon der Soc. d. Art. franç. aus. Figürliches, Bildnisse, Entwürfe für Textilien.

Lit.: Joseph, I. — Bénézit, [2] I (1948). — Pages d'Art (Genf), 1919 p. 267ff., m. zahlr. Abbn. — L'Art et les Artistes, Nouv. Sér., 11 (1925) 315/19, m. 5 Abbn.

Aminoff, Gregori, schwed. Mineralog (Dr. phil., Prof.) u. Maler, * 8. 2. 1883 Stockholm, † 1947 ebda.

Stud. in Stockholm, Rom, Paris u. London. Seit 1923 Prof. u. Direktor der mineralog. Abteilung des Reichsmus. Dekorat. figürliche Kompositionen.

Lit.: Hoppe. — Thomœus. — Vem är Vem i Norden, 1941 p. 941. — Arktos, 1 (1908/09) 132.

Aminoff, Sigrid, schwed. Landschafts- u. Blumenmalerin, * 1904 Stockholm, ansässig in Hilsjärvi, Finnland.

Stud. an Berggren's Malschule, weitergebildet auf Reisen in Frankreich, Italien u. Nordafrika. Altarbilder u. a. in Hägerstad u. Roslagsbro.

Lit.: Thomœus. — Konstrevy, 1938, p. 190, m. Abb.; 1939, p. 230, m. Abb.

Amir, Punja Kash, ind. Kalligraph, ansässig in Delhi.

Lit.: The Journal of Indian Art and Industry, 1913, Okt.-H. p. 31f., m. Abb.

Amisani, Giuseppe, ital. Bildnis-, Figuren- u. Landschaftsmaler, * 7. 12. 1881 Mede Lomellina (Pavia), † 8. 9. 1941 Portofino.

Schüler von Ces. Tallone in Mailand, wo er sich niederließ. 1913 in Brasilien u. Argentinien. 1925 in Ägypten. Längere Zeit in England. Impressionist. Ausgezeichnet durch virtuose Technik u. blühende Palette. Beliebter Modeporträtist der vornehmen Damenwelt (Ganzfigurbildnis der berühmten Modeschönheit Lydia Borelli). Bilder im Mus. der Scala in Mailand, in den Gall. d'Arte Mod. ebda u. in den Museen in São Paulo, Brasilien, u. in Lima, Peru.

Lit.: Comanducci, m. Abb. (Selbstbildn.). — G. U. Arata, G. A., Mailand 1914. — G. Nicodemi, G. A., Mail. 1924. — Chi è?, 1940. — Bénézit, [2] I (1948). — La Cultura moderna, 44 (1913) 155/56. — Vita d'Arte, 13 (1914) 241/48, m. 11 Abbn u. 1 farb. Taf. — Emporium, 52 (1920) 283/93, m. 15 Abbn u. 2 farb. Taf.; 58 (1923) 314ff., m. 4 Abbn; 63 (1926) 195f., m. 3 Abbn; 72 (1930) 369 (Abb.), 371; 94 (1941) 236 (Nachruf), m. Fotobildnis. — The Studio, 87 (1924) 105ff., m. Abbn. — Apollo (London), 13 (1931) Taf. zw. p. 322/23, 333, 404, m. Abb.

Ammann, Eugen, schweiz. Maler, Rad. u. Holzschneider, * 15. 6. 1882 Basel, ansässig ebda.

Bildete sich 1904/06 autodidaktisch in Florenz, dann Schüler von J. P. Laurens u. Prinet in Paris, 1909/10 von H. Groeber in München. 1913/15 in Florenz; seitdem in Basel ansässig. — Bildnisse: Figürliches, Interieurs, Landschaften, Stilleben. Selbstbildnis in der Öff. Kstsmlg Basel. Wandmalereien im Krematorium auf dem Horburger Friedhof in Basel u. im Gymasium in Schaffhausen. — Koll.-Ausst. Aug./Sept. 1943 in d. Ksthalle Basel.

Lit.: Brun, 4. — Reinhart-Fink, p. 75. — Schweiz. Zeitgenossen-Lex., 1932. — Jenny. — Die Schweiz, 1915, p. 301, m. Abb.; 1916, p. 594; 1918 p. 386, Taf.-Abb. geg. p. 382 (Selbstbildn.). — Schweizerland, 1917, p. 226ff., m. Abbn. — D. Kstblatt, 2 (1918) 198, 203 (Abb.). — Schweiz. Baukst, 1920 p. 72f., m. Abbn. — D. Werk, 30 (1943) Heft 10, Beil. p. X.

Ammann, Helmut, dtsch. Bildhauer, Maler u. Entwurfzeichner für Glasmalerei, * 21. 10. 1907 Schang-hai (China), wohnhaft in München-Großhadern.

Malschüler von W. Jaeckel, als Bildh. Schüler von Totila Albert. Studierte später in Berlin bei Gerstel u. an der Akad. in München bei Schinnerer. Studienreisen nach Frankreich. Chorfenster für die Martinikirche in Bielefeld; Hängekruzifix u. Altartriptychon ebda; Glasmalereien für die ev. Kirchen in Naila, Hof, Schweinfurt u. Neumarkt.

Lit.: D. Münster, 4 (1951), H. 7/8 p 246. *J.*

Ammer, Julius, dtsch. Architekt (Dr.-Ing.), * 15. 4. 1880 Grumbach, Reg.-Bez. Trier, ansässig in Ascona.

Gemeindebaumeister in Berlin-Groß-Lichterfelde (1909), Stadtbauinspektor in Saarbrücken (1912) u. Stadtbaurat ebda (1917/23). Hauptsächl. Schulen; Rathaus in Deutsch-Mühlenbad; Ortskrankenhaus in Saarbrücken.

Lit.: Dreßler.

Ammer, Karoline (Lina), dtsche Malerin (Öl, Aquar., Pastell), * 1873 Landau, N.-B.

Stud. an der Kstgewerbesch. in München bei Stelzner, Ažbè, Buttersack u. Kern. Studienaufenthalte in Paris, Italien, Prag, Dresden. Gründete 1894 eine Privatmalschule in Regensburg. Landschaften, Stilleben, Blumenstücke, Interieurs, Bildnisse. Seit ca. 1910 hauptsächl. Aquarellistin. Sammelausst. anläßl. ihres 60. Geb.-Tages im Kst- u. Gewerbever. Regensburg.

Lit.: Dreßler. — Die Oberpfalz, 27 (1933) 230/33, m. Abbn.

Amoêdo, Rodolfo, brasil. Bildnis- u. Genremaler, * 1857, † 1941 Rio de Janeiro.

Lit.: Th.-B., 1 (1907). — E. Acquarone u. A. de Queiroz Vieira, Obras primas de R. A. etc., Rio de Janeiro 1941, m. Bildn. A.s von Acquarone. — Bénézit,[3] I (1948).

Amonn, Arnold, tirol. Architekt u. Malerdilettant, * 21. 11. 1902 Bozen, ansässig in Hall i. T.

Neffe der beiden Folg. Stud. an d. Münchner Kstgewerbesch., u. a. 4 Semester Architektur bei Willy Geiger. Seit 1943 Stadtarchitekt in Hall. Als Maler beeinflußt von Rud. Stolz. — Bauten: Hall, Totenkap. am Weißenbach; Neue Saline (Sudhaus); Pfarrheim. Mils bei Hall, Neues Schulgebäude (zus. mit Arch. Torggler).

Lit.: Volksbote, 1947 Nr 45. — Tir. Tagesztg, 1949 Nr 270. *J. R.*

Amonn, Carl, öst. Bildnismaler, * 17. 10. 1855 Triest, † 14. 7. 1933 Bozen.

Schüler von Scomparini in Triest u. H. Canon in Wien. 1882/89 in München, seit 1890 in Bozen.

Lit.: Bote f. Tirol u. Vorarlberg, 1895, p. 116. — Dolomiten, 1933 Nr 84, 87. — Innsbr. Nachr., 1933 Nr 162. — D. Schlern, 14 (1933) 366, m. Abb. (Nachruf). *J. R.*

Amonn, Marius, öst. Architekt, * 22. 8. 1879 Triest, † 28. 3. 1944 St. Pauls-Eppan, Südtirol.

Schüler von Hocheder a. d. Techn. Hochsch. München. Gründete in Bozen das Baubüro Amonn-Fingerle, das ein Menschenalter lang die Baukultur Bozens beherrscht hat. Zahlr. öff. u. private Bauten (Kirchen, Schulen, Mühlen, Hotels, Gasthöfe, Geschäftshäuser, Villen, Sommersitze, Garagen u. ä.) in Bozen u. im übrigen Südtirol.

Lit.: Die Archit. A.-Fingerle, Bozen o. J. — Weingartner, Bozner Kst, 1928. — Innendekor., 25 (1914) 83/98, m. Abbn. — Die Christl. Kst, 22 (1925/26) 96, 98. — Dtsche Kst u. Dekor., 33 (1913/14) 92/94, m. Abbn. — D. Schlern, 9 (1928) 316/24; 10 (1929) 216f.; 15 (1934) 9; 20 (1946) 322. — Dolomiten, 1933, Nr 114; Nr v. 18. 7. 1945. *J. R.*

Amoore, Beth, engl. Emailleur, Gravierer u. Aquarellmaler, ansässig in London.

Stud. an der S. Kensington Art School.

Lit.: Who's Who in Art, [3] 1934.

Amore, Benedetto d', sizilianischer Bildhauer, * 6. 1. 1882 Palermo, ansässig in Perugia.

Arbeiten in d. Gall. d'Arte Mod. in Palermo u. in d. R. Scuola d'Arte in Venedig. Am Justizpalast in Rom einer der Bronzelöwen. Im Neuen Ehrensaal des Pal. Venezia ebda: Kapitelle mit Kriegsdarstellgn. Basrelief: Die Pflüger, im Ministero di A. I. C. in Rom.

Lit.: Chi è?, 1940. — Emporium, 39 (1914) 150, 152 (Abb.). — Beaux-Arts, 8 (1931), Juliheft p. 5.

Amorelli, Alfonso, sizil. Maler (Öl u. Aquar.), * 6. 11. 1898 Palermo.

Beschickt die Biennali in Venedig u. die Sindacale Siciliana in Palermo. Figürliches in Landschaft u. Interieurs.

Lit.: Lo Curzio Guglielmo, A., Palermo 1934. — Emporium, 68 (1928) 386 (Abbn), 387; 79 (1934) 312, m. Abb.; 92 (1940) 19 (Abb.); 94 (1941) 25, m. Abb., 286, m. Abb.

Amorsolo, Fernando, philippin. Maler, * 1893 Manila, ansässig ebda.

Stud. an d. Kstsch. der Univers. in Manila. Weitergebildet in Europa. Bereiste die USA. Lehrer an d. Univers. in Manila. Landschaften, Figürliches, Architektur.

Lit.: Cat. Exhib. of Modern Art. California Palace of the Legion of Honor Lincoln Park, San Francisco, Calif., 1. 9./1. 11. 1927.

Amour-Watson, Elizabeth Isabel, schott. Ksttöpferin, Malerin u. Zeichnerin, * 3. 3. 1885 Manchester, ansässig in Edinburgh.

Gründerin der „Bough Pottery", Edinburgh.

Lit.: Who's Who in Art, [3] 1934.

Amrein, Robert, schweiz. Figurenmaler, * 11. 7. 1896 Zürich, † 2. 2. 1945 Uetikon am See.

Kurze Zeit Schüler von Aug. Giacometti an der Akad. Zbinden in Florenz, sonst Autodidakt. Beeinflußt von Paul Bodmer. Studienaufenthalte im Tessin (1916, 17, 18), in Siena, Athen (1920/21), Paris (1927), in Spanien u. Griechenland. Kollektiv-Ausst. im Zürcher Ksthaus Nov. 1918.

Lit.: Schweiz. Zeitgen.-Lex., 1932. — Schweizer Kst, 1945 p. 17 (Nachruf), m. 2 Abbn. — D. Werk, 5 (1918), Heft 11, p. X.

Amrhein, Hermann, dtsch. Bildhauer (Stein u. Holz), * 7. 9. 1901 Lohr a. M., ansässig ebda.

Autodidakt. Genre- u. Altarplastik. Kreuzigungsgruppe in d. Kirche d. missionsärztl. Instit. in Würzburg.

Lit.: Dreßler. — Kat. Juryfreie Kstschau Berlin 1927, Nr 11/13, m. Abb.

Amshewitz, John Henry, engl. Bildnis- u. Wandmaler, Illustr., Radierer u. Kartonzeichner, * 19. 12. 1882 Ramsgate, ansässig in London.

Stud. an der Roy. Acad. School. Wandmalereien in der Town Hall in Liverpool, der Kgl. Börse in London u. im Südafrika-Haus ebda. Buchillustr. u. a. zu: „Everyman" (Medici Soc.) u. „Myth and Legend of Ancient Israel" (Blackie a. Sons Limited).

Lit.: Who's Who in Art, [3] 1934. — Joseph, 1. — Apollo (London), 4 (1926) 78f., m. Abb. — The Studio, 108 (1934) 165 (Abb.); 110 (1935) 77 (Abb.).

Amtsberg, Otto, dtsch. Maler u. Graph., * 14. 1. 1877 Franzburg, ansässig in Berlin-Wilmersdorf.

Lit.: Dreßler.

Amtsbühler, Reinhard, dtsch. Maler, * 30. 12. 1875 Lautenbach im Renchtal, ansässig in Karlsruhe.

Stud. an der Kstgewerbesch. Karlsruhe.

Lit.: Dreßler.

Anacker, Jean, dtsch. Maler, * 1878, ansässig in München.

Koll.-Ausst. Jan. 1938 im Münchner Kstverein.

Lit.: Dreßler. — D. Weltkst, 12 Nr 5 v. 30. 1. 1938, p. 4.

Anapolitakis, Emmanuel, griech. Figuren- u. Stillebenmaler u. Holzschnitzer, * auf Kreta, ansässig in Paris.

Schüler von Roilo Castelodro. Stellte 1923 im Salon der Soc. d. Art. Franç. aus.

Lit.: Bénézit, [3] I (1948). — Kat. d. Exp. d'un groupe d'Art. hellènes de Paris, Gal. Ch. Brunner, Paris 1926.

Anasagasti, Teodoro de, span. Architekt, s. Artikel: *Capuz,* José, u. *Inurria,* Mateo.

Anastasescu-Anastase, Puiu, rumän. Maler u. Bildhauer, * 17. 4. 1909 Rucăr, ansässig in Bukarest.

Stud. 1927/33 in Paris bei Jean Boucher u. Ch. Despiau. Weibl. Torso (Bronze) im Mus. Toma Stelian in Bukarest (Kat. 1939, p. 50 u. 125, m. Abb.).

Lit.: Bénézit, [3] I (1948).

Ancelme, Narcisse, franz. Landschaftsmaler, * 7. 11. 1872 Pillon (Meuse), ansässig in Paris.

Schüler von J. Adler u. P. M. Dupuy. Stellte 1922 –29 im Salon der Soc. d. Art. franç. aus. Pleinairist. Bild in der Mairie in Montmédy.
Lit.: Joseph, I. — Bénézit, [2] I (1948).

Ander, Knut, schwed. Radierer, * 1873 bei Linköping, † 1908 Mörsil.
Stud. an der Akad. Stockholm. Beeinflußt von Zorn.
Lit.: Nils Lindgren, K. A., Linköping 1933. — Thomœus. — Konst och Konstnärer, 1912, p. 15, m. Abb., 20 (Abb.).

Ander, Ture, schwed. Landscnafts- u. Blumenmaler, * 17. 9. 1881 Asker, Örebro, ansässig in Arvika.
Stud. in Stockholm bei Bergh, Nordström, Kreuger u. Chr. Eriksson (1905/08) u. in Paris (1911/12). Bilder im Nat.-Mus. Stockholm u. in der Smlg des Prinzen Eugen v. Schweden (†).
Lit.: Vem är det?, 1935. — Hoppe. — Thomœus. — Vem är Vem i Norden, 1941 p. 941. — Konstrevy, 1927 H. 4, p. 17; 1934 p. 96.

Anderberg, Anton, schwed. Maler (Öl u. Aquar.) u. Radierer, * 1882 Malmö, ansässig in Stockholm.
Stud. in Malmö, München, Dresden u. Florenz. Figürliches, Landschaften.
Lit.: Thomœus.

Anderberg, Kristian, schwed. Maler, Bildhauer u. Radierer, * 1881 Ängelholm, ansässig in Åmål.
Stud. in Lund u. an der Akad. in Stockholm. Stillleben, Bildnisbüsten. Album mit Stadtansichten aus Ängelholm. Ein gez. Bildnis im Mus. in Malmö.
Lit.: Thomœus.

Anderegg, Alex. Richard, schweiz. Maler, * 21. 8. 1880 Azmoos, ansässig in Thal, St. Gallen.
Schüler von Herm. Groeber, H. Knirr u. L. v. Löfftz in München. Bildnisse, Landschaften, Pferde, Blumen.
Lit.: Schweiz. Zeitgen.-Lex., 1932.

An der Lan, Gotthart von, tirol. Aquarellmaler, * 17. 6. 1872 Innsbruck, † 16. 3. 1934 ebda. Gatte der Folg., Vater des Jörg.
Landschaften aus der Hochgebirgswelt Nord- u. Südtirols u. tir. Städteansichten. Illustr. in alpinen Zeitschriften.
Lit.: Fischnaler, Innsbr. Chronik, V 46. — Innsbr. Nachr., 1890 Nr 275; 1919 Nr 214; 1920 Nr 271; 1921 Nr 268; 1922 Nr 263; 1923 Nr 259, 271; 1934 Nr 64, 66. — Tir. Anz., 1909 Nr 171. — Der Föhn, 1909/10. *J. R.*

An der Lan, Helene von, tirol. Malerin, * 27. 6. 1881 Waidling b. Wien, ansässig in Igls b. Innsbruck. Gattin des Vor.
Schülerin v. Hugo Grimm in Innsbruck. Bildnisse, Landschaften, Blumenstücke.
Lit.: Fischnaler, Innsbr. Chronik, V 46. — Innsbr. Nachr., 1922 Nr 263; 1923 Nr 259, 271. *J. R.*

An der Lan, Jörg von, tirol. Maler, * 4. 8. 1912 Rovereto, ansässig in Innsbruck. Sohn des Gotthart u. d. Helene.
Stud. an d. Staatsgewerbesch. in Innsbruck, 1937 –40 an d. Wiener Akad. (Meisterklasse Ferd. Andri). Zeitweise in Casteletto am Gardasee u. in Mailand tätig. Bildnisse, Landschaften, figürl. Kompositionen.
Lit.: Bergland, 1940, H. 1/2, p. 23/25. — Innsbr. Nachr., 1942 Nr 294. *J. R.*

Anders, Walter P., dtsch. Landschaftsmaler, * 5. 2. 1907 Karlsruhe, ansässig in Garmisch-Partenkirchen. Sohn des Otto Pippel.
Stud. an der Malschule Haymann in München u. bei seinem Vater. Nahm, um 2 gleiche Namen im Kunsthandel zu vermeiden, den Künstlernamen: Walter P. Anders, an. Bilder im Besitz des Bayer. Staates.
Lit.: Mitteilgn des Künstlers.

Anderschou, William, dän. Maler u. Radierer, * 11. 10. 1896 Kopenhagen, ansässig in Epsom.
Stud. in München u. Wien.
Lit.: Who's Who in Art, [3] 1934.

Andersen, Hans Carl, dän. Architekt, * 2. 3. 1871 Snave, † 7. 12. 1941 Kopenhagen.
Stud. bis 1901 an der Akad. in Kopenhagen, arbeitete dann in den Ateliers Fritz Koch in Darmstadt u. Martin Nyrop in Kopenhagen. 1904 Gold. Med. für den Entwurf zu einer Stiftskirche. — Sommersitze, Villen (u. a. für Baron Palle Rosenkrantz in Hellerup, Dr. Stellings auf Marienlyst u. Schiffsreder A. P. Møllers in Raageleje); Cacaces dän.-ital. Hotel in Sorrent; Haus des Yachtklub Baadebro auf der Langelinie, Kopenhagen.
Lit.: Krak's Blaa Bog, 1936; 1950, Totenliste. — Vem är Vem i Norden, Stockh. 1941, p. 10. — Weilbach, [3] I.

Andersen, Hendrick Christian, norweg. Maler, Bauzeichner u. Bildh., * 17. 4. 1872 Bergen, ansässig in Rom. Bruder des Malers Andreas Martin A. (* 1869, † 1902).
Stud. in Boston, USA, in Paris u. Rom. Seit ca. 1900 in Italien ansässig. Hauptsächl. Porträtist u. Landschafter. Entwarf 4 Monumentalbrunnen für Rom (Liebes-, Lebens-, Religions- u. Unsterblichkeitsbr.). Grabmal der Familie Andersen im Cimitero del Testaccio ebda. Entwurf zu einem Gedenktempel für die Opfer der „Lusitania". Als Maler Bildnisse, Landschaften, Allegorien. Lieferte mit d. Archit. Ernesto Hébrard den Entwurf zu einer Idealstadt. — Begründer und Präsident der Internat. Vereinigung „La Coscienza Mondiale".
Lit.: Th.-B., 1 (1907). — Fielding. — Chi è?, 1940. — Amer. Art Annual, 20 (1923) 425. — Emporium, 64 (1926) 34 ff. (Entwurf zu einer Idealstadt); 66 (1927) 267/79, m. 14 Abbn u. Bildnis; 67 (1928) 255, m. Abb.

Andersen, Ib, dän. Zeichner u. Buchillustr., * 1907 auf Frederiksberg (Kopenhagen), ansässig in Kopenhagen.
Stud. 1926 ff. an d. Akad. in Kopenhagen.
Lit.: Weilbach, Dansk Kstnerleks., [3] I (1947). — W. Schwartz, Dansk Illustrationskst fra Valdemar Andersen til I. A., Kopenh. 1949.

Andersen, Just, dän. Bildhauer, Kstgewerbler u. Maler, * 13. 7. 1884 Godhavn, Grönland, † 11. 12. 1943 Glostrup.
Stud. an der Akad. in Sorø als Dekorationsbildh., dann an der Akad. in Kopenhagen. Arbeitete hauptsächlich in Metall (Altar der Sakramentskirche in Kopenh.). Arbeiten im Kunstind.-Mus. Kopenh.
Lit.: Krak's Blaa Bog, 1936. — Samleren, 1931, p. 7/11, m. 10 Abbn. — Skonvirke, 4 (1918) 161/76, m. Abbn. — Krak's Blaa Bog, 1950, Totenliste. — Weilbach, [3] I.

Andersen, Martinus, amer. Maler u. Illustr., * 13. 8. 1878 Peru, Ind., ansässig in New York.
Schüler des Herron Art Instit., Indianapolis, unter J. O. Adams u. Forsyth. Wandmalereien im City Hospital, Indianapolis.
Lit.: Fielding. — Amer. Art Annual, 20 (1923) 425; 30 (1933). — Who's Who in Amer. Art, I:

1936/37. — M. Q. Burnet, Art and Artists of Indiana, New York 1921.

Andersen, Max, dän. Bildhauer, * 24. 5. 1892 Kopenhagen, ansässig ebda.

Schüler der Kopenh. Akad. Studienaufenthalt in Italien 1920. Bildnisbüsten, Bauplastik, Brunnenfiguren. Kanzelschmuck, Absalonskirche in Kopenh. Büste der Sängerin Tenna Kraft im Foyer des kgl. Theaters; Büste d. Direktors Hjelte Clausen in d. Carlsberg-Brauerei; Büste des Archit. F. Meldahl im Vestibül des Künstlerheims. Herrenbüste im Mus. in Kolding. Herkules als Schlangenerwürger in Politigaard in Frederiksberg.

Lit.: Vem är Vem i Norden, Stockh. 1941, p. 12.

Andersen, Rasmus, dän. Bildhauer, * 25. 9. 1861 Ørting bei Horsens, † 28. 2. 1930 Frederiksberg (Kopenh.).

Lit.: Th.-B., 1 (1907). — Krak's Blaa Bog, 1929 ff.; 1936, Totenliste. — Bénézit, [2] I (1948). — Weilbach, [3] I.

Andersen, Robin Christian, dän. Maler, * 17. 7. 1890 Wien, von dän. Eltern, ansässig in Wien.

Bildnisse, Figürliches, Landschaften, Stilleben. In der Öst. Gal. in Wien: Landschaft bei Pitten.

Lit.: Dreßler. — Beaux-Arts, 75e Année, Spezial-Nr: L'Art autrichien, Mai/Juni 1937, p. 21 f. — Die bild. Kste (Wien), 3 (1920/21) 67, 70 (Abb.). — D. Kst, 56 (1926/27) 87, 94 (Abb.); 72 (1934/35) 227 (Abb.). — Dtsche Kst u. Dekor., 60 (1927) 403 (Abb.). — Öst. Kst, 1 (1929/30) Heft 4, p. 15 (Abb.), 17/18; Heft 10 p. 3/8, m. Abbn. — Österr.'s Bau- u. Werkkst, 2 (1925/26) 64 f. (Abbn). — Teichl.

Andersen, Valdemar, dän. Plakatkünstler, Buchillustr. u. Karikaturist, * 3. 2. 1875 Kopenhagen, † 15. 7. 1928 ebda.

Lit.: Th.-B., 1 (1907). — Bénézit, [2] 1 (1948). — Krak's Blaa Bog, 1920; 1930 Totenliste. — Zur Westen, p. 134 f., m. 2 farb. Abbn. — Die Graph. Künste (Wien), 37 (1914) 93 f. — W. Schwartz, Dansk Illustrationskst fra V. A. til Ib Andersen, Kopenh. 1949 (Abbn). — Skønvirke, 6 (1920) 65/79. — Weilbach, [3] I.

Andersin, Harald, finn. Architekt, * 17. 3. 1883 in Viipuri (Wiborg), ansässig in Helsinki.

Stud. an d. Techn. Hochsch. Dresden (1904/05). Spezialist für Stadtbebauungspläne, Krankenhäuser, Fabrikgebäude.

Lit.: Vem och Vad?, Helsingf. 1936.

Anderson, Abram Archibald, amer. Genre- u. Bildnismaler, * 11. 8. 1847 New York, † 1940 ebda.

Lit.: Th.-B., 1 (1907). — Joseph, 1. — Bénézit, [2] 1 (1948). — D. T. Mallett, Suppl. to Mallett's Index of Artists, New York 1948, p. 311. — Monro.

Anderson, Alexander, engl. Landsch.- u. Bildnismaler, * Mauritius (Engl.), ansässig in Paris.

Schüler von Fouqueray u. Dargouge in Paris. Stellte seit 1922 im Salon der Soc. d. Art. Franç. aus (Kat. z. T. m. Abbn).

Lit.: Bénézit, [2] 1 (1948).

Anderson, Arnold Nelson, amer. Radierer, * 24. 8. 1895 Camden, N. J., ansässig in Philadelphia, Pa.

Hauptblätter: Wm. Penn's Arrival at Chester 1682; Wm. Penn's Landing at Newcastle 1682.

Lit.: Who's Who in Amer. Art, I: 1936/37.

Anderson, Carl, schwed. Maler (Öl u. Aquar.), * 1888 Ormesberga, Småland, ansässig in Moheda.

Schüler von Valand in Göteborg, dann von Wilhelmson in Stockholm. Bereiste Italien, Frankreich u. Deutschland. Bildnisse, Figürliches, Stadtansichten, Marinen.

Lit.: Thomæus.

Anderson, Dorothy Visju, norweg.-amer. Malerin, * Kristiania (Oslo), ansässig in Chicago, Ill.

Schülerin von W. M. Chase.

Lit.: Fielding. — Amer. Art Annual, 30 (1933).

Anderson, Eduard, dtsch. Landschaftsmaler, Rad. u. Lithogr., * 13. 3. 1873 Pr. Holland, zuletzt ansässig in Königsberg i. Pr.

Stud. bei M. Schmidt u. Ole Jernberg an der Akad. in Königsberg. Zuletzt Direktor des Stadtgesch. Museums ebda. Bilder in d. Städt. Kstsmlg Königsberg (Steindammer Tor; Treibjagd) u. in d. Nat.-Gal. Berlin (Samlandstrand). Mappenwerk: Ostpreußen (Rad. u. Lith.).

Lit.: Dreßler.

Anderson, Ellen Graham, amer. Malerin u. Illustr., * Lexington, Va., ansässig in New York.

Schülerin von Charles Guérin u. E. A. Taylor in Paris.

Lit.: Fielding. — Amer. Art Annual, 20 (1923) 426.

Anderson, Frank Hartley, amer. Kupferstecher, * 1890, † 1947.

Lit.: Mallett. — Art Digest, 21, Nr v. 1. 5. 1947, p. 12 (Nachruf); 16, Nr v. 1. 5. 1942, p. 17 (betr. A.s Frau, die 1885 * Malerin Marthe A.).

Anderson, G. Adolphe, amer. Maler, * 21. 5. 1897 Worcester, Minn., ansässig in Ridgewood, N. J.

Schüler von Jonas Lie, John Johansen u. Robert Henri.

Lit.: Fielding. — Amer. Art Annual, 30 (1933).

Anderson, James Bell, schott. Bildnis-, Stilleben- u. Landschaftsmaler, * 14. 7. 1886 Edinburgh, † 1938 Glasgow.

Stud. an der Kstschule in Edinburgh.

Lit.: Who's Who in Art, [3] 1934. — The Studio, 66 (1916) 102; 90 (1925) 184, m. Abb.; 111 (1936) 251 (Abb.). — D. T. Mallett, Suppl. to Mallett's Index of Art., New York 1948.

Anderson, Joel Randolph, amer. Maler, * 1905 So. Britain, Conn., ansässig in Waterbury, Conn.

Lit.: Amer. Art Annual, 30 (1933).

Anderson, Julia, verehel. *Doerfler*, amer. Malerin (Öl u. Aquar.), * 21. 11. 1871 Milwaukee, Wis., ansässig in Wauwatosa, Wis.

Schülerin von Caleb Harrison u. Dudley Crafts Watson. Arbeiten in öff. Schulen Chicagos.

Lit.: Amer. Art Annual, 30 (1933).

Anderson, Karl, amer. Maler u. Illustr., * 13. 1. 1874 Oxford, Ohio, ansässig in Westport, Conn.

Stud. am Art Inst. in Chicago u. an d. Acad. Colarossi in Paris. Studienaufenthalte in Holland, Italien u. Spanien (Madrid). Bilder im Art Inst. in Chicago (Müßiggänger), im City Art Mus. in St. Louis (Schwester), im Cleveland Mus. Ohio (Äpfelpflücker), in d. Pennsylvania Acad. in Philadelphia (Das Erbstück) u. im Detroit Mus. of Arts in Detroit (Garten des Aesop).

Lit.: Th.-B., 1 (1907). — Fielding. — Earle. — Art Index (New York), Okt. 1945/Sept. 46. — Monro. — Amer. Art Annual, 30 (1933). — The Studio, 67 (1916) 205. — Bull. Detroit Inst. of Arts, 8 (1926/27) 42f., m. Abb. — Bull. Cleveland Mus., 15 (1928) 130, 131, 133 (Abb.). — The Art News, 25, Nr 27 v. 9. 4. 1927, p. 9. — Guide to the Paint. of the Perm. Coll., Art Inst. Chicago, 1925, p. 110, m. Abb., 125.

Anderson, Karl Göte, schwed. Landschafts-, Interieur- u. Figurenmaler, * 1904 Eskilstuna, ansässig in Stockholm.

Autodidakt. Studienaufenthalt in Paris. Malt in Öl, Aquarell u. Tempera. Bilder im Nat.-Mus. in Stockholm u. im Mus. in Eskilstuna.

Lit.: Thomœus. — Konstrevy, 1936 p. 31 (Abb.); 1938, p. 61, m. Abb.; 1939, p. 38, m. Abb.

Anderson, Knut, schwed. Bildhauer u. Holzschnitzer, * 1884 Bankeryd, Småland, ansässig in Lidingö.

Stud. an der Techn. Schule in Stockholm. Lebte längere Zeit in München, wo er anfängl. bei Seidler u. in Jos. Wackerle's Werkstätte arbeitete. Geschickter Dekorateur, hat sich bes. in Raumausstattungen hervorgetan. Cherubinsaal (vordem Konzertsaal des Hotels „Vierjahreszeiten") in München, an Rokokodekoration anknüpfend; Ausstattung des Zuschauerraumes des Viktoriatheaters in Pforzheim. Gartenplastik, Brunnen usw.

Lit.: Thomœus. — D. Kunst, 50 (1923/24) 185ff., m. Abbn; 52 (1924/25) 261/65, m. Abbn; 56 (1926/27) 41 (Abb.), 136/38, m. Abbn; 69 (1933/34) Taf. geg. p. 125, 125 (Abb.), 126 (Abb.), 127 (Abbn); 73 (1935–36) 380 (Abb.); 82 (1939/40) geg. p. 241 (Abb.). — Kst u. Handwerk, 1926, p. 49ff., m. Abbn, 76, 79. — The Studio, 89 (1925) 345ff., m. Abbn.

Anderson, Oscar, schwed.-amer. Maler, * 31. 7. 1873 auf Gotland, ansässig in Gloucester, Mass.

Schüler von Ch. Noel Flagg in Hartford. Hauptsächlich Marine- u. Landschaftsmaler.

Lit.: Fielding. — Amer. Art Annual, 30 (1933). — The Art News, 23, Nr 22 v. 7. 3. 1925, p. 5.

Anderson, Peter Bernard, schwed.-amer. Bildhauer, * 3. 11. 1898 in Schweden, ansässig in St. Paul, Minn.

Schüler von J. K. Daniels.

Lit.: Fielding. — Amer. Art Annual, 30 (1933).

Anderson, Raymond Heming, amer. Maler, * 16. 4. 1884 Bradford, Pa., ansässig in Verona, Pa.

Stud. an der Stevenson Art School.

Lit.: Fielding. — Amer. Art Annual, 20 (1923) 426.

Anderson, Ronald, amer. Maler u. Illustr., * 1. 11. 1886 Lynn, Mass., † 1926 Norwalk, Conn.

Schüler des Chicago Art Inst. bei Eric Pape u. George Lawlor.

Lit.: Fielding. — Amer. Art Annual, 20 (1923) 426.

Anderson, Ruth, verehel. *Temple*, amer. Malerin, * Carlisle, Pa., ansässig in Boston, Mass.

Schülerin von Anshutz, Breckenridge, Cecilia Beaux, W. M. Chase u. Jonas Lie. Arbeiten in d. Pennsylv. Acad., Philadelphia.

Lit.: Fielding. — Amer. Art Annual, 30 (1933). — Monro.

Anderson, Stanley, engl. Maler, Kaltnadelstecher u. Rad., * 11. 5. 1884 Bristol, ansässig in Towersey b. Thame, Oxfords.

Stud. an der Kstsch. in Bristol, dann bei Frank Short am Roy. Coll. of Art in London. Bildnisse, Figürliches, Landschaften, Architektur, Straßenszenen. Bilder im Brit. Mus., im Vict. and Albert Mus. u. in d. Nat. Portr. Gall. in London. Graph. Hauptbätter: Le Marché Falaise (Trockennadel); Covent Garden (desgl.); Rue Porte-au-Berger in Caen (desgl.); The Madonna of the Arches (Linienstich); Venus u. Adonis (Rad.); Wreckage (Trockennadel).

Lit.: Who's Who in Art, [3] 1934. — The Internat. Who's Who, [8] 1943/44. — The Connoisseur, 35 (1913) 281 (Abb.), 282. — The Studio, 83 (1922) 257/60; 91 (1926) 172, Abb. p. 174; 92 (1926) 258/64, m. 4 Abbn; 99 (1930) 195 (ganzseit. Abb.); 100 (1930) 42, 348, m. Abb.; 103 (1932) 256 (Abb.); 106 (1933) 221/23, m. 3 Abbn; 109 (1935) 195 (ganzseit. Abb.); 114 (1937) 9, 14 (Abb.). — Apollo (London), 2 (1925) 52f., m. Abb.; 16 (1932) 257f., m. Abbn; 30 (1939) 137 (Abb.). — Artwork, 4 (1928) 18 (Abb.). — The Print Coll.'s Quarterly, 18 (1931) 180 (Abb.); 20 (1933) 221–46, m. zahlr. Abbn u. Katalog s. Graphiken. — Art Index (New York), Okt. 1941/Sept. 1945.

Anderson, Thomas Alexander, schott. Maler, Reklamezeichner u. Holzschneider, * Carsphaurn, Kirkoudbrightshire, ansässig in Doncaster.

Stud. an d. Kstschule in Glasgow.

Lit.: Who's Who in Art, [3] 1934.

Anderson, Victor Coleman, amer. Maler u. Illustr., * 3. 7. 1882 Peekskill, N. Y., † 1937 White Plains, N. Y.

Schüler von Birge Harrison u. Hobart Nichols. Zeichnete für „American Magazine", „Country Gentleman", „Woman's Home Companion", „Ladies' Home Journal", „Pictorial Review" u. „Life".

Lit.: Who's Who in Amer. Art, I: 1936/37. — Amer. Art Annual, 30 (1933). — Monro.

Anderson, W. J., schott. Landschafts- u. Blumenmaler, * im Dorf Kilsyth b. Glasgow, † 1930 (?) Hexham.

Stud. an d. Kstschule in Glasgow. Beeinflußt von den Holländern des 17. Jh.s, bes. von Vermeer. Bild in d. Laing Art Gall.

Lit.: Apollo (London), 11 (1930) 388f., m. Abbn.

Anderson, Yngve, norweg. Figuren- u. Wandmaler, * 6. 4. 1893 Kristiania (Oslo), ansässig ebda.

Stud. 1914/16 bei Wold Torne an der Kst- u. Handw.-Schule in Oslo, dann an d. Akad. Kopenhagen, 1919/20 bei O. Friesz u. Dufy in Paris. 1930/32 Studienreise in Frankreich u. Spanien. Wandgem. in einem Kaffeehaus in Oslo. 2 Bilder: Landschaft u. Mädchenbildn., in der dort. Nat.-Gal. (Kat. 1933). Koll.-Ausst. 1938 im Kstverein Oslo.

Lit.: Hvem er Hvem?, [4] 1938. — Vem är Vem i Norden, Stockh. 1941, p. 602. — Nilssen. — Konstrevy, 1938, p. 75. — Kunst og Kultur, 25 (1939) 59 (Abb.).

Anderson-Elfvén, Eric, schwed. Maler, * 1921 Stockholm, ansässig ebda.

Schüler von E. Ollers. Interieurs mit Figuren.

Lit.: Thomœus.

Andersson, Algot, schwed. Landschaftsmaler, * 1900 Visby, Gotland, ansässig in Slite, Gotland.

Autodidakt. Hauptsächlich Straßenansichten.

Lit.: Thomœus.

Andersson, Allan, schwed. Landschafts- u. Tiermaler, * 1904 Göteborg, ansässig ebda.

Stud. in Göteborg; hauptsächl. Autodidakt.

Lit.: Thomœus.

Andersson, Anna, schwed. Landschafts- u. Figurenmalerin, * 1884 Längbro, Örebro, ansässig in Stockholm.
Stud. in Stockholm, Kopenhagen u. Paris.
Lit.: Thomœus.

Andersson, Anselm, schwed. Genre- u. Landschaftsmaler (bes. Aquar.), * 1902 Malmö, ansässig ebda.
Stud. an der Schonenmalschule in Malmö.
Lit.: Thomœus, p. 368.

Andersson, Asta, schwed. Bildnis-, Figuren- u. Interieurmalerin (Öl u. Pastell), * 1905 Ystad, ansässig ebda.
Stud. in Kopenhagen, bereiste Deutschland, Frankreich u. die Schweiz.
Lit.: Thomœus.

Andersson, Axel, schwed. Landschaftsmaler (Öl u. Pastell), * 1897 Kaga, Östergötland, ansässig in Linköping.
Stud. an Berggren's Malschule u. an der Akad. Stockholm. Bilder in den Mus. in Linköping, Hudiksvall u. in d. Smlg d. Prinzen Eugen v. Schweden (†).
Lit.: Thomœus. — Konstrevy, 1934, p. 31, m. Abb.

Andersson, Bernard, schwed. Bildhauer u. Zeichner, * 1898 Halmstad, ansässig ebda.
Ausgebildet in den USA u. in Frankreich. Figürliches, Tiere. Saxbrunnen in Falkenberg; Reliefs am Neuen Rathaus in Halmstad; Granitbüste in der Volkshochschule in Katrineberg.
Lit.: Thomœus. — Ord och Bild, 48 (1939) 76/78, 83 (Abb.).

Andersson, Bertil, schwed. Landschafts- u. Marinemaler, * 1921 Hörby, Schonen, ansässig ebda. Autodidakt.
Lit.: Thomœus.

Andersson, Edvard, schwed. Marine-, Figuren- u. Blumenmaler, * 1891 Hälsingborg, ansässig ebda.
Stud. an der Techn. Schule in Stockholm; weitergebildet in Deutschland u. Frankreich. Ging in den späteren Jahren zur abstrakten Richtung über.
Lit.: Thomœus.

Andersson, Ernst, siehe *Thors,* Ernst.

Andersson, Harald, schwed. Bildnismaler u. Kunstgewerbler, * 1912 Vislanda, ansässig ebda. Autodidakt.
Lit.: Thomœus.

Andersson, Harry, s. *Harryan,* Harry.

Andersson, Herbert, s. *Walås,* Herbert.

Andersson, Ivar, schwed. Stillebenmaler, * 1903 Västergötland, ansässig in Stockholm.
Schüler von Torsten Palm, weitergebildet in Paris.
Lit.: Thomœus.

Andersson, Karl, schwed. Maler, * 1899 Nye, Småland, ansässig in Holsbybrunn, Småland.
Stud. an der Valand-Malsch. in Göteborg u. an der Akad. in Stockholm. Studienaufenthalte in Paris, Holland u. Belgien. Landschaften, Interieurs, Stillleben, Blumenstücke.
Lit.: Thomœus.

Andersson, Lars, schwed. Tierbildhauer, * 1910 Uppsala, ansässig in Tungelsta.
Stud. an den Akad. Helsinki u. Paris.
Lit.: Thomœus.

Andersson, Lolle, schwed. Landschaftsmaler, * 1907 Stockholm, ansässig ebda.
Stud. an der Maison Watteau in Paris.
Lit.: Thomœus.

Andersson, Oskar, schwed. Karikaturist, Pressezeichner u. Maler, * 11. 1. 1877 Stockholm, † 28. 11. 1906 ebda.
Selbstbildnis (Öl) im Nat.-Mus. Stockholm. Album: Mannen som gör vad som faller honom in och andra Teckningar, 3. Aufl. Stockh. 1925 (Bilderheft [Karikaturen] in Folioformat, 64 S.).
Lit.: Nordensvan. — Svenskt Biogr. Lex., 1921, p. 755/57. — G. Jungmarker, O. A., 1946. — Thomœus. — Konstrevy, 1931, p. 54, 55; 1937: Spezial-Nr, p. 26 (Abb.). — The Art News, 23 (1924/25) Nr 22, p. 5 (ders.?).

Andersson, Ossian, schwed. Marinemaler, * 1889 Stockholm, ansässig in Asker.
Stud. an der Techn. Schule in Stockholm. Bereiste Skandinavien. Signiert: J. Ossian.
Lit.: Thomœus.

Andersson, Sven, schwed. Maler (Öl u. Aquar.) u. Zeichner, * 1905 Stockholm, ansässig ebda.
Stud. in Stockholm. Bildnisse u. Tiere (bes. Hunde u. Katzen), Impressionist.
Lit.: Thomœus.

Andersson, Thore, schwed. Figurenmalerin, * 1919 Eda, Värmland, ansässig in Arvika.
Schüler von Otte Sköld. Bereiste Norwegen. Hauptsächlich biblische Stoffe.
Lit.: Thomœus.

Andersson, Yngve, schwed. Bildhauer, * 1903 Stockholm, ansässig ebda.
Schüler der Akad. Stockholm, weitergebildet in Frankreich u. Holland. Figuren von betont sozialistischem Einschlag.
Lit.: Thomœus.

Anderström, Torsten, schwed. Landschaftsmaler u. Zeichner, * 1917 Viken, Schonen, ansässig in Klippan.
Schüler von Isaak Grünewald in Stockholm.
Lit.: Thomœus.

Anderwill, Luigi, ital. Genre- u. Bildnismaler, * 26. 10. 1878 Mailand, ansässig ebda.
Schüler von Pietro Michis u. Carlo Sara in Pavia. Bild in d. Gall. d'Arte Mod. in Mailand.
Lit.: Comanducci.

Andler-Jutz, Maria, dtsche Graphikerin, * 2. 5. 1892 Stuttgart, ansässig in Berlin.
Schülerin von H. Ehmcke u. R. Riemerschmid in München, dann von E. Orlik an d. Lehranstalt des Kstgewerbe-Mus. in Berlin.
Lit.: Dreßler.

Ando, Künstlername *Jubei,* jap. Emailkünstler, ansässig in Tōkyō.
Lit.: Kat. d. Expos. d'Art jap., Paris, Grand Palais, 1922, Nrn 188/98.

Andorkó, Gyula, ungar. Tiermaler, * 2. 2. 1883 Bordolló (Komitat Abaúj-Torna), † 25. 3. 1909 Budapest (Freitod).
Stud. bei Henrik Pap in Budapest u. bei L. Herterich, Hackl u. Zügel in München, 1908 in Paris. In der Mod. Gal. in Budapest: Seine-Brücke.
Lit.: Szendrei-Szentiványi. — Krücken-Parlagi. — D. Cicerone, 3 (1911) 68 f. — Müvészet, 16 (1917) 93.

Andrade, Carlos Rebêlo de, portug. Architekt, * 18. 3. 1887 Lissabon, ansässig ebda. Bruder des Guilherme.
Stud. an der Kunstsch. in Lissabon (Zivil- u. Mo-

numentalarchitektur). Wiederholt ausgezeichnet; Ritter des Ordens von San Tiago da Espada. — 1. Preis im Wettbewerb um den portug. Pavillon auf der Internat. Ausst. in Rio de Janeiro 1922 (zus. mit s. Bruder Guilherme); desgl. um den portug. Pavillon auf der Ibero-Amerik. Ausst. in Sevilla 1929 (zus. mit Guilherme). Denkmäler für d. Infanten D. Henrique, für João Maria Ferreira do Amaral u. Vicente Nicolau Mesquita in Macau (China); Stadtbauprojekt für Beira (Portug. Afrika). Vertreter s. Landes auf d. Internat. Kongreß für kolonialen Städtebau auf der Internat. Ausst. in Vincennes 1930.

Lit.: Gr. Encicl. Port. e Brasil., II 532.

Andrade, Guilherme Rebêlo de, portug. Architekt, * 10. 5. 1891 Ericeira, ansässig in Lissabon. Bruder des Carlos.

Stud. an d. Kunstsch. in Lissabon. Ehrenvolle Erwähnung 1915 im Wettbewerb um ein Denkmal für d. Dichter Camões in Paris. 1. Preis im Wettbewerb um den portug. Pavillon auf der Internat. Ausstell. in Rio de Janeiro 1922; 1. Preis im Wettbewerb um den portug. Pavillon auf der Ibero-Amerik. Ausst. in Sevilla 1929 (in Zusammenarbeit mit s. Bruder Carlos); 1. Pr. im Wettbewerb um ein Landwirtsch. Palais für Lissabon 1931; 1. Pr. im Wettbewerb um die Pavillons der Internat. Ausst. in Vincennes 1930. — Denkmal für die Gefallenen des 1. Weltkrieges in Lissabon 1931 (zus. mit s. Bruder Carlos); Denkmal des Infanten D. Henrique in Sagres (mit Basrelief des Bildh. Rui Gameiro). Wiederherstellung der Schlösser in Queluz u. Bélem. Ausschmückung von Kaffeehäusern, Hotels usw. Einrichtung der Ausst. der Primitiven Portugiesen im Musée du Jeu de Paume in Paris 1931.

Lit.: Gr. Encicl. Port. e Brasil., II 536, m. Bildn.

Andrade, Mary Fratz, amer. Malerin u. Illustr., * Philadelphia, ansässig ebda.

Schülerin von R. Vonnoh, H. Thouron u. Anshutz.

Lit.: Amer. Art Annual, 20 (1923) 426.

Andrade, Rogério de, portug. Bildhauer, * 17. 6. 1895 Lissabon, ansässig ebda.

Stud. an d. Kunstsch. in Lissabon (Zeichenkursus) u. an d. Kunstsch. in Porto (Spezialkursus für Bildhauerei). Prof. an der Techn. Schule in Lissabon. Denkmal für die im 1. Weltkrieg Gefallenen in Setúbal.

Lit.: Gr. Enc. Port. e Brasil., II 543.

Andrae, Elisabeth, dtsche Landschaftsmalerin u. Lithogr., * 3. 8. 1876 Leipzig, ansässig in Dresden.

Schülerin von Ad. Thamm in Dresden u. von H. v. Volkmann in Karlsruhe. Bild (Hauptstraße in Dresden) im Stadtmus. ebda.

Lit.: Th.-B., 1 (1907). — Dreßler.

Andrae, Paul, dtsch. Architekt, Aquarellmaler u. Architekturzeichner, * 1886 Dresden, fiel dem Terrorangriff auf Dresden am 13. 2. 1945 zum Opfer.

Stud. an der T. H. Dresden u. bei Wallot.

Lit.: Platz. — Das Bild, 7 (1937) 241/47, m. 3 Abbn. — Wasmuths Monatsh. f. Baukst, 7 (1922/23) 357f. (irrig Andrea), Abbn p. 381/86.

Andrássy-Kurta, János, ungar. Figurenbildhauer der Gegenwart.

Lit.: Nouv. Revue de Hongrie, 67 (1942/II), p. 458–61 (4 Abbn).

André, Albert, franz. Maler, Bühnenbildner u. Illustr., * 24. 5. 1869 Lyon, ansässig in Paris. Gatte der Marguerite, geb. *Cornillac.*

Schüler von Valtat, Ranson u. H. Bataille an der Acad. Julian in Paris. Konservator des von ihm begründeten Museums in Bagnols-sur-Cèze. Impressionist. Bedeutender Kolorist. Beeinflußt von Renoir. Mitglied der Soc. du Salon d'Automne, stellte dort 1904/44 aus. — Figürliches, Blumenstücke, Landschaften, Bildnisse, Interieurs. 3 Bilder im Luxembourg-Mus. in Paris, 1 Bild im Mus. in Lyon. Weitere Bilder in öff. Smlgn der USA (Art Inst. in Chicago, Mus. in Brooklyn, City Art Mus. St. Louis, Corcoran Gall. in Washington, Gall. of F. Arts in Muskegon, Inst. of Arts in Minneapolis).

Lit.: Th.-B., I (1907). — M. Mermillon, A. A., Paris 1927. — Joseph, I, m. 7 Abbn. u. Selbstbildn. — Bénézit, [2] I (1948), m. Taf. 4. — Mercure de France, 136 (1919) 770ff. — L'Art et les Artistes, nouv. sér., 11 (1925) 226/32, m. 10 Abbn. — Bull. de l'Art anc. et mod., 1925/I, p. 110f., m. Abbn. — Art et Décor., 1927/I p. 4; 1927/II p. 33/42, m. 1 Taf. u. 14 Abbn. — Bull. of the Minneapolis Inst. of Arts, 1931, p. 170f., m. Abb. — Bull. of City Art Mus. St. Louis, 1932, p. 18/20, m. Abbn. — Beaux-Arts, 7 (1929) Nr 9, p. 12f.; 75e année Nr 252 v. 29. 10. 1937, p. 8 (Abb.); Nr 263 v. 14. 1. 1938, p. 5 (Abb.); Nr 306 v. 11. 11. 38, p. 1 (Abb.).

Andre, Hans, tirol. Bildhauer, Maler (Öl u. Fresko) u. Graph., * 21. 1. 1902 Innsbruck, ansässig ebda.

Stud. 1918/21 an d. Gewerbesch. in Innsbruck, 1924/29 an d. Kunstgewerbesch. in Wien. Mehrere Jahre selbständig in Wien, Mitarbeiter von Cl. Holzmeister. 1932 Verleihung eines Staatsateliers. 1935 Berufung in den Kunstbeirat der Stadt Wien. Seit 1936 meist in Innsbruck tätig. 1945 Berufung als Prof. a. d. Hochschule f. angewandte Kunst in Wien (nicht angenommen).

Skulpturen: Wien, Kstgewerbesch., 2 Frauen (Stein). Entwurf f. ein Lessingdenkmal in Wien (1930) preisgekrönt. Wien, Krimkirche, Statue des hl. Judas Thaddäus (Holz, polychr.); ebda Statue einer thron. Madonna. Dornbach b. Wien, Pfarrk., 3 Engel mit Weihwasserbecken (Ton, weißglasiert). Altenberg (Rheinland), Dom, Engelsäule (Holz). Hermeskeil, Franziskanerk., Portalfig. des hl. Franz (Stein). Wiener Neustadt, Erlöserk., Muttergottesstatue (Holz, polychr.). Denkmal f. d. hl. Clemens Hofbauer in Tasswitz b. Znaim (Entwurf). Wien, Seipel-Gedächtnisk., Relief in der Gruft. Innsbruck, Sparkassengeb., Maria-Theresienstr., Erkerplastik; ebda Brünnl am Goldenen Dachl (Bronze). Entwürfe f. ein Kaiser-Franz-Josef-Denkmal in Wien (1936), 1. u. 3. Preis. Wien, Denkmal f. d. gefallenen Ärzte, Herkules mit d. Hydra (Bronze). Innsbruck, Wappenengel mit Bürgerpaar am alten Rathaus (Kalkstein). Grabstein f. Propst Weingartner (Marmor); zur Aufstellung i. d. St. Jakobs-Pfarrk. in Innsbr. bestimmt. Wappenstein f. Propst Weingartner (Marmor); zur Aufstellung in der Pfarrk. von Dölsach bestimmt. Matrei i. O., Grabplatte für Dekan Jakob Mair, Beweinung Christi mit Jakobus (Marmor). Schluderns, Patronatsk., Totenschild für Graf Gotthart Trapp (Holz, polychr.). Innsbruck, St. Jakobs Pfarrk., Fassade, Statuen der Brixner Bischöfe Kassian, Hartmann, Ingenuin u. Albuin (Kalkstein); ebda, Hll. Notburga u. Romedius (Kalkstein); ebda, Servitenk., Pietà; Hl. Peregrin (Holz, polychr.). Lana, Alte Pfarrk., Totenschild für Hans Heinr. Graf Brandis (Holz, polychr.). Innervillgratten, Kriegerdenkmal, Kruzifixus (Holz). Innsbruck, Erkerplastik am Kapfererhaus i. d. Herzg-Friedrichstr. (Bronze). Fiecht, Klosterk., Hochaltarplastik, Hl. Josef (Holz).

Fresken: Wien, Öst. Mus., Hof, Allegorie. Wien-Dornbach, Pfarrk., Kreuzweg. Wien-Sievering, Agnesk., Portallünette, Madonna. — Innsbruck, Volkskstmus., Arkadenhof, 3 Wandbilder: Mariä Verkündigung, Christus in der Kelter, Hl. Franz im Weinberg. — Wien, Verlagsgeb. d. Reichspost, Wandmalerei. — Schlitters, Pfarrk., Hl. Christoph. — Mauern b. Steinach St. Ursula, Wandfresken. — Lans,

Pfarrk., Deckenbilder. — Igls, Wallfahrtskap. Hl. Wasser, Deckenbilder. — Völs, Totenkap., Deckenbild. — Amras, Pfarrk., Fassadenbild. — Imst, Kapelle d. landw. Lehranstalt, Wandbild. — Innsbruck, Servitenk.,Deckenbilder. — Lienz,Dominikanerinnenkirche, Chorfresko. — Innsbruck, St. Jakobsk., Chorfresko.

Tafelbilder: Innsbruck, Servitenk.,Altarblatt, Kruzifixus.Wilten, Pfarrk., u. Amras, Pfarrk., Votivbilder.

Entwürfe: Wettbewerbe f. Ausschmückung der Innsbr. Bahnhofhalle (1928); f. Fassadenbemalung des alten Rathauses in Innsbruck; f. Ausmalung der Theresienk. auf der Hungerburg b. Innsbruck; f. Ausmalung des Sitzungssaales des TIWAG Verwaltungsgeb., 1. Preis. Entwurf f. Ausmalung der Vorhalle des Sparkassengebäudes.

Glasfensterentwürfe (ausgef. i. d. Tiroler Glasmalerei- u. Mosaikanstalt): Wien, Krimkirche; Stift Heiligenkreuz im Wienerwald; Zirl b. Innsbruck, Pfarrk.; Innervillgratten (Osttirol), Kriegerkapelle.

Gobelinentwürfe: für die Kirche in Dornbach-Wien u. das Schottenstift in Wien.

Holzschnitte: Exlibris; Folge (8 gr. handkolor. Blätter) nach ma. Fresken im Kreuzgang zu Brixen.

Lit.: Tirol (Zeitschr.), Heft 1 (1924). — Die Christl. Kst, 22 (1925/26) 92 (Abb.). — Apollo (London), 8 (1928) 112. — Tiroler Kstler. Ausst. in Westfalen u. Rheinland 1925/26 (Abb.). — Dtsche Kst u. Dekor., 64 (1929) 306 (Taf.-Abb.); 70 (1932) 297f., mit Abb. — Kirchenkst (Wien), 3 (1931) 47/48, m. Abb.; 5 (1933) 142f., m. Abb.; 6 (1934) 78 (Abb.); 7 (1935) 84f., m. Abb.; 8 (1936) 22. — Bergland, 17 (1935) H. 6, p. 33/39. — Profil, 1 (1933) 255/57; 2 (1934) 12. — Der Wiener Kstwanderer, 1 (1933) Nr 7–8 p. 20 (Abb.). — Kst in Öst., hg. v. Jos. Rutter, 1 (Leoben 1934) 100. — Öst. Zeitschr. f. Denkmalpflege, 1 (1947), H. 1/3 p. 90. — Weltguck, 1936 Nr 52. — Die Pause, 1 (Wien 1936) 11. — Cl. Holzmeister, Bauten, Entwürfe u. Handzeichngn, 1937. — Tir. Anz., 1923 Nr 264; 1933 Nr 111; 1934 Nr 75; 1935 Nr 143. — Innsbr. Nachr., 1934, Nr 263; 1937, Nr 145. — Tir. Nachr., 1947 Nr 163, 277; 1948 Nr 216. — Tir. Tagesztg, 1945 Nr 117; 1946 Nrn 170, 281, 287; 1947 Nr 223, 272; 1948 Nr 133; 1949 Nr 238; 1950 Nr 4. — Tir. Bauernztg, 1947 Nr 8, Nr 21. — D. Volksbote, 1946, Nr 40; 1949 Nr 44. — Osttir. Bote, 1949 Nr 44. — Stimme Tirols, 1947 Nr 1. — Tir. Bauernkalender, 1948, p. 120. — D. Feierstunde, 1945, Folge 2; 1946, Folge 3. — D. Schlern, 20 (1946) 150. — D. Furche, 1947 Nr 4 (Beilage der Warte). — Bote f. Tirol, 1949 Nr 49, Kulturber. Folge 24. *J. R.*

André, Marguerite, s. *Cornillac.*

André, Rudolf, ungar.-dtsch. Radierer u. Lithogr., * 1. (31.?) 1. 1873 Kis-Bér, ansässig in Haubinda (Thür.).

Lit.: Th.-B., 1 (1907). — Dreßler.

Andre, Walter, öst. Bildhauer, * 20. 10. 1902 Braunau a. Inn, ansässig in Möckmühl, Württembg.

1926/28 Gastschüler an d. Innsbr. Gewerbeschule. 1928/34 Akad. in Stuttgart (Habisch); erlangt dort mehrere Akademiepreise. 1936 Berufung als Lehrer an d. Weimarer Kstgewerbesch. Seit 1945 in Möckmühl. Mitgl. von: „Sezession-Innsbruck" und „Der Neue Bund"-Innsbruck. — Bildnisse, Grabmäler, Freiplastik, Akte in Holz, Stein, Terrakotta, Bronze. — 1935 Kollekt.-Ausst. im Kstgeb. Stuttgart. — Kriegerdenkm. in Möckmühl (1929) u. im Stuttgarter Waldfriedhof (1932). Grabmal im Mündlheim. Eichentüren mit Reliefplastik (Aufbau d. Arbeit) am Neuen Techn. Werk der Stadt Stuttgart (1936). Bildnisse der Frau Kissling-Krieger, Marbach, Schillermus., u. einer Krankenschwester, Stuttgart, Städt. Smlgn.

Lit.: Innsbr. Nachr., 1934 Nr 35; 1936 Nr 285. — Tir. Anz., 1936 Nr 292 u. 297. *J. R.*

André-Morisset, franz. Landschafts- u. Figurenmaler, * 3. 7. 1876 St-Sauveur (Yonne), ansässig in Paris.

Mitglied der Soc. du Salon 'Automne, stellt auch bei den Indépendants u. im Salon der Soc. Nat. d. B.-Arts aus.

Lit.: Joseph, I. — Bénézit, [2] I (1948).

André-Spitz s. *Spitz,* André.

Andrea, Angiolo d', ital. Maler, * 24. 8. 1880 Rauscedo (Friaul).

Hauptsächlich Landschafter, Pflanzen- u. Tierzeichner (Käfer, Insekten, Weichtiere). Zeichnungen u. a. im Mus. in Trient. Eine Landschaft in der Gall. d'Arte Mod. in Mailand.

Lit.: Comanducci, p. 176. — Emporium, 40 (1914) 371, 373 Abb.; 55 (1922) 84/92, m. zahlr. Abbn; 63 (1926) 322f., m. 2 Abbn.

Andréa, Willem Frederik, holl. Lithogr., * 20. 3. 1875 Haarlem, ansässig in Laren.

Schüler von P. van Looy. Landschaften, Bildnisse, Tierköpfe.

Lit.: Plasschaert. — Waay. — Waller.

Andreae, Conrad, engl. Aquarellmaler u. Illustr., * 8. 7. 1871 London, ansässig in Brighton.

Stud. an der Slade School in London u. an der Acad. Julian in Paris.

Lit.: Who's Who in Art, [3] 1934.

Andreani, Arrigo, ital. Genre-, Landschafts-, Stilleben- u. Bildnismaler, * 7. 2. 1889 Mantua, ansässig ebda.

Schüler von Ces. Laurenti in Venedig u. von G. A. Sartorio in Rom. Seit 1920 einige Zeit in Paris (Kopien nach Mantegna).

Lit.: Comanducci. — Die Christl. Kst, 28 (1931–32) 8.

Andreas, Wilhelm, dtsch. Bildhauer, * 1. 7. 1882 Leipzig, ansässig ebda.

Stud. an der Akad. in Leipzig unter Lehnert, arbeitete dann kunstgewerbl. 10 Jahre in Berlin. Studienaufenthalte in Paris u. Rom. Sportgenre (bes. Kleinplastik, in Bronze, Porzellan u. Keramik), Bildnisse, Bauplastik. Polizeihund auf d. Polizeigeb. in Leipzig; Bildnisbüste Max Regers i. Bes. d. Stadt Leipzig. Kollekt.-Ausst. März/April 1927 im Leipz. Kstlerhaus.

Lit.: Dreßler. — Leipz. Kalender, 12 (1925), Abb. vor p. 17. — Leipzig (Monatsschr.), Sept. 1927, m. 4 Abbn. — Leipz. N. Nachr., 1. 7. 1942. — Illustr. Ztg (J. J. Weber), 177 (1931) 539 (Abb.).

Andreasén-Lindborg, Ingeborg, dän.-schwed. Malerin (Öl u. Aquar.) u. Rad., * 10. 8. 1876 Hjörlunda, Dänemark, ansässig in Stockholm.

Stud. am Art Instit. in Chicago u. an der Akad. in Kopenhagen, 1904 in Deutschland, 1906 in Paris, dann Schülerin von Axel Tallberg an der Stockh. Akad. Heiratete 1907 den Maler u. Museumskonservator Edwin Lindborg. — Bildnisse, Tiere, Landschaften; auch Miniaturen auf Elfenbein. — Vertreten im Nat.-Mus. Stockholm.

Lit.: Vem är det?, 1935. — Amer. Art Annual, 20 (1923) 426. — Thomœus. — Vem är Vem i Norden, 1941 p. 946.

Andréasson, Folke, schwed. Landschafts-, Blumen- u. Stillebenmaler, * 1902 Järnskog, Värmland, ansässig in Göteborg.

Stud. in Paris. Bilder im Instit. Tessin ebda u. im Mus. in Karlstad.

Lit.: Thomœus.

Andreev, Alexander, bulgar. Bildhauer, * 1879 Loveč, ansässig in Sofia.

Stud. an der Zeichensch. in Sofia. Arbeiterfiguren. Im Nat.-Mus. Sofia die an Const. Meunier erinnernde Gruppe: Bergleute.

Lit.: Filov.

Andrejeff, Nikolaj Andrejewitsch, sowjet. Bildhauer, * 1873, † 24. 12. 1932.

Stud. bei S. M. Wolnuchin an der Kstschule in Moskau, tätig ebda (jahrelang Vorsitzender des „Vereins sowjet. Bildhauer"). Anfänglich impressionist. Tendenzen zuneigend, später Realist. Hauptwerk die „Leniniana" (Reihe von über 100 Leninbildnissen). Weitere Werke: Obelisk mit der Freiheitsstatue auf d. Sowjetplatz in Moskau; Standbilder Gogols, A. N. Ostrowskijs, L. N. Tolstojs, Al. Herzens u. Ogaroffs im dort. Universitätshof; Bildnisbüsten Leo N. Tolstojs, W. Makowskijs u. P. Boborykins in der Staatl. Tretjakoff-Gal. in Moskau.

Lit.: W. Simenko, N. A. A. (russ.), Moskau 1951. — Enzyklop. d. Union d. Sozialist. Sowjetrepubliken, 2 (1950) 1588, Taf. geg. p. 1741. — Kondakoff, II 7. — Die Weltkst, 1933 Nr 3 p. 4. — Kat. Tretjakoff-Gal. Moskau, 1947, m. Abb. 132. — Apollon (russ.), I (1909), Heft 2 Chron. p. 8. — Isskustwo (Moskau), 1934 Nr 1 p. 23/46, m. 27 Abbn u. 1 Taf. — Przegląd Artystyczny, 1951 Heft 2, p. 3 f., m. 3 Abbn.

Andrén, Harald, schwed. Bildnis- u. Landschaftsmaler, * 1891 Silvberg, Dalarne, ansässig in Tällberg, Dalarne.

Stud. an der Akad. Stockholm u. in Althins Malschule. Studienaufenthalte in Italien u. Frankreich. Hauptsächlich Kinderbildnisse.

Lit.: Thomœus.

Andreoli, Attilio, ital. Genre- u. Bildnismaler, * 7. 4. 1877 Mailand, ansässig ebda.

Schüler von Bertini u. Bignami. Im Castello Sforzesco in Mailand: Christus u. die Ehebrecherin. In der Gall. Civ. in Piacenza: Selbstbildnis. Gold. Medaille in Mailand 1917 (Die Violinspielerin).

Lit.: Comanducci, m. Abb.

Andreotti, Libero, ital. Bildhauer, * 15. 6. 1875 Pescia, † 4. 4. 1933 Florenz.

Autodidakt. Arbeitete anfänglich als Karikaturenzeichner für die Zeitschr. „La Battaglia" in Palermo, dann als Illustrator in einer Druckanstalt in Florenz. 1906 nach Mailand, gefördert von Alb. Grubicy, der ihm zur Ausstell. seiner Statue: La Vetta, im Pariser Salon d'Automne riet. 1911 Koll.-Ausst. bei Bernheim jeune in Paris, wo er bis Ausbruch des 1. Weltkrieges blieb. Nach Florenz zurückgekehrt, erhielt er einigen Unterricht bei Trentacoste an der Accad. di B. Arti. 1915 bis Kriegsende Soldat an der Front. Dann Lehramt am Regio Istituto d'Arte in Florenz, das er bis an sein Lebensende innehatte. Vielbeschäftigter Denkmal- u. Porträtplastiker. Naturalist. Wiederholt ausgezeichnet, u. a. mit der Gold. Med. des Ministero d. Pubbl. Istruz. für das Basrelief: Mutterschaft. — Hauptwerke: Auferstehender Christus, für das Siegesdenkmal in Bozen (1928); Denkmal der Ital. Mutter (Pietà), in Santa Croce in Florenz; Marmorgruppe: Fiorenzo (sitzender Vater mit Söhnchen), in der Gall. d'Arte Mod. in Mailand; Marmorgruppe: Verzeihung, in der Gall. d'Arte Mod. in Rom; weitere Werke ebda: Mensola (Sitzende Nackte als Kragstein); Brandano Pescatore u. Africo. Frau, sich kämmend, im Nat.-Mus. in Stockholm; Singender Orpheus in der Gall. d'Arte Mod. in Genua. Sitzfigur der Marchesa Ada Niccolini in der Gall. d'Arte Mod. in Lima, Peru. Gefallenen-Denkmäler in Roncade bei Trient (1922) u. in Saronno (1924). Grabdenkmäler Vamba u. Bardini im Cimitero S. Miniato in Florenz; Büste der Signora Passigli in d. Gall. d'Arte Mod. in Florenz. Einige Bildnisköpfe in der Mod. Gal. in Wien. Weitere Arbeiten in den öff. Sammlungen in Nantes, Piacenza, Buenos Aires, Minneapolis u. Honolulu. Umfassende Koll.-Ausst. in der Gall. Pesaro in Mailand 1921. Ged.-Ausst. auf der XIX. Internat. Ausst. in Venedig 1934.

Lit.: L. A. (Arte Mod. Ital., Nr 3, Serie B), 2. Aufl., Mailand 1936, mit Vorwort von A. selbst u. ausführl. Bibliogr. — E. Sacchetti, Vita d'Artista: L. A., con 30 dis. orig. dell'autore, Mail. 1940. — Chi è? 1931; 1940: Anhang: Chi fu? — Costantini, p. 259 –65, 461 f., m. 2 Abbn u. Bibliogr. — Bénézit, [2] I (1948). — Apollo (London), 18 (1933) 389 (Abb.), 391, m. Abb. — L'Art et les Artistes, 12 (1910/11) 212/17, m. 9 Abbn. — L'Art décor., 1909/II, p. 122 (Abb.), 128 (Abb.). — The Arts, 1928/II 237/44, m. 10 Abbn. — Chron. d. Arts, 1911, p. 125. — Dedalo, 2 (1920) 395 ff., m. Abbn; anno 3, vol. 3 (1923) p. 793; a. 4, vol. 3 (1924) p. 793 ff., m. Abbn; a. 5, vol. 2 (1925) p. 521 (Abb.), 530; a. 6 (1925/26) p. 809 ff., m. Abbn; a. 8 (1927/28) p. 329, m. Abbn; 9 (1928/29) 255 f., m. Abb.; 12 (1932) 164, m. Abbn, 408 (Abbn); 13 (1933) 322, m. Abb. — Emporium, 53 (1921) 52/56, m. 11 Abbn; 64 (1926) 334/36, m. 4 Abbn; 69 (1929) 120 (Abb.); 73 (1931) 177 (Abb.); 77 (1933) 367/70, m. Abbn; 79 (1934) 380 (3 Abbn); 91 (1940) 141 (Abb.), 142; 93 (1941) 110, 112 (Abb.). — L'Esame, 1939, p. 199/206. — D. Kunst, 65 (1931/32) Taf.-Abb. geg. p. 333, 334 (Abb.), 335 (Abb.), 336/37 (Abbn); 69 (1933/34) 359 (Abb.). — Dtsche Kst u. Dekor., 59 (1926/27) 172 (Abb.); 62 (1928) 77. — Minneapolis, 1929 p. 24/26, m. Abb. — Rass. d'Arte, 22 (1922) 236, m. Abb., 249. — La Renaiss. de l'Art franç., 5 (1922) 142 f., m. Abbn. — The Studio, 104 (1932) 200 (Abb.).

Andresen, Albert, Architekturmaler u. Graphiker, * 17. 10. 1873 Boltenhagen a. d. Ostsee, zuletzt ansässig in Leipzig.

Farb. Zeichnungen von Baudenkmälern der Stadt Leipzig aus dem 16. u. 17. Jahrh. im Stadtgesch. Mus. ebda.

Lit.: Dreßler.

Andresen, Romanus, dtsch. Bildhauer, * 2. 1. 1874 Dresden, † 23. 8. 1926 Charlottenburg (Freitod).

Sohn des Bilh. Emmerich A. in Meißen. Stud. an der Akad. in Berlin, weitergebildet 1897/98 in Paris. Bis 1904 in Meißen, seitdem in Charlottenburg ansässig. Bildnisbüsten, Grabdenkmäler, Kleinplastik.

Lit.: Singer, Kstlerlex., Nachtr. 1921. — Afranisches Ecce, 1927 p. 19 f., m. Bildnis. *E. Sigismund.*

Andreu, Mariano, katal. Maler, Bühnenbildner, Emailleur, Illustr. u. Papiermaché-Kstler, * 1888 Barcelona, ansässig in Paris.

Autodidakt. Beeinflußt von Primaticcio, den Carracci, Giulio Romano u. den engl. Präraffaeliten. Arbeitete in München, London (bei Alex. Fisher) u. Paris. Kollekt.-Ausst. Okt. 1913 u. Mai/Juni 1914 in d. Gal. Goltz, München (Kat.). Stellte 1921 ff. in Paris im Salon d'Automne aus, deren Mitgl. er ist, seit 1924 auch im Salon des Tuileries. Figürliches (Akte, Bestrafung der Ehebrecherin, Urteil des Paris, Am Strande von Biarritz, usw.), Stilleben. Bilder in den Museen Barcelona u. Toledo, Ohio, USA (Die Stockschläger). — Illustr. (Lith.) zu: La Vie brève von Eugénio d'Ors, zu Werken von J. L. Vaudoyer u. zu Toulet, Mon amie Nane (1934). — Emailarbeiten: Schmuckkästchen, Spiegel, Bonbonnieren, Schalen.

Lit.: Bénézit, [2] I (1948), m. falsch. Geburtsjahr). — Joseph, II 447 f. (s. v. Mariano), m. Fotobildn. u. Abb. — Museum (Barcelona), 1 (1911) 224/30, m. 6 Abbn u. farb. Taf.; 3 (1913) 256, 260/63 (Abbn). — La Vida artist., 1913 p. 256 ff. passim, m. Abb. — Gaz. d. B.-Arts, 1924/II 98. — La Renaiss. de l'Art franç., 10 (1927) 202 f., m. Abbn; 12 (1929) 312 f., m. Abb.; 18 (1935) 79/83. — The Studio, 92 (1926) 202 f., m. ganzseit. Abb.; 97 (1929) 352 (Abb.); 99 (1930) 216 (Abb.);

112 (1936) 67 (Abb.); 116 (1938) 167 (Abb.); 117 (1939) 131 (Abb.). — Beaux-Arts, 7 (1929) Nr 6 p. 17f.; 8 (1930) Nr 1 p. 20 (Abb.). — L'Amour de l'Art, 10 (1929) 455 (Abb.); 11 (1930) 511 (Abb.); 15 (1934) 293f., passim, m. Abb. — Art et Décoration, 1935, p. 119, m. 3 Abbn; 1936 p. 84ff. passim, m. Abb. — Museum News. The Toledo Mus. of Art, Nr 77, Dez. 1936 p. [8], m. Abb. — Kat. d. Internat. Exhib. of Paint. Carnegie Inst. Pittsburgh, 1929 Nrn 290/92, m. Abb.; 1931 Nrn 422f.; 1936 Nr 277 u. 288, Taf. 59; 1937 Nr 272, Taf. 53; 1938 Nr 250. — Art Index, New York 1928ff. passim.

Andreu, Teodoro, span. Maler, Direktor der Kunstschule in Valencia, * Alcira, ansässig in Valencia.

Schüler von Sorolla. Beeinflußt von José Benlliure. Durch Medaillen ausgezeichnet auf den Nat. Ausstellgn Madrid 1897 u. 1899. Seitdem hauptsächl. lehrtätig. Genre, Landschaften, Bildnisse.

Lit.: Th.-B., 1 (1907). — Francés, 1925/26 p. 281f. — E.A.Seemann's, ‚Meister d. Farbe", 15 (1918) Heft 1.

Andrews, Bernice, siehe *Fernow.*

Andrews, Douglas Sharpus, engl. Illustrator, * 4. 11. 1885 Brighton, ansässig in Leeds. Gatte der Lilian.

Einige Zeit Leiter der Kst- u. Gewerbesch. in Derby, dann der Kstsch. in Bath. Skizzenbücher (veröff. in den Artists' Sketch Book), mit Motiven aus Bath, Wells u. Cardiff; Kriegszeichngn.

Lit.: Who's Who in Art, [3] 1934. — The Studio, 89 (1925) 14f. Abbn.

Andrews, Edith Alice, geb. *Cubitt,* engl. Buchillustratorin (Kinderbücher), Miniaturbildnis- u. Blumenmalerin, * London, ansässig in Pembury, Kent.

Lit.: Who's Who in Art, [3] 1934.

Andrews, Edna Rozina, amer. Illustratorin, * 6. 4. 1886 Pulaski, N. Y., ansässig in Syracuse, N. Y.

Lit.: Amer. Art Annual, 27 (1930) 506.

Andrews, Felix Emile, engl. Landschaftsmaler, * 12. 4. 1888 London, ansässig in Horsham, Sussex.

Lit.: Who's Who in Art, [3] 1934.

Andrews, Helen Francis, amer. Malerin, * 22. 12. 1872 Farmington, Conn., ansässig in Middlebury, Conn.

Schülerin der Art Students' League in New York, dann von J. P. Laurens und B. Constant in Paris.

Lit.: Fielding. — Amer. Art Annual, 30 (1923).

Andrews, J. Winthrop, amer. Maler, * 31. 8. 1879 Newtonville, ansässig in Yonkers, N. Y.

Schüler von Du Mond, Hamilton u. De Camp.

Lit.: Fielding. — Mallett. — Amer. Art Annual, 20 (1923) 426.

Andrews, Joseph, engl. Landschaftsmaler, * 25. 7. 1874 Birkenhead, ansässig in Prenton, Birkenhead.

Lit.: Who's Who in Art, [3] 1934.

Andrews, Lilian, geb. *Rusbridge,* engl. Landsch.- u. Tiermalerin, * Brighton, ansässig in Leeds. Gattin des Douglas.

Lit.: Who's Who in Art, [3] 1934. — The Studio, 95 (1928) 354/56, m. 3 Abbn.

Andrews, Marietta, amer. Malerin, Illustr. u. Dichterin, * 11. 12. 1869 Richmond, Va., † 1931 Washington, D. C.

Schülerin von E. F. Andrews u. W. M. Chase. Figürliches, Bildnisse (u. a. in d. Univ. of Virginia, Carlottesville), Wandbilder (u. a. in d. Concordia Lutheran Church in Washington, D. C.), Entwürfe für Glasfenster (u. a. in St. Paul's Church in Steubenville, O.).

Lit.: Fielding. — Amer. Art Annual, 20 (1923) 426f.

Andrews, Sybil, engl. Malerin, Radiererin, Linolschneiderin u. Reklamezeichnerin, ansässig in Woolpit, Suffolk.

Lit.: Who's Who in Art, [3] 1934.

Andrey-Prévost, Fernand, franz. Landschaftsmaler, Modelleur u. humorist. Zeichner, * Paris, ansässig ebda.

Stellt seit 1924 bei den Indépendants, seit 1933 auch im Salon des Tuileries u. im Salon der Soc. Nat. d. B.-Arts aus.

Lit.: Joseph, I. — Bénézit, [2] I (1948). — Bull. de l'Art, 1926 p. 152 (Abb.).

Andri, Ferdinand, öst. Maler, Lithogr., Holzschneider u. Holzschnitzer (Prof.), * 1. 3. 1871 Waidhofen a. d. Ybbs, ansässig in Wien.

Stud. an d. Wiener Akad., dann bei Kaspar Ritter u. Claus Meyer in Karlsruhe. Szenen aus d. Leben des niederöst. Bauernvolkes, Bildnisse, Figürliches, Landschaften. 1899/1909 Mitgl. der Wiener Sezession, 1905 Präsident derselben. Während des 1. Weltkrieges Kriegsmaler an der Front (Serbien, Dalmatien, Montenegro, Albanien, Südtirol). Erhielt 1944 den Waldmüller-Preis. Bilder u. a. in d. Mod. Gal. in Wien u. in d. Berliner Nat.-Gal. Farb. Lithos (Mutter m. Kind, Winzerin), Entwürfe zu Plakaten, Buchschmuck, u. a. zu K. Schönherr, Der Komödiant, Öst. Staatsdruckerei, Wien 1934. Fresken für den Öst. Pavillon der Weltausst. St. Louis; figürl. Kupfertreibarbeiten u. Holzschnitzereien (Kinderspielzeug).

Lit.: Th.-B., 1 (1907). — Dreßler. — A. Bassaraba, Der Maler A., St. Pölten, 1941. — Missong, p. 218. — Die Graph. Kste (Wien), 41 (1918) 3 (Abb.); 43 (1920) 47ff., m. Abbn; 48 (1925), Beibl. p. 16. — D. Kst, 27 (1912/13) 66 (Abb.), 554; 54 (1925/26) 150 (Abb.); 83 (1940/41) Mai-Heft Beibl. p. 13f. — Die Christl. Kst, 6 (1909/10) 201/15; 17 (1920/21) Beibl. p. 30; 22 (1925/26) 142, 143, 224; 23 (1926/27) 62. — Dtsche Kst u. Dekor., 34 (1914) 402 (Abb.); 38 (1915/16) 45, 50 (2 Abbn); 41 (1917/18) 113 (Abb.); 57 (1925/26) 309, 320 (Abb.). — Kst dem Volk, 12 (1941) 15/21. — Kstchronik, N. F. 27 (1915–16) 415; 29 (1917/18) 266; 31 (1919/20) 424. — Österr.'s Bau- u. Werkkst, 2 (1925/26) 194 (Abb.), 202 (Abb.), 210. — Kst in Öst. (Leoben), 1 (1934) 101, m. Abb. — Ostmärk. Ksttopogr., 29: Kstdenkm. d. Zist.-Klosters Zwettl, 1940. — Ver Sacrum, 4 (1901) 336ff. (Abbn); 5 (1902); 6 (1903). — Teichl.

Andries, Carola, dtsche Malerin, * 1911 Köln, ansässig ebda.

Stud. 1929/33 an den Kölner Werkschulen (Ahlers-Hestermann). 1936/37 in Berlin. Studienreisen in Holland, Belgien, Frankreich, Italien, Polen. Tiere, Landschaften, Stilleben.

Lit.: Kat. Ausst. Deutsche Malerei u. Plastik d. Gegenw., Köln 1949, Staatenhaus d. Messe, 14. 5.–3. 7. 49.

Andriessen, Mari Silvester, holl. Bildhauer, * 4. 12. 1897 Haarlem, ansässig ebda.

Schüler von Bronner an der Reichsakad. Amsterdam u. von Bleeker an der Münchn. Akad. Skulpturen für das Bahnhofsgeb. in Utrecht und die Stadthäuser in Leiden, Bergen op Zoom u. Haarlem. Bildnisbüsten (u. a. des Malers Kees Verwey).

Lit.: Niehaus, m. Abb. p. 237. — Waay. — Verslagen 's Rijks Verzamel. van Gesch. en Kunst, 1947 p. 109. — Cat. Tentoonst. Kees Verwey,

Haarlem, Frans-Hals-Mus., 9. 11.–2. 12. 1946 (3 S.) m. Abb.

Andrieux, Alfred Louis, franz. Landschafts-, Blumen- u. Tiermaler, * Paris, † 1945 ebda.

Stellte seit 1913 bei den Indépendants u. im Salon der Soc. Nat. d. B.-Arts aus.

Lit.: Joseph, I. — Bénézit, ² I (1948).

Andros, Esther, amer. Entwurfzeichner für Möbel u. Illustr., * 9. 11. 1882 Murphys, Calif., ansässig in Jamaica Plain, Mass.

Schülerin von E. Pape u. an d. Schule des Boston Mus. of Fine Arts. Tätig für die Paine Furniture Comp.

Lit.: Amer. Art Annual, 27 (1930) 506.

Andrussoff (Androusov), Wladimir (Vadime), russ.-franz. Bildhauer, * 18. 8. 1895 St. Petersburg (Leningrad), ansässig in Paris.

Mütterlicherseits Enkel des dtsch. Altertumsforschers Heinr. Schliemann. Beeinflußt von A. Maillol. Thematisch im Mittelpunkt s. Schaffens steht der weibl. Akt (meist Terrakotta). Sehr empfindungsvoller u. origineller Plastiker. Stellte bei den Indépendants (1926/28), im Salon des Tuileries (1928, 1945) u. im Salon d'Automne in Paris aus.

Lit.: Joseph, I. — Bénézit, ² I. — Dtsche Kst u. Dekor., 63 (1928/29) 263/70, m. 10 Abbn. — Formes, 1931, p. 105f., m. 3 Abbn; 1933 p. 387f., m. Abb. — Art et Décoration, 62 (1933): Les Echos d'Art, August-Heft, p. X, m. Abb.

Andrzejewski, Marian, poln. Architekt, * 1882 Posen, ansässig ebda.

Stud. am Polytechnikum Charlottenburg. Kirche des Erzbisch. Seminars in Posen; Dorfkirchen.

Lit.: Czy wiesz kto to jest?, 1938.

Anetsberger, Hans, dtsch. Maler u. Radierer, * 28. 10. 1870 München, zuletzt ansässig in Aachen.

Stud. an der Münchner Akad. Hauptsächl. Porträtist.

Lit.: Th.-B., 1 (1907). — Dreßler.

Angarola, Anthony, amer. Maler, * 4. 2. 1893 Chicago, Ill., † 1929 ebda.

Schüler von H. M. Walcott. Bilder im Bes. d. Art Association of Indianapolis, Ind., u. d. John van der Poel School in Chicago.

Lit.: Fielding. — Amer. Art Annual, 20 (1923) 427. — Monro.

Angel, Abraham, mexik. Maler u. Graph.

Lit.: A. A., Talleres gráf. de la nación, Mexico 1924. — M. Moreno-Sánchez, Notas desde A. A., México 1932.

Angel, John, engl. Bildhauer, * 1881 Newton Abbot, ansässig in Connecticut.

Stud. an den Roy. Acad. Schools in London. Gold. Med. 1911. Pflegt hauptsächl. d. relig. Kunst. Folge von 8 Figuren für d. Baptisterium der Kathedr. St. John the Divine in New York, darunter Thomas a Kempis, Hugo Grotius u. Erasmus v. Rotterdam. Bronzebüste des Richters John M. Woolsey in d. Addison Gall. of Amer. Art in Phillips Acad. in Andover, Mass. Tympanonrelief (Thron. Christus zw. den 4 Evangelistensymbolen) über d. Haupteingang der Kapelle der Princeton University. Statuetten an den Baldachinsäulen in St. Patricks Cathedral, New York.

Lit.: Mallett. — Bull. Addison Gall. of Americ. Art (Andover, Mass.), 1942 p. 37. — The Connoisseur, 76 (1926) 186f., m. Abb., 189 (Abb.); 79 (1927) 185 (Abb.), 186, 187 (Abb.), 191 (Abb.). — Liturgical Arts, 11, Nov. 1942, p. 10; 13, Febr. 1945, p. 36 (Abbn). — The Studio, 66 (1916) 281; 67 (1916) 28 (2 Abbn), 29.

Angela, Emilio, ital.-amer. Bildhauer, * 12. 7. 1889 Italien, ansässig in New York.

Schüler d. Nat. Acad. of Design u. von A. A. Weinman in New York. Genrestatuen.

Lit.: Fielding. — Amer. Art Annual, 30 (1933).

Angeletti, Quirino, ital. Architekt, Bühnenbildner u. Aquarellmaler, * 24. 7. 1878 Rom, † 1929 (1930?) ebda.

Prof. für Architektur und Bühnenbildnerei am Ospizio di S.Michele in Rom, dann Prof. f. Perspektivlehre am Ist. di B. Arti, zuletzt Prof. f. Bühnenbildnerei an der Scuola Sup. di Architettura ebda. — Buchwerke: L'Architettura nella scenogr. dei sec. 17 e 18, Rom 1915; Scenografia passate e presente, Mail. 1926.

Lit.: Chi è?, 1928; 1942, Anhang: Chi fu?. — Arte e storia, 30 (1911) 191f.

Angeli, François, franz. Maler, Holzschneider u. Medailleur, * 13. 2. 1890 Ambert (Puy-de-Dôme), ansässig ebda.

Stellt seit 1913 bei den Indépendants in Paris, später auch im Salon der Soc. Nat. d. B.-Arts aus; deren Mitglied seit 1936. Hauptsächlich Landschafter. Bild im Mus. in Clermont-Ferrand. Illustr. zu Henri Pourrat, „Dans l'herbe des trois vallées, u. zu Jean Angeli, „Au Pays d'Auvergne". Med. zur 300-Jahrfeier Blaise Pascal's.

Lit.: Joseph, I. — Bénézit, ² I (1948). — L'Art et les Artistes, nouv. sér., 17 (1928) 212.

Angelin, Bror, schwed. Landschaftsmaler, * 1896 Stockholm, ansässig in Karlskrona.

Stud. an der Kunstindustriesch. in Stockholm. Wandmalereien u. Intarsiaarbeiten im Konzerthaus in Karlskrona. Bilder im dort. Mus.

Lit.: Thomœus.

Angelini, Luigi, ital. Architekt u. Fachschriftst., * 20. 12. 1884 Bergamo, ansässig ebda. Vater des Sandro.

Schüler von Marc. Piacentini. Hauptbauten: Pfarrkirche in Alzano Sopra; Pfarrk. in Madona; Kirche S. Croce in Bergamo; Kirche der Väter von Montforte in Redona; Begräbniskapellen Pesenti in Alzano Maggiore u. Tacchi in Scano al Brembo; Municipio S. Martino de'Calvi in Valle Brembana; Palazzo del Consiglio Provinc. dell'Economia in Bergamo; Casa dell'Agricoltore ebda; Friedhof in Romano Lombardo. Entwürfe für Kirchengerät (Kelche, Hirtenstäbe usw.).

Lit.: C. Ratta, Adornatori d. libro in Italia, I 9. — Chi è?, 1940; 1950. — A. Codignola, L'Italia e gli Ital. di oggi, Genua 1947, p. 96. — L. Servolini, Diz. d. Incisori ital. mod. e contemp., 1951. — Emporium, 76 (1932) 67/86, m. zahlr. Abbn. u. Fotobildnis. — Lares, Dez. 1932. — Le Vie d'Italia, Jan. 1938.

Angelini, Pietro, ital. Maler, * 27. 12. 1888 Forlì, ansässig in Rom.

Bilder u. a. in der Gall. d'Arte Mod. in Rom (Kanal in Venedig) u. in der Gal. in Piacenza (Triptychon).

Lit.: Chi è?, 1940.

Angelini, Sandro, ital. Bühnenbildner, Radierer u. Holzschneider, * 23. 3. 1915 Bergamo, ansässig ebda. Sohn des Luigi.

Tätig für das Teatro delle Novità in Bergamo. Illustr. zu L. Fallacraa, „Poesie di amore", Florenz 1939. Bereitet einen Führer durch Bergamo vor, den er mit eigenen Zeichnungen u. Rad. ausschmücken wird.

Lit.: Primato (Rom), Okt. 1941. — L. Servolini, Diz. d. Incisori it, mod. e contemp., 1952. *Servolini.*

Angelis, Federico de, ital. Bildhauer, * 19. 9. 1910 Ischia, ansässig in Porto d'Ischia.

Lit.: Kat. VI Quadriennale Rom 1951/52.

Angelis, Giuseppe de, ital. Maler, * 18. 3. 1905 Gallicano, Latium, ansässig in Lido di Roma.

Lit.: Kat. VI Quadriennale Rom 1951/52.

Angelis, Giuseppe de, ital. Bildhauer, ansässig in Macerata.

Schüler von Trentacoste. Hauptsächl. Grabmalplastiker.

Lit.: Emporium, 76 (1932) 253, m. Abb. — Arte e Storia, 37 (1918) 204.

Angelis, Luigi de, ital. Landschaftsmaler u. Karikaturist, * 5. 8. 1883 Rom, ansässig in Porto d'Ischia.

Kollekt.-Ausst. Februar 1942 in der Gall. del Milione in Mailand.

Lit.: Emporium, 95 (1942) 89 (Abb.), 90.

Angell, Ethel E., engl. Blumen- u. Landschaftsmalerin (Öl, Aquarell, Pastell), ansässig in Nuneaton, Warwickshire.

Schülerin von Alfred Jones u. John Park.

Lit.: Who's Who in Art, [3] 1934.

Angelo, Giulio d', sizil. Maler, * 13. 6. 1908 Catania, ansässig in Rom.

Lit.: Kat. VI Quadriennale Rom 1951/52, m. Abb. (Pariser Straßenpartie).

Angelo, Valenti, ital.-amer. Maler u. Illustrator, * 1897 in der Toskana, ansässig in Bronxville, N. Y.

Autodidakt. Kollektiv-Ausst. Dez. 1933 in den Ferargil Gall. in New York. Erinnert in s. harten Malweise an Chirico.

Lit.: Mallett. — The Art News, 32, Nr 12 v. 23. 12. 1933, p. 5, m. Abb. — Amer. Artist, 12, Jan. 1948, p. 7 (Abb.) u. Umschlagbild; Okt. 1948, p. 40 (Abb.); 13, Mai 1949, p. 36 (Abb.).

Anger, Charlotte, dtsche Malerin, Graph. u. Kstgewerblerin, * 1875, ansässig in Leipzig.

Lit.: Dreßler.

Anger, Jacques, franz. Malerdilettant (Fregattenkapitän), * Paris, † 1940 ebda.

Bildnisse, Landschaften. Stellte bei den Indépendants u. im Salon des Paysagistes Franç. 1920/30 aus. Bild im Mus. in Louviers.

Lit.: Joseph, I. — Bénézit, [2] I.

Angeren, Anton Ph. Derkzen van, holl. Rad., Zeichner u. Maler, * 21. 4. 1878 Delft, tätig ebda, seit 1911 in Rotterdam.

Hauptsächl. Rad.: Landschaften mit Vieh, Stadtansichten, Bildnisse. Entwürfe für gebranntes Glas. Aquarelle (Hafenansichten). Sonderausst. bei Gutekunst, London, Jan. 1914. Graph. Hauptblätter: Hamburg-Amerika-Linie; Die Maas bei Nacht; Rotterdam; Der Binnenhafen; Schiff unter Segel; Die Mühle usw.

Lit.: Plasschaert, m. Abb. — Waller, p. 77. — The Studio, 61 (1914) 146f.

Angerer, Ludwig, öst. Maler, Plakatzeichner u. Gebrauchsgraph., * 1. 7. 1891 Thalheim b. Linz a. D., ansässig in München.

Schüler von Halm u. C. v. Marr in München. Defregger-Stipendium. Studienaufenthalte in Österreich u. Italien. Bildnisse, Fresken (u. a. in d. Stadtpfarrk. in Vohenstrauß).

Lit.: Karl, 1, m. 5 Abbn. — Kst- u. Antiquit.-Rundschau, 46 (1938) 141, m. Abb. — Velhagen & Klasings Monatsh., 45/II (1930/31) 625ff., farb. Abbn; 48/II (1933/34) 49/56 (10 farb. Sportzeichngn).

Angerer, Max, tirol. Maler, * 23. 11. 1877 Schwaz i. T., ansässig ebda.

Stud. an d. Staatsgewerbesch. in Innsbruck u. an d. Malschule Weinhold in München. Hauptsächlich Landschafts- u. Tiermaler. Bilder im Tir. Landesmus. Ferdinandeum, Innsbruck.

Lit.: Österr. Kst, 5 (1934) Heft 3 p. 9 (Abb.). — Der Föhn, 2 (1910/11) 297. — Innsbr. Nachr., 1905 Nr 218; 1906 Nr 77 u. 284; 1908 Nr 64; 1931 Nr 182. — Tir. Anz., 1909 Nr 167, 178; 1910 Nr 77, 193; 1911 Nr 206, 270; 1921 Nr 144. — Bergland (Innsbr.), 1939, H. 9/10. — Tir. Nachr., 1947 Nr 267. — Stimme Tirols, 1947 Nr 48. — Tir. Tagesztg, 1947 Nr 267; 1948 Nr 210; 1949 Nr 207. *J. R.*

Angerer, Toni, öst. Maler (Prof.) u. Illustr., * 27. 10. 1884 Aschbach, N.-Ö., ansässig in Salzburg.

Lit.: Öst. Kst, 4 (1933) Heft 9 p. 28f., m. Abbn; 5 (1934) Heft 7/8 p. 25/48, Abbn u. farb. Tafel: Trachtenbilder, dazwischen p. 36/38 Text. — Teichl.

Angermair, Hans, Holzbildhauer (Prof.), ansässig in München.

Kriegergedenktafeln in der Stiftsk. in Altötting u. im Kreuzgang derselben (Holz, bemalt) u. in Aidenbach, N.-B.; Altar in der Hauskapelle der Barmherzigen Schwestern in Nördlingen. Arbeitete zeitweilig gemeinsam mit s. Bruder Jakob.

Lit.: Hartig, Freising (Dtsche Kstführer, 31), 1928, p. 13. — Abele, Dom zu Freising, 1919, p. 57. — D. Christl. Kst, 9 (1912/13) 306 (Abb.); 11 (1914–15) 249 (Abb.), 310, 333; 12 (1915/16) 128, 165, 168; 14 (1917/18) 29ff. (Abbn), 41 (Abb.), 48, 83 (Abb.), 111; 15 (1918/19) 164, 165 (Abb.), 171; 19 (1922/23) 61 (Abb.).

Angermann, Anna Elisabeth, dtsche Malerin, * 5. 8. 1883 Bautzen, ansässig in Dresden.

Schülerin von A. J. Papino, dann von H. Olde u. Sascha Schneider, an d. Kstschule in Weimar.

Angermeyer, Hermann, dtsch. Figurenmaler, * 14. 2. 1876 Harburg a. d. E., zuletzt ansässig in Fischerhude.

Schüler von A. Kampf, H. Crola u. P. Janssen an d. Akad. in Düsseldorf, wo er sich ansässig machte. Bilder im Kestner-Mus. in Hannover u. in den Städt. Kstsmlgn in Düsseldorf. Kollektiv-Ausst. bei E. Schulte in Berlin Febr. 1914.

Lit.: Th.-B., 1 (1907). — Dreßler. — E. A. Seemann's „Meister der Farbe", 11 (1914). — D. Kst, 27 (1913) 536, 539 (Abb.). — Velhagen & Klasings Monatsh., 41 I (1926/27) farb. Taf. geg. p. 616, 696.

Angheluţă, Octavian, rumän. Bildnis- u. Lansdchaftsmaler, * 1902 Brăila.

Stud. an der Akad. in Bukarest. Seit 1930 Zeichenlehrer am Lyceum in Câmpina. 1938 Studienreisen in Deutschland, Holland, Frankreich. Weibl. Bildnis im Mus. Toma Stelian in Bukarest (Kat. 1939).

Angiboult, François, Pseudonym der Baronin *Helene v. Oettingen*, russ. Malerin u. Schriftst., * 20. 3. 1887 Venedig.

Stud. an der Acad. Julian in Paris. Stellte bei den Indépendants zwischen 1912 u. 1929, bei den Surindépendants 1934 aus. Signierte als Malerin F. oder François Angiboult. Bild in d. Mod. Gal. in Prag. Federname Léonard Pieux u. Roch Grey. Veröffentlichte unter letzterem Pseudonym eine Schrift über Henri Rousseau, Rom 1921.

Lit.: Joseph, I. — Bénézit, [2] I.

Anglada y Camarasa, Hermengildo, katal. Maler, * 11. 9. 1871 Barcelona, ansässig in Pollensa auf Mallorca.

Schüler des Landschafters Modesto Urgell in Barcelona, 1897ff. von J. P. Laurens u. B. Constant an der Acad. Julian in Paris und von Prinet u. Girardot an der Acad. Colarossi ebda. Mitglied der Soc. du Salon d'Automne, wo er 1905ff. ausstellte. Seit 1915 wieder in Spanien, lebt er seitdem meist in dem Fischerdorf Pollensa auf Mallorca. Gehört neben Ign. Zuloaga, Sotomayor u. Joaquin Sorolla zu den repräsentativsten Malern des modernen Spanien. In seinem Stoffgebiet anfänglich schwankend (Akte, Marinen, Pferdebilder), ging um 1902 zu der Schilderung von Tanz- und Theaterszenen, Konzertgärten mit vornehmer Gesellschaft, eleganten Nachtrestaurants, Dorfhochzeiten, Festen, Jahrmärkten u. zum mondänen Damenbildnis über, das sein Spezialfach blieb. Glänzender Dekorator, bedeutender, der heimischen Maltradition folgender, wahre Farbenorgien entfesselnder Kolorist. Ehrenmitglied der Akad. Mailand. Bilder in allen größeren Smlgn Spaniens u. des Auslandes (Paris, London, Berlin, Dresden, Wien, Stockholm, Moskau, Leningrad, Chicago, New York, Buenos Aires, usw.).

Lit.: Th.-B., I (1907). — S. Hutchinson Harris, The Art of H. A. C. A Study of Mod. Art, London o. J. [1929]. Bespr. in: Artwork, Nr 22, Summer 1930, Advertissement p. XIf. — Bénézit, ² I (1948). — D. Kunst, 25 (1912) 197/204, m. Abbn bis p. 209, farb. Taf. u. Fotobildn. — Vita d'arte, I (1908) 82/97, m. 15 Abbn. — Gaz. d. B.-Arts, 1909/I p. 106/17, m. 5 Abbn u. Bildn. (Lith. von Ch. Léandre). — V. Pica, L'Arte mondiale a Roma nel 1911, Bergamo 1913, p. XVIIIff. — The Fine Arts Journal (Chicago), 30 (1914) 420/32, m. 18 Abbn. — Francés, 1915 p. 185–93, 309f.; 1916 p. 209/28, m. Bildn. u. 6 Abbn. — Museum (Barcelona), 3 (1913) 270 (Abb.). — Revue de l'Art anc. et mod., 45 (1924) 165 (Abb.), 172/74; 49 (1926) 122 (Abb.: Span. Hochzeit, im Pariser Musée du Jeu de Paume). — The Studio, 65 (1915) 143f.; 91 (1926) 3/10, mit 7 (dar. 2 ganzseit. farb.) Abbn; 100 (1930) 71 (ganzseit. Abb.). — Apollo (London), 12 (1930) 33/37, m. 5 Abbn. — Beaux-Arts, 8 (1930) Nr 10 p. 28 (Abb.). — The Art News (New York), 23 (1924/25) Nr 10 p. 1 (Abb.). — Kat. d. Internat. Exhib. of Paint. Carnegie Inst. Pittsburgh 1924ff., meist mit Abbn. — La Tribuna (Rom), 24. 4. 1911.

Anglade, Jean d', franz. Bildnis-, Figuren- u. Interieurmaler, * Paris, ansässig in Lagrandville bei Grandchamps (Morbihan).

Schüler von B. Constant u. J. P. Laurens. Mitglied der Soc. d. Art. franç., beschickt deren Salon seit 1904.

Lit.: Joseph, I. — Bénézit, ² I (1948).

Anglade Cuverville, Mathilde d', franz. Interieurmalerin, * Grandivy (Morbihan), ansässig in Lagrandville (Morbihan).

Schülerin von J. P. Laurens u. B. Constant. Stellte 1928 im Salon der Soc. d. Art. franç. aus (Atelierecke).

Lit.: Bénézit, ² I (1928).

Angladon, Jean, franz. Maler, * 11. 8. 1906 Paris, ansässig in Avignon.

Stellt seit 1932 bei den Indépendants in Paris aus. Im Musée Calvet in Avignon: Der Blinde. Im dort. Rathaus: Entwurf zu einer Wanddekoration, u.: Die Truthenne (Guasch). In der Präfektur in Vaucluse ein Zitronenstilleben.

Lit.: Bénézit, ² I (1948).

Angman, Alfons Julius, schwed.-amer. Maler, * 1883 Stockholm, ansässig in Oklahoma City, Okla.

Lit.: Amer. Art Annual, 30 (1933).

Angnér, Elis, schwed. Landschaftsmaler, * 1888 Mörkö, Södermanland, † 1942 Stockholm.

Stud. in Berggren's u. Larssons Malschule, bei Isaak Grünewald u. Sjögren, Studienaufenthalt in Frankreich.

Lit.: Thomœus.

Angoletta, Bruno, ital. Maler u. Illustr., * 7. 9. 1889 Belluno, ansässig in Mailand.

Zeichnete u. a. für „L'Asino", „Pasquino", die „Tribuna Illustrata" u. „Noi e il mondo".

Lit.: Chi è?, 1940. — Emporium, 41 (1915) 72/78.

Angst, Charles Albert, schweiz. Bildhauer u. Kstgewerbler (Prof.), * 19. 7. 1875 Genf, aus Zürcher Familie, ansässig in Genf.

Schüler von Narcisse Jacques in Genf, 1896/1904 von Jean Dampt in Paris. 1910 Gold. Med. in München. 1910/12 Prof. f. dekor. Komposition an der Genfer Kst- u. Handwerkersch. Figürliches (bes. Kinderdarstellgn), Bildnisbüsten (F. Hodler), Entwürfe für Möbel u. Gebrauchsgegenstände (Briefbeschwerer usw.). Mehrere Arbeiten im Genfer Mus. d'Art et d'Hist., darunter die Steinstatuen der Vierjahreszeiten u. eine Bronzebüste Horace de Saussure's. Eine Bronzebüste Hodlers im Kstmus. in Bern. Eine Allegorie der Justitia im Justizpalast in Lausanne. Statuen in den Anlagen der Landesbibliothek in Bern. Brunnendenkmal in Bulle. Bauplastik am Neuen Bundesgerichts-Geb. in Lausanne. Reliefs am Denkmal des Dichters Eduard Rod in Nyon. Freundschaftsbrunnen vor dem Collège in Genf (zus. mit M. Braillard). Kollekt.-Ausst. Nov. 1918 im Zürcher Ksthaus.

Lit.: Brun, IV 8 u. 471. — Schweiz. Zeitgen.-Lex., 1932. — Jenny. — Michel, VIII 857, m. Abb. — Die Schweiz, 1908, p. 553, m. Abbn, 475; 1909, p. 337, m. Abb., 394; 1910, p. 436; 1915, p. 636f., m. Abbn; 1920, p. 630, m. Taf.-Abb. — L'Art décoratif, 2 (1911) 169/76. — Jahresber. 1916 Mus. Genf, p. 12. — D. Werk (Zürich), 4 (1917) 92 (Abb.); 6 (1919) 145 (Abb.); 18 (1931) 287 (Abb.), 351 (Abb.); 22 (1935) Beibl. zu H. 12, p. XXIIIf., m. Abbn. — Schweiz. Bauzeitg, 71 (1919) 168, m. Abb. — D. Ksthaus, 8 (1919) H. 8/9, p. 11. — Pages d'Art, 1919 p. 296f.; 1925 p. 121/26. — Beaux-Arts, 2 (1924) 91f., m. Abb. — The Studio, 87 (1924) 26 (Abb.). — Revue de l'Art, 48 (1925) 124ff., m. Abbn, 254. — Schweiz. Kst, 1 (1931–32) 79 (Abb.).

Angst, Otto, dtsch. Maler u. Graph., * 15. 1. 1890 Vöhrenbach i. B., ansässig in Mannheim.

Stud. an den Akad. Karlsruhe u. Stuttgart.

Lit.: Dreßler.

Ångström, Astrid, schwed. Radiererin, * 1895 Stockholm, ansässig in Jursholms-Östby.

Stud. an der Malsch. von Althin u. an der Akad. Stockholm. Studienaufenthalt in Frankreich. Bildnisse u. Landschaften.

Lit.: Thomœus.

Anguiano, Raúl, mexik. Maler u. Lithogr., * 1909 Atoyac, Staat Jalisco.

Schüler von Ixca Farías in Guadalajara. 1934 Mitglied der Gruppe der „18". Seit 1941 Lehrer an einer Provinzschule. Im Mus. f. Mod. Kst in New York: La Llorona (mexik. Legendenstoff).

Lit.: Kirstein, p. 96, Abb. p. 76. — The Art News, v. 15. 10. 1941 p. 11 (Abb.). — Beaux-Arts, v. 9. 4. 1948, p. 8 (Abb.).

Angyal, Géza, ungar. Maler u. Radierer, * 24. 12. 1888 Kremnitz, ansässig in Besztercebánya.

Vater Magyar, Mutter Slowakin. Stud. 1906/11 an der Budapester Akad. bei I. Révész u. Olgyai. 1913 in München weitergebildet. Wiederholte Studienaufenthalte in Italien. Figürliches, Landschaften, Stilleben.

Seine Bilder gekennzeichnet durch tragisch-düstere Stimmung, was sich ebenso auf seine Menschen- wie auf seine Landschaftsschilderung bezieht.

Lit.: Szendrei-Szentiványi. — Dtsche Kst u. Dekor., 67 (1930/31) 320f., m. 2 Abbn. — Elán, 1932, Nr 3. — Toman, I 22.

Anhalt, August, dtsch. Maler, * 7. 8. 1899 Eisenach, ansässig in Kassel.

Stud. an der Akad. in Kassel.

Lit.: Dreßler.

Anhalzer-Fisch, Olga, ungar.-südamer. Malerin u. Graph., * 1900 Budapest, ansässig in Quito, Ecuador.

Stud. in Budapest, Wien u. Düsseldorf. Bereiste Afrika u. den Nahen Osten, 1937 Äthiopien. 1938 in New York. Seit 1939 in Quito ansässig, lehrtätig an der dort. Kunstschule. Guasch: Indianermädchen, im Mus. f. Mod. Kst in New York.

Lit.: Kirstein, p. 54, 95.

Anheisser, Roland, dtsch. Maler, Rad., Lithogr. u. wissensch. Schriftst. (Dr. phil.), * 18. 12. 1877 Düsseldorf, † 1949 Jugenheim a. d. B.

Besuchte nach botan. Studien an d. Universität Bonn die Kstgewerbesch. in Basel (Lehrer: Fr. Schider), die Techn. Hochsch. Darmstadt u. die Akad. in Karlsruhe (W. Conz u. H. Eichrodt). Einige Zeit Zeichenlehrer an d. Univ. Jena, seit 1919 in Jugenheim. Hauptsächl. Landschafter u. Architekturdarsteller. Rad.-Folgen: Aus alten Städten in Flandern u. Brabant (10 Bll.), 1914; Aus Belgien (15 Bll.), 1915; Venedig (20 Bll.), 1914; Verona (8 Bll.), 1916; Im Oberelsaß (30 Bll.), 1917; Metz (8 Bll.), 1918; Frankfurt a. M. (14 Bll.), 1918; Köln (25 Bll.), 1919; La Lujurua (6 Bll.); Les Mondaines (20 Bll.). Malte gelegentlich Bildnisse u. Figürliches. — Buchwerke: Malerische Architekturskizzen, Berlin 1904; Mikroskop. Kunstformen des Pflanzenreiches, Dresden 1904; Ornament u. Buchschmuck, Dresd. 1905; Malerische Baukst in Tirol, Frankf. a. M. 1908; Altschweizer. Baukunst, Bergen 1906/09 (2 Bde); Altköln. Baukst, Düsseld. 1911; Flandern u. Brabant, Lpzg 1916, [2] 1925; Im Oberelsaß, Lpzg 1917; Mein Köln, Düsseld. 1926; Malerisches Rheinland, Lpzg 1930; Das mittelalterl. Wohnhaus in deutschstämmigen Landen, Stuttgart 1935; Natur u. Kst. Erinnerungen e. dtsch. Malers, Lpzg 1937; Das dtsche Elsaß. Kst u. Landschaft in ihrer maler. Schönheit, Darmst. 1941; [2] 1943; Flandern, Brabant, Hennegau u. Lande an der Maas, Darmst. 1944.

Lit.: Dreßler. — Alt-Köln, 16 (1927) 140/41; 17 (1928) 32. — D. Bild, 1940, p. 191 (Abb.), 193 (Abb.), 194f. (Abb.). — D. Cicerone, 8 (1916) 416. — Schweiz, 1906, p. 573ff. — D. Weltkst, 11 Nr 49/50 v. 12. 12. 1937, p. 90; 17 Nr 1/2 v. 3. 1. 1943 p. 6; 1950 Nr 7 p. 13. — Volk u. Scholle (Darmst.), 4 (1926) 182f., m. 3 Abbn. — Kstdenkm. d. Rheinprov., VII/4: Stadt Köln, Bd 2, Abt. 4 (1930) p. 42, 473 (Abb.). — Sonntag (Darmstadt), 18. 12. 1927.

Anjos Teixeira, Artur Gaspar dos, portug. Bildhauer, * 18. 7. 1880 Lissabon, † 4. 3. 1935 ebda. Vater des Folg.

Stud. an d. Kunstsch. in Lissabon; Schüler von Simões de Almeida (Tio). Lange Zeit in Paris. Gold. Med. der Internat. Ausst. in Rio de Janeiro; 1. Med. im Salon in Estoril. — Statue der Republik in d. Abgeordnetenkammer in Lissabon; Denkmal für Carvalho da Araujo i. d. Vila Real ebda; Denkm. für die Gefallenen des 1. Weltkrieges in Santarem u. Vizeu. Büsten der Schriftst. Camilo Castelo Branco u. Aquilino Ribeiro.

Lit.: Gr. Enc. Port. e Brasil., II 743. — Pamplona, p. 247. — Aquil. Ribeiro, O Homem que matou o Diabo; ders., Por Obra e Graça. — Ed. de Barcelos, Hist. de Portugal, VI 756.

Anjos Teixeira, Pedro Augusto, portug. Tierbildhauer, * 11.5.1908 Paris. Sohn des Vor.

Stud. an d. Kunstsch. in Lissabon; Schüler s. Vaters u. des Simões de Almeida (Sobrinho). Mehrfach ausgezeichnet, u. a. 1. Med. der Soc. Nac. de B. Artes in Lissabon. — Denkmal für die Frau in Leiria; Ausschmückung des Laboratório Sanitas in Lissabon. Werke im Mus. f. zeitgenöss. Kunst in Lissabon, im Mus. Grão-Vasco in Vizeu u. im Mus. in Tomar.

Lit.: Pamplona, p. 402.

Anisfeld, Boris Israelewitsch, russ.-amer. Maler u. Bildhauer, * 1879 in Rußland, ansässig in Chicago.

1900/09 Schüler der Akad. St. Petersburg (Leningrad), tätig ebda, seit ca. 1918 in New York. Bild (Das Bukett) in d. Tretjakoff-Gal. in Moskau.

Lit.: Kondakoff, II 7. — S. Makowskij, Kstkrit. Studien (russ.), 3 (1913) 113f. — Zeitschr. f. bild. Kst, N. F. 18 (1907) 76. — Kstchronik, N. F. 18 (1907) 468. — Ssredi Kollekzionjeroff, 1922, Heft 4 p. 57; Heft 9 p. 63; 1923, Heft 5 p. 40f. — Mallett. — Monro.

Anivetti, Filippo, ital. Landschaftsmaler, * 4. 12. 1876 Rom, ansässig ebda.

Schüler von Prosperi u. Morani. Mitgl. der Gruppe „25 della Campagna Romana". Divisionist. Hauptsächlich Aquarellist.

Lit.: Comanducci, mit Abb.

Ankarcrona, Gustaf, Tier- u. Landschaftsmaler, * 11. 5. 1869 Hakarp (Småland), † 17. 9. 1933 Leksand, Dalarne.

Stud. 1886/89 an der Kstakad. in Berlin, 1891/93 in München. Bilder im Nat.-Mus. Stockholm u. im Kunstmus. in Göteborg.

Lit.: Th.-B., I (1907). — N. F. I u. XXI. — Thomœus. — Ord och Bild, 40 (1931) 437/50, m. Abbn. — Sveriges Kyrkor, Gästrikland, H. 2 (1936) 338. — Bénézit, [2] I (1948).

Anke, Arno, s. Art. *Esch,* Hermann.

Ankelen, Eugen, dtsch. Landschaftsmaler (Öl u. Aquar.) u. Schriftst., * 2. 3. 1858 Laupheim, Württ., † 1942 München.

Stud. an den Akad. in Stuttgart u. München (O. Seitz). Studienaufenthalte in Italien, Osteuropa, Südfrankreich, Spanien, Belgien u. England.

Lit.: Dreßler. — D. Weltkst, 16 Nr 23/24 v. 7. 6. 1942, p. 3.

Ankeney, John, amer. Maler, * 21. 4. 1870 Xenia, Ohio, ansässig in Columbia, Mo.

Schüler von Twachtman, W. M. Chase, Du Mond, Saint Gaudens u. Ross, dann von Lefebvre, Robert-Fleury, Aman-Jean, Collin, Ménard u. Simon in Paris. Bildnisse, Landschaften.

Lit.: Fielding. — Amer. Art Annual, 30 (1933).

Anker, Alfons, dtsch. Architekt, * 1872 Berlin, ansässig ebda.

Stud. an der Techn. Hochsch. Charlottenburg. Später Assistent an derselben. Assoziiert mit Hans u. Wassili Luckhardt. Geschäftshäuser in Berlin.

Lit.: Platz. — Dreßler. — Die Kst, 69 (1932/33) 142/45, m. Abb. — Dtsche Bauzeitg, 1928 p. 329/32.

Anker, Hans, dtsch. Maler u. Radierer, * 30. 10. 1873 Berlin, ansässig ebda.

Stud. an d. Unterrichtsanstalt des Kstgewerbemus. u. an der Akad. Berlin, dann bei J. P. Laurens an der Acad. Julian in Paris. — Rad. Mappenwerke bei Amsler & Ruthardt, Berlin. — Vorlagenwerk: Die Groteskliníe in der dekor. Malerei, Berlin o. J.

Lit.: Dreßler.

Ankum, Ida Johanna van, holl. Malerin u. Modelleurin, * 12. 3. 1889 im Haag, ansässig ebda.

Malschülerin von Jan Franken, erlernte das Modellieren bei Dirk Wolters im Haag.

Lit.: Waay.

Anlī, Ahmet Hakkī, türk. Maler, * 1906 Istanbul (Konstantinopel), ansässig ebda.

Besuchte die Akad. d. Sch. Künste zu Istanbul. Seit 1932 Zeichenlehrer an verschiedenen Schulen in Istanbul. Figürliches, Bildnisse, Landschaften, Stillleben. Gehört der türk. modernen Schule an. Ein Bild im Bilder- u. Statuenmus. in Istanbul.

Lit.: Berk, p. 29, m. Abb. 63.

Anna, Giulio d', sizil. Maler, * 28. 8. 1908 Villarosa, ansässig in Messina.

Anfänglich Futurist, dann die sizil. Maltradition aufnehmend. Figürl. Kompositionen. Bild in d. Gall. Boccioni in Mailand.

Lit.: Chi è?, 1940.

Anneler, Karl, schweiz. Maler u. Illustr., * 13. 4. 1886 Bern, ansässig ebda.

Zuerst Schüler von Fr. Gygi in Bern, dann von Hollosy in München und der dort. Akad. (A. Jank). Seit 1909 im Lötschental tätig. Landschaften, Figürliches, Stilleben. Illustr. zu: Hedwig Anneler: Lötschen. Landes- u. Volkskunde des Lötschentales, Bern 1927.

Lit.: Brun, IV. — Schweiz. Zeitgen.-Lex., 1932.

Annenkoff (Annenkov), Jurij (Georges) Pawlowitsch, russ.-franz. Maler, Bühnenbildner, Illustr. u. Plakatkünstler, * 11. 7. 1890 Petropawlowsk, ansässig in Paris.

Stud. in Paris. Angeregt von westl. Vorbildern (George Grosz). Einige Zeit Lehrer an der Petersburger Akad., dann in Paris ansässig. Hauptsächlich Porträtist. Erregte mit s. Ganzfigurbildnis Ljew Trotzkijs auf der Moskauer Ausst. zum Jubiläum des 5jähr. Bestehens der Roten Armee 1923 u. auf der Internat. Ausst. in Venedig 1924 Aufsehen. Nimmt darin kubistische Formelemente auf. Sehr geistreich seine gezeichneten Bildnisse. Pflegt einen kalligraph. Expressionismus. Stellte seit 1912 bei den Indépendants, seit 1924 im Salon d'Automne, seit 1929 im Salon des Tuileries in Paris aus. — Illustr. u. a. zu: Extra muros, von L. Chéronnet; Le cirque et le music-hall, von P. Bost; Crime à San-Francisco, von L. Durtain; Passage d'une Américaine, von Em. d'Astier; Les Douze, von Alex. Bloch. — Bilder u. a. im Luxembourg-Mus. in Paris (Alte Bretonin), im Russ. Mus. in Leningrad u. in der Staatl. Tretjakoff-Gal. in Moskau.

Lit.: Joseph, I. — Bénézit, [2] I. — Umanskij, p. 19, 28, 41, 42. — J. A., St. Peterbg 1923. Mit Aufsätzen von E. Samjatin, M. Kusmin u. M. Babentschikoff. — Meister der zeitgenöss. graph. Künste (russ.), Moskau 1928, hg. von W. Polonskij, Bd I (M. W. Babentschikoff). — Mallett. — P. Courthion, G. A., Paris 1931, m. 32 Tafeln. — Ssredi Kollekzioneroff, 1922, Heft 4 p. 58; H. 7 p. 82; 1923, Heft 1 p. 39, 49; H. 3 p. 45f.; H. 7 p. 45. — Cahiers de Belgique, 1930 p. 253/57, m. 5 Abbn. — La Renaiss. de l'Art franç. etc., 7 (1924) 535 (Abbn), 539 (Abbn), 545f. — D. Cicerone, 15 (1923) 236, 1139 (Abb.), 1159. — D. Kstwanderer, 1929/30, p. 294. — Art et Décor., 1934 p. 211/18, m. 14 Abbn. — Die Graph. Kste (Wien), 55 (1932) 10.

Anner, Emil, schweiz. Maler (Öl, Aquar., Tempera) u. Rad., * 23. 3. 1870 Baden b. Zürich, † 6. 2. 1925 Brugg.

Stud. an den Akad. Zürich, Genf u. München (Meisterschüler von J. L. Raab). Seit 1901 in Brugg. Hauptsächl. Landschafter. Hinterließ gegen 300 Rad., darunter ca. 100 Exlibris. Gedächtn.-Ausst. imKsthaus Zürich Frühjahr 1926 (Kat. mit vollst. Œuvre-Verz. s. Graphiken, mit Vorw. von Wartmann).

Lit.: Th.-B., I (1907). — Rhaue, p. 32. — Dreßler. — D. Cicerone, 17 (1925) 231; 18 (1926) 501. — Exlibris, 27 (1917) 37, 55/62. — D. Graph. Kabinett (Winterthur), 1918 p. 29. — D. Kst, 37 (1917/18) 322/28, m. Abbn. — D. Ksthaus, 1911, II. 2, p. 2; 1916, H. 9, p. 1; H. 10, p. 3; 1917, H. 3, p. 3. — D. Schweiz 1906 p. 469, m. Abbn; 1907 p. 88ff., m. Abbn; 1908, p. 409ff., 418; 1910 p. 324 (Abb.); 1913, p. 292, m. Abb.; 1914, p. 155, m. 3 Abbn. — Schweiz. Blätter f. Exlibris-Sammler, 3 Nr 2, p. 47, Nr 3, p. 49ff., m. Abbn. — Schweizer. Kst, 1 (1929/30) 13. — Schweizerland, 1 (1914/15) 44, m. Abb., 65, m. Abb.; 2 (1915/16) 381, 418; 5 (1918/19) 361ff., m. Abb. — N. Zürcher Zeitg, 30. 5. 1926. — Zeitschr. f. Bücherfreunde, N. F. 11/I (1919) 112f., m. Abb.

Annigoni, Pietro, ital. Maler (Öl u. Aquar.), Zeichner u. Rad., * 7. 6. 1910 Mailand, ansässig in Florenz.

Schüler von Carena, Graziosi u. Celestini. Beschickte u. a. die Ausst. der Roy. Acad. u. der Roy. Soc. of Portrait Painters in London. Mitglied der St. Lukas-Akad. in Rom u. der Accad. Cherubini in Florenz. Bild in der Gall. d'Arte mod. in Florenz. Einige Zeichnungen im Kupferst.-Kab. der Uffizien. Illustr. (Rad.) u. a. zu Redi, „Bacco in Toscana" (Flor. 1939), „Distruzioni a Firenze" (1944) u. Boccaccio's „Il Ninfale fiesolano".

Lit.: A. (Monogr.), Flor. 1945. — P. A. (Monogr.), Flor. 1947. — 115 acquef. orig. di P. A. racc. in vol. con prefaz. di R. Simi, 1936. — Bénézit, [2] I (1948). — Dedalo, 13 (1933) 63, 64 (Abb.). — Corriere d. Sera, v. 23. 12. 1932. — L'Ambrosiano, Dez. 1936. — Emporium, 81 (1935) 249f., m. Abb.; 85 (1937) 163, 164 (Abb.); 89 (1939) 337 (Abb.); 91 (1940) 75/80; 93 (1941) 96; 95 (1942) 171 (Abb.), 172. — La Nuova Italia (Flor.), v. 20. 6. 1935. — Arte Mediterranea (Flor.), Mai/Juni 1949. — G. De Chirico, Memorie della mia vita, Rom 1945, p. 247f. — Sodalizio (Bologna), Mai 1948. — L. Servolini, Diz. d. Incisori ital. mod. e contemp., 1952. — Kat. d. VI Quadriennele Naz. d' Arte di Roma, 1951/52, m. Abb.

L. Servolini.

Annoni, Ambrogio, ital. Architekt u. Fachschriftst., * 14. 8. 1882 Mailand, ansässig ebda.

Prof. für Architektur am Polytechnikum in Mailand. Führte zahlr. Restaurierungen aus (u. a. Pal. d. Podestà u. Broletto in Pavia u. Kirche S. Giov. Evangelista in Ravenna). Illustr. viele seiner Schriften selbst, so: Le chiese di Pavia, Mail. 1913; Dell'edificio bramantesco di S. Maria alla Fontana in Milano, Mail. 1914; L'edificio quattrocentesco della Bicocca presso Milano, 1922; La tomba del poeta e il recinto Dantesco in Ravenna, 1924; La rinascita del Broletto di Pavia, 1928; Notizie e idee per la stor. d. Basilica di Galliano, 1935.

Lit.: Chi è?, 1940.

Annot s. *Jacobi*, Annot.

Annua, Augusts, lett. Maler (Prof.), * 1893 Liepaja, ansässig in Eßlingen a. N.

Stud. in Petersburg (Leningrad), dann an d. Kstakad. in Riga bei J. R. Tilbergs; Prof. an ders. Figürliches, Bildnisse, Landschaften. Mitgl. der Kstlervereinig. „SADARBS". Stellte auf der lett. Ausstellg im Pariser Musée du Jeu de Paume 1939 aus.

Lit.: J. Veselis, A. A. (Lett. Kst, 27), Riga 1944. — Kat. d. Ausst. Lett. Kst in d. Fremde, Schaezler-Palais Augsburg, Juni 1948. — Apollo (London), 29 (1939) 315, m. Abb. — Beaux-Arts, Nr 133 v. 19. 7. 1935, p. 4, m. Abb.; Nr 317 v. 27. 1. 1939 p. 1.

Anquetin, Louis, franz. Maler, Graph. u.

Entwurfzeichner für Tapisserie, * 26. 1. 1861 Etrepagny (Eure), † 1932 Paris.

Schüler von Cormon, arbeitete dann bei Claude Monet in Vétheuil, näherte sich vorübergehend den Neo-Impressionisten (Signac, Seurat), kam nach seiner Niederlassung in Paris durch Émile Bernard in Berührung mit Van Gogh, der koloristisch Einfluß auf ihn gewann. Seine eigentlichen Vorbilder aber waren Rubens u. Delacroix, deren festlicher Dekoration er nachstrebte. So entstanden reich bewegte, umfangreiche Figurenkompositionen (Der Kampf, Der Sieg, La Bourgogne, Mars u. Venus, Rinaldo u. Armida usw.), die z. T. als Kartons für Tapisserien, z. T. als Wand- u. Deckenbilder ausgeführt wurden. Daneben entstanden einige Bildnisse (u. a. ein gezeichnetes Kopfbildn. Verlaine's), Landschaften, Straßenszenen u. Stilleben und wenige Lithogr. Der Hauptteil seines Werkes befindet sich im Besitz der Witwe. 4 Bilder im Luxembourg-Mus. in Paris. Weitere Bilder in der Tate Gall. in London u. im Mus. in La Rochelle.

Lit.: Th.-B., I (1907). — Joseph, I, m. 3 Abbn. — Bénézit, [2] I (1948). — L'Art et les Artistes, N. S., 8 (1923) 31, 33 (Abb.); 11 (1925) 349, 351 (Abb.). — La Renaiss. de l'Art franç., 8 (1925) 250f. — Art et Décor., 61 (1932): Les Echos d'Art, Okt.-Heft, p. X. — Revue de l'Art, 62 (1932), Bull. p. 315. — Mercure de France, 239 (1932) 590/607. — The Connoisseur, 108 (1941) 165. — The Studio, 124 (1942) 14; 131 (1946) 163 (Abb.). — The Art News Annual, 20 (1950) 84 (Abb.), 85.

Anreiter, Hans, steiermärk. Bildhauer u. Maler, * 7. 2. 1884, ansässig in München.

Stud. in Graz, Wien u. München.

Lit.: Dreßler.

Anrep, Boris, russ. Mosaikkünstler, ansässig in London.

Stud. zuerst die Rechte an der Universität St. Petersburg (Leningrad), ging dann, angeregt durch die byzantin. Kunst, zum Studium der Mosaikkunst über, die er in Rußland, im Nahen Osten u. in Italien kennenlernte. Arbeitete dann in Paris u. an d. Kunstschule in Edinburgh, ließ sich darauf in London nieder. Ging von der byzantin. Tradition aus: Mosaiken in d. Memorial Chapel des Roy. Military College in Sandhurst, mit Darst. des Christus militans (1921); Kolossalmosaik für die Westminster-Kathedrale, mit Darst. des letzten irischen Märtyrers Oliver Plunkett (1924); Dekoration der Apsis von General Stirling's Privatkap. in Keir (1926). Kam dann zu ganz aktuellen profanen Themen: Mosaiken (10 Momente aus dem Tage einer vornehmen Dame) in der Diele des Hauses Mr. William Jowitts, im Blake Room der Londoner Tate Gall. (1923; Illustr. zu Wm. Blakes „Proverbs of Hell") und Wandschmuck der West- u. Ostpodeste des Treppenhauses der Lond. Nat. Gallery (1927, Die Arbeiten des Lebens; 1929, Die Freuden des Lebens), wo auch das Fußbodenmosaik im linken Flügel der Eingangshalle (Allegorien der Künste u. Wissensch.) von ihm herrührt.

Lit.: Artwork, 5 (1929) 22/33. — Apollo (London), 9 (1929) 158/61. — The Burlington Mag., 38 (1921) 147 (Abb.), 149; 55 (1929), Beibl. p. LXIX. — The Studio, 99 (1930) 128/35, m. 5 (dar. 1 farb.) Taf.-Abbn; 109 (1935) 279 (ganzseit. farb. Abb.).

Anrooy, Anton van, holl.-engl. Maler (Öl, Aquar., Pastell) u. Illustr., * 11. 1. 1870 Zaltbommel, ansässig in London. Naturalisierter Engländer.

Schüler von Tetar van Elven, A. Le Comte u. (1893–96) von Fr. Jansen an der Haager Akad. Seit 1896 in London, 1901/04 in Noorden tätig. Bildnisse, Interieurs.

Lit.: Plasschaert. — Waay. — Who's Who in Art, [2] 1929 p. 467. — Meded. v. d. Dienst v. Ksten en Wetensch., 3 (1933/34) 116. — Persoonlijkheden, m. Fotobildn.

Anrooy, Jan Adriaan Marie van, holl. Landsch.-, Blumen- u. Stillebenmaler, * 20. 7. 1901 Zaltbommel, ansässig in Deil b. Geldermalsen an d. Linge.

Schüler von P. Slager u. Huib Luns u. von Löffler an der Wiener Kstgewerbeschule. Bereiste Italien u. den Balkan. Ließ sich 1927 in Zoutelande, später in Elst b. Rhenen nieder.

Lit.: Waay.

Ansell, William, engl. Architekt u. Rad., * 23. 11. 1872 Nottingham, ansässig in London.

Hauptbauten Butchers' Charitable Inst. in Houslow; Hauptbüro der Nat. Deposit. Friendly Soc. in London, Queen Sq.; Rekonvaleszentenhaus in St. Margaret's Bay, Kent; Hospital in Sevenoaks; Wesleyan-Kirche in Westbury; Landhaus „Knappe Cross" bei Exmouth.

Lit.: Who's Who in Art, [3] 1934. — The Studio, 46 (1909) 211f.

Ansingh, Elisabeth, gen. *Lizzy*, holl. Malerin u. Lithogr., * 13. 3. 1875 Utrecht, ansässig in Amsterdam.

Schülerin von Dake, v. d. Waay u. Allebé an der Amsterd. Akad., von ihrer Tante Therese Schwartze, 1893/97 von Coba Ritsema u. Nelly Bodenheim an der Akad. in A'dam. Figürliches (Puppenbilder grotesken od. karikierenden Charakters), Bildnisse, Blumenstükke, Landschaften mit Weidevieh. Bilder in den Museen Dordrecht u. Utrecht u. in der Gall. d'arte mod. in Rom.

Lit.: Plasschaert. — Wie is dat?, 's-Gravenhage 1935. — Niehaus, m. Abb. p. 117. — Waay. — Joseph. — Hall, Nrn 6939/6949. — Waller. — Maandbl. v. beeld. Ksten, 1 (1924) 95ff., m. Abbn, 119, 151, 179, 180, 182; 3 (1926) 28, 187, 188, 350; 5 (1928) 24, m. Abb., 254, m. Abb., 355; 8 (1931) 153; 9 (1932) 150; 12 (1935) 124, 220, m. Abb.; 13 (1936) 351f., m. Abb.; 22 (1946) 21, m. Abb. — Onze Kunst, 27 (1915) 145/56, m. 5 Abbn u. 2 Tafeln. — Verslagen 's Rijks Verzamel. van Gesch. en Kst, 1947 p. 28, Taf.-Abb. geg. p. 27. — Calker, p. 239ff., m. Fotobildn., 2 Abbn u. Taf. I. — Persoonlijkheden, m. Fotobildn.

Anson, Minnie Walters, verehel. *Adams*, engl. Bildnisiniatur- u. Blumenmalerin, * 20. 2. 1875 London, ansässig ebda.

Stud. an der Lambeth School of Art.

Lit.: Graves, I — Bénézit, [2] I (1948). — Who's Who in Art, [3] 1934. — Art Index (New York), Okt. 1945/Sept. 1946.

Anson, Peter Frederick, engl. Landschaftsmaler (Aquar.), Bildniszeichner u. Zeichner für Reisewerke, * 22. 8. 1889 Portsmouth, ansässig in London.

Zeichngn zu: A Medley of Memoirs (1920), Pilgrims' Guide to Franciscan Italy (1926), Mariners of Brittany, zu Anth. Rowe's The Brown Caravan, usw.

Lit.: Who's Who in Art, [3] 1934. — Apollo (London), 11 (1930) 461; 13 (1931) 390; 22 (1935) 173. — Art Index (New York), Okt. 1941/Okt. 1949.

Anspach, Henri, belg. Figuren- u. Landschaftsmaler, * 1882 Brüssel.

Schüler von Léon Frédéric. Im Mus. Lüttich: Die Erdarbeiter.

Lit.: Seyn, I. — Bénézit, [2] I (1948).

Antal, József, ungar. Landschaftsmaler, * 1887 Devecser (Kom. Veszprém).

Stud. an der Musterzeichensch. in Budapest u. in Nagybánya, 1907 in Italien.
Lit.: Szendrei-Szentiványi.

Antal, Károly, ungar. Bildhauer, * 1909.
Lit.: Kat. „Ausst. Ung. Kst", Dtsche Akad. d. Kste, Berlin Okt./Nov. 1951 p. 29.

Antal, Sándor, ungar. Bildhauer u. Schriftst., * 28. 11. 1882 Großwardein (Nagyvárad).
Zuerst Jurist u. Philosoph. Seit 1903 Bildh. Schüler von E. Telcs in Budapest u. Chr. Ericsson in Stockholm.
Lit.: Szendrei-Szentiványi.

Antcher, Isaac, rumän. Maler, * Peresicina (Beßarabien), ansässig in Paris.
Beschickt seit 1927 den Salon des Tuileries. Landschaften, Figürliches.
Lit.: Bénézit, [2] I (1948).

Antek, Josef, tschech. Bildhauer und -schnitzer, * 30. 11. 1911 Rajnochowice (Mähren)
Stud. an d. Kstgewerbesch. u. Akad. in Prag (B. Kafka). Studienreisen in Italien u. Griechenland. In d. Prager Nat.-Gal.: Reifen (Marmor, 1936); Magdalena (Gips, 1940); Mädchen mit Früchten (Terrakotta, 1941). Bildnisbüsten.
Lit.: Toman, I 22. *Blž.*

Antequera Azpiri, Pedro, span. Karikaturen- u. Kostümzeichner u. Maler, ansässig in Madrid.
Erhielt 1912 den 2. Preis in einem von der Zeitung „El Impascial" veranstalteten Karikaturen-Wettbewerb. Kollektiv-Ausst. 1913 im Círculo Maurista, 1915 im Salón Delclaux in Madrid.
Lit.: Francés, 1915 p. 228; 1916 p. 165f., m. Abb.

Antes, Adam, dtsch. Bildhauer, * 1891 Worms, ansässig in Darmstadt.
Stud. nach handwerkl. Ausbildung (1905/08) bei D. Greiner in Jugenheim a. d. B. (1910/13), seit 1914 in München, angeregt von Rodin, Hoetger u. Lehmbruck. Bildnis- u. Ausdrucksköpfe, Akte, Bauplastik. Entwickelt seinen Stil von bewegt-zerrissener Oberfläche (Kopf Kasimir Edschmid, Lutherkopf) zu streng geschlossener, weicher Form (Sehnsucht; Stehende Betende [beide im Mus. in Essen]; Weibl. Marmortorso [Städt. Mus. in Wuppertal]; Schlaf [Landesmus. Darmstadt]); Goethemaske (Heilshof in Worms); Luther (Ev. Gemeindehaus Worms); Majolikarelief zu e. Kamin mit 3 weibl. Akten, ausgef. von Villeroy & Boch, Dresden; Portalgiebelrelief u. Portalfiguren für die Vereinsbank in Darmstadt.
Lit.: Apollo (London), 10 (1929) 152/56, m. 6 Abbn. — Die Kst, 50 (1923/24) 36f. (Abbn); 59 (1928/29) 6, m. Abbn bis p. 10. — Dtsche Kst u. Dekor., 39 (1916–17) Abb. geg. p. 432; 44 (1918/19) 188, 206 (Abb.); 45 (1919/20) 138, 148 (Abb.); 49 (1921/22) 262 (Abb.), 265; 57 (1925/26) 271/76, m. Abbn bis p. 278; 60 (1927) 321 (Abb.). — Oberrhein. Kst, 3 (1928) Beibl. p. 4. — D. Rheinlande, 19 (1919) 185/88, m. 9 Abbn. — Volk u. Scholle, 8 (1930) 9/15, m. 7 Abbn. — The Studio, 91 (1926) 414, m. Abb. — Velhagen & Klasings Monatsh., 46/II (1931/32) Taf.-Abb. geg. p. 112/13, 190.

Anteunis, Jan, belg. Bildhauer, * 1896 Gent.
Lit.: Seyn, I.

Anthone, Gustave, belg. Landsch.-, Interieur- u. Stillebenmaler, * 1897 Brügge, † 1925 ebda.
Schüler der Brügger Akad. unter Fl. van Acker, weitergebildet in Brüssel u. Antwerpen. Im Mus. Brügge: Maler-Dachstube.
Lit.: Seyn, I.

Antino, Nicola d', ital. Bildhauer, * 31.10. 1880 Caramanico (Pescara), lebt in Rom.
Gefallenendenkmal in Aquila; Statuen auf dem Ponte Littorio in Pescara; Denkmal F. P. Michetti in Francavilla. Kleinplastiken (Bronze, Silbertreibarbeit): Akte, Büsten. In der Gall. d'Arte Mod. in Rom: Windspiel (Bronze).
Lit.: Chi è?, 1940. — Vita d'Arte, 15 (1916) 44/48, m. 8 Abbn. — Emporium, 35 (1912) 229f.; 36 (1913) 78 (Abb.), 79; 50 (1919) 48, m. Abb.; 71 (1930) 335 (Abb.). — L'Arte, 13 (1910) 308.

Antlers, Max, dtsch. Innenarchitekt, Maler u. Gebrauchsgraph., * 2. 5. 1871 Berlin, ansässig ebda, sommers in Bad Reichenhall.
Stud. an d. Unterrichtsanstalt des Kstgewerbemus. u. an d. Akad. Berlin, weitergebildet in New York, Rom u. London.
Lit.: Dreßler.

Antoine, Charles, franz. Bildhauer, * 17. 1. 1876 Constantine, ansässig in Paris.
Schüler von Boucher u. Barrias.
Lit.: Joseph, I. — Bénézit, [2] I (1948).

Antoine, Paul Amable, franz. Lithograph, * 11. 7. 1876 Vichy (Allier), ansässig in Paris.
Schüler von Lucien Jonas u. Alex. Leleu. Stellte 1927ff. im Salon der Soc. d. Art. Franç. aus. Arbeitete teils nach eigenen, teils nach fremden Vorlagen.
Lit.: Joseph, I.

Antonescu, Petre, rumän. Architekt, * 1874, ansässig in Bukarest.
Rektor der Architektur-Akad. in Bukarest. Mitgl. der Rumän. Akad. u. der Lukas-Akad. in Rom. Pionier der Renaissance-Bewegung in der neueren rumän. Architektur. — Ministerium der Öff. Angelegenheiten, Stadthaus, Institut f. Universalgesch., Marmorsch-Bank, sämtlich in Bukarest; Accad. di Romania in Rom. — Buchwerke: Hist. de l'Architect. religieuse roumaine; Renasterea Architecturei Romanesti.
Lit.: Oprescu, 1935, m. Abb. — The Internat. Who's Who, [8] 1943/44. — Architecture d'aujourdhui, 1937 p. 25/28, m. 8 Abbn.

Antoni, Louis Ferdinand, franz. Genre- u. Bildnismaler, * Algier, ansässig ebda. Gatte der Marie Gautier.
Seit 1908 Associé, seit 1922 Mitgl. der Soc. Nat. d. B.-Arts, beschickte deren Salon bis 1937. Mehrere Arbeiten im Mus. in Algier.
Lit.: Bénézit, [2] I (1948). — Art et Décor., 23 (1908) 144. — Gaz. d. B.-Arts, 1920/I p. 333, m. Abb.

Antoniacomi, Fritz, tirol. Maler, * 2. 11. 1880 Bozen, ansässig in Innsbruck.
Schüler von Alfons Siber in Hall i. T. u. der Wiener Akad. Mitgl. der Kstlerbünde „Erde" u. „TYROL". — Bildnisse, Landschaften, Blumenstücke.
Lit.: Innsbr. Nachr., 1933 Nr 261; 1942 Nr 157; 1944 Nr 159. — Tir. Anz., 1933 Nr 267. — Bergland (Innsbr.), 1938 Nr 3. *J. R.*

Antonio, Cyrillo dell', tirol. Bildhauer u. Medailleur u. Fachschriftst., * 27. 10. 1876 Moena (Fassatal, Südtirol), ansässig ebda.
Stud. an d. Fachsch. f. Holzschnitzerei in Gröden. Seit 1904 in Bad Warmbrunn i. Schlesien Fachlehrer, 1922/40 Direktor d. Holzschnitzsch. ebda. 1914/18 in Brüssel bei der Verwaltung d. Kriegerfriedhöfe. Nach dem Zusammenbruch 1945 vorübergehend in Zell a. Ziller, seit 1946 Fachlehrer in Moena. Hervorragender Techniker (volkstüml. Kleinplastiken, Heiligenstatuetten, Weihnachtskrippen, Grabkreuze, Kriegererinnerungszeichen, Wegweiser usw.). Auch Porträtbüsten (Generäle v. Bissing, Kluck, Falken-

hausen, Dichter G. Hauptmann, H. Stehr, W. Bölsche). Im Kstgewerbemus. Breslau eine Madonnenstatue. — Buchwerk: Die Kunst des Holzschnitzers, [2] Ravensburg 1919. Aufsätze in: D. Kstwelt, 1913/14, Die Plastik, Febr. 1914, u. D. Wanderer im Riesengeb. (Breslau), 47 (1927), H. 11; 56 (1936) 187.

Lit.: Sperling, m. 5 Abbn. — Gerola, m. 4 Abbn. — Daheim, 64. Jg, Nr 39 v. 23. 6. 1928. — D. Kstwelt, Jg 3 (1913/14) 199ff., m. Abbn. — Kstgewerbebl., N. F. 25 (1914) 229/31, m. 12 Abbn. — Die Christl. Kst, 11 (1914/15) 188ff. (Abbn); 14 (1917/18) 111 (Abb.); 26 (1929/30) 73/81, 84, 85, 86, 87. — Die Plastik, 2 (1912) 94f., Taf. 99, 100; 4 (1914) 9ff., m. Abbn u. Taf. 18/21; 8 (1919) 65ff., Taf. 82/89. — D. Kstschule, 7 (1924) 58f., 146ff., 202ff., — Bergstadt, 11 (1926/27) 267/76. — Arte cristiana (Mailand), 1928 p. 199/209; 1929 p. 91; 1930 p. 87/89. — Avvenire d'Italia, 1928 Nr 285. — Bote aus d. Riesengeb., Nr v. 13. 4. 1929 u. v. 20. 9. 1929. — The Studio, 91 (1926) 134/36, m. 10 Abbn. — Revue mod. ill. d. arts et de la vie, 29 (1929) Nr 19, p. 26/28, m. 3 Abbn. — Velhagen & Klasings Monatsh., 46/II (1931/32) 478, m. Abb.; 48/I (1933/34) 449, m. Abb. — Kat. Ausst. Niederschles. Kst, Berlin, Schloß Schönhausen, Okt.-Nov. 1942, m. Abb. *J. R.*

Antonio, Juan, argent. Holzschneider.

Lit.: Xilogr. de J. A. 86 Taf. m. Titel, Buenos Aires, Convivio, 1939.

Antonio, Julio, spanischer Bildhauer, * 1890 (1889?) Mora de Ebro, † 1919 Madrid.

Wuchs in Tarragona auf, stud. in Barcelona. Beeinflußt von Rodin. Ließ sich 1907 in Madrid nieder. Durchwanderte ganz Kastilien, Volksstudien aufnehmend, aus denen die Folge der „Büsten der Rasse" (Bronze) entstand. Als seine Hauptwerke hat dieser früh verstorbene, zu hohen Hoffnungen berechtigende Künstler ein Denkmal für die gefallenen Helden der Unabhängigkeit in Tarragona, ein Denkmal für den Komponisten Ruperto Chapi in El Retiro in Madrid und — als seine letzte Arbeit — ein Grabmal für einen Knaben aus der Familie Lemonier hinterlassen. Im Mus. de Arte Mod. in Madrid ist seiner Kunst ein ganzer Saal mit ca. 20 Bronzen eingeräumt, darunter die gen. Folge: Die Rasse. Sein Denkmal (Büste von Enr. Salazar) im Garten vor dem Bibliothek- u. Museumsgebäude in Madrid.

Lit.: R. Pérez de Ayala, J. A. (Monogr. de Arte), Madrid 1920, 17 Ss. m. 26 Taf. — J. de la Encina, J. A. (Coll. popular de Arte), Madrid 1920, 53 Ss. m. 14 Abbn. — Michel, 8 (1926) 814, m. 2 Abbn. — Francés, 1918 p. 130 (Abb.), 131/35; 1919 p. 34 (Abb.), 37f. (Abbn), 41 (Abb.), 42/47, m. 2 Abbn, 65–69, m. Bildnis; 1920 p. 365 (Abb.); 1922 p. 157, Taf. 27 — Bénézit, [2] I (1948) — L'Art et les Artistes, Nouv. sér. 4 (1921/22) 125f.; 5 (1922) 287; 16 (recte 17), 1928 p. 309/12, m. 5 Abbn u. Taf. — Museum (Barcelona), 6 (1918/25) 156. — Vell i Nou (Barcelona, 5 (1919) 89f., Abbn p. 84ff. — La Renaiss. de l'Art franç., 4 (1921) 657f., m. Abb. — Gaz. d. B.-Arts, 1923/II 99/106, m. 9 Abbn.

Antonio, Pedro, span. Bildnismaler, * Pulpi (Almería), ansässig in Madrid.

Schüler von López Mezquita. 2. Med. in den Expos. Nac. 1924. Im Mus. de Arte Mod. in Madrid: 2 Kstler.

Lit.: Francés, 1923/24, Taf. 30; 1925/26, p. 183–86, Taf. 36. — Kat. d. Internat. Exhib. of Paint. Carnegie Inst. Pittsburgh, 1925.

Antonov, Waltscho, bulgar. Genre-, Bildnis- u. Landschaftsmaler, * 21. 11. 1871 Kozludja, Bez. Warna, ansässig in Philippopoli.

Stud. in München bei Liezen-Mayer.

Lit.: Th.-B., 2 (1908). — Bénézit, [2] 1 (1948). — The Studio, 109 (1935) 127 (Abb.).

Antonsson, Oscar, schwed. Bildhauer u. Kunstschriftst., * 31. 1. 1898 Lund, lebt in Stocksund.

Stud. in Dänemark, Deutschland, Holland, Belgien, Frankreich, Spanien u. Italien. Seit 1930 wieder in Schweden. Schmuckbrunnen in Ystad; Portalrelief der Marienkirche ebda.

Lit.: Vem är det?, 1935. — Thomœus. — Kunst og Kultur, 19 (1933) 91, m. Abb. — Konstrevy, 1937, H. 1 p. 31 (Abb.).

Antony de Witt, Antonio, ital. Holzschneider, Rad. u. Maler (Dilettant), * 22. 2. 1876 Livorno.

Autodidakt, beraten von Giov. Pascoli. Bereiste Afrika u. Südamerika. Eine Landschaft in der Gall. Naz. d'Arte Mod. in Rom.

Lit.: Comanducci. — Kat. d. VI Quadriennale Rom 1951/52, m. Abb. — Emporium, 40 (1914) 273, 276 (Abb.). — Vita d'Arte, 14 (1915) 35, m. Abb.

Antoš, Václav, tschech. Bildhauer u. Landschaftsmaler, * 1. 12. 1878 Chomutičky, † 8. 11. 1938 Prag.

Stud. an der Bildhauersch. in Hořice u. an d. Kstgewerbesch. u. Akad. in Prag (J. V. Myslbek). Arbeitete im Atelier Myslbeks am St. Wenzeslaus-Denkmal in Prag. Statuetten des Jan Hus u. der Schriftst. Božena Němcová wurden als Prämien d. Kstlervereinigung „Mánes" verbreitet. Gedächtnis-Ausst. in Prag (S. V. U. Mánes) 1939 (Kat.).

Lit.: Volné směry (Prag), 35 (1938/39) 139f. — Toman, I 23. *Blž.*

Antral, Robert, franz. Maler (Öl, Pastell, Aquar.) u. Graph., * 13. 7. 1895 Châlons-sur-Marne, † Juni 1939 Paris.

Schüler von Cormon. Malte hauptsächl. Landschaften, Straßenansichten (Paris, Sceaux, Brest) u. Hafenansichten (Toulon, Venedig), daneben Bildnisse u. Figürliches. Beeinflußt von den Japanern. Mitglied des Salon d'Automne, stellte auch bei den Indépendants aus. Bilder im Luxembourg-Mus. in Paris, in den Museen in Châlons, Dünkirchen, La Rochelle, Le Havre, Nantes u. im Musée de la guerre in Vincennes. — Illustr. zu: Marc Elder „Le Pays de Retz", zu Gabr. Reuillard „La Fille", zu Alfr. Machard „Titine", zu Pierre Marc-Orlan „Huis-Clos", zu Henry Jacques „Jean François de Nantes" u. „Peau-de-Souris".

Lit.: Joseph, I. — Bénézit, [2] I (1948), Taf. 7. — Beaux-Arts, 4 (1926) 14, m. Abb. — M. Elder et Henry-Jacques, A., Paris 1927, m. 38 Abbn. — Revue de l'Art anc. et mod., 56 (1929) 256 (Abb.); 57 (1930) 209 (Abb.), 210. — L'Art et les Artistes, 24 (1932) 195/200, m. 6 Abbn. — Art et Décor., 62 (1933): Les Echos d'Art, Mai-Heft p. VII, X (Abb.). — Bull. de l'Art, 66 (1934) 397 (Abb.), 398. — L'Amour de l'Art, 1934 p. 299ff. passim. — Beaux-Arts, 1935 Nr 123 p. 8, m. Abb.; 75e année, Nr 270 v. 4. 3. 1938, p. 2 (Abb.); Nr 275 v. 8. 4. 38 p. 4; Nr 306 v. 11. 11. 38 p. 1 (Abb.); 76e année, Nr 324 v. 17. 3. 39 p. 7 (Abb.), Nr 332 v. 12. 5. 39 p. 4, m. Abb., Nr 337 v. 16. 6. 1939, p. 1 (Nachruf), 3 (Abb.).

Antrobus, Phyllis Mary, engl. Aquarellmalerin u. Federzeichnerin, * 24. 10. 1905 Great Malvern, ansässig in Liverpool.

Lit.: Who's Who in Art, [3] 1934.

Anttila, Eva, finn. Textilkünstlerin, * 30. 3. 1894 Tammerfors (Tampere), ansässig in Helsinki.

In 1. Ehe verheir. mit dem Maler Alex. Paischeff, in 2. Ehe mit dem Archit. Arttu Brummer-Korvenikonto.

Lit.: Vem och Vad?, Helsingf. 1936.

Antunes, João, portug. Architekt, Archäologe u. Bibliophile, * 1897 Lissabon, ansässig ebda.

Stud. an d. Kunstsch. in Lissabon. Stadtarchit. ebda. Stellte das Gimnase-Theater wieder her. Nachfolger G. Van Krichens in der Leitung der Bauarbeiten der Kirche N. Senhôra de Fátima.

Lit.: Gr. Encicl. Port. e Brasil., II 892. — Quem é Alguem, 1947 p. 75.

Ányos, Viola, ungar. Blumen- u. Stilllebenmalerin, * 1872 Merczyfalva (Kom. Temes), ansässig in Lippa.

Stud. in Arad bei Fr. Balló, in Budapest bei L. Deak-Ebner u. in München bei Hóllosy.

Lit.: Szendrei-Szentiványi.

Aoyama, Yoshio, jap. Maler, * 1894 Tōkyō, ansässig in Paris.

Beschickte 1922, 28 u. 34 den Salon d'Automne, 1928/30 auch den Salon des Indépendants in Paris.

Lit.: Joseph, I. — Bénézit, [2] I (1948).

Apa. Pseudonym des katal. Malers u. Zeichners Félix Elias Bracons, * Barcelona, ansässig in Paris.

Zeichnete hauptsächlich für d. Zeitschr. „Iberia". Deutschfeindliche Karikaturen während des 1. Weltkrieges.

Lit.: Francés, 1916 p. 23 (Abb.), 32, 91f., m. 2 Abbn; 1917 p. 87/91, 92 (Fotobildnis), 97 (Abb.), 103 (Abb.), 107 (Abb.). — Gaz. d. B.-Arts, 1921/II p. 170, m. Abb.

Apartis, Athanase, griech. Figuren- u. Porträtbildhauer, * Smyrna, ansässig in Paris.

Stellt bei den Indépendants u. 1923ff. im Salon des Tuileries aus. Hauptsächl. Kleinbronzen (Athlet, Eva, Diskuswerfer) u. Porträtbüsten (Venizelos).

Lit.: Joseph, I. — Bénézit, [2] I (1948). — Salon-Kat. — Kat. d. Exp. d'un groupe d'Art. hellènes de Paris, Gal. Ch. Brunner, Paris 1926.

Apáti, Sándor, s. *Abt,* Sándor.

Apel, Marie, engl.-amer. Bildhauerin, * 1888 in England, ansässig in New York.

Denkmäler: Langdon in Augusta, Ga., u. Hodges in St. Paul's in Baltimore, Md.

Lit.: Fielding. — Bénézit, [2] I (1948).

Apeldoorn, Gerard Wilh. Joh. van, holl. Maler, * 14. 6. 1885 Zwolle, ansässig in Zeist.

Schüler von J. Middeleer in Brügge u. von A. Jamar in Brüssel. Straßenansichten.

Lit.: Waay.

Apol, Armand, belg. Landschaftsmaler, Rad. u. Lithogr., * 1879 Saint-Gilles-lez-Bruxelles.

Schüler der Brüsseler Akad. Kollektiv-Ausst. in d. Gal. Moos in Genf, März 1918 (Kat.). Aquar. Zeichnung: Abmarsch zur Arbeit, im Mus. in Genf.

Lit.: Seyn, I. — Bénézit, [2] I (1948). — W. Ritter, A. A. en Suisse, Genf 1919. — A. A. Dix paysages de Provence, Brüssel 1929. — D. Ksthaus (Zürich), 1916, Nr 9 p. 2.

Apol, Pierre, holl. Maler, * 12. 8. 1876 Den Haag.

Tätig in Florenz, Brüssel u. Amsterdam.

Lit.: Plasschaert. — Waay. — Art Digest, 1. 3. 1947 p. 19, m. Abb. — The Art News, 45, März 1947, p 52.

Aponte, Armando d', ital. Genre-, Bildnis- u. Landschaftsmaler, * 24. 6. 1886 Bari.

Schüler der Akad. in Turin u. Bologna.

Lit.: Comanducci, p. 178.

Appel, Fredrik, dän. Architekt, * 18. 8. 1884 Rødding, ansässig in Taastrup.

Stud. an der Techn. Schule in Odense u. an der Akad. in Kopenhagen. Seit 1928 Leiter der Techn. Schule in Taastrup, deren Bau er 1915 erstellte. Weitere Bauten: Gemeindeschule in Taastrup; Ansgarkirche u. Gemeindeschule in Hedehusene; Hans-Tavsen-Kirche in Kopenhagen (zus. mit Kristen Gording); Denkmal für den Grundbesitzer Grut-Hansen auf Kollekolle bei Bagsværd (mit Bildnisrelief von Carl Martin Hansen.

Lit.: Krak's Blaa Bog, 1936. — Vem är Vem i Norden, Stockh. 1941, p. 15.

Appenzeller, Felix, schweiz. Maler, * 1892 St. Gallen, ansässig in Genf.

Schüler von W. Hummel in Zürich, dann von A. Jank in München u. von O. Vautier in Genf. Bildnisse.

Lit.: Reinhart-Fink, p. 75. — D. Kstwanderer, 1922/23, p. 55. — Die Schweiz, 23 (1919) 400, 401 (Abb.), 576. — F. A. Douze Estampes, Genf 1918.

Appenzeller, Heinrich, schweiz. Maler u. Kstgewerbler, * 1891 Zürich-Wollishofen, ansässig in Zürich.

Stud. an d. Kstgewerbesch. in Zürich, seit 1910 weitergebildet in Hamburg. 1911 in München Mitarbeiter der Vereinig. f. angewandte Kst d. Bayer. Gewerbeschau. Seit Anfang 1912 in Zürich. Fassade des Gemeindehauses (1926) in Hünenberg (Kt. Zug). Bemalte Holzdosen.

Lit.: Jenny. — Kstdenkm. d. Schweiz, Kt. Zug, 1934/35, m. Abb. — Schweiz. Bauzeitg, 69, p. 41. — D. Ksthaus (Zürich), 2 (1912) 73, 74 (Abb.). — Kat. Ausst. Ksthaus Zürich 8. 6.–13. 7. 1913, p. 17, 22 (Biogr.). — D. Werk, 8 (1921) 17 (Abb.).

Apperley, Wynne, engl. Figuren-, Architektur- u. Landschaftsmaler (Aquar.), * 17. 6. 1884 Ventnor.

Stud. kurze Zeit an der Herkomer-Schule in Bushey, im übrigen Autodidakt. Anfängl. beeinflußt von den Florentiner Quattrocentisten. Bereiste Spanien u. Nordafrika. 2 Bilder im Vict. a. Albert Mus. London, je 1 Bild im Mus. de Arte Mod. in Madrid u. im Mus. in Buenos Aires. Buchwerk: Victim of the Spanish Festival, Saeta, Flamenca, Andaluza.

Lit.: Th.-B., 2 (1908). — Joseph, 1. — Francés, 1918, p. 347/50. — Who's Who in Art, [3] 1934. — The Studio, 62 (1914) 305f., m. Abb.; 65 (1915) 131; 67 (1916) 251; 85 (1923) 80ff., m. Abbn (Erinnerungen an Granada); 92 (1926) 216, m. farb. Taf. — The Connoisseur, 38 (1914) 65 (Abb.), 67 (Abb.), 68; 42 (1915) 52 (Abb.), 60; 45 (1916) 56 (Abb.), 58, 118 (Abb.), 125; 48 (1917) 55; 51 (1918) 52, 58 (Abb.); 69 (1924) 50, m. Abb. — Apollo (London), 11 (1930) 394, 395 (Abb.); 14 (1931) 337f., m. Abbn.

Appia, Adolphe, schweiz. Graph., Bühnenbildner u. Kunstschriftst., * 1. 9. 1862 Genf, † 29. 2. 1928.

Wirkte reformierend auf die Gestaltung des modernen Bühnenbildes, bes. die Inszenierung der Wagnerschen Musikdramen (Parzival, Nibelungen), worüber er sich auch theoretisch ausgelassen hat („Die Musik u. die Inszenierung") Als vorbildliche Leistung galt seinerzeit die Inszenierung von Glucks „Orpheus" für die Hellerauer Festspiele 1912.

Lit.: H. Bonifas, A. A. Album de repr. de ses œuvres etc., Zürich 1929. — C. Nielsen, Goethes Faust, 1. Teil, als Dichtung dargest., mit 17 unveröff. Zeichnungen von A. A., Bonn 1929. — Apollon (St. Petersburg), 3 (1912) Heft 6 p. 25ff., m. 4 Abbn. — Der Cicerone, 5 (1913) 180. — Die Kunst, 30 (1914) 393, 394. — Bull. de l'Art, 1928 p. 133. — The Studio, 83 (1922) 315. — Die Kst in d. Schweiz, 1929 p. 139f.

Appia (-Dabit), Béatrice, schweiz. Figuren-, Landschafts- u. Stillebenmalerin, * Les Eaux-Vives (Genf), ansässig in Paris.
Mitglied der Soc. d. Art. Indépendants. Stellt seit 1924 auch im Salon des Tuileries u. im Salon d'Automne aus.
Lit.: Joseph I. — Bénézit, [2] I (1948).

Applebee, Frank W., amer. Gebrauchsgraphiker, * 2. 6. 1902 Boston, Mass., ansässig in Auburn, Ala.
Schüler von R. B. Farlum, E. L. Major, Jos. Cowell u. John Sharman.
Lit.: Amer. Art Annual, 30 (1933).

Applebey, Wilfred Crawford, schott. Radierer, Kaltnadelstecher u. Maler (Öl u. Aquar.), * 28. 1. 1889 Dudley, Worcestershire, ansässig in Glasgow.
Stud. an der Kstschule in Glasgow. Im Brit. Mus. London: Bildn. Lord Lister; in d. Nat. Portr. Gall.: Ch. Dickens; in d. Glasgow Corp.: St. Monan's-Kirche; in d. Aberdeen Corp. Art Gall.: Tordurchgang der Univ. Glasgow.
Lit.: Who's Who in Art, [3] 1934. — The Studio, 100 (1930) 407, 408 (ganzseit. Abb.).

Applegate, Frank G., amer. Bildhauer, * 9.2.1882 Atlanta, Ill., † 1931 Santa Fé, N.M.
Schüler von F. F. Frederick, Grafly u. Verlet in Paris.
Lit.: Fielding. — Amer. Art Annual, 20 (1923) 427; 28 (1931), Obituary. — Who's Who in America, 16 (1932/33).

Appleton, Eliza, geb. *Bridgham*, amer. Bildhauerin, * 9. 11. 1882, ansässig in Rumford, R. I.
Schülerin von M. Ezekiel in Rom.
Lit.: Fielding. — Amer. Art Annual, 30 (1933).

Appleyard, Fred, engl. Genre-, Bildnis- u. Landschaftsmaler, * 9. 9. 1874 Middlesbrough, ansässig in Alresford, Hampshire.
Stud. an der Roy. Acad. School in London. Wandmalereien im Hospital in Nottingham u. in d. Kirche in Pickering.
Lit.: Who's Who in Art, [3] 1934.

Aprea, Giuseppe, ital. Genre-, Landschafts- u. Dekorationsmaler, * 19. 1. 1877 (Giannelli: 22. 1. 1876) Neapel, ansässig ebda.
Schüler von Fil. Palizzi u. Dom. Morelli. Seit 1908 Prof. am Ist. di B. Arti in Neapel. — Im Luxembourg-Mus. in Paris: Besuch des Präsidenten Loubet bei dem ital. König in Rom. Weitere Bilder in den Gall. d'Arte Mod. in Neapel u. Mailand und im Mus. del Bardo in Tunis (Bildnis Bey Pascha). In der Kirche in Ravello (Salerno): Seliger Bonaventura. In der Kirche in Frigento (Avelino): Hl. Rochus bei den Pestkranken. In S. Anna di Palazzo in Neapel: Sarazenenschlacht. Im Municipio ebda: Christuskopf. Weitere Bilder in der Carmine Maggiore u. in Spirito Santo in Neapel, in S. Natale in Capodimonte u. in den Museen in Bari u. Rimini.
Lit.: Th.-B., 2 (1908). — Giannelli, m. Fotobildn. — Comanducci. — Chi è?, 1940. — Bénézit, [2] I (1948). — Vita d'arte, 13 (1914) 96, mit 2 Abbn.

Apvril, Edouard d', franz. Genre- u. Bildnismaler, * Grenoble, † 1928.
Stud. an der Akad. in Grenoble. Im dort. Museum eine Interieurszene.
Lit.: Bénézit, [2] I (1948). — Bull. de l'Art anc. et mod., 1928 p. 389.

Apy-Vivès, Charles Joseph, franz. Landschaftsmaler.
Stellte seit 1899 im Salon der Soc. des Art. Franç. in Paris aus.
Lit.: Bénézit, [2] I (1948). — Bull. de l'Art anc. et mod., 1929, p. 450 (Abb.).

Arada, Mario, ital. Genre-, Landschafts- u. Stillebenmaler, * 17. 2. 1894 Vercelli.
Schüler von Ferd. Rossaro in Vercelli u. von Giac. Rosso an der Akad. in Turin.
Lit.: Comanducci.

Aradi-Edvi, Illés, ungar. Maler.
2 Bilder: Hof in Sopron u. Stilleben, waren auf d. Ausst. Ungar. Malerei d. Gegenw., Berlin u. a. O. 1942/43 (Kat).

Aragay Blanchar, José, katal. Maler u. Zeichner, * Barcelona, ansässig ebda.
Lit.: Francés, 1916 p. 16f., m. Abb. — Vell i Nou (Barcelona), Epoca II, vol. I (1920) 116/18. — Athenæum v. 30. 1. 1920, p. 155.

Aragon, Henri, schweiz. Aquarellmaler, * 1909 Vevey, ansässig ebda.
Stud. bei Ch. Gogler u. an der Grande Chaumière in Paris. 1933 in Oberitalien. Hauptsächl. Landschafter.
Lit.: Amweg, I.

Arai, Künstlername *Kampō*, jap. Maler, * 1878 Tochigi, ansässig in Tōkyō.
Lit.: Kat. d. Expos. d'Art jap., Paris, Grand Palais, 1922.

Araki, Teijiro, Künstlername *Juppo* (Jippo), jap. Maler, * Sept. 1876 (1872?) Nagasaki-ken, ansässig in Tōkyō.
Schüler s. Adoptivvaters Kampō Araki (* 1831, † 1915). Bereiste Indien bis Siam. Mitglied der Jury des offiziellen Salon u. der kais. Akad. d. Kste. Geflügel, Blumen, Landschaften.
Lit.: The Who's Who in Japan, [18] 1937. — S. Elisséèv, La Peint. contemp. au Japon, Paris 1923, Abb. 57. — Jap. Malerei d. Gegenw., Würfel-Verl., Berlin-Lankwitz 1931, Nrn 33f., m. 2 Abbn. — Apollo (London), 8 (1928) 91. — The Studio, 71 (1917) 125, m. Abb.; 106 (1933) 316 (Abb.). — Kat. d. Expos. d'Art jap., Paris, Grand Palais, 1922, Nr 3, m. Abb. — Kat. d. Ausst. von Werken leb. jap. Maler, Berlin, Pr. Akad. d. Kste, 1931, Nr 33f., m. Abb.

Aralica, Stojan, serb. Maler, * Škare, ansässig in Paris.
Mitglied der Pariser Soc. d. Art. Indépendants. Stellte 1927 u. 1928 im Pariser Herbstsalon u. bei den Indépendants aus. Landschaften, Stilleben, Akte.
Lit.: Joseph, I. — Bénézit, [2] I (1948).

Arambašić (Arambatchitch), Dragoljub, serb. Bildhauer, ansässig in Paris.
Stellte im Pariser Salon (Soc. d. Art. Franç.) 1914 aus: Herrenlos.
Lit.: Bénézit, [2] I (1948). — Kat. Padiglione delle B. Arti del regno di Serbia, Esposiz. intern., Rom 1911.

Araoz Alfaro, Maria Carmen P. de, argentin. Graphikerin.
Trockennadelarbeiten: Alte Frau aus Totoral; Bauer aus Totoral; Landschaften (Mountain Refuge, Ventana Mountains).
Lit.: The Print Coll.'s Quarterly, 27 (1940) 309/11.

Arapoff, Alexis Pawlowitsch, russ. Maler, * 1904 St. Petersburg (Leningrad), ansässig in den USA.
Stellte 1926ff. im Salon d'Automne, im Salon des Tuileries u. bei den Indépendants in Paris aus. Kollekt.-Ausst. in d. Gal. Manteau ebda 1928. Bildnisse, Figürliches.

Lit.: Bénézit, [2] I. — Mallett. — Beaux-Arts, 4 (1926) 302. — D. Cicerone, 20 (1928) 38. — Liturg. Arts, 16 (1948) 118 (Abb.).

Arata, Francesco, ital. Landschafts- u. Bildnismaler u. Rad., * Okt. 1890 Castelleone.

Schüler von Ces. Tallone an der Brera-Akad. in Mailand.

Lit.: Comanducci, m. Abb. — Emporium, 41 (1915) 183, m. Abb. — Vita d'Arte, 15 (1916) 55.

Arata, Giulio, ital. Architekt u. Fachschriftst., * 25. 8. 1885 Piacenza, ansässig in Mailand.

Hauptbauten: Pal. Berri e Meregalli in Mailand, Ecke via Cappuccini u. via Vivaio; Warmbadeanstalt in Agnano; Museum Ricci-Oddi in Piacenza; Pal. d. Provincia in Ravenna; Torre del Littoriale in Bologna. — Buchwerke: L'Arte rustica in Sardegna, Mail. 1925; L'Architettura arabo-normanna e il Rinascimento in Sicilia, Mail. 1926.

Lit.: Chi è?, 1940. — Vita d'Arte, 10 (1912) 180/82, m. Abb.; 13 (1914) 47/48, m. Abb. — Emporium, 38 (1913) 477/79, m. Abb.

Araujo (Cantos de Sousa Araujo), Renato, portug. Kupferstecher, * 31. 10. 1908 Lissabon, † 14. 3. 1950 ebda.

Schüler von José Armando Pedroso, Pedro Guedes, Leop. de Almeida u. Veloso Salgado. Vertreten im Mus. Nac. de Arte Contemp. in Lissabon.

Araujo (Araujo Pereira), Roberto de, portug. Maler, Bühnenbildner u. Illustr., * 31. 10. 1908 Lissabon, ansässig ebda.

Stud. a. d. Kstsch. in Lissabon, Bühnenmalerei am Conservatório Nac. de Teatro ebda. Schüler von Veloso Salgado. Stellte zuerst 1930 in der Soc. Nac. de B. Artes aus; seitdem im Salon der Unabhängigen 1931 u. auf der Jahresausst. 1935; Sonderausst. 1934 u. 1935 in Lissabon. Bereiste als Stipendiat des Instituto para Alta Cultura Spanien, Belgien u. England. Arbeitete als Bühnenbildner zuerst 1933 für das Theater S. Carlos in Lissabon. Vertreten im Nat.-Nus. zeitgenöss. Kst in Lissabon.

Lit.: Gr. Encicl. Port. e Brasil., III 101. — Quem é Alguem, 1947 p. 80.

Aravantinos, Panos, griech. Maler u. Bühnenbildner, † Ende 1930 Paris.

Stud. in Paris. Tätig an der Berliner Staatsoper.

Lit.: H. Thering, Regisseure u. Bühnenmaler, Berlin 1921, p. 84.

Arbas, Avni, türk. Maler, * 1919 Aydìn, ansässig in Paris.

Besuchte bis 1936 das Galatasaray-Lyzeum, dann die Akad. d. Sch. Künste zu Istanbul (Konstantinopel), weitergebildet seit 1947 in Paris. Gehört der türk. mod. Schule an. Ein Bild i. Bilder- u. Statuenmus. zu Istanbul.

Lit.: Berk, p. 30, Abb. 68.

Arbeit, Fritz, dtsch. Bildhauer u. Graph., * 21. 4. 1873 Königsberg i. Pr., ansässig in Berlin.

Schüler von L. Manzel an d. Akad. u. von Em. Doepler an d. Unterrichtsanstalt des Berl. Kstgewerbemus.

Lit.: Dreßler.

Arbesser, Assunta, steiermärk. Landschafts-, Blumen- u. Architekturmalerin, * 1. 3. 1884 Venedig, ansässig in Graz.

Schülerin von Hummel u. Knirr in München. 1924 silb. Med. der Stadt Graz.

Lit.: Dreßler.

Arbey, Mathilde, franz. Malerin, * 24. 1. 1890 Paris, ansässig ebda.

Schülerin von J. P. Laurens, M. Humbert u. Sabatté-Maury. Landschaften u. Architekturbilder von Capri. Stellt bei den Indépendants, seit 1913 im Salon der Soc. d. Art. franç. (Kat. z. T. m. Abbn), seit 1915 auch im Salon d'Automne aus. Gold. Med. 1930.

Lit.: Joseph, I. — Bénézit, [2] I (1948).

Arbit-Blatas, Nicolai, litauischer Figuren- u. Landschaftsmaler, * 1908 (1909?) Kaunas (Kowno), ansässig in Paris.

Stud. an d. Akad. in Berlin. Ging dann nach Paris, wo er 1933 ausstellte. 1940/46 in den USA. Kollekt.-Ausst. in d. Bignou Gall., New York, April 1946. Landschaften im Pariser Musée du Jeu de Paume u. im Mus. in Grenoble.

Lit.: Mallett. — Bénézit, [2] 1 (1948) 696. — Art Digest, 20, Nr v. 15. 4. 1946, p. 7, m. Abb.; 22, Nr v. 15. 1. 1948, p. 15, m. Abb. — The Art News, 45, April 1946, p. 58, m. Abb.; 46, Febr. 1948, p. 57. — Beaux-Arts, Nr 262 v. 7. 1. 1938, p. 4 (Abb.); Nr 283 v. 3. 6. 1938, p. 2; Nr 318 v. 3. 2. 1939, p. 4; Nr 326 v. 31. 3. 1939, p. 4 (Abb.); Nr 328 v. 14. 4. 1939, p. 4 (Abb.); Nr v. 27. 12. 1946, p. 5, m. Abb.; Nr v. 26. 9. 1947, p. 5 (Abb.). — The Studio, 141 (1951) 123 (Abb.).

Arbo, Christian, norweg. Architekt, * 9. 4. 1876 auf Gulskogen bei Drammen, ansässig in Drammen.

Stud. an der Kunst- u. Handwerksschule in Oslo u. an der Techn. Hochsch. in Stockholm. Bis 1909 Assistent bei Clason, Lallerstedt u. Wahlmann in Stockholm. Seitdem selbständig in Drammen. Studienreisen in England, Italien u. Spanien. — Freimaurerloge, Museum u. Tuberkuloseheim in Drammen. Entwürfe für Möbel u. Inneneinrichtungen im Barockstil.

Lit.: Hvem er Hvem?, [4] 1938. — Vem är Vem i Norden, Stockh. 1941, p. 604.

Arbore, Nina, rumän. Holzschneiderin (Architektur, Figürliches, Bildnisse), ansässig in Bukarest.

Lit.: Oprescu, 1935. — Kat. Expos. internat. de grav. orig. sur bois, Warschau 1933, p. 74.

Arbuckle, Franklin, kanad. Bildnis-, Landsch.- u. Figurenmaler, ansässig in Toronto, Ontario.

Mitglied der Ontario Soc. of Artists.

Lit.: The Studio, 110 (1935) 224f., m. 3 Abbn.

Arbus, André, franz. Möbelkstler u. Innenarchitekt, ansässig in Paris.

Lit.: Bénézit, [2] I (1948). — L'Amour de l'Art, 13 (1932) 68ff. — L'Art et les Art., 34 (1937) 24f. — L'Art vivant, 1931, p. 349; 1937 p. 124f., m. 3 Abbn. — Art et Décor., 62 (1933), Les Echos d'Art (Aug.-H.) p. X; 1937 p. 158ff. — Beaux-Arts, 1937 Nr 232, p. 1; Nr 272 v. 18. 3. 1938, p. 1, 3.

Arch, Mia, tirol. Malerin, * 25. 3. 1893 Innsbruck, ansässig in Vill b. Innsbruck.

Tochter der Malerin Wilhelmine Redlich, Enkelin des Malers Karl Redlich. Stud. 1927/30 an d. Münchner Akad. bei Karl Caspar, 1930/31 in Paris. Reisen in Frankreich u. Italien. Mitgl. der tirol. Kstlervereinig. „Die Waage". — Landschaften, Stilleben, Blumenstücke, Bildnisse. 1931 Kollektiv-Ausst. im Kstsalon Unterberger in Innsbruck, 1935 Atelier-A.

Lit.: Der Bergquell (Innsbr.), 1932, Nr 8. — Tir. Anz., 1932, Nr 259. — Innsbr. Nachr., 1934 Nr 275; 1935 Nr 284. — Volksztg, 1935 Nr 286. — Wissensch. u. Kst in Öst., Wien-Lpzg 1938, p. 531f. *J. R.*

Archambaud, Jane, franz. Malerin u. Pastellzeichnerin, * Niort (Deux-Sèvres).

Stellt seit 1929 bei den Indépendants in Paris aus.

Lit.: Bénézit, [2] I (1948). — Joseph, I. — Beaux-Arts, 75 année, Nr 318 v. 3. 2. 1939, p. 4.

Archambault, Anna Margaretta, amer. Bildnismalerin (bes. Miniatur), * Philadelphia, Pa., ansässig ebda.

Schülerin d. Penns. Acad. of F. Arts in Philadelphia u. d. Acad. Julian in Paris. Weitergebildet bei Eakins u. B. Constant. Gold. Med. 1902.

Lit.: Th.-B., 2 (1908). — Fielding. — Bénézit, [2] 1 (1948). — Amer. Art Annual, 30 (1933). — The Studio, 63 (1915) 314; 67 (1916) 72. — Monro.

Arche, Jorge, kuban. Maler, * 1905, ansässig in Havana.

Stud. an der San Alejandro-Akad. in Havana.

Lit.: Kirstein, p. 93.

Archer, Edmund, amer. Maler, * 1904 Richmond, Va., ansässig in New York.

Schüler von Allen Tucker, K.H. Miller u. der Akad. Colarossi in Paris. Wm. A. Clark-Preis 1930. Assistant Curator amWhitney Mus. Ebda 1 Bild: Blumenkäufer. Kollektiv-Ausst. im Mus. in Worcester 1933.

Lit.: Bénézit, [2] I (1948). — Amer. Art Annual, 30 (1933). — The Studio, 104 (1932) 258. — Monro.

Archer, Joseph, amer. Maler, * 20. 2. 1889 Booneville, Miss., ansässig in Falmouth, Ind.

Schüler von James E. McBurneys.

Lit.: Amer. Art Annual, 20 (1923) 427.

Archipenko, Alexander, ukrain. Bildhauer, Aquarellmaler, Lithogr. u. Kstgewerbler, * 30. 5. 1887 Kiew, ansässig in New York.

Stud. 1902/05 an d. Kunstsch. in Kiew, 1905/08 in Moskau. 1908 nach Paris, wo er 1911 u. 1919 im Salon d'Automne, 1920 bei den Indépendants ausstellte. 1920/23 in Berlin. Seit 1923 in den USA, Direktor der Kstschule in New York. Seit Anfang der 1930er Jahre in Hollywood. — Anfänglich Kubist, beeinflußt von den kubist. Malern, mit denen er in Paris in Berührung kam. Ging dann (um 1912) zu einem abstrakten Plastikstil über, als dessen Begründer er anzusehen ist. Bildnisbüsten, Akte, in überschlanken, sich von der Wirklichkeit weitgehend entfernenden Körperproportionen.Anf. der 1920er Jahre ziemlich unvermittelte Abwendung vom kubist. Stil und Annäherung an einen vom Barock inspirierten Naturalismus: Büsten Fritz Wicherts (1923, Ksthalle Mannheim) u. Rud. Mengelbergs (1926), Wilh. Furtwängler, dirigierend (1927). Bevorzugte Materialien: Mahagoniholz, Bronze, Terrakotta (poliert oder galvanisch überzogen mit Edelmetallen), kostbarer exotischer Stein (mexik. Onyx u. a.). Eine Erfindung A.s sind seine Skulpto-Malereien — kleine, bildartig wirkende, in Rahmen gehängte, bemalte Holzpappe- oder Gipsreliefs. Reiner als in dieser „sculpto-peinture" kommt das Charakteristische seiner geometrischen Formauffassung zum Ausdruck in s. Aktzeichnungen (Beispiele in der Berliner Nat.-Gal. u. im Mus. Folkwang in Essen). Im Mus. in Leipzig eine Marmorbüste der Gattin des Künstlers. Im Folkwang-Mus. in Essen ein liegender Frauenakt u. ein Frauenkopf. Im Detroit Inst. of Arts eine Büste Tarass Shewjenko's. Im Mus. in Brooklyn, USA, ein weibl. Torso (Terrakotta). Eine Skulpto-Malerei (Nackte Frau vor dem Spiegel) im Mus. in Philadelphia (Abb. in: The Philadelphia Mus. Bull., 37, Nov. 1941, Nr 191). Koll.-Ausstellgn: 1912 Folkwang-Mus. in Essen, seit 1913 wiederholt in den Räumen der Berliner Zeitschr. „Sturm", ferner bei Fr. Gurlitt in Berlin, in den Reinhardt Gall. in New York 1926 u. im Mus. in Los Angeles 1927.

Lit.: A. A. Mit Einleitg v. H. Hildebrandt, Berlin 1923 (Ausg.: Deutsch, ukrainisch, engl., ital., franz. u. spanisch [Buenos Aires 1924]). — K. Raynal, A. (Valori Plastici), Rom 1923. — E. Wiese, A. A. (Junge Kunst, Bd 40), Lpzg 1923. — A.-Album. Einführg von Th. Däubler u. I. Goll, Potsdam 1921. — Bénézit, [2] I (1948). — St. Casson, Twentieth-Century Sculptors, London 1930. — Einstein, p. 170ff., 540ff. (Abbn). — Umanskij, p. 31, 33, m. Abb. — Walden. — Mellquist. — Amer. Artist (New York), 13, Jan. 1949 p. 46. — Ararat, 2 (1921) 129, 137, 143 (Abb.), 183f., 187ff., m. Abbn. — Art Digest, v. 1. 4. 1942 p. 20, m. Abb.; v. 15. 5. 1948 p. 22. — The Art News, Nr 2 v. 20. 10. 1923 p. 3; Nr 3 v. 27. 10. 1923 p. 3; Nr 16 v. 26. 1. 1924 p. 3; Nr 15 v. 16. 1. 1926 p. 7; Nr 31 v. 7. 5. 1927, p. 13; 47, Juni 1948, p. 48; Febr. 1949, p. 43 (Abb.); 48, Sept. 1949, p. 44. — D. Cicerone, 5 (1913) 254; 12 (1921) 188; 15 (1923) 608; 18 (1926) 511; 20 (1928) 197ff., m. Abbn, 798f. — Die Dame, 53 (1925/26) H. 8 p. 6ff., m. Abbn. — The Dial, vol. 72 (1922) Nr 5, p. 504 (2 Taf.); 74 (1923) 433. — Genius, Jg 3 (1921) 17ff., m. Abb., 130f., m. Abb. — Jahrb. d. Jungen Kunst, 3 (1922) 262 (Abbn); 4 (1923) 306ff., m. 8 Abbn, 324, 399, m. 6 Abbn. — Interiors a. Industrial Design (New York), 108, August 1948, p. 56 (Abb.). — Die bild. Künste (Wien), 4 (1921) 180ff., m. Abbn. —Die Kunst, 47 (1923) 34 (Abb.), 45 (Abb.); Jahrg. 47 (1949) H. 5, Personalien p. 4. — Kst u. Kstler, 19 (1920/21) 298f. — D. Kstblatt, 4 (1920) 193/204, m. 7 Abbn; 5 (1921) 45 (Abb.), 155f., 207, 223, 224. — D. Kstwerk, 4 (1950) Heft 8/9 p. 67/69. — Magaz. of Art (New York), 36, Febr. 1943, p. 75 (Abb.); 41, Jan. 1948, p. 9 (Abb.). — Sozial. Monatshefte, 56 (1921/I) Heft 10, p. 465f. — Pictures on Exhib. (New York), 5. 4. 1942, p. 26 (Abb.). — Ssredi Kollekzioneroff, 1924 Heft 3/4, p. 44. — The Studio, 113 (1937) 32 (Abb.); 115 (1938) 297 (Abb.); 123 (1942) 165 (Abb.); 131 (1946) 156 (Abb.). — Vogue (Ausg. New York), 15. 10. 1937, p. 101, m. Abb. — Die Weltkst, 19 (1949) H. 9 p. 9.

Archipoff, Abram Jefimowitsch, russ. Maler u. Illustr., * 15. 8. 1862 im Rjäsanschen Gouvernement, † Sept. 1930 Moskau.

Schüler der Moskauer Kunstsch., dann der Petersburger Akad. Seit 1892 Prof. an der Kstsch. in Moskau. Nationalkünstler. Malt in der breiten, kraftvollen Manier der Münchner „Scholle". Figürliches, Stadtansichten, Landschaften, bäuerliches Genre. — Bild (Heimfahrt) in d. Staatl. Tretjakoff-Gal. in Moskau (Kat. 1947, Abb. 112. Einige 20 weitere Arbeiten verz. im Kat. 1952). Illustr. zu Puschkin.

Lit.: Th.-B., 2 (1908). — 50 Monogr. von Meistern der sowjet. bild. Kst (russ.), Heft [3]. — Bénézit, [2] I. — N. F., [3] 21 (Suppl.).—Mir Isskustwa, 1 (1899), Chron. p. 8, 35 (Abb.); 3 (1900) 113 (Abb.), Chron. p. 156; 4 (1900) 69; 5 (1901) 109, Tafelteil p. 120; 6 (1901), Chron. p. 13. — D. Cicerone, 21 (1930) 615 (Nachruf). — Daheim, 62 Jg., Nr 39 v. 26. 6. 1926 (farb. Abb., Titelbl.). — bild. kunst, I (1947), Heft 4/5 p. 39. — The Studio, 95 (1928) 296, m. Abb.

Arcieri, Charles F., amer. Maler, * 1885 San Francisco, ansässig in Grantwood, N. J.

Lit.: Amer. Art Annual, 30 (1933).

Arcila Uribe, Gustavo, colombian. Bildhauer (Prof.), * 2. 3. 1895 Bogotá, ansässig ebda.

Lehrer für Bildh. an der Nat.-Schule für Sch. Künste in Bogotá. Büsten u. Statuen (Hindujüngling; Junger Koreaner, usw.).

Lit.: Who's Who in Latin America, 1935. — Bénézit, [2] I (1948).

Arcioni, Enrico, ital. Porträtmaler, * 22. 2. 1875 Spoleto, ansässig in Rom.

Stud. an der Akad. in Rom. Einige Zeit in Paris, 15 Jahre in St. Petersburg (Leningrad), dort für den Zarenhof tätig. Seit 1915 in Rom.

Lit.: Comanducci.

Arct, Eugenjusz, poln. Landschaftsmaler u. Holzschneider, * 1899 Odessa, ansässig in Warschau.

Lit.: Kat. d. Ausst. Poln. Kst, Berlin 1935. — Poln. Graphik, Ed. Stichnote, Potsdam 1948.

Ardia Caracciolo, Lorenzo D', ital. Radierer u. Holzschneider, * 26. 7. 1906 Civitavecchia, ansässig in Rom.

Seit 1932 Assistent beim Lehrstuhl für Dekoration an der Kunstakad. in Rom, z. Zt. Prof. für Ornamentzeichnen am Liceo artistico ebda.

Lit.: Emporium, 88 (1938) 291; 93 (1941) 45. — L'Illustraz. Ital., v. 2. 4. 1936. — Primato (Rom), v. 15. 12. 1940. — Rass. dell'Istruz. artist., 1935 Nr 4/6; 1937 Nrn 7/8 u. 9/10; 1938 Nrn. 6 u. 11/12. — L. Servolini, Diz. d. Incisori ital. mod. e contemp., 1952. — Kat. Quadriennale Rom 1951/52, m. Abb. *L. Servolini.*

Ardizzone, Edward, engl. Maler (Öl u. Aquar.), Buch- u. Reklamekstler, * 1900, ansässig in London.

Figurenbilder, bisweilen humorist. Färbung (Überraschung der Diana, Bad der Hesperiden, Juristen in Rom, Fuchs u. Hunde, Galante Konversation, Helena von Troja), Szenen aus d. Londoner Volksleben (Kaschemme, Angler am Kanal). Illustr. zu „In a Glass Darkly" von Le Fanu (ed. Peter Davies); Titelblätter für „The Mediterranean" (ed. Cassell & Co.). Wiederholt Sonderausstellgn in d. Leger Gall., Lo.

Lit.: Apollo (London), 16 (1932) 136f., m. Abbn. — The Studio, 102 (1931) 136f., m. 3 Abbn; 104 (1932) 178 (Abb.); 110 (1935) 324 (Abbn); 122 (1941) 117 (Abb.); 123 (1942) 10f. (Abbn); 135 (1948) 48/51; 136 (1948) 73 (Abbn); 142 (1951) 35 (Abb.). — Art Index, New York, 1928ff. passim.

Arduino, Nicola, piemont. Bildnismaler u. Freskant, * 1887 Grugliasco (Turin).

Schüler von Giac. Grosso an der Akad. in Turin. 2 Jahre mit Grosso in Argentinien. Fresken u. a. in der Kathedr. in Ozieri, in der Pfarrk. in Collegno u. im Oratorio di San Giovanni in Savona.

Lit.: Comanducci.

Ardy, Giovanni, italienischer Genremaler, * 18. 1. 1885 Genua, fiel im 1. Weltkrieg 29. 8. 1917.

Schüler von Giac. Grosso an der Akad. in Turin. Machte sich in Mailand ansässig. Anfänglich Porträtist, später hist. u. bibl. Genre. In der Gall. d'Arte Mod. in Genua: Mittelalterl. Vorstadt.

Lit.: Comanducci. — Pagine d'Arte, 5 (1917) 164, m. Fotobildn. — The Connoisseur, 55 (1919) 189f.

Arellanes Tamayo, Rufino, mexik. Maler, bes. Wandmaler (Prof.), * 26. 8. 1900 Oaxaca, ansässig in Mexico City.

Seit 1928 Lehrer für Zeichnen an der Nat.-Schule f. Sch. Künste in Mexico. Wanddekorationen im Nat.-Konservatorium f. Musik ebda.

Lit.: Who's Who in Latin America, 1935.

Arellano, Cécile d', franz. Interieur- u. Landschaftsmalerin, * Laurabac (Aude), ansässig in Les Canonges b. Pexiora (Aude).

Schülerin von Vignal Thévenot, Biloul u. Sené. Hauptsächlich Aquarellistin. Mitgl. der Soc. d. Art. franç., beschickt deren Salon seit 1921 (Kat. z. T. m. Abbn).

Lit.: Joseph, I 354. — Bénézit, ² I (1948).

Arén, Olof, schwed. Landschafts- u. Vedutenmaler, * 1918 Åmål, ansässig in Uppsala.

Stud. an der Kstindustriesch. in Stockholm u. in Paris.

Lit.: Thomœus.

Arends, Emil, dtsch. Landschaftsmaler u. Plakatzeichner, ansässig in München.

Schüler von A. Männchen, L. Keller u. P. Jansen an der Akad. in Düsseldorf. Seit 1918 in München.

Lit.: Kat. Kst-Ausst. d. Münchner Kstlerbundes „Ring" E. V., o. J.

Arendshorst, Berend, holl. Landschafts- u. Stillebenmaler, * 1919.

Lit.: Drenthe, 19 (1948) 190ff. passim.

Arenhill, Åke, schwed. Figuren- u. Landschaftsmaler, * 1920 Malmö, ansässig ebda.

Stud. an der Schonen-Malschule in Malmö. Malt in Öl u. Tempera. Breite Malweise, helle Farben.

Lit.: Thomœus, p. 368.

Arens, Albert Anton Herman, holl. Maler u. Kunstgewerbler, * 25. 2. 1881 Grave, ansässig in Haarlem.

Schüler von Fr. Stummel, Raupp, u. A. Jank in München. Bildnisse, Landschaften, Stilleben, Wand- u. Glasmalereien. Auch auf dem Gebiet der Edelschmiedekunst tätig (Rektorkette u. -stab d. Univ. Nymwegen). Vertreten im Frans-Hals-Mus. in Haarlem.

Lit.: Waay. — Persoonlijkheden, m. Abb. (Selbstbildn.).

Arens, Egmont, amer. Entwurfzeichner für Möbel, Kostüme, Beleuchtungskörper usw., * 15. 12. 1887 Cleveland, Ohio.

Lit.: Amer. Art Annual, 27 (1930) 506. — Vogue (New York), 1. 2. 1939, p. 142.

Arens, Josef, dtsch. Maler u. Graph., * 24. 4. 1901 Oedingen i. W., ansässig in Gelsenkirchen.

Schüler von Wolfg. Zeller. Studienaufenthalte in Frankreich, Holland, Italien u. Griechenland. Bilder im Städt. Mus. in Gelsenkirchen, in d. Aula der Oberrealsch. ebda, in d. Univers.-Kirche in Salzburg u. im Sitzungssaal des Verwaltungsgeb. der Gas- u. Eltwerke in Recklinghausen. 16 Glasgem. im Innungshaus in Gelsenkirchen.

Lit.: Dreßler.

Arephy-Stefanesco, Gabriel, s. *Stephanesco-Arephy*, G.

Arguelles Bringas, Gonzalo, mexikan. Landschaftsmaler (Öl u. Aquar.), * 28. 2. 1877 Orizaba, Veracruz, † 27. 3. 1942 Mexiko.

Stud. seit 1897 an der Akad. in Mexiko. Weitergebildet 1903/05 mit Staatsstipendium in Europa. Seit 1906 Prof. an der Akad. in Mexiko. 2 Blumenstücke (Öl) in d. Gal. de San Carlos in Mexiko.

Lit.: A. Carrillo y Gariel, Las Galerias de San Carlo, Mexiko 1950. *B.*

Argyros, Oumbertos, griech. Maler (Prof.), ansässig in Athen.

Schüler von L. v. Löfftz u. C. v. Marr in München, wo er seit 1913 die Glaspal.-Ausstellgn beschickte. Mitgl. der „Unabhängigen". Seit 1929 Prof. an d. Kstakad. in Athen.

Lit.: Dreßler.

Arija, José, span. Maler u. Kupferstecher, † Jan. 1920 Madrid.

Künstler. Leiter der Zeitschr. „Blanco y Negro". Gold. Med. Kstausst. Madrid 1904. Prof. für Modellieren an d. Escuela de Artes y Oficios in Madrid. Ca. 20 Jahre an d. Kgl. Münze tätig.

Lit.: Francés, 1920 p. 25.

Arioli, Fioravante, ital. Bildnis-, Figuren- u. Landschaftsmaler, * 16. 12. 1890 Laveno.

Schüler von Mentessi an d. Brera-Akad. in Mailand. Mitarbeiter von Silvio Bicchi an den Fresken der Biblioteca Grimello in Canzo.

Lit.: Comanducci, m. Abb. (Selbstbildn.).

Ariza, Gonzalo, colombian. Landschaftsmaler, * 1912 Bogotá, ansässig ebda.

Stud. an der Kunstsch. in Bogotá. Ging 1937 nach Japan, wo er bei Maeda u. Foujita das Aquarellmalen erlernte. 1940 zurück nach Bogotá. Kollektiv-Ausst. in Bogotá 1942. 2 Bilder im Mus. f. Mod. Kst in New York.

Lit.: Kirstein, p. 45, 93, Abb. p. 46. — Time, v. 31. 3. 1947, p. 41 (Abb.).

Árkay, Aladár, ungar. Architekt u. Maler, * 1. 2. 1868 Temesvár.

Stud. am Polytechnikum Zürich u. an der Pariser Ec. d. B.-Arts. Arbeitete dann bei Fellner & Hellmer in Wien u. bei A. Hauszmann in Budapest. Schloß sich Edm. Lechner an. Malschüler von B. Székely, K. Lotz in Budapest u. Karlovszky. 1892/1900 in Paris. Bereiste 1895 Italien, 1897 Deutschland. Als Maler hauptsächl. Landschafter. Hauptbauten: Reform. Kirche in Budapest; Kapelle des Kollegiums F. Rákócze ebda. Mit s. Sohn Bertalan (stud. bei E. Thiers in Paris, dann bei P. Behrens in Wien u. an der Ungar. Akad. in Rom) baute er die kath. Kirche in Győr, deren farbige Fenster B.s Frau Lili, eine geb. Französin, entwarf, und die kath. Kirche am Városmajor-Park in Budapest (deren Fenster gleichfalls nach Entwurf von Frau Lili Á.).

Lit.: Th.-B., 2 (1908). — Szendrei-Szentiványi. — Krücken-Parlagi. — Hekler, p. 99, 101 (Abb.). — Beaux-Arts, 1935, Nr 142, p. 4, m. Abb. — Nouv. Revue de Hongrie, 49 (1933/II) 816/21. — Dtsche Bauztg, 69/I (1935) 89/93.

Árkay, István, ungar. Maler, * 26. 12. 1874 Budapest.

Stud. in Budapest, München u. Paris.

Lit.: Szendrei-Szentiványi. — Krücken-Parlagi.

Árkay, Lidi, ungar. Bildnismalerin, * 1896 Budapest.

Lit.: Krücken-Parlagi.

Arkel, Carl Eric, schwed. Landschafts- u. Vedutenmaler (Öl u. Pastell), * 1908 Skövde, ansässig in Stockholm.

Stud. an Otte Skölds Malschule.

Lit.: Thomæus.

Arkunlar, Fahri, türk. Maler, * 1901 Istanbul (Konstantinopel), ansässig ebda.

Besuchte 7 Jahre die Akad. d. Sch. Künste zu Istanbul, weitergebildet in Paris, dann an d. Akad. in Leipzig. Kehrte 1928 in die Heimat zurück, wurde Zeichenlehrer an verschiedenen Schulen. Gehört der türk. modernen Schule an.

Arlaud, Georges, schweiz. Bildniszeichner u. Silhouettenschneider, * Genf.

Lit.: Joseph, I.

Arle, Asmund, schwed. Bildhauer u. Zeichner, * 1918 Klagstorp, Schonen, ansässig in Stockholm.

Stud. an der Akad. Stockholm u. an der Schonenmalschule in Malmö. Figürliches u. Bauplastik in farbigem Stuck. Zeichngn im Nat.-Mus. Stockholm.

Lit.: Thoæmus, p. 368.

Arleman, Hjalmar, schwed. Maler u. Graphiker, * 1880 Stockholm, ansässig in Ålsten.

Stud. an der Akad. in Stockholm u. im Ausland. Bildnisse, Tiere, Landschaften, Wandmalereien.

Lit.: Thomœus.

Arlt, Fritz, dtsch. Maler, * 20. 9. 1887 Waldenburg, Schles., ansässig in München.

Stud. in Berlin, dann an d. Münchner Akad. bei A. Jank, A. Hengeler u. Stuck. Landschaften (Oberbay., Tirol, Schweiz, Italien) u. Bildnisse.

Lit.: Karl, I, m. 2 Abbn. — Dreßler.

Armand, Anna Marie, franz. Landschafts-, Blumen- u. Stillebenmalerin, * Le Tréport (Seine-Infér.), ansässig in Le Perreux (Seine).

Mitglied der Soc. d. Art. Indépendants.

Lit.: Joseph, I. — Bénézit, [2] I (1948).

Armand-Vivet, Jean, franz. Figuren- u. Landschaftsmaler, * Paris, ansässig ebda.

Stellt seit 1927 bei den Indépendants aus.

Lit.: Joseph, I. — Bénézit, [2] I (1948).

Armando (Arm. Costa), Albino (José Alb.), portug. Maler, * 30. 11. 1892 Vila Real Trás-os-Montes, † 22. 9. 1950 ebda.

Schüler von José Malhôa. Const. Fernandes, Alves Cardoso, Sousa Lopes u. Armando de Lucena. Ehrenvolle Erwähnungen auf der Intern. Ausst. in Rio de Janeiro u. auf den Ausstellgn der Soc. Nac. de B. Artes in Lissabon. Auslands-Reisestipendium u. Rocha-Cabral-Preis 1935 der Akadem. d. Kste. Vertreten im Nat.-Mus. zeitgenöss. Kst in Lissabon u. im Mus. João de Castilho in Tomar. Bildnisse (Luiz Barbosa, Dr Xavier da Costa).

Lit.: Pamplona, p. 366.

Armani, Ernesto, ital. Architekturmaler (Öl u. Aquar.), * 3. 9. 1898 Malè.

Stud. Architektur in Mailand. Als Maler Autodidakt. Studienaufenthalte in Berlin, Paris, Amsterdam, Rom. Hauptsächlich Kircheninterieurs.

Lit.: Comanducci. — Gerola, m. 2 Abbn. — Maandbl. v. Beeld. Kunsten, 5 (1928) 223.

Armbrust, Karl, dtsch. Maler, * 2. 10. 1867 Itzehoe, † 27. 7. 1928 Kassel.

Lit.: Bantzer, Hessen i. d. dtsch. Malerei (Beitr. z. hess. Volks- u. Landeskde, 4), Marburg 1939. m. Abb.

Armbruster, Hermann, dtsch. Landsch.- u. Architekturradierer, Holzschneider, Zeichner u. Aquarellmaler, * 14. 3. 1880 Donaueschingen, fiel am 3. 5. 1917 bei Chérisy.

1896/99 zeichner. Vorbildung auf dem Lehrerseminar in Meersburg. 1901 Reise durch die Schweiz u. Südfrankreich, weiter nach Buenos Aires, von dort nach Chile (Valdivia), 1907/10 in Santiago, 1910/11 in Paris bei Caro Delvaille. Von dort nach Karlsruhe, dann nach dem nahegelegenen Weingarten, 1913 nach Pforzheim, schließlich nach Mannheim. Stimmungsvolle, romantisch gefärbte Ansichten aus dem Hegau, dem Schwarzwald u. den Bodenseeufern von feiner Lichtwirkung u. großer Raumweite.

Lit.: Jahrbuch Mannheimer Kultur, 1 (1913) 3 (Abb.), 284/85, m. Abb. — Mannh. Geschichtsblätter, 20 (1919) 42. — Mein Heimatland (Freiburg i. B.), 17 (1930) 67/74, m. 5 Abbn.

Armbruster, Josef, dtsch. Maler, Zeichner u. Bühnenbildner, * 1904 Augsburg, ansässig ebda.

Lit.: Kat. Ausst. Augsburger Kstler, Schaezler Palais, Augsburg, 8. 12. 1946–2. 1. 1947.

Armbruster, Margot, dtsche Malerin, * 12. 4. 1920 Großröhrsdorf (Oberlausitz), ansässig ebda.

Schülerin von Woldemar Winkler an d. Dresdner Akad. Stilleben, Blumenstücke.

Armfield, Maxwell, engl. Maler, Buchillustr., Rad., Entwurfzeichner für Textilien, Holzschnitzer u. Jugendschriftst., * 1882 Ringwood, Hampshire.

Stud. an der Kstschule in Birmingham, bei Collin, Prinet u. Dauchez in Paris, weitergeb. in Italien. Landschaften, Bildnisse, Figürliches. Bild: Faustine, im Luxembourg-Mus. in Paris. Illustr. u. Buchschmuck zu: Lee, „The Ballett of the Nations", Lo. 1916.

Lit.: Th.-B., 2 (1908). — An Artist in Italy, by M. A., m. 16 farb. Abbn, Lo. 1926. Bespr. in: Art a. Archaeology, 23 (1927) 95. — G. Holme, Brit. Book Illustr. Yesterday a. to-day, Lo. 1923. — Who's Who in Art,[3] 1934. — The Studio, 59 (1913) 133 (Abb.); 65 (1915) 185; 70 (1917) 114ff., m. Abbn; 88 (1924) 9/14, m. Abbn; 90 (1925) 182, m. Abbn; 105 (1933) 356/59, m. 3 Abbn; 109 (1935) 143 (Abb.); 122 (1941) 83. — Artwork, 1 (1924/25) H. 2, p. 127. — Apollo (London), 17 (1933) 283, m. Abb.

Armington, Caroline, geb. *Wilkinson*, kanad.-franz. Malerin u. Radiererin, * 11. 9. 1875 Brampton, Ontario, † 1939 Paris. Gattin des Folg.

Schülerin der von I. W. G. Forster geleiteten Zeichenakad. in Toronto, seit 1899 der Grande Chaumière u. d. Acad. Julian bei L. Simon in Paris. Zuerst Porträtistin, widmete sie sich bald dem Architektur- u. Landschaftsfach (bes. Kathedralen aus Frankreich u. Belgien). Bilder im Luxembourg-Mus., im Petit Palais u. im Musée Carnavalet in Paris. Als Radiererin in allen größeren öff. Kabinetten der USA u. Europas vertreten.

Lit.: Amer. Art Annual, 30 (1933). — Joseph, 1. — Bénézit,[2] 1 (1948). — La Renaiss. de l'Art franç., 4 (1921) 289; 11 (1928) 78. — L'Art et les Artistes, N. S. 15 (1927) 302/06, m. Abbn. — The Art News, 24, Nr 6 v. 14. 11. 1925, p. 4f.; 25, Nr 19 v. 12. 2. 1927, p. 9.

Armington, Frank Milton, kanadisch-französischer Maler u. Rad., * 28. 7. 1876 Fordwich, Ontario, ansässig in Paris. Gatte der Vor.

Schüler von I. W. G. Forster in Toronto, seit 1899 von J. P. Laurens u. Henri Royer an d. Acad. Julian in Paris. Widmete sich anfänglich hauptsächlich dem Bildnisfach, später d. Landschaft (bes. Ansichten aus Paris) u. der Architekturdarstellung (Paris, Nürnberg, Brügge usw.). Als Radierer sehr geschätzt u. in allen größeren öff. Kabinetten der USA u. Europas vertreten. Ölbilder: Pont du Carrousel in Paris, im Mus. in Brooklyn, N. Y.; Pont Louis Philippe im Luxembourg Mus. in Paris. Ein Aquarell: Zerstörung des Pont de la Tournelle, im Musée Carnavalet in Paris.

Lit.: Amer. Art Annual, 30 (1933). — Joseph, I. — Bénézit,[2] 1 (1948). — Revue de l'Art anc. et mod., 25 (1909) 192, m. Orig.-Rad. — Gaz. d. B.-Arts, 1912/II, 137ff., m. Orig.-Rad. — The Art News, 23, Nr 8 v. 29. 11. 1924, p. 1, m. Abb.

Armitage, Robert Linnell, engl. Radierer u. Maler, * 16. 12. 1898 Northwich, ansässig in Hazel Green, Cheshire.

Stud. an d. Kstschule in Manchester.

Lit.: Who's Who in Art,[3] 1934.

Armitage, William, engl. Tier- u. Landschaftsmaler (Öl u. Aquar.), * 6. 9. 1875 Sneinton, Nottingham, zuletzt ansässig auf der Kanalinsel Jersey.

Lit.: Th.-B., 2 (1908). — Who's Who in Art,[3] 1934. — Graves, 1.

Armour, Hazel, siehe *Kennedy*.

Arms, Jessie, siehe *Botke*.

Arms, John Taylor, amer. Illustrator u. Radierer, * 19. 4. 1887 Washington, D. C., ansässig in Fairfield, Conn.

Zuerst Architekt, ging 1919 zur Radierung über. Schüler von Ross Turner, David Gregg, Felton Brown u. Despradelle. Hauptsächlich Stadtansichten (Paris, Rouen, Venedig, Florenz usw.) und Landschaften (Ansichten von Finchingfield, aus der Normandie, Afterglow). Als geschätzter Radierer in allen größeren öffentl. Kabinetten Europas u. der USA vertreten. Hauptblätter: Le Penseur de Notre-Dame, Kathedralen in Troyes u. Rouen, Madeleine-Kirche in Vézelay, Kirche in Caudebec-en-Caux, Urturm in Dinan, Palazzo dell'Angelo in Venedig u. Rialtobrücke in Venedig.

Lit.: Fielding. — Joseph, 1. — Bénézit,[2] 1 (1948). — Monro. — Amer. Art Annual, 20 (1923) 428. — The Art News, 24 Nr 40 v. 18. 9. 1926, p. 7, m. Abb.; 30 Nr 11 v. 12. 12. 1931, p. 10, 14 (Abb.). — Artwork, 4 (1928) 19. — D. Kstwerk, 6 (1952) H. 1, p. 46 (Abb.). — The Print Coll.'s Quarterly, 21 (1934) 127/41, m. Abbn; 24 (1937) 215 (Abb.), 448 (Abb.); 26 (1939) 111 (Abb.), 139, m. Abb., 368 (Abb.); 27 (1940) 387 (Abb.). — The Studio, 99 (1930) 139 (Abb.); 100 (1930) 413 (Abb.); 113 (1937) 29 (Abb.), 226 (Abb.). — Art Index (New York), Okt. 1948/Okt. 49.

Armstrong, Alice, geb. *Shearer*, engl. Blumen- u. Bildnismalerin u. Illustr., * 13. 12. 1894 London, ansässig in Carbis Bay, Cornwall.

Stud. an d. Malerinnensch. in Karlsruhe.

Lit.: Who's Who in Art,[3] 1934.

Armstrong, Caroline, engl. Bildnisminiatur- u. Landschaftsmalerin, Modelleurin u. Zeichnerin, ansässig in London.

Lit.: Th.-B., 2 (1908). — Who's Who in Art,[3] 1934.

Armstrong, Estelle, s. *Manon*.

Armstrong, John, engl. Figuren- u. Landschaftsmaler, auch Wandmaler u. Zeichner, * 1893, ansässig in London.

Surrealist. Bild: Träumender Kopf, Tate Gall., London. Wandmalereien, darst. die Entwicklung des Transportwesens, im Speisesaal des Shell-Mex-Hauses ebda. Kollekt.-Ausst. 1939 bei Reid & Lefevre, London.

Lit.: Artwork, 2 (1925/26) H. 6, p. 69f., 71 (Abb.), 72 (Abb.). — The Studio, 94 (1927) 267 (farb. Abb.), 270; 95 (1928) 242/48, m. 4 Abbn; 106 (1933) 73/76, m. 6 Abbn; 117 (1939) 33 (Abb.), 142/45, m. 7 Abbn. — Apollo, 8 (1928) 87; 10 (1929) 245ff., m. Abbn; 28 (1938) 323, m. Abb.; 29 (1939) 43f.; 48 (1948) 49, m. Abb. — Art Index (New York), 1941 ff. passim.

Armstrong, Samuel John, amer. Maler u. Illustr., * 7. 11. 1893 Denver, Co., ansässig in Washington.

Stud. an d. Kstgewerbesch. in Philadelphia, dann bei Gérôme in Paris. Illustrationen u. Buchschmuck für das Sunset Magazine.

Lit.: Fielding. — Amer. Art Annual, 30 (1933).

Armstrong, Voyle Neville, amer. Maler u. Illustr., * 26. 11. 1891 Dobbin, West Va., ansässig in Bedford, Ind.

Schüler von J. R. Hopkins, H. H. Wessel, Meakim u. Duveneck an der Akad. in Cincinnati.

Lit.: Fielding. — M. Q. Burnet, Art a. Artists of Indiana, New York 1921. — Amer. Art Annual, 30 (1933).

Armstrong, William Thomas Lilburn, irisch. Aquarellmaler u. Architekt, * 10. 9. 1878 (1881?) Belfast, † 23. 6. 1934 Nutley, N. J., USA.

Stud. in Paris. Ließ sich in New York nieder. Lehrtätig an der Architektursch. der Columbia-Universität u. Prof. für Architektur an der Univ. New York. Bauten: County General Hospital in Milwaukee, Wis.; Public Library in Nutley, N. J.; Grace Episcopal Church, ebda.

Lit.: Th.-B., 2 (1908). — Amer. Art Annual, 20 (1923) 428; 30 (1933). — Who's Who in Amer. Art, I: 1936/37, p. 491. — Mallett.

Arnaud, Giovanni, ital. Bildnismaler u. Freskant, * 12. 4. 1888 Caraglio.

Sohn des Bildnismalers u. Freskanten Giov. Batt. A. (* 1852, † 1909). Schüler von Giac. Grosso an d. Akad. in Turin. Pflegt hauptsächl. das religiöse Fach. Dekorat. Malereien in San Francesco d'Assisi in Fossano, im Cimitero in Caraglio u. im Chor von Saint-Ours (Basses-Alpes).

Lit.: Comanducci.

Arnaud, Leopold, amer. Architekt, * 1895, ansässig in New York.

Stud. an der Pariser Ec. d. B.-Arts. Arbeitete 1924–27 bei Warren & Wetmore, 1927/32 bei Voorhees, Gmelin u. Walker. Seit 1932 Prof. f. Architektur an der Columbia Univ.

Lit.: The Internat. Who's Who, [8] 1943/44. — Art Index (New York), Okt. 1941–Sept. 1943; Okt. 1946–Sept. 1948; Dez. 1948; Nov. 1950–Okt. 1951.

Arnavielle, Jean, franz. Landschafts- u. Genremaler, * Paris, ansässig ebda.

Ansichten von Rouen, von den Seineufern u. der Normandie. Stellte 1907/26 bei den Indépendants, 1923/41 im Salon der Soc. Nat. d. B.-Arts aus.

Lit.: Joseph, I — Bénézit, [2] I (1948).

Arndt, Alfred, dtsch. Maler, * 26. 11. 1898 Elbing, ansässig in Darmstadt.

Stud. 1920 an d. Akad. in Königsberg, 1921/26 Mal- u. Architekturschüler am Bauhaus in Weimar u. Dessau. 1929/33 Bauhausmeister. Seitdem freiberuflich in Darmstadt tätig. Abstrakter Kstler.

Lit.: Die Maler am Bauhaus, Prestel-Verlag, München, 1950. — D. Kstwerk, 4 (1950), H. 8/9 p. 88. — Kat. d. Ausst.: Kstler d. Ostzone, Schaezler-Palais, Augsburg, Aug./Sept. 1947, m. Abb.

Arndt, Hans, dtsch. Maler u. Glasmaler, * 30. 9. 1876 Nürnberg, ansässig in München.

Stud. an d. Münchner Akad. Glasgemälde u. a. im Krankenhaus in München-Schwabing.

Lit.: Dreßler.

Arndt, Paul, dtsch. Maler u. Graph., * 8. 2. 1881 Daber (Pommern), ansässig in Berlin.

Stud. an der Unterrichtsanstalt des Berl. Kstgewerbemus. u. am Battersea-Polytechnikum in London. Gold. Med. auf d. Bugra Leipzig 1914.

Lit.: Dreßler.

Arndts, Otto, dtsch. Bildnis- u. Landschaftsmaler, * 5. 11. 1879, ansässig in Berlin.

Stud. an d. Acad. Julian in Paris, bei C. v. Marr in München u. bei C. Bantzer u. E. Bracht in Dresden.

Lit.: Dreßler. — Hellweg (Essen), 2 (1922) 915.

Arne-Petersen, Knud, dän. Architekt, * 5. 8. 1862 Kopenhagen, † 27. 6. 1943 ebda.

Schüler s. Vaters, des Malers Magnus Petersen (Th.-B. Bd. 26) u. der Akad. Kopenhagen. Leitender Architekt für die dän. Abteilungen der internat. Ausstellungen Chicago 1893, Malmö 1896, Stockholm 1897, Brüssel 1910 u. Baltische Ausstellg 1914. 1898–1906 Herausgeber des „Architekten". — Hauptbauten: Betaniakirche in Møllegade; Haus des Handwerker- u. Industrievereins in Odense (zus. mit Hagemann); Konzertsaal im Tivoli in Kopenhagen (zus. mit Bergmann); Neuer Bazar in Kopenhagen.

Lit.: Dahl-Engelstoft, I. — Krak's Blaa Bog, 1936; 1950, Totenliste. — Vem är Vem i Norden, Stockh. 1941, p. 16. — Weilbach, [3] I.

Arneberg, Arnstein, norweg. Architekt, * 6. 7. 1882 Halden, ansässig in Oslo.

Stud. an d. Kst- u. Handwerkssch. in Oslo u. an d. Techn. Hochsch. in Stockholm. Seit 1906 selbständig in Oslo. Knüpft an die heimische Bautradition an. — Volda-Kirche in Oslo, Telegraphengeb. ebda (zus. mit Magnus Poulsson); Rathaus ebda (zus. mit Poulsson); Volkshochsch. in Eidsvold; Skaugum, Sommersitz des norwegischen Kronprinzenpaares; Ministerhotel in Stockholm.

Lit.: N. F., 2. — Hvem er Hvem?, [4] 1938. — Vem är Vem i Norden, Stockh. 1941, p. 605. — D. Baumeister, 1936, p. 268/71, m. 7 Abbn. — Kunst og Kultur, 2 (1911/12) 77 (Abb.), 79 (Abb.), 152, 153, 160 (Abb.), 161, 163, 168 (Abb.), 173; 18 (1932) 17/30, m. Abbn; 19 (1933) 269 (Abb.), 271 (Abb.), 270 (Text). — Teknisk ukeblad, 1922, p. 191/94. — Kat. Jubil.-Utstill. Norges Kunst 1814–1914, Kra. 1914, p. [135 (Abb.), 207].

Arneberg, Halfdan, norweg. Maler, Innenarchitekt u. Schriftst., * 10. 3. 1879 Oslo, ansässig ebda.

Stud. an der Kst- u. Handwerkssch. u. der Akad. in Oslo. Seit 1928 Lehrer an ersterer.

Lit.: Hvem er Hvem?, [4] 1938. — Vem är Vem i Norden, Stockh. 1941, p. 605. (irrig: * 1897). — Kat. Jubil.-Utstill. Norges Kst 1814–1914, Kra. 1914, p. [217].

Arnegger, Alwin, öst. Bildnis- u. Landschaftsmaler, * 6. 2. 1883 Hohenweiler b. Bregenz, † 26. 4. 1916 München.

Schüler von C. v. Marr in München.

Lit.: Die Christl. Kst, 12 (1915/16) 286.

Arnesen, Vilhelm, dän. Marinemaler, * 25. 11. 1865 Flensburg, † 24. 3. 1948 Helsingør.

Stud. 1882/88 an der Akad. in Kopenhagen. Stellte seit 1886 aus. Bereiste 1891/92 Frankreich, England u. Holland. Neuhausen-Prämie 1893 u. 1899. Eckersberg-Med. 1907. Bilder u. a. in den Museen in Aalborg, Frederiksborg u. Kopenhagen.

Lit.: Th.-B., 2 (1908). — Dahl-Engelstoft, I. — Krak's Blaa Bog, 1936; 1950, Totenliste. — Kunstmus. Aarsskrift, 1919. — Vem är Vem i Norden, Stockh. 1941, p. 16. — Weilbach, [3] I.

Arnest, Bernard Patrick, amer. Maler, * 1917.

Sonderausst. März 1952 in der Kraushaar Gall. in New York.

Lit.: Art Digest, 22, Nr v. 1. 5. 1948, p. 12; 23, 1. 1. 1949, p. 11, m. Abb.; 26, Nr v. 15. 3. 1952, p. 21. — The Art News, 46, Jan. 1948 p. 23 (Abb.); 47, Mai 1948, p. 37; 51, April 1952, p. 47 m. Abb. — Bull. of the Minneapolis Inst., 36, Nr v. 15. 11. 1947, p. 149f.

Arnheim, Elly, dtsche Malerin, * 22. 2. 1877 Dresden, zuletzt ansässig in Berlin.

Schülerin von H. Struck u. K. Kollwitz.

Lit.: Dreßler.

Arnheim, Hans, dtsch. Bildhauer u. Zeichner, * 8. 1. 1881 Berlin, ansässig ebda.

Schüler von E. Herter u. P. Breuer. Im Mus. in Posen: Norweg. Eisläufer; im Mus. in Forst, Lausitz: Besiegt (Muschelkalkstein).

Lit.: Th.-B., 2 (1908). — Dreßler.

Arnhold, Franz, dtsch. Landschaftsmaler, * 18. 2. 1881 Leipzig, ansässig ebda.

Schüler der Leipziger Akademie.

Lit.: Dreßler.

Arnim, Elsa von, dtsche Landschaftsmalerin u. Graph., * 5. 5. 1888 Züsedom, Uckermark, ansässig in Berlin.

Lit.: Dreßler.

Arninge, Gudrun, schwed. Landschafts- u. Stillebenmalerin, * 1912 Arvika, ansässig in Stockholm.

Stud. in Göteborg.

Lit.: Thomœus.

Arno, Peter, amer. satir. Zeichner, *1902, ansässig in New York.

Zeichnete u. a. für den „New Yorker". — Mappenwerke: Peter Arno's Parade; Peter Arno's Circus; Peter Arno's Hullabaloo; For Members only; The Low-Down.

Lit.: Mellquist. — Mallett. — The Internat. Who's Who, 1943/44. — The Art News, 32 (1933/34) Nr 10 p. 125. — The Studio, 105 (1933) 191, m. Abb.

Arnold, Christian, dtsch. Maler (Öl u. Aquar.) u. Gebrauchsgraph., * 11. 3. 1889 Fürth, ansässig in Bremen. Autodidakt.

Lit.: Dreßler. — Velhagen & Klasings Monatsh., 42/II (1927/28) 570, 572 (Abb.); 44/I (1929/30) 467 (Abb.), 486.

Arnold, Clara Maxfield, amer. Malerin, * 5. 11. 1879 East Providence, R. I., ansässig ebda.

Hauptsächlich Blumen- u. Früchtestücke.

Lit.: Fielding. — Amer. Art Annual, 30 (1933).

Arnold, Gustaf, schwed. Bildnis-, Landschafts- u. Vedutenmaler, * 1881 Aringsås, Småland, ansässig in Ronneby.

Stud. in Paris, dort längere Zeit ansässig. Besonders Kinderbildnisse u. Pariser Straßenansichten.

Lit.: Joseph, I. — Thomœus. — Konstrevy, 1932, p. 180, m. Abb.; 1938, H. 1, p. IX.

Arnold, Harry, engl.-amer. Maler u. Illustr., * Penzance, Cornwall, ansässig in Chicago, Ill.

Stud. an d. South Kens. School in London u. an d. Acad. Colarossi in Paris.

Lit.: Fielding. — Amer. Art Annual, 20 (1923) 428. — Bénézit, [2] 1 (1948).

Arnold, Heinrich, tirol. Maler, * 6. 4. 1879 Innsbruck, † 18. 7. 1929 München. Bruder des Rudolf.

Stud. an d. Staatsgewerbesch. in Innsbruck u. an d. Münchner Kstgewerbesch., 1919/24 a. d. Münchner Akad. bei Habermann. 1928 Reise nach Südfrankreich. Landschaften, figürl. Kompositionen, Bildnisse, Stilleben.

Lit.: Kat. Ausst. Tirol. Kstler in Rheinland u. Westfalen 1925/26, Taf. 63. — Volksztg (Innsbr.) v. 10. 12. 1928. *J. R.*

Arnold, Heinz, dtsch. Maler, * 6. 4. 1879 München, ansässig ebda.

Schüler von H. von Habermann.

Lit.: Dreßler.

Arnold, Henry, franz. Bildhauer, * Paris, ansässig ebda.

Schüler von Barrias, eng befreundet mit Ch. Despiau. Seit 1911 Mitglied der Soc. Nat. d. B.-Arts (Salon-Kat. z. T. m. Abbn). Stellt seit 1923 auch im Salon des Tuileries aus, zu dessen Mitbegründern er gehört. Gruppe: Première offrande, im Bes. des Staates. Eine weibl. Büste (Bronze) im Luxembourg-Mus.

Lit.: Joseph, I. — Forrer, 7. — Bénézit [2] I (1948). — L'Amour de l'Art, 10 (1929) 97/101, m. 7 Abbn; 11 (1930) 392 (Abb.). — L'Art et les Art., N. S. 16 (recte 17), 1928 p. 330/34, m. 5 Abbn. — Art et Décor., 61 (1932) 233, 236. — La Renaiss. de l'Art franç., 15 (1932) 118 (Abb.), 121, 122. — Revue de l'Art anc. et mod., 46 (1924) 205 (Abb.), 206; 56 (1929) 95 (Abb.).

Arnold, Herbert, dtsch. Maler u. Gebrauchsgraph., * 1. 11. 1877 Berlin, ansässig ebda. Sohn des Carl Joh. A. (1829–1916).

Stud. an den Akad. Leipzig u. Berlin. Märchen-, Sagen- u. Legendenstoffe. Sammelausst. Nov. 1911 im Berl. Kstlerhaus.

Lit.: Dreßler. — D. Kstwelt, 2/I (1912/13) p. 172 (Abb.); 3/II (1914) p. 345 (Abb.). — Vossische Ztg, Nr 578 v. 18. 11. 1911.

Arnold, Josef, dtsch. Goldschmied (Prof.), * 20. 7. 1884 Schwäb.-Gmünd, ansässig in Hamburg-Altona.

Stud. an d. Fachsch. f. Goldschmiedekst in Gmünd u. an d. Kstgewerbesch. in Stuttgart. Leiter der Metallabteilung der Kstgewerbesch. in Altona.

Lit.: Dreßler.

Arnold, Josef, tirol. Maler, * 21. 8. 1891 Wörgl, ansässig in Innsbruck. Vater d. Lore.

Schüler von Tony Grubhofer, Max v. Esterle, Heinr. Comploy und Vinzenz Hofer in Innsbruck. Plakate, Bildnisse, Landschaften, Genre. Illustrationen.

Lit.: Innsbr. Nachr., 1913 Nr 13; 1940 Nr 94; 1942 Nr 161. — Bergland (Innsbr.), 1925 Nr 9. *J. R.*

Arnold, Karl, dtsch. Maler u. Karikaturenzeichner (Prof.), * 1. 4. 1883 Neustadt b. Coburg, Oberfr., ansässig in München.

Stud. an d. Münchner Akad. bei Raupp, L. v. Löfftz u. F. v. Stuck. Seit 1907 Mitarbeiter des „Simplizissimus", der „Jugend" u. der „Lustigen Blätter. 1910 in Paris. 1913 Gründungsmitgl. der „Münchner Neuen Sezession". 1914/17 Mitarbeiter der „Liller Kriegszeitung". Seit 1917 Teilhaber des „Simplizissimus". In den 1920er Jahren Studienaufenthalte in Berlin, Skandinavien, Paris, Spanien, Portugal u. Italien. Mitarbeit am „Nebelspalter" (Schweiz), an „Söndagsnisse" (Schweden), „Aftenbladet" (Kopenhagen) u. and. dtsch. u. ausländ. Zeitschriften. Buchwerke: Flugblätter der Liller Kriegszeitung; „Berliner Bilder" (Simplizissimus-Verlag), Münch. 1924; „Das Schlaraffenland von Hans Sachs mit Bildern von K. A." (Volksverband der Bücherfreunde, Wegweiseverlag), Berlin 1925. Ferner Buchumschläge, Plakate.

Lit.: Dreßler. — Breuer, m. 3 Abbn. — R. Davies, Caricature of to-day. The Studio, Lo. 1928. — H. R. Westwood, Modern Caricaturists, Lo. 1932. — J. M. Lutz, Bayerisch (was nicht im Wörterbuch steht), Münch. 1930. — D. Cicerone, 20 (1928) 604f., 806. — D. Kst, 59 (1929) 185/91, m. farb. Tafel u. 8 Abbn. — Velhagen & Klasings Monatsh., 39/I (1924/25) 622/34. — Die Dame, 52 (1924/25) H. 20, Juni 1925, p. 5ff., m. Abbn.

Arnold, Lore, tirol. Malerin, * 17. 1. 1923 Innsbruck, ansässig ebda. Tochter des Josef.

Stud. 1943/44 u. 1946/47 an d. Wiener Akad. bei Martin u. Ferd. Andri. Figürliche Kompositionen, Illustrationen, Entwürfe für Gobelins.

Lit.: Kat. Ausst. „Tiroler Kunst", Innsbr. 1948.

Arnold, Maria, dtsche Bildhauerin, * 1915 Pr. Börnschen, ansässig in Leipzig.

Lit.: Dreßler.

Arnold, Max W., rumän. Maler (bes. Aquarellist), * 1897 Jassy (Iași).

Stud. an der Kunstsch. in Jassy, 1919/20 an der Akad. in Rom, 1923 in Dresden. Bereiste den Orient (Syrien, Palästina, Ägypten), Frankreich, Spanien, England u. Holland. Hauptsächl. Stilleben u. Interieurs. 3 Bilder im Mus. Toma Stelian in Bukarest (Kat. 1939).

Lit.: Oprescu, 1935.

Arnold, Rudolf, tirol. Maler, * 15. 1. 1881 Innsbruck, ansässig ebda. Bruder des Heinr.

Stud. an d. Münchner Kstgewerbesch. 1898/1902, 1906 an der dort. Akad. bei Hackl. — Bildnisse, Akte, Landschaften, Stilleben.

Lit.: Innsbr. Nachr., 1942 Nr 157; 1944 Nr 156, 159. — Kat. d. Ausst. „Kstlerbund TYROL", 1947 u. 48. *J. R.*

Arnold, Walter, dtsch. Holz- u. Steinbildhauer (Prof.), * 27. 8. 1909 Leipzig, ansässig ebda.

Stud. an d. Kstgewerbesch. Leipzig bei Alfr. Thiele. Prof. an d. Hochsch. f. Bild. Kste in Dresden. Beschickt die Jahresschau Leipz. Künstler (Kat. z. T. mit Abbn) u. die Leipz. Kstausst. (desgl.). Bildnisbüsten u. -plaketten, Figürliches. Erhielt 1952 den Nationalpreis.

Lit.: Sperling, m. Abb. — Die Kst, 81 (1939/40) 61, m. Abb. — bild. kunst, 2 (1948) H. 10 p. 36; 3 (1949) 337f., m. Abbn. — Bild. Kunst (Dresden), 1 (1953) 48/53, m. 6 Abbn. — Kat.: Kstausst. „Kstler schaffen für d. Frieden", Berlin 1. 12. 1951–31. 1. 1952, Abb. p. 51; 3. Dtsche Kstausst. Dresden 1953, m. Abb.

Arnoux, Guy, franz. humorist. Zeichner, Illustr. u. Entwurfzeichner für Glasmalerei, † 1951 Paris.

Mitglied des Salon des Humoristes. Graph. Folgen: „Les quatre éléments", „Sept péchés capitaux". Illustr. zu: La Bataille, von Cl. Farrère; Le Dernier des Rochehaut, 1913 (éd. Poiret); Les Femmes de ce temps, von René Kerdyck.

Lit.: Joseph, I. — Bénézit, ² I (1948). — Gaz. d. B.-Arts, 1917 p. 484, 486ff., m. farb. Taf., 508 (Abb.). — La Renaiss. de l'Art franç., 2 (1919) 404f. (Abbn), 405. — D. Weltkst, 1951, Heft 20 p. 12. — Revue de l'Art anc. et mod., 42 (1922) 308ff., m. 2 Abbn, 312.

Arnstam, Alexander, russ. Bildnis- u. Bühnenmaler u. Filmarchitekt, * 28. 3. 1881 Moskau, bis ca. 1940 ansässig in Berlin.

Lit.: Dreßler.

Arnthal, Eduard, dtsch. Landsch.- u. Figurenmaler, * 3. 2. 1892 Hamburg, ansässig in Berlin.

Stud. 1910/12 an d. Kstsch. in Weimar, 1912/14 bei H. v. Habermann an d. Akad. in München. Studienreisen in Dalmatien, Italien, Schweden u. Afrika. Expressionist. Hauptsächlich Aquarellist.

Lit.: Dreßler. — Apollo (London), 7 (1928) 142, m. Abb. — D. Cicerone, 15 (1923) 1112; 20 (1928) 76 (Abb.), 346. — Dtsche Kst u. Dekor., 61 (1927/28) 402 (Abb.). — D. Kstblatt, 4 (1920) 355/58, m. 5Abbn. — Kstchronik, N. F. 32 (1920/21) 651. — Zeitschr. f. bild. Kst, 61 (1927/28), Kstchronik, p. 102f.

Arntz, Gerd, dtsch. Graphiker, * 1901 Remscheid a. Rh., ansässig in Holland.

Themen mit soziolog. u. polit. Einschlag. Linol- u. Holzschnitte. Bemalt seine Holzstöcke, die wie farbige Reliefs als bildmäßiger Wandschmuck dienen. Pflegt stilistisch eine baukastenhaft-klare Anordnung der Flächen u. Linien.

Lit.: D. Kstblatt, 10 (1926) 365. — Echo der Woche, München, 6. 3. 1948, m. Abb.

Arntz, Inge, dtsche Aquarellmalerin, * 29. 1. 1910 Remscheid, ansässig ebda.

Schülerin von F. W. Mundinger. Folgt der abstrakten Richtung.

Lit.: Remscheider Generalanz., 24. 1. 1950; 28./29. 4. 1951. — Der Mittag (Düsseldorf), 9. 2. 1950. — Rhein. Post, 29. 12. 1950.

Arntzenius, Paul, holl. Maler u. Rad., * 20. 5. 1883 Den Haag, ansässig ebda.

Schüler von W. B. Tholen u. H. van der Poll, kurze Zeit von Fr. Jansen an der Haager Akad. Stilleben, Landschaften, Blumenstücke, Bildnisse.

Lit.: Plasschaert. — Waay. — Eigen Haard (Haarlem), 1929, p. 428f., m. Abb. — Maandbl. v. beeld. Kunsten, 2 (1925) 88, m. Abb.; 15 (1938) 113–18, m. 5 Abbn; 19 (1942) 65f.; 24 (1948) 283, m. Abb.

Aroldi, Tommaso, ital. Bildnis- u. Genremaler, * 22. 10. 1870 Casalmaggiore, † 19.7. 1928 ebda.

Schüler von Gius. Magni. Seit 1887 Zeichenprof. am Ist. di B. Arti in Parma. Weitergebildet bis 1892 an d. Akad. in Florenz. Im Dom zu Cremona 12 gr. Temperagemälde mit Szenen aus dem Leben des hl. Omobonus.

Lit.: Comanducci.

Aronco, Raimondo de, ital. Architekt (Prof.), * Gemona (Prov. Udine), ansässig in Palermo.

Schüler von G. Franco an der Akad. in Venedig. Hofarchit. des türk. Sultans. Hauptsächl. Ausstellungsbauten.

Lit.: Th.-B., 2 (1908). — Vita d'Arte, 13 (1914) 67f., m. 4 Abbn.

Arondeus, Willem, holl. Maler u. Kstkritiker, † 1945 (?).

Stud. an d. Quellinusschule in Rotterdam. Hauptsächl. dekor. Wandmalereien. Sammelausst. 1924 im Kstsalon Everts, Rotterdam.

Lit.: Critisch Bulletin, 1945, Dez.-H. p. 12/15. — Maandbl. v. beeld. Kunsten, 1 (1924) 44, 45 (Abb.), 186.

Aronson, Boris, russ.-amer. Maler, * 15. 10. 1900 Kiew, ansässig in New York.

Schüler von Ilja Maschkoff in Moskau u. von Alex. Exter in Kiew. 2 Bilder im Mus. f. Mod. Kst in Kiew.

Lit.: Who's Who in Amer. Art, I: 1936/37. — Mallett. — M. E. Landgren, Towards romanticism, New York 1934. — Art Index (New York), Okt. 1944/Okt. 1949.

Aronson, Naoum Lwowitsch, russ. Bildhauer, * 25. 12. 1872 Kreslawka, Gouv. Witebsk, ansässig in Paris.

Stud. bei H. Lemaire an der Pariser Ec. d. Arts Décor. u. bei Rodin, der ihn stark beeinflußt hat. Im übrigen Autodidakt. Stellte 1897/1938 im Salon der Soc. Nat. d. B.-Arts aus. Verbindet weiche, geschmeidige Formgebung mit Zartheit der Empfindung in seinen jugendl. Akten, Mädchen- u. Frauenbüsten, entfaltet aber auf der anderen Seite außerordentliche Wucht der Form u. des Ausdrucks in seinen temperamentvoll modellierten Männerköpfen (Turgenjeff, Lenin, Pasteur, Mozart, Berlioz, Chopin). Im Luxembourg-Mus. in Paris: Salome. In der Städt. Gal. in Dublin eine Büste Tolstoijs. Im Garten des Geburtshauses Beethovens in Bonn eine Kolossalbüste Beethovens. In Godesberg ein figürlich verzierter Brunnen.

Lit: Th.-B., 2 (1908). — C. de Danilowicz, N.A., Paris 1911. — Jüd. Lex., I. — Joseph, I, m. Abb. — Bénézit, [2] I. — L'Art décor., 19 (1908) 61/67; 23 (1910) 182ff. — Art et Décor., 31 (1912) 25/36; 33 (1913) 189 (Abb.). — L'Arte, 25 (1922) 37/41, m. 5 Abbn. — Chron. d. Arts, 1912 p. 149. — L'Arte, 25 (1922) 37/41, m. 5 Abbn. — Ssredi Kollekzioneroff, 1923 Heft 7 p. 37. — Ost u. West (Berlin), 4 (1904) 449/58, Abbn bis Sp. 491. — The Studio, 65 (1915) 281; 93 (1927) 366 (ganzs. Abb.), 367f., m. Abb. — Bull. de l'Art, 1926 p. 226ff., m. Abbn. — La Renaiss. de l'Art franç., 9 (1926) 364, m. Abb., 371.

Arosenius, Eric, schwed. Aquarellmaler, * 1880 Göteborg, ansässig in Alingsås.

Autodidakt; Auslandsreisen. Bibl. u. mytholog. Stoffe. Bild im Mus. in Halmstad.

Lit.: Thomœus.

Arp, Hans (Jean), elsäss. Bildhauer, Maler, Graphiker u. Dichter, * 16. 9. 1888 Straßburg, ansässig in Meudon.

Stud. 1907 in Weimar, 1907/8 an d. Acad. Julian in Paris. 1911/12 in Paris u. in d. Schweiz. 1912 in München Zusammentreffen mit Kandinsky u. d. „Blauen Reiter". 1916 Mitbegründer der Dada-Bewegung in Zürich. 1918/19 mit Max Ernst in Köln. Seit 1922 meist in Paris wohnhaft, mit kurzen Zwischenbesuchen in d. Schweiz. Einer der führenden Bildhauer naturferner Richtung, der jedoch analog den Wachstumsformen der Natur zu schaffen strebt. Freiplastiken, Reliefs, Holzschnitte. — Koll.-Ausst.: Gal. „Surréaliste", Paris 1926; Gal. Goemans ebda 1929; Ksthaus Zürich 1929, 1934, 1936; Ksthalle Basel 1932; Buchholz-Gal., New York 1949. — Vertreten in: Kstmus. Basel, Mus. Lodz, Mus. Mod. Kst u. Mus. lebender Kst New York, Mus. Stockholm, Ksthaus Zürich. — Graph. Mappen: 7 Arpaden, Merzverl. 1923; 11 Configurations; Holzschnitte 1917–42; Illustrationen zu zahlreichen Büchern. — Buchwerke: E. Lissitzky u. H. Arp, Die Kunstismen, Zürich 1925; On my Way, New York 1948. Aufsätze: Von der letzten Malerei, Sturm, IV Nr 1; Die Blumensphinx, ebda, XV Nr 2; Introduktion zu M. Ernst, Hist. naturelle, Paris 1926; Notes from a Diary, Transition, 1932 Nr 21; Art concret, Kat. Konkrete Kst, Ksthalle Basel 1944.

Lit.: Bénézit, [2] 1 (1948). — A. Breton, Le Surréalisme et la Peinture, Paris 1928; ders., Le Surréalisme en 1947, Paris 1947. — Einstein. — C. Giedion-Welcker. — H. Hildebrandt, D. Kst d. 19. u. 20. Jh.s, 1931. — R. Huyghe, Hist. de l'Art contemp., Paris 1935. — Kandinsky u. Marc, Der blaue Reiter, [2] 1914. — R. H. Wilensky, Mod. French Painters, New York 1940. — Abstrakt u. Konkret (Zürich), 1945 Nr 6. — L'Amour de l'Art, 1934, p. 336ff. passim, m. Abb. — Art Digest, 23, Nr v. 1. 2. 1949, p. 13, m. Abb. — Archit. Record, 105 (1949) 94 (Abb.). — Beaux-Arts, 25. 7. 1947, p. 8 (Abb.). — Arts a. Architecture, Juni 1948, p. 27 (Abb.). — The Art News, 47, Okt. 1948, p. 26 (Abb.); Jan. 1949, p. 20f., m. Abbn. — Cahiers d'Art, 3 (1928) 229/30, m. 4 Abbn; 6 (1931) 61/64; 7 (1932) 57, 58, 59 (Abb.), 60, 62, 80 (Abb.), 81; 9 (1934) 197/200, m. Abb.; 22 (1947) 267/71. — Cahiers de Belgique, 1928, p. 221/24, m. 6 Abbn. — Le Centaure (Brüssel), 3 (1929) 36ff., m. Abbn, 227 (Abb.), 228, 255. — D. Cicerone, 21 (1929) 711/13. — Dada, Dez. 1918. — Documents, 1929, p. 340/42, m. 2 Abbn; 1931 Nr 8, p. 35/43, m. 9 Abbn. — D. Kstblatt, 14 (1930) 104/06, m. Abb., 372/75, m. Abbn. — D. Kstwerk, 1 (1946–47) H. 8/9 p. 53, m. Abb.; 2 (1948) H. 8 p. 45. — The Philadelphia Mus. Bull., 38, Mai 1943, p. 2 (Abb.). — The Print Coll.'s Quarterly, 30, Juni 1949, p. 45 (Abb.). — Pro Arte (Genf), 2 (1943) 205f., m. Abb. — La Revue d'Art (Antwerpen), 29 (1928) 221f. — De Stijl, 1928 Nr 87/89. — XXe siècle, II/1 (1939) 25/29. — D. Werk (Zürich), 36 (1949), Mai-H., Suppl. p. 68 (Abb.); Juli-H., Suppl. p. 104. — Kat.: Art of this Century, New York 1944; Gal. Drouin, Art concret, Paris 1945; Gal. Herrmann, Stuttgart 1948; Buchholz Gall. (Curt Valentin), New York 1949; S. Janis Gall. New York 1950.

Arpke, Otto, Gebrauchsgraphiker, Plakatkstler u. Maler (Prof.), ansässig in Berlin.

Lit.: D. Cicerone, 18 (1926) 812. — Gebrauchsgraphik, 1 (1924/25) H. 6, p. 36/44 (Abbn), H. 7, p. 53–55 (Abbn); 2 (1925/26) H. 5, p. 13; 3 (1926/27) H. 5 p. 17, farb. Taf. zw. p. 46/97; H. 11, p. 27/32, m. Abbn. — D. Kst, 61 (1929/30) Abb. p. 73. — Kstschule, 7 (1924) 39, m. Abb. — D. Plakat, 11 (1920) Abbn nach p. 450, 467 (Abb.), 470. — Revue de l'Art anc. et mod., 70 (1936) 201, 209 (Abb.).

Arregui, Romana, span. Figurenmalerin, * 28. 2. 1875 Bilbao, ansässig in Versailles-Le Chesnay (Seine-et-Oise).

Mitgl. der Soc. d. Art. Indépendants, deren Salon sie 1910/35 beschickte.

Lit.: Joseph, I. — Bénézit, [2] I (1948).

Arronet, Dora, geb. Freiin *von Fersen*, estnische Pferdemalerin (Öl u. Aquar.), * 1886.

Lit.: Kat. d. Kstausst. aus Revaler Privatbes., Reval 1918, Nrn 198f., 217, 245/47.

Arrué, Alberto, baskischer Figuren- u. Bildnismaler, Bruder der beiden Folg.

Beeinflußt von Zuloaga. Baskische Bauerntypen. Kollekt.-Ausst. in der Gal. Layetanas in Madrid 1916.

Lit.: Francés, 1916 p. 90f., m. Abb.; 1922 Taf. 30. — Apollo (London), 20 (1934) 266. — Museum (Barcelona), 6 (1918/25) 331 (Taf.-Abb.), 333.

Arrué, José (Pepe), baskischer Maler, Karikaturen- u. Kostümzeichner, Bruder des Vor. u. des Folg.

Lit.: Francés, 1916 p. 90f.; 1922 Taf. 31. — Apollo (London), 20 (1934) 266. — Museum (Barcelona), 6 (1918/25) 330 (Abb.).

Arrué, Ramiro, baskischer Maler, * Bilbao, ansässig in Ciboure bei St-Jean de Luz. Bruder der beiden Vor.

Stud. in Paris, wo er besonders von den franz. Impressionisten, dem japan. Holzschnitt u. den ital. Primitiven beeindruckt wurde. Malte Szenen aus dem Leben des baskischen Landvolkes, bes. der Fischer, u. baskische u. aragones. Landschaften. Fresken in der Halle der Banque de Bilbao in Madrid.

Lit.: Bénézit, [2] I (1948). — Apollo (London), 20 (1934) 266f., m. 4 Abbn. — L'Art et les Artistes, N. S. 7 (1923) 290.

Arsal, Eugène, franz. Porträt- u. Genrebildhauer, * Paris, ansässig in Vincennes.

Schüler von Hiolle u. H. Lemaire. Seit 1920 Mitglied der Soc. d. Art. franç. (Salon-Kat. z. T. m. Abbn).

Arslanyan, Vitchen, türk. Architekturmaler, * 1865 Istanbul (Konstantinopel), † 1939 ebda.

Lange Zeit Zeichenlehrer am Galatasaray-Lyzeum. Nahm 1916 an der Ausst. von Galatasarayheim teil. Realist.

Lit.: Berk, p. 21.

Arste, Karl, dtsch. Landschaftsmaler, * 24. 2. 1899 Bremen, † 1942 Worpswede.

Stud. an d. Akad. in Leipzig. Ansässig in Bremen, seit 1932 in Worpswede. Bild in der Ksthalle Bremen.

Lit.: Dreßler. — Niedersaehsen, 25 (1920) 273; 47 (1942) 105. — Velhagen & Klasings Monatsh., 54/I (1939/40) 216 (farb. Abb.), 221. — Kstrundschau, 50 (1942) 136.

Arström, Folke, schwed. Maler, Bühnenbildner, Plakatzeichner u. Plakettenkstler, * 1907 Stockholm, ansässig ebda.

Stud. an Berggrens Malsch. Auslandsreisen.

Lit.: Thomœus.

Art, Berthe, belg. Stilleben-, Blumen- u. Früchtemalerin, * 26. 12. 1857 Brüssel, † 1934 ebda.

Schülerin von A. Stevens in Paris. Je 1 Pastell in den Museen in Antwerpen, Brüssel u. Courtrai.

Lit.: Seyn, I, m. Fotobildn. — Bénézit, [2] I.

Artelius, Gullan, geb. *Rudevall,* schwed. Figurenmalerin (Öl, Aquar., Tempera), * 1897 Asby, Östergötland, ansässig in Stockholm. Gattin des Folg.

Stud. an der Malsch. von Althin u. an d. Akad. in Stockholm. Bereiste Frankreich u. Italien.

Lit.: Thomœus.

Artelius, Helge, schwed. Maler (Öl, Aquar., Tempera) u. Zeichner, * 1895 Sundsvall, ansässig in Stockholm. Gatte der Vor.

Stud. an der Akad. in Stockholm.

Lit.: Thomœus. — Konstrevy, 1935, p. 10 (Abb.), 11.

Arteta, Aurelio, span. Figurenmaler, * 1883 (?) Bilbao, ansässig in Madrid.

Begann als Entwerfer von Stickereimustern u. als Lithograph. Ausgebildet mit Stipendium in Paris. 1. Preis auf der Nat. Ausst. Madrid 1934. Lehrer für Modellzeichnen an der Escuela Sup. de Pintura in Madrid. Hauptsächlich Wandmaler. Fresko in der Bank von Bilbao in Madrid. Schilderungen aus dem Leben des baskischen Landvolkes. Vertreten im Mus. de Arte Mod. Madrid.

Lit.: Francés, 1919 p. 146 (Abb.), 109 (Abb.), 155 (Abb.: Büste A.s), 184 (Abb.); 1920 p. 367. — Bénézit, [2] I (1948). — The Studio, 112 (1936) 180, 188 (Abb.). — Kat. Internat. Exhib. of Paint. Carnegie Inst. Pittsburgh, 1938 Nr 260.

Arthur, Eric Stafford, engl. Bildnis- u. Landschaftsmaler (Öl u. Aquar.), Kaltnadelst. u. Holzschneider, * 3. 4. 1894, ansässig in West Kirby, Cheshire.

Stud. an der Kstschule in Liverpool.

Lit.: Who's Who in Art, [3] 1934.

Arthur, Revington, amer. Maler, * 1908 Glenbrook, Conn., ansässig ebda.

Stud. an der Art Students' League in New York bei K. Nicolaides, G. P. Ennis u. A. Gorki.

Lit.: Who's Who in Amer. Art, I: 1936/37. — The New York Times, 24. 2. 1932. — Art in America, 27 (1939) 148 (Taf.-Abb.). — Amer. Art Annual, 30 (1933). — Art Index (New York), Okt. 1941/Sept. 42; Okt. 44/Okt. 51. — Painting in the Un. States. Ausst. Carnegie Inst. Pittsburgh, Okt./Dez. 1949, Kat. Taf. 119. — Monro.

Arthur, Sydney Watson, engl. Tier- u. Landschaftsmaler, * 1881 Maghull, Lancs., ansässig in Bettws-y-Coed, N. Wales.

Lit.: Who's Who in Art, [3] 1934.

Arthurs, Stanley, amer. Wandmaler, Illustr. u. Reiseschriftst., * 27. 11. 1877 Kenton, Delaware, ansässig in Wilmington, Del.

Schüler des Drexel Inst. in Philadelphia u. von Howard Pyle. Wandgemälde im Delaware Coll. in Newark, Del. (Landung des De Vries in Swanendale), im Staatskapitol in Dover, Del. (Die Kreuzfahrer), u. im Staatskapitol in St. Paul, Minn. (Einnahme von Little Rock, Ark., durch die Verbündeten). Illustrat. zu: „The War of 1812" von Capt. A. T. Mahan, „The Bigelow Papers", „The Children's Longfellow".

Lit.: Th.-B., 2 (1908). — Fielding. — Bénézit, [2] 1 (1948). — Monro. — Amer. Art Annual, 30 (1933). — Who's Who in Amer. Art, I: 1936/37.

Arthy, John Lawson, engl. humorist. Zeichner u. Illustr., * 27. 10. 1886 London, ansässig ebda.

Artigas Dernis, Francisco, katal. Kleinplastiker u. Maler, ansässig in Barcelona.

Stud. in Paris. Schnitzt hauptsächl. in Holz: Blumenkränze, Früchte, Zweige, weibl. Statuetten u. Reliefs (Venus, Tänzerin, Flora usw.), Bilderrahmen.

Lit.: Francés, 1919 p. 355/57, m. 3 Abbn.

Artigas, José Llorenz, katal. Keramiker, * Barcelona, ansässig in Paris.

Stud. an der Kstindustriesch. in Barcelona. Seit 1924 in Paris ansässig. Arbeitete anfängl. zus. mit Raoul Dufy. Stellte 1928 im Salon d'Automne, 1931 im Salon d. Décorateurs, 1932/39 bei den Indépendants aus. Schlichte, formschöne, eigenhändig gedrehte, im Scharffeuer gebrannte Gefäße.

Lit.: Joseph, I. — Bénézit, [2] I (1948). — L'Art vivant, 1928 p. 649f., m. Abb. — La Renaiss. de l'Art franç., 14 (1931) 334/36, m. 4 Abbn. — Dtsche Kst- u. Dekor., 70 (1932) 49ff., m. Abbn.

Artigue, Bernard Joseph, franz. Genre- u. Landschaftsmaler, * Muret (Haute-Garonne), ansässig in Toulouse, zuletzt in Blaye-les-Mines (Tarn).

Schüler von J.P.Laurens u. Cabanel. Stellte 1895–1934 im Salon der Soc.d.Art.Franç.(seit 1929 Sociétaire ders.), 1907/10 bei den Indépendants in Paris aus.

Lit.: Th.-B., 2 (1908). — Joseph, I. — Bénézit, [2] I (1948).

Artiñano, Pedro Miguel de, span. Architekt, * 11. 12. 1879, † 1934.

Lit.: Arquitectura, 1932 p. 48/58 passim, m. Abb. — Revista esp. de Arte, 3 (1934) 52f. (Nachruf).

Artioli, Alberto, ital. Maler, * 10. 9. 1881 Modena, † 5. 4. 1917 ebda.

Studierte in Modena u. Rom.

Lit.: Comanducci.

Artot, Paul, belg. Figuren- u. Bildnismaler u. Lithogr., * 1875 Brüssel.

Schüler von Portaels. 1902/14 an der Kstschule in Glasgow lehrtätig. Später Prof. in Antwerpen. Im Mus. Gent: Kinderkopf.

Lit.: Seyn, I.

Artschibatscheff, Boris, russischer Illustrator, * 5. 6. 1899 Charkoff, ansässig in New York.

Illustr. u. a. zu „Orpheus" von Padraic Colum, „Fireflies" von Rabindranath Tagore, „The Wonder Smith and his Son" von Ella Young, „Three and the Moon" von Jacques Dorey, „Jonah" von Rob. Nathan, „The Circus of Dr. Lao" von Phinney u. zu einer von der Viking Press besorgten Ausg. der Fabeln des Äsop.

Lit.: Who's Who in Amer. Art, I: 1936/37. — Mallett. — The Art News, 32 (1933/34), Nr 7 p. 10. — Amer. Artist, 5, Dez. 1941, p. 10/15; 11, Okt. 1947, p. 12, 17; Dez. 1947 p. 26 (Abb.). — Art and Industry, 32 (1942) 180 (Abb.). — The Studio, 97 (1929) 226f., m. Abb.; 141 (1951) 78 (Abb.).

Artums, Ansis, lett. Maler, * 1908 Riga, ansässig in Tukums.

Schüler von Purvitis an der Akad. in Riga (bis 1932). Stellt seit 1935 im In- u. Ausland aus. Beteiligt an der lett. Ausst. im Musée du Jeu de Paume in Paris 1939.
Lit.: Bénézit, [2] I (1948).

Artus, Charles, franz. Tierbildhauer u. Lithogr., * 16. 7. 1897 Etretat (Seine-Infér.), ansässig in Paris.
Schüler von Navelier. Stellte 1920/27 im Salon der Soc. d. Art. franç. aus (Kat. z. T. m. Abbn). Im Luxembourg-Mus.: Hase, u.: Amsel vom Senegal.
Lit.: Joseph, I. — Bénézit, [2] I (1948). — Art et Décoration, 1928/II, Chronique, August-Heft p. 1 (Abb.), 2.

Artus, Walter, dtsch. Architektur- u. Landschaftsmaler, * 17. 12. 1873 Grimma/Sa., ansässig ebda.
Beschickt die Wurzner Kstausstellgn (Kataloge). Kollektiv-Ausst. 13.–23. 12. 1920 im Rathaus in Grimma.
Lit.: Nachr. f. Grimma, 17. 12. 1920.

Artz, Constant, holl. Maler, * 3. 6. 1870 Paris, Sohn des Malers Adolf A. (1837–1890).
Schüler seines Vaters u. Tony Offermans'. Beeinflußt von W. Maris.
Lit.: Plasschaert.

Arundel, James, engl. Maler, * 7. 8. 1875 Bradford, ansässig in North Somercotes, Lincolnshire.
Lit.: Who's Who in Art, [3] 1934.

Aruschev, Nikola, bulgar. Landschaftsmaler, * 1895, ansässig in Sofia.
Stud. an d. Akad. Sofia.
Lit.: Kat. d. Ausst. Bulgar. Kstler in Deutschland, Leipzig, Kstver., 1941/42.

Arvaldis, Girts, lett. Maler, * 1910, ansässig in Blomberg, Lippe.
Lit.: Kat. d. Ausst. Lett. Kst. in d. Fremde, Schaezler-Palais Augsburg, Juni 1948.

Arvisenet, Léon, franz. Bildhauer u. Plakettenkstler, * Paris.
Beschickte den Salon der Soc. d. Art. Franç. seit 1909.
Lit.: Bénézit, [2] I. — Forrer, VII.

Arzberger, Adolf, tirol. Holzbildhauer, * 30. 9. 1906 Brandenberg, ansässig ebda.
Schüler von J. Seisl in Wörgl u. der Staatsgewerbesch. in Innsbruck. *J. R.*

Asaf, Hale, türkische Bildnismalerin, * 1903 Istanbul (Konstantinopel), † 1937 Paris.
Schülerin der Akad. d. Sch. Künste zu Istanbul, 1927ff. von Raoul Dufy u. H. Matisse in Paris. Kurze Studienaufenthalte in Berlin u. München. 1929 zurück in die Heimat. Beeinflußt von Matisse. Ihr Ziel: Verbindung der westl. Maltechnik mit den westlichen Elementen der oriental. Kunst. Bedeutende Koloristin. Vertreten im Petit Palais in Paris. Koll.-Ausst. in Ankara 1929.
Lit.: Berk, p. 23, Abb. 32, farb. Taf. 9.

Asakura, Künstlername *Fumio,* jap. Bildhauer u. Holzschnitzer, * 1883 (1886?) Oitaken, ansässig in Tōkyō.
Stud. an d. Akad. der Sch. Künste in Tōkyō. Prof. an derselben. Mitglied der Jury des offiziellen Salon. Bildnisbüsten; Tiere.
Lit.: The Who's Who in Japan, [18] 1937. — Pica, p. CXXXIII. — The Studio, 105 (1933) 5, m. Abb. — Kat. d. Expos. d'Art jap., Paris, Grand Palais, 1922, Nrn 164f., m. Abb.

Asami, Künstlername *Seiju,* jap. Fayencier, * 1877 Tōkyō, ansässig ebda.
Lit.: Kat. d. Expos. d'Art jap., Paris, Grand Palais, 1922, Nrn 199f.

Asanger, Jakob, dtsch-amer. Maler u. Rad., * 20. 1. 1887 Altötting, Oberbay., ansässig in New York.
Stud. in München.
Lit.: Fielding. — Amer. Art Annual, 20 (1923) 428.

Åsberg, Stig, schwed. Radierer u. Buchillustr., * 1909 Baku, Rußld, von schwed. Eltern, ansässig in Stockholm.
Stud. an der Techn. Schule Stockholm, im übrigen Autodidakt. Hauptsächlich Landschaften, aber auch Figürliches, Köpfe usw. Illustr. u. a. zu: Gust. Sandgren, „Skymningssagor".
Lit.: Thomœus. — Konstrevy, 1937, p. 16, m. Abb. u. Sonder-Nr, p. 21; 1938, p. 25, 26 (Abb.), 140 (Abb.), 141; 1939, p. 51/54, m. 6 Abbn.

Ascenzo, Nicola d', ital.-amer. Glasmaler, Mosaizist u. Wandmaler, * 25. 9. 1871 in dem Abruzzendorf Torricella, ansässig in Germantown, Pa.
Schüler von Mariani u. Jacovacci in Rom. Häufig ausgezeichnet. Farb. Glasmosaiken u. a. in der St. Thomaskirche in New York, in der Washington-Gedächtnis-Kap. in Valley Forge, Pa., in der Kap. in Mercersburg, Pa., u. in der Riverside Baptist Church in New York. Farb. Glasfenster in der Heil. Geistkap. der Nationalkathedr. in Washington u. in der Kap. der Princeton Univ. in Philadelphia. Wandmalereien in den Municipal Buildings in Springfield, Mass.
Lit.: Who's Who in Amer. Art, I: 1936/37, p. 111. — Amer. Art Annual, 27 (1930) 18, 521; 30 (1933).

Aschauer, Kurt, dtsch. Holzbildhauer, * 26. 12. 1900 Landau (Pfalz), ansässig in Bad Warmbrunn.
Schüler von Bleeker an d. Akad. in München. Seit 1931 Lehrer an d. Holzbildhauersch. in Oberammergau, seit 1940 als Nachfolger von C. Dell'Antonio Direktor der Holzbildhauersch. in Bad Warmbrunn. Bildnisbüste in d. Städt. Gal. in München.
Lit.: Sperling, m. Abbn. — Kat. d. Ausst. Niederschles. Kst, Berlin, Schloß Schönhausen. Okt./Nov. 1942.

Aschenbach, Franz, dtsch. Architekt u. Landschaftsmaler, * 26. 12. 1883 Berlin, ansässig ebda.
Stud. an d. Unterrichtsanstalt des Berl. Kstgewerbemus. u. an d. Techn. Hochsch. Charlottenburg. Arbeitete dann bei Alfred Messel u. L. Corinth.
Lit.: Dreßler.

Aschenborn, Hans Anton, dtsch. Maler, Graph. u. Schriftst., * 1. 2. 1888 Kiel, † 10. 4. 1931 ebda.
Mappenwerk: Afrikamappe (12 Lithos), Berlin.
Lit.: Dreßler. — Degener's Wer ist's, [10] 1935, Totenliste. — Westermanns Monatsh., 151 (1931/32) p. 241/48, m. farb. Abbn.

Ascher, Ernst, dtsch-böhm. Maler, * 1888 Prag, ansässig ebda.
Stud. in Paris; stellte dort im Salon d'Automne 4 Bilder aus: Sitzende Frau, Stilleben u. 2 Landschaften.
Lit.: Bénézit, [2] I (1948). — Dreßler.

Ascher, Felix, dtsch. Architekt, * 27. 3. 1883 Hamburg, ansässig ebda.
Stud. an d. Techn. Hochsch. Charlottenburg u.

München. Arbeitete dann bei Alfr. Messel in Berlin. Seit 1913 in Hamburg. Landhäuser an der Elbchaussee bei Hamburg; Nähmaschinenfabrik Singer & Co. in Wittenberge a. d. E. (1922/26); Israelit. Tempel an der Oberstraße in Hamburg (zus. mit Robert Friedmann).

Lit.: Platz. — Dreßler. — Neue Baukst, 2 (1926) H. 16. — D. Kreis (Hamburg), 8 (1931) 492f., Taf. geg. p. 489.

Aschieri, Pietro, ital. Architekt, * 26. 3. 1889 Rom, ansässig ebda.

Hauptbauten: Arbeitshaus der Kriegsblinden in Rom; Pal. De Salvi u. Pastificio Pantanella ebda; Chem. u. Pharmazeut. Inst. d. Universitätsstadt Rom.

Lit.: Chi è?, 1940. — C. Baroni, L'Architettura lombarda da Bramante al Ricchini, Mail. 1941, p. 107. — Emporium, 73 (1931) 155f., m. Abbn; 83 (1936) 18, 22 (Abb.). — Dedalo, 12 (1932) 136ff., Abbn,150ff. — Dtsche Bauzeitg, 67 (1933) 907.

Aschmann, Herbert, dtsch. Maler u. Graph., * 6.6.1913 Meißen, ansässig ebda.

Schüler der Dresdner Akad. Landschaften, Stillleben, Blumenstücke (Öl u. Aquar.).

Lit.: Kat.: Kstausst. „Kstler schaffen f. d. Frieden", Berlin 1. 12. 1951–31. 1. 1952, Abb. p. 46; 3. Dtsche Kstausst. Dresden 1953, m. Abb.

Asen, Karl Theodor, dtsch. Landschaftsmaler, * 22.5.1875 Elberfeld, zuletzt ansässig in Bonn.

Schüler von Klaus Meyer an der Düsseld. Akad. Bild im Städt. Mus. in Bonn.

Lit.: Dreßler.

Asendorpf, Bartold, dtsch. Maler u. Graphiker, * 14. 5. 1888 Stettin, † Febr. 1946 im Konzentrationslager Buchenwald.

Schüler von H. Olde, Th. Hagen, M. Thedy, Sascha Schneider u. L. v. Hofmann an der Kstschule in Weimar. Beeinflußt von Marées, dessen Werke er 1912 in Schleißheim kennenlernte. 1915ff. durch Kriegsverwundung in seiner künstler. Produktion gehemmt. Ließ sich in Bad Berka/Thür. nieder, wo er neben der Malerei in eigener Werkstatt die Holz- u. Metallbearbeitung pflegte. 1943 durch das Naziregime verfemt. Nach Besetzung Thüringens verhaftet. Gedächtnis-Ausst. Januar/Febr. 1953 im Städt. Mus. in Braunschweig (Katal.).

Lit.: D.Kst u. d. schöne Heim, 51 (1952/53), Beil. p. 119.

Asgur, Sair Issaakowitsch, sowjet. Porträtbildhauer, * 1908 in dem Dorf Moltschan, Weißrußland.

Stud. 1926/29 an d. Akad. d. Bild. Kste, Leningrad, ging dann zurück nach Weißrußland. Volkskünstler der Bjeloruss. SSR. Zweimal Stalin-Preisträger. Korrespond. Mitgl. d. Akad. d. Kste der UdSSR. Beteiligt an d. Ausschmückung des Regierungsgeb. in Minsk u. des Weißruss. Pavillons der Landwirtschafts-Ausst. in Moskau. Porträtbüsten vieler sowjet. Revolutionäre u. Staatsmänner. Bildnisbüste in der Staatl. Tretjakoff-Gal. in Moskau (Kat. 1947, m. Abb. 169).

Lit.: 50 Monogr. von Meistern der Sowjet. Bild. Kst (russ.), Heft [2]. — Encykl. d. Union d. Sozial. Sowjetrepubliken, 2 (1950), m. Abb.

Ashenden, Edward, engl. Zeichner (Wappen, Geschäftsanzeigen usw.), * 27. 1. 1896 Wandsworth Common, ansässig ebda.

Lit.: Who's Who in Art, [3] 1934.

Asher, Florence May, engl. Figuren- u. Landsch.-Malerin u. Rad., * 2. 5. 1888 Nottingham, ansässig in Buckland, Cres.

Stud. an d. R. Acad. School in London.

Lit.: Who's Who in Art, [3] 1934.

Ashley, Clifford Warren, amer. Maler, * 18. 12. 1881 New Bedford, Mass., ansässig in Wilmington, Del.

Arbeiten im Mus. in Brooklyn, N. Y., u. in d. Public Library in New Bedford, Mass. Illustrierte seine eigenen Dichtungen: „A Corner in Four Posters" u. „The Blubber Hunters".

Lit.: Fielding. — Amer. Art Annual, 20 (1923) 428. — Monro.

Ashley, William John, engl.-amer. Landschaftsmaler, * 1868 in England, † Okt. 1921 Mt. Vernon, N. Y.

Lit.: Fielding.

Ashton, William (Will), austral. Landsch.- u. Marinemaler, * 20. 9. 1881 York, ansässig in Sydney.

Schüler von Jul. Olsson, Algernon Talmage u. der Acad. Julian in Paris. Direktor der Nat. Gall. of New South Wales. Bereiste 1941 auf Einladung der Carnegie Corpor. die USA u. Kanada. Vertreten in den Nat. Gall. in Adelaide (3), Melbourne (4), Perth (2), Syndey (5 Ansichten aus Paris u. Venedig) u. Victoria (1).

Lit.: Th.-B., 2 (1908). — Who's Who in Art, [3] 1934. — The Internat. Who's Who, [8] 1943/44. — The Studio, 61 (1914) 48 (Abb.), 50, m. Abb.; 62 (1914) 258, 316f., m. 2 Abbn, 318; 66 (1916) 273, 208; 68 (1916) 54; 91 (1926) 213, m. Abb.

Asin, Quisper, peruan. Maler u. Graph.

Kollektiv-Ausst. im Salón del Ateneo in Madrid 1925. Figürliches, Bildnisse, Interieurs.

Lit.: Francés, 1925/26 p. 215f.

Ask, Evald, schwed. Maler, * 1894 Lund, ansässig in Malmö.

Stud. an der Akad. Stockholm, weitergebildet in Italien, Frankreich u. Deutschland. Figürliches (bes. relig. Stoffe), Bildnisse, Zirkusszenen, Landschaften, Blumenstücke.

Lit.: Thomœus.

Askew, Felicity, engl. Tier- (bes. Pferde-) Malerin, Bildhauerin u. Zeichnerin, * 19. 12. 1894, ansässig in Berwick-on-Tweed.

Schülerin von Max Kruse, Frank Calderon u. Ern. Bazzaro. Pferdestudien in Newmarket, wo sie ihr Atelier hat.

Lit.: Who's Who in Art, [3] 1934.

Åslund, Acke, schwed. Maler u. Graphiker, * 27. 10. 1881 Östersund, ansässig in Stockholm.

Stud. an der Akad. in Stockholm u. an der Radiersch. Tallbergs ebda. Studienaufenthalte in Deutschland, Frankreich, Spanien u. auf Mallorca. Hauptsächlich Pferdebilder. Vertreten im Nat.-Mus. in Stockholm u. in den Museen in Östersund u. Hudiksvall.

Lit.: Vem är det?, 1935. — Thomœus. — Vem är Vem i Norden, 1941 p. 1538. — Jämten, XVI, p. 92/95 passim.

Åslund, Elis, schwed. Maler, Bildhauer, Graphiker u. Kstgewerbler, * 2. 2. 1872 Tuna, Medelpad, ansässig in Djursholm. Bruder des Helmer Osslund.

Stud. an der Techn. Schule u. der Kstindustriesch. in Stockholm, weitergebildet in Kopenhagen, München, Rom, Paris, London u. in den USA. Hauptsächlich Bildnisse u. Figuren in Landschaft. Bilder im Nat.-Mus. u. in der Smlg Thiel in Stockholm.

Lit.: Th.-B., 2 (1908). — Thomœus.

Åslund, Moje, schwed. Maler, Bühnenbildner, Plakat- u. Filmzeichner, * 1904 Stockholm, ansässig ebda.
Stud. in Örebro, Stockholm u. München.
Lit.: Thomœus.

Asmussen, Christian, dän. Landschaftsmaler, * 1873.
2 Bilder im Mus. in Aalborg (Kat. 1926).
Lit.: The Studio, 89 (1925) 56, m. Abb.

Åsö, Arvid, schwed. Landschafts-, Interieur- u. Blumenmaler, * 1890 Skövde, † 1943.
Schüler von Birger Simonsson.
Lit.: Thomœus.

Asorey, Francisco, span. Bildhauer u. Kleinplastiker (Karikaturen u. religiöse Themen), ansässig in Santiago de Compostela.
Lit.: Francés, 1917 p. 29 (Abb.), 348 (Abb.), 360 (Abb.), 362; 1920 p. 245 (Abb.), 247; 1922 Taf. 17; 1923/24 p. 138f., 281, 424, Taf. 24; 1925/26, Taf. 77.

Asp, Gösta, schwed. Landschafts-, Interieur- u. Bildnismaler, * 1910 Motala, ansässig ebda.
Stud. an der Akad. Stockholm u. in Paris. Bereiste Europa u. Ostindien.
Lit.: Thomœus.

Asp, Hjalmar, schwed. Maler u. Lithograph, * 1879 Malmö, † 1940 ebda.
Stud. in Stockholm, Kopenhagen u. bei Zügel in München. Studienaufenthalte in Frankreich u. Deutschland. Weidevieh in Landschaft Bilder im Nat.-Mus. in Stockholm u. im Mus. in Malmö.
Lit.: Thomœus.

Asp, Nils, schwed. Maler (Öl u. Aquar.) u. Zeichner, * 1916 Stockholm, ansässig in Sagahuset, Uddevalla.
Stud. an Berggrens Malsch. in Stockholm. Bereiste Deutschland u. Italien. Landschaften, Figürliches. Neigt der surrealistischen Richtung zu.
Lit.: Thomœus.

Aspelin, Arne, schwed. Landschafts-, Stilleben u. Figurenmaler (Öl, Aquar., Tempera), * 1911 Hälsingborg, ansässig in Malmö.
Stud. in Malmö u. Paris.
Lit.: Thomœus.

Aspelin, Bruno, finn. Maler u. Bildh., * 1870.
Stud. in Helsinki u. Paris. Im Ateneum Helsinki ein gem. Selbstbildnis (1894).

Asperen, Piet Hein van, holl. Landschafts-, Stilleben- u. Porträtmaler u. Plakatzeichner, * 8. 2. 1895 Harlingen, ansässig in Rotterdam.
Schüler von Henricus Jansen im Haag. Brach 1914 bei Ausbruch des Krieges seine Studien ab u. kehrte nach Harlingen zurück. Stud. seit 1915 an der Quellinussch. in Amsterdam bei Heukelom. Dann einige Zeit als Dekorationsmaler in Friesland tätig. Ging 1920 nach Rotterdam. Arbeitete dort bei Jaap Gidding, dann als Reklamemaler u. -zeichner in der Fabrik Van den Bergh ebda.
Lit.: Maandbl. v. beeld. Ksten, 7 (1930) 240/46, m. 8 Abbn u. Fotobildn.

Asperslagh, Alexander, holl. Maler (Aquar., Pastell) u. Zeichner für Glasmalerei, * 25. 5. 1901 im Haag, ansässig in Leiden.
Schüler der Haager Akad. Malt religiöse Vorwürfe.
Lit.: Waay. — Hall, Nrn 6982/84. — Waller.

Asperslagh, Louis, holl. Radierer u. Glasmaler, * 12. 6. 1893 im Haag, ansässig ebda.
Schüler von Jan Schoutens in Delft.
Lit.: Waller.

Aspettati, Antonio Mario, ital. Interieurmaler, * 25. 3. 1880 Florenz, ansässig ebda.
Schüler der Florent.Akad. Hauptsächlich Kircheninterieurs.
Lit.: Comanducci.

Asplund, Gunnar, schwed. Architekt, Kunstgewerbler u. Fachschriftst., * 22. 9. 1885 Stockholm, † 20. 10. 1940 ebda.
Stud. an der Techn. Hochsch. in Stockholm, seit 1931 Prof. an derselben. Hervorragender Vertreter der „funktionalistischen" Richtung in der mod. schwed. Baukunst. Herausgeber der Zeitschr. „Arkitektur" 1917–20. — Hauptwerke: Stadtbibliothek in Stockholm; Bakteriolog. Institut ebda; Erweiterungsbau des Rathauses in Göteborg; Volkskirche ebda; Carl-Johann-Schule ebda; Krematorium im Waldfriedhof in Stockholm u. dessen gärtnerische Gestaltung (zus. mit S. Leverentz); Lichtspielhaus „Skandia" ebda, mit sehr üppiger Ausstattung; Friedhofkap. in Enskede. Entwürfe für Möbel u. kunstgewerbl. Gegenstände.
Lit.: Vem är det?, 1935. — Thomœus. — N. F., 2 u. 21 (Suppl.). — Ahlberg, p. 30f., 41, Taf. 120/28. — Wettergren, L'Art déc. mod. en Suède, 1925, p. 8, 10 (Abb.), 126 (Abb.), 154ff., m. Abbn, 168 (Abb.), 181. — Steen Eiler Rasmussen, Nord. Baukst, Berl. 1940. — Arkitektur, 49 (1920) 152/54. — Architect. Review, 97 (1945) 21f. — Pencil Points Progressive Architect. (New York), 26 (1945) 68/71. — Sv. Slöjdfören. tidskr., 17 (1921) 1/4, 69/71. — Studio Year Book, 1921, p. 112, 121, m. Abb. — Byggmästaren, 1 (1922) 145/46. — D. Kunst, 54 (1925–26) 17 (Abb.); 62 (1929/30) 46. — Nordisk tidskr. för bok och biblioteksväsen, 1929, p. 41/47, m. 4 Abbn. — Wasmuths Monatsh. f. Baukst, 13 (1929) 58/65, m. Abbn; 470/80; 14 (1930) 419/32, m. Abbn. — Das Werk (Zürich), 27 (1940) Beibl. z. Nov.-H. p. XVIII, 349/60, m. Abbn; 31 (1944) 206ff. — Sveriges kyrkor, Gästrikland, H. 2 (1936) p. 338.

Asplund, Gunnar, schwed. Maler u. Holzschneider, * 1893 Gävle, ansässig in Stockholm.
Stud. an der Malsch. von Althin u. im Ausland. Offiziersbildnisse, histor. Motive, Landschaften.
Lit.: Thomœus.

Asplund, Nils, schwed. Maler u. Musterzeichner f. Kstgewerbe, * 7. 11. 1874 Eskilstuna, ansässig in Stockholm.
Stud. an der Akad. in Stockholm u. bei Jul. Kronberg. Figürl. Malereien in der Hochsch. in Göteborg u. im Rathaus in Landskrona, Deckengemälde im Theater in Kristianstad, Altargemälde, Bildnisse.
Lit.: Th.-B., 2 (1908). — Vem är det?, 1935. — Thomœus. — Vem är Vem i Norden, 1941 p. 953.

Asselin, Maurice, franz. Maler (Öl u. Aquar.), Rad., Lithogr. u. Illustr., * 1882 Orléans, † 30. 10. 1947 Neuilly-sur-Seine.
1903ff. Schüler von Cormon an der Pariser Ec. d. B.-Arts. Im übrigen Autodidakt. Stellt seit 1906 bei den Indépendants, im Salon d'Automne u. im Salon des Tuileries aus. 1908 u. 1910 in Italien. 1917 in London. Figürliches (Akte, Mutter mit Säugling, usw.), Bildnisse, Landschaften, Blumenstücke, Stilleben. Kraftvoller Kolorist, von breitem malerischen Vortrag. — Bilder u. a. im Luxembourg-Mus. in Paris (Akt; Stilleben; Anemonen; Kaffee im Garten) u. im Mus. in Nantes (Mutter mit Kind). Auch in ausländ. Smlgn vertreten (Amsterdam, Boston, Brooklyn,

Gent, Haag, London, Moskau). — Reproduzierte mehrere seiner Bilder in Lithogr. — Illustr. zu: Francis Carco, Rien qu'une femme (Rad.); Jules Romains, Mort de quelqu 'un; Tristan Corbière, Rapsodie foraine.

Lit.: Fr. Carco, M. A. (Peintres franç. nouv., Bd 18), Paris 1924. — René-Jean, M. A., Paris 1928. Bespr. in: Apollo (London), 9 (1929) 183. — Joseph, I, m. 4 Abbn. — Bénézit, [2] I (1948), m. Taf. 8. — The Burlington Mag., 28 (1915) 118f. — Mercure de France, 131 (1919) 319; 136 (1919) 770. — Dor. Berthoud, La Peint. franc., Paris 1937. — The Studio, 66 (1916) 285; 112 (1936) 160; 113 (1937) 347 (Abb.). — L'Art et les Artistes, N. S. 5 (1922) 391/95, m. 6 Abbn; 6 (1922/23) 119 (Abb.); 8 (1923/24) 119 (Abb.); 30 (1935) 187/91, m. 5 Abbn. — Art et Décoration, 1923/I p. 71/78, m. 10 Abbn u. 1 Farbentaf.; 61 (1932) 371 (Abb.). — Revue de l'Art anc. et mod., 44 (1923) 365 (Abb.); 46 (1924) 201, m. Abb., 354, m. Abb.; 54 (1928) 33 (Abb.). — Gaz. d. B.-Arts, 1924/II p. 335 (Abb.), 338; 1925/II p. 42, m. Abb. — Artwork, 2 (1925/26) 125f., m. Abb. — Beaux-Arts, 4 (1926) 78, m. Abb., 72e année (1933) Nr 20 p. 2, m. Abb.; 73e a., Nr 117 v. 29. 3. 1935, p. 8, m. Abb.; 75e a., Nr 269 v. 25. 2. 38, p. 4, m. Abb.; Nr 302 v. 14. 10. 38, p. 4, m. Abb.; 76e a., Nr 336 v. 9. 6. 39 p. 5, m. Abb.; Nr v. 7. 7. 1946 p. 5 (Abb.); Nr v. 3. 10. 47, p. 1; Nr v. 11. 6. 48 p. 8 (Abb.). — D. Cicerone, 20 (1928) 346 (Abb.). — L'Amour de l'Art, 1928 p. 433–36, m. 5 Abbn. — Bull. de l'Art, 1929 p. 18 (Abb.). — La Renaissance, 13 (1930) 214, recte 256 (Abb.). — Die Kunst, 75 (1936/37) 339, m. Abb. — D. Kstwerk, 1 (1946/47) H. 12 p. 54, 58.

Assendelft, Corn. Alb. van, holl. Landschaftsmaler, * 11. 5. 1870 Middelburg.

Beeinflußt von van Gogh. Im Reichsmus. Amsterdam: Hirt m. Schafen.

Lit.: Plasschaert. — Waay. — Elsevier's geïll. Maandschr., 56 (1918), p. 359f. — Verslagen 's Rijks Verzamel. van Gesch. en Kunst, 1947 p. 11.

Asser, Richard Charles, engl. Landschaftsmaler, * 10. 11. 1896 London, ansässig in Felsted, Essex.

Lit.: Who's Who in Art, [3] 1934.

Assire, Gustave, franz. Maler u. Illustr., * 31. 10. 1870 Angers, ansässig in Paris.

Schüler von Gust. Moreau. Hauptsächlich Porträtist. Stellte bei den Indépendants, im Salon d'Automne u. im Salon der Soc. d. Art. Franç. aus. Illustr. zu: „Le Voyage du Centurion" von Ern. Psichari, „Liturgies intimes" von P. Verlaine, „La Confession d'un enfant du siècle" von A. de Musset.

Lit.: Th.-B., 2 (1908). — Joseph, I. — Bénézit, [2] I (1948).

Assmann, Heinrich, dtsch. Maler u. Graph., * 26.5.1890 Osnabrück, † 20.8.1915.

Schüler von Tappert in Worpswede, dann von L. Corinth in Berlin. Weitergebildet in München u. Worpswede.

Lit.: Gallwitz, 30 Jahre Worpswede, 1922, p. 125.

Assmann, Richard, dtsch-öst. Maler, Illustr. und Plakatkünstler, * 27. 11. 1887 Troppau.

Stud. an den Akad. in Wien u. München. Hauptsächlich Wandbilder für Schulen. Illustr. zu Brehm's Tierleben u. für die Blätter: „Wiener Bilder" u. „Weltgeschichte des Krieges". Begründete 1919 ein Reklameatelier in Troppau. Mitarbeiter der Jägerzeitung „St. Hubertus" in Eger u. der Leipz. „Illustr. Zeitg". Als Maler hauptsächl. Landschafter.

Lit.: Dtsche Post, 3. 4. 1944, m. Fotobildn. — Dtsche Heimat (Plan b. Marienbad), 4 (1928) 16, Taf.-Abb. geg. p. 200; 6 (1930) 351/55, m. 3 Abbn.

Assmussen, Catharina, dtsche Landschaftsmalerin, * 1873 Kiel, zuletzt ansässig in Borby bei Eckernförde.

Schülerin von Paul Müller-Kaempff.

Lit.: Dreßler.

Assow, Anton, schwed. Landschaftsmaler u. -zeichner, * 1879 Lund, ansässig in Hälsingborg.

Stud. in Hälsingborg. Hauptsächlich Aquarellist.

Lit.: Thomæus.

Assus, Armand, franz. Maler, * 4. 4. 1892 Algier, ansässig in Montrouge (Seine) u. in Algier.

Schüler von Dubois, Rochegrosse u. Cormon in Paris. Erhielt 1919 den 2. grand prix. Stellt im Salon des Tuileries u. im Salon des Orientalistes in Paris aus. Bilder im Franz. Konsulat in Antwerpen (Jüdin aus Algier) u. im Mus. in Algier (Der Salat).

Lit.: Joseph, I. — Bénézit, [2] I (1948). — Chron. d. Arts, 1917/19 p. 241. — Beaux-Arts, Nrn v. 7. 6. 1946, p. 4 (Abb.); 28. 6. 1946, p. 8 (Abb.); 4. 10. 46 p. 5 (Abb.); 1. 8. 1947, p. 6 (Abb.); 3. 10. 1947, p. 4.

Ast, Walter, dtsch. Bildnis- u. Landschaftsmaler, * 16. 2. 1884 Ravensburg, Württ., ansässig in Reutlingen.

Stud. an d. Zeichenschulen Heymann u. Groeber in München u. an d. dort. Akad. bei H. v. Habermann.

Lit.: Dreßler.

Asten, War van, belg. Bildhauer, * 1888 Arendonck, Prov. Antwerpen.

Schüler von P. Braecke u. der Brüsseler Akad. Bildnisbüsten, Genrefiguren. Arbeiten in den Museen Brüssel (Die Lachende), Gent (Frühlingswehen) u. Namur (Wiege).

Lit.: Seyn, II 983. — Le Progrès, Okt. 1935, p. 43 (Abb.).

Asteriadis, Ag., griech. Landschaftsmaler (hauptsächl. Aquar.), ansässig in Athen.

Kollektiv-Ausst. 1935 in der Gal. Stratigotoulos, Athen.

Lit.: The Studio, 110 (1935) 238, m. Abb.; 115 (1938) 175 (Abb.), 179.

Astié, Hector, franz. Bildhauer u. Maler, * Paris, ansässig in Colombes (Seine).

Stellte 1913ff. im Salon d'Automne, 1926/39 bei den Indépendants aus; zeigte hier 1927 seine von Fr. Nietzsche angeregte Gruppe: Also sprach Zarathustra.

Lit.: Joseph, I. — Bénézit, [2] I (1948).

Astolfi, Carlo, ital. Maler, Restaurator u. Kstschriftst., * 29. 8. 1873 Treja.

Stud. am Ist. di B. Arti in Rom. Himmelfahrt Mariä in der Kirche der Misericordia in Macerata; Hll. Pazifikus u. Katharina in der Pfarrk. in Ficano.

Lit.: Comanducci.

Aston, Evelin Winifred, engl. Bildhauerin (Stein u. Holz), * Birmingham, ansässig in Erdington, Birmingham.

Lit.: Who's Who in Art, [3] 1934.

Astorri, Pier Enrico, ital. Bildhauer, * 1882 Paris, Piacentiner Herkunft, † 1926 Rom.

Stud. am Istit. Gazzola in Piacenza u. an der Brera-Akad. in Mailand. Ging 22jährig nach Rom. Hauptwerke: Denkmal für Pius X. in Sankt Peter in Rom; Gruppe der Mildtätigkeit im Ospedale Maggiore in Voghera; Denkmäler für die Gefallenen von Casteggio (Kranzwerfende Viktoria), von Fontanellato in Parma (Sterbender Soldat mit Viktoria) u. von Pontecurone. Gruppe: Christus am Ölberg, für das Grabdenkmal Medardo Castellani im Cimitero in Piacenza.

Lit.: Arte e storia, 37 (1918) 160. — Emporium, 69 (1929) 131/42, m. Abbn. — D. Christl. Kst, 22 (1925–26) 176f., m. Abb.

Astran, Louis Omer, franz. Figurenmaler, * Gigondas (Vaucluse), ansässig in Marseille.

Stellte 1923 im Salon d'Automne, 1926/29 bei den Indépendants in Paris aus.

Lit.: Joseph, I. — Bénézit, [2] I (1948).

Åström, Agge, schwed. Landschaftsmaler, Reklamezeichner u. Schriftkstler, * 1894 Stockholm, ansässig ebda.

Stud. in Stockholm, München u. Paris.

Lit.: Thomœus.

Åström, Eva, geb. *Löwstädt,* schwed. Malerin u. Radiererin, * 5. 5. 1865 Stockholm, † 1942 ebda.

Stud. in Stockholm u. Paris. Bildnisse, Figürliches, Landschaften, Blumenstücke. Vertreten im Nat.-Mus. Stockholm u. im Mus. in Sundsvall.

Lit.: Th.-B., 2 (1908). — Thomœus.

Åström, Werner, finn. Figuren- u. Landschaftsmaler, * 30. 9. 1885 Uleåborg, ansässig in Helsinki.

Stud. an d. Zeichensch. des Kstvereins in Helsinki, 1905/06 an der Acad. Colarossi in Paris, 1909/15 an d. Acad. Ranson ebda, 1917 in Moskau. Bereiste Holland, Belgien, Frankreich u. Deutschland. Seit 1926 Lehrer an d. Zeichensch. in Helsinki. Vertreten im dort. Ateneum (2 Stilleben, Morgentoilette, Sitzendes nacktes weibl. Modell), im Kstmus. in Turku u. im Staatsmus. in Kopenhagen. Geht auf breite malerische Flächenwirkungen aus.

Lit.: Thiis, p. 61. — Okkonen, p. 39, m. Abb. — Konstrevy, 1929, p. 62 (Abb.); 1939, p. 156f. — Kunstmuseets Aarsskrift, 1919 p. 135. — Vem och Vad?, Helsingf. 1936, p. 680 (Äström).

Astruc, Manuel León, span. Figuren- u. Bildnismaler.

Maler der Welt- u. Halbweltdame. Beeinflußt von Anglada y Camarasa.

Lit.: Francés, 1918 p. 332/34, m. Abb.; 1919 p. 109f., m. Abb.

Astrup, Nikolai, norweg. Landschaftsmaler, * 30. 8. 1880 Fröien, Söndfjord, † 23.1. 1928 Jölster, Söndfjord.

1899/1901 Schüler von Harriet Backer in Oslo, dann einige Zeit in Deutschland (Berlin, Dresden, München). 1908 nach Paris, wo er bei Chr. Krohg arbeitete. Großartiger Naturmystiker. Schwere, düstere Farben. Malte hauptsächlich in der wilden Gebirgsnatur von Jölster. 4 Bilder in d. Nat.-Gal. in Oslo (Kat. 1933, m. Taf.-Abb.). Weitere Bilder in d. Smlg Rasmus Meyer in Bergen. Ged.-Ausst. 1928 in Bergen u. im Kstverein Oslo.

Lit.: Th.-B., 2 (1908). — Freydis Haavardsholm, N. A., Oslo 1935. — Langaard-Leffler, p. 17f., Taf. 47f. — Norsk Ksthistorie, 2 (1927) 500ff., m. Abb. — Bull. de l'Art anc. et mod., 1928, p. 81. — Konstrevy, 1938, p. 75. — Der Kreis, Nr v. 11. 11. 1932, p. 615/19. — Kunst og Kultur, 1 (1910/11) 233–41, m. 3 Abbn, 1 Taf. u. Bildnis, gez. von Henrik Lund; 4 (1914) 215 (2 Abbn); 15 (1928) 222/26, 227/36. — D. Kstwanderer, 1928/29, p. 128, 314. — Ord och Bild, 38 (1929) 617ff., m. 6 Abbn. — Samleren, 1931, p. 101/08, m. 12 Abbn. — (Kat.) N. A. 1880–1928. Mindentstilling okt.-nov. 1928 i Konstforeningen, Oslo. — Kat. Jubil.-Utstill. Norges Kunst 1814–1914, Kra. 1914, p. 55, 69 (2 Abbn).

Astrup, Thorvald, norweg. Architekt, * 18. 5. 1876 Kristiania (Oslo), ansässig ebda.

Stud. an der Kst- u. Handwerkssch. in Oslo u. an der Techn. Hochsch. in Charlottenburg. 1900/01 mit Staatsstipendium in Frankreich u. England. Seit 1899 selbständig in Oslo (seit 1934 assoziiert mit seinem Sohn Henning). Industrieanlagen, Kraftstationen (u. a. in Rånåsfoss u. Grönvøldfoss), Sportanlagen (u. a. in Østmarkseteren und Løvliseter), Eigenheime.

Lit.: Th.-B., 2 (1908). — Hvem er Hvem?, [4] 1938. — Kunst og Kultur, 2 (1911/12) 145, 148 (Abb.), 149 (Abb.), 150 (Abb.). — Dtsche Bauzeitung, 67 (1933) 354. — Kat. Jubil.-Utstill. Norges Kunst 1814–1914, Kra. 1914, p. [136] (4 Abbn), [207].

Asúnsolo, Ignacio, mexik. Bildnismaler.

Lit.: J. de la Encina, A., retratos y Cocetos, Mexiko 1942, m. 42 Abbn.

Aszódi-Weil, Erzsébet, ung. Graphikerin, * 1901.

Lit.: Kat. „Ausst. Ung. Kst". Dtsche Akad. d. Kste, Berlin Okt./Nov. 1951.

Atalay, Turgut, türk. Bildnismaler, * 1917 Konya.

Besuchte 10 Jahre lang die Akad. d. Schö. Kste zu Istanbul (Konstantinopel). Gehört der türk. modernen Schule an.

Lit.: Berk, Abb. 71.

Atamian, Charles, türk. Figuren-, Bildnis-, Landschafts- u. Marinemaler u. Illustr., ansässig in Paris.

Beschickte 1913ff. den Salon der Soc. Nat. d. B.-Arts, 1938/45 auch den Salon des Indépendants.

Lit.: Joseph, I, m. Abb. — Bénézit, [2] I (1948).

Aten, W., holl. Maler, * 1894 Zaandam.

Schüler von Feith, C. Dake u. Harry Kuyten. Figurenbilder u. Landschaften.

Lit.: Plasschaert. — Waay.

Atherton, John, amer. Maler u. Illustr., * 1900, † 1952.

Sammel-Ausst. in der Assoc. of Amer. Artists in New York 1951.

Lit.: Mallett. — D. Kst u. d. Schöne Heim, 49 (1941) Beilage p. 141. — Art Index (New York), Okt. 1941/April 1953. — Monro.

Atherton, John Smith, engl. Maler (Öl u. Aquar.) u. Graph., ansässig in Grassington, Yorks.

Lit.: Who's Who in Art, [3] 1934.

Athey, Ruth, siehe *Vivash.*

Atkins, Albert Henry, amer. Bildhauer u. Medailleur, * Milwaukee, Wis., ansässig in Boston, Mass.

Stud. 1896/98 an d. Cowles Art School in Boston, 1898/1900 an den Akad. Julian u. Colarossi in Paris. Kriegsdenkmal in Roslindale, Mass.; Copenhagen Memorial Fountain in Boston; Laphem Memorial in Milwaukee; A. P. Gardner Fountain in Hamilton, Mass.; Bauplastik für die Christ Church in Ansonia, Conn., u. die All Saints Church in Dorcester, Mass.

Lit.: Fielding. — Amer. Art Annual, 30 (1933). — Forrer, 8, p. 309. — Who's Who in Amer. Art, I: 1936/37.

Atkins, Florence Elisabeth, amer. Malerin u. Bildhauerin, * Sabine Parish, La., ansässig in San Francisco, Calif.

Schülerin der H. Sophie Newcomb Art School.

Lit.: Fielding. — Amer. Art Annual, 30 (1933). — Who's Who in Amer. Art, I: 1936/37.

Atkins, Louise Allen, amer. Bildhauerin, * Lowell, Ma., ansässig in Boston, Mass.

Stud. an d. Zeichensch. in Lowell. Im Smith Coll.

in Northampton, Mass.: Dem Träumer. Im Cleveland Art Mus.: Pippa Passes.
Lit.: Who's Who in Amer. Art, I: 1936/37. — Amer. Art Annual, 30 (1933).

Atkins, Mary Elizabeth, engl. Landsch.-, Bildnis-, Interieur- u. Blumenmalerin, * London, ansässig ebda.
Vertreten in der Suffolk Gall. u. den Leeds Municip. Gall.
Lit.: Who's Who in Art, [3] 1934.

Atkinson, George, irisch. Landsch.- u. Bildnismaler u. Rad., * 18. 9. 1880 Cork, ansässig in Dublin.
Wohl Enkel des irisch. Marinemalers George Mounsey A. (* 1806, † 1884 [s. Strickland, I]). Stud. am Roy. Coll. of Art in London, in Paris u. München. Lehrer an d. Metrop. School of Art in Dublin.
Lit.: Who's Who in Art, [3] 1934. — The Studio, 63 (1915) 306, m. Abb.; 68 (1916) 54, 59, m. Abb.; 87 (1924) 46. — The Connoisseur, 97 (1936) 258.

Atkinson, Hilda, geb. *Goffey*, engl. Malerin (Öl, Pastell, Aquar.), ansässig in Liverpool.
Lit.: Who's Who in Art, [3] 1934.

Atkinson, Leo Franklin, amer. Maler, * 23. 9. 1896 Sunnyside, Wash., ansässig in Washington.
Wandbilder im Columbian Theater in Daton Rouge, La., im American Theater in Bellingham, Wash., u. in der Seattle Fine Arts Gall.
Lit.: Fielding. — Amer. Art Annual, 20 (1923) 429.

Atkinson, Robert, engl. Architekt, * 1. 8. 1883 Wigton, Cumberland, † 1952 London.
Stud. an d. Kstschule in Nottingham. Herrensitze, Klub- u. Landhäuser; Katharinenk. in Hammersmith (Konstruktion aus ummauertem Stahlgerüst), 1922/23; Umbau des Newington House in Oxford; Geb. der Architectural Association in London; Siedlung „Percy Lodge Estate" (20 Wohnhäuser), ebda.
Lit.: Who's Who in Art, [3] 1934. — C. H. Reilly, Representative Brit. Architects of the Present Day, Lo. 1930. — Wasmuths Monatsh. f. Baukst, 12 (1928) 297/304 (22 Abbn), Text p. 301. — Arquitectura, 1927, p. 23/24, m. 33 Abbn. — Roy. Inst. of Brit. Archit. Journal, s. 3, vol. 60 (1953) p. 117.

Atterhult, Carl, schwed. Landschaftsmaler (Öl, Aquar., Tempera), * 1905 Ramsele, Ångermanland, ansässig in Stockholm.
Autodidakt. Studienreisen in Dänemark, Belgien, Holland, Deutschland, Frankreich u. Italien. Hauptsächlich Motive aus Lappland, bisweilen mit Renntieren.
Lit.: Thomæus.

Atterling, Carl, schwed. Figurenmaler, * 1882 Motala, † 1934. Bruder des Folg.
Stud. in Deutschland u. in USA. Expressionist.
Lit.: Thomæus.

Atterling, Sven, schwed. Landschafts- u. Tiermaler, * 1893 Motala, ansässig ebda. Bruder des Vor.
Autodidakt. Naturalist von lyrischer Empfindung.
Lit.: Thomæus.

Atteslander, Sophie, geb. *Kohn*, poln. Malerin, * 13. 3. 1874 Luborzyka.
Schülerin von J. Malczewski in Krakau. Weitergebildet bei Knirr u. Lenbach in München. Hauptsächl. Porträtistin. Malte u. a. in Wiesbaden 1904 die Mitglieder der rumän. Königsfamilie.
Lit.: Bénézit, [2] I (1948). — Joseph, I.

Attlmayr, Richard, tirol. Maler, † 22. 2. 1910 Hötting b. Innsbruck.
Lit.: Th.-B., 2 (1908). — Tir. Anz., 1910, Nr 44. — Tir. Stimmen, 1910, Nr 45. — Innsbr. Nachr., 1910, Nr 43 u. 44. — Der Schlern, 12 (1931) 268. *J. R.*

Atwater, Mary, geb. *Meigs*, amer. Plakatzeichnerin u. Schriftst., * 28. 2. 1878 Rock Island,, Ill., ansässig in Basin, Mont.
Stud. an der Art Acad. u. am Art Inst. in Chicago u. an den Akad. Julian u. Colarossi in Paris.
Lit.: Who's Who in Amer. Art, I: 1936/37.

Atwell, Julia, geb. *Hill*, amer. Zeichnerin, * 8. 8. 1880 Silver City, Idaho, † 24. 3. 1930 Denton, Texas.
Schülerin von Frank Brangwyn, Arthur Dow u. John Carlson. Leiterin der Kstschule am Texas State Coll. for Women.
Lit.: Amer. Art Annual, 27 (1930) 406.

Atwood, Clara, siehe *Fitts*.

Atwood, Clare, engl. Bildnis-, Stilleben-, Blumen- u. Interieurmalerin, * Richmond, Surrey, ansässig in London.
Lit.: Who's Who in Art, [3] 1934.

Atz, Margit, tirol. Malerin, Dr. phil., * 22. 1. 1912 Innsbruck, ansässig in Steinach a. B.
Stud. an der Universität u. Kstgewerbesch. in Wien. Landschaften, Stilleben (Öl u. Pastell).
Lit.: Öst. Kst, 7 (1936), H. 9, p. 24 (Abb.). *J. R.*

Atzwanger, Ferdinand, tirol. Bildhauer, * 5. 8. 1872 Kiens, Pfarrwirt in Olang (Pustertal).
Stud. an d. Fachsch. in Bozen, dann mehrjähr. Tätigkeit in den Bildhauerwerkstätten von Joh. Mahlknecht in St. Ulrich (Gröden) u. Domin. Trenkwalder in Innsbruck, weitergebildet 1899/1900 an d. Münchner Akad. bei Riemann. — Olang, Pfarrk., Hl. Katharina (Laaser Marmor) sowie mehrere Statuen in Holz. Modelle f. d. Glockenreliefs von Welsberg.
Lit.: Weingartner, Kstdenkm. Südtirols, I. *J. R.*

Atzwanger, Hugo, tirol Maler, Graphiker, Photogr. u. Schriftst., * 19. 2. 1883 Feldkirch (Vorarlbg), ansässig in Bozen.
1903/07 an d. Münchner Akad. bei G. v. Hackl u. W. v. Diez. 1908 Reise nach Oberitalien u. in die Toskana. 1910 in München, 1911 in Berlin. Seit 1912 in Südtirol, meist in Bozen wohnhaft. Hauptsächlich Zeichner u. Illustrator, pflegt aber auch das Tafelbild u. die Wandmalerei. Sein Schaffen wurzelt im südtirol. Boden, dessen landschaftl. Schönheiten u. Kulturdenkmäler er in zahlr. graph. Blättern u. Aquarellen sowie in Aufsätzen u. Büchern geschildert hat. Seine Wandmalereien stellen, soweit es sich um figürl. Kompositionen handelt, den südtirol. Bauer, bes. den Weinbauer, bei seiner Arbeit u. bei seinen Festen dar.
Lit.: Der Schlern, 9 (1928) 301/15; 14 (1933) 67; 19 (1938) 38. — Das Bild, 1938, p. 140 (Abb.), 147. — Innsbr. Nachr., 1942, Nr 157; 1944, Nr 156. — Dolomiten (Bozen), 1933, Nr 21; 1947, Nr 118, 119 u. 290; 1949, Nr 283. — Kassianskalender, Brixen (1924–1950). — Der Bergsteiger, 7 (1936) 137. *J. R.*

Aubain, Emmanuel, franz. Landschaftsmaler u. Medailleur, * Saintes (Charente-Infér.), ansässig in Cannes.
Schüler von Gérôme. Mitglied der Soc. d. Art. Franç., beschickte deren Salon 1914/36 (Kat. z. T. m. Abbn).
Lit.: Bénézit, [2] I (1948).

Aubain, Gustave Henri. franz. Landschaftsmaler u. Lithogr., * La Rochelle, ansässig in Paris.

Schüler von Gérôme, Bouguereau u. Lechevalier-Chevignard. Mitgl. der Soc. d. Art. Franç., beschickt deren Salon seit 1905.

Lit.: Bénézit, ² I (1948).

Auberjonois, René, schweiz. Porträt-, Figuren- u. Landschaftsmaler, Lithogr. u. Bühnenbildner, * 18.8.1872 Montagny bei Yverdon, ansässig in Lausanne.

Stud. 1895 an der Techn. Hochsch. Dresden, dann an der South Kensington-Schule in London, 1897 bei L. O. Merson u. Whistler in Paris. 1900 in Florenz. 1901/14 in Paris, seitdem in Lausanne. Beeinflußt von den Florent. Quattrocentisten. Tonige Palette, feste, plastische Form, strenger, herber Stil. — Bilder u. a. im Musée du Jeu de Paume in Paris, im Mus. in Bern u. in d. Öff. Kstsmlg in Basel.

Lit.: Th.-B., 2 (1908). — Joseph, I 56 (irrig: Aubertjonois). — Bénézit, ² I (1948), m. Taf. geg. p. 208. — C. F. Ramuz, R. A., Lausanne 1943, m. 127 Taf. — P. Budry, Dessins de R. A., Lausanne o. J. — Graber, 1918, p. 13, 31, m. 3 Taf.-Abbn. — W. George, Quelques Artistes suisses, Paris 1928. — D. Kstwerk, 3 (1949) Heft 4 p. 33 (Abb.), 39. — Schweizer Kst, 1940/41 Heft 5 p. 74 (Abb.); 1941/42 H. 5, p. 61 (Abb.). — Schweizerland, 1920 p. 207. — H. Mermod, Sept morceaux par C. F. Ramuz et sept dessins par R. A. (Soc. d. édit. du Verseau), Lausanne 1927. — D. Werk (Zürich), 11 (1924) 134 (Abb.); 14 (1927) 112ff.; 23 (1936) 236 (Abb.); 31 (1944) 195 (Abb.).

Auberlen, Wilhelm, dtsch. Maler u. Modelleur, * 8.7.1860 Stuttgart, † Anf. 1948 Langgries, Oberbay.

Schüler von Gysis u. L. v. Löfftz in München, 1888/90 in Spanien, 1889 in Marokko. 1893/96 in Berlin, seit 1896 in Stuttgart, seit 1902 in München. Hauptsächlich Porträtist; auch Aktbilder, Genre u. Landschaften. Sonderausstg in d. Gal. Heinemann, München, April 1925 (Ill. Kat. m. Fotobildnis).

Lit.: Th.-B., 2 (1908), mit falschem Geburtsdatum. — Die Weltkst, 13 Nr 40/41 v. 15. 10. 1939, p. 4.

Aubert, Jean Emile, franz. Landschaftsmaler, * 9. 10. 1873 Bayonne.

Schüler von Achille u. Henri Zo. Stellte 1911/30 im Salon der Soc. d. Art. Franç. aus.

Lit.: Joseph, I. — Bénézit, ² I (1948).

Aubert, René Raymond Louis, franz. Genremaler u. Lithogr., * 6. 10. 1894 La Loupe (Eure-et-Loire), ansässig in Paris.

Schüler von L. Simon. Stellte 1926/42 im Salon der Soc. d. Art. Franç. aus.

Lit.: Joseph, I. — Bénézit, ² I (1948)

Aubert-Gris, Jeanne Marcelle, franz. Interieur- und Blumenmalerin, * Château-Gontier (Mayenne), ansässig in Paris.

Schülerin von J. P. Laurens u. Henri Royer. Mitglied der Soc. d. Art. Franç., beschickte deren Salon 1914/35 (Kat. z. T. m. Abbn).

Lit.: Joseph, I. — Bénézit, ² I (1948).

Aubertin, J. P., Pseudonym des *Bosschere,* Jean de.

Aubéry, Jean, franz. Landschaftsmaler, * 12. 3. 1880 Marseille, ansässig ebda.

Schüler von Gérôme, F. Humbert u. J.-B. Duffand. Stellte 1905/40 im Salon der Soc. d. Art. Franç. aus (Kat. z. T. m. Abbn). — Bilder in den Museen Nîmes u. Digne u. in der Gal. Wanamaker in New York.

Lit.: Joseph, I. — Bénézit, ² I (1948).

Aubin, Pierre, franz. Genremaler, * Rennes, ansässig in Mordelles (Ille-et-Vilaine).

Stellte 1926/31 bei den Indépendants in Paris aus.

Lit.: Joseph, I. — Bénézit, ² I (1948).

Aubine, Jean, franz. Bildhauer, * 25. 9. 1888 Ajaccio (Korsika), ansässig in Paris.

Schüler von Coutan. Stellt seit 1911 im Salon der Soc. d. Art. franç. aus. Erhielt 1919 den 2. Rompreis.

Lit.: Joseph, I. — Bénézit, ² I (1948). — Chron. d. Arts, 1917/19 p. 241. — Art et Décoration, 24 (1920), Chronique, August-Heft, p. 4f., m. Abb.

Aublet, Albert, franz. Genre- u. Bildnismaler u. Illustr., * 18. 1. 1851 Paris, † 1937(?).

Schüler von Cl. Jacquand u. Gérôme. Stellte bis 1937 im Salon der Soc. d. Art. Franç. aus (Kat. z. T. m. Abbn). Hauptsächlich bekannt durch seine liebenswürdigen Genrebilder. Vertreten u. a. im Peti Palais in Paris u. im Mus. in St-Etienne. In der Kirche in Neuilly: Hl. Joseph; in der Kirche in Tréport: Christus beschwichtigt den Sturm auf dem Meere. — Illustr. zu Maupassant, „Fort comme la mort". Hat sich gelegentlich auch bildhauerisch betätigt: Schlangenbeschwörer, im Petit Palais in Paris.

Lit.: Th.-B., 2 (1908). — Joseph, I, m. Bildn. u. 2 Abbn. — Bénézit, ² I (1948).

Aubriot, Paul, franz. Landschafts-, Marine- u. Blumenmaler, ansässig in Paris.

Lit.: Joseph, I. — Bénézit, ² I (1948).

Aubroeck, Karel, belg. Bildhauer, * 1894 Tamise.

Kurze Zeit Schüler der Akad. in Mecheln, im übrigen Autodidakt. Beeinflußt von Wynants u. Bourdelle. Arbeitet in Stein u. Holz. Yser-Denkmal in Caaskerke-lez-Dixmude.

Lit.: Seyn, I, m. Fotobildnis.

Aubrun, Jacques, franz. Porträt- u. Genremaler, * 27.9.1898 Paris, ansässig ebda.

Stellt seit 1923 im Salon d'Automne, seit 1926 auch bei den Indépendants aus.

Lit.: Bénézit, ² I (1948).

Aubry, Emile, franz. Genre-, Bildnis- u. Landschaftsmaler, * 18. 4. 1880 Sétif (Algerien), ansässig in Paris.

Schüler von Gérôme u. Gebr. Ferrier. 2. Rompreis 1907 (Silen, von Schäfern gefesselt, im Mus. in Sétif). Beschickte 1905/37 den Salon der Soc. d. Art. Franç. (Kat. häufig m. Abbn). Gold. Med. 1920.

Lit.: Joseph, I, m. Abb. — Bénézit, ² I (1948). — Revue de l'Art anc. et mod., 46 (1924) 39, 43 (Abb.); 50 (1926) 59 (Abb.); 54 (1928) 25 (Abb.); 55 (1929) 145 (Abb.); 56 (1929) 32 (Abb.); 66 (1934) 32 (Abb.), 34. — The Studio, 92 (1926) 35 (Abb.). — L'Art et les Artistes, N. S. 22 (1931) 292 (Abb.). — Beaux-Arts, Nr 226 v. 30. 4. 1937, p. 1 (Abb.).

Aubry, Louis, schweiz. Landschaftsmaler, * 16.8.1867 La Chaux-de-Fonds, † 1930 Chêne-Bougeries.

Schüler von B. Menn. Pleinairist.

Lit.: Th.-B., 2 (1908). — Dreßler. — Schweizer Kst, 2 (1930/31) 7.

Auburtin, Jean Francis, franz. Maler (Öl u. Aquar.), * 2. 12. 1866 Paris, † 1930 ebda.

Schüler von Puvis de Chavannes. 1893 in Italien. Stellte 1901/29 im Salon der Soc. Nat. d. B.-Arts aus. Malte anfängl. dekorat. Landschaften, später mytholog. u. allegor.-symbolische Darstellgn. 4 dekor. Ideallandschaften mit figürl. Staffage im gr. Speisesaal der Sorbonne in Paris, im Treppenhaus des Palais de Longchamp (Musée d'Hist. Naturelle) in Marseille u. im Säulensaal des Conseil d'Etat.

Lit.: Th.-B., 2 (1908). — Joseph, 1. — Bénézit,

³ 1 (1948). — Qui Etes-Vous?, 1924. — L'Art décor., IV 265/72. — L'Art et les Art., 15 (1912) 257/62. — Art et Décoration, 1912/II 75/78; 1914/II 1 ff., m. Abbn.

Auchter-Arndt, Erwin René, dtsch. Gebrauchsgraphiker u. Reklamekstler, ansässig in Berlin.

Stud. Kstgesch. bei P. Clemen an d. Univ. Bonn, ging dann zur Graphik über, stud. an d. Akad. u. d. Kstgewerbesch. München u. Kassel, bes. gefördert von Arno Weber. — Fabrikmarken (Borsig, Rheinmetall, Dürkopp u. a.), Packungen für Firmen (Schwarzlose-Söhne, Loeser & Wolff, Rothschild), Inserate (Sarotti, Stollwerk, Maggi, Dralle, Mousson Javol), Bucheinbände, Ausschmückung von Katalogen, Broschüren für Industrie, Handel u. Film, Werbeschriften, Zeitschriftenanzeigen.

Lit.: V. Gerber, D. Graphiker A.-A., Verlag Werkkst G.m.b.H., Berlin 1926, m. z. T. farb. Abbn. — Kstschule, 7 (1924) 38 (Abb.), 40, m. Abb.

Audibert, Louis, franz. Genre- u. Landschaftsmaler u. Illustr., * 11. 6. 1881 Marseille, ansässig in Paris.

Stellte 1910/43 im Salon d'Automne u. bei den Indépendants aus. Marseille-Album (50 Zeichngn). Illustr. zu Scheherezade u. zu einer Idylle von Émile Zavie.

Lit.: Joseph, 1. — Bénézit, ³ I (1948).

Audivert, Pompeyo, argent. Maler u. Holzschneider der Gegenwart.

Lit.: The Print Coll.'s Quarterly, 27 (1940) 315. — D. Kunstwerk, 3 (1949) Heft 5, m. Abb.

Aué, J., holl. Landschaftsmaler (Pastell, Federzeichn.), * 25. 8. 1895 Bussum.

Lit.: Plasschaert. — Waay.

Aue, Otto, dtsch. Landsch.- u. Dekorationsmaler, * 14. 8. 1900 Hildesheim, ansässig ebda.

Lit.: Dreßler.

Auell, Ernst, dtsch. Malerdilettant, Zahnarzt (Dr. med. dent.), * 22. 4. 1905 Rudolstadt, Thür., ansässig in Berlin.

Seit 1947 autodidaktische Beschäftigung mit der Malerei. 1. Kollekt.-Ausst. April 1949 in d. Gal. Schüler, Berlin (Prospekt m. Abb.).

Auer, Grigor, finnl. Landschaftsmaler, * 16. 1. 1882 Pitkäranta, ansässig ebda.

Lit.: Vem och Vad?, Helsingf. 1936.

Auer, Josef, dtsch. Bildhauer, * 1867 München, † 22. 4. 1934 ebda.

Auf religiösem Gebiet tätig. Gedenktafel in d. Kirche zu Breitbrunn a. Chiemsee; je 2 Engel am Fidelis- u. Armenseelen-Altar in St. Anton in Kempten. Ergänzung des ehem. gotischen Hochaltars der Stiftskirche in Scheyern.

Lit.: Schnell, 6 Nr 338/39 p. 10; Nr 408 p. 5. — Tiroler Heimatblätter, 12 (1934) 306. — D. Christl. Kst, 14 (1917/18) 101 (Abb.); 17 (1920/21) 142, 153 (Abb.).

Auer, Magda Felicitas, dtsche Architektur- u. Landschaftsmalerin, * 3. 12. 1902 Köln, ansässig in Mehlem.

Stud. an d. Akad. in München u. Berlin, an d. Schule A. Lhote in Paris u. an d. Privatschulen Hofmann in München u. Segal in Berlin. Bereiste Frankreich u. Italien.

Lit.: Kat.: Kstausst.: Junge Kst i. Dtsch. Reich, Wien 1943; Ausst. Dtsche Malerei u. Plastik d. Gegenw., Staatenhaus der Messe, Köln, 14. 5./3. 7. 1949.

Auer, Robert, kroat. Stillebenmaler.

Kat. d. Ausst. Kroat. Kst, Berlin, Pr. Akad. d. Kste, Jan./Febr. 1943, p. 17.

Auerbach, Arnold, engl. Bildhauer, Maler u. Rad., * 11. 4. 1898 Liverpool, ansässig in London.

Stud. an der Kstschule in Liverpool, in Paris u. der Schweiz. Entwirft auch Innenausstattungen.

Lit.: Who's Who in Art, ³ 1934.

Auerswald, Heinz, dtsch. Maler u. Graph., * 18. 10. 1891 Dresden, ansässig in Loschwitz.

Lit.: Dreßler.

Auffray, Alexandre, franz. Bildnis-, Landsch.- u. Stillebenmaler, * 14. 5. 1869 Saint-Nazaire (Loire-Infér.), † 18. 7. 1942 Paris.

Schüler von Bonnat, J. P. Laurens u. B. Constant. Beeinflußt von Renoir. Seit 1909 längere Zeit in Argentinien, wo er für das Histor. Museum in Buenos Aires große Dekorationen u. Bildnisse von Regierungsmitgliedern malte. Nach Paris zurückgekehrt, stellte er im Salon d. Art. franç., im Salon d'Automne u. seit 1923 auch im Salon des Tuileries aus.

Lit.: Joseph, I. — Bénézit, ³ I (1948). — Der Cicerone, 19 (1927) 30, 31 (Abb.). — Dtsche Kst u. Dekor., 60 (1927) 228, m. Abb.

Aufort, Jean, franz. Landschafts-, Stillleben- u. Bildnismaler, * Bordeaux, ansässig in Paris.

Schüler von E. Laurent, P. Quinsac, L. Roger u. G. Colin. Beschickte 1925/37 den Salon der Soc. d. Art. Franç., 1930/40 den Salon des Indépendants. 1925 Prix Valerie Havard.

Lit.: Joseph, I. — Beaux-Arts, 75ᵉ année, Nr 274 v. 1. 4. 1938, p. 4; 76ᵉ a., Nr 340 v. 7. 7. 39 p. 5 (Abb.).

Aufray, Georges, franz. Landschafts- u. Interieurmaler, * Ecouen (Seine-et-Oise), ansässig in Paris. Gatte der Folg.

Schüler s. Vaters Joseph A. Stellte 1928/39 im Salon der Soc. d. Art. Franç. aus (Kat. z. T. m. Abbn).

Lit.: Joseph, I. — Bénézit, ³ I (1948).

Aufray-Genestoux, Suzanne, franz. Genre-, Bildnis-, Blumen- u. Interieurmalerin, * Lyon, ansässig in Paris. Gattin des Vor.

Schülerin von M. Baschet. Mitglied der Soc. d. Art. Franç., beschickte deren Salon 1911/40.

Lit.: Joseph, I. — Bénézit, ³ I (1948).

Aufseeser, Ernst, dtsch. Maler, Lithogr., Holzschneider u. Entwurfzeichner für Kstgewerbe (Prof.), * 1880 Nürnberg, † 12. 12. 1940 Düsseldorf.

Ausgebildet in den Steglitzer Werkstätten. Lehrer für angewandte Kst an d. Düsseld. Akad. Entwürfe für Textilien (Wandbehänge, Tapeten, Möbelstoffe, Gardinen, Florstickereien), Keramik, Bucheinbände.

Lit.: Wedderkop, p. 9, 74f. (Abbn). — D. Cicerone, 17 (1925) 795. — D. Kst, 35 (1916/17) 472, 475 (Abb.); 58 (1927/28) 233 (Abb.). — Dtsche Kst u. Dekor., 51 (1922/23) 304/10f., m. Abbn. — D. Kstblatt, 1919, p. 278, 315 (Abb.). — The Studio, 61 (1914) 58 (Abb.); 117 (1939) 118 (farb. Abb.). — Kat. 4. u. 5. Ausst. Gal. Flechtheim, Düsseldorf, 15. 2. –13. 3. 1920, p. 1ff., m. Abbn.

Augenfeld, Felix, öst. Architekt, * 10. 1. 1893 Wien, ansässig ebda.

Stud. an d. Techn. Hochsch. Wien. Assoziiert mit Karl Hofmann. Hauptsächlich Eigenheime in reizvollen modernen Formen.

Lit.: Dreßler. — Dtsche Kst u. Dekor., 65 (1929) 271f., m. Abbn; 69 (1931/32) 121, m. Abbn. — Öst.

Kst, 3 (1932) H. 1 p. 18f., m. Abb.; 4 (1933) H. 8 p. 21f.; 6 (1935) H. 7/8 p. 30f., m. Abbn.

Auger, Raymond, franz. Rad. u. Holzschneider (Landschaften, Figürliches), * Neuilly-en-Thelle (Oise), ansässig in Paris.

Mitglied der Soc. d. Art. Français.

Lit.: Joseph, I. — Bénézit, [2] I (1948). — Em. Langlade, Artistes de mon temps, I (1936).

Augius, Paulius, litauischer Maler u. Holzschneider, * 1909, ansässig in Memmingen.

Landschaften, Bauerndarstellgn, Figürliches, Titelblätter, Buchillustrationen.

Lit.: D. Kstwerk, 2 (1948) H. 1/2 p. 46. — Kat. d. Ausst. Litauische Kunst, Augustiner-Mus. Freiburg i. Br., 1949.

Augros, Paul, franz. humorist. Zeichner u. Kaltnadelstecher, * 7. 9. 1881 Paris, ansässig ebda.

Schüler der Ec. Nat. d. Arts Décor. Lange Zeit zeichner. Mitarbeiter der Zeitschr. „Le Rire" u. „L'Assiette au Beurre". Beschickt seit 1904 den Salon der Soc. des Humoristes. Plakate für Etablissements des Montmartre (u.a. für „Moulin de la Galette").

Lit.: Joseph, I.

Augsbourg, Géa (Georges), schweiz. Maler, Lithogr. u. Illustr., * 11. 1. 1902 Yverdon.

Stud. 1923/24 an der Zeichensch. in Lausanne. Stellte bei den Indépendants 1928 (Gemsjäger), 1930 bei den Surindépendants (Bildnis) aus. Illustr. (Lith.) zu: Solitudes amères, von Maur. Zermatten (1943), Le Camp de César, von Ch. A. Cingria. — Mappenwerke: Les Mains (1946); Notre terre et ses gens, Vorw. von Cingria; L'Année poétique, 1937.

Lit.: Bénézit, [2] I (1948). — L'Art suisse, 1931 Nr 8, m. 6 Abbn. — Courrier graph., 1937 Nr 9 p. 17 –20, m. 4 Abbn.

Augst, Gerhard, dtsch. Maler, * 13. 11. 1908 Dresden, ansässig ebda.

Lehrer an d. Hochsch. für Bild. Künste Dresden. Hauptsächlich Porträtist.

Augustin, Gerhard, dtsch. Maler u. Rad., * 20. 8. 1878 Rothenburg, Oberlausitz, zuletzt ansässig in Potsdam.

Stud. an d. Unterrichtsanstalt des Berliner Kstgewerbemus. bei Joh. Geyer. Hauptsächl. Landschafter. Mappenwerk: Abend an d. Havel (10 Rad.), 1908; Aus alter Zeit (Federzeichngn), Potsdam o. J.

Lit.: Dreßler.

Augustin, Josefine, dtsche Aquarellmalerin (Blumen, Interieurs), * 1. 8. 1882 Freyung im Bay. Wald, ansässig in Regensbg.

Schülerin von Buttersack u. Kempter in München.

Lit.: Dreßler.

Augustín, Mariska, ungar. Malerin, * 14. 3. 1880 Wien, ansässig in Eisenstadt (Kismárton).

Stud. in Wien. Ging 1900 mit kais. Stipendium nach München, wo sie bei Schramm-Zittau, dann bei H. v. Hayek in Dachau arbeitete. 1903/04 in Wörth bei Junghanns. Seit 1906 in Wien. Bild in der Wiener Städt. Gal. Hauptsächlich Tiermalerin (Pferde, Weidevieh, Hunde).

Lit.: Szendrei-Szentiványi.

Augustin, Mia, dtsche Landschaftsmalerin, * 21. 4. 1877 Berlin, ansässig ebda.

Lit.: Dreßler.

Augustinčić, Artur, kroat. Porträtbildhauer, * Klaujeo.

Stellte 1925 im Salon der Soc. Nat. d. B.-Arts, 1926 bei den Indépendants in Paris aus. Wuchtiger, monumentale Wirkung anstrebender Stil.

Lit.: Bénézit, [2] I (1948). — M. Cvetkov, Raska: Art Review, 1930. Bespr. in: Apollo (London), 11 (1930) 284. — Kat. d. Ausst. Kroat. Kst, Berlin, Pr. Akad. d. Kste, Jan./Febr. 1943, p. 13, 28, Taf. 25 u. Einlage-Taf.

Augusto Silva, João, portug. Zeichner u. Dekorateur, * 2. 4. 1910 Ilha Brava (Kap Verde).

Stellte mit D. Thomaz de Mello in Porto, Coimbra u. Lissabon aus. Beide organisierten 1936 die 1. Ausstell. von Bijagos-Skulpturen in Portugal. Dekorationen f. d. Intern. Kolonial-Ausst. in Paris u. die Kolonial-Ausst. in Porto.

Lit.: Gr. Enc. Port. e Brasil., III 713.

Augustynowicz-Dabrowska, Władyslawa, poln. Malerin, * 15. 5. 1901 Krakau, ansässig ebda.

Stud. 1921 bei Mehoffer in Krakau. 1922/25 in Wien. Bildnisse, Figürliches (Akte), ländl. Szenen. Vertreten im Mus. in Bromberg.

Lit.: Czy wiesz kto to jest?, 1938.

Aujame, Jean, franz. Maler (Öl u. Aquar.) u. Zeichner, * 1905 Aubusson (Creusel), ansässig in Paris.

Mitglied der Soc. du Salon d'Automne, wo er seit 1924 ausstellt. Beschickte 1931 ff. auch den Salon der Soc. d. Art. Indépendants u. den Salon des Tuileries. Gehört zur Gruppe der Fauves. Engste Fühlung mit der Natur. Figürliches (besonders Akte), Bildnisse, Landschaften. Allegor. Kompositionen von starken, in gleicher Weise durch Farbe wie durch Zeichnung bedingten Ausdruckswerten: Die Menschheit im Schlamm; Die durch den Sturm zerzauste Menschheit usw.

Lit.: Bénézit, [2] I (1948). — L'Amour de l'Art, 12 (1931) 438/45, m. 13 Abbn; 1935, p. 101 f., m. 5 Abbn. — L'Art et les Art., N. S. 22 (1931) 211 f., m. Abb. — Beaux-Arts, Nr 270 v. 4. 3. 1938, p. 2 (Abb.); Nr 320 v. 17. 2. 1939, p. 4; Nr 324 v. 17. 3. 1939, p. 1 (Abb.). — Kat. Ausst. Franz. Kst d. Gegenwart, Akad. d. Kste, Berlin 1937, m. Abb.

Aulanko, Valde, finn. Architekt.

Baute 1932 zus. mit Erkki Huttunen das Mühlenwerk in Wiborg (Viipuri).

Lit.: Hahm, p. 22 u. Abb. 50. — Vem och Vad?, Helsingf. 1936. — Das Werk (Zürich), 27 (1940) 88 (Abb.). — Dtsche Bauzeitg, 67 (1933) 714.

Auler, Ellen, dtsche Bildnis- u. Genremalerin, * Brandenburg a. d. H., ansässig in Düsseldorf.

Schülerin von Klara Berkowska u. Willy Spatz. Hauptsächl. Märchenstoffe.

Lit.: Dreßler.

Aulhorn, Hans, dtsch. Radierer, * 10. 12. 1878 Dresden, zuletzt ansässig in München.

Stud. an den Akad. Dresden, Karlsruhe, München u. Stuttgart.

Lit.: Th.-B., 2 (1908). — Dreßler.

Aulie, Reidar, norweg. Maler u. Buchillustr., * 13. 3. 1904 Kristiania (Oslo), ansässig eda.

Schüler von Chr. Krohg (1924) u. Axel Revold (1925/26) an der Akad. in Oslo, weitergebildet 1929 –30 in Paris. Studienaufenthalte in Spanien u. Italien. Bilder in der Nat.-Gal. in Oslo (Interieur), in den Museen in Göteborg (Ansicht von Oslo) u. Malmö u. im Kstmus. in Stockholm.

Lit.: Hvem er Hvem?, [4] 1938. — Vem är Vem i Norden, Stockh. 1941, p. 608. — Konstrevy, 1929,

p. 67 (Abb.); 10 (1934) 128, m. Abb.; 12 (1936) 22f., m. 4 Abbn, 198; 14 (1938) 184/89, 232, m. Abb.; 15 (1939) 154, m. Abb. — Kst og Kultur, 23 (1937) 61 (Abb.); 24 (1938) 212f., m. Abb.; 25 (1939) 219/32.

Ault, George C., amer. Maler, * 11. 10. 1891 Cleveland, Ohio, † 1948 New York.

Schüler der Slade Art School in London. Stadtansichten von New York u. Brooklyn in einer dem abstrakten Stil sich nähernden Formgebung. Bilder im Mus. Los Angeles, im Art Mus. in Newark, N. J., u. im Whitney Mus. of Amer. Art in New York.

Lit.: Fielding. — Amer. Art Annual, 20 (1923) 429; 30 (1933). — Who's Who in Amer. Art, I: 1936–37. — D. Kstblatt, 10 (1926) 416, Abbn p. 418f. — Art Index (New York), 1928ff. passim. — Monro.

Aulton, Margaret, engl. Radiererin, Zeichnerin u. Kupferst., * Littlebridge, Herefordshire, ansässig in Vowchurch, Herefords.

Mappenwerk: Fair Touraine (13 Stiche u. 80 Federzeichngn).

Lit.: Who's Who in Art, [3] 1934.

Auner, Franz, dtsch. Maler, * 24. 5. 1896 Obing, ansässig in München.

Schüler der Münchner Akad. Bildnisse, Landschaften, Stilleben.

Lit.: Dreßler.

Aurdal, Leon, norweg. Maler, * 23. 1. 1890 Bergen, ansässig in Oslo.

Stud. an d. Kunst- u. Handwerkssch. in Oslo, weitergeb. 1919/20 bei A. Lhote u. R. Dufy in Paris. Damenbildnis (1925) in d. Nat.-Gal. in Oslo (Kat. 1933).

Lit.: Vem är Vem i Norden, Stockh. 1941, p. 608. — Konstrevy, 1939, p. 76.

Aurèche, Emile, franz. Landsch.-, Stillleben- u. Bildnismaler, * Nîmes (Gard), ansässig in Paris.

Schüler von Bonnat. Mitglied der Soc. d. Art. Franç., beschickte deren Salon 1894–1937 (Kat. z. T. m. Abbn).

Lit.: Bénézit, [2] I (1948).

Aureli, Raniero, ital. Landschaftsmaler, * 20. 9. 1885 Rom. Sohn des Giuseppe (* 1858, † 1929).

Schüler s. Vaters u. des Pio Joris. Gehörte der Gruppe der „25 della Campagna Romana" an.

Lit.: Comanducci.

Aurich, Oskar, dtsch. Bildhauer u. Medailleur, * 8.10.1877 Neukirchen i. Erzgeb., zuletzt ansässig in Dresden.

Stud. an der Kstgewerbesch. in Dresden, 1898–1902 an der Münchner Akad. Bis 1904 in München, seit 1905 in Dresden. Christus am Kreuz (Bronze), Kirche in Mügeln b. Oschatz; Darwin-Häckel-Relief, Häckel-Mus. in Jena; Kriegerdenkmäler in Dresden, Chemnitz, Frankenberg, Wilsdruff, Hermsdorf, Bärenfels, Neukirchen u. a. O.

Lit.: Th.-B., 2 (1908). — Dreßler.

Auricoste, Emmanuel, franz. Bildhauer, ansässig in Paris.

Beschickt seit 1928 den Salon des Tuileries, den Salon d'Automne u. den Salon d. Indépendants. Hauptsächl. Porträtbüsten.

Lit.: Bénézit, [2] I (1948). — L'Amour de l'Art, 1936 p. 285ff. passim (Abb.). — Beaux-Arts, Nr 115 (1935) p. 8, m. Abb.; Nr 283 v. 3. 6. 1938 p. 12 (Abb.). — La Renaiss. de l'Art franç., 11 (1928) 219 (Abb.), 253 (Abb.).

Auriol, Georges, franz. Zeichner, Schrift- u. Buchkünstler u. humorist. Schriftst., * 1863 Beauvais, † Febr. 1938 Paris.

Pflegte bes. Schrift- u. Buchkunst. Vorlageblätter für Tapeten u. Textilien. Buchwerk: Premier Livre des cachets, marques et monogrammes.

Lit.: Th.-B., 2 (1908). — Joseph, I. — Bénézit, [2] I (1948). — Zur Westen, Reklamekst (Kulturgesch. Monogr., Bd 13), Lpzg 1914, p. 38, m. farb. Abb. — The Studio, 61 (1914) 59 (Abb.). — Beaux-Arts, 75e année, Nr 268 v. 18. 2. 1938, p. 5.

Aurner, Kathryn, verehel. *Ray*, amer. Malerin u. Buchkünstlerin, * 23. 9. 1898 Iowa City, Ia., ansässig in Madison, Wis.

Schülerin von Ch. A. Cumming, Hugh Breckenridge u. Norwood McGilvary. Illustr. für „Land of the Hiowas" von Edw. Ford Piper.

Lit.: Who's Who in Amer. Art, I: 1936/37.

Aurnhammer, Wilhelm, dtsch. Maler u. Graph., * 15.11.1907 Burghausen/Obb., ansässig in Kaiserslautern.

Stud. in München bei C. Caspar u. K. Knappe. Studienreisen nach Italien. Seit 1947 Lehrer für modernen Kunstunterricht am Human. Gymnas. in Kaiserslautern.

Aus, Caroline, norweg.-amer. Bildnisminiaturmalerin, * 27. 3. 1868 Bergen, Norw., † 19. 5. 1934 Chicago.

Stud. bei J. Lefebvre an d. Acad. Julian in Paris. Bis 1927 abwechselnd in Chicago u. Paris wohnhaft, seitdem fest ansässig in Chicago.

Lit.: Th.-B., 2 (1908). — Who's Who in Amer. Art, I: 1936/37, Anh. p. 491.

Außerlandscheider, Fritz, tirol. Dekorationsmaler, * 1. 1. 1910 Niederndorf b. Kufstein, ansässig ebda.

Stud. a. d. Innsbrucker Bundesgewerbesch. (dekor. Malerei) u. an d. Zeichenschule Knirr in München. Mitarbeiter des Kirchenmalers Raffael Thaler in Innsbruck. — Fassaden-, Theater- u. Möbelmalerei. Religiöse Bilderfolgen in d. Arkaden des Klosters Reisach i. B. u. im Friedhof in Brixlegg; Bildstöcke, Hausmalereien.

Lit.: Tir. Heimatbl., 15 (1937) 75. — Tir. Anz., 1936, Nr 167. — Innsbr. Ztg, 1933, Nr 188. — Hochenegg, Die Kirchen Tirols, 1935. *J. R.*

Ausset, Jules, franz. Landschafts-, Architektur-, Bildnis- u. Stillebenmaler, * Montivilliers (Seine-Infér.), ansässig in Le Havre.

Stellt 1921ff. im Salon d'Automne, 1924/41 im Salon des Tuileries aus.

Lit.: Joseph, I. — Bénézit, [2] I (1948).

Aust, Paul, dtsch. Landschaftsmaler, Radierer u. Schriftst. (Dr. phil.), * 22.8.1866 Reinerz, † 4.9.1934 Hermsdorf u. K.

Stud. anfängl. Naturwissenschaften in München u. Erlangen, wandte sich dann der Malerei zu, die er 1907/10 in Dresden u. München erlernte. Seit 1910 in Hermsdorf ansässig. Mitbegründer der Vereinig. St. Lukas in Schreiberhau, die ihn 1926, zu s. 60. Geb.-Tag, durch eine Sonderausst. s. Graphik ehrte.

Lit.: Bergstadt, 15 (1927) 440ff. — Mitteil. d. Tochter d. Kstlers. *Ernst Sigismund †.*

Austen, John, engl. Buchillustrator u. Aquarellmaler, ansässig in London.

Beeinflußt von Beardsley. Illustr. zu: Laur. Sterne, Tristram Shandy; Gust. Flaubert, Madame Bovary; Defoe, Moll Flanders; Shakespeare, Hamlet u. As You like it; Byron, Don Juan; Anat. France, The Gods are athirst; Daphnis and Chloe; E. C. Leroy, Echoes from Theocritus; F. Bickley, Harlequin; Scheherezade; Wm. Broome, Rogues in Porcelain.

Lit.: Who's Who in Art, [3] 1934. — The Studio, 82 (1921) 108/13, m. 1 farb. u. 4 Schw.-Weiß-Abbn; 88

(1924) 62/66, m. 2 farb. u. 7 Schw.-Weiß-Abbn; 89 (1925) 261f., m. Abb.; 92 (1926) 380 (Abb.); 96 (1928) 395; 99 (1930) 22, m. Abb.; 100 (1930) 464. — Artwork, 1 (1924/25) H. 4, p. 221 (Abb.), 245 (Abb.). — The Bodleian, 18 (1926) H. 7, p. 97 (Abb.), 107 (Abb.), 108, Abb. nach p. 108; 20 (1928) 1 (Abb.). — Apollo (London), 9 (1929) 50, m. Abb.

Austen, Winifred Marie Louise, s. *Frick*.

Austin, Arthur Everett, amer. Maler (Öl u. Aquar.), * 18. 12. 1900 Brookline, Mass., ansässig in Hartford, Conn.

Autodidakt. Bild: Variation auf ein Thema von Breughel, im Fogg Art Mus. in Cambridge, Mass.

Lit.: Who's Who in Amer. Art, I: 1936/37.

Austin, Charles, amer. Maler, * 23. 3. 1883 Denver, Colo., ansässig in San Juan Capistrano, Calif.

Schüler von Twachtman in New York u. Castelucho in Paris.

Lit.: Fielding. — Amer. Art Annual, 20 (1923) 429.

Austin, Darrel, amer. Maler, * 1907.

Im Detroit Inst. of Arts in Detroit, Mich.: Europa u. d. Stier. Sonderausst. Febr./März 1953 in d. Perls Gall., New York.

Lit.: Bull. of the Detroit Instit. of Arts, 20 (1940–41) 26 (Abb.), 27, 46. — Prisma (München), 1 (1947) H. 6 p. 3 (Abb.). — Monro. — Art Index (New York), Okt. 1941/April 53. — Painting in the Un. States. Ausst. Carnegie Inst. Pittsburgh, Okt./Dez. 1949, Kat. Taf. 73.

Austin, Frederick George, engl. Radierer, * 31. 1. 1902 Leicester, ansässig in London. Bruder des Robert.

Stud. in London. 1927 Rompreis.

Lit.: Who's Who in Art, [3] 1934. — Bull. of the Art Inst. Chicago, 1935, p. 50ff. passim, m. Abb. — The Studio, 110 (1935) 130 (Abb.).

Austin, Louise, amer. Bildnismalerin, * 20. 12. 1903 Shell, Wyo., † 1936 Lincoln, Neb.

Schülerin von Ambr. Webster u. Kimon Nicolaides. Bild in der Univ. of Nebraska in Lincoln.

Lit.: Who's Who in Amer. Art, I: 1936/37. — Amer. Art Annual, 30 (1933).

Austin, Margaret Baer, amer. Malerin, * 16. 10. 1897 Baltimore, Md. ansässig ebda.

Schülerin von Hawthorne, P. Baudouin u. Rob. Saint-Hubert in Paris. Wandmalerei (Fresko) im Schloß Fontainebleau.

Lit.: Amer. Art Annual, 30 (1933). — Who's Who in Amer. Art, I: 1936/37.

Austin, Robert Sargent, engl. Radierer, Kupferst., Aquarellmaler u. Buchillustr., * 23. 6. 1895 Leicester, ansässig in London. Bruder des Frederick George.

Stud. 1909/13 an der Kstschule in Leicester, 1914ff. am Roy. Coll. of Art in London bei Frank Short. 1922 Rompreis. Weitergebildet an der Brit. Acad. in Rom. Seit 1925 wieder in London. — Hauptblätter: Dächer in Warwick (1921); Der Pflug (1921); Der blinde Bettler von Tivoli (1923); Mann mit Kreuz (1924); Frau, Ziege melkend (1925); Katze u. Mandoline (1925); Der Steinklopfer (1925); Glockenstuhl (1926); Frau aus Scanno (1926); Cadore (1926); Betende Frau (1927); Kathedrale zu Palma auf Majorca (1927); Rehgruppe (1929). — Illustr. u. a. zu: Ada Harrison, Some Tuscan Cities, 1924; Some Umbrian Cities, 1925; A Majorca Holiday, 1927; The Ballad of the White Horse, 1928; There and Back, 1932.

Lit.: M. C. Salaman, R. A. (Masters of Etching, Nr 25), London 1931. — C. Dodgson, A Catal. of Etchings a. Engrav. by R. A. (1913/1929), Lo. 1931. — Who's Who in Art, [3] 1934. — The Studio, 84 (1922) 104; 93 (1927) 243/45, m. 3 Abbn; 97 (1929) 407 (Abb.); 103 (1932) 193 (Abb.), 199, 253 (Abb.); 110 (1935) 133 (Abb.); 111 (1936) 315 (Abb.). — Apollo (Lo.), 3 (1926) 62, 113/15, m. 2 Abbn; 6 (1927) 92; 7 (1928) 148, m. Abb.; 9 (1929) 227 (Abb.); 28 (1938) 317. — The Brit. Mus. Quarterly, 2 (1927) 52. — Artwork, 4 (1928) 15, 105 (Abb.), 107; 7 (1931) 91 (Abb.). — The Print Coll.'s Quarterly, 16 (1929) 327/52, m. zahlr. Abbn; 19 (1932) 186f.; 24 (1937) 216 (Abb.), 333 (Abb.); 26 (1939) 112 (Abb.), — D. Kunst, 61 (1929–30) 368 (Abb.). — The Art News, 30, Nr 2 v. 10. 10. 1931, p. 11. — Bull. of the Art Inst. Chicago, 1936, p. 96–97, m. Abb. — Art Index (New York), Okt. 1941/Okt 1949 passim.

Austrian, Ben., amer. Landschaftsmaler, * 1870 Reading, Pa., † 9. 12. 1921 Kempton, Pa.

Autodidakt. Lebte in Palm Beach, Florida.

Lit.: Fielding.

Austrian, Florence, geb. *Hochschild*, amer. Malerin, * 8. 9. 1889 Baltimore, Md., ansässig ebda.

Schülerin von H. Breckenridge, John Sloan, S. Edw. Whiteman, Ch. Hawthorne u. Leon Kroll.

Lit.: Who's Who in Amer. Art, I: 1936/37. — Amer. Art Annual, 30 (1933).

Auswald, Dora, verehel. *Kühn*, steiermärk. Malerin, * 11. 5. 1912 Graz, ansässig in Innsbruck.

Stud. 1928/33 an d. Wiener Kstgewerbesch. unter Löffler. — Illustration, Landschaften, Kinderbildnisse (Pastell u. Aquar.).

Lit.: Fischnaler, Innsbr. Chronik, V 50. — Innsbr. Nachr., 1936, Nr 285. — Tir. Anz., 1936, Nr 296. *J. R.*

Auswald-Heller, Alma, mährische Malerin u. Schriftst., * 1876 Obergoß b. Iglau, ansässig in Innsbruck.

Stud. 1905/10 an d. Kstgewerbesch. in Wien unter Kolo Moser. Seit 1914 in Innsbruck. 1922 Kollektiv-Ausst. im Taxishof in Innsbruck.

Lit.: Innsbr. Nachr., 1922, Nr 269. — Fischnaler, Innsbr. Chronik, V 49. *J. R.*

Autengruber, Jan, tschech. Maler, * 25. 4. 1887 Pacov (Patzau), † 15. 7. 1920 Prag.

Stud. an d. Kstgewerbesch. in Prag u. an d. Akad. in München. Studienaufenthalte in Italien, Deutschland, Paris. Figuren- u. Bildnismaler impressionist. Richtung. Im Stadtmus. in Pacov mehrere Werke A.s.

Lit.: F. X. Harlas im Kat. d. Ausst. Prag 1935 (Kstlerverein „Myslbek"). — A. Birnbaumová-V. Černá, Opuštěná paleta, Prag 1942, p. 63, m. Abb. — Toman, I 29. — Die Kstwelt, 3. Jahrg., Bd II (1914) 409/12, m. Abbn. bis 416 u. Taf.-Abb. *Blž.*

Autenriet, Theo von, dtsche Malerin, † Februar 1940 Berlin.

Mitgl. des Vereins d. Kstlerinnen zu Berlin.

Lit.: Dreßler.

Autere, Hannes, finn. Holzbildhauer, * 10. 10. 1888 Saarijärvi, Pajupuro, ansässig ebda.

Stud. am Ateneum in Helsinki 1910/13. Kleine humoristische Holzfiguren, religiöse Szenen in volkstümlichem Holzschnitzstil. Arbeitete gelegentlich auch in Granit. Vertreten im Ateneum Helsinki (u. a.: 9 Figürchen in Zinnguß u. Bauerntanz [Holzrelief]), im Mus. Göteborg u. im Nat.-Mus. Stockholm. Von mittelalterl. Plastik beeinflußt in s. Taufkesselreliefs u. Kapitellverzierungen.

Lit.: N. F., 21 (Suppl.). — Hahm, p. 33, m. Abb. — Okkonen, p. 45f., m. 2Abb. — Vem och Vad?, 1936. — Vem är Vem i Norden, Stockh. 1941, p. 411. — Ostsee-Rundschau, 9 (1932) 250f. — Die Kunst, 79 (Kst f. Alle 54), 1938/39 p. 291 (Abb.), 292.

Auvergne, Lina, schweiz. Emailmalerin, * 29.11.1871 Genf, ansässig ebda.

Stud. in Genf u. Paris. Im Kstgew.-Mus. in Stuttgart: Falkenjäger zu Pferde (Zellenschmelz-Email).

Lit.: Schweiz. Zeitgen.-Lex., 1932.

Avakian, Hrandt, rumän. Maler, * 1900 Alep, ansässig in Bukarest.

Schüler von J. Steriadi. Interieurs, Landschaften, 4 Arbeiten im Mus. Toma Stelian in Bukarest (Kat. 1939).

Lit.: Oprescu, 1935, p. 51; 1936, p. 20.

Avanzo, Lea d', ital. Figurenbildhauerin, * 22. 8.? Padua, ansässig in Mailand.

Im Park in Mailand: Die Quelle. Im Garten des Dispensario antitubercolare in Padua ein Schmuckbrunnen. Eine weitere Arbeit im Museo Civ. in Turin.

Lit.: Chi è?, 1940.

Avati, Aldo, ital. Architekt, * 12. 3. 1885 Budrio (Bologna), ansässig in Mailand.

Lehrer an der Architekturklasse der Universität Pavia. — Mappenwerke: Fantasie di Architettura, schizzi e prospettive, Turin 1920; Visioni di Architettura, ebda 1920.

Lit.: Chi è?, 1940. — Rass. d'arte, 20 (1920): Cronaca, Heft 11/12, p. XVIII.

Avelot, Henri, franz. Maler u. humorist. Zeichner, † 1935 Paris.

Seit 1914 Mitglied der Soc. Nat., beschickte deren Salon seit 1901. Mitarbeiter von „Rire" u. and. humorist. Zeitschriften. Vizepräsid. der Soc. des Dessinateurs humoristes. — Buchwerk: Traité pratique de la Caricature et du Dessin humoristique.

Lit.: Joseph, I, m. Abb. — Bénézit, [2] I (1948). — Revue de l'Art, 67 (1935), Bull. p. 195.

Avén, Carl Oscar, schwed. Bildhauer, * 1894 Stockholm, ansässig ebda.

Stud. an der Malsch. von Wilhelmson u. an der Akad. in Stockholm. Hauptsächl. Kinderbildnisse in Terrakotta. Holzkruzifix für die Kirche in Huskvarna.

Lit.: Thomœus. — Konstrevy, 1939, Spezial-Nr „Göteborg", p. 53 (Abb.).

Avenali, Marcello, ital. Maler, * 16. 11. 1912 Rom, ansässig ebda.

Autodidakt; knüpfte an die akad. Tradition an. Hauptsächl. Tiermaler. Seit ca. 1945 beeinflußt, bes. in kolorist. Hinsicht, von den Expressionisten, Gentilini u. Guttuso. Folgt trotzdem nicht einer ausgesprochen modernen Richtung. Kollektiv-Ausst. in Rom 1939 (Gall. Gallenga), 1945, 1948 (Gall. del Secolo).

Lit.: Erc. Maselli, A., Cannilla, Scordia alla Gall. del Secolo, Rom, Juni 1946. — Cronache Nuove (Rom), 20. 6. 1948. — Gallerie del Secolo (Rom), 9. 6. 1945. — Giornale d. Sera (Rom), 28. 9. 1948. — Sud, 5. 9. 1948. — Il Pungolo (Rom), 3. 12. 1948. — La Fiera Letteraria (Rom), 14. 11. 1948. — Kat. d. VI Quadriennale, Rom 1951/52, m. Abb. *P. B.*

Avenard, Etienne, franz. Keramiker, * 7. 9. 1873 St-Brieuc (Côtes-du-Nord), ansässig in Paris.

Pflegte — angeregt durch persische Vorbilder — bes. die Fayencetechnik mit Dekor auf Email. Schmückte u. a. die Mairie in Nantes u. die Rumän. Gesandtschaft in Paris aus.

Lit.: Joseph, I. — Bénézit, [2] I (1948).

Avenarius, Johannes, dtsch. Maler u. Graph. (Prof.), * 7.1.1887 Greiffenberg in Schles., ansässig in Plauen i.V.

Stud. an d. Akad. in Dresden u. an d. Univ. München. Prof. an der Staatl. Kstsch. für Textilindustrie in Plauen. Wandmalereien in der Halle des Gerhart Hauptmann'schen Hauses Wiesenstein in Agnetendorf. Buchschmuck zu: Ludwig Avenarius, Avenarianische Chronik. Blätter aus 3 Jahrhunderten e. deutsch. Bürgerfamilie, Lpzg 1912.

Lit.: Dreßler. — Schles. Heimatpflege. 1. Veröff., Berlin 1935, p. 84f., m. Abb.

Avène, Simone d', franz. Zeichnerin, * 18. 4. 1905 Chartres, ansässig in Paris.

Mitglied der Soc. d. Dessinat. humorist. Illustr. zu Kinderalbums: Les Aventures de Pierrette, Les Rêves de Bébé, Récits des temps bibliques, usw. Gründete ein Marionettentheater.

Lit.: Joseph, I.

Avery, Kenneth Newell, amer. Maler, * 20. 11. 1883 Bay City, Mich., ansässig in Hemet, Calif.

Schüler von W. M. Chase u. J. P. Laurens.

Lit.: Who's Who in Amer. Art, 1: 1936/37.

Avery, Milton, amer. Maler, * 7. 3. 1893 Aftmar, N. Y., ansässig in New York.

Schüler von Ch. Noel Flagg, im übrigen Autodidakt. Figürliches, Stilleben. Bilder in: Detroit Inst. of Arts in Detroit, Metropolitan Mus., N. Y., Addison Gall. in Andover.

Lit.: Amer. Art Annual, 30 (1933). — Mellquist. — Monro. — Bull. of the Detroit Inst. of Arts, 24 (1944/45) 50. — Who's Who in Amer. Art, I: 1936/37. — Art Index (New York), Okt. 1942/April 53. — Painting in the Un. States. Ausst. Carnegie Inst. Pittsburgh, Okt./Dez. 1949, Kat. Taf. 83. — Kat. Ausst. Amer. Malerei, Berlin 1951, Nr 16/17. — Amerika schildert. Ausst. Sted. Mus. Amsterdam, 1950, m. Abb.

Avey, Martha, amer. Malerin u. Kstgewerblerin, * Arcola, Ill., ansässig in Oklahoma City, Okla.

Schülerin von J. H. van der Poel, Martha Walter u. Maurice Braun.

Lit.: Amer. Art Annual, 20 (1923) 429; 30 (1933). — Who's Who in Amer. Art, I: 1936/37.

Avigdor, René, franz. Bildnis- u. Figurenmaler, * Nizza, ansässig in Paris.

Schüler von H. Le Roux. Stellte 1891–1920 aus. Weibl. Akte u. Damenbildnisse.

Lit.: Joseph, I, m. Abb. — Bénézit, [2] I (1948).

Avison, Armand Pierre, franz. Landschaftsmaler, * Bordeaux, ansässig in Paris.

Stellte im Salon d'Automne 1919 u. bei den Indépendants 1926/32 aus.

Lit.: Joseph, I. — Bénézit, [2] I (1948).

Avison, George, amer. Wandmaler, Illustr. u. Schriftst., * 6. 5. 1885 Norwalk, Conn., ansässig ebda.

Schüler von Wm. M. Chase u. Robert Henri. Illustr. zu: „Pirate Tale from the Law", „Lost Ships and Lonely Seas", usw.

Lit.: Who's Who in Amer. Art, I: 1936/37. — Amer. Art Annual, 30 (1933).

Avit, Rémy, franz. Landschafts- u. Figurenmaler, * Montguyon (Charente-Inféer.), ansässig in Paris.

Stellte 1927/38 bei den Indépendants aus.

Lit.: Joseph, I. — Bénézit, [2] I (1948).

Avoort, Herman van den, holl.-belg. Maler, * 23. 6. 1895 Reuver, Limburg.

Autodidakt. Bildnisse, Landschaften, Stilleben, bäuerliche Interieurs, Bauernbilder, religiöse Vorwürfe. Ansässig in Blanklaer Schaffen, Belgien.
Lit.: Waay.

Avy, Joseph Marius, franz. Figuren-, Bildnis- u. Landschaftsmaler u. Illustr., * 23. 9. 1871 Marseille, ansässig in Paris.

Schüler von Bonnat u. Maignan. Geht in seinen in das Freie oder in Interieurs verlegten Figurenkompositionen besonders den Wirkungen des Lichtes nach. Beschickte den Salon der Soc. d. Art. Franç. 1900/41 (Kat. z.T. m. Abbn). Bilder im Luxembourg-Mus. u. Petit Palais in Paris und in den Museen in Lyon u. Marseille (Kat. 1908, m. Taf.), im Ausland u. a. in Amsterdam, Boston, Chicago u. New York. In Rotterdam malte er den Trauungssaal im Rathaus aus.
Lit.: Th.-B., 2 (1908). — Joseph, I. — Bénézit, [2] I (1948). — L'Art décor., 23 (1910) 224. — Revue de l'Art, 50 (1926) 56 (Abb.), 61.

Awiloff, Michail Iwanowitsch, sowjet. Figuren- u. Tiermaler, * 1882 St. Petersburg (Leningrad), ansässig ebda.

1904 ff. Schüler der Petersburger Akad. Seit 1947 Mitgl. d. Akad. d. Kste der UdSSR. Stalin-Preisträger 1. Kl. Leiter einer Malklasse an d. Rjepin-Kstakad. in Leningrad. In der Staatl. Tretjakoff-Gal. in Moskau: Ritterlicher Zweikampf (Kat. 1947, m. Abb. 156). Weitere Arbeiten im Mus. d. Roten Armee, im Staatl. Russ. Mus. u. im Revolutions-Mus. ebda.
Lit.: 50 Monogr. von Meistern der Sowjet. Bild. Kst (russ.), Heft [1], Moskau 1948.

Awinoff, Andrej, russ.-amer. Blumenmaler u. Radierer, * 1. 2. 1884 in Rußland, ansässig in Napanoch, N. Y.
Lit.: Amer. Art Annual, 20 (1923) 429. — Art Index (New York), Okt. 1944/Okt. 1949.

Axelson, Victor, schwed. Landschaftsmaler, * 1883 Folkärna, Dalarne, ansässig in Stockholm.

Stud. an der Akad. Stockholm. Studienreisen in Frankreich u. Südeuropa. — Bild in der Smlg Thorsten Laurin u. im Nat.-Mus. in Stockholm u. im Mus. in Göteborg.
Lit.: Thiis, Nordisk Kunst idag, 1923, p. 16. — Hoppe. — Nordensvan. — Thomœus. — Ord och Bild, 33 (1924) 428. — Konstrevy, 1927 H. 1, p. 16; 1928 H. 1 p. 14 (Abb.), 23; 1934, p. 64, m. Abb.; 1937 H. 2, p. 70 u. Spezial-Nr I. A, p. 44 (Abb.).

Axelsson, Henry, schwed. Landschaftsmaler, * 1911 Sorunda, Stockholms län, ansässig in Stockholm.

Autodidakt. Motive aus der Umgebung Stockholms, meist mit Figuren.
Lit.: Thomœus.

Axelsson, Malte, schwed. Bildnis-, Landschafts- u. Stillebenmaler, * 1905 Ryssby, Småland, ansässig in Bankeryd, Småland.

Autodidakt. Studienreisen im Ausland.
Lit.: Thomœus.

Axilette, Alexis, franz. Bildnis- u. Figurenmaler (Öl u. Pastell), * Durtal (Maine-et-Loire), † 1931 Paris.

Schüler von Gérôme. 1885 Rompreis. Mitglied der Soc. d. Art. Français, beschickt deren Salon seit 1885. Für die Sammlung: Hommes d'aujourd'hui (Léon Vanier) steuerte er das Bildnis von Maurice Barrès bei.
Lit.: Th.-B., II (1908). — Joseph, I. — Bénézit, [2] I (1948). — Revue de l'Art, 60 (1931), Bull. p. 355.

Ayars, Alice, amer. Ksttöpferin, * 11. 12. 1895 Richburg, N. Y., † 1946 Cleveland, O.

Schülerin von Charles F. Binns u. der Alfred University in Alfred, N. Y. Stellte u. a. auf der Pariser Internationalen Kstgewerbeschau 1937 aus. Schalen, Vasen, Teller usw. Vertreten im Cleveland Mus. of Art in Cleveland. Gedächtnis-Ausst. ebda Okt. 1947.
Lit.: Who's Who in Amer. Art, I: 1936/37. — Amer. Art Annual, 27 (1930) 506. — The Bull. of the Cleveland Mus. of Art, Clevel., Ohio, 31 (1944) 64,72 (Abb.); 33 (1946) 60, 69 (Abb.); 34 (1947) 199, 207 (Abb.).

Ayer, Mary Lewis, amer. Malerin, * 20. 8. 1878 Mattoon, Ill., ansässig in Newton Center, Mass.

Schülerin von W. D. Hamilton, Tarbell u. W. M. Chase.
Lit.: Amer. Art Annual, 20 (1923) 429.

Ayers, Lottie Mary Pimm, engl. Modelleurin, Wachsbildnerin u. Stickerin, ansässig in London.
Lit.: Who's Who in Art, [3] 1934.

Ayling, George, engl. Marine-, Landsch.- u. Figurenmaler (Öl u. Aquar.), Holzschnitzer u. Zeichner, * 27. 8. 1887 London, ansässig ebda.
Lit.: Who's Who in Art, [3] 1934.

Aylward, William James, amer. Maler u. Illustr., * 5. 9. 1875 Milwaukee, Wis., ansässig in Port Washington, N. Y.

Schüler von Howard Pyle. Hauptsächlich Marine- u. Schiffsbilder. Tätig u. a. für Harper's Magazine u. Scribner's Magazine. — Seine Gattin Ida, *Fairport, N. Y., Schülerin von Eduard Tarbell, ist Mosaizistin, Malerin u. Illustr.
Lit.: Th.-B., 2 (1908). — Fielding. — Bénézit, [2] 1 (1948). — Amer. Art Annual, 27 (1930) 506f.; 30 (1933). — Who's Who in Amer. Art, I: 1936/37.

Aymer de la Chevalerie, Jacques, franz. Bildnis-, Figuren- u. Landschaftsmaler, Bildhauer u. Medailleur, * 30. 4. 1872 Paris, ansässig ebda.

Schüler von G. Moreau. Stellte 1895–1939 im Salon der Soc. Nat. d. B.-Arts aus.
Lit.: Joseph, I. — Bénézit, [2] I (1948).

Ayres, Arthur James John, engl. Bildhauer u. Medailleur, * 19. 6. 1902 London, ansässig ebda.

Stud. an den Roy. Art Schools in London, an d. Brit. Acad. in Rom u. an d. Landseer-Schule.
Lit.: Who's Who in Art, [3] 1934.

Ayres, Martha Oathout, amer. Bildhauerin, * 1. 4. 1890 Elkader, Ia., ansässig in Inglewood, Calif.

Stud. am Art Inst. in Chicago, bei L. Taft, Mulligan u. G. E. Ganière. Genrestatuen u. Porträtbüsten. Im Forest Lawn Memorial Park in Glendale, Calif.: Calling the Birds. In der Symphony Orchestra in New York: Büste Alfred Waldensteins.
Lit.: Who's Who in Amer. Art, I: 1936/37. — Amer. Art Annual, 30 (1933.) — Who's Who in Amer., 18 (1934/35).

Ayres de Carvalho, Armindo, portug. Maler, * 25. 6. 1911 Porto, ansässig in Lissabon.

Stud. a. d. Kstschule in Lissabon, Schüler von Veloso Salgado u. Varela Aldemira. 1937 Rocha-Cabral-Preis der Staatl. Akad. d. Künste in Lissabon. Konservator der Schlösser u. nat. Bauwerke Portugals. Stellte in den Salons der Soc. Nac. de B. Artes u. des Informationsamtes in Lissabon, Nov. 1950 in der Soc. Dante Alighieri in Florenz aus. Vertreten im Nat.-Mus. zeitgenöss. Kst in Lissabon. Dekorationen im Pavillon der Entdeckungen auf der Portug. Weltausst. Lissabon 1940.

Lit.: Pamplona, p. 400. — Quem é Alguém, 1947 p. 185.

Ayres de Gouvêa, Alberto, portug. Landschafts- u. Bildnismaler, * 3. 3. 1867 Porto, † 12. 9. 1941 ebda.

Stud. an der Kstschule in Porto, Schüler von Marques de Oliveira. Vertreten in: Mus. Nac. de Arte Contemp. in Lissabon, Mus. Nac. de Soares dos Reis in Porto, Museu Grão-Vasco in Vizeu.

Lit.: Gr. Enc. Port. e Brasil., XII 621. — Pamplona, p. 180.

Ayrton, G. Michael, engl. Maler, Illustrator, Bühnenkostümzeichner u. Kstschriftst., * 1921.

Seit 1945 wiederholt Sonderausstellgn in d. Redfern Gall. in London. Figürliches, Bildnisse, Landschaften.

Lit.: The Studio, 124 (1942) 205 (Abb.); 131 (1946) 66 (Abb.); 132 (1946) 159 (Abb.); 133 (1947) 45 (Abb.); 135 (1948) 56/59; 138 (1949) 93, 123 (Abb.); 141 (1951) 129 (Abb.); 142 (1951) 36 (Abb.) — Apollo (London), 41 (1945) 30; 50 (1949) 2. — Art Index (New York), 1942ff. passim.

Ayukawa, jap. Radierer, * 1880 Tōkyō, ansässig ebda.

Kollekt.-Ausst. New York 1934.

Lit.: Mallett.

Azam, Barthélemy, franz. Landschaftsmaler, * Toulouse, ansässig in Paris.

Schüler von J. P. Laurens u. Renard. Stellte 1907 –09 bei den Indépendants, bis 1930 im Salon der Soc. d. Art. Franç. aus (Kat. z. T. m. Abbn).

Lit.: Bénézit, [2] I (1948).

Azambre, Etienne, franz. Genremaler, * Paris.

Bechickte den Salon der Soc. d. Art. Franç. 1885 –1913. Wird noch 1930 in den Listen der damals lebenden Mitglieder der Soc. aufgeführt.

Lit.: Th.-B., II (1908). — Joseph I, m. Abb. — Bénézit, [2] I (1948).

Azar Du Marest, Laetitia, franz. Malerin u. Kunstschriftst., * Marseille, ansässig in Paris.

Schülerin von J. P. Laurens u. E. Carrière. Marinen, Landschaften, Stilleben, Figürliches, Bildnisse. — Buchwerke: L'Art au Panthéon; Carrière.

Lit.: Joseph, I. — Bénézit, [2] I (1948).

Azéma, Ernest, franz. Bildhauer u. Genre- u. Aktmaler, * Agde (Hérault), ansässig ebda.

Schüler von G. Moreau u. Cormon. Stellte 1892—1912 im Salon der Soc. d. Art. Franç. aus.

Lit.: Bénézit, [2] I (1948).

Azéma, Léon, franz. Architekt, * 20. 1. 1888 Alignan-du-Vent (Hérault), ansässig in Paris. Bruder des Folg.

Schüler von Gaston Redon. Mitglied der Soc. d. Art. Français. 1923 Silb. Med., 1927 Ehrenmed. Erster Rompreis. Hauptsächl. Denkmalentwürfe (Beinhaus von Douaumont) u. Restaurierungspläne (Loggia der Villa Madama in Rom; Park Sceaux in Paris). Bauten in Paris: Postbürohaus, rue de l'Epée-de-Bois; Der Neue Trocadéro (zus. mit Carlu u. Boileau); Kirche St-Antoine de Padoue, Boulevard Lefèvre; Pavillon der Stadt Paris auf der Brüsseler Ausstellg 1935; Postgeb. in Vichy.

Lit.: Joseph, I. — Gaz. d. B.-Arts, 1923/I p. 272, 273 (Abb.). — L'Architecte, 1933 p. 138f., m. 2 Taf. — Architecture, 1935 p. 69/72; 1936 p. 11/14, m. 10 Abbn, 73/80, m. 10 Abbn, p. 109/11, m. 8 Abbn; 1937 p. 39ff. passim, p. 69/78, m. 19 Abbn. — Illustration, 1936/I p. 153, m. 2 Abbn; 1937/I p. 359f., m. 8 Abbn. — Beaux-Arts, 1935 Nr 124, p. 3, m. Abb.; 1936 Nr 159, p. 3, m. 6 Abbn. — L'Art et Les Artistes, 30 (1935) Nr 134 p. 1, m. 2 Abbn; Nr 160 p. 30f.

Azéma, Louis, franz. Maler u. Bühnenbildner, * 24. 5. 1876 Agde (Hérault), ansässig in Paris. Bruder des Vor.

Schüler von G. Moreau, Flameng u. Cormon. Mitglied der Soc. d. Art. Franç. (Salon-Kat. z. T. m. Abbn). 2. Rompreis 1901. Gold. Med. 1921. Genre, Historien, Landschaften. Als Bühnenbildner für die Opéra Comique tätig. — Bild im Mus. in Béziers.

Lit.: Joseph, I. — Bénézit, [2] I (1948). — L'Art, 60 (1901) 459.

Azevedo, Alfredo Antonio de, portug. Porträt- u. Landschaftsmaler, * 29. 7. 1876 Porto, ansässig ebda.

Stud. an d. Handwerkerschule u. d. Kstschule in Porto; Schüler von José de Brito u. Joaquim Lopes.

Lit.: Pamplona, p. 372.

Azevedo, António, portug. Bildhauer, * 11. 12. 1889 Vila Nova de Gaia, ansässig in Guimarães.

Stud. an d. Kunstsch. in Porto; Schüler von José de Brito, Geraldo Sardinha u. Teixeira Lopes. Lebte 3 Jahre in Paris. Im Mus. Nac. Soares dos Reis in Porto: Büste des Malers Antonio Carneiro; Madrugada; Florinda (Kat. 1947). In Guimarães: Statue des Martins Sarmento; in Braga: Statue des João Penha; in Famalicão: Statue d. Dichters Julio Brandão. Schmuckbrunnen in Guimarães.

Lit.: Gr. Enc. Port. e Brasil., III 912. — Pamplona, p. 258. — Quem é Alguém, 1947 p. 90. — Ed. de Barcelos, Hist. de Portugal, VI 762.

Azevedo, Rogério de, portug. Architekt, * 25. 6. 1898, ansässig in Porto.

Stud. an der Kunstsch. in Porto; Schüler von Marques de Oliveira. Prof. an d. Kunstsch. u. den Techn. Schulen in Porto. Mitglied der Kommission für Erhaltung u. Pflege der Nationaldenkmäler. Soares dos Reis-Preis an der Kunstschule. — Entwürfe für das Haus der Zeitung „Comercio Porto" in Porto u. für die dortige Medizin. Fakultät (in Zusammenarbeit mit Baltazar de Castro). Kirchen in Novelas u. Madail; Hôtel in Povoa do Varzim; Rathaus u. Stadtplanung für Povoa do Lanhoso. Wiederherstellung des Schlosses des Herzogs von Bragança in Guimarães.

Azpiazu, Salvador, span. Landschafts- u. Architekturzeichner.

Lit.: Arte Español, 1 (1912/13) 351/60, m. Abbn.

Azzi, Marius, amer. Bildhauer, * 19. 8. 1892 West Hoboken, N. J., ansässig in New York.

Schüler von Carl Bitter, A. S. Calder u. der Brera-Akad. in Mailand.

Lit.: Fielding. — Amer. Art Annual, 20 (1923) 429.

B

Baak, Nicolaas (Nico), holl. Maler u. Buchillustrator, * 10. 5. 1892 Amsterdam, ansässig ebda.

Schüler der Amsterd. Akad. (1913/15) unter A. J. Derkinderen. 1919 Rompreis. Landschaften, Bildnisse, Stilleben, Stadtansichten, Figürliches.

Lit.: Plasschaert. — Waay. — Waller.

Baanders, Herman Ambrosius Jan, holl. Architekt u. Batikkünstler, * 13. 2. 1876 Amsterdam, ansässig ebda.

Schüler von J. Th. Cuypers u. v. Lokhorst. Batik-Studien bei Greshoff in Haarlem. Bauten in A'dam: Seemannshaus, Alg. Friesche-Lyceum, zahlr. Wohnbauten; in Rotterdam: Tuindorp, Heyplaat, Rotterd. Droogdokmij; Haus „Arnhem" in Arnheim.

Lit.: Brandes, Taf. 23. — Wie is dat?, 1935. — J. P. Mieras u. F. R. Yerbury.

Baanders, Martina (Tine), holl. Lithographin, * 4.8.1891 Amsterdam, ansässig ebda.

Stud. an d. Quellinusschule, bei J. Smits an d. Kstgew.-Sch. in Zürich u. 1913/17 an d. Akad. in A'dam.

Lit.: Waller.

Baar, Hubertus van den, holl.-belg. Maler, * 4. 3. 1894 Deurne, lebt in Eindhoven.

Schüler von Derkinderen an der Amsterd. Akad. Mitglied der „Onafhankelijken". Landschaften und Stadtansichten.

Lit.: Waay. — Waller.

Baar, Hugo, dtsch.-mähr. Landschaftsmaler, * 3.3.1873 Neutitschein, † 19.6.1912 München.

Schüler von R. Ribarz in Wien, dann von Hackl u. H. Knirr in München. Seit 1903 in Wien, seit 1907 in Neutitschein ansässig. Bilder u. a. in der Staatsgal. in Wien u. im Mähr. Landesmus. in Troppau.

Lit.: Th.-B., 2 (1908). — Bettelheim, 18 (1917), Totenliste 1912. — Dreßler. — D. Cicerone, 4 (1912) 529. — Bild. Künstler (Wien), 1911, Abbn p. 137/49. — D. Kunst, 25 (1912) 460 (Abb.). — Mitteil. d. Erzherzog-Rainer-Mus., 31. Jg, p. 65/68.

Baar-Stanfield, Marion, amer. Malerin, * 22. 9. 1895 New York, ansässig ebda, sommers in Westport, Conn.

Schülerin von Johansen, Rob. Henri u. Du Mond.

Lit.: Fielding. — Amer. Art Annual, 30 (1933). — Who's Who in Amer. Art, I: 1936/37.

Baarfuß, Karl Theodor, dtsch. Maler u. Graphiker, * 29.2.1880 Reinhardshofen b. Augsburg, zuletzt ansässig in Mengen.

Stud. bei Raupp an d. Münchner Akad. Studienaufenthalte in Italien, Dalmatien u. im Orient. Landschaften, Architektur. Mappenwerk: Das Donautal, Selbstverl. 1929.

Lit.: Dreßler.

Baarsel, Pieter van, holl. Maler, Graph. u. Glasmaler, * 21. 8. 1877 (1879?) Delft, ansässig in Blaricum.

Schüler der Haager Akad. Interieurs u. Landschaften.

Lit.: Plasschaert. — Waay. — Maandbl. v. beeld. Kunsten, 7 (1930) 308/10, m. Taf.-Abb. — Waller.

Bååth, Maja, schwed. Landschafts- u. Blumenmalerin (Öl u. Aquar.), * 1883 Ingelstad, Schonen, ansässig in Lockarp, Schonen.

Stud. an der Kstindustriesch. in Stockholm.

Lit.: Thomœus.

Babaian-Carbonnell, Arminia, franz. Malerin, armen. Abkunft, * Tiflis (Kaukasus), ansässig in Meudon (Seine-et-Oise).

Schülerin von E. Carrière. Mitglied der Soc. Nat. d. B.-Arts, deren Salon sie 1903/39 beschickte. Bildnisse, Landschaften (Bretagne, Provence), Blumenstücke, Interieurs.

Lit. Joseph, I. — Bénézit, [2] I (1948).

Babb, Stanley Nicholson, engl. Bildhauer, * 1874 Plymouth, ansässig in London.

Stud. an der Schule der Roy. Acad. 1902 gr. Gold. Med. u. Reisestipendium für Italien. Reliefs, Porträtmedaillons, Statuetten, mytholog. Figurengruppen. Kriegerdenkmale in Tunbridge, Wells, u. in Bridlington, Yorks.; Denkmal für Captain Scott in St. Paul's Cathedral; Statuen (Gainsborough u. Romney) für das Victoria a. Albert Mus.

Lit.: Th.-B., 2 (1908). — Who's Who in Art, [3] 1934. — The Internat. Who's Who, [16] 1952. — The Studio, 66 (1916) 186, m. Abb., 281; 67 (1916) 21 (Abb.), 22f.; 68 (1916) 40; 83 (1922) 308. — Cat. of the Works of Art of City of New York, 2 (1920) 25.

Babberger, August, dtsch. Maler u. Graph. (Prof.), * 8.12.1885 Hausen im Wiesenthal, † Sept. 1936 Karlsruhe.

Stud. an der Kstgewerbesch. in Basel, 1908/10 bei Conz an der Kstsch. in Karlsruhe. Anschließend 2 Jahre in Florenz (Aktstudien). Direktor der Karlsruher Akad. Landschaften, Figürliches, Akte, Bildnisse, Studienköpfe, Blumenstücke, Radiergn, Linolschnitte. Auch Entwürfe zu Mosaiken (Auferstehung in der Stiftskirche in Neustadt a. d. Haardt), farbigen Sgraffitos u. Gobelins. Wandmalereien (Protest. Kirche in Wolhusen, Schweiz). Anfängl. beeinflußt von Hodler u. Marées u. den frühen Italienern, später sich der expressionist. Richtung anschließend. Koll.-Ausst. Dez. 1917 im Köln. Kstverein. — Seine Gattin Anna, geb. *Toller*, * 1882 Luzern, † 1935, war Hinterglasmalerin.

Lit.: Dreßler. — Schäfer, 1924. — Wedderkop, p. 9, 61, m. Abb., 76 (Abb.). — Dtsche Bauztg, 67 (1933) 850 (Abb.). — D. Cicerone, 12 (1920) 34, 62 (Abb.), 167, 795; 20 (1928) 108f. — Eckart, 9 (1933) 327/30. — Feuer, II/1 (1920/21) 605ff., m. Abb. — D. Kunst, 61 (1929/30) 147 (Taf.), 148/52, m. Abbn. — Die Christl. Kunst, 24 (1927/28) 146. — Dtsche Kst u. Dekor., 62 (1928) 341; 64 (1929) 292; 66 (1930) 337/42, m. Abbn, 344 (Abb.). — D. Kstblatt, 13 (1929) 215, 216 (Abb.). — Dtsche Monatshefte, 15 (1915) 281/84, m. Abbn bis p. 292; 16 (1916) 38 (Abb.), 42, m. Abb.; 18 (1918) 1ff., m. Abb., 130. — Velhagen & Klasings Monatsh., 44/II (1929/30), farb. Taf. geg. p. 328, 336. — Das Werk (Zürich), 22 (1935) Beibl. zu H. 12 p. XXV; 24 (1937) 290/98, m. Abbn. — Zeitschr. f. schweiz. Archäol. u. Kstgesch., 6 (1944) 206.

Babcock, Dean, amer. Holzschneider u. Illustr., * 14. 1. 1888 Canton, Ill., ansässig in Long's Peak, Colorado.

Schüler von Robert Henri, J. van der Poel u. Helen Hyde. Illustr. zu: „Songs of the Rockies" von C. E. Hewes u. zu „Westering" von Th. H. Ferril.

Lit.: Fielding. — Who's Who in Amer. Art, I: 1936/37. — Amer. Art Annual, 20 (1923) 429.

Babcock, Elizabeth Jones, amer. Malerin u. Illustr., * 19. 7. 1887 Keokuk, Iowa, ansässig in New York.

Schülerin von Duveneck u. W. M. Chase. Tätig u.a. für Scribner's u. Harper's Magazines.

Lit.: Fielding. — Amer. Art Annual, 30 (1933). — Who's Who in Amer. Art, I: 1936/37.

Babcock, Ida Dobson, amer. Malerin, * Februar 1870 Darlington, Wis., ansässig in Redlands, Calif.

Schülerin von Wm. Lippincott, George de Forest Brush u. Ch. Fr. Brown. Bild in der Gal. der Univers. of Nebraska in Lincoln.

Lit.: Who's Who in Amer. Art, I: 1936/37. — Amer. Art Annual, 30 (1933).

Babcock, Perez R., s. *Barton,* Loren.

Babcock, Richard, amer. Maler (bes. Wandmaler), Illustr. u. Lithogr., * 4. 6. 1887 Denmark, Iowa, ansässig in Chicago.

Schüler von Weinhold u. Eisengräber u. d. Städt. Gewerbesch. in München.

Lit.: Fielding. — Amer. Art Annual, 20 (1923) 430. — Who's Who in Amer. Art, I: 1936/37.

Babelay, Louis, schweiz. Tiermaler, * Genf, ansässig in Paris.

Stellte 1920/31 bei den Indépendants aus.

Lit.: Joseph, I. — Bénézit, ² I (1948).

Babić, Ljubo, kroat. Landschaftsmaler, Bühnenbildner u. Schriftst.

Anfänglich dunkel gehaltene Palette, später Übergang zu hellen Farben u. zarter, lyrisch gestimmter Naturauffassung.

Lit.: Kat. d. Ausst. Kroat. Kst, Berlin, Pr. Akad. d. Kste, Jan./Febr. 1943, p. 12f., 17. — Kat. Padiglione d. b. arti del regno di Serbia, Espos. intern., Rom 1911, m. Abb. 14b. — D. Kunst, 25 (1912) 58, 62. — Kst u.Ksthandwerk (Wien), 17 (1914) 98. — The Studio, 97 (1929) 45, 46, m. Abb.

Babij, Iwan, ukrain. Bildnis-, Figuren- u. Landschaftsmaler, * 1896 Cherson, ansässig in Paris.

Mitglied des Salon d'Automne. Stellt auch bei den Indépendants aus. Stilleben in d. Städt. Ksthalle in Mannheim.

Lit.: Joseph, I. — Roh. — D. Kstwanderer, 1923–24 p. 286. — Revue de l'Art, 69 (1936) 47.

Babin, Elisabeth, franz. Akt-, Landsch.- u. Stillebenmalerin, * Nantes, ansässig in Arpajon (Seine-et-Oise).

Schülerin von Fougerat. Stellte 1922/35 im Salon d'Automne, 1927/39 bei den Indépendants aus.

Lit.: Joseph, I. — Bénézit, ² I (1948).

Babin, Marguerite, franz. Bildhauerin, * Paris, ansässig in Saint-Maur (Seine).

Schülerin von Landowski u. Bouchard. Mitglied der Soc. d. Art. Franç., beschickte deren Salon 1913–35. Hauptsächl. Porträtistin.

Lit.: Joseph, I. — Bénézit, ² I (1948).

Babitsch (Babić), Ljuba, jugoslav. Radierer u. Bühnenbildner.

Hauptsächl. Landschafter. Motive aus Dubrovnik u. Umgebung u. von der Insel Mljet.

Lit.: Das Graph. Kabinett (Winterthur), 11 (1926) 76, 79.

Babuška, Milan, tschech. Architekt, Dr. Ing., * 20. 11. 1884 Dubí b. Kladno.

Pläne für die Techn. u. Landwirtsch. Museen in Prag-Letná.

Lit.: Toman, I 31. *Blž.*

Bac, Andrée Clara, franz. Bildnis- u. Landschaftsmalerin (Öl u. Aquar.), * 3. 12. 1895 Limoges, ansässig in Paris.

Schülerin von F. Humbert, J. Adler u. Montézin. Mitglied der Soc. d. Art. Franç., deren Salon sie 1920–39 beschickte (Kat. z. T. m. Abbn). Im Mus. Nevers: Alte Mühle im Limousin. Einige religiöse Bilder in der Kirche in Limoges.

Lit.: Joseph, I. — Bénézit, ² I (1948).

Baca-Flor, Carlos, peruan. Maler, * 1869 Camana, Dep. Arequipa, † 1941 Paris.

Stud. an der Akad. in Santiago de Chile bei Giov. Mochi u. Cosme San Martín, in Rom bei Fil. Prosperi, in Paris bei J. P. Laurens u. B. Constant. Einige Zeit in New York, zuletzt in Neuilly-sur-Seine ansässig. Hauptsächl. Porträtist. Vertreten im Metrop. Mus. New York (Bildnisse J. P. Morgan u. J. H. Choate).

Lit.: Who's Who in Latin America, 1935. — Kirstein, p. 102, Abb. 20. — Alb. Jochamowitz, B.-F., hombre singular, Lima 1941. — Bénézit, ² I.

Bacalu, Constantin, rumän. Maler, * 1884 Roman (Moldau).

Stud. an der Kunstsch. in Jassy (Iaşi), dann an der Münchner Akad. Bereiste Frankreich u. Belgien. Bild im Mus. Toma Stelian in Bukarest (Kat. 1939).

Bacarisas, Gustavo, span. Maler u. Kleinplastiker, ansässig in Sevilla.

Figürliches, Bildnisse, Architekturbilder (bes. Granada), Theaterfigurinen (u. a. für „Carmen"), Bronzestatuetten (andalus. Tanagrafig.), Bühnendekorationen.

Lit.: Th.-B., 2 (1908). — Francés, 1921 p. 121/26, Taf. 39f. — Bénézit, ² I (1948). — Ord och Bild (Stockholm), 32 (1923) 62ff., m. 4 Abbn. — Kat. d. Internat. Exhib. of Paint. Carnegie Inst. Pittsburgh, 1926 Nr 323; 1931 Nrn 438f.

Baccarini, Domenico, ital. Maler, Terrakotta- u. Bronzebildner, * 16. 12. 1883 Faenza, † 29. 1. (31. 1.?) 1907 ebda.

Schüler von Ant. Berti u. Raoul de Ferenzona in Florenz. Als Maler hauptsächlich Landschafter, Porträtist u. Tierdarsteller. Sein plast. Hauptwerk ist die Figurengruppe: Empfindungen der Seele (1903). Mehrere Bilder in der Pinak. in Faenza, dar. ein Frauenbildnis (Pavonessa), Halbfigur einer stillenden Mutter, Der Violinspieler, Selbstbildnis u. das Triptychon: Die Menschheit vor dem Leben. In der Accad. di B. Arti in Ravenna ein Kinderkopf (Terrak.). In der Gall. d'Arte Mod. in Rom: Das Kreuz auf dem Campo seminato.

Lit.: Comanducci (falsche Geburts- u. Todesjahre). — Messeri-Calzi. — F. Sapori, Artisti di Romagna: D. B. e il suo cenacolo, Faenza 1928. — Costantini, m. 2 Abbn. — Bénézit, ² I (1948). — Boll. d'Arte, n. s. 2, anno 6 (1926/27), p. 145/64, m. 22 Abbn.

Baccarini, Lino, ital. Bildnismaler, * 16. (6.?) 12. 1893 Gonzaga (Mantua), ansässig in Mailand.

Schüler von Ces. Tallone u. Gius. Mentessi an d. Akad. in Mailand. 3 Bilder in d. Gall. d'Arte Mod. ebda.

Lit.: Comanducci. — Chi è?, 1940.

Bacchelli, Mario, ital. Maler, * 3. 1. 1893 Bologna, ansässig in Florenz.

Schüler der Akad. Karlsruhe, weitergebildet in

Paris. Anfängl. Impressionist, dann Kubist u. Futurist. Mitglied der „Valori Plastici". Landschaften, Architektur, Figürliches, Bildnisse, Stilleben. — Bilder in den Gall. d'Arte Mod. in Rom, Florenz, Mailand, Bologna u. im Nat.-Mus. in Buenos Aires.

Lit.: Chi è?, 1940. — Joseph, I. — Costantini, m. Abb. — Mostre personali dei pittori M. B. etc., Livorno 1931, m. Abbn. — Emporium, 74 (1931) 52 (Abb.), 53; 79 (1934) 57/58, m. Abbn, 349 (Abb.); 89 (1939) 48 (Abb.), 49; 92 (1940) 17 (Abb.). — The Studio, 104 (1932), 195 (Abb.). — Kat. d. Ausst. Zeitgenöss. toskan. Kstler, Ksthalle Düsseldorf, 1942, m. Abb.

Bacchi, Cesare, ital. Figurenmaler, * Bologna, ansässig in Paris.

Schüler von Savini in Verona u. von Gervais in Paris, wo er sich niederließ. Stellte 1911/39 im Salon der Soc. d. Art. Franç. aus (Kat. z. T. m. Abbn). Hat sich auch bildhauerisch betätigt (Bildnisbüsten). — Seine Gattin u. Schülerin Tanette Bacchi-Otis, * Florenz, stellte im gen. Salon 1930 ein Genrebild (Schlafende Küchenmagd) aus (Abb. im Kat.).

Lit.: Bénézit, ² I (1948).

Bacci, Baccio Maria, italienischer Maler u. Journalist, * 8. 1. 1888 Florenz, ansässig ebda.

Stud. an d. Akad. in Florenz, dann in München u. Paris. Figürliches, Bildnisse, Landschaften. — Bilder in den Gall. d'Arte Mod. Rom, Florenz u. Genua. Fresken im Kloster San Francesco in Fiesole u. im Kloster della Verma (Arezzo).

Lit.: Comanducci. — Costantini. — Rass. d'arte ant. e mod., 9(22), 1922 p. 232, 234 (Abb.). — Emporium, 68 (1928) 150 Abb.; 69 (1929) 176 (Abb.), 299 (Abb.); 79 (1934) 368 (Abb.); 86 (1937) 399; 81 (1935) 88, 98 (Abb.); 90 (1939) 17/24, m. 13 Abbn. — Chi è?, 1940. — The Studio, 112 (1936) 301 (Abb.). — Kat. d. Ausst. zeitgenöss. tosk. Kstler, Ksthalle Düsseldorf 1942, m. Abb.

Bach, Andreas, dtsch. Tiermaler u. Graphiker, * 21. 4. 1886 Nürnberg, ansässig ebda.

Schüler von A. Jank u. H. v. Zügel an der Münchner Akad. 2 Bilder in der Städt. Gal. in Nürnberg.

Lit.: Dreßler. — Das Bild, 5 (1935) 189 (Abb.), 190. — Fränk. Heimat, 15 (1936) 126f., m. Abb.

Bach, Else, dtsche Bildhauerin, * 7. 9. 1899 Heidelberg, † 1950 Pforzheim.

Stud. an der Kstgewerbesch. in Pforzheim. Modelle (Tierplastiken) für die Staatl. Majolikamanuf. Karlsruhe.

Lit.: Dreßler. — Das Bild, 7 (1937) 77 (Abb.), 80. — Die Kunst f. Alle, 53 (1938) 160/61. — Ill. Zeitung, Leipzig, Nr 4906 (K. Luther). —, D. Weltkst, 21 (1951) Heft 11 p. 9.

Bach, Florence Julia, amer. Malerin u. Bildhauerin, * 24. 6. 1887 Buffalo, N. Y., ansässig ebda.

Schülerin von W. M. Chase, Du Mond u. M. L. Lejeune in Paris. Vertreten in der Buffalo F. Arts Acad. Koll.-Ausst. Dez. 1944 u. Dez. 1951/Jan. 1952 in der Grand Central Gall., New York.

Lit.: Fielding. — Amer. Art Annual, 20 (1923) 430; 30 (1933). — Who's Who in Amer. Art, I: 1936–37. — Art Digest, 19, Nr v. 15. 12. 1944, p. 19; Nr v. 15. 1. 1945, p. 8; 26, Nr v. 15. 12. 1951, p. 22. — The Art News, 43, Nr v. 15. 12. 1944, p. 20; 50, Jan. 1952, p. 67.

Bach, Fritz, dtsch. Maler, * 1890 Wertheim a. M., ansässig in Heidelberg.

Lit.: Das sind Wir. Heidelberger Bildner usw., 1934, p. 79 (Abb.), 80, 81 (Abb.).

Bach, Gustav, dtsch. Bildhauer u. Maler, * 15. 9. 1871 Rudolstadt/Thür., ansässig in Dresden.

Studierte in München u. Berlin. Studienreisen in Italien. Im Sachsenbad Dresden große Reliefs. In d. Schillerschule in Dresden-Blasewitz ein Schillerbildn.

Bach, Madeleine, engl. Porzellanmalerin, * London, ansässig ebda.

Stud. an der Roy. Female School of Art. Hauptsächl. Landschafterin.

Lit.: Who's Who in Art, ³ 1934.

Bach, Marcel, franz. Landschafts- u. Stilllebenmaler u. Bühnenbildner, * 21. 5. 1879 Bordeaux, ansässig in Paris.

Stud. an der Ec. d. B.-Arts in Bordeaux. Kam 1898 nach Paris. Pleinairist. Stellte 1906/32 bei den Indépendants, seit 1920 auch im Salon d'Automne u. im Salon d. Soc. d. Art. Décorat. aus, deren Mitglied er ist.

Lit.: Joseph, I, m. Bildnis. — F. Lainé, Un peintre: M. B., Paris 1928. — Bénézit, ² I (1948). — L'Art et les Artistes, N. S. 19 (1930) 85/89, m. 7 Abbn. — La Renaiss. de l'Art franç., 12 (1929) 63, m. Abb.; 13 (1930) 47 (Abb.); 14 (1931) 43 (Abb.).

Bach, Otto, dtsch. Maler u. Holzschnitzer, * 1882, † 1944 Neudorf i. Erzgeb.

Bach, Theodor, öst. Architekt (Prof.), * 17. 11. 1858 Wien, † 18. 1. 1938 Prag.

Stud. bei Ferstel u. K. König an der Techn. Hochsch. Wien. 1882/84 Assistent an derselben. Prof. für Städtebau u. Wohnungswesen an d. Deutsch. Techn. Hochsch. ebda. Chefarchitekt der Wiener Baugesellschaft. Seit 1908 in Prag ansässig. Wohn- u. Geschäftshäuser in Wien u. Prag. Evangel. Kirche in Währing (Wien). Auch ausgedehnte literar. Tätigkeit.

Lit.: Dreßler. — Kst u. Handwerk (Reichenberg i. B.), 1 (1938) 58. — Dtsche Bauztg, 67 (1933) Heft 48 Beibl. p. 6.

Bacharach, Herman, amer. Illustrator, * 5. 8. 1899 Las Vegas, N. M., ansässig in Philadelphia, Pa.

Schüler von Thornton Oakley. Illustr. zu Kinderbüchern wie: Enchanted Children, Adventures of Pinocchio, Gulliver's Travels usw.

Lit.: Who's Who in Amer. Art, I: 1936/37.

Bache, Josef, dtsch. Innenarchitekt, Architekturmaler (Aquarell) u. Reklamezeichner, * 16. 8. 1897 Hollenau, Kr. Glatz, zuletzt ansässig in Breslau.

Lit.: Glatzer Heimatblätter, 18 (1932) 140, m. Bildnis.

Bacheler, Frances Hope, amer. Maler, * 16. 6. 1889 Lebanon, Conn., ansässig in Hartford, Conn.

Lit.: Fielding. — Amer. Art Annual, 20 (1923) 430.

Bachelet, Emile, franz. Bildhauer, * 2. 1. 1892 Nancy, ansässig in Paris.

Stellte seit 1920 im Salon der Soc. d. Art. Franç., 1928/35 im Salon der Soc. Nat. d. B.-Arts aus. Gold. Med. auf der Expos. d. Arts Décoratifs Paris 1925. Summarisch modellierte Genrefiguren, Tiere (bes. in Fayence), Bauplastik. Arbeiten in den Museen in Nancy u. Epinal. Denkmal des Departement Vosges in La Fontenette-Badonviller.

Lit.: Joseph, I. — Bénézit, ² I (1948). — La Renaiss. de l'Art franç., 8 (1925) 448 (Abb.), 449, m. Abb. — L'Art et les Artistes, N. S. 12 (1925) 133, m. 2 Abbn. — The Studio, 110 (1935/II) 152, m. Abb. — Revue de l'Art, 67 (1935), Bull. p. 251, 253 (Abb.).

Bachem, Bele, verehel. *Böhmer,* dtsche Aquarellmalerin u. Zeichnerin, * 17.5.1916 Düsseldorf, ansässig in Feldafing.

Stud. an d. Berliner Akad. Kollekt.-Ausst.: Gal. der Jugend, Hamburg, April 1949; Münchner Kstverein 1951.

Lit.: Starnberger See-Stammbuch, Münch. 1950. — Prisma, 1 (1947) Heft 3 p. VIII, m. 3 Abbn. — D. Kunst u. d. schöne Heim, 49 (1951) Beil. p. 180. — D. Kstwerk, 5 (1951) H. 6 p. 45 (Abb.). — Die Welt (Hambg), 9. 4. 1949, m. Abb.

Bachem, Josef, dtsch. Kirchenarchitekt, * 1881 Mülheim a. Rh., ansässig in Berlin-Johannistal.

12 Jahre lehrtätig (Assistent für Hochbaukonstruktion u. Innendekoration, Entwerfen u. Detaillieren) an d. Techn. Hochsch. Darmstadt. Kam 1917 nach Berlin. Einer der erfolgreichsten Kirchenbaumeister Norddeutschlands: Augustinuskirche in Berlin (1928); St. Martinsk. in Mahlsdorf-Kaulsdorf (1930/31); Fronleichnamskapelle in Herzberg a. d. Elster; Dominikushaus in Berlin-Lankwitz; Gartenhäuschen St. Georgstift in Berlin-Schöneiche. Alle Bauten ausgezeichnet durch intimen, stimmungsvollen Charakter u. originelle neuzeitliche Gestaltung.

Lit.: J. B. Einleitg von E. Meunier, Berlin 1931. — Die Christl. Kst, 27 (1930/31) 66 (Abb.), 67 (Abb.), 72, 73 (Abb.). — Velhagen & Klasings Monatsh., 43/I (1928/29) 714, m. Abb.

Bacher, tirol. Holzbildhauerfam., aus Gais b. Bruneck.

Alois, * 6. 4. 1866 Gais, † 10. 4. 1921 ebda. Vater der 3 Folg.

Arbeitete nach s. Ausbildung an d. Staatsgewerbesch. in Innsbruck in mehreren Bildhauerateliers in Graz, Bozen u. Meran. Seit Anfang der 90er Jahre in Gais ansässig, wo er eine fruchtbare Tätigkeit als Holzplastiker entfaltete. Entwickelte die reine Schnitztechnik bis zu höchster Vollendung. Kopierte u. a. das spätgot. Holzkruzifix aus Fulpmes (jetzt im Dom zu Breslau) f. d. Krypta der Stiftsk. zu Innichen. Modell f. d. Denkmal der Freiheitskämpfer von 1809 in Sand i. T.; Altar für Schloß Neuhaus; Kruzifixus a. d. Reinstraße; Kreuzigungsgruppe im Friedhof zu Mühlwald; Altarfiguren f. d. Hochaltäre in Montan, St. Katharinenberg u. a. O.

Heinrich, * 1. 1. 1897 Gais, ansässig ebda.

Erster Unterricht bei s. Vater, dann an d. Münchner Akad. bei Schmid. Holzstatuetten, in einem zur Abstraktion neigenden Stil: Madonnen, Krippenengel, Kruzifixe, Kirchgänger, Bauern, Mäher, Heuträger, Trommler, Musikanten, Bildnisbüsten.

Franz, * 13. 8. 1903 Gais, ansässig in Innsbruck.

Ursprünglich als Ornamentbildh. ausgebildet, wandte sich in seinen figürl. u. dekorat. Bildwerken der abstrakten Richtung zu. Pflegt denselben Themenkreis wie sein Bruder Heinrich.

Johann, * 23. 5. 1906 Gais, † 25. 7. 1937 Bruneck.

Schüler s. Vaters. Genrefiguren, Krippen, religiöse Kleinplastik.

Lit.: Th.-B., 2 (1908). — Tir. Anz., 1921, Nr 87 (Nachruf für Alois B.). — Weingartner, Kstdenkmäler Südtirols, I 350; III 351; IV 247. — Der Bergquell, 1932/34, Nr 8. — Dolomiten, 1936, Nr 88; 1937, Nr 90, 93; 1949, Nr 219. — Innsbr. Nachr., 1942, Nr 161, 167. — Pustertaler Bote, 1949, Nr 37, 40.

J. R.

Bachér, Cecilia, geb. *Boklund,* schwed. Glasmalerin, * 1866 Stockholm, † 1942 ebda.

Schülerin ihres Vaters Johan Boklund, dann von Kerstin Cardon, weitergebildet in Deutschland. Arbeitete einige Zeit zusammen mit ihrer Schwester Thyra, verehel. Grafström. Fenster u. a. in der Gustaf-Adolf-Kirche in Stockholm u. in der Johanniskirche ebda.

Lit.: Thomœus.

Bacher, Henri, elsäss. Zeichner, Holzschneider u. Exlibriskünstler, † 1936.

Lit.: A. Pfleger, Die Exlibris H. B.s, Straßbg 1936, m. Fotobildn. u. 80 Abbn. Bespr. in: Revue d'Alsace, 83 (1936) 566/68; 84 (1937) 182, 449 (Lit.-Ang.). — A. Andreas u. L. Braun, H. B. Ein elsäss. Graphiker uns. Zeit, 1937; dasselbe in: Jahrb. d. Elsaß-Lothr. Wissensch. Gesellsch. zu Straßburg, 10 (1937) 138/71, 172/93 (L. Braun, Kst u. Religion in H. B.s Leben u. Werk). — Cahiers alsac. et lorrains, 6 (1931) 123/30. — Mein Elsaßland, 1923, p. 113/16. — Elsaß-Lothringen, 7 (1929) 593, 594f. (Abbn). — D. Westmark, 8 (1941) 429/32.

Bacher, Rudolf, öst. Maler, * 20. 1. 1862 Wien, ansässig ebda.

Schüler von Leop. Carl Müller an d. Wiener Akad. Seit 1903 Prof. an derselben. Hauptsächl. religiöse Themen (Herz Jesu, Altarbild im Neuen Dom zu Linz; Geburt Christi in der Breitenfelder Kirche in Wien VII; Ave Maria, Gem.-Gal. Brünn; Erlöst! Gem.-Gal. in Graz) u. Bildnisse. Erhielt 1942 anläßlich s. 80 Geb.-Tages die Goethe-Med. für Kunst u. Wissenschaft, 1943 den Waldmüller-Preis.

Lit.: Th.-B., 2 (1908). — Dreßler. — [Frimmel's] Studien u. Skizzen z. Gem.-Kde, 6 (1921/22) 6. — D. Kunst, 25 (1912) 269 (Abb.), 274, 442, 444 (Abb.); 85 (1941/42) Beil. z. Märzh. p. 18. — D. Christl. Kst, 9 (1912/13) 102f., m. Abb. — Kstrundschau, 50 (1942) 13. — Ver Sacrum, 5 (1902) Reg., Abbn. — D. Weltkst, 17 Nr 19/22 v. 30. 5. 1943, p. 6 u. Nr 27/30 v. 20. 7. 43, p. 2. — Kat. Jubil.-Ausst. Kstlerhaus Nov. 1941/Febr. 1942, Wien, p. 35, Abb.-Anh. p. 1. — Jubil.-Ausst.: 250 J. Akad. d. b. Kste, Wien 1942/43, p. 24f., m. Abb.

Bacher, Walter, tirol. Bildhauer, * 9. 9. 1908 Brixen, ansässig in Innsbruck.

Stud. bei Alex. Dejaco in Brixen, 1931/36 in München an d. Kstgewerbesch. (Waderé) u. Akad. (Klemmer). 1943/48 in russ. Kriegsgefangenschaft. Seit 1948 in Innsbruck. Figürl. Kleinplastik, meist religiösen Inhalts; Terrakotten.

Lit.: Tir. Tageszt (Innsbr.), 1950, Nr 4, m. Abb.

J. R.

Bacher, Will Low, amer. Maler, Zeichner u. Rad., * 9. 1. 1898 Bronxville, N. Y., ansässig in Orange Co., N. Y.

Schüler von G. Bridgman, G. Maynard, Du Mont u. O. Friesz.

Lit.: Who's Who in Amer. Art, I: 1936/37.

Bachlechner, Josef, tirol. Bildhauer u. Maler, * 28. 10. 1871 Bruneck, † 17. 10. 1923 Hall i. T. Vater des Folg.

Stud. an der Fachsch. f. Holzschnitzerei in Bozen. 1888/96 in Hall Geselle des Bildh. Josef Diechtl. Dann Akad. München. Seit 1900 in Hall. — Inhaber einer gr. Bildhauerwerkstätte mit zahlr. Gesellen. Entwürfe für Altarwerke, Kanzeln, Reliefs, Krippen usw., deren Ausführung oft nur in den Hauptpartien, vor allem in den Köpfen, von ihm selbst herrührt. „Der letzte u. zugleich bedeutendste Vertreter der Neogotik in Tirol, ohne jedoch in einem Schema zeitfremder Formen zu erstarren" (Garber). Hervorragender Schnitztechniker, der seine handwerkl. Geschicklichkeit vielen seiner Schüler zu vererben wußte.

Außer den bei Th.-B. angeführten Arbeiten sind folg. größere Arbeiten zu erwähnen: Altäre für Wenns,

Matrei (Hl. Geistk.), Innsbruck, St. Nikolaus (2 Seitenaltäre, Kanzel u. Stationsbilder), Pedroß, Rein in Taufers, Leisach, Grafendorf, Hall, Franziskanerk. u. Waldaufkap. (Ergänzung zur Pachermadonna), Innsbruck (Canisianum), Gries-Bozen (Stiftsk.: 2 Altäre in der Vorhalle u. 2 gr. Reliefs). Kruzifixe (Navis, Berg Isel Kapelle in Innsbruck). Kirchl. Statuen u. a. auch für Nord- u. Südamerika. Modell für das Haller Speckbacher-Denkmal, nicht ausgeführt, doch in Bronze gegossen (Innsbruck, Landhaus). — Fresken: Navis, Pfarrk., Stationen; Hall, Franziskanerk. (Geburt d. hl. Franz.); Tscherms (Hl. Wendelin, an einem Bauernhause).

Lit.: Th.-B., 2 (1908). — Das B.-Buch, Bilder u. Schnitzereien vom Künstler d. Weihnacht, Verse v. Bruder Willram. Lebensbild v. Klara Wwe. Bachlechner. Geleitw. v. Reinmichl, Innsbr.-Wien 1928. Bespr. in: D. ostbair. Grenzmarken, 17 (1928) 288ff. (Abbn), 312. — Klara Bachlechner, J. B., Tiroler Krippenbuch, Innsbr. 1929. — J. B. Bilder u. Plastiken mit 50 einfarb. u. 21 mehrfarb. Reprod., Verlagsanst. Tyrolia, Innsbr. Bespr. in: Die Christl. Kstblätter, 70 (1929) 31, 82f. Abbn. — Atz, Kstgesch. v. Tirol u. Vorarlberg, [2] 1902. — W. Kosch, Das kathol. Deutschland, I (Augsbg 1933), m. Taf.-Abb. — H. Schnell, Kl. süddtsche Kirchenführer, 6 (1939) H. 358/59, p. 12, m. Abb.; 7 (1940) H. 444/45 p. 5, 9; H. 461/62 p. 10. — Dehio-Ginhart, Handb. d. Kstdenkm. i. d. Donau- u. Alpengauen, 3 (1943). — Der Kstfreund (Bozen), 1909 H. 3/4, p. 10; 1910 p. 4, geg. p. 12 (Abb.); 1914 H. 8/9, p. 16. — Die Christl. Kst, 19 (1922/23), Beibl. p. 24; 20 (1923/24), Beibl. p. 7. — Bergland (Innsbr.), 6 (1924) H. 1. — Sonnenland, 18 (1928/29) 87. — Die Christl. Kstblätter, 80 (1939) 50. — Ostmärk. Ksttopogr., 28: Kstdenkm. des Landkr. Bischofshofen, 1940; 29: Kst d. Zist.-Klosters Zwettl, 1940. — Weingartner, Die Kstdenkm. Südtirols, I–IV. — Tir. Anz., 1908 Nr 4, 294; 1909 Nr 221/222, 294; 1910 Nr 109, 129; 1911 Nr 63; 1917 Nr 254; 1923 Nr 50, 240 (Nachruf); 1928 Nr 264, 291; 1930 Nr 24/26. — Innsbr. Nachr., 1912 Nr 201; 1921 Nr 272; 1923 Nr 239; 1929 Nr 231. — Stimme Tirols, 1947 Nr 1; 1948 Nr 52/53. — Volksbote, 1947 Nr 45. — Tir. Nachr., 1948 Nr 258. — Osttir. Heimatblätter, 1948 Nr 25, 240 — Dolomiten, 1948 Nr 300. — Die Furche, 1948 Nr 47. — Der Krippenfreund, 1948 Nr 122. — Pustertaler Bote, 1949 Nr 2. *J. R.*

Bachlechner, Josef, *jun.*, tirol. Bildhauer, * 3. 3. 1921 Hall i. T., ansässig ebda. Sohn des Vor.

Stud. 1934/38 an d. Staatsgewerbesch. in Innsbruck bei Hans Pontiller; dann bei Adelhart in Hallein. Führt die väterl. Werkstätte in Hall. Hauptsächlich Kleinplastiken in Holz, Ton u. Stein. Krippenfiguren u. Glockenreliefs (Terrakotta, Gips). Pfeilerreliefs für das Stiegenhaus des Haller Hauptschulgebäudes.

Lit.: Tir. Tagesztg, 1949 Nr 270. *J. R.*

Bachman, Max, dtsch-amer. Bildhauer u. Medailleur, † 13. 1. 1921 New York.

Zeichnete allegor. Figuren der 5 Erdteile für das Pulitzer Building in New York.

Lit.: Fielding. — Forrer, 7. — Amer. Art Annual, 18 (1921) 225. — Taft.

Bachmann, Alf, dtsch. Landschafts- u. Marinemaler, * 1.10.1863 Dirschau, ansässig in Ambach am Starnberger See.

Schüler von Max Schmidt an d. Königsberger Akad. Seit 1891 in München, seit 1941 in Ambach. 1920 Aufenthalt in Südamerika (La Plata). Sommers häufig auf Island, in Skandinavien u. Spitzbergen. Bilder u. a. in den Museen Königsberg, Leipzig u. Stettin u. in der N. Pinak. München. Koll.-Ausst. anläßl. s. 89. Geb.-Tages in d. Städt. Gal. München 1952.

Lit.: Th.-B., 2 (1908). — Dreßler. — Die Kstlerchronik von Frauenchiemsee, hg. v. K. Raupp u. F. Wolter, Münch. 1918, p. 46. — Antiquitäten-Rundschau, 21 (1923) 246. — Das Bild, 4 (1934) 323 (Abb.), 326; 1940 Beilb. vor p. 65, p. 198 (Abb.). — Dtsche Bildkunst, 3. Jg, 8. H. (1933) 20/21, m. Abb. — Velhagen & Klasings Monatsh., 48 (1933/34) II 344/45 (farb. Taf.), 446; 52/I (1937/38) Taf. geg. p. 216, 281f. — Niederdtsche Welt, 10 (1935) 116/18. — D. Weltkst, 16, Nr 43/44 v. 25. 10. 1942 p. 3; 22, Nr 18 p. 8. — Starnberger See-Stammbuch, München 1950.

Bachmann, Anton, dtsch. Architekt u. Kstgewerbler, * 1871 Aschaffenburg, ansässig in München.

Stud. an der Kstgewerbesch. u. der Techn. Hochsch. in München. Grabdenkmäler, Innenausstattung, Renovationen von Kirchen.

Lit.: Th.-B., 2 (1908). — H. Hammer, Paläste Innsbrucks, 1923, p. 207. — Die Christl. Kst, 10 (1913/14) Beibl. p. 23; 14 (1917/18) 16, 107.

Bachmann, Carl August, dtsch. Bildhauer, * 22. 2. 1885 Nürnberg, † 23.5.1924 München.

Lernte zuerst Holzschnitzer in der Werkstätte s. Vaters in Kulmbach. Besuchte seit 1902 die Kstgewerbesch. in Nürnberg. Seit 1906 Schüler von Erwin Kurz an d. Münchner Akad. Arbeitete dann als Stukkator, Steinmetz u. Modelleur im Bayer. Vorland u. im Badischen, später in Frankfurt u. Düsseldorf, 1909 in Böhmen u. in der Schweiz. Seit Ende 1909 wieder in München, wo er sich bei Balth. Schmidt, Bleeker u.Behn weiterbildete. 1912 in der Komponierklasse bei Herm. Hahn. Werke: Figurenfries am Direktorwohnhaus der Univ.-Frauenklinik in München u. Schlußstein in der Eingangshalle ebda; Kruzifixus in der Protest. Kirche in Garmisch-Partenkirchen; Ruhender Hirt im Städt. Luitpold-Mus. in Kulmbach; Grabdenkmäler im dort. Neuen Friedhof, u. a. Familiengrabmale Meusdoerffer (mit trauerndem Merkur) u. Spruner v. Mertz (mit Mädchen, einen Greis labend).

Lit.: C. A. B. 1885–1924. Dem Andenken d. Kstlers zur Enthüllung d. Davidfigur am 24. 4. 1927 gewidmet vom Stadtrat Kulmbach. — D. Baumeister, 16 (1918) 1. — D. Cicerone, 16 (1924) 637.

Bachmann, Franz Maria, dtsch. Bildnis- u. Theatermaler u. Gebrauchsgraphiker, * 29.1.1886 Frankfurt a.M., ansässig ebda.

Stud. an der Frankf. Kstgewerbeschule.

Lit.: Dreßler.

Bachmann, Henriette, ungar. Malerin, * 16. 3. 1885 Káposztásmegyer.

Stud. in Budapest.

Lit.: Szendrei-Szentiványi. — Krücken-Parlagi.

Bachmann, Hermann, dtsch. Maler, * 16.1. 1922 Halle, ansässig ebda.

Nach handwerkl. Lehre Ausbildung als Gebrauchsgraph. an d. Kstgewerbesch. in Offenbach. Reisen in Deutschland, Italien, Griechenland, Tschechoslowakei u. Polen. April 1948 erste Kollektivausst. in Halle (Kat., m. 41 Abbn). 1950 Preisträger im Wettbewerb für dtsche Maler im Alter von 18 bis 40 Jahren des Kstpreisausschreibens im Collecting Point, München. Allmähliche Entfernung vom Naturbild zu immer stärkerer Entfremdung vom gewohnten Umraum. In dieser Entwicklung revolutionierender Umstellungen noch stark experimentierend.

Lit.: bild. Kunst, I (1947), H. 4/5 p. 40.

Bachmann, Jürgen, dtsch. Architekt, * 16.5.1872 Nübel an d. Flensburger Förde, ansässig in Berlin-Dahlem.

Stud. an der Techn. Hochsch. Charlottenburg u. bei Jürgen Kröger; später dessen Mitarbeiter, 1903/18 assoziiert mit Peter Jürgensen (Fa. Jürgensen & Bachmann). Hauptbauten: Synagoge in Frankfurt a. M.; Marienkirche in Flensburg; Kirche in Stellingen bei Hamburg; Christusk. mit Pfarrhaus in Berlin-Dahlem; Altersheim in Buckow.

Lit.: Th.-B., 2 (1908). — Dreßler. — Dtsche Bauzeitung, 1912 p. 1/6, 10/11, 29/35, 911f., 926/28; 66 (1932) Nr 21, Beil. p. 6 (Zum 60. Geb.-Tag); 67 (1933) 287ff., 829f. — D. Kunst, 55 (1926/27), Beil. z. Märzh. p. XX. — Kst u. Kirche, 9 (1932) 8ff.

Bachmann, Károly, ungar. Genre-, Stillleben- u. Landschaftsmaler (Öl u. Miniatur), * 8. 6. 1874 Budapest, † 20. 12. 1924 ebda.

Stud. bei G. Aggházy u. Székely in Budapest u. an der Acad. Julian in Paris (Lefebvre, Robert-Fleury, B. Constant). Seit 1896 wieder in Ungarn, seit 1902 in Káposztásmegye. 1902/06 in Paris. Seit 1906 in Ujpest als Leiter einer Malschule.

Lit.: Th.-B., 2 (1908). — Szendrei-Szentiványi. — Krücken-Parlagi. — Művészet, 16 (1917) 14; 17 (1918) 36.

Bachmann, Nikolaus, dtsch. Maler, Bildhauer u. Illustr., * 20.11.1865 Heide in Holst., ansässig in Berlin.

Stud. an den Akad. Dresden, Weimar (1888/91), Berlin (1892) u. an der Acad. Julian in Paris (1893/94). Im Mus. in Kiel: Kinder mit Laterne u. Ehrenbürgerbrief für Klaus Groth. In der Kirche in Heide: Bildnis des Propstes Prall. In der Smlg der Stadt Berlin: Brandenburger Tor bei Abendstimmung. Koll.-Ausst.: 1895 bei Amsler & Ruthardt in Berlin, Jan. 1943 im Heimat-Mus. in Heide.

Lit.: Th.-B., 2 (1908). — Dreßler. — Schwarz-Weiß. Ein Buch d. zeichnenden Kst, Berlin 1903, m. Abb. (Titelzeichng zu: G. Frenssen, Jörn Uhl). — Schleswig-Holst. Jahrbuch, 1923, p. 65 (Abb.), 67 (Abb.), 68, m. Abb., 69 (Abb.). — Kst-Rundschau, 43 (1935) 246 (Abb.). — Westermann's Ill. Dtsche Monatsh., 133/II (1922/23) 409, m. 2 Abbn. — Die Weltkst, 9, Nr 47 v. 24. 11. 1935, p. 4; 17, Nr 3/4 v. 17. 1. 1943, p. 6. — Das Bild, 12 (1942) 190/95, m. 4 Abbn. — Kat. Ausst. Illustr. u. polit. Zchngn, Graph. Kabinett beim Verein Berliner Künstler, Berlin vom 22. 7.–15. 9. 40, m. Abb.

Bachmann, Paul, dtsch. Architekt (Prof.), * 30.5.1875 Altenburg (Thür.), ansässig in Köln-Melaten.

Stud. an der Akad. in Dresden (Meisterschüler von P. Wallot). Fachlehrer u. stellvertretender Direktor der Kölner Werkschulen.

Lit.: Dreßler. — Innendekoration, 21 (1910) 285 (Abb.), 286 (Abb.), 287, m. Abb., 288 (Abb.).

Bachmeier, Thomas, dtsch. Maler u. Gebrauchsgraph., * 31.5.1895 Nürnberg, ansässig ebda.

Stud. an der Kstschule in Nürnberg.

Lit.: Dreßler. — Fränk. Heimat, 13 (1934) 439.

Bachofen, Max Albin, schweiz.-amer. Landschaftsmaler, * 25. 8. 1903, ansässig in Castroville, Tex.

Schüler von Paul Bough, Travis. I. Landschaftspreis Cleveland, Ohio, 1928 u. 1931. Im Bes. der Stadt Cleveland: Sonnenschein in New Hungary.

Lit.: Who's Who in Amer. Art, I: 1936/37. — Amer. Art Annual, 30 (1933). — Bull. of the Cleveland Mus. of Art, Clevel., 14 (1927) 102, 104; 15 (1928) 98 (Abb.), 103, 117, 131; 18 (1931) 81 (Abb.), 86.

Bachrach-Barée, Helmuth, dtsch. Bildnis-, Landschafts- u. Tiermaler, * 25.8.1898 München, ansässig ebda.

Schüler von A. Jank u. H. v. Zügel.

Lit.: Dreßler. — D. Kstwanderer, 1929/30, p. 238 (Abb.).

Bacio Terracina, Arturo, ital. Landschaftsmaler, * 5.9.1882 Neapel, ansässig ebda.

Schüler des Ist. d. B. Arti in Neapel.

Lit.: Giannelli. — Comanducci.

Backer, Harriet, norweg. Malerin, * 21.1. 1845 Holmestrand, † 25. 3. 1932 Oslo.

Schülerin von Eckersberg, weitergebildet an der Malschule Bergsliens in Oslo. 1870 in Italien. 1874ff. in München. 1878ff. in Paris, Studien bei Gérôme, Bonnat u. Bastien-Lepage. 1883/84 in der Bretagne. Seit 1889 in Oslo, wo sie eine vielbesuchte private Malschule leitete. Interieurs mit Figuren, Landschaften, Bildnisse. Vortreffliche Licht- u. Luftmalerin und Koloristin. Vielfach ausgezeichnet. 13 Bilder in d. Nat.-Gal. in Oslo (Kat. 1933, m. 2 Taf.-Abbn). Ferner Bilder u. a. in den Galerien der Kunstvereine Stavanger u. Drontheim, im Mus. in Göteborg u. im Art Instit. in St. Louis, USA.

Lit.: Th.-B., 2 (1908). — E. Lones, H. B., Kra. 1924. — N. F., 2. — Göteborgs Mus. Årstryck, 1926 –27, p. 53, 61 (Abb.), 66. — For bygd og by, 1920, p. 17/21. — Kunst og Kultur, 17 (1930) 65/74, m. Abbn, 235 (Abb.); 19 (1933) 166, 178, 240ff., m. 7 Abbn; 22 (1936) 42 (Abb.); 23 (1937) 69 (Abb.). — Österr. Kst, 1931, Heft 3, p. 2 (Abb.). — Nylænde, 34 (1920) 36. — Ord och Bild, 26 (1917) Abb. geg. p. 336, 337 (Abb.), 338f.; 30 (1921) 425 (Abb.); 41 (1932) 362 –70, m. Abbn; 49 (1940) 469 (Abb.). — Konstrevy, 1939, Spez.-Nr: Göteborg, p. 12 (Abb.). — Urd, 24 (1920) 25f.

Backer, Herman Major, norweg. Architekt, * 30. 10. 1856 Kristiania (Oslo), † 21.5. 1932 ebda.

Hauptwerk: Johanniskirche in Bergen.

Lit.: Th.-B., 2 (1908). — Hvem er Hvem?, [4]1938.

Backer, Lars, norweg. Architekt, † 1930 Oslo 38jährig.

Stud. an der Techn. Hochsch. in Stockholm, 1920 –21 im Ausland. Einer der ersten Vertreter der funktionalist. Architektur in Norwegen. — Gaststätte Skamsen in Oslo.

Lit.: Der Kstwanderer, 1929/30, p. 413. — Kst og Kultur, 19 (1933) 1 (Abb.), 13.

Backlund, Arvid, schwed. Bildhauer, * 1895 Svärdsjö, Dalarne, ansässig in Stockholm.

Stud. an der Techn. Schule in Stockholm u. an der Akad. in Kopenhagen. Studienaufenthalt in Italien. Hauptsächlich Bildnisbüsten u. kirchl. Skulptur (Relief im Krematorium in Falun. Strahlenkreuz in der Grabkapelle in Grycksbo).

Lit.: Thomœus. — Sveriges kyrkor, Dalarne, II/1 (1941) 79.

Backlund-Celsing, Elsa, schwed. Malerin (Öl u. Aquar.), * 1883 Pulkowa bei Leningrad, ansässig in Västerås.

Tochter des berühmten schwed. Astronomen Prof. O. Backlund, Direktors der Sternwarte Pulkowa. Schülerin von Zionglinskij in St. Petersburg (Leningrad), dann von A. Zorn u. von Eug. Carrière in Paris. Beeinflußt von Carl Larsson. Hauptsächlich Bildnisse, Interieurs u. Figuren in Landschaft. Bilder im Nat.-Mus. in Stockholm, in der Univ.-Smlg in Uppsala, in den Museen in Karlstad u. Västerås u. im Russ. Mus. in Leningrad. Gold. Med. auf der Intern. Ausst. in San Francisco 1915.

Lit.: N. F., 3. Aufl. Suppl. I (1938). — Thomœus, p. 60. — Ostsee-Rundschau, Mai 1928, m. 10 Abbn. — Konstrevy, 1938 p. 77, m. Abb.

Backström, Sven, schwed. Architekt, * 1903 Havdhem, Gotland, ansässig in Stockholm.

Stud. in Frankreich, England u. Italien. Assoziiert mit Leif Reinius (Wohnsiedlungen in Stockholm).

Lit.: Thomæus. — Architect. Review, 103 (1948) 247/50. — D. Werk (Winterthur), 36 (1949) 10/13, 19/22.

Bacon, Beth Briggs, amer. Maler, † 1928 Indianapolis, Ind.

Bild: Der schwarze Eber, im Bes. der Art Assoc. of Indianapolis.

Lit.: Bull. Art Assoc. Indianapolis, 14 (1927) 14.

Bacon, Helen, geb. *McAlpin*, schott. Landsch.- u. Architekturmalerin (Aquar.), * Chelsea (London), ansässig in Edinburgh.

Stud. an der Lambeth Art School u. an der Kstschule in Edinburgh.

Lit.: Who's Who in Art, [3] 1934.

Bacon, Henry Lynch, engl. Illustrator u. Werbezeichner, * London, ansässig ebda. Sohn des John Collingwood.

Stud. am Roy. Coll. of Art in London. Hauptsächlich Porträtist.

Lit.: Who's Who in Art, [3] 1934.

Bacon, John Collingwood, engl. Aquarellmaler, Radierer u. Holzschneider, * 15. 9. 1882 Bury St. Edmunds, ansässig in Newport, Essex. Vater des Henry Lynch.

Lit.: Who's Who in Art, [3] 1934.

Bacon, John Maunsell, engl. Pastellzeichner (Bildnisse) u. Glaskünstler, ansässig in London.

Lit.: Who's Who in Art, [3] 1934. — The Connoisseur, 76 (1926) 201 ff.

Bacon, Irving R., amer. Maler, * 29. 11. 1875 Fitchburg, Mass., ansässig in Bedford, Mich.

Schüler von W. M. Chase in New York u. von C. v. Marr u. H. v. Zügel in München.

Lit.: Fielding. — Amer. Art Annual, 30 (1933). — Who's Who in Amer. Art, I: 1936/37.

Bacon, Kate Lee, siehe *Bond*.

Bacon, Majorie, engl. Kupferstecherin, Lithogr. u. Holzschneiderin, * 6. 1. 1902 Ipswich, ansässig in Newbury, Berkshire.

Lit.: Who's Who in Art, [3] 1934.

Bacon, Peggy, amer. Malerin, Karikaturzeichnerin, Kupferstecherin u. Verssatirikerin, * 2. 5. 1895 Ridgefield, Conn., ansässig ebda. Gattin des Alex. Brook.

Schülerin von Jonas Lie, John Sloan, K. H. Miller u. G. Bellows. Hauptsächlich Zeichnerin u. Kaltnadelkünstlerin. Ihr bestes Buch: The Funerealities.

Lit.: Fielding. — Mellquist. — Monro. — Amer. Art Annual, 20 (1923) 430. — The Art News, 24, Nr 11 v. 19. 12. 1925, p. 9; 32 (1933/34) Nr 21, p. 3 u. 6. — The Print Coll.'s Quarterly, 16 (1929) 385 ff., m. Abbn. — Pennsylv. Mus. Bull., 27 (1931–32) Nr 145, p. 69. — Brooklyn Mus. Quart., 22 (1935) geg. p. 3 (Abb.), 4, 9 (Abb.). — The Studio, 113 (1937) 24 (Abb.); 114 (1937) 215 (Abb.), 216, 218. — The Art Index (New York), Okt. 1941/Okt. 1951.

Bacqué, Daniel, franz. Bildhauer, * 20. 9. 1874 Vianne (Lot-et-Garonne), ansässig in Paris.

Schüler von Fumadelles u. Bernstamm. Mitglied der Soc. d. Art. franç., beschickte deren Salon bis 1939 (Kat. z. T. m. Abbn). Gold. Med. 1922; Ehrenmed. 1937. — Bildnisbüsten u. -statuetten, Figürliches (weibl. Akte). Im Luxembourg-Mus. in Paris Büste des Medailleurs Dropsy u. Statuen des Malers Jean Fouquet u. einer sich kämmenden Frau. Ein Gefallenen-Denkmal in Mézin (Lot-et-Garonne).

Lit.: Joseph, I. — Bénézit, [2] I (1948). — Les Arts, 1920 Nr 188 p. 23 (Abb.). — Revue de l'Art, 42 (1922) 59 (Abb.).

Bacsa, András, ungar. Bildnismaler.

Stud. 1890/97 an der Musterzeichensch. in Budapest. Lehrer an der dort. Kunstgewerbesch.

Lit.: Szendrei-Szentiványi.

Bacsák, György, ungar. Landschaftsmaler, * 1870 Pozsony (Preßburg), ansässig in Budapest.

Stud. bei K. Lotz in Budapest u. bei Hollósy in München.

Lit.: Th.-B., 2 (1908). — Szendrei-Szentiványi. — Krücken-Parlagi.

Badeley, Sir Henry John Fanshawe, engl. Radierer-Dilettant, * 27. 6. 1874 Elswick, ansässig in London.

1911/21 Ehrensekretär der Roy. Soc. of Painter-Etchers a. Engravers.

Lit.: Who's Who in Art, [3] 1934. — The Internat. Who's Who, [8] 1943/44. — Artwork, 2 (1925/26) 144 (Abb.). — The Burlington Magaz., 32 (1918) 21.

Baden, Heinz, dtsch. Maler u. Graph., * 12. 8. 1887 Bremen, ansässig ebda.

Autodidakt. Holz- u. Linolschnitte, Radierungen, Aquarelle, Zeichnungen. Bild: Dampfer „Bremen" in Bau, Ksthalle Bremen; Die Einfahrt, Focke-Mus. Bremen. Wandmalerei (Fresko) in der Ratsstube in Bremen. Mappenwerke. „Radierte Fabeln aus d. Jahr 1783", Selbstverlag; Sonne, 1913; Requiem, 1920; Schlaraffenland, 1921.

Lit.: Dreßler. — Kstchronik, N. F. 27 (1916) 92. — Niedersachsen, 25 (1920) 273.

Bader, Hans, Möbelarchitekt, * 22. 2. 1892 München, ansässig in Karlsruhe.

Stud. an der Techn. Hochsch. in München.

Lit.: Dreßler. — Der Baumeister, 1935 p. 392/93, m. Taf. u. Abbn.

Bader, Ludwig, * 23.12.1891 Weißenburg i. Bay., ansässig ebda.

Stud. an den Kstgewerbesch. Nürnberg u. München. Architekturbilder, Bildnisse.

Lit.: Dreßler.

Badi, Aquiles, argent. Maler, * 1894 Buenos Aires.

Stud. in Europa, 1909 an der Nat.-Akad. in Buenos Aires. Bereiste 1920 Westeuropa u. Griechenland. 1933/39 wieder in Buenos Aires. Dann in Brasilien. 1941 als Antifaschist in Italien interniert, seitdem verschollen. Im Mus. f. Mod. Kst in New York 4 Bilder, dar. ein Schul-Wandbild: Geburtsfest des hl. Martin, u. Span. Kaffeehaus.

Lit.: Kirstein, p. 87, Abb. p. 30. — Bénézit, [2] I.

Badin, Jean Victor, franz. Bildhauer, * Toulouse, ansässig in Paris.

Schüler von Falguière u. Mercier. Mitglied der Soc. d. Art. Franç., beschickte deren Salon seit 1897. Stellte 1927/38 auch im Salon d'Automne aus. Bildnisbüsten, Genrestatuetten.

Lit.: Th.-B., II (1908). — Joseph, I. — Bénézit, [2] I (1948).

Badjov, Stefan, bulgar. Genre- u. Landschaftsmaler (Prof.), * 1881 Kruševo, Mazedonien, ansässig in Sofia.

Stud. an d. Akad. in Prag, in Wien u. Dresden,

weitergebildet auf Studienreisen in Deutschland, Italien u. Frankreich. Prof. an d. Kstakad. in Sofia. Stellte häufig auch im Ausland aus, u. a. auf der Internat. in München 1909, in Rom u. Venedig. Bild: Mutter mit Kind, im Nat.-Mus. in Sofia. Wandmalereien u. a. in d. Peter-Paulskirche in Prag u. in d. Siebenheiligenkirche in Sofia.

Lit.: Filov. — Gaz. d. B.-Arts, 1909/II p. 346. — Kat. d. Ausst. Bulgar. Kstler in Deutschland, Leipzig, Kstver., 1941/42.

Badmin, Stanley, engl. Architektur- u. Landschaftsmaler (Aquar.) u. Radierer, * 18. 4. 1906 Sydenham, ansässig in London.

Kollektiv-Ausstellg Frühj. 1933 in den Fine Art Soc.'s Gall. London.

Lit.: Who's Who in Art, [3] 1934. — The Studio, 93 (1927) 200 (Abb.); 102 (1931) 348 (Abb.); 104 (1932) 329. (Abb.); 105 (1933) 93/98, m. 5 (1 farb.) Abbn, 305 (Abb.); 108 (1934) 227 (Abb.); 110 (1935) 135 (Abb.); 111 (1936) 307 (ganzs. farb. Abb.), 309 (ganzs. Abb.); 114 (1937) 151 (ganzs. farb. Abb.). — Apollo (London), 17 (1933) 100f. — The Art News, 30 (1931/32) Nr 16, p. 9.

Badoche, Edmond, franz. Genrebildhauer, * Nevers (Nièvre), ansässig in Saint-Mandé (Seine).

Mitglied der Soc. d. Art. franç., beschickte deren Salon 1904/34.

Lit.: Joseph, I. — Bénézit, [2] I (1948).

Badodi, Arnaldo, ital. Maler, * 17. 3. 1913 Mailand, vermißt seit März 1943 in Rußland.

Schüler von Aldo Carpi an d. Brera-Akad. in Mailand, an der er später als Lehrer wirkte. Mitglied der Gruppe „Corrente". Knüpfte an die Kst des 19. Jh.s an, gelangte aber später zu einem freieren, persönl. Stil; seine Frühwerke tragen ein hartes, luftleeres Gepräge, seine späteren Arbeiten sind von einem feinen Lyrismus beseelt. Seine Malerei zeigt bes. in der Frühzeit eine ironisierende u. groteske Note u. einen literarischen Beigeschmack; frischer u. ausgeglichener als seine figürl. Kompositionen sind seine Stilleben. Beschickte u. a. die 21. Biennale in Venedig u. den 2., 3. u. 4. Premio Bergamo. Sammelausst. auf d. 24. Biennale. Vertreten in d. Gall. Naz. d'Arte Mod. in Rom.

Lit.: Carrieri. — S. Cairolo, Arte ital. del nostro Tempo, Bergamo 1946. — Emporium, 93 (1941) 312 (Abb.), 313; 94 (1941) 11 (Abb.), 12; 95 (1942) 94; 103 (1946) 95. — Meridiano di Roma, 31. 5. 1942. — Vernice, 3 (1948), Fasc. 22/23 p. 32. — Kat. „Premio di Bergamo", 2 (1940); 3 (1941); 4 (1942), m. Abbn.

P. B.

Badovici, Jean, s. im Artikel *Le Corbusier*.

Badowski, Zygmunt, poln. Maler, * 1875 Warschau, ansässig ebda.

Stud. in Krakau, Paris u. bei L. Wyczółkowski in Krakau. Figürl. Kompositionen u. Bildnisse.

Lit.: Czy wiesz kto to jest?, 1938, m. Fotobildn. — Mir Isskustwa, IV, Chronik p. 69. — Poludnie, 1922 Nr 3, März/Juli, p. 51ff. passim.

Badt, Kurt, dtsch. Maler (Öl u. Aquar.), Dr. phil., * 3. 3. 1890 Berlin, ansässig in Bodman b. Ludwigshafen a. B.

Landschaften, Blumenstücke. Koll.-Ausst. bei Flechtheim in Berlin u. bei Thannhauser in München, 1925.

Lit.: Dreßler. — D. Cicerone, 17 (1925) 912. — Wasmuth's Monatsh. f. Baukst, Heft 6 (1920) p. 3, m. Abb.

Bächler, Fanny, schweiz. Landschafts- u. Blumenmalerin (Aquar.), * Kreuzlingen, Thurgau.

Schülerin der Damen Delattre, Bougleux u. Rousseau.

Lit.: Joseph, I. — Bénézit, [2] I (1948).

Bächtiger, August Meinrad, schweiz. Maler, Holzschneider, Lithogr. u. Zeichner, * 12. 5. 1888 Mörschwil b. St. Gallen.

Stud. 2 Jahre an d. Akad. in München unter Halm u. Jank. Wand-, Decken- u. Glasgemälde, Exlibris, Plakate, Entwürfe für Lithogr. Altarbilder für die Othmarskirche in St. Gallen u. für die Kirchen in Neu St. Johann u. Henau. Deckenbilder für die Kirchen in Arlesheim (Kt. Basel), Amden, Goldach, Gossau, Mels (sämtl. Kt. St. Gallen), Ebikon (Kt. Luzern) u. Rabius (Kt. Graubünden). Glasgemälde u. a. in Rabius u. im Gerichtssaal in Gossau. Ausmalungen d. Kirche in Wangen (Kt. Schwyz) u. der Kapelle der Erziehungsanstalt d. Schwestern vom hl. Kreuz in Menzingen (Kt. Zug). Wandmalerei in d. Friedhofshalle v. Hochdorf (Kt. Luzern). Bildschmuck für Bernh. Sürecher, Mein Heiland. Ein Meß- u. Kommunionbüchlein f. d. Schuljugend u. d. Volk, Einsiedeln 1944.

Lit.: Brun, IV. — Jenny. — D. Schweiz, 1911, p. 167, m. Abb. — D. Werk (Zürich), 2 (1915) 116 (Abb.). — D. Christl. Kst, 24 (1927/28) 151 (Abb.), 155. — Schweizer Kst, 1933/34, 54 (Abb.). — Anz. f. schweiz. Altertumskde, 36 (1934) 284.

Bäcklin, Nils, schwed. Figurenmaler, * 1913 Stockholm, ansässig ebda.

Schüler von E. Ollers u. Isaak Grünewald.

Lit.: Thomœus.

Bäckman, Nils, schwed. Maler, Radierer u. Holzschneider, * 1896 Karlskrona, † 1946 ebda.

Stud. in Stockholm, Holland, Belgien u. Frankreich. Straßenansichten u. Wochenmärkte mit Figuren.

Lit.: Thomœus.

Bäcksbacka, Irina, finn. Malerin, * 7. 8. 1919 Helsingfors (Helsinki).

Lit.: Vem och Vad?, Helsingf. 1936.

Bäckström, Arne, schwed. Maler u. Zeichner, * 1921 Kalmar, ansässig in Gröndal.

Autodidakt. Akte, Landschaften, Marinen.

Lit.: Thomœus.

Bæckström, Tord, schwed. Bildnis-, Landschafts- u. Blumenmaler, * 1908 Rogberga, Småland, ansässig in Stockholm.

Schüler von Revold in Oslo u. von Gromaire in Paris.

Lit.: Thomœus, p. 26.

Baehr, Francine, amer. Maler, * 21. 7. 1898 Chicago, Ill., ansässig in New York.

Wandmalereien im Hotel Paramount, N. Y.

Lit.: Who's Who in Amer. Art, I: 1936/37. — Amer. Art Annual, 30 (1933).

Baehr, Lisbeth, dtsche Landschafts- u. Blumenmalerin u. Holzschneiderin, * 2. 7. 1875 Dresden, ansässig ebda.

Schülerin von B. Buttersack in München u. von Robert Sterl in Dresden.

Baehr, Ludwig, dtsch. Landschafts- u. Bildnismaler u. Schriftsteller, * 22. 11. 1871 Saarlouis, ansässig in Pyrmont.

Stud. bei H. Luyten an der Akad. in Antwerpen u. bei A. Hölzel in Dachau bei München.

Lit.: Dreßler. — Meister d. Farbe (Lpzg, E. A. Seemann), 13 (1916) 46f.

Bänder, Hermann, dtsch. Figurenmaler, * 1884, ansässig in Duisburg.

Stud. anfänglich Glasmalerei.

Lit.: Dreßler.

Bänninger, Otto Charles, schweiz. Bildhauer, * 24.1.1897 Zürich, ansässig ebda.

Stud. an der Grande Chaumière in Paris. Einige Zeit Mitarbeiter Bourdelle's ebda. Stellt seit 1929 im Salon d'Automne, 1933 u. 1935 im Salon des Tuileries aus. Figürliches (Gartenplastik, Akte), Bildnisbüsten, Denkmäler. Arbeiten u. a. im Kstmus. in Bern u. im Zürcher Ksthaus. Relief an d. Kirche in Zürich-Wollishofen.

Lit.: Bénézit, [2] 1 (1948). — Pro Arte (Genf), 2 (1943) 302, m. Abb. — Schweizer Kunst (Art Suisse), 1942, Heft 9 p. 70 (Abb.). — Das Werk (Zürich), 25 (1938) 293/96; 26 (1939) 153 (Abb.); 27 (1940) Beil. zu Nr 6 p. XVI, zu Nr 9 p. XXII f.; 28 (1941) 48f. (Abbn), 182 (Abb.); 29 (1942) 1ff., 66 (Abb.), 232 (Abb.), Beil. zu Nr 9 p. XXII. — Zeitschr. f. Kstgesch., 3 (1934) 158 (Abb.) — Die Kunst, 81 (1939/40) 27 (Abb.), 28. — Emporium, 96 (1942) 357 (Abb.). — Kat. Ausst. Ksthaus Zürich. Sektion Paris, April/Mai 1941.

Bär, Artur, dtsch. Maler, Radierer u. Gebrauchsgraph., * 18.12.1884 Crimmitschau, ansässig in Dresden.

Lernte 1899/1902 als Holzbildhauer, besuchte 1903 die Fachschule für Bildschnitzer in Leipzig, dann die dort. Gewerbeschule. 1905 Malschüler an der Kstschule in Weimar, 1908 an der Akad. in Dresden bei L. v. Hofmann, Sascha Schneider u. Meisterschüler Gotth. Kuehls. Als Graphiker Schüler von Rich. Müller. Wandte sich zunächst der Dekorationsmalerei zu (Renovierung von Malereien im Schloß Frohburg b. Leipzig). Später Landschafter u. Porträtist. Mappenwerk: „Exlibris u. Gebrauchsgraphik", 1922. Radiergn zu Laurids Bruhns, Van Zantens glückliche Zeit, Burgverl. Dresden 1923.

Lit.: Dreßler. — Ex Libris, 37 (1927) 48f., Abbn p. 50f., 96. — Westermann's Ill. Dtsche Monatsh., 134 (1923) farb. Taf. [27]. — Kat. Ausst. Sechs Dresdner Graphiker, Dresden 1913.

Baer, George, amer. Maler u. Musiker, * 1. 7. 1895 Chicago, Ill., ansässig in Connecticut. Bruder des Martin.

Stud. in München u. Paris, zus. mit s. Bruder Martin, mit dem er bis geg. 1930 zus. arbeitete, anfänglich in Cagnes-sur-Mer, dann in Afrika in einer Oase der Sahara. Stellten 1926 gemeinsam bei Durand-Ruel in Paris (hauptsächl. Arabertypen u. -szenen), anschließend im Art Inst. in Chicago aus. 1927 gingen beide Brüder auf 2 Jahre wieder in die Sahara, von dort nach Marokko. Anschließend kurzer Aufenthalt in den USA. 1929 gemeinsame Ausst. in den Newhouse Gall. in New York. Kurz darauf trennten sich die Brüder, und G. gründete eine Schule in Connecticut. Bildnisse, Figürliches, Straßenansichten. Im Mus. in Davenport: Place des Chameaux.

Lit.: Joseph, I, m. Fotobildn. — La Renaiss. de l'Art franç., 9 (1926) 241. — Beaux-Arts, 7 (1929) Nr 6 p. 18. — The Studio, 114 (1937) 253/55, m. 5 Abbn. — Monro.

Baer, Guy, schweiz. Maler, * 1897 Vevey (lt. Joseph: La-Tour-de-Peilz), ansässig in England.

Stud. an der Kstschule in Genf. Bis 1922 in der Schweiz, dann in Südfrankreich ansässig. Kehrte Anfang 1934 in die Schweiz zurück, übersiedelte Herbst dess. Jahres nach England. Bildnisse, Figürliches, Stilleben, Landschaften. Kollektiv-Ausst. 1936 in Arthur Tooth & Sons Gall. in London.

Lit.: Joseph, I. — Bénézit, [2] I (1948). — The Studio, 111 (1936) 164 (Abb.); 114 (1937) 133/38, m. 7 Abbn u. farb. Taf. — Apollo (London), 27 (1938) 110.

Baer, Herbert, amer. Maler, * 13. 11. 1879 New York, ansässig ebda.

Schüler von Ware an d. Columbia University.

Lit.: Fielding. — Amer. Art Annual, 20 (1923) 430.

Baer, Howard, amer. Figurenmaler, ansässig in New York.

Lit.: Painting in the United States. Ausst. Carnegie Inst. Pittsburgh 1949, Kat. Taf. 50. — Monro.

Baer, Lilian, amer. Kleinplastikerin, * 1887 New York, ansässig ebda.

Schülerin von James E. Fraser u. K. H. Miller.

Lit.: Fielding.

Baer, Marie Thérèse, franz. Akt- u. Stillebenmalerin, * Paris, ansässig ebda.

Schülerin von Sabatté. Mitglied der Soc. d. Art. Franç., beschickte deren Salon 1929ff. (Kat. z. T. m. Abbn).

Lit. Bénézit, [2] I (1948).

Baer, Martin, amer. Maler u. Musiker, * 3. 1. 1894 Chicago, Ill., ansässig in Manhattan. Bruder des George.

Stud. in München u. Paris. Arbeitete bis gegen 1930 zus. mit s. Bruder (s. d.). Ging damals allein nach Paris, von dort wieder in die Sahara und weiter nach den Balearen (Insel Ibiza), die er des span. Bürgerkrieges wegen verlassen mußte. Nach kurzem nochmaligem Aufenthalt in Paris (Koll.-Ausst. in d. Gal. Bénézit) 1936 zurück nach den USA. Ließ sich in Manhattan nieder. Bildnisse, Figürliches. Bilder u. a. im Luxembourg-Mus. u. im Mus. du Jeu de Paume in Paris u. in den Museen in Casablanca (Herrenbildnis) u. Los Angeles, Calif. (Orientszene).

Lit.: s. Artikel: *Baer,* George.

Baer, Oswald, dtsch. Landschafts- u. Bildnismaler u. Zeichner, * 1906 Bielitz, O.-Schles., † 27.5.1941 Jena.

Pflegte eine liebevolle, korrekte Zeichnung im Sinne der Romantiker. Ged.-Ausst. im König-Albert-Mus. in Chemnitz, Nov. 1941 (ill. Katal.).

Baer, William Jacob, amer. Miniaturmaler, * 29. 1. 1860 Cincinnati, Ohio, † 1941 New York.

Stud. 1880ff. an d. Münchner Akad. Arbeiten im Mus. in Brooklyn, im Art Mus. in Montelair, N. J., u. in d. Walters Gall. in Baltimore, Md.

Lit.: Th.-B., 2 (1908). — Fielding. — Amer. Art Annual, 30 (1933). — Who's Who in Amer. Art, I: 1936/37. — Earle. — Art Digest, 16, Nr v. 1. 10. 1941, p. 18. — The Art News, 40, Nr v. 1. 10. 41, p. 7. — Monro.

Baer- von Mathes, Carola, dtsch.-öst. Landschaftsmalerin, * 26. 9. 1857 Ried, Oberöst., † 9. 9. 1940 München. Gattin des Landschafters Fritz Baer (* 1850, † 1919).

Schülerin ihres späteren Gatten. 1895/1900 Lehrerin an der Münchner Damen-Akad. Beeinflußt von der Kunst ihres Gatten. Koll.-Ausstellgn in d. Gal. Heinemann, München, Febr./März 1921, u. in der Gal. am Lenbachplatz, München, April 1941 (Kataloge).

Lit.: Th.-B., 2 (1908). — Dreßler. — D. Weltkst, XV Nr 15/16 v. 13. 4. 1941 p. 3.

Bärbig, Kurt, dtsch. Architekt, ansässig in Dresden.

Stud. an d. Dresdner Akad. Steht mit in vorderster Reihe der fortschrittlichen Architekten der Gegenwart. Jugend-Erholungsheim Ottendorf auf der Endlerkuppe bei Sebnitz; Ortskrankenkassen in Sebnitz u. Gottleuba; Betriebszentrale des Konsumvereins „Vorwärts" in Dresden (20-Millionenobjekt); Kolonie auf dem Pladerberg bei Königstein; Kolonien Sebnitz u. Hainersdorf; Kapelle auf dem Friedhof Böhringen.

Lit.: M. R. Möbius, K. B., Berlin/Lpzg/Wien 1930.

Bärenfänger, Karl, dtsch. Maler (Studienrat), * 26.7.1888 Krefeld, ansässig in Dortmund.

Schüler von Thorn-Prikker an der Kstgewerbesch. in Krefeld u. von W. Trübner u. H. Goebel an der Akad. Karlsruhe. Weitergebildet an der Akad. Ranson in Paris. Sonderausstellg Nov. 1925 im Museumsverein Aachen.

Lit.: Dreßler. — Hellweg (Essen), 2 (1922) 970. — Aachener Kstblätter, 12/13 (1924/25) 26.

Bärmann, Christian, dtsch. Maler, Zeichner u. Dichter, * 24.10.1881 Würzburg, ansässig in Burghausen.

Geht nach zweijähr. Schneiderlehrzeit zur See, fährt zweimal nach Südamerika, besucht nach Heimkehr nach Würzburg die dort. Baugewerksch., um sich zum Baumeister auszubilden. Wechselt dann zur Malerei über, geht nach München, fällt bei der Aufnahmeprüfung an der Akad. durch, wird dann 1902 von Ažbè in dessen Schule aufgenommen; in den Sommern Naturstudien in der Maingegend. Stellte im Glaspalast 1903 eine Spessartlandschaft aus. Simplizissimus und Jugend erwerben Zeichnungen von ihm. Nach Gewinnung des Rompreises der Martin-Wagner-Stiftung vierjähr. Aufenthalt in Rom, der ohne Einfluß blieb. Nach Rückkehr in die Heimat Naturstudien (Kleintiere, bes. Mäuse, Vögel, Insekten). Während des 1. Weltkrieges Übersiedlung nach Burghausen. Phantastischer Erzähler, voller schnurriger Einfälle. Arbeitet vorzugsweise in Zyklen: Tiermärchen; Der Mond im Märchen; die selbstgedichtete Folge: Die gute Kröte Rocköck (24 farb. Bilder, 1918); Mondnächte (1916); 60 farb. Zeichngn zu Bonsels Biene Maja; Der Riese Ohl (1918); Die Honriche (Märchen mit 10 Bildern, 1918), meist im Verlag Hugo Schmidt, München, erschienen. Gibt sein Bestes in seinen Ansichten von Burghausen und Würzburg.

Lit.: E. W. Bredt, C. B., Märchen u. Bilder, München 1922, m. 80 Abbn.

Baerwind, Rudi, dtsch. Maler, 11.2.1910 Mannheim, ansässig ebda.

Stud. in Berlin, München u. Paris. Studienaufenthalte in Frankreich, Italien, Holland u. der Schweiz. 1936/42 in Paris. Ließ sich nach Rückkehr aus russ. Gefangenschaft 1945 in Mannheim nieder. Abstrakter Künstler. Mitbegründer der Gal. Egon Günther, Mannheim, bis 1949 künstler. Leiter derselben. Seit 1946 in Weinheim ansässig. Zur Zeit wieder in Mannheim. Koll.-Ausstellgn in Paris 1937 u. 1938, in Cambridge 1938. Beschickte bis 1942 wiederholt die Salons der Indépendants u. Surindépendants in Paris. Kollekt.-Ausst. in d. Gal. Stadelmann, Freiburg i. Br., 1947 in d. Gal. Franz, Berlin, Sept. 1950 u. im Kstverein Heidelberg 1952. Figürliches, Bildnisse, Landschaften. Entwürfe für Wandteppiche.

Lit.: D. Kstwerk, 1 (1946/47), H. 8/9 p. 53, m. Abb., H. 12 p. 59; 4 (1950) H. 5, p. 11 (Abb.), H. 8/9 p. 88, m. Abb. — D. Kst u. das schöne Heim, 50 (1952) 133, 165 (Abb.). — Bad. Ztg (Freiburg), 28. 5. 1947.

Baerwolf, Georges, belg. Landschaftsmaler, * Brüssel, ansässig in Paris.

Mitglied der Soc. Nat. d. B.-Arts. Stellt auch bei den Indépendants und im Salon d'Automne aus. Hauptsächlich Ansichten von Paris.

Lit.: Joseph, I.

Baes, Emile, belg. Maler, Illustr. u. Kstschriftst., * 12. 11. 1879 Brüssel.

Stud. in Brüssel u. Paris u. bei Jos. Stallaert. Hauptsächlich Bildnisse u. Akte. Impressionist.

Lit.: Th.-B., 2 (1908). — G. Verdavaine, Les Nus d'E. B., Brüssel 1923. — L'Art vivant, 1931 p. 600, m. 2 Abb. — Emporium, 79 (1934), Taf.-Abb. geg. p. 142. — Joseph, I. — Seyn, I, m. Fotobildn. — Bénézit, [2] I (1948).

Baes, Firmin, belg. Maler, * 19. 4. 1874 Saint-Josse-ten-Oode.

Sohn des Dekorationsmalers Henri B. (* 1850). Schüler von L. Frédéric. Figuren, Bildnisse, Landschaften. Hauptsächlich Pastellist. Als solcher vertreten in den Museen Antwerpen, Brügge, Brüssel, Courtrai, Löwen u. Ostende.

Lit.: Th.-B., 2 (1908). — Seyn, I. — Bénézit, [2] I (1948). — Onze Kunst, 26 (1914) 76, m. Taf. u. Abb.

Baeschlin, Pierre Laurent, franz. Landschafts- u. Blumenmaler, * 23. 9. 1886 Paris, ansässig ebda.

Schüler von H. C. Danger.

Lit.: Joseph, I. — Bénézit, [2] I (1948).

Baesecke, Henni, dtsche Porzellanmalerin, * 15.11.1883 Braunschweig, ansässig ebda.

Stud. an der Kstgewerbesch. in Braunschweig u. bei Luise Menzel in Berlin. Arbeiten im Städt. Mus. in Braunschweig.

Lit.: Dreßler.

Bäuerle, Emil, dtsch. Maler, * 8.1.1881 St. Georgen i. Schwarzwald, ansässig in Höllstein bei Herdwangen.

Lit.: Dreßler.

Bäuerle, Fritz, dtsch. Tiermaler, * 1913 Höckendorf b. Tharandt i. Sa., ansässig in Berlin.

Lernte zuerst Lithograph. Pflegt besonders die Darstellg des Raubvogels (Falke, Habicht). Mitgl. d. Deutschen Falkenordens u. Berufsfalkner.

Lit.: F. B. Mein Skizzenbuch vom Federspiel, Verlag Naturkundl. Korrespondenz, Berlin 1949.

Bäuerle, Hermann, dtsch. Maler u. Radierer, * 13.1.1886 Stuttgart, ansässig ebda.

Stud. bei Altherr an der Akad. in Stuttgart. Studienaufenthalte in Italien u. Frankreich.

Lit.: Dreßler (falsch. Geb.-Jahr). — Baum.

Bäumer, Eduard, dtsch. Maler u. Graphiker, * 13.5.1892 Castellan, Rheinland, ansässig in Salzburg.

Stud. an der Kstgewerbesch. u. am Städel'schen Kstinstitut in Frankfurt a. M. Studienaufenthalte in Italien u. Paris. Ansässig in Frankfurt, seit 1933 in Salzburg. Mappenwerk: Das Kinderparadies, Bühnenvolksbund, Frankf. a. M.

Lit.: Dreßler.

Bäumer, Ernst, holl. Landschaftsmaler u. Rad., * 15. 11. 1870 Deventer, † 12. 6. 1919 Blaricum.

Schüler von F. Jansen an der Haager Akad.

Lit.: Plasschaert. — Waay. — Waller, p. 17.

Bäumer, Heinrich, dtsch. Holz- u. Steinbildhauer, ansässig in Münster i. W.

Schüler s. Onkels, des Bildh. Heinrich B. (1836–1898) in Dresden. Studienaufenthalte in Deutschland u. Österreich. Pflegt fast ausschließlich das religiöse Fach. Kruzifix im Priester-Exerzitienhaus in Ohrbeck; Kreuzwegstationen auf dem Domherrn-Friedhof in Münster; Kreuzigungsgruppe (Eichenholz) im Theologenkonvikt ebda; Triumphkreuz (Eichenholz) in der Ludgerikirche ebda. Geschnitzte Krippen; auch Porträtbüsten u. Kriegerehrenmale.

Lit.: Die Christl. Kst, 24 (1927/28) 44 (Abb.); 25 (1928/29) 261/65, m. Abbn; 26 (1929/30) 284 f., m. Abb.; 29 (1932/33 100, m. Abb., 101 (Abb.).

Bäumer, Rudolf, dtsch. Maler u. Lithogr.,

* 24. 2. 1870 Krefeld, ansässig in Fallingbostel, Hannover.

Schüler von Julius Bergmann an der Akad. Düsseldorf.

Lit.: Dreßler.

Bäumler, Georg, dtsch. Bildhauer, * 26. 12. 1871 Kitzingen a.M., ansässig in Frankfurt.

Schüler von Kaupert u. F. Hausmann am Städel-Institut. 16 Jahre Lehrer an demselben. Mozart-Denkmal in Frankfurt; Figuren am Bahnhof in Homburg v. d. H.; Giebelschmuck u. Figuren am Hause des Physikalischen Vereins in Frankfurt.

Lit.: Th.-B., 2 (1908). — Weizsäcker-Dessoff. — Dreßler.

Baeyens, Adolphe, belg. Figuren- u. Landschaftsmaler, * 1886 Exaarde.

Schüler von L. de Smet u. Jean Delvin.

Lit.: Seyn, I.

Baeyens, Louis, franz. Dekorationsmaler u. Entwurfzeichner für Textilien, * 7. 12. 1872 Roubaix (Nord), zuletzt ansässig in Croix (Nord).

Kam 1894 nach Paris. Mitglied der Soc. Nat. d. B.-Arts. Ornamentale Entwürfe für bedruckte Stoffe, Buntpapiere u. Zimmerfriese.

Lit.: Th.-B., II (1908). — Joseph, I. — Bénézit, [2] I (1948).

Bagaria, Luis, katal. Karikaturenzeichner u. -maler, * 29. 8. 1882 Barcelona.

Ging jung nach Amerika, arbeitete in Cuba, Mexiko u. in New York. Kehrte 1911 in die Heimat zurück. Zeichnete für „España", später hauptsächl. für die „Tribuna" u. „El Sol". Auch Illustr., Buchdeckelschmuck usw. Fries mit Karikaturen histor. Personen im Speisesaal des Hauses „El Sol" in Madrid.

Lit.: Francés, 1916 p. 116 (Abb.), 123/28, m. 2 Abbn. — Artwork, 6 (1930) 212/18, m. 10 Abbn.

Bagarry, Adrien, franz. Landschafts- u. Stillebenmaler, * 27. 3. 1898 Marseille, ansässig in Paris.

Stellt seit 1926 bei den Indépendants, 1923/38 im Salon d'Automne u. im Salon des Tuileries aus.

Lit.: Joseph, I. — Bénézit, [2] I (1948). — Beaux-Arts, 5 (1927) 45 (Abb.). — Bull. de l'Art, 1928 p. 175 (Abb.). — Beaux-Arts, 75e année, Nr 306 v. 11. 11. 1938 p. 3 (Abb.).

Bagdatopoulos, William Spencer, griech. Maler (bes. Aquar.) u. Rad., * 23. 7. 1888 auf Zante, ansässig in Hampton Wick, Middlesex.

Verbrachte s. Kindheit zumeist in Holland. Begann 16jährig ein Nomadenleben im Nahen Osten: Ägypten, Palästina, Konstantinopel u. Athen, wo er 1 Jahr die Akad. besuchte. Dann 3 Monate in d. Schule John Hassall's in London. Nov. 1924/April 1926 in Indien, besonders in Agra u. Delhi. 1927 Kollektiv-Ausst. in den Arlington Gall. in London, im gleichen Jahr in der Akad. in Rotterdam u. in der Brit. Indian Union.

Lit.: Bénézit, [2] I (1948). — Artwork, 3 (1927/28) 258f., m. Abbn. — The Studio, 93 (1927) 94/100, m. 6 [2 ganzseit.] Abbn u. 1 farb. Taf.; 95 (1928) 125, m. Abb. — The Art News, 25, Nr v. 14. 5. 1927, p. 5, m. Abb. — Who's Who in Art, [3] 1934.

Bagdons, Friedrich, dtsch. Bildhauer, * 7. 8. 1878 Kowarren b. Darkehmen, Ostpr., ansässig in Dortmund.

Schüler von K. Taubert, F. Heinemann u. L. Manzel in Berlin. Hauptsächlich Porträtbüsten, Bauplastik u. Kriegerehrenmale (u. a. in Freudenstadt i. Schwarzw., Dortmund u. Gelsenkirchen). Im Landesmus. in Münster Büste Hindenburgs. Dekorat. Plastiken an der Sparkasse u. Stadtbank, im Hauptfriedhof u. am Verwaltungsgeb. der Vereinigten Stahlwerke A. G., sämtlich Dortmund.

Lit.: Dreßler. — Dtsche Bauzeitg, 59 (1925/I) 354f., m. Abbn. — Zentralbl. d. Bauverwaltg, 57 (1937/II) 1142, 1152 (Abb.).

Bager, Einar, schwed. Landschafts- u. Früchtemaler u. Illustrator, * 1887 Malmö, ansässig ebda.

Stud. an der Akad. in Kopenhagen, in Paris u. an der Akad. in Stockholm. Illustr. zu Märchenbüchern.

Lit.: Thomœus. — Svensk Biogr. Kalender, I: Malmöhus län, 1919, p. 22.

Bagge, Eric, franz. Innenarchitekt u. Kunstgewerbler, * 10. 9. 1890 Antony (Seine), ansässig in Paris.

Mitglied des Salon des Art. Décorat. Stellt seit 1919 auch im Salon d'Automne aus. Möbelgarnituren, Porzellan, Tapisserien, farb. Glasfenster.

Lit.: Joseph, I. — Bénézit, [2] I (1948). — La Renaiss. de l'Art franç., 11 (1928) 251, m. Abb., 358, m. Abb.; 12 (1929) 212, m. Abb., farb. Taf. geg. p. 254, 264, m. Abb. — Mobilier et Décoration, 1930/II p. 199/202, m. 10 Abbn.

Bagge, Eva, schwed. Malerin, * 15. 12. 1871 Stockholm, ansässig ebda.

Stud. an der Akad. in Stockholm, in Rom u. Paris. Bildnisse, Genre, Interieurs, Landschaften u. Stadtmotive. Bilder im Nat.-Mus. in Stockholm u. im Mus. Malmö.

Lit.: Th.-B., 2 (1908). — Gerda Boëthius, E. B., Stockh. 1944. — Thomœus.

Baggs, Arthur, amer. Ksttöpfer, * 27. 10. 1886 Alfred, N.Y., ansässig in Columbus, Ohio.

Schüler des State Coll. of Ceramics in New York. Arbeiten u. a. im dort. Metrop. Mus., im Mus. of F. Arts in Boston, Mass., u. im Newark Mus. in Newark, N. J.

Lit.: Amer. Art Annual, 27 (1930) 507. — Art Index (New York), Okt. 1942/Sept. 43; Juni 47. — Who's Who in Amer. Art, I: 1936/37.

Bagieński, Stanisław, poln. Schlachtenmaler, * 1880 Warschau, ansässig ebda.

Stud. in München u. Paris. Seit 1927 Prof. an der Gerson-Schule in Warschau.

Lit.: Czy wiesz kto to jest?, 1938. — Tygodnik Illustr., 1921, p. 783, m. 7 Abbn.

Bagioli, Alessandro, ital. Landsch.- u. Dekorationsmaler, * 1879 Cesena.

Schüler von Giardini in Bologna und von Gugl. Ciardi in Venedig.

Lit.: Comanducci, m. Abb.

Bahn, Ernst, dtsch. Maler u. Graphiker, * 9. 8. 1901 Bonn, ansässig in Münster i. W.

Stud. Kirchen- u. Wandmalerei in Köln, dann an der Kstgewerbeschule ebda. Studienaufenthalte in Holland, Belgien, Frankreich u. der Schweiz. Während des 2. Weltkrieges als Verwundeter in den USA. Als Graphiker hauptsächlich Radierer (bis 1950 ca. 350 Platten). Arbeiten u. a. im Osthaus-Mus. in Hagen i. W., im Landesmus. in Münster, im Folkwang-Mus. in Essen u. im Friesen-Mus. in Wyk auf Föhr. Chorwandfresko in der Elisabethk. in Münster.

Lit.: Dreßler. — D. Christl. Kst, 25 (1928/29) 252f., 254 (Abb.); 29 (1932/33), Taf.-Abb. geg. p. 93, 101; 33 (1936) 1/10. — D. Schanze, 1 (1951) H. 3, p. 7 (Abb.). — Westfalen im Bild (Bielefeld), 1936.

Bahndorf, Heribert, dtsch. Landschafts- u. Marinemaler, * 3. 7. 1877 Leipzig, zuletzt ansässig in Friedrichroda, Th.

Stud. 1894/95 an d. Akad. Leipzig, 1897/98 bei Saltzmann u. im Meisteratelier Hans Gude an der Berliner Akad.
Lit.: Dreßler.

Bahr, Joachim Heinrich, dtsch. Landschafts- u. Bildnismaler, ansässig in Göttingen.
Neoimpressionist. Bedeutender Kolorist.
Lit.: Dreßler. — Dtsches Volkstum, 14 (1932) 542/46, m. 2 Taf.-Abbn.

Bahr, Paul, dtsch. Bildnis- u. Landschaftsmaler, * 6.7.1883 Berlin, ansässig ebda.
Schüler von L. Corinth u. Otto Antoine. Bild: Hinterpomm. Gehöft, im Mus. in Kolberg.
Lit.: Dreßler.

Bahre, Hans Eberhard, dtsch. Maler u. Rad., * 20.6.1882 Hamburg, ansässig ebda.
Stud. zuerst Architektur an der Techn. Hochsch. Charlottenburg, dann Malschüler von L. Corinth in Berlin u. L. v. Löfftz u. A. Jank an der Münchner Akad.
Lit.: Dreßler.

Bahrmann, Hermann, dtsch. Bildnis- u. Stillebenmaler, * 3.6.1874 Elberfeld, † 4.11. 1941 Wuppertal-Barmen.
Schüler von H. Baluschek in Berlin. Bilder u. a. in der Ruhmeshalle in Barmen u. im Städt. Mus. in Wuppertal. Ged.-Ausst. Frühjahr 1942 in der Ruhmeshalle in Barmen.
Lit.: Dreßler. — Hellweg, 2 (1922) 950. — Feuer, 3 (1922) Beibl. p. 20, 51. — Bergische Heimat, 4 (1930) 298, m. Abb. — Die Weltkst, 16, Nr 13/14 v. 29. 3. 1942, p. 6.

Băjenaru, Dan, rumän. Maler, * Pitesci.
Stellte 1927/31 in Paris aus. Stilleben im Mus. Toma Stelian in Bukarest (Kat. 1939).
Lit.: Bénézit, [2] I (1948), irrig: Bajeranu. — Beaux-Arts, 75e année, Spezial-Nr Sept. 1937: L'Art Roumain à l'Expos. de 1937, p. 16.

Bajenoff, Pawel, sowjet. Maler (bes. Miniaturist), Bühnenbildner u. Plakatkünstler, jung verstorben.
Schüler von Iwan Bakanoff. Mitgl. der Palech-Genossenschaft.
Lit.: bild. kunst, 2 (1948) H. 1 p. 10.

Baierl, Theodor, dtsch. Maler (bes. Freskant) u. Entwurfzeichner für Glasmalerei, * 8.11.1881 München, † 1932 ebda.
Stud. bei Feuerstein, C. v. Marr, Habermann u. Stuck an der Münchner Akad. Beeinflußt von den frühen Italienern u. Niederländern. Figürliches, Bildnisse, Landschaften. Fresken u. a. in der Apsis der Stadtpfarrk. in Augsburg u. in d. Maximiliansk. in München; Altarbilder u. Kreuzwegstationen in der Stadtpfarrk. in Pfersee b. Augsburg. Chorfresken in d. Stadtpfarrk. in Schweinfurt. Altarbild (Kriegergedächtnisbild) in d. Fugger-Kapelle b. Kirchheim in Schwaben; Kreuzwegstationen in der Taubstummenanstaltsk. in Dillingen. Dreiteiliges Altarbild in der Hauskap. des Besitztums der Familie Oskar v. Miller am Starnbergersee. 3 Glasgemälde in der Kirche in Wielle, Westpr., jetzt Polen.
Lit.: Dreßler. — Alt-Hildesheim, H. 6, p. 9, m. Abb. — Die Kunst, 49 (1923/24) 161/73, m. Abbn; 51 (1924/25) 324, 328 (Abb.); 59 (1928/29) 339 (Abb.). — Die Christl. Kst, 12 (1915/16) 161 (Abb.), 162ff., m. Abbn, 171ff. (Abbn); 14 (1917/18) 230/32, m. Abb., Beil. p. 23f., 234, 241, m. Abb., 245 (Abb.); 17 (1920/21) 144, 156f. (Abbn). — Kst u. Handwerk, 1920, p. 123 (Abb.), 125. — The Studio, 90 (1925) 125 (Abb.).—Velhagen & Klasings Monatsh., 33/I (1923/24) Taf.-Abbn geg. p. 408; 43/II (1928/29) Taf.-Abb. geg. p. 481, 589f. — Westermanns Monatsh., 145 (1928/29) 21/36, m. vielen, z. T. farb. Abbn.

Baignères, Paul Louis, franz. Bildnis-, Figuren-, Interieur- u. Landschaftsmaler, * Paris, ansässig ebda.
Schüler von Bonnat, Herbert u. Gervex. Stellte seit 1893 bei den Indépendants, seit 1923 auch im Salon des Tuileries aus. Im Luxembourg-Mus.: Die Frau mit den Levkojen. Illustr. zu Robert Dreyfus, Souvenirs sur Marcel Proust.
Lit.: Joseph, I. — Bénézit, [2] I (1948). — Art et Décoration, 34 (1913/II) 170 (Abb.). — L'Amour de l'Art, 11 (1930) 194 (Abb.). — Beaux-Arts, 75e année, Nr 294 v. 19. 8. 1938, p. 2.

Baij, Ramkinkar, ind. Maler u. Bildh., * Mai 1912 Bankura, Westbengalen, ansässig in Kalabhavan.
Übte schon als Kind Modellieren u. Ölmalen; auch die Filmbühne im dörfl. Theater s. Heimatortes weckte früh s. Interesse. Stud. ab 1927 in Kalabhavan, Santiniketan, oriental. Kst in westl. Aquarelltechnik bei Nadalal Bose, Abanindranath Tagore u. a. Seit 1932 Lehrer ebda. Wandte sich 1930 mit leidenschaftl. Eifer der Bildhauerei zu (Reliefs u. Rundplastik, häufig in monumentalen Ausmaßen). In d. Malerei ging er vom Realismus zum Impressionismus über. Malte die charaktervolle Landschaft von Santiniketan u. einige impressionist. Porträts in Öl. Meißelte direkt an Ort u. Stelle Kolossalstatuen in abstraktem Stil wie die Heilige Familie (14 Fuß), eine menschl. Figur (9 Fuß) u. den Schnitter (9 Fuß). 1941 entstand ein surrealist. Bildnis des Dichters R. Tagore. Beschickte wiederholt die Ausst. der Indian Soc. of Oriental Art u. der Acad. of F. Arts in Kalkutta, der All India F. Arts a. Crafts Soc. in Delhi, der Patna Kalaparishad, Kalkutta-Gruppe, die Indian Art Exh. in London 1947, die Realities Nouvelles in Paris u. den Salon de Mai ebda 1951. Sonderausst. Delhi 1943.
Lit.: Modern Review and Prabasi (Kalkutta), 1927 –32, mit Abbn einiger realist. Bilder s. Frühzeit. — Visva Bharati Patrika, Album of Realities Nouvelles, Nr 4, p. 57. — Indian Art through the Ages, p. 132.

Bailey, Alfred Charles, engl. Aquarellmaler (Landsch. u. Architektur), * 17. 6. 1883 Brighton, ansässig in London.
Schüler von L. Grier.
Lit.: Who's Who in Art, [3] 1934.

Bailey, Arthur Alexander, engl. Landschaftsmaler, * März 1929 London.
Sohn des Emailmalers John W. B. Stud. an den Kensington u. Lambeth-Kunstschulen.
Lit.: Who's Who in Art, [2] 1929; [3] 1934, Obituary, p. 447.

Bailey, George William, engl. Landschaftsmaler (Öl u. Aquar.), * 4. 11. 1880 Spalding, Lincolnshire, ansässig ebda.
Stud. an der Chelsea Art School u. der Kstsch. des Victoria a. Albert Mus. in London.
Lit.: Who's Who in Art, [3] 1934.

Bailey, Helen Virginia, amer. Bildhauerin u. Medailleurin, * 26. 5. 1908 East Liverpool, Ohio, ansässig ebda.
Schülerin von A. T. Fairbanks u. A. Laessle.
Lit.: Who's Who in Amer. Art, I: 1936/37.

Bailey, Henrietta Davidson, Malerin u. Kunstgewerblerin, * 1874 New Orleans, La., ansässig ebda.
Schülerin von Ellsworth Woodward u. Arthur W. Dow. Bemalte Terrakotten u. a. im Delgado Mus. of Art in New Orleans u. im Art Mus. in St. Louis.

Lit.: Amer. Art Annual, 20 (1923) 430; 27 (1930) 507. — J. M. Cline, Contemp. Art a. Artists in New Orleans, 1924. — Who's Who in Amer. Art, I: 1936/37.

Bailey, Henry Lewis, amer. Radierer, ansässig in Los Angeles, Calif.

Lit.: Fielding. — Amer. Art Annual, 20 (1923) 430.

Bailey, Henry Turner, amer. Illustrator, Kstgewerbler u. Schriftst., * 9. 12. 1865 North Scituate, Mass., † 1931 Cleveland, O.

Stud. an d. Kstschule in Boston. Seit 1919 Direktor der Kstschule in Cleveland.

Lit.: Fielding. — Amer. Art Annual, 20 (1923) 430. — F. Robertson, H. T. B., Landscapes, Interpretations, New York [1930].

Bailey, James G., amer. Landschaftsmaler (Dilettant, ehemals Diplomat), * 1870, Salyersville, Kentucky, ansässig in Paris.

Schüler von Forkum u. Czedikowski. Beeinflußt von den Meistern von Barbizon, besonders Corot. Malt hauptsächlich in Kalifornien und im Staat Kentucky. Kollektiv-Ausst. im Salon d. Soc. d. Art. Franç. 1930.

Lit.: Bénézit, [2] 1. — L'Art vivant, 1930 p. 458, m. 2 Abbn.

Bailey, La Force, amer. Maler u. Architekt, * 17. 4. 1893 Joliet, Ill., ansässig in Urbana, Ill.

Schüler von W. M. Hekking, John R. Frazier u. Charles W. Hawthorne.

Lit.: Who's Who in Amer. Art, I: 1936/37. — Amer. Art Annual, 30 (1933).

Bailey, Minnie Moly, amer. Malerin u. Illustr., * 29. 10. 1890 Oberlin, O., ansässig in Dalles, Texas.

Schülerin von Hawthorne, Connah u. Pape.

Lit.: Fielding. — Amer. Art Annual, 20 (1923) 430.

Bailey, Ruby Winifred, geb. *Levick*, engl. Bildhauerin, * Llandaff, ansässig in London.

Gattin des Archit. Gervase B. Stud. am Roy. Coll. of Art. Bildnisbüsten, Kinderfiguren.

Lit.: Th.-B., 23 (1929) 156. — Who's Who in Art, [3] 1934. — The Connoisseur, 29 (1911) 61.

Bailey, Vernon Howe, amer. Maler (bes. Aquar.), Radierer, Illustr., Zeichner u. Schriftst., * 1. 4. 1874 Camden, N. J., ansässig in New York.

Stud. an der Pennsylvania Acad. of F. Arts in Philadelphia u. an den Akad. in London u. Paris. Gehörte 1892/94 zum Stabe der „Philadelphia Times", 1894/1901 zum Stab des „Boston Herald". Zeichner. Mitarbeiter von „Graphic", „Mail and Express" (London) u. „The New York Sun". Bereiste wiederholt Spanien (Murcia, Granada, Estremadura). — Buchwerke: Little Known Towns of Spain, 1927; New Trails in Old Spain. Illustr. zu: „Lady Baltimore", „Charleston the Place and its People", „The Story of Harvard", „Skyscrapers of New York".

Lit.: Th.-B., 2 (1908). — Fielding. — Mellquist. — Amer. Art Annual, 20 (1923) 430. — The Art News, 25, Nr 31 v. 7. 5. 1927, p. 9. — The Internat. Who's Who, [16] 1952. — The Art News, 41, Nr v. 15. 2. 1942, p. 6. — The Studio, 102 (1931) 211 (Abb.).

Bailey, Walter Alexander, amer. Maler, Illustr. u. Radierer, * 17. 10. 1894 Wallula, Wyandotte, Co., Kansas, ansässig in Kansas City, Mo.

Schüler von Charles Wilimowsky u. John D. Patrick. Wandgemälde (Jahreszeiten) im Foyer des neuen Städt. Auditoriums in Kansas City.

Lit.: Amer. Art Annual, 20 (1923) 430; 30 (1933). — The Studio, 113 (1937) 230. — Art Digest, 16, Nr v. 1. 10. 1941, p. 8.

Bailey, Worth, amer. Architekt, Landschaftszeichner, Graph. u. Bildh., * 23. 8. 1908 Norfolk, Va., ansässig in Williamsburg, Va.

Stud. an d. Kstschule d. Univers. of Pennsylvania in Philadelphia u. bei Glenna Latimer.

Lit.: Who's Who in Amer. Art, I: 1936/37. — Antiques (New York), 52, Okt. 1947, p. 274 (Abb.).

Baillé, Hervé, franz. humorist. Zeichner, Rad. u. Plakatzeichner, * 21. 1. 1896 Sète (Hérault).

Lit.: Joseph, I. — Bénézit, [2] I (1948).

Baillergeau, Yves, franz. Landschaftsmaler u. Freskant, * 3. 10. 1881 Nantes, ansässig in Paris.

Schüler von Baschet, Maxence u. Désiré Lucas. Mitglied der Soc. d. Art. Franç. (Salon-Kat. z. T. m. Abbn). Bereiste den Orient.

Lit.: Joseph, I. — Bénézit, [2] I (1948).

Bailleul, Léonie de, franz. Interieurmalerin, * Paris, ansässig ebda.

Schülerin von Henri Zo, Em. Benner u. P. Gervaix. Stellte 1929/32 im Salon der Soc. d. Art. Franç. aus (Kat. z. T. m. Abbn).

Lit.: Joseph, I. — Bénézit, [2] I (1948).

Baillie, William, schott. Figurenmaler (Öl u. Aquar.), * 22. 11. 1905 Larkhall, Lanarkshire, ansässig ebda.

Stud. an der Kstschule in Glasgow.

Lit.: Who's Who in Art, [3] 1934.

Bailliez, André Maurice, franz. Landschaftsmaler, * Lille, ansässig in Paris.

Schüler von L. Bonnat u. Ph. de Winter. Mitglied der Soc. d. Art. français, deren Salon er bis 1938 beschickte.

Lit.: Joseph, I. — Bénézit, [2] I (1948).

Baillon Vincennes, Charles, schweiz. Malaer, * 4. 3. 1878 in der Normandie, † 9. 2. 1932 auf Schloß Zihl, Kt. Bern.

Lit.: A la mémoire de Ch. B. V., peintre (1878–1932): Edit. de la Baconnière, Neuchâtel 1932. — Hist. Biogr. Lex. d. Schweiz, Suppl. 1934, p. 196.

Baillot-Jourdan, Cécile, franz. Bildnis- u. Blumenmalerin, Schmuckkünstlerin, Keramikerin, Stoff- u. Möbelzeichnerin, * 24. 10. 1889 Troyes, ansässig in Paris.

Stellte bis 1929 im Salon d'Automne, bis 1930 bei den Indépendants aus.

Lit.: Joseph, I, m. 3 Abbn. — Bénézit, [2] I (1948). — L'Art et les Artistes, N. S. 16 (recte 17), 1928 p. 204/08, m. Abbn. — L'Art vivant, 1928 p. 610 ff. passim.

Bailly, Alice, schweiz. Malerin, Holzschneiderin u. Stickerin, * 1872 Genf, † 1938 ebda.

Stud. an d. Ec. d. B.-Arts in Genf bei Hugues Bóoz, im übrigen Autodidaktin. 1904 in Genf, dann in München tätig. 1905 in Neapel. 1906/14 in Paris. Folgte seit ca. 1910 der kubistisch-futurist. Richtung. Bildnisse, Figürliches, Landschaften, Stilleben. Bilder in den Mus. in Genf u. Winterthur. Folgen: „En Valais" (6 Holzschnitte auf Japan), Genf 1915; „Scènes, portraits et figures" (24 Holzschn. auf Japan), Genf 1907.

Lit.: Reinhart-Fink, p. 75. — Brun, IV (fälschl. Bally). — Bénézit, [2] I (1948). — Joseph, I.

— A. Rheinwald, L'Art d' A. B., Genf 1918. — Die Schweiz, 1908, p. 475; 23 (1919) 101/05, m. Abbn, 577. — Jahresber. 1916/17 Kstver. Winterthur, p. 8. — D. Graph. Kabinett (Winterthur), 3 (1918) 87. — D. Ararat, 2 (1921) 252. — D. Werk (Zürich), 11 (1924) 135 (Abb.); 12 (1925) 102f. (Abbn), 115ff. — Schweizer Kst, 1937/38, p. 127/28.

Bailly, Georgette, franz. Genre- u. Bildnismalerin, * Paris, ansässig in Rueil-Malmaison (Seine-et-Oise).

Schülerin von J. P. Laurens, P. A. Laurens u. H. Royer. Mitglied der Soc. d. Art. franç., beschickte deren Salon bis 1939 (Kat. z. T. m. Abbn).

Lit.: Joseph, I. — Bénézit, [2] I (1948).

Baily, Caroline Alice, franz. Bildnisminiaturmalerin, * Le Havre, ansässig in Paris.

Schülerin von Ch. P. Bellay, Mitglied der Soc. d. Art. Franç. Gold. Med. Weltausst. Paris 1900. Damenbildnis im Luxembourg-Mus.

Lit.: Th.-B., II (1908). — Joseph, I. — Bénézit, [2] I (1948).

Bain, Harriet F., amer. Maler, * Kenosha, Wis., ansässig ebda.

Schüler von John van der Poel, E. A. Webster, Colin u. Garrido.

Lit.: Amer. Art Annual, 30 (1933). — Who's Who in Amer. Art, I: 1936/37.

Bain, Marcel, franz. Landschaftsmaler, * 21. 11. 1878 Paris, † 1937 ebda.

Schüler von J. Lefebvre u. T. Robert-Fleury. Mitglied der Soc. d. Art. Français (Salon-Kat. z. T. m. Abbn).

Lit.: Joseph, I. — Bénézit, [2] I (1948). — Revue de l'Art anc. et mod., 71 (1937) 294.

Baird, Clarance, engl. Maler, * 28. 7. 1895 Birkenhead, ansässig in Waterloo b. Liverpool.

Stud. an der Kstschule in Liverpool. Interieurs u. Figurenbilder.

Lit.: Who's Who in Art, [3] 1934.

Baird, Eugene Quentin, amer. Maler, * 6. 5. 1897 Straits Settlements, Asia, ansässig in Jersey City, N. J.

Schüler des Pratt Instit. derArt Students' League in New York u. von Jane Peterson.

Lit.: Amer. Art Annual, 30 (1933).

Baird, Johnstone, schott. Architektur- u. Landschaftsmaler u. Rad., * Sorn, Ayrshire, ansässig in London.

Stud. 1900 an der Kstschule in Glasgow.

Lit.: Who's Who in Art, [3] 1934. — The Studio, 63 (1915) 54ff., m. 2 Abbn, 138, m. Abb.

Bairnsfather, Bruce, engl. Humorist u. Pressezeichner, * 1888, ansässig in Petworth, Sussex.

Zeichnete für den „Bystander". Buchwerk: Wide Canvas (Autobiogr.), 1939.

Lit.: The Internat. Who's Who, [8] 1943/44.

Baisden, Frank, amer. Maler, * 17. 6. 1904 Atlanta, Ga., ansässig in Chattanooga, Tenn.

Lit.: Fielding. — Who's Who in Amer. Art, I: 1936/37. — Mallett.

Baisen, Künstlername des *Hirai* (s. d.).

Baiyu, Matsumura, jap. Maler, ansässig in Kyōto.

Lit.: The Studio, 50 (1910) 114, 121 (Abb.).

Bakalian, Aram, türk. Landschafts- u. Stillebenmaler, * Konstantinopel (Istanbul), ansässig in Paris.

Schüler von Alb. u. Pierre Laurens. Stellt seit 1907 im Salon d'Automne, seit 1927 im Salon der Soc. d. Art. Franç. aus.

Lit.: Bénézit, [2] I (1948).

Bakalla, Rolf, öst. Maler u. Graph., * 19. 2. 1877 Wien, ansässig in Innsbruck.

Stud. an d. Münchner Akad. Studienreisen in Italien u. im Orient.

Lit.: Fischnaler, Innsbr. Chronik, V 56. *J. R.*

Bakanoff, Iwan Michailowitsch, sowjet. Maler, Illustr. u. Lackkünstler, * 1870, † 1936.

Mitglied der Palech-Genossenschaft. Miniaturen (Landschaften im Ikonenstil); Gegenwartsthemen (Kampf der Roten Armee). Illustr. zu Puschkin u. Serafimowitsch.

Lit.: Kat. Staatl. Tretjakoff-Gal., 1947. — bild. kst, 2 (1948) Heft 1 p. 9, 10 (3×).

Bakels, Reinier Sijbrand, holl. Maler u. Rad. (Dr. jur.), * 4. 8. 1873 Hoorn op Texel, ansässig im Haag.

Ging nach jurist. Studien zur Malerei über. Autodidakt. Landschaften, Stadtansichten, Hafenbilder, Bildnisse. Tätig in Overijssel, Texel, Enkhuyzen, Amsterdam, Bergen op Zoom u. in d. Bretagne. Studienaufenthalte in Prag, Budapest, Berlin, London, Mailand. Bilder im Sted. Mus. im Haag u. im Mus. in Enschede.

Lit.: G. Knuttel, jr., R. S. B., met reprod. naar 38 zijner werken, 's-Gravenh. 1948. — Plasschaert, m. Abb. — Waay. — Wie is dat?, 1935. — Waller. — Persoonlijkheden, m. Fotobildnis — Maandbl. v. beeld. Kunsten, 1 (1924) 122f.; 24 (1948) 281/83, m. Abb. — Mededeel. v. d. Dienst voor Kunsten en Wetenschappen d. Gem. 's-Gravenh., 1 (1919) 17 m. Abb., 38. — Kunst en Kstleven, 1 (1948/49) Nr 5, p. 1/5, m. 7 Abb. — Cat. Tentoonst. v. schilder. van R. S. B. in de Zalon van Pulchri Studio, Den Haag 5./19. 9. 1948. — Calker, m. 2 Abb. u. Fotobildn.

Bakema, Francina Petronella Josephina, holl. Bildhauerin u. Plakettenkünstlerin, * 19. 6. 1902 Amsterdam, lebt in Haarlem.

Schülerin von Hager u. Jan Bronner, weitergebildet an der Reichsakad. Amsterdam, in Brüssel u. Paris. Bildnisbüsten u. Plaketten. Vertreten im Teyler-Mus. in Haarlem.

Lit.: Waay.

Bakenhus, Gerhard, dtsch. Landschaftsmaler, Lithogr. u. Schriftst., * 14. 12. 1860 Großenmeer/Oldenbg, † 12. 12. 1939 Kreyenbrück bei Oldenburg.

Stud. an den Akad. Karlsruhe (G. Schönleber) u. Berlin. 1904 Mitbegründer des Oldenb. Künstlerbundes. 1905 gold. Oldenb. Staatsmed. Schildert die Schönheit der niederdtsch. Moore. 8 Bilder, zahlr. Ölskizzen, Zeichnungen u. Lithogr. im Landesmus. in Oldenburg.

Lit.: Dreßler. — Dichtung u. Forschung im Raum Weser-Ems, 1941, p. 68/72. — Niederdtsche Welt, 1931, p. 48. — Die Nordwestmark (Oldenb.), 1940 (W. Müller-Wulckow).

Baker, Bryant, engl.-amer. Bildhauer, * 8. 7. 1881 London, ansässig in New York. Bruder des Robert.

Schüler von W. S. Frith, d. Kensington Inst. u. d. Roy. Acad. Schools in London. Anfängl. beeinflußt von Alfred Gilbert u. George Frampton. Naturalist. Ging 1916 nach den USA, ließ sich in Washington nieder. Idealköpfe, Bildnisbüsten, Denkmäler. Hauptwerke: Kolossalgruppe „The Pioneer Women" (Bronze) in Ponca City, Okla.; Eros, Art Gall. Manchester; Büste König Eduards VII. im Marlborough House (zahlr. Repliken); Büsten des Präsid. Wilson im Mus. in Boston, des Präsid. Taft im Supreme Court in Washington, des Präsid. Roosevelt in d. Harvard University; Mnemosyne, Mutter der Musen. in d. Hull City Art Gall.; Standbild des Oberrichters Edward D. White für New Orleans; Standbild König Eduards VII. in Huddersfield, Yorkshire; Grabdenkmal für d. Erzdiakon Hemming Robeson in der Abtei Tewkesbury; Denkmale für Snowden Andrew in Winchester, Va.; für Edward B. Wright in Austin, Tex.; für die „Pioneer Women" in Ponca City, Okla.

Lit.: Fielding (unter B. B. u. Percy B. B.). — Amer. Art Annual, 20 (1923) 431; 27 (1930) 16; 30 (1933). — The Art News, 22, Nr 3 v. 27. 10. 1923, p. 2; 25, Nr 21 v. 26. 2. 1927, p. 10 (Abb.), Nr 32 (Section II) v. 14. 5. 1927, p. 8. — Apollo (London), 16 (1932) 221/30, m. 7 Abbn. — Who's Who in Amer. Art, I: 1936/37.

Baker, Caroline Mathilde, engl. Genre- u. Interieurmalerin, * London, ansässig ebda.

Schülerin von Gius. Giusti. Stellte 1922/35 im Salon der Soc. d. Art. Franç. in Paris aus (Kat. z. T. m. Abbn).

Lit.: Bénézit, [2] I (1948).

Baker, Charles H. Collins, engl. Landschaftsmaler u. Kstgelehrter, * 24. 1. 1880 Ilminster, ansässig in London.

In d. Art Gall. in Manchester: Die Bucht. Inspektor der Nat. Gall. u. Aufseher über die Gemälde des Königs. Buchwerke: Lely and the Stuart Portrait Painters, 1912; Pieter de Hooch, 1925, Dutch 17th Century Painting, 1926.

Lit.: Who's Who in Art, [3] 1934. — The Studio, 60 (1914) 301 (Abb.); 65 (1915) 180; 68 (1916) 117; 70 (1917) 42, m. Abb. — The Connoisseur, 130 (1953) 159/62 (Aufsatz B.'s über Apsley House).

Baker, Frederick Van Vliet, amer. Maler, * 14. 11. 1876 New York, ansässig ebda.

Schüler des Pratt Instit. in Brooklyn, N. Y., d. Ec. d. B.-Arts u. d. Acad. Colarossi in Paris. Lehrer am Pratt Instit.

Lit.: Fielding. — Amer. Art Annual, 20 (1923) 431.

Baker, Geoffrey Alan, engl. Maler, * 5. 10. 1881, ansässig in Christchurch, Hamps.

Stud. am Roy. Coll. of Art in London.

Lit.: Who's Who in Art, [3] 1934.

Baker, George Herbert, amer. Maler, * 14. 2. 1878 Muncie, Ind., ansässig in Centerville, Ind.

Stud. am Cincinnati Art Club.

Lit.: Fielding. — Amer. Art Annual, 30 (1933). — M. Q. Burnet, Art a. Artists of Indiana, New York 1921. — Who's Who in Amer. Art, I: 1936/37.

Baker, George O., amer. Maler u. Illustr., * 2. 1. 1882 Mexiko, Mo., ansässig in Chicago, Ill.

Schüler von J. P. Laurens u. Rich. Miller in Paris.

Lit.: Fielding. — Amer. Art Annual, 20 (1923) 431.

Baker, Gladys Marguerite, engl. Bildnis- u. Figurenmalerin, * 14. 10. 1889 Bloomsbury, ansässig in Douglaston, L. I., N. Y.

Stud. an der Kstschule der Roy. Acad.

Lit.: Who's Who in Art, [3] 1934. — The Studio, 132 (1946) 31, m. Abb.

Baker, Grace M., amer. Malerin, * 1876 Annawan, Ill., ansässig in Greeley, Colo.

Lit.: Amer. Art Annual, 30 (1933).

Baker, Sir Herbert, engl. Architekt, * 1862 Colham, Kent, † 1946 London.

Kam 1892 nach Kapstadt. Baute die dort. Kathedrale sowie diejenigen in Johannesburg u. Pretoria. Weitere Bauten: Vereinshaus u. Regierungsgeb. in Pretoria; Kriegerdenkmal im Winchester College; Groote Schuur Rhodes-Denkmal in Kapstadt; Cecil-Rhodes-Haus in Oxford; Church House in Westminster; Roy. Empire Soc. House in London; Haus der Indien-Regierung für New Delhi. Umbau der Bank von England in London, zus. mit A. T. Scott. — Buchwerk: Cecil Rhodes - by his Architect.

Lit.: Who's Who in Art, [3] 1934. — The Internat. Who's Who, [8] 1943/44, — Graves, I. — C. H. Reilly, Representat. Brit. Architects of the Present Day, London 1931. — Artwork, 7 (1931) 56, m. Abb. — Dtsche Bauzeitg, 67 (1933) 603ff. — The Studio, 97 (1929) 328 (Abb.); 101 (1931) 427/31, m. 3 Abbn; 104 (1932) 23 (Abb.). — Archit. Review, 99, März 1946, p. LV. — Roy. Inst. of Brit. Archit. Journal, ser. 3, vol. 53, März 1946, p. 189.

Baker, Jean, amer. Maler u. Graph., * 6. 11. 1903 Arcadia, Neb., ansässig in Hollywood, Calif.

Schüler von Alf. Giannelli u. Carl Sprinchorn.

Lit.: Who's Who in Amer. Art, I: 1936/37. — Amer. Art Annual, 30 (1933).

Baker, Maria May, amer. Malerin, * 25. 9. 1890 Norfolk, Va., ansässig ebda.

Stud. an d. Pennsylvania Acad. in Philadelphia, bei Charles Hawthorne, C. C. Critcher u. Webster. Bild im Besitz der Norfolk Soc. of Arts.

Lit.: Fielding. — Amer. Art Annual, 30 (1933).

Baker, Mary, engl. Illustratorin u. Aquarellmalerin, * 25. 7. 1897 Rumcorn, ansässig in Leominster, Herefordshire.

Hauptsächl. Illustrationen für Kinderbücher.

Lit.: Who's Who in Art, [3] 1934.

Baker, Mary Frances, amer. Malerin, * 28. 10. 1879 New Orleans, La., ansässig ebda.

Stud. an der Pennsylvania Acad. of Fine Arts in Philadelphia.

Lit.: Fielding. — Amer. Art Annual, 20 (1923) 431; 30 (1933).

Baker, Robert P., engl.-amer. Bildhauer, * 29. 6. 1886 London, † 1940 New York. Bruder des Bryant.

Stud. in London.

Lit.: Amer. Art Annual, 20 (1923) 431. — Apollo (London), 16 (1932) 221.

Baker, Samuel Burtis, amer. Maler, * 29. 9. 1882 Boston, Mass., ansässig in Washington, D. C.

Schüler von Major, De Camp u. Edw. H. Barnard u. Ch. H. Davis. Lehrer an der George Washington Univ. in Washington. Figürliches, Bildnisse. Bilder u. a. im Macon Art Inst. in Macon, Ga., im Massachusetts State House in Boston, in der Pinkerton Acad. in Derry, N. H., u. im New Hampshire State House.

Lit.: Fielding. — Amer. Art Annual, 20 (1923) 431; 30 (1933). — Who's Who in America, 18 (1934 –35).

Baker, Sarah, amer. Malerin, * 7. 3. 1899 Memphis, Tenn., ansässig in Baltimore, Md.

Schülerin von H. Breckenridge, Arthur Charles u. A. Lhote. Altardekoration für St. John's Church in Mc Lean, Va.

Lit.: Who's Who in Amer. Art, I: 1936/37.

Baker, Silvia, engl. Tierzeichnerin.

Buchwerk: Portraits at the London Zoo.

Lit.: The Studio, 91 (1926) 378, m. Abb.

Bakermans, Sebastianus Joh., holl. Landschaftsmaler, * 18. 12. 1901 Herzogenbusch, lebt in Eindhoven.

Schüler der Akad. Haag u. Amsterdam. Mitglied der „Onafhankelijken".

Lit.: Waay.

Bakhoven, Jan, holl. Maler u. Pastellzeichner, * 20. 8. 1887 Dalfsen, ansässig in Maastricht.

Schüler von Lechner u. G. A. Eberhard. Kirmes-, Ball- u. Zirkusszenen, Landschaften. Impressionist.

Lit.: Waay. — Eigen Haard, 1926, p. 786f., m. Abb.

Bakić, Vojko, kroat. Bildhauer.

Zeigte auf d. Ausst. kroatisch. Kst in Berlin 1943: Beethoven (Bronze), Bacchant (Marmor), Badendes Mädchen (Stein) u. Mädchenkopf (Marmor).

Lit.: Kat. d. Ausst. kroat. Kst, Berlin, Pr. Akad. d. Kste, Jan./Febr. 1943, p. 28.

Bakis, Juozas, litauischer Maler u. Keramiker, * 1922, ansässig in Freiburg i. Br.

Beschickte die Ausst. der litauischen Kst in Freiburg März 1949 mit einer Reihe figürl. Kompositionen (Leda der Meere, Pietà, Der trauernde Christus, Der Säufer, Die Verlorene). Zeigte 1948 in einer Kollekt.-Ausst. in Baden-Baden einige expressionist. Keramiken.

Lit.: D. Kstwerk, 2 (1948) H. 5/6, p. 46 (Abb.), 48. — Kat. d. Ausst. Litauische Kunst, Augustiner-Mus. Freiburg i. Br. März 1949.

Bakker, Charles, holl. Landschafts- u. Blumenmaler, * 29. 11. 1876 Amsterdam, ansässig in Herzogenbusch.

Schüler von J. D. Huibers.

Lit.: Waay. — Waller.

Bakker, Frans, holl. Maler, * 6. 8. 1871 Rotterdam, zuletzt ansässig im Haag.

Schüler von J. Striening, van Maasdijk u. A. Spoor. Hauptsächl. Landschafter (bes. in Aquar.). 1920/32 in Niederl. Indien.

Lit.: Waay.

Bakker, Jan, holl. Landschaftsmaler, * 1. 7. 1879 Schiedam, ansässig in Voorburg.

Stud. 1902/05 bei Fr. Jansen an der Akad. im Haag. Gefördert von W. B. Tholen. Bild im Gem.-Mus. im Haag.

Lit.: Plasschaert. — Waay. — Wie is dat?, 1935.

Bakker, Patrick, holl. Maler, * 12. 11. 1910 Apeldoorn, † 28. 12. 1932 Amsterdam.

Schüler von M. Monnickendam in A'dam. 1931 in Paris. Bereiste England, Frankreich, Deutschland u. Venedig. Stilleben, Bildnisse, Landschaften, Stadtansichten. Bild im Mus. Boymans in Rotterdam.

Lit.: Waay. — Beeld. Kunst, Nov. 1933 u. Juni 1935. — Elsevier's geïll. Maandschr., Jan. 1934. — De Kunst, April 1934. — Maandbl. v. beeld. Kunsten, 10 (1933) 22f., 323/25, m. Abb.

Bakker, Teunis, holl. Maler u. Rad., * 3. 11. 1894 Purmerend, ansässig in Amsterdam.

Stud. bei Jurres, van der Waay u. Derkinderen an der Reichsakad. A'dam, weitergeb. bei G. H. Breitner u. J. Veldheer. Hauptsächl. Porträtist.

Lit.: Plasschaert. — Waay. — Wie is dat?, 1935. — Waller.

Bakó, László, ungar. Schauspieler u. Maler, * 21. 11. 1872 Sárköz-Ujlak (Kom. Szatmár).

Ging 1906 von der Schauspielkst zur Malerei über.

Lit.: Szendrei-Szentiványi. — Krücken-Parlagi.

Bakos, Joseph G., amer. Maler u. Bildhauer, * 23. 9. 1891 Buffalo, N.Y., ansässig in Santa Fé, N. M.

Schüler von J. E. Thompson.

Lit.: Fielding. — Amer. Art Annual, 30 (1933). — Who's Who in Amer. Art, I: 1936/37. — Monro.

Bakschejeff, Wassilij Nikolajewitsch, sowjet. Landschaftsmaler, * 1862 Moskau, ansässig ebda.

Stud. 1878ff. an der Kstschule in Moskau (1887 Diplom), 1894/1914 Lehrer an ders. Volkskstler der RSFSR. Stalinpreisträger. — 3 Bilder, darunter eine Waldlandschaft im Frühling, in der Tretjakoff-Gal. Moskau (Kat. 1947, m. Abb. 148). 1953 Leninorden.

Lit.: 50 Monogr. von Meistern der Sowjet. bild. Kst (russ.), Heft [4]. — Bénézit, [2]I 350. — Kondakoff, II 11. — Mir Isskusstwa, 3 (1900) 115; 5 (1901) 187. — Sowjet-Literatur, 1949, Heft 11, Taf.-Abb.

Bakst, Léon Nikolajewitsch, eigentlich Ljew Samoilowitsch Rosenberg, russ. Maler, Bühnenbildner, Theaterkostüm- u. Plakatzeichner, Buchschmuckkünstler u. Illustrator, * 10. 5. 1866 St. Petersburg (Leningrad), † 28. 12. 1924 Paris.

Stud. an den Kstschulen in Moskau u. Paris. Begründete mit Alex. Benois, Ssomoff u. Sseroff die Künstlervereinigung u. Zeitschrift „Mir Isskusstwa" (Die Weltkunst), das Organ der russ. Moderne. Besonders bekannt geworden durch seine phantasievollen Aquarell-Entwürfe zu Kostümen für das russ. Ballett u. dessen ständige Auslandsgastspiele (Kleopatra, Scheherezade, Feuervogel, Thais usw.). Auch Bildnisse, dekor. Landschaften mit Idealfiguren u. Interieurs. Illustr. zu Gogol: Die Nase. Umschläge u. Titelblätter für das Jahrbuch der kais. russ. Theater; Vignetten für das von Al. Benois herausg. Lieferungswerk: Die Kunstschätze Rußlands. — Mehrere Aquarelle, dar. ein Bildnis der Mme Bartet als Berenike, im Mus. in Boston, USA. Ein Aquar.: Phantastischer Laden, im Art Inst. in Chicago (Guide to the Paintings, 1925, p. 123, m. Abb.).

Lit.: Th.-B., 2 (1908). — A. Alexandre, L'Art décor. de L. B., Paris 1913. — A. Levinson, The Story of L. B.'s Life, New York u. London 1923; ders., L. B., Berlin 1925. — C. Einstein, L. B., Berl. 1927. — Joseph, I, m. 2 Abbn. — Bénézit, [2]I. — La Toison d'Or, 1906 Heft 4, p. 5/24, 78; Heft 6, p. 18, 20. — Apollon (Moskau), 1 (1909) Heft 1, p. 16f. (Abb.), 43ff.; H. 3, p. 68f. (Abb.) u. Lit.-Almanach, p. 16f. (Abb.). — L'Art décor., 1911/I p. 285ff. — L'Art et les Artistes, 11 (1910) 223/27, m. 5 Abbn; 13 (1911) 279/83, m. 4 Abbn; N. S. 10 (1924/25) 141, m. Abb. — Art et Décoration, 29 (1911/I) 33/46, m. 14 Abbn (dar. 1 farb.); 1925, Chron., Jan.-H. p. 1. — La Cultura Mod., 24 (1914) 8/16, m. Abbn. — Kunst in Südrußland (Kijeff), 1912, p. 112ff. — Emporium, 36 (1912) 404/21. — Deutsche Kst u. Dekor., 31 (1912–13) 309/24. — Kst u. Kstler, 11 (1913) 313/21. — The Studio, 60 (1914) 3/7, m. 2 farb. Taf. u. 5 Abbn; 66 (1916) 292; 93 (1927) 311 (ganzs. farb. Abb.); 105 (1933) 247 (desgl.). — La Renaiss. de l'Art franç., 2 (1919) 88/95. — The Russian Ballet in Western Europe 1909/1920, London 1921. — The Designs of L. B. for the Sleeping Princess, a Ballet in five Acts after Perrault. Préface by A. Levinson, London 1923 (55 Taf.). — The Russian Ballet, New York 1932. — The Connoisseur, 66 (1923) 123f. — Bull. de l'Art anc. et mod., 1925/I, p. 44; 1925/II, p. 320 (Abb.), 326f. — Revue de l'Art anc. et mod., 47 (1925) 101ff., m. Abbn. — Die Kunst, 53 (Kst f. Alle 41), 1925/26, p. 41/50, m. Abbn. — La Renaiss. de l'Art franç., 9 (1926) 619 (Abb.), 622. — Gaz. d. B.-Arts, 1926/II, 323, m. Abb. — Zeitschr. f. Bücherfreunde, VII/1 (1903/04) 41.

Baksteen, Dirk, holl.-belg. Landsch.-Maler u. Rad., * 29. 3. 1886 Rotterdam, ansässig in Moll in Belgien. Naturalisierter Belgier.

Schüler von Jakob Smits. Ließ sich 1912 in Achterbosch bei Mol nieder. Im Mus. Brüssel: Campine-Landschaft. Seine stimmungsvollen Rad. erinnern an sein Vorbild Rembrandt.

Lit.: Plasschaert. — Waay. — L. Demunter, D. B., de schilder der heilige Kempen. Met Album (16 Abbn), Peer 1928. — Waller. — Seyn, I, m. Fotobildnis.

Baksteen, Gerard, holl. Maler u. Rad., * 2. 12. 1887 Rotterdam, ansässig in Moll in Belgien.

Schüler der Akad. Rotterdam u. von Jul. de Vriendt in Antwerpen. Seit 1912 in Moll ansässig.

Lit.: Plasschaert. — Waay. — Waller.

Baladès, René, franz. Landschaftsmaler, * Bordeaux, ansässig ebda.

Schüler von Louis Cabié. Beschickte den Salon der Soc. d. Art. Franç. 1926/29.

Lit.: Bénézit, [2]I (1948).

Baladine, franz. Graphiker.

Illustr. (Rad.) zu den „Dix Poèmes" von R. M. Rilke, dessen Bildnis er auch gezeichnet hat, u. zu Maur. Betz, „Petite Stèle pour R. M. Rilke".

Lit.: Joseph, I. — Bénézit, [2]I (1948). — Philobiblon (Wien), 8 (1935) 470 (Abb.).

Balande, Gaston, franz. Maler u. Rad., * 31. 5. 1881 (Joseph: * 1880) Saujon (Charente-Infér.), ansässig in Paris.

Schüler von Cormon u. Rupert Bunny. Beeinflußt von Courbet u. Cézanne. Breite dekor. Manier. Bereiste Italien u. Spanien, wo ihn bes. Velázquez anzog. Mitglied der Soc. des Art. Franç. u. der Soc. du Salon d'Automne. Stellt auch bei den Indépendants, im Salon des Tuileries u. (seit 1920) im Nouveau Salon aus, dessen Präsident er ist. Hauptsächlich Landschaften u. Akte in Landschaft. Große Sommerlandsch. in Luxembourg-Mus. in Paris. Im Petit Palais ebda: Kirche von Goussenville. In den Gobelins eine Ansicht aus der Provinz Quercy. Im Mus. in Pau: L'Improvisation. Im Hôtel de Ville in Aubervilliers eine gr. figürl. Dekoration (Abb. im Kat. des Salon 1930 der Soc. d. Art. Franç.). — Illustr. (Rad.) zu dem Roman der Frères Tharaud: La Maîtresse servante.

Lit.: Joseph, I. — Bénézit, [2]I (1948). — Gaz. d. B.-Arts, 1921/I p. 346 (Abb.). — L'Art et les Artistes, N. S. 5 (1922) 319f., m. 2 Abbn; 9 (1924) 323, m. Abb.; 15 (1927) 226/31, m. 7 Abbn; 16 (recte 17), 1928 p. 339 (Abb.). — Revue de l'Art anc. et mod., 44 (1923) 50 (Abb.), 79. — The Studio, 89 (1925) 324 (Abb.). — Velhagen & Klasings Monatsh., 52/II (1938), farb. Taf. geg. p. 400, Text p. 474. — Beaux-Arts, 76e année, Nr 324 v. 17. 3. 1939, p. 2 (Abb.); Nr v. 26. 4. 1946 p. 1 (Abb.). — Kat. Ausst. Franz. Kst d. Gegenw., Akad. d. Kste Berlin 1937, m. Abb.

Balano, Paula, geb. *Himmelsbach,* dtsch-amer. Malerin u. Illustr., * 10. 5. 1878 Leipzig, ansässig in Philadelphia, Penna.

Stud. an der Pennsylvania Acad. of F. Arts, bei W. M. Chase, Cecilia Beaux u. Walter Appleton Clark, dann bei Mucha in Paris.

Lit.: Fielding. — Amer. Art Annual, 30 (1933). — Who's Who in Amer. Art, I: 1936/37.

Balbi, Angelo, ital. Landschaftsmaler, * 22. 11. 1872 Genua, ansässig ebda.

Schüler von Tamara Luxoro. Bild in der Gall. d'Arte Mod. in Genua.

Lit.: Comanducci.

Balbian Verster, Rie de, geb. *Bolderhey,* holl. Blumen- u. Bildnismalerin, * 25. 2. 1890 Amsterdam, lebt ebda.

Schülerin von L. W. R. Wenckebach.

Lit.: Waay. — Maandbl. v. beeld. Kunsten, 17 (1940) 173. — Calker, p. 252ff., m. 2 Abbn u. Taf. II.

Balcke, Robert, dtsch. Maler u. Illustr., * 17. 2. 1880 Schwiebus ansässig ebda.

Stud. an den Akad. Berlin bei Hertel u. als Meisterschüler von A. Kampf u. in Düsseldorf als Meisterschüler von E. v. Gebhardt. Altargem. (Kreuzigung) in der Kirche zu Grätz, ehem. Prov. Posen. Heilung des Gichtbrüchigen in der Kirche in Gelsenkirchen. Bilder im Bes. der Stadt Berlin.

Lit.: Dreßler. — Schwarz-Weiß. Ein Buch der zeichnenden Kst, hg. v. Verb. Dtsch. Illustratoren, Berl. 1903, p. 123, m. Abb. — Westermanns Monatsh., 132/I (1922) 212f.; 161/II (1936/37) 478f., m. Abb.; 162/II (1937) 513, Abb. am Schluß des Bandes.

Balcom, Lowell Leroy, amer. Maler u. Illustr., * 22. 10. 1887 Kansas City, Mo., † 1938 Westport, Conn.

Schüler von J. D. Patrick.

Lit.: Fielding. — Amer. Art Annual, 30 (1933).

Baldassari, Celso, ital. Radierer u. Aquatintakünstler, * 1. 5. 1881 Recanati, fiel im 1. Weltkrieg am 2. 8. 1918 in Frankreich.

Schüler von Cavallucci u. De Carolis in Florenz, weitergebildet in Rom, Venedig u. in München, wo er 2 Jahre lebte.

Lit.: Comanducci.

Baldassini, Gugliemo, ital. Marine- u. Landschaftsmaler u. Rad., * 1885 Genua.

Stud. 3 Jahre an der Brera-Akad. in Mailand, weitergebildet autodidaktisch.

Lit.: Comanducci. — Vita d'Arte, 15 (1916), Tafel p. 57.

Baldauf, Walter, dtsch. Maler, Lithogr. u. Illustr., * 28. 7. 1915 Dresden, ansässig in Nieschütz üb. Meißen.

Schüler von W. Rudolph, Rich. Müller, Guhr, Dietze u. Schramm-Zittau an der Dresdner Akad. Landschaften, Bildnisse.

Baldauf, Xaver, dtsch. Maler, * 15. 3. 1871 Eyenbach, Allgäu (Dreßler: Simmerberg, Bez.-A. Lindau), ansässig in München.

Schüler von A. Brandes, Jakob Bertle u. Defregger. Hauptsächl. Enkaustik- u. Miniaturmalerei. Bildnisse, Kirchl. Bilder. Arbeiten u. a. in d. Pfarrk. St. Magdalena in München u. in d. Kriegergedächtn.-Kap. in Nymphenburg.

Lit.: Dreßler. — Karl, I.

Baldaugh, Anni, verehel. *Von Westrum,* holl.-amer. Miniaturmalerin, * 1886 Holland, ansässig in San Diego, Calif.

Schülerin von Arensen in Holland, von Zaschke in Wien u. von Kunowski in München.

Lit.: Fielding. — Amer. Art Annual, 30 (1933). — Who's Who in Amer. Art, I: 1936/37.

Baldessari, Luciano, ital. Vedutenmaler (Öl u. Aquar.), Bühnenbildner u. Architekt, * 10. 12. 1896 Rovereto.

1923/25 in Berlin, 1925/27 in Paris, seitdem wieder in Berlin, dann in Luzern, 1929 in Barcelona, seit 1930 in Antwerpen u. Lüttich.

Lit.: Gerola, m. Abb. — D. Cicerone, 17 (1925) 1139; 18 (1926) 802f., m. 2 Abbn. — Apollo (London), 3 (1925) 180, 181 (Abb.). — Dtsche Bauzeitg, 67 (1933) 497. — Graphis (Zürich), 7 (1951) 368/71.

Baldeweg, Johanna, s. *Schwenk.*

Baldin, Hermann, schweiz. Bildhauer, * 1877 Zürich, ansässig ebda.

Stud. an der Zürcher Kstgewerbesch. u. der Berliner Akad. Rütligruppe für die Kuppel des Bundeshauses in Bern. Kleinplastiken (Genre).

Lit.: Th.-B., 2 (1908). — Kat. Ausst. Ksthaus Zürich 1. 2.–19. 3. 1916, p. 10, 15.

Baldo, Luigi, ital. Maler u. Karikaturenzeichner, * 20. 2. 1884 Padua, ansässig in Mailand.

Stud. in Paris, wo er 1914/15 die deutschfeindliche Zeitschr. „L'Antiboche" redigierte. Später Mitarbeiter am „Secolo Illustrato" (Zeichngn vom Kriegsschauplatz), dann am „Guerin Meschino".

Lit.: Chi è?, 1940.

Baldoui, Jean, franz. Interieur- u. Landschaftsmaler, * Paris, ansässig ebda.

Schüler von A. Cesbron, J. Adler u. H. Lebasque. Mitglied der Soc. d. Art. franç., beschickte deren Salon bis 1934 (Kat. z. T. m. Abbn).

Lit.: Joseph, I. — Bénézit, ² I (1948).

Baldrey, Haynsworth, amer. Bildhauer, * 24. 8. 1885 Cortland, N. Y., ansässig in Newton, N. J.

Schüler von C. T. Hawley, Charles Grafly, Ephr. Keyser u. Jeanet Scott.

Lit.: Who's Who in Amer. Art, I: 1936/37. — Amer. Art Annual, 30 (1933).

Baldridge, Cyrus Leroy, amer. Maler, Holzschneider u. Illustr., * 27. 5. 1889 Alton, N. Y., ansässig in New York.

Schüler von Frank Holme.

Lit.: Fielding. — Amer. Art Annual, 20 (1923) 432. — Who's Who in America, 18 (1934/35). — The Studio, 105 (1933) 366/70, m. 3 Abbn. — Amer. Artist, 5, Sept. 1941, p. 20f., 31f.; 11, Dez. 1947, p. 24(Abb.).

Balduini, Adolfo, italienischer Maler, Holzschneider u. Holzbildhauer, * 12. 9. 1881 Altopascio (Lucca), ansässig in Barga (Lucca).

Wiederholt ausgezeichnet, u. a. auf den Internat. Ausst. Warschau 1933 u. Buenos Aires 1936.

Lit.: Chi è?, 1940. — Artwork, 4 (1928) 52 (Abb.). — Dedalo, 10 (1929/30) 692 (Abb.).

Baldwin, Burton Clarke, amer. Illustr., * 1891 Danville, Ill., ansässig in Chicago, Ill.

Schüler der Acad. of Fine Arts in Chicago.

Lit.: Fielding. — Amer. Art Annual, 30 (1933).

Baldwin, Sir Harry, engl. Maler, Radierer u. Kstsammler, * Loughborough, Leicestershire, † Sept. 1931 St. Helen's, Isle of Wight.

Lit.: Who's Who in Art, ² 1929; ³ 1934, Obituary, p. 447.

Baldwin, Jean, amer. Maler, * 5. 1. 1889 Florenz, ansässig ebda.

Schüler von F. Sabatté u. Joseph Noël, der Brit. Akad. in Rom u. der Akad. in Florenz. Fresken in den Kirchen Ognisanti u. S. Croce in Florenz u. in der ehem. Villa Imperiale bei Florenz. Stellte zw. 1926 u. 1932 im Salon des Indépendants in Paris Landschaften, Bildnisse u. mytholog. Szenen aus.

Lit.: Joseph, III 342f. (s. v. Tomlinson-Baldwin). — Bénézit, ² I (1948).

Baldwin Smith, Kenneth, irischer Teppichwirker, Sticker u. Dekorationsmaler, * 2. 12. 1893 Waterford, ansässig in Harston, Cambridgeshire.

Stud. an der Kstschule des Victoria a. Albert Mus. Chefzeichner an der Cambridge Tapestry Co.

Lit.: Who's Who in Art, ³ 1934.

Balestrieri, Lionello, ital. Maler (Öl u. Pastell) u. Rad., * 12. 9. 1872 Cetona (Siena), ansässig in Neapel.

Schüler von Dom. Morelli in Neapel. Weitergebildet seit 1894 in Paris. Direktor des Museo d'Arte Mod. in Neapel. Malte u. rad. bes. Szenen aus d. Milieu der Pariser Künstlerboheme. Im Museo Revoltella in Triest: Beethoven (Gold. Med. Weltausst. Paris 1900).

Lit.: Th.-B., 2 (1908). — Willard. — Comanducci, m. Abb. — Joseph, I. — Chi è?, 1940. — Bénézit, ² I (1948). — Die Kunst, 25 (1912) 541 (Abb.). — Emporium, 20 (1904) 477/79; 67 (1928) 310f.

Balestrini, Carlo, ital. Genre- u. Landschaftsmaler, * 24. 3. 1868 Mailand, † 10. 2. 1923 ebda.

Schüler von Bertini an d. Akad. in Mailand. Malt in Öl, Pastell u. Aquarell.

Lit.: Th.-B., 2 (1908). — Comanducci. — Vita d'Arte, 15 (1916) 131/38, m. 10 Abbn.

Balfour-Browne, Vincent, engl. Aquarellmaler, * 30. 5. 1880 London, ansässig ebda.

Illustr. u. a. zu: A Day's Stalking; The Story of a Stag; The Corrie Dubh Royal.

Lit.: Who's Who in Art, ³ 1934.

Balink, Hendricus, holl.-amer. Maler u. Rad., * 1882 in Holland, ansässig in Chicago, Ill.

Lit.: Fielding.

Bálint, Arpád, ungar. Tiermaler u. Illustr., * 8. 8. 1870 Tata-Tóváros, ansässig in Budapest.

Schüler von N. Gysis u. Hollósy in München, dann von Béla Pállik u. A. Feszty in Budapest.

Lit.: Szendrei-Szentiványi. — Krücken-Parlagi.

Bálint, János, ungar. Genrebildhauer, * 7. 11. 1885 Gyimesbükk (Kom. Csík), Siebenbürgen.

Stud. bei L. Mátrai, G. Maróti u. I. Simay, dann bei A. Stróbl in Budapest.

Lit.: Szendrei-Szentiványi. — Krücken-Parlagi.

Bálint, József, ungar. Genre-, Landsch.- u. Bildnismaler, ansässig in Großwardein (Nagyvárad).

Stud. in Nagybánya.

Lit.: Szendrei-Szentiványi.

Bálint, Rezső, ungar. Maler u. Fachschriftst., * 14. 10. 1885 Budapest.

Stud. bei F. Szablya-Frischauf in Budapest, dann in Nagybánya, München u. Paris. Stilleben, Landschaften.

Lit.: Szendrei-Szentiványi. — Krücken-Parlagi. — Művészet, 15 (1916) 65f. — D. Cicerone, 5 (1913) 258.

Bálint, Zoltán, ungar. Architekt, * 6. 3. 1871 Großwardein (Nagyvárad).

Stud. in Budapest (1892 Diplom). Bereiste Frankreich, Deutschland, England, Schweden, Norwegen, Spanien u. Italien. Assoziierte sich 1897 mit Lajos Jámbor (s. d.). Königin-Elisabeth-Denkmal (Plastik von G. Zala) in Budapest, Denkmal Kossuth's (Plastik von Ede Kallós) ebda. Ungar. Pavillon auf der Pariser Weltausstellung 1900.

Lit.: Th.-B., 2 (1908). — Szendrei-Szentiványi. — Krücken-Parlagi.

Balk, Jutta, dtsche Malerin u. Werkkünstlerin, * 9.7.1902 Riga, ansässig in Magdeburg.

Stud. in den Ateliers S. Plawneck, Susa Walter u. an der Akademie A. Kramareff in Riga, Kunstgeschichte an der Herderuniversität Riga. Übersetzerin der Autobiogr. des Stalinpreisträgers u. Puppenspielers Sergei Obraszeff. Schöpferin von Marionetten u. Handpuppen.

Lit.: Zeitschr. f. Kst, 2 (1948) 198 (Abbn), 211.

Balkanski, Nenko, bulg. Figuren- u. Stilllebenmaler, * 1907, ansässig in Sofia.

Stud. in Sofia, Paris u. München, weitergebildet auf Studienreisen in Deutschland, Italien, Frankreich u. Jugoslawien. Stellte wiederholt auch im Ausland (Prag, Paris, Athen, Leipzig) aus.

Lit.: bild. kst, 2 (1948) Heft 10, p. 33 (Abb.). — The Studio, 115 (1938) 129 (Abb.). — Kat. d. Ausst. Bulgar. Kstler in Deutschland, Leipzig, Kstver., 1941/42, m. Abb.

Balké (-Gry), Charles, franz. Maler (Öl u. Aquar.), * 29. 4. 1875 Faulquemont (Moselle), ansässig in Paris.

Schüler von Gust. Surand in Angervilliers. Bildnisse, Landschaften, Blumenstücke.

Lit.: Joseph, I. — Bénézit, [2] I (1948).

Ball, Alice Worthington, amer. Landschaftsmalerin, * Boston, Mass., † 1929 Baltimore, Md.

Schülerin von Collin, Courtois u. Hitchcock in Paris.

Lit.: Fielding. — Amer. ArtAnnual, 20 (1923) 432. — Bénézit, [2] 1 (1948). — The Amer. Art News, 21, Nr 4 v. 4. 11. 1922, p. 1.

Ball, Caroline, geb. *Peddle*, amer. Bildhauerin, * 11. 11. 1869 Terre Haute, Ind., † 1938 Torrington, Conn.

Schülerin von Aug. Saint-Gaudens u. Kenyon Cox in New York. Viktoria der Quadriga auf dem U.S. Building der Pariser Weltausstellg. 1900. Gedenkbrunnen in Flushing, L. I., in Auburn, N. Y., u. in Westfield, N. J.

Lit.: Th.-B., 2 (1908). — Fielding. — Amer. Art Annual, 20 (1923) 432; 30 (1933). — Bénézit, [2] 1.

Ball, Linn B., amer. Maler u. Illustr., * 25. 9. 1891 Milwaukee, Wis., ansässig in New York.

Lit.: Fielding. — Amer. Art Annual, 20 (1923) 432.

Ball, Mary Wilson, amer. Malerin, * 24. 5. 1892 Charleston, S. C., ansässig in Washington, D. C.

Schülerin von William Silva, Frank S. Chase u. Carl Gruppe.

Lit.: Amer. Art Annual, 20 (1923) 432.

Ball, Maude Mary, irische Miniaturmalerin, * 5. 4. 1883 Dublin, ansässig ebda.

Stud. an d. Metrop. School of Art in Dublin.

Lit.: Who's Who in Art, [3] 1934. — The Studio, 64 (1915) 289.

Ball, Robert, amer. Maler u. Illustr., * 7. 9. 1890 Kansas City, ansässig in Provincetown, Mass.

Schüler von Rich. Miller in Paris. Wandgemälde im Staatskapitol in Jefferson City, Mo.

Lit.: Fielding. — Amer. Art Annual, 20 (1923) 432; 30 (1933). — Who's Who in Amer. Art, I: 1936/37.

Ball, Ruth Norton, amer. Bildhauerin, * Madison, Wis., ansässig in San Diego, Calif.

Schülerin von J. Liberty Tadd in Philadelphia u. der Art Acad. in Cincinnati. Arbeiten im City Art Mus. in St. Louis, im Art Mus. in Cincinnati u. im Art Mus. in San Diego.

Lit.: Fielding. — Amer. Art Annual, 20 (1923) 432. — Who's Who in Amer. Art, I: 1936/37.

Ball, Thomas Watson, amer. Maler, * 7. 7. 1863 New York, † 25. 1. 1934 Old Lyme, Conn.

Schüler von Beckwith, Mowbray u. Du Mond an d. Art Student's League in New York. Wandbilder in St. Thomas Church in New York u. in der Kapelle der Newman School in Hackensack, N. J. Deckenbilder in d. Chapel of the Intercession in New York u. in d. Trinity Chapel in Buffalo. Marinebilder, Schiffsdarstellungen.

Lit.: Fielding. — Amer. Art Annual, 30 (1933). — Who's Who in Amer. Art, I: 1936/37, p. 491. — S. Isham, Hist. of Amer. Painting, New York 1927. — F. W. Bayley, Little known early Amer. Portrait Painters, 1915/17. — The Art News, 32 (1933/34) Nr 18, p. 12.

Ball, Tom, engl. Landsch.- u. Marinemaler (Aquar.), * 5. 1. 1888, ansässig in Budleigh Salterton, Devon.

Lit.: Who's Who in Art, [3] 1934.

Ball-Demont, Adrienne, franz. Bildnis- u. Figurenmalerin u. Bildhauerin, * 16. 3. 1886 Montgeron (Seine-et-Oise), ansässig in Calais. Tochter des Adrien Demont u. der Virginie D.-Breton, Enkelin des Jules Breton.

Schülerin von M. Baschet u. H. Royer. Mitglied der Soc. d. Art. Franç., beschickte deren Salon bis 1936 (Kat. z. T. m. Abbn). Hauptwerk: Liebesfrühling, in der Mairie in Calais (gr., vielfiguriges Wandbild, abgeb. bei Joseph). Weitere Bilder in den Museen in Calais u. Montréal. Eine Bronze: Frankreich, war während des 1. Weltkrieges im Petit Palais in Paris ausgestellt.

Lit.: Joseph, I, mit Fotobildnis. — Bénézit, [2] I (1948).

Balla, Béla, ungar. Maler, * 24. 8. 1882 Arad, ansässig ebda.

Stud. in Nagybánya u. in München, weitergebildet in Italien. Ließ sich 1908 in Arad nieder. Landschaften, Genre, Porträts, Stilleben, Blumenstücke.

Lit.: Szendrei-Szentiványi.

Balla, Frigyes Fülöp, ungar. Maler, * 5. 2. 1871 Péczká (Kom. Arad), ansässig in Arad.

Stud. 1888/93 bei L'Allemand, Eisenmenger u. Schmidt in Wien. Bereiste wiederholt Italien. 1893 in Paris, 1905 in München. Bildnisse, Genre, Altarbilder (Priesterseminar in Klausenburg [Koloszvár]).

Lit.: Szendrei-Szentiványi.

Balla, Giacomo, piemont. Genre- u. Bildnismaler, * 24.7. 1874 Turin, ansässig in Rom.

Autodidakt. Anfänglich Realist. Schloß sich dann dem Divisionismus, in s. späteren Jahren der futurist. Bewegung an. In d. Gall. Naz. d'Arte Mod. in Rom ein Bildnis u. ein Figurenbild: Im Spiegel (Abb. im Kat. 1932). Werke ferner im Mus. d'Arte Mod. in Mailand u. im Mus. of Mod. Art in New York.

Lit.: Th.-B., 2 (1908). — Joseph, I. — Costantini, m. 2 Abbn. — L. Venturi, Pittura contemp., 1948. — A. M. Brizïo, Ottocento Novecento, 1939. — Twentieth Century Ital. Art, Mus. of Modern Art, New York 1949. — M. G. Sarfetti, Storia d. Pittura Mod., Rom 1930. — Comanducci. — Enc. Ital. V, m. Abb. (Selbstbildn.). — Chi è?, 1940. — Kst u. Ksthandwerk (Wien), 16 (1913) 598. — Vita d'Arte,

13 (1914) 89, m. Abb. — L'Amour de l'Art, 1934. p. 475ff. passim, m. Abb., 496ff. passim, m. Abb. — D. Kstwerk, 5 (1951) H. 3 p. 11 (Abb.). — Amer. Artist, 15, Dez. 1951 p. 41 (Abb.); 16, Febr. 1952, p. 42 (Abb.). — Art Digest, 26, Juni 1952, p. 7 (Abb.).

Balla, Margit, ungar. Malerin, * 12. 7. 1892 Budapest.

Stud. bei G. Aggházy in Budapest.

Lit.: Szendrei-Szentiványi. — Krücken-Parlagi.

Ballantine, Edward James, schott.-amer. Maler, * 3. 12. 1885 Edinburg, ansässig in New York.

Lit.: Fielding. — Amer. Art Annual, 20 (1923) 432.

Ballario, Matilde, piemont. Genre-, Landschafts- u. Blumenmalerin, * 27. 8. 1880 Turin.

Lit.: Comanducci.

Ballenstedt, Adam, dtsch. Architekt, * 1. 10. 1880 Posen.

Stud. an den Techn. Hochsch. Charlottenburg u. Karlsruhe. Baute 1911 in Mannheim die Kolonie Neu-Ostheim. Seit 1919 in Posen.

Lit.: Czy wiesz kto to jest?, 1938.

Ballerio, Osvaldo, ital. Maler, Pressezeichner u. Buchillustr., * 1870 Mailand.

Schüler von Bertini. In der Chiesa delle Sacramentine in Mailand ein gr. Bild: Christus erscheint der sel. Maria Lacoque. Weitere Bilder in Kirchen der Valle d'Intelvi.

Lit.: Comanducci.

Ballester Peña, Juan Antonio, argent. Maler (Öl u. Aquar.) u. Buchillustr., * 1895 San Nicolás, Prov. Buenos Aires.

Hauptsächl. religiöse Stoffe. Illustr. zu: Leop. Marechal, El Niño Dios, Buenos Aires 1939. Bühnenzeichner für d. Colón-Theater.

Lit.: Kirstein, p. 87. — The Studio, 128 (1944) 111 (Abb.).

Ballet, André, franz. Landschaftsmaler, Holzschneider u. Bucheinbandkünstler, * 30. 7. 1885 Paris, ansässig in Versailles.

Stellte bis 1932 bei den Indépendants, bis 1939 im Salon der Soc. Nat. d. B.-Arts aus. Für seine Bucheinbände u. Vorsatzpapiere wiederholt prämiiert. — Bilder im Petit Palais in Paris u. im Mus. in Jersey City, USA.

Lit.: Joseph, I. — Bénézit, [2] I (1948). — Art et Décoration, 61 (1932) 59/64, m. 11 Abbn.

Ballewijns, Guillaume, belg. Landschaftsmaler, * 1875 Hasselt, ansässig in Brüssel.

Stud. an der Akad. in Hasselt. Impressionist. Vertreten in den Museen Schaarbeek u. Mecheln.

Lit.: Seyn, I, m. Fotobildnis.

Ballin, Hugo, amer. Maler, * 7. 3. 1879 New York, ansässig in Pacific Palisades, Calif.

Schüler von Wyant Eaton u. der Art Student's League in New York, weitergebildet in Rom u. Florenz. — Wandbilder u. a. in der First National Bank in La Jolla, Calif., im Edison-Haus in Los Angeles, im Haus der Title Guarantee & Trust Co. ebda, im Los Angeles County Hospital u. im Staatskapitol in Madison, Wis. Bilder in d. Nat. Gall. Washington, in d. Städt. Gal. in Montclair, N. J., u. im Annmary Brown Memorial Mus. in Providence, R. I.

Lit.: Th.-B., 2 (1908). — Fielding. — Who's Who in Amer. Art, I: 1936/37. — Earle. — Monro. — Amer. Art Annual, 6 (1907/08) Abb. geg. p. 32; 10 (1913) Abb. geg. p. 74; 20 (1923) 432; 27 (1930) 18; 30 (1933). — The Studio, 96 (1928) 294 (Abb.); 106 (1933) 156f., m. 4 Abbn; 109 (1935) 225 (Abb.). — Art Digest, 23, Nr v. 1. 10. 1948, p. 12. — Design, 50, Juni 1949, p. 8f.; 53, Jan. 1952, p. 80.

Ballin, Mogens, dän. Kstgewerbler, Maler u. Medailleur, * 9. 3. 1871 Kopenhagen, † 28. 1. 1914 ebda.

Geräte in Zinn, Bronze u. Silber, Schmuck, Gürtelschnallen, usw. Als Maler beeinflußt von Gauguin: Figürliches, Bildnisse, Stilleben.

Lit.: Th.-B., 2 (1908). — Dahl-Engelstoft, I 77. — Kunstmus. Aarsskrift 1941, m. 2 Abbn, dar. Selbstbildn.

Ballinger, Harry Russell, amer. Illustr., * 4. 9. 1892 Port Townsend, Washington, ansässig in New York.

Schüler von Maurice Braun, der Arts Student's League in New York u. von Harvey Dunn. Zeichnete u. a. für „Saturday Evening Post", McClure's, „Cosmopolitan" u. „Good Housekepping".

Lit.: Fielding. — Amer. Art Annual, 20 (1923) 432; 30 (1933). — Who's Who in Amer. Art, I: 1936/37.

Balló, Ede, ungar. Maler (Prof.), * 17. 12. 1859 Liptószentmiklós, † 19. 10. 1936 Budapest.

Stud. bei Griepenkerl in Wien, dann bei O. Seitz in München u. bei J. P. Laurens in Paris. Seit 1895 in Budapest ansässig, Prof. der Akad. Hat viel kopiert (Velázquez, Tizian, Rubens, Fr. Hals, Vermeer). Hauptsächlich Porträts u. Akte. Im Nat.-Mus. in Budapest vertreten. Verf. e. Buches über die Technik d. Ölmalerei.

Lit.: Th.-B., 2 (1908). — Szendrei-Szentiványi. — Krücken-Parlagi. — Dtschlands, Öst.-Ung. u. der Schweiz Gelehrte, Kstler u. Schriftst., [3] Hannover 1911. — Művészet, 15 (1916) 67; 16 (1917) 2, 82; 17 (1918) 15. — Nouv. Revue de Hongrie, 55 (1936/II) 550f. (Nachruf), m. 2 Abbn.

Ballot, Clémentine, franz. Landschaftsmalerin, * Paris, ansässig ebda.

Seit 1924 Mitglied der Soc. Nat. d. B.-Arts, beschickte deren Salon seit 1910. Bilder u. a. in den Museen in Bordeaux, Dreux, Montauban, Perpignan, Poitiers, Rouen und im Petit Palais in Paris.

Lit.: Joseph, I. — Bénézit, [2] I (1948). — Revue de l'Art anc. et mod., 56 (1929) 37 (Abb.). — Beaux-Arts, 75e année, Nr 321 v. 24. 2. 39, p. 4 (Abb.); 76e a., Nr 331 v. 5. 5. 39, p. 2 (Abb.).

Ballou, Bertha, verehel. *Buckler*, amer. Malerin, Bildh. u. Rad., * 14. 2. 1891 Hornby, N. Y., ansässig in Spokane, Wash.

Schülerin von Du Mond, Torbell, Meryman u. Grafly. Bild: Der alte Opernsänger, im Grace Campbell Mem. Mus. in Spokane.

Lit.: Amer. Art Annual, 30 (1933). — Who's Who in Amer. Art, I: 1936/37.

Balmain, Kenneth Field, schott. Landschaftsmaler, * 1. 8. 1890 Edinburgh, ansässig in Mount Rideau, North Berwick.

Stud. an d. Kstschule der Roy. Scott. Acad.

Lit.: Who's Who in Art, [3] 1934. — The Connoisseur, 38 (1914) 135.

Balmer, Wilhelm, schweiz. Keramiker, * 5. 3. 1872, Baselland, ansässig in Liestal.

Stud. an der Kstgewerbesch. in Genf. Keramiken (meist Vasen) in schweiz. Gewerbemuseen.

Lit.: Schweiz. Zeitgen.-Lex., 1932.

Balmford, Hurst, engl. Bildnis- u. Landschaftsmaler (Öl u. Aquar.), * 8. 6. 1871 Huddersfield, ansässig in St. Ives, Cornwall.

Lit.: Who's Who in Art, [3] 1934.

Balmigère, Paul Marcel, franz. Landschaftsmaler, * Caudiès (Pyrénées-Orient.), ansässig in Paris.

Schüler von Flameng u. Déchenaud. Stellte im Salon der Soc. d. Art. franç., 1927/38 auch bei den Indépendants aus.

Lit.: Joseph, I. — Bénézit, [2] I (1948).

Balogh, József, ungar. Maler, * 1878 Miskolcz.

Stud. an der Kunstgewerbesch. Budapest, dann bei Hollósy in München u. Nagybánya. Italienreise. Hauptsächlich Bildnisse u. Landschaften.

Lit.: Szendrei-Szentiványi.

Balogh, István, ungar. Maler u. Graph., * 10. 7. 1890 Großwardein (Nagyvárad).

Stud. 1911/13 in München, weitergebildet in Rom.

Lit.: Szendrei-Szentiványi.

Balšánek, Antonín, tschech. Architekt, Aquarellmaler u. Fachschriftst., * 5. 6. 1865 Český Brod, † 22. 2. 1921 Prag.

Stud. 1883/90 an d. Techn. Hochsch. Prag. Studienreisen in Deutschland u. Italien. Seit 1899 Prof. an der Techn. Hochsch. Prag. Hauptwerk: Stadttheater in Plzen (Pilsen). Projekte für die heut. Legienbrücke (1899/1901) u. das Gemeindehaus in Prag (1903; Ausführung zus. mit O. Polívka 1906/11). — Buchwerk: Štíty a motivy attikové v české renesanci, Prag 1902; Architektura střech doby barokové v Praze, Prag 1913.

Lit.: F. X. Harlas, Sochařství, stavitelství, Prag 1911, p. 179f. — Matějček-Wirth, Modern and contemp. Czech Art, London 1924, p. 86. — Kat. d. Ausst. Sto let českého umění 1830–1930, S. V. U. Mánes, Prag 1930. — J. Pavel, Dějiny našeho umění, 2. Aufl., Prag 1947, p. 270. — Toman, I 33. *Blž.*

Balser, Ernst, dtsch. Architekt, * 21. 8. 1893 Neu-Isenburg, ansässig in Frankfurt a. M.

Stud. an der Baugewerbesch. in Offenbach u. an der Techn. Hochsch. Darmstadt. — Gebäude der Mannesmann-Mulag-Lastkraftwagen-A. G. in Frankfurt; Allg. Ortskrankenkasse ebda.

Lit.: Dreßler. — Wasmuth's Monatsh. f. Baukst, 15 (1931) 49/58, m. Abb.

Balssa, Jules Léon Eugène, franz. Landschafts-, Blumen- u. Stillebenmaler, * Valderiès (Tarn), ansässig in Paris.

Stellte 1926/39 bei den Indépendants aus.

Lit.: Joseph, I. — Bénézit, [2] I (1948).

Baltensperger, Ernest u. Walter, Gebrüder, schweiz. Goldschmiede u. Medailleure, ansässig in Zürich.

Lit.: Dreßler. — Forrer, 7. — Heimatschutz, 1917, p. 163 (Abb.). — Pro Arte (Genf), 3 (1944) Nr 23 p. 97/100. — Das Werk, 2 (1915) 5 (Abb.), 132 (Abb.), 133, m. Abb.; 4 (1917) 112 (Abb.); 7 (1920) 16f. (Abbn).

Balthasar. Pseudonym des *Haug,* Hans.

Balthus, franz. Maler, dtsch. Herkunft, * 1903 Paris, ansässig ebda. Sohn des Malers u. Kstschriftst. Erich Klossowski.

Beeinflußt durch den Surrealismus. Figürliches, Landschaften, Stilleben. Kollektiv-Ausstellgn in d. Gal. Georges Moos in Genf, Dez. 1943, u. in d. Gal. Pierre Matisse in New York, 1951.

Lit.: L'Amour de l'Art, 1937, p. 77/82 passim, m. Abb. — D. Kst u. d. schöne Heim, 49 (1951) Beil. p. 200. — Pro Arte (Genf), 2 (1943) Nr 20 p. 369, m. Abb. — The Studio, 116 (1938) 66, m. Abb. — Die Neue Zeitung (München), 16. 7. 1949, m. Abb.

Baltus, Georges, belg. Zeichner, Lithogr., Maler u. Rad., * 1874 Courtrai, ansässig in Löwen.

Schüler von J. Portaels in Brüssel, weitergebildet in Florenz. Figürliches, Bildnisse. Lithogr.-Folge: Merveilles. Buchwerk: The Technics of Painting, Glasgow 1912.

Lit.: Seyn, I.

Baltus, Jean, franz. Landschaftsmaler, * 27. 11. 1880 Lille, ansässig in Paris.

Stellte in den Salons der Soc. Nat. d. B.-Arts, der Soc. d. Art. franç. u. seit 1907 bei den Indépend. aus.

Lit.: Joseph, I. — Bénézit, [2] I (1948).

Băltzatu, Adam, rumän. Maler, * 1899 Huşi, ansässig in Bukarest.

Stud. an der Kunstsch. in Jassy, weitergebildet in Rom. Landschaften, Marinen, Straßenansichten. 5 Bilder im Mus. Toma Stelian in Bukarest (Kat. 1939).

Lit.: Oprescu, 1935, m. Abb.; 1936 p. 20.

Baluschek, Hans, dtsch. Maler u. Graphiker (Prof.), * 9. 5. 1870 Breslau, † 27. 9. 1935 Berlin.

Stud. an der Berl. Akad., im wesentlichen Autodidakt. Mitgl. der Berliner Sezession. Hauptsächlich bekannt als Darsteller der Großstadtbevölkerung, ihrer bescheidenen Sonntagsfreuden (Bier- u. Kaffeehausgärten, Tanzlokale) u. der mehr oder minder reizlosen Industrie- u. Vorstadtlandschaft Berlins. Ein trockener, sachlicher Realismus kennzeichnet seine von starkem soziolog. Empfinden getragene Kunst. Sein künstler. Nachlaß im Bes. der Stadt Berlin. — Mappenwerke: Die Eisenbahn (6 Buntzeichnungen); Opfer (12 Kohlezeichnungen). — Umfassende Koll.-Ausst. im Verein Berl. Kstler 1930. Gedächtn.-Ausst. März 1948, veranst. vom Amt Bild. Kunst, Berlin, Unter den Linden 26. In der Berl. Nat.-Gal.: Der letzte Wagen.

Lit.: Th.-B., 2 (1908). — Fr. Wendel, H. B., Berlin 1923. — D. Cicerone, 22 (1930) 280f. — Dreßler. — Ex-Libris, 26 (1916) 27. — Die Hilfe, 41 (1935) Nr 15 v. 5. 10., p. 544f. — Illustr. Zeitg (Leipzig), Nr 4727 v. 17. 10. 1935 p. 526/27. — D. Kunst, 74 (1935/36) Beibl. zu H. 2 p. 11f. — bild. kunst, 2 (1948) H. 5 p. 30. — Kstchronik, N. F. 32 (1920/21) 495; 33 (1921/22) 150. — D. Kstwanderer, 1929/30 p. 344. — D. Graph. Kste (Wien), 54 (1931) 38. — Mitteil. d. Ver. f. d. Gesch. Berlins, 1916, p. 70. — Oestergaards Monatsh., 1932, p. 153/56. — Schles. Monatsh., 9 (1932) 235/41. — The Studio, 111 (1936) 294, m. 2 Abbn. — D. Freie Wort (Berl.), 25. 3. 1948. — D. Abend (Berl.), 22. 3. 48. — Telegraf (Berl.), 31. 3. 48. — D. Sonntag (Berl.), 11. 4. 48, m. 5 Abbn.

Balwé, Arnold, holl. Maler, * 29. 3. 1898 Dresden, ansässig in Feldwies a. Chiemsee.

Verlebte seine Jugend in Durwan, Südafrika, wo sein Vater niederl. Konsul war. Stud. an der Antwerpener Akad., ging dann auf die Wanderschaft nach Italien, arbeitete 1922/29 bei Karl Caspar an der Münchner Akad. Studienaufenthalte in Holland, England, Frankreich u. Italien. Mitglied der Münchner u. Stuttgarter Sezession. In seiner Frühzeit beeinflußt von s. Lehrer Caspar u. van Gogh. Kecker, einen pastosen Farbenauftrag pflegender Kolorist. Hauptsächlich Landschaften mit figürl. Staffage, auch Bildnisse, Stilleben u. Blumenstücke. Koll.-Ausstellgn in der Gal. Heinemann-München Febr. 1932, im Ksthaus Buck in Mannheim Juni 1934, bei W. H. Hofstee Deelman in Amsterdam Okt. 1931 u. im Mannheimer Kstverein Januar/Febr. 1938 u. Dez. 1942/Jan. 1943.

Lit.: D. Kunst, 65 (1931/32) 296/98, m. Abbn; 75 (1936/37) 272f., 277 (Abb.). — D. Kstwerk, 1 (1946/

-47) H. 5 p. 39, H. 7 p. 33 (2 Abbn); 2 (1948/49) H. 3/4 p. 33 (farb. Taf.), 74. — Maandbl. v. beeld. Kunsten, 8 (1931) 343, 344 (Abb.).

Balwé-Staimmer, Elisabeth, dtsche Malerin, * 17. 5. 1896 Straubing, wohnhaft in Feldwies/Chiemsee. Gattin des Vor.

Stud. bei C. Caspar u. R. Riemerschmid in München. Studienreisen nach Italien, Spanien, Frankreich, Holland. Landsch., Stilleben, Blumen.

Balz, Ernst, dtsch. Bildhauer, * 1904 Forchtenberg, Württ., ansässig in Berlin.

Stud. Architektur an d. Techn. Hochsch. Stuttgart. Von Janssen der Bildhauerei zugeführt. Schüler von Bleeker, Mollier u. Schinnerer in München u. von Gerstel in Berlin. Seit 1934 dort selbständig. Anatom. Gliedermann, Bildnisbüsten, Kleinplastik.

Lit.: Werner, p. 184/85, 186f., 205. — Nemitz, p. 12/13 (Abbn). — D. Kstblatt, 12 (1928) 7. — Unser Schwabenland, 10 (1934) Heft 3 (März), p. 10, Abb. p. 11.

Balzarek, Leo, dtsch-mähr. Maler, * Mährisch-Schönberg, ansässig in Jägerndorf, Schles.

Stud. an der Prager Akad. Figürliches, Landschaften, Bildnisse. Direktor der Fachsch. in Jägerndorf.

Lit.: Dtsche Post, Nr 122 v. 4.5.1941, m. Bildnis.

Balzarek, Mauriz, mähr. Architekt, * 21. 10. 1872 Türnau, ansässig in Linz a. d. D.

Stud. an der Staatsgewerbesch. in Brünn u. an der Wiener Akad. Seit 1900 Lehrer an den Staatsgewerbesch. in Wien u. Linz, seit 1923 Direktor der letztgen. Zahlr. Entwürfe für öff. u. private Bauten in Oberösterreich.

Lit.: Krackowizer-Berger, p. 392 (Nachtr.). — D. Architekt, 18 (1912) p. 71, Taf. 57/58, 69/70; 19 (1913) Taf. 113ff. — Amtl. Kstblätter Linz, 64 (1923) 53.

Balzer, Ferdinand, dtsch. Genremaler, * 31.12.1872 Frankfurt a.M., † 1916 Wilhelmsbad bei Hanau.

Stud. an der Kstgewerbesch. in Frankfurt, dann bei Anton Burger in Cronberg i. T., 1893/97 an d. Kstschule in Weimar, 1898/99 am Städel-Inst. in Frankfurt bei W. A. Beer. Seit 1905 in Wilhelsmbad.

Lit.: Th.-B., 2 (1908). — Weizsäcker-Dessoff. — Kstchronik, N. F. 28 (1916/17) 333. — Zentralbl. f. bild. Kst, 2 (1916) 32.

Balzer, Thuro, dtsch. Maler (Öl u. Aquarell) u. Gebrauchsgraph., * 9. 5. 1882 Weißhof, Kr. Marienwerder, ansässig in Rostock.

Stud. an d. Akad. f. Kst u. Kstgewerbe in Breslau, Meisterschüler von Ed. Kaempffer. Koll.-Ausst. 1952 im Rostocker Museum.

Lit.: Der Bild. Kstler, 3 (1952) Nr 5, p. 17. — Mecklenb. Monatsh., 2 (1926) 223/26; 8 (1932) 247, Taf. geg. p. 232. — Ostdtsche Monatsh., 14 (1933/34) 674/78, m. Abbn.

Bamler, Erich, dtsch. Bildnis- u. Landschaftsmaler, * 7.2.1884 Züllichau, ansässig in München.

Schüler von C. v. Marr u. H. v. Habermann. Mitgl. der Gruppe „Die Unabhängigen".

Lit.: Dreßler.

Bammes, Gottfried, dtsch. Maler u. Modelleur, * 26.4.1920 Freital-Potschappel b. Dresden, ansäsig ebda.

Schüler von Emil Paul Börner in Dresden. Figürliches (bes. Monumentmalerei), Tiere, Pflanzen. Sammelausst. Mai 1950 in d. Ksthandlg Richter, Dresden.

Bán, Béla, ungar. Figuren- u. Bildnismaler, * 1919.

Träger des Munkácsy-Preises.

Lit.: Kat. „Ausst. Ungar. Kst", Dtsche Akad. d. Kste, Berlin Okt./Nov. 1951, m. Abb. — Sowjet-Literatur, 1951, H. 9, p. 206. — Bild. Kunst (Dresden), 1 (1953) 55 (Abb.). — Kat. d. Ausst. 150 Jahre ungar. Kunst, Berlin 1952, m. Abb.

Banchiero, Maria, piemont. Malerin u. Pastellzeichnerin, * 1889 Turin, † 21. 2. 1930 ebda.

Schülerin von Carlo Follini.

Lit.: Comanducci.

Bâncila, Octav, rumän. Maler, * 1872, † 1944.

Lit.: Rumän. Volksrepublik, März 1952, p. 4, 5 (Abb.).

Banco, Alma Del, dtsche Malerin u. Graph., * 24.12.1878 Hamburg, ansässig ebda.

Stud. bei Ernst Eitner in Hamburg u. bei Léger in Paris. 4 Bilder in der Hamburger Ksthalle.

Lit.: Dreßler. — Zeitschr. f. bild. Kst, Jg 58 (1924/25): Monatsrundschau (Beibl.), p. 106; 60 (1926/27), Kstchronik, p. 3. — Hellweg, 3 (1923) 339. — D. Kreis (Hamburg), 5 (1928), Abb. geg. p. 557.

Bancroft, Louisa Mary, geb. *Heald,* engl. Blumen- u. Miniaturmalerin, ansässig in Manchester.

Schülerin von J. Christmas Thompson.

Lit.: Who's Who in Art, [3] 1934.

Band, Max, litauisch. Maler, * 21.8.1900 Naumestis, Litauen, ansässig in Paris.

Schüler von Jaeckel in Berlin. Zusammentreffen mit Grigorieff. Beeinflußt von Cézanne u. Picasso. Ging 1926 nach Paris. 1. Koll.-Ausst. in der Gal. Casper in Berlin 1929; 2. Aussst. ebda März 1931. Studienaufenthalte in Südfrankreich u. auf Korsika. Mitglied des Salon d'Automne. Beschickte zwischen 1930 u. 1939 auch den Salon des Tuileries. Figürliches, Bildnisse, Landschaften, Blumenstücke. Höchst delikater Kolorist u. tief schürfender Psychologe. Bilder u. a. im Jüd. Museum in Berlin u. in mehreren öff. Smlgen der USA (Philadelphia, Toledo, Kaunas, Roerich-Mus. New York).

Lit.: Bénézit, [2] I (1948). — P. Fierens, M. B., Paris o. J. [1936]. — L'Amour de l'Art, 12 (1931) 210 (Abb.); 1937 p. 297/300 passim, m. Abbn. — L'Art et les Artistes, Nr 143 (1934) p. 114/18, m. 5 Abbn. — L'Art vivant, 1933, p. 94, m. 2 Abbn. — Beaux-Arts, 9 (1931) Juni-H. p. 22 (Abb.); Nr 283 v. 3. 6. 1938, p. 12 (Abb.); Nr 306 v. 11. 11. 1938, p. 2 (Abb.); Nr 326 v. 31. 3. 1939, p. 4 (Abb.); Nr 331 v. 5. 5. 1939, p. 4 m. Abb; Nr 335 v. 2. 6. 1939, p. 2 (Abb.). — D. Cicerone, 22 (1930) 334/37, m. 4 Abbn. — D. Kstwanderer, 1930/31, p. 194/96, m. Abb. — La Renaiss. de l'Art franç., 13 (1930) 119 [recte 161] (Abb.); 14 (1931) 42 (Abb.). — Synthèse, 1936 Nr 8 p. 49/52.

Bander, Jan, holl. Maler u. Holzschneider, * 4. 8. 1885 Amsterdam, ansässig in Edam. Gatte der Leonie B.-Lutomirski.

Schüler von Der Kinderen u. van der Waay an der Akad. A'dam. Figürliches, Blumenstücke, Landschaften mit Vieh.

Lit.: Plasschaert. — Waay. — Waller.

Bander-Lutomirski, Leonie, holl. Malerin, * 4. 4. 1887 Amsterdam, ansässig in Edam. Gattin des Vor.

Schülerin von van der Waay u. Der Kinderen an der Akad. A'dam. Akte, Interieurs, Bildnisse, Stillleben, Blumenstücke, Stadtansichten.

Lit.: Waay. — Waller, p. 209.

Bandinelli, Aldo, ital. Maler, * 23. 12. 1897 Rom, ansässig ebda.
Lit.: Chi è?, 1940.

Bando, Toshio, jap. Maler, * Tokushima, ansässig in Paris.
Blumen- u. Tierstücke, Akte, Bildnisse, Stilleben. Sehr exakte u. ausdrucksvolle Malerei. Stellte im Pariser Salon d'Automne 1922 u. 1926, im Salon des Tuileries 1923, bei den Indépendants 1929/32 aus.
Lit.: Apollo (London), 8 (1928) 91. — Joseph, I. — Bénézit, [2] I.

Banerjee, Satyendranath, ind. Maler u. Bildh., * Dez. 1897 in d. Dorfe Chumasina, Distrikt Bankura, Westbengalen, ansässig in Kalkutta.
Von Kind auf begabt für Zeichnen, Malen u. Modellieren, hatte B. Gelegenheit, seine Jugend in Santiniketan u. Selaida in unmittelbarer Nähe von Rabindranath Tagore zu verbringen, zu dessen Begleitung sein Vater gehörte. Nach Erwerb der Würde eines Bakkalaureus der Kste an d. Univ. Kalkutta unterbrach er 1921 seine Studien während der Non-Kooperation-Bewegung M. Gandhis u. schloß sich in Kalabhavan der Visvabharati an. Studierte dort 6 Jahre ind. Kst unter Nandalal Bose u. Asitkumar Haldar. Wirkte 1927/30 als Erzieher in Prem Mahavidyalaya, Brindaban u. Dayashram, Karachi. Erhielt 1932 einen Lehrauftrag am Indian Painting Department, Gov. School of Art, Kalkutta (jetzt Coll. of Arts a. Crafts). Zeigte s. Bilder, hauptsächl. Aquarelle, auf den Jahresausstgn der Indian Soc. of Oriental Art in Kalkutta, 1921/28, der All India F. Arts a. Crafts Soc. in New Delhi, 1929/50, u. der All India Acad. of F. Arts in Kalkutta, 1933/50; außerhalb Indiens in Kabul, Rangoon, in Deutschland (1934) u. in d. Royal Acad. Exh. of Indian Art, London 1947/48. Einige seiner Werke befinden sich in der Andhra Jatiya Kalasala in Masulipatam, im Bes. der All India Fine Arts a. Crafts Soc. in New Delhi, im Polytechnikum ebda, in der Silpakala Parishad in Patna u. in den Privatsmlgn A. N. Tagore, L. K. Elmhirst, J. H. Cousins, S. C. Law, Makul Dey, Jamsed Mehta u. des Maharaja von Cooch Bihar.
Lit.: Rupam, 1923, Nr 13 u. 14, m. Abb. — Chatterjee's Album, m. Abbn.

Banever, Gilbert, amer. Maler, * 8. 6. 1913 New Haven, Conn., ansässig ebda.
Schüler d. Yale University School of Fine Arts. 1934 Rompreis. Vertreten in d. Yale Univers. in New Haven.
Lit.: Mallett. — Who's Who in Amer. Art, I: 1936/37. — Monro.

Bang-Sørensen, Michael, dän. Maler u. Bühnenbildner, * 25. 6. 1884 Randers, ansässig in Lyngby.
Schüler der Akad. in Kopenhagen (1904/07). Stellt seit 1908 aus. 1911/19 Assistent bei Carl Lund, 1919–29 Bühnenmaler am Scala- u. am Dagmar-Theater in Kopenhagen. Einrichtungen von Ausstellungsbauten: Antwerpen 1930; Tivoli (Kopenhagen) 1934. Hauptsächl. dekor. Wandmalereien.
Lit.: Krak's Blaa Bog, 1936.

Bange, Francis, lett. Maler u. Zeichner, * 1895, ansässig in Eßlingen a. N.
Stud. an d. Lett. Kstakad. in Riga. Hauptsächl. Landschafter.
Lit.: Kat. d. Ausst. Lett. Kst in d. Fremde, Schaezler-Palais Augsburg, Juni 1948.

Bange, Fritz, schwed. Maler u. Bildhauer, * 1885 Göteborg, ansässig ebda.
Schüler von C. Wilhelmson u. von Matisse in Paris. Im Konzerthaus in Göteborg ein figürl. Relief.
Lit.: Thomœus.

Bangemann, Oskar, dtsch. Holzschneider, * 3. 2. 1882 Braunschweig, ansässig in Berlin.
Lernte 5 Jahre bei den Xylographen Probst in Braunschweig. Arbeitete dann als Geselle an verschied. Orten in Deutschland u. im Ausland. Trat 1912 als Zeichner u. Retuschierer in die Reichsdruckerei in Berlin ein. Wandte sich dann, beraten von Slevogt, wieder dem Holzschnitt zu und übertrug einige Zeichnungen Slevogts, darunter das Titelblatt zum Benvenuto Cellini, auf Holz. Nach Rückkehr aus dem 1. Weltkrieg 1916 als Schwerbeschädigter fertigte er seine ersten Schnitte nach Federzeichnungen Slevogts, Liebermanns, Orliks, Corinths, Kampfs, Meids u. Kleukens'. Gleichzeitig als Lehrer an die Unterrichtsanstalt des Kunstgewerbemus. berufen. Seit 1924 lehrtätig an den Vereinigten Staatsschulen für Freie und Angewandte Kunst in Berlin. Schnitte nach Slevogt: Kinderlieder, Märchen; nach Liebermann: Illustr. zu Goethes „Novelle"; Bildnis Liebermanns; nach Corinth: Selbstbildnis; nach Delacroix: Die Löwenjagd; nach C. Guys: Einzug eines römischen Senators. Schnitt nach eigener Vorlage 2 Bildnisse Hindenburgs.
Lit.: Dreßler. — Kst u. Kstler, 28 (1929/30) 317/19, m. Abbn; 29 (1930/31) 439 (Abb.). — D. Kstwanderer, 1928/29, p. 444f., m. Abb.; 1929/30, p. 304/07. — Print Coll'.s Quarterly, 18 (1931) 78/98, m. Abbn. — Zeitschr. f. Bücherfreunde, 3. Folge, III (1934) 85 (Abb.), 87. — Zeitgemäße Schrift, 62 (1942) 12/13.

Bangerter, Anny, schweiz. Landschaftsmalerin, * 1883 Langenthal, ansässig in Bern.
Bild im Kstmus. in Bern.

Bangerter, Walter, schweiz. Figurenmaler maler, ansässig in Berlin.
Stellte in der N. Münchner Sezession u. in der Freien Sezession Berlin 1914ff. aus (Kat. 1918, m. Abb.).
Lit.: Dtsche Kst u. Dekor., 34 (1914) 323 (Abb.). — Kst u. Kstler, 15 (1917) 587 (Abb.), 584.

Banister, Barbara Gillian, engl. Entwurfzeichnerin, Juwelierin, Silberschmiedin u. Emailkünstlerin, * 25. 10. 1895 Epsom, ansässig ebda.
Lit.: Who's Who in Art, [3] 1934.

Bánk, Ernő, ungar. Landschaftsmaler, * 1. 1. 1883 Szalmatercs (Kom. Nógrád).
Stud. bei H. Pap an der Kstgewerbesch. Budapest.
Lit.: Szendrei-Szentiványi.

Banks, Violet, schott. Malerin u. Kunstgewerblerin, * 3. 3. 1896 Kinghorn, ansässig in Edinburgh.
Stud. am Coll. of Art in Edinburgh.
Lit.: Who's Who in Art, [3] 1934.

Bankson, Glen Peyton, amer. Maler, * 7. 9. 1890 Mount Hope, Wash., ansässig in Spokane, Wash.
Autodidakt. Wandmalereien in der Fidelity Nat. Bank in Spokane.
Lit.: Who's Who in Amer. Art, I: 1936/37. — Amer. Art Annual, 30 (1933).

Banner, Delmar Harmood, engl. Figuren-, Bildnis- u. Landschaftsmaler, * 28. 1. 1896 Freiburg i. Br., von engl. Eltern, ansässig in London.
Stud. an der Polytechn. Schule in London.
Lit.: Who's Who in Art, [3] 1934.

Banning, Beatrice, geb. *Harper*, amer. Illuminatorin u. Radiererin, * 5. 12. 1885

Dongan Hills, S. I., N. Y., ansässig in Old Lyme, Conn.

Stud. an der Art Students' League in New York.

Lit.: Who's Who in Amer. Art, I: 1936/37. — Mallett. — Art Index (New York), Okt. 1941/Sept. 1942; Okt. 1948/Okt. 1949. — Print Coll.'s Quarterly, 26 (1939) 369 (Abb.), 496 (Abb.).

Bannister, Eleanor Cunningham, amer. Bildnismalerin, * New York, † 1939 Brooklyn, N. Y.

Schülerin von Whittaker in Brooklyn, dann von B. Constant u. Lefebvre in Paris. Herrenbildnis im Mus. in Brooklyn.

Lit.: Fielding. — Amer. Art Annual, 30 (1933). — Who's Who in Amer. Art, I: 1936/37. — Monro.

Bannister, Henry, engl. Aquarellmaler, Zeichner u. Kstgewerbler, * 3. 7. 1898 Briercliffe, Burnley, ansässig in Greenfield, Oldham.

Lit.: Who's Who in Art, [3] 1934.

Bannister, Isabel, engl. Malerin (Aquar. u. Öl, bes. Miniatur), ansässig in Richmond, Surrey.

Lit.: Who's Who in Art, [3] 1934.

Bánrévy, Magda, ungar. Malerin u. Illustratorin, * 18. 5. 1911 Budapest, ansässig in Leipzig.

Stud. 1931/36 an der Akad. in Budapest. Hauptsächlich Aquarellistin. Seit 1944 in Leipzig ansässig. Illustrationen u. a. zu dem Märchenbuch: Der Sultan u. der Zauberhahn (Verlag Köhler & Voigtländer, Lpzg), u. zu Fouqué's „Undine" (Verlag Schmidt & Günther, Lpzg). Auch Bildnisse.

Lit.: Mitteil. d. Kstlerin.

Bánsági, Róza, geb. *Bartók*, ungar. Landschaftsmalerin, * Orosház. Gattin des Vincze.

Lit.: Szendrei-Szentiványi.

Bánsági, Vincze, ungar. Landschaftsmaler, * 27. 12. 1881 Resiczabánya, ansässig in Helemba. Gatte der Róza.

Stud. bei Zemplényi in Budapest, 1908 in München u. Italien. Weitergebildet in Paris. Impressionist.

Lit.: Szendrei-Szentiványi. — Krücken-Parlagi.

Banska, Albert, dtsch. Maler u. Holzschneider, ansässig in Würzburg.

Mappenwerke: Altwürzburger Ansichten; Ansichten der Würzburger Residenz u. des Hofgartens. Einzelblätter (Farbenholzschnitte): Scholle, Spessartwiese, Birken, Kranenkai bei Schnee, Ansicht der Burg Trausnitz, Sternennacht, Ansichten aus Frikkenhausen, Volkach usw.

Lit.: Das Schöne Franken (Würzbg), 2. Jg, Nr 12, Dez. 1931, p. 165 (Abb.), 166. — Fränk. Heimat, 18 (1939) 147 (Abb.). — Frankenland, 8 (1921) H. 1 p. 9. — Kat. Kstausst. Würzburg 1920 p. 16, m. Abb.

Bánszky, Sándor, ungar. Bildhauer, * 11. 2. 1888 Szeged, ansässig in Budapest.

Stud. an der Kunstgewerbesch. in Ungvár, dann an der Fachsch. in Székelyudvarhely. 1907 in München. Ließ sich in Pécs (Fünfkirchen) nieder; weitergebildet bei G. Maróts, L. Mátrai u. H. Pap in Budapest. 1908 in Wien, 1909 in Italien.

Lit.: Szendrei-Szentiványi.

Bantau, Hugo, dtsch. Bildnis- u. Landschaftsmaler u. Radierer, * 9. 1. 1890 Breslau, ansässig ebda.

Schüler von C. E. Morgenstern u. W. Busch.

Lit.: Dreßler.

Banté, Arthur, dtsch. Landschaftsmaler, * Düsseldorf, ansässig in Coburg.

Stud. in Berlin, München, Florenz u. Rom. Beeinflußt von den franz. Impressionisten. Bilder u. a. in der Ksthalle in Wuppertal-Barmen, im Folkwang-Mus. in Essen, im Mus. der Stadt Mainz u. in den öff. Smlgn in Mannheim u. Stettin. Mitgl. der Münchner Kstler-Gemeinschaft „Die Zwölf".

Bantle, Hermann Anton, dtsch. Freskomaler u. Gebrauchsgraphiker, * 22. 4. 1872 Straßberg i. Hohenzoll., † 27. 6. 1930 München.

Schüler s. Großvaters Jos. Schilling, dann Zieglers in Stuttgart u. Weinholds in München. 1905/12 in Rom. Wandmalereien (Fresko in nassem Kalk) u. a. in der Schloßkirche in Haigerloch, in den Pfarrkirchen in Bietenhausen, Ebingen, Diesen, Dhron a. d. Mosel, Kaiseringen, Mariahilf i. Freiburg i. Br., Ringingen u. Tettingen in Hohenz. sowie in der Herz-Jesu-Kirche in Stuttgart. Kreuzwegbilder in Dunningen, Württ., u. in der Herz-Jesu-Kirche in Köln. Ged.-Ausst. im Amtshaus in Straßberg 1931.

Lit.: Dreßler. — Das Heilige Feuer, 18 (1930) 3/10. — Die Christl. Kst, 9 (1912/13) 308; 24 (1927/28) 219; 27 (1930/31) 189/92; 28 (1931/32) 222.

Bantzer, Carl, dtsch. Maler (Prof.), * 6. 8. 1857 Ziegenhain, Hessen, † Ende Dez. 1941 Marburg a. d. L.

Schüler von Thumann, Knille, Michael u. Gussow in Berlin u. von L. Pohle in Dresden. 1896/1918 Lehrer an d. Akad. Dresden, dann 1 Jahr Direktor d. Akad. in Kassel. Seitdem in Marburg ansässig. Sommers meist in Schwalmgrund i. Hessen arbeitend. Dr. phil. h. c. der Universität Marburg, Dr. Ing. h. c. der Techn. Hochschule Darmstadt. Vielfach ausgezeichnet, u. a. Kl. Gold. Med. München 1892, Gr. Gold. Med. Dresden 1894 u. Berlin 1903, Gold. Med. Weltausst. St. Louis 1904. Der klassische Historiograph des Schwälmer Bauern. Daneben Bildnisse u. Landschaften. Bilder u. a. in der Nat.-Gal. Berlin, im Staatl. Lindenau-Mus. in Altenburg, im Schles. Mus. in Breslau, in der Mod. Gal. in Dresden u. in den Museen in Hannover, Kassel, Leipzig u. Zwickau. Ein Bildnis Karl Woermann's in d. Ksthalle in Hamburg. Bildnisse Hindenburgs u. des Generals Groener im Rathaus in Kassel. Dekor. Malereien im Marburger Rathaus.

Lit.: Th.-B., 2 (1908). — Dreßler. — Bantzer, Hessen in d. dtsch. Malerei (Beitr. z. hess. Volks- u. Landeskde, H. 4), Marburg 1939, m. vielen Abbn. — Das Bild, 5 (1935) 207, 208; 7 (1937) 229/31. — Hessenland, 30 (1916) 90; 31 (1917) 249; 39 (1927) 162/65, m. Abb.; 43 (1932) 156; 44 (1933) 1/8, m. Abbn; 45 (1935) 39/42, m. Abbn, 66/77, m. Abbn; 48 (1937) 246ff. m. Fotobildn.; 1942, p. 23/25. — Die Kunst, 37 (1917/18) 261/68, Abbn bis p. 273. — Kstchronik, N. F. 31 (1919/20) 231. — Volk und Scholle, 3 (1925) 83/85, m. Abbn p. 67, 71 u. 83ff.; 6 (1928) 333f., m. Abb. — Die Weltkst, 16 Nr 11/12 v. 15. 3. 1942, p. 8. — Velhagen & Klasings Monatsh., 40/I (1925/26) 177/92, m. 18 [12 farb.] Abbn.

Bantzinger, C. A. B., holl. Zeichner u. Buchillustrator, * 1914.

Lit.: Phoenix, 3 (1948) 253/62, m. 8 Abbn (m. Liste der von ihm illustr. Bücher). — Verslagen 's Rijks Verzamel. van Gesch. en Kst, 1927 p. 29.

Baptista, João Hermano, portug. Aquarell- u. Azulejos-Maler, * 4. 9. 1901 Lissabon.

Vertreten im Nat.-Mus. zeitgenöss. Kst u. im Städt. Mus. in Lissabon, i. Städt. Mus. in Porto, i. José-Malhoa-Mus. in Caldas da Rainha u. im Grão-Vasco-Mus. in Vizeu.

Lit.: Gr. Enc. Port. e Brasil., IV 145. — Quem é Alguém, 1947 p. 95.

Baraban-Chagret, Blanche, franz. Blumenmalerin, * La Petite Pierre (Bas-Rhin), ansässig in La Roche-sur-Yon (Vendée).
Schülerin von Henner u. Fougerat. Mitglied der Soc. d. Art. Franç., beschickte den Salon seit 1927.
Lit.: Joseph, I. — Bénézit,[2] I (irrig: Baraban-Chagnet).

Barabás, Atala, ungar. Malerin, * 1885 Esztergom (Gran).
Stud. in Florenz bei Torino u. bei W. Thor in München. Studienaufenthalte in Dresden, Paris u. Brüssel.
Lit.: Szendrei-Szentiványi. — Krücken-Parlagi.

Barabás, Emil Lajos, ungar. Maler, * 14. 5. 1878 Budapest, ansässig in Berlin.
Schüler von Steinle in Paris.
Lit.: Szendrei-Szentiványi. — Krücken-Parlagi.

Barabás, Ilona, s. *Szegedy-Maszák.*

Barabino, Armando, ital. Maler u. Bildhauer, * 1883 Genua.
Malschüler von Tullio Quinzio, als Bildhauer seit 1922 Schüler von Scanzi.
Lit.: Comanducci.

Baracchi, Augusto, ital. Radierer, Aquatintastecher u. Maler, * 28. 2. 1878 Modena, ansässig in Mailand.
Schüler von Salv. Postiglione in Modena u. von G. Graziosi in Florenz. Zeichngn u. Radiergn mit Ansichten aus dem antiken Rom. Als Maler hauptsächl. Porträtist.
Lit.: Comanducci. — Chi è?, 1940. — Cronache d'Arte, 1 (1924) 312ff., m. Abbn.

Baraduc, Jeanne, franz. Landschafts-, Blumen- u. Bildnismalerin, * Riom, ansässig in Paris.
Stellte 1919/38 im Salon d'Automne, 1926/29 bei den Indépendants, 1924/33 im Salon des Tuileries aus.
Lit.: Joseph, I. — Bénézit,[2] I (1948). — Beaux-Arts, 6 (1928) 62, m. Abb. — Bull. de l'Art, 1928 p. 15 (Abb.). — La Renaissance, 13 (1930) 119, recte 161 (Abb.).

Baranelli, Domenico, ital. Landschafts-, Bildnis- u. Stillebenmaler, * 1895 Molise.
Stud. in Venedig (1913ff.) u. Florenz. Koll.-Ausst. Jan/Febr. 1939 im Lyzeum in Florenz. Ließ sich 1918 in Neapel nieder, wo er mit Vincenzo Gemito zusammentraf.
Lit.: Emporium, 89 (1939) 99, m. 2 Abbn; 93 (1941) 163/73, m. 13 Abbn.

Baranowsky, Alexander, dtsch. Maler u. Bühnenbildner, * 1874, ansässig in Dresden.
Prof. an der Kstgewerbesch. in Dresden. Tätig für die Städt. Theater.
Lit.: Dreßler. — A. Soergel, Dichtung u. Dichter der Zeit, N. F. Im Banne des Expressionismus, Lpzg 1925, p. 495 (Abb.), 639 (Abb.) u. Reg. — Die Kunst, 72 (1934/35) Beibl. zu H. 2, p. 10.

Baranski, Emil László, ungar. Maler u. Rad., * 11. 5. 1877 Ópalánka, ansässig in Budapest.
Stud. bei E. Balló u. Székely in Budapest, weitergebildet bei Fr. Brangwyn u. J. Swan in London. 1906–07 in Belgien, Deutschland u. England. Hauptsächlich Landschaften. Illustr. zu O. Varga: Geschichte Ungarns (1902). Gr. Fresko: Kämpfende Jugend, im Obergymnasium in Pozsony (Preßburg).
Lit.: Szendrei-Szentiványi. — Krücken-Parlagi.

Baranyay-Lörincz, Gusztáv, ungar. Bildhauer, Maler u. Werkkstler, * 14. 7. 1886 Pécs (Fünfkirchen), ansässig in München.
Stud. an der Kstgewerbesch. in Budapest, dann an der Akad. in München bei P. v. Halm u. im Meisteratelier F. v. Stuck. Bild im Mus. in Pécs.
Lit.: Dreßler.

Barascudts, Max, Maler, Gebrauchsgraphiker u. Buchillustrator, * 15. 6. 1869 St-Denis, † 22. 8. 1927 München.
Schüler von Raab u. Höcker an d. Münchner Akad. Als Maler hauptsächl. Landschafter.
Mitteil. d. Witwe d. Kstlers.

Barát, Márton, ungar. Landschaftsmaler u. Lithogr., * 15. 3. 1880 Sáránd, ansässig in Marosvásarhely (Siebenbürgen).
Stud. an der Musterzeichensch. in Budapest, 1903–04 bei Herterich u. C. v. Marr in München. Italienaufenthalt. 1908 in Deutschland und der Schweiz. 1913 in Dalmatien.
Lit.: Szendrei-Szentiványi.

Barat-Levraux, Georges, franz. Maler, * 1878 Blois, ansässig in Paris.
Schüler von J. P. Laurens u. Bonnat an der Pariser Ec. d. B.-Arts. Beeinflußt von Cézanne. Arbeitete längere Zeit in der Provence (La Garde, Saint-Tropez), wo er auch später die Sommer verbrachte. Stellte seit 1906 bei den Indépendants aus, beschickte 1921ff. auch den Salon d'Automne, den Salon der Soc. Nat. d. B.-Arts u. 1923 ff. den Salon des Tuileries. Landschaften, Blumenstücke, Figürliches (Akte mit Blumen, Negerball der rue Blomet), Bildnisse. Je 1 Stilleben im Bes. der Stadt Paris u. im Mus. Nantes.
Lit.: Joseph, I. — Bénézit,[2] 1 (1948). — La Renaiss. de l'Art franç., 5 (1922) 703, m. Abb. — Beaux-Arts, 2 (1924) 28f., m. Abb.; 6 (1928) 142, m. Abb. — L'Art et les Artistes, N. S. 19 (1929/30) 117–123, m. 8 Abbn. — Bull. de l'Art anc. et mod., 1924 p. 42, m. Abb. — The Studio, 91 (1926) 155 (Abb.). — L'Amour de l'Art, 1930 p. 512 (Abb.); 1934 p. 304ff. passim, m. Abb.

Barata Feyo, Salvador de Eça, portug. Bildhauer, * 5. 12. 1902 Mossâmedes (Angola), ansässig in Porto.
Schüler von Simões de Almeida, Columbano u. José Luiz Monteiro in Lissabon. Als Staatsstipendiat 1933 in Italien. Prof. an d. Kunstsch. in Porto u. an den Techn. Schulen in Lissabon. Konservator-Assistent an den Museen. Mitarbeit an den Entwürfen für die port. Pavillons auf den Internat. Ausst. Paris 1937 u. New York 1939 u. auf der Ausst. Portugiesische Welt, Lissabon 1940. — Werke im Nat.-Mus. f. zeitgenöss. Kst in Lissabon, im Pal. de Assembleia Nac. ebda, in der Kirche N. Senhôra de Fátima ebda u. in d. Kirche N. Senhôra in Caia. Basreliefs für das Haus des Frigorífico da Comissão Reguladora do Comércio in Bacalhau u. für den Ethnograph. Pavillon in Belém; Hochrelief für den Aerodrome da Portela in Sacavém; Denkmal im Colégio Militar; Statuen des Schriftst. Alex. Herculano u. der Dichter Almeida Garrett u. Antero do Quental. — Buchwerk: A Escultura de Alcobaça.
Lit.: Gr. Enc. Port. e Brasil., XI 33. — Pamplona, p. 378. — A. Heilmeyer-R. Benet, La Escultura Mod. y Contemp., 1949 p. 291. — Quem é Alguém, 1947 p. 299.

Baratelli, Charles, ital.-amer. Bildhauer, * 1885, † Nov. 1925 Milford, Conn.
Stud. an der Akad. in Mailand. Kam jung in die USA. Tätig u. a. für St Patrick's Church in Waterbury u. die Warren Harding School in Bridgeport. Ausschmückung des Eingangs zum Keeney Park in

Hartford; Denkmal der Americ. Legion in Ridgefield. Hauptwerk: Entwürfe zu 300 Statuen für das Auditorium der University of Southern California in Los Angeles.

Lit.: The Art News, Nr v. 21. 11. 1925 p. 4 Sp. 5.

Baratta, Paolo, ital. Maler, * 14. 8. 1874 Noceto (Parma), ansässig in Parma.

Schüler von Barilli u. der Freien Aktschule in Rom. Seit 1897 Lehrer an d. Akad. in Parma, später Direktor derselben. 2 Bilder (Armut u. Zufriedenheit u. Besuch im Kloster) in der Pinak. in Parma. Altarbilder in S. Giovanni Decollato u. in der Kapuzinerk. in Parma. Allegor. Fresko an d. Fassade der dort. Handelskammer. Entwürfe zu den Mosaiken am Denkmal Viktor Emanuels II. in Rom.

Lit.: Th.-B., 2 (1908). — Comanducci. — Bénézit, [2] I (1948). — Aurea Parma, 1913, p. 149/54, m. Abb. — Vita d'Arte, 13 (1914) 23, 24, m. Abb. — Emporium, 73 (1931) 59, m. Abb.

Barba, Marie, franz. Genremalerin (Öl u. Aquar.), * Marseille, ansässig in Paris.

Schülerin von Baschet, Déchenaud u. H. Royer. Stellte 1907/30 bei den Indépendants aus.

Lit.: Joseph, I. — Bénézit, [2] I (1948).

Barbaroux, Edmond Auguste, franz. Landschafts- u. Marinemaler, * 5. 7. 1882 Toulon, ansässig ebda.

Schüler von Montenard u. Cauvin. Mitglied der Soc. d. Art. Franç. (Salon-Kat. oft m. Abbn), stellte 1913ff. auch im Salon der Soc. Nat. d. B.-Arts aus. — Bilder u. a. in den Museen in Dijon, Orléans, St-Etienne u. im Mus. Nat. de la Marine im Louvre.

Lit.: Th.-B., II (1908). — Joseph, I. — Bénézit, [2] I. — Revue de l'Art anc. et mod., 54 (1928) 33 (Abb.).

Barbasán y Lagueruela, Mariano, span. Landschafts- u. Genremaler, * 3. 2. 1864 Zaragoza, † Juli 1924 ebda.

Schüler der Acad. de San Carlos in Valencia, weitergebildet in Rom nach Erhalt einer Pension von der Stadt Zaragoza für s. Bild: Traumdeutung Josephs. Weilte über 30 Jahre in Italien, meist in Anticoli Corrado. Gedächtnis-Ausst. April 1925 im Museo de Arte Mod. in Madrid. Markt-, Straßen- u. Prozessionsszenen, Landschaften, Pferde. Bilder im Mus. de Arte Mod. in Madrid u. im Stadtmus. in Bautzen.

Lit.: Th.-B., 2 (1908). — Francés, 1925/26 p. 73–76.

Barbaud, Raymond, franz. Architekt, Restaurator u. Fachschriftst., † Anfang Febr. 1927 Paris.

Kirchen u. Arbeitersiedlungen in Paris. Schrieb eine Monographie über das Schloß Bressuire.

Lit.: L'Art décoratif, 1904/I 128ff.; 1904/II 89ff. — Beaux-Arts, 5 (1927) 51.

Barberi, Enrico, ital. Bildhauer, * 22. 7. 1850 Bologna, † 13. 1. 1941 ebda.

Zu den bei Th.-B. gen. Arbeiten ist hinzuzufügen das 1924 enthüllte Denkmal für Benedikt XV. in den Vatikanischen Grotten in Rom.

Lit.: Th.-B., 2 (1908). — Le Arti, 3 (1941) Heft 4, Notiziario p. X. — Corriere d. Sera (Mailand) v. 22. 5. 1924.

Barberis, Charles, franz. Stein- u. Holzbildhauer, * 1888 Paris, ansässig ebda.

Schüler von Injalbert an der Ec. d. B.-Arts. Stellte seit 1913 im Salon der Soc. d. Art. franç., im Salon d'Automne u. in der Soc. Coloniale aus. Erhielt 1923 den Madagaskar-Preis. Hielt sich 4 Jahre in Teneriffa auf Madagaskar auf. Figürliches, Büsten u. Tiere. Beeinflußt von exotischer Kunst.

Lit.: Joseph, I. — Bénézit, [2] I (1948). — L'Art et les Art., N. S. 24 (1932) 311/15, m. 6 Abbn.

Barbero, Ernesto, piemont. Landschaftsmaler u. Holzschneider, * 13. 7. 1887 Turin, † 1937 ebda.

Autodidakt. Anhänger des Divisionismus. Lange Zeit im Ausland (Paris, Wien, München, Dresden, Leipzig, Berlin).

Lit.: Comanducci, m. Abb. — Chi è?, 1940. — Bénézit, [2] I (1948). — Emporium, 85 (1937) 335f.

Barbey, Jeanne Marie, franz. Genre-, Landschafts- u. Stillebenmalerin, * Paris, ansässig in Bagnolet (Seine).

Schülerin von Ed. Cuyer u. Désiré Lucas. Stellte 1911/39 bei den Indépendants, 1924ff. auch im Salon des Tuileries aus.

Lit.: Joseph, I. — Bénézit, [2] I (1948). — Les Arts, 1918 Nr 170 p. 21, m. Abb.; 1920 Nr 189 p. 20 (Abb.), 21.

Barbey, Maurice, franz. Landschaftsmaler, * Paris, ansässig ebda.

Stellte 1912/38 bei den Indépendants aus.

Lit.: Joseph, I. — Bénézit, [2] I (1948).

Barbey, Valdo, franz. Maler u. Bühnenbildner, * 1883 Valleyres (Schweiz), ansässig in Paris.

Schüler von Eug. Burnand u. G. Desvallières. Stellte seit 1902 bei den Indépendants, seit 1923 auch im Salon des Tuileries, 1909/38 im Salon d'Automne aus. Figürliches (Akte), Marinen, Landschaften, Stillleben, Interieurs. Im Luxembourg-Mus. in Paris: Die Weltkarte; Hafen von Marseille.

Lit.: Joseph, I. — Bénézit, [2] I (1948). — Gaz. d. B.-Arts, 1924/II p. 93 (Abb.). — Art et Décor., 1927/I p. 143/52. — Revue de l'Art anc. et mod., 54 (1928) 33 (Abb.). — Maandblad v. beeld. Kunsten, 5 (1928) 85f., m. Abb. — Bull. de l'Art, 66 (1934/II) p. 408 (Abb.), 410. — Beaux-Arts, 1936 Nr 176, p. 3 (Abb.); 75e année, Nr 306 v. 11. 11. 38, p. 2 (Abb.); Nr 311 v. 16. 12. 38, p. 3 (Abb.); 76e a., Nr 335 v. 2. 6. 39, p. 2 (Abb.); Nr 346 v. 18. 8. 39; Nr v. 15. 11. 46, p. 5; Nr v. 27. 2. 48, p. 4.

Barbier, André, franz. Landschafts- u. Blumenmaler, * Arras, ansässig in Paris.

Impressionist. Stellte seit 1903 bei den Indépendants, 1909/38 auch im Salon d'Automne aus.

Lit.: Joseph, I. — Bénézit, [2] I (1948). — La Renaiss. de l'Art franç., 9 (1926) 643 (Abb.).

Barbier, George, franz. Graphiker, Aquarellmaler, Illustrator, Buchschmuckkünstler, Modezeichner u. Bühnenbildner, * Nantes, ansässig in Paris.

Pflegte alle Zweige der Gebrauchsgraphik (Programme, Kataloge, Menukarten usw.), die Buchillustration (Beaumont, Danses de Nijinskij, 1913; P. Loüys, Les Chansons de Bilitis, 1922; P. Verlaine, Fêtes galantes; Alb. Flameng, Personnages de Comédie, 1929; Th. Gautier, Le Roman de la Momie; A. de Musset, On ne badine pas avec l'Amour), Entwürfe für Mode-, bes. Bühnenkostüme (lieferte u. a. Modelle für das Modenhaus Poiret), Fächer, Ziergläser, Buntpapiere usw. Seine preziöse, bald von persischen Miniaturen, bald von Beardsley oder attischen Vasenbildern beeinflußte Kunst machte ihn von seinem ersten Auftreten 1911 in der Galerie Boutet de Mouvel ab mit einem Schlage bekannt u. beliebt. Zeichnete für Modenblätter wie Gazette du Bon Ton u. Jardin des Dames, veröffentl. Mappenwerke, wie: Modes et Manières de 1914, Karsavina, La Mode de demain, und stattete Bühnenstücke u. russ. Ballettaufführungen aus.

Lit.: Joseph, I. — Bénézit, [2] I (1948). — L'Art et les Artistes, 17 (1913) 288; 19 (1914) 177/83, m. 10 Abbn u. farb. Taf. — La Renaiss. de l'Art franç.

etc., 1 (1918/19) 157/62, m. 8 Abbn u. Bildnis d. Kstlers von Hélène Dufau; 2 (1919) 17/21, m. 8 Abbn; 5 (1922) 146, m. Abb.; 7 (1924) 177/83, m. 14 Abbn. — The Studio, 93 (1927) 404ff., m. 3 (1 ganzseitig.) Abbn.

Barbieri, Carlo, ital. Zeichner, Maler u. Dichter, * 23. 8. 1910 San Cesario di Lecce, ertrank am 11. 6. 1938 in Rom.

Berührt sich als Zeichner merkwürdig stark bald mit Toulouse-Lautrec, bald mit Picasso. Hat ca. 50 Bilder hinterlassen: Figürliches, Bildnisse, Interieurs, Stilleben. Neigt zur Karikatur (Zirkus- u. Karnevalszenen, Masken).

Lit.: G. Scheiwiller, C. B. (Arte Mod. Ital., 36, Serie C — Disegnatori Nr 4), Mail. 1941, m. Bibliogr.

Barbieri, Contardo, ital. Figurenmaler.

Lit.: Emporium, 79 (1934) 356 (Abb.); 81 (1935) 87, 107 (Abb.); 85 (1937) 47 l. Sp.; 94 (1941) 91 (Abb.). — Dedalo, 11 (1930/31) 706 (Abb.). — Kst u. Antiquit.-Rundsch., 41 (1933) 30 (Abb.).

Barbieri, Gino (Giovanni), ital. Holzschneider u. Maler, * 1885 (1884?) Cesena, fiel im 1. Weltkrieg 1917.

Schüler von Ad. de Carolis in Florenz. Farbige Holzschnitte: Bildnis Gabriele D'Annunzio's. Szenen aus dem 1. Weltkrieg. In d. Gall. d'Arte Mod. in Florenz: Bildn. des Vaters des Künstlers. Mappenwerk: Grigioverde.

Lit.: Comanducci. — Vita d'Arte, 13 (1914) 151 (Abb.); 15 (1916) 58f. (Abbn); 17 (1918) 63/72, m. Abbn. — Die Graph. Kste (Wien), 38 (1915) 47, m. Abb. — Emporium, 50 (1919) 114 (Abb.), 118ff., m. Abbn.

Barbieri, Silvio, ital. Bildnis-, Stilleben- u. Landschaftsmaler, * 1896 Massenzatico (Reggio Emilia), ansässig in Rom.

Schüler von Paolo Baratta in Parma.

Lit.: Comanducci.

Barchfeld, Hanns Maria, dtsch. Bildnis-, Genre- u. Landschaftsmaler, * 3. 1. 1895 Mannheim, ansässig ebda.

Schüler der Akad Karlsruhe. In der Ksthalle Mannheim: Innlandschaft.

Lit.: Dreßler.

Barchmann, Kurt, dtsche Aquarellmaler u. Musterzeichner, * 22. 7. 1911 Zschöllau b. Oschatz, ansässig in Wurzen.

Barckhaus, Kuni, dtsche Malerin, * 20. 5. 1906 München, ansässig in Augsburg.

Stud. 1923/28 an d. Staatssch. f. angewandte Kst in München bei Jaskolla. Figürliches.

Lit.: Kat. Ausst. Augsburger Kstler, Schaezler-Palais, Augsburg 8. 12. 1946–2. 1. 1947.

Barclay, McClelland, amer. Maler u. Illustr., * 9. 5. 1891 St. Louis, Mo., ansässig in New York, sommers in East Hampton, L. I., N. Y.

Schüler von H. C. Ives, George R. Bridgman u. Th. Fogarty.

Lit.: Fielding. — Amer. Art Annual, 30 (1933). — Who's Who in Amer. Art, I: 1936/37. — Vogue (Ausg. New York), 1. 11. 1937, p. 32 (Abb.).

Barcy, Inès, franz. Bildnis- u. Figurenmalerin, * Rom, von franz. Eltern, ansässig in Paris.

Schülerin von Fr. v. Lenbach in München u. von George Mosson in Berlin, Ließ sich in Paris nieder. Mitglied der Soc. d. Art. franç., beschickte deren Salon 1921/39 (Kat. z. T. m. Abbn).

Lit.: Joseph, I, m. 2 Taf. u. Fotobildnis. — Bénézit, [2] I (1948).

Barcz, Bolesław, poln. Bildhauer u. Gebrauchsgraph., * 7. 9. 1906, ansässig in Warschau.

Lit.: Czy wiesz kto to jest?, 1938.

Barczynski, Henoch, dtsch-poln. Bildnis- u. Landschaftsmaler, Radierer u. Werkkünstler, * 16. 12. 1896 Lodz, ansässig in Berlin.

Stud. 1916/18 an der Kstschule in Warschau, 1919/26 an der Dresdner Akad. Studienaufenthalte in Italien u. Spanien. Blumenstück im Stadtmus. in Dresden. Weitere Bilder im Bes. der Jüdischen Gemeinde in Berlin.

Lit.: Dreßler.

Bardasano, José, span. Maler u. Radierer, * 1910 Madrid, ansässig ebda.

Schüler von Marcel. Santa Maria. 2. Preis auf d. Expos. Nac. Madrid 1934.

Lit.: The Studio, 112 (1936) 185 (Abb.), 191.

Bardery, Louis, franz. Figurenbildhauer, * Neuilly-sur-Marne (Seine-et-Oise), ansässig in Boulogne-sur-Seine.

Schüler von Thomas, Vital-Cornu u. Injalbert. Mitglied der Soc. d. Art. Franç., stellt dort seit 1905 aus (Salon-Kat. z. T. m. Abbn). Gold. Med. 1913.

Lit.: Th.-B., II (1908). — Joseph, I. — Bénézit, [2] I (1948).

Bardey, Jeanne, franz. Bildhauerin, Malerin, Radiererin u. Zeichnerin, * Lyon, ansässig in Paris.

Gattin des Malers Louis B. (* 1851, † 1915). Schülerin von Rodin. Feinfühlige Umrisszeichnungen (Bildnisse, Akte) im Stile Ingres'. Pflegte als Bildhauerin hauptsächlich den Akt, als Malerin das Bildnis. Ein Frühbild im Mus. in Lyon. Stud. auch die Freskotechnik, von Rodin eingeladen zur Mitarbeit an den nicht zustande gekommenen Fresken im Neuen Luxembourg-Museum. Hat nur ganz selten ausgestellt (1913/33 im Salon d'Automne, 1923ff. im Salon des Tuileries).

Lit.: Bénézit, [2] I (1948). — L'Art et les Art., 17 (1913) 129/37, m. 14 Abbn; N. S. 24 (1932) 357. — L'Art décor., 27 (1912) 293/98, m. 6 Abbn. — Gaz. d. B.-Arts, 1913/I 204/06, m. 3 Abbn u. 1 Taf. — Emporium, 46 (1917) 50/55, m. 9 Abbn.

Bardi, Grete, dtsche Malerin u. Bühnenbildnerin, * 28. 10. 1890 Gera, ansässig in Berlin.

Schülerin von Paul Neidhardt, H. Baluschek u. L. Corinth.

Lit.: Dreßler.

Bardill, Ralph William, engl. Landsch.- u. Marinemaler, * 1876 Prescot, ansässig in Glan-Conway, N. Wales.

Lit.: Graves, I. — Who's Who in Art, [3] 1934.

Bardon, Elisabeth, franz. Marine- u. Landschaftsmalerin, Holzschneiderin u. Rad., * 3. 7. 1894 Sainte-Menehould, ansässig in Paris.

Lit.: Joseph, I. — Bénézit, [2] I (1948).

Bardon, Jean, franz. Landschafts-, Stillleben- u. Aktmaler, * Lyon, † 1929 Paris.

Schüler von B. Constant, J. P. Laurens u. Cormon. Mitglied der Soc. d. Art. franç. Stellte seit 1926 auch bei den Indépendants aus.

Lit.: Joseph, I. — Bénézit, [2] I (1948).

Bardon, Marc, franz. Maler, Lithogr. u. Rad., * 18. 2. 1891 Paris, ansässig ebda.

Schüler von Cormon. Bildnisse, Landschaften. Stellte seit 1921 im Salon der Soc. Nat. d. B.-Arts, 1922/35 bei den Indépendants aus.

Lit.: Joseph, I. — Bénézit, [2] I (1948).

Bardou, Fulbert, franz. Bildnis-, Landschafts- u. Interieurmaler, * Aurillac, ansässig in Paris.

Stellt seit 1927 bei den Indépendants aus.

Lit.: Joseph, I. — Bénézit, [2] I (1948).

Bardóz, Arpád, ungar. Maler u. Graph., * 27. 10. 1882 Budapest.

Stud. 1901/06 bei S. Prenosil u. H. Pap. 1909 nach Deutschland u. Frankr., 1911 nach Norwegen, 1912 nach Holland. Bildnisse, Entwürfe für Plakate. Illustr. für: Politikai Magyarország (1911/13).

Lit.: Szendrei-Szentiványi.

Barendregt, Willem, holl. Maler u. Rad., * 15. 2. 1880 Dreischor (Schouwen), ansässig in Bilthoven.

Schüler der Akad. Rotterdam u. Antwerpen, als Rad. von P. Dupont.

Lit.: Plasschaert. — Waay. — Waller.

Baretta, Louis, belg. Figuren- u. Bildnismaler, * 1866 Ixelles, † 1928 Schaarbeek.

Schüler von J. Portaels.

Lit.: Seyn, I.

Baretti, Robert, dtsch. Graphiker, * 1. 2. 1915 Buer/Westf., ansässig in Berkum/Westf.

Schüler der Akad. in Düsseldorf u. Berlin. Erhielt 1942 den Graphik-Preis „Junges Westfalen" durch den Westfäl. Kstverein. Hauptsächl. Rohrfeder- u. Pinseltuschzeichnungen.

Bareuther, Liesl, egerländ. Landschafts-, Architektur- u. Blumenmalerin, * 1894 Haßlau b. Eger, ansässig in Baden b. Wien.

Schülerin von Wiesinger-Florian, Goltz u. Grill.

Lit.: Dreßler. — Öst. Kunst, 7 (1936) Heft 9, p. 23 (Abb.). — Der getreue Eckart (Wien), 10 (1932/33), farb. Taf. (Ansicht aus Rothenburg o. d. T.) vor p. 1; 14 (1936/37) Abb. geg. p. 609, 663/66.

Bargellini, Giulio, ital. Genremaler, * 14. 2. 1875 Florenz, ansässig in Rom.

Schüler von A. Passaglia, C. Pucci u. Aug. Burchi, weitergebildet in Rom bei Maccari, Morelli, Ferrari, Michetti u. Manfredi. Dekorationen u. a. in der Banca d'Italia u. im Justizministerium in Rom. In der Gall. d'Arte Mod. ebda: Auferstehung u. Ablehnung der Kardinalswürde durch Savonarola. Im Mus. in Sydney: Rückkehr der Schiffbrüchigen.

Lit.: Comanducci.

Bargheer, Eduard, dtsch. Maler (Öl u. Aquar.) u. Graph., * 25. 12. 1901 auf d. Elbinsel Finkenwärder, wohnhaft in Florenz u. Forio d'Ischia, Prov. Neapel.

Kurze Zeit Schüler von F. Ahlers-Hestermann in Hamburg. Im wesentlichen Autodidakt. Reisen (1925/33) nach Florenz, Paris, Holland, London. Seit 1938 wechselnd in Florenz u. Forio d'Ischia ansässig. Beeinflußt von van Gogh. Bedeutender Farbensymphoniker. Hauptsächlich Bildnisse u. Landschaften. Kollektiv-Ausstellgn: Gal. Nierendorf, Berlin 1935, Commeter, Hamburg 1936, Gal. „Ponte" Florenz 1942, Gal. Egon Günther, Mannheim 1947, Kstverein Köln 1948, Kstverein Hamburg 1949, Kaiser-Wilh.-Mus. Krefeld, Mai/Juni 1950, Gal. Stangl, München, März 1951, Kstverein Stuttgart 1952, Kstverein Wuppertal 1952.

Lit.: Emporium, 96 (1942) 361, 362 (Abb.). — D. Kunst, 1936/37, Beibl. zu H. 7, p. 4. — D. Welstkst, 9 Nr 33/34 v. 25. 8. 1935, p. 3. — D. Kst. u. d. schö. Heim, 50 (1952) Beil. p. 204. — D. Kstwerk, 2 (1948/49) H. 3/4 p. 17 (Abb.), 74; 5 (1951/52) H. 6 p. 44 (Abb.), 70. — D. Morgen (Mannheim), 3. 5. 1947. — Kat.: Ausst. Dtsche Malerei u. Plastik d. Gegenw., im Staatenhaus der Messe in Köln, 14. 5./3. 7. 1949; Dtsch. Kstlerbund 1950, 1. Ausst. Berlin 1951, m. Abb.

Barian, Paul Joseph, franz. Maler u. Lithograph, * La Ferté-Gaucher (Seine-et-Marne), ansässig in Roubaix (Nord).

Schüler von Alex. Leleu u. Gérôme. Figürliches u. Bildnisse. Mitglied der Soc. d. Art. franç., beschickte deren Salon 1904/39 (Kat. z. T. mit Abbn).

Lit.: Joseph, I. — Bénézit, [2] I (1948).

Barjanski, Katarzyna (Katja), poln. Wachsmodelleurin, lebt seit 1910 im Ausland.

Kleinformatige Wachsbüsten internat. Berühmtheiten (G. D'Annunzio, Sigm. Freud, Wilh. v. Bode, M. Liebermann, A. Schnitzler, Foujita usw.). Koll.-Ausst. 1926 in d. Brook Street Gall. in London. Ihr von Oskar Brázda gem. Bildnis abgeb. in: Emporium, 55 (1922) 9.

Lit.: Pagine d'arte (Mail.), 5 (1917) 123f. — The Studio, 92 (1926) 36 (ganzseit. Abb.), 48. — Apollo, 9 (1929) 398. — The Internat. Studio (New York), März 1931, p. 72 (Abb.).

Barile, Xavier J., ital.-amer. Maler, Illustr. u. Rad., * 18. 3. 1891 in Italien, ansässig in New York.

Schüler von Chapman, Mora, Sloan u. Dodge.

Lit.: Fielding. — Amer. Art Annual, 30 (1933).

Barillet, Louis, franz. Medailleur, Glas- u. Dekorationsmaler u. Entwurfzeichner für Mosaiken, * Alençon, ansässig in Paris.

Schüler von Gérôme u. Em. Fontaine. Mitglied der Soc. d. Art. Franç., beschickt deren Salon seit 1906. Seit 1932 auch Mitgl. der Soc. Nat. d. B.-Arts, wo er seit 1914 ausstellte. Erscheint seit 1925 auch im Salon der Soc. d. Art. Décorateurs. — Dekorat. Malereien im Chor von Saint-Honoré-d'Eylau. Scheiben u. a. in St-Léon in Paris, in der Kapelle des Pensionats Jeanne d'Arc in Argentan, in d. Kap. des hl. Franz v. Sales in Alençon u. in Notre-Dame in Mortagne (Orne). Mosaiken in der Kapelle des hl. Franz v. Sales in Argentan.

Lit.: Joseph, 1. — Forrer, 7. — Notes d'Art et d'Archéol., 1914, März-Nr p. 44/49, m. Taf. u. 4Abbn. — Bull. de la Soc. percheronne d'hist. et d'archéol., 23 Nr 2 p. 85/97, m. Taf. — Revue de l'Art anc. et mod., 56 (1929) 247 (Abb.). — Bull. de l'Art anc. et mod., 1929 p. 455 (Abb.). — La Renaissance, 12 (1929) 38 (Abb.), 44 (Abb.). — Art sacré, 1936 p. 122ff. passim; 1937 p. 81ff. passim, 123ff. passim, 129ff. passim, m. Abbn. — Art et Décoration, 1937/II p. 385ff. passim. — L'Art vivant, 5 (1929) 892f., m. Abbn; 13 (1937) Nr 208 p. 32. — Beaux-Arts, 75e année, Nr 335 v. 2. 6. 39 p. 8 (Abb.).

Baring, William, dtsch. Maler, Rad., Holzschneider u. Plakatkstler, * 21. 7. 1881 Dresden, ansässig in Meißen.

Stud. an d. Kstgewerbesch. Dresden. 1899/1903 an d. Meißn. Porz.-Manuf., 1907ff. bei Zwintscher u. G. Kuehl an d. Dresdner Akad.; Meisterschüler von Gotth. Kuehl. Studienreisen: Norddeutschland, Helgoland u. Insel Rügen. Als Preisträger eines Plakatwettbewerbs der Hamburg-Amerika-Linie Studienreise nach Spanien u. Marokko. Erste Preise in Plakatwettbewerben der Stadt Meißen zum Ludwig-Richter-Fest 1921, zu den Jedermann-Festspielen 1925 und zur Tausendjahrfeier 1929. Bildnisse, Landschaften, Figürliches. 1937/45 Leiter der Abteilung Malerei an der Staatl. Porzellanmanuf. Meißen.

Lit.: Das schöne Heim, 1936 Heft 12. — Innendekoration, 1936 Aprilheft. — Daheim v. 10. 2. 1943.

Barjou, Henri Julien Ed. Raymond, franz. Aquarellmaler u. Rad., * 29. 4. 1875 Lesneven (Finistère), ansässig in Paris.

Stellte in den Salons der Soc. d. Art. franç., der Soc. Nat. d. B.-Arts u. 1927/30 bei den Indépendants aus. Hauptsächlich Landschafter.

Lit.: Joseph, I. — Bénézit, [2] I (1948).

Barkász, Lajos, ungar. Landschaftsmaler, * 25. 8. 1884 Hódmezővásárhely, ansässig in Máramarossziget.

Stud. an der Musterzeichensch. in Budapest.

Lit.: Szendrei-Szentiványi. — Jahrb. d. Mus. d. Bild. Kste Budapest, 8 (1937) 175.

Barkenius, Helge, schwed. Architekt, * 1901 Vänersnäs, Skaraborgs län, ansässig in Eslöv.

Stud. an der Techn. Hochsch. in Stockholm. Bereiste Deutschland, die Schweiz u. Italien. Seit 1935 Stadtarchitekt in Eslöv.

Lit.: Thomœus.

Barker, Adeline Margery, engl. Landschafts-, Bildnis -u. Figurenmalerin, ansässig in London.

Schülerin von Byam Shaw u. W. T. Wood.

Lit.: Who's Who in Art, [3] 1934.

Barker, Albert Winslow, amer. Radierer u. Lithogr., * 1. 6. 1874 Chicago, Ill., † 1947 Moylan b. Philadelphia, Penna.

Schüler von Bolton Brown in Woodstock u. der Pennsylv. Acad. of F. Arts in Philadelphia (1903ff.). Hauptsächl. Landschafter. Hauptblätter: Boulber Wall; Hancient River Botton; Spice Bush; Tapestry of Spring; Snow Rose Valley; The old Cart.

Lit.: Who's Who in Amer. Art, I: 1936/37. — The Print Coll.'s Quarterly, 24 (1937) 448 (Abb.); 25 (1938) 241 (Abb.), 486 (Abb.); 26 (1939) 370 (Abb.); 27 (1930) 275/99, m. zahlr. Abbn. — Art Index (New York), Okt. 1941/Sept. 42; Okt. 47/Sept. 48.

Barker, Anthony Raine, engl. Holzschneider, Lithogr., Rad. u. Buchillustr., ansässig in London.

Illustrat. zu Kinderbüchern (Hiddengold; The Fairyand Express). Vertreten im Print Room des Brit. Mus.

Lit.: Salaman, Modern Woodcuts a. Lithogr., Studio, Spec.-Nr 1919, p. 157. — The Studio, 61 (1914) 232f., m. Taf.-Abb.; 63 (1915) 217; 64 (1915) 75; 65 (1915) 114; 66 (1916) 281; 67 (1916) 186 (Abb.). — The Burlington Magaz., 30 (1917) 32. — The Bodleian, 17 (1925) H. 8, p. 121; 18 (1926) H. 7, p. 104f., Abb. nach p. 108.

Barker, Cicely Mary, engl. Aquarellmalerin u. Illustr., * 28. 6. 1895 Croydon, Surrey, ansässig ebda.

Illustr. für Kinderbücher („The Book of the Flower Fairies" u. a.), Folgen von Weihnachtsbildern (Girl's Friendly Soc.).

Lit.: Who's Who in Art, [3] 1934.

Barker, George, amer. Maler u. Lithogr., * 20. 2. 1882 Omaha, Neb., ansässig in Pacific Palisades, Calif. Gatte der Olive.

Schüler von J. Laurie Wallace, Edwin Scott u. A. Lhote in Paris.

Lit.: Who's Who in Amer. Art, I: 1936/37. — Amer. Art Annual, 30 (1933).

Barker, James Thomas, engl. Figuren- u. Landschaftsmaler u. Bühnenkostümzeichner, * 1. 6. 1884 Rickmansworth, Hertfordshire, ansässig ebda.

Lit.: Who's Who in Art, [3] 1934.

Barker, Katherine, amer. Malerin, * 2. 12. 1891 Pittsburgh, Penna., ansässig in Philadelphia, Pa.

Schülerin von Breckenridge, Anshutz, Carlson, Hale, Beaux u. Vonnoh.

Lit.: Fielding. — Amer. Art Annual, 20 (1923) 433.

Barker, Olive, amer. Malerin, * 1. 8. 1885 Chicago, Ill., ansässig in Pacific Palisades, Calif. Gattin des George.

Schülerin von J. Laurie Wallace, W. Sample u. Millard Sheeds.

Lit.: Who's Who in Amer. Art, I: 1936/37. — Amer. Art Annual, 30 (1933).

Barkstedt, Elis, schwed. Tiermaler (bes. Vögel), * 1888 Vänersborg, ansässig ebda.

Autodidakt. Hauptsächlich Raubvögel in Winterlandschaft.

Lit.: Thomœus.

Barlach, Ernst, dtsch. Bildhauer, Graphiker u. Dichter, * 2. 1. 1870 Wedel i. Holstein, † 24. 10. 1938 Güstrow i. Mecklenburg.

Stud. 1888/91 an d. Kstgewerbesch. in Hamburg, 1891ff. bei Robert Diez an der Dresdner Akad. Weitergebildet 1895/96 in Paris. Lebte 1897/99 in Hamburg, 1900 in Berlin, bis 1903 in s. Heimatort Wedel. 1904/05 Lehrer an der Fachsch. für Keramik in Höhr i. Westerwald. 1906 in Rußland (Charkow). Seit 1908 in Güstrow ansässig. 1909 in Florenz. Gegenständlich entscheidend beeindruckt durch den russ. Aufenthalt. Der durch lapidare Kürze gekennzeichnete Stil B.s, der ebenso in seinen Plastiken (Holz, Ton, Bronze) wie in s. Graphiken zum Ausdruck kommt, gibt seinem gesamten Werk einen vom wirklichen Maßstab ganz unabhängigen monumentalen Charakter. Treibt die Herbheit s. Figuren oft ins Brutale, verbindet aber einen schonungslosen, oft erschütternden Naturalismus mit einem in mystische Tiefen greifenden Sensualismus u. einer unerhörten Suggestionskraft: russ. Bettler- u. Proletariergestalten, Ruhe auf der Flucht, Singender Klosterschüler, Der Wartende, Stehende Bäuerin, Frierendes Mädchen, Der Rächer, Fries der Lauschenden, Schlafende Vagabunden (sämtl. Holzskulpturen); Singender Mann, Der Kuß, Bettlerin mit Kind, Schäfergruppe, Der Tod usw. (sämtl. Bronze). Den Kunstzielen des Nazismus in's Gesicht schlagend, wurden seine an öff. Orten aufgestellten Werke seit 1933 zumeist von ihren Standorten entfernt und größtenteils zerstört, so die Gefallenendenkmale im Magdeburger Dom, in d. Nikolaik. in Kiel u. im Dom zu Güstrow u. Der Geistkämpfer an der Heiligen-Geist-Kirche in Kiel. Eine Büste des Schauspielers Paul Wegener (1930) wurde 1945 im Foyer des Theaters in Rostock, Kopf der Schausp. Tilla Durieux (Bronze) im Städt. Mus. in Wuppertal-Elberfeld aufgestellt. In der Berl. Nat.-Gal. 2 Holzreliefs: Die Verlassenen, Der Apostel. Im Ksthaus in Zürich: Der Ekstatiker u. Der Rächer. Im Leipziger Kstgew.-Mus.: Halbfigur eines Propheten. Im Mus. in Breslau eine Porzellanplastik: Sitzendes Mädchen. In der Ksthalle in Bremen eine Holzstatuette: Schäfer im Sturm. Der „Singende Klosterschüler" wurde 1951 auf B.s Grabe in Ratzeburg aufgestellt. — Pflegte als Graphiker die Lithogr. u. den Holzschnitt. Illustr. zu: Der Tote Tag. Drama in 5 Akten von E. B. (27 Orig.-Lith.), Berl. 1912; Der arme Vetter. Drama in 5 Akten von E. B. (34 Orig.-Lith.), Berl. 1918; Die Wandlungen Gottes (7 Holzschn.), Berl. 1921; Der Findling. Ein Spiel in 3 Stükken (20 Holzschn.), Berl. 1922; Schillers „Lied an die Freude" (9 H.), Berl. 1927; Goethes „Walpurgisnacht" (20 H.), Berl. 1923; Reinh. v. Walter: Der Kopf (10 H.), Berl. 1919; H. v. Kleist: Michael

Kohlhaas. — Selbstbiogr.: Ein selbsterzähltes Leben, Berl. 1928, m. 80 Taf. — Ein kleines, öffentl. zugängliches B.-Mus. u. Archiv befindet sich in dem Schloß seines Freundes u. Mäzens, des Industriellen Hermann Reemtsma in der Nähe von Lüneburg. Koll.-Ausstellgn u. a. 1914 bei Hans Goltz, München 1917, u. bei P. Cassirer, Berlin 1926. Ged.-Ausstn: 1945 Mus. in Rostock, 1948 Gal. Henning in Halle (ill. Kat.) u. Gal. Rud. Hoffmann in Hamburg, 1949 Ksthalle in Hamburg, 1951 Gal. Alex. Vömel, Düsseldorf. Eine größere Sammlg von Arbeiten a. d. Besitz der B.schen Nachlaßverwaltung wurde 1949 im Riksvörbundet f. bild. Konst in Stockholm, 25 Plastiken u. zahlr. Zeichngen im Moritzburg-Mus. in Halle 1950 gezeigt.

Lit. (nur den *bild.* Künstler, nicht den *Dichter* angehend): C. D. Carles, E. B. Das plast., graph. u. dichter. Werk, Berl. 1936. — F. Schult, B. im Gespräch, Güstrow 1940 u. Wiesbaden 1948; ders., E. B.-Ausst., veranstaltet v. d. Landesreg. Mecklenburg... Volkskstmus. Schwerin-Mecklenburg 1947. — P. Schurek, Begegnung mit E. B., Hamburg 1946 u. 1947. — H. Sieker, E. B. (Msterwerke d. Kst, 9), München-Pasing 1948. — R. v. Walter, E. B. Eine Einführung in sein plast. u. graph. Werk, Berl. 1929. — Gisela Lautz, Die Illustrationsgraphik B.s u. deren Stellung in s. Gesamtwerk. Diss. Marburg [1950?]. — E. B., Aus s. Briefen, hg. v. Fr. Dross (Piper-Bücherei, 5), München 1947. — O. Beyer, Relig. Plastik uns. Zeit, Berl. 1921, p. 18/21. — Einstein. — Hartlaub. — H. Körtzinger, E. B. Fries der Lauschenden, Altona 1937. — A. Kuhn, Die neuere Plastik v. 1800 bis z. Gegenw., Münch. 1921. — Werner, p. 22/24, m. Abb. — E. B.: Aus seinen Briefen, Münch. o. J. — Athena (Berlin), 1948 H. 3, p. 36/40, m. Abb. — Aufbau, 2 (1946) 917/22; 4 (1948) 900f. — Aussaat, 1 (1946/47) 20/24, m. 7 Abbn. — D. Cicerone, 18 ((1926) 169; 21 (1929) 146, 194/99, 480. — Colloquium, 2 (1948) H. 10, p. 15, m. Abb. — Denkmalpflege, 1930, p. 77ff.; 1931, p. 84ff., m. Abbn, 158f. — Der Dreiklang, 1 (1946) H. 2, p. 1/4; 3 (1948) 189/90, m. Abb. — Schleswig-Holstein. Jahrb., 1942/43, p. 92/94. — D. Kreis (Hamburg), 2 (1925), Heft 1, p. 21/27, m. ganzseit. Abb.; 8 (1931) 257/59 m. Taf. zw. p. 272/73, 288/89 u. 304/05; 9 (1932) 306/08. — D. Kunst, 43 (1921) 137/47; 61 (1930) 222f. — bild. kunst, 1 (1947), H. 1, p. 7 (Abb.), 11 (Abb); H. 4/5, p. 44; H. 7 p. 8, m. Abb.; 2 (1948) H. 2, p. 24, 27, 29 (Taf.); H. 9, p. 9/13, m. Abbn; 3 (1949) 300, m. Abb. — Kst- u. Antiquit.-Rundsch., 39 (1931) 35, 36 (Abb.), 39 (Abb.); 41 (1933) 417 (Taf.). — Kst u. Kstler, 8 (1910) 265/70; 11 (1913) 3/12; 18 (1920) 69 (Abb.); 19 (1921), Taf. geg. p. 83, 96ff., m. Abbn, 140f. (Abbn), 297, 299 (Abb.), 371 (Abb.), 373, 387 (Abb.); 21 (1923) 276, 297 (Abb.); 23 (1925) 94, m. Abb.; 24 (1926) 286/89, m. Abb.; 25 (1927) 347f., m. Abb.; 27 (1929) 38f., m. Abb., 82, 112, 311 (Abb.), 312; 29 (1931) 99/103, m. Abbn, 135 (Abb.); 31 (1932) 441 (Abb.), 443 (Abb.), 466f. — D. Kst u. das Schöne Heim, 48 (1950) 148; 50 (1951/52) Beil. p. 111, 124. — D. Kstblatt, 2 (1918) 1ff., 6ff.; 3 (1919) Abb. geg. p. 193, 214, 221 (Abb.), 320, 327 (Abb.); 4 (1920) 177 (Abb.); 5 (1921) 241 (Abb.); 13 (1929) 329/34. — Kstchronik, 3 (1950) 15/17, 21, m. Abb.; 4 (1951) 334, 335. — D. Kstwerk, 2 (1948/49) H. 1/2 p. 19/26; 5 (1951/52) H. 2 p. 8, 63 (Abb.), 105. — Die Lücke, 2 (1947) H. 11/12, p. 16/19; ~, Almanach, 2 (1948) 103/08; 3 (1948) H. 10 p. 10/14, m. 2 Abbn. — Mecklenb. Monatshefte, 3 (1927) 109, m. Taf., 120/27, m. Taf., 133/39, Taf. geg. p. 156, 365, m. Abb.; 4 (1928) 620/22; 5 (1929) Taf. geg. p. 581, 611f.; 6 (1930) 1/6, 7/9; 8 (1932) Taf. geg. p. 516; 9 (1933) 20/26, m. Abbn von Zeichngn u. Fotobildn. der Vorfahren; 10 (1934) 20/26. — Mecklenb. Tageszetg, 1. 1. 1930, 1. Sonderdruck (Bibliogr.). — D. Münster, 2 (1949) 199, 206 (Abb.). — Niedersachsen, 35 (1930) 450/55. — Niederdtsche Welt, 8 (1933) 255/57. — Thema (Gauting-München), 1949 -50, H. 8 p. 17ff. — Die Truhe, 1926 p. 160/68. — Stuttgarter Rundsch., 3 (1948) H. 8, p. 16/18, m. 3 Abbn. — Die Sammlung, 1 (1946) 430/42, 586/92. — Situation u. Entscheidung, 2 (1948) 158/63. — D. Wagen (Lübeck), 1930 p. 27/31, 39/44. — D. Welstkst, 21 (1951) H. 12 p. 10 (Abb.); H. 14 p. 8. — Westermanns Monatsh., 64/I (1920) p. 530/40. — Zeitschr. f. Kst, 4 (1950) 169/71. — Göttinger Univ.-Ztg, 2 (1946/47) H. 8 p. 10/11, m. Abb.; 3 (1947/48) H. 7/8, p. 16/17. — Welt u. Wort, 3 (1948) 445f., m. Abb. — D. Weltkst, 21 (1951) H. 19 p. 4, m. Abb., H. 24 p. 25, m. Abb. — D. Werk (Zürich), 38 (1951) 252f., m. Abb. — Kat. Ausst. E. B. Mus. d. Stadt Rostock, 28. 10.–18. 11. 1945; Kat. Gal. alter u. neuer Meisterwerke Rud. Hoffmann, Hamburg, E. B. Ged.-Ausst. z. 10jähr. Todestag Okt./Nov. 1948.

Barlangue, Gabriel, franz. Genremaler, u. Kupferst., * Villeneuve-sur-Lot, ansässig in Paris.

Schüler von J. P. Laurens u. B. Constant, als Stecher von Patricot, Lefort u. Delzers. Mitglied der Soc. d. Art. franç., deren Salon er seit 1900 beschickte. Gold. Med. 1926. — Illustr. zu Huysmans, Sac au dos. — Seine Schülerin u. spätere Gattin Suzette B.-Champavier, * 27. 1. 1890 Paris, ist Kupferstecherin.

Lit.: Joseph, I. — Bénézit, [2] I (1948).

Barlow, Mary, engl. Tier- u. Landschaftsmalerin (Öl u. Pastell), * 21. 12. 1901 Manchester, ansässig in Southport, Lancashire.

Lit.: Who's Who in Art, [3] 1934.

Barlow, Myron, amer. Maler, * 1873 Ionia, Mich., † 1937 Detroit, Mich.

Schüler des Art Inst. in Chicago u. Gérôme's an der Pariser Ec. d. B.-Arts. Studienaufenthalt in Holland. Interieur im Detroit Inst. of Arts in Detroit. Weitere Bilder in d. Pennsylv. Acad. of the F. Arts in Philadelphia (Leserin) u. im Palais d. B.-Arts in Douai (Fischerin).

Lit.: Fielding. — Amer. Art Annual, 30 (1933). — Who's Who in Amer. Art, I: 1936/37. — Earle. — Bull. of the Detroit Inst., 9 (1927/28) 94f.; 17 (1937 -38) 38. — Monro.

Barlow, Sibyl Margaret, engl. Bildhauerin, * Essex, † Sept. 1933 London.

Stud. in Dresden u. London.

Lit.: Who's Who in Art, [2] 1929; [3] 1934, Obituary, p. 447.

Barnard, Catherine, geb. *Locking*, schott. Landschaftsmalerin (Aquar.), * Edinburgh, ansässig in London.

Im London-Mus. 74 Bilder: Das schwindende London.

Lit.: Who's Who in Art, [3] 1934.

Barnard, Elinor, verehel. *Komroff*, engl.-amer. Bildnis- u. Blumenmalerin (bes. Aquar.), * 29. 8. 1872 London, ansässig in New York.

Hauptsächlich Kinderbildnisse. Ein Blumenstück im Mus. in Toledo, Ohio.

Lit.: Fielding. — Amer. Art Annual, 30 (1933). — Amer. Art News, 21, Nr 6 v. 18. 11. 1922, p. 4; Nr 11 v. 23. 12. 1922, p. 3 (Abb.); Nr 15 v. 20. 1. 1923, p. 5, m. Abb. — Museum News. The Toledo Mus. of Art, Nr 60, Juni 1931, m. Abb.

Barnard, George Grey, amer. Bildhauer, * 24. 5. 1863 Bellefonte, Penna., † 1938 New York.

Stud. am Art Inst. in Chicago, Ill., 1883ff. in Paris, von wo er erst 1894 nach New York zurückkehrte. Einer der bedeutendsten neueren Bildhauer der USA.

Gold. Med. Weltausst. Paris 1900, Pan-Am. Exp. Buffalo 1901, St. Louis Exp. 1904. — Hauptwerke: Giebelskulpturen an der Public Library in New York; Grabdenkmal für den Philanthropen Severin Skovgaard auf dem Friedhof in Langesund, Oslo; „Ich fühle 2 Naturen in Mir", in der Eingangshalle des Metrop. Mus. New York; Figurengruppen vor dem Eingang des Staatskapitols in Harrisburg, Pa.; Der Steinklopfer im Hof des Brooklyn Art Inst. in Brooklyn, N. Y.; Liegendes Mädchen im Metrop. Mus. New York; Flöte spielender Faun im Columbia College Park ebda; Pan im Central Park ebda; Vater u. Sohn im Carnegie Inst.; Lincoln-Standbild im Lyttle Park in Cincinnati, O.

Lit.: Th.-B., 2 (1908). — Fielding. —Who's Who in Amer. Art, I: 1936/37. — Mellquist. — G. H. Chase a. C. R. Post, Hist. of Sculpt., New York 1925. — S. Casson, Some modern Sculptors, London 1928. — A. M. Rindge, Sculpture, New York 1929. — T. Craven, Modern Art, New York 1934. — S. La Follette, Art in America, New York 1934. — Amer. Art Annual, 9 (1911) Abb. geg. p. 33; 20 (1923) 433; 27 (1930) 16; 30 (1933). — Die Kunst, 23 (1911) 385/407, m. 22 Abbn. — Bull. of the Metrop. Mus. of Art New York, 25 (1930) 24, 40, m. Abb. — Gaz. d. B.-Arts, s. 6 vol. 35 (1949) 40. — Cat. of the Works of Art of City of New York, 2 (1920) 82.

Barnard, Josephine W., amer. Malerin, * 22. 4. 1869 Buffalo, N. Y., ansässig in New York.

Schülerin von Dow, Snell u. Carlson in den USA., von Stanhowe Forbes in England.

Lit.: Fielding. — Amer. Art Annual, 20 (1923) 433; 30 (1933).

Barnas, Carl; dtsch. Bildnis- u. Landschaftsmaler u. Wappenzeichner, * 14. 8. 1879 Friedberg i. Hess., ansässig in Laubach.

Stud. in Berlin, Kassel u. Paris.

Lit.: Dreßler.

Barne, George, engl. Bildnismaler, * 1882 Bristol. Stud. in Paris.

Lit.: Who's Who in Art, [3] 1934. — The Burlington Magaz., 38 (1920/21) 147 (Abb.), 149.

Barnekow, Elisabeth, schwed. Bildnismalerin, * 8. 2. 1874 Sörbytorp, Schonen, † 1942 Stockholm.

Stud. in Stockholm, Paris u. Rom. Bilder im Stadthaus Stockholm, im Bes. der Sveriges Allm. Konstforening, in d. Adolf Fredrikskirche ebda u. im Regierungssitz Kristianstad.

Lit.: N. F., 3. Aufl. Suppl. I (1938). — Thomæus. — Konst, III fasc. 5/6, p. 40ff. passim, m. Abb. — The Studio, 61 (1914) 327. — Sveriges kyrkor, Stockholm, V/1 (1924) 112, m. Abb. — Vem är Vem i Norden, 1941 p. 958.

Barnes, Archibald George, engl. Bildnismaler, * 19. 3. 1887 Sandon, ansässig in London.

Stud. an d. Schule der Lond. Roy. Acad. Vertreten in den Gal. Manchester, Hull, Oldham, Huddersfield u. Toronto.

Lit.: Who's Who in Art, [3] 1934. — The Studio, 111 (1936) 112 (Abb.). — Nation a. Athenæum, 28 (1921) 792.

Barnes, Djuna, amer. Malerin u. Schriftst., * 1883.

Schülerin des Pratt Inst. in Brooklyn u. der Manhattan Art Student's League.

Lit.: The Internat. Who's Who, [8] 1943/44.

Barnes, Ernest Harrison, amer. Landschaftsmaler, * 1873 Portland, N. Y., ansässig in Detroit, Mich.

Schüler von Will Howe Foote u. Henry R. Poore, dann des Art Instit. in Chicago u. der Art Student's League in New York. Lehrer für Freihandzeichnen an der University of Michigan in Detroit.

Lit.: Fielding. — Amer. Art Annual, 20 (1923) 433; 30 (1933). — The Art News, 22, Nr 8 v. 1. 2. 1923, p. 1, m. Abb. — Monro.

Barnes, Gustave Adrian, engl. Maler, * 1878 London, † 14. 3. 1921 Adelaide, Australien.

Kurator der Art Gall. in Adelaide.

Lit.: Mallett. — The Year's Art, 1923.

Barnes, Isabella, engl. Landsch.- u. Bildnismalerin (Pastell u. Aquar.), * Knightsbridge, ansässig in London.

Stud. am Roy. Coll. of Art in London.

Lit.: Who's Who in Art, [3] 1934.

Barnes, Mabel Catherine, geb. *Robinson,* engl. Aquarellmalerin u. Rad., * 5. 3. 1875 London, ansässig ebda.

Stud. an der Lambeth Art School. Hauptsächl. Landschafterin.

Lit.: Who's Who in Art, [3] 1934.

Barnes, Matthew, amer. Maler, * 1880, † 1951 San Francisco Calif.

Lit.: Mallett. — Amer. Art Annual, 20 (1923) 434. — Art Index (New York), Okt. 1941/Sept. 1948. — Monro. — Art Digest, 25, Nr v. 1. 5. 1951, p. 14.

Barnes, Virginia, geb. *White,* amer. Malerin, * 19. 5. 1895 Livingston, Ala., ansässig in Eutaw, Ala.

Schülerin von Dudley C. Watson. Herrenbildnis im Bes. des Staates Alabama. Weitere Bilder im Mus. in Montgomery, Ala., im Howard Coll. in Birmingham, Ala., u. im Judson Coll. in Marion, Ala.

Lit.: Amer. Art Annual, 30 (1933). — Who's Who in Amer. Art, I: 1936/37.

Barnes, Winifred, engl. Aquarellmalerin, Miniaturistin u. Werbezeichnerin, * 10. 5. 1898 London, ansässig in Brighton.

Stud. an der Städt. Kstschule in Brighton.

Lit.: Who's Who in Art, [3] 1934.

Barnet, Will, amer. Maler u. Graph., * 1911, ansässig in New York.

Lit.: James T. Farrel, The Paintings of W. B., New York 1951. — Mallett. — Art Index (New York), Okt. 1941/Okt. 1952 passim.

Barnett, Herbert Philip, amer. Maler, * 1910 Providence, R. I., ansässig in Cambridge, Mass.

Lit.: Amer. Art Annual, 30 (1933). — Art Index (New York), Okt. 1944/Okt. 1952 passim. — Art in America, 27 (1939) 132, m. 2 Abbn.

Barnett, Tom P., amer. Maler u. Archit., * 11. 2. 1870 St. Louis, Mo., † 1929 ebda.

Malschüler von P. Carnoyer. Winterlandsch. im Mus. of F. Arts in St. Louis. Wandgemälde im Staatskapitol in Missouri.

Lit.: Fielding. — Amer. Art Annual, 20 (1923) 434. — The Art News, 23, Nr 8 v. 29. 11. 1924, p. 5, m. Abb. — Monro.

Barnett, Walter durac, engl. Landsch.-, Marine- u. Bildnismaler, * 8. 1. 1876 Leeds, ansässig in London.

Stud. an der Lambeth School of Art.

Lit.: Who's Who in Art, [3] 1934.

Barney, Alice Pike, amer. Bildnismalerin, * 14. 1. 1860 Cincinnati, O., † 1931 Los Angeles, Calif.

Schülerin von Carolus-Duran u. Whistler. 2 Bildnisse (Pastell) im Mus. Toma Stelian in Bukarest.

Lit.: Fielding. — Amer. Art Annual, 20 (1923) 434. — Bénézit, ² 1 (1948). — Museum News, 28, Nr v. 1. 4. 1951, p. 2.

Barney, Clifford, amer. Figuren- u. Bildnismalerin, * Washington.

Stellte wiederholt bei Durand-Ruel in New York u. bei Bernheim Jeune in Paris aus. Mytholog. Themen (Öl u. Pastell), Bildnisse (Bernard Shaw, Whistler, Mirza Abdul Gazl, Isidore de Lara u. a.).

Lit.: New York Herald (Pariser Ausg.) v. 27. 10. 1908.

Barney, Esther, siehe *Stevens.*

Barney, J. Stewart, amer. Landschafts- u. Architekturmaler, * Okt. 1869 Richmond, Va., † 22. 11. 1925 New York.

Stud. zuerst Architektur an d. Pariser Ec. d. B.-Arts. Ging 1915 zur Malerei über. Baute die Church of All Saints in New York.

Lit.: Fielding. — Amer. Art Annual, 20 (1923) 434. — The Art News, 23, Nr 14 v. 10. 1. 1925, p. 1 (Abb.), 2; 24 Nr 8 v. 28. 11. 1925, p. 8; Nr 14 v. 9. 1. 1926, p. 11; Nr 15 v. 16. 1. 1926, p. 7.

Barnoin, Henry, franz. Marine- u. Landschaftsmaler, * 7. 7. 1882 Paris, ansässig ebda.

Schüler von Dameron, A. de Richemont u. L. O. Merson. Mitglied der Soc. d. Art. franç. (Salon-Kat. z. T. m. Abbn). Gold. Med. 1935.

Lit.: Joseph, I (Druckfehler: Barnoni). — Bénézit, ² I (1948).

Barnowski, Erich, dtsch. Architekt, * 25. 5. 1894 Weißenfels a. d. Saale, zuletzt ansässig in Danzig-Langfuhr.

Stud. an der Kst- u. Baugewerbesch. München. Regina-Palais im Ostseebad Zoppot (1924).

Lit.: Dreßler.

Barns, Cornelia, amer. Malerin u. Illustr., * 25. 9. 1888 New York, ansässig in Morgan Hill, Calif.

Schülerin von Twachtman u. W. M. Chase.

Lit.: Fielding. — Amer. Art Annual, 30 (1933).

Barnsley, Edward, engl. Möbelkünstler, * 7. 2. 1900, ansässig in Petersfield, Hampshire.

Stud. an der Central School of Art in London. Buchwerk: Modern engl. Furniture.

Lit.: Who's Who in Art, ³ 1934.

Barnsley, James Macdonald, kanad. Maler, * 1861 Toronto, Ont., † 1929.

Stud. an d. Kstschule in St. Louis, an d. Akad. Julian in Paris u. bei L. Loir. Stellte seit 1883 im Pariser Salon aus. Hauptsächl. Landschafter. Arbeiten im Mus. in Montreal u. im Bes. der Art Assoc. ebda.

Lit.: Bénézit, ² 1 (1948). — N. MacTavish, Fine Arts in Canada, Toronto 1925.

Barnum, Emily Keene, amer. Malerin, * 29. 3. 1874 New York, ansässig in Lausanne.

Schülerin von Vibert in Paris u. von Irving Wiles in New York. Hauptsächlich Aquarellistin.

Lit.: Th.-B., 2 (1908). — Fielding. — Amer. Art Annual, 30 (1923). — Who's Who in Amer. Art, I: 1936/37. — Bénézit, ² 1 (1948).

Baroja Nessi, Ricardo, span. Aquatintakünstler, * Riotinto (Huelva), ansässig in Madrid.

Lit.: Arte esp., 10 (1930/31) 97 (2×). — Cat. Expos. Nac. de Pint. etc., 1910.

Baron, François Marius, franz. Landschafts- u. Interieurmaler, * Saint-Gervais d'Auvergne (Puy-de-Dôme), ansässig in Issoire (Puy-de-Dome).

Stud. an der Kunstsch. in Clermont-Ferrand u. bei Paul Graf. Seit 1921 Mitglied der Soc. d. Art. Français.

Lit.: Bénézit, ² I (1948).

Baron, Marcel Julien, franz. Landschaftsmaler, * 14. 6. 1872 Paris, ansässig ebda.

Stellt bei den Indépendants u. im Salon der Soc. Nat. d. B.-Arts aus.

Lit.: Joseph, I. — Bénézit, ² I (1948). — L'Art décoratif, 1911/II 9/11, m. Abbn.

Baron, Paul, dtsch. Maler, * Kattowitz, Oberschles., zuletzt ansässig in Charlottenburg.

Schles. Hausaltar für die Kölner Werkbund-Ausstell. 1914.

Lit.: Dreßler. — Schles. Musenalmanach, 5. Jg, Bd 1 (1918) 81, 95, m. Abb.

Baron-Puyplat, Alice, franz. reprod. Holzschneiderin, * 5. 5. 1880 Paris, ansässig ebda.

Schülerin ihres Vaters, des Holzschneiders J. J. Puyplat, u. der Mme Corduan. Schnitt u. a. nach Rembrandt, Daumier u. Delacroix.

Lit.: Joseph, I. — Bénézit, ² I (1948).

Baron-Raa, Willy, dtsch. Maler u. Graphiker, * 21. 4. 1896 Berlin, ansässig in Dresden-Leuben.

Stud. bei Em. Orlik u. Jul. Klinger in Dresden und bei Hans Bernhard u. Martin Weinberg in Berlin.

Lit.: Dreßler.

Baronchelli, Carlo, ital. Maler, * 22. 9. 1897 Paris (von ital. Eltern).

Autodidakt. Hauptsächl. Landschafter.

Lit.: Comanducci.

Barone, Antonio, sizil. Maler u. Rad., * 20. 5. 1889 Valle Dolmo, Sizilien, ansässig in New York.

Schüler von Du Mond, Chase u. Mora. In der Pennsylv. Acad. of F. Arts in Philadelphia: Dame mit Muff.

Lit.: Fielding. — Amer. Art Annual, 20 (1923) 434. — Art Digest, 19 Nr v. 15. 12. 1944 p. 35.

Baroni, Eugenio, ital. Bildhauer, * 27. 3. 1888 Tarent, † zw. 1932 u. 1936 Genua.

Hauptwerke: Denkmal der Tausend in Quarto; Denkmal für Giacomo Bove in Acqui (Monferrato); Grabmal der D'Oria in Genua; Statuen Embriaco's u. D'Oria's auf der Verbindungsgalerie (Gall. Regina Elena) zwischen Piazza Corridoni u. Piazza Corvetto ebda; Entwürfe zu einem Denkmal für den Herzog von Aosta u. zu einem figurenreichen, dem Kinde gewidmeten Denkmal.

Lit.: Chi è?, 1931; 1940, Anhang: Chi fu?. — Costantini, m. Abb. — Vita d'Arte, 4 (1909) 491f., m. Abbn; 6 (1910) 101/04, m. 2 Abbn; 7 (1911) 43f.; 14 (1915) 121/30, m. 12 Abbn. — Emporium, 41 (1915) 473/80, m. 7 Abbn u. Fotobildnis; 44 (1916) 388/94, m. Abbn; 68 (1928) 153 (Abb.); 71 (1930) 117, 118, 119f., 333 (Abb.); 81 (1935) 316/17, m. Abb. — Dedalo, Anno V, Bd II (1925) p. 520, 521 (Abbn), 522 (Abb.), 530. — The Studio, 96 (1928) 294f., 298f., m. Abbn.

Baroni, Paolo, piemont. Landschaftsmaler, * 25. 3. 1871 Turin, ansässig in Rom.

Schüler von Napoleone Mani. Wanderte jung nach Südamerika aus, dort hauptsächl. als Dekorationsmaler u. Karikaturenzeichner tätig. Kehrte später nach Italien zurück.
Lit.: Comanducci. — Vita artist., 1 (1926) 102.

Baroschi, Carolina, ital. Bildnismalerin, * 9. 12. 1887 Cremona.
Lit.: Comanducci.

Barotte, Léon, franz. Landschaftsmaler, * Rosières-aux-Salines (Meurthe-et-Moselle), ansässig in Paris.
Schüler von Zuber u. Larteau. Beschickte seit 1912 den Salon der Soc. d. Art. Franç. Stellte 1926/30 auch bei den Indépendants aus.
Lit.: Joseph, I. — Bénézit, [2] I (1948).

Barowski, Sacha, franz. Maler u. Kaltnadelstecher, * Paris, ansässig ebda.
Stellte 1926/39 bei den Indépendants aus.
Lit.: Joseph, I. — Bénézit, [2] I (1948).

Barquissau, Lucien, franz. Maler (Öl u. Aquar.), * Saint-Pierre (Insel Réunion), ansässig in Paris.
Landschaften (Afrika, Senegambien), Fischerszenen, Bildnisse. Stellte seit 1926 bei den Indépendants aus.
Lit.: Joseph, I. — Bénézit, [2] I (1948).

Barr, Paul E., amer. Maler u. Schriftst., * 25. 11. 1892 Goldsmith, Ind., ansässig in Grand Forks, N. D.
Schüler des Art Inst. in Chicago. Wandgemälde in d. Univ. von North Dakota.
Lit.: Amer. Art Annual, 30 (1933). — Who's Who in Amer. Art, I: 1936/37.

Barr, William, schott.-amer. Maler u. Illustrator, * 26. 4. 1867 Glasgow, † 1933 San Francisco, Calif.
Stud. in Glasgow. Hauptsächlich Porträtist. Bildnis Thomas Boyle in der City Hall in San Francisco.
Lit.: Fielding. — Amer. Art Annual, 20 (1923) 434.

Barrá, Pompeo, ital. Stilleben- u. Landschaftsmaler, * 1898 Mailand, ansässig ebda.
Autodidakt. Mitgl. der Gruppe „Novecento Italiano".
Lit.: Zeitschr. f. bild. Kst, 61 (1927/28), Kstchronik p. 57.

Barraclough, James, engl. Bildnismaler, ansässig in London.
Lit.: Who's Who in Art, [3] 1934. — Artwork, 1 (1924/25) 109 (Abb.).

Barradas (Nicholson Moore B.), Jorge, portug. Azulejosmaler, * 16. 7. 1894 Lissabon.
Stud. an d. Kstschule in Lissabon. Ausst. in Vigo 1922, in Brasilien 1923, 1. Ausst. der Modernisten der Soc. Nac. de B. Artes auf St. Thomé 1930 u. i. d. port. Häusern in Paris u. London. Dekorationen im Festsaal d. port. Pavillons auf d. Ibero-Amerik. Ausst. in Sevilla u. d. Kolonial-Ausst. in Paris, im Nat.-Mus. zeitgenöss. Kst in Lissabon, im Mus. f. Volkskst u. im Informationsamt ebda. Fassadenschmuck des Städt. Matadouro in Lissabon (Keramik).
Lit.: Gr. Enc. Port. e Brasil., IV 253f. — Pamplona, p. 354. — Quem é Alguém, 1947, p. 103. — The Studio, 102 (1931) 337 (Abb.); 114 (1937) 121f., 129 (Abb.).

Barral, Emiliano, span. Bildhauer.
Tiere, Bildnisbüsten, Akte.
Lit.: Francés, 1923/24 Taf. 27; 1925/26, Taf. 85. — Arte español, 10 (1930/31) Taf. geg. p. 230. — The Studio, 112 (1936) 249 (2 Abbn).

Barran, Elaine, engl. Landschaftsmalerin (Öl u. Aquar.), * Nov. 1892 Leeds, ansässig ebda.
Stud. an d. Kunstsch. in Leeds u. bei W. T. Wood.
Lit.: Who's Who in Art, [3] 1934. — Joseph, I.

Barrat, Gabriel, franz. Landschaftsmaler (Öl u. Aquar.), * 12. 3. 1879 Bordeaux, ansässig in Caudéran (Gironde).
Schüler der Pariser Ec. d. B.-Arts u. des Jean Georges. Stellte gelegentlich im Salon der Soc. d. Art. franç. aus.
Lit.: Joseph, I. — Bénézit, [2] I (1948).

Barratt, Watson, amer. Illustrator, Wandmaler u. Bühnenbildner, * 27. 6. 1884 Salt Lake City, Utah, ansässig in New York.
Schüler von Howard Pyle, Robert Henri, W. M. Chase u. Penfield. Zeichnete u. a. für „Saturday Evening Post", „Harper's Bazar", „Harper's Monthly" u. „Good House Keeping". Buchillustr.: Sinbad, Bombo, Blosson Time, The Lonely Heart, Silverfox usw. Wandgemälde in der Burham Library des Art Instit. in Chicago, Ill.; Straßenansicht in d. Corcoran Art Gall. in Washington, D. C.
Lit.: Fielding. — Amer. Art Annual, 20 (1923) 435; 27 (1930) 507. — Who's Who in Amer. Art, I: 1936/37.

Barraud, Charles, schweiz. Maler, * La Chaux-de-Fonds, ansässig in Neuchâtel. Bruder des François.
Figürliches (bes. Akte), Landschaften, Stilleben. — Seine Brüder Aimé u. Aurèle sind gleichfalls Maler.
Lit.: Joseph, I. — Die Kst in d. Schweiz, 1929 p. 103, m. 2 Abbn; 1930 p. 217/22. — Das Werk (Zürich), 14 (1927) 126f., m. 3 Abbn; 18 (1931) 219. — Pro Arte (Genf), 1 (1942) Nr 8 p. 32, m. Abb.

Barraud, François, schweiz. Maler, * 24. 11. 1899 La Chaux-de-Fonds, † 11. 9. 1934 Genf. Bruder des Charles.
Arbeitete als Stubenmaler in Reims u. Paris, ließ sich dann in dem kleinen Juradorf Les Entre-Deux-Monts, später in Genf nieder. Stilleben, Landschaften, Bildnisse, Figürliches (bes. Akte). Arbeitete in einer außerordentlich sauberen, an den alten deutschen, französ. u. holländ. Meistern erzogenen Technik. — Bilder im Musée d'Art et d'Hist. in Genf (Rompe Olas, „La femme au chapeau"), im Mus. in Lyon (La Chevelure coupée [Frauenakt]) u. im Musée du Jeu de Paume in Paris („La Toilette"). Koll.-Ausst. 1931 in d. Gal. Moos, Genf.
Lit.: Lucienne Florentin, F. B., Genf o. J. [1931], m. 26 Taf.-Abbn. — Joseph, I. — Bénézit, [2] I (1948). — Die Kunst in d. Schweiz, 1929 p. 103; 1930 p. 217/22 passim. — Das Werk (Zürich), 18 (1931) 218/20, m. 2 Abbn. — L'Art vivant, 1932 p. 323f., m. Abbn. — Revue de l'Art anc. et mod., 65 (1934/I), Bull. p. 132, 133 (Abb.); 67 (1935/I), Bull. p. 227 (Abb.: Selbstbildn. m. Totenkopf). — Schweizer Kst, 1934/35 p. 37/39. — The Studio, 102 (1931) 344 (Abb.). — Velhagen & Klasings Monatsh., 49/II (1934/35) Taf.-Abb. geg. p. 16. — Bull. d. Musées de France, 1935 p. 61, m. Abb. — Beaux-Arts, 10 (1932) Juniheft p. 11; 1934 Nr 57 p. 1, m. Abb.; 1935 Nr 120 p. 6, m. Abb. — Pro Arte (Genf), 3 (1944) Nr 23 p. 126, m. Abb. — Kat. d. Sonder-Ausst. F. B., Kstsalon Wolfsberg-Zürich, Herbst 1933, m. 3 Taf.

Barraud, Gustave François, siehe François, Gustave.

Barraud, Maurice, schweiz. Maler, Lithogr. u. Rad. * 20. 2. 1889 Genf, ansässig in Cassis-sur-Mer. Bruder d. Gust. François.
Schüler von E. Pignolat, J. Vibert u. E. Gilliard

an der Genfer Ec. d. B.-Arts. Begann als Presse- u. Werbezeichner. Studienaufenthalte 1913 in der Bretagne, 1918 im Tessin, 1924/25 in Spanien (Barcelona), Algier u. Italien (Rom), 1928 auf den Balearen, 1930 in Italien. Gründete mit s. Bruder Gust. François, Em. Bressler, Buchet u. Hans Berger die Gruppe „Falot" in Genf. Malte mit Vorliebe am Genfer See. Figürliches (bes. Akte), Bildnisse. Beeinflußt, bes. in kolorist. Hinsicht, von Renoir, Degas, Matisse u. dem japan. Holzschnitt. Malerische Delikatesse, lockerer, an franz. Vorbildern erzogener, pastellartig zarter Farbenvortrag. — Wandmalereien in der Kuppelhalle des Bahnhofes in Luzern u. im Vorraum des Bundesarchivs in Schwyz. Bilder in der Öff. Kstsmlg in Basel und in den Museen Genf, Luzern, Winterthur, Zürich u. Elberfeld. Selbstbildnisse im Mus. in Neuchâtel u. im Bes. der Zürcher Kstgesellschaft. Graph. Folgen: Silence (11 Lith.), Genf 1917; Sept pierres d'Amour (1920); Sept gravures espagnols. Illustr. zu: J. Renard, „La Maîtresse", Genf 1919, F. Carco, „Au coin des rues", Genf (1919); Jean de Tinan, „Noctambulisme" (1921); Jean Giraudoux, „Stephy" (1929); C. F. Ramuz, „Aline" (1934); Ch. Louis Philippe, „Marie Donadieu" (1940); P. Chaponnière, „L'heureuse Supercherie" (1940). — Buchwerk: Notes et Croquis de voyage, 1928.

Lit: F. Fosca, M. B. (Les Artistes suisses), Genf 1932. — A. Bovy, M. B., Lausanne 1940, m. Bibliogr. — Graber, 1918 p. 17f., 33, Taf. 11. — Joseph, I. — W. George, Quelques Artistes suisses (Auberjonois, B. etc.), Paris 1928. — Bénézit, [2] I (1948). — O mein Heimatland, 1916 p. 88ff. — Pages d'Art, 1917 p. 101ff. — Das Graph. Kabinett (Winterthur), 4 (1919) 81; 11 (1926) 36, 47. — Pagine d'Arte (Mailand), 5 (1917) 183, m. Abb. — Dtsche Kst u. Dekor., 57 1925/26) 102 (farb. Taf.), 119 (Abb.); 58 (1926) 154, 161 (Abb.); 59 (1926/27) 28, 38f. (Abbn), 146, 147 (Abb.). — Die Kst in d. Schweiz, 1927 p. 101 –06, m. 18 Abbn, Taf.-Abbn p. 109ff. — Kstchronik, N. F. 35 (1925/26) 396, m. Abb. — L'Amour de l'Art, 11 (1930) 349 (Abb.); 15 (1934) 499ff. passim, m. Abb. — Revue de l'Art anc. et mod., 65 (1934/I), Bull. p. 129 (Abb.), 132. — Pro Arte (Genf), 2 (1943) 197 (Abb.), 304 (Abb.). — D. Weltkst, 19 (1949) H. 9 p. 6. — Jahrbuch f. Kst u. Kstpflege in d. Schweiz, 5: 1928/29, Basel 1930, p. 65, 79, 81, 86. — Die Schweiz, 23 (1919) 570 (Abb.). — Schweizerland, 3 (1917) 357 –59; 6 (1920) 192, m. Abb., 505, m. Abb. — Schweizer Kunst, 2 (1930/31) 50, 53 (Abb.); 1940, Umschlagbild Heft 10 Kohlezeichn.: Weibl. Halbakt). — Die Kst in d. Schweiz, 1927 p. 101/105. — Das Werk (Zürich), 23 (1936) 235 (Abb.); 30 (1943) 309/12, m. 3 Abbn u. Fotobildnis. — Kat. Ausst. Ksthaus Zürich, 17. 3.–10. 4. 1929, p. 5/8, 20; 9. 11.–10. 12. 1935, p. 11f. — Berner Kstmuseum: Aus der Smlg. Wiedergaben von Gemälden usw., Bern 1946, m. Taf.-Abb.

Barreda, Enrique, peruan. Landschaftsmaler, * Lima, ansässig in Paris.

Beeinflußt von den franz. Impressionisten.

Lit.: Bénézit, [2] I (1948). — L'Art et les Art., N. S. 10 (1924/25) 16ff., m. 5 Abbn. — La Renaiss. de l'Art franç., 9 (1926) 472 (Abbn), 476f.

Barrenechea, León, span. Bildhauer, * Guipuzcoa.

Denkmäler der Königin Cristina in San Sebastián (1919) und Pablo Sarasate's in Pamplona (1918).

Lit.: Francés, 1918 p. 318; 1919 p. 351. — Velhagen & Klasings Monatshefte, 51/I (1936/37), Taf.-Abb. geg. p. 192, 231.

Barrenscheen, Hermann, schweiz. Porträtmaler, * 2.5.1882 Zürich, ansässig in Gentilino b. Lugano.

Schüler von Martin Feuerstein u. L. v. Löfftz in München u. von Fritz Rumpler in Wien. Ansässig in München, später in Mülhausen i. E., dann in Goldbach b. Zollikon. Beschickte 1926ff. den Salon der Soc. d. Art. Franç. in Paris (Kat. z. T. m. Abbn). Bilder in den Museen in Mülhausen i. E. (Bildnis M. Feuersteins) u. in d. Städt. Gal. in Augsburg („Nandl").

Lit.: Brun, IV 474. — Dreßler. — Bénézit, [2] I (1948). — Karl, II, m. 3 Abbn. — D. Weltkst, 22 (1952) 12, Beil. p. 11.

Barrera, Antonio, ital. Maler, * 29. 1. 1889 Rom, ansässig ebda.

Schüler von P. Gaudenzi, im übrigen Autodidakt. Realist. Landschaften, Bildnisse, Figürliches. — Bilder u. a. in den Gall. d'Arte Mod. in Rom u. Genua, im Mus. civ. in Turin u. in d. Pinak. in Malta.

Lit.: Comanducci. — Chi è ?, 1940. — Beaux-Arts, 10 (1932), Juni-H. p. 16 (Abb.). — Emporium, 85 (1937) 214 (mittl. Sp.). — L'Arte, N. S. 10 (1939) 206.

Barret, Léon, franz. Landschafts- u. Interieurmaler, * Tours, ansässig in Paris.

Stellt seit 1927 bei den Indépendants aus.

Lit.: Joseph, I. — Bénézit, [2] I (1948).

Barret, Lucie, franz. Blumen- u. Landschaftsmalerin, * Vaux-sur-Blaise (Haute-Marne), ansässig in Paris.

Schülerin von J. Adler, Montézin u. Bergès. Mitglied der Soc. d. Art. Français. Stellt seit 1924 auch bei den Indépendants aus.

Lit.: Joseph, I. — Bénézit, [2] I (1948).

Barret, Maurice, franz. Innenarchitekt u. Möbelzeichner, * Besançon.

Stellte im Salon d'Automne 1936 aus.

Lit.: Bénézit, [2] I (1948). — Art et Décoration, 62 (1933) 33/38; 63 (1934) 270/76. — Architecture d'aujourd'hui, 1937 Nr 1 p. 49/51, m. Abb.

Barrett, Laura A., amer. Landschaftsmalerin, Illustr. u. Rad., * West New Brighton, † 1928 New York.

Schülerin von Alfred Stevens in Paris, dann von Weir u. Clarkson.

Lit.: Amer. Art Annual, 20 (1923) 435.

Barrett, Lisabeth Stone, amer. Malerin, * 2. 4. 1904 Seattle, Wash., ansässig in Devon, Pa.

Stud. an d. Art Students' League in New York, an d. Pennsylv. Acad. of F. Arts in Philadelphia u. an d. Acad. Julian in Paris.

Lit.: Mallett. — Who's Who in Amer. Art, I: 1936/37.

Barrett, Marjorie, geb. *Sherlock*, engl. Radiererin, u. Malerin, * Wanstead, ansässig in Cambridge.

Stud. an der Slade School bei W. R. Sickert u. am Roy. Coll. of Art London. Bereiste Ägypten.

Lit.: Who's Who in Art, [3] 1934.

Barrett, Oliver O'Connor, engl. Bildhauer u. Dichter, * 17. 1. 1908 Eltham, ansässig in Letchworth, Hertfordshire.

Sonderausst. Jan. 1953 im Sculpture Center, New York.

Lit.: Who's Who in Art, [3] 1934. — Art Digest, 27, Nr v. 15. 1. 1953 p. 17. — The Art News, 48, Mai 1949, p. 16; 51, Jan. 1953, p. 47. — Design, 50, März 1949, p. 13 (Abb.).

Barrett, Robert Dumas, amer. Maler u. Kstgewerbler, * 23. 11. 1903, ansässig in New York.

Stud. am College of Fine Arts der Univers. in Syracuse. Vertreten ebda.

Lit.: Who's Who in Amer. Art, I: 1936/37.

Barrett, Thomas Weeks, amer. Maler u. Graph., * 12. 9. 1902 Poughkeepsie, N. Y., ansässig ebda.

Schüler von H. H. Clark u. d. Kstschule des Mus. in Boston.

Lit.: Who's Who in Amer. Art, I: 1936/37.

Barricelli, Maurizio, ital. Maler, * 1874 Benevent.

Stud. an d. Akad. in Rom.

Lit.: Comanducci. — Bénézit, [2] I (1948).

Barrie, Erwin S., amer. Maler, * 3. 6. 1886 Canton, Ohio, ansässig in New York.

Schüler d. Art Instit. in Chicago, Ill.

Lit.: Fielding. — Amer. Art Annual, 30 (1933).

Barrier, Gustave, franz. Figuren- u. Stilllebenmaler, * Paris, ansässig ebda.

Schüler von Chevilliard, Gérôme, J. Lefebvre u. T. Robert-Fleury. Mitglied der Soc. d. Art. Franç., beschickte deren Salon seit 1911 (Kat. z. T. m. Abbn).

Lit.: Joseph, I. — Bénézit, [2] I (1948).

Barrière, Georges, franz. Landschaftsmaler, * Chablis (Yonne), ansässig in Paris.

Stellte seit 1907 bei den Indépendants aus.

Lit.: Joseph, I. — Bénézit, [2] I (1948).

Barron, Gladys, geb. *Logan,* schott. Bildhauerin u. Malerin, * in Indien, ansässig in Inverness.

Lit.: Who's Who in Art, [3] 1934.

Barrow, Edith, engl. Blumen- u. Landschaftsmalerin (Aquar.), † März 1930 Combe Martin, N. Devonshire.

Lit.: Graves, I. — Who's Who in Art, [2] 1929; [3] 1934, Obituary, p. 447.

Barry, John Joseph, kanad. Radierer, * 21. 6. 1885 Hamilton, Can., ansässig in Toronto, Can., sommers in Rockport, Mass.

Schüler von Ernest Haskell, Jos. Pennell u. Sir Frank Short.

Lit.: Fielding. — Amer. Art Annual, 20 (1923) 435.

Barse, George Randolph, amer. Maler, * 31. 7. 1861 Detroit, Mich., † 1938 Kantonah, N. Y.

Schüler von Cabanel, Boulanger u. Lefebvre in Paris. Wiederholt durch Preise ausgezeichnet. 8 Bilder in d. Kongreß-Bibl. in Washington. Weitere Bilder im Mus. Carnegie in Pittsburgh u. in d. Bibliothek in Syracuse.

Lit.: Th.-B., 2 (1908). — Fielding. — Small, p. 40, 48ff., m. Abb., 119. — Amer. Art Annual, 12 (1915) 319, m. Fotobildn.; 30 (1933). — Bénézit, [2] 1 (1948). — Earle. — Monro.

Bart, Elizabeth, verehel. *Gerald,* amer. Malerin, * 8. 9. 1907 Cleveland, Ohio, ansässig in Toronto, Can.

Stud. an d. Kstsch. in Cleveland. Stilleben, Bildnisse. 2 Bilder im Mus. in Cleveland.

Lit.: Who's Who in Amer. Art, I: 1936/37. — Bull. of the Cleveland Mus. of Art, Cleveland, 15 (1928) 104, 117, 131; 33 (1946) 64 (Abb.).

Barta, Ernő, ungar. Figuren- u. Landschaftsmaler, Lithogr. u. Rad. (Exlibris), * 14. 2. 1878 Székesfehérvár (Stuhlweißenburg), ansässig in Budapest.

Stud. in Budapest, 1899 in München in der Ažbè-Schule u. bei Hugo Wolf. 1908 in Berlin u. Dresden. — Seine Gattin, * 17. 9. 1885 Budapest, Schülerin von E. Barta u. G. Petrányi, malt Stilleben.

Lit.: Szendrei-Szentiványi. — Krücken-Parlagi. — Kunstmus. Aarsskrift, 1936.

Bartassot, Marcel, franz. Landschaftsmaler, * Le Breuil (Allier), ansässig in Mayet-de-Montagne (Allier).

Stellt seit 1927 bei den Indépendants aus.

Lit.: Joseph, I. — Bénézit, [2] I (1948).

Bartel-Bronisław, Karol Szezepan, poln. Maler, * 3. 11. 1887 Zawiercze (Pjotrkowski), ansässig in Posen.

Lit.: Czy wiesz kto to jest?, 1938, m. Bildnis.

Bartel-Jaeger, Lina, dtsche Keramikerin, ansässig in Neubrandenburg.

Stud. 1908/11 an d. Kstgewerbesch. in Charlottenburg, dann an der Debschitz-Schule in München. Seit 1919 als Keramikerin, vordem als Innenarchitektin tätig. 1920 Gründung einer eigenen keramischen Werkstätte in Neubrandenburg. Töpfe, Schalen, Service, dekor. Plastiken, Tierstücke usw.

Lit.: Mecklenb. Monatsh., 2 (1926) 663, m. Abbn.

Bartels, Arthur, elsäss. Maler, * 27. 7. 1874 Mülhausen i. E., zuletzt ansässig in Berlin.

Stud. an den Akad. Düsseldorf u. Berlin.

Lit.: Dreßler.

Bartels, Christian, holl. Architekt, * 10. 10. 1889 Amsterdam, lebt in Velsen.

Landhäuser in der Umgebung von Velsen u. Bloemendaal. Möbelfabrik Boskamp.

Lit.: Wie is dat?, 1935.

Bartels, Elizabeth Clayton, engl. Landschafts- u. Blumenmalerin (Aquar.) u. Holzschneiderin, * Newcastle on Tyne, ansässig in London.

Bereiste Frankreich, Amerika, Westindien, Afrika, die Kanarischen Inseln u. die Balearen.

Lit.: Who's Who in Art, [3] 1934.

Bartels, Rudolf, dtsch. Maler, * 10. 11. 1872 Schwaan i. Mecklenbg, † 1946 (?) Rostock.

Bis 1900 Dekorationsmaler in Lübeck, Hannover, Hamburg, Berlin. Seit 1900 an der Weimarer Akad. unter Th. Hagen, 1902 gold. Wilhelm-Ernst-Med. 1908/14 in Schwaan. Seit 1917 in Rostock. Landschaften, Stilleben, Blumenstücke, Bildnisse. Vertreten in den Museen in Rostock u. Neubrandenburg.

Lit.: Mecklenburg. Monatsh., 2 (1926) 14/18, m. Selbstbildn., Tafel (Zillertal) u. 2 Abbn; weitere Tafeln gegen p. 32 u. 48; farb. Taf. vor p. 1; 3 (1927) Taf. geg. p. 178; 5 (1929) 165 (Abb.). — Tägl. Rundschau, Nr 131 v. 8. 6. 1946.

Bartels, Wera von, dtsche Zeichnerin u. Modelleurin, * 4. 1. 1886 München, † 22. 7. 1922 ebda. Tochter des Hans (* 1856, † 1913).

Angeleitet von ihrem Vater, im übrigen Autodidaktin. Zeichnete u. modellierte (in gefärbtem Wachs) hauptsächlich Tiere (oft lebensgr.) u. Bildnisse, gelegentlich auch Figürliches. Arbeitete u. a. für die Nymphenburger Porzellanmanufaktur. Zeichnete ebensowohl mit der rechten wie mit der linken Hand. Wiederholt ausgezeichnet. Plastiken u. a. in den öff. Smlgn in Barcelona, München u. Münster.

Lit.: Th.-B., 2 (1908). — Moderne Kst, 1911 p. 307f., m. Abbn. — Die deutsche Frau, 3 (1913) Nr 41, p. 1ff., m. Abbn. — Die Kunst, 35 (1916/17) 72 (Abb.). — Licht u. Schatten, 1913/14 Nr 17. — Rechensch.-Bericht Kstver. München, 1922/23, p. 15 (Nekrol.). — Velhagen & Klasings Monatsh., 54/I (1939/40) 88, m. 4 farb. Abbn. — Velhagen & Klasings Almanach, 1922 p. 64/72.

Barth, Alfons Eugen, elsäss. Bildnis- u. Landschaftsmaler, u. Zeichner für Kstgewerbe, * 10. 11. 1878 Mülhausen i.E., zuletzt ansässig in Wien.

Stud. in Mülhausen u. Paris.

Lit.: Dreßler.

Barth, Amadé, schweiz. Landschafts-, Stilleben- u. Früchtemaler, * 1899 Zürich, † 28. 8. 1926 im Sanatorium Romanäs. Gatte der Signe.

Stud. an der Kstgewerbesch. in Zürich. Siedelte nach einjähr. Aufenthalt in Ascona 1920 nach Paris über. 1923 in Florenz. Besuchte in den folgenden Jahren Amsterdam, London, Berlin u. Stockholm. 1924 Erkrankung. Vorübergehende Heilung bei einem Aufenthalt im Tessin. 1925 in Süditalien. 1926 krank nach Schweden.

Lit.: Thomœus. — L'Art et les Art., N. S. 14 (1926/27) 176. — Renaiss. de l'Art franç., 10 (1927) 156. — Revue de l'Art anc. et mod., 51 (1927/I) Suppl. p. 91 (Abb.). — D. Schweiz, 1921, p. 730 (Abb.). — Das Werk (Zürich), 1928, p. 52/58, m. 7 Abbn u. Fotobildnis.

Barth, Arthur (Julius A.), dtsch. Graphiker u. Maler, * 22.11.1878 Meißen, zuletzt ansässig in Rehbrücke b. Potsdam, † 1926 (?).

Stud. bei Emil Pohle, C. Bantzer u. Otto Gußmann an der Dresdner Akad. Farbige Orig.-Lith.: Schloßeingang in Strehla; Eiche in Elbwiese b. Strehla usw. Orig.-Rad.: Fleet in Hamburg mit Nikolaikirche; Hamburger Kohlenträger; Hamburger Hafenmotiv; Bismarckdenkmal in Hamburg; Twiete in Alt-Hamburg; Kinderspielplatz; Meißen mit Albrechtsburg; Gebirgsmotiv bei Meißen; Großer Garten in Dresden; Zwingerhof; Schloß Moritzburg usw. Ged.-Ausst. (Gemälde, Aquar., Pastelle) bei H. Sagert & Co. in Berlin, Frühj. 1927.

Lit.: Dreßler.

Barth, Carl, dtsch. Bildnis- u. Landschaftsmaler, * 16.6.1896 Haan b. Solingen, ansässig in Düsseldorf ebda.

Weltkriegsteilnehmer; schwerkriegsbeschädigt in Flandern 1917. Stud. kurze Zeit an der Akad. München, dann Meisterschüler bei Heinr. Nauen in Düsseldorf. Studienreisen nach Holland, Belgien, Südfrankreich, Nordamerika, Italien, Litauen, England. Pflegte anfänglich mit Vorliebe die Temperatechnik: blasse, nüchterne, auf Schwarz u. Weiß gestimmte Palette, später reichere Koloristik u. Bevorzugung der Öltechnik. Einem magischen Realismus ergeben. Aufenthalte in Paris und (1936) in den USA. 1938 Corneliuspreis. Anschließend Romaufenthalt (1939). Preisträger der Stadt Düsseldorf 1942. Hälfte des Carl-Ernst-Osthauspreises des Westdtschen Kstlerbundes (Wuppertal) 1952. Gelegentlich, namentlich in s. Rombildern (Engel von Ostia; Forum Romanum), an Giorgio de Chirico erinnernd. Im Städt. Mus in Wuppertal: Spitzenstilleben. Weitere Arbeiten in den öff. Smlgn in Dessau, Dresden, Düsseldorf, Düren, Duisburg, Mannheim, Münster u. Witten. Sammelausstellgn in d. Gal. Al. Vömel, Düsseldorf, 15. 1./15. 2. 1940 u. Febr. 1941; im Städt. Mus. Wuppertal April/Mai 1951.

Lit.: Hans Peters, Der Maler C. B., Düsseld. 1948. Mit 30 Tafel-Abbn (dar. 4 farb.). — D. Kst u. d. schöne Heim, 48 (1950) 131 (Abb.); 50 (1951) 3, Beil. p. 74. — D. Münster, 2 (1949) 202, 210 (Abb.); 3 (1950) 48, m. Abb. — Westdtsch. Jahrb. f. Kstgesch. (Wallraf-Richartz-Jahrb.), 12/13 (1943) 332. — bild. kst, 2 (1948) Heft 8 p. 21, 29 (Abb.); 3 (1949) 320 (Abb.). — Kstchronik, 2 (1949) 80; 4 (1951) 135. — D. neue Schau, 4 (1943) 155/58, m. Abb. — Weltkst, 13, Nr 9 v. 5. 3. 1939 p. 4, 8 (Abb.); 14, Nr 7/8 v. 18. 2. 1940, p. 3, Nr 42/43 v. 13. 10. 1940, p. 3, 15, Nr 7/8 v. 16. 2. 1941, p. 8; 16, Nr 39/40 v. 27. 9. 1942, p. 6; 18, Nr 4 v. 15. 4. 1944, p. 1. — Kat. Ausst. Dtsche Malerei u. Plastik d. Gegenwart im Staatenhaus d. Messe in Köln, 14. 5.-3. 7. 1949.

Barth, Friedrich, dtsch. Maler u. Radierer, * 9.9.1877 Pforzheim, † 7.11.1937 Karlsruhe.

Schüler von Schmid-Reutte u. Trübner an der Akad. in Karlsruhe.

Lit.: Th.-B., 2 (1908). — Dreßler. — Das Bild, 1938 p. 83 (Abb.), 84. — Dtsche Bildkst, 3. Jg, 7. H. (1933) p. 3f., m. 2 Abbn.

Barth, Karl, dtsch. Architekt (Baurat, Dr. techn.h.c.), * 1.4.1877 Wiesbaden, zuletzt ansässig in Rössen bei Merseburg.

Stud. an der Techn. Hochsch. in Stuttgart u. an der Univ. Leipzig. Dann im Architekturbüro Kayser & von Großheim in Berlin. Beamtenkolonie in Speyer; Ortskrankenkasse in Landau. Bebauungspläne, Villen, Wohn- u. Geschäftshäuser. Vorstand der Bauberatungsstelle im Zweckverband Leuna für sparsame Bauweise.

Lit.: Dreßler. — Der Baumeister, 21 (1923) 25ff., Taf. 33/38. — Neudtsche Bauzeitung, 14 (1918) Reg. u. Abbn. — Profanbau, 1913, p. 457/84.

Barth, Otto, öst. Maler, Lithogr. u. Illustr., * 3.10.1876 Wien, † 11.8.1916 Waidhofen a. d. Ybbs.

Stud. an der Schäffer'schen Zeichensch. in Wien, dann bei Siegmund L'Allemand u. Fr. Rumpler an der dort. Akad. Mitgl. der „Phalanx" (zu der auch u. a. Oskar Laske, Otto Prutscher u. Wilh. Wodnansky gehörten), aus der die Gruppe „Jungbund" hervorging, die sich dem „Hagenbund" anschloß. Stellte hier erstmalig 1905 aus. — Bilder im Alpinenmus. in München (Morgengebet der Bergführer auf dem Gipfel des Großglockner) u. in der Öst. Staatsgal. in Wien (Kirchgang in Rauris). Illustr. für die Öst. Alpenzeitung, die Dtsche Alpenzeitung u. das Buch von Zsigmondy-Paulke, Gefahren der Alpen.

Lit.: Jos. Soyka, Der Alpenmaler O. B., Münch. 1932 (Sonderabdr. aus: Zeitschr. d. Dtsch. u. Öst. Alpenvereins, 62 [1931] p. 1/18. — Studien u. Skizzen z. Gemäldekde (Wien), 3 (1917/18) 66. — Die Kunst, 25 (1912) 449, 457 (Abb.).

Barth, Paul Basilius, schweiz. Maler u. Lith., * 24.10.1881 Basel, ansässig in Riehen b. Basel.

Schüler von P. Halm u. Knirr in München. 1904/06 in Florenz u. Rom, 1906/14 in Paris, 1914ff. in der Schweiz, 1932/39 wieder in Paris, seitdem in Riehen ansässig. Beeinflußt durch Cézanne, Gauguin u. van Gogh. — Figürliches, Bildnisse, Landschaften, Stilleben. — Bilder, im Mus. in Aarau (Sommer auf d. Reichenau), in d. Kstsmlg Basel (Artischockenfeld i. d. Provence; Frauenbildn. [1910]; Knabenbildn. [1917]), im Kstmus. Bern (Selbstbildn. u. Bildn. der Gattin), im Mus. Allerheiligen in Schaffhausen (Terrasse am Genfersee) u. im Mus. in Winterthur (Französin).

Lit.: H. Graber, P. B. B., Basel o. J. [1932]. — Brun, IV 474f. — Joseph, I. — Graber, 1918 p. 22f., 36f., m. 3 Taf.-Abbn. — Baur, Abb. — Bénézit, [2] I (1948). — D. Werk (Zürich), 4 (1917) 86 (Abb.); 6 (1919) 132 (Abb.); 13 (1926) 311/19, m. 8 Abbn; 19 (1932) 378f., m. 4 Abbn; 23 (1936) 234 (Abb.); 29 (1942) 97/99, m. 3 Abbn; 31 (1944) 33/36, m. 4 Abbn, dar. Selbstbildn., u. Fotobildn. — Kst u. Kstler, 24 (1926) 77, 78 (Abb.). — Dtsche Kst u. Dekor., 63 (1928/29) 91/96, m. Abbn. — Pro Arte (Genf), 2 (1943) 304, m. Abb. — Schweizerland, I (1914/15), ganzseit. Abb. zu p. 296; 1919, Abb. zu p. 548. — L'Amour de l'Art, 11 (1930) 390 (Abb.). —

Revue de l'Art anc. et mod., 65 (1934), Bull. p. 130 (Abb.), 132. — Die Kst in d. Schweiz, 1929, Juni-H., Umschau p. IX. — Kat. Ausst. Ksthaus Zürich. Sektion Paris, April/Mai 1941.

Barth, Signe, schwed. Landschafts-, Figuren- u. Stillebenmalerin, * 1895 Uddevalla, ansässig in Stockholm. Gattin des Amadé.

Schülerin von Carl Wilhelmson u. der Akad. Stockholm. Weitergebildet in Paris.

Lit.: Thomœus.

Barth, Theodor, schweiz. Maler, Holzschneider u. Illustr., Dr. phil., * 9.3.1875 Beggingen, Kt. Schaffhausen, † 1949 Schwyz.

Stud. bei Knirr u. an der Münchner Akad. bei P. Halm u. L. v. Löfftz. Tätig in Zürich, seit ca. 1913 in Uttwil a. Bodensee, dann in Basel, zuletzt in Schwyz. Szenen aus dem schweiz. Volksleben (Öl u. Aquar.), Bildnisse, Blumenstücke, Farbenholzschnitte. Illustr. im Basler Jahrbuch 1906, im „Schweizer Bilderbuch" von E. Jenny, 1910, zu Schedler, Der Schmied von Goeschenen, Basel 1920, E. Stückelberger, Der Stein der Weisen, Basel 1919, Aquarelle in der Öff. Kstsmlg Basel. Koll.-Ausst. Dez. 1951 im Ksthaus Zürich.

Lit.: Brun, IV 475. — Schweiz. Zeitgen.-Lex., 1932. — Die Schweiz, 1908, p. 475. — D. Werk (Zürich), 38 (1951), Suppl. p. 164.

Barth-Uchatzy, Ludwig, dtsch. Maler u. Graphiker, * 7.6.1898 Bruchsal, ansässig in Karlsruhe.

Schüler der Akad. Karlsruhe.

Lit.: Dreßler.

Barthalot, Dodonne, franz. Figuren- u. Bildnismalerin, * Paris, ansässig ebda.

Schülerin Bonnat's u. ihres Vaters Marius B. (* 5. 7. 1861 Marseille). Mitglied der Soc. d. Art. franç., wo sie 1921/31 ausstellte. Beschickte 1927/36 den Salon d'Automne.

Lit.: Joseph, I. — Bénézit, [2] I (1948).

Barthé, Richmond, amer. Bildhauer, * 28. 1. 1901 Bay St. Louis, Miss., ansässig in New York.

Schüler von Ch. Schroeder u. Albin Polasek. Arbeiten u. a. in der Univers. of Wisconsin u. im Whitney Mus. of Amer. Art in New York.

Lit.: Who's Who in Amer. Art, I: 1936/37. — Amer. Art Annual, 30 (1933). — Art Index (New York), Okt. 1941/Okt. 1949.

Barthel-Mürau, Carl Ferdinand, dtsch. Landschaftsmaler u. Radierer, * 19.9.1871 Frankfurt a.M., zuletzt ansässig in München.

Lit.: Dreßler.

Barthélemy, Camille, belg. Landschafts-, Figuren- u. Stillebenmaler (Öl u. Aquar.), Rad. u. Pastellzeichner, * 1890 Virton-Saint-Mard.

Schüler der Brüsseler Akad.

Lit.: Seyn, I.

Barthélemy, Emilien Victor, franz. Genre- (bes. Akt-)maler, * 3. 2. 1885 Marseille, ansässig in Paris.

Schüler von Cormon. Mitglied der Soc. d. Art. Français, beschickte den Salon bis 1939 (Kat. z. T. m. Abbn). 1. Rompreis 1914. Gold. Med. 1920. Pleinairist. Bilder u. a. im Museum der Oper in Marseille u. im Festsaal der Mairie in Châteaurenard (Bouches-du-Rhône).

Lit.: Joseph, I. — Bénézit, [2] I (1948). — Revue de l'Art anc. et mod., 51 (1927), Suppl. p. 93 (Abb.).

Barthélemy, Ferdinand Robert, franz. Landschaftsmaler, * Brüssel, von franz. Eltern, ansässig in Paris.

Schüler von J. C. Cazin. Mitglied der Soc. Nat. d. B.-Arts, beschickte deren Salon 1924/38.

Lit.: Joseph, I. — Bénézit, [2] I (1948).

Barthélemy, Marguerite, franz. Blumen- u. Bildnismalerin, * Bollène (Vaucluse), ansässig in Paris.

Stellt 1920/37 im Salon d'Automne, 1926ff. bei den Indépendants aus.

Lit.: Joseph, I. — Bénézit, [2] I (1948).

Barthelmess, Hans, dtsch. Maler u. Radierer, * 5.12.1887 Erlangen, fiel am 11.7. 1916 bei Verdun.

Schüler von P. Halm u. A. Schinnerer in München und von Ch. Landenberger in Stuttgart. Seit 1910 in München ansässig, 1911 in Paris, 1913 in Italien. Bildnisse, Landschaften, Interieurs, Zirkusszenen. Selbstbildn. i. Bes. des Stadtarchivs Erlangen. Orig.-Rad.: Marktszene (1907), in: Zeitschr. f. bild. Kst, 19 (1908) geg. p. 269.

Lit.: Kstchronik, N. F. 27 (1916) 401. — Rechensch.-Bericht d. Kstver. München, 1924 p. 11. — Fränk. Heimat, 18 (1939) 20, 26. — Nürnberger Hefte, I (1949) H. 6, p. 17/22, m. 3 Abbn.

Barthold, Manuel, amer. Maler, * 9. 9. 1874 New York, ansässig in San Sebastian, Spanien.

Schüler von Cormon u. J. P. Laurens in Paris. Im Luxembourg-Mus. ebda: Die beiden Freunde.

Lit.: Amer. Art Annual, 12 (1915) 319.

Barthold, Oskar, dtsch. Maler, Gebrauchsgraphiker, Bühnenbildner, Marionettengestalter u. Illustrator, * 26. 4. 1904 Halle a.d.S., ansässig ebda.

Autodidakt. Gründer u. Leiter (1927/40) der Landesgruppenbühne der Prov. Sachsen. 1943/45 Puppenfilmproduktion in Wien, 1945/46 Bühnenbildner an der Landesbühne Halle. Schöpfer u. Leiter der über Deutschland hinaus bekannt gewordenen „Marionettenbühne Barthold" in Halle.

Mitteilgn des Künstlers.

Bartl, Felix, dtsch. Maler u. Lithogr., * 22.6.1910 Brunndöbra i.V., ansässig auf Schloß Wendgräben, Post Loburg b. Magdeburg.

Schüler von Fr. Groß in Wien u. von Heinr. Hönich an der Prager Akad.

Lit.: Dtsche Heimat (Plan b. Marienbad), 9 (1933) 225/27; 10 (1939) Taf. geg. p. 160 u. 241; 11 (1935) H. 1 p. 14/18, m. 4 Textabbn u. 1 Taf., 117, Taf. geg. p. 24, 32.

Bartlett, Dana, amer. Malerin u. Illustr., * 19. 11. 1878 Ionia, Mich., ansässig in Los Angeles, Calif.

Schülerin der Art Student's League in New York u. von W. M. Chase. Bild in der Staatsbibl. in Sacramento, Calif.

Lit.: Fielding. — Amer. Art Annual, 30 (1933). — Who's Who in Amer. Art, I: 1936/37.

Bartlett, Frederic Clay, amer. Maler, * 1. 6. 1873 Chicago, ansässig in Evanston, Ill.

Schüler von Gysis an d. Akad. in München, dann von Collin, Aman-Jean u. Whistler in Paris. Hauptsächlich Wandmaler. Wandgemälde u. a. in d. Universität Chicago, in d. Council Chamber der City Hall ebda, im University Club ebda, in der Burnham Library ebda, im Carnegie Inst. in Pittsburgh u. in d.

Corcoran Gall. in Washington. Bilder u. a. im Art Inst. Chicago.

Lit.: Th.-B., 2 (1908). — Fielding. — Amer. Art Annual, 20 (1923) 435; 27 (1930) 108; 30 (1933). — Who's Who in Amer. Art, I: 1936/37. — The Internat. Who's Who, [16] 1952. — The Art News, 24 Nr 31 v. 8. 5. 1926, p. 1f.; 51, Juni 1952, p. 55. — Monro.

Bartlett, Grace Landell, amer. Silhouettenkünstlerin, * 19. 8. 1907 Colorado Springs, ansässig ebda.

Schülerin von Randall Davey.

Lit.: Amer. Art Annual, 27 (1930) 508; 30 (1933).

Bartlett, Julia McMahon, amer. Malerin, * 4. 5. 1899 New York, ansässig ebda.

Schülerin von R. Brandegee, Cecilia Beaux u. Ralph Pearson.

Lit.: Who's Who in Amer. Art, I: 1936/37.

Bartlett, Madeleine Adelaide, amer. Bildhauerin u. Medailleurin, * Winchester, Mass., ansässig in Boston, Mass.

Schülerin von Henry H. Kitson.

Lit.: Fielding. — Amer. Art Annual, 30 (1933). — Forrer, 7; 8 p. 310. — Who's Who in Amer. Art, I: 1936/37.

Bartlett, Paul, amer. Landschaftsmaler (Öl u. Pastell), * 8. 7. 1881 Taunton, Mass., ansässig in Ogunquit, Me.

Schüler von John Sloan. Bilder im Mus. in Cincinnati, Ohio, im Whitney Mus. of Amer. Art in New York u. im Luxembourg-Mus. in Paris.

Lit.: Who's Who in Amer. Art, I: 1936/37. — Amer. Art Annual, 30 (1933). — The Art News, 25, Nr 27 v. 9. 4. 1927, p. 9. — Monro.

Bartlomiejczyk, Edmund, poln. Holzschneider (Prof.), * 5. 12. 1885 Warschau, ansässig ebda.

Pflegt bes. den Farbenholzschnitt. Verwendet eine pointillierende Technik, die sehr lebhafte Wirkungen erzeugt. Landschaften mit Vieh u. Bauern, dörfliche Ansichten, Skiläufer, Flößer usw. Illustr. zu: Die Abenteuer des Vagabunden Ivan, von Slonski.

Lit.: Czy wiesz kto to jest, 1938, m. Fotobildnis. — Kuhn, m. 2 Abbn. — The Print Coll.'s Quarterly, 22 (1935) 329, m. Abb. — The Studio, 93 (1927) 58f., m. farb. Taf.; 107 (1934) 191, m. ganzs. Abb. — Kat.: Expos. internat. de grav. orig. sur bois, Warschau 1933, p. 61, m. Abb.; Ausst. Poln. Kst, Berlin, Pr. Akad. d. Kste 1935, p. 70, m. Abb. — Poln. Graphik, Ed. Stichnote, Potsdam 1948.

Bartning, Ludwig, dtsch. Landschaftsmaler u. Graphiker, * 30. 4. 1876 Hamburg, zuletzt ansässig in Berlin.

Schüler von Schultze-Naumburg, Schmid-Reutte u. Fr. Fehr in München. 1898/1901 in Rom. Prof. an den Verein. Staatsschulen für Freie u. Angewandte Kunst in Berlin.

Lit.: Th.-B., 2 (1908). — Dreßler. — D. Bild, 4 (1934) 342f. (Abbn). — Die Dame, 61. Jg, Heft 10, 1. Mai-H. 1934. — The Studio, 93 (1927) 214 (ganzs. Abb.). — Velhagen & Klasings Monatsh., 38/II (1923-24), farb. Taf.-Abb. geg. p. 225, Text p. 336; 48/I (1933/34) 231; 49/II (1934/35), farb. Taf.-Abb. geg. p. 561, Text p. 671; 52/I (1937/38), farb. Taf.-Abb. geg. p. 320, Text p. 382.

Bartning, Otto, dtsch. Architekt u. Fachschriftst. (Prof. D. theol. h.c.), * 12. 4. 1883 Karlsruhe, ansässig in Neckarsteinach.

Stud. an den Techn. Hochschulen Charlottenburg u. Karlsruhe u. an der Berliner Univers. 1928/30 Direktor der Staatl. Hochsch. für Baukst, bild. Kste u. Handwerk in Weimar. Seit 1930 in Berlin. Seit 1951 Präsident d. Bundes Dtscher Architekten. Hat sich durch seine Kirchen u. großzügigen Industrie- u. Krankenhausbauten einen internationalen Ruf erworben. Wasserturm u. Direktorhaus der Braunkohlenwerke Zeipau (Schles.); Dän. Kirche in Berlin; Ev. Rundkirche in Essen-Altstadt-Ost; Siedlungs-Kirche in Wilhelmshof bei Brandenburg a. d. Havel; Gustav-Adolf-Kirche in Charlottenburg; Neue Ev. Kirche in Lissabon; Keramisches Werk in Berlin-Tempelhof; Siedlung Gildenhall in der Mark; Messegeb. d. Dtsch. Regierung in Mailand; Kinderkrankenhaus in Berlin-Lichterfelde; Kreiskinderheim in Neuruppin in der Mark; Krankenhaus für d. Rote Kreuz in Luxemburg; Musiklandheim in Frankfurt a. d. O. — Buchwerke: Vom neuen Kirchbau, m. 9 Bildern u. 30 Skizzen, Berl. 1918; Neues Bauen, Berl. 1919; Aufsatz: Religion u. Kirchbau, in: Kst u. Kstler, 21 (1923) 84/91.

Lit.: E. Pollak, Der Baum. O.B., Bonn 1926. — Dreßler. — Platz. — Innendekoration, 25, p. 284. — Ibero-Amer. Archiv, 8 (1934/37) 370. — Dtsche Bauztg, 67 (1933) Nr 16, Beil. p. 4, 847. — D. Cicerone, 19 (1927) 324. — D. Kunst, 66 (1931/32) 246, m. Abb., 247 (Abb); 71 (1934/35) 172/77. — Kst u. Kirche, 9 (1932) 34ff.; 11 (1934) 3ff., 17/26, 27/30, 46ff.; 15 (1938) H. 4 p. 20 (Abb.); H. 5 p. 10f.; 16 (1939) 19f., m. Abb. — Kst u. Kstler, 12 (1914) 269 (Abbn), 275; 22 (1924) 347 (Abb.), 351. — D. Kstblatt, 11 (1927) 244, 248 (Abb.). — Monatsh. f. Baukst u. Städtebau, 16 (1932) 318/21. — D. Münster, 2 (1949) 199; 4 (1951) 59. — Zeitschr. d. Rhein. Ver. f. Denkmalpflege u. Heimatschutz, 21 (1928) 189/92. — Zentralbl. d. Bauverwaltung, 49 (1929) 169f.

Bartók, Margit, ungar. Malerin.

Stud. in Budapest bei I. Bosznay, in Nagybánya u. in München bei Hollósy.

Lit.: Szendrei-Szentiványi. — Krücken-Parlagi.

Bartoli, Amerigo, ital. Maler u. Karikaturenzeichner, * 24. 12. 1890 Terni, ansässig in Rom.

Impressionist. Figürliches, Bildnisse. Entwurf zu e. Denkmal für Marinaio in Brindisi. Mappenwerke: Roma in selci, Bologna 1935; I nostri amici inglesi, Rom 1936.

Lit.: Chi è?, 1940. — Costantini. — Bénézit, [2] I (1948). — Emporium, 81 (1935) 82, 85 (Abb.); 89 (1939) 190, 197 (Abb.). — Le Arti, 1 (1938/39) Taf. XC. — Konstrevy, 11 (1935) 101 (Abb.), 102.

Bartolini, Luigi, ital. Maler, Radierer, Dichter u. polemischer Schriftst., * 8. 2. 1892 Cupramontana (Ancona), ansässig in Rom.

Stud. an den Akad. in Rom, Siena u. Florenz, neben s. kstler. Studien mediz., geograph. u. literar. Studien treibend. Begann 1914 zu radieren. Künstler. Tätigkeit durch den Krieg unterbrochen. Buchwerk: Passeggiata con la Ragazza, 1930. Als Maler einer der frühesten Expressionisten Italiens. Als Graph. an Segonzac anknüpfend. Visionär begabter Improvisator, der in seinen magischen und doch unmittelbare Naturnähe atmenden Bildphantasien bisweilen an Alfred Kubin erinnert. Hat über 200 Radiergn geschaffen, die meist nur in 5, höchstens 10 Abzügen vorliegen. Erhielt 1932 den 1. Preis auf der Mostra dell'Incisione Ital. in Florenz. Illustr. für Zeitschriften, Tageszeitungen u. eigene Dichtungen, wie: Le carte parlanti, Turin 1931. Häufig seinen Wohnsitz wechselnd, lebte er nacheinander in Jesi, Macerata, Rom, Siena, Florenz, Venedig, Mantua, Siracusa, Tripolis, Bengasi, Villach, Klagenfurth, Modena, Sassari, Camerino, Pola, Caltagirone (Catania), Osimo, Bari, zuletzt in Meran, zur Zeit wieder in Rom.

Lit.: Gius. Marchiori, L. B. (Arte Mod. Ital., Nr 27), Mailand 1936, m. 30 Taf. u. Bibliogr. —

N. Bertocchi u. C. A. Petrucci, L. B., Turin o. J. — G. Visentini, L. B., Rovereto 1943. — Ratta, Acqueforti e disegni di B., Bologna 1948. — Bénézit, [2] I (1948). — Emporium, 81 (1935) 90, 108 (2 Abbn); 83 (1936) 236/45, m. Abbn; 84 (1936) 53, 55 (Abb.), 128; 86 (1937) 447, m. Abb.; 89 (1939) 196; 91 (1940) 91, 94 (Abb.); 92 (1940) 290/98, m. Abbn; 93 (1941) 97 (Abb.), 98; 94 (1941) 27, m. Abb., 282, m. Abb.; 96 (1942) 310f., 314 (Abb.), 324, 337 (Abb.), 344 (Abb.), 393 (Abb.), 394, 406, m. Abb., 456 (Abb.), 457, 540ff., m. Abbn. — L'Arte, N. S. 8 (1937) 154. — Le Arti, 1938/39, Taf. XCI. — Kat. d. Ausst.: Ital. Kst d. Gegenw., München u. a. O. 1950/51. m. Abb.

Bartolozzi, Salvador, span. Plakat- u. Karikaturenzeichner u. Aquarellmaler, ital. Herkunft, * 1883 Madrid, ansässig in Paris.

Gehilfe s. Vaters, des Bildh. Luca B., der an der Acad. de San Fernando in Madrid die Stelle eines Konservators der Abteilung für plast. Reproduktionen bekleidete. Seit 1903 in Paris. Signierte seine frühsten Zeichnungen (Szenen aus dem Pariser Bar-, Kaffeehaus- u. Straßenleben) mit dem Pseudonym Battle. Streift in seinen Dirnen- u. Apachentypen u. den brutalen Schilderungen der tragischen Verworfenheit des nächtlichen Großstadtlebens gelegentlich die Nähe Forain's u. Steinlen's. — B.s Bruder Benito fertigte humorist. Kleinplastiken(Straßenmusikanten, Bettlertypen usw.).

Lit.: Chron. d. Arts, 1905 p. 192. — L'Art décoratif, 1908/I p. 176ff. — Vita d'Arte, 5 (1910) 68/76, m. 9 Abbn. — Francés, 1916 p. 346 (Abb.); 1917 p. 14 (Abb.), Text p. 26, 31; 1918 p. 22 (Abb.), 376ff.; 1919 p. 57ff., m. 2 Abbn, 89, 99 (Abbn), 106, 112; 1920 p. 19 (Abb.), 20 (Abb.), 48 (Abb.), 52f., 59 (Abb.), 64; 1921 p. 51ff., Taf. 16; 1922 p. 25f.

Bartolucci-Alfieri, Pierluigi, ital. Radierer u. Aquarellmaler, * 6. 12. 1892 Ferrara.

180 Illustrationen (Rad. nach eig. Zeichng) für das neue Breviario Vaticano (1923/24). Mappenwerk: Fontane di Roma, m. Vorw. von C. Ricci (1925/26).

Lit.: Comanducci.

Barton, Catherine Graeff, amer. Bildhauerin, * 22. 7. 1904 Englewood, N. J., ansässig ebda.

Stud. an d. Art Students' League in New York, bei Alex. Archipenko ebda u. bei Ch. Despiau u. Marcel Gimond in Paris.

Lit.: Who's Who in Amer. Art, I: 1936/37.

Barton, Cranleigh Harper, neuseeländ. Landsch.- u. Architekturmaler (Aquar.), * 7. 9. 1890 Feilding, Neuseeland, ansässig in Sumner, Neuseeland.

Lit.: Who's Who in Art, [3] 1934.

Barton, Donald Blagge, amer. Maler, * 23. 8. 1903 Fitchburg, Mass., † 1934 ebda.

Schüler von M. Jacobs, Phil. Hale, A. T. Hibbard, Gifford Beal u. Hans Hoffman.

Lit.: Who's Who in Amer. Art, I: 1936/37.

Barton, Joyce, geb. *Wale*, engl. Bildnis-, Landsch.- u. Figurenmalerin, * 12. 4. 1900 Hockley Heath, Warwickshire, ansässig in London.

Lit.: Who's Who in Art, [3] 1934.

Barton, Leonard, engl. Landschaftsmaler (Pastell u. Aquar.) u. Werbezeichner, * 30. 8. 1893 Manchester, ansässig in Cambridge.

Lit.: Who's Who in Art, [3] 1934.

Barton, Loren Roberta, verehel. *Babcock*, amer. Malerin (Öl u. Aquar.) u. Rad., * 1893 Oxford, Mass., ansässig in New York.

Bild in d. California State Library.

Lit.: Amer. Art Annual, 20 (1923) 436. — Fielding. — Monro. — The Art News, 23 Nr 2 v. 18. 10. 1924, p. 1, m. Abb.; Nr 3 v. 25. 10. 1924, p. 4.

Barton, Macena, amer. Maler, * 7. 8. 1901 Union City, Mich., ansässig in Chicago, Ill.

Stud. am Art Instit. in Chicago.

Lit.: Who's Who in Amer. Art, I: 1936/37. — Monro. — Art Index (New York), Okt. 1941/Sept. 1942; Juni 1947.

Barton, Mary, irische Landschaftsmalerin, * Dundalk, Irland, ansässig in Bracknell, Berks.

Stud. an der Westminster School of Art u. in Rom. Mappenwerke: Impressions of Mexico; The Fountain of Tears.

Lit.: Who's Who in Art, [3] 1934.

Barton, Ralph, amer. Maler u. Pressezeichner, * 14. 8. 1891 Kansas City, Mo., † 1931 New York (Freitod).

Mitarbeiter des „New Yorker".

Lit.: Fielding. — Amer. Art Annual, 20 (1923) 436. — Mellquist.

Barton, Rose, engl. Genremalerin (Aquar.), † Nov. 1929 London.

Lit.: Th.-B., 2 (1908). — Who's Who in Art, [2] 1929; [3] 1934, Obituary, p. 447. — The Studio, 63 (1915) 304.

Bartoo, Catherine R., amer. Malerin, * Williamsport, Pa., ansässig in Binghamton, N. Y.

Schülerin von Robert Henri, W. M. Chase u. Mora.

Lit.: Fielding. — Amer. Art Annual, 30 (1933). — Art Index (New York), Okt. 1944/Sept. 45. — Who's Who in Amer. Art, I: 1936/37.

Bartoš, Břetislav, tschech. Maler, * 7. 5. 1893 Frenštát (Mähren), † 28. 6. 1926 Mokropsy b. Prag.

Stud. an der Prager Akad. (V. Bukovac, H. Schwaiger u. M. Pirner). Im 1. Weltkrieg als Legionär in Italien, was auf die Thematik seiner Figurenkompositionen zurückwirkte. Vorliebe für Allegorie (Mein Land, Opfer der Arbeit, Seelenvereinigung). Sonderausst. in Prag 1925 („Mánes") u. 1931 (Kstlervereinig. „Jednota").

Lit.: Veraikon (Prag), 11 (1925) 10f., m. Abbn. — Dílo (Prag), 28 (1931) 229f., m. Abbn. — P. Dějev, Výtvarníci-legionáři, Prag 1937. — F. Tučný, B. Bartoš, malíř svého národa, Prag 1935. — Toman, I 39. *Blž.*

Bartosz, Maximilian, dtsch. Maler, Glasmaler u. Entwurfzeichner für Mosaik, * 1910 Berlin, ansässig in Konstanz.

Schüler der Berliner Akad. Hauptsächlich Bildnisse u. Kirchendekorationen (Sgraffito u. Mosaik). 3 Stationsbilder in d. St. Stephanskirche in Konstanz. Einige Kohlezeichngn im Mus. in Bromberg (Kat. Ausst. Kstschau, Febr. 1943).

Lit.: D. Münster, 5 (1952) 96, 97, m. 4 Abbn.

Bartsch, Valentin, dtsch. Bildhauer, * 4. 11. 1889 Kostenblut, Kr. Neumarkt, zuletzt ansässig in Breslau.

Stud. 1904/06 an der Kstgewerbesch. Budapest, 1906/08 an d. Kstgewerbesch. Wien. Arbeitete 1908 -11 bei Zelezny. Kriegerdenkmale in Großpeterwitz-Coeth u. in Tepliwoda-Münsterberg; Herz-Jesu-Altar

im Domkonvikt in Breslau; Figuren im Ratsweinkeller ebda.
Lit.: Dreßler.

Bartsch, Wilhelm, dtsch. Landschafts- u. Marinemaler, * 3. 3. 1871 Kiel, zuletzt ansässig in Worpswede.
Stud. an den Akad. Karslruhe u. Düsseldorf (Meisteratelier E. Dücker). Bilder im Prov.-Mus. in Hannover u. im Mus. in Witten a. d. Ruhr.
Lit.: Dreßler. — D. Kunst, 7 (1903) 334; 11 (1905) 410. — Kstchronik, N. F. 14 (1902/03) 187.

Bartzsch, Paul Kurt, dtsch. Holzschneider, * 1917 Raden/Sa., ansässig in Bad Pyrmont.

Baruch, Josef, tschech. Maler u. Graphiker, * 28. 7. 1894 Krásno nad Bečvou (Mähren).
Stud. an d. Prager Kstgewerbesch. (F. Kysela). Illustrationen, Holzschnitte, Zeichnungen von stark dekorat. Wirkung. Kollektiv-Ausst. in Prag 1942 u. 1946.
Lit.: Veraikon (Prag), 15 (1929) 3f., m. Abbn. — Toman, I 40. *Blž.*

Baruffi, Alfredo, ital. Illustrator, Holzschneider, Lithogr. u. Maler, * 13. 12. 1873 Bologna, ansässig ebda.
Ill. zu Dante's „Divina Commedia", ed. Alinari, zu Tasso's „Aminta", zu den „Poesie" von Carducci, den „Poemi Italici" von G. Pascoli, den Novellen des Fiorenzuola u. zu den „Classici del Ridere".
Lit.: Th.-B., 2 (1908). — Comanducci. — Chi è?, 1940. — Bénézit, [2] I (1948). — Emporium, 20 (1904) 372/85, m. Abbn. — The Studio, 34 (1905) 137/40, m. Abbn. — Vita d'Arte, 12 (1913) 167/69, m. Abbn. 171, 180, m. Abb.

Barutzky, Wilhelm, dtsch. Bildhauer, ansässig in Köln.
Pflegt hauptsächl. die relig. Kunst.
Lit.: Dreßler. — H. Vogts, D. Rathaus zu Köln (Dtsche Kstführer an Rhein u. Mosel, 8), 1928, p. 27. — D. Christl. Kst, 11 (1914/15) 49 (Abb.), 55.

Barwig, Franz, sudetendtsch. Holz- u. Steinbildhauer, * 19.4.1868 Schönau b. Neutitschein, † 15.5.1931 Wien (Freitod).
Stud. an der Wiener Kstgewerbesch. Lehrer an der Schule f. Holzbearbeitung in Villach, 1908/24; dann Lehrer an der Wiener Kstgewerbesch. — Kriegerdenkm. in Edlitz, Niederöst.; vielfigurige, geschnitzte Krippe für die Pfarrk. in Tulln; Tiere (meist Bronze od. Holz), groteske Kinder- u. Bauerngruppen, Akte. Steingruppe: Huldigung der Sodalen vor der Madonna, in der Canisiusk. (Jesuitenk.) an der Lustkandlgasse in Wien. Seine Holzskulpturen ausgezeichnet durch streng materialgerechte Form. Arbeiten u. a. in d. Staatsgal. in Wien, im Öst. Mus. f. Kst u. Ind. ebda, im Folkwang-Mus. in Essen u. in der Ksthalle in Hamburg. Ged.-Ausst. im Rahmen der Herbstausst. der Wiener Sezession 1931.
Lit.: Dreßler. — Der Ackermann aus Böhmen, 4 (1936) 272/74. — Das Bild, 8 (1938) 387/90, m. 3 Abbn. — Der getreue Eckart (Wien), 1 (1924) 88/99, m. Abbn. — Dtsche Heimat, 6 (1930) Taf. geg. p. 80; 7 (1931) 482 (Abb.). — Die bild. Kste (Wien), 3 (1920/21) 79ff., m. Abbn, 103 (Abb.); 4 (1921) 88 (Abb. 67). — D. Kst, 25 (1911/12) 437 (Abb.); 26 (1911/12) 486 (Abb.); 27 (1912/13) 280/84, m. Abb. bis p. 288; 31 (1914/15) 148 (Abb.); 36 (1916/17) 177/81, m. Taf. u. 5 Abbn; 85 (1941/42) 104 (Abb.). — D. Christl. Kst, 28 (1931/32) 90 f., m. Abbn. — Kst u. Ksthandwerk (Wien), 16 (1913) 628f. 634f. (Abb.). — Kst u. Handwerk (Reichenberg i. B.), 1 (1938) 62, 67f., 74 (Abb.), 75 (Abb.). — Öst. Kst, 1 (1929/30) Heft 12, p. 34 (Abb), 35/42, m. Abbn; 1931, Heft 6 p. 17f.; Heft 10 p. 14f. — Sudetendtsche Lebensbilder, 3 (1934) 121/24, m. Lit. — Kst u. Kstler, 29 (1930/31) 402; 30 (1931/32) 68. — Westermanns Monatsh., 163 (1937/38) 94 (Abb.), 95. — Öst. Bau- u. Werkkst, 1 (1924/25) 209 (Abb.), 213 (Abbn); 2 (1925–26) 193 (Abb.), 200 (Abb.). — The Studio, 94 (1927) 139 (Abb.), 140f.

Barwolf, Georges, belg. Landschaftsmaler, * Brüssel, † 1935 ebda.
Stellte seit 1898 bei den Indépendants in Paris, 1909/34 auch im Salon d'Automne u. im Salon der Soc. Nat. d. B.-Arts aus.
Lit.: Bénézit, [2] I (1948).

Bary-Doussin, Jenny von, dtsche Bildhauerin, * 14.4.1874 Bunzlau, Schles., † vor 1926 München.
Autodidaktin. Heiratete den Dresdner Kammersänger Alfred von Bary. Arbeitete in Holz, Stein u. für Bronze. Ausgezeichnete Tier- u. Porträtbildnerin: Büsten ihres Gatten, Henry Thodes, des Schauspielers Eman. Reicher, der Generalmusikdirektoren Ernst von Schuch u. Bruno Walter, Rich. Wagners (für das Hoftheater in Gera bestimmt), Ludwigs II. (Aula der Univ. München), Halbfig. der Schauspielerin Franziska Ellmenreich (Foyer des Schauspielhauses in Hamburg) usw. Figürl. Gruppen: Pietà, Relief: „Kommet her zu Mir Alle", Rheintöchter, Kleinplastik (Schäfer mit Herde u. a.). Arbeiten im Albertinum in Dresden, im Mus. in Magdeburg u. in d. N. Pinak. München.
Lit.: Dreßler. — Joh. Reichelt, Erlebte Kostbarkeiten. Begegnungen mit Kstlern in Bekenntnisstunden, Dresden, [2] 1943, p. 323ff., m. Abb. u. Taf. geg. p. 321. — Hamburger Fremdenblatt v. 6. 12. 1913, m. Fotobildnis. — Die Kunst, 29 (1913/14) 146, 152 (Abb.); 45 (1921/22) 259/64, m. 7 Abbn. — Die Plastik, 3 (1913) p. 18f., m. Taf. 18/21, 76. — Westermanns Monatsh., 115/I Heft 685, p. 135f., m. Abbn. — Zeitschr. f. Bild. Kst, N. F. 23 (1911/12) 38/40, m. Lichtdruck-Taf. u. 4 Abbn.

Barz, Paul, dtsch. Maler, Rad. u. Lithogr., * 11.9.1908 Neuhütte, Westpr., ansässig seit 1951 in Herchen/Sieg.
Landschaften aus Rügen u. der Umgebung von Greifswald, Bildnisse.
Lit.: Die Völkische Kst, 1 (1935) 204/06.

Barzaghi, Prassitele, ital. Bildhauer, † 26. 4. 1921 (Freitod) Mailand.
Sohn des Bildh. Franc. B. Schüler von Luigi Segghi. Figürliches, Grabmalplastik (u. a. in e. Kapelle des Cimitero Monumentale in Mailand), religiöse Plastik, Genre.
Lit.: Natura ed Arte, 40 (1910/11) 288 (Abb.), 680 (Abb.). — Emporium, 44 (1916) 470, 475 (Abb.); 50 (1919) 332, m. Abb. — Rass. d'Arte, 21 (1921) 216.

Basa, Jenő, ungar. Maler, * 23. 3. 1879 Túr (Siebenbürgen), † 26. 5. 1909 Zürich.
Stud. in Budapest, 1899ff. an der Münchner Akad. Ging 1902 nach Zürich, 1904/07 an d. Acad. Colarossi in Paris. Studienaufenthalt 1907/08 in Brüssel u. Venedig.
Lit.: Szendrei-Szentiványi. — Krücken-Parlagi.

Başaga, Ferruh, türk. Maler, * 1905 Belgrad, ansässig ebda.
Stud. an d. Reichskunstsch. in Belgrad, seit 1913 an d. Akad. d. Sch. Künste in Istanbul (Konstantinopel), wo er 11 Jahre blieb. Gehört der türk. mod. Schule an. Ein Bild im Bilder- u. Statuenmus. zu Istanbul.
Lit.: Berk, p.30, Abb.67.

Basaldella, Afro, meist *Afro* gen., wie er selbst signierte, ital. Maler, * 1912 Udine, ansässig in Rom. Bruder des Mirco.

Stud. an d. Akad. Venedig, weitergebildet in Rom, Florenz u. Mailand. 1937 in Paris. Ließ sich in dems. Jahr in Rom nieder. 1941/44 Lehrstuhl für Mosaikmalerei an d. Akad. Venedig. Seit 1948 wieder in Rom. Gehört der von Corrado Cagli gegründeten sog. 2. Röm. Schule an. Anfängl. beeinflußt vom ital. Quattrocento u. vom franz. Settecento, ging später unter dem Einfluß von Guttoso u. P. Klee zur expressionist. u. kubist. Bildform über, um z. Zt. der surreal. Richtung zu folgen. Sowohl seiner 1. realist. wie seiner letzten visionären Manier sind Harmonie des Bildaufbaus u. Farbenkultur eigen. Einer der führenden Abstrakten in d. ital. Malerei. Sammelausst. in d. Gal. „La Boëtie", Paris 1951. Vertreten u. a. in der Gall. Naz. d'Arte Mod. in Rom u. im Inst. of F. Arts in Detroit, Mich., USA.

Lit.: Carrieri. — Ghiringhelli. — R. Salvini, Guida all'Arte Mod., Florenz 1949. — Venturoli. — Le Arti, 1 (1938/39) 287f.; 2 (1939/40) 369, 370. — Arte Ital. del nostro Tempo, Bergamo 1946. — Bull. of the Detroit Inst. of F. Arts, 30 (1950/51) 86/88, m. Abb. — Cahiers d'Art, 25 (1950) 244 (Abb.). — Emporium, 84 (1936) 125, 136 (Abb.); 86 (1937) 389, 391; 90 (1938) 53, 162 (Abb.); 95 (1942) 85f.; 96 (1942) 326, 339 (Abb.), 394, 396 (Abb.); 99 (1943) 128; 107 (1948) 41; 112 (1950) 188. — D. Kstwerk, 4 (1950) Heft 8/9 p. 95. — Die Kst u. d. schöne Heim, 49 (1951), Beil. p. 201. — Le Panarie (Udine), Mai/Aug. 1939, p. 166f. — Illustraz. Ital. (Mailand), 26. 11. 1939. — Stile, Febr. 1947, p. 26f. — Paragone, 1 (1950) Nr 3 p. 60f. — Palma Bucarelli, L'Esposiz. d'Arte contemp. Rom 1944/45; dies., La Gall. Naz. d'Arte Mod., Guida breve, Rom 1949; dies., ~, Itinerario, 1951. — Kat.: 4. Quadriennale, Rom 1943; „XX. Century Ital. Art", New York 1949. *P. B.*

Basaldella, Mirco, ital. Bildhauer u. Maler, * 29. 9. 1910 Udine, ansässig in Rom. Bruder des Afro.

Stud. in Venedig u. Florenz, 1929/30 an d. Universität d. Arti Decorat. in Monza, 1933 bei Arturo Martini in Mailand, wo er von Corrado Cagli beeinflußt wurde, mit dem er 1934 nach Rom ging. Erste umfassende Kollektiv-Ausst. in d. Gall. „La Cometa" in Rom 1936. Anfängl. beeinflußt von Martini u. den „Valori Plastici", entwickelte später eine Eleganz der Form, die Einflüsse des Rinascimento verrät (David, 1939, Gall. Naz. Mod. Rom). Folgte seit 1948 der Manier C. Cagli's und übertrug die der Antike entlehnte Form auf eine Art von visionärer, surrealist. Plastik.

Lit.: Carrieri. — Venturoli, p. 85ff. — Art Digest, 24, Nr v. 15. 4. 1950, p. 16; 25, Nr v. 15. 10. 1950, p. 19 (Abb.). — The Art News, 49, Mai 1950, p. 47. — Le Arti, 1 (1938/39) 291/93; 2 (1939/40) 196f. — Cahiers d'Art, 25 (1950) 255 (Abb.). — Documento, Febr. 1942 p. 28. — Emporium, 94 (1941) 87f.; 95 (1942) 86, 182; 112 (1950) 188. — Corrente, 31. 5. 1939, p. 6. — Domus, Juni 1939, p. 11; März 1951, Nr 256, p. 41. — Meridiano di Roma, 28. 5. 1939. — Primato (Rom), 15. 1. 1941. — Quadrivio (Rom), 19. 1. 1936. — Stile, Nov. 1941, p. 54. — P. Bucarelli, L'Esposiz. d'Arte contemp., Rom 1944/45; dies., La Gall. Naz. d'Arte Mod., Guida breve, Rom 1949; dies., ~, Itinerario, 1951. *P. B.*

Basaldúa, Héctor, argent. Maler u. Buchillustr., * 1900 Pergamino, Prov. Buenos Aires.

Stud. an der Nat.-Akad. in Buenos Aires, dann in Paris bei A. Lhote u. O. Friesz (1923/30). Seit 1933 Leiter der szenischen Arbeiten am Colón-Theater. 2 Bilder: Der Ball u. Straßenszene, im Mus. f. Mod. Kst in New York. — Illustr. zu: Estanislao del Campo, Fausto", Buenos Aires 1932.

Lit.: Kirstein, p. 87, Abb. p. 30. — Bénézit,[2] I (1948). — The Studio, 128 (1944) 106 (Abb.).

Basalisa, José, portug. Dekorationsmaler, * 6. 8. 1871 Lissabon, ansässig ebda.

Stud. an d. Marquez de Pombal-Schule u. der Soc. Nac. de B. Artes in Lissabon, Schüler von Eugénio Cotrin, Pereira Cão, Domingos Costa. Dekorationen im Palais Galveias in Lissabon.

Lit.: Pamplona, p. 306.

Basch, Andor, ungar. Porträt- u. Figurenmaler, * 19. 5. 1885 Budapest, ansässig ebda. Sohn des Gyula (* 1851, † 1928).

Stud. 1 Jahr bei T. Zemplényi an der Zeichensch. in Budapest, 1904ff. bei J. P. Laurens an d. Acad. Julian in Paris, lernte dort fast 7 Jahre, dann 1 Jahr bei H. Matisse. Zwischendurch Aufenthalte in Nagybánya. Während des 1. Weltkrieges als Kriegsmaler tätig. Bereiste 1920/24 Italien. 1925/31 wieder in Paris; anschließend Aufenthalt in Cagnes-sur-Mer. Stellte in dieser Zeit im Salon d'Automne, im Salon des Tuileries u. bei den Indépendants aus. Seit 1935 in Budapest. Anfänglich hauptsächl. Akte, u. zwar in ganz lichten Farben, ging später zu einer dunklen Palette über, Interieurs, Stilleben, Bildnisse in einem temperamentvollen u. sehr tonreichen Farbenvortrag, der seinen Bildern etwas gleichsam Zerwühltes, Flakkerndes, intensiv Belebtes verleiht. — Stilleben in d. N. Ungar. Gal. Budapest (Kat. 1930).

Lit.: Joseph, I. — Bénézit,[2] I (1948). — Művészet, 15 (1916) 59; 17 (1918) 93. — Nouv. Revue de Hongrie, 47 (1932/II) 77; 64 (1941/I) 527/31.

Basch, Árpád, ungar. Genre- u. Landschaftsmaler, Buchillustrator u. Plakatkünstler, * 16. 4. 1873 Budapest.

Stud. in Budapest bei Karlovszky, in München bei Hollósy u. in Paris bei J. P. Laurens. Seit 1896 in Budapest. Künstler. Leiter der Zeitschr. „Magyar Génius".

Lit.: Th.-B., 2 (1908). — Szendrei-Szentiványi. — Krücken-Parlagi.

Baschkiroff, Wassilij Nikolajewitsch, russ. Maler, * 1870.

Männl. Bildnis in d. Tretjakoff-Gal. in Moskau (Kat. 1912 Nr 429).

Baschny, Emanuel, mähr. Genremaler u. Graphiker, * 3. 10. 1876 Sternberg, zuletzt ansässig in Wien.

Stud. an der Wiener Akad. Kaiserpreis Wien 1915, Bilder im Franzens-Mus. in Brünn, in der Staatsgal. in Wien u. im Mus. in Grätz.

Lit.: Dreßler. — D. Kunst, 27 (1912/13) 424, m. Abb.

Bascoulès, Jean Désiré, franz. Bildnis- u. Orientmaler, * 19. 8. 1886 Perpignan, ansässig in Paris u. in Algier.

Schüler der Ec. d. B.-Arts in Bordeaux, dann von Cormon. Mitglied der Soc. d. Art. Franç., beschickt deren Salon seit 1914 (Kat. z. T. m. Abbn). Silb. Med. 1922; Gold. Med. 1925. Ging im folg. Jahr nach Algier, das seine 2. Heimat wurde, und wo ihm der Sultan von Marokko einen Pavillon im Quartier seiner Garde als Atelier zur Verfügung stellte. Virtuoser Pleinairist, zugleich mit starkem Gefühl für dekorat. Wirkungen begabt. Wandmalereien im Grand Salon des Palais des Assemblées algériennes.

Lit.: Joseph, I. — Bénézit,[2] I (1948). — L'Art et les Art., N.S. 20 (1930) 228/34, m. 8 Abbn; 22 (1931) 293 (Abb.). — Revue de l'Art, 50 (1926) 60 (Abb.). — The Studio, 92 (1926) 133 (Abb.), 134.

Basilides, Barna, ungar. Maler.

Zeigte auf d. Wanderausst.: Ungar. Malerei d. Gegenwart, Berlin u. a. O. 1942/43, 3 Bilder: Schnabelflöter (Abb. im Kat.), Flötenspieler u. Der Wunderhirsch.

Basing, Charles, austral.-amer. Maler, * 23. 7. 1865 Victoria, Australien, † 1933 Morocco.

Schüler von Bouguereau u. Ferrier. Wandmalereien im Columbia University Club in New York, in einigen Schulen New Yorks u. im Carnegie Inst. in Pittsburgh, Pa.

Lit.: Fielding. — Amer. Art Annual, 30 (1933).

Baskerville, Charles, amer. Maler u. Illustr., * 16. 4. 1896 Raleigh, N. C., ansässig in New York.

2 Bilder im Zentralmus. f. Westeurop. Kst in Moskau. Zeichnete für „Scribner's", „Life", „Theatre", „Vogue", „Vanity Fair" u. „Harper's Bazaar".

Lit.: Amer. Art Annual, 30 (1933). — Art Index, Okt. 1942/Sept. 43; Okt. 44/Sept. 46; Okt. 47/Sept.48. — Who's Who in Amer. Art, I: 1936/37. — Monro. — Design (Columbus, O.), 52, Febr. 1951, p. 19, m. Abbn.

Baskett, Charles Henry, engl. Aquatintastecher u. Maler (Landschafter), ansässig in Chelmsford, Essex.

Sohn des Radierers Ch. Edward B. (stellte 1874–1904 in d. Roy. Acad. aus). Vertreten im Brit. Mus.

Lit.: Who's Who in Art, [3] 1934. — The Studio, 61 (1914) 225 (Abb.); 64 (1915) 181; 71 (1917) 96/102. — The Burlington Magaz., 30 (1917) 32. — Mallett.

Bass, Anna, elsäss. Bildhauerin, * Straßburg, ansässig in Paris.

Zuerst Malerin, ging dann zur Bildhauerei über, die sie autodidaktisch erlernte. Beeinflußt von griech. Kunst u. den gr. Franzosen des 18. u. 19. Jh.s. — Mitglied der Soc. Nat. d. B.-Arts, deren Salon sie seit 1911 beschickt. Stellt auch im Salon d'Automne u. im Salon des Tuileries aus. Hauptwerk: Monument aux Morts, in Bastelica auf Korsika. Im Luxembourg-Mus. in Paris Bronzestatuette einer Bacchantin. Weitere Arbeiten (hauptsächl. polychrom. weibl. Akte) im Petit Palais, im Empfangssaal des Hôtel de Ville in Paris u. in den Museen Metz u. Straßburg.

Lit.: Joseph, I. — Les Arts, 1920 Nr 184 p. 11, (Abb.). — Bénézit, [2] I. — L'Amour de l'Art, 1923 p. 489/92. — Revue de l'Art anc. et mod., 44 (1923) 114 (Abb.). — L'Art et les Artistes, N. S. 9 (1924) 342/46, m. 6 Abbn. — Art in America, 15 (1926/27) 175ff., m. Abbn. — Art et Décor., 30 (1926) 145ff., m. Abbn. — The Studio, 93 (1927) 437ff., m. Abbn. — L'Art vivant, 1931 p. 88f., m. Abb.; 1933 p. 301ff., m. Abbn.

Bassani, Lucia, ital. Bildnis- u. Genremalerin, * 30. 4. 1896 Mailand, ansässig ebda.

Schülerin von Rapetti an d. Brera-Akad., gefördert von Ces. Tallone u. Riccardo Galli.

Lit.: Comanducci.

Basseches-Bugwart, Josef, galiz. Maler, * 31. 1. 1876 Brody, ansässig in Düsseldorf.

Stud. an d. Schule d. Öst. Kstgewerbemus. in Wien Dann tätig in Dresden, Weimar, Stuttgart u. Düsseldorf. Hauptsächlich Monumentalmalereien u. Bildnisse.

Lit.: Deutschland, Öst.-Ung. u. d. Schweiz Gelehrte, Kstler u. Schriftst., [1] Leipzig 1908, mit Fotobildn.

Bassett, H. Ellsworth, amer. Maler u. Illustr., * 1. 2. 1875 Washington, D. C., ansässig in Newark, N. J.

Schüler von J. P. Laurens u. Girardot in Paris.

Lit.: Amer. Art Annual, 12 (1915) 320.

Bassford, Wallace, amer. Maler u. Rad., * 2. 1. 1900 St. Louis, Mo., ansässig ebda.

Lit.: Who's Who in Amer. Art, I: 1936/37. — Amer. Art Annual, 30 (1933). — Art Index (New York), Okt. 1944/Sept. 45; Okt. 48/Okt. 49.

Bassoul, Jean-Bapt., franz. Landsch.-Maler, * Ajaccio auf Korsika, ansässig ebda.

Stellte 1925ff. in Paris im Salon der Soc. Nat. d. B.-Arts aus.

Lit.: Joseph, I. — Bénézit, [2] I (1948).

Bast, Jean de, belg. Maler u. Briefmarkenstecher, * 1883 Brüssel.

Schüler der Akad. Brüssel u. Mecheln.

Lit.: Seyn, I 197, m. Fotobildnis.

Bast, Ørnulf, norweg. Bildhauer, * 25. 1. 1907 Oslo, ansässig ebda.

Stud. an d. Handwerks- u. Kstindustriesch. in Oslo u. an d. Akad. ebda. Studienaufenthalte in Paris (1930), Deutschland, Italien, Nordafrika, Spanien, Holland (1932), England, Italien, Griechenland u. Ägypten (1934). 4 Arbeiten, darunter eine Mädchenstatuette, in der Nat.-Gal. in Oslo. 2 Gallionsfiguren für die Rederei Fred. Olsen ebda. Bronzen für die Norweg. Bank in Gjøvik. Borregaard-Denkmal in Sarpsborg (1939 enthüllt). 1932 Sieger im Wettbewerb um einen Schmuckbrunnen für den Jernbarnetorget in Oslo (ausgeführt?). Löwen für das Künstlerhaus in Oslo.

Lit.: Hvem er Hvem?, [4] 1938. — Vem är Vem i Norden, Stockh. 1941, p. 613. — Konstrevy, 12 (1936) 199; 15 (1939) 184/86, 186 (Abb.). — Kunst og Kultur, 20 (1934) 163 (Abb.), 169f., 171 (Abb.), 287 (Abb.); 24 (1938) 186ff., 189, m. Abb., 192 (Abb.), 279 (Abb.), 281 (Abb.). — Ord och Bild, 1933, p. 312f. m. Abbn.

Bastanier, Hanns, dtsch. Bildhauer, Maler, Radierer, Emailleur u. Exlibriskstler, * 24. 12. 1885 Berlin, ansässig ebda.

Gedenk- u. Ehrenplaketten (u. a. für Fr. Gauß), Ehrenurkunden, Kriegsgraphik, Gebrauchsgraphik, Kleinplastik (Tiere), Landschaftsgemälde.

Lit.: Dreßler. — Das Bild, 4 (1934) 356 (Abb.), 357f., m. Abb., 396, Abb. 2. Beibl.-Seite geg. p. 396; 6 (1936) Heft 11, Beibl.; 12 (1942) 194 (Abb.). — Blätter f. Münzfr., 19 (= Jg 69/71, 1934/36), 1937. — Ex-Libris, 25 (1915) 88; 27 (1917) 24, 74; 30 (1920) 38; 37 (1927) 92 (Abb.), 94. — D. Kstwanderer, 1924/25 p. 243. — Der Türmer, 40/I (1937/38) farb. Abb. geg. p. 476. — Velhagen & Klasings Monatsh., 48/I (1933/34) 280/81 (farb. Taf.), 344; 48/II (1933–34) 241 (farb. Abb.); 50/II (1936) 330, m. Abb.; 52/II (1938) farb. Taf. geg. p. 160. — Westermanns Monatsh., 154 (1933) 385/88, m. Abbn. — Dtsche Kst u. Dekor., 32 (1913) 448 (Abb.).

Bastard, Georges, franz. Schmuckkünstler, * Andeville (Oise), ansässig in Paris.

Stellte seit 1910 im Salon d'Automne, seit 1933 im Salon des Tuileries aus. Arbeitete in Elfenbein, Perlmutter, Kristall, Horn usw.

Lit.: Bénézit, [2] I (1948). — L'Amour de l'Art, 1927, p. 465/67, m. 6 Abbn. — L'Art décor., 1909/II p. 199/204. — Art et Décor., 1927/II p. 1/10, m. Taf. u. 20 Abbn. — Gaz. d. B.-Arts, 1909/II p. 261, m. Taf. — Kst u. Ksthandwerk (Wien), 15 (1912) 238.

Bastian, Dorcas Doolittle, amer. Maler, * 1. 10. 1901 Philadelphia, Pa., ansässig in East Gloucester, Mass.

Schüler von H. H. Breckenridge.

Lit.: Who's Who in Amer. Art, I: 1936/37.

Bastianini, Augusto, ital. Figuren- u. Bildnismaler, * 1. 4. 1875 Monteguidi, Val d'Elsa, Siena (Th.-B. u. Comanducci: Casole), † zw. 1936 u. 1940 Florenz.

Stud. an den Ist. di B. Arti in Florenz u. Rom. Gefördert von Nicc. Cannicci. Seit 1910 Lehrer für Figurenzeichnen am gen. Inst. in Florenz.

Lit.: Th.-B., 3 (1909). — Comanducci. — Chi è?, 1936; 1940, Anhang: Chi fu?. — Bénézit, [2] I (1948). — Vita d'Arte, 5 (1910) 55/67, m. Abbn; 13 (1914) 23 (Abb.), 24. — La Revue mod., 10. 7. 1925.

Bastide-Trousseau, Madeleine, franz. Kleinplastikerin, * Paris, ansässig ebda.

Schülerin von Ern. Laurent u. Navellier. Seit 1914 Mitglied der Soc. d. Art. Franç., beschickte deren Salon bis 1929. Statuetten (Figürliches, Tiere), Medaillons.

Lit.: Joseph, I. — Bénézit, [2] I (1948).

Bastien, Alfred, belg. Maler, * 16. 9. 1873 Ixelles, ansässig in Brüssel.

Schüler der Akad. Gent u. Brüssel, weitergebildet in Paris. Prof. an der Brüsseler Akad. Bildnisse, Landschaften, Stilleben, Genreszenen. 1905/08 im Orient. 1914/18 in Ostende. 3 Bilder im Mus. in Gent. Weitere Bilder in den Museen in Philadelphia, San Francisco, Ottawa (Can.), Schanghai u. im Musée du Jeu de Paume in Paris.

Lit.: Th.-B., 3 (1909). — Seyn, I. — Bénézit, [2] I (1948). — Revue de l'Art anc. et mod., 51 (1927), Suppl. p. 93 (Abb.). — Beaux-Arts, 25. 11. 1938. — P. Vandendries, Vie, voyages, œuvres d'A. B., Paris o. J. — The Internat. Who's Who, [8] 1943/44.

Bastien, Charles, franz. Landschafts-, Interieur-, Blumen- und Früchtemaler, * Rombas (Moselle), ansässig in Meudon.

Schüler von J. Adler u. Montézin. Mitglied der Soc. d. Art. Franç., beschickt deren Salon seit 1927.

Lit.: Bénézit, [2] I (1948).

Bastin, Louis, russ.-schwed. Radierer, * 1912 Moskau, ansässig in Stockholm.

Stud. in Paris. Figürliches, Interieurs, Straßenansichten.

Lit.: Thomœus.

Basto, Armando de, portug. Maler, Karikaturist u. Illustr., * 1890 Porto, † 1923 Braga.

Stud. an d. Kstschule in Porto. Stellte 1910 unter dem Pseudonym Boulemiche Karikaturen aus. Vertreten i. Nat.-Mus. zeitgenöss. Kst in Lissabon u. im Mus. des Rathauses in Porto.

Lit.: Gr. Enc. Port. e Brasil., IV 345. — Pamplona, p. 301.

Baszel, Gunther, ungar. Maler (Prof.), * 8. 5. 1902 Kaschau (Kassa), ansässig in Wien.

Lit.: Teichl.

Bataille, Henry, franz. Lithograph, Radierer, Zeichner, Dichter u. Dramatiker, * 4. 4. 1872 Nîmes (Gard), † 2. 3. 1922 Rueil.

Malschüler an d. Acad. Julian u. d. Ec. d. B.-Arts in Paris. Veröffentl. 1901 ein Album: Têtes et Pensées, mit 22 Schriftsteller- u. Kstlerporträts. Zeichnete die Plakate für 3 seiner Dramen: Résurrection (1902), La Vierge folle (1910), La Possession (1921).

Lit.: Bénézit, [2] 1 (1948). — L'Art et les Art., 5 (1922) 385/90, m. 12 Abbn. — Chron. d. Arts, 1922, p. 39. — Revue de l'Art anc. et mod., 41 (1922) 405 f., m. Abb. (Selbstbildnis, Lith.).

Batchelder, Evelyn B., s. *Longman.*

Bate, Louis Robert, franz. Bildhauer, * 1898 Bordeaux, ansässig in Malakoff (Seine).

Schüler von Coutan u. Landowsky. Stellt im Salon der Soc. d. Art. Franç. aus. Figürliches, Tiere.

Lit.: Joseph, I. — Bénézit, [2] I (1948). — Art et Décoration, 1927/II, Chron., August-Heft p. 2.

Bateman, Charles, amer. Maler, * 18. 11. 1890 Minneapolis, Minn., ansässig in Woodstock, Ulster Co., N. Y.

Schüler der Art Student's League in New York, von Kenneth Hayes Miller u. Andrew Dasburg.

Lit.: Fielding. — Amer. Art Annual, 20 (1923) 436.

Bateman, Henry Mayo, austral. Presse- u. Karikaturenzeichner, * 15. 2. 1887 Sutton Forest, New South Wales, Austr., ansässig in Newbury, Berks.

Stud. an d. Westminster Art School u. bei Ch. van Havenmaet. Mappenwerke: Burlesques; A Book of Drawings; Suburbia; More Drawings (1922); Considered Trifles; Himself.

Lit.: Who's Who in Art, [3] 1934. — The Internat. Who's Who, [16] 1952. — The Connoisseur, 53 (1919) 173; 59 (1921) 180; 64 (1922) 261.

Bateman, James, engl. Tier- u. Landschaftsmaler u. Holzschneider, * 22. 3. 1893 Kendal, Westmorland, ansässig in London.

Stud. am Roy. Coll. of Art u. an d. Slade School in London. Bilder in der Tate Gall. u. im Brit. Mus. in London, in der Leeds City Art Gall. (Mutterstute u. Fohlen), in d. Cheltenham Art Gall. (Schaffarm; Der Weiher) u. in den öff. Smlgn in Adelaide, Newcastle-on-Tyne, Sydney u. Southampton.

Lit.: Who's Who in Art, [3] 1934. — The Internat. Who's Who, [16] 1952. — Apollo (London), 13 (1931) 374 (Abb.); 17 (1933) 243 (Abb.), 244; 23 (1936) 345 (Abb.). — The Studio, 95 (1928) 48, m. Abb.; 96 (1928) 270/73, m. Abbn, 275 (farb. Taf.-Abb.); 102 (1931) 10 (Abb.); 108 (1934) 7 (Abb.); 128 (1944) 58 (Abb.); 134 (1947) 121/26, m. 10 [2 farb.] Abbn; 143 (1952) 37 (Abb.). — Velhagen & Klasings Monatsh., 53/II (1938/39) Taf.-Abb. geg. p. 252, 284.

Bateman, John, amer. Bildhauer, * 14. 2. 1877 Cedarville, N. J., ansässig in Haddonfield, N. J.

Stud. an d. Pennsylvania Acad. of F. Arts, bei Ch. Grafly u. an der Acad. Colarossi in Paris. Kriegerdenkmal in Doylestown, Pa.; Lincoln-Statue in d. Public High School in Philadelphia.

Lit.: Fielding. — Amer. Art Annual, 30 (1933). — Who's Who in Amer. Art, I: 1936/37.

Bates, Bertha Corson Day, amer. Malerin u. Illustr., * 20. 8. 1875 Philadelphia, Pa., ansässig in Greenville, Del.

Schülerin von Howard Pyle.

Lit.: Fielding. — Amer. Art Annual, 30 (1933).

Bates, Gladys, geb. *Edgerly,* amer. Bildhauerin, * 15. 7. 1896 Hopewell, N. J., ansässig in Mystic, Conn. Gattin des Kenneth.

Schülerin von Ch. Grafly, Albert Laessle u. der Pennsylvania Acad. of F. Arts. Wiederholt ausgezeichnet.

Lit.: Who's Who in Amer. Art, I: 1936/37.

Bates, Gladys, amer. Malerin u. Zeichnerin, * 19. 7. 1898 London, von amer. Eltern, ansässig in Brooklyn, N. Y.

Schülerin von Emil Bisttram, Felicie Waldo Howell u. Howard Giles.

Lit.: Who's Who in Amer. Art, I: 1936/37.

Bates, Kenneth, amer. Maler, * 28. 10. 1895 Haverhill, Mass., ansässig in Mystic, Conn. Gatte der Gladys.

Schüler der Pennsylv. Acad. of F. Arts.

Lit.: Fielding. — Amer. Art Annual, 20 (1923) 436. — Art Index (New York), Okt. 1944/Sept. 45. — Who's Who in Amer. Art, I: 1936/37. — Monro.

Bates, Kenneth Francis, amer. Email- u. Metallkstler, * 24. 5. 1904 North Scituate, Mass., ansässig in Cleveland, O.

Schüler der Massachusetts School of Art u. von L. A. Martin.

Lit.: Who's Who in Amer. Art, I: 1936/37. — Amer. Art Annual, 27 (1930) 508. — Bull. of the Cleveland Mus. of Art, 22 (1935), Abb. Titelbl. zu Nr 5; 28 (1941) 55, 71 (Abb.); 30 (1943) 64/65, 71 (Abb.); 31 (1944) 64, 70 (Abb.); 32 (1945) 61, 66 (Abb.); 33 (1946) 61, 66 (Abb.); 36 (1949) 62 (Abb.), 64; 37 (1950) 82, 87 (Abb.); 38 (1951) 97 (Abb.). — college art journal, 9 (1950) 394 (Abb.), 395/400; 11 (1951) 51f. — Amer. Artist, 15, Okt. 1951, p. 26.

Bates, Marjorie Christine, engl. Genremalerin, * King's Newton, Derbyshire, ansässig in Wilford Grange, Nottinghamshire.

Stud. an der Kstschule in Nottingham u. bei J. P. Laurens in Paris.

Lit.: Who's Who in Art, [3] 1934.

Bates, Robert William, engl. Landschaftsmaler, * Gosforth, Newcastle-on-Tyne, ansässig in Romiley, Cheshire.

Lit.: Who's Who in Art, [3] 1934.

Bateson, Edith, engl. Bildhauerin u. Malerin, * Cambridge, ansässig in Bushey, Hertfordshire.

Stud. an d. Schule der Londoner Roy. Acad. Porträtbüsten. Marmorgruppe in d. Lady Margaret Hall in Oxford.

Lit.: Who's Who in Art, [3] 1934. — Graves, I.

Bathurst, Clyde C., amer. Bildhauer, * 8. 6. 1883 Mount Union, Pa., † 1938 Rockport, Mass.

Schüler von Ch. Grafly an d. Pennsylv. Acad. of F. Arts in Philadelphia, Pa.

Lit.: Fielding. — Amer. Art Annual, 30 (1933). — Who's Who in Amer. Art, I: 1936/37.

Bató, József, Maler (bes. Aquar., Tempera u. Fresko), Rad. u. Lithogr., * 15. 10. 1888 Budapest, ansässig in Berlin.

Stud. in Nagybánya, dann in Paris bei G. Desvallières u. H. Matisse. Ließ sich 1918 in Berlin nieder. Reisen in Italien, den Donaustaaten, Dänemark (Bornholm) u. der Normandie. Begann als Impressionist, ging später zu einer Festigung der Form im Sinne des Neo-Klassizismus über. Beeinflußt von der ital. Frührenaissance. Bildnisse, Landschaften mit bäuerlicher u. Tierstaffage, Stadt- u. Hafenansichten, Blumenstücke. — Bilder in der N. Ungar. Gal. in Budapest (Sonntagabend), im Mus. Darmstadt (Die Pußta), im Wallr.-Rich.-Mus. in Köln (Im Hafen). Fresken u. a. im Rathaus in Steglitz (1929) u. im Kaufhaus des Westens in Berlin (1930). Graph. Folgen: „Im Krieg gegen Rußland 1914/15", 23 Orig. Rad., Wien Artaria 1916; „König Karls Krönung", 12 Lithos, u. „Balkan-Mappe", 12 Lithos (F. Gurlitt), Berlin 1921.

Lit.: Szendrei-Szentiványi. — Dressler. — Die Kunst, 53 (1925/26), Beil. Juliheft, p. X. — Dtsche Kst. u. Dekor., 30 (1912) 299 (Abb.); 33 (1913–14) 30 (Abb.); 43 (1918/19) 294/302, m. 10 Abbn; 56 (1925) 341 (Abb.), 345; 57 (1925/26) 351 (Abb.); 69 (1926/27) 208; 62 (1928) 344 (Abb.); 65 (1929) Taf. geg. p. 236. — D. Kstwanderer, 1925/26, Abb. p. 373, 387; 1930/31 p. 67f., m. Abb. — D. Kstwelt, 3 (1913–14) 307 (Abb.). — Velhagen & Klasings Monatsh., 44/I (1929/30) 627 (farb. Abb.), 628 (desgl.), 632 (desgl.); 47/II (1932/33), farb. Taf. geg. p. 240, 341. — Velh. & Klas. Almanach 1923, p. 32/33. — Nouv. Revue de Hongrie, 53 (1935/II) 196/200, m. 2 Abbn.

Batowski-Kaczor, Stanisław, poln. Maler u. Illustr., * 29. 1. 1866 Lemberg (Lwów), ansässig ebda.

Schüler von Cynk u. Łuszczkiewicz an der Krakauer Kunstsch., 1885/87 von Griepenkerl u. L'Allemand an der Wiener Akad., 1887/89 von Liezen-Meyer an der Münchner Akad. 1891 in Paris, 1893/95 in Italien, Spanien u. Marokko. — Bildnisse, Genre, ruthenische Volkstypen, Landschaften, Altarbilder (für die Lemberger Kathedr.), Wandgemälde (im Foyer des Lemb. Stadttheaters). — Illustr. zu Dichtungen von H. Sienkiewicz.

Lit.: Th.-B., 3 (1909). — Czy wiesz kto to jest?, 1938. — Bénézit, [2] I (1948).

Battaglia, Alessandro, ital. Bildnismaler (Öl u. Aquar.), * 26. 4. 1870 Rom, ansässig ebda.

Schüler s. Großvaters Rob. Bompiani, s. Onkels Augusto Bompiani u. s. Mutter Clevia Bompiani Battaglia, weitergebildet bei Ces. Maccari u. L. Seitz. Bild in d. Gall. d'Arte Mod. in Rom.

Lit.: Th.-B., 3 (1909). — Comanducci, m. Abb. — Bénézit, [2] I (1948). — Vita d'Arte, 3 (1909), Taf. geg. p. 273; 5 (1910) 223, m. Abb. — Emporium, 35 (1912) 420, m. Abb.

Battaglia, Carlo, sizil. Kunstschriftst. u. Landschaftsmaler, * 1889 Termini Imerese (Palermo), ansässig in Palermo.

Lit.: Chi è?, 1940. — Emporium, 90 (1939) 259 (Abb.), 260.

Battaglini, Dardo, ital. Maler u. Journalist, * 8. 1. 1889 Alessandria, ansässig in Mailand.

Autodidakt. Hauptsächl. Buchschmuck. Gründete 1923 in Alessandria das später nach Mailand verlegte Kunsthaus „Ariel". — Buchwerke: La Decorazione del libro (mit Taf. u. Zeichngn), Alessandria 1924; Il Consigliere dell'artista, ebda 1925.

Lit.: Chi è?, 1940. — Cronache d'arte (Bologna), 1 (1924) 302ff., m. Abb. — Risorgimento grafico (Mailand), Sept. 1924.

Battaille, Willem, belg. Maler, * 1867 Brüssel, † 1933 Schaarbeek.

Schüler der Brüsseler Akad. Landschaften, Marinen, Figürliches. Malte hauptsächl. Motive aus der Campine u. Flandern. Im Mus. Ostende: Hafen von Ostende.

Lit.: Seyn, I, m. Fotobildnis.

Battaini, Rino Gaspare, ital. Stillebenmaler, * 6. 2. 1892 Mailand, ansässig ebda.

Autodidakt. Bild in der Gall. d'Arte Mod. in Mailand.

Lit.: Comanducci, m. Abb. — Emporium, 93 (1941) 42.

Batten, John Dickson, engl. Maler, Buchillustr. u. Holzschneider, * 8. 10. 1860 Plymouth, † 5. 8. 1932 Kew Gardens, Surrey.

Schüler von Alph. Legros an der Slade School in London. Im Victoria a. Albert Mus. London: Wandbild (Tempera): Hl. Christophorus. In d. Nat. Gall. of New South Wales: Schneewittchen u. die 7 Zwerge. In St. Martin's Church, Kensal Rise: Triptychon. Illustr. zu J. Jacobs: English, Celtic and Indian Fairy Tales, zu Dante's Hölle. Führte in England den nach japan. Art von mehreren Stöcken gedruckten Farbenholzschnitt ein.

Lit.: Th.-B., 3 (1909). — H. W. Fincham, The Artists Engr. of Book-plates, Lo. 1897. — Who's Who in Art, [2] 1929; [3] 1934, p. 447. — The Studio, 62 (1914) 175 (Abb.), 181 (Abb.); 69 (1917) 103/14. — The Print Coll.'s Quarterly, 19 (1932) 271.

Batten, Mark Wilfrid, schott. Maler, * 21. 7. 1905 Kirkcaldy, ansässig in Beckenham, Kent.
Stud. an der Chelsea-Kunstschule.
Lit.: Who's Who in Art, [3] 1934.

Battenberg, Mathilde, dtsche Porträtmalerin, * 4.4.1878 Alzey, Rheinhessen, † August 1936 Frankfurt a.M. Schwester des Folg.
Stud. 1896/1901 bei O. Roederstein in Frankfurt, 1902 bei L. Simon Cottet u. Thaulow in Paris. 1901 in Florenz. Machte sich in Frankfurt ansässig.
Lit.: Weizsäcker-Dessoff. — Frankf. Zeitg (Reichsausgabe), 20. 8. 1936, p. 9.

Battenberg, Ugi, dtsch. Maler u. Bildhauer, * 11.3.1879 Alzey, Rheinhessen, ansässig in Frankfurt a.M. Bruder der Vor.
Stud. 1898ff. bei O. Roederstein in Frankfurt, 1900ff. bei Collin, Girardot u. Courtois in Paris, 1903 bei Thedy in Weimar. Bildnisse, Interieurs, Blumenstücke, Stilleben, Landschaften.
Lit.: Weizsäcker-Dessoff.

Battermann, Wilhelm, dtsch. Maler (Prof.), * 1.7.1872 Elze, Hannover, ansässig in Altona-Othmarschen.
Stud. an der Kstgewerbesch. in Hannover, an der Akad. in Berlin u. bei Knirr in München. Wandgemälde im Mus. in Altona; Märchenbilder im Gasthof „Kaiserhof" ebda.
Lit.: Dreßler. — Sauermann, Schleswig-Holstein. Kstkalender, 1912 p. 57 (Abb.). — Führer d. d. Ausst. v. Kstwerken aus Altonaischem Priv.-Bes. u. des Alton. Kstler-Ver. i. Donnerschen Schloß, 1912, p. 53, 82, m. Abb.

Battesch, Gernot, dtsch. Maler, * 27. 1. 1928 Kujan, Westpreußen, ansässig in Berlin.
Stud. an d. Hochsch. f. Angewandte Kunst in Berlin-Weißensee.
Lit.: Kat. d. 3. Dtsch. Kstausst. Dresden 1953, m. Abb.

Batthyány, Gyula, Graf, ungar. Maler u. Illustr., * 10. 5. 1888 Budapest.
Schüler von J. Vaszary in Budapest, weitergebildet in München u. Paris. Landschaften, Bildnisse, Figürliches, Blumenstücke. Neigung zur Karikatur.
Lit.: Szendrei-Szentiványi. — Krücken-Parlagi. — A Gyüjtö, 1914, Jan.-Febr., p. 25/27, m. 6 Abbn. — Jahrb. d. Mus. d. Bild. Kste in Budapest, 9 (1940) 273. — Nouv. Revue de Hongrie, 55 (1936/II) 536/38, m. 2 Abbn. — Kat. Ausst. Ung. Malerei d. Gegenw., Berlin 1942/43, p. 27 u. 36.

Battigelli, Marina, ital. Malerin, Rad., Buchillustr. u. Schriftst., * 3. 7. 1904 Kairo (Ägypten), von triestin. Eltern, ansässig in Florenz.
Auszeichnungen: Silb. Med. Ausst. Assisi 1927; 2. Preis der Stadt Orvieto für Kupferstich, 1941. Verf. einiger Erzählungen, die sie mit eigenen Zeichnungen schmückte.
Lit.: Emporium, 94 (1941) 95 (Abb.). — I Diritti della Scuola, Rom 1940. — La Scuola ital. mod., 1941. — C. Ratta, Ex-libris ital., 1930; ders., Adornatori d. Libro in Italia, I 9. — Turismo, Jan. 1941. — L. Servolini, Diz. d. Incisori ital. mod. e contemp., 1952.
L. Servolini.

Battke, Heinz, dtsch. Maler, Graph. u. Kunstschriftst., * 28.11.1900 Berlin, ansässig in Florenz.
Stud. 1917/20 bei Ad. Propp, 1921/24 bei C. Hofer in Berlin. Studienaufenthalte in Paris (1927/29), Florenz (1929/30), der Schweiz, Dänemark. Südfrankr., Holland u. Belgien. Seit 1935 in Florenz ansässig. Hauptsächl. Bildnisse u. Stilleben. Vom dtsch. Expressionismus ausgehend; dann sich dem Surrealismus nähernd. In d. Kirche zur Hl. Familie in Breslau. Sebastiansaltar (1934). Weitere Arbeiten in den öff. Smlgn in Dortmund, Düsseldorf, Witten (Märk. Mus.) u. Wuppertal-Elberfeld. — Kollekt.-Ausst. in d. Gal. Stangl, München, 24. 10./30. 11. 1951 (Zeichngn u. Guaschen) u. im Städt. Mus. Wuppertal-Elberfeld, 1952. — Buchwerke: Die Ringsmlg des Berl. Schloß-Mus., zugleich eine Kst- u. Kulturgesch. des Ringes, Berl. 1938; Aufzeichnungen eines Malers, Baden-Baden 1951.
Lit.: Dreßler. — Dtsche Kst u. Dekor., 60 (1927) 215, 223 (Abb.). — Kst u. Kstler, 25 (1926/27) 350. — Kstchronik, 4 (1951) 278. — D. Kstwerk, 3 (1949) H. 2 p. 33f., m. 2 Abbn; 5 (1951) H. 2, p. 46, 47, m. 2 Abbn, H. 6 p. 40, 41, m. 4 Abbn; 6 (1952) H. 1, ganzs. farb. Abb. zw. p. 42 u. 43. — Emporium, 109 (1949) Nr 653, m. 2 Abbn. — La Fiera Letteraria (Rom), 4 (1949) Nr 18. — Fonte Gaia (Siena), 2 (1949) Nr 12. — D. Kst u. d. schöne Heim, 50 (1951/–52) 215/17, m. 4 Abbn, u. Beil. p. 181. — Revue Moderne (Paris), 28 (1928), m. 3 Abbn. — Revue du Vrai et du Beau, 7 (1928) 122, m. 3 Abbn. — Der Standpunkt, 5. Jg, Nr 36 p. 9. — Numero (Florenz), 2 Nr 3 (1905), m. 3 Abbn.

Baturin, Viktor Pawlowitsch, russ. Maler, * 1863, † 1938.
Bild (Holzschlag im Walde) in d. Tretjakoff-Gal. Moskau (Kat. 1912 Nr 745).

Batz, Eugen, dtsch. Maler, * 1905 Velbert, Rhld, ansässig in Neviges, Rhld.
Stud. an d. Kstgewerbesch. in Elberfeld, am Bauhaus in Dessau u. an d. Akad. in Düsseldorf. Studienreisen in Frankreich, der Schweiz u. Italien. Abstrakter Künstler. Kollekt.-Ausst. Mai/Juni 1950 im Studio f. Neue Kst in Wuppertal.
Lit.: Kat. Ausst. Dtsche Malerei u. Plastik d. Gegenwart, im Staatenhaus der Messe in Köln 14. 5./3. 7 1949. — D. Kstblatt, 14 (1930) 276 (Abb.).

Bauch, Georg Curt, dtsch. Bildnismaler u. Bildhauer, * 11.7.1887 Meißen, ansässig in Loschwitz b. Dresden.
Schüler von Robert Diez. Brunnen in Jöhstadt in Sa. Eine Bronze, Gallaneger, im Albertinum in Dresden.
Lit.: Dreßler. — D. Kstwanderer, 1925/26, p. 419. — Die Plastik, 1918 p. 26.

Bauch, Jan, tschech. Maler, * 16. 11. 1898 Prag, ansässig ebda.
Stud. 1915/22 bei E. Dítě u. V. H. Brunner an der Prager Kstgewerbesch., 1922/24 bei M. Švabinský an der Akad. in Prag. Studienaufenthalte in Paris u. Italien. Prof. an d. Prager Kstgewerbesch. Anfänglich vom Kubismus, später vom franz. Expressionismus (Rouault) beeinflußt. Bedeutender Kolorist. Hauptsächlich Akte u. Stilleben (Blumen). Beteiligte sich an Ausstellungen in Venedig, Warschau, Moskau, Leningrad, Philadelphia. Sonderausst. in Prag 1930 (Gal. Aventinum), 1934 (Gal. Feigl), 1942 (Gal. Vilímek), 1943 („Mánes"). In d. Nat.-Gal. Prag 2 Stillleben.
Lit.: Kat. d. Ausst.: Sto let českého umění 1830–1930, S. V. U. Mánes, Prag 1930. — Rozpravy Aventina (Prag), 6 (1930/31). — V. Nebeský. — Toman, I 44. — La Peint. mod. tchécoslov., préf. de Madeleine Collard, Brüssel 1948, m. 3 Abbn. *Blž.*

Bauch, Solomon Stan, rumän.-amer. Maler, * 7. 9. 1883 Podul-Illoiet, Rumänien, ansässig in New York.
Schüler von Robert Henri u. G. Bellows.

Lit.: Amer. Art Annual, 30 (1933). — Who's Who in Amer. Art, I: 1936/37.

Bauchant, André, franz. Maler u. Bühnenbildner, * 24. 4. 1873 Châteaurenault (Indre-et-Loire), ansässig in dem nah dabei gelegenen Auzoner.

Bäuerlicher Herkunft. Kam erst nach s. 40. Lebensjahr durch den Zufall zur Malerei, daß er während des 1. Weltkrieges in Mazedonien Landvermessungen vorzunehmen hatte. Autodidakt. Stellt seit 1921 im Salon d'Automne, seit 1924 in der Gruppe der „Surindépendants" aus. Poetisch gestimmter, von wissenschaftlich exaktem Naturstudium ausgehender Primitivist in der Art Henri Rousseau's. Panoramen, oft kolossalen Umfangs, aus dem Marnegebiet, Landschaften mit mytholog. oder bäuerlicher Staffage, Blumenstücke, Figürliches, Tier- (bes. Vogel-)bilder. Malte 1927 für Jagileff die Dekorationen zu dem Ballett „Apollo Musagetes" von Strawinskij. Kollektiv-Ausst. in d. Lefèvre Gall. in London 1931.

Lit.: Bénezit, [2] 1, m. Taf. 15. — Joseph, 1. — M. Raynal, Anthologie de la Peint. en France etc., 1927, m. 2 Abbn. — W. Uhde, 5 primitive Meister, Zürich 1947. — Apollo (London), 40 (1944) 2. — L'Art vivant, 1937, p. 201ff. passim, m. Abb. — Beaux-Arts, 8 (1931) Mai-Nr, p. 24, m. Abb.; 75e Année, Nr 312 v. 23. 12. 1938, p. 3, m. Abb. — Le Centaure (Brüssel), 3 (1929) 191, m. Abb. — Formes, 1931 p. 25f., m. 4 Abbn. — Konstrevy, p. 175 (Abb.). — Dtsche Kst u. Dekor., 68 (1931) 222/25, m. 4 Abbn. — D. Kstwerk, 4 (1950) Heft 3, p. 46, m. Abb. — La Renaissance, 12 (1929) 312, m. Abb.; 13 (1930) 79, m. Abb., 209 [recte 251], m. Abb., 299 [recte 343], m. Abb. — The Studio, 102 (1931) 66 (Abb.); 128 (1944) 89f., m. Abb.

Bauche, Adolf Wilhelm, dtsch. Bildnismaler, Gebrauchsgraphiker u. Werkkünstler, * 20.10.1899 Lübeck, ansässig in Hamburg.

Stud. bei C. O. Czeschka an der Kstgewerbesch. in Hamburg.

Lit.: Dreßler.

Bauche, Léon Charles, franz. Landsch.- u. Figurenmaler, * Paris, ansässig ebda.

Mitglied d. Soc. Nat. d. B.-Arts, beschickte deren Salon bis 1930. Stellte seit 1905 auch bei den Indépendants aus.

Lit.: Bénézit, [2] 1. — Joseph, 1.

Baucke, Heinrich, dtsch. Bildhauer, * 15.4.1875 Düsseldorf, † 12./13.4.1915 Ratingen.

Schüler von Carl Janssen. Hauptsächlich Porträtbildner. Büsten Moltkes u. Bismarcks im Mus. in Krefeld. Kolossalstatue: Barbarensieger, aufgest. außen gegenüber der Westseite der Berliner Nat.-Gal.

Lit.: Th.-B., 3 (1909). — Dtsche Bauzeitg, 49 (1915) 236. — D. Kunst, 32 (1915), Beil. z. H. 8, Mai 1915 p. VIII.

Baucour, René Albert, franz. Genrebildhauer, * 10. 8. 1878 Paris, ansässig ebda.

Schüler von Falguière u. Mercié. Mitglied der Soc. d. Art. Franç., beschickte deren Salon 1904/32.

Lit.: Joseph, I (irrig Baucourt). — Bénézit, [2] I (1948). — Salon-Kataloge (häufig irrig: Beaucour).

Baud, Edouard Louis, schweiz. Maler, Plakatzeichner u. Illustr., * 19.6.1878 Genf, ansässig ebda.

Besuchte die Städt. Kstschule in Genf, dann Schüler s. Onkels L. Dunki u. B. Bodmers. Widmete sich vorzugsweise der Affiche u. Illustration. Lithogr. zu Ziegler, „Vision histor.", Genf 1915.

Lit.: Brun, I. — Schweiz. Zeitgen.-Lex., 1932. — Lonchamp, II Nr 27, 200, 216, Abb. Taf. 63. — Album Genevois, dessins originaux de Ed. Vallet, G. de Beaumont, E. B. etc. Préface de J. Mayor, Genf 1901.

Baud, Paul, schweiz. Bildhauer, * 1896 Genf, ansässig ebda. Sohn des Holzschneiders Maurice B. (* 1866, † 1915).

Schüler von A. Cacheux in Genf. Im Mus. Solothurn: Akt (Marmor); im Mus. Genf: Büste Pedro Alcover (Bronze); im Mus. Winterthur: Büste des Malers Alex. Blanchet (Bronze).

Lit.: Jahrb. f. Kst u. Kstpflege in der Schweiz, V: 1928/29, Basel 1930 p. 83, 397 m. Taf. — Die Schweiz, 23 (1919) 640/641, m. Abb. (Kopf d. Malers Blanchet). — Die Kst in d. Schweiz, 1927 p. 225, m. Abbn. — Pro Arte (Genf), 3 (1944) 170, m. Abbn. — Das Werk, 28 (1941) 180 (Abb.). — Schweizer Kst, 1942 p. 75 (Abb.). — Kat. Schweiz. Bildh. u. Maler 1941. Ausst. Ksthaus Zürich 7. 12. 1941–1. 2. 1942.

Baud-Bovy, Daniel, schweiz. Maler u. Schriftst., * 13. 4. 1870 Genf. Bruder des Folg.

Sohn des Malers Auguste B.-B. 1908/19 Direktor d. Genfer Ec. d. B.-Arts. Schrieb über s. Reisen. Verf. zahlr. ksthist. Aufsätze u. Bücher, dar.: Peintres genévois, 1904; Les Arts en Suisse, 1929.

Lit.: Schweiz. Zeitgen.-Lex., 1932.

Baud-Bovy, Valentin (Pseudonym: André Valentin), schweiz. Genre- u. Landschaftsmaler, * 5.12.1875 Genf, † 1903. Bruder des Daniel.

Schüler s. Vaters Auguste B.-B., dann von B. Menn u. H. Bovy. Im Mus. Genf: Herbstmorgen.

Lit.: Th.-B., 3 (1909).

Baude, François Charles, franz. Maler, * 10. 1. 1880 Houplines (Nord), ansässig in Paris.

Schüler von H. Royer, Bouguereau u. Baschet an der Acad. Julian. Mitglied der Soc. d. Art. Franç. (Salon-Kat. häufig m. Abbn). Genre, Bildnisse, Interieurs, Landschaften. Bilder u. a. im Mus. Simu in Bukarest u. in d. Smlg Wanamaker in New York.

Lit.: Th.-B., 3 (1909). — Joseph, 1. — Michel, VIII 893f. m. Abb. — Bénézit, [2] I (1948). — Velhagen & Klasings Monatsh., 46/I (1931/32) Taf.-Abb. geg. p. 144, Text p. 223.

Baude-Couillaud, G., franz. Bildnis- u. Landschaftsmalerin, * Bordeaux, ansässig in Boulogne-sur-Seine.

Schülerin von H. Royer u. Humbert. Seit 1937 Vollmitglied der Soc. Nat. d. B.-Arts, beschickte deren Salon 1921/39. Stellte auch im Salon der Soc. d. Art. Franç., 1926/38 bei den Indépendants, 1922 im Salon d'Automne, 1923ff. im Salon des Tuileries aus.

Lit.: Joseph, I. — Bénézit, [2] I (1948).

Baudichon, René, franz. Medailleur u. Plakettenkünstler, * 24. 3. 1878 Tours, ansässig in Levallois-Perret (Seine).

Schüler von Barrias, Vernon u. Fr. Sicard. Mitglied der Soc. d. Art. Franç.; Gold. Med. 1921.

Lit.: Th.-B., 3 (1909). — Joseph, 1. — Forrer, 7; 8 p. 310. — Bénézit, [2] 1 (1948). — Aréthuse, 2 (1924/25) p. [3], m. Abb.

Baudier, Paul, franz. Holzschneider u. Maler, * 18.11.1881 Paris, ansässig ebda.

Schüler, dann Mitarbeiter s. Stiefbruders Edmond Duplessis. Hauptsächlich Landschafter. Stellt seit 1900 bei den Indépendants aus. Illustr. u. a. zu: L. Bloy, La femme pauvre; E. Clermont, Hist. d'Isabelle; M. Elder, La maison du pas périlleux; R. de Gurmont, Lettres à Sixtine; C. Guérin, Le Cœur solitaire; Maupassant, Une vie; R. Rolland, La vie de Beethoven, La vie de Michel-Ange, La vie

de Tolstoi; A. Samain, Au jardin de l'Infante; L. Daudet, Souvenirs littéraires; G. Flaubert, L'Education sentimentale, usw. Viele Illustrationen in „La Vie Illustrée".
Lit.: Bénézit, [2] I (1948). — Salaman, p. 74, 75. — Gaz. d. B.-Arts, 1920/I p. 211/19, m. 7 Abbn.

Baudin, Georges, franz. Figurenmaler, Illustr. u. Holzschneider, * 26. 6. 1882 Paris, ansässig ebda.

Mitglied der Soc. Artist. de la Gravure sur bois. Stellt auch im Salon d'Automne aus. Entwürfe für Pergament-Einbände. Hauptblätter (Holzschn.): La Bacchante; La Princesse de Babylone; L'Escarbille d'Or.
Lit.: Joseph, I. — Bénézit, [2] I (1948).

Baudin, Henry, schweiz. Architekt (Prof.), * 31.1.1876 Bourg-de-Four, † 30.10.1929 Genf.

Schüler von Sautter. Arbeitete dann bei Gross & Golay u. bei M. Camoletti. Assoziierte sich mit A. Dufour. Baute 1907 zus. mit A. Camoletti das Collège in Nyon. Hauptwerk: Théâtre de la Comédie in Genf (1911/13). Villen in Genf („La Marjolaine") und Clarens. Lehrtätig an der Genfer Ec. d. B.-Arts. Buchwerk: Les Constructions scolaires en Suisse, Genf 1907 u. 1917 (2 Bde).
Lit.: Das Werk, 1 (1914) H. 6 p. 1/12; 3 (1916) 33/40; 16 (1929) 380, m. Bildn. — Schweiz. Bauztg, 54 (1909) 173, 286f.; 55 (1910) 130.

Baudisch-Teltscher, Gudrun, öst. Keramikerin, ansässig in Berlin.

Mitgl. der Wiener Werkstätten. Ansässig in Wien, seit den 1930er Jahren in Berlin. Figürliches, Terrakotten, z. T. Gebrauchszwecken dienend, teils farbig glasiert, teils unglasiert: Frau mit Traube, Kakteenträgerin, Schwestern, usw.
Lit.: Dtsche Kst u. Dekor., 59 (1926/27) 37 (2 Abbn); 62 (1928) 197 (Abb.), 198 (Abb.), 204 (Abb.); 63 (1928/29) 361 (Abb.), 364, Abb. geg. p. 438; 64 (1929) 64, 175f., m. Abbn bis p. 185 und Fotobildnis.

Baudnik, Emilian, dtsch-böhm. Maler u. Holzschneider, * 23.3.1877 Prag, zuletzt ansässig in Berlin-Halensee.

Stud. in Budapest u. bei Levin Funcke in Berlin. Buchwerke: Farbige Erlebnisse, Berlin 1924; Sie amüsiert sich (Selbstverlag).
Lit.: Dreßler.

Baudoin, Jean Franck, franz. Landschafts- u. Architekturmaler, * Saint-Martin-de-Ré (Charente-Infér.), ansässig in Paris.

Schüler von Baschet u. H. Royer. Mitglied der Soc. d. Art. Franç. (Salon-Kat. z. T. m. Abbn). Stellt auch bei den Indépendants aus. Bild im Mus. Nantes.
Lit.: Joseph, I. — Bénézit, [2] I (1948).

Baudon, Yvonne, franz. Landschaftsmalerin (Öl u. Guasch), * Paris, ansässig ebda.

Schülerin von J. P. Laurens, Humbert u. Biloul. Mitglied der Soc. d. Art. Franç., beschickt deren Salon seit 1932.
Lit.: Bénézit, [2] I (1948).

Baudot, Emile, franz. Figurenbildhauer, * 7. 7. 1886 Paris, † 24. 3. 1916 im Felde.

Stud. im Bildhaueratelier der Ecole Bernard-Palissy. Stellte bei den Indépendants, im Salon d'Automne u. im Salon der Soc. Nat. d. B.-Arts aus.
Lit.: Joseph, I. — Ginisty, 1919 p. 57f. — Bénézit, [2] I (1948).

Baudot, Jeanne, franz. Blumen- u. Bildnismalerin, * Paris, ansässig in Louveciennes (Seine-et-Oise).

Stellte seit 1906 bei den Indépendants, 1924/25 im Salon des Tuileries aus.
Lit.: Bénézit, [2] I (1948).

Baudoux, Emile, franz. Landschaftsmaler, * Paris, ansässig ebda.

Schüler von Cabanel u. Humbert. Mitglied der Soc. d. Art. Franç., beschickte deren Salon bis 1927.
Lit.: Bénézit, [2] I (1948).

Baudran, Gabriel, franz. humorist. Zeichner, * 30. 5. 1883, Paris, ansässig ebda.

Mitarbeiter der „Depêche de Toulouse" u. and. humorist. Zeitschriften.
Lit.: Joseph, I. — Bénézit, [2] I (1948).

Baudrenghien, Joseph, belg. Bildhauer, * 14. 11. 1873 Monceau-sur Sambre.

Schüler von Ch. v. d. Stappen an der Brüsseler Akad. Religiöse Motive in leicht archaisierendem Stil.
Lit.: Th.-B., 3 (1909). — Bénézit, [2] I (1948). — Seyn, I. — Emporium, 52 (1920) 2 (Abb.), 8.

Baudrexel, Eduard, dtsch. Maler u. Radierer, * 3. 7. 1890 München, ansässig ebda.

Stud. an der Akad. München. 2 Kriegsbilder i. d. N. Pinak. ebda. 23 Radiergn zu: Apokalypse des Hl. Johannes, mit Vorw. von G. J. Wolf, Münch. o. J.
Lit.: Dreßler. — Dtsche Kunst u. Dekor., 44 (1918/19) 190 (Abb.). — Velhagen & Klasings Monatsh., 46/II (1931/32) farb. Taf.-Abb. p. 444; 52/II (1938) 286f., farb. Abb. p. 288.

Bauer, Emil, schweiz. Landschafts-, Blumen- u. Bildnismaler, ansässig in Zollikon.

Gedächtnisausstellungen im Salon Rosenberger & Co. in Zürich Okt. 1929, im Orell-Füßli-Hof ebda Dez. 1931.
Lit.: N. Zürcher Ztg, 14. 10. 1929 u. 16. 12. 1931.

Bauer, Gustav Adolf, dtsch. Maler (Öl u. Aquar.), * 11. 2. 1924 Augsburg, ansässig ebda.

Schüler von Döllgast an d. Augsb. Kstsch., 1938/41 von Gulbransson an d. Münchner Akad., weitergebildet bei Brüne. Landschaften, Blumenstücke.
Lit.: Kat. Ausst. Augsburg. Kstler, Schaezler-Palais, Augsburg, 8. 12. 1946–2. 1. 1947.

Bauer, Hans, dtsch. Genre- u. Landschaftsmaler, * 2. 12. 1883 Drebkau im Spreewald, ansässig in Weimar.

Stud. an der Akad. Berlin, 1910/14 bei Hans Olde, Mackensen u. A. Egger-Lienz an d. Kstsch. in Weimar. 3 Bilder im Bes. der Stadt Weimar.
Lit.: Dreßler.

Bauer, Hans, dtsch. Bildhauer, * 6. 9. 1888 Küps b. Kronach, fiel am 16. 2. 1915 in Frankr.

Stud. 1906/10 an der Kstgewerbesch. in Nürnberg u. bei Max Heilmaier, später dessen Gehilfe in Nürnberg. Schweppermann-Brunnen in Nürnberg; Füllungen für Holzschnitzerei; Entwürfe für Majoliken.
Lit.: Kst u. Handwerk, 1913 p. 202, 203, 204 (Abbn). — D. Plastik, 1916, p. 16.

Bauer, Hermann, dtsch. Maler u. Radierer, * 22. 8. 1892 Markneukirchen i. V., ansässig in München.

Schüler von A. Schinnerer in München.
Lit.: Dreßler. — Ex Libris, 35 (1925) 59ff., m. Abbn.

Bauer, Horst, dtsch. Landschaftsmaler, * 30. 9. 1885 Leipzig, ansässig in Helbra üb. Klostermansfeld.

Besuchte die Kunstschulen in München, Dresden u. Berlin. Werke im Bes. des Mansfeld-Kombinats „Wilhelm Pieck".

Bauer, John, schwed. Maler (Öl u. Aquar.) u. Zeichner, * 4. 6. 1882 Jönköping, † 20. 11. 1918 Djursholm.

Stud. an der Akad. in Stockholm. 1907/09 Studienaufenthalte in Italien u. Deutschland. Hauptsächlich Märchenstoffe (Trollsage), Wandbilder u. Fresken. Vertreten im Nat.-Mus. in Stockholm u. in den Museen in Göteborg und Malmö. Folge aus der Trollsage: 30 Bilder i mezzotyp till ett urval sagor i Bland och troll åren 1907/16, 89 S., 31 Taf., Stockh. 1918. Seine Maske, modelliert von Karl Hultström (Bronze), im Nat.-Mus. in Stockholm.

Lit.: Harald Schiller, J. B. Sagotecknaren, Uppsala 1935. — N. F., II, m. Fotobildn. — Thomæus. — Emporium, 35 (1912) 250ff., m. Abbn u. Taf. — Konst, 1913, fasc. 3, p. 22f., m. 4 Abbn. — Konst och Konstnärer, 1911, p. 108 (Abb.); 1912 p. 99 (Abb.), 105 (Taf.). — Konstrevy, 1934 H. 5, p. 160 (Abb.); 1937 Spezial-Nr, p. 9 (Abb.). — Ord och Bild 1934, p. 249/61, m. 13 Abbn. — Nat.-Mus. Stockholm [Bilderbuch], 1948 p. 102.

Bauer, Josef, dtsch. Landschaftsmaler (Dr.med.), * 3.11.1869 Kelheim, † Frühjahr 1941 München.

Mediz. Studien an der Universität München. 1896/1903 dort als praktischer Arzt tätig. 1904 Malstudien bei Phil. Helmer in Esting b. Fürstenfeldbruck, dann von Weinhold u. Knirr, zuletzt von O. Strützel in München. Stellte seit 1906 im Münchner Glaspalast aus. Kollekt.-Ausst. Febr./März 1922 in der Ständigen Kstausst. der Münchner Künstlergenossensch. (III. Katal.), März 1940 in d. Gal. am Lenbachplatz (Kat. m. Fotobildn.).

Lit.: Dreßler. — Die Weltkst, 13 Nr 46/47 v. 26. 11. 39, p. 6; 15 Nr 19/20 v. 11. 5. 1941, p. 10. — Kst- u. Antiquitäten-Rundschau, 45 (1937) 18, m. Abb.; Kst-Rundschau, 47 (1939) 214.

Bauer, Karl, dtsch. Maler u. Graphiker, * 7.7.1868 Stuttgart, † Anf. Mai 1942 München.

Schüler von N. v. Gruenewaldt, Keller u. Igler in Stuttgart, dann von W. von Lindenschmit in München. 1893 in Paris, seitdem in München. Hauptsächlich Bildnisse u. figürl. Kompositionen. Lutherbilder für die Kirchen in Görlitz, Oppenweiler u. Helsinski. Bildn. Haeckels im Haeckel-Mus. in Jena. Illustrat. zu Heines „Buch der Lieder". Mehrfarbige lithogr. Bildnisse: Luther, Goethe, Schiller, Joh. Seb. Bach, Darwin, Haeckel, Bismarck. — Buchwerke: Charakterköpfe zur dtsch. Gesch.; Aus großer Zeit (Freiheitskriege); Führer und Helden (Federzeichngn, Lpzg 1915); Goethes Kopf u. Gestalt (Berl. 1908); Schillers äußere Erscheinung in Bild u. Wort (Marbacher Schillerbuch, 3), Stuttg. 1909; Dtsche Führer in großer Zeit, Stuttg. 1915; Gleichnisse Jesu, in Bildern dargestellt, Gütersloh o. J.

Lit.: Th.-B., 3 (1909). — Dreßler. — Karl, 1 (1929), m. Abb. — Hellas (Der dtsche Spielmann. Eine Auswahl aus dem Schatze dtsch. Dichtung, hg. v. E. Weber [Bd 32]), 2. Aufl., Münch. 1925 (farb. Umschlag, 4 farb. Vollbilder u. 16 Abbn im Text). — Das Bild, 1938, Beibl. z. Juli-Heft p. 3f., z. Sept.-Heft p. 1; 1939 Taf.-Abb. geg. p. 129, 148/50, 150/56, m. Abbn. — Exlibris, 27 (1917) 33. — Schwäb. Heimatbuch, 1939, p. 163. — Die Kunst, 85 (1941/42) Beibl. Julih. p. 9. — Westermanns Monatsh., 132/I (1922) 252/53, 256f. — Bildersmlg Schwarz-Weiß-Kst, Verlag F. Heyder, Berlin-Zehlendorf, o. J. [1919] p. 5 (Abb.: Selbstbildnis 1919), 6, 7 (9 Abbn) u. Nachtrag 1922.

Bauer, Karl, dtsch. Maler u. Innenarchitekt, * 25.5.1878 Gera, ansässig in Bautzen.

Schüler von L. Herterich u. O. Seitz an d. Münchner Akad., von L. v. Hofmann u. H. Olde an der Weimarer Kunstsch. u. von O. Gußmann an d. Dresdner Akad. Bilder im Stadtmus. in Bautzen.

Lit.: Dreßler.

Bauer, Karl, dtsch. Architekt, * 1883, † 21.12.1914 München.

Schüler von G. v. Hauberrisser in München. Seit 1899 Nachfolger v. Beyers als Münsterbaumeister in Ulm. Besorgte hauptsächlich die Ausschmückung des Innern u. die Wiederherstellungen des Frontturms, vom Martinsfenster bis zum Viereckkranz, der Besserer- u. Neidhard-Kapellen. Entwurf für eine neue Ev. Stadtkirche in Ulm. Führte Schloß u. Kirche in Eurasburg, das Schloß der Gräfin Tattenbach in Weidenkamm am Starnberger See u. einige kleinere Landkirchen in Bayern aus.

Lit.: Denkmalpflege, 1915 p. 3f. — Zentralbl. d. Bauverwaltg, 35 (1915) 32. — Württemb. Nekrolog, 1916 p. 282. — Dtsche Bauztg, 49 (1915) 11. — Neudtsche Bauztg, 11 (1915) 25.

Bauer, Karl Johann, dtsch. Goldschmied u. Entwurfzeichner für Kstgewerbe, * 1877, fiel am 16.11.1914 in Flandern.

Lernte in den Münchner Werkstätten Rothmüller, Steinicken und Mayrhofer u. in d. Gewerbl. Fortbildungsschule bei Harrach. Seit 1903 eigene Werkstatt in Schwabing. Silberschmuck; Entwürfe für Monstranzen, Altarkreuze, Kelche, Fruchtschalen, Beleuchtungskörper usw.

Lit.: D. Kunst, 26 (1911/12) 48 (Abb.), 49 (Abb.), 145, 146, 147, 512 (Abb.). — D. Christl. Kst, 8 (1911/12) 141/144 (Abbn), 513; 11 (1914/15) Beilage p. 35; 12 (1915/16) 54/64, m. Abbn; 15 (1918/19) Beil. p. 43. — Kst u. Handwerk, 1912, p. 240/45 (Abbn); 1913, p. 11 (Abb.), 14 (Abb.); 1914, p. 83 (Abb.), 84 (Abb.); 1915, p. 172. — D. Plastik, 3 (1913) Taf. 67, 70; 4 (1914) Taf. 6.

Bauer, Kurt, dtsch. Maler, * 30. 12. 1903 Gösen bei Eisenberg/Th., ansässig in Eisenbg.

Stud. an d. Akad. für Buchkunst u. graph. Gew. in Leipzig, später Schüler Eberbachs in Heilbronn. Thüringer Heimatmaler. Mappenwerk (Aquar. u. Kohleskizzen): Die Goethestätte Gabelbach (1949). Bild: Am Gleisberg, von der Universität Jena angekauft.

Bauer, Leo, dtsch. Maler u. Graphiker, * 21.9.1872 Münstertal, Bad. Schwarzwald, zuletzt ansässig in Stuttgart.

Stud. in Karlsruhe u. Stuttgart. Sächs. Staatsmed. Bugra Leipzig 1914. Gemälde in der Staatsgal. Stuttgart u. im dort. Landestheater.

Lit.: Th.-B., 3 (1909). — Exlibris, 27 (1917) 102f. — Schwäb. Heimatbuch, 1932 p. 128f. — D. Kunst, 27 (1912/13) 508 (Abb.), 516.

Bauer, Leopold, öst. Architekt (Prof., Oberbaurat), Kunstgewerbler u. Fachschriftsteller, * 1. 9. 1872 Jägerndorf, Öst.-Schles., † 7. 10. 1938 Wien.

Schüler von Hasenauer, dann von Otto Wagner. Seit 1913 Prof. an der Wiener Akad. Über die bis 1908 entstand. Bauten s. Th.-B. Ergänzungen dazu: Nationalbank u. Britisch-Öst. Bank in Wien (1923/25); Heldenkirche in Troppau; Handelskammer ebda; Warenhaus Weinstein ebda (1927/28); Schützenhaus in Jägerndorf; Hotelbau in Gräfenberg; kath. Pfarrk. in Bielitz, Schles.; Schloß Roster in Kolin, Böhmen. — Buchwerk: Gesund wohnen u. freudig arbeiten, Probleme uns. Zeit, Wien 1919.

Lit.: Th.-B., 3 (1909). — F. Fellner v. Feldegg, L. B., der Kstler u. s. Werk, Wien o. J. — Dtsche Bauzeitg, 66 (1932) Nr 45, Beil. p. 2. — Das Haus e. Kstfreundes, Darmst. 1902. — L. B.; seine Anschauung in Wort u. Werk, Lpzg o. J. [1931]. — Dreßler. — L. B. zum 60. Geb.-Tag 1. 9. 1932, Widmungen s. Freunde, Brünn 1932 (77 S., m. Abbn) — Klang. —

Moderne Bauformen, 6 (1907) 1ff. — The Studio Year-Book, 1907, p. 217ff., m. Abbn. — D. Architekt (Wien), 22 (1919/20) 85ff., m. Abbn, 97ff., m. Abbn; 24 (1921/22) IV. — Öst.s Bau- u. Werkkst, 1 (1924–25) 238ff., m. Abbn. — Der getreue Eckart (Wien), 4 (1926/27) 1039/46, m. Abbn. — Dtsche Heimat, 4 (1928) 460 (Abb.), 462; 7 (1931) 33/39, m. 5 Abbn u. Fotobildn. — Kirchenkst, 6 (1934) 11/13, m. Abb. — Kst u. Handwerk (Reichenberg i. B.), 1 (1938) 46/49. — D. Weltkst, 12, Nr 44/45 v. 6. 11. 1938 p. 6 (Nekrol.); 13, Nr 22/23 v. 11. 6. 1939, p. 3.

Bauer, Mari (Marius Alex Jacques), holl. Maler (Öl u. Aquar.), Rad. u. Lithogr., * 25. 1. 1867 Den Haag, † 18. 7. 1932 Amsterdam. Deutsch-elsäss. Herkunft.

Schüler von S. van Witsen u. 1879/84 der Haager Akad., als Rad. von Ph. Zilcken. Bereiste die Türkei, Frankreich, Palästina, Ägypten, Brit. Indien (1898) u. Rußland. Am bekanntesten geworden als Rad. Höchst geistvoller, prickelnder Stil: Illustr. u. a. zu 1001 Nacht, Gust. Flaubert, Saint-Julien l'Hospitalier (10 Lith.), u. zu Villiers de l'Isle Adam, Akedysseril; Einzelblätter (Rad.), z. T. ziemlich gr. Formats: Benares; Eingang einer Moschee; Begräbnis am Ganges. Lithogr. für die Wochenschrift „De Kroniek". Einen vollständ. Kat. s. Graph. Arbeiten gab E. J. von Wisselingh 1928 heraus. Als Maler Impressionist. 3 Bilder im Rijksmus. A'dam (Schloß Ambir in Hindustan, Reiter i. d. Wüste, Begräbnis i. d. Wüste). Mehrere Arbeiten im Stedel. Mus. A'dam (Kat. 1922, m. 4 Taf.-Abbn) u. im Mus. Mod. Meest. Antwerpen (Oosterlingen). — Sein Bildnis rad. von Herm. Struck.

Lit.: Th.-B., 3 (1909). — Bénézit, [2] I (1948). — Waller. — Plasschaert, p. 37, 94f., m. Abbn (falsches Geburtsjahr). — Huebner, p. 23. — M. A. J. B. Zijn Etswerk, Amsterdam 1928. — Wie is dat?, 1931. — Hall, Nrn 7084–7109. — Joh. H. van Eikeren, M. B. zooals men hem niet kent, Bussum 1946 (m. 75 Abbn). — M. F. Hennus, M. B., A'dam 1947 (m. 50 Abbn). — R. W. P. de Vries Jr., Nederl. Graf. Kunstenaars uit het einde der negentiende en het begin van de twintigste eeuw, Haag 1943 (m. Abbn). — Ph. Zilcken, Souvenirs, I (Paris 1901). — Elsevier's geill Maandschr., 1913/II 194. — Emporium, 56 (1922) 98, 99 (Abb.). — Die Graph. Künste (Wien), 36 (1913) 1/11; 37 (1914), Abb. vor p. 45. — Maandbl. voor beeld. Kunst, 5 (1928) 29/31; 9 (1932) 259/62; 19 (1942) 284f. — Vita d'arte, 15 (1916) 29ff., m. Abbn — The Studio, 67 (1916) 151/54, m. 7 Abbn. — L'Art et les Art., N. S. 6 (1922/23) 179/85, m. 9 Abbn. — Art et Décor., 62 (1933): Les Echos d'Art [Juni-H.], p. IX.

Bauer, Max, dtsch. Maler (Öl u. Aquar.) u. Graph., * 21. 8. 1886 Stuttgart, ansässig ebda.

Stud. an d. Kstgewerbesch. u. d. Akad. Stuttgart bei Poetzelberger (1907/9), 1909/11 bei Landenberger, 1911/12 bei Cuno Amiet, 1912 in d. Meisterklasse Hölzels. 1913 in Florenz, 1914 Studienreise durch Rumänien. Seit 1916 Mitgl. des Stuttg. Künstlerbundes. Landschaften, Figürliches. Beschickt regelmäßig die Ausstellgn des Stuttg. Kstlerbundes, 1914 auch die Münchner Sezession. Im Staatsbes.: Zurück vom Theater.

Lit.: Dreßler. — Dtsche Kst u. Dekor., 34 (1914) 88, m. Abb. — Westermanns Monatsh., 1929. — Mitteilgn des Künstlers.

Bauer, Oskar, dtsch. Landschafts- u. Figurenmaler u. Reklamekünstler, * 29. 7. 1891 Veitshöchheim, ansässig in Lohr a. M.

Stud. bei Knirr in München, an der dort. Akad. u. — 4 Semester Kunstgeschichte — an der dort. Universität.

Lit.: Dreßler.

Bauer, Otto, öst. Architekt u. Raumkünstler, * 7. 11. 1897 Wien, ansässig in Paris (seit 1926).

Einfamilienhäuser in Wien u. der CSR. Zeitungsgeb. „Le Journal" in Paris.

Lit.: Wer ist Wer? (Wien), 1937. — Öst.'s Bau- u. Werkkst, 2 (1925/26) 225ff., Abbn. — Architecture, 1931, p. 85, m. 4 Abbn. — D. Werk (Zürich), 23 (1936) 150/51 (Abbn).

Bauer, Richard, dtsch. Innenarchitekt u. Maler, * 31. 1. 1875 Düsseldorf, ansässig ebda.

Stud. an d. Kstgewerbesch. Düsseldorf.

Lit.: Th.-B., 3 (1909).

Bauer, Rudolf, dtsch. Maler u. Karikaturist, * 11. 2. 1889 Lindenwald, ansässig in Charlottenburg.

Stud. in Berlin. Mitgl. des „Sturm". Anfängl. Impressionist, dann Expressionist, Kubist, abstrakter Künstler.

Lit.: Dreßler. — Walden. — Beaux-Arts, Nr 343 v. 28. 7. 1939 p. 4. — Kunst, 1 (1948), Halbjahrbuch, p. 103, m. Taf. p. 109. — D. Kstwerk, 1 (1946/47) H. 8/9, p. 53, m. Abb.; 4 (1950) H. 8/9, p. 87, m. Abb. — D. Plakat, 11 (1920) 35, 37. — Zeitschr. f. Kst, 3 (1950) 71 (Abb.), 74.

Bauer, Sol A., amer. Holzbildhauer, * 1898 Cleveland, Ohio, ansässig in Shaker Heights, Ohio.

Stud. an d. Unterrichtsanstalt des Mus. of Art in Cleveland; seit 1935 wiederholt durch Preise ausgezeichnet. Einzelfiguren u. Gruppen in plastisch geballten Formen.

Lit.: Amer. Art Annual, 30 (1933). — Bull. of the Cleveland Mus. of Art, 22 (1935) 77, 86 (Abb.); 29 (1942) 79, 87 (Abb.); 30 (1943) 57 (Abb.), 63; 31 (1944) 63, 74 (Abb.); 32 (1945) 60, 68 (Abb.); 36 (1949) 68, 78 (Abb.); 37 (1950) 81, 93 (Abb.); 38 (1951) 103 (Abb.). — Art Index (New York), Okt 1941/Okt. 1951 passim.

Bauer, William, amer. Maler u. Illustr., * 13. 6. 1888 St. Louis, Mo., ansässig ebda.

Stud. an d. Kstschule in St. Louis. Hauptsächl. Landschafter. Bild im Kansas City Art Inst.

Lit.: Fielding. — Amer. Art Annual, 30 (1933). — Who's Who in Amer. Art, I: 1936/37.

Bauer-Calchera, Hildegard von, dtsch-böhm. Malerin, * 2. 9. 1880 Prag, zuletzt ansässig in Sargnano am Gardasee.

Schülerin von Max Rabes in Berlin.

Lit.: Dreßler.

Bauer-Saar, Adolf, dtsch. Maler u. Werkstler (Prof.), ansässig in Saarbrücken.

Leiter der Ornament-, Textil-, Metall- u. Graph. Klassen a. d. Staatl. Kunst- u. Kstgewerbesch. in Saarbrücken.

Lit.: Dreßler. — Der Kreis (Hamburg), 3 (1926) 101/05, m. ganzseit. Abb. u. ganzseit. Abb. geg. p. 97.

Bauer-Stumpff, Johanna (Jo), holl. Bildnis- u. Stillebenmalerin, * 22. 3. 1873 Amsterdam, ansässig ebda.

Schülerin von Allebé. Bilder in den Museen im Haag, Eindhoven u. Schiedam.

Lit.: Waay. — Maandbl. v. beeld. Kunsten, 13 (1937) 155; 16 (1939) 58f. — Calker, p. 246ff., Taf. 3. — The Studio, 143 (1952) 129 (Abb.).

Bauerreiß, Ida Maria, dtsche Malerin, * 18. 2. 1908 Heidenheim a. H., ansässig in Augsburg.

Stud. bei Caspar, Eberz u. Schinnerer in München.

Studienaufenthalt in Dalmatien. Hauptsächl. Landschaften.

Lit.: Kat. Ausst. Augsburg. Kstler, Schaezler-Palais, Augsbg, 8. 12. 1946–2. 1. 1947.

Baugnies, Jacques, franz. Bildnis- u. Genremaler, * Okt. 1874 Paris, † 1925 ebda.

Schüler von Gérôme u. Detaille. Seit 1903 Mitgl. der Soc. Nat. d. B.-Arts, beschickte deren Salon seit 1896. Koll.-Ausst. 1922 in d. Gal. Hector Brame, Paris (Kat. mit Vorw. von J. L. Vaudoyer). Hauptsächl. Damen- u. Kinderbildnisse. Malte mit Vorliebe auf Seide. Bild im Mus. in Gray.

Lit.: Th.-B., 3 (1909). — Bénézit, [2] 1 (1948). — L'Art et les Art., N. S. 5 (1922) 246, m. Abb.; 6 (1922–23) 103/06, m. 4 Abbn; 7 (1923) 355 (Abb.); 11 (1925) 325. — Beaux-Arts, 3 (1925) 203.

Baugniet, Marcel, belg. Figurenmaler, Holzschneider u. Möbelzeichner, ansässig in Brüssel.

Schüler der Brüsseler Akad. Nähert sich dem Kubismus. Gebrauchsgraphik (Theaterprogramme).

Lit.: Joseph, I. — Bénézit; [2] I (1948). — Les Xylographes suédois et belges, 3e Salon, Brüssel 1928 (Kat.).

Bauknecht, Philipp, dtsch. Holzschneider, * 16. 3. 1884 Barcelona, von dtsch. Eltern, ansässig in Davos, Schweiz.

Hauptblätter: Das Leben in den Alpen; Der Ziegenbock. Nähert sich dem Expressionismus.

Lit.: Dreßler, 1930. — Joseph, I. — Bénézit, [2] I (1948). — Das Kstblatt, 2 (1918) 386f., m. 2 Abbn.

Baule, E. Werner, dtsch. Maler u. Graph., * 26.4.1870 Peine, zuletzt ansässig in Hannover.

Stud. an der Techn. Hochsch. in Hannover. Aquarelle im Vaterl. Mus. ebda.

Lit.: Dreßler. — D. Plakat, 11 (1920) 13 (Abb.), 16ff. (Abbn).

Baum, Franz, dtsch. Maler u. Rad., * 14.1.1888 Wiesbaden, ansässig in Santa Cruz, Kalifornien.

Stud. bei B. Buttersack in Haimhausen, dann bis 1914 an d. Münchner Akad. unter H. v. Zügel. Ließ sich nach 4 Jahren Frontdienst nach 1918 in Polling nieder, wo noch Wandbilder von ihm erhalten sind. Wohnt, 1939 zur Auswanderung gezwungen, seither in Santa Cruz. 1951 Ausstellung in S. Francisco.

Baum, Franz, dtsch. Tiermaler u. Graph., * 14.1.1893 München, ansässig ebda.

Stud. bei Buttersack u. H. v. Zügel.

Lit.: Dreßler. — D. Cicerone, 16 (1924) 1208.

Baum, Mark, poln.-amer. Maler, * 2. 1. 1903 Sanok, Polen, ansässig in New York.

Autodidakt. Vertreten im Whitney Mus. of Amer. Art in New York. Sonderausst. Okt. 1948 in d. Laurel Gall. ebda.

Lit.: Who's Who in Amer. Art, I: 1936/37. — Art Index (New York), März 1947 u. Okt. 1947/Okt. 1950.

Baum, Otto, dtsch. Stein- u. Holzbildhauer, * 22.1.1900 Leonberg, ansässig in Eßlingen a. N.

Schüler des Malers Heinr. Waldschmidt an der Stuttgarter Akad. Als Bildh. Autodidakt. 1929 in Italien, 1936 in Paris. Seit 1946 Lehrer an d. Stuttg. Akad. Expressionist. Bestrebt. seine Plastiken (Figuren, Tiere) in geometr. Grundformen (Quader, Block) einzuordnen. Bildnisbüsten, Symbolisches (Der Schauende), Tiere. Arbeiten im Bes. der Staatsgal. Stuttgart u. Ulm u. in d. Nat.-Gal. Berlin.

Lit.: Franz Roh, O. B., 1905. — Baum, m. Abb. — Kunst, 1 (1948), Halbjahrb. p. 92/96, m. 5 Abbn u. Taf. — D. Kstblatt, 14 (1930) 15, 353 (Abb.). — D. Kstwerk, 1 (1946/47) H. 8/9 p. 57 (Abb.), vgl. die Berichtigung H. 12 p. 58; 2 (1948/49) H. 10 p. 36/38, m. 2 Abbn; 4 (1950/51) H. 8/9, p. 88 m. Abb.; 5 (1951/52) 39. — Kst- u. Antiquit.-Rundschau, 41 (1933) 285, m. 3 Abbn, 286. — D. Werk (Zürich), 39 (1952) 269 (Abb.). — Kat. d. Ausst. Dtsche Malerei u. Plastik d. Gegenw., Staatenhaus der Messe, Köln 14. 5. /3. 7. 1949, m. Abb.

Baum, Paul, dtsch. Landschaftsmaler (Öl u. Aquar.) u. Graph. (Prof. Dr.h.c.), * 22. 9. 1859 Meißen, † 18.5.1932 San Gimignano.

Schüler 1877 von Fr. Preller d. J. an d. Dresdner Akad., 1878/87 von Th. Hagen in Weimar. Malte anfängl. im Stil des franz. Impressionismus, dann durch Signac u. Rysselberghe zum Neoimpressionismus (Pointillismus) geführt, zu dessen Pionieren in Deutschl. er gehört. Arbeitete in Sluis an d. belg.-holl. Grenze, später in Kassel u. Marburg a. d. L., zuletzt in S. Gimignano. Bilder u. a. in d. Mod. Gal. in Dresden, im Angermus. in Erfurt, in d. Ksthalle in Bremen u. in d. Staatl. Kstsmlgn in Weimar. Koll.-Ausstellgn Mai 1914 in d. Gal. Flechtheim in Düsseldorf (Kat.), April 1918 in d. Gal. Arnold in Dresden. Ged.-Ausst. 1933 im Sächs. Kstverein in Dresden (Ill. Kat.) u. im Berl. Kronprinzenpalais, 1952 im Univ.-Mus. in Marburg/Lahn.

Lit.: Th.-B., 3 (1909). — C. Hitzeroth, P. B., ein dtsch. Maler, Dresden 1937. — Sauerland, p. 64, m. 3 Abbn, 223, 224 (Abbn). — K. Scheffler, Talente. — W. Scheidig, D. Weimarer Malerschule des 19. Jhs., Erfurt 1950, m. 2 farb. Taf. — Hessenland, 30 (1916) 91; 34 (1920) 38/39; 43 (1932) 92; 44 (1933) 8/12, m. Abbn; 45 (1935) 132/33, 134 (Abbn), 135 (Abb.). — D. Kunst, 33 (1915/16) 476 (Abb.); 65 (1931) 10 (Abb.); 67 (1932/33) 264/71, m. Abbn. — Dtsche Kst u. Dekor., 59 (1926/27) 118 (Abb.). — Kst u. Kstler, 27 (1928/29) 491; 31 (1932) 260, 261 (Abb.); 32 (1933) 197. — D. Kstblatt, 1919 p. 218. — Kstchronik, N. F. 29 (1917/18) 280f. — Kstchronik (Nürnberg), 5 (1952) 133.

Baum, Walter Emerson, amer. Maler u. Illustr., * 14. 12. 1884 Sellersville, Pa., ansässig ebda.

Schüler von Wm. T. Trego an d. Pennsylv. Acad. of F. Arts in Philadelphia. Vertreten u. a. im Mus. in Allentown, Pa.

Lit.: Fielding. — Amer. Art Annual, 30 (1933). — Who's Who in Amer. Art, I: 1936/37. — Art Digest, 25, Juli 1951, p. 14 (Abb.). — Toledo, O., Mus. of Art. Mus. News, Nr 107, Sept. 1944, p. [9]. — Monro.

Baum, Wilhelm, dtsch. Landschaftsmaler u. Radierer, * 12.3.1891 Charlottenburg, ansässig in Berlin.

Stud. am Kstgewerbemus. u. an der Akad. in Berlin. Bilder im Bes. der Stadt Berlin.

Lit.: Dreßler. — D. Bild, 1938, Beibl. z. Sept.-H. p. 2.

Baum, Willi, dtsch. Maler, * 10.4.1899.

Lit.: Fränk. Heimat, 18 (1939) 26 (Biogr.), 36 (Abb.).

Baumann, Amalie, dtsch-russ. Malerin, * 9.11.1875 Moskau, ansässig in Leipzig.

Schülerin von Dmitroff Kawkasskji u. L. Rjepin in Moskau. Seit 1905 in Leipzig. Bildnisse. Blumenstücke. Im Rektorzimmer d. Thomassch.: Bildnis des Thomaskantors Karl Straube.

Lit.: Festschrift K. Straube zu s. 70. Geb.-Tag. Gaben der Freunde, Lpzg 1943 (Abb.).

Baumann, Anna, schweiz. Landschaftsmalerin, * 1873 Herisau, ansässig in Blonay, Kt. Waadt. Schwester der Ida.

Stud. bei L. Gaud in Genf u. in München.
Lit.: Brun, IV.

Baumann, Franz, tirol. Architekt (Baurat), * 19. 3. 1892 Innsbruck, ansässig ebda.
Stud. an der Staatsgewerbesch. Innsbruck. Nach Verwendung in verschied. Architekturbüros (Welzenbacher, Grissemann, Walch); seit 1927 selbständig. Kriegerdenkmäler (Ried, Kufstein); Berghotels (Nordkettenbahn Innsbruck, Monte Pana-Gröden); Kath. Pfarrk. in Ludwigsmoos, schlichte, aber höchst reizvolle Anlage; Kapelle in Bruck bei Neuburg a. d. Donau; Entwurf zum Umbau der Pfarrk. in Großmehring. 1. Preis im Wettbewerb um die kath. Pfarrk. St. Johann in Saarbrücken. Entwürfe zu kstgewerbl. Arbeiten (Kirchengerät). Hochaltar in der fürsterzbisch. Seminarkapelle zu Kremsier (Mähren).
Lit.: Bergland (Innsbr.), 1928, Heft 7. — Öst. Bau- u. Werkkst (Wien), 5 (1928/29) 101/04; 1931, p. 92/94. — Dtsche Bauzeitg, 63 (1929) 473/80. — Bayer. Heimatschutz, 16 (1918) 57/58. — Defner, Das schöne Tirol, 1932. — H. Hammer, Archit. F. B., Münch. 1931, 7 SS., 50 Abbn. — D. Christl. Kst, 10 (1913/14) 82/88, m. Abbn bis p. 95. *J. R.*

Baumann, Fritz, schweiz. Maler, Graph. u. Kstgewerbler, * 3. 5. 1886 Basel, † 1943 (?) ebda.
Lernte bei Fritz Schider, dann an den Akad. München u. Karlsruhe, in Rom, Wien u. in Paris (1912), wo er Cézanne u. Picasso studierte. Führer der 1918 von ihm in Basel gegründeten Gruppe „Das Neue Leben", die die Expressionisten, Kubisten u. Futuristen einschließt. Geht auf eine Gesamtkunst und Betätigung auf allen Gebieten der freien Kunst und des Kunstgewerbes aus. Tätig in Muttenz, Sissach, seit 1915 in Basel, hier auch pädagogisch wirkend. Als Graphiker anfängl. von Hodler beeinflußt: Radierungen (z. T. mit der kalten Nadel auf Zink), Holzschnitte (z. T. koloriert). Gedächtnis-Ausst. Sept.-Okt. 1943 in der Ksthalle Basel (Kat.).
Lit.: Brun, IV 476. — Baur, m. Abb. — D. Ksthaus, 1916, H. 10 p. 2. — D. Werk (Zürich), 4 (1917) 104 (Abb.); 5 (1918) 16 (Abb.). — Basler Jahrbuch, 1918, p. 313. — D. Kstblatt, 2 (1918) 198; 1919, p. 59 f., m. Abb.

Baumann, Georg Emil, dtsch. Maler u. Graph., * 10. 1. 1891 Elberfeld, ansässig in Rüstringen, Oldenbg.
Stud. an den Kstgewerbeschulen in Barmen u. Dortmund.
Lit.: Dreßler.

Baumann, Gustave, dtsch.-amer. Holzschneider u. Aquarellmaler, * 27. 6. 1881 Magdeburg, ansässig in Santa Fé, N. M.
Gold. Med. für Graphik, Pennsylvania Expos., Santa Fé 1915. Hauptsächlich farbige Holzschnitte (Landschaften).
Lit.: Fielding. — Amer. Art Annual, 30 (1933). — Bull. of the Detroit Inst. of Arts, 2 (1920/21) 14, 15 (Abb.), 42. — Bull. of the Art Inst. of Chicago, 1924, Mai, p. 63, m. Abb. — M. Q. Burnet, Art a. Artists of Indiana, New York 1921.

Baumann, Hans Otto, dtsch. Landschaftsmaler, * 30. 3. 1887 Sandharlanden b. Kehlheim, ansässig in Würzburg.
Schüler der Münchner Akad. Ansässig in Marktbreit a. M., später in Würzburg. Stellte in der N. Sezession in München aus.
Lit.: Dreßler. — Fränk. Heimat, 13 (1934) 242/44, m. Abbn. — Frankenland, 8 (1921) H. 1 p. 6. — Dtsche Kst u. Dekor., 68 (1931) 337 (Abb.). — Velhagen & Klasings Monatsh., 51/I (1936/37), farb. Taf.-Abb. geg. p. 72, Text p. 120.

Baumann, Ida, schweiz. Malerin, * 12. 3. 1864 Herisau, † 24. 8. 1932 Riehen b. Basel. Schwester der Anna.
Schülerin von H. R. Kröh u. Maria Schefer in Darmstadt, weitergebildet an der Acad. Colarossi in Paris. 1891/96 in London, seitdem in der Schweiz. Hauptsächlich Porträts (bes. Miniatur). Bildnisse von Landammännern im Rathaus in Trogen und im Großratsaal in Herisau. Herrenbildnis im Mus. St. Gallen.
Lit.: Brun, I; IV 476. — Schweiz. Zeitgen.-Lex., 1932. — Jenny. — Zur Erinnerung an Fräulein I. B. Leichenrede geh. bei d. Bestattung von E. Schlegel, St. Gallen 1932. — 20 Reprodukt. von Werken der Malerin I. B., Heiden 1933 (Tafelwerk).

Baumann, Josef, dtsch. Maler u. Restaurator, * 1. 9. 1877 Ulm, ansässig ebda.
Autodidakt. Genre, Landschaft, kirchl. Kunst.
Lit.: Dreßler.

Baumann, Max, dtsch. Maler u. Glasmaler, * 12. 8. 1884 Zerbst i. A., ansässig in Dessau.
Stud. an der Kstschule in Dessau, dann am Kstgewerbemus. u. an der Akad. in Berlin. Arbeiten im Bes. der Stadt Berlin.
Lit.: Dreßler. — Kst-Rundschau, 43 (1935) 246 (Abb.).

Baumann, Otto, dtsch. Landschafts-, Figuren- u. Blumenmaler (Öl u. Aquar.), Rad. u. Holzschneider, * 1901 Regensburg, ansässig ebda.
Seit Ausstellungsverbot in der Nazizeit in Oberndorf, Kr. Donauwörth, ansässig. Seit 1945 wieder in Regensburg.
Lit.: Mittelbayr. Ztg (Regensburg), 25. 5. 1946; 10. 3. 1949, m. 2 Abbn.

Baumann, Povl, dän. Architekt, * 9. 11. 1878 Kopenhagen, ansässig ebda.
Schüler von P. V. J. Klint an d. Akad. in Kopenh. Seit 1910 Privatarchit. Landhäuser, Stadtvillen u. Wohnhäuser in Kopenhagen, u. a. das Gemeindewohnhaus an der Struensegade; Haus der A. G. Storgaarden in Kopenhagen (zus. mit Knud Hansen); Klokkergaarden ebda (mit dems.).
Lit.: Krak's Blaa Bog, 1936. — Dahl-Engelstoft, I. — Vem är Vem i Norden, Stockh. 1941, p. 23. — Architekten, 22 (1920) 49/54; 23 (1921) 297–305. — Kst u. Kstler, 13 (1915) 497 (Abb.), 498 (Abb.), 502 f., m. Abb. — Ord och Bild, 40 (1931) 582 f., m. Abb. — St. E. Rasmussen, Nord. Baukst, Berl. 1940. — Architect. Review, 104 (1948) 238.

Baumann, Theodor (Hans Th.), dtsch. Maler u. Glasmaler, * 27. 10. 1924 Basel, ansässig in Schopfheim/Baden.
Stud. in Düsseldorf, Dresden u. Basel. Studienreisen in Italien, Schweiz u. Frankreich.

Baumann-Kienast, Anna, schweiz. Bildhauerin, Malerin u. Rad., * 18. 12. 1880 Horgen, ansässig in Lugano-Castagnola (Tessin).
Schülerin von Fehr in Karlsruhe, von E. Würtenberger u. Herm. Gattiker in Zürich. Bildnisse, Tiere (bes. Katzen), Blumenstücke, Landschaften. Bild im Ksthaus in Zürich.
Lit.: Dreßler. — N. Zürcher Ztg, 1911, Nr 293. — Zürcher Post, 1911, Nr 251. — Volksrecht, 1911, Nr 241. — D. Schweiz, 1910 p. 526. — Joseph, II 247, m. Abb. — Brun, IV 476.

Baumbach, Alice von, dtsche Blumenmalerin, ansässig in Hannover.
Lit.: Westermanns Monatsh., Jg. 85 (1941) 545/48.

Baumberger, Otto, schweiz. Maler, Rad., Lithogr., Holz- u. Linolschneider u. Plakatzeichner, * 1889 Altstetten b. Zürich, ansässig in Zürich.

Lernte zuerst Lithograph. Ging 1908 nach München, dort Schüler von Dasio u. P. Halm. Als Maler Autodidakt. Einige Zeit in Paris, dann in London, seit 1911 Zeichner für die graph. Anstalt Wolfensberger in Zürich, 1913/14 in Paris. Seitdem wieder in Zürich. Hauptsächlich Graphiker. Entwürfe für Ornamente, Schrift, Reklame (bes. Plakate) u. Buchillustrationen. Holzschnittfolge: Die Visionen des irischen Ritters Dundalus. Lithos zu: Kessers „Die Peitsche" und Steinbergs „David"; Odyssee-Folge; „Pestalozzi-Stätten" (20 Lithos), Rotapfel-Verl. Zürich, 1927; Schillers „Tell", Berlin, E. Reiß 1921. Holzschnitte zu Faesi, Dichternöte, Zürich, Schultheß & Co., 1921. Fresken in der Vorhalle der Annenkapelle in Truns, Kt. Graubünden; Wandgemälde im Kstgesch. Seminar der Universität Zürich. 3 Bilder im Ksthaus in Zürich: D. Lampe, Wirtschaft u. Kreuzabnahme. In der Smlg der Zürcher Kstgesellsch. im Ksthaus ebda ein Selbstbildnis. Folge von 100 Zeichnungen zur Bibel. Linolschnitte zu De Coster, Thyl Uilenspiegel. Zeichngn u. a. in d. Öff. Kstsmlg Basel u. im Graph. Kabinett Winterthur.

Lit.: Brun, IV 476. — Baur, m. 3 Abbn. — Reinhart-Fink. — Jenny. — Schweiz. Bauztg, 59 (1912) 55, 69, 84. — Schweiz, 1912, p. 133, 339; 1913 202, 203. — Schweizerland, 1914/15, p. 576, m. Abb.; 1916, p. 528. — Das Werk, 2 (1915) H. 12, p. VI; 3 (1916) 16 (Abb.), 126 (Abb.); 4 (1917) 38 (Abb.), 41 (Abb). 108 (Abb.); 5 (1918) 176 (Abb.); 6 (1919) 117 (Abb.), 119; 11 (1924) 12ff., Abbn, 14; 13 (1926) Beil. z. Werk zw. p. 52/53, 63; 18 (1931) Beibl. XLII (zu H. 3); 21 (1934) 154; 31 (1944) H. 7, Chronik p. XXV. — Exlibris, 26 (1916) 181, 185, m. Abb. — D. Plakat, 8 (1917) 185ff., m. Abbn u. Werkkatal.; 11 (1920) 502f., m. Abb., 509ff. Abbn. — D. Graph. Künste (Wien), 42 (1919) 92ff., m. Abbn. — D. Kst, 81 (1939/40), 28, 32 (Abb.). — Pro Arte (Genf), 3 (1933) 219. — D. Kstdenkm. d. Schweiz, 13: Kt. Graubünden, IV (1942) 425.

Baumeister, Willi, dtsch. Maler, Graphiker, Bühnenbildner, Kunstpädagog u. Schriftst., * 22.1.1889 Stuttgart, ansässig ebda.

Stud. an der Akad. Stuttgart (Hölzel). 1912 u. 1914 Reisen nach Paris. Auseinandersetzung mit Cézanne. 1914/18 im Krieg. 1928/33 Professor an der Kstschule Frankfurt a. M. 1930 Deutscher Staatspreis. 1933 verfemt. 1939/44 Mitarbeit am maltechnischen Institut Herberts in Wuppertal. Seit 1946 Professor an der Akad. Stuttgart. — Kommt über Cézanne zur gegenstandsfernen Kunst. 1919/22 Epoche der „Mauerbilder", bemalte Hochreliefs, die in die Wand einbezogen werden. 1924/29 Maschinen- u. Sportbilder. Letztere werden in freierer Form und auf Sandgrund bis 1935 fortgesetzt. Von 1936 an völlig ungegenständliche Gestaltungen mit schwebenden u. tektonischen Formen. Von 1942 an stark archaistische Einschläge u. Beziehungen zu vor- u. frühzeitlichen Kulturepochen (Altamira, Sumer), seit 1945 Verbindung konstruktiver u. surrealistischer Tendenzen. B.s Besonderheit besteht in einer rastlosen Aufnahme u. Verarbeitung aller aktuellen Zeit- u. Kunstprobleme, die ihn die Ausdrucksformen immer wieder erneuern lassen. Koll.-Ausst.: Gal. Franke, München, u. Gal. Hermann, Stuttgart 1947, Gal. Hacker, New York, 1952. Bis 1933 in den meisten deutschen Museen, ferner in zahlr. öff. Smlgn der USA mit Bildern vertreten. 1947 haben dtsche Museen begonnen, die verlorenen Arbeiten zu ersetzen (Stuttgart, München, Hannover, Wuppertal, Essen, Köln). — Wandbild in Waiblingen (Württ.), Krankenhaus.

Hauptwerke: Mauerbild, 1920; Schachspieler, 1925; Fußballspieler, 1926; Maschinenbild, 1928; Tennisspieler, 1929; Flämmchenbild, 1931; Läufer, 1933; Ideogramm, 1937; Eidosbild, 1938; Afrikanische Serie, ab 1942; Reliefbilder, ab 1942; Perforation, 1944; Archaische Bilder, ab 1944; Helle Bewegung, 1946; Zwei Weltalter, 1947; Jour heureux, 1947; Kegelspiel, 1948; Spitze Formen, 1948; Waage, 1949.

Graphische Mappen: Gilgamesch; Saul u. Esther, 1943; Lithos zu Shakespeares „Tempest", 1944; Mappe mit 10 Originallithos, 1945.

Aufsätze: Bauhaus, III H. 4; Das Werk (Zürich), 13 (1926) 224; Cahiers d'Art, 6 (1931) 215; Prisma, I H. 8; Hatje Almanach, 1947. — Buchwerk: Das Unbekannte in der Kunst, Stuttgt 1947.

Lit.: W. Gräff, W. B., Stuttgart 1928. — W. Grohmann, W. B., Paris 1931; ders., W. B., Antwerpen 1931; ders., W. B., Stuttgart 1947. — Ed. Westerdahl, W. B., Teneriffa 1934. — Schmidt. — Einstein. — O. Domnick, Die schöpfer. Kräfte in d. abstrakt. Malerei (m. farb. Tafeln), Stuttgart 1948. — Walden. — L'Age nouveau, Heft 44 (1949). — Almanach 1949 Gal. Gerd Rosen, Berlin, m. Abbn u. Selbstbildnis. — L'Amour de l'Art, 1934 p. 433ff. passim, m. Abb. — Art Digest, 22, Sept. 1948, p. 23; 23, Nr v. 15. 3. 1949, p. 15; 26 Nr v. 15. 4. 1952 p. 13 (Abb.). — The Art News, 47 (1948) Okt.-H. p. 41 (Abb.); 48 (1949) März-H., p. 45; 51 (1952) April-H., p. 44. — Beaux-Arts, Nr v. 27. 1. 1939, p. 3. — bild. kst, 3 (1949) 167 Sp. 3. — Cahiers d'Art, 24 (1949) 342/44. — D. Cicerone, 21 (1929) 270f., 287ff., m. Abbn. — Esprit Nouveau, H. 15, p. 1790/94. — Jahrb. d. Jungen Kst, 3 (1922) 296 (Abb.). — Kunst (Halbjahrb.), 1948 p. 97, m. farb. Taf. — D. Kunst, 47 (1949) 129, m. Abb. — D. Kunst u. d. schöne Heim, 48 (1950) 325f., m. Abb.; 49 (1951) 143; 50 (1952) 213, 214 (Abb.), Beil. p. 128. — Kst der Zeit, 3 (1928/29) 78 (Abbn), 143. — D. Kstblatt, 1921, p. 276 –79, m. Abb.; 1927, p. 256f. Abbn, 382; 1929, p. 122f. — Kstchronik, 2 (1949) 243; 5 (1952) 105. — D. Kstwerk, 1 (1946/47) H. 8/9, p. 11 (Abb.), 12 (Abb.), 53, m. Abb., 65 (Abb.), 79, 81; H. 12 p. 54; 2 (1948) H. 5 –6 p. 84; 3 (1949) H. 1 p. 48, m. Abb.; 4 (1950) H. 2 p. 43, m. Abb., H. 8/9 p. 20/24, m. Fotobildn. p. 26, 57ff.; 5 (1951) H. 5, p. 68 (Abb.), H. 6, p. 48 (Abb.); 6 (1952) H. 1, p. 54/56, m. 6 Abbn, H. 2, p. 31 (Abb.). — Magazine of Art (New York), 41 (1948) 320; 45 (1952) 154/59. — Das Neue Frankfurt, 2 (1928) 62/66. — The Studio, 116 (1938) 163 (Abb.). — Velhagen & Klasings Monatsh., 40/I (1925/26) p. 236f., m. 2 Abbn. — D. Werk (Zürich), 15 (1928) 14; 18 (1931) 196/202, m. Abb.; 36 (1949) 233 (Abb.).

Baumer, Lewis, engl. Bildnismaler (Pastell u. Aquar.) u. Karikaturenzeichner, * 8. 8. 1870 St. John's Wood, ansässig in London.

Lit.: Th.-B., 3 (1909). — Who's Who in Art, [3] 1934. — The Studio, 67 (1917) 51; 73 (1918) 139, m. farb. Taf. u. Abbn. — The Connoisseur, 37, Weihn.-Nr 1913, p. 67 (Abb.).

Baumeyer, Helene, dtsche Malerin u. Kstgewerblerin, * 19. 7. 1875 Leipzig, ansässig ebda.

Landschaften, Stadtansichten, Blumenstücke.

Baumgärtner, Heiner, dtsch. Landschafts- u. Bildnismaler, * 11. 6. 1891 Ludwigsburg, ansässig in Stuttgart.

Stud. an der Akad. in Stuttgart, der Malschule Schrader-Velgen in München u. bei Georg Scholz in Karlsruhe. Mappenwerke; Alt-Lindau; Zwischen Donau u. Bodensee (Alex. Fischer, Tübingen 1924).

Lit.: Dreßler.

Baumgarten, Paul, dtsch. Architekt (Prof.), ansässig in Berlin.

Hauptsächl. Theaterbauten (Saarbrücken, 1933 –35) u. Umbauten von solchen (Dtsch. Opernhaus in

Charlottenburg; Schillerth. Berlin; Admiralspalast-Th., ebda; Dtsch. Nat.-Th. in Weimar; Stadtth. in Ausgburg). Ferner Schweiz. Gesandtschaft in Berlin; Kreiskrankenhaus in Templin; Bauten für Bad Eilsen b. Bückeburg.

Lit.: Dreßler. — D. Baumeister, 10 (1912); 14 (1916). — Blätter f. Archit. u. Ksthandw., 16 (1903); 25 (1912); 26 (1913). — Monatsh. f. Baukst u. Städtebau, 20 (1936) 316. — Zentralbl. d. Bauverwaltg, 56 (1936) 45/52; 59 (1939) 265/76, 277/83; 60 (1940) 1/14, 297/304, 533/40. — Dtsche Bautzg, 69 (1935) 942/49, 953, m. Fotobildn. — Das Bild, 9 (1939) 82/87. — D. Kunst, 82 (1939/40) 58/61.

Baumgarten, Thomas Theodor, tirol. Maler, * 25. 2. 1902 Lienz (Osttirol), ansässig in Telfes (Stubaital).

Stud. an den Akad. in München, Wien u. Dresden. Studienreisen in Frankreich u. auf d. Balkan. Seit 1945 wieder in Tirol. Landschaften, figürl. Kompositionen, Bildnisse.

Lit.: Kat. d. Heimkehrer-Kstler-Ausst., Innsbr. 1946/47, m. Abbn. *J. R.*

Baumgartner, Hans, dtsch. Bildhauer, * 22. 11. 1890 München, ansässig in Untermenzing b. München.

Stud. an der Münchner Akad. Ebert-Denkmal in Ottobrunn b. München.

Lit.: Dreßler.

Baumgartner, Josef, tirol. Maler, * 4. 12. 1900 Innsbruck, ansässig ebda.

Stud. an d. Kunstsch. Tony Kirchmayr in Innsbruck. Bemüht sich erfolgreich um Neugestaltung tirol. Volkskst, bes. volkstüml. Möbelmalerei. *J. R.*

Baumgartner, Sepp, tirol. Bildhauer u. Metallplastiker, * 12. 8. 1901 Zirl, ansässig in Schwaz i. T.

Stud. 1923/28 an d. Kstgewerbesch. in Wien bei Hanak, 1928/30 an d. Akad. in Düsseldorf. Dann in belg. Bildhauerateliers u. in Bremen. Seit 1931 in Schwaz. Hauptsächlich Holzbildhauer. In s. Großplastiken auf einen persönlichen Stil hinstrebend, in s. Kleinplastiken, bes. in seinen sehr geschätzten Krippenschöpfungen, von Ludw. Penz beeinflußt. — *Metallplastiken:* Messingreliefs am Hochaltar der Pfarrk. in Lustenau; überlebensgr. Statue des hl. Vinzenz v. Paul im Sanatorium in Zams. — *Holzplastiken:* Madonna, Franziskanerk., Hermeskeil; Kruzifixus auf d. Hochaltar der Krankenhauskap. in Innsbruck; Pietà, Gefangenenhauskap. ebda; Kruzifixus, Pfarrk. in Wolfurt. Kleinplastiken im Mus. Ferdinandeum u. im Tir. Volkskunstmus., Innsbruck.

Lit.: H. Hochenegg, Die Kirchen Tirols, Innsbr. 1935. — H. Schnell, 6 (1939) H. 396/97, p. 20, 22, 23 (Abb.). — Innsbr. Nachr., 1931 Nr 182; 1934 Nr 35. — Tir. Anz., 1934, Nr 251. — Tir. Neue Ztg, 1946 Nr 55. — Tir. Tagesztg, 1946 Nr 295; 1950 Nr 4. — Tir. Nachr., 1948 Nr 282; 1949 Nr 11. — Stimme Tirols, 1949 Nrn 4 u. 23. *J. R.*

Baumgartner, Thomas, dtsch. Bauernmaler (Prof.), * 15. 7. 1892 München, ansässig in Kreuth, Oberbay.

Schüler von A. Jank an der Münchner Akad. Gold. Med. auf der Internat. Ausst. im Glaspalast München 1913.

Lit.: Das Bayerland, 48 (1937) 573f., mit Abb.; 50 (1939) 510f., m. Abb., 512. — Das Bild, 1938, p. 257 (Abb.); 1940, p. 118 (Abb.). — D. Kunst, 61 (1929/30) 344 (Abb.). — Kst-Rundschau, 46 (1938) 66, m. Abb. — Die Völkische Kst, 1 (1935) 316 (Abb.). — Velhagen & Klasings Monatsh., 48/I (1933/34) 216/17 (Taf.-Abb.), Text p. 231f.; 53/II (1938/39) Abb. p. 244. — Westermann's Monatsh., 131/I (1921) 139ff., m. Abbn, 206.

Baumgartner, Viktor, schweiz. Illustrator, Plakatzeichner u. Maler, * 2. 3. 1870 St. Gallen, ansässig in Veltheim, Aargau.

Stud. an der Kstgewerbesch. München u. an d. Acad. Julian in Paris. Landschaften, Figürliches. Bild im Mus. St. Gallen.

Lit.: Brun, IV. — Schweiz. Zeitgen.-Lex., 1932.

Baumhauer, Felix, dtsch. Maler u. Glasmaler (Prof.), * 30. 3. 1876 Lüdinghausen, ansässig in München.

Schüler von Linnemann in Frankfurt a. M. u. von M. v. Feuerstein in München. Pflegt ausschließlich die christl. Kunst. Altarbilder u. a. in St. Michael in Nürnberg, in Hüttesheim b. Ulm u. in der Friedhofskirche in Ellwangen, Württbg. Ein großer Zyklus: Werke der Barmherzigkeit, entstand für Singen. Ausmalungen der Herz-Jesu-Kirche in Zürich u. der Kath. Kirche in Klosters, Schweiz. Kartons für die Chorfenster der Liebfrauenkirche in Worms u. für Kirchenfenster in Obermenzing.

Lit.: Dreßler. — Gottesehr, 1 (1919/20) 33ff., m. Abbn. — D. Christl. Kst, 11 (1914/15) 313/25; 13 (1916/17) 161/66; 14 (1917/18) 18, 109, 112, 114, 116, 127 (Abb.), 234, 237; 17 (1920/21) 53/68; 18 (1921/22) 16, 18 (Abb.); 19 (1922/23) 68f. (Abbn); 22 (1925/26) 195/207; 25 (1928/29) 217, 218, 324 (Abbn), 226, 382; 26 (1929/30) Abb. geg. p. 348, 351 (Abb.). — Dtsche Kst u. Dekor., 60 (1927) 360, 365 (Abb.). — Velhagen & Klasings Monatsh., 48/II (1931/32) 102, Abb. p. 104. — D. Münster, 1 (1947/48) 97; 2 (1948–49) 91 (Abb.), 115, 309 (Abb.); 4 (1951) 58.

Baumüller, Christian, dtsch. Architektur- u. Landschaftsmaler u. Gebrauchsgraphiker, * 20. 12. 1875 Mannheim, ansässig ebda.

Lit.: Dreßler.

Baur, Alois, tirol. Maler, * 16. 7. 1919 Innsbruck, ansässig ebda.

Stud. an d. Kstsch. Tony Kirchmayr in Innsbruck u. bei Jos. Sturm in Karlsruhe. Bildnisse, Blumen.

Lit.: Tir. Tageszțg, 1950 Nr 150. — Tir. Nachr., 1950 Nr 150. *J. R.*

Baur, Anton, dtsch. Maler u. Bilderrestaurator, * 18. 9. 1880 Mettenberg b. Biberach, ansässig in München.

Stud. an den Kunstgewerbesch. in Stuttgart u. München u. an der Akad. in München. Bilder in St. Vinzenz in München. Hauptsächlich Restaurator (Fresken in der Klosterk. in Ochsenhausen, in der Konviktsk. in Rottweil u. a. O.).

Lit.: A. Kuhn, Bedeutende Biberacher, Biberach-Riß 1929, p. 116f. — D. Christl. Kst, 24 (1927/28) 219.

Baur, Anton, dtsch. Landschaftsmaler, * 6. 8. 1899 München, ansässig ebda.

Stud. an d. Kstgewerbesch. in Nürnberg u. an der Akad. in München. Bild in der Städt. Gal. in München.

Lit.: Dreßler.

Baur, Hermann, schweiz. Architekt, ansässig in Basel.

Kirchen in Basel (St. Joh. Bosco), Hirzbrunnen, Stüßlingen, Dornach u. Möhlen. Städt. Krankenhaus in Basel. Altersheim St. Elisabethen ebda.

Lit.: D. Werk (Zürich), 20 (1933) 151/52, m. Abbn; 22 (1935) 312/13 (Abbn); 28 (1941) 1/14 (Abbn); 36 (1949) 112/14; 37 (1950) 133/37, 193/96; 38 (1951) 235/41. — D. Münster, 1 (1947/48) 158, 159f.

Baur, Karl, dtsch. Bildhauer (Prof.), * 21. 12. 1881 München, ansässig ebda.

Schüler von W. v. Rümann, A. v. Hildebrand u. Erwin Kurz. Weitergebildet in Italien u. Frankreich.

Arbeitet in Stein u. Holz. Pflegt hauptsächlich die kirchl. Kunst. Pietà (Holz) in der Stiftsk. in Altötting; Statuen der 4 Evangelisten (Holz) an der Kanzel im Creszentiaheim ebda; Kanzelfries in d. Kirche zu Pfersee b. Augsburg; Altar der Kapelle der Engl. Fräulein in Deggendorf; Figuren am Hochaltar in Solln; Schnitzaltar f. das St. Marienkrankenhaus in Ludwigshafen a. Rh.; Himmelfahrt Mariä am Hochaltar von St. Marien in Kaiserslautern; Herz Jesu am Seitenaltar in St. Joseph in Augsburg; Kriegerdenkmäler in Immelstätten, Bergheim u. Gundremmingen.

Lit.: Th.-B., 3 (1909). — D. Christl. Kst, 14 (1917/18) 234, 241, m. Abbn, 245ff. (Abbn); 20 (1923/24) 41/50; 23 (1926/27) 6f. (Abbn), 28f. (Abbn), 32; 26 (1929/30) 54 (Abb.); 27 (1930/31) 275 (Abb.), 276, 323 (Abb.), 325ff. (Abbn), 338f., 343 (Abb.), 348; 30 (1934) 341/56. — D. Plastik, 10 (1920) 10/12, Taf. 9/11. — Die Neue Saat, 1 (1938) 188/89. — D. Münster, 2 (1948) 93, m. Taf.-Abb., 97, m. Abb.; 4 (1951) 42, m. Abb.; 5 (1952) 60, 61.

Baur, Ludwig, dtsch. Maler (bes. Freskant), Entwurfzeichner für Mosaik, Glasmalerei u. Textilien, Lithogr. u. Restaurator, * 1904 Freising, ansässig in Telgte i. W.

Schüler von Lois Gruber in München u. der dort. Akad. Arbeitete dann bei Jos. Schmuderer. Ausmalungen: Kapelle des Gesellenhauses in Münster; Hl. Geist-Kirche ebda. (Fresken über d. Hauptaltar u. den Nebenaltären; Sgraffitofiguren an d. Kanzel); Stadtk. in Warendorf i. W. Wiederherstellungen der roman. Zisterzienserk. in Marienfeld i. W. u. der Jesuitenk. St. Peter in Münster. Fresken in 3 Zellen des ehem. Augustinerklosters Marienthal b. Wesel: Hl. Franz, Madonna, Verlorene Sohn. Mosaiken über dem Marienaltar u. dem Herz-Jesu-Altar der St. Matthiask. in Duisburg-Meiderich u. in d. Unterk. des kath. Krankenhauses in Köln-Hohenlind (im Stil der Mosaiken des 4. u. 5. Jahrh.s). Sgraffito (Gang nach Emmaus an der Fassade der Pastor-Jakobs-Stiftung in Mühlheim a. d. Ruhr. Fenster über d. Orgelempore der Hl. Geist-Kirche in Münster. Gestickter Wandteppich (Dreifaltigkeit) in d. Stadtk. in Warendorf i. W. — Lithogr.: Kreuzwegfolge; Kommunion- u. Primiz-Andenken.

Lit.: D. Christl. Kst, 25 (1928/29) 234ff. (Abbn), 236/39; 27 (1930/31) 321 (Abb.); 32 (1935/36) 1/5, m. 11 Textabbn u. 1 Kstdrucktaf. — D. Münster, 2 (1948/49) 202; 3 (1949/50) 93/100, m. 6 Abbn; 5 (1952) 54.

Baur-Ising, Paula, dtsche Malerin, * auf Gut Vogelsang b. Wesel, ansässig in Fürstenfeldbruck b. München.

Schülerin von L. Dettmann, A. Jank u. Buttersack.

Lit.: Dreßler.

Baur-Nütten, Gisela, dtsche Malerin u. Holzschneiderin, * 1886 Düsseldorf, ansässig ebda. Gattin des Malers Albert Baur (* 1868).

Stud. an d. Acad. Julian in Paris. Fresko für d. Kinderheim in Mittelberg, Bayr. Allgäu. Beeinflußt von den Nazarenern.

Lit.: D. Bild, 4 (1934) 289f., m. Abbn.

Baur-Seelenbinder, Hede, dtsche Bildhauerin, * 25. 9. 1893 Tilsit/Ostpr., ansässig in Gildenhall, Kr. Ruppin.

Stud. an den Kstgewerbesch. in Charlottenburg (1917/19) u. Stuttgart (1919/22). Arbeitet in Stein u. Holz.

Lit.: Dreßler. — D. Kstblatt, 10 (1926) 297 (Abb.); 14 (1930) 11 (Abb.), 15.

Bauré, Albert, franz. Porträt- u. Genremaler, * Bordeaux, † um 1930 Levallois-Perret (Seine).

Schüler von Bouguereau u. T. Robert-Fleury. Mitglied der Soc. d. Art. Franç., beschickte deren Salon 1889–1930 (Kat. z. T. m. Abbn).

Lit.: Joseph, 1. — Bénézit, [2] 1 (1948).

Bauriedl, Otto, dtsch. Maler, Radierer u. Illustr. (Prof.), * 9. 8. 1879 München, ansässig ebda.

Schüler von Stuck. Hauptsächlich Landschafter, pflegte auch die religiöse Kunst. Stellte seit 1904 in der Münchner Sezession aus. Mitarbeiter der „Jugend" u. des Verlages M. Gerlach, Wien. Bilder in d. Städt. Gal. München u. in der Staatsgal. in Wien. Koll.-Ausst. in d. Gal. f. Christl. Kunst in München 1928. Bildschmuck (4 farb. Vollbilder u. 16 Textzeichngn) zu: Tag u. Nacht (Der dtsche Spielmann. Eine Auswahl aus dem Schatze dtsch. Dichtung, hg. v. Dr. Ernst Weber, Bd 38), [2] München 1924.

Lit.: Th.-B., 3 (1909). — Dreßler. — D. Kunst, 25 (1911/12) 492 (Abb.); 27 (1912/13) 337; 29 (1913–14) 337/41, m. 5 Abbn u. 1 farb. Tafel; 51 (1924/25) 329, m. Abb.; 57 (1927/28) 344; 85 (1941/42) 237 (Abb.). — D. Christl. Kst, 24 (1927/28) 217. — Dtsche Kst u. Dekor., 33 (1914) 429/31, m. 5 Abbn. — D. Plastik, 1918, Taf. 51, p. 32. — Velhagen & Klasings Monatsh., 45/I (1930/31), farb. Taf. geg. p. 272, 337; 49/I (1934/35), farb. Taf. geg. p. 508.

Baurnfeind, Lena, öst. Landschaftsmalerin u. Illustr., * 31. 8. 1875 Wien, ansässig in Volders (Tirol).

Stud. bei Karger in Wien, an d. Frauenakad. in München u. in d. Meisterklasse Julius Diez u. Leo Putz ebda. Von ihren zahlr. Inntal-Landschaften erschien „Abend im Inntal" als Originallith. bei B. G. Teubner, Leipzig.

Lit.: Tir. Anz., 1909 Nr 171; 1919 Nr 248. — Tir. Hochland, Innsbr. 1920, Februarheft. — Der Bergquell, 1932 Nr 13. — Bergland (Innsbr.), 1938 Nr 8. — Tir. Heimatblätter, 10 (1932) 176; 11 (1933) 101. — Innsbr. Nachr., 1942 Nr 161. *J. R.*

Baurnfeind, Moritz, öst. Maler u. Illustr., * 17. 2. 1870 Wien, † 7. 4. 1947 Volders (Tirol). Enkel M. v. Schwinds.

Lit.: Th.-B., 3 (1909). — Der Föhn, 1 (1909/10) 100/03. — Tir. Anz., 1909 Nr 148; 1921 Nr 258; 1936 Nr 269. — Bergland (Innsbr.), 7 (1925) H. 12. — Innsbr. Nachr., 1928 Nr 164; 1930 Nr 39; 1936 Nr 268; 1939 Nr 39; 1940 Nr 32. — Tir. Nachr., 1947, Nr 84. *J. R.*

Bauroth, Richard, dtsch. Bildhauer, * 1. 2. 1884 Ilmenau/Thür., ansässig in Hamburg.

Keram. Lehrzeit u. Praxis, dann Schüler von W. v. Rümann, Erwin Kurz u. A. v. Hildebrand an der Münchner Akad. u. von F. Metzner in Berlin. Figürliches (Stein u. Holz), Bildnisbüsten. Kriegerehrenmal in Arnstadt/Thür. Holzplastiken: Adam u. Eva, in den Smlgn der Stadt Berlin.

Lit.: Dreßler. — Dtsche Kst u. Dekor., 36 (1915) 412 (Abb.); 37 (1915/16) 45, 46f. (Abbn); 38 (1915/16) 259 (Abb.); 41 (1917/18) 261 (Abbn).

Baus, Georg, dtsch. Maler (bes. Aquar.), Graphiker u. Buchschmuckkünstler, * 16. 9. 1889 Offenbach, ansässig in Leipzig.

Schüler von Rud. Koch in Offenbach. Hauptsächl. Gebrauchsgraphiker. Preisträger in vielen auswärtigen Wettbewerben. Umschlaggestaltung zu Ludwig Dinklage: Wir segeln dem Teufel ein Ohr ab, Lpzg 1938. Illustr. zu: R. Betsch, Regie-Expreß D 21 u. 2 andere Novellen (Jankes Feldpostbücher), Lpzg 1944.

Lit.: Dreßler. — Kat. Gr. Leipziger Kstausst. 1941; 1942, m. Abb. — Leipz. Volksztg, 16. 9. 1949.

Baus, Paul Jean, amer. Bildhauer, * 2. 11. 1914 Indianapolis, Ind., ansässig ebda. Sohn des Folg.

1. Preis f. Bildhauerei Indianapolis 1934.

Lit.: Who's Who in Amer. Art, I: 1936/37. — Mallett.

Baus, Simon Paul, amer. Maler, * 4. 9. 1882 Indianapolis, Ind., ansässig ebda. Vater des Vor.

Schüler von Adams Forsyth u. Stark. Vertreten im John Herron Art Inst. in Indianapolis, Ind. (Bull. of the Art Assoc. etc., 1927 p. 14, m. Taf.-Abb.).

Lit.: Fielding. — Amer. Art Annual, 30 (1933). — Who's Who in Amer. Art, I: 1936/37.

Bauschke, Bernd, dtsch. Bildnis- u. Genremaler, * 25.9.1889 Berlin, ansässig ebda.

Schüler von L. Meyn u. Schuster-Woldan.

Lit.: Dreßler.

Bausi, Dino, ital. Maler, * 1905, † 1936 Florenz.

Koll.-Ausst. in d. Gal. Botti in Florenz, 1936.

Lit.: Emporium, 83 (1936) 157f., m. Abb.; 85 (1937) 48 l. Sp.

Bausil, Louis, franz. Genre-, Landschafts- u. Stillebenmaler, * Carcassonne, ansässig in Paris.

Stellte 1906ff. bei den Indépendants, 1924 im Salon des Tuileries aus.

Lit.: Joseph, I. — Bénézit, [2] I.

Bausinger, Anton, dtsch. Landschaftsmaler, * 24.12.1872 Hechingen, ansässig in Frankfurt a.M.

Schüler von Hackl in München. Selbstbildnis in der Städt. Gal. in Frankfurt.

Lit.: Th.-B., 3 (1909). – Weizsäcker-Dessoff. – Dreßler.

Bautz, David, holl. Maler u. Rad., * 3. 6. 1884 Den Haag, lebt in Voorburg.

Stud. 1904/06 an d. Akad. im Haag bei Fr. Jansen, dann in Paris. Figürl. Kompositionen, Stilleben, Bildnisse, Landschaften. Bilder im Gem.-Mus. im Haag, im Mus. Dordrecht u. im Mus. Boymans in Rotterdam.

Lit.: Plasschaert. — Waay. — Hall, Nrn 7113–15. — Waller. — Dtsche Kst u. Dekor., 33 (1913–14) 193 (Abb.). — Maandbl. v. beeld. Ksten, 3 (1926) 20 (Abb.), 21.

Bautz, Edmund, dtsch. Maler, * 9.9.1881 Görlitz, ansässig ebda.

Schüler von Rich. Müller u. C. Bantzer an der Dresdner Akad. Landschaften, Stadtansichten, Bildnisse. Arbeiten im Märk. Mus. in Berlin u. in den Museen in Aue, Bautzen u. Görlitz.

Lit.: Dreßler.

Bavegem, Edgard van, belg. Maler.

Stud. an den Akad. Antwerpen u. Brüssel (Isid. Verheyden) u. bei Courtens.

Lit.: Seyn, II 986.

Bawden, Edward, engl. Aquarellmaler (Landsch., Architektur, Figürliches), Wandmaler, Buchkünstler, Plakatzeichner u. Kupferst., * 1903 Braintree, Essex, ansässig in London.

Stud. an der Kstsch. in Cambridge, seit 1922 am Roy. Coll. of Art in London bei Tristram. 1926 in Italien. Wandmalereien in lustiger Illuminiermanier (Szenen aus Shakespeare) im Speisesaal des Morley College in London. Plakate für die Lond. Untergrundbahn. Koll.-Ausst. 1938 in d. Leicester Gall., London.

Lit.: Who's Who in Art, [3] 1934. — Artwork, 2 (1925/26) 84; 4 (1928) 200ff., m. Abbn; 5 (1929) 86 (Abb.), 91; 6 (1930) 138 (Abb.), 143. — Apollo (London), 11 (1930) 301f., m. Abb.; 18 (1933) 337; 27 (1938) 161. — The Studio, 94 (1927) 47 (Abb.); 95 (1928) 46, m. Abb.; 99 (1930) 429/37, m. farb. Taf. u. ganzseit. Abb.; 107 (1934) 234; 115 (1938) 139 (Abb.); 136 (1948) 55 (Abb.), 73 (Abb.); 139 (1950) 63 (Abb.); 144 (1952) 60 (Abb.). — Archit. Review, 92 (1942) 54 (Abb.), 58 (Abbn); 105 (1949) 35 (Abb.), 254 (Abb.); 106 (1949) 184 (Abb.). — Artist, 29, März 1945, p. 10/12, m. farb. Abb. — Art Index (New York), Okt. 1945/Okt. 1952 passim.

Bax, Rudolf, dtsch. Maler, * 1906 Ehrentrup, ansässig in Dresden.

Baxte, Michael, russ.-amer. Landschaftsmaler u. Lithograph, * 1890 in Rußland, ansässig in New York (?).

Stellte bei den Indépendants u. im Salon des Tuileries in Paris aus.

Lit.: Bénézit, [2] 1. — Monro. — Beaux-Arts, Nr 219 v. 12. 3. 1937, p. 8; Nr 283 v. 3. 6. 1938, p. 12 (Abb.); Nr 314 v. 6. 1. 1939, p. 4 (Abb.); Nr v. 22. 8. 1947, p. 3, m. Abb.

Baxter, Bertha, amer. Landschaftsmalerin, * Alexandria, Ind., ansässig in New York, sommers in East Gloucester, Mass.

Lit.: Fielding. — Amer. Art Annual, 30 (1933). — The Art News, 25, Nr 31 v. 7. 5. 1927, p. 10.

Baxter, Elijah, amer. Landsch.- u. Stilllebenmaler, * 1849 Hyannis, Mass., † 1939 Providence, R. I.

Lit.: Th.-B., 3 (1909). — Amer. Art Annual, 30 (1933). — Fielding.

Baxter, F. Fleming, engl. Bildhauer u. Maler, * 8. 1. 1873 London, ansässig ebda.

Im Inst. of Arts in Minneapolis: Ödipus (Bronzebüste).

Lit.: Who's Who in Art, [3] 1934. — Amer. Art News, 21, Nr 8 v. 2. 12. 1922, p. 3, m. Abb.

Baxter, Leslie Robert, engl. Bildnis- u. Landschaftsmaler, Lithogr. u. Rad., * 26. 5. 1893 Brighton, ansässig in Manchester.

Stud. an der Kstschule in Brighton.

Lit.: Who's Who in Art, [3] 1934.

Baxter, Thomas Tennant, engl. Figurenmaler, * 22. 10. 1894 London, ansässig ebda.

Stud. an der Slade School.

Lit.: Who's Who in Art, [3] 1934.

Bay, Alajos, ungar. Maler u. Bildhauer.

Stud. 1890/92 in Budapest, weitergebildet in Mailand bei Lorenzoli u. Caremmi, dann bei Aggházy in Budapest. Figürliches (Akte, Kirchenbilder) u. Landschaften.

Lit.: Szendrei-Szentiványi. — Krücken Parlagi.

Bay, Hanni, verehel. *Hitz*, schweiz. Malerin u. Graph., * 29.9.1885 auf dem Gute Steinibach b. Belp, ansässig in Zürich.

Lernte 1901/02 in Antwerpen, dann an der Kstgewerbesch. in Bern (1902/04) bei E. Linck, während der Wintermonate 1904/06 in München unter A. Jank u. Hollósy. Weitergebildet 1906/08 bei Amiet auf d. Oschwand. Winter 1908/09 an der Acad. Ranson in Paris unter M. Denis u. F. Vallotton. Dann selbständig in Paris. Lebt seit 1911 abwechselnd in Chur,

Belp u. Paris. Landschaften, Stilleben, Figürliches, Porträts; ferner Karikaturen (Öl u. Aquar.). Illustr. zu: Charlot Straßer, „Ein Sehnen", 1905. Lithogr.: Kinder auf dem Schulweg, Reklameblatt für die Schuhwarenfabrik „Bally", Zürich. Gezeichnete Folgen: Figures Parisiennes (8 Bll.), Bern 1929; Strandbad (12 Bll.), Selbstverl., Zürich 1929.

Lit.: Brun, IV. — Müller-Schürch, p. 4. — D. Werk (Zürich), 7 (1920) 3f. (Abbn). — D. Graph. Kabinett (Winterthur), 12 (1927) 77. — Jahresber. Zürcher Kstgesellsch., 1939, p. 6.

Baya, arab. Malerin, * 1934 in Algerien.

Kollektiv-Ausst. in d. Gal. Maeght, New York, Nov. 1947.

Lit.: Revue (Berlin), 29.4.1948, m. 3 Fotobildn. – Beaux-Arts, 28.11.1947, p. 5.

Bayard, Clifford Adams, amer. Maler u. Rad., * 12. 12. 1892 McKecsport, Pa., ansässig in Wilmington, Vt.

Schüler des Carnegie Inst. in Pittsburgh, Pa., 1920 –27 Prof. an demselben.

Lit.: Who's Who in Amer. Art, I: 1936/37. — Amer. Art Annual, 30 (1933).

Bayart, Paul, belg. Landsch.- u. Marinemaler, * 1875 Antwerpen. Autodidakt.

Lit.: Seyn, I, m. Fotobildnis.

Bayens, Bets, holl. Malerin, * 14. 9. 1891 Amsterdam, ansässig ebda. Gattin des Folg.

Schülerin von B. Wierink, K. Spoor u. H. Bayens, ihrem späteren Mann. Charakterpuppen, Bildnisse, Stilleben. Mitglied der „Onafhankelijken".

Lit.: Waay.

Bayens, Henri Adrianus Antonius, holl. Maler, * 4. 10. 1876 Waalwijk, † 1945. Gatte der Vor.

Schüler der Antwerpener Akad. Landschaften, Figürliches, Stilleben, Mitglied der „Onafhankelijken". Bild im Mus. Arnheim.

Lit.: Waay. — De vrije Kunstenaar, 4/15 (1945) 5.

Bayer, Herbert, öst. Maler, Graph., Schrift- u. Reklamekstler, * 5.4.1900 Haag, Bez.-A. Passau, ansässig in Aspen, Colorado.

Stud. bei Schmidthammer in Linz, bei Margold in Darmstadt u. am Staatl. Bauhaus in Weimar. Surrealist. 1923/24 in Italien. 1925/28 Lehrer am Bauhaus in Dessau. (Leitung der Druckerei.) Führte dort Werbetechnik als Unterrichtsfach ein. Seitdem in den USA. Mitgl. d. „Novembergruppe" Berlin.

Lit.: Dreßler. – Alex. Dorner, The Way beyond Art. The Work of H. B. (Problems of contemp. Art, 3), New York 1947. – D. Kstblatt, 13 (1929) 365 (Abb.). – Die Maler am Bauhaus, Prestel-Verlag München 1950. – Art Index (New York), 1928ff.

Bayer, Jakob, dtsch. Maler, * 1874 Mannheim, † 1929 auf d. Insel Baltrum.

Stud. 1891/95 an d. Kstgewerbesch. in Karlsruhe. 1897/1929 Lehrer an d. Kstgewerbesch. in Wuppertal-Elberfeld. Bild (Bei St. Jakob in Vorarlberg) im Städt. Mus. ebda (Kat. 1939).

Bayer, Peter, dtsch. Tier-, Genre- u. Bildnismaler, * 27. 5. 1871 Karlsruhe, ansässig ebda.

Schüler von Ferd. Keller u. W. Trübner. Pleinairist. Koll.-Ausstellgn im Stuttgarter Kstverein 1907 u. im Kais.-Wilhelm-Mus. in Krefeld 1916.

Lit.: Th.-B., 3 (1909). – D. Cicerone, 8 (1916) 365f. – D. Christl. Kst, 4 (1907/08), Beilage p. 24.

Bayer-Oberzell, Franz, dtsch. Maler, * 1884, ansässig in Oberzell b. Ravensburg.

Schüler von Pötzelberger in Stuttgart u. W. Thor in München. Pflegt hauptsächl. die kirchl. Kunst Pietà in der Kapelle des Jordanbades bei Biberach.

Lit.: Die Christl. Kunst, 25 (1928/29) 144 (Abb.), 155f.

Bayerlein, Fritz, dtsch. Landschaftsmaler (Prof.), * 9.1.1872 Bamberg, zuletzt ansässig in München.

Schüler von Raupp an der Münchner Akad. Wiederholt ausgezeichnet, u. a. Gold. Med. Internat. Ausst. München 1909, Gr. Gold. Med. Wien 1912 u. Silb. Staatsmed. Salzburg 1914. Bilder in den Städt. Gal. in Bamberg, Nürnberg u. München u. im Mus. in Zwickau.

Lit.: Th.-B., 3 (1909). – Dreßler. – Das Bayerland, 48 (1937) 576, m. Abb. – D. Kst, 85 (1941/42), Beibl. z. Febr.-H., p. 6. – Kst- u. Antiquit.-Rundschau, 43 (1935) 225, m. Abb. – Westermanns Monatsh., 127/II (1920) 469/79. – D. Weltkst, 13 Nr 17 v. 30.4.1939 p. 4.

Bayerlein, Hans, dtsch. Maler (Öl u. Aquar.), * 30.3.1897 Bütthard, ansässig in Nürnberg.

Stud. an der Kstgewerbesch. in Nürnberg. Landschaften, Blumenstücke, Stilleben.

Lit.: Kat. Ausst. 150 Jahre Nürnb. Kunst, Nürnberg 1942, p. 44.

Bayerlein, Hans, dtsch. Maler (Öl u. Aquar.), ansässig in München.

Tüchtige dekor. Begabung. Aquarellzyklus: Fasching, Picknick, Bad, Gondelfahrt. Fresken in der kath. Stadtpfarrk. in Kulmbach.

Lit.: Die Kunst, 41 (1919/20) 353/56, m. 4 Abbn u. 1 Taf.

Bayersdorfer, Wilhelm, dtsch. Maler u. Kstgeschichtler, * 1885 München, † Dez. 1920 ebda.

Sohn des Kstgelehrten Dr. Adolf B.

Lit.: Münch.-Augsb. Ztg v. 11.12.1920.

Bayes, Gilbert, engl. Bildhauer, Medailleur u. Entwurfzeichner für Kstgewerbe, * 1872 (1874?) London, ansässig ebda. Sohn des Malers Alfred Walter B. (* 1832, † 1909). Bruder der Jessie u. des Walter.

Stud. an d. Schule der Roy. Acad. 1928 u. 1938/43 Präsid. der Roy. Soc. of Brit. Sculptors. Figürl. Kleinplastik (bes. Reiterbilder u. Akte). Vertreten in d. Tate Gall. London, in den Museen in Auckland, Liverpool, Preston, in d. Nat. Gall. of New South Wales in Sydney u. in d. Mod. Gal. in Dresden. Fertigte den Entwurf zu dem Großsiegel König Georgs V. (1911) u. zu der von der Geograph. Gesellsch. dem Captain R. F. Scott verehrten Gold. Medaille. Lesepult (emaillierte Bronze u. Mosaik) in d. Roy. Savoy Chapel. Statue des hl. Hugo in der Kath. Kirche in Lincoln. Brunnen mit Statue des Johannesknaben im Garten der Merchant Taylor's Comp. in London. Denkmal der Feuerwehr ebda.

Lit.: Th.-B., 3 (1909). — Forrer, 7. — Spielmann, m. 3 Abbn. — The Internat. Who's Who, [8] 1943/44. — Who's Who in Art, [3] 1934. — Kinston Parkes, The Art of Carved Sculpt., Lo. 1932. — The Studio, 59 (1913) 306 (Abb.); 66 (1916) 186, m. Abb., 281; 68 (1916) 40; 72 (1918) 100/12, m. Abbn; 83 (1922) 308; 89 (1925) 197ff., m. Abbn; 91 (1926) 43 (Abb.); 115 (1938) 301 (Abb.); 124 (1942) 92 (Abb.). — The Studio. Year-Book of Decor. Art, 1914, p. 79 (Abb.).

Bayes, Jessie, engl. Malerin (Öl, Aquar., Wandmalerei) u. Buchilluminatorin, ansässig in Edinburgh. Schwester des Gilbert u. des Walter.

Stud. an der Central School of Arts a. Crafts in London, weitergebildet bei ihrem Bruder Walter. Bereiste Belgien, Italien, Frankreich, Deutschland. Schrift u. Buchilluminationen in Aquarell auf Pergament (Madrigal von Lapo Gianni, übersetzt von D. G. Rossetti; The Lady of Shalott; Night von Shelley). Beispiel ihrer Illuminierkunst in der Public Gall. in Detroit.

Lit.: Th.-B., 3 (1909). — Who's Who in Art, [3] 1934. — The Art Journal, 1911, p. 186 (Abb.). — The Studio, 60 (1914) 141 (Abb.), 142, 143 (farb. Taf.); 61 (1914) 261/70, m. Abbn u. 3 farb. Taf.; 62 (1914) 174 (Abb.), 180 (Taf.); 67 (1916) 193 (Taf.); 69 (1917) 41f., m. Abb., 67, m. Abb., 130. — The Studio Year-Book, 1921, p. 64, m. Abb.

Bayes, Walter, engl. Genremaler, Reklamezeichner, Bühnenbildner u. Kstkritiker, * 31. 5. 1869 London, ansässig ebda. Bruder der beiden Vor.

Hauptlehrer an der Westminster Art School. Vertreten in den Gal. in Dublin, Liverpool, Manchester, Oldham, in d. Tate Gall. in London u. im dort. Imperial War Mus. Kollekt.-Ausst. 1932 in den F. Art Soc. Gall., London (Zeichngn von einer Mittelmeerreise), 1951 in den Leicester Gall. ebda.

Lit.: Th.-B., 3 (1909). — Who's Who in Art, [3] 1934. — The Studio, 60 (1914) 230; 65 (1915) 110; 73 (1918) 62ff., m. Abbn; 84 (1922) 73; 104 (1932) 220/23, m. farb. Taf. u. 3 Abbn; 108 (1934) farb. Taf. geg. p. 196; Studio, Spec.-Number 1919, p.112, 113. — The Connoisseur, 54 (1919) 233f.; 94 (1934) 400. — Athenæum, 1919/I, p. 530; 1919/II, p. 1375; 21. 5. 1920, p. 677. — Apollo (London), 7 (1928) 48. — Art Index (New York), Okt. 1945/Okt. 1952.

Bayik, Namik, türk. Maler u. Plakatzeichner, * 1926 Istanbul (Konstantinopel), ansässig ebda.

Besuchte die Kstgewerbeabteilung der Akad. d. Sch. Künste zu Istanbul, jetzt Assistent an derselben. Erhielt den 2. Preis in einem internat. Plakat-Wettbewerb 1950. Gehört der türk. modernen Schule an.

Baylinson, Abraham S., russ.-amer. Maler, * 6. 1. 1882 Moskau, † 6. 5. 1950 New York.

Schüler von Robert Henri u. Homer Boss. Lehrtätig 1931/33 u. 1937/38 an d. Art Students' League in New York.

Lit.: Fielding. — Monro. — Amer. Art Annual, 30 (1933). — S. La Follette, Art in America, New York 1934. — The Art News, 25, Nr 32 v. 14. 5. 1927, p. 36 (Abb.). — Parnassus (New York), Jan. 1933 p. 5/7, m. 3 Abbn; April 1936, p. 5ff. passim, m. Abb. — college art journal, 9 (1950) 420. — Art Index (New York), Okt. 1945/Okt. 1952.

Bayliss, Edwin Butler, engl. Landschafts- u. Bildnismaler (Öl u. Aquar.), * 7. 1. 1874 Wolverhampton, ansässig ebda.

Lit.: Who's Who in Art, [3] 1934. — Graves, I.

Bayliss, Lilian, amer. Miniaturmalerin, * 20. 2. 1875 Massillon, Ohio.

Stud. in Paris bei Lucia F. Fuller in Boston.

Lit.: Bénézit, [2] 1 (1948).

Baylor, Edna Ellis, amer. Malerin, * 9. 5. 1882 Hartford, Conn., ansässig in Ipswich, Mass.

Stud. an d. Schule des Mus. of F. Arts in Boston bei Frank Benson, Edmund Tarbell, Ross Turner u. Henry Rice. 1. Preise 1930 u. 1933.

Lit : Amer. Art Annual, 30 (1933). — Who's Who in Amer. Art, I: 1936/37.

Baynes, Keith, engl, Stilleben-, Landsch.-, Blumen- u. Früchtemaler, * 1887 London, ansässig ebda.

Stud. an der Slade School in London.

Lit.: Who's Who in Art, [3] 1934. — Athenæum, 16. 4. 1920, p. 517; 1920/II, p. 56. — The Burlington Magaz., 41 (1922) 247 (Abb.), 251. — Artwork, 2 (1925–26) 152, 154 (Abb.). — Apollo (London), 13 (1931) 205, m. Abb.; 16 (1932) 83, 84 (Abb.); 25 (1937) 301. — Beaux-Arts, 75 année, Nr 305 v. 4. 11. 1938, p. 4, m. Abb. — The Studio, 97 (1929) 186 (Abb.); 113 (1937) 348 (Abb.); 129 (1945) 43 (Abb.).

Bayros, Franz von, Marquis, öst. Illustrator, Exlibris-Künstler u. Maler, * 1866 Agram (Zagreb), † 3. 4. 1924 Wien.

Vater: Spanier, Mutter: Deutsche. Kapriziöser, von Beardsley u. dem Rokoko beeinflußter Zeichner. Stark erotisch gefärbte Schwarz-Weiß-Illustrationen zu galanten Romanen u. zierliche, meist mondäne Schönheiten darstellende Exlibris. Ein Prozeß, den seine Illustr. zu Max Semneraus „Erzählungen vom Toilettentisch" 1907 heraufbeschworen, haben ihm zu einer nicht ganz verdienten Berühmtheit verholfen. Sein prickelnder, aber gleichförmiger Zeichenstil paßt sich am besten dem leichten erotischen Roman (Murger, Bohème; Hans R. Bartsch) an, versagt aber völlig, bei Aufgaben wie der Illustrierung von Dantes, „Göttl. Komödie" (3 Bde, Amalthea-Verlag, Wien), zu der er nicht weniger als fast 2000 Zeichnungen geliefert hat. Ein vollständiges Verzeichnis seiner Buchillustrationen, Mappenwerke u. Exlibris erschien bei R. Weigel, Leipzig 1926. Als Maler hauptsächl. Damenporträtist. Koll.-Ausstellgn im Hohenzollern-Kstgewerbehaus in Berlin 1912 u. in Budapest 1913.

Lit.: F. v. B. Bibliogr. s. Werke u. beschr. Verz. s. Exlibris. Mit e. biogr. Einleitg, hg. von Rud. Bretschneider, Lpzg 1926. — F. v. B. 21 Exlibris. Mit e. Geleitw., Berlin u. Lpzg 1921. — B.-Mappe. 37 Heliogr., 13 Farbenkstdrucke, mit Vorw. von R. H. Bartsch, Wien 1920. — Antiquitäten-Rundschau, 22 (1924) 211f. — Belvedere (Wien), 1 (1922) Beilage p. VI, m. Abb.; 4 (1923) 157/59. — D. Cicerone, 16 (1924) 381. — Donauland, 3. Jg., 2. Bd (1919) p. 821, 826, m. Abb. — D. Graph. Künste (Wien), 45 (1922) 62; 48 (1925), Mitteilgn p. 83. — D. Kst, 30 (1913/14) 136 (Abbn), 137; 50 (1923/24), Beil. z. Maiheft p. XII. — Kstchronik, N. F. 28 (1916/17) 83f.; 32 (1920/21) 495, 756. — D. Kstschule, 4 (1921) 130ff., m. Abbn. — D. Kstwanderer, 1920/21 p. 425. — Vita d'Arte, 11 (1913) 107/29; 12 (1913) 119/32.

Bayser-Gratry, Marguerite de, franz. Bildhauerin u. Kunstgewerblerin, * Lille, ansässig in Paris.

Schülerin von Vital-Cornu, bildete sich im übrigen autodidaktisch. Mitglied der Soc. d. Art. Franç. u. des Salon d'Automne. Stellt auch im Salon des Tuileries aus. Bildnisbüsten (Stein u. Holz), Statuen (Mgr Augouard, Akte), Tiere (bes. Vögel u. Fische). Vasen, Schalen aus Alabaster, Onyx u. Marmor. Im Petit Palais eine Frauenbüste (Bronze).

Lit.: Joseph, I. — Bénézit, [2] I (1948). — L'Art et les Artistes, N. S. 6 (1923) 161 (Abb.); 9 (1925) 306/09, m. Abbn; 14 (1927) 175 (Abb.); 1934 Nr 143 p. 119/22, m. 4 Abbn. — Beaux-Arts, Nr v. 24. 1. 47, p. 4. — Revue de l'Art anc. et mod., 51 (1927), Suppl. p. 58 (Abb.). — L'Art vivant, 1933 p. 388ff., m. 6 Abbn. — The Studio, 110 (1935/II) p. 152f. passim. m. Abb.

Bazaine, Jean René, franz. Maler u. Zeichner für Textilien, * 1904 Paris, ansässig ebda.

Ging von der abstrakten Kunst zur Dekoration über. Stellte seit 1930 im Salon des Tuileries u. im Salon d'Automne, 1932/45 bei den Indépendants aus. Mitgl. d. Gruppe „Jeunes peintres de tradition franç."

Lit.: Bénézit, [2] 1 (1948). — D. Kstwerk, 4 (1950) Heft 8/9 p. 64 (Abb.), 65, 92. — D. Weltkst, 31 (1951) H. 4, p. 3, m. Abb. — Art Index (New York), Okt. 1947/Okt. 1952 passim.

Bazé, Paul Robert, franz. Bildnis- u. Figurenmaler, * Paris, ansässig ebda.

Schüler von L. Simon. Mitgl. der Soc. d. Art. franç., beschickt deren Salon seit 1926. Rompreis 1927.

Lit.: Bénézit, [2] I (1948). — Art et Décor., 1927/II, Chron. Aug.-Heft p. 2; 1928/II, Chron. Juli-H. p. 1. — Gaz. d. B.-Arts, 1928/I 307, m. Abb.

Baze, Willi, verehel. *Lane,* amer. Malerin, * 16. 3. 1896 Mason, Texas, ansässig in Chickasha, Okla.

Schülerin von Norfeldt u. J. E. Thompson. Wandma ereien u. a. in d. First Christian Church u. in d. First Baptist Church in Chickasha. — Buchwerke: The Rhythm of Colour; Six Great Moderns.

Lit.: Who's Who in Amer. Art, I: 1936/37. — Amer. Art Annual, 30 (1933).

Bazeilles, Albert, franz. Bildhauer, Maler u. Rad., * Bordeaux, ansässig in Paris.

Schüler von L. Mathet, Bertrand, A. Miserey u. P. Laurent. Mitglied der Soc. d. Art. Franç., beschickte deren Salon bis 1931.

Lit.: Joseph, I. — Bénézit, [2] I (1948).

Bazel, Karel de, holl. Architekt, Holzschneider u. Fachschriftst., * 14. 2. 1869 Helder, † 28. 11. 1923 Amsterdam.

Schüler von P. J. H. Cuypers, den er seit 1890 beim Bau der St. Vituskerk in Hilversum unterstützte. Dann Bürochef bei Cuypers. Seit 1895 selbständig, bis 1900 assoziiert mit Joh. Lauweriks. — Der hervorragendste holl. Archit. des 1. Viertels des 20. Jh.s neben Berlage. — *Hauptbauten:* Rathaus in Rotterdam, Hauptkontorgeb. der Nederl. Heide-Maatschappij in Arnheim, Geb. der Nederl. Handel-Maatschappij in Amsterdam (1921/25). Zahlr. Land-Häuser in Baarn, Bussum, Herzogenbusch, Zandvoort; Arbeiterwohnhäuser in Bussum; Mustermeierei „Oud Bussum" bei Bussum (1903/05). Als Holzschneider Autodidakt: Buchumschläge, Prospekte, Entwürfe für kstgew. Gegenstände. — *Buchwerke:* Bouwkunst en Godsdienst; Dr. H. P. Berlage en zijn werk, Rotterd. 1916.

Lit.: Th.-B., 3 (1909). — Waller. — Brandes, Taf. 9, 10. — Mieras-Yerbury. — Bouwkunst, 1913, p. 89f. — Maandbl. v. beeld. Kunsten, 3 (1926) 44/58, m. Bildnis u. zahlr. Abbn; 5 (1928) 218 (Abb.), 219f. — De Holl. Revue, 21 (1916) 295/99. — Jaarboekje voor graf. Kst, Rotterd. 1924. — Kst u. Kstler, 7 (1909) 551/58.

Bazin, François, franz. Bildhauer, * 31. 10. 1897 Paris, ansässig ebda.

Schüler von Navelier, Injalbert u. D. Puech. Mitglied der Soc. d. Art. Franç. Gold. Med. 1929. Figürliches, Bildnisbüsten.

Lit.: Joseph, I. — Bénézit, [2] I (1948). — Bull. de l'Art anc. et mod., 1925/II p. 262, 263 (Abb.). — Revue de l'Art anc. et mod., 56 (1929) 88 (Abb.).

Bazin-Lysis, Madeleine, franz. Holzschneiderin, * 20. 9. 1900 Paris, ansässig ebda.

Stellt seit 1920 im Salon der Soc. d. Art. Franç. aus.

Lit.: Joseph, I. — Bénézit, [2] I (1948).

Baziotes, William, amer. Maler u. Pastellzeichner, * 1911 Pittsburgh, Pa.

Stud. an d. Nat. Acad. of Design, N. Y. Vertreten im Metrop. Mus., New York. Kollekt.-Ausst. 1951, 1952 u. 1953 in d. Kootz-Gal., New York.

Lit.: Kat. Ausst. Amer. Malerei, Berlin 1951, Nr 18f., m. Abb. — Die Kst u. d. schöne Heim, 49 (1951), Beil. p. 141; 50 (1951) Beil. p. 50. — Art Index (New York), Okt. 1944/Okt. 1951. — Monro. — Art Index (New York), Okt. 1944/April 1953 passim.

Bazor, Lucien, franz. Bildhauer, Medailleur u. Plakettenkünstler, * 18. 1. 1889 Paris, ansässig ebda.

Schüler von Auban u. J. E. Boutellier. Mitglied der Soc. d. Art. Franç. (Salon-Kat. z. T. m. Abbn). Rompreis 1923. Seit 1930 Graveur der Münze.

Lit.: Joseph, 1. — Forrer, 7. — Bénézit, [2] 1. — Arethuse, 1 (1923/24) Chron. p. IX, m. Abb.; 6 (1930) Chron. p. V/VII, m. 3 Abbn. — Bull. de l'Art anc. et mod., 1926 p. 257 (Abb.); 1927 p. 235 (Abb.). — Revue de l'Art, 67 (1935), Bull. p. 61.

Bazot, Suzanne, franz. Lithographin, * Chatou (Seine-et-Oise), ansässig in Paris.

Mitglied d. Soc. d. Art. Franç. (Salon-Kat. z. T. m. Abbn).

Bazovský, Miloš Alexander, slowak. Maler, * 11. 1. 1899 Turany nad Váhom, tätig in Turčianský Sv. Martin.

Stud. in Budapest, 1919/24 an der Prager Akad. (V. Bukovac, J. Obrovský). Figürliches, slowak. Bauerntypen, Landschaften.

Lit.: W. Wagner, Profil slov. výtvarného umĕnia, Preßburg 1935. — Toman, I 46. — Fodor. *Blž.*

Bazzani, Cesare, ital. Architekt (Prof.), * 5. 3. 1873 Rom, † zw. 1936 u. 1940 ebda.

Neoklassizist. Hauptbauten: Città dell'Arte in Valle Giulia in Rom mit dem Pal. delle Belle Arti; Altar des hl. Kajetan in S. Andrea della Valle in Rom; Sparkasse in Ascoli Piceno; Pal. comunale in Rieti; Fassade von S. Maria degli Angeli u. Fontana degli Italiani in Assisi; Nat.-Bibl. in Florenz; Präfektur in Messina; Kirchen S. Giovanni, S. Caterina u. S. Lorenzo ebda; Denkmal für die Gefallenen von 1860 in Spoleto; Hauptgeb. der Hydroelektr. Zentrale in Terni; Postgeb. ebda.

Lit.: Chi è?, 1936; 1940, Anhang: Chi fu?. — Emporium, 34 (1911) 403/08, m. Abb. u. Taf., 411, 414.

Bazzi, Carlo, piemont. Landschafts- u. Marinemaler, * 6. 7. 1875 Turin, ansässig ebda.

Schüler von Gius. Bertini u. Vesp. Bignami an der Brera-Akad. in Mailand. Gefördert von Stef. Bersani. Seit 1905 ausschließlich als Glasmaler tätig.

Lit.: Comanducci, m. Abb.

Beach, Chester, amer. Bildhauer, * 23. 5. 1881 San Francisco, Calif., ansässig in New York, sommers in Brewster, N. Y.

Schüler von Verlet u. Roland in Paris, weitergebildet in Rom. 1927/28 Präsid. der Nat. Sculpt. Soc. Arbeiten im Art Inst. in Chicago, in d. Barnard Coll. in New York u. im Mus. in Cleveland, Ohio. 3 gr. Gruppen im Court of Abun- dance in Main Tower.

Lit.: Fielding. — Amer. Art Annual, 30 (1933). — The Internat. Who's Who, [16] 1952. — Forrer, 7 u. 8 p. 310. — Earle. — The Studio, 68 (1916) 187; 117 (1939) 189 (Taf.). — Who's Who in Amer. Art, I: 1936/37. — Cat. of the Works of Art of City of New York, 2 (1920) 70.

Beal, Gifford, amer. Maler (Öl u. Aquar.), * 1879 New York, ansässig ebda.

Schüler von W. M. Chase, Du Mond u. Ranger. Hauptsächlich Marinen u. Zirkusdarstellgn. — Bilder im Metrop. Mus. New York, im Art Inst. in Chicago, im Mus. in Syracuse u. im Art Inst. in San Francisco. Aquarelle in den Mus. in Detroit u. Brooklyn.

Lit.: Th.-B., 3 (1909). — Fielding. — Amer. Art Annual, 30 (1933). — Who's Who in Amer. Art, I:

1936/37. — Monro. — The Studio, 64 (1915) 67, m. Abb.; 73 (1918) 144. — Bull. of the Detroit Inst. of Arts, 1 (1919/20) 46f., m. Abbn; 7 (1925/26) 4f., m. Abb.; 27 (1948) 39. — Bull. of the Cleveland Mus., 12 (1927) 104, 108 (Abb.); 17 (1930) 119 (Abb.), 123; 24 (1935) 101 (Abb.). — The Art News, 25, Nr 24 v. 19. 3. 1927, p. 9; 32, Nr 11 v. 16. 12. 1933, p. 18 Sp. 5. — Art Index (New York), Okt. 1947/April 1953.

Beale, Edward Hayley, engl. Landschaftsmaler, * 31. 10. 1904 Cromer, ansässig in Burwash, Sussex.

Lit.: Who's Who in Art, [3] 1934.

Beale, Evelyn, schott. Bildhauerin u. Ksttöpferin, ansässig in Glasgow.

Denkmäler in der Christ Church in Glasgow, der Lansdowne Church ebda, der Old St. Paul's Church in Edinburgh u. der St. Michael's Church in Retford.

Lit.: Who's Who in Art, [3] 1934.

Beale, John Arthur, engl. Schwarz-Weiß-Künstler, * 31. 1. 1890 London, ansässig in Sutton, Surrey.

Stud. an der William Morris-Schule. Humorist. Zeichngn für Witzblätter wie: Humorist, Passing Show, Tatler, London Opinion u. a.

Lit.: Who's Who in Art, [3] 1934.

Beall, Cecil Calvert, amer. Maler u. Illustrator, * 15. 10. 1892, ansässig in New York.

Schüler von George Bridgman.

Lit.: Who's Who in Amer. Art, I: 1936/37. — Prisma (München), 1 (1947) Heft 6 p. 20 (Abb.).

Beall, Lester, amer. Illustrator u. Aquarellmaler, * 14. 3. 1903 Kansas City, Mo., ansässig in Chicago, Ill.

Stud. an d. Univers. Chicago.

Lit.: Who's Who in Amer. Art, I: 1936/37. — Art Index (New York), Okt. 1945/Okt. 1952 passim.

Beals, Victor, amer. Illustrator, * 20. 2. 1895 Wuhu, China, ansässig in Tuckahoe, N. Y.

Schüler von Munsell u. Vesper George.

Lit.: Who's Who in Amer. Art, I: 1936/37.

Bean, Caroline Van Hook, amer. Malerin, * Washington, D. C., ansässig in New York.

Schülerin von Harry Thompson in Paris u. von W. M. Chase in New York.

Lit.: Fielding. — Amer. Art Annual, 30 (1933).

Bear, George Telfer, schott. Figurenmaler, * Greenock, ansässig in Glasgow.

Stud. an der Kstschule in Glasgow.

Lit.: Who's Who in Art, [3] 1934.

Beards, William Harold, engl. Illustrator u. Bildnismaler, * 10. 7. 1895 Sedgley, Staffordshire.

Humorist. Zeichngn für Witzblätter wie: Bystander, Tatler, Passing Show, London Opinion, Humorist u. a.

Lit.: Who's Who in Art, [3] 1934.

Beardsley, Rudolph, amer. Maler u. Illustr., * 1875, † 15. 8. 1921 New York.

Lit.: Amer. Art Annual, 18 (1921) 225.

Beardsley, William, amer. Architekt, * 1872, † Frühjahr 1934 Poughkeepsie, N. Y.

Gerichtsgebäude in 10 Grafschaften des Staates New York; Tuberkulose-Hospitäler in den Grafschaften Oneida u. Nassau.

Lit.: Who's Who in Amer. Art, I: 1936/37, p. 492.

Beare, Josias Crocker, engl. Architekt u. Aquarellmaler, * 10. 1. 1881 Newton Abbot, ansässig ebda.

Lit.: Who's Who in Art, [3] 1934.

Béat, Paul, franz. Landschaftsmaler, * Lille, ansässig ebda. Vater des Folg.

Mitglied der Soc. d. Art. Franç. (Salon-Kat. z. T. m. Abbn).

Lit.: Joseph, 1. — Bénézit, [2] 1.

Béat, Robert, franz. Landschaftsmaler, * Lambersart (Nord), ansässig in Lille. Sohn des Vor.

Schüler s. Vaters. Stellte 1929ff. im Salon der Soc. d. Art. Franç. aus.

Lit.: Joseph, 1. — Bénézit, [2] 1

Beaton, Cecil, amer. Maler, Kostümzeichner, Bühnenbildner u. Schriftsteller, * 1904.

Lange Zeit Mitarbeiter der New Yorker Zeitschrift „Vogue". Kollektiv-Ausst. Januar 1928 in den Cooling Galleries in London.

Lit.: Apollo (London), 7 (1928) 46. — Vogue (Ausg. New York), 15. 10. 1936, p. 54; 15. 2. 1937, p. 46/49; 15. 7. 1937, p. 58 (farb. Abb.). — Art Index (New York), Okt. 1945/April 1953 passim.

Beatty, John William, kanad. Maler, * 1869 Toronto, ansässig ebda.

Stud. an d. Acad. Julian in Paris.

Lit.: Mallett. — The Studio, 64 (1915) 211; 65 (1915) 259, m. Abb.; 67 (1916) 68, m. Abb.; 70 (1917) 30, m. Abb.; 103 (1932) 323 (Abb.).

Beaty-Pownall, David Herman, engl. Architekt, * 19. 3. 1904 London, ansässig ebda.

Buchwerk: Architectural Perspectives.

Lit.: Who's Who in Art, [3] 1934.

Beauck, François, belg. Zeichner, Rad. u. Maler, * 1876 Forest, ansässig in Brüssel.

Autodidakt. Landschaften, Bildnisse, phantastisch-mystische figürl. Kompositionen.

Lit.: Th.-B., 3 (1909). — Seyn, I. — Le Home, 1911, Sept.-H. p. 24/27, m. 5 Abbn.

Beauclair, Alex. de, schweiz. Maler u. Schriftst., * 10.7.1877 Darmstadt, ansässig in Ascona, Tessin.

Schüler von Caspar Ritter in Karlsruhe, von Jos. Scheurenberg in Berlin u. von Defregger in München. Bereiste Italien, Kroatien u. Öst.-Ungarn. Seit 1905 in Ascona ansässig. — Seine Gattin Friederike, geb. *Krüger*, Schülerin Ad. Bayers u. ihres Gatten, ist Malerin.

Lit.: Schweizer Zeitgen.-Lex., 1932. — Dreßler.

Beaudin, André, franz. Maler u. Graph., * 3. 2. 1895 Mennecy (Seine-et-Oise), ansässig in Paris.

Stud. bis 1915 an d. Ec. d. Arts Décor. Anfängl. Kubist. Entwickelte später unter Einfluß von Juan Gris einen zarten, aber etwas leeren Expressionismus. Stellt bei den Indépendants aus. Hauptsächl. Stilleben u. Akte. Kollektiv-Ausst. 1951 in der Gal. Louise Leiris, Paris.

Lit.: Bénézit, [2] 1. — Joseph, 1. — M. Raynal, Anthologie de la Peint. en France etc., 1927, m. 2 Abbn. — Artwork, 2 (1925/26) Nr 6 p. 114, 116 (Abb.). — Cahiers d'Art, 1928 p. 335/38, m. 13 Abbn. — D. Kstblatt, 15 (1931) 229, 231/33 (Abbn), 235, 246. — Kstchronik, N. F. 35 (1925/26) 118f. — D. Kstwerk, 4 (1950) Heft 8/9 p. 92, m. Abb. — L'Amour de l'Art, 1934 p. 364. — Arts et Métiers graph., 1937 Nr 56 p. 41/45, m. 6 Abbn. — Beaux-Arts, Nr v. 19. 4. 1946, p. 2. — The Art News, Juni 1949, p. 52. — Art Digest, Juli 1949, p. 18. — The Studio, 138 (1949)

181 (Abb.). — College Art Journal, 8 (1949) Nr 4 p. 255, 271 (Abbn).

Beaufils, Armel, franz. Bildhauer, * 28.11. 1882 Rennes, ansässig in Paris.

Schüler von Mercié u. Labatut. Mitglied der Soc. d. Art. Franç. Gold. Med. 1924. Denkmal Chateaubriand's in Saint-Malo.

Lit.: Joseph, I. — Bénézit, [2] I (1948). — Art et Décor., 25 (1921), Chron., Juli, p. 2f., m. Abbn. — Revue de l'Art anc. et mod., 52 (1927) 34 (Abb.). — L'Art et les Artistes, 1934 Nr 151, p. 51/55, m. 5 Abbn. — Beaux-Arts, 6. 8. 1948, p. 2.

Beaufrère, Adolphe, franz. Rad., Kaltnadelstecher u. Maler, * 24. 3. 1876 Quimperlé (Finistère), ansässig in Paris.

Sohn des Malers Eugène Henri B. († 4. 8. 1903), der aber in späteren Jahren die Kunst aufgab und Stubenmaler wurde, u. einer Kanadierin schott. Herkunft. Schüler von G. Moreau. Als Graphiker beeinflußt von Alph. Lepère. Mitglied der Soc. Nat. d. B.-Arts. Stellt auch im Salon des Tuileries u. im Salon der Soc. d. Peintres-Grav. Franç. aus. Teilte seinen Wohnsitz seit 1909 meist zwischen Kuroullé-Pouldu an der breton. Küste u. Paris. 1911/14 in Algier, dazwischen in Italien u. Spanien. Hauptsächlich Marinen u. Landschaften aus der Bretagne (Finistère u. Morbihan), Südfrankreich (Arles) u. Algier. Das Schönste seine luft- u. raumweiten, staffagelosen Landschaften wie Riantec u. die Küstenansichten von Pouldu. Auch figürliche Blätter: Hl. Sebastian, Der Verlorene Sohn, Flucht nach Ägypten, Geburt Christi, Anbetung der Könige usw.

Lit.: Joseph, I, m. Abb. u. Selbstbildn. — Bénézit, [2] I (1948). — L'Art et les Artistes, N. S. 2 (1920–21) 112/19, m. 10 Abbn. — Gaz. d. B.-Arts, 1920/II p. 181/88, m. 5 Abbn. — The Print Coll.'s Quarterly, 13 (1926) 156/75, m. 10 Abbn. — Estampes, 1934 p. 74/78. — Beaux-Arts, 1935 Nr 117 p. 3, m. Abb.

Beauley, William Jean, amer. Architekturmaler u. Lithogr., * 15. 9. 1874 Joliet, Ill., ansässig in New York.

Schüler von Robert Henri u. Maratta in New York, von Yvon in Paris.

Lit.: Fielding. — Who's Who in Amer. Art, I: 1936/37. — Amer. Art Annual, 30 (1933). — Monro. — The Studio, 72 (1918) 22ff., m. Abb. — The Art News, 24, Nr 29 v. 24. 4. 1926, p. 5, m. Abb.

Beaume, Albert, franz. Maler u. Illustr., * 1878, fiel am 31. 8. 1918 im 1. Weltkrieg.

Bildnisse, Landschaften, Kriegsbilder. Künstler. Leiter der „Revue illustrée".

Lit.: Chron. d. Arts, 1917/19 p. 132.

Beaume, Emile, franz. Figurenmaler, *28. 8. (4?.) 1888 Pézenas (Hérault), ansässig in Paris.

Schüler von Cormon, Flameng u. Baschet. Mitglied der Soc. d. Art. Franç. (Salon-Kat. z. T. m. Abb.). Rompreis 1921. Gold. Med. 1927. Akte, dekor. Kompositionen.

Lit.: Joseph, I. — Bénézit, [2] I (1948). — Chron. d. Arts, 1921 p. 108.

Beaumont, Arthur, engl.-amer. Maler, * 7. 4. 1879 Bradford, Engl., ansässig in Stapleton, N. Y.

Schüler von Bouguereau in Paris u. von Olsson in London.

Lit.: Fielding. — Amer. Art Annual, 20 (1923) 438; 30 (1933).

Beaumont, Arthur Edwaine, engl.-amer. Maler u. Illustr., * 25. 3. 1890 Norwich, Norfolk, ansässig in Los Angeles, Calif.

Schüler von Russell Flint, Frank Brangwyn u. Hunt Diederich. Weitergebildet an den Akad. Julian u. Colarossi in Paris, in Brüssel u. Amsterdam. Bilder in d. Univers. of California in Los Angeles, in d. Univers. of Southern California, in d. Episcopal Church in der Diözese Los Angeles u. im Weißen Haus in Washington, D. C. Zeichner. Mitarbeiter an „Cosmopolitan Magaz.", „Motor Boating" u. „Chicago Tribune".

Lit.: Amer. Art Annual, 30 (1933). — Who's Who in Amer. Art, I: 1936/37. — Amer. Artist, 8, Okt. 1944, p. 29, m. Abb.

Beaumont, Hugues de, franz. Maler, * 26. 10. 1874 Chouzy (Loir-et-Cher), ansässig in Paris.

Schüler von A. Maignan, Chartran u. G. Moreau. Mitglied der Soc. d. Art. Franç. u. der Soc. Nat. d. B.-Arts. Figürliches, Bildnisse, Stilleben. Im Luxembourg-Mus. in Paris: Die Verlassene. Weitere Bilder in den Museen in Aix-en-Prov., Lyon, Montpellier u. Tours.

Lit.: Th.-B., 3 (1909). — Joseph, 2, m. Abb. (s. v. Hugues). — Bénézit, [2] 1 (1948). — Beaux-Arts, 3 (1925) 163, m. Abb.; 5 (1927) 334; 8 (1931), Mai p. 12 (Abb.). — Gaz. d. B.-Arts, 1926/II p. 341 (Abb.); 1927/I p. 294, m. Abb.; 1928/I p. 315f., m. Abb. — Revue de l'Art anc. et mod., 52 (1927) 25 (Abb.); 54 (1928) 35 (Abb.); 56 (1929) 35 (Abb.); 66 (1934) 44 (Abb.), 45. — L'Art et les Artistes, N. S. 18 (1929) 266/71, m. 8 Abbn.

Beaumont, Jean Georges, franz. Maler u. Kunstgewerbler, * 1. 10. 1895 Elbeuf (Seine-Infér.), ansässig in Paris.

Mitglied der Soc. d. Art. Décorateurs. Stellte auch bei den Indépendants u. — 1919/36 — im Salon d'Automne aus. Bilder im Musée de la Guerre in Vincennes u. im Mus. in Sèvres. Entwürfe für Wandschirme, Bergeren, Sevresvasen usw.

Lit.: Joseph, I. — Bénézit, [2] I (1948).

Beaumont, Leonard, engl. Architekturstecher, Plakatkstler u. Rad., * 1. 9. 1891 Sheffield (York), ansässig ebda.

Stud. an der Kunstsch. in Sheffield. Trat dem Stabe des Sheffield Telegraph bei, dessen Hauptzeichner er wurde. 1916/19 in Ostindien. Anfangs Radier-, später fast ausschließlich Trockennadeltechnik. Vortrefflich rad. Ansichten von Schweizer Orten (Zermatt), aus Madeira u. Teneriffa (Santa Cruz). Im Bes. der Sheffield Corp. eine Ansicht der Kathedr. zu Sheffield.

Lit.: Who's Who in Art, [3] 1934. — The Studio, 93 (1927) 200ff., m. Abb.; 95 (1928) 430 (3 Abbn); 100 (1930) 347 (Abb.). — Artwork, 4 (1928) 19. — The Print Coll.'s Quarterly, 20 (1933) 158/67, m. Abbn. — Art a. Industry, 43 (1947) 118 (Abb.); 47 (1949) 122/29.

Beaumont, Lilian Adele, amer. Malerin, * 1880 Jamaica Plains, Mass., † 1922 ebda.

Schülerin von Benson, Tarbell u. Philip Hale.

Lit.: Fielding. — Amer. Art Annual, 20 (1923) 260.

Beaumont, Paul Louis, franz. Figurenmaler, * Paris, † 1936 ebda.

Schüler von Lucien Simon u. Jules Adler. Mitglied der Soc. d. Art. Franç. Stellte 1929ff. auch bei den Indépendants aus.

Lit.: Joseph, I. — Bénézit, [2] I (1948). — Revue de l'Art, 69 (1936) 164. — La Renaiss. de l'Art franç., 9 (1926) 368 (Abb.).

Beauparlant, Léonie Charlotte, gen. *Valmon,* franz. Maler-Radiererin, * Paris.

Schülerin von Th. Chauvel. Bild: Hafen von Saint-

Nicolas, im Mus. Fontainebleau. Rad.: Themseufer; Chantenay-Kanal in Nantes; Boote in Rouen; Straße in Rouen, nach Ch. Lapostolet; Ansicht von Paris, nach dems.

Lit.: Joseph, I. — Bénézit, [2] I (1948).

Beaupuy, Louis Jean, franz. Maler, * Elbeuf (Seine-Infér.), ansässig in Paris.

Schüler von Cormon. Mitglied der Soc. d. Art. Franç. (Salon-Kat. z. T. m. Abbn). Stellte 1927/29 auch bei den Indépendants aus. Figürliches, Bildnisse, Landschaften.

Lit.: Joseph, I. — Bénézit, [2] I (1948).

Beauregard, Donald, amer. Maler, * 1884 Fillmore, Utah, † April 1915 ebda.

Schüler von J. P. Laurens in Paris. Vertreten im Mus. of New Mexico in Santa Fé.

Lit.: Amer. Art Annual, 12 (1915) 256. — Bénézit, [2] 1 (1948).

Beaury-Saurel, Amélie, franz. Bildnismalerin, * Barcelona, von franz. Eltern, † 30. 5. 1924 Paris.

Schülerin von J. Lefebvre, T. Robert-Fleury u. J. P. Laurens. Mitglied der Soc. d. Art. franç., deren Salon sie seit 1882 beschickte. Lehrtätig an der Acad. Julian, Paris. Im Mus. Toulouse: Pastellbildnis einer jungen Dame in Interieur.

Lit.: Joseph, I. — Bénézit, [2] I (1948). — L'Art, 43 (1887) 10ff., m. Abbn; 44 (1888) 206, 232 (Abb.), 237; 46 (1889) 183; 48 (1890) 262; 52 (1892) 239ff.

Beaux, Cecilia, amer. Bildnismalerin, * 1863 Philadelphia, Pa., † 1942 New York.

Schülerin von William Sartain in Philadelphia u. der Acad. Julian in Paris. Seit 1891 in den USA, ließ sich in New York nieder. Beeinflußt von Whistler u. Sargent. Wiederholt ausgezeichnet, u. a. Gold. Med. Weltausst. Paris 1900 u. St. Louis Exp. 1904. — Bilder u. a. im Metrop. Mus. in New York, in d. Pennsylv. Acad. of F. Arts in Philadelphia, im Mus. in Toledo, im John Herron Art Inst. in Indianapolis, Ind., in d. Addison Gall. of Amer. Art in Andover, Mass., in den Museen Boston, Brooklyn u. Chicago u. in d. Corcoran Gall. in Washington.

Lit.: Th.-B., 3 (1909). — Fielding. — Who's Who in Amer. Art, I: 1936/37. — W. S. Sparrow, Women Painters of the World, New York 1905. — Isham. — Michel, VIII/3, p. 1182f., m. Abb. — Monro. — Amer. Art Annual, 3 (1900/01) 71 (Abb.); 10 (1913) Abb. geg. p. 208 (Selbstbildnis), 214; 13 (1916) Abb. geg. p. 228; 20 (1923) 438; 30 (1933). — The Art News, 41, Nr v. 15. 5. 1942, p. 13 (Abb.); Nr v. 15. 10. 42, p. 7. — Art Digest, 17, Nr v. 1. 10. 1942, p. 20, m. Abb. — L'Art et les Artistes, 17 (1913) 68 (Abb.). — The Studio, 62 (1914) 296; 66 (1916) 293. — Bull. of the Metrop. Mus. New York, 10 (1915) 151f., m. Abb.; 16 (1921) 1 (Abb.), 3, 255. — Revue de l'Art anc. et mod., 36 (1914/19) 207 (Abb.); 49 (1926) 169 (Abb.). — Bull. de l'Art, 1926, p. 204f. — The Brooklyn Mus. Quarterly, 14 (1927) 85f., m. Abb.; 23 (1936) 7 (Abb.), 8. — Museum News, Toledo Mus. of Art, 1938 Nr 82, m. Abb. — Cat. de Luxe of the Departm. of Fine Arts Panama-Pacific Internat. Expos. San Francisco, Calif., II (1915), Taf.-Abb. geg. p. 284, 288.

Bebbo, Fritz, dtsch. Architekt (Oberbaudirektor), * 10.11.1872 Breslau, ansässig in München.

Stud. an den Techn. Hochsch. Charlottenburg u. Karlsruhe. 1903/19 beim städt. Hochbauamt in Straßburg (Stadtbaurat), dann Leiter des Hochbauamtes in München. — Buchwerke: Bauten des städt. Hochbauamtes München, Münch. 1926; Neue Stadtbaukunst München, Berl., Lpzg, Wien 1928.

Lit.: Dreßler. — Mod. Bauformen, 18, Heft 4. — Dtsche Bauztg, 66 (1932) Nr 48, Beil. p. 5 (Zum 60. Geb.-Tag). — Straßburger Monatsh., 6 (1942) 693/96. — E. Polaczek, Straßburg (Berühmte Kststätten), 76, Lpzg 1926, m. Abbn.

Bécan, Bernard, franz. Illustrator, Plakatzeichner u. Maler, * 8. 3. 1890 Paris, † 1933 ebda.

Mitglied der Soc. d. Peintres-Humoristes. Stellte auch bei den Indépendants u. im Salon des Tuileries aus. Illustr. u. a. zu: P. Morand, Charleston, R. Dévigne, Le Cheval magique, u. L. Roubaud, Music Hall.

Lit.: Joseph, I. — Bénézit, [2] I (1948). — L'Art vivant, 1927 p. 79ff., m. 10 Abbn. — Beaux-Arts, 1934 Nr 55 p. 8, m. Abb.

Bécat, Paul Emile, franz. Figuren-, Bildnis- u. Landschaftsmaler, * 2..2. 1885 Paris, ansässig ebda.

Schüler von Fr. Flameng u. G. Ferrier. Mitglied der Soc. d. Art. Franç. 1919 Rompreis.

Lit.: Joseph, I. — Bénézit, [2] I (1948). — Chron. d. Arts, 1917/19 p. 241.

Bech, Almar, dän. Maler, Zeichner u. Modelleur, * 1876 Kopenhagen, ansässig in Stockholm.

Stud. an der Akad. Kopenhagen u. im Ausland. Bildnisse, Figürliches, Landschaften, Straßenansichten. Impressionist. Bild im Mus. in Växjö.

Lit.: Thomœus. — Konstrevy, 1933, p. 149; 1936, p. 62 (Abb.).

Becher, Arthur E., dtsch-amer. Maler u. Illustr., * 29. 7. 1877 Freiberg, ansässig in Hopewell Junction, N. Y.

Schüler von Louis Mayer u. Howard Pyle.

Lit.: Fielding. — Amer. Art Annual, 30 (1933). — Who's Who in Amer. Art, I: 1936/37.

Becher, Hans, dtsch. Maler u. Graph., * 13.2.1904 Schwarzenberg, Erzgeb., ansässig in Leipzig.

Schüler der Akad. f. Graphische Kste in Leipzig. Lehrer an d. Fachsch. f. Angewandte Kst ebda. Landschaften, Bildnisse, Stilleben, Tiere, Figürliches.

Becher, Hugo Emanuel, dtsch. Bildhauer u. Medailleur, * 28.2.1871 Leipzig, zuletzt ansässig in München.

Stud. an den Akad. München u. Dresden u. an der Acad. Julian in Paris. Genre, Bildnisbüsten.

Lit.: Th.-B., 3 (1909). — Dreßler. — Kst u. Ksthandwerk, 1911, p. 251, 252 (Abb.), 253 (Abb.); 1912 p. 181 (Abb.); 1913 p. 173, 185 (Abb.).

Becher, Paul, dtsch. Denkmalplastiker u. Maler, * 1.6.1872 Berlin, ansässig ebda.

Schüler von Ernst Herter u. Peter Breuer. Im Mus. in Genf: Entwurf für ein Reformationsdenkmal.

Lit.: Dreßler.

Becher, Rolf, sudetendtsch. Graphiker, * 21.9.1906 Karlsbad, ansässig in Dresden-Blasewitz.

Stud. an d. Dresdner Kstgewerbe-Akad. Flotter Zeichner von Sportszenen. Illustrationen zu Puccini's Tondrama „Turandot".

Lit.: Dtsche Heimat (Plan b. Marienbad), 8 (1932) 251f., m. Abb.

Bechet, Maurice, franz. Blumen- u. Früchtemaler, * Paris, ansässig ebda.

Stellte 1905/32 bei den Indépendants aus.

Lit.: Joseph, I. — Bénézit, [2] I (1948).

Bechler, Gustav, tirol. Landschaftsmaler u. Holzschneider, * 1. 8. 1870 München, ansässig in Maurach a. Achensee.

Schüler von P. Höcker. Gold. Med. Internat. München 1909. 1948 Kollekt.-Ausst. in Innsbruck. Bilder in d. N. Pinak. München u. in d. Städt. Gal. Turin.

Lit.: Th.-B., 3 (1909). — Dreßler. — Der Föhn, 1 (1909/10). — Tir. Anz., 1911 Nr 191. — Tir. Kstler, Westfalen-Rheinld, 1925/26 (Abb.). — Bergland (Innsbr.), 1930 Nr 4; 1939 Nr 9/10. — Öst. Kst, 5 (1934) H. 3, p. 8 (Abb.). — Das Bild, 8 (1938) 141 (Abb.), 147. — Innsbr. Nachr., 1939 Nr 175; 1942 Nr 157. *J. R.*

Bechstein, Lothar, schweiz. Bildnis-, Figuren- u. Landschaftsmaler, * 18.8.1884 Solothurn, † 28.11.1936 München.

Schüler von P. Halm u. A. Jank an der Münchner Akad. Studienaufenthalte in Wien, Algerien u. Paris. Koll.-Ausstellgn in Brakl's Ksthaus, München, 1913 u. in der Mod. Gal. Thannhauser, München, 1922. Ged.-Ausst. im Münchner Kstversteig.-Haus Ad. Weinmüller 1937. Bilder in der Staatsgal. München, in den Städt. Kstsmlgn Duisburg u. Gießen u. in der Mod. Gal. in Venedig. Wandgem. in d. Urnenhalle des Ostfriedhofes München.

Lit.: Dreßler. — Breuer, m. 2 Abbn u. (gem.) Selbstbildn. v. 1927. — D. Kunst, 29 (1913/14) 88f.; 71 (1934/35) 324 (Abb.); 75 (1936/37) Beibl. zu H. 4 p. 13, 200 (Abb.); 77 (1937/38) 57 (Abb.); 79 (1938/39) 253/58, m. Abbn. — Dtsche Kst u. Dekor., 41 (1917/18) 155, 159 (Abb.); 44 (1918/19) 202 (Abb.); 60 (1927) 390 (Abb.). — D. Weltkst, 11, Nr 30/31 v. 1. 8. 1937 p. 2.

Bechtejeff, Wladimir Georgiewitsch, russ. Maler, Zeichner u. Illustr., * 1878 (Woermann: 1876) Moskau.

Zuerst Offizier, dann in München als Maler autodidaktisch gebildet. Szenen aus Geschichte, Sage u. russ. Volksleben, auch Landschaften. Strebt nach Formvereinfachung; anfangs geometrisierte, gebogene Flächen, bevorzugt später die eckigen Flächen des Kubismus. Mitbegründer der „Neuen Künstlervereinigung München", zu der u. a. Jawlenskij u. Marianne Wereffkin gehörten. In der Ruhmeshalle in Barmen: Amazonen (1909). In der HamburgerKsthalle: Nackter Reiter mit Frauen in Landschaft. — Illustr. u. a. zu: George Sand, Consuelo (Staatsverlag Moskau 1947), u. zu G. Flaubert, Ausgewählte Werke.

Lit.: Woermann, Gesch. d. Kst, 2. Aufl. 6 (1927). — O. Fischer, Das neue Bild. Veröff. d. „Neuen Künstlervereinig. München", 1912. — D. Kunst, 55 (1927) 12 (Abb.). — Kstchronik, N. F. 25 (1914) 290. — D. Ksthaus (Zürich), 2 (1912) 6. — Kat. d. Staatl. Tretjakoff-Gal. Moskau, 1947.

Bechteler, Eduard, dtsch-schwed. Tiermaler u. -bildhauer, * 1890 München, ansässig in Näsåker, Ådalsliden. Gatte der Folg.

Schüler von Zügel in München. Studienaufenthalte in Frankreich u. Südeuropa. Neben Tierbildern auch Szenen aus dem Arbeiter-, besonders dem Flößerleben.

Lit.: Thomœus. — Konstrevy, 1936, p. 203.

Bechteler, Ruth, geb. *Zachrisson,* schwed. Figurenmalerin u. Graphikerin, * 1890 Eskilstuna, ansässig in Näsåker, Ådalsliden. Gattin des Vor.

Stud. in Dresden, Paris u. Italien.

Lit.: Thomœus.

Bechtle-Kappis, Emma, dtsche Malerin, * 1875 ansässig in Stuttgart-Degerloch.

Stilleben im Mus. in Ulm. Gedächtn.-Ausst. aus Anlaß ihres 75. Geb.-Tages in Stuttgart.

Lit.: Dreßler. — D. Kunst, 49 (1950) H. 2, p. 27.

Bechtold, Albert, Vorarlberger Bildhauer u. Graphiker, * 5.10.1885 Bregenz a. B., ansässig in Schwarzach, Vorarlberg.

Erlernte das Steinmetzhandwerk bei s. Vater, stud. dann an d. Fachschule für Steinbearbeitung in Laas/Vintschgau, an d. Städt. Gewerbesch. in München u. 1906/14 bei Bitterlich an d. Wiener Akad. Seit 1919 in Bregenz selbständig. 1934/39 Prof. an der Wiener Akad. als Nachfolger Hanaks, seither in Schwarzach. — Ging von der handwerkl. Steinbearbeitung, der materialbedingten Form aus und kam, zeitweilig beeinflußt von Ad. Hildebrand, über eine gefühlsmäßig orientierte vollplast. Rundform zu raumbewußten, von innen heraus gebauten Formen. Ist in dem Ringen um eine neue Monumentalität als einer der ersten Bildhauer schon 1924 zur Abstraktion vorgedrungen. 1910 Meister-Schulpreis der Wiener Akad., 1913 Hofpreis I. Kl., 1914 Rompreis, 1919 Füger-Med., 1928 Öst. Staatspreis. — Plast. Werke: Grabrelief, Christus u. die weinenden Frauen (Muschelkalk), Dornbirn, 1920; Caritas-Relief (Muschelkalk), Seipel-Dollfuß-Kirche, Wien, 1936; Kriegerdenkmäler in Bregenz (1931) u. Lustenau (1932); Christus am Kreuz (Sandstein), Ev. Kirche Bregenz (1922); Mad. m. Kind (Untersberger Marmor), Sanatorium Mehrerau, Bregenz (1922); Grabmal, Die Frauen vom Heil. Blut, Wien (1930); Entwürfe für Denkmäler: Coppernikus, Pasteur, Reger, Bruckner (1936). — Holzschnitte: Aus dem Marienleben; Mappe: Die Not am Ölberg, 1924.

Lit.: Dreßler. — Kirchenkst (Wien), 9 (1937) 89f. — N. Wiener Tagblatt, 44. Jg, Nr 193 v. 16. 7. 1910, p. 2. — Vorarlb. Landesztg, 60. Jg, Nr 199 v. 1. 9. 1923, p. 2; Nr 208 v. 13. 9. 1923, p. 2; 61. Jg, Nr 183 v. 11. 8. 1924, p. 1f.; 62. Jg, Nr 173 v. 31. 7. 1925, p. 1. — Innsbr. Nachr., Nr 140 v. 21. 6. 1924, p. 7. — Tiroler Anz., Nr 140 v. 21. 6. 1924, p. 8. — N. Wiener Journal, 8. 5. 1925. — Thurgauer Ztg, Nr 180 v. 4. 8. 1926, p. 1. – Vlbg. Volksblatt, 15. 7. 1927, p. 6; 17. 9. 1929, p. 6. — Öst. Volksztg, Nr 197 v. 20. 7. 1927, p. 6. — Vlbg. Grenzbote, 13. Jg, Nr 148 v. 25. 9. 1929, p. 2. — Feierabend, Wochenbeil. z. Vlbg. Tagblatt, 12. Jg, Nr 20 v. 17. 5. 1930; 13. Jg, Nr 36 v. 5. 9. 1931, p. 1ff. — Das Echo, 3. 7. 1937. — Volksztg, Folge 186, v. 8. 7. 1937, p. 7. — Heimat, 6. Jg, H. 1/2, 1925, p. 7f. — Hochland, 1925, H. 7. — Bodenseebuch, 1926. — Heimat, Sonderheft Dornbirn, 1926; 5. Jg, 1927, H. 1/2, p. 17ff.; 12. Jg, 1931, 1. H., p. 132ff.; 13. Jg, 1932, 1. H., p. 4ff. — Alemania, hg. v. d. Leogesellsch. am Bodensee, 1 (1926/27) 196ff., m. Abb. — D. Christl. Kst, 27 (1930/31) 145/50. — Bergland-Kalender, 14. Jg, 1932, H. 12, p. 49ff. — Öst. Kunst, 9 (1938), H. 2, p. 5/8. — Kirchenkst, 9 (1937) 89f., m. Abbn. — Kst in Öst. (Leoben), 1 (1934) 106, m. Abb. *Heinzle.*

Bechtold, Ernst, dtsch. Bildnis- u. Landschaftsmaler, * 20.10.1894 Pforzheim, ansässig ebda.

Stud. auf dem Lehrerseminar in Heidelberg u. an der Kstgewerbesch. in Pforzheim.

Lit.: Dreßler.

Becić, Vladimir, kroat. Figuren-, Bildnis-, Landsch.- u. Stillebenmaler (Öl u. Aquar.), * 1885 Brod, ansässig in Zagreb (Agram).

Schüler H. v. Habermanns in München, weitergebildet in Rom u. Paris. Prof. an d. Kstakad. in Zagreb.

Lit.: Bénézit, [2] I (1948). — D. getreue Eckart (Wien), 16 (1938/39), Abb. nach p. 360. — D. Kst, 25 (1912) 58, 62. — D. Weltkst, 17 Nr 7/8 v. 14. 2. 1943, p. 1. — Kat. d. Exhib. of Mod. Art, Calif. Pal. of the Legion of Honor, S. Francisco, Sept./Okt. 1927, m. Abbn p. 26 u. 34. — Kat. d. Ausst. Kroat. Kst, Berlin, Pr. Akad. d. Kste, Jan./Febr. 1943, p. 12, 17, Abb. Taf. 17. — Kat.: Padiglione d. b. arti del regno di Serbia, Espos. intern., Rom 1911.

Beck, Alfred, dtsch. Landschafts- u. Bildnismaler, * 14.9.1884 Adorf i.V., ansässig in Dresden.

Schüler von Tony Tollet u. Madeleine Plantey in Lyon (1910/14), dann von Max Schulze-Sölte u. E. v. Gebhardt in Düsseldorf, 1919/20 von Ad. Schinnerer u. Carl Caspar in München, 1920 von W. Gropius in Weimar.

Beck, András, ungar. Bildhauer u. Plakettenkünstler, * 1911. Sohn des Fülöp.

Schüler s. Vaters. Anhänger einer strengen realistischen Richtung. Bronzestatuetten u. -gruppen, von feiner Beobachtung, oft mit humorist. Einschlag. Munkácsy-Preis 1. Stufe 1950.

Lit.: bild. kunst, 3 (1949) 162, m. Abb., 163 (Abbn). — Kat.: Ausst. Ungar. Kunst im Haus der VVN, Berlin 1949, m. Abb.; Ausst. Ungar. Kst. Dtsche Akad. d. Kste, Okt./Nov. 1951.

Beck, Benjamin, amer. Maler u. Zeichner, * 2. 1. 1875 York, Neb., ansässig in Chicago, Ill.

Schüler von Fr. Grant, Stark Davis u. L. Lundmark.

Lit.: Who's Who in Amer. Art, I: 1936/37.

Beck, Christian Frederik, dän. Architektur- u. Landschaftsmaler, * 14. 3. 1876 Kopenhagen, ansässig ebda.

Schüler der Akad. in Kopenhagen. Stellt seit 1896 auf Charlottenborg aus. Ansichten aus dem alten Kopenhagen.

Lit.: Th.-B., 3 (1909). — Krak's Blaa Bog, 1936. — Vem är Vem i Norden, Stockh. 1941, p. 25.

Beck, Curt Edu, dtsch. Holzschneider, * 1893 Leipzig.

Westermanns Monatsh., 162 (1937) 67 (Abb.), 83.

Beck, Dunbar Dyson, amer. Maler u. Illustr., * 16. 9. 1902 Delaware, Ohio, ansässig in New York.

Stud. an der Yale School of Fine Arts in New Haven, Conn. Kreuzwegstationen in der Church of the Precious Bood in Astoria, L. I., N. Y.

Lit.: Amer. Art Annual, 30 (1933). — Who's Who in Amer. Art, I: 1936/37.

Beck, Ellen, dtsche Illustratorin u. Malerin, * 1900, ansässig in Düren.

Illustrationen zu Märchen u. Kindergedichten.

Lit.: Dreßler.

Beck, Else von, dtsche Bildnis- u. Genremalerin, * 5.10.1888 Düsseldorf, ansässig ebda.

Stud. an der Malsch. Schneider-Didam.

Lit.: Dreßler.

Beck, Friedrich, öst. Landschaftsmaler, * 17.12.1873 Wien, † 13.8.1921 ebda.

Schüler von Griepenkerl an d. Wiener Akad. Wiederholt ausgezeichnet, u. a. Kl. Gold. Staatsmed. u. Dumbapreis.

Lit.: Dreßler. — Kat. Jubil.-Ausst. Kstlerh. Nov. 1941/Febr. 42, Wien 1942, p. 62.

Beck, Fülöp, ungar. Bildhauer, Medailleur u. Plakettenkünstler, * 1873 Vágujhely, † 1945 Budapest. Bruder des Vilmos Fémes Beck, Vater des András.

Stud. in Budapest bei A. Loránfi, 1893 ff. an der Ec. d. B.-Arts bei Ponscarme u. Roty in Paris. Ging von der griechisch-archaischen Kunst aus, näherte sich später Maillol. Hauptsächlich Plaketten: Kardinal Samassa, Fr. Liszt, Milleniumsplakette (1895), Jubiläumsplak. des Nat.-Museums, Petőfi, István Tisza. Bildnisbüsten, Kinderköpfe, Statuetten.

Lit.: Th.-B., 3 (1909). — Szendrei-Szentiványi. — Krücken-Parlagi. — A Gyűjtő, 1914, Jan./Febr., p. 29/31, m. 4 Abbn. — Nouv. Revue de Hongrie, 50 (1934/I) 377/80, m. 4 Abbn; 53 (1935/II) 539, 541. — bild. kunst, 3 (1949) 161, m. Abb. — Jahrb. d. Mus. d. Bild. Kste in Budapest, 8 (1937) 175, 176. — The Studio, 113 (1937) 141 (Abb). — Szabad Művészet, 1952 p. 428/30, m. Abb. — The Internat. Who's Who, [8] 1943/44. — Kat. Ausst. Ungar. Kst im Haus der VVN, Berlin, 1949, m. Abb. — Kat. Ausst. 150 Jahre Ungar. Kst, Berlin 1952, m. Abb.

Beck, Jean, dtsch. Kunsttöpfer u. Glaskünstler, ansässig in München.

Lit.: D. Kunst, 40 (1918/19) 117/20, m. Abbn bis p. 122. — Kst u. Handwerk, 1922, p. 53. — Benediktin. Monatsschrift, 2 (1920) 177.

Beck, Minna McLeod, amer. Malerin, * 18. 5. 1878 Atlanta, Ga., ansässig in New York.

Lit.: Fielding. — Amer. Art Annual, 20 (1923) 438; 30 (1933).

Beck, Vilmos, s. *Fémes Beck,* V.

Beck, William de, amer. Karikaturenzeichner, * 16. 4. 1890 Chicago, Ill., ansässig in New York.

Lit.: Who's Who in Amer. Art, I: 1936/37, p. 115.

Beck-Brondun, Hjilva, amer. Bildnismalerin, * 1877, † 12. 2. 1914 New York.

Lit.: Amer. Art Annual, 11 (1914) 390.

Beck-Kleist, Gerta, dtsche Malerin, * 1911 ansässig in Königstein i.T.

Stud. bei Delavilla an d. Städelsch. in Frankfurt a. M. Teilnehmerin an den Forschungsreisen des Frobeniusinstituts, u. a. nach Australien.

Lit.: Frankf. Neue Presse v. 17. 3. 1947, m. Abb. (Selbstbildn.).

Becke-Rausch, Maria, dtsche Bildhauerin u. Malerin, * 7.5.1923 Leipzig, ansässig ebda.

Stud. an der Kstgewerbesch. in Leipzig (1939/44) u. an der Dresdner Akad. Landschaften, Figürliches, Bildnisse (Öl, Aquar., Pastell). Beschickt seit 1946 die Leipz. Kstausstellgn.

Becker, August, dtsch. Maler u. Holzschneider, * 14.2.1878 Gelnhausen, ansässig in Berlin.

Stud. an der Kstgewerbesch. in Mainz u. an der Akad. in München.

Lit.: Dreßler.

Becker, Bernhard K., dtsch. Maler u. Graph., * 9.2.1899 Pforzheim, ansässig in Schwetzingen b. Mannheim.

Stud. an d. Kstgewerbesch. Pforzheim u. Akad. Karlsruhe. Studienreisen: Griechenland, Türkei, Balkan, Spanien, Frankreich. Mehrjähr. Studienaufenthalt in Italien. Neben Graphik u. Tafelbildern Beschäftigung mit dem Wandbild u. Sgraffito.

Lit.: Oberrhein. Wandmalerei, Dtsche Malerei d. Gegenwart. Kstausst. Mülhausen/Els. Dez. 1941/Jan. 1942, p. 55.

Becker, Curt Georg, dtsch. Maler (Öl u. Aquar.), * 26.2.1904 Singen (Amt Konstanz), ansässig in Hemmenhofen über Radolfzell.

1922 Baugewerkschule Essen. Stud. 1923/24 an der Kstgewerbesch. in Krefeld, wo er dem Campendonk-Kreis angehörte. 1924 Meisterschüler von Heinr. Nauen in Düsseldorf. 1929/32 Studienaufenthalte in Frankreich, Italien u. Holland. 1933/39 in Berlin. Dann als Soldat im Felde. 1946 zurück aus Kriegsgefangenschaft. Ließ sich in Hemmenhofen nieder.

Neigt der abstrakten Richtung zu. Landschaften, Bildnisse, Figürliches, Blumenstücke. Illustr. zu G. A. Bürger, Wunderbare Reisen des Freih. von Münchhausen, Neue Aufl. mit 97 Zeichngn, Hambg 1949. Koll.-Ausstellgn: Gal. Bremer, Berlin, Nov. 1947; Wessenberghaus in Konstanz, April 1947; Kstverein Köln, Sept. 1951.

Lit.: D. Kst u. d. schöne Heim, 50 (1952) 161 (Abb.). — D. Kstwerk, 1 (1946/47) H. 8/9, p. 53; 2 (1948/49) H. 1/2 p. 59 (Abb.). — Kat. Ausst. Pfälz. Sezess. Speyer/Rh. 1949, m. Abb. — Kat.: Ausst. Kstver. Konstanz: 11 Dtsche Maler u. Bildh. d. Gegenwart, 1948, m. Abb. u. Fotobildnis; Ausst. Dtsche Malerei u. Plastik d. Gegenwart, im Staatenhaus d. Messe in Köln, 14. 5./3. 7. 1949; Dtsch. Kstlerbund 1950, 1. Ausst. Berlin 1951, m. Abb.

Becker, Egon, dtsch. Aquarellmaler, * 1910 Bochum, ansässig ebda.

Gehört der abstrakten Richtung an.

Lit.: Kat. d. 2. Dtsch. Kstausst. Dresden 1949, m. Taf.

Becker, Ernst, schweiz. Landschaftsmaler, * 17.8.1883 Brüssel, aus Marthegranges (Waadt) stammend, ansässig in Lausanne.

Schüler von J. Carcher an der Ec. d. B.-Arts in Nancy u. von L. O. Merson in Paris.

Lit.: Brun, IV.

Becker, Eulabee, s. *Dix.*

Becker, Franz, s. *Becker-Tempelburg,* Fr.

Becker, Frederick, amer. Maler, * 24. 3. 1888 Vermilion, S. D., ansässig in Oklahoma.

Schüler von J. T. Pearson, Hugh Breckenridge, Daniel Garber, Robert Reid u. Emil Carlsen. — Bilder in der Art Gall. d. Universität in Oklahoma u. im Besitz der City Art League ebda. Wandgem. in der First Christian Church u. im Historical Building in Oklahoma.

Lit.: Fielding. — Amer. Art Annual, 30 (1933). — Who's Who in Amer. Art, I: 1936/37.

Becker, Friedrich (Fritz), dtsch. Architekt (Prof.), * 30.10.1882 Worms, ansässig in Düsseldorf.

Stud. an den Techn. Hochsch. Darmstadt u. München (Fr. v. Thiersch). Arbeitete 1904/05 bei Karl Roth am Rathausbau in Dresden. Bis 1908 Regierungsbauführer im Hess. Staatsdienst. Bis 1912 an den Städt. Hochbauämtern Darmstadt u. Dresden. Seitdem Prof. an der Kstgewerbesch. in Düsseldorf, nach Auflösung ders. (1919) Prof. an d. dort. Kstakad. 1913/14 Bearbeitung der Bauten der Düsseld. Ausst. („Gesolei"), zus. mit Wilh. Kreis. Seit 1923 assoziiert mit E. Kutzner, Düsseldorf. — Haus der Stadt Düsseldorf auf der Gesolei in Düsseldorf u. weitere Bauten der Gesolei 1926 (Haus des geistigen Arbeiters, Gartenbrunnen u. a.); Wohn- u. Geschäftshäuser in Düsseldorf (u. a. Bürohaus der Mineralölwerke Rhenania); Volksschule in Düsseld.-Wersten; Herz-Jesu-Kirche in Weiden, Oberpfalz.

Lit.: Dreßler. — Schnell, I (1934) H. 54, p. 2. — Platz. — D. Baumeister, 7 (1908/09) 48, Taf. 29/30. — Dtsche Bauztg, 66 (1932) Nr 46, Beil. p. 4 (Zum 50. Geb.-Tag). — D. Kunst, 54 (1925/26) 296, m. Abb., 299 (Abb.), 300; 56 (1926/27) 66ff., m. Abbn; 60 (1928/29) 1ff., m. Abbn, Taf. geg. p. 257, 257/63, m. Abbn. — Dtsche Kst u. Dekor., 45 (1919/20) 243ff. (Abbn). — D. Plastik, 4 (1915) 22, 25, 26 (Abb.), 32, 36/38, 40, 46, 51ff.; 8 (1919) Abbn p. 60, 61, 62. — Wasmuth's Monatsh. f. Baukst, 5 (1920) 92; 7 (1923) 189, 200, m. Abb.; 23 (1939) 61/64. — Zeitschr. d. Rhein. Ver. f. Denkmalpflege u. Heimatschutz, 21 (1928) H. 2, p. 98 (Abb.), 100, 163, Abb. p. 160. — Zentralbl. d. Bauverwaltg, 59 (1939/II) 864/69.

Becker, Fritz Adolf, dtsch. Maler u. Entwurfzeichner f. Glasmalerei u. Mosaik, * 1873 Tempelburg, Kr. Neustettin, zuletzt ansässig in Berlin. Bruder d. Franz B.-Tempelburg.

Lernte zuerst Lithograph, dann Schüler d. Unterrichtsanstalt d. Berl. Kstgewerbe-Mus., an der er später als Lehrer wirkte, u. d. Berl. Akad. bei Emil Döpler, Max Seliger u. Ludwig Meyn. Mosaik- u. Fensterschmuck für das Berl. Kaffeehaus „Vaterland" am Potsdamer Platz, das Passage-Kaufhaus in Berlin, das Kaufhaus Karstadt in Lübeck, das Kaiserschloß in Posen, die Gewerbeschule in Kiel, die Kirche in Perleberg (Kriegsgedächtnisfenster) u. die St. Reinoldikirche in Dortmund (Paul-Gerhard-Fenster).

Lit.: Kstgewerbeblatt, N. F. 27 (1916) 141, Abbn bis p. 147. — Unser Pommerland, 13 (1928) 152/55, m. 5 Abbn.

Becker, Georges, franz. Landschaftsmaler, * Tours, ansässig in Paris.

Stellte 1909/30 bei den Indépendants aus.

Lit.: Joseph, I. — Bénézit, [2] I (1948).

Becker, Harry, engl. Lithograph, Radierer u. Maler. * 1865, † 10. 9. 1928 Darsham, Suffolk.

Hauptsächl. Landschafter. Impressionist. Gedächtnis-Ausst. in der Alpine Gall. in London, 1930.

Lit.: Salaman, 135. — Apollo (London), 11 (1930) 312. — Licht u. Schatten, 1913/14, Nr 17 (Abb.). — The Print Coll.'s Quarterly, 16 (1929) 4f. — The Studio, 66 (1916) 281.

Becker, Hugo, dtsch. Bildhauer, Medailleur, Plakettenkünstler u. Aquarellmaler, * 4.5.1887 Leipzig, ansässig ebda.

Stud. bei G. Schiller an der Leipz. Akad., dann bei Hollósy u. Simon an d. Münchner Akad. — Kriegerdenkmal der Fleischer im Schlachthof Leipzig (1925). Als Maler hauptsächl. Porträtist u. Tierdarsteller.

Lit.: Dreßler. — Kst u. Kstler, 29 (1930/31) 392, 393, 397 (Abb.). — N. Leipz. Ztg v. 9. 5. 1929.

Becker, Johan, holl. Maler, Rad. u. Lithograph, * 11. 9. 1870 Soerabaja, Java.

Schüler der Haager Akad., tätig in London, im Haag, in Overijssel u. in Gelderland.

Lit.: Plasschaert. — Waller.

Becker, Léon, franz. Bildnis- u. Figurenmaler, * Paris, ansässig ebda.

Schüler von Gorguet u. Aug. Leroux. Mitglied der Soc. d. Art. franç., beschickte deren Salon seit 1921.

Lit.: Joseph, I. — Bénézit, [2] I (1948).

Becker, Ludwig, dtsch. Architekt (Prof.), Dombaumeister in Mainz.

St. Martinskirche in Chicago, USA.

Lit.: Dtsche Bauztg, 68 (1934) Nr 4, Beil. p. 4.

Becker, Maurice, russ.-amer. Maler u. Karikaturist, * 4. 1. 1889 Nijni Nowgorod, ansässig in New York, sommers in Tioga, Pa.

Schüler von Robert Henri u. Homer Boss. Wandgem. in der Worcester Acad. in Worcester, Mass.

Lit.: Fielding. — Amer. Art Annual, 30 (1933). — Who's Who in Amer. Art, I: 1936/37. — D. Kstblatt, 10 (1926) 413 (Abb.). — Art Index (New York), Okt. 1941/Sept. 42; Okt. 44/Sept. 46. — Monro.

Becker, Max Josef, dtsch. Tiermaler, * 13.4.1890 München, ansässig ebda.

Schüler von A. Jank u. H. Zügel.

Lit.: Dreßler. — Kst-Rundschau, 46 (1938) 141, m. Abb.

Becker, Nikolas, dtsch-russ. Bildnismaler, * St. Petersburg (Leningrad), ansässig in Paris.

Seit 1925 Mitglied der Soc. Nat. d. B.-Arts, stellte dort 1924/32 aus (Salon-Kat. z. T. mit Abbn).
Lit.: Joseph, I. — Bénézit, [2] I (1948). — The Studio, 89 (1925) 323 (Abb.).

Becker, Otto, dtsch. Architekturmaler, * 24.6.1882 Rüdesheim, zuletzt ansässig in Lübeck.
Lit.: Dreßler.

Becker, Richard, dtsch. Bildnis- u. Figurenmaler, * Saarbrücken, ansässig ebda.
Mitgl. des Pariser Salon d'Automne.
Lit.: Bénézit, [2] I (1948).

Becker, Richard, dtsch. Bildnis- u. Landschaftsmaler, * 28.3.1882 Neuburgweier b. Karlsruhe, ansässig in Konstanz.
Schüler von Schmid-Reutte in Karlsruhe.
Lit.: Dreßler.

Becker, Walter, dtsch. Maler, Graph. u. Illustr., * 1.8.1893 Essen, ansässig in Tutzing a. Starnberger See.
Stud. 1910/13 an d. Kstgewerbesch. in Essen, 1922/23 bei Albiker an d. Dresdner Akad. Ging dann zur Malerei über. 1925/35 Aufenthalt in Paris u. Südfrankreich. Reisen nach Italien. Seit 1938 in Tutzing. Illustr. zu: Stendhal, Über die Liebe (37 Federzeichngn; Zinnen-Verlag K. Desch, München o. J.); E. T.A Hoffmann, Die Königsbraut (Verl. Kiepenheuer, Potsdam); F. W. Wagner, Das Irrenhaus (Zweemann Verlag, Hannover); N. Gogol, Der Unhold (74 Lith.; Weißbach, Heidelberg); Dostojewskij, Aufzeichnungen aus dem Kellerloch (50 Holzschn.; München, R. Piper & Co.); Jean Paul, Wunderbare Gesellschaft in der Neujahrsnacht (38 Lith.; Weißbach, Heidelberg). Als Maler hauptsächl. Porträtist. Kollektiv-Ausst. Kstver. Hannover, Sept. 1947.
Lit.: Starnberger See-Stammbuch, München 1950. — Das dtsche Buch, 7 (1927) 151. — D. Kst, 61 (1929/30) 288 (Abb.). — Kst u. Kstler, 27 (1928/29) 311, 312 (Abb.). — D. Kstblatt, 3 (1919) 334 (Abb.), 336, 361 (Abb.); 5 (1921) 221; 11 (1927) 205. — D. Kstwerk, 1 (1946/47) H. 10/11 p. 74; H. 12 p. 42f., m. 4farb. Abbn, 59; 2 (1948/49) H. 1/2, p. 57 (Abb.); 5 (1951) H. 6 p. 36/39, m. 4 [dar. 2 ganzseit.] Abbn). — Prisma, 1 (1946/47) H. 8, p. III (Abb.). — D. Schaffenden, II, 3. Mappe. — Thema (Gauting b. München), 1949/50, Heft 1, p. 3, 4, 5, m. 4 Abbn. — Zeitschr. f. Bücherfreunde, 19 (1927) Beil. Sp. 135. — Kat. Ausst. Dtsche Malerei u. Plastik d. Gegenwart im Staatenhaus d. Messe in Köln v. 14. 5.—3. 7. 1949.

Becker, Walter Johannes, dtsch. Bildhauer, Medailleur u. Plakettenkünstler, * Dortmund, ansässig in Ende (Ruhrgebiet).
Stud. an der Münchner Akad. Ließ sich in Dortmund, später in Ende nieder.
Lit.: M. Bernhart, Die Münchener Medaillenkst der Gegenw., 1917. — D. Christl. Kst, 21 (1924/25), Beibl. p. 52; 23 (1926/27) 192ff. (Abbn), 193f. — Kst u. Handwerk, 1913, p. 173, 183 (Abb.); 1914, p. 148, 159 (Abb.), 163 (Abb.). — D. Plastik, 4 (1913/14) Taf. 3; 10 (1920) 22, Taf. 33, 34.

Becker, Willy, dtsch. Landschaftsmaler, * 21.7.1903 Dresden, ansässig ebda.
Schüler der Dresdner Akad. Studienaufenthalte in Spanien, Frankreich u. Italien.

Becker-Leber, Hans Josef, dtsch. Bildnis- u. Landschaftsmaler, * 13.1.1876 Berlin, zuletzt ansässig in Bückeburg.
Stud. an der Unterrichtsanstalt des Berl. Kstgew.-Mus. Lehrer an der Kunstgew.- u. Handwerkersch. in Bückeburg.
Lit.: Dreßler.

Becker-Tempelburg, Franz, dtsch. Maler u. Entwurfzeichner für Glasmalerei, * 28.6.1876 Tempelburg, Kr. Neustettin, ansässig in Berlin. Bruder des Fritz Adolf Becker.
Lernte 6 Jahre am kgl. Institut für Glasmalerei in Berlin, dann Schüler der dort. Akad. bei Emil Döpler, M. Seliger, Ludw. Meyn u. M. Koner. Wandte sich früh der Glasmalerei u. dem Glasmosaik zu, arbeitete, besonders seit 1914, für die Glasmosaik-Werkstätten Puhl & Wagner in Berlin u. für die Glaswerkstätten Heinersdorff in Beslin-Treptow. Entwürfe für Fenster- u. Mosaikschmuck in Bauten Alfred Messels (Kaufhaus Wertheim u. Lettehaus in Berlin), für die Marienkirche in Stralsund (Auferstehung), die Garnisonkirche in Berlin (Thron. Gottvater), die Nikodemus- u. Bonifatiuskirchen ebda, die Caroluskirche in Breslau u. die Kirchen in Wickendorf in Schles. (Anbetung der Hirten), Tilloritz (Lasset die Kindlein zu Mir kommen) u. Wölsickendorf (Anbetung der Hirten). Bild (Apfelernte) im Bes. der Stadt Berlin.
Lit.: D. Christl. Kst, 23 (1926/27) 377; 27 (1930/31) 80 (Abb.); 28 (1931/32) 185/88, m. 3 Abbn. — Kstgewerbeblatt, N. F. 27 (1916) 141, m. Abbn bis p. 147. — Unser Pommerland, 13 (1928) Taf. geg. p. 145, 152/55, m. Abbn bis p. 163.

Beckerath, Helene von, dtsche Bildhauerin u. Malerin, * 19.2.1873 Krefeld, zuletzt ansässig in Frankfurt a.M.
Stud. in Paris, dort bis 1914, seitdem in Frankfurt ansässig Büste im Kais.-Wilhelm-Mus. in Krefeld. Auch als Malerin hauptsächlich Porträtistin. Grabmäler auf dem Friedhof in Krefeld.
Lit.: Dreßler. — Neue Frauenkleidung u. Frauenkultur, 27 (1931) 508/09. — Salon-Kat. Paris, Soc. Nat. d. B.-Arts, 1911, m. Abb. p. 138.

Beckerath, Willy von, dtsch. Maler u. Kstgewerbler (Prof.), * 28.9.1868 Krefeld, † 10.5.1938 Irschenhausen i. Isartal.
Schüler von P. Janssen an der Düsseldorfer Akad. 1907/30 Prof. an der Lehranstalt des Kstgewerbemus. in Hamburg. Beeinflußt von Puvis de Chavannes. Bilder u. a. in der Ev. Kirche in Saargemünd, im Mus. in Düren (Hof der Venus), im Städelschen Inst. in Frankfurt a. M. u. in der Ksthalle in Bremen (Wandbild: Elysium). Ein Wandbilderzyklus (Die ewige Welle) in der Aula der Kstgewerbesch. in Hamburg. In der Ksthalle ebda ein Ganzfigurbildnis Joh. Brahms'. Ein 2. Bildnis Brahms' im Mus. in Krefeld. Koll.-Aust. im Hamburg. Kstverein Okt. 1911.
Lit.: Th.-B., 3 (1909). — Schaarschmidt, Zur Gesch. d. Düsseld. Kst, 1902. — Dreßler. — Kstchronik, N. F. 29 (1917/18) 311. — D. Kunst, 78 (1937/38) Beil. z. Junih. p. 17. — D. Weltkst, 12 Nr 22/23 v. 5. 6. 1938 p. 8. — Hamburger Nachr. v. 15. 10. 1911. — Hamburg. Fremdenblatt v. 27. 9. 1928. — Rhein. Beobachter, 7. Jahrg. Nr 20, 2. Okt.-H. 1928. — Westdtsche Ztg (Krefeld), 5. 6. 1938 (Nachruf).

Beckerath, Wolf von, dtsch. Maler, * 1896 Krefeld, fiel bei einem Luftangriff 1944.
Stud. 1914/15 Philosophie u. Kstgesch. an d. Univers. Bonn. 1915/18 Teilnahme am 1. Weltkrieg. 1919/21 Universitätsstudien in Heidelberg u. Freiburg i. Br. 1921/23 Besuch der Kstgewerbesch. in Krefeld. Anschließend Studienaufenthalte in München, Berlin u. Paris. Dann als freier Maler in Krefeld schaffend. 1939 Einberufung zu militär. Dienstleistung. Gedächtnisausst. 1948 im Kaiser-Wilhelm-Mus. in Krefeld (ill. Kat.).
Mitteil. Mus.-Dir. Dr. Paul Wember, Krefeld.

Beckers, Hans, dtsch. Maler, * 30. 6. 1898 Düren/Rhld, ansässig in Kreuzau üb. Düren.
Stud. an d. Kstgewerbesch. Köln u. d. Akad.

Düsseldorf, Malklasse Ederer. 1927/41 Gewerbe- u. Zeichenlehrer. Nach zahlreichen Studienreisen durch die weitere Heimat, nach Holland, Belgien, Frankreich u. Rußland, längere Studien in enger Verbundenheit mit Wanderzirkus-Unternehmungen.

Lit.: Kat. Ausst. Dtsche Malerei u. Plastik d. Gegenwart, im Staatenhaus d. Messe in Köln 14. 5. –3. 7. 1949. *J.*

Beckert, Adolf, dtsch-böhm. Maler u. Musterzeichner (Prof.), * Leipa, ansässig in Steinschönau.

Seit 1911 Musterzeichner an der Fachsch. f. Glasindustrie in Steinschönau, seit 1918 deren Direktor.

Lit.: D. Kunst, 44 (1920/21) 194/99, m. Abbn. — The Studio Year Book, 1911 p. 251 (Abb.).

Beckert, Fritz, dtsch. Architekturmaler (Prof.), * 8.4.1877 Leipzig, ansässig in Dresden.

Stud. 1894/96 an der Kst-Akad. in Leipzig u. bei Fr. Preller u. Gotth. Kuehl an der Dresdner Akad. Mitbegründer der Künstlergruppe „Die Elbier". Bereiste Frankreich, Italien u. Süddeutschland. Seit 1908 Prof. für Architekturmalerei an der Techn. Hochsch. Dresden. Bilder u. a. in d. Berl. Nat.-Gal., in der Mod. Gal. Dresden, im Stadtmus. ebda u. im Mus. in Zwickau. Buchwerke: Aquarellmalerei, 1923; Das Zeichnen, 1924; Dresden (Verlag der Baensch-Stiftung), Dresden 1924.

Lit.: Th.-B., 3 (1909). — Neudtsche Bauztg, 17 (1921) 28. — D. Kunst, 33 (1915/16) 468 (Abb.); 1936/37, Beil. z. H. 8, p. 7. — Velhagen & Klasings Monatsh., 35/I (1920) 90/96. — Westermanns Monatsh., 123/II (1917/18) 643/52; 132/I (1922) 105, 199, m. Abb. — Der Türmer, 40/I (1937/38), farb. Abb. geg. p. 280. — D. Weltkst, 16 (1942) Nr 17/18 v. 26. 4. p. 8; 22 (1952) Nr 9, p. 12, m. Abb. — Kstrundschau, 50 (1942) 96. — Architekt. Rundschau, 1914, Febr.-H., farb. Taf.-Abb.

Beckert, Josef Maria, O. P., Klostername *Angelicus,* dtsch. Maler, * 19.12.1889 Berlin, ansässig in München. Sohn des Paul († 1922).

Zuerst Schüler s. Vaters, dann der Kstgewerbesch. Berlin u. München (M. Dasio) u. der Akad. München (C. v. Marr). 1921/26 Glied des Dominikanerordens in Holland, Düsseldorf, Köln. Pflegte hauptsächl. die religiöse Kunst, daneben das Bildnis u. volkstümliche Genre. Beeinflußt von M. Schiestl. Innenbilder des Sakraments- u. Pfarraltars im Augsburger Dom. 2 Bilder in der Salvatork. in Berlin. Altarbilder in der Kapelle in Reichenhall, in d. Pfarrk. in Regen, in Frankenried, in der Albertusk. in München u. im Oratorium in Fürstenried. Wandmalereien im Collegium Germanicum in Rom.

Lit.: Schnell, I (1934) H. 64, p. 8. — D. Christl. Kst, 16 (1919/20) 173/90, m. Abbn bis p. 195; 17 (1920/21), farb. Taf. geg. p. 137; 18 (1921/22), farb. Taf. geg. p. 33; 19 (1922/23) farb. Taf. geg. p. 29; 21 (1924/25) 217, m. Abb.; 24 (1927/28) 62. — Velhagen & Klasings Monatsh., 48/II (1933/34) 128/29 (farb. Taf.), 221.

Beckhuis, H., holl. Stilleben- u. Blumenmaler, * 5. 6. 1887 Leeuwarden.

Lit.: Waay.

Beckles, Evelyn Lina, s. *Linton.*

Beckman, Anders, schwed. Reklamezeichner, * 1907 Örebro, ansässig in Lidingö.

Stud. in Stockholm, Berlin u. Paris.

Lit.: Thomœus.

Beckman, Kaj, schwed. Radiererin u. Kstgewerblerin, * 1913 Enköping, ansässig in Stockholm. Gattin des Per.

Stud. an der Kstindustriesch. in Stockholm. Bereiste Deutschland u. Frankreich. Hauptsächlich Märchenmotive, Kinder u. Blumen.

Lit.: Thomœus.

Beckman, Per, schwed. Graphiker u. Kstgewerbler, * 1913 Visselfjärda, Småland, ansässig in Stockholm. Gatte der Kaj.

Stud. an der Kstindustriesch. in Stockholm. Bereiste Deutschland u. die Tschechoslowakei. Hauptsächlich Reklamekünstler.

Lit.: Thomœus.

Beckmann, Curt, dtsch. Bildhauer, * 26. 4. 1901 Solingen, ansässig in Hamburg.

1923/25 Schüler der Akad. Düsseldorf. Studienaufenthalte in Italien u. Paris. Staatsstipendium 1935. Seit 1936 in Hamburg. 1940 Preis d. Staatl. Kstakad. Düsseldorf. 1940/45 Kriegsteilnehmer.

Lit.: Nemitz, p. 7, 14 (Abbn). — D. Weltkst, 14, Nr 28/29 v. 7. 7. 1940 p. 3. — D. Kst u. d. schöne Heim, 50 (1951) 44. — Kat. d. Ausst. Dtsche Bildh. d. Gegenw., Kestner-Ges., Hannover, 26. 4./17.6. 1951.

Beckmann, Edmund, dtsch. Bildhauer u. Plakettenkstler, * 10.5.1885 Hamburg, ansässig in München.

Stud. an d. Kstgewerbesch. Hamburg u. an d. Dresdner Akad. (Rompreis). Anschließend 4 Jahre in Italien. Hauptsächlich Tierplaketten u. Kleinplastik.

Lit.: Dreßler. — Daheim, 64. Jahrg., Nr 5 v. 29. 10. 1927, p. 13, m. 4 Abbn. — Velhagen & Klasings Monatsh., 40/II (1925/26) p. 588 f., m. 4 Abbn.

Beckmann, Johanna, dtsche Scherenschnittkstlerin u. Dichterin, * 3.5.1868 Brüssow i. M., zuletzt ansässig in Berlin.

Stud. an der Unterrichtsanstalt des Berl. Kstgewerbemus. In Buchform herausgeg. Scherenschnitte mit selbstgeschrieb. Texten: Natur (1905); Wichtelmännchen (1906); Sternlein (1907); Vom Zufriedenwerden (1910); Die schwarze Kunst (1911); Waldsagen (1913); Traum u. Tat (1920); Wenn Frühling wird (1924); Pflanze u. Mensch (1925) usw. Scherenschnitte zu: Andersens Märchen (Neufeld & Henius), Berlin 1909; Liebe alte Kindernamen (Volz), Mainz 1908. Kartenmappen in Postkartenformat.

Lit.: N. Knapp, Dtsche Schatten- u. Scherenbilder. — Dreßler. — Kstgewerbe fürs Haus, 1912 p. 101/05, m. 5 Abbn. — Mecklenb. Monatsh., 9 (1933) 319/20. — Ostdtsche Monatsh., 13 (1932) 566/69.

Beckmann, Max, dtsch. Maler u. Graph. (Prof.), * 12.2.1884 Leipzig, † 27.12.1950 Brooklyn, N.Y.

Stud. 1899/1903 an d. Kstsch. in Weimar unter Frithjof Smith, 1903/04 in Paris u. Genf. 1904 erster Aufenthalt in Berlin, 1906 erste Ausst. in d. Berl. Sezession u. im Kstlerbund Weimar, der ihm den Villa-Romana-Preis verlieh. Reise nach Paris u. Florenz. 1907 wohnhaft in Berlin-Hermsdorf. 1908 dritte Reise nach Paris. 1909/14 in Berlin-H., Mitgl. d. Berl. Sezession, aus der er 1911 austrat. 1914/15 Sanitätssoldat. 1915/33 ansässig in Frankfurt a. M., 1925/33 Prof. an d. Kstsch. Ab 1928 Reisen mit längeren Aufenthalten in Paris u. Holland. 1929 Ehrenvolle Erwähnung auf d. Carnegie-Ausst., Pittsburgh. 1933 von d. Nazis als „entartet" verfemt u. aus dem Amt entlassen. 1933/37 in Berlin. 1937 nach Paris. 1938/47 in Amsterdam, 1938 nach London zur Eröffnung der Gegenausst. zur „Entarteten". Seit 1947 in den USA, 1947/49 Lehrer a. d. Washington-Univers. in St Louis. Seit 1949 Lehrer am Art Depart. d. Brooklyn-Mus., 1950 Carnegie-Preis, Biennale-Preis, Ehrendoktor d. Univers. St Louis.

Von Natur zart u. empfindsam veranlagt, ist B. in den Erlebnissen des 1. Weltkrieges u. in den polit. Kämpfen u. Spannungen d. Zeit zu großer Eigenwilligkeit u. Härte herangereift. Mit diesen Eigenschaften sucht er rücksichtslos zur Erkenntnis des eigenen Ich u. der Umwelt vorzudringen, deren Lebensängste u. Verfallserscheinungen er mit wacher, scharfer Kritik aufgreift und sie durch seine sachliche u. zugleich sinnbildliche Kunst, die zuweilen den Vorhang vor „den unsichtbaren Räumen", vor dem Unter- u. Hintergründigen lüftet, zu überwinden strebt. Seine Kunst hat sich nie in abstrakte Richtungen verloren; dafür war seine sinnliche Anschauung zu stark. Den optischen Eindruck aber im Bilde zu vertiefen durch beseelte mathematische Kräfte, war ihm innerstes Bedürfnis. Seine Vorbilder: Mäleßkircher, Multscher, Bosch. Er hat Stillleben, Landschaften, Bildnisse u. vor allem Figürliches geschaffen, das er mit mytholog., religiösen u. bes. mit Stoffen aus dem gegenwärt. Leben einer entwurzelten Menschheit erfüllte. Formal stand ihm das Raumproblem im Vordergrund. Phänomene des Lichtes u. der Form behaupten anfänglich den Vorrang vor d. Farbe, die später an Bedeutung im Bilde erheblich zunimmt. — *Sonderausstgn:* Magdeburg, Kstverein 1912; Berlin, Cassirer 1913, J. G. Neumann 1917, Flechtheim 1928, 29, 32; Frankfurt a. M., Kstverein 1919, 1920, 1921, 1924, 1928, 1930; Wiesbaden, Kstverein 1924; Düsseldorf, Flechtheim 1925, Kstver. 1950; Köln, Kunstverein 1925; New York, J. G. Neumann 1927; München, G. Franke 1927, 28, 30, 44, 46, 50, 51, 52; Mannheim, Ksthalle 1928; Basel, G.Franke u. A. Flechtheim 1930; Zürich, Ksthaus 1930; Paris, G. Franke u. A. Flechtheim 1931; New York, Mus. of Mod. Art 1931, Buchholz Gall. 1938, 39, 40, 41, 46, 47, 49; St. Louis, City Art Mus. 1948; Hannover, Kestner-Gesellsch. 1949; Bremen, Kstver. 1950 — Umfassende Gedächtnis-Ausstellgn: München, Baier. Staatsgemäldesmlgn, Sommer 1951; Frankfurt a. M., Städel 1951; Berlin, Schloß Charlottenbg 1951; Buchholz Gall., New York, April 1951; City Art Mus. St. Louis, 1951.

Hauptbilder: Gräfin Hagen, 1908; Selbstbildnis mit Frau, 1909; Kreuztragung, 1910; Selbstbildnis als Krankenpfleger, 1915; Christus u. d. Sünderin, 1917; Die Nacht, 1918; Fastnacht, 1920; Der Traum, 1921; Das Trapez, 1923; Pierrette u. Clown, 1925; Die Barke, 1926; Stilleben mit Saxophon, 1926; Selbstbildn. m. Smoking, 1927; Die Loge, 1928; Der Wels, 1930; Abfahrt (Triptychon), 1935; Park nach Gewitter, 1936; Selbstbildn. i. Frack, 1937; Damenkapelle, 1940; Zirkuswagen, 1940; Perseus (Triptychon), 1941; Begin the Beguine, 1945; Beginning (Triptychon), 1949; Großes Stilleben, 1950. — Die seit 1935 entstandenen 9 Triptychen bilden Höhepunkte seines Schaffens.

Graph. Werke: Die Hölle, 10 Lithos, 1919; Gesichte, Radierungen, 1919; Stadtnacht, 7 Lithos, Münch. 1921; Der Jahrmarkt, 10 Rad., 1922; Berlin, 10 Lithos, 1922; Die Apokalypse, 1943; Day and Dream, 15 Lithos, New York 1946. — Illustr. u. a. zu: Kas. Edschmid, „Die Fürstin", 1917; Lili Braun-Behrens, „Stadtnacht", 1922; Brentano, „Fanfarlieschen", 1922.

In folg. europäischen Museen vertreten: Sted. Mus. Amsterdam; Kstmus. Basel; Ksthalle Bremen; Leopold-Hoesch-Mus. Düren; Folkwang-Mus. Essen; Städt. Gal. Frankf. a. M.; Ksthalle Hamburg; Wallraf-Richartz-Mus. Köln; Ksthalle Mannheim; Staatsgal. München; Staatsgal. Stuttgart; Ruhmeshalle Wuppertal-Barmen; Ksthaus Zürich. — Museen der USA: Univ. of Michigan, Ann Arbor, Michigan; Albright Art Gall., Buffalo, N. Y.; Busch Reisinger Mus., Cambridge, Mass. (Selbstbildn. v. 1927); Stephens College, Columbia, Missouri; Inst. of Arts, Detroit, Mich.; Blanden Art Gall., Fort Dodge, Iowa; Wadsworth Atheneum, Hartford, Connecticut; Iowa State Univ., Iowa City; Mus. of Mod. Art, New York; Norton Gall. of Art, Palm Beach, Florida; Portland Mus. of Art, Portland, Oregon; City Art Mus., St. Louis, Missouri; Washington Univ., St. Louis, Miss.; Univ. of Illinois, Urbana, Illinois.

Lit.: Th.-B., 3 (1909). — C. Glaser u. a., M. B., Münch. 1924. — H. Kaiser, M. B. (Smlg „Kstler uns. Zeit"), Berl. 1912. — J. B. Neumann, Bilderhefte ab 1921. — B. Reifenberg u. W. Hausenstein, M. B., Münch. 1949, m. Verz. d. Gemälde. Bespr. in: college art journal, 10 (1950) 85/87. — F. Roh, B.-Mappe (Kst d. 20. Jh.s), Münch. 1947; ders., Nachexpressionismus, Lpzg 1925; ders., Die Kst d. 20. Jh.s, Münch. 1946. — W. Schöne, M. B. (Kstler unserer Zeit), Berl. 1947. — H. Simon, M. B. (Junge Kst, Bd 56), Berl. 1929. — Einstein. — G. Hartlaub, Die neue dtsche Graphik, 1920, p. 78ff.; ders., Die Graphik des Expressionism. in Deutschld, Stuttgt 1947. — Huyghe, Hist. de l'Art contemp., Paris 1935, p. 442/46. — L. Justi, Von Corinth bis Klee, 1931, p. 144/46. — J. Meier-Graefe, Entwicklungsgesch. d. mod. Kst, [2] Münch. 1915, III 676/81. — Schmidt, p. 191ff. — Wedderkop, p. 9, 42f., m. Abb., 77ff. Abbn. — P. Westheim, Für u. Wider, Berl. 1923, p. 98/104. — *Periodika:* Aussaat, 1 (1946) H. 5, p. 22/27. — Baltimore Mus. of Art, News, 12 (1948) Nov.-H. p. 1/3, m. Selbstbildn. — De Bouwgids, 22 (1930) 98f., m. Abb. — Der Cicerone, 11 (1919) 675/84; 12 (1920) 841ff.; 13 (1921) 285f.; 15 (1923) 180ff.; 16 (1924) 142; 17 (1925) 381f.; 20 (1928) 240f. — Dtsche Kst u. Dekor., 30 (1912) 140, 290, 301 (Abb.). — Dtsche Monatshefte (Die Rheinlande), 1913, p. 323, 327 (Abb.); 21 (1921) 93ff. — Feuer (Saarbrücken), 1/2 (1920/21) 461ff. — Die Form, 3 (1928) 337/47. — Das Neue Frankfurt, 1 (1927) 78/85. — Galerie u. Sammler, 6 (1938) 112/16. — Ganymed. Jahrb. d. Marées-Gesellsch., 2 (1920); 3 (1921) 5 (1925). — glanz (München), (1) (1949), H. 2 p. 4, m farb. Taf. — Jahrb. d. hamburg. Kstsmlgn, 1 (1948) 10/15, m. 2 Taf. u. Abbn. — Jahrbuch d. jungen Kst, 1 (1920) 117ff., m. 9 Abbn; 4 (1923) 410ff. m. 8 Abbn. — Der Kreis (Hambg), 8 (1931) 328/37, m. 4 Taf. u. Abbn. — Die Graph. Künste (Wien), 55 (1932) 37/44. — Die Kunst, 25 (1911/12) 232 (Abb.), 422, m. Abb.; 27 (1912/13) 459 (Abb.), 488 (Abb.); 59 (1928/29) 157/65, m. Abbn. — Kunst (Halbjahrb.), 1948, p. 86/92, m. 3 Taf. u. Abbn. — Kst u. Kstler, 11 (1913) 289/305; 13 (1915) 461/67; 21 (1922/23) 311ff.; 22 (1923/24) 107ff.; 27 (1928/29) 223ff.; 29 (1930/31) Taf. geg. p. 3, 7/14. — Das Kstblatt, 3 (1919) 257ff.; 5 (1921) 190f.; 14 (1930) 148f. — Kstchronik, 3 (1950) Abb. zw. p. 36/37 u. zw. p. 52/53; 4 (1951) 25f., 207, 281/85. — Kstchronik u. Kstmarkt, 24 (1913) 278f. — D. Kstwanderer, 1920/21, p. 384; 1928/29, p. 129f.; 1931/32, p. 200. — D. Kstwerk, 2 (1948/49) H. 1/2, p. 56 (Abb.), 62; H. 3/4, p. 25 (Abb.); 3 (1949) H. 6, p. 37 (Abb.); 5 (1951) H. 1, p. 41, 43 (Abb.); H. 3, p. 3 (Abb.), 57f., m. 3 Abbn. — Bull. Minneapolis Inst. of Arts, 22. 1. 49, p. 17/18. — Museum d. Gegenwart, 1 (1930) 89/100. — Prisma, 1 (1946/47) H. 2, p. I/IV. — D. Querschnitt, 8 (1928) 268, 859/60. — La Renaiss. de l'Art franç., 14 (1931) 96/100. — Bull. Mus. St. Louis, 33 (1948) Mai-H., p. 5/114, m. Kat. v. P. T. Rathbone u. H. Swarzenski, m. 60 Abbn u. m. Bibliogr. v. Hannah B. Müller. — The Studio, 116 (1938) 163 (Abb.). — Das Tagebuch (Berlin), 9. 5. 1931, p. 745/49, 751. — Thema (Gauting b. München), 1949/50, Heft 7, p. 8, Abbn p. 9/12 u. Umschlagbild. — D. Weltkst, 22 (1952) H. 9, p. 2 (Abb.). — Das Werk (Zürich), 25 (1938) Beibl. z. H. 7, p. XXII, 345/50; 36 (1949) 92/95. — Zeitschr. f. Kst, 1 (1947) H. 1, p. 64 (Abbn), 68/71, H. 2, p. 62. — The Art Index, New York 1928ff. — Die neue Ztg (München), 29. 6. 1948 (2 Briefe an e. Malerin).

Beckmann, Paul, dtsch. Landschafts- u. Dekorationsmaler, * 30.3.1897 Königsberg i. Pr., ansässig in Düsseldorf.

Stud. an der Kstgewerbesch. in Königsberg. Ausmalungen: Friedensk. in Königsberg; Kirche in Schwentainen, Kr. Ortelsburg; Gemeindehaus in Zinten; Volksschule in Ortelsburg. Altarbilder in Villenberg, Kr. Ortelsbg (Kreuzigung), u. in d. Friedensk. in Königsberg (Gleichnis von den 5 klugen u. 5 törichten Jungfrauen). Kollekt.-Ausst. im Studio f. Neue Kst in Wuppertal, Jan. 1951.

Lit.: Dreßler.

Beckmann, Wilhelm, dtsch. Bildnis- u. Historienmaler, * 3. 10. 1852 Düsseldorf, † März 1942 Berlin.

Lit.: Th.-B., 3 (1909). — Dreßler. — Selbstbiogr.: W. B., Im Wandel der Zeiten, Berl. 1929, Bespr. in: Mitteilgn des Ver. f. d. Gesch. Berlins, 50 (1933) 45. — Velhagen & Klasings Monatsh., 43/II (1928/29) 117, 120 (Abb.); 50/II (1936) farb. Taf. geg. p. 624, 672. — Westermanns Monatsh., 151 (1931/32) 329/36, m. farb. Abbn. — D. Weltkst, 16 Nr 13/14 v. 29. 3. 1942, p. 6.

Beckmann, Wilhelm, dtsch. Architekt, * 21. 2. 1890 Mühlheim (Ruhr), ansässig ebda.

Fachbearbeiter bei der Treuhandgesellsch. für Bergmannswohnstätten im rheinisch-westf. Steinkohlenrevier, unter Leitung von Ad. Knipping. Seit 1928 Privatarchit. Einfamilienhäuser; Jugendherberge am Möhnesee, vorzüglich der Hügellandschaft eingepaßt.

Lit.: P. Girkon, W. B., Berlin 1929. — Dreßler.

Beckmann, Wolfgang, dtsch. Maler, * 1923, ansässig in Bielefeld.

Kollekt.-Ausst. Sept. 1948, Schloß-Gal. in Detmold.

Lit.: Freie Presse (Bielefeld), 18. 9. 1948.

Beckwith, Arthur, engl.-amer. Landschaftsmaler, * 24. 1. 1860 London, † Sommer 1930 San Francisco, Calif.

Stud. an d. South Kensington School in London. Bilder im Golden Gate Park Mus. in San Francisco u. in d. Art Gall. ebda.

Lit.: Fielding. — Amer. Art Annual, 20 (1923) 439. — Amer. Art Annual, 27 (1930) 406.

Béclu, René, franz. Bildhauer, * 3. 2. 1881 Paris, fiel im 1. Weltkrieg 17. 1. 1915.

Schüler von Mercié u. H. Lemaire. Stellte im Salon der Soc. d. Art. Franç. u. im Salon der Soc. Nat. d. B.-Arts aus. Gr., z. T. überlebensgr. Figurengruppen.

Lit.: Joseph, I. — Ginisty, 1916 p. 61f. — Bénézit, [2] I (1948). — L'Art décoratif, 29 (1913) 231 (Abb.). — Gaz. d. B.-Arts, 1919 p. 165, 166 (Abb.).

Becmeur, Jean, franz. Bildnis-, Figuren- u. Interieurmaler, * Trélazé (Maine-et-Loire), ansässig in Malzéville (Meurthe-et-Moselle).

Schüler von E. Fougerat. Mitglied der Soc. d. Art. Franç. (Salon-Kat. z. T. m. Abbn).

Lit.: Joseph, I. — Bénézit, [2] I (1948). — The Studio, 94 (1927) 58 (Abb.).

Becque, Maurice de, franz. Buchillustr. u. Maler, * Saumur (Maine-et-Loire), ansässig in Paris.

Stellt im Salon d'Automne aus. Illustr. u. a. zu: Lettres de Malaisie, von P. Adam; Les fleurs du Mal, von Baudelaire; Sonnica la Courtisane, von V. Blasco Ibanez; Le Jardin d'Amour, von A. P. Garnier; Mademoiselle de Maupin, von Gauthier; Nouvelles Asiatiques, vom Grafen Gobineau.

Lit.: Bénézit, [2] I (1948). — Beaux-Arts, 4 (1926) 206 (Abb.), 207.

Beda, Giulio (Julius), ital. Landschaftsmaler, * 20. 1. 1879 Triest, ansässig in Dachau.

Schüler von G. Ciardi an d. Akad. in Venedig, seit 1900 in München, später in Dachau ansässig.

Lit.: Th.-B., 3 (1909). — Comanducci. — Bénézit, [2] I (1948). — Velhagen & Klasings Monatsh., 35 1921) 453/59; 48/II (1933/34) 448/49, m. farb. Taf., 559.

Bedding, Izaak, holl. Graph., Pastell- u. Aquarellmaler, * 24. 7. 1887 Amsterdam, ansässig ebda.

Stud. an d. Akad. in A'dam.

Lit.: Waller.

Bedenk, Wolfgang, dtsch. Maler u. Radierer, ansässig in München.

Lit.: W. B., Exlibrisradierungen. Einführg von R. Braungart, Münch. 1923. — Dreßler. — Mitteilgn d. Exlibris-Ver. zu Berlin, 15 (1921) 20.

Bedeschi, Alfeo, ital. Bildhauer u. Kunstkritiker, * 26. 4. 1885 Lugo (Emilia), ansässig in Mailand.

Stud. in Bologna u. Mailand. Hauptsächlich Grabdenkmäler, u. a. für die auf dem Cornella Gefallenen, für A. Costa, den Vater Pius' XI., u. für den Kunstgelehrten Ettore Verga im Castello Sforzesco in Mailand; 58 Grabmäler im Cimitero Monum. ebda. Weitere Arbeiten in den Gall. d'Arte Mod. in Bologna u. Mailand.

Lit.: Chi è ?, 1940. — Aldo Spallicci, A. B., Mail. 1940. — Gente di nostra stirpe, 3 (Turin 1924). — Emporium, 83 (1941) 317.

Bedford, Celia, engl. Malerin u. Graph., * 11. 2. 1904 London, Tochter des Francis Donkin. Schwester der Folg.

Lit.: Who's Who in Art, [3] 1934.

Bedford, Dorothy, engl. Holzschneiderin, Illustrat. u. Landschaftsmalerin, * 29. 11. 1897 London, ansässig ebda. Tochter des Francis Donkin. Schwester der Vor.

Stud. an d. Central School of Arts a. Crafts.

Lit.: Who's Who in Art, [3] 1934.

Bedford, Francis Donkin, engl. Buchillustrator u. Maler, * 21. 5. 1864 London, † nach 1934 ebda. Vater der Celia u. Dorothy.

Stud. an der S. Kensington School u. der Architektursch. der Roy. Acad. Illustr. u. a. zu: Dickens, A Christmas Carol u. The Magic Fishbone; George MacDonald, Princess and the Goblin; E. V. Lucas, Book of Shops, u. Four and Twenty Toilers; Greviller MacDonald, Billy Bernicoat; Barrie, Peter and Wendy. — Seine Gattin, Helen, geb. *Carter*, * 6. 2. 1874 London, ist Bildnismalerin.

Lit.: Who's Who in Art, [3] 1934. — Graves, I.

Bedford, Henry Edward, amer. Maler u. Bildhauer, * 3. 3. 1860 Brooklyn, N. Y., † 1932 New York.

Schüler von William Anderson.

Lit.: Fielding. — Amer. Art Annual, 20 (1923) 439. — Bénézit, [2] 1.

Bednár, János, ungar. Maler, * 12. 2. 1886 Budapest, ansässig ebda.

Stud. in Budapest bei E. Balló, Ferenczy u. T. Zemplény, 1908 in Paris an der Acad. Julian. Seit 1910 in Budapest. 1913 Akademiepreis. Hauptsächlich Frauenbildnisse, Figürliches (Akte), Landschaften, Interieurs.

Lit.: Szendrei-Szentiványi. — Krücken-Parlagi. — Deutschlands, Öst.-Ung. u. d. Schweiz Gelehrte, Kstler u. Schriftst., [2] Hannover 1911, m. Fotobildn.

Bednar, Ottokar, steiermärk. Landschaftsmaler, * 17.2.1875 Graz, ansässig in Bruck a.d.Mur.
Staatspreis Leoben 1926.
Lit.: Dreßler. — Öst. Kunst, 4 (1933) H. 2, p. 24, m. Abb.

Bednár, Štefan, slowak. Maler, Plakatkstler u. Buchgraph., * 15. 5. 1909 Myjava.
Schüler von V. H. Brunner an d. Prager Kstgewerbesch. Studienaufenthalt in Paris. Szenen aus dem slowak. Leben.
Lit.: Elán, 1932, Nr 3; 7 (1936) Nr 2. — Toman, I 47. — P. Fodor, p. 41. — Slovenské výtvar. umenie na cestě k social. realizmu, Preßburg 1950, m. Abbn. *Blž.*

Bednarczik, Rudolf, dtsch. Maler (Öl u. Aquar.), * 13. 10. 1911 Berlin, ansässig ebda.
Stud. an d. Kstgewerbesch. Berlin-Charlottenburg, später Schüler von Schmidt-Rottluff. Seit 1946 Lehrer an der Hochsch. der bild. Kste in Berlin. Kollektiv-Ausst. Juni 1951 in der Buchhandlung Wasmuth, Berlin.
Lit.: Der Abend (Berlin), 1. 6. 51. — Telegraf (Berlin), 5. 6. 51. — Berl. Anz., 13. 6. 51. — D. Weltkst, 21 (1951) H. 12, p. 7.

Bednorz, Robert, dtsch. Bildhauer (Prof.), * 18.5.1882 Pilzendorf, Kr. Tarnowitz, O.-S., ansässig in Wiesbaden.
Stud. an den Akad. Breslau, Berlin u. Rom. Seit 1924 Prof. an der Breslauer Akad. bis zu deren Auflösung 1932. Werke in der Berliner Nat.-Gal. (Porträtkopf Fritz Ebert) u. in den Museen in Breslau (F. Ebert) u. Beuthen (Liegendes Mädchen).
Lit.: Dreßler. — Werner, p. 57, 60f. (Abbn), 205. — D. Cicerone, 17 (1925) 567f. — D. Kstwelt, 3. Jahrg. (1913/14) 417/24 (Abbn). — Chron. d. kgl. Akad. d. Kste, Berlin 1910, p. 100. — D. Oberschlesier, 9 (1927) 253/55, Abbn geg. p. 256, 260, 264, 268, 276, 284, 292, 746f.; 11 (1929) Abb. geg. p. 244, 248f., 252 (Abb.); 14 (1932) 590, m. Abb. (Büste d. Dichters Herm. Stehr); 20 (1938) Abb. geg. p. 433; 21 (1939) 191/94, m. Abb. geg. p. 196, Abb. geg. p. 490. — Schles. Musenalmanach, 7. Jg (1920) 95. — Kat. Ausst. Niederschles. Kst, Berlin, Schloß Schönhausen 1942, p. 49, 57 (Abb.).

Bedore, Sidney, amer. Bildhauer, * 5. 3. 1883 Stephenson, Mich., ansässig in Chicago.
Schüler von Solon Borglum in New York.
Lit.: Fielding. — Amer. Art Annual, 30 (1933). — Who's Who in Amer. Art, I: 1936/37.

Bédouin, Geneviève, franz. Genrebildhauerin, * Paris, ansässig ebda.
Stellt im Salon der Soc. d. Art. Franç. aus (Kat. z. T. m. Abbn). Seit 1929 deren Mitglied.
Lit.: Joseph, I. — Bénézit, [2] I (1948).

Bee, John Francis, engl. Reklamezeichner, * 12. 7. 1895 Wolverhampton, ansässig in Loughborough.
Stud. 4 Jahre in Europa.
Lit.: Who's Who in Art, [3] 1934.

Bee, John William, engl. Landschaftsmaler, * 19. 5. 1883 Sheffield, ansässig ebda.
Schüler von James Moore u. E. van Waeyenberge.
Lit.: Who's Who in Art, [3] 1934.

Beebe, Dee, amer. Malerin, * New Orleans, La., ansässig in Brooklyn, N. Y.
Schülerin von Cox, W. M. Chase u. Snell in New York, von Duveneck in Cincinnati.
Lit.: Fielding. — Amer. Art Annual, 20 (1923) 439; 30 (1933).

Beeck, Jozef, belg. Maler, * 1912.
Lit.: R. Baert, Peintres de Flandre et de Wallonie, Paris-Lüttich 1943.

Beeck-Calkoen, Isabella Antonia Lucretia van, holl. Bildhauerin, * 4. 4. 1883 Utrecht, ansässig ebda.
Stud. a. d. Schule der Roy. Acad. in London u. bei W. Retera in A'dam. Arbeiten für Kirchen in Utrecht. Zwolle, Ede, Nymwegen, Turnhout u. Evere (Belgien). In d. Polyt. Schule in Leeuwarden Büste der Königin u. des Prinzen Heinrich. In d. Seewartsch. in Rotterdam Büste d. Königin. In Soestdijk ein Denkm. Chr. Pullmann's.
Lit.: Persoonlijkheden, m. Fotobildnis.

Beecke, Heinrich, elsäss. Bildnis- u. Stillebenmal. * 4. 4. 1877 Straßbg, ansässig ebda.
Stud. an den Akad. Karlsruhe u. München. Koll.-Ausst. im Ksthaus in Straßburg Jan. 1912.
Lit.: Dreßler. — A. Soergel, Dichtung u. Dichter d. Zeit. N. Folge: Im Banne des Expressionismus, Lpzg 1925, p. 435 (Abb.). — Elsaß-Lothr. Jahrbuch, 12 (1933) 289. — D. Kunst, 27 (1913) 483 (Abb.), 488. — Dtsche Kst u. Dekor., 33 (1913/14) 18, 33 (Abb.); 41 (1917/18) 165 (Abb.). — Deutsche Monatshefte, 1913 p. 279, 285 (Abb.); 1918 p. 134 (Abb.). — Revue alsac. ill., 13 (1911) 18f. (Abb.). — Kstchronik, N. F. 26 (1914/15) 350. — Straßb. N. Nachr., Nr 14 v. 17. 1. 1912.

Beeftinck, Andries, holl. Stilleben- u. Bildnismaler, * 1. 7. 1908 Arnheim, ansässig ebda.
Lit.: Waay.

Beeh, René, elsäss. Maler u. Lithogr., * 1886 Straßburg, † Januar 1922 ebda.
Lernte zuerst Ziseleur, dann Schüler von Stuck u. Habermann an der Münchner Akad. 1911/12 in Algerien. Beeinflußt von Cézanne u. van Gogh. Nach dem 1. Weltkrieg wieder in München. Aufenthalt in Paris. Starb 36jährig, im Begriff nach Süditalien überzusiedeln. Bedeutender Kolorist. Lithogr. u. a. zu Robinson u. zu Strindbergs Inferno (beide Hyperion-Verl. München, 1921). Eine Graphik-Mappe u. Briefe aus Algerien erschienen bei Georg Müller, München, 1914. Im Straßburger Mus.: Selbstbildnis u. Revolution; ferner Zeichnungen u. Aquarelle. Gedächtnis-Ausst. im Rahmen der Ausst. der Münchner N. Sezession 1922 (Kat. p. 25/32).
Lit.: W. Hausenstein u. H. Haug, R. B.. Zeichngn, Briefe, Bilder, München 1922 (86 S. u. 29 Lichtdruck-Taf.). — Pfister, p. 33, 36, Taf. 27. — Wedderkop, p. 9, 83 (Abb.). — Archives alsaciennes, 1 (1922) 132f. — D. Cicerone, 14 (1922) 183, 910; 16 (1925) 152. — Elsaß-Lothringen, Heimatstimmen, 1 (1923) 111. — Ganymed, 3 (1921) 88f. (Abb.); 4 (1922) 286/88, m. Abbn. — Dtsche Kst u. Dekor., 51 (1922/23) 10, 19 (Abb.). — Kst u. Ksthandwerk (Wien), 18 (1915) 319. — D. Kstblatt, 4 (1920) 128; 6 (1922) 91. — Kstchronik, N. F. 32 (1920/21) 495; 33 (1921/22) 329. — Sozialist. Monatsh., 59 (1922) 700. — Pro Arte (Genf), 2 (1943) 187/90, m. Abb.

Beek, Alice D., geb. *Engley*, amer. Malerin, * 17. 6. 1876 Providence, R. I., ansässig in Tacoma, Wash.
Schülerin von Sidney Burleigh, dann von L. Lhermitte u. Puvis de Chavannes in Paris.
Lit.: Fielding. — Amer. Art Annual, 30 (1933). — Who's Who in Amer. Art, I: 1936/37.

Beek, Bernardus Antonie van, holl. Maler, * 30. 1. 1875 Amsterdam, † 1941 Kortenhoef.
Schüler von Evert Pieters, J. H. Wysmuller u.

P. J. C. Gabriël. Hauptsächl. Landschafter. Bild im Mus. Brooklyn. N. Y., USA.
Lit.: Th.-B., 3 (1909). — Plasschaert. — Waay. — Hall, Nrn 7133/36. — Maandbl. v. beeld. Kunsten, 2 (1925) 41, m. Abb.

Beek, Jan Bontjes van, dän. Keramiker, * 18.1.1899 Vejle (Jütland), ansässig in Meersburg a. Bodensee. Holl. Herkunft.
Lernte an den Süddeutschen Meisterwerkstätten. Wohnhaft in Fischerhude b. Bremen, seit 1946 in Meersburg als Leiter einer Meisterstätte für Keramik. Kollekt.-Ausst. Nov./Dez. 1950 in d. Gal. Bremer, Berlin.
Lit.: Dreßler. — Kat. Ausst. Kstver. Konstanz: 11 Dtsche Maler u. Bildh. d. Gegenw., 1948, p. 10f., m. Abbn u. Fotobildnis. — Almanach 1947 Gal. Gerd Rosen, Berlin, m. Abbn u. Selbstbildn.

Beek, Samuel (Sam) van, holl. Maler u. Lithogr., * 11. 6. 1878 Amsterdam, ansässig ebda.
Autodidakt. Tiere, Landschaften, Stadtansichten, Blumenstücke, Bildnisse.
Lit.: Plasschaert, p. 377. — Waay. — Hall, Nrn 7137/38. — Waller. — Maandbl. v. beeld. Kunsten, 1 (1924) 280. — Calker, m. 2 Abbn u. Fotobildn.

Beek-Stroeve, Isabella Jeannette van, holl. Malerin, * 8. 11. 1900 Amsterdam, ansässig ebda.
Autodidaktin. Bildnisse, Tiere, Blumenstücke.
Lit.: Waay.

Beekman, Christiaan (Chris), holl. Maler u. Rad., * 28. 5. 1887 im Haag, lebt in Amsterdam.
Schüler der Haager Akad. u. Fr. Jansen's. Mitglied der „Onafhankelijken" und der „Brug". Figürliches, Landschaften, Stilleben. Vertreten im Gem.-Mus. in A'dam u. in der Smlg Kröller-Müller im Haag. Folgte anfänglich der Tradition der Haager Schule, näherte sich später dem Kubismus. Neuerdings trägt seine Kunst ein soziologisches Gepräge.
Lit.: Bénézit, [2] I (1948). — Huebner, p. 113f. — Waay. — Waller. — G. Sluyter, De Mod. Grafiek, 1928. — Beeld. Kst, Sept. 1921, Okt. 1932; März 1933.

Beekman, Henry Rutgers, amer. Maler u. Rad., * 18. 11. 1880 New York, † 1938 ebda.
Schüler von Hawthorne, Bredin u. Latherop.
Lit.: Fielding. — Amer. Art Annual, 20 (1923) 439; 30 (1933).

Beekman, Jacob Jan, holl. Maler, * 12. 9. 1914 's-Gravenhage, ansässig in Dordrecht.
Schüler der Haager Akad. Mitglied der „Pictura" in Dordrecht.
Lit.: Waay.

Beem, Paul E., amer. Maler u. Zeichner, * 12. 1. 1908 Indianapolis, ansässig ebda.
Schüler von Elmer Taflinger u. George Bridgman. Wiederholt durch Preise ausgezeichnet. Vertreten u. a. in d. Univ. of North Dakota u. im John Herron Art Inst. in Indianapolis.
Lit.: Amer. Art Annual, 30 (1933). — Who's Who in Amer. Art, I: 1936/37.

Béen, Ernst, schwed. Landschaftsmaler, * 1916 Ängelholm, ansässig in St. Ibb, Ven.
Stud. an der Malschule in Malmö u. an der Akad. in Stockholm.
Lit.: Thomœus.

Beenfeldt, Thor, dän. Kirchenarchitekt, * 10. 2. 1878 Kopenhagen, ansässig ebda.
Schloß 1906 s. Studien an d. Akad. ab. Kirchen in Overlade, Amagerbrog, Bryggervangen; Villen.
Lit.: Krak's Blaa Bog, 1936.

Beer, Dick, schwed. Maler, * 1893 London, † 1938 Stockholm.
Schüler s. Vaters, des schwed. Aquarellmalers u. Zeichners John B. Weitergebildet an d. Akad. in Stockholm u. in Paris. Interieurs mit Figuren, Akte, Bildnisse, Landschaften, Marinen. Impressionist. Kraftvolle Malweise. Im Nat.-Mus. in Stockholm ein Interieur mit Modell.
Lit.: Thomœus. — Joseph, I. — Konst, 3 (1913) fasc. 1, p. 5f., m. 2 Abbn. — Konstrevy, 1932, p. 108, m. Abb.; 1936, p. 202, m. Abb.

Beer, Nicolai, norweg. Architekt, * 14. 5. 1885 Kristiania (Oslo), ansässig ebda.
Stud. an d. Kst- u. Handwerksschule in Oslo, 1905/06 in Paris, 1906/10 an d. Akad. in Kopenhagen. Studienaufenthalte in England u. Deutschland. Seit 1913 selbständig in Oslo. Industrieanlagen u. Fabriken.
Lit.: Hvem er Hvem?, [4] 1938. — Kunst og Kultur, 19 (1933) 17. — Kat. Jubil.-Utstill. Norges Kst 1814–1914, Kra. 1914, p. 140 (Abb.), 207.

Beer-Walbrunn, Ida, geb. *Görtz,* dtsche Landschaftsmalerin, * 1. 5. 1878 Lübeck, ansässig in München.
Schülerin von Schmid-Reutte in München u. W. Trübner in Frankfurt a. M.
Lit.: Th.-B., 3 (1909). — Dtsche Kst u. Dekor., 34 (1914) 411 (Abb.).

Beerbohm, Sir Max, engl. Karikaturenzeichner u. Illustr., * 24. 8. 1872 London, ansässig in Rapallo, Riviera.
Zeichnete für d. „Punch". Folgen: Caricatures of five and twenty gentlemen, A Survey, Rossetti and His Ciecle; Album: The Poet's Corner (Karikat. Robert Browning's, Verlaine's u. a.).
Lit.: Who's Who in Art, [3] 1934. — G. Holme, Brit. Book Illustr., yesterday a. to-day, Lo. 1923. — The Burlington Magaz., 32 (1918) 38. — The Connoisseur, 60 (1921) 123; 64 (1922) 254f. — Nation and Athenæum, 29 (1921) 868. — The Art News, 24, Nr 8 v. 28. 11. 1925, p. 7 (Abb.). — Maandblad v. beeld. Kunsten, 3 (1926) farb. Taf.-Abb. geg. p. 133, 135ff., m. Abbn. — Apollo (London), 9 (1929) 74. — The Studio, 97 (1929) 136, m. ganzseit. Abb.; 124 (1942) 28; 129 (1945) 70 (Abb.); 134 (1947) 82, Abb. p. 90; 144 (1952) 62. — Art Index (New York), 1928ff. passim.

Beerendonk, Theodorus Hendricus Johannes, holl. Maler, * 24. 12. 1905 Amsterdam, ansässig ebda.
Schüler von Jurres u. Hendr. J. Wolter an der Amsterd. Akad. Figürliches, Akte, Bildnisse, Blumenstücke, Stilleben.
Lit.: Waay.

Beers, Alexander Richard, amer. Maler, * 1882 Titusville, Pa., ansässig in Chicago, Ill.
Stud. am Art Instit. in Chicago.
Lit.: Fielding. — Amer. Art Annual, 20 (1923) 439.

Beers, Hans, holl. Holz- u. Linolschneider, * 29. 4. (8.?) 1891 Nieuwer-Amstel, ansässig in Blaricum.
Schüler von Chr. Lebeau. Hauptsächl. Landschafter (Dünenszenerien aus der Umgebung von Bergen, Nordholland; Ansichten aus Dalmatien).
Lit.: Waay. — Waller. — Maandbl. v. beeld. Kunsten, 1 (1924) 186f.

Beeson, Charles Richard, engl. Maler u. Radierer, * 14. 10 1909 Neasden, ansässig in London.

Stud. an den Roy. Acad. Schools.

Lit.: Who's Who in Art, [3] 1934.

Beeton, Alan, engl. Maler, * 1880 London, ansässig in Chickendon, Reading.

Bilder im Fitzwilliam Mus. in Cambridge („Gipsy") u. in den Gal. in Oldham u. Tokio.

Lit.: Who's Who in Art, [3] 1934. — The Studio, 61 (1914) 140ff.; 84 (1922) 111; 93 (1927) 49. — Bull. de l'Art, 1927, p. 199 (Abb.).

Beetz-Charpentier, Eliza, franz. Bildhauerin u. Medailleurin, ansässig in Neuilly-sur-Seine.

Stellte zwischen 1910 u. 1924 im Salon der Soc. Nat. d. B.-Arts in Paris aus. Genre, Bildnisbüsten, Plaketten.

Lit.: Forrer, 7.

Beever, Emanuel van, belg.-holl. Maler u. Rad., * 28. 3. 1876 Antwerpen, † 20. 6. 1912 Amsterdam.

Schüler von Alex. Boom, Ed. Frankfort u. der Akad. Amsterdam. Stilleben, Interieurs u. Dorfansichten.

Lit.: Plasschaert. — Hall, Nrn 7146/48. — Waller.

Begas, Astrid, dtsche Bildhauerin, ansässig in Berlin. Großnichte des Reinhold B.

Schülerin von Ernesto de Fiori u. Wilh. Otto an der Berl. Handwerker- u. Kstgewerbesch., dann von Fr. Klimsch an d. Staatl. Hochsch. d. Bild. Künste in Berlin. Sportfiguren, Akte, Bildnisbüsten.

Lit.: Der Silberspiegel (Berlin), I, Nr v. 25. 6. 1935, p. 586f., m. 3 Abbn u. 2 Fotobildn.

Begbie, Irene, siehe *Ellissen.*

Begeer, Petrus, holl. Maler u. Kstkritiker, * 19. 11. 1890 Gouda, ansässig in Rotterdam.

Autodidakt. Expressionist. Tiere, Phantasiekompositionen, später hauptsächl. Stilleben. Stilleben im Mus. Boymans Rotterdam.

Lit.: Waay. — Waller.

Beggarstaff, Brothers, Pseudonym für *Pryde,* James, u. *Nicholson,* William.

Lit.: Zur Westen, p. 48, m. Abb. — D. Plakat, 5 (1914) Nr v. 15. 7. 1914, m. Abbn. — Zeitschr. f. Kst, 1 (1947) H. 2 p. 69, 70 (Abb.)

Beggrow-Hartmann, Olga, russ.-dtsche Malerin, * 29.12.1862 Heidelberg, † 12.1. 1922 München. Gattin des Malers Karl Hartmann.

Tochter des russ. Pianisten Theod. Beggrow, der längere Zeit in Heidelberg ansässig und dort mit der Mutter A. Feuerbachs eng befreundet war. Erscheint als Mädchen auf dem in der Münchner Schack-Gal. bewahrten Bilde Feuerbachs: Familie am Brunnen. Schülerin von N. v. Gruenewaldt u. Fr. Keller an d. Stuttgarter Akad., dann einige Jahre in St. Petersburg. Heiratete 1887. Studienreisen nach Paris u. Italien. Stilleben, Blumenstücke, Landschaften, Kinderbildnisse. In der N. Pinak. München: Fischstilleben. Gedächtn.-Ausst. im Münchner Kstverein 1922.

Lit.: Th.-B., 3 (1909). — Rechensch.-Bericht d. Kstver. München: 1922/23, p. 15f. (Nekrol.).

Beggs, Thomas Montague, amer. Maler, * 22. 4. 1899 Brooklyn, N. Y., ansässig in Washington, D. C.

Schüler von W. S. Taylor u. Wm. Sergeant Kendall. Wandmalerei im Realty Board Building in Miami, Fla.; Herrenbildnis in d. Redlands Univers., Calif.

Lit.: Amer. Art Annual, 30 (1933). — Who's Who in Amer. Art, I: 1936/37. — Art Digest, 22, Nr v. 1. 10. 1947 p. 12.

Bégué, Hortense, franz. Tierbildhauerin (Kleinplastik), * 1892 Cambous (Hautes-Pyrénées), ansässig in Paris. Gattin des span. Malers Celso Lagar.

Stellt bei den Indépendants, 1923ff. auch im Salon des Tuileries aus.

Lit.: Joseph, I. — Francés, 1918 p. 355 (Abb.), 356. — Bénézit, [2] I (1948).

Béguet, Georges, franz. Figurenbildhauer, * Algier, ansässig ebda.

Schüler von Ch. Cordier. Mitglied der Soc. d. Art. franç., beschickte deren Salon 1903ff. — Vertreten im Mus. in Algier. Basreliefs (Stein), nackte Jünglinge u. Frauen, an der Hauptfassade des Foyer Civique ebda.

Lit.: Joseph, I. — Bénézit, [2] I (1948). — Beaux-Arts, Nr 301 v. 7. 10. 1938 p. 3 (Abb.).

Béguin, Gaston, schweiz. Figurenbildhauer, * 1892 Le Locle, ansässig in Paris.

Lernte als Graveur u. Ziseleur an der Industriesch. in Le Locle. 1912/14 Schüler von Bourdelle in Paris. Studienaufenthalte in Spanien. Arbeitete seit Februar 1914 zus. mit Maillol in Marly-le-Roy. Später ansässig in Etange-la-Ville. Koll.-Ausst. bei Druet u. Bernheim in Paris, Jan. 1917 im Zürcher Kunsthaus. Hauptsächl. Akte (z. T. Kleinplastik) in einer an Maillol geschulten, groß gesehenen Form. Zeichngn im Mus. Le Locle u. im Graph. Kab. in Winterthur.

Lit.: Dtsche Kst u. Dekor., 46 (1920) 179, m. Taf.- u. Text-Abbn bis p. 182. — Pages d'Art, 1921, p. 60, m. Taf. — Das Graph. Kabinett Winterthur, 1917 p. 16. — Kat. Ausst. Ksthaus Zürich v. 7.–31. 1. 1917 p. 8, 14.

Bégule, Joseph Emile, franz. Maler, Rad., Glasmaler u. Mosaikkünstler, * 25. 8. 1880 Saint-Cyr (Rhône), ansässig in Paris.

Schüler von L. Simon, Merson u. Mesnard. Mitglied der Soc. d. Art. Franç. Silb. Med. 1920.

Lit.: Joseph, I. — Bénézit, [2] I (1948).

Béha-Castagnola, Johanna, belg. Malerin, * 1870 Brüssel, ansässig in Lugano.

Stud. an der Akad. in Hanau u. am Städel-Inst. in Frankfurt a. M. Früchtestilleben im Mus. in Lugano.

Lit.: Dreßler.

Behar, Ely Maxim, franz.-amer. Maler, * 15. 8. 1890 in Frankreich, ansässig in New York.

Schüler von John F. Carlson u. C. W. Hawthorne.

Lit.: Fielding. — Amer. Art Annual, 20 (1923) 439.

Behler, Johann, Maler, * 9. 1. 1909 Hagen i. W., ansässig in Alpach (Tirol).

Bildnisse, Landschaften, Tierbilder.

Lit.: Innsbr. Nachr., 1942 Nr 157. — Tir. Tagesztg, 1946 Nr 177. — Stimme Tirols, 1947 Nr 13. — Die Furche, 1947 Nr 10. *J. R.*

Behmer, Marcus, dtsch. Buchschmuck-, Schrift- u. Exlibriskünstler, Radierer, Holzschneider u. Aquarellmaler, * 1.10.1879 Weimar, ansässig in Berlin. Sohn des Vor.

Autodidakt. Genießt als Meister auf d. Gebiet der modernen deutsch. Buchkunst weiten Ruf. Trat zuerst mit grotesken Tiervignetten hervor. Knüpfte dann Verbindung mit dem Inselverlag Leipzig an, für den er 1903 eine Prachtausgabe der Oscar Wildeschen „Salome" besorgte. Weitere Buchausgaben: Goethe,

Westöstl. Divan; Grimms Märchen; Balzac, Das Mädchen mit den Goldaugen; Grimmelshausen, Der erste Bärenhäuter (Insel-Bücherei Nr 340); Ph. O. Runge, Von dem Fischer u. syner Fru (dies. Folge Nr 315); Ernst Hardt, Dramen; Enno Littmann, Vom morgenländischen Floh; Voltaire, Zaïre; Harry Graf Keßler, Petronius, u. a. 1921 schuf er für Otto v. Holten seinen berühmten Antiquadruck. Entwickelt in seinen zierlichen Exlibris, Neujahrs-Glückwunschkarten, Zierbuchstaben, Signeten u. in s. Bucheinbänden einen unerschöpflichen Phantasiereichtum. Auch hervorragender Bildniszeichner u. Landschaftsaquarellist. Zeichnungen u. a. für den „Simplizissimus", die „Insel" und „Ver Sacrum". Koll.-Ausstellgn in der Staatl. Kstbibliothek Berlin 1928, in der Buchhandlg A.Wollbrück & Co., Berlin, Juli 1947, und in d. Gal. Springer, ebda 1951. Kstpreis der Stadt Berlin 1950.

Lit.: Th.-B., 3 (1909). — Dreßler. — Loubier, 1921, m. Schriftprobe. — D. Cicerone, 8 (1916) 194; 18 (1926) 812. — Exlibris, 23 (1913) 33/39; 35 (1925), Mitteil. p. 3f.; 38 (1928) 1/11, m. zahlr. Abbn. — D. Kunst, 30 (1913/14) 189, 141 (Abb.); 57 (1927/28) Beil. Heft 6, p. X. — Dtsche Kst u. Dekor., 30 (1912) 415/24, m. Abbn. — D. Kst u. d. schöne Heim, 49 (1950/51) 163. — Kst u. Kstler, 18 (1919/20) 91; 26 (1927/28) 115, 385f., Abbn p. 383/87. — D. Kstwanderer, 1927/28, p. 124. — Mitteilgn d. Exlibris-Ver. zu Berlin, 15 (1921) 4. — Philobiblon, 2 (1929) 283ff., m. Abb. u. Briefen B.s bis p. 307. — The Print Coll.'s Quarterly, 19 (1932) 159/179, m. Abbn. — Ver Sacrum, 3 (1900) 343ff., Abbn; 6 (1903). — Zeitschr. f. Bücherfr., N. F. 18 (1926) 247, Beil. Juli/Okt. 1926.

Behn, Fritz, dtsch. Bildhauer u. Plakettenkstler (Prof.), * 16.6.1878 Klein-Grabow, ansässig in Ehrwald, Tirol.

Schüler W. Rümanns in München, wo er sich niederließ. 1907/10 2 Reisen durch Zentralafrika, 1923/25 durch Südamerika, 1931 durch Ostafrika. Seit 1920 in Scharnitz an d. bayr./tirol. Grenze. 1939/46 in Wien (Prof. an d. Akad.). Seitdem eigene Bildh.-Schule in Ehrwald. Vortrefflicher Tierbildhauer. Auch Bildnis- u. Figurenplastik. Kolonialdenkmal in Bremen (1930; riesiger, aus Backsteinen gebildeter Elefant); Ehrenmal in Nürnberg; Johannesbrunnen und Figur eines sterbenden Kriegers auf dem Ehrenfriedhof in Lübeck; Schillerbrunnen in Essen; Wilhelm-Raabe-Brunnen in Braunschweig; Brunnen in Murnau, Ansbach u. Zwickau; Tritonengruppe im Aquarium in Neapel; Selbstbildnis (Büste) im Behnhaus in Lübeck; Büste Osw. Spenglers im Kronprinzenpalais in Stuttgart; Büste Rich. Strauß' in der Staatsgal. in München; Büste E. T. A. Hoffmanns in der Deutschen Bücherei in Leipzig; Büste des Kronprinzen Rupprecht von Bayern im Mus. in Leipzig; Büste Bachs in der Walhalla bei Regensburg; Tanzender Massai (Bronzestatuette) in der Ksthalle in Bremen. — Buchwerke: Haizuru (Macht nichts). Ein Bildhauer in Afrika, Münch. 1917; Kwa Heri Afrika (Leb' wohl Afrika).

Lit.: Th.-B., 3 (1909). — Dreßler. — Sperling. — Teichl. — H. Schmidt, F. B. als Tierplastiker (Coll. „Hugo Schmidts Kstbreviere" Bd 28), München 1922. — G. J. Wolf, F. B., Münch. 1928. — F. B., Tiere. Mit 38 ganzseit. Zeichngn. Geleitw. v. L. Heck, Stuttg. 1934. — Breuer, m. 2 Abbn u. (gez.) Selbstbildn. — Werner, p. 95/97, 205 (Fotobildn.). — Art in America, 14 (1925/26) 205ff. — D. Baumeister, 25 (1927) 197, 199, m. Abb. — D. Bild, 1935 p. 344ff.; 1938 p. 221/24; 1939 p. 60, 64. — D. Kst, 25 (1911/12) 331/36, m. Abbn p. 330/340; 26 (1912/13), Abb. geg. p. 280; 27 (1912/13) 492, 502 (Abb.); 29 (1913/14) 142, 146, 148, 154 (Abb.); 41 (1919/20) 40/44, m. Abbn, 69/81, m. Abbn. — Dtsche Kst u. Dekor., 36 (1915) 298; 38 (1915/16) 260 (Abb.); 43 (1918/19) 255 (Abb.); 60 (1927) 360/63 (Abbn). — Kst u. Kstler, 30 (1931/32) 69. — Kst dem Volk, 11 (1940) 17/25. — Mecklenburg. Monatsh., 4 (1928) Taf. geg. p. 452; 5 (1929) Taf. geg. p. 409. — D. Weltkst, 21 (1951) H. 9 p. 10; 22 (1952) H. 20 p. 11, m. Abb.

Behn, Hermann, dtsch. Bildhauer u. Maler, * 17.1.1882 Dabel i. Mecklbg, ansässig in Bremen.

Lit.: Dreßler.

Behncke, Nile Jürgen, amer. Malerin, * 4. 6. 1894 Oshkosh, Wisc., ansässig ebda.

Vertreten im Mus. in Oshkosh.

Lit.: Who's Who in Amer. Art, I: 1936/37.

Behnke, Fritz, dtsch. Maler, Entwurfzeichner für Textilien, Holzschneider u. Gebrauchsgraph. (Prof.), ansässig in Hamburg.

Schüler von Czeschka. Lehrtätig an der Hamburger Kunstgewerbeschule.

Lit.: Dtsche Kst u. Dekor., 30 (1912) 174 (Abb.); 48 (1921) 313. — D. Kreis (Hambg), 2 (1925) Heft 4 p. 45 (Abb.).

Behr, Ernest Theodore, amer. Wandmaler, † März 1922 Rogers Park bei Chicago.

Wandgemälde im Staatskapitol in Springfield Ill., sowie im Regierungsgeb. u. im Hause der Chicago Athletic Association.

Lit.: Amer. Art News, 20 Nr 23 v. 18. 3. 1922 p. 8.

Behrbohm, Johannes, dtsch. Maler, Graphiker u. Schriftst. * 28.9.1861 Wismar, lebt z. Z. im Altersheim in Traunstein, Oberbay.

Lernte bei s. Vater den Bau landwirtschaftl. Maschinen, ging dann zur Malerei über; Schüler v. C. Suhrlandt, weitergeb. an den Akad. Dresden u. Berlin, vorübergehend in Pforzheim tätig (Entwurfzeichner für Schmuck). 1904/34 in Berlin ansässig (1915/21 Figuren- u. Landschaftsmaler an d. Kgl. Porzellanmanuf.). 1911/22 Vorsitzender des Berl. Flugsportvereins; befaßte sich mit dem Problem des Segelfluges. (Seine Tochter Martha Georgi wurde eine der 3 ersten dtsch. Fliegerinnen.) 1932 Koll.-Ausst. im Rathaus Berlin-Schöneberg (100 Bilder). Arbeiten in d. Schule am Wartburgplatz Berlin-Schöneberg (gr. Gem. „An der Esse", 1926), im N. Rathaus ebda (Bilder u. Skizzen), im Mus. d. bild. Kste Leipzig (Aquarelle), im Gohliser Schlößchen (Haus der Kultur) ebda (Karikaturen), im Rathaus in Radolfzell (Ansicht von R. u. Der grüne Winkel) u. im Rathaus in Wismar (Hafen von W.). Bildnisse (Auswahl): Geh. Oberkirchenrat D. Bard, Schwerin (1905); Hofschauspieler Arendt, Schwerin; Selbstbildnisse (Öl u. Miniatur); Maler Rich. Schröter; Dr. Erich Drach, Lektor an d. Univ. Berlin; Schauspieler Karl Huth; Schriftst. Herm. Walter Kaden; Kunstfliegerin Liese-Lotte Georgi (Enkelin des Künstlers). Gr. Ölbild: Geisterstunde, im Steinsaal des Gohliser Schlößchens, mit etwa 40 Bildnissen Leipz. Künstler u. Schriftst. (1942/43). — Rad. (Kaltnadel): Bismarck; Maler A. Höhn (1921). — Buchwerke: Petermännchen; Der Adebar (Herbergs Hof- u. Ratsdruckerei Schwerin); Gedichte, 1903; Im nordischen Ringen (Epos in Hexametern), beide Verlag E. Pierson, Dresden.

Lit.: Fr. Jansa, Dtsche bild. Kstler in Wort u. Bild, 1912, m. Fotobildn. — Dreßler. — La Revue Moderne ill., Jg. 30, Nr 6 v. 30. 3. 1930 p. 16f. — Lüneburg. Anz., 16. 9. 1929. — Berl. Börsen-Ztg, 6. 1. 1932. — Berl. Lokal-Anz., 14. 8. 1932 (J. B.: Idealisten an die Front!). — Leipz. Tagesztg, 28. 9. 1936. — I. B. (Illustr. Beobachter), 14. Jg., Folge 35 v. 31. 8. 1939 p. 1358f. („3 Generationen Flieger"), mit 2 Fotobildn. — Leipz. N. Nachr., 2. 10. 1941. — Keilhauer Blätter (Lpzg), 38. Jg, Nr 4 v. 31. 12. 1941 p. 77 (Abb.: Karikaturbildn. d. Schriftst. Karl Schöffer, Lpzg).

Behre, Gustav, dtsch. Landschaftsmaler, ansässig in Limburg/Lahn.

Lit.: Kat.Westfäl.Kstausst.Dortmund 1942, m. Taf.

Behrendt, Erich, dtsch. Landschafts- u. Bildnismaler, * 13.11.1899 Wehlau, Ostpr., ansässig in Berlin.

Stud. 1919/24 an der Akad. in Königsberg. Beeinflußt von Arthur Degner.

Lit.: Dtsche Kst u. Dekor., 59 (1926/27) 213 (Abb.). — Kst u. Kstler, 27 (1928/29) 115, 116 (Abb.).

Behrendt, Fritz, dtsch. Landschaftsmaler, * 31. 10. 1863 Memel, † 13. 2. 1946 Fürstenfeldbruck bei München.

Stud. an der Akad. in Königsberg u. bei H. Baisch an der Akad. in Karlsruhe. 1903/40, ansässig in Grafrath bei München. Impressionist. Beschickte bis 1903 die Ausstellgn der Münchner Sezession. Koll.-Ausst. in der Gal. Heinemann in München Okt. 1921 und April 1924 (Verz., m. 3 Abbn). Errichtete in Grafrath eine Farbenfabrik („Behrendt-Farbe").

Lit.: Dreßler. — Die Kunst, 50 (1923/24), Beil. z. Maih. p. XI. — Velhagen & Klasings Monatsh., 38 (1923/24) Taf.-Abb. geg p. 360.

Behrendt, Fritz, dtsch. Architekt, * 1877 Königsberg, zuletzt ansässig in Breslau.

Stud. an den Techn. Hochschulen Charlottenburg u. München (Fr. v. Thiersch). Stadtbauinspektor in Breslau u. Dezernent für Wohnungs- u. Siedlungswesen. Gerh.-Hauptmann-Oberrealschule in Breslau; Erweiterungsbau der Regierung in Merseburg; Bauten der Ausst. für Friedhofkunst, Breslau 1913.

Lit.: Platz. — D. Baumeister, 15 (1917) 51ff. u. Beibl. p. 51. — Dtsche Kst u. Dekor., 33 (1913/14) 178 (Abb.), 179, m. Abb. — Zentralbl. d. Bauverwaltung, 40 (1920) 397/99; 41 (1921) 390/93.

Behrendt, Walter, dtsch. Architekt, * 1884, ansässig in Norwich, Connecticut.

Stud. an d. Techn. Hochsch. Charlottenburg, in München u. Dresden. 1912/33 Offiz. Berater bei Stadtplanungen u. beim Pr. Ministerium f. Öff. Arbeiten, Gesundheitswesen u. Finanzen. 1934 Lektor für Wohnungsbau u. Stadtplanung am Dartmouth College in Hanover, N. H., USA. 1937 Techn. Direktor d. Buffalo City Planning Association. Entwarf die mit der Univers. Buffalo verbundene Research Station. 1937/41 Prof. f. Stadtplanung an d. Univ. Buffalo. 1941 in gl. Eigenschaft am Dartmouth College. 1919 –24 Herausgeber d. Zeitschr. „Die Volkswohnung". Buchwerke: City Planning a. Housing in the Un. States, 1927; The Dutch City, 1928; Modern Building: Its Nature, Problems and Forms, 1937.

Lit.: Dreßler. — The Internat. Who's Who, [8] 1943/44.

Behrens, Frank, schweiz. Maler, * 29.7. 1883 Biel, ansässig in Schleißheim.

Schüler der Münchner Akad., seit 1910 in Schleißheim ansässig. Figürliches (bes. Monumentalmalereien), Landschaften, Stilleben. Wandgem. im Krematorium in Biel; weibl. Akt im Mus. Schwab ebda.

Lit.: Brun, IV. — Schweiz. Zeitgen.-Lex., 1932. — Die Schweiz, 1907 p. 151, 153; 1914, p. 133, m. Abb.

Behrens, Georg von, livländ. Maler, * 23.3. 1893 Riga, ansässig in Grindelwald, Schweiz.

Stud. bei Paul Wagner in Kochel, Oberbay., an der Brit. Acad. in Rom bei S. Lipinski, an der Akad. in Florenz, bei Jos. Jungwirth u. Hans Tichy an d. Wiener Akad., schließlich (1927/28) an der Grande Chaumière in Paris. Genre, Bildnisse, Landschaften.

Lit.: Dreßler.

Behrens, Hans, dtsch. Maler u. Modelleur, * 13.1.1882 Frankfurt a.M., † 1952 ebda.

Modelle für die keram. Werkstatt der Debschitz-Schule. Buchwerk; Tierzeichnen auf anatom. Grundlage, G. B. Teubner, Lpzg 1928.

Lit: Dreßler. — Dtsche Kst u. Dekor., 40 (1917) 261 (Abb.). — D. Kst u. d. schöne Heim, 51 (1952) Beil. p. 1.

Behrens, Ilse, s. Artikel *Starke*, Ottomar.

Behrens, Johannes, dtsch. Bildhauer, * 13.1.1882 Hamburg, ansässig ebda.

Lit.: Dreßler.

Behrens, Marie Margarete, dtsche Malerin u. Scherenschnittkünstlerin, * 16.8. 1883 Rostock, ansässig ebda.

Schülerin von A. Lewin-Funcke in Berlin. Buchwerke: Goldflüglein; Kinderhimmel; Vom Morgen zum Abend. Scherenschnitte bei F. A. Perthes, Gotha 1916.

Lit.: Dreßler.

Behrens, Peter, dtsch. Architekt, Kunstgewerbler, Maler, Modelleur, Graph., Buch- u. Schriftkstler (Prof. Dr. techn. h.c., Baurat), * 14.4.1868 Hamburg, † 27.2.1940 Berlin.

Stud. 1886/89 an der Kunstsch. in Karlsruhe u. bei Brütt in Düsseldorf. Seit 1890 in München hauptsächl. als Maler (Mitgründer der Sezession 1893) u. Buchkünstler tätig (Schöpfer der Drucktypen „Behrens-Kursiv" u. „Behrens-Antiqua"), 1890 Reise nach Holland, 1896 nach Italien. 1900 nach Darmstadt berufen, wo sich ihm in der Kstlerkolonie auf der Mathildenhöhe zuerst Gelegenheit zu bau- u. raumkünstler. Tätigkeit bot. 1903/07 Direktor der Kstgewerbesch. in Düsseldorf. Seit Herbst 1907 künstler. Beirat der AEG Berlin. Seit 1922 Prof. u. Leiter d. Meistersch. für Architektur an der Wiener Akad. 1936 Übertragung eines Meisterateliers für Baukunst an der Preuß. Akad. d. Kste in Berlin. — Begründer einer neuen Richtung in der Architektur, die, auf den Gesetzen einer strengen Raumstereometrie u. einer geometrisch-rhythmischen Flächenaufteilung basierend und auf alle Schmuckformen verzichtend, in dem reinen Nutzbau die höchste Zweckmäßigkeit mit den höchsten künstler. Werten vereinigt. Leistete durch sinnvolle Verwendung der bislang in Mißkredit gestandenen Ersatzbaustoffe des Kunststeins u. Betons weitwirkende Pionierdienste. Wurde im Dienst der AEG zum Großorganisator neuzeitlicher monumentaler Industriebauten: Turbinenhalle der AEG, Berlin-Moabit, Huttenstraße (1909), der erste monumentale Glaseisenbau in Deutschland; Hochspannungsfabrik am Humboldthain (1910); Lackfabrik in Hennigsdorf b. Berlin (1911); Porzellanfabrik ebda; Kleinmotorenfabrik an der Voltastr. in Berlin (1911); Montagehalle für Großmaschinen (1912); ferner Fabrik-, Direktions- u. Verwaltungsgeb. für die Mannesmann-Röhrenwerke in Düsseldorf, die Frankfurter Gasgesellschaft am dort. Osthafen, die Höchster Farbwerke, die Blancke-Werke in Merseburg, die Continental-Compagnie in Hannover; Bürohaus u. Lagergeb. der Gute-Hoffnung-Hütte in Oberhausen; Krematorium in Delstern bei Hagen i. W.; Ausbau der Villenkolonie in Hagen i. W.; Bauten der öst. Tabakregie in Linz a. d. D.; Erweiterungsbau von St. Peter in Salzburg; Arbeitersiedlung in Hennigsdorf; Kath. Gesellenhaus in Neuß a. Rh.; Wohnhäuser, darunter seine eigenen Häuser auf der Mathildenhöhe in Darmstadt (1900/01) u. in Neubabelsberg b. Potsdam (1907/08); Haus „Berolina" am Alexanderplatz in Berlin u. die im Zusammenhang mit der Regulierung des Platzes entstand. neuen Hochhäuser ebda. Ein Opfer des 1. Weltkrieges wurde sein Haus der Deutschen Botschaft in St. Petersburg (1911/12). — Buchwerk: Feste des Lebens u. der Kunst, Jena o. J. — Kollektivausst. im Rahmen der

Wiener Sezessionsausst. Wien 1932 (Festschrift u. Kat.)

Lit.: Th.-B., 3 (1909). — P. B. Monogr. dtsch. Reklamekstler, Heft 5, Dortmund 1913. — F. Hoeber, P. B., München 1913, m. 250 Abbn u. ausführl. Lit.-Verz. — P. J. Cremers, P. B. Sein Werk von 1909 bis zur Gegenw., Essen 1928. — Platz. — Loubier, p. 19f., 32f., 42ff., 49. — K. M. Grimme, P. B. u. s. Wiener Akad. Meisterschule, Wien 1930. — D. Architekt, 21 (1916/18) 41ff. — Archiv f. Buchgew., 75 (1938) 161/64. — Dtsche Bauztg, 60/I (1926) 273ff., 281ff.; 62/I (1928) 272; 65/I (1931) 289; 66/II (1932) 901ff. — D. Kunst, 28 (1913) 573/76; 36 (1916/17) 145/58; 54 (1925/26) Abb. p. 155; 58 (1927–28) Abb. geg. p. 57, 58 (Abb.), 60 (Abb.), 63; 66 (1931/32) 125/32; 70 (1933/34) 14f. (Abb.); 78 (1937–38) Beil. z. Maiheft, p. 8. — D. Kst i. Dtsch. Reich, 4 (1940): Die Bauwelt, p. 65f. — D. Christl. Kst, 24 (1927/28) Abb. geg. p. 225, 235ff., 319f. — Dtsche Kst u. Dekor., 30 (1912) 131/33; 32 (1913) 261/92; 34 (1914) 121/30; 40 (1917) 251ff.; 51 (1922/23) 221ff.; 70 (1932) 33/40. — Kst u. Kstler, 11 (1913) 262/66, 414/20; 24 (1925/26) 290, 365f., 416. — Kst in Öst., 1 (Leoben 1934) 109 (Abb.), 110 (Abb.), 111 (Abb.). — Öst. Kst, 1 (1929/30) H. 9 p. 9/12; 3 (1932) H. 11 p. 5/10, 11/28 (Abbn), 34/36; 7 (1936) H. 4 p. 3/7. — Kstgewerbeblatt, N. F. 24 (1913) 186/89, Abbn bis p. 193. — D. Kstwart, 22/IV (1909) 218/20. — Wasmuths Monatsh. f. Baukst, 3 (1919) 265/85; 15 (1931) 289/93. — Westermanns Monatsh., 132/I (1922) 73/75. — Das Plakat, 11 (1920) 269ff., 275. — Profanbau, 1914 p. 309ff., 490. — The Studio, 105 (1933) 253 (Abb.); 107 (1934) 287 (Abb.). — D. Weltkst, 6 Nr 48 v. 27. 11. 1932 p. 3. — D. Werk (Zürich), 27 (1940) 166ff., 302. — Zeitschr. f. Bücherfreunde, N. F. 5/II (1913) 257/68. —Zeitschr. d. Rhein. Ver. f. Denkmalpflege u. Heimatschutz, 21 (1928) H. 2 p. 16/24, 103, 105 (Abb.), 109f. (Abb.), 112/14. — Zentralbl. d. Bauverwaltg, 60 (1940) 170. — D. Tag (Berlin), 14. 4. 1948. — Festschr. f. P. B. (Österr. Kst) Ausst.: Zehn Jahre Architektur um P. B. Wiener Sezess. 1932. Festschr. u. Katal.

Behrens-Hangeler, Herbert, dtsch. Maler, * 3. 8. 1898 Berlin, ansässig ebda.

Mitgl. der Novembergruppe, Berlin.

Lit.: Dreßler. — Kst der Zeit, 3 (1928/29) 55 (Abbn).

Behrens-Ramberg, Georg, dtsch. Maler u. Radierer, * 17. 11. 1875 Hasenburg b. Lüneburg, zuletzt ansässig in Lübeck.

Stud. 1894/97 an der Akad. in Düsseldorf. Herrenbildnis im Rathaus in Wilhelmsburg; Blumenstück im Behnhaus in Lübeck. Mappenwerk: Radierungen von Lüneburg (Selbstverlag).

Lit.: Dreßler.

Behring, Edith, brasil. Malerin, * 1917 Rio de Janeiro, ansässig ebda.

Schülerin von Cândido Portinari an der Univ. in Rio (1936/39). 2 Federzeichngn (Negertypen) im Mus. f. Mod. Kst in New York.

Lit.: Kirstein, p. 90f.

Behringer, Oskar, dtsch. Maler (Öl u. Aquarell), * 6. 4. 1874 Leipzig, ansässig ebda.

Stud. an der Akad. f. Graph. Kste in Leipzig, an der Kstsch. in Weimar u. an der Münchner Akad. Studienaufenthalte in Paris u. Italien. Hauptsächl. Landschafter u. Bildnismaler. Im Mus. in Leipzig: Sitzende weibl. Figur. 1926 Koll.-Ausst. b. Barchfeld, Leipzig.

Lit.: Dreßler. — D. Cicerone, 18 (1926) 362. — Kst u. Kstler, 29 (1930/31) 395f., m. Abbn. — Leipz. Volkszeitg, 6. 4. 1949.

Behringer, Rolf, dtsch. Architekt, * 8. 8. 1872 Nürnberg, ansässig ebda.

Stud. an der Techn. Hochsch. in Dresden. Hauptbauten: Stadtpfarrk. St. Anton in Ingolstadt (zus. mit Oberbaur. Vonwerden); Pfarrk. in Berg b. Neumark, Oberpfalz; Siedlung Rothlindenhöhe der Bayer. Kohlenindustrie A. G. Schwandorf nebst Kriegergedächtniskap.; Siedlung Hornchüchhausen der Kulmbacher Spinnerei; Evang. Kirchen in Pyrbaum, Oberpf., u. Beilngries, Oberpf.; Ortskrankenkasse in Forchheim; Bez.-Sparkasse in Beilngries.

Lit.: Dreßler. — Neue Baukst, 6 (1930) Febr.-Heft, p. 1ff., m. Abbn bis p. 14.

Béja, Anne, franz. Landschaftsmalerin, * Saloniki (Griechenland), ansässig in Paris.

Stellte seit Mitte der 1930er Jahre im Salon d'Automne, im Salon des Tuileries u. bei den Indépendants aus.

Lit.: Bénézit, [2] I (1948). — Beaux-Arts, Nr 306 v. 11. 11. 1938, p. 3 (Abb.); Nr 335 v. 2. 6. 1939, p. 2 (Abb.).

Beier, Alfred, öst. Radierer, * 30. 11. 1887 Wien, ansässig ebda.

Stud. an der Wiener Akad.

Lit.: Dreßler.

Beier, Ottohans, dtsch. Maler, Graph. u. Exlibriskünstler, * 9. 10. 1892 Karlsruhe, ansässig in München.

Stud. 1913/14 an der Kstgewerbesch. in Karlsruhe. Stand 1914/18 als Soldat im Felde. Seit 1918 in engl. Kriegsgefangenschaft. Gab in dieser Zeit eine Lagerzeitung: Der Giepmalz, mit Orig.-Zeichnungen heraus, die z. T. später von ihm radiert wurden. Seit 1919 in München. Reisen: Dänemark 1925, Rumänien 1929, Sizilien 1931. Dürerpreis 1930. Gold. Med. Weltausst. Paris 1937. Bedeutender, von echt nordischer Phantasie besessener Graphiker. Als Rad. Autodidakt. Sein 1., bei F. Bruckmann in München 1921 erschienenes Mappenwerk (6 Rad.) enthält eine Sage (Tannhäuser), eine Legende (Hufeisenleg. Goethes), ein Märchen (Froschkönig), ein Gebet (Mörike), einen Spruch (aus Seb. Brants „Narrenschiff": Tod, einen Trauernden höhnend) u. ein Lied (vom zerbrochenen Ringlein). 1923: Landschaften vom Rhein u. aus der Pfalz; 1924: Totentanz (Kaltnadel); 1927: Salome (Rad.). Holzschnitte: De Coster, „Herr Halewyn" (7 Bll.). Lithos: Himmelswiege (9 farb. Bll.), Münch. 1920.

Lit.: Dreßler. — Das Bild, 1935, p. 116, m. Abb.; 1940, p. 90 (Abb.); 1941 p. 73/76. — Dtsche Bildkst, 2. Jg, H. 5 (1932) p. 5f., m. Abb. — Exlibris, 32 (1922) 8/13, m. Abb.; 34 (1924), Mitteil. p. 7. — Die Graph. Künste (Wien), 55 (1932) 51/56, m. 6 Abbn. — D. Kunst, 73 (1925/26) 309 (Abb.). — Kst Rundschau, 44 (1936) 133, m. Abb. — Mitteil. d. Exlibris-Ver. Berlin, 16 (1922) 33. — Leipz. Ill. Ztg, Jg 99 Nr 5002 v. 28. 5. 1942 p. 340/41.

Beier, Walter, dtsch. Maler, * 29. 8. 1894 Berlin, ansässig im Mecklenburgischen.

Lit.: Mecklenb. Monatsh., 14 (1938) 424.

Beijbom, Hans Eric, schwed. Landschaftsmaler (Öl u. Aquar.) u. Zeichner, * 1916 Danderyd, Stockholms län, ansässig in Trelleborg.

Stud. an der Akad. in Dresden u. bei L. Welamson in Stockholm. Bild im Mus. in Trelleborg.

Lit.: Thomœus.

Beiler, Anton, tirol. Bildhauer, * 16. 2. 1874 Brixen a. E., ansässig in Innsbruck.

Stud. an d. Staatsgewerbesch. in Innsbruck. Nach 17jähr. Zusammenarbeit mit Franz Egg selbständig ebda. Kirchen-Ausstattungen mit Altären, Tabernakeln, Kanzeln, Osterleuchtern, Taufdeckeln usw., u. a. f. d. Dekanatsk. in Zams, Stiftsk. in Wilten,

Pfarrk. in Kematen, Rinn, Lanersbach, Unterleutasch, Sölden, Kuratiek. in Afling, Wallfahrtskap. Höttingerbild. Kruzifixe, Heiligenstatuen, Krippen.
Lit.: Fischnaler, Innsbr. Chronik, V 51. — Hochenegg, Die Kirchen Tirols, Innsbr. 1935. — Tir. Anz., 1927 Nr 255; 1932 Nr 150. — Tir. Tagesztg, 1947 Nr 97. *J. R.*

Beilken, Gustav, dtsch. Kstschmiedemeister, * 1894 Brake (Oldenburg).
13 J. lang Lehrer von Meisterkursen in Frankfurt a. d. O. Arbeitet zus. mit s. früheren Meisterschülern Paul Boehm (* 1903 Frankf. a. d. O.) u. Ewald Riedel (* 1903 Güldendorf).
Lit.: D. Bild, 8 (1938) 223f.

Beindorf, Wilhelm, dtsch. Figuren-, Tier- u. Landschaftsmaler u. Holzschneider, zuletzt ansässig in Schmiedebach/Th.
Mappenwerk: Liebe (6 [4farbige] Orig.-Holzschn.), Berlin 1913.
Lit.: Kat. Kstausst. Maler im Wartheland, K.-F.-Mus. Posen 1943, m. Abb. — Kat. Juryfreie Kstschau, Berlin 1927, Nr 37/39; 1929 Nr 73/75 u. Taf. 65.

Beintmann, Wilhelm, dtsch. Bildnismaler, * 6.6.1889 Frankfurt a.M., ansässig ebda.
Stud. 1909/14 an der Akad. Düsseldorf, dann an der Acad. de bellas Artes in Cádiz u. an der Universität Zaragoza.
Lit.: Dreßler.

Béjot, Eugène, franz. Malerradierer, Zeichner u. Aquarellmaler, * 31. 8. 1867 Paris, † 28. 2. 1931 ebda.
Schüler von J. Lefebvre, B. Constant u. Buhot. Beeinflußt von Bracquemond. Mitglied der Soc. Nat. d. B.-Arts, der Soc. d. Peintres et Grav. Franç. u. der Londoner Soc. of Painters a. Etchers. Vortrefflicher Schilderer des alten u. neuen Paris, das er skizzierend unermüdlich durchstreift hat, die Seine als das Leitmotiv seiner licht- u. lufterfüllten Aufnahmen heraushebend. Neben Paris hat er Städtebilder aus Nantes, Saint-Malo, Rouen, Biarritz, Cannes, im Ausland Brüssel, Antwerpen, Amsterdam, Leiden, London, Madrid, Granada, Toledo u. a. O. in ebenso topographisch getreuer wie luminaristisch lebendiger u. in der Wahl der Motive bestechender Weise auf die Kupferplatte gebracht. Einen reich illustr. Katalog s. Radierungen hat J. Laran zusammengestellt.
Lit.: Th.-B., 3 (1909). — Joseph, 1, m. Abb. — J. Laran, L'œuvre gravé d'E. B., Paris 1937. — Bénézit, [2] 1 (1948). — Gaz. d. B.-Arts, 1912/II p. 469f., m. Orig.-Rad.; 1931/II p. 180 (Abb.). — L'Art et les Artistes, 16 (1912/13) 17/24, m. 12 Abbn; N. S. 9 (1924) 310/14, m. 6 Abbn; 18 (1931) 103f., m. Abb., 244/69, m. Abbn. — The Print Coll.'s Quarterly, 11 (1924) 460, m. Abb.; 21 (1930/31) 68f., 70 (Abb.); 22 (1931) 215. — Bull. de l'Art, 1930 p. 154. — Beaux-Arts, Nr 251 v. 22. 10. 1937 p. 5, m. Abb. — D. Graph. Kste (Wien), N. F. 2. (1937) 160.

Beischläger, Emil, öst. Bildnis-, Landsch.-, Stilleben- u. Blumenmaler, * 1897.
Schüler von Egge Sturm-Skrla.
Lit.: D. getreue Eckart (Wien), 10 (1932/33) 397/400, m. 5 farb. Abbn u. Selbstbildn.

Beithan, Emil, dtsch. Genre- u. Stillebenmaler, * 27.5.1878 Homburg v.d.H., ansässig in Buchschlag i.H.
Schüler von Hasselhorst u. Eug. Klimsch am Städel-Instit. in Frankfurt a. M., 1896/97 von W. Trübner, 1897/1900 von W. A. Beer. Seit 1903 in Frankfurt ansässig. Malte häufig in der Schwalm. Bilder in den Museen in Essen u. Wuppertal-Elberfeld.
Lit.: Weizsäcker-Dessoff. — Dreßler. — Bantzer, Hessen i. d. dtsch. Malerei (Beitr. z. hess. Volks- u. Landeskde, H. 4), Marburg 1939, m. Abb. — Das Bild, 4 (1934) 379 (Abb.); 9 (1939) 186 (Abb.). — Velhagen & Klasings Monatsh., 52/II (1938) farb. Taf. geg. p. 289, 294, 377. — Kst u. Ksthandwerk (Wien), 9 (1906) 57. — Dtsche Kst u. Dekor., 39 (1916/17) 158, m. Abb.

Beken, Annie, engl. Aquarellmalerin u. Radiererin, ansässig in London.
Stud. am Roy.Coll.of Art. Blumenstücke, Interieurs.
Lit.: Who's Who in Art, [3] 1934. — Graves, I.

Békésy, Leó, ungar. Maler, * 5. 2. 1890 Großwardein (Nagyvárad).
Schüler der Akad. Budapest, weitergebildet in Szolnok u. Nagybánya.
Lit.: Szendrei-Szentiványi.

Bekker, Christiaan Frederik, holl. Landschafts- u. Stillebenmaler, * 31. 12. 1890 Amsterdam, lebt in Bussum.
Schüler von T. Bottema, dann der Amsterd. Akad. unter Dake, van der Waay, Derkinderen, P. Dupont u. van Hove. Mitglied der „Brug" u. der „Onafhankelijken". Beeinflußt von Henry Rousseau, Seurat u. Derain. Studienaufenthalte in Paris, Antwerpen u. Brüssel.
Lit.: Waay. — Persoonlijkheden, m. Fotobildn.

Bekker, David, amer. Bildnismaler (Öl u. Miniatur), * 1. 5. 1899, ansässig in Chicago.
Schüler von Boris Schatz u. Abel Panne. Porträtierte mehrere Mitglieder des rumän. Königshauses (Miniaturen). Ölbildnisse im Art Mus. in Palestine, Texas, u. im State House in Boston. Glasfenster in d. Anshe Emet-Synagoge in Chicago.
Lit.: Who's Who in Amer. Art, I: 1936/37. — The Art News, 48, Dez. 1949, p. 50.

Bekker, Heinz, dtsch. Bildnis- u. Genremaler u. Restaurator, * 1882 Kassel, ansässig ebda.
Stud. an der Kstgewerbesch. in Hannover u. an der Techn. Hochsch. in Braunschweig.
Lit.: Dreßler.

Bekker, Pieter Adrianus, holl. Maler, * 15. 2. 1912 im Haag, ansässig ebda.
Schüler der Haager Akad. unter A. J. van 't Hoff. Stilleben, Landschaften, Blumenstücke.
Lit.: Waay.

Bekker vom Rath, Hanna, dtsche Malerin, * 7. 9. 1893 Frankfurt a. M., ansässig in Hofheim i. Taunus.
Schülerin von Ad. Hölzel u. Ida Kerkovius.

Bekman, Hubert, holl. Figurenmaler (bes. relig. Vorwürfe) u. Graph., * 4. 11. 1896 Voorburg, ansässig im Haag.
Schüler der Haager Akad. Bild im Abbe-Mus. in Eindhoven.
Lit.: Waay. — Hall, Nrn 7155/56. — Waller. — Elseviers, geïll. Maandschr., 83 (1932) 439f. — Maandbl. v. beeld. Ksten, 11 (1934) 379f., m. Abb.; 13 (1936) 87, m. Abb.

Bélair, Pierre de, franz. Figuren- u. Bildnismaler u. Plakatkünstler, * 29. 10. 1892 Lyon, ansässig in Paris.
Schüler von Flameng, J. P. Laurens u. Déchenaud. Mitglied der Soc. Nat. d. B.-Arts.
Lit.: Joseph, I. — Bénézit, [2] I (1948).

Belányi, Viktor, ungar. Figurenmaler u. Pressezeichner, ansässig in München.
Stud. in Budapest u. München.

Lit.: Szendrei-Szentiványi. — Dreßler. — D. Cicerone, 4 (1912) 816. — Dtsche Kst u. Dekor., 34 (1914) 96 (Abb.).

Belay, Pierre de, franz. Bauernmaler u. Rad., * 11. 12. 1890 Quimper (Finistère), ansässig in Paris.

Autodidakt. Stellt im Salon d'Automne, im Salon des Tuileries u. bei den Indépendants aus. Hauptsächlich Schilderungen bretonischer Bauernmärkte, Interieurs, Straßenszenen aus Concarneau, Quimper u. a. O.

Lit.: Joseph, I, m. Abb. — Bénézit, [2] I (1948).

Belcher, George, engl. Radierer, humorist. Zeichner u. Stillebenmaler, * 19. 9. 1875 London, ansässig ebda.

Mitarbeiter am „Punch", „Tatler" u. „Vanity Fair". Bildnisrad.

Lit.: Who's Who in Art, [3] 1934. — The Connoisseur, 64 (1922) 261. — Apollo (London), 23 (1936) 341; 27 (1938) 289 (Abb.), 291. — The Studio, 114 (1937) 4f., 15 (Abb.). — Architect. Review, 106, Okt. 1949, p. 215 (Abb.).

Belcher, Hilda, amer. Malerin, * 20. 9. 1881 Pittsford, Vt., ansässig ebda.

Tochter der engl. Malerin u. Rad. Martha Wood B. Schülerin von W. M. Chase, Robert Henri u. Hayes Miller in New York. Hauptsächlich Porträtistin. Bilder im Maryland Inst. in Baltimore, in d. Luth. Kirche ebda (Himmelfahrt Christi), in d. Pennsylv. Acad. of the F. Arts in Philadelphia, im Mus. of F. Arts in Houston, Tex., im High Mus. in Atlanta, im Mus. Montclair u. im Wood Mus. in Montpelier, Vt.

Lit.: Fielding. — Who's Who in Amer. Art, I: 1936/37. — Earle. — The Internat. Who's Who, [16] 1952. — Amer. Art Annual, 8 (1910/11), Abb. geg. p. 176; 12 (1915), Abb. geg. p. 212; 20 (1923) 439; 30 (1933). — Monro. — The Studio, 69 (1917) 204. — The Art News, 24, Nr 34 v. 29. 5. 1926, p. 3.

Belder, Joseph de, belg. Blumen-, Stillleben- u. Landschaftsmaler, * 1871 Antwerpen, † 1927 ebda.

Lit.: Seyn, I 200.

Belfrage, Bror, schwed. Tiermaler u. -zeichner, * 1905 Eskilstuna, ansässig in Stockholm.

Schüler von Carl Wilhelmson.

Lit.: Thomœus.

Belindeanu, Stephan, rumän. Maler, * 1873 Nicula, Bez. Somes, † 28. 2. 1933 ebda.

Lit.: Josef Strzygowski-Festschr., Klagenfurt 1932, p. 175/78.

Belitz, Helene, dtsche Landschafts- u. Blumenmalerin, Radiererin u. Linolschneiderin, * 4. 1. 1889 Bukarest, ansässig in Chemnitz.

Schülerin von Lalontin in Breslau, von Kaiser, Schrader-Velgen u. Aichinger in München u. von Karl Wendel in Berlin.

Belke, Franz, dtsch. Bildhauer, * 17. 8. 1876 Förde, zuletzt ansässig in Grevenbrück.

Schüler der Münchner Akad. Krieger-Ehrungen u. a. in Attendorn, Bielstein, Bracht i. Sauerland u. in Madersbach a. d. Sieg. Marmorstatue Petrus Canisius in d. Kathedr. St Patrick in New York; Hl. Adalbert, Portalfigur am Missionshaus in Mehlsack, Ostpr.

Lit.: Dreßler.

Bell, Anning, s. *Bell,* Robert Anning.

Bell, Blanche Browne, amer. Malerin u. Rad., * 22. 8. 1881 Helena, Tex., ansässig in San Antonio, Tex.

Schülerin von Arpa u. Gonzales. Wandmalerei im Robert B. Green Hospital in San Antonio, Texas.

Lit.: Amer. Art Annual, 30 (1933). — Who's Who in Amer. Art, I: 1936/37.

Bell, Cecil C., amer. Maler, * 1906.

1. Sonderausst. (Guaschen) in der Kraushaar Gall., New York Dez. 1945.

Lit.: Art Digest, 1. 12. 1945, p. 11. — Art News, 1. 12. 1945, p. 25. — The Brooklyn Mus. Quart., 23 (1936) 77 (Abb.).

Bell, Charles, amer. Wandmaler u. Illustr., * 1874 Williamsport, Pa., † 11. 6. 1935 Avalon, N. Y.

Wandgem. im Staatskapitol in Harrisburg, Pa.

Lit.: Who's Who in Amer. Art, I: 1936/37, p. 492.

Bell, Clara Louise, verehel. *Janowsky,* amer. Miniaturmalerin, * 18. 12. 1886 Newton Falls, Ohio, ansässig in New York.

Schülerin von Edith P. Stevenson Wright in Cleveland und von H. G. Keller in New York. Vertreten u. a. im Metrop. Mus. New York u. im Mus. in Brooklyn, N. Y.

Lit.: Fielding. — Amer. Art Annual, 30 (1933). — Who's Who in Amer. Art, I: 1936/37. — Art Digest, 26, Nr v. 1. 10. 1951, p. 14.

Bell, Edith, amer. Malerin, * Cushing, Ia., ansässig in Iowa City, Ia.

Schülerin von Charles A. Cumming, G. W. Maynard, Francis C. John u. Rich. Miller.

Lit.: Amer. Art Annual, 30 (1933). — Who's Who in Amer. Art, I: 1936/37.

Bell, Enid, verehel. *Palanchian,* engl.-amer. Bildhauerin, Illustr. u. Schriftst., * 5. 12. 1904 London, ansässig in Newark, N. J.

Stud. an d. Kstschule in Glasgow u. bei W. Reid Rick in London.

Lit.: Mallett. — Who's Who in Amer. Art, I: 1936/37. — Art Digest, 15. 3. 1949, p. 14. — The Art News, April 1949, p. 57. — Art Digest, 23, Nr v. 15. 3. 1949, p. 14.

Bell, Eric Sinclair, schott. Architekt u. Architekturrad., * 1. 9. 1884 Warrington, Lancashire, ansässig in Stirling.

Stud. an der Kstschule in Glasgow, arbeitete einige Zeit bei J. J. Burnet.

Lit.: Who's Who in Art, [3] 1934.

Bell, George, austral. Bildnismaler, * Melbourne, ansässig ebda.

Schüler von J. P. Laurens in Paris. Beschickte seit 1908 die Ausst. der Londoner Roy. Acad., 1911 u. 1913 auch den Salon der Soc. d. Art. Franç. in Paris.

Lit.: Bénézit, [2] I (1948). — The Studio, 62 (1914) 207 (Abb.); 115 (1938) 15, m. Abb.

Bell, Gladys Kathleen, engl. Miniaturmalerin, ansässig in London. Gattin des Reginald.

Lit.: Who's Who in Art, [3] 1934.

Bell, Joseph, dtsch. Maler (Öl, Aquar., Fresko), Radierer, Lackholzschnitzer u. Entwurfzeichner für Mosaik, * 25. 11. 1891 Köln, ansässig in Köln-Zollstock.

Stud. an d. Kstgewerbesch. in Köln, 1916/18 in Berlin, 1918ff. bei Spatz, Ederer u. Nauen in Düsseldorf. 1922/23 in Italien. Hauptsächl. Landschaften u. religiöse Vorwürfe. Breite malerische Technik. Bilder im Mus. in Tokio (Klage) u. in den Städt. Kstsmlgn Düsseldorf (Span. Gebirgsdorf). Wandbilder in der Friedhofkapelle in Düsseldorf-Eller. Koll.-Ausst. Herbst 1934 in der Gal. Dr. Becker & Newman in Köln. Ged.-Ausst. im Köln. Kstverein. Sept. 1935.

Lit.: Dreßler. — Hellweg, 5 (1925/I) 205f., m. 3 Abbn. — D. Christl. Kst, 25 (1928/29) 239/42, m. Abbn. — D. Weltkst, 8 Nr 39 v. 30. 9. 1934 p. 2; 9 Nr 35/36 v. 8. 9. 1935, p. 3.

Bell, Karl Friedrich, öst. Maler u. Lithogr., * 1877, ansässig in Wien.

Lithos: Zyklus „Höllenreigen"; Baumgespenst; Die beinerne Kanzel.

Lit.: Dreßler. — Der getreue Eckart (Wien), 14 (1936/37) 121/26, m. Abbn.

Bell, Reginald, engl. Glas- u. Wandmaler, * 7. 7. 1886 London. Sohn des Glasmal. John Clement. B. (* 1860). Gatte der Gladys.

Farb. Glasfenster im nördl. Querschiff der Kathedr. in York, in d. Kathedr. in Salisbury (Siegesfolge) u. in d. Bibl. des Park House in St. John's Wood. Wandmalereien in den Kathedr. zu Salisbury u. Norwich, im Café Royal in London u. in der dort. Ironmongers' Hall.

Lit.: Who's Who in Art, [3] 1934. — The Studio, 85 (1923) 190/96, m. 1 farb. Taf. u. 6 Abbn; 95 (1928) 203 (ganzseit. Abb.). — Artwork, 1 (1924/25) 129 (Taf.), 130 (Taf.); 2 (1925/26) 57. — Apollo (London), 17 (1933) 154, m. Abb. — The Connoisseur, 91 (1933) 338.

Bell, Robert Anning, engl. Figurenmaler (Öl u. Aquar.), Illustr., Modelleur u. Entwurfzeichner für Glasmalerei u. Mosaik, * 14. 4. 1863 Soho (Sudan), † 27. 11. 1933 London.

Schüler von Fred. Brown an d. Westminster-Schule u. von Walter Crane, dann von Aimé Morot in Paris. Zeichenlehrer an d. Kstschule in Glasgow, dann am Roy. Coll. of Art u. Mallehrer am Univ. Coll. Liverpool. Je 2 Aquarelle in d. Tate Gall. in London u. in d. Walker Art Gall. in Liverpool. Mosaiken im Lond. Parlamentsgebäude u. im Giebelfeld der Westminster-Kathedrale.

Lit.: Th.-B., 3 (1909). — Spielmann. — Bénézit, [2] 1. — Who's Who in Art, [2] 1929; [3] 1934, Obituary, p. 447. — Zur Westen, 44f., m. Abb. — Ill. London News, 144, p. 498. — The Studio, 62 (1914) 179 (Abb.); 63 (1915) 215; 66 (1916) 281; 68 (1916) 40, 128; 69 (1917) 69, m. Abb.; 83 (1922) 300, 382; 84 (1922) 73; 91 (1926) 427 (ganzseit. farb. Abb.); 95 (1928) 6 (Abb.: Umschlagzeichn.). — The Connoisseur, 34 (1912) 261, farb. Taf.; 49 (1917) 237f.; 51 (1918) 111f., m. Abb., 169; 93 (1934) 60f. — Athenæum, 1920/II, p. 662. — The Burlington Magaz., 37 (1920) 325, 326. — Apollo (London), 19 (1934) 342. — Artwork, 1 (1924/25) 4 (Abb.), 53. — The Art News, 32, Nr 13 v. 30. 12. 1933, p. 10. — Revue de l'Art anc. et mod., 65 (1934/I), Bull. p. 20. — Nat. Gall. of South Australia Bull. (Adelaide), 8.10.1946, p.7(Abb.).

Bell, Robert Michael, dtsch. Maler, Graphiker u. Werkkstler, * 2.4.1891 Berlin, ansässig ebda.

Stud. an den Akad. in Dresden u. München, an der Kstsch. in Weimar u. bei Emil Orlik in Berlin. Mappenwerk: Komödie (10 Zeichngn), Fritz Gurlitt, Berlin 1919.

Lit.: Dreßler.

Bell, Vanessa, geb. *Stephen*, engl. Malerin, * 1879 London, ansässig ebda.

Schülerin der Slade School u. des Sir Arthur Cope. Landschaften, Bildnisse, Interieurs mit Figuren, Blumenstücke, Stilleben. Postimpressionistin, beeinflußt von Cézanne. Ihre Bilder sind hauptsächl. auf Farbwirkungen abgestellt. Bilder in d. Tate Gall. in London u. im Mus. Prinz Paul in Belgrad (Kat. 1939, Taf. 88).

Lit.: Who's Who in Art, [3] 1934. — The Burlington Magaz., 41 (1922) 33ff., m. Abbn. — Artwork, 2 (1925/26) 81 (Abb.), 83, 150 (Abb.), 151, 152. — Apollo (London), 11 (1930) 224, m. Abb.; 14 (1931) 39 (Abb.); 19 (1934) 224, m. Abb.; 22 (1935) 43 (Abb.); 43 (1946) 34f. — The Studio, 99 (1930) 248 (ganzseit. Abb.); 104 (1932) 8 (Abb.); 109 (1935) 114 (Abb.); 114 (1937) 93 (Abb.); 129 (1945) 41.

Bell, Wenonah, amer. Malerin, * Trenton, N. J., ansässig in Greenville, Ga.

Stud. an d. Pennsylv. Acad. of F. Arts in Philadelphia u. bei H. Hofmann in München.

Lit.: Amer. Art Annual, 30 (1933). — Who's Who in Amer. Art, I: 1936/37.

Bellan, Gilbert, franz. Maler (Öl u. Aquar.), * 19. 6. 1868 Paris, † um 1935 ebda.

Stellte 1887/1929 im Salon der Soc. d. Art. franç., seit 1912 auch im Salon der Soc. Nat. d. B.-Arts, zw. 1904 u. 1935 gelegentlich auch bei den Indépendants u. im Salon des Tuileries aus. Figürliches, Bildnisse, Landschaften, Blumenstücke, Pariser Stadtansichten. Während des 1. Weltkrieges u. in den Jahren nach dems. zahlr. Kriegsbilder u. Zeichnungen u. Schilderungen aus den „befreiten" fr. Gebieten (reiche Smlg im Musée de la Guerre in Vincennes).

Lit.: Joseph, 1. — Bénézit, [2] 1 (1948). — Beaux-Arts, 1 (1923) 321f., m. 2 Abbn. — L'Art et les Artistes, N. S. 8 (1924) 121. — La Renaissance de l'Art franç., etc., 8 (1925) 461, 464.

Bellanger, René Charles, franz. Landschaftsmaler, * 2. 12. 1895 Augicourt (Oise), ansässig in Dreux (Eure-et-Loir).

Schüler von F. Courché u. P. Montézin. Mitglied der Soc. d. Art. Franç. (Salon-Kat. z. T. m. Abbn).

Lit.: Joseph, I. — Bénézit, [2] I (1948).

Belle, Charles Ernest de, kanad. Maler, * Budapest, kanad. Herkunft, ansässig in Montreal, Can.

Lit.: Mallett. — The Studio, 67 (1916) 70; 70 (1917) 38, m. Abb.

Belle, Karel van, belg. Genremaler, * 1884 Gent.

Schüler von J. v. Biesbroeck, Louis Tytgadt u. Jean Delvin. 2 Bilder im Mus. Gent.

Lit.: Seyn, II 987.

Belle, Marcel, franz. Landschaftsmaler, * Paris, ansässig ebda.

Schüler von Henri Martin. Stellte 1921/45 im Salon der Soc. Nat. d. B.-Arts, 1926/39 auch bei den Indépendants aus.

Lit.: Joseph, I. — Bénézit, [2] I (1948).

Belle, Narcisse, franz. Maler, * 9. 9. 1900 Saint-Silvain-sous-Toulx (Creuse), ansässig in Paris.

Autodidakt. Gehört zur Gruppe der „Naivisten". Figürliches, Landschaften. Stellte im Salon der Surindépendants 1945 eine Vertreibung aus dem Paradiese aus.

Lit.: Bénézit, [2] 1 (1948).

Belleroche, Albert de, engl. Genremaler, u. Lithogr., * 1864 Swansea, England, † 1944 Rustington, Sussex. Franz. Abkunft.

Einer alten, seit langem in England ansässigen Hugenottenfamilie entstammend. Schüler von Carolus-Duran in Paris, wo er lange lebte. Eng befreundet mit John Sargent, über den er auch geschrieben hat (The Print Coll.'s Quarterly, 13 [1926] 32/45). Ausgezeichneter Lithograph. Hat ca. 300 direkt auf den Stein gezeichnete Lithogr. hinterlassen: Figürliches, Bildnisse, Landschaften, Stilleben. Koll.-Ausstellgn u. a. 1933 im Mus. in Brüssel, bei welcher Gelegenheit er den Leopold-Orden verliehen erhielt. Bild im Luxembourg-Mus. in Paris.

Lit.: Th.-B., 3 (1909). — Bénézit-[2] I (1948) — Salaman, p. 131, 133. — Apollo (London), 21 (1935) 203/06, m. 6 Abbn u. farb. Taf. — The Brit. Mus. Quarterly, 12 (1938) 103, m. Abb. — The Connoisseur, 43 (1915) 109f., m. Bildnis B. s, lith. von Sargent; 90 (1932) 410f., 91 (1933) 338. — The Studio, 60 (1914) 306; 72 (1918) 33f., m. Abbn. — Whos' Who in Art,[3] 1934. — The Internat. Who's Who, [8] 1943/44. — Amer. Artist, März 1949, p. 8. — Museums Journal, Sept. 1944, p. 97.

Bellet-Laquère, Anna, franz. Bildnis-, Genre- u. Blumenmalerin (Aquar., Pastell), * Guipry (Ille-et-Vilaine, ansässig in Paris.

Stellt seit 1909 bei den Indépendants u. im Salon der Soc. d. Art. Franç. aus.

Lit.: Joseph, I (s. v. Bellet u. B.-Laquère). — Bénézit, [2] I (1948).

Belletti, Angelo, piemont. Bildnisminiaturmaler u. Freskant, * 14. 4. 1880 Biella (Novara).

Schüler von Gaidano, Gilardi u. Grosso an d. Akad. in Turin. Fresko (4 Evangelisten) in d. Kirche in Pralungo (Biella).

Lit.: Comanducci.

Bellin-Carter, Leslie, engl. Maler, * 26. 5. 1878 Hampstead (London), ansässig im Wellington College, Berkshire.

Stud. an der Slade School. Zeichenlehrer am Eton College. Buchwerk: The Principles of Drawing.

Lit.: Who's Who in Art, [3] 1934.

Belling, Rudolf, dtsch. Bildhauer (Prof.), * 26. 8. 1886 Berlin, ansässig in Istanbul.

Schüler von Peter Breuer. Gehört der extremen expressionist. Richtung an. Seit 1913 selbständig in Berlin. Seit Ausgang der 1930er Jahre Leiter der Abteilung für Bildhauerei an der Akad. in Istanbul. Hauptsächlich Messing- u. Holzbildner. In der Nat.-Gal. Berlin: Dreiklang (Birkenholz) u. Kopf in Messing (beide unter der Naziherrschaft entfernt); im Folkwang-Mus. in Essen: Kopf (Messing); im Kronprinzenpalais in Stuttgart: Boxer Max Schmeling (Bronze). Trinkbrunnen im Buchdruckerhaus in Berlin; Rundschild mit Doppelkopf (Symbol des Gemeinschaftswillens) im Schalterraum der Konsumgenossenschaft „De Volharding" im Haag; Ausstattung des Weinrestaurants „Scala" in Berlin. Revolutionsdenkmal in Erzerum. 1952 mit Ausführung der bildhauer. Arbeiten am Atatürk-Mausoleum in Ankara beauftragt. Koll.-Ausst. in der Berliner Nat.-Gal. 1924. Hat sich über die Ziele seiner Kunst in einem Brief an Flechtheim ausgelassen (veröff. in: D. Kstblatt, 4 [1920] 374ff.).

Lit.: Dreßler. — Einstein, 173f. — P. O. Rave, Von Schadow bis Belling, Berl. 1932. — Cahiers d'Art, 1928, p. 133, m. 3 Abbn. — D. Cicerone, 13 (1921) 162; 16 (1924) 373f.; 18 (1926) 710 (Abb.), 721; 21 (1929) 421 (Abb.); 22 (1930) Beibl. p. XX (anschließend an p. 184). — Genius, 3 (1921/22), 1. Buch, Abbn p. 8f., 19 (Abb.). — Die Horen, 4 (1927/28), 2. Bd p. 777/88. — Die Kunst, 65 (1931/32) 49 (Abb.), 75 (Abb.). — Dtsche Kst u. Dekor., 43 (1918/19) 8, 17 (Abb.); 65 (1929) 97f., m. Abb. — Kst u. Kstler, 22 (1923/24) 232; 27 (1928/29) 449. — D. Kst u. d. schöne Heim, 50 (1952) Beil. p. 116. — Kst der Zeit, 3 (1928/29) 15 (Abbn). — D. Kstblatt, 3 (1919) 313; 4 (1920) 364 (Abb.), 366/73; 7 (1923) 333 (Abb.); 8 (1924) 157; 10 (1926) 47 (Abb.), 250, 475; 11 (1927) 48; 13 (1929) 85 (Abb.), 89 (Abb.). — Kstschronik, N. F. 35 (1925/26) 198f., m. Abb., 497. — D. Kstwerk, 5 (1951) 32 (Abb.), 39. — Wasmuths Monatsh. f. Baukst, 6 (1922) 234, 237/40, m. Abb.; 16 (1932) 382/88, 421, 422 (Abb.), 424 (Abb.). — Prisma (München), 1 (1947) H. 6 p. 43 (Abb.). — Zeitschr. f. bild. Kst, 58 (1924/25), Beibl. p. 9f.

Belling, Willy, dtsch. Maler u. Gebrauchsgraphiker, * 5. 10. 1881 Berlin, ansässig ebda.

Schüler von Otto Eckmann in Berlin.

Lit.: Dreßler. — Gebrauchsgraphik, 1 (1924/25) H. 11 p. 56ff., (Abbn). — Mitteilgn des Exlibris-Vereins Berlin, 15 (1921) 7.

Bellis, Alan Waddington, engl. Architekt, Modelleur, Metallkstler u. Aquarellmaler, * 20. 2. 1883 Manchester, ansässig in Ipswich.

Stud. am Roy. Coll. of Art u. in Italien. Aquarelle im Mus. in Ipswich u. in d. Art. Gall. in Leeds.

Lit.: Who's Who in Art, [3] 1934.

Bellis, Daisy Maud, amer. Malerin, * 16. 2. 1887 Waltham, Mass., ansässig in Branford, Conn.

Schülerin von Scott Carbee, R. P. Ensign, H. H. Breckenridge u. W. D. Hamilton. Hauptsächlich Porträtistin.

Lit.: Who's Who in Amer. Art, I: 1936/37.

Bellman, Gustaf, schwed. Bildnis- u. Landschaftsmaler, * 1902 Trollhättan, ansässig ebda.

Stud. an der Akad. in Stockholm.

Lit.: Thomœus.

Bellmann, Karl, dtsch. Architekt (Dr. Ing.) u. Maler, * 1. 1. 1887 Zwickau, ansässig in Dresden-Loschwitz.

Stud. an d. Techn. Hochschulen Dresden u. Stuttgart. 1910 Diplom-Prüfung; 1915 Regierungsbaumeisterprüfung; 1918 Promotion zum Dr. Ing. Seit 1910 im techn. Staatsdienst (Hochbauverwaltg, Minist. des Innern, Arbeitsminist.). Seit 1945 Mitarbeiter der Landesreg. Sachsen. Seit 1947 Min.-Rat. Als Maler Autodidakt. Hauptsächl. Landschaften (Pastell u. Zeichnung). Sonderausst. Sept./Okt. 1951 im Stadt- u. Bergbaumus. Freiberg/Sa. (reich ill. Kat.).

Lit.: Sächs. Ztg, 15. 9. 1951. — Sächs. Tagebl., 23. 9. 1951. *J.*

Belloni, Pietro, ital. Landschaftsmaler, * Nov. 1872 San Pietro di Legnago, † April 1915 Codogno.

Schüler s. Vetters Giorgio Belloni (* 1861 Codogno).

Lit.: Comanducci.

Belloni Garaycoechea, José, uruguayischer Bildhauer (Prof.), * 12. 9. 1882 Montevideo, ansässig ebda. Ital. Abkunft.

Schüler von Vasalli in Lugano. Seit 1923 Prof. für Angewandte Künste an der Industriesch. in Montevideo. Fassadenschmuck (Reliefs u. Tympana) am Pal. Legislativo ebda. Zahlr. Grabdenkmäler. Denkmal für Uruguay in Florenz.

Lit.: Who's Who in Latin America, 1935. — Vie d'Italia e dell'America Latina (Ital.), 1930, p. 1195 -98, m. 3 Abbn.

Bellot, Dom Paul, franz. Architekt, Benediktinerpater, * 1876 Paris, † 1944 Solesmes.

Stud. an der Pariser Ec. d. B.-Arts. Längere Aufenthalte in England (Insel Wight) u. Holland. Gehört mit den Brüdern Perret zu den Bahnbrechern des modernen Kirchenbaus in Frankreich. — Hauptwerke: Immaculée Conception in Audincourt (Doubs); Abteikirche St-Paul in Oosterhout; Notre-Dame-des-Trévois in Troyes; Friedhofkapelle in Bloemendaal; Kirchen (meist in unverputztem Ziegelbau) in Borien,

Noordhoek, Bavel, Heerle (sämtl. Holland), Comines (Nordfrankr.), zus. m. Maur. Storez; Benediktinerkloster in Vanves; Dominikanerkloster „Les Tourelles" in Montpellier.

Lit.: L'Architecture, 1929 p. 33/46, m. 30 Abbn; 1932 p. 145/52, m. 9 Abbn; 1934 p. 63/72; 1936 p. 81/86, m. 7 Abbn, 87/96, m. 14 Abbn, 415/28, m. 19 Abbn. — Art sacré, 1936, Juni-H. p. 181/84, m. 4 Abbn; 1937, Jan.-H., p. 22, m. Abb. — L'Art vivant, 6 (1930) 166 (Abbn), 169/71, m. Abbn. — Bâtiment ill., 1936, Okt.-H. p. 14/19, m. 10 Abbn. — D. Christl. Kst, 26 (1929/30) 54/56. — La Renaiss. de l'Art franç., 1934, p. 83ff. passim. — Liturgical Arts (New York), 2. 5. 1945, p. 50.

Bellotti, Dina, ital. Radiererin, * 2. 10. 1912 Alessandria, ansässig in Turin.

Schülerin von Ces. Ferro u. M. Boglione an der Turiner Akad.

Lit.: La Tribuna (Rom), v. 2. 3. 1935. — Il Secolo XX (Mailand), v. 18. 2. 1935. — La Stampa (Turin), v. 29. 3. 1935. — C. Dodgson, Fine Prints of the Year, London 1938, Taf. 40. — L. Servolini, Diz. d. Incisori ital. mod. e contemp., 1952. *L. Servolini.*

Bellows, George Wesley, amer. Bildnismaler, Lithogr. u. Pressezeichner, * 12. 8. 1882 Columbus, Ohio, † 8. 1. 1925 New York.

Schüler von H. G. Maratta, Jay Hambidge u. Robert Henri in New York. Seit 1909 Mitglied der dort. Akad. Realist. — Figürliches, Bildnisse, Landschaften. Erhielt zahlr. Auszeichnungen. Bilder im Metrop. Mus. in New York, im Art Inst. in Chicago (Mutter d. Künstlers; Abb. in: Amer. Art Annual, 20 [1923] geg. p. 24), in d. Pennsylvania Acad. of F. Arts in Philadelphia, im Detroit Inst., im Carnegie Inst. in Pittsburgh u. in den Museen St. Louis, Brooklyn, N. Y., Toledo u. Worcester. Selbstbildnis im Art Inst. in Chicago. Bildnis s. Kinder in d. Albright Gall. in Buffalo. 3 Bilder in der Addison Gall. of Amer. Art in Andover, Mass. (Abbn in: Handbook of Paintings etc., 1939 p. 87/89 u. 128f.). Besonders geschätzt als Lithogr. (Akte, Interieurs, Figürliches); Hauptblätter: The Stag at Sharkey's; Bathing Beach; Dempsey-Firpo-Bout; Billy Sunday; Journey of Youth; My Family. — Gedächtn.-Ausst. Okt. 1925 im Metrop. Mus. in New York.

Lit.: G. W. Eggers, G. B. (The Amer. Artists Series), Westport, Conn., 1939. — Michel, VIII/3, p.1186, m. Abb., 1187 — E. S. Bellows, G. W. B.: his Lithogr., New York 1927. — Fielding. — Mellquist, m. Taf.-Abb. geg. p. 129. — Bénézit, [2] I (1948), m. Taf. 20. — J. Walker a. M. James, Great Amer. Painters from Smibert to Bellows, New York 1943. — Art Index (N. York), 1928ff. — Monro. — Amer. Art Annual, 11 (1914) Abb. geg. p. 316; 13 (1916) Abb. geg. p. 103; 14 (1917) Abb. geg. p. 249; 20 (1923) 439; 21 (1924) Abb. geg. p. 24; 27 (1930) 21, 161, 192. — Bull. of the Metropol. Mus. of Art New York, 6 (1911) 67ff., m. Abbn. — L'Art et les Artistes, 17 (1913) 70 (Abb.). — The Studio, 62 (1914) 296, 318; 64 (1915) 68; 65 (1915) 242/46, m. 3 Abbn; 93 (1927) 69 (Tafel-Abb.); 95 (1928) 413/16, m. 4 Abbn; 103 (1932) 53 (Abb.). — Art in America, 10 (1922) 132ff., m. Abb; 17 (1928/29) 103/12, m. Abbn. — Revue de l'Art anc. et mod., 42 (1922) 78f., m. Abb. — The Art News, 22, Nr 7 v. 24. 11. 1923, p. 4; Nr 16 v. 26. 1. 1924, p. 2f.; 23, Nr 14 v. 10. 1. 1925, p. 1; Nr 15 v. 17. 1. 1925, p. 6; Nr 18 v. 7. 2. 1925, p. 3; 24, Nr 7 v. 21. 11. 1925, p. 8; Nr 11 v. 19. 12. 1925, p. 4; 30, Nr 23 v. 5. 3. 1932, p. 1, 12 (Abb.); Nr 28 v. 9. 4. 1932, p. 7 (Abb.); Nr 35 v. 28. 5. 1932, p. 11 (Abb.), Nr 36 v. 4. 6. 1932, p. 12 (Abb.); 32, Nr 16 v. 20. 1. 1934, p. 10. — Bull. of the Detroit Inst. of Arts, 6 (1924/25) 77; 7 (1925/26) 34ff., m. Abbn. — Museum of F. Arts Bull. Boston, 23 (1925) 30, 33, m. Abb.; 30 (1932) 80f., m. Abb., 94. — Kstchronik, N. F. 35 (1925/26) 590. — Bull. de l'Art, 1926, p. 33f., m. Abb. — Bull. of the Minneapolis Inst. of Arts, 1928, p. 5, m. Abb.; 1934, p. 73/74. — Bull. Worcester Art Mus., 20 (1929/30) 72/79, m. Abb.; 21 (1930) 22. — The Brooklyn Mus. Quarterly, 19 (1932) 138, 140 (Abb.); 22 (1935) 75/79, m. Abb.; 23 (1936) 18, 19 (Abb.). — Pennsylv. Mus. Bull., 30 (1934/35) Nr 167, p. 70. — Apollo (London), 24 (1936) 294, m. Abb. — Bull. of the Cleveland Mus. of Art, 23 (1936) Umschlagbild zu Nr 10, p. 151/53, Abb. geg. p. 158; 25 (1938) Umschlagb. zu Nr 1, p. 24f., Abb. geg. p. 124, 130; 28 (1941) Abb.p. 111. — The Print Coll.'s Quarterly, 24 (1937) 88 (Abb.), 89; 25 (1938) 235, 236 (Abb.). — Bull. of the Inst. of Chicago, Report, 31 (1937) 35ff. passim. — Handbook, Mus. of F. Arts, Boston 1926, p. 78, m. Abb. — Guide Paint. of the Perm. Coll., Art Inst. Chicago 1925, p. 115f., m. Abb., 126. — Cat. de Luxe of the Departm. of F. Arts Panama-Pacific Intern. Expos. San Francisco, II (1915) Taf.-Abb. geg. p. 268, 289.

Belluno, P. Ugolino da, ital. Maler, * 15. 12. 1919 Belluno, ansässig in Rom.

Lit.: Kat. VI. Quadriennale, Rom 1951/52.

Belmondo, Paul, franz. Bildhauer, * 8. 8. 1898 Algier, ansässig in Paris.

Kam mit Stipendium des Generalgouvernements von Algier nach Paris, wurde Schüler von Jean Boucher, dann von Despiau. Beschickt seit 1924 den Salon Soc. d. Art. franç. 1933 Grand Prix d'Algérie. Im Mus. in Algier eine Evastatue (Bronze) u. Büste eines jungen Griechen. Im Vestibül des großen Musiksaales ebda 2 Kolossalstatuen. Gr. Basrelief an der Fassade des Foyer civique ebda. 2 Statuen: Hll. Genoveva u. Jeanne d'Arc, in der Kirche in Laigle. 2 Büsten im Musée d'Art Moderne in Paris.

Lit.: Joseph, I. — Bénézit, [2] I (1948). — La Renaiss. de l'Art franç., 14 (1931) 105/08, m. 5 Abbn. — Art et Décor., 61 (1932) 233, 236; 62 (1933), Les Echos d'Art, März p. IX. — L'Art vivant, 1937 Nr 217 p. 372/74 passim.

Belmont, Ira Jean, litauisch-amer. Maler, Illustr. u. Kstschriftst., * 15. 6. 1885 Kaunas, Litauen, ansässig in New York.

Begründer der „Color Music: Neo-Expressionism". Sonder-Ausst. in den Anderson Gall., New York 1929, in d. Belmont Gall. 1951. Bilder im Mus. du Jeu de Paume in Paris (Ouverture zu „Phädra") u. im Mus. in Brooklyn, N. Y. (Träumerei v. Schumann).

Lit.: Who's Who in Amer. Art, I: 1936/37. — Art Index (New York), Okt. 1941/Okt. 1951. — The Art News, 22 (1923/24 Nr 15, p. 7, m. Abbn; 31 (1932/33) Nr 32, p. 8 (Abb.), Nr 33 p. 5. — The New York Times, 18. 5. 1932.

Belmonte, Leó, ungar. Maler u. Kunstgewerbler, * 1870 Stockholm, ansässig in Gödöllő (Budapest).

Stud. an der Acad. Julian in Paris. Mitglied der Künstlerkolonie Gödöllő. Hauptsächlich Bildteppiche, u. a. nach Entwürfen von Sándor Nagy u. A. Kriesch.

Lit.: Szendrei-Szentiványi.

Beloborodoff, Andrej (André), russ.-franz. Architekturstecher u. Aquarellmaler, * Tula, ansässig in Paris.

Stellte 1921ff. im Salon d'Automne aus. Koll.-Ausst. 1924 im Hôtel Jean Charpentier in Paris, 1934 im Pal. Becci Blunt in Rom. Hauptblätter: Villa Mondragona in Frascati; Brunnen vor dem Quirinal in Rom. Aquarelle mit Ansichten aus ital. Städten (Bassano, Caprarola, Florenz, Vicenza).

Lit.: Bénézit, [2] I (1948). — Emporium, 80 (1934) 372f., m. Abb. — La Renaiss. de l'Art franç. etc., 7

(1924) 465. — Art et Décor., 28 (1924), Chron., Juli, p. 6. — Dedalo, 6 (1925/26) 118ff., m. Abbn.

Beloff, Angeline, russ.-franz. Malerin u. Aquatintakünstlerin, * St. Petersburg (Leningrad), ansässig in Paris.

Stellte seit 1912 im Salon d'Automne u. bei den Indépendants, seit 1926 auch im Salon des Tuileries in Paris aus. Stilleben, Landschaften, Blumenstücke, Bildnisse. Illustr. zu F. Jammes, Le Rêve franciscain, den Petites Fleurs de St-François d'Assise, J. Rostand, De l'Amour des Idées, u. zu Perrault, Contes. Einzelblätter: Vision der Hl. Therese; Prozession; Straße; Interieur; Frauen am Brunnen.

Lit.: Joseph, I. — Bénézit, [2] I (1948). — Museum (Barcelona), 6 (1918/25) 315/18, m. 4 Abbn.

Beloff, Kondratij Petrowitsch, sowjet. Maler, * 1900 Omsk.

Holzflößer auf dem Irtysch, im Bes. d. Direktion der Kunstausstellungen der „Wsekochudoshnik"-Gesellschaft.

Lit.: Kat. d. Ausst. Sowjet. Malerei im Haus der Kultur der Sowjetunion in Berlin, 1949.

Belokur, Jekaterina, ukrain. Malerin, aus Bogdanowka, Gouvern. Poltawa.

Beteiligt an der Ausst. ukrain. Kstler im Gorkij-Kulturpark in Moskau 1951 mit mehreren Arbeiten, meist Blumenstücken.

Lit.: Sowjet-Literatur, 1951, Heft 10, p. 197.

Belostokski, G., sowjet. Bildhauer.

Zeigte auf der Unions-Kstausst. 1949 in d. Staatl. Tretjakoff-Gal. Moskau ein zus. mit J. Fridmann geschaffenes Modell für eine Karl-Marx- u. Friedr.-Engels-Gruppe.

Lit.: Sowjet-Literatur, 1950 p. 203f. passim.

Belot, Gabriel, gen. *Gabriel-Belot*, franz. Holzschneider, Rad., Maler, Illustr., Exlibriskünstler u. Dichter, * 1882 Paris, ansässig ebda.

Autodidakt. Entwickelte sich aus handwerkl. Anfängen zu einem der bedeutendsten franz. Holzschneider der Gegenwart, voll Phantasie u. einer mystisch-pantheistischen Naturempfindung. Erstes bedeutsames Werk: L'Ile Saint-Louis, eine Smlg von Prosadichtungen u. Illustrationen, wo nicht nur Text u. Bild, sondern auch Schrift u. Einband von B. selbst herrühren. Weitere Mappenwerke u. illustr. Buchwerke (z. T. mit eigenem Text): Le Bonheur d'aimer (1917); Les Permissionaires (1917); Pour vivre heureux (1919); Pierre et Luce, v. Romain Rolland (1921); Les Chansons de Miarka", von Jean Richepin; „Le Curé de Tours", von Balzac; Les Chemins de mon pays", von Ker Frank-Houx (1924); „Colas Breugnon", von R. Rolland (1924); „Crainquebille et divers contes", von Anatole France (1925); „Cœurs fragiles", von Marc Elder (1928), usw. — Einzelholzschnitte: Beethoven, La Mort et le Bûcheron, La Sortie de la Forêt, Le Chemin de la Biche, L'Appel de la Forêt, Le Monde tourne, L'Orage, zahlr. Ansichten von Paris u. Landschaften aus dem Juragebiet u. von den Yonneufern.

Lit.: Joseph, I, m. 4 Abbn. — Salaman, p. 86f. — A. M. Gossez, G. B., graveur d'est., Paris 1920, m. 5 Abbn. — Bénézit, [2] I (1948). — M. Elder, G. B., peintre imagier, Paris 1927, 22 Abbn u. 18 Taf. — P. Boncour et C. Mauclair, G. B. (Les Artistes du livre), éd. H. Babou, 1930. — Gaz. d. B.-Arts, 1917 p. 365f. — Revue de l'Art anc. et mod., 44 (1923) 374f. (Abbn), 381. — L'Art et les Artistes, N. S. 15 (recte 16), 1927/28 p. 108; 19 (1929/30) 124/29, m. 1 Taf. u. 7 Abbn; 23 (1931/32) 180; 25 (1932/33) 35; t. 34 (1937) 41/47, m. 7 Abbn. — La Renaiss. de l'Art franç., 3 (1920) 205 (Abb.).

Below, Richard von, dtsch. Maler u. Radierer, † 17.11.1925 Berlin.

Anfängl. Offizier. Mappenwerk: Ägyptische Landschaft (8 Rad.), Verlag Bruckmann, München.

Lit.: D. Kunst, 41 (1919/20) 253ff. (3 Abbn); 53 (1925/26), Beil. z. Januar-H. 1926, p. XVIII.

Belsen, Jacobus, russ.-dtsch. Maler u. Radierer (Prof.), * 18.9.1870, zuletzt ansässig in Berlin.

Stud. an d. Akad. in St Petersburg (Leningrad). Beeinflußt von Ssomoff. Bilder im Mus. d. Akad. d. Künste in Leningrad, im Städt. Mus. in Nijni-Nowgorod u. im Staatl. Mus. in Riga. Wandgemälde in der Aula der reform. Schule in Leningrad. Mappenwerk: Russ. Winterbilder (Rad.), Amsler & Ruthardt, Berlin 1922.

Lit.: Dreßler.

Beltrame, Achille, ital. Maler (Öl u. Aquar.), Illustrator u. Journalist, * 19. 3. 1871 Arzignano (Vicenza), ansässig in Mailand.

Schüler von G. Bertini. Historien- u. Altarbilder, Bildnisse, Genre, Wanddekorationen. In der Brera-Gal. in Mailand: Die Bergfestung nach der Schlacht bei Novara. 2 Bildnisse im Ospedale Maggiore ebda. Zeichnete für „La Domenica del Corriere d. sera" u. für die „Illustraz. Italiana".

Lit.: Th.-B., 3 (1909). — Comanducci, m. Abb. — Marangoni, p. 6, 10, Taf.-Abb. VI. — Emporium, 36 (1912) 469/71, m. Abbn.

Beltrán Masses, Federico (Frédéric), katal. Figuren- u. Bildnismaler, * 18. (8.?) 7. 1885 Barcelona, meist in Paris ansässig.

Schüler von J. Sorolla u. der Akad. Barcelona. Frühreifes Talent und schon in jungen Jahren erfolgreich (Gold. Med. Santiago 1909, Mexiko 1910, Internat. Barcelona 1911). Feierte wahre Triumphe bei seiner ersten großen Schau in Madrid 1916, wo besonders „La Maja Marquesa" eine nackte, nur die Mantilla tragende Dame zwischen zwei bekleideten Damen, Aufsehen erregte. Diese Erfolge sind ihm auch 1919 bei seiner 1. Ausstellung im Petit Palais in Paris, wohin er 1916 übersiedelte, treu geblieben und haben ihn weiter begleitet in alle europäischen Metropolen und bis Amerika (Ausst. Gal. Wildenstein, New York, 1925). Der etwas morbide Zug seiner blendenden, aber oberflächlichen Kunst, wie er in der wohl von Baudelaire inspirierten „Maja Maldita" zum Ausdruck kommt, ist für sein ganzes Werk symptomatisch. Der geborene Maler der mondänen Dame hat er eine Fülle von geschmackvoll arrangierten u. koloristisch wirkungsvollen, aber im Ausdruck nicht gerade tief greifenden weibl. Bildnissen u. genremäßigen Schilderungen von nackten oder bekleideten, glutäugigen span. Schönen geschaffen, die meist ein leiser Hauch von Perversität umwittert. Dieselbe schwüle Atmosphäre wie seine Bilder atmen seine Illustrationen zu Gabr. D'Annunzio's „Triomphe de la Mort". — Bilder im Mus. de Arte Mod. in Madrid u. im Musée du Jeu de Paume in Paris. Selbstbildnis in den Uffizien in Florenz.

Lit.: Joseph, I, m. 4 Abbn. — Bénézit, [2] I (1948). — F. B. M. (Monograf. de arte), Madrid 1921, m. 44 Abbn. — L'Esquélla de la Torratxa (Barcelona), Nr v. 6. 2. 1914, m. 4 Abbn u. Fotobildnis. — Francés, 1915 p. 97ff., 101ff.; 1916 p. 55/66, m. 6 Abbn; 1918 p. 273/77, m. 3 Abbn; 1919 p. 145, m. Abb., 188 (Abb.); 1921 p. 189/204, Taf. 57, 59; 1923 -24 p. 408/11, Taf. 31. — Museum (Barcelona), 5 [1916/17] 314/40, m. 20 Abbn u. 2 farb. Taf. — The Studio, 69 (1917) 201ff. — Emporium, 52 (1920) 122f., Abbn p. 120f. — Les Arts, 1920 Nr 183 p. 19 -24, m. 8 Abbn. — Bull. de l'Art anc. et mod., 1921

p. 205. — Revue de l'Art anc. et mod., 40 (1921) 9 (Abb.), 348/53, m. 7 Abbn; 47 (1925) 30ff. — The Art News, 23 (1924/25) Nr 30 p. 11, m. Abb. — L'Art et les Artistes, N. S. 3 (1920/21) 349/57, m. 9 Abbn. — La Renaiss. de l'Art, 12 (1929) 266, m. Abb., 302/05, m. 7 Abbn. — Apollo (London), 9 (1929) 335/41, m. 6 Abbn u. 2 farb. Taf. — The Connoisseur, 84 (1929) 124; 102 (1938) 42. — Illustration, 1936/I, p. 247, m. Abb. — Velhagen & Klas. Monatsh., 40/II (1925/26), Taf. geg. p. 360.

Beltrán, Vicente, span. Figuren- (Akt-) Bildhauer.

Anhänger der klassizist. Richtung.

Lit.: Francés, 1917 p. 290, 291 (Abb.).

Beltrand, Camille, franz. Kupferst., Radierer u. Holzschneider (bes. Architekturansichten), * 23. 3. 1877 Paris, ansässig ebda. Bruder der Georges (s. u.), Jacques u. Marcel.

Schüler s. Vaters Tony. Hauptblätter (farb. Rad.): Galerie à Notre-Dame u. Passage Duchambre. Gemeinsam mit s. Bruder Georges bemühte er sich um Vervollkommnungen der Technik des Kupferstichs.

Lit.: Th.-B., 3 (1909). — Bénézit, [2] 1 (1948). — Joseph, 1. — Salaman, p. 114f. — Gaz. d. B.-Arts, 1920/II, Taf. zw. p. 58/59. — The Studio, 83 (1922) 340.

Beltrand, Jacques, franz. Maler u. Holzschneider, * 22. 7. 1874 Paris, ansässig ebda. Bruder der Camille, Georges u. Marcel.

Schüler s. Vaters Tony u. Aug. Lepère's. Präsident der Soc. d. Peintres-graveurs franç. Mitglied der Soc. Nat. d. B.-Arts. Stellte auch im Salon des Tuileries aus. Gab früh die Malerei zugunsten der Holzschneiderei auf. Schnitt nach fremden u. eigenen Vorlagen. Illustr. Bücher: Les Fioretti; La Divine Comédie (nach Zeichngn Botticelli's); Théocrite; Maîtres et Amis, von Paul Valéry (16 Bildnisse), 1927; Sagesse, von Verlaine (nach Vorlagen von Maur. Denis); Vie de Frère Genièvre (desgl.); Vie de Saint-Dominique (desgl.); Vita Nuova von Dante (desgl.); Au Jardin de l'Infante (nach Vorlagen von Carlos Schwabe). Zu seinen schönsten, in Tuschmanier (en camaïeu) geschnittenen Einzelblättern gehören: Le Ruisseau, Les trois Grâces, Cérès, Chasse au Sanglier u. die Ansichten von Notre-Dame in Paris u. den Kathedralen zu Amiens u. Senlis.

Lit.: Th.-B., 3 (1909). — Joseph, 1, m. Abb. u. Fotobildnis. — Salaman, p. 64f. — Bénézit, [2] 1 (1948). — La Renaiss. de l'Art franç., 3 (1920) 204 (Abb.), 209, Taf. zw. p. 204/05. — Gaz. d. B.-Arts, 1921/I p. 45 (Abb.), 46ff.; 1926/II, Orig.-Schnitt geg. p. 334. — La Grav. et la Lithogr. franç., 1914 p. 58f. — Revue de l'Art anc. et mod., 37 (1920) 217/22, m. 2 Orig.-Schnitten. — The Studio, 83 (1922) 340. — L'Art et les Artistes, N. S. 14 (1926/27) 122/26, m. 7 Abbn. — Estampes, 1933 p. 171/77, m. 5 Abbn.

Beltrand, Marcel, franz. Rad. u. Mezzotintostecher, * 1886 Paris, † 1910 ebda. Bruder der Camille, Georges u. Jacques.

Schüler s. Vaters Tony. Mitarbeiter s. Bruders Jacques bei Illustrierung der „Vita Nuova" u. der „Fioretti". Landschaften.

Lit.: Th.-B., 3 (1909). — Bénézit, [2] 1 (1948). — Chron. d. Arts, 1910 p. 206. — Bull. de l'Art anc. et mod., 1910 p. 203.

Belville, Eugène, franz. Leder- u. Metallkünstler, * 1863 Belleville (Seine), † 1931 Paris.

Lehrer an der Ec. d. Arts Appliquées à l'Industrie. Ziselierte Lederplaketten für Bucheinbände; getriebene Kupfertafeln für Möbelschmuck usw.

Lit.: Bénezit, [2] I (1948), irrig: Maler. — L'Art décor., 1904/I p. 50ff., m. Abb. — La Renaiss. de l'Art franç., 2 (1919) 430/33, m. 3 Abbn. — Revue de l'Art anc. et mod., 60 (1931), Bull. p. 404.

Belwe, Georg, dtsch. Gebrauchsgraphiker u. Schriftkünstler (Prof.), * 12. 8. 1878 Berlin, ansässig in Großdeuben b. Leipzig.

Stud. bei Emil Döpler an der Berliner Kstgewerbesch. Begründete 1900 mit Ehmke, Kleukens u. Salzmann die „Steglitzer Werkstatt", von der eine Reform der deutschen Gebrauchsgraphik ausging. Seit 1906 Prof. an der Leipz. Akad. als Leiter der Satz- u. Druckabteilung. Entwarf mehrere Schriften, darunter die Zierschrift „Wieland", Plakate, Bucheinbände, Firmensignete usw. Gold. Med. Kstgewerbeausst. Dresden 1908 u. Brüssel 1911.

Lit.: Dreßler. — D. Kstwelt, 3. Jahrg. (1913/14) 572 (Abb.), 573 (Abb.), 581 (Abb.). — Leipz. N. Nachr., 11. 8. 1943. — Original u. Reproduktion (Leipzig), 2 [1913], Sonderh.: Leipzig als Kststadt, p. 94f.

Belz, Johann, dtsch. Bildhauer u. Medailleur, * 18. 4. 1873 Schwanheim a. M., zuletzt ansässig in Frankfurt a. M.

Schüler von Eberle an der Münchner Akad. u. von A. Vogel in Berlin. Plastiken, meist kunstgewerbl. Art; Kinderbüsten.

Lit.: Weizsäcker-Dessoff. — Forrer, 7. — Die Kstwelt, 2. Jahrg. (1912/13) 375.

Beman, Rolf, amer. Blumenmaler, * 1891.

Aquarell im Detroit Inst. of Arts.

Bement, Alon, amer. Maler, * 15. 8. 1878 Ashfield, Mass., ansässig in New York.

Stud. an d. Schule des Mus. in Boston, dann bei Bonnat u. B. Constant in Paris. Seit 1906 Prof. für Schöne Kste am Teachers Coll. der Univers. Columbia. Direktor des Maryland Inst. in Baltimore, Md.

Lit.: Fielding. — Bénézit, [2] 1 (1948). — Amer. Art Annual, 20 (1923) 440.

Bemmann, Johanna, dtsche Lithographin, Radiererin u. Illustratorin, * 11. 9. 1903 Löbau, ansässig in Leipzig.

Stud. an der Akad. f. Graph. Künste in Leipzig. Beschickt seit 1938 die Gr. Leipz. Kstausstellg. Hauptsächl. Landschaften. Illustr. zu Hjalmar Kutzleb, Der Ritt nach Ohrdruf, Verl. Erich Schmidt, Berlin 1934.

Bemrose, Geoffrey John, engl. Maler (Öl u. Aquar.), * 14. 10. 1896, ansässig in Stoke-on-Trent.

Lit.: Who's Who in Art, [3] 1934.

Ben-Shmuel, Ahron, amer. Bildhauer, * 18. 1. 1903 New York, ansässig ebda.

Abstrakter Künstler. Sitzende Figur (roter Granit) u. Bildniskopf (weißer Granit) im Mus. of Mod. Art in New York; Kopf des Walt Whitman im Mus. in Brooklyn, N. Y.

Lit.: Who's Who in Amer. Art, I: 1936/37. — The Studio, 113 (1937) 49 (Abb.). — Parnassus (New York), Febr. 1937, p. 12/14 passim, m. Abb. — Art Index (New York), Okt. 1941/Okt. 1950.

Ben-Zion, amer. Maler u. Graph., * 1899.

18 Radiergn mit bibl. Themen aus dem Pentateuch, Paris 1950, bei Roger Lacourière; aus einem Zyklus, der außerdem die Gruppen: Propheten, Juden u. Könige u. Hiob enthält.

Lit.: Art Index (New York), Okt. 1944/Okt. 1952.

Bénard, Raoul, franz. Medailleur u. Bildhauer, * 31. 9. 1881 Elbeuf (Seine-Infér.), ansässig in Paris.

Schüler von Chaplain, Vernon, Patey u. Coutan. Mitglied der Soc. d. Art. franç.

Lit.: Joseph, 1. — Forrer, 7. — Bénézit, [2] 1 (1948). — Aréthuse, 3 (1927) Chron. p. XXff., m. Abb., p. XXXIII/XXXV, m. Abb.; 6 (1930), Chron. p. XVIII (Abb.).

Bencze, Ferencz, ungar. Maler, * 19. 8. 1874 Báttaszék (Kom. Tolna), ansässig in Budapest.

Stud. bei L. Solymossi in Szabadka, 1892 bei Fr. Rumpler u. A. Eisenmenger in Wien. Hauptsächlich Bildnisse, Genrebilder, Interieurs u. Landschaften.

Bencze, László, ungar. Figurenmaler, * 1907.

Lit.: Kat. „Ausst. Ungar. Kst", Dtsche Akad. d. Kste, Berlin Okt./Nov. 1951, m. Abb.

Bencze, Margit, ungar. Malerin, * 29. 5. 1879 Budapest.

Schülerin von Karlovszky in Budapest, dann von Hollósy in München. Bildnisse, Landschaften.

Lit.: Szendrei-Szentiványi. — Krücken-Parlagi.

Benda, Břetislav, tschech. Bildhauer, * 28. 3. 1897 Lišnice, ansässig in Prag.

Schüler von J. V. Myslbek, dann von J. Štursa an d. Prager Akad. bis 1922. Studienreisen in Griechenland, Italien, Frankreich. — Moldau u. Donau, allegor. Steinfiguren am Geograph. Institut in Prag (1925); Altes u. Neues Testament am Erzbisch. Seminar in Prag (1927); Die Nachdenkende, Bronze, in d. Prager Nat.-Gal. Ausstellgn in Hradec Králové 1925, in Prag (zus. mit V. Beneš) 1936, in Pilsen 1938, in Tábor 1941.

Lit.: M. Novotný, Sochař B. Benda, Panorama (Prag), 6 (1928) Nr 6. — J. Pavel, Dějiny našeho umění, Prag [2] 1947, p. 306. — Toman, 1947, I 50. *Blž.*

Benda, Jaroslav, tschech. Graphiker, * 27. 4. 1882 Prag, tätig ebda.

Stud. an der Prager Kstgewerbesch. u. Akad., seit 1920 Prof. an der Kstgewerbeschule. Hauptsächlich Buchausstattung u. Schriftkunst, Entwürfe für Plakate, Briefmarken, Banknoten, Münzen, Mosaiken (Postministerium in Prag, 1931), Glasfenster (Begräbniskap. J. A. Komenský in Naarden, Holland, 1935/37).

Lit.: Padesát let Umělecko-průmyslové školy v Praze 1885–1935, Prag 1935, p. 85f. — Výtvarná výchova (Prag), 2 (1936) Heft 5. — Toman, I 50. *Blž.*

Benda, Wladyslaw, poln.-amer. Maler u. Zeichner, * 1873 Posen (Poznań), † 1948 New York, USA.

Stud. an der Krakauer Akad. Machte sich in New York ansässig. Mitglied der dort. Soc. of Illustrators. Hauptsächlich Wandmaler. Erfinder u. Zeichner der Benda-Masken.

Lit.: Fielding. — Bénézit, [2] 1 (1948). — Amer. Art Annual, 27 (1930) 188, 509. — Who's Who in Amer. Art, I: 1936/37. — Tygodnik Ilustr., 1921 p. 69, m. 7 Abbn. — Amer. Artist, 13, Jan. 1949, p. 64 (Nachruf). — Magazine of Art (New York), 39 (1946) 161.

Bendel, Rudolf, sudetendtsch. Maler (Öl u. Aquarell), * 6. 2. 1887 Güntersdorf b. Tetschen, ansässig in Paulsdorf.

Schüler der Prager Akad. Studienaufenthalte in Wien u. Italien. Landschaften, Stilleben, Bildnisse. Bilder in d. Mod. Gal. in Prag u. in den Museen in Tetschen u. Reichenberg i. B.

Bendelmayer, Bedřich, tschech. Architekt, * 8. 4. 1872 Prag, † 20. 4. 1932 ebda.

Stud. an der Prager Kstgewerbesch. bei F. Ohmann. Entwürfe für Miets- u. Gasthäuser (in Zusammenarbeit mit A. Dryák, ehem. Hotel Central in Prag, 1899); Kino Hvězda in Prag (1911/12), Banken (ehem. Gewerbebank in Prag, 1920) u. öff. Gebäude (Justizpalast in Prag-Pankrác, 1926/30).

Lit.: Dílo (Prag), 24 (1932) 190f. — Umění (Prag), 5 (1932) 498. — Toman, I 52. *Blž.*

Bender, Cornelis, belg. Landsch.- u. Marinemaler, * 1886 Maeseik.

Schüler von Fr. Hens in Antwerpen.

Lit.: Seyn, I.

Bender, Russell Thursten, amer. Illustrator, * 1895 Chicago, Ill., ansässig ebda.

Schüler der Acad. of F. Arts in Chicago.

Lit.: Fielding. — Amer. Art Annual, 20 (1923) 440.

Bendien, Jacob, holl. Lithograph, Maler u. Schriftst., * 16. 4. 1890 Amsterdam, † 16. 12. 1933 Hilversum.

Lit.: Waller.

Bendix, Hans, dän. Radierer, Lithograph, Plakatkstler u. Illustrator, * 19. 1. 1898 Kopenhagen, ansässig ebda.

Zeichnete für „Social-Demokraten" (1922ff.) u. den Pariser „Quotidien". Bereiste 1929 Europa u. Südamerika. Verf. von Reiseschilderungen mit eigenhändigen Illustrationen.

Lit.: P. Henningsen, H. B., Tegninger, Kopenh. 1928. — Krak's Blaa Bog, 1936. — Vem är Vem i Norden, Stockh. 1941, p. 27.

Bendorf, Max Richard, dtsch. Maler u. Graphiker, * 2. 11. 1882 Wolfshain Bez. Grimma i. Sa., ansässig in Leipzig.

Schüler der Akad. f. Graph. Künste in Leipzig. 1914 Rompreis. Figürliche Bildnisse, Landschaft.

Lit.: Dreßler.

Bene-Horadam, Ruth, dtsche Bildhauerin, * 22. 6. 1901 Düsseldorf, ansässig ebda.

Stud. an der Akad. Düsseldorf u. der Fachschule in Partenkirchen.

Benedek, Jenö, ungar. Figurenmaler, * 1907.

Lit.: Kat. „Ausst. Ungar. Kst", Dtsche Akad. d. Kste, Berlin Okt./Nov. 1951, m. Abb. — Sowjet-Literatur, 1951, H. 9, p. 206.

Benedek, Péter, ungar. Maler, * 1889 in einem kleinen Donaudorf, ansässig in Uszód.

Von bäuerlicher Herkunft. Autodidakt. Malt Bauerntanzereien, Hochzeitszüge, Jahrmärkte, Wäscherinnen am Fluß, Bäuerinnen an der Spindel, Bauern bei der Ernte, Weidende Herden usw. Naivist.

Lit.: Jenö Balint, P. B. Ein Bauernkünstler, Budapest o. J. [1924]. — F. Roh, Nachexpressionismus, 1925, Abb. — Kállai, m. 2 Abbn. — D. Cicerone, 21 (1929) 554f. — Kst u. Kstler, 28 (1929/30) 81. — Nouv. Revue de Hongrie, 57 (1937/II) 320f., m. 2 Abbn.

Benedetti, Umberto, ital. Maler, * 1895 Florenz, ansässig ebda.

Autodidakt. Hauptsächl. Stilleben.

Lit.: Comanducci. — Kat. Ausst. zeitgen. toskan. Kstler, Düsseldorf 1942, m. Taf.-Abb.

Benedict, Augusta, geb. *Burke,* amer. Bildhauerin, * 21. 1. 1897 New York, ansässig in Plainfield, N. J.

Schülerin von V. Salvatore.

Lit.: Who's Who in Amer. Art, I: 1936/37.

Benedict, Käte, dtsche Bildnismalerin, * 12. 12. 1879 Breslau, ansässig ebda.

Schülerin von Fr. Skarbina in Berlin.

Lit.: Dreßler.

Benedict, Paul, dtsch. Bildnis-, Figuren- u. Landschaftsmaler, * 4.11.1889 Nürnberg, † 9.3.1952 ebda.
Schüler von Hackl u. Habermann an der Akad. München. Bereiste wiederholt Frankreich u. den Balkan. Beeinflußt von den franz. Impressionisten u. von van Gogh. Arbeitete in Öl, Aquarell u. Kohlezeichng. Im 3. Reich verfemt. 2 Blumenstücke in der Städt. Gal. Nürnberg, 1 Landschaft im Rathaus in Bayreuth. Koll.-Ausst. Jan./Febr. 1920 in d. Ksthalle am Marientor in Nürnberg.
Lit.: Dreßler. — Kat. Ausst. 150 J. Nürnb. Kst, Nürnb. 1942, p. 44, Abb. 27. — Die Christl. Kst, 16 (1919/20), Beibl. p. 39.

Benedito Vives, Luis, span. Tierbildhauer, * 1883 Valencia, ansässig in Madrid.
Erhielt Med. 2. Kl. auf den Nat. Ausstellgn 1930 u. 1934.
Lit.: Kat. d. Ausst. Span. Kunst d. Gegenw., Berlin, Pr. Akad. d. Kste, 1942.

Benedito Vives, Manuel, span. Maler, * 25. 12. 1875 Valencia, ansässig in Madrid.
Schüler von Sorolla, weitergebildet an d. Akad. in Rom. 1904 in Paris, wo ihn Manet u. die Impressionisten stark beeindruckten. Arbeitete 1905 in der Bretagne (bes. in Concarneau), 1909 in Holland (Volendam, Zuidersee). Wiederholt durch Medaillen ausgezeichnet (Madrid 1897 u. 1900, München 1905). Figürliches (Bauernbilder, Akte), Bildnisse, Landschaften, Marinen, Tierbilder, Stilleben. Anfänglich kraftvoller Realist, später — besonders als Porträtist — akademisch verflacht. Im Nat.-Palast f. Sch. Künste in Barcelona ist seiner Kunst ein besonderer Raum gewidmet.
Lit.: Th.-B., 3 (1909). — Bénézit,[2] I (1948). — Museum (Barcelona), 2 (1912) 353/75, m. zahlr. Abbn; 6 (1918/25) 143. — Por el Arte, Jan. 1913 p. 14f., m. Abb. — Francés, 1915 p. 113, 117, 175 –78. — La Renaiss. de l'Art franç., 4 (1921) 339 (Abb.), 340. — The Studio, 97 (1929) 418/22, m. 5 Abbn; 99 (1930) 189, m. Abb. — Apollo (London), 11 (1930) 428/32. — Die Kunst, 85 (1942) 190f., m. Abb. — Kat.: Expos. gen. de B. Artes, Madrid 1906, m. Abb.; Exp. Nac. de Pint. etc., Madrid 1910; Ausst. Span. Kst d. Gegenwart, Berlin, Pr. Akad. d. Kste, 1942, m. Abb.

Beneduce, Antimo, ital.-amer. Aquarellmaler, * 28. 3. 1900 Sant' Antimo, Neapel, ansässig in Chicago, Ill.
Schüler von Ch. W. Hawthorne.
Lit.: Fielding. — Amer. Art Annual, 30 (1933). — Who's Who in Amer. Art, I: 1936/37.

Beneker, Gerrit Albertus, amer. Bildnismaler, Illustr. u. Werbezeichner, * 26. 1. 1882 Grand Rapids, Mich., † 23. 10. 1934 Truro, Mass.
Schüler von John Vanderpoel u. Fred. Richardson am Art Inst. in Chicago, dann von F. V. Du Mond u. Henry Reuterdal an der Art Students' League in New York, weitergebildet bei Ch. W. Hawthorne in Provincetown. Arbeiten im Bes. der Art Assoc. in Provincetown u. des Butler Art Inst. in Youngstown, Ohio.
Lit.: Fielding. — Amer. Art Annual, 20 (1923) 440; 27 (1930) 135; 30 (1933). - Who's Who in Amer. Art, I: 1936/37, p. 492. — Monro.

Beneš, Jan, tschech. Maler u. Kstgewerbler, * 27. 12. 1873 Javorek (Mähren), † 5. 3. 1946 Prag.
Bis 1934 Prof. an d. Kstgewerbesch. in Prag. Ornamentale Entwürfe für Textilarbeiten u. Stickereien, Keramik, Innendekorationen in persönlich abgewandeltem Jugendstil. Gold. Med. auf der Weltausst. Saint-Louis.
Lit.: Padesát let Umělecko-prumyslové školy v Praze 1885–1935, Prag 1935, p. 34, 38. — Toman, I 53. *Blž.*

Benes, Imre, ungar. Architekt, * 30. 7. 1875 Budapest, ansässig ebda.
Schüler von Steindl, A. Hauszmann u. S. Pecz, 1898 von M. Dülfer in München, 1900 der Ec. d. B.-Arts in Paris. Seit 1901 selbständig in Budapest.
Lit.: Szendrei-Szentiványi.

Beneš, Ladislav, tschech. Bildhauer, * 24. 8. 1883 Prag.
Stud. 1897/1904 an der Prager Kstgewerbesch. bei S. Sucharda u. C. Klouček. — Primavera, Steinplastik, an der Jiráskebrücke in Prag. Einige Werke in d. Nat.-Gal. in Prag (Männl. Bronzebüste).
Lit.: Dtsche Kst u. Dekor., 58 (1926) 227f., m. 5 Abbn, 236. — Kat. d. Ausst. Sto let českého umění 1830–1930, S. V. U. Mánes, Prag 1930. — Toman, I 54. *Blž.*

Beneš, Vincenc, tschech. Maler, * 22. 1. 1883 Velké Lišice, ansässig in Prag.
Stud. 1902/03 an der Prager Kstgewerbesch. bei E. K. Liška u. E. Dítě, 1904/08 an der Akad. ebda bei V. Bukovac u. R. Ottenfeld. Studienaufenthalte in Paris, Deutschland, Italien. Mitglied der Gruppe „Osma" (Acht), die den Kubismus u. andere postimpression. Richtungen pflegte, dann der Kstlervereinigung „Mánes". Mitglied d. tschech. Akad. der Wiss. u. Künste in Prag. Anfänglich in seinen figürl. Kompositionen u. Stilleben vom franz. Expressionismus beeinflußt, später sich dem Realismus nähernd, bes. in s. Landschaften, die durch eine lebendige koloristische Note u. lockere persönliche Pinselführung sehr wirksam sind. Bilder in d. Prager Nat.-Gal. (Pinienwald in Raab, 1931; Winterstilleben, 1932, usw.), in d. Nat.-Gal. in Laibach (Mädchen mit Kanne, 1922). Sonderausstellgn in Prag: 1920 mit O. Nejedlý, 1933 (Mánes), 1936 zus. mit B. Benda. Beteiligte sich an internat. Ausstellgn in Dresden (1926), Venedig (Biennale 1920, 1926, 1930), Pittsburg (Carnegie Inst. 1924, 1926, 1928, 1930, 1932), Paris (1921), Rom (1922), London (1925), Brüssel (1948).
Lit.: F. Kovárna, V. B. (Coll. „Galerie", Bd 2), Prag 1933. — A. Matějček, V. B. (Coll. „Prameny", Bd 18), Prag 1937. — Matějček-Wirth, m. Abbn; dies., Modern a. contemp. Czech Art, London 1924, m. Abbn. — Küppers. — D. Cicerone, 17 (1925) 420, 422 (Abb.). — Dtsche Kst u. Dekor., 66 (1930) 152. — Emporium, 72 (1930) 77 (Abb.). — Kat. d. Ausst. Sto let českého umění 1830–1930, S. V. U. Mánes, Prag 1930. — L'Amour de l'Art, 1934, p. 447f. — Volné směry (Prag), 21 (1921/22) 13ff. (Abbn); 30 (1933/34) 111f., m. Abbn. — Nebeský. — Walden. — Kovárna. — Kat. d. Ausst.: Trente ans de peint. et sculpt. tchécosl., Paris 1946. — M. Collard, La peint. mod. tchécosl., Brüssel 1948, m. 2 Abbn. — J. Pavel, Dějiny našeho umění, Prag 1947, p. 312. — Toman, I 55. *Blažíček.*

Benesch, Josef Ferdinand, öst. Architektur- u. Landschaftsmaler, Radierer u. Lithogr., * 4.1.1875 Wien, zuletzt ansässig in Klosterneuburg b. Wien.
Stud. in Wien u Paris.
Lit.: Dreßler.

Benesch-Hennig, Rosa, öst. Malerin, * 23. 2. 1903 Wien, ansässig in Tarrenz b. Imst, Tirol.
Stud. an d. Kstsch. f. Frauen u. an d. Frauenakad. in Wien bei Grom-Rottmayer, an d. Akad. ebda bei H. Tichy u. H. Jungwirth. Studienreisen nach England, Bulgarien u. Polen. Landschaften, Stilleben, Genre. *J. R.*

Benet, Rafael, span. Maler, * 1889 Tarrasa (Barcelona), ansässig in Barcelona.
Stellte zw. 1927 u. 1932 im Salon des Tuileries in Paris aus. Dekorat. Malereien; Entwürfe für Gartenanlagen; Landschaften, Marinen.
Lit.: Francés, 1916 p. 132. — Bénézit, ² I (1948). — Kat. d. Ausst. Span. Kunst d. Gegenw., Berlin, Pr. Akad. d. Kste, 1942.

Bénet-Brouilhony, Julia, franz. Blumen- u. Früchtemalerin, * Paris, † um 1930 ebda.
Schülerin von B. Constant u. J. Lefebvre. Mitglied der Soc. d. Art. Franç., beschickte deren Salon bis 1930.
Lit.: Joseph, I. — Bénézit, ² I (1948).

Beneyton, Paulette Edmée, franz. Stilllebenmalerin, * Paris, ansässig ebda.
Schülerin von Suzanne Minier. Stellt im Salon der Soc. d. Art. Franç. aus (Kat. z. T. m. Abbn).
Lit.: Joseph, I. — Bénézit, ² I (1948).

Bénézit, Emanuel Charles, franz. Maler, * 28. 11. 1887 Paris, ansässig in Hyères (Var).
Sohn des Künstlerlexikogr. Emmanuel B. Schüler von J. P. Laurens. Stellt bei den Indépendants, im Salon d'Automne u. im Salon des Tuileries aus. Landschaften, Figürliches, Blumenstücke, Stilleben. Malte viel in der Provence, der Bretagne, Normandie, Pikardie u. im Elsaß. — Bilder u. a. in den Museen in Châtillon-sur-Seine, La Chaux-de-Fonds, Belgrad u. Bukarest.
Lit.: Joseph, I, m. Abb. — Bénézit, ² I (1948). — Beaux-Arts, Nr 278 v. 29. 4. 1938 p. 5, m. Abb.

Bengen, Harold, dtsch. Maler (Öl u. Pastell) u. Entwurfzeichner für Mosaik u. Glasmalerei, * 6. 1. 1879 Hannover, ansässig in Charlottenburg.
Stud. 1896/98 an d. Kstsch. in Weimar. Prof. an d. Kstgewerbesch. in Charlottenburg. Glasgemälde u. a. im Mus. in Magdeburg, im Rathaus in Berlin-Friedenau, in der Städt. Sparkasse in Neu-Kölln u. in der Charité-Kirche in Berlin (1917). Bildnis d. Bürgermeisters Dr. Meyer (1919) im Rathaus in Charlottenburg.
Lit.: Dreßler. — Dtsche Kst u. Dekor., 36 (1915) 296f. (Abbn). — Kstchronik, N. F. 34 (1922/23) 98. — Kstgewerbeblatt, N. F. 24 (1913) 51f., Abbn bis p. 57. — D. Christl. Kst, 9 (1912/13), Beibl. p. 6. — Velhagen & Klasings Monatsh., 43/I (1928/29), farb. Abb. p. 612; 47/II (1932/33) 113/20, m. zahlr. farb. Abbn.

Bengmann, Gerhart, dtsch. Maler, * 1922 Erfurt.
Stud. an d. Meistersch. in Erfurt u. der Hochsch. für bild. Kste in Dresden u. Berlin unter Max Pechstein.

Bengtson, Bertil, schwed. Landschafts- u. Stillebenmaler (Öl, Aquar., Tempera), * 1907 Växjö, ansässig in Stockholm.
Schüler von Otte Sköld in Stockholm.
Lit.: Thomœus.

Bengtsson, Sigfrid, schwed. Landschafts-, Tier- u. Blumenmaler, * 1898 Nevishög, Schonen, ansässig in Staffanstorp, Schonen.
Stud. an den Malschulen in Malmö u. Stockholm. Breite, kräftige Malweise. Bilder in den Museen in Malmö u. Ystad.
Lit.: Thomœus.

Benjámin, Hermann, ungar. Maler (Öl u. Aquar.), ansässig in Koloszvár (Klausenburg).
Stud. 1905 in München.
Lit.: Szendrei-Szentiványi.

Benjamin, Lucile J., Pseudonym: *Joullin,* amer. Malerin, * 1876 Genesco, Ill., † 1924 San Francisco, Calif.
Schülerin von John Vanderpoel u. d. Art Inst. in Chicago. Bild: Algerischer Sklave, im Bohemian Club in San Francisco.
Lit.: Fielding.

Benjamin, Nora, amer. Lithographin u. Malerin, * 4. 1. 1899 New York, ansässig ebda.
Schülerin von B. Robinson, K. Nicolaides u. Charles Locke. Zeichnete für „The New Yorker".
Lit.: Who's Who in Amer. Art, I: 1936/37. — Mallett.

Benjamin, Paul, amer. Maler, * 26. 6. 1902 New York, ansässig ebda.
Schüler von Gifford Beal, Wm. McNulty u. der Art Students' League in New York. Bilder u. a. im Weißen Haus in Washington, in d. Univ. New York u. in d. Textil-Hochschule ebda.
Lit.: Who's Who in Amer. Art, I: 1936/37. — Mallett.

Bénic, André, franz. humorist. Zeichner, Illustr. u. Aquarellmaler, * 1. 7. 1889 Paris, ansässig ebda.
Stellt u. a. im Salon des Humoristes aus. Landschaftsaquarell im Kriegsmus. in Verdun.
Lit.: Joseph, I. — Bénezit, ² I (1948).

Benini, Nello, ital. Radierer u. Buchillustr., * 3. 10. 1895 Orvieto.
Autodidakt. Landschaften, Architektur, Figürliches.
Lit.: Comanducci. — Emporium, 82 (1935) 333 r. Sp., 334.

Benirschke, Max, öst. Innenarchitekt, Kstgewerbler u. Fachschriftst., * 7. 5. 1880 Wien, ansässig in Düsseldorf.
Stud. an d. Kstgewerbesch. u. d. Akad. in Wien. Ev. Kirche nebst Pfarrhaus in Harzopf b. Mühlheim a. d. Ruhr; Ev. Kirche nebst Gemeindesaal in Porz b. Köln; Ev. Pfarrhaus u. Gebetshaus in Heissen a. d. Ruhr; ferner Wohn- u. Geschäftshäuser. Buchwerk: Buchschmuck u. Flächenmuster, Verl. Gerlach & Schenk, Wien.
Lit.: Th.-B., 3 (1909). — Dreßler. — Ver Sacrum (Wien), 4 (1901) 211ff. (Abbn).

Beniscelli, Alberto, ital. Landschafts- u. Marinemaler, * 1870 Genua, ansässig in Rom.
Lit.: Th.-B., 3 (1909), irrig auch unter Carlo B. — Comanducci.

Benito, Edouard García, span.-franz. Maler u. Lithogr., * Valladolid, ansässig in Paris.
Seit 1925 Membre Associé der Soc. Nat. d. B.-Arts, beschickte deren Salon bis 1934. Stellte seit 1923 auch im Salon des Tuileries aus. Hauptsächlich Porträtist. Illustr. zu: Le Testament, von P. Bourget; 24 Sonnets de Gongora. Farb. Lithos mit Szenen aus dem 1. Weltkrieg.
Lit.: Bénézit, ² I (1948). — Gaz. d. B.-Arts, 1917, p. 484, 483 (Abb.).

Benka, Martin, slowak. Maler u. Graph., * 20. 9. 1888 Kiripolec (Slowakei).
Bildete sich in Wien, dann als Privatschüler von A. Kalvoda in Prag. Debütierte 1914 in Prag u. auf der Ausst. mähr. Künstler in Hodonín (Göding). Seine persönliche Note entfaltete sich erst nach dem 1. Weltkrieg unter dem Einfluß der modernen Malerei, die er auf Studienreisen in Italien u. Frankreich kennenlernte. Seine Landschaften aus der Slowakei erstreben einen in Form u. Farbe äußerst vereinfachten Aus-

druck. Beteiligte sich an internat. Ausstellgn (Biennale Venedig 1926 usw.). Bilder in d. Nat.-Gal. Prag.

Lit.: Joseph, I. — Elán, 1932, Nr 3. — Die Kunst, 69 (1933/34) 357. — V. Wagner, Profil slov. výtv. umênia, Preßburg 1935, p. 51f. m. Abb. — Elán, 9 (1938/39) 7. — J. Cincík, M. B., Coll. Slovenskí umêlci 2, Preßb. 1935; ders., M. B., Kresby, Turčiansky Sv. Martin, 1944. — Toman, I 56. — Fodor, p. 41. *Blažíček.*

Benker, Emil, dtsch. Bildhauer, * 25. 6. 1887 Berlin, ansässig ebda.

Schüler der Berl. Akad. (Rompreis).

Lit.: Dreßler.

Benkert, Josef Albert, dtsch. Maler u. Holzschneider, * 1900 Kulmbach, ansässig in Soest, Westf.

Schüler von Chr. Rohlfs, gefördert von Otto Boveri. Architektur, Industrielandschaften, meist mit figürl. Staffage (bes. biblische Vorwürfe), Blumenstücke. Anfänglich Impressionist, später Expressionist; Hauptnachdruck gelegt auf Herausstellung des Seelischen. Malt in Öl u. Aquarell. Wohnhaft in Bamberg u. Soest. Graph. Werke: Soester Tagebuch (50 Federzeichgn), 1923/24; Totentänze. Hauptwerk des Malers: Der Krieg (2 gr. Bilder), mit dem B. sich in eine Linie mit Dix stellte. 1. Gesamtausst. Spätsommer 1922 in Bochum (Vereinig. westfäl. Kstler u. Kstfreunde).

Lit.: Dreßler. — D. Cicerone, 16 (1924/II) 936f.; 17 (1925/II) 659. — Hellweg (Essen), 3 (1923) 79f., m. 3 Abbn, 453, m. Abb.; 4 (1924) 676/78, m. 2 Abbn, 682f. (Abbn). — D. Kstwerk, 1 (1946/47) H. 5, p. 39. — Velhagen & Klasings Monatsh., 49/I (1934/35), farb. Abb. geg. p. 442, 464.

Benkhard, Ágost, ungar. Maler (Prof.), * 16. 2. 1882 Budapest, ansässig ebda.

Stud. an der Musterzeichensch. in Budapest, bei Hollósy in Nagybánya u. bei F. Szablya-Frischauf in Budapest. 1904 in Italien. Seit 1910 Mitglied des Hagenbundes in Wien. Seit 1922 Prof. an d. Hochsch. f. Bild. Kste in Budapest, sommers über Leiter der Hochschul-Sommerkolonie in Miskolc. Figürliches, Bildnisse, Landschaften. In d. N. Ungar. Gal. in Budapest: Herbstpracht.

Lit.: Szendrei-Szentiványi. — Művészet, 17 (1918) 76. — Kst u. Ksthandwerk (Wien), 13 (1910) 131 (Selbstbildn.). — Kat. d. Ausst. Ungar. Malerei d. Gegenw., Berlin u. a. O. 1942/43, m. Abb.

Benkő, Ilona, ungar. Bildnismalerin, * 17. 8. 1879 Budapest, ansässig ebda.

Schülerin von L. Deák-Ebner in Budapest, 1900/04 von Knirr, Landenberger u. Dasio in München.

Lit.: Szendrei-Szentiványi. — Krücken-Parlagi. — Dtschlands, Öst.-Ung. u. d. Schweiz Gelehrte, Kstler u. Schriftst., [2] Hannover 1911, m. Fotobildn.

Benkő, Károly, ungar. Karikaturenzeichner, 1889 Pécs (Fünfkirchen), † 24. 2. 1911 Budapest.

Stud. in Pécs u. Budapest. Arbeitete für die „Meggendorfer Blätter" u. Münchner „Jugend".

Lit.: Szendrei-Szentiványi.

Benlliure y Gil, Mariano, span. Bildhauer, Medailleur u. Aquarellmaler, * 8. 9. 1862 Valencia, † 1946. Bruder der José (* 1855, † 1919) u. Juan Ant. (* 1860).

Stud. an der Span. Akad. in Rom. Generaldirektor der Schönen Künste. — Bildnisbüsten, Statuen, Genre (bes. Stierkämpfer). Hauptwerke: Grabmal für den Matador u. span. Nationalhelden Joselito (Katafalk des Toten, getragen von 6 Männern, begleitet von Frauen u. Kindern) auf dem Friedhof in Sevilla; Standbild des Malers Jusepe Ribera in Valencia; Brunnendenkmal des Marschalls Martínez Campos im Parque Emilio Castelar ebda. Im Mus. Cerralbo in Madrid eine Statue des Gründers desselben, Marqués de Cerralbo. Im Palais Mazarin in Paris eine Büste des Malers Léon Bonnat. Im Landolthaus in Zürich eine Büste des Zürcher Malers Salomon Corrodi.

Lit.: Th.-B., 3 (1909). — V. Pica, L'Arte mondiale a Roma 1911, Bergamo 1913, p. XXXIIf. — Michel, 8 (1926) 812f., m. Abb. — Forrer, 7 (1923). — A. Vives, Medallas de la Casa de Borbon, Madrid 1916, Nr 866, 877f. — Francés, 1917 p. 80/84, m. Abb.; 1919 p. 126/36, m. Abb.; 1923/24 p. 253/56, Taf. 17. — Bénézit, [2] I (1948). — Bol. de la Soc. esp. de Excurs., 3 (1895/96) 162, m. Taf.-Abb.; 19 (1911) 125/34, m. 6 Taf.-Abbn; 28 (1920); 33 (1925); 36 (1928); 42 (1934); 43 (1935). — Archivo de Arte valenc., 4 (1918) 120, 124 (Abb.); 5 (1919) 112. — Archivo esp. de Arte, Juli 1947, Nr 79 p. 262f. — La Renaiss. de l'Art franç., 7 (1924) 513f., m. Abb. — Bull. de l'Art anc. et mod., 1924 p. 28, 29 (Abb.); 1926 p. 171f. — Cat. Expos. Nac. de Pint. etc., 1910, p. 63.

Benlloch y Casares, Julio, span. Bildhauer, * 5. 11. 1893 Meliana, † 24. 6. 1919 ebda.

Lit.: Archivo de arte valenc., 4 (1918) 132; 5 (1919) 108ff. (Nekrolog mit Bildnis u. 2 Abbn).

Benn, Ben, russ.-amer. Maler, * 27. 12. 1884 Bialystok, ansässig in New York.

Schüler der Nat. Acad. of Design in New York. Beeinflußt von van Gogh u. Matisse. Hauptsächlich Porträtist. Stellte seit 1932 im Salon d'Automne u. bei den Indépendants in Paris aus. Kollektiv-Ausst. von 35 Bildnissen bekannter französ. Kunstgelehrter u. Kstkritiker in der Gal. Berri-Argenson in Düsseldorf, August 1949.

Lit.: Fielding. — Mellquist. — Monro. — Amer. Art Annual, 20 (1923) 440; 30 (1933). — Dial, 71, Nr 4, Okt. 1921, Abb. geg. p. 407; 72, Nr 5, Mai 1922, p. 492. — Art Index, Okt. 1945/Okt. 1952. — Bénézit, [2] I. — Jüdisches Gemeindeblatt, Allgem. Zeitg Düsseldorf, 19. 8. 1949, m. Fotobildn.

Benna, Edgar, dtsch. Glaskünstler, * 26. 11. 1899 Schreiberhau, Riesengeb., zuletzt ansässig in Breslau.

Stud. an d. Kstgewerbesch. u. der Privatsch. Kowalsky in Breslau. Fachlehrer an d. Kstgewerbesch. in Breslau. Proben seiner Glaskunst im Kstgewerbemus. Breslau (blaue Überfangvase mit Tieren u. Ornament) u. im Dtsch. Schriftmus. in Berlin (Gläser mit Figuren u. Schrift).

Lit.: Dreßler. — Schles. Heimat, 1937 p. 184/88. — Schles. Monatsh., 11 (1934) 349/51.

Benna, Helmuth, dtsch. Holzbildhauer, * 9. 12. 1900 Harrachdorf, zuletzt ansässig in Oberschreiberhau, Riesengeb. Sohn d. Folg.

Stud. an der Holzschnitzschule in Breslau.

Lit.: Dreßler.

Benna, Wenzel, dtsch. Glaskünstler, * 23. 2. 1873 Seeberg, zuletzt ansässig in Oberschreiberhau, Riesengeb. Vater des Helmuth.

Stud. in Deutschland u. Österreich.

Lit.: Dreßler.

Bennedsen, Jens Christian, dän. Landschaftsmaler (Öl u. Aquar.), * 1893 Abild, ansässig in Kopenhagen.

Stud. in Kopenhagen u. in Rom. Lebte längere Zeit in Schweden. Winterlandschaften aus Småland. Bild im Mus. in Nivaagaard.

Lit.: Thomœus.

Benner, Hanns, dtsch. Maler, * 1901 Frankfurt a.M., ansässig ebda.

Benner, Johan, holl. Maler u. Lithogr., * 31. 10. 1876 Amsterdam, ansässig in Laren.
Schüler von H. van der Poll. Im wesentlichen Autodidakt. Landschaften, Tiere, Pflanzen.
Lit.: Plasschaert. — Waay. — Waller.

Benner, Many Emmanuel Michel, franz. Maler, * 17. 7. 1873 auf Capri, von franz. Eltern, ansässig in Paris.
Sohn des aus Mülhausen i. E. stammenden Malers Jean B. († 28. 10. 1906 Paris). Schüler von Henner, J. Lefebvre, B. Constant u. Tony Robert-Fleury. Mitglied der Soc. d. Art. Franç., deren Salon er bis 1930 beschickte (Kat. häufig mit Abbn). Konservator des Musée Henner. Figürliches (bes. Akte u. biblische Sujets), Interieurs, Bildnisse.
Lit.: Joseph, I. — Qui Etes-Vous?, 1924. — Bénezit, [2]I (1948). — The Connoisseur, 54 (1919) 25 (Abb.), 29.

Benner, Walter, dtsch. Glasmaler, * 1912 Aachen.
Schuf die neuen Aachener Domfenster.
Lit.: D. Münster, 2 (1948/49) 204; 5 (1952) 33/35, m. Abbn. — Kstchronik, 3 (1950) 136.

Benners, Ethel Ellis, amer. Malerin, ansässig in Philadelphia, Pa.
Schülerin von Breckenridge, Anshutz, Wm. M. Chase u. Cecilia Beaux. Wandmalereien im Ballsaal des Kongreßhotels in Baltimore, Md., u. im Klubhaus der Amer. Women's Assoc., New York, letztere zusammen mit Lucile Howard.
Lit.: Amer. Art Annual, 30 (1933). — Who's Who in Amer. Art: I: 1936/37.

Benneteau-(Desgrois), Félix, franz. Bildhauer, * 9. 5. 1879 Paris, ansässig ebda.
Schüler von Falguière, Mercié u. Denys-Puech. Rompreis 1909. Mitglied der Soc. d. Art. Franç., des Salon d'Automne u. des Tuileries. Denkmal für die im 1. Weltkrieg gefallenen Schauspieler in der Comédie Française. Bildnisbüsten; Genrestatuen.
Lit.: Joseph, I. — Bénézit, [2]I (1948).

Bennett, Alfred, amer. Maler, * 19. 12. 1891 Pittsburgh, Pa., ansässig ebda.
Schüler von Christian Walter.
Lit.: Who's Who in Amer. Art, I: 1936/37.

Bennett, Belle, amer. Bildhauerin, * 1900 New York, ansässig ebda.
Schülerin von Solon Borglum.
Lit.: Fielding.

Bennett, Emma Dunbar, amer. Bildhauerin, * New Bedford, Mass., ansässig in Paris.
Stud. an der Brit. Akad. in Rom.
Lit.: Fielding. — Amer. Art Annual, 20 (1923) 440; 30 (1933).

Bennett, Emma-Sutton, geb. *Carter,* amer. Malerin u. Rad., * 26. 8. 1902, ansässig in St. Louis, Mo.
Lit.: Amer. Art Annual, 30 (1933). — Who's Who in Amer. Art, I: 1936/37.

Bennett, Francis I., amer. Maler, * 8. 3. 1876 Philadelphia, Pa., ansässig in Nutley, N. J.
Schüler von Anshutz, W. M. Chase, Robert Henri u. Vonnoh.
Lit.: Fielding. — Amer. Art Annual, 20 (1923) 440; 30 (1933).

Bennett, Frank Moss, engl. Bildnis- u. Figurenmaler u. Zeichner von Kostümfiguren, * 1874 Liverpool, ansässig in London.
Stud. an d. Slade School u. an d. Kstschule der Roy. Acad. Beschickte die Ausst. der Letzteren, gelegentlich auch den Salon der Soc. d. Art. Franç. in Paris (Kat. z. T. m. Abbn, z. B. 1929f.). In der Nat. Portr. Gall. London: Bildn. d. Schriftst. Sir Theod. Martin.
Lit.: Who's Who in Art, [3]1934. — Graves, I.

Bennett, Franklin, amer. Maler u. Radierer, * 5. 1. 1908 Greenport, N. Y., ansässig in New York.
Schüler der Art Students' League in New York.
Lit.: Who's Who in Amer. Art, I: 1936/37.

Bennett, Rainey, amer. Maler, * 1907.
Lit.: Mallett. — Magazine of Art (Washington, D. C.), 35 Nr v. 1. 12. 1942, p. 290. — Amer. Artist, 11 (Okt. 1947) 33 (Abb.). — Monro.

Bennett, Reginald, amer. Maler, * 20. 2. 1893 Devils Lake, N. D., ansässig in Detroit.
Schüler von J. P. Wicker, J. Despujols u. O. Friesz. Wandmalereien im State of Michigan in Lansing u. in der City Hall in Detroit.
Lit.: Amer. Art Annual, 30 (1933). — Who's Who in Amer. Art, I: 1936/37. — Monro.

Bennett, Richard, irisch-amer. Holzschneider, * 22. 7. 1899 in Irland, ansässig in New Rochelle, N. Y.,
Schüler von Walter Isaacs u. Ambrose Patterson. Illustr. u. a. für: New York Times Magaz., Bookman, Forum u. Graphik. Mappenwerk: England and Ireland (12 Holzschn.), Washington, D. C., 1927.
Lit.: Who's Who in Amer Art, I: 1936/37.

Bennett, Ruth Manerva, amer. Holzbildhauerin, * 11. 2. 1899 Momence, Ill., ansässig in Hollywood, Calif.
Schülerin von George Bridgman, John Carlson u. Armin Hansen.
Lit.: Amer. Art Annual, 27 (1930) 509; 30 (1933). — Who's Who in Amer. Art, I: 1936/37. — Artist, 38 (1950) 128 (Abb.).

Bennett, Thomas Penberthy, engl. Architekt, * 1887, ansässig in London.
Stud. an den Roy. Acad. Schools. Hauptbauten, Saville-Theater; Haverstock Hill Odeon; Bankgeb. für Westminster u. Barclays.
Lit.: The Internat. Who's Who, [16]1952. — Roy. Inst. of Brit. Archit. Journal, s. 3, vol. 57 (1950) p. 386/88.

Benney, Ernest Alfred Sallis, engl. Maler u. Zeichner, * 1894 Bradford, ansässig in Hull.
Stud. am Roy. Coll. of Art in London.
Lit.: Who's Who in Art, [3]1934. — The Studio, 93 (1927) 50, 51 (ganzseit. Abb.); 95 (1928) 47 (Abb.); 107 (1934) 50 (Abb.).

Benois, Albert Alexandrowitsch, russ. Maler (Öl u. Aquar.), Bühnenbildner, Holzschneider u. Illustr., * 24. 6. 1888 St. Petersburg (Leningrad), ansässig in Paris.
Schüler von Pierre Vignal u. Henri Zo. Hauptsächlich Landschaften (Bretagne, Ile-de-France, Schweiz, Italien). Illustr. zu Maupassant „Le Rosier de Mme Husson" u. zu den „Fragments d'Epicharme" (Übersetzg von Walker).
Lit.: Joseph, I. — Bénézit, [2]I. — L'Architecture, 1928 p. 158/60, m. 5 Abbn. — Beaux-Arts, 8 (recte 9), Nr v. 25. 12. 1931, p. 24.

Benois, Alexander Nikolajewitsch, russ. Maler, Illustr., Theaterdekorateur u. Kunstschriftst., * 1870 St. Petersburg (Leningrad). Franz. Abkunft. Bruder der Albert Nik. (* 1852) u. Leontij (* 1856, † 1928).

Stud. zuerst Jura, bildete sich dann autodidaktisch 1897/99 als Maler in Paris. Greift mit Vorliebe auf das Milieu des franz. Rokoko zurück. Bilder u. Aquarelle u. a. im Russ. Mus. in Leningrad u. in der Staatl. Tretjakoff-Gal. in Moskau (Kat. 1947). Illustr. zu der Puschkin-Ausgabe Kantschalowskij's. Begründete mit Ssomoff, Sseroff u. L. Bakst die Künstlervereinig. u. Kstzeitschr. „Mir Isskustwa" (Die Kunstwelt). Verf. einer Geschichte der russ. Malerei im 19. Jh. (russ.).

Lit.: Th.-B., 3 (1909). — Ss. Ernst, A. B. („Russ. Künstler", Bd 3), Leningrad 1922. — O. Bie, Barchan, B. u. Grigorjeff. 46 Taf. (davon 4 farbig) u. 27 Zeichngn, Potsdam o. J. [1921]. — Grabar, I 104f., m. Abb. — Bénézit, [2] I. — Ss. Makowskij, Kstkrit. Studien (russ.), 3 (Petersbg 1913) 36, 45 (Abb.), 106f. — Michel, VIII 768f., m. Abb. — Mir Isskustwa, I (1899), Chronik p. 137; II, Chron. p. 35; III (1900) 91, Chron. p. 113, 114; V (1901) 130, 187, 197ff., Tafelteil p. 109; VI (1901) 146, 342, Tafelteil p. 122ff.; VII (1902) 32, 289f. — La Toison d'Or, 1906 Nr 5 p. 73; Nr 6 p. 12/14 (Abbn), 64ff.; Nr 10 p. 3/24, m. zahlr. Abbn. — Isskustwo (Kijeff), 1911 p. 150/69, m. Abbn; 1912 p. 70, 111. — Apollon (Moskau), I (1909), Heft 3 p. 4, 32f. (Abbn). — Ssredi Kollekzioneroff, 1922 Heft 1 p. 30; H. 4 p. 57; H. 7 p. 81; 1923 H. 5 p. 47; H. 7 p. 48, 55; 1924, H. 3/4 p. 50. — La Renaiss. de l'Art franç., 5 (1922) 46, 48 (Abb.). — Bull. de l'Art, 1926 p. 291, m. Abb., 317 (Abb.), 320, m. Abb.; 1929 p. 192 (Abb.). — Beaux-Arts, 8 (recte 9) Nr v. 25. 7. 1931, p. 6, m. Abb.; 12 (1935), Nr 149 p. 3, m. Abb. — The Studio, 112 (1936) 160f., m. Abb.; 125 (1943) 63, 153 (Abb.). — Ill. Rundschau, 2. Jg. Nr 3, Febr. 1947, p. 5 (Abb.). — Art Digest, v. 15. 3. 1946, p. 27.

Benois, Nadja, verehel. Baronin *Ustinoff*, russ. Blumen-, Stilleben-, Landsch.-, Bildnis- u. Figuren- (bes. Akt-)malerin (Öl, Tempera u. Pastell), * St. Petersburg (Leningrad), ansässig in London. Tochter des Archit. Leontij Nik. B. (* 1856, † 1928).

Schülerin von W. J. Schuchajeff. Beeinflußt von van Gogh u. Cézanne. Seit 1920 in London ansässig. Im Bes. der Contemp. Art Society in London eine Landschaft. Kollekt.-Ausst. Okt./Nov. 1932 u. Nov. 1936 in den Tooth Gall. in London.

Lit.: Mallett. — Der Kstwanderer, 1928/29 p. 410. — Apollo (London), 9 (1929) 137f., m. 2 Abbn; 11 (1930) 143 (Abb.); 16 (1932) 196, m. Abb.; 24 (1936) 246 (Abb.), 248, 303. — The Studio, 101 (1931) 297 (Abb.); 104 (1932) farb. Taf. geg. p. 247; 112 (1936) 260/65, m. 5 Abbn, 1 farb. Taf. u. Fotobildn.; 117 (1939) 152 (Abb.); 135 (1948) 28 (Abb.); 144 (1952) 162 (Abb.).

Benoit, Jean, kanad. Maler (Prof.), * 1922 Quebeck, ansässig in Paris.

Stud. in Quebeck. Lehrte 4 Jahre an d. Akad. in Montreal. Seit 1948 in Paris. Abstrakter Künstler.

Lit.: D. Kstwerk, 4 (1950), Heft 8/9 p. 92; 5 (1951) H. 1 p. 58f., m. 8 Abbn. — Canad. Art, 5 (1948) 141 (Abb.).

Benoit-Barnet, Louis, franz. Maler, * 12. 5. 1874 Saint-Claude (Jura), ansässig in Paris.

Schüler von J. Blanc, P. Delaunay, G. Moreau u. Bouguereau. Stellte bis 1933 im Salon der Soc. d. Art. Franç., 1927/32 bei den Indépendants aus. Bildnisse, Landschaften, Monumentalmalereien (3 Plafonds im Sparkassengeb. in Saint-Claude). Ansicht des Hafens von Dieppe im Mus. der Stadt Paris.

Lit.: Th.-B., 3 (1909). — Joseph, I. — Bénézit, [2] I (1948).

Benoit-Courcier, Hélène, franz. Malerin, * Aire-sur-la-Lys (Pas-de-Calais), ansässig in Versailles.

Schülerin von Schommer, Gervais u. Capgras. Stellt im Salon der Soc. d. Art. franç. aus.

Lit.: Joseph, I. — Bénézit, [2] I (1948).

Benon, Alfred, franz. Bildhauer, * 11. 7. 1887 Saumur (Maine-et-Loire), ansässig in Paris.

Stud. an der Pariser Ec. d. B.-Arts. Mitglied, 1927 Vizepräsident der Soc. Nat. d. B.-Arts. Stellt auch im Salon d'Automne, bei den Indépendants u. im Salon des Tuileries aus.

Lit.: Joseph, I. — Bénézit, [2] I (1948). — Beaux-Arts, 1936 Nr 170 p. 8, m. Abb.; 1937 Nr 238 p. 3, m. Abb.; 1938 Nr 283 p. 12 (Abb.); 1939 Nr 316 p. 4, m. Abb.; Nr 322 p. 4, m. Abb.

Benš, Adolf, tschech. Architekt u. Ingenieur, * 18. 5. 1894 Pardubice.

Schüler von J. Kotěra an d. Prager Kstgewerbeschule, von J. Gočár an der Akad. u. der Prager Techn. Hochschule. Prof. an der Kstgewerbesch. Pläne für die Elektr. Werke in Prag (1927, zus. mit J. Kříž); Pavillon der ČSR auf der Ausst. in Lüttich 1930; Bauten des Flugplatzes in Ruzyň b. Prag (1934).

Lit.: Casa bella (Mailand), Mai 1936, p. 18/25, m. Abbn. — J. E. Koula, Nová česká architektura, Prag 1940. — Toman, I 56. *Blž.*

Bensaude, Ricardo, portug. Maler, * 16. 1. 1894 Triest.

Stud. am Collégio Saboia, an d. Akad. in Mailand u. an der Kstschule in Lissabon. Inspekteur des Berufsschulwesens. — Miguel-Ângelo-Lupi-Preis, Valmôr-Preis. Stipendiat der Junta da Educação Nac. in Paris. Stellte im Salon der Mod. Kst in Lissabon aus. Dekorationen auf der Hist. Ausst. der kolonialen Eroberung 1937.

Lit.: Gr. Enc. Port. e Brasil., IV 537. — Quem é Alguém, 1947 p. 120.

Bensco, Charles, öst.-amer. Porträtmaler u. Lithogr., * 19. 2. 1894 in Österreich, ansässig in Hollywood.

Schüler von M. Bancroff, G. Bridgman, W. Chase u. E. Blumenschein.

Lit.: Who's Who in Amer. Art, I: 1936/37.

Bensel, Karl, dtsch. Architekt, * 3. 4. 1878 Rissen b. Blankenese, ansässig in Hamburg.

Stud. an den Techn. Hochsch. Charlottenburg u. Dresden. Bugenhagen-Haus, Hambg; Elektr. Werk „Tiefstaak".

Lit.: Dreßler. — Habicht, D. Niedersächs. Kstkreis, 1930. — Neue Baukst, 2 (1926) H. 2, m. Abbn. — Kstgewerbeblatt, N. F. 27 (1916) 90, 91 (Abb.). — Profanbau, 1914 p. 301f. — D. Kst, 74 (1936) 252f. — D. Kreis (Hambg), 2 (1925) 6f., 19f. (Abbn), 3 (1926) Abb. geg. p. 81.

Bensing, Frank, amer. Bildnismaler u. Illustrator, * 29. 10. 1893 Chicago, Ill., ansässig in New York.

Schüler von W. J. Reynolds u. W. Biggs. Zeichnete u. a. für: Amer. Magazine, Redbook Magazine, The Week u. Saturday Evening. Sonderausst. März 1952 im Grand Central, Vanderbilt in New York.

Lit.: Amer. Art Annual, 29 (1932). — Who's Who in Amer. Art, I: 1936/37. — Art Digest, 26, Nr v. 1. 3. 1952, p. 29.

Bensinger, Anne, amer. Malerin, * 29. 7. 1906 Topeka, Kansas, ansässig in Los Angeles.

Schülerin von E. Vysekal, Millard Sheets, Guy de Bouthier u. A. Archipenko.

Lit.: Who's Who in Amer. Art, I: 1936/37.

Benson, Ben Albert, schwed.-amer. Radierer u. Holzschneider, * 23. 1. 1901 Bollnäs, Schweden.

Stud. an der Kstschule der Univers. von Nebraska.

Lit.: Who's Who in Amer. Art, I: 1936/37.

Benson, Eda Spoth, amer. Malerin, Bildhauerin, Radiererin u. Zeichnerin, * 25. 3. 1898 Brooklyn, N. Y., ansässig in West Cornwall, Conn.

Schüler von L. Dabo u. Alex Hofer, weitergebildet in Dresden unter Eugen Steinhof u. in München. Hauptsächl. Landschafterin.

Lit.: Who's Who in Amer. Art, I: 1936/37.

Benson, Frank Weston, amer. Maler (Öl u. Aquarell), Rad. u. Kupferstecher, * 24. 3. 1862 Salem, Mass., † 1951 Boston, Mass.

Stud. an d. Schule des Mus. in Boston, dann bei Boulanger u. Lefebvre in Paris. Stellte seit Ende der 90er Jahre in der Gruppe „Die Zehn" aus. Vielfach ausgezeichnet, u. a. Gold. Med. in Pittsburgh 1903, St. Louis 1904 u. Philadelphia 1906. Seit 1889 in Boston ansässig, Zeichen- u. Mallehrer an der gen. Schule. — Figürliches, Bildnisse. Als Graphiker Geflügel- (bes. Enten-) Darstellungen bevorzugend. Hauptblätter: Pintails passing; Springing Teal; Sunset of Long Point; Herons in a Pine Tree. Liebt als Maler helle, duftige Farben (Pleinair). Bilder u. a. im Mus. of Mod. Art in New York, in den Museen Boston, Chicago, Cincinnati, in der F. Arts Acad. Buffalo, im Besitz d. Fine Art Assoc. in New York, im Carnegie Inst. in Pittsburgh, im Bes. der Art Assoc. in Indianapolis, in d. Corcoran Gall. in Washington, im Mus. in Worcester u. in d. Addison Gall. of Amer. Art in Andover, Mass. (Abb. in: Handbook of Paintings etc., 1939 p. 67). Wandmalereien in der Nat. Library in Washington.

Lit.: Th.-B., 3 (1909). — Fielding. — Small, p. 40, 52, m. Abb., 119. — Mellquist. — Earle. — Monro. — Amer. Art Annual, 11 (1914) Abb. geg. p. 87; 14 (1917) Abb. geg. p. 140; 20 (1923) 440; 30 (1933). — A. E. M. Pfaff, An illustr. a. descr. Cat. of Etchings and Drypoints by F. W. B., Boston 1917. Bespr. in: The Burlington Magaz., 32 (1918) 76f. — Who's Who in Amer. Art, I: 1936/37. — L'Art et les Artistes, 17 (1913) 72. — The Studio, 63 (1915) 431; 70 (1917) 140, m. Abb.; 82 (1921) 95/100, m. 4 Abb.; 87 (1924) 61, m. Abb.; 90 (1925) 30, 32 (Abb.); 91 (1926) 80 (Abb.). — Bull. of the Detroit Inst. of Arts, 1 (1919/20) 59, 129 (Abb.), 131 (Abb.), 132, 135. — Maandbl. v. beeld. Kunsten, 2 (1925) 388f. — The Art News, 25, Nr 9 v. 4. 12. 1926, p. 9, Nr 18 v. 5. 2. 1927, p. 10, Nr 23 v. 12. 3. 1927; p. 9, Nr 38 v. 30. 4. 27, p. 5 (Abb.). — The Print Coll.'s Quarterly, 24 (1937) 217 (Abb.); 25 (1938) 167/83. — Bull. of the Cleveland Mus. of Art, 25 (1938) 128 (Abb.), 130. — Art Digest, 26, Nr v. 15. 12. 1951, p. 32. — Guide Paint. Perm Coll., Art Inst. Chicago 1925, p. 105, m. Abb., 126. — Art Index (New York), 1928 ff. passim.

Benson, John Howard, amer. Zeichner, * 6. 7. 1901, ansässig in Newport, R. I.

Schüler von Joseph Pennell u. der Art Student's League in New York.

Lit.: Amer. Art Annual, 27 (1930) 509. — Liturgical Arts (New York), 17, 5. 8. 1949, p. 124f., m, Abb. — Who's Who in Amer. Art, I: 1936/37.

Benson, John P., amer. Marinemaler, * 8. 2. 1865 Salem, Mass., † 1947 Kittery, Me.

Wandgem. mit Marinedarstellgn in der Hall of Ocean Life des Naturhist. Mus. in New York u. in der Providence Instit. for Savings in Providence, R.I.

Lit.: Amer. Art News, 21, Nr 10 v. 16. 12. 1922, p. 2; 23, Nr 2 v. 18. 10. 1924, p. 2; 25 Nr 27 v. 9. 4. 1927, p. 9. — Amer. Art Annual, 30 (1933). — Art Digest, 22, Nr v. 1. 12. 1947, p. 18 (Nachruf).

Benson, John William, amer. Maler u. Radierer, * 12. 10. 1904 Brooklyn, N. Y., ansässig ebda.

Schüler von Eug. Savage u. Edwin C. Taylor.

Lit.: Who's Who in Amer. Art, I: 1936/37.

Benson, Leslie L., amer. Illustrator, * 15. 3. 1885 Mahone, N. S., ansässig in Norwalk, Conn.

Stud. an der Schule des Mus. of F. Arts Boston, bei Eric Pape u. Fenway.

Lit.: Fielding. — Amer. Art Annual, 20 (1923) 441. — Mallett.

Benson, Stuart, amer. Porträtbildhauer, * 1877 Detroit, Mich., ansässig in Clos du Père, Frankr.

Stellte im Pariser Salon des Tuileries 1935 ein Bildnis des Malers Touchagues aus.

Lit.: Bénézit, [2] 1 (1948). — Mallett. — Art News, 43, Nr v. 15. 11. 1944, p. 26.

Bensow, Sigrid, geb. *Neuclér,* schwed. Bildnis-, Landschafts- u. Blumenmalerin, * 1882 Rogsta, Hälsingland, ansässig in Norrköping.

Stud. in Stockholm u. im Ausland.

Lit.: Thomœus.

Bentes, Manuel, portug. Maler (Bildnis, Landschaft, Stilleben), * 3. 4. 1885 Serpa.

2jähriger Besuch der Kstschule in Lissabon, weitergebildet an den Akad. Julian, Grande Chaumière u. Colarossi in Paris. Studien in den Museen. Preis für Malerei auf der Blumenausst. in Lissabon; Sousa-Cardoso-Preis 1946 vom Informationsamt; Silva-Porto-Preis der Soc. Nac. de B. Artes in Lissabon. Vertreten i. Nat.-Mus. f. zeitgen. Kst in Lissabon, im dort. Rathaus u. im Mus. Regional in Évora.

Lit.: Pamplona, p. 306. — Bénézit, [2] 1 (1948). — Diogo de Macedo in: Occidente, 1948; ders. in: Bol. da Cidade de Évora, 1950.

Bentham, Percy George, engl. Bildhauer, * 23. 2. 1883 London, ansässig ebda.

Stud. an den Roy. Acad. Schools in London, in Paris, bei Alfred Drury u. W. R. Colton.

Lit.: Who's Who in Art, [3] 1934.

Bentley, John Woodstock, amer. Maler, * 3. 1. 1880 Paterson, N. J., ansässig in Woodstock, N. Y.

Schüler von Bridgman, Du Mond, Harrison u. Robert Henri.

Lit.: Fielding. — Amer. Art Annual, 30 (1933).

Bentley, Lester, amer. Wandmaler, * 29. 3. 1908 Two Rivers, Wis., ansässig in Scarsdale, N. Y.

Schüler von Carl Buehr, Louis Ritman u. Boris Anisfeldt. Wandmalereien u. a. in d. Sacred Heard Church in Two Rivers, Wis.

Lit.: Who's Who in Amer. Art, I: 1936/37. — Painting in the Un. States. Ausst. Carnegie Inst. Pittsburgh 1949, Kat. Taf. 78. — Monro.

Benton, George Bernard, engl. Illustrator, Landsch.- u. Figurenmaler, * 18. 11. 1872 Birmingham, ansässig in Erdington.

Stud. an der Kstschule in Birmingham. Bild in der dort. Town Hall. Zeichnete für „Pall Male".

Lit.: Who's Who in Art, [3] 1934.

Benton, Harry Stacey, amer. Maler u. Illustr., * 11. 10. 1877 Saratoga Springs, N. Y., ansässig in South Norwalk, Conn.
Schüler des Art Inst. Chicago.
Lit.: Fielding. — Amer. Art Annual, 30 (1933).

Benton, Thomas Hart, amer. Landsch.-, Tier- u. Figurenmaler (Öl, Aquar.), * 15. 4. 1889 Neosho, Mo., ansässig in Kansas City.
Stud. in Chicago u. 1908/12 in Paris. Anfänglich abstrakter Kstler, dann Realist. 1933 Gold. Med. für Dekorationsmalerei. Wandmalereien im Whitney Mus. of Amer. Art in New York, im Metrop. Mus. ebda, in der New School for Social Research ebda u. im State Building in Jefferson City, Missouri. Ölbilder: Viehverladung in West-Texas, in der Addison Gall. of Amer. Art in Andover, Mass. (Abb. in: Handbook of Paintings etc., 1939, p. 95 u. 132); Reisernte in Louisiana, im Mus. in Brooklyn, N. Y. Gehört mit Grant Wood zu den populärsten zeitgenöss. Malern der USA.
Lit.: Fielding. — Amer. Art Annual, 30 (1933). — Who's Who in Amer. Art, I: 1936/37. — T. Bolton, Early Amer. Portrait Painters in Miniature, New York 1921. — S. La Follette, Art in Amer., New York 1934. — T. Craven, Modern Art, New York 1934. — Mellquist. — Monro. — The Art Bull., 19 (1937) 588 (Abb.), 590. — The Brooklyn Mus. Quart., 24 (1937) 85 (Abb.). — Prisma (München), 1 (1946/47) H. 6 p. IV, Abbn zw. p. 16/17. — The Studio, 101, (1931) 284/87 m. 4 Abbn; 104 (1932) 256 (Abb.); 105 (1933) 274 (Abb.); 106 (1933) 154f., m. Abbn; 107 (1934) 114 (Abbn), 118; 112 (1936) 109 (Abb.), 224 (Abb.), 348 (Abb.); 113 (1937) p. 6, 9 (Abb.); 114 (1937) 265, m. Abb.; 115 (1938) 324/28, m. 8 Abbn u. 1 farb. Taf.; 116 (1938) 267 (Abb.); 124 (1942) 207 (Abb.); 125 (1943) 118 (Abb.); 141 (1951) 65 (Abb.). — Thema (Gauting b. München), 1949/50 H. 1, p. 21 (Abb.). — D. Werk (Zürich), 29 (1942) 27 (Abb.). — Das Reich (Berlin), Nr 13 v. 28. 3. 1943, p. 11 (Abb.). — Art Index, New York 1928ff. passim.

Bentsen, Ivar, dän. Architekt (Prof.), * 13. 11. 1876 Vallekilde, † 21. 5. 1943 Kopenhagen.
Landhäuser, Schulen, Meiereien, Elektrizitätswerke usw. Niels-Steensen-Hospital in Gjentofte; Umbau des alten Frederik-Hospitals in Kopenh. zum Kunstindustrie-Museum (zus. mit Kaare Klint). Ausschmükkung des Blaagaard-Platzes ebda (zus. mit dem Bildh. Kai Nielsen). Entw. zu e. Gedenkhalle f. d. dän. Dichter Grundtvig (zus. mit P. V. Jensen-Klint).
Lit.: Krak's Blaa Bog, 1936; 1950, Totenliste. — Dahl-Engelstoft, I. — Vem är Vem i Norden Stockh. 1941, p. 27. — Artes (Kopenh.), 8 (1940) 52, — Bygmesteren, 16 (1923) 269. — Kst u. Kstler, 13 (1915) 499 (Abb.), 501, m. Abb., 502, 504 (Abb.). — Weilbach, [3] I. — S. E. Rasmussen, Nord Baukst, Berl. 1940.

Bentzen, Axel, dän. Maler, * 9. 7. 1893 Kopenhagen, ansässig ebda.
Stud. im Ausland, bes. in Paris. Landschaften, Interieurs. Bilder im Staatl. Mus. in Kopenhagen.
Lit.: Vem är Vem i Norden, Stockh. 1941, p. 28. — Konstrevy, 1935, p. 120, m. Abb.; 1937, p. 64, m. Abb. — Kunstmus. Aarsskrift, 1932; 1933/34; 1935; 1940. — Ord och Bild, 50 (1941) 508.

Benvenuti, Benvenuto, ital. Landschaftsmaler, * 5. 10. 1881 Livorno, ansässig in Mailand.
Schüler von V. Grubicy in Mailand. Übernahm von Segantini u. Previati die divisionistische Maltechnik.
Lit.: Comanducci. — Chi è?, 1940. — Gand artistique, 1929, p. 13/20, m. 4 Abbn.

Benz-Baenitz, Willy, dtsch. Bildnis- u. Historienmaler, * 29. 12. 1881 Berlin, ansässig in Bremen.
Stud. an der Berl. Akad. Im Rathaus in Kusel i. d. Pfalz: Der Mordbrand der Stadt Kusel i. J. 1797 durch die Franzosen. In der Aula des Lyzeums in Vegesack b. Bremen ein Fresko: Der Werdegang der Frau.
Lit.: Dreßler.

Benzig, Gerhard, dtsch. Maler, * 6. 11. 1903 Löbau, ansässig in Bautzen.
Schüler von Dorsch, Feldbauer u. Rob. Sterling an d. Dresdner Akad. Landschaften, Stadtansichten, Figürliches (bes. Szenen aus d. Arbeiterleben). Bilder in den Stadtmuseen in Bautzen, Löbau u. Zittau.

Beóthy, István, ungar. Bildhauer, * 2. 9. 1897 Saszapati.
Stud. an der Akad. in Budapest. Mitglied der Soc. d. Art. Indépendants in Paris. Anhänger der abstrakten Richtung.
Lit.: Joseph, I. — Bénézit, [2]-I (1948). — Cahiers d'Art, 7 (1932) Nr 1/2 p. 81. — Art Index (New York), Okt. 1946/Okt. 1949 passim.

Bér, Dezső, ungar. Maler u. Karikaturenzeichner, * 10. 4. 1875 Kalocsa.
Stud. bei E. Ballo u. Hegedüs in Budapest. 1903/04 in Rom, 1906 in Paris. Zeichnete für das Witzblatt „Borsszem Jankó", dessen künstler. Leitung er 1910 übernahm.
Lit.: Szendrei-Szentiványi. — Krücken-Parlagi.

Beraldini, Ettore, ital. Genremaler u. Rad., * 19. 9. 1887 Savigliano (Cuneo), ansässig in Verona.
Schüler von Savini in Verona. Erhielt den „Premio Naz. Fumagallo" in Mailand 1920. Bilder in den Gall. d'Arte Mod. ebda u. in Rom.
Lit.: Comanducci, m. Abb. — Chi è?, 1940. — Cronache d'Arte, 2 (1925) 188, 192 (Abb.). — Emporium, 68 (1928) 144 (Abb.); 71 (1930) 288, 290 (Abb.). — The Studio, 96 (1928) 38 (Abb.).

Beran, Bruno, dtsch-mähr. Bildnis- u. Landschaftsmaler, * 1888 Brünn, ansässig in München.
Schüler von Rud. Bacher in Wien, dann von H. v. Zügel u. L. Herterich in München. Anfängl. beeinflußt vom Impressionismus. Studienaufenthalt in Paris. Verkehr mit Claude Monet. 1913 in Holland. Verließ bei Ausbruch des Krieges 1914 fluchtartig Paris. Als Soldat in einem Flüchtlingslager in Galizien; 1917, wegen Erkrankung entlassen, zurück nach Brünn; 1923 Übersiedlung nach München. Freundschaft mit Habermann, der zeitweilig Einfluß auf ihn gewann. Sommer 1923 u. 1924 in Italien. 1927 u. 1928 in Frankreich (Bretagne), 1930 im Baskenland. 1930/31 wieder in Brünn, 1931 in der Normandie, Provence u. an der franz. Riviera. Koll.-Ausst. in Brakls Ksthaus, München, 1924, in Berlin 1927, im Mus. in Reichenberg i. B. 1930. Bildnisse, Stilleben, relig. Kompositionen. Im Mus. in Brünn: Dame mit Hund.
Lit.: A. Roeßler, Der Maler B. B. Eine Studie, Wien 1932. — Beaux-Arts, Nr 226 v. 30. 4. 1937, p. 7 (Abb.); Nr 280 v. 13. 5. 1938, p. 7 (Abb.); Nr 331 v. 6. 6. 1939, p. 7 (Abb.). — Donauland, 1 (1917) 1131, (Abb.). — Ill. Zeitung, 159 (1922) 121, 129, 130. — D. Kunst, 49 (1923/24) 191f. (Abbn). — D. Kstwanderer, 1928/29, p. 416 (Abb.).

Berán, Lajos, ungar. Bildhauer, Plakettenkstler u. Medailleur, * 9. 7. 1882 Budapest, † 1942 ebda.
Schüler von Hellmer in Wien u. von Ed. Telcs in Budapest. Fertigte als Erster Stecher der Staatl.

Münze die Modelle für fast alle Gold- u. Silbermünzen der Ungar. Nationalbank u. in s. letzten Lebensjahren auch fur die Bulgariens. Hinterließ ca. 560 Medaillen u. Plaketten, dar. auf den Bildh. János Fadrusz und die Jubiläumsmed. auf Papst Pius XI. (1925). In der Universitätskirche in Budapest eine Christusstatue.

Lit.: Th.-B., 3 (1909). — Szendrei-Szentiványi. — Krücken-Parlagi. — L. Forrer, 7; 8. — Müvészet, 16 (1917) 40 (Abb.). — L'Arte, 13 (1942) 217. — Kat. Ausst. Ungar. Kst, Dtsche Akad. d. Kste, Berlin, Okt./Nov. 1951.

Berann, Heinrich, tirol. Maler u. Graph., * 31. 3. 1915 Innsbruck, ansässig in Reutte (Tirol).

Stud. an d. Kstgewerbesch. in Innsbruck. Landschaften, Blumenstücke, figürl. Kompositionen. Plakatentwürfe. Schabblätterfolge „Monatszeichen" u. „Requiem". Rötelzeichnungen (Akte). Kollektiv-Ausst. im Landestheater in Innsbruck, 1940.

Lit.: Neueste Ztg (Innsbruck), 1938 Nr 7. — Innsbr Nachr., 1940 Nr 53, 59, 232. — Kst dem Volke, 1943 Nr 9. — D. Bild, 1938, Abb. p. 133, 147. — Kst im Dtsch. Reich, 4 (1940) Dez.-H., Beibl. p. VII. — Stimme Tirols, 1949 Nr 15 u. 16. — Tir. Tagesztg, 1950 Nr 112. *J. R.*

Bérard, Christian, franz. Bildnismaler, Bühnenbildner, Modezeichner u. Illustrator, * 1902 Paris, † Febr. 1949 ebda.

Bildnis René Crevel im Mus. d'Art Mod. in Paris. Illustr. u. a. zu Cocteau, Œuvres poétiques; J. Kessel, Quatre Contes; Arthur Rimbaud, Œuvres complètes; Raval, Au jour la nuit.

Lit.: Bénézit, [2] 1 (1948). — Mallett. — L'Amour de l'Art, 12 (1931) 491 ff., m. Abb. — Art et Décor., 1932, p. 253 ff. passim, m. Abb.; 1937, p. 93/6, m. 14 Abbn. — Beaux-Arts, 8 (1931), April-H. p. 23 (Abb.). — Formes, 1932, p. 274/75, m. Abbn; 1933, p. 378 ff., m. Abbn; 1934 (Jan.-H., p. 6, m. 2 Abbn. — D. Kstwerk, 3 (1949) H. 4, p. 49. — The Studio, 112 (1936) 69 (Abb.); 117 (1939) 153 (Abb.). — The Toledo Mus. of Art, Accessions etc., 1930, p. (26). — Vogue (Ausg. New York), 15. 10. 1936, p. 54, 86 f. (Abbn); 15. 7. 1937, p. 46, 47/49, m. Abbn; 1. 11. 1937, p. 80/81, 152; 15. 4. 1937, farb. Umschlagbild; 15. 9. 1937, p. 127/42. — The Art Index, New York 1928 ff. passim. — D. Welt (Hamburg), 1. 3. 1949.

Bérard, Louis, franz. Bildhauer u. Medailleur, * Orléans, ansässig ebda.

Schüler von A. Millet u. Moreau-Vauthier. Hauptsächlich Porträtist. Mitgl. der Soc. d. Art. Franç., beschickte deren Salon bis 1914.

Lit.: Forrer, 7. — Bénézit, [2] I (1948).

Bérard, Pauline, franz. Malerin, * 3. 8. 1900 Saint-Valéry-en-Caux (Seine-Infér.), ansässig in Paris.

Stellte im Salon der Soc. Nat. d. B.-Arts, im Salon des Tuileries, im Salon d'Automne u. — bis 1938 — bei den Indépendants aus. Bild im Mus. in Rouen.

Lit.: Joseph, I. — Bénézit, [2] I (1948).

Béraud, Jean Emile, franz. Architekt. u. Aquarellmaler, * 20. 11. 1882 Talmont (Vendée), ansässig in La Rochelle.

Stud. bei Laloux an der Pariser Ec. d. B.-Arts. — Denkm. für die Gefallenen des 1. Weltkrieges in La Rochelle (zus. mit d. Bildh. Joachim Costa) u. in Pézenas (desgl.). Bauplastik. für Schloß Siemianice, Polen.

Lit.: Qui Etes-Vous ?, 1924. — Joseph, I. — Delaire, p. 175.

Berber-Credner, Hede, dtsche Landschaftsmalerin, * 25. 3. 1880 Leipzig, ansässig in Prien a. Chiemsee.

Schülerin von W. Hamacher in Italien u. von Hans Olde an der Kstschule in Weimar, zuletzt von Rich. Kaiser u. Heinr. Heidner in München. Bild im Bes. des Nassauischen Kstvereins in Wiesbaden. Koll.-Ausstellgn in München Febr./März 1941 u. in den Düsseldorfer Kunstsmlgn Aug. 1949.

Lit.: Dreßler. — D. Kunst, 77 (1937/38) 123/25, m. Abbn. — Velhagen & Klasings Monatsh., 42/II (1927/28) farb. Taf. geg. p. 536, 572. — D. Weltkst, 15, Nr 9/10 v. 2. 3. 1941, p. 8.

Berch van Heemstede. C. van den, holl. Bildnismalerin, * März 1885 Neer Langbroek.

Schülerin von Aarts u. F. Jansen an der Haager Akad.

Lit.: Plasschaert. — Waay. — Hall, Nr 7202.

Bercher, Emil, schweiz. Architekt u. Raumkstler, * 29. 4. 1883 Basel, ansässig ebda.

Schüler von Th. Fischer u. K. Bonatz an d. Techn. Hochsch. Stuttgart, wo er sich 1912 niederließ. Seit 1915 in Basel ansässig, assoziiert mit Ernst Eckenstein (Firma E. & B.). Hauptbauten: Viktoriasch. in Magdeburg; Geschäftshaus „Salamander" in Stuttgart; Beamtenkolonie der Firma Hauff & Co. in Feuerbach b. Stuttgt; Fabrikgeb. Sandoz & Co. in Basel; Café Singer ebda; Kirchengemeindehaus Oekolompad (zus. mit Tamm) ebda; Hallenschwimmbad (mit Tamm) ebda; Haus Holtz in Riehen b. Basel.

Lit.: Brun, IV 477. — Jenny. — D. Cicerone, 4 (1912) 677. — Dtsche Bauzeitg, 1912 p. 521/24 u. Taf. 60. — Das Werk (Zürich), 5 (1918) 6 (Abb.), 9, 38 ff. (Abbn). — Schweiz. Baukst, 1915, p. 109/18; 1918 p. 67 ff. — Schweiz. Bauzeitg, 71 (1918) 269 ff., m. Abbn. — D. Kunst, 42 (1919/20) 41 ff.; 74 (1935–36) 217 f., m. Abbn.

Bercher, Henri Edouard, schweiz. Landschaftsmaler, * 13. 12. 1877 Vevey, ansässig ebda.

Stud. an der Genfer Ec. d. B.-Arts, später Lehrer an ders. Bild im Mus. Vevey. Im Restaurant I. u. II. Kl. des Bahnhofsgeb. in Lausanne: Wandbilder.

Lit.: Schweiz. Zeitgen.-Lex., 1932. — Joseph, I, — Jenny. — Die Schweiz, 1908 p. 474.

Berchmans, Emile, belg. Maler, Pastellist, Rad. u. Lithogr., * 8. 11. 1867 Lüttich.

Schüler s. Vaters, des Dekor.-Malers Emilie B. (* 1843 Wetteren, † 1914 Ixelles), u. der Akad. Lüttich. Beraten von Adr. de Witte. Dekorat. Gemälde (Mythologie, Akte, Landschaft). Im Mus. Brüssel ein Pastell: In der Dämmerung. Im Mus. Lüttich 2 Ölgem.: Jugend, Vertrauen.

Lit.: Th.-B., 3 (1909). — Seyn, I. — Bénézit, [2] I (1948).

Berchmans, Jules, belg. Bildhauer, * 6. 5. 1883 Waleffes (Lüttich). Hauptsächlich Porträtist.

Lit.: Joseph, I. — Bénézit, [2] I (1948). — L'Art et la Vie (Gent), 1936 p. 29 (Abb.), 31. — The Studio, 84 (1922) 74.

Berchmans, Oskar, belg. Bildhauer, * 1869 Lüttich, ansässig ebda.

Schüler von Léon Mignon. Prof. an der Lütticher Akad. Im dort. Mus.: Basrelief-Bildnis L. Mignon's (Bronze). Denkmal Montefiore in Lüttich.

Lit.: Seyn, I.

Bercht, Erna Ottilie, dtsche Malerin, Holzschneiderin u. Lithogr., * 7. 7. 1881 Dresden, ansässig in Dresden-Loschwitz.

Schülerin von G. Lührig, Pepino u. Claudius an der Dresdner Akad. Bildnisse, Stadtansichten, Volkstypen.

Lit.: Dreßler.

Berckman, Philemon, belg. Maler, *1913, ansässig in Geerardsbergen, Ardennen.
Landschaften, Stilleben, Figürliches.
Lit.: G. De Knibber, P. B., Gent 1948.

Bercovici-Erco, Moïse, rumän. Maler, * in Jassy (Iaşi), ansässig in Paris.
Beschickte 1932/38 den Salon d'Automne, bis 1939 den Salon des Indépendants u. den Salon des Tuileries. Hauptsächl. Bildnisse u. Landschaften.
Lit.: Bénézit, [2] I (1948).

Berdanier, Paul Frederick, amer. Maler u. Illustr., * 7. 3. 1879 Frackville, Pa., ansässig in Jackson Heights, N. Y.
Schüler von Ch. Hobe Provost in New York, von Gust. Wolff in St. Louis u. von Alb. Gihon in Paris. Hauptsächl. Landschafter.
Lit.: Fielding. — Amer. Art Annual, 30 (1933). — Who's Who in Amer., 18 (1934/35). — Who's Who in Amer. Art, I: 1936/37.

Berdecio, Roberto, bolivian. Bildhauer, * 1910 La Paz, ansässig in Kalifornien.
Stud. an der Akad. in La Paz, 1934 bei David Alfaro Siqueiros in New York. Anhänger der gegenstandslosen Plastik. Im Mus. f. Mod. Kunst in New York: Würfel u.Perspektive (Stahl auf Holz montiert).
Lit.: Kirstein, p. 90, Abb. p. 33. — Graphis, 6 (1950) 156 (Abb.).

Berdejo Elipe, Luis, span. Maler, * Teruel, ansässig ebda.
Stud. an der Kunstsch. San Fernando in Madrid. Figürliches (bes. weibl. Akte), Interieurs.
Lit.: Kat. d. Internat. Exhib. of Paint. Carnegie Inst. Pittsburgh 1928 Nrn 370/72, m. Abb.; 1930 Nrn 369f. — Kat. d. Ausst. Span. Kunst d. Gegenw., Berlin, Pr. Akad. d. Kste, 1942.

Berdon, Maurice, franz. Illustrator u. Lithogr., * Paris, ansässig ebda.
Mitgl. der Soc. du Salon d'Automne, den er 1909/28 beschickte. Illustr. u. a. zu „Poil de Carotte", von J. Renard, u. zu „Enferme", von Fr. Carco.
Lit.: Bénézit, [2] I (1948). — L'Amour de l'Art, 11 (1930) 274f., m. Abb. — Art et Décor., 57 (1930) 71/77, m. Abbn. — Revue de l'Art anc. et mod., 55 (1929) 95 (Abb.).

Bere, Baghot de la, engl. Landschaftsmaler (Öl u. Aquar.), * 1878 Leicestershire.
Koll.-Ausst. in der Fine Art Society London 1912.
Lit.: Standard, 8. 1. 1912.

Berea, Dimitrij, rumän. Maler u. Graphiker, * 2.11.1908 Bacău.
Stud. an der Architektursch. in Bukarest u. an d. Akad. in Rom. Begründete mit Theo Sion die freie Maler-Akad. „Ileana" in Bukarest. Debütierte im Salon Bukarest 1927. Bilder in den Museen Bukarest, Grenoble, Mailand u. Rom. Kollekt.-Ausst. bei Bernheim Jeune in Paris 1951.
Lit.: Bénézit, [2] I (1948). — D. Kst u. d. schöne Heim, 49 (1951) Beil. p. 244.

Bereketoglu, Hasan Vecih, türk. Landschaftsmaler, * 1895 Istanbul (Konstantinopel), ansässig ebda.
Stud. zuerst die Rechtswissenschaften an der Istanbuler Universität. Ging dann zur Malerei über, Schüler von Halil Paşa, weitergebildet an der Acad. Julian in Paris. Anfänglich beeinflußt von Hikmet Onat. Einige Werke im Bilder- u. Statuenmus. zu Istanbul. Gehört der türk. impressionist. Schule an.
Lit.: Berk, p. 21.

Berencreutz, Hildegard, geb. *Wennerström*, schwed. Bildnis-, Landschafts- u. Blumenmalerin (Öl, Aquar., Tempera, Miniatur) u. Graphikerin, * 1866 Stockholm, † 1946 Hälsingborg.
Stud. an der Akad. in Stockholm u. Paris, weitergebildet in London, München u. Italien. Bild im Mus. in Motala.
Lit.: Thomæus.

Berend-Corinth, Charlotte, dtsche Malerin u. Lithogr., * 25.5.1880 Berlin, ansässig in New York. Gattin des Lovis Corinth.
Stud. bei Eva Stort u. Max Schäfer an der Unterrichtsanstalt des Berl. Kstgerwebemus., seit 1901 bei L. Corinth. Seit 1904 dessen Gattin. Emigrierte in den 30er Jahren nach New York, wo sie eine eigene Malschule unterhält. Kraftvolle Impressionistin, später Festigung der Form. Stellte seit 1906 unter ihrem Mädchennamen in der Berl. Sezession aus. In der Berl. Nat.-Gal. ein Bildnis des Architekten Hans Poelzig u. ein Blumenstück. Im Städt. Mus. Nürnberg: Der Boxer. Mappenwerke: Pallenberg-Mappe, Berlin 1918; Fritzi Massary, 1918; Anita Berber, 1919; Maupassant, Wahnsinnsnovellen, 1920; Die Blumen, 1921; Valeska Gert (8 Orig.-Steinzeichngn, m e. Einleitung von Oskar Bie), Münch. 1920. Koll.-Ausst. in der Gal. Caspari, München, Febr. 1931, in d. Gal. Van Diemen, New York, Okt. 1948,
Lit.: Th.-B., 7 (1912) 413. — Dreßler. — D. Cicerone, 11 (1919) 344, 633; 14 (1922) 904; 18 (1926) 141; 20 (1928) 206f. (Abbn). — D. Graph. Künste (Wien), 46 (1922), Beibl. p. 63. — D. Kunst, 53 (1925/26), Beil. Juni, p. IX. — Dtsche Kst u. Dekor., 41 (1917/18) 243, m. Abb.; 59 (1926/27) 211 (Taf.-Abbn); 65 (1929) 241 (Abb.); 68 (1931) 210 (Abb.); 69 (1931/32) 251 (Abb.), 253. — D. Kstblatt, 13 (1929) 99 (Abb.); 15 (1931) 288/97, m. Abbn. — D. Kstwanderer, 1922/23, p. 83, 120, 280; 1924/25, p. 436; 1925/26, p. 334 (Abb.), 498; 1930/31, p. 226 (Abb.). — Art Digest, 23, Nr v. 15. 10. 1948, p. 28, m. Abb. — The Art News, 47, Okt. 1948, p. 59. — Gaz. d. B.-Arts, 1944 p. 283 (Abb.).

Bérengier, Henri, franz. Maler u. reproduz. Graphiker, * 15.2.1880 Marseille.
Stach u. a. nach Fr. Hals u. J. L. David, in einer Kaltnadel u. Radierung kombinierenden Manier.
Lit.: Bénézit, [2] I (1948). — Revue de l'Art anc. et mod., 30 (1911) 194, m. Taf.; 31 (1912) Taf. geg. p. 32, 34.

Berens-Totenohl, Josefa, dtsche Bildnis-, Landsch.- u. Genremalerin u. Dichterin, * 30.3.1891 Grevenstein, Kr. Arnsberg i. W., ansässig in Gleierbrück, Kr. Olpe.
Schülerin von Hans Karp in Düsseldorf. Buchwerk: Märchen von der Liebe, Neheim 1924.
Lit.: Dreßler. — Jos. Nadler, Literaturgesch des dtsch. Volkes, Berl. 1938/41, IV 262, m. Abb.

Berent, Anna, dtsch-poln. Malerin, * 31.1 1871 Kaiserslautern, ansässig in Warschau.
Bild: Steiermärker, im Stadtmus. Bromberg.
Lit.: Czy wiesz kto to jest?, 1938.

Berény, Manuel (Emanuel), ungar. Figuren-, Bildnis-, Blumen- u. Interieurmaler, * um 1900 Frankfurt a. M., ansässig in Paris.
Sohn des Bildnismalers Rezső (Rudolf) B. (*1869). Stellte 1928ff. bei den Indépendants, seit 1931 auch im Salon des Tuileries u. im Salon d'Automne aus. Koll.-Ausst. April 1923 im Ateneo in Madrid.
Lit.: Joseph, 1. — Bénézit, [2] I. — Francés, 1922, p. 225f.; 1923/24 p. 64. — Beaux-Arts, Nr v. 27. 2. 1948, p. 4 (Abb.).

Berény, Róbert, ungar. Maler, * 18. 3 1887 Budapest, ansässig ebda.

Schüler von T. Zemplényi in Budapest (1904) u. J. P. Laurens an d. Acad. Julian in Paris (1905). Beeinflußt von Cézanne. Längere Zeit in Berlin. Mitglied der Gruppe „Die Acht", die 1911 im Budap. Nat.-Salon ausstellte. Bildnisse, Figürliches (Akte), Stillleben, Landschaften. In der N. Ungar. Gal. in Budapest: Von der Insel Capri.

Lit.: Szendrei-Szentiványi. — Krücken-Parlagi. — Kállai, m. 3 Abbn. — Emporium, 83 (1936) p. 193, l. Sp., p. 197 r. Sp. — Jahrb. d. Mus. d. Bild. Kste in Budapest, 8 (1937) 175. — Die Kunst, 29 (1914) 382f. — Öst. Kst, 3 (1932) Heft 7 p. 12, 13. — The Studio, 104 (1932) 319 (Abb.); 113 (1937) 125, 126 (Abb.); 135 (1948) 21 (Abb.). — Nouv. Revue de Hongrie, 49 (1933/II) 723; 54 (1936/I) 350/52, m. 2 Abbn; 64 (1941/I) 144ff. passim, m. Abb. — Bénézit,[2] I (1948).

Béres, Jenő, ungar. Figurenmaler, * 1912.

Lit.: Kat. „Ausst. Ungar. Kst", Dtsche Akad. d. Kste, Berlin Okt./Nov. 1951, m. Abb.

Beresford, Alfreda, engl. Bildnisminiaturmalerin u. Bildh., ansässig in Snaresbrook, Essex.

Stud. an d. Central School for Arts a. Crafts.

Lit.: Who's Who in Art, [3] 1934.

Beresford, Daisy Radcliffe, engl. Bildnis-, Landsch.- u. Interieurmalerin, ansässig in London. Gattin des Folg.

Stud. an der Kstschule der Roy. Acad.

Lit.: Who's Who in Art, [3] 1934.

Beresford, Frank Ernest, engl. Maler, * 30. 8. 1881 Darby, ansässig in London. Gatte der Daisy.

Stud. an d. Kstschule der Roy. Acad. Bildnisse, Interieurs, Tiere, Landschaften. 8 Wandgem. in d. Kirche St. Bartholomew the Great in London, mit Szenen aus d. Leben des hl. Rahere, Gründers der Kirche.

Lit.: Who's Who in Art, [3] 1934. — The Studio, 65 (1915) 200, m. Abb.; 104 (1932) 239f., m. 8 Abbn; 116 (1938) 74 (Abb.).

Bereskine, Paraskewe, russ.-dtsche Malerin u. Zeichnerin, * St. Petersburg (Leningrad), ansässig in Berlin.

Schülerin von Eberling. Verheiratet mit einem Deutschen. Ansässig in München, später in Berlin. Reisen durch ganz Europa. Bildnisse, Figürliches. Koll.-Ausstellgn bei Gurlitt, Berlin, 1934, in d. Pr. Akad. d. Kste ebda Febr. 1938 u. im Suermondt-Mus. in Aachen Nov. 1949.

Lit.: Das Bild, 1938, p. 62 (Abb.), 63f. — D. Kunst, 77 (1938) 270/74 (D. Kst f. Alle, 53 [1937/38] 209/11), m. 3 Abbn. — Velhagen & Klasings Monatsh., 53/I (1938/39) farb. Taf. geg. p. 184, 188. — Westermanns Monatsh., 158 (1935) 309 (Abb.), 370. — The Studio, 112 (1936) 100, m. Abb. — Die Weltkst, 12, Nr 7 v. 13. 2. 1938, p. 1f., m. Abb.

Beretta Garabelli, Milo, uruguayischer Maler, Bildhauer u. Musiker, * 29. 12. 1870 Montevideo, ansässig ebda.

Malschüler von Polleja in Montevideo, als Bildh. Schüler von Medardo Rosso in Paris, wo er 7 Jahre lebte. Figürl. Kompositionen, Akte, Landschaften.

Lit.: Who's Who in Latin America, 1935.

Berey, Lajos, ungar. Architekt, * 1887 Pécs (Fünfkirchen).

Tätig in Temesvár, 1908/09 in Nagybánya, 1909/12 am Kulturministerium in Budapest. Seit 1912 selbständig.

Lit.: Krücken-Parlagi.

Berezowska-Grusowa, Marja, poln. Malerin u. Karikaturistin, * 13. 4. 1897 Baranowitschi, ansässig in Warschau.

Lit.: Czy wiesz kto to jest?, 1938, m. Bildnis. — Osteuropa, 4 (1928/29) 631.

Berezowska-Wolska, Marja, poln. Graphikerin, * 1901 Lublin, ansässig in London.

Stud. 1924/26 in der Gerson-Schule, 1927/29 bei Blanca Mercère, 1928 bei Zofja Stankiewicz. Seit 1930 Mitgl. der Association of the Polish Painter-Etchers and Engravers in London.

Berg, Alfons, holl. Radierer, Holz- u. Linolschneider u. Aquarellmaler, * 23. 4. 1888 Utrecht, ansässig in Antwerpen.

Stud. an d. Quellinussch. in Amsterdam u. an den Akad. in Antwerpen u. Brüssel.

Lit.: Waller.

Berg, Anna (Ans) van den, holl. Malerin, * 18.2. 1873 Amsterdam, † 6. 10. 1942 ebda.

Stud. bei Hagemans in Brüssel, bei P. Rink u. an der Akad. Colarossi in Paris. Blumenstücke, figürl. Kompositionen u. Interieurs. Bilder im Sted. Mus. in A'dam u. in den Museen im Haag u. in Schiedam.

Lit.: Plasschaert. — Waay. — Hall, Nrn 7225–27. — Onze Kst, 25 (1914) 150. — Calker, p. 258ff., m. 2 Abbn, Fotobildn. u. Taf. IV.

Berg, Anna, schwed. Landschafts- u. Figurenmalerin, * 1875 Stöde, Medelpad, ansässig in Förslövsholm, Schonen. Gattin des Christian.

Naivistin. Figuren in Obstgärten, Badende usw. Bilder im Nat.-Mus. in Stockholm u. im Mus. in Malmö.

Lit.: Thomœus. — Konstrevy, 1935, p. 116, m. Abbn, 117; 1939, p. 123, m. Abb. — Nat.-Mus. Stockh. [Bilderbuch], 1948 p. 92.

Berg, August, schwed. Bildnis- u. Landschaftsmaler, * 1884 Ström, Jämtland, † 1924 ebda.

Stud. an der Akad. in Stockholm. Bild im Mus. in Östersund.

Lit.: Thomœus.

Berg, Christian, schwed. Maler u. Bildhauer, * 27. 11. 1893 Förslövsholm, Schonen, ansässig ebda. Gatte der Anna.

Schüler der Akad. Stockholm. Bereiste Deutschland, Frankreich, Italien, Griechenland, Ägypten. Malte hauptsächlich Landschaften, häufig Motive aus Frankreich. Abstrakte Figurenplastik, besonders in Messing u. Eisenblech, Bildnisbüsten u. Reliefs. Vertreten in den Museen in Göteborg (hier u. a. ein Frauentorso, Messingstatuette) u. Malmö u. im Art Instit. in Philadelphia, USA.

Lit.: Thomœus. — Konstrevy, 1929, p. 202; 1930, p. 151, m. Fotobildn., 1935, p. 45 (Abb.); 1938, Spezial-Nr p. 47 (Abb.), 55.

Berg, Else, holl. Figurenmalerin u. Graphikerin.

Lit.: Huebner, p. 65f., m. Abb. — Maandbl. v. beeld. Kunsten, 9 (1932) 150.

Berg, Folke, schwed. Maler (Öl u. Aquar.) u. Radierer, * 1896 Göteborg, ansässig in Djursholm.

Stud. in Göteborg, Stockholm u. Paris. Bereiste Deutschland, Italien u. die USA. Bildnisse, Figürliches, Landschaften.

Lit.: Thomœus.

Berg, Frans, schwed. Stilleben- u. Landschaftsmaler, * 1892 Ystad, ansässig ebda.

Schüler von C. Wilhelmson. Weitergebildet in Frankreich.
Lit.: Thomœus.

Berg, Johan Bernard van den, holl. Linolschneider, Maler u. Pastellzeichner, * 28. 1. 1897 Amsterdam, ansässig ebda.
Stud. an d. Quellinussch. in A'dam.
Lit.: Waller.

Berg, Johannes Fredericus (Freek) van den, holl. Maler, * 29. 5. 1918 Amsterdam, ansässig ebda.
Kurze Zeit Schüler von J. Wiertz u. Han van Dam, im übrigen Autodidakt. Mitglied der „Onafhankelijken". Landschaften, Figürliches, Bildnisse, Stilleben.
Lit.: Waay.

Berg, John, schwed. Maler, * 1916 Jonsberg, Östergötland, ansässig in Stockholm.
Schüler von E. Ollers u. Otte Sköld. Bildnisse, Figürliches, Landschaften, Stilleben.
Lit.: Thomœus.

Berg, Josna Michiel, holl. Bildnis- u. Landschaftsmaler u. Kunstkritiker, * 10. 8. 1905 Den Helder, ansässig im Haag.
Schüler der Haager Akad., dann von Joop Kropff ebda u. Ch. Blanc in Paris.
Lit.: Waay.

Berg, Max, dtsch. Architekt, * 1870 Stettin, ansässig in Berlin.
Stud. bei Karl Schäfer an d. Techn. Hochsch. Charlottenburg. Stadtbaurat in Breslau. Jahrhunderthalle auf der Ausst. Breslau 1913; Messehof ebda (1925); Wasserkraftwerk Norder-Oder u. Süder-Oder in Breslau (1920 u. 1925).
Lit.: Dreßler. — Platz. — D. Kst in Schlesien, 1927. — Wasmuths Monatsh. f. Baukst, 6 (1921) 105/120, m. Abbn.

Berg, Mijndert van den, holl. Maler, * 5. 7. 1876 Gorinchem, ansässig im Haag.
Schüler von F. Jansen u. A. van den Berg an der Haager Akad. Landschaften, Stadtansichten, Blumenstücke.
Lit.: Waay.

Berg, Ruurd van den, holl. Zeichner, Rad. u. Lithogr., * 9. 9. 1895 Coevorden, lebt im Haag.
Schüler der Haager Akad. Dünenlandschaften, alte Bauernhäuser, Stadtansichten.
Lit.: Waay.

Berg, Yngve, schwed. Maler, Illustr. u. Buchkünstler, * 23. 12. 1887 Stockholm, ansässig ebda.
Stud. an der Zeichen- u. Malschule des Mus. in Göteborg. 1908/09 in Paris, 1910 u. 1913 in Spanien, 1922 u. 1928 in Italien, 1923 wieder in Paris, 1929 in Griechenland. Wandmalereien al secco im Stadthauskeller in Stockholm. Illustr. u. a. zu: Ovids „Ars Amandi" (1925), zu Goethes „Röm. Elegien" (1930), zu P. Loti's „Islandfischer" und zu Fredmans „Sånger" (Lithos) u. „Epistlar". Zeichnungen im Goethemus. in Frankfurt a. M.
Lit.: N. F., 2 u. 21 (Suppl.). — Thomœus. — Konstrevy, 1936, H. 6 (Umschlagzeichng); 1937, p. 7 (2 Abbn) u. Spezial-Nr p. 23 (Abb.); 1939, p. 148 (Abb.), 149. — Ord och Bild, 40 (1931) 589ff., m. Abbn. — Zeitschr. f. Bücherfr., N. F. 18 (1926) Beibl. Mai-Juni, Sp. 119. — The Studio, 109 (1935) 28 (2 Abbn).

Berg, Walter, dtsch. Maler, * 1906 Solingen, ansässig ebda.
Schüler von Junghanns an d. Düsseldorfer Akad. Bild (Niederrhein, Idylle) im Städt. Mus. in Wuppertal (Kat. 1939).

Berg, Werner, dtsch. Maler (Öl u. Aquar.) u. Holzschneider (Dr. phil.), * 11. 4. 1904 Elberfeld, ansässig in Rutarhof, Post Gallizien, Kärnten.
Landschaften, Figürliches, Tierbilder. Beeinflußt von Nolde, Munch u. Werner Scholz. Koll.-Ausst. in d. Gal. v. d. Heyde, Berlin, Jan. 1934.
Lit.: D. Kunst, 73 (1935/36) 289/94, m. Abbn bis p. 296. — D. Weltkst, 8, Nr 4 v. 28. 1. 1934, p. 2. — Teichl.

Berg, Willem van den, holl. Maler, Rad., Holzschneider u. Lithogr., * 16. 2. 1886 Den Haag, seit 1940 Direktor der Reichsakad. Amsterdam.
Schüler s. Vaters Andries (* 1852, † 1944), weitergebildet bei de Wildt u. W. A. v. Konijnenburg. Studienreisen in Belgien u. Paris (Barbizon). Figurenbilder (bes. Bauern u. Fischer), Stilleben, Bildnisse, Landschaften. Bilder in den Museen in Amsterdam, Den Haag, Rotterdam, Budapest u. Triest.
Lit.: Plasschaert. — Waay. — Hall, Nr 7233. — Waller. — Maandbl. v. beeld. Kunsten, 1 (1924) 123. — De Cicerone (Haag), 1 (1918) 46 (Abb.), 215, 250, 263 (Abb.), 270/75, m. Abbn, 286, 319. — Der Cicerone, 6 (1914) 213.

Bergagna, Vittorio, ital. Maler, * 30. 1. 1884 Triest, ansässig ebda.
Autodidakt.
Lit.: Comanducci. — Emporium, 82 (1935) 353 l. Sp.; 93 (1941) 258f.; 96 (1942) 555 (Abb.), 556.

Bergamini, Aldo, ital. Maler, * 14. 5. 1903 Adria (Rovigo), ansässig in Venedig.
Akte, Landschaften, Stilleben.
Lit.: Chi è?, 1940. — Emporium, 85 (1937) 337 l. Sp.

Bergamini, Lorenzo, ital. Landschaftsmaler u. Rad., * 17. 7. 1885 Modena.
Stud. an der Akad. in Modena. Als Radierer Schüler von Gius. Miti Zanetti.
Lit.: Comanducci.

Bergander, Rudolf, dtsch. Figuren-, Bildnis- u. Landschaftsmaler (Prof.), * 22. 5. 1909 Meißen, ansässig in Dresden.
Schüler von Rich. Müller u. Otto Dix an der Dresdner Akad. Seit 1934 selbständig. 1940/45 Soldat (1944–45 in Italien). Nach Kriegsende Entfaltung starker kulturpolit. Aktivität. Direktor der Hochsch. f. Bild. Kste in Dresden. Sozialer Einschlag in seiner Kunst. Koll.-Ausst. im Dürerhaus in Meißen, Okt. 1946.
Lit.: bild. kunst, 3 (1949) 19 (Abb.), 65 (Abb.), 67, 187 (Abb.), 202, 220 (Abb.), 221 (Abb.), 330 (Abb.), 333. — Westermanns Monatshefte, 162/I (1927) 82, farb. Abb. am Schluß d. Bandes. — Kat. Kstausst. i. Stadtmus. Meißen Juli/Aug. 1948, m. Abb. — Kat. 2. Dtsche Kstausst. Dresden 1949, m. Abb. — Kat. d. Kstausst. „Künstler schaffen f. d. Frieden", Berlin 1. 12. 1951.–31. 1. 1952, Abb. p. 58. — Kat. 3. Dtsche Kstausst. Dresden 1953, m. Abb.

Bergdahl, Victor, schwed. Reklame- u. Pressezeichner, * 1878 Österåker, Stockholms län, † 1939 Stockholm.
Lit.: Thomœus.

Berge, Edward, amer. Bildhauer u. Medailleur, * 3. 1. 1876 Baltimore, Md., † Okt. 1924 ebda.
Stud. am Maryland Inst. in Baltimore, dann bei Verlet u. Rodin in Paris. Denkmäler für Watson, Tattersalle, Latrobe u. Armistead, sämtl. Baltimore;

„The Scalp" im Mus. in Honolulu, H. I.; eine Pietà in St. Patrick's Church in Washington, D. C.

Lit.: Fielding. — Amer. Art Annual, 20 (1923) 441. — Forrer, 8, p. 311. — Bénézit, [2] 1. — The Studio, 61 (1914) 246 (Abb.). — The Art News, 23 Nr 3 v. 25. 10. 1924, p. 6.

Berge, Johanna, geb. *Bugge,* norweg. Malerin, * 1. 10. 1874 Kristiania (Oslo), ansässig in Skien.

Schülerin von Harriet Backer, Gerhard Munthe u. E. Werenskiold, weitergebildet in Kopenhagen, Paris u. Italien. Landschaften, Bildnisse, Szenen aus dem Volksleben. Dekorat. Gemälde im Fylkesmuseet in Telemarken u. in der Kirche in Lund. Gab zus. mit ihrem Gatten, dem Museumsleiter Rikard Berge, „Norsk Folkedigtning" (2 Bde) heraus.

Lit.: Hvem er Hvem?, [4] 1938. — Vem är Vem i Norden, Stockh. 1941, p. 616.

Berge u. Herrendorff, Edelgarde von, dtsche Holzbildhauerin, * 23. 8. 1903 Krampfer, Priegnitz, ansässig in Brennholzheim b. Crailsheim.

Stud. an d. Städt. Kstgewerbesch. in Berlin (Schülerin von Perathoner) u. d. Akad. in Stuttgart. Studienreisen in Italien, Belgien u. Holland. Schnitzt ihre in der Form schlichten u. wuchtigen Holzplastiken nach kleinen Entwurfskizzen frei aus dem Holzblock heraus. Flügelaltar, Kanzel u. Tauftisch in der ev. Kirche in Mennighüffen b. Löhne; lebensgr. Kruzifix mit 2 Begleitgruppen, Kanzel u. Tauftisch in der ev. Kirche zu Jöllenbeck bei Bielefeld; lebensgr. Kruzifixe in den Kirchen Dortmund-Kirchlinde, Öthinghausen b. Herford, Bernloch auf der Schwäb. Alb. Tauftische in den Kirchen Dortmund-Kirchlinde u. Dortmund-Bodelschwingh. Lesepult in der Markuskirche zu Stuttgart. *J.*

Bergemann, Ernst, dtsch. Landschafts- u. Architekturmaler, * 2. 6. 1890 Berlin, ansässig in Gütersloh.

Stud. am Technikum in Bremen u. an der Handwerker- u. Kstgewerbesch. in Bielefeld. Aufnahme histor. Bauwerke.

Lit.: Dreßler.

Bergemann-Könitzer, Martha, dtsche Bildhauerin, * 1. 4. 1874 Jena, ansässig ebda.

Schülerin von Schmid-Reutte u. A. Jank in München. Gedenkstein für die gefallenen Studenten auf dem hohen Leeden bei Dornburg; Brunnen u. Grabmäler in Jena. Buchwerke: Erziehung zur Plastik, München 1919; Über plast. Gestaltungs-Unterricht, Lpzg 1921.

Lit.: Dreßler.

Bergen, Ary, dtsch. Maler, * 7. 5. 1886 Hamburg, ansässig ebda.

Stud. 1906/08 bei Siebelist in Hamburg, 1910/12 in Wien, 1912/14 in Paris. Selbstbildn. (1911) in d. Hamb. Ksthalle.

Lit.: Dreßler.

Bergen, Claus, dtsch. Marinemaler, * 18. 4. 1885 Stuttgart, ansässig in München.

Schüler von C. v. Marr in München. Während des 1. Weltkrieges Kriegsmaler bei der Hochseeflotte. Wiederholt ausgezeichnet, u. a. Große Silb. Med. auf der Internat. Ausst. Barcelona 1911. Bilder u. a. im Städt. Mus. in Nürnberg, im Rathaus in München, im Dtsch. Mus. ebda u. im Städt. Mus. in Wuppertal. Buchwerk: Die dtsche Marine im Weltkriege, Oldenburg 1918.

Lit.: Dreßler. — Karl Thomas, C. B., Münch. 1928. — Hans Rose, Auftauchen. Kriegsfahrten von „U 53". Mit 20 Bildern von Marinemaler C. B.. 10 Skizzen u. 1 Wegkarte, Essen 1941. — Das Bayerland, 48 (1937) 43, m. Abb.; 50 (1939) 562, 567 (Abb.); 1940, p. 104 (Abb.). — Velhagen & Klasings Monatsh., 38/II (1923/24), Taf.-Abb. geg. p. 72, 112; 42/II, (1927/28), farb. Taf.-Abb. geg. p. 416, 454; 43/I (1928/29), Taf. geg. p. 576, 600; 52/I (1937/38), farb. Taf. geg. p. 344, 382; 54/I (1939/40), Taf.-Abb. geg. p. 224, 231, 248, 282. — Die Weltkst, 9, Nr 17 v. 28. 4. 1935, p. 4.

Bergen, George, amer. Maler u. Radierer, holl.-russ. Abkunft, ansässig in New York.

Kollektiv-Ausstellg in den Lefevre Gall. in London 1932.

Lit.: Apollo (London), 16 (1932) 84. — The Studio, 102 (1931) 140 (ganzseit. Abb.); 104 (1932) 182 (Abb.), 183, m. Abb.

Bergen, Pater Raymond van, holl. Maler u. Glasmaler, * 30. 7. 1883 Herzogenbusch, lebt in Zwolle.

Stud. bei Ed. v. Gebhardt an d. Düsseldorfer Akad. Religiöse Vorwürfe, Kinderbildnisse, Glasmalereien im Centraal Mus. in Herzogenbusch u. in der Kirche O. L. Vrouwe van den H. Rozenkrans in Rotterdam.

Lit.: Waay.

Bergenroth, Wolf, dtsch. Bildn.- u. Figurenmaler, * 1894 (?) Rostock, † 1943 ebda.

Lit.: Mecklenb. Monatsh., 4 (1928) farb. Taf. geg. p. 459, 489 (Abb.), 497 (Abb.), 499 (Abb.), 653 (Abb.), 655 (Abb.); 5 (1929) 85 (Abb.), 173 (Abb.), 188 (Abb.), 191 (Abb.); 6 (1930) farb. Taf. geg. p. 52, 73, 75 (Abb.), 303 (Abb.), 363 (Abb.), 367 (Abb.), 507 (Abb.); 7 (1931) 492f. (Abb.); 8 (1932) 29 (Abb.), Taf. geg. p. 448; 15 (1939) 211, 213, m. Abbn. — D. Weltkst, 17, Nr 3/4 v. 17. 1. 1943, p. 6.

Bergentz, Thure, schwed. Architekt, * 26. 4. 1892 Hannäs, Småland, ansässig in Stockholm.

Stud. an der Akad. in Stockholm u. im Ausland. Seit 1929 Stadtplan-Architekt in Stockholm. Seefahrtsmus. in Göteborg. Stadtpläne für Vaxholm, Nybro, Kalmar, Hultsfred u. Lyckeby.

Lit.: Thomœus. — Vem är det?, 1935. — Vem är Vem i Norden, 1941 p. 968.

Berger, Bruno, dtsch. Holz- u. Steinbildhauer, * Breslau, zuletzt ansässig in Salzburg.

Lit.: Dreßler. — Öst. Kunst, 6 (1935) H. 7/8, p. 20, m. Abb.

Berger, Chr. W. Ernst, dtsch. Maler u. Graphiker, * 24. 4. 1882 Sohra über Oberbobritzsch i. Sa., ansässig ebda.

Schüler von Pohle, Zwintscher, Rich. Müller, Schindler u. Eug. Bracht an der Münchner Akad. Rompreis.

Lit.: Dreßler.

Berger, Einar, norweg. Landschafts- u. Marinemaler, * 22. 3. 1893 Finnkroken bei Tromsø, ansässig in Oslo.

Sohn e. Fischers und selbst Fischer bis gegen 1930. Schildert die Küsten u. Berge der Lofotenlandschaft. Elementare Kraft der Darstellung. Bilder im Pariser Mus. du Jeu de Paume (Im Hafen) u. in der Staatsgal. in Stuttgart (Orkan). Koll.-Ausstellgn bei Blomqvist in Oslo 1937 u. in d.Ksthandlung Heller in München Herbst 1937.

Lit.: Vem är Vem i Norden, Stockh. 1941, p. 616. — Konstrevy, 1937, H. 1, p. 30. — Kst f. Alle, 53 (1937/38) 42/44, m. 3 Abbn. — Ord och Bild, 49 (1940) Taf.-Abb. vor p. 337, 337/45, m. 4 Abbn u. Fotobildn. — Velhagen & Klasings Monatsh., 51/II (1937) farb. Taf.-Abb. geg. p. 80, 103.

Berger, Ernst, dtsch. Maler u. Graph.,

* 24. 4. 1882 Dresden, ansässig in Sohra üb. Freiberg i. Sa.

Kunstgewerbesch. Dresden, dann Schüler der Akad. Dresden unter Wehle, Schindler, Zwintscher u. Bracht. Großer Staatspreis; Rompreis. Reisen in Italien. Lebte einige Zeit in dem Dorf Malter i. Erzgeb. Lyrisch-monumental in Linien u. Form abgestimmte Landschaften mit u. ohne Staffage. Kollektivausstellgn: Dresden 1926 u. 1943. Illustrierte Werke: Mörikes Werke (90 Federzeichnungen), Verlag Groh-Dresden. Schullesebücher (Lehrerverein für Plauen u. Vogtland). Enoch-Arden-Zyklus. Märchen- u. Sagenbücher. In den Staatl. Sammlungen Dresden: 5 Zeichnungen. Im Bes. d. Sächs. Staates: Deutsche Sommerlandschaft (Öl).

Lit.: Kat. Ausst. erzgeb. Kstler, Freiberg 1947. — Dresdener Zeitung, 15./16. 5. 1943, mit Abb. — Der Tag, Unterhaltungsbeil. Nr 46 v. 23. 2. 1913, m. Abb. *J.*

Berger, Fritz, tirol. Maler, Illustr. u. Graph., * 26. 6. 1916 Innsbruck, ansässig ebda.

Stud. a. d. Bundesgewerbesch. in Innsbruck u. 1936/38 u. 1943/44 a. d. Wiener Akad. bei K. Sterrer. Verlor als Soldat im Kriege das rechte Auge u. den rechten Arm. 1948 Ehrenpreis d. Landes Tirol, 1952 Förderungspreis d. Stadt Innsbruck. Illustrat. zu Christ. Morgenstern (Galgenlieder), J. P. Jacobsen (Mogens; Schuß im Nebel; Pest in Bergamo), Selma Lagerlöf (Gösta Berling), Fr. Morton (Xelahuh; Urwaldabenteuer), J. Ludin (Verzaubertes Alpenland), ferner zu Villon, Flaubert, Turgenjeff, Gogol, E. A. Poe u. a. — Folgen: Passion; Könige, Propheten u. Frauen aus d. A. Testament. — Sgraffito am neuen Schulgeb. in Oberleutasch. — Entwürfe f. Gobelins u. Gefäßkeramik; Plakate.

Lit.: Tir. Nachr., 1948 Nr 215; 1951 Nr 103; 1952 Nr 262, 294; 1953 Nr 23. — Tir. Tagesztg, 1948 Nr 111, 121; 1950 Nr 264; 1951 Nr 124; 1952 Nr 259, 263; 1953 Nr 22, 24. — Volksbote, 1950 Nr 13; 1951 Nr 17; 1952 Nr 46. — Tir. Bauernztg, 1948 Nr 42. — Wochenpost (Innsbr.), 1951 Nr 26. — Dolomiten (Bozen), 1953 Nr 5. — Bote f. Tirol, Kulturber., 1948 Folge 34; 1950 Folge 31/32; 1951 Folge 39/40; 1953 Folge 59/60. — TYROL, 1952, Nr 2. — Innsbr. Nachr., 1944 Nr 165. — Stimme Tirols, 1946 Nr 8; 1947 Nr 3 (m. Abb.); 1948 Nr 18. — Tirol-Vorarlberg, 1944, H. 1 (Abb.). *J.R.*

Berger, Georg, dtsch. Tiermaler (Prof.), ansässig in München.

Schüler von Wilh. Diez. Ein in der breiten Manier s. Lehrers meisterlich gemaltes Stilleben mit Reh wurde 1917 für die N. Pinak. München erworben. Gab später die Malerei ganz auf u. wurde Forstmann.

Lit.: Die Kunst, 35 (1916/17) 7 (Abb.), 10. — Kst u. Kstler, 14 (1916) 594f., 597 (Abb.).

Berger, Gertrud, dtsche Landschaftsmalerin, * 15. 12. 1876 Bergen auf Rügen, zuletzt ansässig in Greifswald.

Schülerin von Uth, L. Meyer u. E. Kolbe.

Lit.: Dreßler.

Berger, Hans, schweiz. Maler, * 21. 11. 1882 Oberbuchsiten b. Solothurn, ansässig in Aire-la-Ville b. Genf.

Stud. 1897/1902 Architektur an d. Ec. d. B.-Arts in Genf, ging dann nach Paris, wo er 1908 zu malen begann. Beeinflußt von Gauguin, Hodler, Cézanne u. van Gogh. Ließ sich 1914 in Genf, 1922 in Aire-la-Ville nieder. Als Maler Autodidakt. Begründete mit Maurice Barraud, Bressler u. and. die Gruppe „Falot" in Genf. Arbeitete häufig in der Bretagne u. in der Provence. Figürliches, Bildnisse, Landschaften, Interieurs m. Figuren. — Bilder in der Smlg d. Kstvereins u. in d. Öff. Kstsmlg in Basel, im Kstmus. Bern, im Städt. Mus. in Solothurn u. im Bes. der Zürcher Kstgesellschaft.

Lit.: Reinhart-Fink. — Schweizerland, 1920, p. 503ff. — Dtsche Kst u. Dekor., 57/58 (1925/26) 126 (Abb.); 59 (1926/27) 27 (Abb.). — Die Kst in d. Schweiz, 1927 p. 241f., m. 6 Abbn, dar. Selbstbildnis; 1929 p. 142, m. Taf.-Abb. — Das Werk (Zürich), 19 (1932) 257/61, m. Abbn; 20 (1933) H. 12 p. XVIII; 21 (1934) H. 10 p. XXXV; 24 (1937) H. 1 p. XX; 30 (1943) 341/44, m. 3 Abbn u. Fotobildn.; 36 (1949), Beibl. p. 158f.; 37 (1950), Beibl. p. 156; 39 (1952), Beibl. p. 172. — D. Kunst, 1936/37, Beibl. zu H. 4 p. 11; 47 (1949) H. 1 p. 7 (Abb.). — Jahrb. f. Kst u. Kstpflege in der Schweiz, 4: 1925/27 (1928), p. 243. — Schweizer Kst, 1942 p, 79, m. Fotobildn.

Berger, Leo, schweiz. Bildhauer, * 13. 3. 1885 Solothurn, ansässig in Zürich.

Stud. an d. Ec. des Arts Industr. in Genf, dann an den Akad. Florenz, Rom u. Berlin. Hielt sich einige Zeit in Florenz, Rom u. Paris auf. Ließ sich in Solothurn, später in Zürich nieder. Statuen, Bildnisbüsten, Grabdenkmäler: Öff. Brunnen in Zürich-Wollishofen.

Lit.: Schweiz. Zeitgen.-Lex., 1932. — DasKsthaus, 2 (1912) 22. — Die Schweiz, 1914, p. 107ff., m. zahlr. Abbn; 1918, Taf.-Abb. vor p. 85, p. 93ff., m. 9 Abbn u. 2 Tafeln, 383f.

Berger, Oskar, dtsch. Maler, Karikaturist u. Gebrauchsgraphiker, ansässig in Berlin.

Lit.: Dreßler. — Gebrauchsgraphik, 4 (1927) H. 9, p. 3ff., m. Abbn. — The Studio, 110 (1935) 313, m. Abb.; 112 (1936) 38f., m. 7 Abbn.

Berger, Paul, dtsch. Bildhauer, * 8. 4. 1889 Zwickau, ansässig in Dresden.

Schüler der Dresdner Akad. Akte, Tiere.

Lit.: Dreßler. — Dtsche Kst u. Dekor., 59 (1926–27) 355 (Abb.). — Velhagen & Klasings Monatsh., 51/II (1937) Taf.-Abb. geg. p. 140, 148. — D. Plastik, 2 (1912) 65.

Berger, Waldemar, dtsch. Bildhauer, * 16. 5. 1890, ansässig in Berlin.

Schüler der Berl. Akad. Schmuckbrunnen, Porträtbüsten.

Lit.: Dreßler. — Kat. Juryfreie Kstschau Berlin 1927, Nr 43/47, m. 1 Abb.

Berger, William Merritt, amer. Illustrator, * 14. 2. 1872 Union Springs, N. Y., ansässig in New York.

Schüler von W. M. Chase u. Brush.

Lit.: Amer. Art Annual, 30 (1933). — Who's Who in Amer. Art, I: 1936/37.

Berger-Bergner, Paul, dtsch.-böhm. Maler, * 10. 2. 1904 Prag, ansässig in Mannheim-Käfertal.

Figürliches (Akte u. Symbolisches). Koll.-Ausst. in d. Gal. Probst im Schloß Mannheim 1951.

Lit.: bild. kunst, 3 (1949) 322 (Abb.). — Kstchronik, 1 (1948) H. 12, p. 10. — Zeitschr. f. Kst, 1 (1947) H. 1, p. 65. — Die Kst u. d. schöne Heim, 49 (1951) 118. — Kat. 2. Dtsche Kstausst. Dresden 1949, m. Taf.

Berger-Lheureux, Adrien, franz. Landschafts- u. Bildnismaler, * Les Lilas (Seine), ansässig in Paris.

Schüler von Biloul. Stellt 1927ff. im Salon der Soc. d. Art. Franç., 1932ff. bei den Indépendants aus.

Lit.: Bénézit, [2] 1 (1948).

Berger-Lheureux-Dusart, Lucienne, fr. Lithographin, * Valenciennes (Nord), ansässig in Paris.

Schülerin von Alex. Leleu u. Lucien Jonas. Mitglied der Soc. d. Art. Français.
Lit.: Joseph, I. — Bénézit, [2] I (1948).

Bergeron, Anthelme, franz. Landschaftsmaler, * Lyon, ansässig ebda.
Schüler von Tony Tollet u. Terraire. Mitglied der Soc. Lyonnaise d. B.-Arts. Stellte auch im Salon der Soc. d. Art. Franç. in Paris aus (Kat. z. T. m. Abbn).
Lit.: Joseph, I. — Bénézit, [2] I (1948).

Bergès, Charles, franz. Landschaftsmaler, * Toulouse, ansässig ebda.
Schüler von Dagnan-Bouveret u. F. Humbert. Seit 1911 Mitglied der Soc. d. Art. Français.
Lit.: Joseph, I. — Bénézit, [2] I (1948).

Bergès, Georges, franz. Bildnis- u. Genremaler, * 26.11.1870 Bayonne, † Jan. 1935 ebda.
Schüler von Zo, Bonnat u. Maignan. Mitgl. der Soc. d. Art. Franç., beschickte deren Salon seit 1894. Konservator des Musée Bonnat in Bayonne.
Lit.: Th.-B., 3 (1909). — Bénézit, [2] I (1948). — Revue de l'Art, 67 (1935/I), Bull. p. 61. — Chron. d. Arts, 1914–16, p. 91. — Joseph, I.

Berges, Heinrich, dtsch. Landschaftsmaler u. Graph., * 4. 3. 1912 Valdorf bei Vlotho/Weser, ansässig in Vlotho.
Stud. an d. Kstgewerbesch. Bielefeld. Karl-Ernst-Osthaus-Preis der Stadt Hagen 1950. Werke im Märk. Mus. in Witten/Ruhr, im Städt. Mus. in Elberfeld u. beim Stadt- u. Kreisrat Vlotho.
Lit.: D. Kst u. d. schöne Heim, 49 (1951) H. 6 p. 118. — Kstchronik, 3 (1950) 63. — Mitteilg d. Kstlers. *J.*

Bergès, Joseph Paul Louis, franz. Bildnis- u. Stillebenmaler, * 31. 5. 1878 Saint-Girons (Ariège), ansässig in Paris.
Schüler von F. Cormon u. J. Adler. Mitglied der Soc. d. Art. franç. (Salon-Kat. z. T. mit Abbn).
Lit.: Joseph, I. — Bénézit, [2] I (1948).

Bergès, Marcel, franz. Figuren-(bes. Akt-) maler, * Chedde (Haute-Savoie), ansässig in Paris.
Schüler von Gust. Surand u. Fern. Sotomayor. Stellt im Salon der Soc. d. Art. Franç. aus (Kat. z. T. m. Abbn).
Lit.: Joseph, I. — Bénézit, [2] I (1948). — Beaux-Arts, Nr 280 v. 13. 5. 1938, p. 2 (Abb.).

Bergevin, Albert, franz. Landschafts-, Stilleben- u. Interieurmaler, * 11. 6. 1887 Avanches (Manche), wohnhaft ebda u. in Paris.
Stud. an den Akad. Julian u. Ranson. Mitglied der Soc. du Salon d'Automne. Stellte 1908ff. auch bei den Indépendants aus. Vertreten im Mus. in Avranches.
Lit.: Joseph, I. — Bénézit, [2] I (1948).

Bergfeld, Herbert, dtsch. Aquarellmaler u. Zeichner, * 1.7.1913, ansässig in Wilkau-Haßlau, Sa.
Stud. 1920/28 an der Staatl. Zeichensch. in Schneeberg.

Berggren, Edward, schwed. Maler u. Illustr., * 20. 11. 1876 Törnevalla, Östergötland, ansässig in Stockholm.
Schüler von C. V. Jeansson, Axel Kulle, Althin u. der Stockh. Akad. 1903/04 in Paris, 1904 in England, Belgien, Holland u. Deutschland, 1910/13 mit Akad.-Stipendium in Italien. 1920/33 Lehrer an der Stockh. Akad., seitdem eigene Malschule. Bildnisse u. Altarbilder (u. a. in Jäla u. Funäsdalen). — Illustr. zu Jugend- u. Kinderbüchern.
Lit.: Th.-B., 3 (1909). — Vem är det?, 1935. — Thomœus. — Vem är Vem i Norden, 1941 p. 969.

Berggren, Josef, schwed. Bildnis-, Dekorations- u. Blumenmaler, * 1892 Stockholm, ansässig in Huvudsta.
Stud. an der Akad. in Stockholm u. in Deutschland. Altarbilder u. a. in Vilstad, Norrahammar u. Huskvarna.
Lit.: Thomœus.

Berggren, Sigurd, schwed. Bildhauer, * 1911 Malmö, ansässig ebda.
Stud. in Kopenhagen, Deutschland u. Paris. Hauptsächlich Bildnisbüsten. Reliefs im Krankenhaus in Malmö.
Lit.: Thomœus.

Bergh, Elis, schwed. Kunstgewerbler, bes. Silberschmied, * 1881 Linköping, ansässig in Stockholm.
Stud. an der Kunstsch. in Stockholm u. in München. Künstler. Mitarbeiter an C. G. Hallbergs Guldsmeds Aktiebolag u. seit 1929 bei der Glasfabrik Kosta. Arbeiten im Mus. in Göteborg u. im Metropol. Mus. in New York.
Lit: Thomœus. — D. Kunst, 58 (1927/28) 29 (Abb.), 31 (Abb.).

Bergh, Maja, s. *Holtermann.*

Bergh, Svante, schwed. Maler, * 3. 10. 1885 Malmö, † 1946 ebda.
Stud. in Dresden, Kopenhagen (1909/12) u. Paris (1912/14). Bereiste einen großen Teil Europas. Bildnisse, Figürliches, Landschaften, Blumenstücke. Bilder im Nat.-Mus. in Stockholm u. in den Museen in Malmö, Hälsingborg, Oslo u. Ystad u. im Univ.-Mus. in Lund. Brustbildnis s. Gattin in der Smlg Thorsten Laurin in Stockholm. (Kat. 1936, p. 11, m. Taf.-Abb.).
Lit.: Thomœus. — Vem är det?, 1935. — Svensk Biogr. Kalender I: Malmöhus län, 1919, p. 30. — Konstrevy, 1932, p. 152 (Abb.); 1934, p. 114 (Abb.); 1936 H. 1, p. VIII (Abb.), 105 (Abbn), 133 (Abb.); 1937, H. 1, p. V; 1938 H. 3, p. III u. V, m. Abb.

Bergh, Tore, schwed. Maler, * 1916 Stockholm, ansässig ebda.
Stud. an der Akad. Stockholm. Figürliches, Bildnisse, Landschaften. Auch Freskant.
Lit.: Thomœus.

Berghe, Frits van den, belg. Maler, Holz- u. Linolschneider, * 3. 4. 1883 Gent, † 1939 ebda.
Schüler der Genter Akad. Anfänglich Impressionist, dann Expressionist, seit ca. 1926 Surrealist. Mitbegründer der Vereinigung „L'Art Vivant". Im Mus. Brüssel: Sonntag. Malte umfangreiche Zyklen in Guasch: La Femme (25 Bilder), Spectacles (desgl.), Aventures (5 Bilder), La Vie champêtre (3 Bilder), Rêves. Seine von der Wirklichkeit abstrahierenden phantastischen Spukgestalten entbehren der rechten Glaubhaftigkeit, weil zu wenig sinnlich empfunden.
Lit.: Seyn, II 1002f. — Bénézit, [2] I (1948). — E. Langui, F. v. d. B. teekenaar, Gent 1933. — Marlier, p. 55. — P. Haesaerts, L'Ecole de Laethem-Saint-Martin, Brüssel 1943. — Les Arts plastiques, 2 (1948) 240/42, m. Abb. — Kat. d. Ausst. Zeven Belg. Schilders, Sted. Mus. A'dam 1945/46. — Le Centaure (Brüssel), 1 (1926/27) 3, m. Fotobildnis, 7 (Abb.), 15, 52 (Abb.), 53, 79f., m. Abb., 89, 135/39, m. 2 Abbn, 162f. m. Abb., 3 (1928/29) 69, 99, 121/24, m. Abb., 128f., 138, 141 (Abb.), 159 (Abb.), 160, 173/75, m. Abbn, 223, 246, 248 (Abb.); 4 (1929/30) 27 (Abb.). — Cahiers de Belg., 1928 p. 394f., m. 2 Abbn; 1931 p. 47/56, m. 9 Abbn. — Cahiers d'Art, 1928 p. 403, m. 3 Abbn. — Emporium, 84 (1936) 270. — Phoebus (Basel), 1 (1946) 81 (Abb.).

Bergholtz, Ralph, schwed. Maler u. Graphiker, * 1908 Göteborg, ansässig in Jonstorp.

Stud. in Paris. Studienreisen in Deutschland, Frankreich, Spanien, Italien u. Nordafrika. Bildnisse, Figürliches, Stilleben. Pflegte auch die Glasmalerei (Scheiben im Gerichtsgeb. in Ängelholm u. in der Kirche in Väsby).

Lit.: Thomœus.

Bergier, Alfred, franz. Landschaftsmaler (Aquar.), * Avignon, ansässig ebda.

Beschickte bis 1935 die Salons der Soc. d. Art. Franç., der Soc. Nat. d. B.-Arts u. der Indépendants in Paris.

Lit.: Joseph, I. — Bénézit, ² I (1948).

Berglöw, Carl, schwed. humorist. Zeichner, * 1899 Stockholm, ansässig ebda.

Zeichnet für Tages- u. Wochenblätter.

Lit.: Thomœus.

Berglund, Allan, schwed. Architekt u. Fachschriftst., * 20. 6. 1887 Göteborg, ansässig in Vänersborg.

Stud. an der Techn. Hochsch. u. der Kunstsch. in Göteborg, tätig ebda 1920/27, als Stadtarchit. in Uddevalla 1923/26, seitdem in Skövde. Kirchen in Särö u. Hull; Schule in Skövde; Friedhofsanlagen für Göteborg, Borås, Uddevalla u. a. O.

Lit.: Vem är det?, 1935. — Thomœus. — Vem är Vem i Norden, 1941 p. 970.

Berglund, Carl, schwed. Maler u. Graphiker, * 1898 Mora Noret, Dalarne, ansässig ebda.

Schüler von C. Wilhelmson. Bildnisse, Figürliches, Interieurs.

Lit.: Thomœus.

Berglund, Elsa, schwed. Malerin, * 1920 Hälsingborg, ansässig in Göteborg.

Stud. an d. Malsch. Valand in Göteborg. Bildnisse, Landschaften, Stilleben (Öl u. Pastell).

Lit.: Thomœus.

Berglund, Frithiof, schwed. Maler, * 1905 Göteborg, ansässig in Mölndal.

Stud. an d. Malsch. Valand in Göteborg. Landschaften, Stilleben, Blumenstücke.

Lit.: Thomœus.

Berglund, Gunnar, schwed. Maler, * 1906 Hälsingborg, ansässig in Malmö.

Stud. in Finnland u. Deutschland. Landschaften mit Figuren, Marinen (Öl u. Aquar.).

Lit.: Thomœus.

Berglund, Hilma L. G., amer. Malerin u. Kstgewerblerin, * 23. 1. 1886 Stillwater, Minn., ansässig in St. Paul, Minn.

Stud. an der Kstschule in St. Paul.

Lit.: Fielding. — Amer. Art Annual, 20 (1923) 441.

Berglund, Ture, schwed. Maler u. Graphiker, * 1894 Stockholm, † 1924 ebda.

Schüler von C. Wilhelmson. Fischertypen in Landschaft mit Motiven aus Stockholm u. Jämtland.

Lit.: Thomœus.

Bergman, Annie, belg.-schwed. Malerin u. Holzschneiderin, * 1889 Lüttich, ansässig in Stockholm.

Stud. an der Akad. Stockholm. Bildnisse, bes. von Kindern, Landschaften u. Blumenstücke (Öl u. Aquar.), Illustr. zu Kinderbüchern, Bildniskarikaturen usw.

Lit.: Thomœus. — Konst och Konstnärer, 1912, p. 18, 21 (Abb.).

Bergman, Gulli, schwed. Landschaftsmalerin (Öl u. Aquar.), * 1882 Stockholm, ansässig ebda.

Stud. an der Malschule Althin in Stockholm.

Lit.: Thomœus.

Bergman, H. Eric, dtsch. Holzschneider u. Aquarellmaler, * Dresden, ansässig in Winnipeg, Can.

Als Knabe Mitglied des Balletts der Dresdner Hofoper. Verließ 19jährig Deutschland, lebt seit 1914 in Winnipeg. Angeregt durch Fred Brigden u. W. J. Phillips. Seit 1935 Mitgl. der Soc. of Canad. Painters and Etchers u. der Canad. Soc. of Painters in Water Colour. Blumen, Landschaften, Figürliches. Vertreten in der Nat. Gall. in Ottawa u. in der Art Gall. in Toronto.

Lit.: The Studio, 112 (1936) 322/25, m. 6 Abbn.

Bergman, Karl, schwed. Landschafts- u. Marinemaler, * 1891 Karlshamn, ansässig in Stocksund.

Stud. in Stockholm, Kopenhagen u. München. Hauptsächlich Ansichten aus Blekinge. Bild im Mus. in Karlskrona.

Lit.: Thomœus.

Bergman, Karola, tschech.-amer. Malerin, * 16. 4. 1902 Prag, ansässig in San Francisco, Calif.

Stud. in Berlin.

Lit.: Who's Who in Amer. Art, I: 1936/37.

Bergman, Oskar, schwed. Landschaftsmaler (Öl u. Aquar.), * 1879 Stockholm, ansässig in Neglinge, Saltsjöbaden.

Autodidakt. Studienaufenthalte in Deutschland, Italien u. Frankreich. Seine Bilder sehr detailliert ausgeführt. Bild im Nat.-Mus. in Stockholm.

Lit.: Thomœus. — Konst och Konstnärer, 1912, p. 42f., m. 2 Abbn, 46 (Abb.). — Konstrevy, 1933, p. 73; 1935, p. 191, m. Abb.; 1936 H. 6, p. X; 1937, p. 211, m. Abb.

Bergman, Sune, schwed. Maler u. Graphiker, * 1890 Kalix, ansässig ebda.

Autodidakt. Landschaften, Lappenkinder usw. Auch Illustrator.

Lit.: Thomœus.

Bergmann, Arthur, dtsch. Architekt, * 6. 12. 1883 Chemnitz, ansässig in Coburg.

Stud. an der Techn. Hochsch. Charlottenburg. Unter Bodo Ebhardt Leiter beim Wiederaufbau der Feste Coburg. Bauleiter am Theater in Detmold. Seit 1919 in Coburg selbständig. Schulbauten, Villen, Wohnhäuser, Siedlungen, Fabrikbauten (Dietze; Färberei Mundt, beide in Coburg), landwirtschaftl. Bauten. Bahnhofshotel in Coburg, Filiale der Thür. Bank ebda, Schwesternhaus „Marienheim" ebda, Umbau der Bayer. Hypotheken- u. Wechselbank ebda, Filialbauten der Coburger Kommerz- u. Privatbank in Sonneberg, Lauscha, Kronach u. a. O. Hotel Anker in Lichtenfels; Münchner Hochbau in Coburg.

Lit.: Dreßler. — Architekt A. B. Einleitg von M. R. Möbius, Dtsche Architektur-Bücherei, Berl. 1931.

Bergmann, Arthur, Maler u. Graph., * 19. 9. 1884 Unterwirbach, ansässig in Innsbruck.

Stud. 1900/04 an d. Zeichensch. in St. Gallen. Landschaften, Blumenstücke. Als Lithograph in d. Wagner'schen Druckerei tätig.

Lit.: Innsbr. Nachr., 1942 Nr 161. — Tir. Tagesztg, 1949 Nr 144. *J. R.*

Bergmann, C. Peter, dtsch. Maler, * 7. 4. 1886 Düsseldorf, ansässig in Afers b. Brixen.

Stud. an der Düsseld. Akad. bei E. v. Gebhardt, Claus Meyer u. Paul Junghanns. Reisen in ganz Europa. Seit 1936 in Südtirol. Beeinflußt von Defregger u. Egger-Lienz. Monotypien (Bildnisse, Tierbilder, Blumenstücke). Kollekt.-Ausst. in Mailand 1943 (Kat. m. Abb.), in Brixen u. Meran.

Lit.: Dolomiten (Bozen), 1947 Nr 241; 1948 Nr 3, 300; 1949 Nr 98. *J. R.*

Bergmann, Josef, dtsch. Freskomaler, Entwurfzeichner für Mosaiken u. Glasmalereien, * 1. 11. 1888 Amberg, Oberpfalz, † Herbst 1952 München.

Schüler von Becker-Gundahl u. Egger-Lienz an der Münchner Akad. 1914/18 Soldat. Nach dem Kriege Meisterschüler bei Becker-Gundahl. Strenger, an ravennatischen Vorbildern erzogener, die Fläche als solche betonender Monumentalstil. Ausmalungen der Pfarrkirchen in Olching (Szenen aus d. Apostelgesch.), Edelshausen (Deckenbild: Der Weltheiland; Das Lamm u. Engelkranz mit Gnadenschalen) u. Steinwiesen b. Kronach (Eva u. Maria Immaculata), der Hauskapelle des Kinderheims in Scheidegg, der Pfarrk. in Aschheim (Hl. Cäcilie), des Ambos der Ev. Kirche in Grafing (Prophetenköpfe). Riesenfigur des Hl. Christophorus in d. Taufkap. von St. Maximilian in München. Weitere Fresken in Riem, Kirchseeon u. am Rathaus in Murnau. Wandgem. in d. Kirche in Dollnstein b. Eichstätt. Landschaftsaquarelle.

Lit.: Dreßler. — D. Cicerone, 18 (1926) 721. — Die Kunst, 51 (1924/25) 124/28, m. Abbn; 55 (1926–27), Beil. Dez.-H., p. XVI; 57 (1927/28) 340. — Die Christl. Kst, 18 (1921/22) 148/50, m. Abbn; 19 (1922–23), Beil. p. 59; 21 (1924/25), Beil. p. 4f., m. Abb., 75; 23 (1926/27) Abb. geg. p. 195, 195/99, m. Abbn; 27 (1930/31) 361 (Abb.); 28 (1931/32) 60, 257, 258 (Abb.), 259 (Abb.), 260 (Abb.), 261 (Abb.), 262; 29 (1932/33) 86; 32 (1935/36) 129/39. — Kst u. Handwerk, 1925, p. 148/51, m. Abbn. — D. Kstwanderer, 1926/27, p. 80. — D. Münster, 1 (1947/48) 97f.; 5 (1952) 54, 55, 170, 350.

Bergmann, Max, dtsch. Maler, * 2.12. 1884 Fürstenberg a.d.O., ansässig in Wörth a.Rh.

Schüler H. v. Zügels. Ansässig in Haimhausen b. München, seit 1951 in Wörth a. Rh. Figürliches (bes. Akte), Tiere, Stilleben, Architektur. Koll.-Ausst. im Münchner Kstverein Jan./Febr. 1930. Ausst.: M. B. u. s. Schule, in Landau/Pfalz, 1942. — Sein Sohn Klaus, * 26. 11. 1916 Heimhausen, ansässig ebda, ist Blumen- u. Stillebenmaler.

Lit.: Dreßler. — Mitteilgn d. Ges. der Zügelfreunde E. V. Wörth a. Rh., August 1951, m. Abb. — Kst- u. Antiquit.-Rundschau, 45 (1937) 235, m. Abb.; 50 (1942) 98. — Velhagen & Klasings Monatsh., 40/II (1925/26), farb. Taf. geg. p. 152, Text p. 246f. — Kat. Ständ. Kst-Ausst. Münchner Kstlergenossensch., München Weihn. 1932, p. 21 (Abb.), 34 (Abb.). — Ausst. H. v. Zügel u. die Wörther Malersch., Nov. 51/Jan. 52, Kat. m. Abb.

Bergmann, Walter, dtsch. Maler, * 25. 2. 1904 Köln, ansässig in Berlin-Steglitz.

Stud. an d. Kstgewerbesch. in Offenbach u. an d. Akad. in Berlin. Meisterschüler bei E. R. Weiß.

Bergmann-Michel, Ella, dtsche Malerin, * 20.10.1896 Paderborn, ansässig in Eppstein (Nassau).

Stud. an d. Kstsch. in Weimar. Ließ sich in Frankfurt a. M. nieder. Abstrakte Künstlerin.

Lit.: Dreßler. — D. Kstwerk, 4 (1950) Heft 8/9 p. 88.

Bergmann-Rotzoll, Ilse, dtsche Malerin u. Graph., † Frühjahr 1947 Berlin.

Schülerin von E. R. Weiß u. Ad. Strübe an der Berl. Hochsch. f. bild. Kste. Beeinflußt von Cézanne u. Picasso. Koll.-Ausst. in der „Kleinen Gal. Walter Schüler", Sept. 1946.

Lit.: „sie" (Berlin), 29.9.1946, m. Abb.; 18. 5. 1947, m. Abb. — bild. kunst, 3 (1948) 57 (Abb.).

Bergmans, Jacques, belg. Landsch.- u. Genremaler, * 1891 Gent, ansässig ebda.

Schüler von Jean Delvin. Hauptsächlich Ansichten von Gent. Bild. im dort. Mus.

Lit.: Seyn, I.

Bergmüller, Karl, dtsch. Maler u. Graph., * 26.10.1864 Pappenheim (Bayern), † 4.11. 1928 Leipzig.

Stud. bei Raupp, Lindenschmidt u. Defregger an der Münchner Akad. Machte sich in Leipzig ansässig. Bilder im Bes. d. Stadt Leipzig (Hühnerhof) u. im Bes. d. Schillerstiftung der Stadt Nürnberg (Morgendämmerung).

Lit.: Dreßler. — Leipz. N. Nachr., v. 6. 11. 1928.

Bergner, Fritz, dtsch. Maler, * 4.3.1901 Neustadt a.d.Orla, ansässig in Wurzen.

Autodidakt. Figürliches, Landschaften, Bildnisse (Aquar., Pastell, Kohle).

Bergner, Gunnar, schwed. Maler, Holzschnitzer, Graphiker u. Kunstgewerbler, * 1878 Burträsk, Väster Bottens län, ansässig in Haparanda.

Autodidakt. Lapplandmotive, Hafenansichten, Szenen aus dem Leben der Lachsfischer, usw. Gab ein Album mit Karikaturen heraus.

Lit.: Thomœus.

Bergon, François Marius, franz. Landschafts-, Blumen- u. Figurenmaler, * Narbonne, ansässig in Paris.

Stellte 1913/30 im Salon des Indépendants aus.

Lit.: Joseph, I. — Bénézit, ² I (1948).

Bergqvist, Karl, schwed. Aquarellmaler, * 1894 Stockholm, ansässig in Lidingö-Brevik.

Straßenmotive aus Paris u. dem Orient.

Lit.: Thomœus.

Bergsma, Gerard, holl. Maler u. Rad., * 19. 4. 1873 Winterswijk, zuletzt ansässig in Zoutelande (Zeeland).

Schüler von Allebé an der Akad. Amsterdam, weitergebildet in Italien (1895/1900) u. München (1900–03). Figurenbilder, Stadtansichten, Landschaften.

Lit.: Plasschaert. — Waay. — Waller.

Bergson, Jeanne, franz. Zeichnerin u. Bildhauerin, ansässig in Paris.

Schülerin von Bourdelle an der Grande Chaumière in Paris. Stellte seit 1923 im Salon des Tuileries aus, hauptsächlich Bildnisse u. Akte. Im Pariser Cab. d. Est. eine Zeichnung: Bildnis ihres Vaters.

Lit.: Joseph, I. — Bénézit, ² I. — Beaux-Arts, 3 (1925) 214; 76ᵉ année Nr 333 v. 19. 5. 1939, p. 5, m. Abb.

Bergsten, Carl, schwed. Architekt, Raumkünstler u. Fachschriftst. (Baurat), * 10. 5. 1879 Norrköping, † 1935 Stockholm.

Schüler der Stockholmer Akad. Anfänglich beeinflußt von zeitgenöss. dtsch. u. öst. Baukunst. Gehört zu den Pionieren der Moderne in Schweden. Beeinflußt von deutscher u. Wiener Architektur. Seit 1931 Prof. f. Architektur an d. Kstakad. Stockholm. Hauptwerke: Konzerthaus, Schule u. Bankgeb. in Norrköping; Kunsthalle Liljevalch in Stockholm (sehr schlicht, aber äußerst zweckvoll hinsichtlich Belichtung u. Grundrißlösung angelegt); Schwed. Pavillon auf der Expos; des Arts Décor. Paris 1925; Schwed. Handelsbank in Lund; St. Olafskirche in Stockholm; Kirche in Enskede; Stadttheater in Göteborg.

Lit.: Th.-B., 3 (1909). — Vem är det?, 1935. — N. F., 3. — Thomœus. — Ahlberg, p. 25ff., 36, Taf. 105/12. — Die Kunst, 54 (1925/26) 13 (Abb.), 14 (Abb.); 58 (1927/28) Taf. geg. p. 92/93; 62 (1929) 65ff., mit Abbn bis p. 72. — Dtsche Kst u. Dekor., 57 (1925/26) 212 (Abb.). — The Studio, 100 (1930) 170, 171 (2 Abbn). — S. E. Rasmussen, Nord. Baukst, Berl. 1940.

Bergsten, Einar, schwed. Bildnis- u. Landschaftsmaler, Illustr. u. Plakatzeichner, * 1886 Sala, ansässig in Danderyd.

Stud. an der Akad. in Stockholm u. in Paris. Einige Zeit in den USA.

Lit.: Thomœus.

Bergström, Algot, schwed. Maler u. Zeichner, * 1910 Katrineholm, ansässig in Enskede.

Schüler von Berggren u. Grünewald in Paris. Bildnisse, Figürliches, Stilleben.

Lit.: Thomœus.

Bergström, Sigge, schwed. Bildnis- u. Landschaftsmaler u. Holzschneider, * 20. 8. 1880 Filipstad, ansässig in Stockholm.

Stud. in Göteborg, 1904/05 in Paris, 1906/07 in Italien. Bereiste Deutschland, Frankreich, Brasilien, Argentinien. Buchillustr. zu: Palmblads „Amala" u. Almquists „Sju songes" (Holzschnitte). Bilder im Nat.-Mus. in Stockholm u. im Mus. in Göteborg.

Lit.: Th.-B., 3 (1909). — N. F., 3. — Thomœus. — Arktos, 1 (1908/09) 217, m. Abb. — Konst och Konstnärer, 1910 p. 107 (Abb.), 108; 1912, p. 2, 5 (Abb.); 1917, p. 1/2. — Konstrevy, 1930, p. 114f.; 1934, p. 191 (Abb.); 1935, p. 111 (Abb.). — Meddelanden från Föreningen för Graf. Konst, VI, Bibl. Not., p. 87. — Ord och Bild, 1919, Abb. geg. p. 288, 289 (Abb.). — Tidskrift f. Konstvetenskap, 2 (1917) 83. — Kat. Utställn. av målningar, träsnit och teckningar (Sveriges allmänna Konstfören. 1918), Stockh. 1918. — Vem är Vem i Norden, 1941 p. 976.

Bergström, Willie, schwed. Reklamezeichner, * 1903 Karlskrona, ansässig in Danderyd.

Lit.: Thomœus.

Bergvall, Knut, schwed. Landschaftsmaler, * 1874 Stockholm, ansässig ebda.

Schüler von Reinhold Norstedt.

Lit.: Thomœus.

Beringer, Georg, dtsch. Landschafts- u. Figurenmaler u. Graph., * 31. 8. 1879 Worms, † Nov. 1944 Bensheim a. d. Bergstraße.

Autodidakt. Lehrer an d. Taubstummenanstalt in Bensheim. Ausmalung des Sitzungssaales im Rathaus in Lorsch a. d. Bergstr. (Szenen aus der Ortsgesch.). Illustr. zu Don Quichote. Koll.-Ausst. in d. Ksthalle Mannheim Sept./Okt. 1921, im Kasino in Bensheim 1924, in d. Gem.-Gal. Worms 1925.

Lit.: D. Kstwanderer, 1921/22 p. 65. — Volk u. Scholle, 4 (1926) 61f.

Beringer, Joachim, dtsch. Architektur- u. Landschaftsmaler u. Radierer, * 20. 10. 1895 Charlottenburg, ansässig in Berlin.

Stud. 1915/24 bei Emil Orlik an der Unterrichtsanstalt des Berliner Kstgew.-Mus.

Lit.: Dreßler.

Beringer, Max, dtsch. Bildnis-, Figuren- u. Landschaftsmaler u. Graph., * 18. 5. 1886 Mindelheim, ansässig in Pasing b. München.

Stud. an der Münchner Akad., weitergebildet in Italien, Paris, Berlin u. Dresden. Beschickt die Ausstellgn der Münchner Sezession.

Lit.: D. Kunst, 27 (1913) farb. Taf. geg. p. 337, 344. — D. Christl. Kst, 9 (1912/13) 261. — Kst- u. Antiquit.-Rundschau, 43 (1935) 225, m. Abb. — Velhagen & Klasings Monatsh., 43/II (1928/29), Taf.-Abb. geg. p. 444, 479.

Béringuier, Eugène, franz. Genre- u. Landschaftsmaler (Öl u. Aquar.), * 17. 9. 1874 Toulouse, ansässig in Paris.

Schüler von B. Constant, A. Maignan u. J. P. Laurens. Mitglied der Soc. d. Art. Franç. (Salon-Kat. 1900/30, z. T. m. Abbn). Gold. Med. 1926.

Lit.: Joseph, I. — Bénézit, [2] I (1948).

Berjole, Pierre, franz. Landschafts-, Interieur-, Stilleben- u. Bildnismaler, * Saumur, ansässig in Paris.

Stellte 1921/38 im Salon d'Automne, 1925/39 bei den Indépendants aus.

Lit.: Joseph, I. — Bénézit, [2] I (1948). — Art et Décoration, 61 (1932) 372 (Abb.).

Berjonneau, Jehan, franz. Orient- u. Landschaftsmaler u. Holzschneider, * 27. 12. 1890 Montmorillon (Vienne), ansässig in Paris.

Mitglied der Soc. d. Art. Franç. (Salon-Kat. z. T. mit Abbn). Pleinairist. Stellte 1925/39 auch bei den Indépendants aus. Sonderausst. März 1948 in d. Gal. Kirby Beard, New York.

Lit.: Joseph, I. — G. Kahn, Henry-Jacques et G. Turpin, J. B., Paris 1928, m. 50 Taf. — Bénézit, [2] I (1948). — La Renaiss. de l'Art franç., 14 (1931) 322, m. Abb. — Beaux-Arts, Nr v. 12. 3. 1948, p. 4.

Berk, Nurullah, türk. Maler u. Kstschriftst., * 1904 Istanbul (Konstantinopel), ansässig ebda.

Besuchte 1920/24 die Akad. der Sch. Künste zu Istanbul, weitergebildet bei E. Laurent an d. Ec. d. B.-Arts in Paris. 1928 Rückkehr nach Istanbul. Ging 1933 nochmals nach Paris u. arbeitete bei André Lhote, Fern. Léger, Gromaire u. Despiau. Jetzt Lehrer an d. Akad. d. Sch. Künste zu Istanbul. Gehört der türk. modernen Schule an. Mitbegründer der 1933 entstandenen „Gruppe D". Nahm an Ausstellgn im In- u. Ausland teil, so 1946 an d. Ausst. türk. Kunst im Mus. Cernuschi in Paris. Einige Werke im Bilder- u. Statuenmus. zu Istanbul. — Buchwerke: Modern sanat (Die moderne Kunst), Türk heykeltraşlarī (Die türk. Bildhauer), Türkiyede resim (Malerei in der Türkei), Sanat konuşmalarī (Gedanken über Kunst), La Peinture Turque, Léonard de Vinci.

Lit.: Bénézit, [2] 1 (1948). — Berk, Abbn 46, 47, 60.

Berke, Hubert, dtsch. Maler u. Illustrator, * 22. 1. 1908 Buer (Westf.), ansässig in Alfter bei Bonn.

Studium der Kunstgeschichte u. Philosophie, dann Malschüler der Akad. Königsberg u. Düsseldorf (P. Klee). Hauptsächl. Kreide- u. Kohlezeichngn. Cornelius-Preisträger 1948. Gehört zu den wenigen Malern, die mit gleichem Erfolg die gegenständliche wie die abstrakte Kunst pflegen. — Bild im Mus. in Düren. Illustrationen zu: Otto Jul. Bierbaum, Der Mann mit dem porösen Schädel, Köln 1938; Th. Seidenfaden, Die Schule der Frau Holle, Saarlautern 1942; G. P. Gath, Rhein. Sagen, Köln 1943.

Lit.: The Art News, 47 (1948) Okt.-H. p. 42 (Abb.). — bild. kst, 2 (1948) H. 8 p. 20 (Abb.). — D. Kstwerk, 1 (1946/47) H. 8/9, p. 53, m. Abb., 81; 4 (1950)

Heft 8/9 p. 88. — Kstchronik, 2 (1949) 30. — Rhein-Echo (Düsseldorf), 16. 9. 1948. — Kat.: Junge Kst im Dtsch. Reich, Ausst. Febr./März 1943 i. Kstlerhaus Wien. Kat. m. Abb. 45; Ausst. Dtsche Malerei u. Plastik d. Gegenwart, im Staatenhaus der Messe in Köln v. 14. 5. – 3. 7. 1949, m. Abb.; Kstschaffen in Deutschland, Coll. Point, München 1949.

Berkel, Sabri, türk. Maler u. Rad., * 1907 Üsküp, ansässig in Istanbul (Konstantinopel).

Stud. an d. Akad. d. Sch. Künste zu Belgrad, weitergebildet bei Felice Carena in Florenz. Seit 1938 Lehrer an d. Akad. d. Sch. Künste zu Istanbul. Bildnisse, Figürliches, Stilleben. Erste Kollekt.-Ausst. 1945. Nahm an Ausstellgn im In- u. Ausland teil, so 1946 an d. Ausst. türk. Kunst im Mus. Cernuschi in Paris. Einige Werke im Bilder- u. Statuenmus. in Istanbul. Gehört der türk. modernen Schule an.

Lit.: Bénézit,[2] 1 (1948).—Berk, p. 29, Abb. 53/56.

Berkes, Antal, ungar. Landschaftsmaler, * 28. 3. 1874 Budapest, ansässig ebda. Gatte der Folg.

Schüler von Feichtinger in Budapest. 1907 in München.

Lit.: Szendrei-Szentiványi. — Krücken-Parlagi. — Müvészet, 15 (1916) 69; 16 (1917) 87.

Berkes, Ilona, geb. *Szilágyi*, ungar. Figuren- u. Landschaftsmalerin, * 1883 Budapest, ansässig ebda. Gattin des Vor.

Lit.: Th.-B., 32 (1938) 377. — Szendrei-Szentiványi.

Berkhout, Albertus, holl. Lithograph, Aquarell- u. Pastellmaler, * 6. 7. 1882 Den Helder, ansässig in Amsterdam.

Lit.: Waller.

Berkman, Aaron, amer. Bildnis-, Landschafts- u. Tiermaler (Öl u. Aquar.), * 23. 5. 1900 Hartford, Conn., ansässig in New York.

Stud. an d. Schule des Mus. of Fine Arts in Boston.

Lit.: Amer. Art Annual, 20 (1923) 441. — The Brooklyn Mus. Quarterly, 17 (1930) 141 (Abb.), 145. — The Art News, 25, Nr 30 v. 30. 4. 1927, p. 9. — The Art Index (New York), Okt. 1947/April 1953.

Berlage, Hendrik Petrus, holl. Architekt u. Fachschriftst. (Dr. h. c.), * 21. 2. 1856 Amsterdam, † 12. 8. 1934 Den Haag.

Stud. 1875/78 an der Techn. Hochsch. Zürich. Bereiste bis 1880 Italien, Österreich u. Deutschland. Dann Zeichner im Baubüro von Th. Sanders in Amsterdam. 5 Jahre assoziiert mit diesem. Seit 1889 selbständig in Amsterdam. 1924 Dr. h. c. der Techn. Hochsch. Delft. — Seine frühsten Bauten sind im Stil der holl. Renaiss. gehalten. Erst allmählich macht er sich von dem traditionellen Historismus frei und kommt zu einem Kubus u. Fläche wieder respektierenden Stil, dessen Ziel reine Zweckmäßigkeit ist, und für den die Raumgestaltung, die Gruppierung der Baumasse und die rhythmische Aufteilung der Fläche in vorderster Linie stehen, während das Dekorative demgegenüber ganz zurücktritt. — *Hauptbauten:* Kontorgebäude für „De Nederlanden van 1845" im Haag (1895; umgebaut 1909); Kontorgeb. der „Algemeene Maatschappij van Levensverzekering en Lijfrent" in Leipzig (1902) u. Amsterdam (1903); Neue Börse in Amsterdam (1897/1903); Geb. der Allg. Niederl. Diamantschleifer-Gewerkschaft ebda (1899); Kontorgeb. für „De Nederlanden van 1845" in Rotterdam (1910), in Amsterdam (1911), in Nymwegen (1911), in Batavia (1913) und im Haag (1925; zus. mit A. D. N. van Gendt u. W. N. van Vliet); Bauernhof „De Schipborg" in Zuidlaren (1914); Geschäftshaus der Firma Meddens & Zoon im Haag (1914); Geschäftshaus der Firma Wm. Müller & Co. in London (1914); Bebauung des Mercatorplein in Amsterdam (1925); Christian Science-Kirche im Haag (1928); Gemeente Mus. im Haag (1930/32); Neue Amstelbrücke (1931); Amsterdamsche Bank in Amsterdam (1931/32). — Entwürfe für Möbel u. kunstgewerbl. Gegenstände; begründete mit Jacob van den Bosch die Werkstätten „'t Binnenhuis". — *Buchwerke:* Gedanken über den Stil in der Baukunst, Lpzg 1905 (Besprechg in: De Boekzaal, 1912, p. 281/94); Grundlagen und Entwicklung der Architektur, Lpzg 1908; Studies over bouwkunst, stijl en samenleving, Rotterd. 1910 (Bespr. in: De Samenleving, 1910/11, p. 28/31, 62/65, 91/95); Schoonheid en Samenleving, Rotterd. 1910; Beschouwingen over bouwkunst en haar ontwikkeling, 1911; Schoonheid in Samenleving, 1919; Mijn Indische Reis, 1931; Het Wezen der bouwkunst en haar geschiedenis, Haarlem 1934 (Bespr. in: Oudheidk. Jaarboek, 4. Ser., IV [1935] 76).

Lit.: Th.-B., 3 (1909). — Brandes, Taf. 7, 8. — Platz. — K. P. C. de Bazel u. a., Dr. H. P. B. en zijn Werk, Rotterd. 1916. — M. Eisler, Der Baumeister B. („Kunst in Holland"), Wien 1921. — J. J. P. Oud, Holl. Architektur (Bauhaus-Bücher, 10), 1926. — Mieras-Yerbury. — H. P. B., W. M. Dudok u. a., Moderne Bouwkunst in Nederland, Rotterd. 1932. — Der Architekt (Wien), 24 (1921) 17ff. — Art et Technique, Sept. 1913, p. 93/112; Okt./Nov. 1913. — Dtsche Bauzeitg, 59 (1925/I) 104. — D. Cicerone. 21 (1929) 597. — Genius, 2 (1920) 80/84, m. Abb. — De Holl. Revue, 21 (1916) 122/26. — Kst u.Ksthandwerk, 22 (1919) 189/228, m. zahlr. Abbn. — Maandbl. v. beeld. Kunsten, 3 (1926) 143/56, m. Bildnis u. zahlr. Abbn; 4 (1927) 183/86, m. Abbn; 11 (1934) 277f. (Nachruf); 12 (1935) 259ff., m. Abbn. — Österr.'s Bau- u. Werkkst, 1 (1924/25) 64; 2 (1925/26) 331ff., m. Abbn, 340. — Oudheidk. Jaarboek, 4. Ser., 4 (1935) 61f., 88/95. — Profanbau, 1918, p. 89f., m. Abb., 92; 1919, p. 17. — Wasmuth's Monatsh. f. Baukst, 9 (1925) 148f., m. Abbn; 10 (1926) 211 (Abb.), 216ff., m. Abbn; 18 (1934) 494/96 (Nachruf); 19 (1935) 257/61. — Das Werk (Zürich), 21 (1934) 321/23 (Nachruf, m. Bildnis). — Dtsche Bauztg, 68/II (1934) 656.

Berland, Henri, franz. Blumen-, Stilleben-, Landschafts- u. Marinemaler u. Restaurator, * 20. 11. 1882 Bouchain, ansässig in Genua.

Schüler der Akad. in Marseille.

Lit.: Comanducci.

Berlandina, Jane, franz.-amer. Wand-, Bildnis- u. Landschaftsmalerin, * 15. 3. 1898 Nizza, ansässig in San Francisco, Calif.

Stud. an d. Ec. Nat. d. Arts décor. in Paris. Wandmalereien u. a. im Coit Tower in San Francisco. Vertreten im California Palace of Legion of Honor u. im Mus. in San Francisco.

Lit.: Who's Who in Amer. Art, I: 1936/37. — Bénézit,[2] 1 (1948). — Art Index (New York), Okt. 1942/Sept. 43; Okt. 1946/Sept. 47.

Berlewi, Henryk, poln. Maler, * 1894 Warschau, ansässig ebda.

Schüler von Stabrowski, Krzyżanowski u. Trojanowski, weitergebildet an der Akad. Antwerpen (1909/10) u. an der Pariser Ec. d. B.-Arts (1911).

Lit.: Czy wiesz kto to jest?, 1938, m. Fotobildn. — Bénézit,[2] I (1948).

Berlin, Harry, amer. Maler, * 10. 9. 1886 New York, ansässig ebda.

Stud. an der Nat. Acad. of Design, New York.

Lit.: Amer. Art Annual, 12 (1915) 323.

Berlin, Karl, schwed. Architekt, * 3. 5. 1871 Uppsala, † 1924 Malmö.

Kirchenrestaurationen, Pfarrhäuser.

Lit.: Th.-B., 3 (1909). — Thomœus. — Svensk Biogr. Kalender, I: Malmöhus län, 1919, p. 33.

Berlinde, Folke, schwed. Maler u. Bildhauer, * 1887 Stockholm, ansässig ebda.

Malschüler von G. T. Wallén, als Bildhauer Schüler von Bourdelle in Paris. Bildnisse, Landschaften, Porträtbüsten. Buchwerk: Den estetiska uppfattningen hos skolungdom, 1920.

Lit.: Thomæus.

Berling, Hilding, schwed. Bildhauer, * 1885 Skanör, ansässig in Malmö.

Stud. in Deutschland, Frankreich, England u. Italien. Gedenktafel im Seemannshaus in Halmstad; Figuren im Rathaus in Nässjö; Taufstein in der Kirche in Skabersjö.

Lit.: Thomæus.

Berlioz, Charles, franz. Landschaftsmaler, * Rouen, ansässig in Paris.

Stellte zw. 1895 u. 1929 im Salon des Indépendants aus.

Lit.: Joseph, I. — Bénézit, [2] I (1948).

Berlit, Rüdiger, dtsch. Maler u. Graph., * 27.5.1883 Leipzig, † 27.8.1939 ebda.

Stud. an der Leipz. u. Münchner Akad. Anfänglich Impressionist, ging um 1913 zu einem gemäßigten Expressionismus über. Stilleben, Landschaften, Bildnisse, Figürliches. Mitglied der „Lia". Bedeutender Kolorist. Bild im Mus. in Leipzig (Auffindung des Moses). Gedächtnis-Ausst. ebda März 1946.

Lit.: Dreßler. — Kst u. Kstler, 29 (1930/31) 392 (Abb.), 395. — Kstchronik, N. F. 30 (1918/19) 90f., 95 (Abb.), 99 (Abb.). — R.-B.-Mappe: 10 Aquarelle (Farbenreprod.), Verl. Volk u. Buch, Lpzg. — Leipz. N. Nachr., 3. 9. 1919.

Berman (Bermann), Eugène, russ. Maler u. Lithogr., * 1899 St. Petersburg (Leningrad), ansässig in den USA (Toledo?).

Beschickte — damals in Paris ansässig — seit 1923 den Salon d'Automne u. den Salon des Tuileries. Siedelte (wohl Anf. der 1930er Jahre) nach Amerika über. — Figürliches, Bildnisse, Landschaften (u. a. aus Oberitalien). Illustr.: „Nocturne" (5 Lith.), 1930. Kollekt.-Ausst. bei Knoedler, New York, 1951.

Lit.: Bénézit, [2] 1 (1948). — L'Amour de l'Art, 12 (1931) 445, m. 4 Abbn. — Apollo (London), 13 (1931) 275. — Beaux-Arts, Nr 255 (recte 256) v. 26. 11. 1937, p. 4, m. 2 Abbn; Nr 314 v. 6. 1. 1939, p. 4. — Formes, 1930 Nr 3 p. 5/8, m. 4 Abbn; 24 (1932) 259/60. — D. Kunst, 65 (1931/32) 352/56, m. Abbn. — D. Kst u. d. schöne Heim, 49 (1951), Beil. p. 200. — The Studio, 109 (1935) 152/55, m. Abb. u. farb. Taf.; 116 (1938) 221, m. Abb. — Bull. of the Detroit Inst. of Arts, 27 (1947/48) 29, 39; 29 (1949/50) 46. — Art Index (New York), Okt. 1941/April 1953.

Berman, Harry G., amer. Maler (Öl u. Aquar.), † 1932 Philadelphia, Pa.

Lit.: Fielding. — Amer. Art Annual, 29 (1932), Obituary.

Berman, Leonid, russ. Marine-, Landsch.- u. Figurenmaler, * 1896 St. Petersburg (Leningrad), ansässig in Paris.

Beschickt seit 1923 den Salon d'Automne u. den Salon des Tuileries.

Lit.: Bénézit, [2] 1 (1948). — Mallett. — Apollo (London), 8 (1928) 300; 9 (1929) 392. — Maandbl. v. beeld. Kunsten, 9 (1932) 244, m. Abb., 245 (Abb.). — Bull. of the Detroit Inst. of Arts, 29 (1949/50) 46. — Art Index (New York), März 1947/April 1952.

Berman, Saul, russ. Maler, * 18. 4. 1899, ansässig in New York.

Schüler von Charles W. Hawthorne.

Lit.: Who's Who in Amer. Art, I: 1936/37. — Art Digest, 17, Nr v. 15. 10. 1942, p. 13 (Abb.). — Monro.

Berme, Karl Erik, schwed. Figurenmaler u. Pressezeichner, * 1897 Göteborg, ansässig ebda.

Stud. in Göteborg u. in den USA. Hauptsächlich Akte in Interieurs.

Lit.: Thomæus.

Bermejo Sobera, José, span. Maler u. Graph., * Madrid, ansässig ebda.

Stud. in Madrid, bei Joaquín Sorolla u. an der Span. Akad. in Rom. Beeinflußt von Anglada. Auf den Nat. Ausstellgn 1901, 04, 05 u. 1926 durch Preise ausgezeichnet. Figürliches, Bildnisse, Landschaften.

Lit.: Th.-B., 3 (1909). — Dieulafoy. — Bénézit, [2] I (1948). — Por el Arte, Jan. 1913, p. 23f., m. Abb. — La Estampa, Nr v. 15. 5. 1914. — Francés, 1915 p. 26; 1917 p. 256 (Abb.), 260/62. — The Studio, 112 (1936) 180, 194 (Abb.). — Dtsche Kst u. Dekor., 33 (1913/14) 329 (Abb.). — Kat.: Expos. Nac. de Pint. etc., Madrid 1910, m. Abb.; Ausst. Span. Kst d. Gegenw., Berlin, Pr. Akad. d. Kste, 1942.

Bermúdez, Cundo, kuban. Maler, * 1914, ansässig in Havana.

Autodidakt. 1937 in Mexiko. Kollektiv-Ausst. im Lyceum in Havana 1942. Im Mus. f. Mod. Kst in New York: Auf dem Balkon.

Lit.: Kirstein, p. 47, 93, Abb. p. 53. — Bull. of the Pan Amer. Union, 81 (1947) 131 (Abb.).

Bermúdez, Jorge, argent. Figuren- u. Bildnismaler, † 1927 Buenos Aires.

Schüler von Ign. Zuloaga in Spanien; beeinflußt von Goya. Kehrte 1913 nach Buenos Aires zurück. Zeigte auf der Ausst. argent. Kunst im Musée du Jeu de Paume in Paris März 1926 ein vorzügliches Kinderbildnis. Gedächtnis-Ausst. im Salon der Comisión Nac. de B. Artes de Buenos Aires 1927.

Lit.: Revue de l'Art anc. et mod., 49 (1926) 255 (Abb.), 258. — The Studio, 94 (1927) 218/20, m. 2 Abbn (1 ganzseit.). — Westermanns Monatsh., 133 (1922/23) 129/31, m. 4 Abbn u. Fotobildn.

Bermyn, Constantin Henri, franz. Genre- u. Interieurmaler, * Roubaix (Nord), ansässig in Lille.

Schüler von Mils, Weerts, L. Bonnat u. M. Sabatté. Mitglied der Soc. d. Art. Franç., beschickte deren Salon seit 1904. — Sein Bruder Philippe Georges, * Charleville (Ardennes), Schüler von Ph. de Winter, Besson, Sabatté u. Selmy, Bildnis-, Genre- u. Landschaftsmaler, gleichfalls Mitgl. der Soc. d. Art. Fr. (Salon-Kat. z. T. m. Abbn) u. ansässig in Lille.

Lit.: Joseph, I. — Bénézit, [2] I (1948).

Bernack, Franz, dtsch. Landschafts- u. Blumenmaler, Radierer u. Lithogr. (Dr. phil.), * 5. 3. 1880 Leipzig, ansässig in Altona.

Hauptsächl. kunstpädagogisch tätig.

Lit.: Dreßler.

Bernadou, Gabriel, franz. Keramiker, * Ryssac (Tarn), ansässig in Paris.

Schüler von Falguière, Mercié u. D. Puech. Keramische Zierstücke hauptsächl. in Nachahmung von Blumen u. Früchten. Beispiele im Luxembourg-Mus. in Paris. Stellt seit 1900 im Salon der Soc. d. Art. Franç. aus.

Lit.: Bénézit, [2] I (1948). — Les Arts, 1920, Nr 181, p. 17/21, m. 6 Abbn.

Bernaerts, Jules, belg. Bildhauer, * 1882 Mecheln. Schüler der Brüsseler Akad.

Bernal, José, span. Landschaftsmaler, * 1908 Saragossa.

Lit.: Bénézit, [2] I (1948). — Kat. d. Internat.

Exhib. of Paint. Carnegie Inst. Pittsburgh, 1937 Nr 287.

Bernaldo de Quiros, Carlos, argent. Maler, † 1937.

Sonderausst. März 1931 im Mus. du Jeu de Paume in Paris (fast ausschließl. Szenen aus dem Leben der letzten Gauchos in den Pampas).

Lit.: L'Art et les Art., N. S. 22 (1931) 211. — Revue de l'Art anc. et mod., 71 (1937) 294.

Bernanose, Marcel Georges, franz. Landschafts- u. Stillebenmaler, * Valenciennes, ansässig in Nancy.

Stellt im Salon der Soc. d. Art. Franç. aus (Kat. z. T. m. Abbn).

Lit.: Joseph, I. — Bénézit,[2] I.

Bernard, Charles Pierre, franz. Genre- (bes. Akt-) u. Bildnismaler, * Asnieres (Seine), ansässig in Paris.

Schüler von Cormon, P. Laurens u. Renard. Mitglied der Soc. d. Art. Franç. (Salon-Kat. z. T. m. Abbn).

Lit.: Joseph, I. — Bénézit,[2] I.

Bernard, Emile, franz. Maler, Holzschneider, Buchschmuckkstler, kunstgew. Zeichner, Dichter u. Kstschriftst., * 28. 4. 1868 Lille, † 16. 4. 1941 Paris.

Stud. 1885 bei Cormon. Ging 1886 in die Bretagne. Bekanntschaft mit Gauguin u. van Gogh, mit dem er eng befreundet war u. über den er zahlr. Aufsätze veröffentlicht hat, die in der von Ambr. Vollard besorgten Ausgabe: Lettres de V. v. G. à E. B., Paris 1911 (dtsche Ausg. Basel 1921), wieder abgedruckt sind. Wurde zuerst bekannt durch die von ihm begründete u. geleitete Zeitschrift „La Rénovation esthétique", in der er eine Erneuerung der Kunst auf der Grundlage des Studiums der alten Meister, bes. der Venezianer, predigt u. gegen den herrschenden Impressionismus eifert. Vorbilder wurden ihm neben den Alten Cézanne, als dessen eigentlichen Schüler er sich betrachtete, u. Puvis de Chavannes. Ging 1893 nach Italien u. dem Orient, ließ sich in Kairo nieder. 1896 in Spanien. Dann wieder in Kairo. 1900 in Venedig. Seit 1904 in Paris. — Figurenbilder, oft mit lebensgr., heroinenhaft aufgefaßten Figuren, bes. weibl. Akten, bisweilen mythologisch eingekleidet (Urteil des Paris, Trauernder Tannhäuser), meist aber rein zuständliche Schilderungen (Die Prostituierten von Kairo; Ruhende Frauen nach dem Bade, usw.), Bildnisse, Landschaften, Stilleben; Entwürfe zu Tapisserien, Reliefschmuck für Möbel, architekton. Entwürfe, usw. Holzschnitt-Illustr. zu Baudelaire's „Les Fleurs du Mal" (1901/08), zu Pierre de Ronsard's „Les Amours", zu den Dichtungen Fr. Villon's, sämtlich im Auftrage Ambr. Vollard's entstanden, zu den „Fioretti" u. zu Homer. — Bilder u. a. im Luxembourg-Mus. in Paris (Damenbildnis; Haschischraucher), in den Museen in Lille (Neapolit. Trinker) u. Algier (Orient. Studie) u. im Reichsmus. in Amsterdam (Selbstbildn. u. Entwurf zu einer Tapisserie).

Lit.: Th.-B., 3 (1909). — Joseph, 1. — Bénézit,[2] 1 (1948), m. Taf. 22. — Les Rénovateurs: E. B., Paris, Edit. de la Rénovation esthétique, Paris 1933, m. 50 Taf. — Gaz. d. B.-Arts, 1912/II p. 341/65, m. 12 Abbn; 1914/II p. 143, m. Abb.; 1917 p. 108/20 (B. als Illustr.). — La Vie, 1912 p. 219/21, 248f. — Vita d'Arte, 1918 p. 111/38 (B. als Illustr.). — Mercure de France, 135 (1919) 148ff. — Emporium, 57 (1923) 197f., m. 3 Abbn. — L'Art et les Artistes, N. S. 13 (1926) 264/69, m. 7 Abbn; 20 (1930) 248. — D. Cicerone, 22 (1930) 599ff., m. 2 Abbn. — L'Amour de l'Art, 1928 p. 390/95, m. 11 Abbn. — Maandbl. voor Beeld. Ksten, 13 (1937) 138f., m. 2 Abbn. — Art Index (New York), Okt. 1947/April 1953 passim.

Bernard, Francis, franz. Zeichner u. Plakatkünstler, * 4. 8. 1900 Marseille, ansässig in Paris.

Schüler von E. Laurent an der Pariser Ec. d. B.-Arts. Stellt im Salon Araignée aus.

Lit.: Bénézit,[2] I (1948). — Die Kunst, 61 (1929–30) 75 (Abb.).

Bernard, Jean, franz. Maler, Illustr. u. Holzschneider, * 17.12.1908 Argenteuil (Seine-et-Oise), ansässig in Paris. Sohn des Joseph.

Autodidakt. Beeinflußt von s. Vater u. d. ital. Quattrocentisten. Stellt im Salon d'Automne u. im Salon des Tuileries aus. 250 farbige Holzschnitte zum Evangelium Johannis (1929/39). Illustr. zu: P. Claudel, „Notes sur l'Art chrétien". Kolossalfresko (Krönung Mariä) in der Kirche in Millau (Aveyron).

Lit.: Bénézit,[2] I (1948). — L'Art et les Art., 30 (1935) 198/203, m. 8 Abbn. — Art Sacré, Febr. 1937, p. 42/44, m. 5 Abbn. — Beaux-Arts, 5 (1927) 158, m. Abb. — Courrier graph., 1937 Nr 6, p. I–VIII, m. 11 Abbn. — La Renaiss. de l'Art franç., 10 (1927) 515; 17 (1934) 71/76 passim, m. Abb.

Bernard, Jeanne Claire Marguerite, franz. Interieur-, Landschafts- u. Figurenmalerin, * Montauban (Tarn-et-Garonne), ansässig ebda.

Stellt im Salon des Indépendants in Paris aus.

Bernard, Joseph, franz. Bildhauer, Aquarellmaler u. Kaltnadelstecher, * 17. 1. 1866 Vienne (Isère), † 7. 1. 1931 Boulogne-sur-Seine. Vater des Jean.

Neben Maillol u. Ch. Despiau der bedeutendste franz. Plastiker s. Zeit. Stud. kurze Zeit an der Ec. d. B.-Arts in Lyon u. Paris, weitergebildet in Frankreich. Ließ sich in Boulogne-sur-Seine nieder. Ein Bewunderer Maillol's u. Rodin's, bei dem er übrigens entgegen vielfachen Angaben niemals gearbeitet hat, ist er im Gegensatz zu diesem „Modeller" ein echter „Carver", der seine Figuren eigenhändig aus dem Stein zu hauen pflegte; als Sohn eines Steinmetzen von Kindheit an mit Handhabung von Stichel u. Meißel vertraut. Sein bevorzugtes Thema ist die nackte weibl. Figur. Seine rhythmisch schön bewegten Gestalten atmen den keuschen Geist der frühen hellenischen u. gotischen Kunst, ohne daß von irgendeiner Anlehnung an histor. Vorbilder gesprochen werden könnte. Straffe plastische Form verbindet sich in seinen Figuren u. Reliefs mit einer spröden, aber sehr empfindungsvollen Zeichnung, deren Musikalität etwas Zwingendes hat. Jede seiner Figuren ist in ihrer endgültigen Form vorbereitet durch eine Unmasse Zeichnungen dieses unermüdlichen Skizzierers, der auch gelegentlich die Zeichnung zum Selbstzweck erhob: Illustr. zu Paul Valéra: L'Ame et la Danse. Erhielt 1910 einen großen Auftrag: Denkmal des Arztes u. Antitrinitariers Michael Servet, der 1553 auf Betreiben Calvins den Feuertod als Ketzer erlitt (1914 enthüllt). Sammelausst. Mai 1914 in d. Gal. Manzi, Paris. Im Luxembourg-Mus. in Paris 3 Bronzen: Nackte tanzende Frau mit Kind, Tänzerin u. Mädchen mit Krug. Im Musée d. Arts Décor.: Tänzerinnengruppe. Im Hôtel de Ville in Paris: Marmorgruppe: Jugend. Weitere Arbeiten u. a. in den Museen in Algier, Brüssel, Grenoble, Lyon, Vienne, im Mus. Simu in Bukarest, im Palais der Ehrenlegion in San Francisco u. im Art Inst. in Chicago. In Vienne unweit der Rhône wurde 1933 seine Statue der Victoria aufgestellt.

Lit.: Th.-B., 3 (1909). — Joseph, 1, m. 2 Abbn u. (gez.) Selbstbildn. — Tr. Klingsor, J. B. („Sculpt. franç. nouv.", II), Paris 1924. — R. Cantinelli, J.

B., Paris 1928, m. 68 Taf. (dar. 2 farb.). — Bénézit, [3] 1 (1948), m. Taf. 23. — Salmon, 1919, p. 59ff. — Kinston Parkes, The Art of Carved Sculpture, Lo. 1932. — L'Art décor., 1908/I p. 189/92; 1911/II p. 193 (Abb.), 212 (Abb.); 1912/II p. 302ff. — Les Arts, 1914, Nr 152, p. 16/25, m. 13 Abbn. — L'Art et les Artistes, 14 (1912) 35/42, m. 7 Abbn; N. S. 8 (1924) 98/106, m. 12 Abbn; 21 (1930/31) 178f., m. Abb.; 23 (1931/32) 175, m. Fotobildn.; 24 (1932) 209f., m. Abb. — Chron. d. Arts, 1914 p. 170f. — Art et Décor., 1912/II p. 142, 147 (Abbn). — La Renaiss. de l'Art franç., 8 (1925) 441 (Abbn), 456 (Abb.), 524 (Abb.), 528 (Abb.); 9 (1926) 610 (Abb.); 12 (1929) 537 (Abb.). — Apollo (London), 3 (1926) 328/31, m. 6 Abbn; 9 (1929) 309f., 13 (1931) 269f., m. Fotobildn. — The Studio, 87 (1924) 24 (Abb.), 27, m. Abb., 101f., m. Abbn. — Artwork, 5 (1929) 136f., m. Taf.; 7 (1931) 1/7, m. 6 Abbn. — L'Art vivant, 1931 p. 76, m. 4 Abbn; 1932 p. 169f., m. 4 Abbn. — Bull. de l'Art, 1931 p. 58; 1932, p. 103, m. Abb. — Revue de l'Art anc. et mod., 46 (1924) 353 (Abb.), 360; 48 (1925) 245; 52 (1927) 315 (Abb.). — D. Kunst, 65 (1931/32) 97/102, m. Taf. u. 4 Abbn. — Gaz. d. B.-Arts, 1932/I p. 217 –28, m. 10 Abbn. — Beaux-Arts, Febr. 1932, p. 1 u. 16, m. Abb. — Bull. d. Musées de France, 1932, p. 21 –24, m. 3 Abbn. — Art et Décor., 62 (1933): Les Echos d'Art, Sept. p. VIIf. — Dedalo, 4 (1924) 646ff. — The Studio, 97 (1929) 157, m. Abb.; 101 (1931) 303 (Abb.). — Sculptures et Dessins de J. B. (Ed. du Service photogr. de la Librairie de France), Paris 1924.

Bernard, Jules Aristide, franz. Landschaftsmaler, * Paris, ansässig ebda.

Stellt 1928/39 im Salon des Indépendants aus.
Lit.: Joseph, I. — Bénézit, [3] I (1948).

Bernard, Jules François, franz. Landschafts-, Stilleben, Blumen- u. Aktmaler, * Nantes, ansässig in Paris.

Schüler von H. Cormon. Stellte 1922 im Salon d. Soc. d. Art. Franç., 1928ff. bei den Indépendants aus.
Lit.: Joseph, I. — Bénézit, [3] I (1948).

Bernard, Louis Michel, franz. Landschaftsmaler, * 4. 7. 1885 Marseille, ansässig in Le Plan-Le Castelet (Var).

Stud. zuerst die Rechte, Geschichte u. Archäologie. Einige Zeit Prof. der jurist. Fakultät an der Universität Algier. Als Maler Schüler von Ad. Gaussen, in der Hauptsache Autodidakt. Beeinflußt von Cézanne. Stellte seit 1912 bei den Indépendants, seit ca. 1920, damals in Algier ansässig, im Salon der Soc. d. Art. franc. aus, deren Mitglied er wurde (Kat. z. T. m. Abbn). Malt mit Vorliebe in der Provence u. in Algier. Kraftvoller Kolorist, dessen breit gemalte Bilder durch Raumweite u. Lichtfülle bestricken.
Lit.: Joseph, I. — Bénézit, [3] I (1948). — L'Art et les Artistes, 16 [recte 17], 1928 p. 269/73, m. 5 Abbn. — La Renaiss. de l'Art franç., 11 (1928) 252, m. Abb.

Bernard, Marianne Hortense, franz. Landschaftsmalerin, * Paris, ansässig ebda.

Schülerin von Humbert u. Jaudon.
Lit.: Joseph, I.

Bernard, P. Magnan, s. *Magnan-Bernard.*

Bernard, Valère, franz. Maler, Radierer u. Schriftst., * Marseille, † 1936.

Schüler von Puvis de Chavannes.
Lit.: Bénézit, [3] I (1948). — L'Amour de l'Art, 1922 März-H. p. 94. — Armana dou Ventoux e dis Aupiho per l'an 1911, p. 92. — L'Art décorat., 1908/I, p. 92 –99, m. Abb. — Revue de l'Art anc. et mod., 70 (1936) 184. — The Artist, Dez. 1901, p. 177, Abb. p. 170.

Bernard-Paugoy, Raymonde, franz. Miniaturmalerin, * 19. 5. 1891 Rochefort-sur-Mer, ansässig in Châlons-sur-Marne.

Schülerin von Marie Bernier. Mitglied der Soc. d. Art. Franç. Genre u. Bildnisse.
Lit.: Joseph, I. — Bénézit, [3] I (1948).

Bernard-Toublanc, Edouard, franz. Landschaftsmaler, * Amiens, ansässig in Paris.

Stellte 1911ff. bei den Indépendants, seit 1920 im Salon der Soc. d. Art. Franç. aus.
Lit.: Joseph, I. — Bénezit, [3] I (1948).

Bernardi, Camillo, ital. Maler (bes. Freskant), * 18. 12. 1875 Predazzo, ansässig in Trient.

Schüler von L. Schmid-Reutte in München u. Luigi Noto in Venedig. Fresken u. a. in den Kirchen in Pressano u. Roverè della Luna u. an der Fassade der Franziskanerk. in Trient.
Lit.: Comanducci.

Bernardi, Domenico De, ital. Landschaftsmaler, * 21. 2. 1892 Besozzo (Varese), ansässig ebda.

Autodidakt. Impressionist. Hauptsächl. Landschafter u. Seemaler. Vertreten in den Gall. d'Arte Mod. in Mailand u. Turin, in d. Mod. Gal. in München u. im Mus. in Barcelona.
Lit.: Comanducci, p. 181, m. Abb. — Emporium, 79 (1934) 54, 55 (Abb.), 356 (Abb.). — The Studio, 93 (1927) 215, m. Abb. — Die Kst, 67 (1932/33) 11 (Abb.). — Vie Mondo, 1936, p. 1010/11 passim, m. Abb. — Chi è?, 1940, p. 306.

Bernardi, Romolo, piemont. Maler, Bildh. u. Architekt, * 21. 2. 1876 Barge (Prov. Cuneo), ansässig in Rom.

Schüler von Giac. Grosso. Bildnisse u. Wandmalereien (Hauptwerk: Fries im Thronsaal des Schlosses in Mozzi). Als Bildh. Porträtbüsten u. Denkmäler. Baute das Castello in Mazze (Piemont).
Lit.: Th.-B., 3 (1909). — Comanducci. — Chi è?, 1940.

Bernardini, Piero, ital. Maler u. Illustr., * 23. 6. 1891 Florenz, ansässig ebda.

Bildnis e. jungen Mädchens in der Gall. d'Arte Mod. in Florenz.
Lit.: Chi è?, 1940.

Bernareggi, Francisco, argent. Landschafts- u. Figurenmaler u. Dichter, ansässig in Biniaraix auf Majorka.

Lit.: Francés, 1920 p. 112/20, m. 2 Abbn. — Vell i Nou (Barcelona), Epoca II, Vol. I (1920), p. 119/204.

Bernasconi, Ugo, ital. Maler u. Schriftst., * 21. 5. 1874 Buenos Aires, ansässig in Cantù.

1899/1904 Schüler von Eug. Carrière in Paris. Dann nacheinander wohnhaft in Rom, Florenz, Mailand. Bereiste Frankreich, Spanien, Griechenland, den Orient, Holland u. Belgien. Seit 1918 ansässig in Cantù. Landschaften, Figürliches, Bildnisse, Stillleben, Blumenstücke. Bilder in d. Gall. d'Arte Mod. in Mailand, im Mus. Jeu de Paume in Paris, im Mus. Westeurop. Kst in Moskau u. in den Gal. in Genua u. Novara.
Lit.: A. Soffici, U. B. (Arte Mod. Ital., 25), Mailand 1934. — Comanducci. — Costantini, m. Abb. — Chi è?, 1940. — Bénézit, [3] I (1948). — Emporium, 55 (1922) farb. Taf. geg. p. 116; 72 (1930) 369 (Abb.), 371; 79 (1934) 350 (Abb.); 83 (1936) 321 (Abb.), 322, 323 (Abb.); 85 (1937) 47 l. Sp., 164 l. Sp.; 91 (1940) 96; 96 (1942) 325, 338 (Abb.). — Le Arti, 3 (1940/41) Taf. geg. p. 202. — Kat. d. VI Quadriennale Naz. d'Arte, Rom 1951/52, m. Abb.

Bernáth, Aurél, ungar. Maler u. Rad., * 1895 Marcali, ansässig in Budapest.

Gehört zu den Hauptvertretern des ungar. Expressionismus. Anfänglich Kubist. Schildert visionäre, weltentrückte, phantastisch sich auftürmende Landschaften, deren urweltlich kosmische Stimmung durch weitgehendste tonale Auflösung der Form erreicht wird. Neuerdings strebt B. wieder engere Verbindung mit der Natur an. Tätig in Nagybánya, 1921 in Wien, 1922/24 in Berlin. 1 Koll.-Ausst. ebda 1923.

Lit.: I. Genthon, A. B. („Ars Hungarica"), Budap. o. J. [1934]. — Kállai. — Balás-Piry. — D. Cicerone, 17 (1925/II) p. 1126/32, m. 6 Abbn. — Magyar, 1929 p. 241/52, m. 1 Taf. u. 14 Abbn. — D. Kstwanderer, 1931/32 p. 269, m. Abb. — Öst. Kunst, 3 (1932) Heft 7 p. 12 (Abb.), 15. — Emporium, 83 (1936) 193 (Abb.), 197. — The Studio, 113 (1937) 129 (Abb.); 135 (1948) 19 (Abb.). — D. Werk (Zürich), 31 (1944), Heft 6, Chronik p. XIII. — Nouv. Revue de Hongrie, 46 (1932/I) 264/66, m. Abb. (Selbstbildn.); 49 (1933/II) 725; 64 (1941/I) 144ff. passim, m. Abb.; 69 (1943/II) 301f. — D. Wiener Kstwanderer, 1 (1933) Nr 5 p. 10 (Abb.: Selbstbildnis).

Bernáth, Sándor, ungar. Maler, * 30. 12. 1892, ansässig in New York.

Schüler der Nat. Acad. of Design in New York. Hauptsächlich Aquarellist.

Lit.: Fielding. — Amer. Art Annual, 20 (1923) 441.

Bernaux, Emile, franz. Möbelkünstler, * 24. 11. 1883 Paris, ansässig ebda.

Mitgl. der Soc. d. Art. Décorat., deren Salon er regelmäßig beschickt. Möbel mit figürl. Einlegearbeiten, deren Vorlagen von ihm selbst gezeichnet sind (hauptsächl. weibl. Akte, Putten, vielfigurige Friese).

Lit.: Joseph, 1. — Bénézit, [2] 1 (1948). — L'Art décor., 28 (1912) 377/86, m. 11 Abbn.

Bernay, Anne Marie, franz. Architektur- u. Landschaftsmalerin, * Lyon, ansässig ebda.

Stellte 1927ff. im Salon der Soc. Nat. d. B.-Arts u. bei den Indépendants in Paris aus. Bild im Mus. Toma Stelian in Bukarest.

Lit.: Joseph, I. — Bénézit, [2] I (1948). — Beaux-Arts, 1931, Nov. p. 24, m. Abb.

Bernd-Cohen, Max, amer. Wandmaler, * 7. 5. 1899 Macon, Sa., ansässig in West Chester, Pa.

Stud. in Paris u. Madrid. Zeichner. Mitarbeiter des „New Hope Magazine". Wandmalereien.

Lit.: Who's Who in Amer. Art, I: 1936/37.

Berndl, Richard, dtsch. Architekt (bes. Innenarchit.) u. Kstgewerbler (Prof., Geheimrat), * 8. 2. 1875 München, ansässig ebda.

Schüler von Grässel u. F. v. Thiersch an d. Techn. Hochsch. München, dann von Eggert in Berlin. Lehrer (seit 1905 Prof.) an der Münchner Kstgewerbesch. (Staatssch. f. angew. Kst). Hauptbauten: Hotel Union in München; Kirchen in Hausham bei Schliersee u. in Windsheim; St. Vinzenzkirche in München; Mozarteum in Salzburg (1912/14); Familien- u. Kriegerdenkmäler; Friedhofanlagen (z. T. zus. mit Grässel); Land- u. Wohnhäuser; Bäder; Brücken.

Lit.: Th.-B., 3 (1909). — Dreßler. — München u. s. Bauten, Münch. 1912, m. Abb. — Moderne Bauformen, VI 433ff., m. Abb.; VII; VIII; XI, m. Abb. — D. Baumeister, VII 124f. — D. Kunst, 34 (1916) 304/11, m. Abbn. — Kst u. Handwerk, 55 (1904/05) 113/18; 57 (1906/07); 58 (1907/08) 1/19; 62 (1911/12); 65 (1914/15) 117/22; 1925, p. 90, 96, 109, 125 (Abbn). — D. Christl. Kst, 8 (1911/12) 261/78, Abbn bis p. 296; 9 (1912/13) 356f.; 14 (1917/18) 84 (Abb.), 110, 140ff., m. Abbn; 27 (1930/31) 12/20, m. Abbn. — D. Plastik, 5 (1915); 7 (1917); 9 (1919). — D. Kstfreund (Tirol), 29 (1913) 46/48, Abbn bis p. 53. — Profanbau, 1909, p. 470ff.; 1912, p. 140. — Dtsche Bauztg, 69 (1935) Nr 9 p. 23 (Zum 60. Geb.-Tag).

Berndt, Siegfried, dtsch. Landschaftsmaler u. Graph., * 19. 4. 1880 Görlitz, † 30. 6. 1946 Dresden.

Schüler von E. Bracht (1902/06). Studienaufenthalte in Paris u. Schottland (1907/08). Bilder im Stadtmus. in Dresden u. im Mus. in Chemnitz. Farbenholzschnitte: Morgen im Luxembourg-Garten; Pillnitzer Schloßpark; Lausitzer Landschaft, usw.

Lit.: Th.-B., 3 (1909). — Dreßler. — Dtsche Kst u. Dekor., 52 (1923) 328 (Abb.).

Berndtsson, Carl, schwed. Landschafts- u. Blumenmaler (Öl, Aquar., Tempera), * 1902 Lyby, Schonen, ansässig in Solna.

Stud. an der Akad. Stockholm.

Lit.: Thomœus.

Berne-Bellecour, Jean Jacques, franz. Landschaftsmaler, * 14. 8. 1874 Saint-Germain-en-Laye, ansässig in Paris u. in Voulx.

Schüler von Guillemet u. M. H. Foreau. Mitglied der Soc. d. Art. Fanç. (Salon-Kat. z. T. m. Abbn). Stellt auch bei den Indépendants aus. Hauptsächl. Schneelandschaften.

Lit.: Joseph, I. — Bénézit, [2] I (1948).

Bernecker, Eva, dtsche Bildnis-, Genre- u. Landschaftsmalerin u. Radiererin, * 18. 1. 1891 Insterburg, ansässig in Berlin.

Schülerin von M. Brandenburg in Berlin u. von Maur. Denis in Paris.

Lit.: Dreßler. — D. Christl. Kst, 17 (1920/21), Beibl. p. 31 (Erna!).

Bernecker-Lerbs, Gertrud, dtsche Malerin, * 1902.

Lit.: Das Bild, 1936, p. 360 (Abb.), 365.

Bernegger, Alfred, schweiz. Maler, * 13. 4. 1912 Luzern, ansässig ebda.

Lit.: Schweiz. Zeitgen.-Lex., 1932.

Berneis, Benno, dtsch. Maler, * 1884 Fürth i. Bay., fiel im August 1916 in Frankr.

Schüler von M. Heymann u. Willi Schwarz in München, dann von Slevogt u. L. Corinth in Berlin. Hauptsächl. Porträtist (dän. Schriftst. Herm. Bang, Schauspieler Moissi, Pallenberg u. Rud. Schildkraut, Max Reinhardt), auch Szenen vom Rennplatz u. Sportdarstellungen, Akte. Stellt in der Freien Sezession in Berlin aus. Koll.-Ausst. 1914 bei Cassirer in Berlin; Gedächtnis-Ausst. ebda 1917.

Lit.: D. Cicerone, 6 (1914) 169, 215; 8 (1916) 447; 9 (1917) 139. — D. Kunst, 27 (1913/14) 466, 476 (Abb.); 35 (1916/17), Beil. z. H. 1, Okt. 1916, p. X; 36, Beil. zu H. 8, Mai 1917, p. II; 37 (1917/18) 44, 58 (Abb.). — Kst u. Kstler, 14 (1916) 620. — Kstchronik, N. F. 27 (1915/16) 411; 28 (1916/17) 277/79. — Kst u. Ksthandwerk (Wien), 16 (1913) 602. — Der Tag, Nr 64 v. 17. 3. 1914, m. 2 Abbn.

Berneker, Louis Frederick, amer. Maler, * 1876 Clinton, Mo., † 1937 East Gloucester, Mass.

Stud. an d. Kstschule in St. Louis u. bei J. P. Laurens in Paris. Wandmalereien in d. Church of St. Gregory the Great u. im Belmont-Theater in New York u. im Chicago-Theater in Chicago.

Lit.: Fielding. — Amer. Art Annual, 30 (1933). — Who's Who in Amer., 18 (1934/35). — Who's Who in Amer. Art, I: 1936/37. — Monro.

Berneker, Maud Fox, amer. Malerin, * 11. 4. 1882 Memphis, Tenn., ansässig in New York.

Stud. an d. Nat. Acad. of Design in New York.
Lit.: Amer. Art Annual, 30 (1933).

Berner, Carl, norweg. Architekt, * 5. 10. 1877 Bergen, ansässig in Oslo.

Stud. an der Techn. Schule in Oslo u. an der dort. Kst- u. Handwerksschule. Studienaufenthalte in England, Dänemark u. Schweden, später auch in Deutschland u. Frankreich. Seit 1903 selbständig in Oslo. — Touristenhotel in Lillehammer; Kirchen in Rjukan u. Vivestad; Nobelinstitut in Oslo, 1904/05, zus. mit seinem Bruder Jørgen Haslef (* 25. 12. 1873 Oslo); Eigenheime; Entwürfe für Möbel u. Innenausstattung.

Lit.: Th.-B., 3 (1909). — Hvem er Hvem?, 4 1938. — Byggekunst, 3 (1921) 35/42. — Kunst og Kultur, 1911, p. 14/24, m. 3 Abbn u. 2 Taf. — Kat. Jubil.-Utstill. Norges Kst 1814–1914, Kra. 1914, p. [138] (Abb.), [139] (Abb.), [161] (Abb.), [181] (Abb.), [208], [215], [217].

Berner, Eugen, dtsch. Maler u. Kstgewerbler, * 8. 5. 1865 Bruchsal, † 9. 4. 1948 Santiago de Chile.

Schüler von Gruenewaldt u. Fr. Keller in Stuttgart. Seit 1905 in München, später in Hechendorf am Pilsensee, Oberbay., ansässig, von wo er 1921 nach Chile auswanderte. Metallarbeiten (Schmuck, Vasen, Beleuchtungskörper, Tafelgeschirr). Landschaftsbilder (meist Tempera).

Lit.: Th.-B., 3 (1909). — Dreßler. — Dekor. Kst, 2 (1898); 8 (1905).

Berner, Kurt, dtsch. Maler u. Graph., * 23. 2. 1886 Ronneburg i. Thür., ansässig in Chemnitz.

Autodidakt. Studienaufenthalt in Spanien. Landschaften u. Tierbilder (Öl, Aquar., Rad., Holzschn.).

Lit.: Mitteilgn d. Exlibris-Vereins Berlin, 16 (1922) 35.

Berner-Lange, Eugenie, dtsche Bildhauerin (bes. Kleinplastik), * 18. 5. 1888 Melsungen b. Kassel, lebt in München.

Lit.: Dreßler. — Die Kunst, 62 (1929/30) 119 (Abb.); 65 (1931/32) 314/16, m. Abbn; 76 (1936/37) Taf.-Abb. vor p. 101. — Velhagen & Klasings Monatsh., 43/I (1928/29) 354 (Abb.), 355f.

Berners, Lord (Gerald Hugh Tyrwhitt-Wilson, 14th Baron Berners), engl. Amateurmaler (Porträtist u. Landschafter), Diplomat, Opernkomponist u. Schriftst., * 18. 9. 1883.

Teilt s. Wohnsitz zwischen Rom u. Faringdon House, Berkshire. Koll.-Aust. in der Gal. Lefevre in London 1931 u. 1936.

Lit.: Beaux-Arts, Nr 305 v. 4. 11. 1938. — Apollo (London), 14 (1931) 121f., m. Abbn, 123 (Abb.). — Who's Who 1952.

Bernert, Alfred, sudetendtsch. Landschaftsmaler, * 4. 3. 1893 Dönis, ansässig in Herrnhut, vordem in Bad Oppelsdorf b. Zittau.

Lit.: Dreßler.

Bernewitz (Bernevics), Karl (Kārlis), balt. Bildhauer (Prof.), * 17. 5. 1858 Blieden, Kurland, † Dez. 1934 Kassel.

Schüler von Aug. Volz in Riga, später Meisterschüler u. Gehilfe von R. Begas in Berlin, für dessen Berliner Kaiser-Wilhelm-Denkmal er eine der Quadrigen schuf. Denkmal des Bischofs Albert im Domhof zu Riga; Kriegerdenkmal in Fritzlar; Bücherwurmbrunnen vor dem Archivgeb. in Kassel. Kleinplastik.

Lit.: Th.-B., 3 (1909). — Dreßler. — W. Neumann, Der Dom zu St. Marien in Riga, 1912, p. 101. — Hessenland, 22 (1908) 292 (Abb.). — Zentralbl. f. bild. Kst, 2 (1916) 33. — Lat viešu Konvers. Vārdnīca, 2 (1928/29).

Bernhard, Fanny, dtsche Bildnis-, Landschafts- u. Blumenmalerin, * 28. 2. ? Tessin i. Mecklenbg, ansässig in Rostock.

Stud. an der Kstschule in Berlin.

Lit.: Dreßler.

Bernhard, Fritz, schweiz. Maler, * 7. 10. 1895 Winterthur, ansässig ebda.

Wandmalereien in Wülflingen u. Ennenda; Selbstbildnis im Mus. in Winterthur. Landschaften.

Lit.: Schweiz. Zeitgen.-Lex., 1932. — D. Schweiz, 1918, p. 327. — D. Graph. Kabinett (Winterthur), 3 (1918) 87; 5 (1920) 3; 6 (1921) 83; 8 (1923) 82, 115; 10 (1925) 106, 110.

Bernhard, Lucian, dtsch. Innenarchitekt, Graphiker, Plakat-, Schrift- u. Buchkünstler (Prof.), * 15. 3. 1883 (1885?) Stuttgart, ansässig in New York.

Schüler der Münchner Akad. Ließ sich in Berlin, später in New York nieder. Vollständige Ausstattung vornehmer Eigenhäuser (Haus Karl Henkell, Wiesbaden). Schuf die von der Schriftgießerei Flinsch, Frankfurt a. M., geschnittene u. gegossene Bernhard-Fraktur.

Lit.: Dreßler. — Monographien dtsch. Reklamekstler, IV: L. B., Dortmund o. J. — Loubier, 1921, p. 49, 55. — A. Soergel, Dichtung u. Dichter d. Zeit, N. F.: Im Banne des Expressionismus, Lpzg 1925, p. 807 (Abb.). — Zur Westen, p. 89ff., m. Abbn. — Who's Who in Amer. Art, I: 1936/37. — Archiv f. Buchgewerbe, 52 (1915) 244f. — Gebrauchsgraphik, 1 (1924/25) H. 1, p. 60ff. (Abbn); 2 (1925/26) H. 5, p. 18f. (Abbn). — Jahrbuch Mannheimer Kultur, 1 (1913) 261 (Abb.), 264 (Abb.). — Innendekoration, 26 (1915) 204ff., m. Abbn. — D. Kunst, 28 (1912/13) 374, 375 (2 Abbn), 376 (Abb.); 54 (1925/26) 25/32, m. Abbn, 109/15, m. Abbn bis p. 119. — Dtsche Kst u. Dekor., 37 (1915/16) 307/14, Abbn bis p. 325; 39 (1916/17) 280ff.; 43 (1918/19) 65/80, m. Abbn u. 2 farb. Taf.; 48 (1921) 37/48, Abbn bis p. 83; 53 (1923/24) 157/65, Abbn bis p. 173. — Kst u. Kstler, 21 (1923) 103f. — Das Plakat, 5 (1914) 145f. (Abbn), 150, 152 (Abb.), 159ff. (Abbn), 241 (Abbn); 6 (1915); 7 (1916) 2ff., m. Abbn; 8 (1917) 104ff., 113, 217 (Abbn).

Bernhard, Waldemar, schwed. Holzschneider, * 8. 4. 1890 Linköping, ansässig in Stockholm.

Straßenpartien, Architektur, Figürliches.

Lit.: N. F., 21 (Suppl.). — Thomœus. — Konstrevy, 1935, p. 111 (Abb.); 1937, p. 32; 1938, p. 24/25, m. Abb. — Meddelanden från Fören. för Graf. Konst, VI 3f. — The Studio, 109 (1935) 18 (Abb.).

Bernhardt, Barbara, amer. Malerin, * 22. 4. 1913, ansässig in New York.

Schülerin von John M. King, John Sloan u. D. Rivera.

Lit.: Who's Who in Amer. Art, I: 1936/37.

Bernhardt, Friedrich, dtsch. Maler u. Graph., * 14. 3. 1894 Stettin, ansässig ebda.

Stud. an der Akad. in Brügge, dann an der Kstschule, der Akad. u. der Techn. Hochsch. Charlottenburg.

Lit.: Dreßler. — Unser Pommerland, 11 (1926), 91, Abbn geg. p. 68 u. 80.

Bernhardt, Hans, dtsch. Architektur- u. Landschaftsmaler, * 18. 1. 1900 Halle, ansässig ebda.

Schüler von Bruno Wiese in Berlin, dann von Heinr. Kopp, Wilh. Busse u. Sallwirk in Halle.
Lit.: Dreßler.

Bernhardt, Helmut, dtsch. Maler, * 3.3. 1905 Berlin, seit 1944 vermißt.
Schüler der Berl. Akad. Landschaften, Bildnisse (Öl, Aquar., Zeichng). Bild in der Städt. Kstsmlg in Chemnitz.

Bernhardt, Hugo, dtsch. Maler u. Gebrauchsgraph., * 13.4.1892 Finsterwalde, ansässig in Markkleeberg b. Leipzig.
Schüler der Akad. f. Graph. Kste Leipzig.
Lit.: Dreßler (irrig: Bernhard).

Bernhart, Josef, dtsch. Medailleur u. Plakettenkünstler, ansässig in München.
Lit.: Breuer, p. 136 (Abb.). — D. Bild, 1937, p. 58, m. Abb. — Blätter f. Münzfreunde, Jg. 65/68: 1930/33, Halle 1934. — Kat. Frühj.-Ausst. Kstlerhaus Wien 1943, m. Abb.

Bernheim, Cilly, dtsche Malerin, * 13.9.? Braunschweig, ansässig in Berlin.
Schülerin von K. Gussow u. F. Skarbina.
Lit.: Dreßler. — Kohut, II 416.

Bernholm, Sigurd, schwed. Landschafts-, Marine- u. Blumenmaler, * 1890 Väster Färnebo, Dalarne, ansässig in Rättvik.
Stud. an der Techn. Schule in Gävle u. in Stockholm. Studienaufenthalte in Deutschland, Frankreich u. Italien. Bild im Mus. in Gävle.
Lit.: Thomœus. — Konstrevy, 1939, p. 38, m. Abb.

Berni, Antonio, argent. Maler u. Buchillustr., * 1905 Rosario de Santa Fé, ansässig in Buenos Aires.
Stud. in Rosario de Santa Fé. Bereiste Westeuropa. Beeinflußt von de Chirico u. Segonzac. 1934 kurze Zeit bei Alfaro Siqueiros in Buenos Aires. Prof. an der Nat.-Akad. ebda. Bühnenzeichner für das dort. Volkstheater. Bereiste 1942 Peru u. Bolivia. Wandmalereien (zus. mit L. E. Spilimbergo) für New York u. Buenos Aires. Im Mus. f. Mod. Kst in New York ein Gruppenbild der Mitglieder des New Chicago Athletic Club u. Sitzender Knabe. — Illustr. zu Julio Rinaldine, Hist. del General San Martin, Buenos Aires 1939.
Lit.: Kirstein, p. 29, 87, 107, Abb. p. 28. — The Studio, 128 (1944) 107 (Abb.); 144 (1952) 36 (Abb.).

Bernières-Henraux, Marie, franz. Bildhauerin, * Tientsin (China), ansässig in Paris.
Stellt 1924/31 im Salon des Tuileries u. bei den Indépendants aus. Ihre frühen Arbeiten im Rodin-Stil, ihre späteren beruhigter in der Form. Bildnisbüsten; Akte, bisweilen mit kunstgewerbl. Zwecken (Kandelaber, Brunnen) in Verbindung gebracht.
Lit.: Joseph, I. — Bénézit, [2] I (1948). — L'Art décoratif, 1908/II p. 24, m. Abb.; 1910/II p. 136 (Abb.); 1911/I p. 269/74, m. Abbn. — L'Art et les Artistes, 13 (1911) 226; N. S. 8 (1923) 389/92, m. 7 Abbn; 11 (1925) 290 (Abb.). — Bull. de l'Art, 1928 p. 87 (Abb.).

Bernin-Levrat, P. J., franz. Genre-, Bildnis- u. Landschaftsmalerin, * Charolles (Saône-et-Loire), ansässig in Paris.
Stellt 1924ff. im Salon des Indépendants aus.
Lit.: Joseph, I. — Bénézit, [2] I (1948).

Berninghaus, J. Charles, amer. Maler, * 19. 5. 1905 St. Louis, Mo., ansässig in Taos, N. M. Sohn des Folg.
Stud. am Art Inst. in Chicago u. an d. Art Students' League in New York. Hauptsächlich Landschafter.
Lit.: Amer. Art Annual, 30 (1933). — Who's Who in Amer. Art, I: 1936/37.

Berninghaus, Oscar Edward, amer. Maler u. Illustr., * 2. 10. 1874 St. Louis, Mo., ansässig in Taos, N. M. Vater des Vor.
Stud. an der Kstschule des Mus. of F. Arts in St. Louis. Figürliches (bes. Indianerszenen) u. Landschaften. Bilder im City Art Mus. in St. Louis, im Mus. in Erie, Pa., im Mus. in Los Angeles u. in der F. Arts Gall. in San Diego.
Lit.: Fielding. — Amer. Art Annual, 30 (1933). — Who's Who in Amer. Art, I: 1936/37. — Monro. — Bull. of the City Art Mus. of St. Louis, 12 (1927) 26ff., m. Abb. — The Studio, 83 (1922) 346.

Bernitz, Bruno, dtsch. Graphiker, * 18.8. 1915 Berlin, ansässig in Berlin-Treptow.
Stud. an der Höheren Graph. Fachschule bei Otto Arpke in Berlin, dann bei Joh. Boehlau an der Hochschule f. bild. Kste ebda. Studienaufenthalte in Norwegen u. Italien. 1942/45 im Felde, bis Dez. 1945 in poln. Gefangenschaft.
Lit.: bild. kunst, 3 (1949) 174, 192 (farb. Abb.), 203. — Kat. d. Kstausst. „Künstler schaffen f. d. Frieden", Berlin 1. 12. 51–31. 1. 52, Abb. p. 84. — Kat. d. 3. Dtsch. Kstausst. Dresden 1953, m. 2 Abbn.

Berno, Fr., dtsch. Landschaftsmaler, * 1889 Bruchsal, Baden.
Lit.: Das Bild, 4 (1934) 90f., 100 (Abb.). — Velhagen & Klasings Monatsh., 47/II (1932/33), farb. Taf. geg. p. 585, 703.

Bernouard, Albertine, franz. Stilleben- u. Landschaftsmalerin, * Paris, ansässig ebda.
Stellt seit 1905 im Salon d'Automne, seit 1907 bei den Indépendants aus.
Lit.: Bénézit, [2] I (1948). — Beaux-Arts, Nr 310 v. 9. 12. 1938 p. 4.

Bernouard, Suzanne, franz. Blumen-, Stilleben- u. Bildnismalerin, ansässig in Paris.
Stellte 1919/38 im Salon d'Automne, 1924/43 im Salon des Tuileries aus.
Lit.: Joseph, I, m. Abb. — Bénezit, [2] I (1948). — La Renaiss. de l'Art franç., 9 (1926) 305.

Bernoulli, Charles, schweiz. Maler, * 24. 1. 1883 Basel, ansässig in Neuewelt b. Basel.
Stud. bei L. O. Merson in Paris, an der Münchner Akad. u. bei H. Matisse in Paris. Studienaufenthalte in d. Bretagne, Südfrankreich, Tessin, Graubünden u. am Bodensee. Figürliches, Landschaften, Interieurs, Stilleben.
Lit.: Brun, IV 478. — Schweiz. Zeitgen.-Lex., 1932.

Bernoulli, Hans, schweiz. Architekt, Raumkünstler u. Fachschriftst. (Prof. Dr. h. c.), * 17. 2. 1876 Basel, ansässig ebda.
Stud. bei F. Thiersch an d. Techn. Hochsch. München, bei K. Schäfer u. Ratzel in Karlsruhe. 1902/12 eigenes Büro in Berlin (Assistent an der Techn. Hochsch.), seit 1912 in Basel (Chefarchit. d. Basler Baugesellsch.). Beeinflußt von Messel, P. Behrens u. Br. Paul. — Wohlfahrtsbauten der Chemischen Werke in Griesheim b. Frankf. a. M.; Konfektionshaus Fischbein & Mendel in Berlin, Lindenstr.; Frauenarbeitsschule in Basel; Bebauung der Greifengasse ebda; Ksthaus ebda; Hirzbrunnenquartier ebda; Bungebrunnen ebda; Kirche in Gundelfingen. Land- u. Stadthäuser, Grabdenkmäler.
Lit.: Brun, IV 478. — Schweiz. Zeitgen.-Lex., 1932. — Jenny. — H. B. Aus dem Skizzenbuch e. Architekten, 1943. — W. Keller, Schweiz. Biogr. Archiv, I (Zürich 1952), m. Fotobildn. — D. Bau-

meister, 7 (1908/09) 37/43, Taf. 25/26, 32; 13 (1915); 14 (1916). — Schweiz. Bauzeitg, 56 (1910) 296ff., m. Abbn; 59 (1912) 302; 60 (1912) 74ff., m. Abbn; 61 (1913) 214ff., m. Abbn; 62 (1914) 302ff., m. Abbn; 67 (1916) Taf. 17; 70 (1917) 91ff., m. Abbn, 189ff., m. Abbn; 71 (1918) 238ff., m. Abbn. — D. Kstwelt, 2 (1912/13) 192ff., m. Abbn. — Dtsche Kst u. Dekor., 30 (1912) 126 (Abb.), 128; 32 (1913) 28 (Abb.). — Schweizerland, 1 (1914/15) 56 (Abb.); 5 (1919) 371ff., m. Abbn. — Der Profanbau, 1916, p. 373ff.; 1915, Teil I, Reg. u. p. 253ff. — Das Werk (Zürich), 5 (1918) 69, Abbn p. 7, 12, 13, 33, 79/84, 150, 151; 7 (1920) 203/08 (H. B., Skizzen aus England); 8 (1921) 93/106 (Abbn); 9 (1922) 113/22; 22 (1935) 310/11, m. Abbn; 29 (1942) 137, 138, m. Abb., 139 (Abb.), 140ff. (Abbn); 31 (1944) 272, 273 (Abb.); 37 (1950) 116; 38 (1951) 296; 39 (1952) 256/58. — Schweiz. Baukunst, 1918 p. 23ff., m. Abbn. — Die Schweiz, 1918, p. 389. — Wasmuths Monatsh. f. Baukst, 8 (1924) 380 passim, m. Abbn; 10 (1926) 158f., m. Abbn. — Monatsh. f. Baukst u. Städtebau, 20 (1936) 57/59 (Abbn). — Pro Arte (Genf), 3 (1944) Nr 21, p. 39. — D. Kstwerk, 3 (1949) Heft 4 p. 40.

Bernoully, Ludwig, dtsch. Architekt u. Werkkünstler, * 23. 5. 1873 Frankfurt a.M., † 1928 ebda.

Schüler von O. Sommer am Städel-Inst. in Frankfurt, dann von K. Schäfer an der Techn. Hochsch. Karlsruhe u. von Neckelmann in Stuttgart. 1896/99 Gehilfe von H. Billing in Karlsruhe, seit 1899 selbständig in Frankfurt. Lehrer an der Bauabteilung d. Städt. Gewerbesch. — Haus der Hamburg-Amerika-Linie in Frankfurt; Haus des „Generalanzeiger der Stadt Frankfurt"; Wirtshaus „Zum Krokodil" in Frankfurt; Gemeindeschule der Mariengemeinde Seckbach.

Lit.: Weizsäcker-Dessoff. — Dreßler. — Dtsche Bauzeitung, 1928 p. 176. — Innendekoration, 21 (1910) 323ff., m. Abbn. — Profanbau, 1909, p. 265ff.; 1912, p. 1/24.

Bernsmeier, Wilhelm, dtsch. Maler, * 28. 9. 1872 Bieren, Kr. Herford, zuletzt ansässig in Berlin-Steglitz.

Stud. an den Akad. Dresden u. Berlin.

Lit.: Dreßler.

Bernstein, Edna, amer. Blumen- u. Vogelmalerin, * 6. 1. 1884 New York, ansässig ebda.

Schülerin von W. M. Chase, Howard Chandler Christy u. W. Reiss.

Lit.: The Art News, 32 Nr 10 v. 9. 12. 1933, p. 125, m. Abb. — Who's Who in Amer. Art, I: 1936/37.

Bernstein, Martha, dtsche Malerin, * 17. 5. 1874 Halle, zuletzt ansässig in Diessen am Ammersee, Oberbay.

Schülerin von Schmid-Reutte u. Landenberger in München, dann von H. Matisse in Paris.

Lit.: Dreßler.

Bernstein, Salomon, russ. Landschafts- u. Bildnismaler, * Usda, ansässig in Paris.

Schüler von J. Lefebvre, T. Robert-Fleury, Flameng u. Déchenaud. Stellt bei den Indépendants, im Salon d'Automne u. im Salon der Soc. d. Art. Franç. aus (Kat. z. T. m. Abbn).

Lit.: Joseph, I. — Bénézit, [2] I (1948).

Bernstein, Theresa F., verehel. *Meyerowitz,* amer. Malerin, * 1896 Philadelphia, Pa., ansässig in New York.

Stud. an der Frauenzeichenschule in Philadelphia.

Lit.: Fielding. — Amer. Art Annual, 30 (1933). — Who's Who in Amer. Art, I: 1936/37. — Art Digest, 23, Nr. v. 15. 4. 1949, p. 18. — Monro.

Bernstein-Landsberg, Margarete, dtsche Malerin, * Görlitz, zuletzt ansässig in Charlottenburg.

Lit.: Dreßler. — Westermann's Monatsh., 120 (1916/I) 170.

Bernstein-Neuhaus, Martha, dtsche Malerin u. Kstschriftst., * 17. 5. 1878 Halle, zuletzt ansässig in München.

Stud. in München u. Paris. Buchwerke: The Beauty of Colour in Art and Daily Life (London u. New York); Flowers and Vases, The Decoration of Show Windows.

Lit.: Who's Who in Art, [3] 1934.

Bernstorff, May von, dtsche Bildhauerin, ansässig in Rio de Janeiro, Brasilien.

Stud. in München, dann bei Archipenko u. Bourdelle in Paris. Lebte einige Jahre auf Capri, dann in Rio. Athletenstatue (1930) im Fußballklub in Rio.

Lit.: Die Weltkst, 7, Nr 31 v. 30. 7. 1933, p. 3, m. 2 Abbn.

Bernuth, Fritz, dtsch. Bildhauer, * 19. 1. 1904 Elberfeld, ansässig in Berchtesgaden. Sohn des Max.

Nach prakt. Ausbildung als Holz- u. Steinbildh. in Wiedenbrück, Westf., Schüler von Wackerle in München, von W. Gerstel u. Klimsch an der Berliner Akad. 1936 Rompreis, 1940 Villa-Romana-Preis. Hauptsächlich Tier- u. Porträtplastiker. Modelle für die Staatl. Porzellanmanuf. Berlin u. Meißen u. die Fürstenberg- u. Rosenthal-Manuf. Arbeiten in den Museen in Essen (Folkwang), Wesel u. Wuppertal-Elberfeld.

Lit.: Nemitz, p. 16f. — Werner, p. 198, 200, m. Abbn, 201f., 205. — Sperling, m. Abb. — Das Bild, 11 (1941) 11f. — Hellweg (Essen), 2 (1922) 950. — Westdtsches Jahrb. f. Kstgesch. (Wallr.-Rich.-Jahrb.), 11 (1939) 311. — Ill. Zeitg (Leipzig), Nr 4725 v. 3. 10. 1935, p. 466/69; Nr 4973. — D. Kunst, 81 (1939/40) 160 (Abb.). — D. Völk. Kunst, 2 (1933) 41 (Abb.). — D. Kstwerk, 5 (1951) H. 2, p. 30 (Abb.), 39. — Velhagen & Klasings Monatsh., 51/I (1936/37) 229f., m. Abb.; 54/II (1940) Taf. geg. p. 496, 499. — D. Weltkst, 13 Nr 48/49 v. 10. 12. 1939, p. 10. — Kat. d. Ausst.: Dtsche Bildh. d. Gegenw., Kestner-Ges. Hannover, 26. 4./17. 6. 1951.

Bernuth, Max, dtsch. Bildnis- u. Tiermaler, Lithogr. u. Illustr. (Prof.), * 22. 7. 1872 Leipzig, ansässig in Elberfeld. Vater des Fritz.

Schüler von Liezen-Mayer u. C. v. Marr an d. Münchner Akad. 1902/32 Lehrer an d. Kstgewerbesch. in Elberfeld Mitarbeiter der Münchner „Jugend". Illustr. zu Gedichten von Otto Ernst. Gr. Bild: Kain, im Mus. in Dessau. 3 Bilder, dar. Selbstbildn. von 1916, im Städt. Mus. in Wuppertal-Elberfeld.

Lit.: Th.-B., 3 (1909). — Feuer, 3 (1922) Beibl. p. 20. — Hellweg (Essen), 2 (1922) 950. — D. Weltkst, 16, Nr 33/34 v. 16. 8. 1942, p. 6. — Bildersmlg Schwarz-Weiß. Kst-Verl. F Heyder Berlin-Zehlendorf o. J. [1919] p. 5 (Abb.), 6, m. 2 Abbn u. Nachtrag 1922.

Berón, Gyula, ungar. Graphiker, * 1885.

Lit.: Kat. „Ausst. Ung. Kst", Dtsche Akad. d. Kste, Berlin Okt./Nov. 1951.

Berque, Jean, franz. Maler u. Illustr., * 1896 Reims, ansässig in Paris.

Schüler von Maur. Denis u. Séruzier, bei dem er 1915/16 in der Bretagne arbeitete. Stellt seit 1924 im Salon d'Automne, seit 1927 im Salon des Tuileries aus. Akte; Kreuzwegbilder für St-Nicaise in Reims; Landschaften. — Illustr. u. a. zu Abel Bonnard, „Au Maroc", u. zu Rabindranath Tagore, „L'Offrande lyrique".

Lit.: Joseph, I. — Bénezit,[2] I (1948). — L'Art et les Artistes, N. S. 11 (1925) 239/41, m. 4 Abbn; 1934 Nr 147 p. 265/69, m. 7 Abbn. — L'Amour de l'Art, 1927 p. 96, m. Abb. — La Renaiss. de l'Art franç., 14 (1931) 146f., m. 2 Abbn.

Berresford, Virginia, amer. Malerin, * 1904 New York, ansässig ebda.

Aquarell: Sturm in Florida, im Detroit Inst. of Arts in Detroit, Mich.

Lit.: Joseph, 1. — Mallett. — Art Index (New York), Okt. 1941/Okt. 1952. — Monro.

Berrhagorry-Suair, Gabrielle, franz. Malerin, * 5. 1. 1873 Paris, ansässig ebda.

Schülerin von M. Baschet u. P. Thomas. Mitglied der Soc. d. Art. Franç. (Salon-Kat. z. T. m. Abbn). Gold. Med. 1929. Genre, Bildnisse, Blumenstücke, Stilleben.

Lit.: Joseph, I. — Bénézit,[2] I (1948). — Les Arts, 1920 Nr 189 p. 21 (Abb.). — La Renaiss. de l'Art franç., 13 (1930) 126 (Abb.).

Berrie, John Archibald Alexander, engl. Bildnismaler, * 1887 Fallowfield, ansässig in Liverpool.

Schüler von M. Beronneau in Paris. Häufig auf dem Festland tätig. Arbeiten in der Warrington Art Gall. u. in den Stadthäusern in Wallasay u. Bootle.

Lit.: Who's Who in Art,[3] 1934.

Berrington, William, engl. Landschaftsmaler, * 10. 4. 1873 Liverpool, ansässig ebda.

Lit.: Who's Who in Art,[3] 1934.

Berrone, John, argent. Bildhauer, * 15. 5. 1893 Buenos Aires, ansässig in Rom.

Stud. an der Akad. in Genua. Im Museo Civ. in Turin: Aurora.

Lit.: Who's Who in Art,[3] 1934.

Berry, Helen Murrin, amer. Malerin u. Graph., * 25. 8. 1900 Philadelphia, Pa., ansässig ebda.

Schülerin der Pennsylv. Acad. of the F. Arts. Bild in d. Lambert Coll., Pennsylv. Acad. of the F. Arts.

Lit.: Who's Who in Amer. Art, I: 1936/37.

Berry, Mary Elizabeth, schott. Bildnis-, Interieur- u. Landschaftsmalerin, ansässig in Edinburgh.

Lit.: Who's Who in Art,[3] 1934.

Berryman, Clifford Kennedy, gen. *Cliff*, amer. Illustrator u. polit. Zeichner, * 2. 4. 1869 Versailles, Ky., † 1950 Washington.

Gehörte seit 1907 dem Stab des „Evening Star" (Washington) an. Erfinder des „Teddy Bear".

Lit.: Fielding. — Amer. Art Annual, 20 (1923) 442; 28 (1931). — Who's Who in Amer. Art, I: 1936–37. — Die Kunst u. d. schöne Heim, 48 (1950), H. 6, Personalien p. 97.

Berryman, James Thomas, amer. Illustrator u. Sportzeichner, * 8. 6. 1902 Washington, D. C., ansässig ebda.

Schüler von Will Chandle. Gehört dem Stab des „Evening Star" an.

Lit.: Who's Who in Amer. Art, I: 1936/37. — Mallett.

Bersch, Fritz, dtsch. Maler u. Graphiker, * 25.12.1873 Berlin, ansässig ebda.

Schüler von M. Seliger, Em. Döpler u. J. Scheurenberg. Buchwerke: Dtsche Heerführer 1914/18; Unsere Feldgrauen daheim (beide bei Weise & Co., Berlin).

Lit.: Dreßler. — Velhagen & Klasings Monatsh., 43/II (1933/34) 136/37 (farb. Abb.: Damenbildn.), Text p. 223; 49/II (1934/35) Taf.-Abb. geg. p. 232.

Bersier, Jean Eugène, franz. Maler, Lithogr., Holzschneider u. Radierer, * 1895 Paris, ansässig in Neuilly-sur-Seine.

Schüler von J. P. Laurens, R. Ménard u. R. X. Prinet. Stellt seit 1921 im Salon der Soc. Nat. d. B.-Arts, seit 1924 im Salon des Tuileries, seit 1926 im Salon d'Automne, seit 1935 auch bei den Indépendants aus. Landschaften, Bildnisse, Stilleben u. Figürliches. 2 Bilder im Mus. d'Art Mod. in Paris.

Lit.: Bénézit,[2] I (1948). — Beaux-Arts, Nr 231 v. 4. 6. 1937 p. 8, m. Abb.; 306 v. 11. 11. 1938, p. 2 (Abb.); 308 v. 25. 11. 1938, p. 4; 309 v. 2. 12. 1938, p. 4; 324 v. 17. 3. 1939, p. 7 (Abb.); 326 v. 31. 3. 1939, p. 3 (Abb.); 335 v. 2. 6. 1939, p. 7 (Abb.).

Berstecher, Harry, schott. Maler (Öl, Tempera, Aquar.) u. Radierer, * 15. 6. 1893 Glasgow, ansässig ebda.

Bild in d. Art Gall. in Glasgow.

Lit.: Who's Who in Art,[3] 1934.

Bert, Charles, amer. Maler, * 1873 Milwaukee, Wis., ansässig in Lyme, Conn.

Schüler der Cincinnati Art Gall., d. Art Student's League in New York u. d. Acad. Julian in Paris.

Lit.: Fielding.—Amer.Art Annual, 20 (1923) 442.

Berta, Edoardo, Tessiner Maler, * 29.3. 1867 Giubiasco, † 23.6.1931 Lugano.

Schüler von Bertini an der Brera in Mailand u. von Ces. Tallone in Bergamo. Beeinflußt von Segantini. Anfängl. hauptsächl. Porträtist, später Landschafter. Divisionist. Bilder in den Museen Bern, Lausanne u. Lugano. 2 Fresken in der Vorhalle des Schweizer Gesandtschaftsgebäudes in Rom. Führte mehrere Restaurationen von Kirchenmalereien durch und redigierte das reich illustr. Sammelwerk: Monumenti stor. ed artist. del cant. Ticino.

Lit.: Th.-B., 3 (1909). — Brun, IV. — Comanducci. — Guidi. — Jenny. — Arminio Janner, E. B., Zürich 1932. — Boll. stor. d. Svizzera ital. 1906, p. 150. — Illustraz. ital., Nr 16, 1906, m. Abb. — Kst u. Kstler, 8 (1910) 156 (Abb.), 158, 328. — Popolo e Libertà, Nr 123, 1911. — Die Schweiz, 1914 p. 13, m. Abbn; 1915, p. 302; 1916, p. 597; 1920, p. 459, m. Abb. — Pages d'Art, 1916, H. 10 p. 1ff. m. Abbn, 53. — The Studio, 67 (1916) 93/97, m. 8 Abbn. — Schweizerland, 1916, p. 415. — D. Werk (Zürich), 2 (1915) 163 (Abb.). — D. Ksthaus, 1911, H. 10 p. 1; 1916, H. 5/6, p. 1. — Emporium, 86 (1937) 441 (Abb.), 442 l. Sp. — Jahrb. f. Kst u. Kstpflege in d. Schweiz, IV: 1925/27, 1928, p. 11, 12, 52.

Bertalan, Albert, ungar. Bildnis-, Figuren- u. Landschaftsmaler, * 21. 9. 1899 Jász-Berény, ansässig in Paris.

Stellt seit 1927 bei den Indépendants aus.

Lit.: Joseph, I, m. Abb. — Bénézit,[2] I (1948).

Bertaux, René, franz. Landschafts- u. Marinemaler, * 22. 6. 1878 Paris, fiel am 19. 6. 1917 bei Sulzern (Elsaß).

Stellte, in Paris ansässig, 1907ff. im Salon der Soc. d. Art. Indépendants, 1909 im Salon d'Automne aus.

Lit.: Joseph, I. — Bénézit,[2] I (1948). — Ginisty, 1919 p. 8/10. — Art et Décor., 1914 p. 158/60 passim, m. Abb.

Bertel-Nordström s. *Nordström*, Bertel.

Bertelli, Giovanni Tito, ital. Genre- u. Bildnismaler u. Freskant, * 1879 Genua, ansässig ebda.

Sohn des Malers u. Bildh. Santo B. (1840–1892). Schüler von Viazzi. Fresken an d. Fassade d. Kirche in Sarzana.

Lit.: Comanducci.

Bertels, Martinus Jozef, holl. Bildnis- u. Stillebenmaler, * 14. 10. 1897 Gouda, lebt in Wassenaar.
Schüler von Derkinderen, Roland Holst u. Jurres an der Akad. Amsterdam. Zeichnet auch Entwürfe für Glasmalerei u. Mosaik.
Lit.: Waay.

Bertels, Theodor Johan Jozef, holl. Maler, * 18. 8. 1882 Gouda. Lebt in Helmond.
Schüler der Akad. Rotterdam.
Lit.: Waay.

Bertelsen, Aage, dän. Landschafts-, Interieur- u. Bildnismaler, * 28. 9. 1873 Næstved (Seeland), † 9. 9. 1945 Kopenhagen.
Sohn d. Landschafters Rudolf B. (* 1828, † 1921). Stud. an der Zahrtmann-Schule in Kopenhagen, 1906–08 Teilnehmer einer Grönland-Expedition (Bilder u. Zeichngn mit Motiven aus der Polarzone). Stellte seit 1899 auf Charlottenborg aus.
Lit.: Th.-B., 3 (1909). — Krak's Blaa Bog, 1936; 1950, Totenliste. — Dahl-Engelstoft, I. — Vem är Vem i Norden, Stockh. 1941, p. 31. — Kstmus. Aarsskrift, 1924/25; 1941. — Weilbach, [2] I.

Bertelsmann, Walter, dtsch. Landschaftsmaler, * 2. 1. 1877 Bremen, ansässig in Worpswede.
Schüler von Wilh. Otto u. Hans Am Ende. Bilder in der Nat.-Gal. Berlin, in der Ksthalle in Bremen u. im Prov.-Mus. in Hannover. — Seine Gattin Erna, geb. *Lundbeck,* * 12. 7. 1880 Schwerin, ist Malerin. — Beider Sohn Jürgen ist Landschafts- u. Bildnismaler (Öl, Aquar. Zeichng).
Lit.: Dreßler. — Niedersächs. Lebensbilder, I, hg. v. O. H. May, Lpzg u. Hildesheim 1939, p. 11. — Dtsche Kst u. Dekor., 33 (1913/14) 112. — Niedersachsen, 35 (1930) 58/63; 42 (1937) 95. — Stader Archiv, N. F., Heft 28 (1938) 396/99. — Velhagen & Klasings Monatsh., 43/II (1928/29) p. 113, 114 (Abb.); 46/II (1931/32) farb. Taf. geg. p. 456, 480.

Bertelsson, Alexander, dtsch-russ. Maler u. Gebrauchsgraphiker, * 5. 10. 1890 Lixna, Gouv. Witebsk, ansässig in Dresden.
Stud. an der Kstschule in Riga, dann bei H. v. Zügel u. an der Münchner Akad. Landschaften, Figürliches (relig. u. bäuerl. Sujets), Bildnisse. Bedeutender Kolorist, der expressionist. Richtung sich nähernd.
Lit.: W. Doenges, A. B., Berl. 1923. — [E. Haenel,] Der Große Garten in Dresden, 1925, p. 38 (Abb.). — Dtsche Kst u. Dekor., 54 (1924) 71f., m. 5 Abbn bis p. 74. — Kstschule, 8 (1925) 692ff. (Selbstbiogr.), m. Abbn. — D. Kstwanderer, 1922/23, p. 279. — Westermanns Monatsh., 132/II (1922) p. 381/85, m. 8 Abbn; p. 407.

Berthaud, Paul François, franz. Bildhauer, Maler u. Graphiker, * 17. 5. 1870 Paris, † um 1935 ebda.
Schüler von Pierre Dupuis. Beschickte 1903/34 den Salon der Soc. Nat. d. B.-Arts (Kat. z. T. m. Abbn). Hauptsächl. Porträtbüsten u. Studienköpfe. Signiert mit dem Pseudonym Gilbert-Lanquetin.
Lit.: Joseph, 1. — Bénézit, [2] 1 (1948). — L'Art décor., 28 (1912/II) 305 (Abb.).

Berthe, Louis Maurice, franz. Landschaftsmaler, * Paris, ansässig ebda.
Mitglied der Soc. d. Art. Franç. (Salon-Kat. z.T. m. Abbn). Stellte 1907/37 auch bei den Indépendants aus.
Lit.: Joseph, I. — Bénézit, [2] I (1948).

Berthelemot, Madeleine, franz. Bildnis- u. Blumenmalerin, * 26. 2. 1902 Auxerre, ansässig in Paris.
Stellt im Salon d'Automne u. bei den Indépendants aus.
Lit.: Joseph, I. — Bénézit, [2] I (1948).

Berthelier, Pierrer, franz. Maler, * Paris, ansässig ebda.
Stellte 1912/28 im Salon des Indépendants aus.
Lit.: Joseph, I. — Bénézit, [2] I (1948).

Berthelin, Robert, franz. Figuren- u. Landschaftsmaler, * Paris, ansässig in Sarcelles (Seine-et-Oise).
Stellte 1926/38 im Salon des Indépendants aus.
Lit.: Joseph, I. — Bénézit, [2] I (1948).

Berthelsen, Johann, dän.-amer. Maler, * 25. 7. 1883 Kopenhagen, ansässig in New York.
Lit.: Fielding. — Amer. Art Annual, 30 (1933). — Who's Who in Amer. Art, I: 1936/37.

Berthold, Hans James, dtsch. Maler u. Graphiker, * 21. 9. 1884 Leipzig, ansässig ebda.
Stud. an den Akad. Leipzig u. Dresden.
Lit.: Dreßler.

Berthold, Karl, dtsch. Goldschmied (Prof.), * 21. 12. 1889 Rosenheim, ansässig in Köln.
Lernte 1906 in Dresden bei einem Graveur, 1907/08 an der Zeichenakad. in Hanau, gründete dort 1913 eine eigene Werkstätte, die er später nach Darmstadt verlegte. 1918 Berufung als Lehrer an die Hanauer Zeichenakad. Seit 1920 dort als freier Künstler schaffend. 1924 Übersiedlung nach Frankfurt a. M. Seit 1933 Leiter der Kölner Werkschule (Meisterschule des Deutsch. Handwerks). 1. Koll.-Ausst. im Kstgewerbemus. in Frankfurt 1925. Erste bedeutende Arbeit der Bartholomäus-Schrein im Frankf. Dom. Hauptwerk der späteren Zeit der Goldene Schrein der Hansestadt Köln (1939). Ehrenpreise, Schmuck, Ziergegenstände aller Art, Leuchter, Becher, Pokale, Kästchen, Dosen usw.
Lit.: A. Feulner, K. B., ein dtsch. Goldschm., Leipzig 1940. — Rhein. Blätter, 10 (1933) 1218/19. — D. Kunst, 46 (1921/22) 148ff., m. Abbn; 75 (1936/37) 183f., m. Abbn; 84 (1940/41) 39/41, m. Abbn; 85 (1941/42), Beibl. zum Febr.-H. p. 15f. — D. Christl. Kst, 24 (1927/28) 109ff. (Abbn), 119; 27 (1930/31) Abb. geg. p. 1, 8/12, m. Abbn, 268, 335 (Abb.), 343 (Abb.), 344, 345 (Abb.), 356, 364f., 367 (Abb.); 28 (1931/32) 157. — Dtsche Kst- u. Denkmalpflege, 1936 p. 115. — Dtsche Kst u. Dek., 41 (1917/18) 260, m. Abbn; 45 (1919/20) 257, m. Abbn, 310f., m. Abbn. — D. Kstwanderer, 1920/21 p. 254, 300 (Abb.), 414, m. Abb.; 1924/25, p. 263f., m. Abbn. — Velhagen & Klasings Monatsh., 33/I (1918/19) 447f., m. Abb., 52/II (1938) 572 (Abb.), 574; 53/II (1938/39) 92 (2 Abbn), 94.

Berthold, Martin, dtsch. Landschaftsmaler, * 31. 7. 1890 Siebenlehn, ansässig in Goldbach üb. Bischofswerda. Autodidakt.

Berthold-Mahn, Charles, franz. Landschafts-, Bildnis- u. Stillebenmaler, Lithogr. u. Buchillustr., * Paris, ansässig ebda.
Stellte 1923ff. im Salon d'Automne u. im Salon des Tuileries aus. Bild: Sommer, im Luxembourg-Mus. Illustr. u. a. zu: G. Duhamel, La Pierre d'Horeb; E. Bourges, Le Crépuscule des Dieux; Cl. Aveline, Le Postulat; H. Béraud, Le Gerbe d'Or; H. Barbusse, Le Feu; P. Verlaine, Les Fleurs du Mal.
Lit.: Joseph, I. — Raym. Geiger: B.-M. (Les Artistes du Livre), Paris 1930. — Bénézit, [2] I (1948). — L'Amour de l'Art, 1929 p. 91/96, m. 13 Abbn; 1930 p. 183/86, m. 7 Abbn; Bull., Juni 1933 p. 5f., m. Abb. — L'Art et les Art., N. S. 16 [recte 17] (1928)

p. 343, m. Abb. — Art et Décor., 1926/I p. 161/68, m. 10 Abbn. — Byblis (Paris), Frühj. 1931 p. 8/12, m. Taf. — Samleren, 1932 p. 129ff. passim, m. Abb. — Kat. d. Expos. Salon Internat. du Livre d'Art, Petit Palais d. B.-Arts, Paris 1931, p. 88.

Berthomme-Saint-André, Louis André, franz. Bildnis-, Genre- u. Landschaftsmaler, * 4. 2. 1905 Barbery (Oise), ansässig in Paris.

Schüler von Cormon u. P. Laurens. Mitglied der Soc. d. Art. Franç. (Salon-Kat. z. T. m. Abbn). Stellt seit 1934 im Salon der Soc. Nat. d. B.-Arts, seit 1935 im Salon des Tuileries aus.

Lit.: Joseph, I. — Bénézit, [2] I (1948). — Gaz. d. B.-Arts, 1926/I p. 327f., m. Abb. — Beaux-Arts, Nr 324 v. 17. 3. 1939, p. 1 (Abb.).

Berthon, Maurice, franz. Bildnis- u. Aktmaler, * 28. 12. 1888 Constantine (Algerien), † 20. 9. 1914 (an Kriegsverwundung).

Schüler von Flameng, Baschet u. Déchenaud. Kleine Aktstudie im Luxembourg-Mus. in Paris.

Lit.: Joseph, I. — Ginisty, 1916. — Le Livre d'Or d. Peintres expos., 1921 p. VIII. — Bénézit, [2] I (1948). — L'Art et les Artistes, N. S. 13 (1921) 324f., m. 2 Abbn.

Berti, Antonio, ital. Porträtbildhauer, * 24. 8. 1904 Valdifiorana, ansässig in Sesto Fiorentino.

Stud. am Istit. d. B. Arti in Florenz. Hauptsächlich Porträtist.

Lit.: Bénézit, [2] I (1948). — Emporium, 79 (1934) 387 (Abb.). — The Studio, 110 (1935) 182 (Abbn); 112 (1936) 166 (Abb.), 312 (Abb.) — Revue de l'Art anc. et mod., 70 (1936) 57 (Abb.). — Kat. Ausst. zeitgen. toskan. Kstler, Ksthaus Düsseldorf 1942, m. Taf.

Berti, René, gen. *Ribet,* ital. Bildnis-, Landschafts- u. Tiermaler u. Graphiker, * Padua, ansässig in Paris.

Mitgl. der Soc. Nat. d. B.-Arts, beschickte deren Salon 1911–1938.

Lit.: Joseph, I. — Bénézit, [2] I (1948).

Berti, Vinicio, ital. Maler, * 1921 Florenz, ansässig ebda.

Stud. in Florenz. Abstrakter Künstler.

Lit.: D. Kstwerk, 4 (1950) H. 8/9, p. 94, 95, m. Abb.

Bertieri, Pilade, ital. Bildnis- u. Genremaler, * 1. 8. 1874 Turin, ansässig in Paris.

Schüler von Tallone. Mitglied d. Soc. Nat. d. B.-Arts (Salon-Kat. z. T. m. Abbn). Bilder im Mus. Civ. in Turin (Der Tod als Tröster der Armen) u. in der Walker Art Gall. in Liverpool (Die Dame mit dem schwarzen Pelz).

Lit.: Th.-B., 3 (1909). — Joseph, I. — Comanducci. — The Studio, 62 (1914) 230f., m. Abb.; 63 (1915) 218; 64 (1915) 138, m. Abb.; 69 (1917) 77ff., m. Abbn.

Bertin, Emile, franz. Maler, Bühnenbildner u. Illustr., * 29. 1. 1878 Suresnes (Seine), ansässig in Paris.

Schüler von E. Carrière. Mitglied der Soc. du Salon d'Automne, der Soc. Nat. d. B.-Arts u. der Soc. d. Art. Indépendants. Präsident der Union des Maîtres-décorat. de Théâtre.

Lit.: Joseph, I, m. Fotobildnis. — Bénézit, [2] I (1948). — Art et Décoration, 1936 p. 84ff., m. Abb.

Bertini, Dante, ital. Genre-, Landschafts- u. Stillebenmaler, * 17. 7. 1878 Roverdella (Mantua), ansässig in Mailand.

Schüler von Angelo Dall'Oca Bianca.

Lit.: Comanducci.

Bertini, Guido, ital. Maler, Glasmaler u. Kstschriftst., * 1. 2. 1872 Mailand, ansässig ebda.

Sohn des Glasmalers Pompeo B. (* 2. 5. 1827 Varese, † 10. 7. 1899 Mailand), bei dem er die Glasmalerei erlernte. Bildnisse, Genre u. Landschaften (Öl u. Aquar.). Restaurierung alter Glasgemälde (u. a. Dom zu Mailand). Bildnisse im Ospedale Civ. in Varese u. in der dort. Biblioteca Civica.

Lit.: Comanducci.

Bertl, Otto, sudetendtsch. Maler u. Graph. (Prof.), * 1904 Sosa bei Aue, sächs. Erzgeb., ansässig in Bad Wilsnack.

Stud. an d. Prager Akad. bei Heinr. Hönich (Spezialsch. f. graph. Künste). 1937 Diplom. Absolvierte 1937/38 das Ehrenstudienjahr. 1941 Dürerpreis. Seit 1945 Prof. an der Prager Kstgewerbeschule. Anfänglich Lithogr., dann Holzschneider (bes. Hell-Dunkel-Schnitte) u. Rad. (bes. Landsch. u. Bildnisse). Mappenwerk: Sudetendtsche Graphik, Verl. Rohrer, Brünn. Hauptblätter: Madonna im Walde (Holzschn.); Abend an der Eger (farb. Rad.); D. Pilzesammler (Holzschn.); Heimweg (Tonholzschn.); Schönburg (Rad.); Alte Frau im Walde (Lith.). Aktzeichngn in d. Mod. Gal. in Prag.

Lit.: D. Ackermann aus Böhmen (Karlsbad), 6 (1938) 373/75, m. 4 Taf.-Beilagen. — Kst u. Handwerk (Reichenberg i. B.), 1 (1938) 39, 41 (Abb.), 44 (Abb.). — D. Weltkst, 15, Nr 25/26 v. 22. 6. 1941, p. 3. — Prager Ill. Wochenschau, 6. Folge 29, Nr v. 15. 7. 1944, p. 5 (Abb.). — Kat. d. 3. Dtsch. Kst-Ausst. Dresden 1953.

Bertle, Hans, vorarlberg. Maler, gebürtig aus Schruns (Montafon), ansässig in München.

Schüler von W. v. Diez u. C. v. Marr an der Münchner Akad. Studienaufenthalte in Paris u. Italien. Wiederholt ausgezeichnet, u. a. 1920 mit dem Preis der Stadt Wien. Reich vertreten im ehem. Kaiserschützen-Mus. in Innsbruck. Bildnis König Ludwigs III. im Justizpalast in Bamberg.

Lit.: Velhagen & Klasings Monatsh., 47/II (1932–33) 220, m. Abb. — Kat. Kstausst. d. Münchner Kstlerbundes „Ring" E. V., o. J.

Bertlings, Peter, dtsch. Maler, Holzschneider, Plakatkünstler u. Keramiker (Prof.), ansässig in Krefeld.

Koll.-Ausst. (Landschaften, Figürliches, Hafenplakat d. Stadt Krefeld) April 1908 im Kaiser-Wilhelm-Mus. in Krefeld.

Lit.: Dreßler. — Holzschnitte niederrhein. Kstler, eine Mappe mit Orig.-Holzschnitten d. Kstlers, mit Vorw. v. Mus.-Direktor Dr. Frhr v. Lepel, hg. v. A. Giesen, Krefeld o. J. — Hellweg, 3 (1923) 305. — Niederrhein. Volksztg, Nr 345 v. 18. 4. 1908.

Bertocchi, Nino, ital. Maler u. Kstschriftst., * 9. 7. 1900 Bologna, ansässig ebda.

Vertreten u. a. in der Pinak. u. in der Gall. civ. in Bologna.

Lit.: Chi è?, 1940.

Bertola, Louis, franz. Bildhauer, * 24. 5. 1891 in Italien, ansässig in Paris.

Stud. an der Pariser Ec. d. B.-Arts. Gr. Rompreis 1923 (Relief: Apollo u. Marsyas). Gold. Med. 1929.

Lit.: Bénézit, [2] I (1948). — Art et Décor., 24 (1920), Chron. Aug.-Heft, p. 4, m. Abb. — Bull. de l'Art anc. et mod., 1923, p. 117, m. Abb.; 1928, p. 310 (Abb.). — Revue de l'Art anc. et mod., 56 (1929) 91 (Abb.).

Bertolé, Emilia, argentin. Malerin, * 21. 6. 1900 Santa Fé, ansässig in Buenos Aires.

Schülerin von Mateo Casella an der Domenico-

Morelli-Akad. in Rosario de Santa Fé. Arbeitet in Öl u. Pastell. Hauptsächl. Bildnisse.

Lit.: Who's Who in Latin America, 1935. — Revue de l'Art, 49 (1926) 261 (Abb.), 258. — Francés, 1925/26, Taf. 55.

Bertoletti, Bernard Pierre Alfred, franz. Bildnis-, Genre- u. Landschaftsmaler, * 1876 Salviac (Lot), ansässig in Paris.

Schüler von F. Barrias, Humbert u. L. Bonnat. Mitglied der Soc. d. Art. Franç. (Salon-Kat. z. T. m. Abbn). Im Mus. Périgueux: Der barmherzige Samariter; Bildnis Barrias'.

Lit.: Th.-B., 3 (1909). — Joseph, 1. — Bénézit, [2] 1 (1948).

Bertoletti, Nino, ital. Maler, ansässig in Rom.

Zeigte auf der Biennale in Venedig 1930 ein Bildnis des Malers G. de Chirico, auf der röm. Quadriennale 1935 einen liegenden weibl. Rückenakt.

Lit.: L'Amour de l'Art, 11 (1930) 338 (Abb.), 343. — Le Arti, 2 (1939/40) 369. — Emporium, 81 (1935) 89, 104 (Abb.).

Bertolino, Tommaso, sizil. Bildhauer, * 13. 9. 1897 Palermo, ansässig in Rom.

Prof. an der Akad. u. am Liceo artistico in Rom. Arbeiten u. a. in der Gall. d'Arte Mod. in Palermo, in d. Gall. Naz. d'Arte Mod. in Rom u. in der Accad. di B. Arti in Florenz.

Lit.: Chi è?, 1940. — Kat. d. 6.Quadriennale Naz. d'Arte, Rom 1951/52, m. Abb.

Berton, Marie, franz. Landschafts- u. Interieurmalerin u. Modelleurin, * Roubaix (Nord), ansässig in Paris.

Schülerin von Th. de Winter u. F. Humbert. Mitglied der Soc. d. Art. Franç. (Salon-Kat. z. T. m. Abbn), des Salon des Humoristes u. der Union des Femmes peintres et sculpteurs. Stellte seit 1920 aus.

Lit.: Joseph, I. — Bénézit, [2] I (1948).

Bertoni, Otello, ital. Lederkünstler, * Modena, ansässig in Bologna.

Seine mit der Hand geformten u. bemalten Kissen, Schmuckkästchen, Brieftaschen, Einbanddecken usw. zeigen meist gemalte figürl. Szenen (Geburt der Venus, Satyr u. Nymphe, Diana, Bauerntanz u. a.). Stellte u. a. in Bologna 1928 u. auf d. Internat. Kstgewerbeschau in Monza aus.

Lit.: Cronache d'Arte, 5 (1928) 133/37, m. 12 Abbn.

Bertram, Abel, franz. Genre- u. Landschaftsmaler, * 8. 9. 1871 Saint-Omer (Pas-de-Calais), wohnhaft in Levallois-Perret.

Schüler von Bonnat u. Guillemet. Mitglied der Soc. Nat. d. B.-Arts u. des Salon d'Automne. Stellte auch im Salon des Indépendants aus. Bilder im Petit Palais in Paris u. in den Museen in Arras u. Mülhausen.

Lit.: Th.-B., 3 (1909). — Joseph, 1, m. Abb. — Bénézit, [2] 1 (1948). — Revue de l'Art anc. et mod., 56 (1929) 252 (Abb.).

Bertram, Hermann, dtsch. Landschaftsmaler u. Lithogr., * 16. 9. 1900 Köthen/Anh., ansässig in Leipzig.

Stud. an der Kstgewerbesch. in Magdeburg u. an der Akad. f. Graph. Künste in Leipzig. Bild im Mus. in Dessau.

Lit.: Kat. Leipz. Kstaust. Aug./Sept. 1946, p. 22 Nrn 15/18, m. Abb. p. 15.

Bertram, Walter, dtsch. Maler (bes. Freskant), ansässig in München.

Chorfresko (Christus u. die Apostel) in Waldfischbach (Pfalz); Seitenaltarbilder (al fresco) in der Kirche in Lichtenau b. Ingolstadt; Nebenaltarfresko in der Dreifaltigkeitskirche in Amberg; Hl. Elisabeth (Fresko) im Krankenhaus in Schwandorf; Fresken am Postwohngebäude in Hirschau; Wandbild: Verleihung des Stadtwappens an die Weilheimer Bürger durch Herzog Stephan, am Rathaus zu Weilheim.

Lit.: Das Bayerland, 50 (1939) 561 (Abb.), 562. — D. Christl. Kst, 27 (1927/31) 338 (Abb.); 28 (1931/32) 262, 263 (Abb.), 265 (Abbn). — Die Weltkst, 13, Nr 15 v. 16. 4. 1939, p. 4. — Zentralbl. d. Bauverwaltg, 55 (1935) 875 (Abb.).

Bertram-Conradi, Lis, dtsche Landschafts- u. Genremalerin, * 5. 9. 1897 Barmen, ansässig in Berlin.

Stud. 1915/19 bei Wiethüchter an d. Kstgewerbesch. in Barmen, 1922/26 an d. Malsch. Hans Hofmann.

Lit.: Dreßler.

Bertrand, Alexander, dtsch. Genremaler, * 27. 10. 1877 Darmstadt, ansässig in Düsseldorf.

Schüler von P. Janssen u. Claus Meyer an der Düsseld. Akad. Bilder in den Kstsmlgn in Düsseldorf u. in der Mod. Gal. in Darmstadt.

Lit.: Th.-B., 3 (1909). — Dreßler.

Bertrand, Anne Marie, franz. Bildnis- u. Figurenmalerin, * Toulon, ansässig in Paris.

Schülerin von Delécluse u. Renard. Stellt im Salon der Soc. d. Art. Franç. aus (Kat. z. T. m. Abbn).

Lit.: Bénézit, [2] 1 (1948).

Bertrand, Charlotte, franz. Tierbildhauerin, * Paris, ansässig ebda.

Schülerin von Frémiet, Valton u. Peter. Mitglied der Soc. d. Art. Franç., beschickte deren Salon 1900/21.

Lit.: Bénézit, [2] 1 (1948). — Forrer, 7.

Bertrand, Claire, verehel. *Eisenschitz,* franz. Genre-, Bildnis- u. Blumenmalerin, * Sèvres, heiratete 1914 den öst. Maler Willy Eisenschitz.

Stellte 1926ff. im Salon d. Indépendants, 1928/43 im Salon des Tuileries aus.

Lit.: Joseph, I. — Bénézit, [2] I (1948). — Beaux-Arts, Nr 263 v. 31. 3. 1939 p. 4 (Abb.). — L'Art et les Artistes, 34 (1937) 93/100.

Bertrand, Elysée, franz. Bildnis-, Landschafts- u. Stillebenmaler (Öl u. Aquar.), * Nancy, ansässig in Paris.

Stellte 1926ff. bei den Indépendants aus.

Lit.: Joseph, 1. — Bénézit, [2] 1 (1948).

Bertrand, Jean, franz. Bildnis-, Landsch.- u. Genremaler, * Versailles, ansässig ebda.

Stellte 1912/29 bei den Indépendants u. im Salon d' Automne, 1933/43 im Salon des Tuileries aus.

Lit.: Joseph, I. — Bénézit, [2] 1 (1948).

Bertrand, Pierre, gen. *Pierre-Bertrand,* franz. Lanschaftsmaler u. Lithogr., * 4. 5. 1884 Lorient (Morbihan), ansässig in Paris.

Stellt seit 1909 bei den Indépendants aus. Im Luxembourg-Mus. in Paris: Ile d'Yeu. Kriegslithos im Musée de la Guerre in Vincennes.

Lit.: Joseph, 1. — Bénézit, [2] 1 (1948). — Bull. de l'Art anc. et mod., 1928 p. 214 (Abb.); 1929 p. 244 (Abb.). — Beaux-Arts, Nr 270 v. 4. 3. 1938 p. 2 (Abb.); Nr 280 v. 13. 5. 38 p. 7 (Abb.); Nr 312 v. 23. 12. 38 p. 4; Nr 323 v. 10. 3. 39 p. 4 (Abb.); Nr 324 v. 17. 3. 39 p. 8; Nr v. 19. 3. 48 p. 5 (Abb.); Nr v. 23.4.48 p. 1 (Abb.).

Bertrand, Pierre André, franz. Genre-, Sport- u. Landschaftsmaler, * 8. 1. 1894 Mülhausen i. E., ansässig in Paris.

Stellte 1922ff. im Salon d'Automne u. bei den Indépendants aus.
Lit.: Joseph, I. — Bénézit, ² I (1948). — L'Art vivant, 1931 p. 181, m. 2 Abbn.

Bertrand, Raymond, amer. Maler u. Lithogr., * 7. 1. 1909 San Francisco, Calif., ansässig ebda.
Schüler v. E. Spencer Macky. Fresko im Coit Tower in San Francisco.
Lit.: Who's Who in Amer. Art, I: 1936/37.

Bertrand, René, franz. Landschaftsmaler, * Noyon (Oise), ansässig in Paris.
Stellte 1926ff. bei den Indépendants aus.
Lit.: Joseph, I. — Bénézit, ² I (1948).

Bertrand-Boutée, René, franz. Bildhauer, * Maubeuge (Nord), ansässig in Paris.
Schüler von Barrias u. Coutan. Mitglied der Soc. d. Art. Franç., beschickt deren Salon seit 1904 (Kat. z. T. m. Abbn).
Lit.: Th.-B., 3 (1909). — Joseph, I. — Bénézit, ² I (1948).

Bertrand-Eisenschitz, s. *Bertrand,* Claire.

Bertrand de Fontviolant, Ferdinand Jules Edouard, franz. Landschaftsmaler, * Romilly-sur-Seine (Aube), ansässig in Paris.
Stellte 1907ff. bei den Indépendants aus.
Lit.: Bénézit, ² I (1948).

Bertsch, Fred S., amer. Zeichner, * 1879 Michigan, ansässig in Chicago, Ill.
Stud. am Art Inst. in Chicago.
Lit.: Fielding. — Amer. Art Annual, 20 (1923) 442.

Bertsch, Karl, dtsch. Möbel- u. Innenarchitekt, * 1873, † 1933 Bad Nauheim.
Ansässig in München als Leiter der Deutsch. Werkstätten A.G., Hellerau u. München, zuletzt in Berlin.
Lit.: Th.-B., 3 (1909). — München u. s. Bauten, Münch. 1912, m. Abb. — Innendekor., 25 (1914) 186, 188 (Abb.), 189 (Abb.), 191 (Abb.). — D. Kunst, 26 (1911/12) 217/27, m. Abb., 236, 237, 240, 241, 498 (Abb.); 28 (1912/13) 339, 341, 393/40, m. Abbn; 36 (1916/17) 241ff., m. Abbn; 42 (1919/20) 325ff., m. Abbn, 341ff., m. Abbn; 46 (1921/22) 1ff., m. Abbn; 54 (1925/26) 140; 56 (1926/27) 95ff., m. Abbn; 60 (1928/29) 201ff., m. Abbn; 62 (1929/30) 124/27, 128, 130, 131; 66 (1931/32) 169; 67 (1932/33), Beibl. p. LXXXVII; 68 (1932/33) 60, 64, 67; 72 (1934/35) 6, 11. — Dtsche Kst u. Dekor., 33 (1913/14) 77f., 80, 84; 34 (1914) 45/57, m. Abbn; 47 (1920/21) 206ff., 307ff.; 49 (1921/22) 338ff., 346, 351; 51 (1922/23) 99, 100, 104ff., 112f., 173f.; 54 (1924) 342ff.; 57 (1925/26) 329, 331f., 334; 59 (1926/27) 374, 377ff.; 63 (1928/29) 133ff.; 64 (1929) 256/64. — D. Kstblatt, 12 (1928) 170. — Wasmuth's Monatsh. f. Baukst, 10 (1926) 415f., m. Abbn.

Bertsch, Karl, öst. Lithograph (hauptsächl. Landschaften), * 12.10.1895 Gmunden, ansässig in Gondelsheim, Baden.
Stud. an d. Kstgewerbesch. u. Akad. in Stuttgart.
Lit.: Ausst.-Kat.: Zeitgenöss. dtsche Graphik, Städt. Ksthalle Mannheim, Mai/Juli 1941; Dtsche Gebrauchsgraphik, Augsburg, Schaezler-Palais, Nov. 1947.

Bertuch, Walter, dtsch. Maler, * 13.1. 1889 Köln, ansässig in Starnberg.
Schüler der Akad. Düsseldorf u. München.
Lit.: Dreßler.

Bertuchi, Mariano, span. Landschafter.
Hielt sich längere Zeit in Marokko auf. Stellte 1921 im Salón de Arte Mod. in Madrid aus.
Lit.: Francés, 1921 p. 18f.

Bertuel, Louis, franz. Landschafts- u. Bildnismaler, * 6. 5. 1876 Bordeaux, ansässig in Paris.
Schüler von Soulié in Tulle u. von Gérôme in Paris. Mitglied der Soc. d. Art. Indépendants u. der Soc. du Salon d'Automne.
Lit.: Joseph, I. — Bénézit, ² I (1948).

Berwald, Hugo, dtsch. Bildhauer, * 10. 2. 1863 Schwerin, † 14. 2. 1937 ebda.
Schüler von Albert Wolff u. F. Schaper. Ansässig in Berlin, 1890/92 in Rom, wo er die Tochter des Bildh. Jos. Kopf heiratete. Seit ca. 1927 in Schwerin. Hauptwerke: Bahnhofsbrunnen u. Schliemann-Denkm. vor d. Gymnasium in Schwerin. Denkm. d. Großherz. Alexandrine im Schweriner Grüngarten. In Westerland auf Sylt Denkmal des Generalpostmeisters H. v. Stephan. Bildnisbüsten u. a. in der Berl. Nat.-Gal. (H. v. Treitschke, Hans v. Bülow), im Schloßmus. in Schwerin (Großherz. Friedr. Franz III.) u. in den Kuranlagen in Wiesbaden (Kolossalbüste Fr. v. Bodenstedts).
Lit.: Th.-B., 3 (1909). — Dreßler. — Kstchronik, N. F. 34 (1922/23) 372. — Mecklenb. Monatsh., 4 (1928) Taf. geg. p. 196; 9 (1933) Taf. geg. p. 262; 10 (1934) 418/21 m. Fotobildn. u. 3 Abbn. — Westermanns Monatsh., 133/II (1922/23) 577ff., m. 17 Abbn u. Taf. geg. p. 572.

Berwanger, Jakob, dtsch. Maler, * 7.4. 1900, Steinberg-Merzig (Saar), ansässig in Köln-Bayenthal.
Zuerst Dekorationsmaler, dann Schüler von R. Seewald in Köln. Längerer Studienaufenthalt in Italien. Hauptsächl. figürl. Kompositionen (Wandbilder).
Lit.: Junge Kst i. Dtsch. Reich. Aust. Wien 1943, Kat.

Berz, Fritz, dtsch. Innenarchitekt, Bildnis- u. Landschaftsmaler u. Gebrauchsgraphiker, * 15.1.1883 München, ansässig ebda.
Stud. in München bei Stuck u. in Paris.
Lit.: Dreßler.

Beschorener, Gertrud, dtsche Miniaturbildnismalerin, * 23.3.1883 Dresden, ansässig ebda.
Schülerin von Groeber u. Otto Kopp in München.
Lit.: Dreßler.

Beschütz, Lucie, dtsche Bildnis- u. Landschaftsmalerin, * 20.12.1889 Berlin, ansässig ebda.
Schülerin von K. Wendel u. G. Mosson.
Lit.: Dreßler.

Besenthal, Otto, dtsch. Bildnis- u. Landschaftsmaler, * 21.7.1887 Flinten, Hannover, ansässig in Vohwinkel.
Schüler von Schönenbeck u. Wimmer in Düsseldorf.
Lit.: Dreßler.

Besier, Karl, dtsch. Tierbildhauer, * 1896 Saarburg, ansässig in Erbach i. Odenwald.
Im Kronprinzenpalais in Stuttgart: Stute mit Fohlen (Terrakotta, getönt).

Besig, Walter, dtsch. Landschafts- u. Genremaler, * 7.10.1869 Lauchhammer, † 1. 5. 1950 Lindenau, Oberlausitz.
Schüler von Fr. Preller u. der Dresdner Akad. 1905/06 in Italien, 1907/10 in den USA. Gehörte zur Gruppe der „Elbier".
Lit.: Dreßler. — E. A. Seemanns „Meister der Farbe", 1917 H. 3 Nr 936. — Mittlg. d. Witwe.

Beskow, Bo, schwed. Maler (Öl, Aquar., Fresko), Bühnenbildner u. Illustr., * 13. 2. 1906 Djursholm, ansässig in Stockholm. Sohn der Folg.

Stud. an den Akad. in Stockholm, Rom, Paris u. in Portugal. Bildnisse, Landschaften, Märchenszenen. Fresken u. a. in der neuen Grabkapelle in Djursholm, in der Höheren Allgem. Mädchenschule am Sveaplan in Stockholm (Zyklus: Kosmos) u. im Fritidssal in Norrköping. Altartafel in der Kirche in Alingsås. — Illustr. zu eigenen Reiseschilderungen: „Janne i Rom" (1927); „Flykten till Portugal"(1934).

Lit.: N. F., 21 (Suppl.). — Thomœus. — Konstrevy, 1929, p. 205, 208 (Abb.); 1932, p. 29, 30 (Abb.); 1934, p. 192 (Abb.); 1935, p. 10 (Abb.); 1936, Heft 2 p. VI (Abb.); 1937, p. 67, Heft 3, p. IV (Abb.); 1938, p. 78, m. Abb., 238, m. Abb.; 1939, p. 41/42, m. Abbn, 187/89, m. 4 Abbn. — Ord och Bild, 1938, Abb. geg. p. 353; 1939, Taf.-Abb. geg. p. 129.

Beskow, Elsa, geb. *Maartman*, schwed. Malerin, Illustr. u. Märchenerzählerin, * 11.2. 1874 Stockholm, ansässig in Djursholm. Mutter des Vor.

Stud. an der Kunstindustriesch. in Stockholm. Illustr. (Aquarelle) zu Kinderbüchern, u. a. zu: Mors lilla Olle (1903), Blommornas bok (1905), Tummelisa (1908).

Lit.: Th.-B., 3 (1909). — Vem är det?, 1935.— Thomœus. — N. F., 3, m. Fotobildn. — Vem är Vem i Norden, 1941 p. 979.

Beskow, Ingegerd, schwed. Landschaftsmalerin, * 1887 Uppsala, ansässig in Stockholm.

Schülerin von C. Wilhelmson in Göteborg u. von Matisse in Paris.

Lit.: Thomœus.

Besnard, Jean, franz. Keramiker, * 11. 6. 1889 Paris, ansässig ebda. Bruder der Folg.

Sohn des Malers Albert B. (1849–1934) u. s. Gattin, der Bildh. Charlotte Gabrielle B., geb. Dubray (1855–1931). Mitgl. der Soc. d. Art. Décorat. u. der Soc. du Salon d'Automne. Seine schwer und massig nach einfachsten kubischen Gesetzen geformten u. farbig glasierten, oft humorvoll aufgefaßten figürlichen Ziertöpfereien dienen nicht irgendwelcher Nutzanwendung, sondern sind als Selbstzweck gedacht. Neben diesen figürl. Stücken stellt er Vasen, Töpfe, Krüge usw. in schlichtesten Formen u. auch Schmuck her.

Lit.: Joseph, I. — Bénézit, [2] I (1948). — L'Art vivant, 1928 p. 679f., m. Abb. — L'Art et les Artistes, N. S. 15 (1927) 311/15. — Dtsche Kunst u. Dekor., 69 (1931/32) 129f., m. 7 Abbn. — Art et Décoration, 61 (1932) 19/28, m. 18 Abbn. — Beaux-Arts, 8 (1930) Nr 3 p. 23, m. 4 Abbn; 9 (1931), Febr. p. 10, m. Abb. — The Studio, 135 (1948) 148 f.

Besnard, Philippe, franz. Bildhauer, * Paris, ansässig ebda. Bruder des Jean u. des Robert.

Schüler s. Mutter. Mitglied der Soc. Nat. d. B.-Arts (Salon-Kat. z. T. m. Abbn) u. des Salon d'Automne. Stellte auch im Salon des Tuileries aus. Denkmäler für die im 1. Weltktieg Gefallenen der Haute-Savoie in Annecy u. in Moutiers-Salins. Im Luxembourg-Mus. eine Bronzebüste Albert Besnard's.

Lit.: Joseph, I. — Bénézit, [2] I (1948). — Revue de l'Art anc. et mod., 42 (1922) 52f., 65 (Abb.); 44 (1923) 103f., m. Abb.; 46 (1924) 204 (Abb.), 206; 50 (1926) 126 (Abb.), 128; 56 (1929) 91 (Abb.). — Beaux-Arts, 7 (1929) Nr 3 p. 6 (Abb.); 8 (1930) Nr 4 p. 34, Nr 5 p. 30 (Abb.); 9 (1931) Juni p. 21 (Abb.), Nov. p. 13, m. Abb.

Besnard, Robert, franz. Maler (Öl u. Aquar.) u. Graph., * 2. 6. 1881 London, fiel im 1. Weltkrieg am 20. 9. 1914 bei Autrèche. Bruder des Jean u. des Philippe.

Stud. an der Pariser Ec. d. B.-Arts, weitergebildet an der Acad. de France in Rom. 1912 in Tripolis. Mitglied der Soc. Nat. d. B.-Arts. Stellte auch bei den Indépendants (1905) u. im Salon d'Automne (1913) aus. Bildnisse, Figürliches, Tiere, Stilleben.

Lit.: Joseph, I. — Ginisty, 1916 p. 7/9. — Le Livre d'Or d. peintres expos., 1921 p. IX. — Bénézit, [2] I (1948).

Besnard-Desgranges, Ange Germaine, franz. Bildhauerin u. Landschaftszeichnerin, * Paris, ansässig ebda.

Mitglied der Soc. Nat. d. B.-Arts. Stellte auch im Salon des Tuileries (1923/35) aus. Bildnisbüsten.

Lit.: Bénézit, [2] I (1948).

Besnier, Fernand Auguste, franz. Genremaler, * Orléans, † 26. 2. 1927 Saint-Cyr-l'Ecole (Seine-et-Oise).

Stellte im Salon des Indépendants 1913ff. aus.

Lit.: Joseph, I. — Bénézit, [2] I (1948).

Besnus, Georges, franz. Landschaftsmaler, * Paris, ansässig ebda.

Stellte 1913ff. bei den Indépendants aus.

Lit.: Joseph, I. — Bénézit, [2] I (1948).

Besnyő, Béla, ungar. Landschaftsmaler, * 22. 4. 1876 Tisza-Ujlak, ansässig in Budapest.

Autodidakt. 1907 in Frankreich, England u. Amerika.

Lit.: Szendrei-Szentiványi.

Besrodnij, Pjotr, russ. Maler, * St. Petersburg (Leningrad).

Schüler von Pawel Tschistjakoff an der Akad. St. Petersburg. Ging von da nach Konstantinopel u. Paris, dann weiter nach Italien (Neapel, Venedig), Spanien (Sevilla) u. Nordafrika (Algier, Tanger). Landschaften, Interieurs, Architektur, Genre.

Lit.: Bénézit, [2] I. — Emporium, 42 (1915) 243/62, m. Fotobildnis u. zahlr. Abbn. — Vita d'Arte, 16 (1917) 33/40, m. Abbn. — Pagine d'Arte, 5 (1917) 123 (Abb.), 124.

Bessard, Eugène, franz. Stilleben- u. Landschaftsmaler, * Lyon, ansässig in Paris.

Stellte 1926/38 bei den Indépendants aus.

Lit.: Joseph, I. — Bénézit, [2] I (1948).

Bessé, Albert Georges, franz. Kupferstecher u. Landschaftsmaler, * 1. 5. 1871 Blois (Loir-et-Cher), ansässig in Paris.

Schüler von Gérôme u. Jules Jacquet. Mitglied der Soc. d. Art. Franç. (Salon-Kat. z. T. m. Abbn). Stach nach eigenen u. fremden Vorlagen, u. a. nach Boucher u. J. A. Meissonnier. Hauptblatt: Inspiration des Dichters, nach N. Poussin.

Lit.: Joseph, I. — Bénézit, [2] I (1948).

Besse, Otto, dtsch. Architekt, * 23.2. 1881 Barmen, ansässig in Berlin.

Stud. an der Kstgewerbe- u. Bauschule in Barmen. Wohn- u. Geschäftshäuser; Industrieanlagen.

Lit.: Dreßler.

Besse, Raymond, franz. Genre- u. Landschaftsmaler, * 26. 12. 1899 Niort (Deux-Sèvres), ansässig in Saint-Ouen-sur-Seine.

Stellte 1923ff. bei den Indépendants aus. — Illustr. zu: Battaille-Henri, Voyage en banlieue (Saint-Ouen).

Lit.: Joseph, I. — Bénézit, [2] I (1948).

Bessenich, Karl, dtsch. Landschafts-,

Blumen- u. Figurenmaler (Dr. phil.), * 22. 6. 1893 Gladbach, Kr. Düren, ansässig in Bonn.

Im Bes. des Osthausbundes in Hagen i. W.: Nach dem Bade (Aquar.). Koll.-Ausst. in d. Gal. Flechtheim in Köln 1925.

Lit.: Dreßler. — D. Cicerone, 17 (1925) 49. — D. Kunst, 65 (1931/32) Beibl. p. XVII.

Besserve, René, franz. Figuren- (bes. Akt-), Bildnis- u. Landschaftsmaler, * Montbéliard (Doubs), ansässig in Paris.

Stud. an der Ec. d.B.-Arts in Montpellier. Stellte 1923ff. bei den Indépendants, 1928/39 im Salon des Tuileries aus. Ein Pastorale im Mus. Besançon.

Lit.: Joseph, I. — Bénézit, [2] I (1948).

Besset, René, franz. Figuren- u. Bildnismaler, * Lyon, ansässig in Paris.

Stellte 1926/35 bei den Indépendants aus.

Lit.: Joseph, I. — Bénézit, [2] I (1948).

Bessin, Paul Lucien, franz. Figurenbildhauer, * Paris, ansässig ebda.

Schüler von Hiolle u. Lemaire. Mitglied der Soc. d. Art. Franç., beschickte deren Salon 1911/24.

Lit.: Joseph, I. — Bénézit, [2] I (1948).

Bessire, Dale Philip, amer. Maler, * 14. 5. 1892 Columbus, O., ansässig in Nashville, Ind.

Stud. an d. Akad. in Budapest u. Berlin u. an d. Ec. d. B.-Arts in Paris. Wiederholt durch Preise ausgezeichnet. Hauptsächl. Porträtist.

Lit.: Amer. Art Annual, 30 (1933).

Besson-Dandrieux, Jacques Paul, franz. Bildnis- u. Genremaler, * Brinon-sur-Beuvron (Nièvre), ansässig in Limay (Seine-et-Oise).

Schüler von J. Lefebvre u. T. Robert-Fleury. Mitglied der Soc. d. Art. Franç., beschickte deren Salon 1904/14 (Kat. z. T. m. Abbn).

Lit.: Joseph, I. — Bénézit, [2] I (1948).

Besson-Ohnenstetter, Henri Jules, franz. Porträtbildhauer, * Paris, ansässig ebda.

Schüler von Landowski u. Bouchard. Stellte 1920ff. im Salon d'Automne, 1921/25 im Salon der Soc. d. Art. Franç. aus.

Lit.: Bénézit, [2] I (1948).

Bessonat, Lucien, franz. Genremaler, * Paris, ansässig ebda.

Schüler von Flameng, Ridel u. Déchenaud. Mitglied der Soc. d. Art. Franç. (Salon-Kat. z. T. m. Abbn).

Lit.: Joseph, I. — Bénézit, [2] I (1948).

Bessone-Aurelj, Antonietta Maria, ital. Miniaturmalerin u. Kstschriftst., * 14. 7. 1869 Camerino (Macerata), ansässig in Rom.

Silb. Med. Rom 1900. Gold. Med. auf der Ausst. Montenegro 1910. Erhielt gleichzeitig den Titel: Miniatrice di S. M. la Regina Madre. Seit 1916 ihres geschwächten Augenlichtes wegen künstlerisch nicht mehr tätig. Verf. eines Diz. dei pittori ital., Città di Castello 1915; 2. Aufl. Rom 1928.

Lit.: Chi è?, 1940. — C. Villani, Stelle femminili, 1915 p. 47/96. — Riv. Marchigiana ill., Mai 1906 u. Mai 1913. — La Donna Ital., I, Nr 9, Sept. 1924.

Best, Frida, dtsche Malerin, * Frankfurt a. M., ansässig in Mainz.

Schülerin von Knirr in München, von Hölzel in Dachau u. von Jaeschke in Wien.

Lit.: Dreßler.

Best, Gladys, engl. Aquarellmalerin u. Schwarz-Weiß-Kstlerin, * 1898 Chiswick, ansässig in Topsham, Devonshire.

Stadtansichten u. Architekturen.

Lit.: Who's Who in Art, [3] 1934.

Best, Hans, dtsch. Maler u. Bildhauer (Prof.), * 25. 8. 1874 Mannheim, † 4. 3. 1942 München.

Schüler von W. v. Diez u. Raupp an der Münchner Akad. Gold. Med. Glaspal.-Ausst. 1913. Öst. Staatsmed. 1916. Bäuerliches Genre in realistischer Auffassung, Bauerntypen, Bildnisse, Akte, Landschaften, Tierbilder. Studienaufenthalte in Italien, Paris u. Belgien. Koll.-Ausst. im Haus der Münchner Kstlergenossensch. März/April 1918 (ill. Kat.). Szenen aus Goethes „Faust" in Auerbachs Keller in Leipzig Als Bildhauer hauptsächl. Tierbildner.

Lit.: G. J. Wolf, H. B., Münch. 1928. — Dreßler. — D. Bayerland, 50 (1939) 506f., m. Abb. — D. Bild, 4 (1934) 375 (Abb.), 376/80, m. 2 Abbn. — D. Kunst, 85 (1941/42), Beibl. z. Maih. p. 9. — D. Christl. Kst, 9 (1912/13) 38 (Abb.). — Kstrundschau, 50 (1942) p. 34. — Velhagen & Klasings Monatsh., 42/II (1927/28) Taf.-Abb. geg. p. 352, 454. — D. Weltkst, 15, Nr 3/4 v. 19. 1. 1941, p. 3 (Abb.); 16, Nr 11/12 v. 15. 3. 1942, p. 8; 18 (1944) Nr 7 p. 4.

Best, Harry Cassie, amer. Maler, * 1863 Peterborough, Canada, † 1936 Yosemite National Park, Calif.

Lit.: Who's Who in Amer. Art, I: 1936/37. — Amer. Art Annual, 30 (1933).

Best, Jakob, dtsch. Figurenmaler, ansässig in Frankfurt a. M.

Schüler von Babberger. Ausst. im Salon Schames in Frankf. 1926 u. im Reckendorfhaus in Berlin 1930.

Lit.: D. Cicerone, 18 (1926) 361. — D. Kstblatt, 14 (1930) 355 (Abb.), 364. — Kat. Ausst. nachexpress. Malerei d. Gegenw., Marburg 3.–24. 3. 1946.

Best, Joseph, dtsch. Bildhauer, Maler u. Graph., * 1. 8. 1892 Mainz, ansässig in Dresden.

Stud. an d. Zeichenakad. in Hanau, mehrjähr. prakt. Tätigkeit in der Metall- u. Marmorindustrie, anschließend Besuch der Ksthochsch. des Staedel-Instit. in Frankfurt a. M. 1916 u. 1917 Verleihung des Romstipendiums der Stadt Mainz. 1918/22 Mitgl. des Rates für künstl. Angelegenheiten der Stadt Frankfurt. Arbeiten im dort. Städt. Mus.

Lit.: Dreßler.

Best-Cronberg, Fritz, dtsch. Bildhauer u. Maler, * 9. 5. 1894 Cronberg i. T., ansässig ebda.

Stud. an der Kstgewerbesch. u. am Städel-Instit. in Frankfurt a. M. u. an der Münchner Akad.

Lit.: Dreßler.

Best Maugard, Adolfo, mexik. Maler u. Kunstschriftst. (Prof.), * 10. 6. 1891 Mexico City, ansässig ebda.

Erhielt für sein Werk: Método de dibujo mexicano, 1924, die Goldmed. auf d. Ausst. in Sevilla 1930. Weitere Buchwerke: Creative Design, New York 1925; Draw Animals, New York 1927.

Lit.: Who's Who in Latin America, 1935.

Besta, Willibald, dtsch. Maler u. Graph., * 6. 11. 1886 Ratibor, Oberschles., † 15. 8. 1949 München.

Stud. an der Breslauer Akad. bei W. Kämpfer u. Morgenstern, an der Acad. Julian in Paris u. bei A. Jank an der Münchner Akad. Idealkompositionen von lyrisch-zarter Empfindung (Insel der Glückseligen, weibl. Akte in Ideallandsch., idyllische Schäfergruppen usw.) u. Frauenbildnisse. Illustrierte Kalender u. Bücher. Mitgl. der Münchner Sezession.

Lit.: Dreßler. — Breuer, m. 2 Abbn u. Selbstkarikatur (1936). — Karl, 1, m. 3 Abbn. — Velhagen & Klasings Monatsh., 38/II (1923/24), farb. Taf. geg. p. 584, 669.

Bestelmeyer, German, dtsch. Architekt (Dr. phil. h.c., D. theol., Prof., Geh. Reg.-Rat), * 8.6.1874 Nürnberg, † 30.6.1942 München.

Schüler von Fr. v. Thiersch an der Techn. Hochsch. München u. von Fr. v. Schmidt an der Wiener Akad. Nach Tätigkeit an den Landbauämtern Regensburg u. München 1906 zur Leitung des Erweiterungsbaus der Münchner Universität berufen. 1910 Prof. an d. Techn. Hochsch. Dresden; 1911 als Nachfolger von P. Wallot Leiter des Architekturateliers an der Dresdner Akad.; 1915 als Nachfolger von Joh. Otzen Leiter des Meisterateliers für Architektur an der Berliner Akad. Seit 1919 Prof. an der Techn. Hochsch. Charlottenburg. Seit 1922 als Nachfolger von Thiersch Prof. an der Techn. Hochsch. München. Zum Ehrendoktor der theol. Fakultät der Univers. Erlangen ernannt, aus Anlaß der Wiederherstellung der 1827/33 von Pertsch erbauten 1. protest. Kirche Münchens. Präsident der Münchner Akad. der Künste. — Gehört mit zu den bedeutendsten, an die süddtsche Bautradition anknüpfenden Baukünstlern der 1. H. des 20. Jahrh.'s. — Hauptbauten: Um- u. Erweiterungsbau der Univ. München (1906/10); Neubau der Lebensversicherungsbank „Arminia" in München; Erweiterungsbau des German. Nat.-Mus. Nürnberg (1917ff.); Gebäude der Reichsschulden-Verwaltung, Berlin (1921); Erweiterungsbau der Techn. Hochsch. München (1922ff.); Germanic Mus. der Harvard University in Cambridge, Mass.; Friedhofsanlage in Regensburg; Allianzgeb. in München; Hochhaus Kroch in Leipzig; Bibliotheksgeb. u. Studienbau des Deutsch. Museums in München; Westendkirche ebda; Gustav-Adolf-Kirche in Nürnberg; 2türmige Evang. Auferstehungskirche in München; Friedensk. zu St. Johannis ebda; Kirchen in Fürstenfeldbruck, Ellingen, Ellwangen, Garmisch, Murnau, Neuendettelsau, Neuburg a. d. D., Prien a. Chiemsee (Prot. Kirche) u. a. O.

Lit.: Fritz Stahl, G. B. („Neue Werkkst"), Berl. 1928. — W. Hagemann, G. B. („Neue Werkkst"), Berl. 1929. — Breuer, m. 2 Abbn u. Büste B.s, modelliert von Bernh. Bleeker (1930). — Th. Heuss, Das Haus d. Freundschaft in Konstantinopel, 1918, p. 13, 18f., 44f., Abbn Nrn 11/24. — Platz. — München u. s. Bauten, Münch. 1912. — Antiquit.-Rundschau, 24 (1926) 17. — Mod. Bauformen, IX. — D. Baumeister, 8 (1910), Reg.; ebda Beibl. p. 30; 1934, p. 226/33, m. 13 Abbn. — Dtsche Bauzeitg, 1911, p. 408; 60/I (1926) 313ff., m. Abbn; 1928 p. 645/48, m. Abbn; 64/I (1930) 609/15, m. Abbn; 66/II (1932) 829ff.; 67/I (1933) 232, 327 (Abbn), 843; H. 42 Beil. p. 4. — D. Bild, 13 (1943) 70/75. — D. Kunst, 40 (1918/19) 345ff., m. Abbn; 67 (1932/33) 164 (Abb.), 167 (Abb.); 85 (1941/42) 279f. — D. Christl. Kst, 25 (1928/29) 23, 30f. (Abbn); 27 (1930/31) 348, 350/52 (Abbn), 353 (Abb.), 361 (Abb.), 372. — Kst u. Handwerk, 1925, p. 83 (Abb.), 87 (Abb.), 89 (Abb.), 102 (Abb.), 123, 136, 148f., m. Abb.; 1926, p. 88ff., m. Abb., 130, m. Abb.; 1927 p. 3/22, m. Abbn. — Kst u. Kirche, 9 (1932) 17; 19 (1942) 59/65. — Kst u. Kstler, 13 (1915) 575f. — Kstchronik, 26 (1914/15) 526, 530. — Kstrundschau, 50 (1942) 136. — Wasmuth's Monatsh. f. Baukst, 3 (1918) 1/56, m. Abbn; 9 (1925) 43ff.; 11 (1927) 152ff.; 12 (1928) 431ff., m. Abbn, 440f., m. Abb.; 13 (1929) 401/07, m. Abbn, 511/16; m. Abbn; 14 (1930) 13/17, m. Abbn; 18 (1934) 161/63; 21 (1937) 17/24, m. Abbn. — Profanbau, 1913 p. 593. — Architekt. Rundschau, 1913, Sept.-H. p. 53/59, m. Abbn, passim. — Nürnberger Hefte, 1 (1949) Heft 6 p. 74 f. — Nürnberger Schau, 1942, p. 52/55. — Zeitschr. f. Bauwesen, 73 (1923). — Zentralbl. d. Bauverw., 37 (1917) 446ff.; 39 (1919) 281ff.; 55 (1935) 197/202; 56 (1936) 278f., m. Abb.

Besten, Pieter Den, holl. Bildnis- u. Stilllebenmaler, * 15. 2. 1893 Rotterdam, ansässig ebda.

Schüler von A. v. Maasdijk u. F. Oldewelt an der Rotterd. Akad.

Lit.: Waay. — Waller.

Beswick, Clara, geb. *Knight*, engl. Landschaftsmalerin, Tochter des Jos. Knight (1837–1909), Gattin des Malers Frank B.

Stud. an der Kstschule in Manchester.

Lit.: Th.-B., 20 (1927), s. v. Knight. — Who's Who in Art, [3] 1934.

Beszédes, János László, ungar. Genrebildhauer, * 18. 8. 1874 Feled, † Nov. 1922 Budapest.

Schüler von Vasadi u. Mátrai, dann bei s. Onkel B. Kálmán in Konstantinopel. Als Fremdenlegionär in Siam (Vietnam), Nordafrika, Tonking u. Kambodja. Weitergebildet in Wien bei Tilgner u. Friedl, in München bei J. Eberle u. in Paris bei Charpentier. Seit 1896 in Budapest ansässig. 1899 in Hortobágy. Modelle für die Majolikafabrik Zsolnay.

Lit.: Szendrei-Szentiványi. — Krücken-Parlagi. — Éber. — Művészet, 17 (1918) 43.

Beth, Ignaz, böhm. Kunstgelehrter (Dr. jur. et phil.) u. Landschaftsmaler, * 1877 Przibram, † 1.4.1918 Berlin (Unfall).

Stellte während seiner Pariser Studienzeit 2 mal im Salon d'Automne, später gelegentlich auch in der Berl. Sezession aus. Ged.-Ausst. 1918 im Salon Gurlitt, Berlin.

Lit.: D. Kunst, 39 (1918/19) Beil. zu H. 3, Dez. 1918, p. IV. — Kstchronik, N. F. 29 (1917/18) 277.

Betke, Hermann, dtsch. Maler, * 24.1. 1881 Bremen, ansässig in Blumenthal b. Bremen.

Anfangs als Schiffsingenieur ausgebildet. Seit 1906 Schüler von Knirr, H. Groeber, Exter u. Feldbauer in München. In der Ksthalle in Bremen: Am Herdentor in Bremen (Kat. 1925, p. 39).

Betlen, Gyula, ungar. Bildhauer, * 8. 5. 1879 Budapest.

Stud. in Budapest u. an der Akad. Julian in Paris bei Verlet. Akte, Büsten. Entwürfe für ein Kossuth-Denkmal in Nyíregyháza.

Lit.: Th.-B., 3 (1909). — Szendrei-Szentiványi. — Krücken-Parlagi (Bethlen u. Betlen). — Dtsche Kst u. Dekor., 40 (1917) p. 371 (Abbn).

Bettelheim, Jolan Gross, tschech.-amer. Radierer, * 28. 1. 1902 Nitra, Tschechoslowakei, ansässig in Cleveland, Ohio.

Stud. an d. Akad. in Budapest, d. Kstgewerbesch. in Wien, d. Akad. in Berlin u. d. Ec. d. B.-Arts in Paris. Wiederholt durch Preise ausgezeichnet.

Lit.: Who's Who in Amer. Art, I: 1936/37. — Mallett. — Art Digest, 20, Nr v. 15. 10. 1945, p. 22. — Art News, 44, Nr v. 15. 10. 1945, p. 27. — Print Coll.'s Quarterly, 29 (1949) Febr.-H. p. 26 (Abb.); 30 (1950) März-H. p. 53 (Abb.). — Print, 6 (1949) Nr 2, p. 32.

Betten, Albert, dtsch. Architekt, * 1872, † 15.12.1933 Köln.

1919/30 assoziiert mit Carl Moritz (s. d.).

Lit.: Dtsche Bauzeitg, 67 (1932) H. 52, Beil. p. 4.

Bettermann, Gerhard, dtsch. Maler u. Graphiker, * 23.2.1910 Leipzig, ansässig in Winnemark, Kr. Eckernförde.

Stud. an d. Maschinenbausch. in Leipzig, um Ingenieur zu werden. Als Maler u. Graph. Autodidakt. Malerfahrten durch Skandinavien, den Balkan u. Ägypten. Staatspreis des Sächs. Innenministeriums 1931. — Mappenwerke (Holzschn.): Leuna-Werk (10 Bl.), 1934; Schleswig-Holstein (10 Bl.), 1935; Hallig-Mappe (6 Bl.), 1936; Kappeln a. d. Schlei (12 Bl.), 1937; Fünf Minuten nach zwölf (6 Bl.), 1947; Erde (6 Bl.), 1948; Flensburg (10 Bl.), 1949; Schleswig (6 Bl.), 1949; Des Menschen Sohn (26 Bl.), 1950.

Lit.: Der Sonntag (Berlin), 8. 2. 1948 (Abb.). — Kat. d. 3. Dtsch. Kstausst. Dresden 1953. *J.*

Bettermann, Hermann, dtsch. Maler, * 19. 3. 1908 Hagen i. W., ansässig ebda.

Stud. an d. Akad. München bei Herterich, in Paris u. an d. Akad. Düsseldorf bei Schmurr u. Nauen. Arbeiten im Karl-Ernst-Osthaus-Mus. in Hagen u. im Heimatmuseum Arnsberg.

Lit.: Kat. Ausst.: Kst d. Ruhrmark, Haag 1942. — Kat. Westf. Kstausst., Dortmund 1942.

Bettin, Karl, dtsch. Holz- u. Steinbildhauer, * 3. 7. 1889 Hohensalza (Posen), zuletzt ansässig in Bad Godesberg, Rh.

Stud. an der Akad. in Königsberg bei St. Cauer, später dessen Gehilfe. Hauptsächlich Bauplastik u. Denkmäler.

Lit.: Sperling. — Ostdtsche Monatsh., 15 (1934–35) 723f., m. Abb.

Bettinelli, Mario, ital. Bildnis-, Figuren- u. Landschaftsmaler (Öl u. Aquar.) u. Karikaturenzeichner, * 22. 7. 1880 Treviglio, ansässig in Mailand.

Stud. an der Akademie in Brescia, autodidaktisch weitergebildet. Gold. Med. Mostra Umoristica Florenz 1912. — Einige Zeit in Südamerika. Bilder in den Gall. d'Arte Mod. in Brescia u. Mailand.

Lit.: Marangoni, p. 10, Taf. 14 (Selbstbildn.). — Comanducci, m. Abb. — La Cultura Moderna, 43 (1912/13) 24/28, m. 14 Abbn (Karikaturen). — Emporium, 37 (1913) 475/76, m. Abb. — The Studio, 72 (1918) 36.

Bettinger, Hoyland B., amer. Maler u. Rad., * 1. 12. 1890 Lima, N. Y., ansässig in Newton Lower Falls, Mass.

Bild: Fischerdorf in New England, in d. Public Libr. in Yarmouth, N. S.

Lit.: Who's Who in Amer. Art, I: 1936/37.

Bettis, Charles Hunter, amer. Illustr. u. Zeichner, * 1891 Texas, ansässig in Chicago, Ill.

Stud. am Art Instit. in Chicago.

Lit.: Fielding. — Amer. Art Annual, 20 (1923) 442.

Betts, Anna Whelan, amer. Illustr. u. Malerin, * Philadelphia, Pa., ansässig ebda.

Schülerin von Howard Pyle in Wilmington u. von Vonnoh, dann von Courtois in Paris. Zeichnete u. a. für Century u. Harper's Magazine.

Lit.: Fielding. — Amer. Art Annual, 20 (1923) 442; 30 (1933). — Ill. London News, 144, p. 19, 22.

Betts, Anthony, engl. Zeichner u. Maler, * 28. 12. 1894 Skipton, Yorkshire, ansässig in Sheffield.

Stud. am Roy. Coll. of Art in London. Im Brit. Mus.: Ruhender Akt.

Lit.: Who's Who in Art, [3] 1934.

Betts, Edwin Daniel, *d. J.*, amer. Maler u. Illustrator, * 1879 St. Louis, Mo., ansässig in Chicago, Ill. Bruder des Louis

Schüler s. Vaters Edwin Daniel B. d. Ä. († 1915).

Lit.: Amer. Art Annual, 12 (1915) 324.

Betts, Edwin Maurice, engl. Radierer u. Aquarellmaler, * 20. 2. 1885 Hillmorton b. Rugby, ansässig in Nottingham.

Stud. am Leicester Coll. of Art. In der Free Library in Rugby e. Ansicht der dort. Pfarrkirche.

Lit.: Who's Who in Art, [3] 1934.

Betts, Louis, amer. Bildnismaler, * 5. 10. 1873 Little Rock, Ark., ansässig in New York. Bruder des Edwin Daniel B. d. J.

Schüler s. Vaters u. W. M. Chase's. 3 Bildnisse im Art Inst. in Chicago, darunter das des Direktors desselben, William M. R. French.

Lit.: Fielding. — Monro. — Amer. Art Annual, 30 (1933). — Earle. — Who's Who in Amer. Art, I: 1936/37. — The Studio, 64 (1915) 68; 73 (1918) 142, m. Abb. — The Art News, 22, Nr 2 v. 20. 10. 1923, p. 1f., 4, m. Abb.; 23, Nr 3 v. 25. 10. 1924, p. 8, m. Abb. — Museum News, Toledo (Ohio), Nr 46 (Mai 1924), m. Abb. — Bull. de l'Art anc. et mod., 1924, p. 47, m. Abb., 48. — Art Index, Okt. 1941/Sept. 43.

Betyna, Paul, dtsch-poln. Landschaftsmaler, * 1886 Bromberg, ansässig ebda.

Schüler der Berliner u. Pariser Akad. 2 Ansichten von Bromberg im dort. Stadtmus.

Lit.: Kat. d. Ausst. aus den Beständen des Stadtmus. d. Stadt Bromberg, Brombg 1943.

Betzler, Emil, dtsch. Maler u. Graphiker, * 26. 7. 1892 Kamen i. W., ansässig in Frankfurt a. M.

Stud. an d. Kstgewerbesch. in Elberfeld u. an d. Akad. in Düsseldorf. Beeinflußt von Max Beckmann. Graph. Folgen: Christus-Passion, 6 Linolschn. (Die Wende-Verlag), München 1919; Frauengestalten, 7 Lithos (ebda 1920); Eva u. Adam, 10 Rad. (Selbstverlag 1925). — Seine Gattin Anna B.-Holtschmidt, * 25. 9. 1889 Barmen, Malerin u. Graph., stud. bei Kunowski u. an d. Düsseld. Akad.

Lit.: Dreßler. — D. Kstblatt, 11 (1927) 136ff.

Betzou, Martin, dtsch. Bildnismaler, * 29. 4. 1893 Brome, Kr. Isenhagen, ansässig in Wilhelmshaven-Rüstringen.

Stud. an der Kstgewerbesch. in Hamburg u. an der Berliner Akad.

Lit.: Dreßler.

Beul, Armand de, belg. Maler, * 1874 Berchem-Sainte-Agathe.

Schüler s. Vaters, des Tier- u. Landschaftsmal. Franz de B. (1849–1919) u. des Jos. Stallaert an der Brüsseler Akad. Interieurs, Landschaften (bes. Brabant, die Campine u. Flandern), Figurenbilder u. Tiere.

Lit.: Seyn, I 201, m. Fotobildnis.

Beunke, Gabriel, franz. Landschaftsmaler u. Lithogr., * Paris, ansässig ebda.

Schüler von Paquin. Mitglied der Soc. d. Art. Français. Stellte 1929/35 bei den Indépendants aus.

Lit.: Joseph, I. — Bénézit, [2] I (1948).

Beurdeley, Jacques, franz. Landschaftsradierer, * 3. 3. 1874 Paris, ansässig ebda.

Malschüler von Cormon u. E. Carrière. Ging früh ganz zur Radierung über. Feinsinniger, lyrisch empfindender Impressionist. Mitglied der Soc. Nat. d. B.-Arts. Kat. s. Graphiken aufgestellt von Delteil.

Lit.: Th.-B., 3 (1909). — Joseph, I, m. Abb. — Bénézit, [2] I. — Revue de l'Art anc. et mod., 35 (1914) 219/22, m. 2 Abbn u. Orig.-Rad. — L'Amateur d'Estampes, 1932 p. 81/87, m. 4 Abbn (L. Delteil).

Beurden, Alfons van, belg. Figuren- u. Landschaftsmaler, * 1878 Antwerpen. Sohn des gleichnam. Bildh. (* 1854).

Schüler der Antwerp. Akad. Später Prof. an derselben. Im dort. Mus.: Badende.
Lit.: Seyn, II 989.

Beurden, Willem van, s. *Schoonhoven van Beurden.*

Beuret, André, franz. Landschaftsmaler, * Velloreilles-les-Choyes (Haute-Saône), ansässig in Charenton (Seine).
Schüler von J. Adler u. Bergès. Seit 1927 Mitglied der Soc. d. Art. Franç. Stellte 1932 u. 1939 auch bei den Indépendants aus.
Lit.: Joseph, I. — Bénézit,[2] I (1948).

Beurmann, Emil, schweiz. Maler u. Schriftst., * 14.3.1862 Basel, † 1950 ebda.
Stud. an der Akad. Karlsruhe, dann bei Bouguereau u. Rob. Fleury in Paris. Bildnisse, Landschaften (Öl u. Aquar.), Blumenstücke. 6 Wandmalereien im Foyer des Stadttheaters in Basel. Bild: Mädchen am Frühstückstisch, u. Mädchenakt in d. Öff. Kstsmlg Basel. — Gedächtn.-Ausst. 1952 in d. Ksthalle Basel.
Lit.: Th.-B., 3 (1909). — Brun, IV 479. — Jenny. — Art moderne (Genf), Lief. 10: Abb. — Die Schweiz, 1920, p. 221/23, m. Abbn u. Selbstbildn. — D. Weltkst, 21 (1951) H. 8 p. 11.

Beusekom, Dirk Christiaan van, holl. Maler (Amateur), * 9. 12. 1901 Amsterdam, lebt in Utrecht.
Stud. an der Hendrik de Keyzer-Schule in A'dam, im übrigen Autodidakt.
Lit.: Waay.

Beuthner, Gerhard, dtsch. Architektur- u. Landschaftsmaler, * 24.7.1887 Breslau.
Schüler von H. Rosemann u. Ed. Kämpfer. Weitergebildet 1907/08 an der Düsseld. Akad. 1935 Lehrauftrag für architekt. Zeichnen u. Aquarellieren an der Techn. Hochsch. Breslau. Hauptsächlich Industrielandschaften. Im Schles. Mus. f. Kstgew. u. Alterth. in Breslau: Große Kohlenkippe.
Lit.: Dreßler. — D. Türmer, 39/II (1936/37), farb. Abb. geg. p. 552. — Kat. 10. Niederdtsche Kstausst. Breslau 1943, m. Abb. geg. p. 32.

Beutler, Miloslav, tschech. Bildhauer, * 3. 9. 1897 Pardubice, ansässig in Prag.
Stud. an d. Prager Akad. (O. Španiel). Bauplastik u. Medaillen (K. H. Mácha, A. Dvořák, zum 500. Jahrestag der Schlacht bei Lipany, zum 600. Jahresgedächtnis des Prager Rathauses).
Lit.: Toman, I 62. *Blž.*

Beutner, Johannes, dtsch. Landschaftsmaler (bes. Aquarellist) u. Graph., * 6.5.1890 Cunnersdorf b. Hohnstein, ansäss. in Dresden.
Stud. an der Dresdner Akad. Herrenbildnisse im Stadtmus. in Dresden.
Lit.: Dreßler. — D. Kunst, 69 (1933/34) 278 (Abb.); Jg. 48 (1950) H. 4 p. 128 (Abb.), 129 (Abb.). — bild. kst, 3 (1949) Titelbild H. 10. — Kat. Ausst. Dresdn. Kstler im Stadt- u. Bergbaumus. Freiberg/Sa. Nov. 1946/Jan. 1947, m. Abb. — Kat. Juryfreie Kstschau Berlin 1929, Nr 89/91 u. Abb. Taf. [57].

Beuys, Josef, dtsch. Bildhauer, * 12.5. 1921 Krefeld, ansässig ebda.
Seit 1946 Schüler von Jos. Enseling a. d. Düsseldorfer Akad., seit 1948 von E. Mataré. Anfänglich hauptsächl. Kleinplastik, später Großplastik.
Lit.: Mitteil. d. Künstlers.

Bevan, Robert, engl. Landsch.- u. Tiermaler u. Lithogr., * 1865 Hove (Sussex), † 1926 London.
Stud. in Paris. Anfängl. Impressionist, dann Pointillist.
Lit.: Apollo (London), 3 (1926) 185; 22 (1935) 303; 43 (1946) Febr.-H. p. 27 (Abb.). — Artwork, 1 (1924 –25) H. 2, p. 71 (Abb.); 2 (1925/26) H. 7, p. 138, 139 (Abb.). — The Connoisseur, 74 (1926) 191. — The Studio, 91 (1926) 110ff., m. Abbn; 99 (1930) 113/14, m. Abb.; 130 (1945) 129 (Abb.). — Illustr. London News, 215, Nr v. 12. 11. 1949, p. 755 (Abb.).

Bevan, Stanislawa de, s. *Karlowska.*

Béve, Eva, schwed. Malerin u. Holzschneiderin, * 1871 Stockholm, † 1922 Halle a. d. S.
Stud. in Deutschland. Bildnisse, Landschaften (bes. Motive aus Holland u. Italien).
Lit.: Thomœus. — Konst och Konstnärer, 1912, p. 2, 3, m. Abb. — Kunst u. Ksthandwerk (Wien), 16 (1913) 593.

Bevelacqua, Aurelio, sizil. Zeichner, * 3. 3. 1898 Palermo, ansässig in Grand Rapids, Mich., USA.
Zeichnet für die Robert W. Irwin Comp.
Lit.: Amer. Art Annual, 27 (1930) 509.

Bever de la Quintinie, Marguerite van, franz. Bildnismalerin, * 15. 6. 1872 Paris, † 1935 ebda.
Stellte 1908ff. im Salon d'Automne aus.
Lit.: Joseph, I. — Bénézit,[2] I (1948). — Revue de l'Art anc. et mod., 67 (1935), Bull. p. 195.

Beveridge, Kuhne, verehel. *Branson,* amer. Bildhauerin, * 1877 Springfield, Ill., ansässig in London.
Schülerin von W. R. O'Donovan in New York u. von Rodin in Paris. Auf d. Pariser Weltausst. 1900: Verschleierte Venus.
Lit.: Th.-B., 3 (1909). — Fielding. — Bénézit,[2] 1 (1948).

Bevilacqua, Alberto, sizil. Bildnismaler, * 2. 6. 1896 Palermo, ansässig ebda.
Bilder in den Gall. d'Arte Mod. in Rom u. Palermo.
Lit.: Chi è?, 1940. — Dedalo, 10 (1929/30) 693 (Abb.), 698. — Emporium, 79 (1934) 362 (Abb.).

Bevilacqua, Giovanni, ital. Maler, * 6. 1. 1871 Isola della Scala (Verona), ansässig in Genua.
Schüler von M. Bianchi u. Ces. Maccari. Hauptsächlich Freskant. Apsis- u. Kuppelgem. in S. Stefano in Genua; 21 Lünettenbilder in Enkaustiktechnik im Pal. Spinola ebda; Pietà in der Kirche in Masone (Genua); dekor. Gem. (Bacchus u. Ariadne) im Caffè della Borsa in Genua. Entwürfe zu Glasgemälden (u. a. für S. Giov. Batt. in Chiavari).
Lit.: Chi è?, 1940. — Emporium, 53 (1921) 151/56, m. Abbn.

Bevin, Alice, verehel. *Leewitz,* amer. Malerin, * 21. 8. 1898 East Hampton, Conn., ansässig ebda.
Schülerin von Phil. Hale, Ch. Hawthorne, G. Bridgman, F. Du Mont u. R. Tannelier.
Lit.: Who's Who in Amer. Art, I: 1936/37. — Art Digest, 17, Nr v. 15. 4. 1943, p. 16. — Joseph, II, m. Abb. (s. v. Leewitz).

Bewig, Käthe, dtsche Malerin, * 20. 1. 1881, ansässig in Braunschweig.
Lit.: D. Weltkst, 21 (1951) Heft 3, Person. p. 13.

Bewlay, Doris Gertrude, engl. Landschaftsmalerin (Öl u. Aquar.), * 16. 1. 1901 London, ansässig in Holmrook, Cumberland.

Stud. an der Akad. in Antwerpen.
Lit.: Who's Who in Art, [3] 1934.

Bewley, Margaret Amy (Mab), engl. Aquarellmalerin u. Federzeichnerin, * 5. 11. 1899 Wallasey, Cheshire, ansässig ebda.

Stud. an der Kstschule in Liverpool.
Lit.: Who's Who in Art, [3] 1934.

Bewley, Murray P., amer. Maler, * 19. 6. 1884 Fort Worth, Texas, ansässig in New York.

Schüler des Art Inst. Chicago, von W. M. Chase, Beaux u. Robert Henri in New York. Bilder im Mus. Fort Worth u. in d. Pennsylv. Acad. of F. Arts in Philadelphia, Pa.
Lit.: Fielding. — Amer. Art Annual, 30 (1933). — Bénézit, [2] 1 (1948). — Art Index (New York), Okt. 1941/Sept. 42; Okt. 44/Sept. 45. — Who's Who in Amer. Art, I: 1936/37. — Monro.

Beye, Bruno, dtsch. Maler, bes. Porträtist, * 4. 4. 1895 Magdeburg.

Stud. an d. Kstgewerbesch. in Magdeburg und in Paris. Reisen nach Italien, Spanien, Holland u. dem Balkan. Realist. Arbeiten im Folkwangmus. in Essen u. im Mus. Magdeburg. Mitarbeiter der Zeitschriften „Der Aufbau" und „Heute und Morgen". *J.*

Beyeler, Ernest, schweiz. Lithogr., Rad. u. Holzschneider, * 31. 3. 1875 La Chaux-de-Fonds, † 20. 3. 1943 Neuchâtel.

Stud. am Technikum in Winterthur. Kurze Zeit in Paris. Lehrtätig an d. Ec. d. Arts et Métiers in Neuschâtel. Hauptsächl. Landschaften u. Stilleben.
Lit.: Lonchamp, 2. Teil, Nr 1887. — Schweiz. Kst, 1933, Nr 2 (Juli), Umschlagbild; 1936, Nr 8 (März), Umschlagbild.

Beyer, Adolf, dtsch. Maler (bes. Porträtist) u. Graph., * 19. 8. 1869 Darmstadt, ansässig ebda.

Sohn des Darmst. Hoftheatermalers Karl B. Schüler von H. Baisch u. G. Schönleber in Karlsruhe, 1893 ff., von C. v. Marr in München u. der Acad. Julian in Paris. Seit 1907 Lehrer an den Werkstätten für angewandte Kunst in Darmstadt. Bildnisse, Landschaften, Blumenstücke. Bilder im Landesmus. in Darmstadt u. in d. Gem.-Gal. in Gießen. Im Bes. d. Stadt Darmst. das Bild: Datterich bei der Morgentoilette. — Seine Gattin Anna Beyer-Becker, † 7. 6. 1922 Darmstadt, Schülerin von H. R. Kröh, 1895 von P. Nauen u. Fr. Fehr in München, war Malerin (Landsch., Blumenstücke, Figürliches, Bildnisse). Gedächtn.-Ausst. im Darmst. Kunstverein Frühjahr 1923.
Lit.: Th.-B., 3 (1909). — Darmst. Kstler: Prof. A. B., von Albert Kah, Darmst. 1939. — Dreßler. — D. Bild, 1939, Beil. zu H. 8/9 p. [1]; 1940, p. 42, m. Abb. — Dtsche Kst u. Dekor., 41 (1917/18) 152, 164. — Volk u. Scholle, 2 (1923/24) 154/57, m. 3 Abbn; 6 (1928) 289/93, m. 3 Abbn u. Fotobildn. (Jugenderinnerungen, von B. selbst); 7 (1929) 240/50, m. zahlr. Abbn. — Westermann's Monatsh., 134 (1923) 537 ff., m. 20 Abbn, farb. Taf. [44] u. [46]. — Die Weltkst, 15, Nr 41/42 v. 12. 10. 1941, p. 3. — Jubil.-Ausst. Ludw. v. Hofmann u. A. B., Darmstadt 1941 (ill. Kat.).

Beyer, Albin, dtsch. Gebrauchsgraphiker u. Maler, * 14. 2. 1891 Warschau, zuletzt ansässig in Königsberg.

Autodidakt. Landschaften, Architektur.
Lit.: Dreßler.

Beyer, Alfred, öst. Tiermaler, * 9. 10. 1880 Widenau, Öst.-Schles., ansässig in Wien.

Schüler von M. Dasio u. Jul. Diez an d. Kunstgewerbesch. in München, dann von H. v. Zügel an der Akad. ebda. 1914 als Soldat ins Feld, Nov. 1914 schwer verwundet bei Iwangorod. Erst 1918 wieder völlig genesen. Pferde, Hunde, Großkatzen.
Lit.: Donauland, 3/I (1919/20) p. 571/73, m. 5 Abbn; farb. Taf. geg. p. 519.

Beyer, Christian, dtsch. Architekt u. Aquarellmaler, * 9. 6. 1883 Frankfurt a. M., ansässig in Kassel.

Stud. an der Techn. Hochsch. Darmstadt. Als Maler Autodidakt. Kollekt.-Ausst. März 1951 in d. Staatl. Kstsmlgn Kassel: Zeichngn u. Aquar. mit Ansichten aus Südrußland u. Jugoslawien.
Lit.: Dreßler. — Kstchronik, 4 (1951) 71.

Beyer, Franz, dtsch. Bildhauer, * 26. 2. 1894 Rudolstadt/Thür., ansässig in Dresden.

Nach praktischer Bildhauerlehre Besuch der Abendschule der Dresdner Akad. Kleinplastiken, Bildnisbüsten, Plaketten (Gerh. Hauptmann).
Lit.: Blätter f. Münzfreunde, 69/71 (1934/36) 1937.

Beyer, George Albert, amer. Zeichner, * 30. 8. 1900 Minneapolis, Minn., ansässig ebda.

Schüler von Vaclav Vytlacil, Anth. Angarola, Richard Lahey u. Cameron Booth.
Lit.: Amer. Art Annual, 27 (1930) 509; 30 (1933).

Beyer, Hans Walter, schweiz. Maler, Plakatzeichner u. Bildhauer, * 31. 5. 1878 Bern, ansässig in Fetan (Kt. Graubünden).

Stud. 1899/1903 an der Schule des Öst. Mus. f. Kst u. Industrie in Wien. Ansässig in Bern, später in München u. Paris, dann in Fetan. Im Kstmus. Bern 1 Ölbild: Erinnerung, u. 1 Plastik: Schlafender Knabe.
Lit.: Brun, IV 480. — Schweiz. Zeitgen.-Lex., 1932.

Beyer, Helene, dtsche Porträtmalerin, * 6. 10. 1893 Niedersalzbrunn, zuletzt ansässig in Breslau.

Stud. in Breslau u. München.
Lit.: Dreßler.

Beyer, Maxkarl, dtsch. Maler u. Glasmaler, * 2. 8. 1899 Erfurt, ansässig ebda.

Stud. an der Kstgew.-Schule in Erfurt u. an d. Kunsthochschule in Weimar. Lehrer an der Schule f. angewandte Kst in Erfurt.

Beyer, Rolf, dtsch. Maler (bes. Aquar.), * 3. 9. 1903 Crimmitschau, ansässig in Schweinsburg.

Bildete sich zunachst autodidaktisch, dann bei Bruno Héroux in Leipzig. Studienaufenthalte in England, Skandinavien, Polen, Holland, Schweiz, Italien, Rumänien u. Ungarn. Hauptsächlich Motive aus dem sächs. Steinkohlenrevier. Aquarelle in den Museen Chemnitz u. Zwickau.
Lit.: Kat. Ausst. Sächs. Kstler, Schles. Mus. d. Bild. Kste, Breslau, Jan./Febr. 1939. — Kat. 3. Ausst. Erzgeb. Kstler i. Stadt- u. Bergbaumus. Freiberg/Sa., Mai–11. 7. 1948, m. Abb.

Beyer, Tom, dtsch. Maler, * 17. 5. 1907 Münster i. W., ansässig in Stralsund.

Lit.: Kat. der 3. Dtsch. Kstausst. Dresden 1953, m. Abb.

Beyer, Walther, dtsch. Holzschnitzer, * 18. 3. 1902 Leipzig, ansässig in München.

Meisterschüler von F. W. Kunze in Leipzig, weitergebildet bei Schwegerle an d. Akad. München.
Lit.: Dreßler.

Beyer-Becker, Anna, s. Art. *Beyer,* Adolf.

Beyer-Preußer, Eduard Hans, dtsch.

Maler u. Graphiker, * 27.8.1881 Halle, ansässig in Niedernhausen i.Th.

Stud. an der Akad. in Leipzig.

Lit.: Dreßler. — Archiv f. Buchgewerbe, 1913, p. 257ff. passim, m. Abb.

Beyerlen, Carl, dtsch-amer. Kunstgewerbler u. Möbelarchitekt, * 19.5.1884 Chicago, Ill., ansässig in München.

Stud. Architektur an der Techn. Hochsch. Stuttgart, Kstgewerbe bei W. v. Debschitz in München.

Lit.: Dreßler. — Der Architekt (Wien), 22 (1919/20) 125 (2 Abbn).

Beyermann, Louise Elisabeth, holl. Bildhauerin, * 11. 10. 1883 Leiden, ansässig in Amsterdam.

Stud. an d. Reichsakad. in A'dam bei Bart van Hove. Bereiste den größten Teil Europas, 2 × in den USA. Hauptsächl. Kinderbüsten.

Lit.: Persoonlijkheden.

Beyermann, Walter, dtsch. Bildnis- u. Bauernmaler, * 29.4.1886 Haida, Böhm., ansässig in Hostewitz b. Dresden.

Schüler von O. Schindler, Rob. Sterl, Rich. Müller u. C. Bantzer an der Dresdner Akad.

Lit.: Bantzer, Hessen in d. dtsch. Malerei (Beitr. z. hess. Volks- u. Landeskde. H. 4), Marburg 1939.

Beyma, T. van, holl. Malerin, * 24. 6. 1878 im Haag, ansässig in Kortenhoef.

Schülerin von W. J. Lampse u. W. C. Rip.

Lit.: Plasschaert. — Waay.

Beyrer, Eduard, dtsch. Bildhauer u. Plakettenkünstler, * 24.10.1866 München, † 7.7. 1934 ebda.

Schüler s. Vaters Josef B., dann W. v. Rümanns an der Münchner Akad. 1895/96 in Rom. Vielbeschäftigter Denkmal- u. Porträtplastiker. Hauptwerke: 14 Prophetenfiguren (Holz) an der Kanzel der Pfarrk. in München-Giesing; Ruederer-Brunnen in den Anlagen bei der Maria-Theresia-Str. in München; Eulenbrunnen im Hof der dort. Universität; ferner zahlr. Grabmäler im alten nördl. u. alten südl. Friedhof in München u. im dort. Waldfriedhof. Prinzregentenbrunnen in Kulmbach, zus. mit dem Archit. Martin Dülfer; Brunnen im Schloß zu Sinaia (Rumänien). 3 Herrenbüsten im Städt. Mus. in Wuppertal. Koll.-Schau in d. Ständigen Kstausst. d. Münchner Kstlergenossensch. im Alten Nat.-Mus. (ill. Kat.).

Lit.: Th.-B., 3 (1909). — Dreßler. — Alckens, D. Denkm. u. Denksteine d. St. München, 1936. — Jahrb. d. Ver. f. Christl Kst, 6 (1925/26) 330, m. Abbn. — D. Kunst, 44 (1920/21) 36, 40 (Abb.); 55 (1926/27) Beil. z. Dez.-H., p. XV. — Kst u. Handwerk, 1920, p. 7 (Abb.). — Velhagen & Klasings Monatsh., 40/I (1925/26) 354f., m. Abb. — Westermanns Monatsh., 93 (1903) 786/93. — D. Plastik, 1914, Taf. 78; 1915, Taf. 52; 1916, Taf. 42, p. 53.

Beyrer, Michael Emanuel, dtsch. Innenarchitekt, Architekturmaler u. Holzbildhauer, * 24.7.1879 Weißenhorn in Bay., ansässig in Mühlhausen/Thür.

Schüler von Romeis, Waderé u. Dasio an d. Kstgewerbesch. in München. Weitergebildet an der Techn. Hochsch. Stuttgart. Einige Zeit Lehrer an der Gewerbesch. in München.

Lit.: Dreßler.

Beyssel, Hans, dtsch. Werkkünstler (Prof.), zuletzt ansässig in Breslau.

Figürl. Reliefs in getriebenem Eisen, Beleuchtungskörper in Messing u. Kupfer, ornamentale Reliefs in getrieb. Metall, Schmuck in Silbertreibarbeit oder in Elfenbein in getrieb. Silberfassung.

Lit.: Dreßler. — Dtsche Kst u. Dekor., 39 (1916/17) 419ff., m. Taf. u. Text-Abbn.

Bezaan, Johan (Jo), holl. Landsch.- u. Stillebenmaler, Rad., Holz- u. Linolschneider, * 2. 8. 1894 Uitgeest, ansässig in Putten.

Schülerin von K. F. G. Hentschel in Alkmaar. Tätig in Oisterwijk, Haarlem, Amsterdam, zuletzt in Putten. Mitglied der „Brug".

Lit.: Plasschaert. — Waay, m. Lit. — Waller. — Maandbl. v. beeld. Ksten, 6 (1929) 385f., m. 2 Abbn. — Eigen Haard, 1921, p. 51/56, m. Abbn.

Bezner, Max, dtsch. Bildhauer, * Stuttgart, ansässig in Berlin.

Pflegt bes. das Bildnis u. den weibl. Akt. Bildnisbüsten: Ulrich v. Wilamowitz-Möllendorf (Abb. in: Die gr. Deutschen im Bild, hg. v. A. Hentzen u. N. v. Holst, Berl. 1942, p. 429), Karl Helfferich (Abb. ebda, p. 466).

Lit.: Dreßler. — D. Kunst, 27 (1912/13) 523 (Abb.); 29 (1913/14) 552 (Abb.). — Dtsche Kst u. Dekor., 36 (1915) 183, 184 (Abb.). — Unser Schwabenland, 9 (1933) H. 9, p. 11.

Bezombes, Roger, franz. Maler (bes. Wandmaler), Entwurfzeichner für Gobelins, Holzschneider u. Lithogr., * 1913 Paris, ansässig ebda.

Schüler von Maurice Denis an der Pariser Ec. d. B.-Arts. 1936 gr. Rompreis. Studienaufenthalte in Belgien, Deutschland, Italien u. Nordafrika. Beschickt seit 1937 den Salon d'Automne, der Indépendants u. den Salon des Tuileries. Im Mus. in Algier: Odaliske u. Fatma; im Mus. in Rabat: Marokkanische Szene. Illustr. u. a. zu: La Petite Fille de Jérusalem, von Myriam Harry (12 Holzschn.), u. zu Les Mille et une Nuits (12 farb. Lithos). Wandmalereien in der 1. Höh. Mädchenschule in Versailles.

Lit.: Bénézit, [2] I (1948), — Architecture, 1936, p. 121/32 passim, m. Abb. — Beaux-Arts, Nr 270 v. 4. 3. 1938, p. 7 (Abb.); Nr 278 v. 29. 4, 1938, p. 4, m. Abb.; Nr 300 v. 30. 9. 1938 p. 3, m. Abb.; Nr 306 v. 11. 11. 1939, p. 2 (Abb.); Nr 324 v. 17. 3. 1939, p. 7 (Abb.); Nr 330 v. 28. 4. 1939, p. 4; Nr 331 v. 5. 5. 1939, p. 8 (Abb.); Nr 335 v. 2. 6. 1939 p. 2 (Abb.). — D. Kstwerk (Baden-Baden), 1 (1946/47) H. 4 p. 48 (Abb.).

Bezzo, Guglielmo, ital. Landschaftsmaler, * 26. 7. 1892 Nanaimo (Canada), gebürtig aus Tonco bei Asti.

Autodidakt. Gefördert von Gius. Manzone in Asti.

Lit.: Comanducci.

Bezzola, Mario, ital. Landschaftsmaler, * 23. 6. 1881 Mailand, ansässig ebda.

Schüler s. Vaters, des Bildh. Antonio B., dann von Rapetti, Sanquirico u. Sottocornola in Mailand. In d. Gall. d'Arte Mod. ebda: Erwachen des Monte Rosa (Gold. Med. 1914).

Lit.: Comanducci. — Vita d'Arte, 13 (1914) 218.

Bhagat, Dhan Raj, ind. Bildhauer, * 20. 12. 1917 Lahore, Punjab (Pakistan).

Besuchte 1934/37 die Mayo School u. bestand die Aufnahmeprüfung an d. Univ. in Punjab. Sein Stil verrät zuweilen einen durch sich kreuzende westl. u. östl. Einflüsse bestimmten Intellektualismus. Die meisten der frühen Werke in Ton oder Holz sind konventionell, doch zeigen seine neueren Leistungen eigenes Gepräge in Entwurf u. Ausführung. Er liebt es, seine Motive dem alltäglichen Leben zu entnehmen. Obwohl er sich heute meistens auf Holzschnitzereien beschränkt, arbeitet er doch auch in Stein u. Metallblech u. für Ausführung in Terrakotta. Stellt seit 1937 in Lahore, Simla, Delhi, Bombay, Kalkutta u. Madras aus. 1. Sonderausst. von Holzplastiken Okt. 1945 in Delhi. Häufige Auszeichnungen auf Ausstgn in Indien, dar. die Gold. Med. auf der Ausst. der Acad. of F. Art, Kalkutta 1950. Eins seiner Werke wurde auf der Royal Acad. Exh. of Indian Art, London 1947/48, gezeigt. Arbeiten in den Museen von Baroda, Lahore, d. Aligarh Univ. u. d. Kstabt. des Polytechnikums Delhi, ferner in den Privatsmlgn Pandit Nehru, P. A. Nariwelwala, Tata Sons, H. A. Bhaba, Krisna Hathesingh u. Kumar P. N. Tagore.

Lit.: Indian Art through the Ages, p. 131 (Abb.). — Orient Illustrated Weekly (Kalkutta), 7. 1. 1951, m. Abb. — Shakar Weekly (Delhi), 5. 11. 1950, m. Abb. — Illustr. Weekly of India (Bombay), Okt. 1948, p. 36f., m. Abb.

Bhagat, Vajubhai, ind. Maler u. Graph., * Kathiawar, im Westen Vorderindiens.

Sproß einer Juwelierfamilie. Bereitete sich, kaum 7jährig, auf das Kststudium vor. Ohne eine Schule zu beachten, durchstreifte er die Straßen, um seine Umwelt zu studieren. Seine Bilder, Radierungen, Holz- u. Linolschnitte sind bis 1942 akademisch in der Auffassung. Dann setzt unter dem Eindruck der großartigen Wandgemälde von Pandan-Singha, Nana Rajkot u. Sihor ein vollkommener Wandel bei ihm ein. Er erkannte, daß wahre ind. Kst nicht auf der dreidimensionalen Auffassung der städt. Kstler, sondern auf der zweidimensionalen dörfl. Methode beruht. Die kontrastierenden, matten, durch modellierende Umrißlinien abgegrenzten Farbflächen bevorzugend, verließ er sich ganz auf die innere Vorstellung. So wurde er auf einer Reise durch Nordindien u. Rajputana stark beeindruckt durch die Jain-Miniaturen des Baroda-Museums, die ihm Abneigung gegen die Ölmalerei einflößten. 2 Bilder waren auf der Royal Acad. Exh. of Indian Art, London 1947/48. Erscheint im übrigen, dem Ausstellungswesen abgeneigt, seit 1943 auf keiner Ausst.

Lit.: Tacker-Venkatachalam.

Bhattacharyya, Durgasankar, ind. Aquarellmaler (Dilettant), * Okt. 1890 Austagram, Mymensingh, Ost-Pakistan, ansässig in Kalkutta.

Stud. Geologie. Als Geologe tätig im Dienst der Geolog. Landesaufnahme von Indien. Zog sich um 1945 von dieser Tätigkeit zurück und führt seitdem in seinem Hause in Kalkutta ein fast völlig religiösen Meditationen gewidmetes Leben. Obwohl er die akadem. Erziehung in Kstschulen ablehnte, erwies er sich als einer der begabtesten Schüler A. Tagores. Malt mit Vorliebe mytholog. Themen u. Landschaften, die durch Sorgfalt in Ausführung der Einzelheiten u. zarte Abstufung der Farben gekennzeichnet sind. Seine Arbeiten wurden gezeigt in allen Ausstellungen der Ind. Soc. of Oriental Art in Kalkutta, wo er die Medaille d. Gouverneurs erhielt, u. in einigen Ausst. in den USA u. in Deutschland. Vertreten im Asutosh Museum of Indian Art, Universität Kalkutta, Santiniketan Kalabhavan u. in den Samlgn A. N. Tagore u. des Maharaja von Mysore.

Lit.: Indian Art through the Ages, p. 60 (Abb.).

Bhiwandiwala, Erach A., ind. Maler, * 1878, † 1931.

Lit.: Mallett.

Biafora, Enea, ital.-amer. Bildhauer, * 25. 10. 1892 in S. Giovanni in Fiore, Kalabrien, seit 1914 in New York ansässig.

Im Metrop. Mus. New York: Die Kentaurin.

Lit.: Fielding. — Amer. Art Annual, 30 (1933).

Biagetti, Biagio, ital. Maler u. Restaurator, * 21. 7. 1877 Porto Recanati (Macerata), ansässig in Rom.

Schüler von L. Seitz. Seit 1921 Direktor der Vatikan. Kunstsmlgn u. Restaurationswerkstätten. Hauptsächlich Freskant. Kirchenfresken u. a. in d. Chiesa delle Anime Purganti in Udine, im Chor des Domes zu Treviso, in d. Capp. di S. Stefano im Santo zu Padua, in 2 Kapellen des Domes zu Loreto, im Dom zu Parma u. in der Capp. del Crocifisso in Pollenza.

Lit.: Comanducci. — Chi è?, 1940.

Biagini, Alfredo, ital. Bildhauer, * 20. 1. 1886 Rom, ansässig ebda.

Stud. an der Kstschule in Rom; im übrigen Autodidakt. Arbeitete lange in Paris. Beschickt die Biennalen in Venedig u. die Quadriennalen in Rom. Hauptsächl. figürl. Reliefs für bauliche Ausschmückung, so u. a. für das Kino in piazza di San Lorenzo in Lucina in Rom. Kreuzwegreliefs in d. Kirche Cristo Re in Rom. Tierskulpturen. Hauptwerk: Kolossalfries (41 m lang, 1,40 m breit) mit Darstellgn der menschl. Tätigkeiten u. Berufe am Mittelbau des von Vittorio Ballio 1938/40 errichteten Pal. d. Istituto Naz. Fascista di Providenza Sociale ebda; enthält 36 Fig. in Lebensgr., ohne Mitarbeit von Gehilfen vom ersten Entwurf an völlig eigenhändig ausgef., sehr frisch u. lebendig in d. Auffassung, großzügig in d. Stilisierung (Krankenpflegerin, Mutter, Hausgehilfin, Zofe, Lehrerin, Straßenarbeiter, usw.). Stellte in Paris aus, u. a. im Salon d'Automne 1928 u. im Salon des Tuileries 1929. Preisgekrönt in dem Wettbewerb um die Bronzetüren des Domes zu Orvieto.

Lit.: Bénézit, [2] I (1948). — Emporium, 72 (1930) 382f., m. Abbn. — Pagine d'Arte, 6 (1918) 32, m. Abb., 84. — D. Kst f. Alle, 56 (1940/41) 208/13, m. 6 Abbn.

Biagini, Wanda, ital. Landschaftsmalerin, ansässig in Rom.

Stud. an d. Akad. in Bologna, weitergebildet in Rom, wo sie 1921 in der Biennale zuerst ausstellte.

Lit.: Dedalo, 10 (1929/30) 681 (Abb.). — Emporium, 81 (1936) 196.

Bjalynizkij-Birulja, Witold Kaetanowitsch, sowjet. Figuren-, Landsch.- u. Blumenmaler, * 1872 in dem Dorf Bjalynitsch, Weißrußland, ansässig in Moskau.

Stud. bis 1897 an d. Moskauer Kstschule bei J. Prjenischnikoff u. S. Korowin. Seit 1908 Lehrer an d. Akad. in Moskau. Volksmaler der RSFSR u. der Bjeloruss. SSR. Wirkl. Mitglied der Kstakad. der UdSSR. Bild: Der Eisgang ist vorüber, in der Staatl. Tretjakoff-Gal. in Moskau (Kat. 1947, m. Abb. 149).

Lit.: Bénézit, [2] I (1948). — Isskusstwo, 1936 Nr 3 p. 103f., m. 2 Abbn. — Museum (Barcelona), 1 (1911) 192. — Beaux-Arts, 20. 2. 1948, p. 3, m. Abb. — Kat. d. Ausst. Sowjet. Malerei im Haus d. Kultur der Sowjetunion in Berlin, 1949. — 50 Monogr. von Meistern der Sowjet. bild. Kst (russ.), Heft [7], Moskau 1948.

Biancardi, Maria, ital. Landschaftsmalerin (Aquar.), ansässig in Mailand.

Ansichten aus der Valtellina u. der Valcamonica.

Lit.: Emporium, 39 (1914) 70, 73 (Abb.). — La Cultura moderna, 44 (1912/13) 58, 59 (Abb.).

Bianchi, Alberto, ital. Bildnismaler u. Bühnenbildner, * 10. 9. 1882 Rimini.

Neffe des Mosè Bianchi. Schüler von Ant. Mancini in Rom. Einige Zeit Pressezeichner, ging später zum Porträtfach über.

Lit.: Comanducci, m. Abb.

Bianchi, Amedeo, ital. Genre-, Landschafts- u. Bildnismaler, * 24. 9. 1882 Badia Polesine.

Schüler von Celestino Gilardi, Grosso u. Tavernier an d. Akad. in Turin.
Lit.: Comanducci, m. Abb.

Bianchi, Antonio, ital. Genre- u. Landschaftsmaler, * 1875 Siena, ansässig in Perugia.
Schüler von Al. Franchi an d. Akad. in Siena, weitergebildet 1903 in Rom, 1905 in Florenz. Lehrer am Istit. Tecnico in Perugia.
Lit.: Comanducci.

Bianchi, Ercole, ital. Genremaler, * 6.12. 1886 Tolve (Basilicata), ansässig in Neapel.
Lit.: Comanducci.

Bianchi Barriviera, Lino, ital. Radierer u. Maler, * 3. 9. 1906 Montebelluna (Treviso), ansässig in Neapel.
Autodidakt. Beschickte zuerst 1929 die 7. Ausstellg der Trevisaner Kstler. Gewann 1934, 1938 u. 1939 den Preis des Ministero d. Pubbl. Istruz. für Stiche mit Ansichten von Rom. Beschickte auch die Quadriennali in Rom, die 21. u. 22. Biennale in Venedig u. stellte wiederholt auch im Ausland (München 1934, Riga 1935 u. 38, Budapest 1936, Paris 1937, Sofia 1938) aus. 1937 Reise nach Libyen, 1938 –39 nach Äthiopien. Brachte von dort Zeichngn u. 16 gr. Radierungen (zu einer Mappe vereinigt) mit, die er in einer Sonderausst. in Asmara zeigte.
Lit.: Cenacolo (Rom), 31. 5. 1947. — Corriere Eritreo (Asmara), 6. 6. 1939. — Emporium, 85 (1937) 214, 215 (Abb.); 91 (1940) 313, m. Abb.; 94 (1941) 277f. — Il Popolo di Roma, 24. 12. 1939. — Annali dell'Africa ital., Rom 1941/42. — Quadrivio (Rom), 21. 2. 1937, 9. 1. 1938 u. 7. 8. 1938. — Il Mattino illustr. (Neapel), Dez. 1941. — C. Dodgson, Fine Prints of the Year, London 1938. — The Print Coll.'s Quarterly, 27 (1940) 393 (Abb.). — L. Servolini, Diz. d. Incisori ital. mod. e contemp., 1951. *P.B.*

Bianco, Pamela, ital. Malerin, * 1906 in England, ansässig in New York.
Vater Italiener, Mutter Engländerin. Frühreife Begabung. Stellte schon als 11jährige Mai 1919 in den Leicester Gall. in London aus. Weitere Kollektiv-Ausst. 1921 u. 1924 in der Anderson Gall. in New York, 1924 bei Knoedler ebda, 1922 in den Tollerton Print Rooms in San Francisco. Malt hauptsächlich in Aquarell. Eine größere Sammlg ihrer Arbeiten im Mus. in San Francisco.
Lit.: Mallett. — Frick Art Reference Library, New York City. — Amer. Art News, 20 Nr 30 v. 6. 5. 1922, p. 5; Nr 37 v. 24. 6. 1922, p. 5. — Athenæum, 1920/II, p. 767. — D. Cicerone, 13 (1921) 288; 16/1 (1924) 466; 16/2 (1924) 678. — The Connoisseur, 54 (1919) 117; 56 (1920) 199; 59 (1921) 52.

Bianco, Pieretto, s. *Bortoluzzi,* Pietro.

Bianka, Dora, poln.-franz. Malerin, * Nov. 1895 Warschau (Bénézit: Paris), ansässig in Paris.
Schülerin von Humbert u. Biloul an der Pariser Ecole d. B.-Arts. Stellt seit 1924 im Salon d'Automne, bei den Indépendants u. im Salon des Tuileries aus. Stilleben, Blumenstücke, Landschaften, Architekturansichten, Figürliches (bes. Akrobaten u. Zirkuskünstler). 2 Bilder im Bes. der Stadt Paris.
Lit.: Joseph, I. — Bénézit, [2] I (1948). — L'Amour de l'Art, 1928 p. 136, m. Abb. — La Renaiss. de l'Art, 11 (1928) 359, 360 (Abb.); 13 (1929) 144 [recte 186], m. Abb. — L'Art et les Artistes, N. S. 34 (1937) 12/14, m. 4 Abbn.

Bianqui, Octavio, span. Landschaftsmaler, ansässig in Madrid.
Lit.: Francés, 1923/24 p. 421 f.

Biasi, Giuseppe, sardischer Figurenmaler u. Holzschneider, * 23. 10. 1885 Sassari, ansässig ebda.
Zuerst jurist. Studien an d. Univ. Rom, einige Zeit Advokat, dann Pressezeichner u. Karikaturist. Ging 1909 zur Malerei über u. stellte in der röm. Sezession aus. Szenen aus dem sardischen Bauernleben, oft die Karikatur streifend. Principe-Umberto-Preis Mailand 1916. Bilder im Castello Sforzesco in Mailand, im Mus. Ricci-Oddi in Piacenza, in d. Gall. d'Arte Mod. in Venedig u. im Art Inst. in Chicago.
Lit.: Comanducci. — Bénézit, [2] I (1948). — Vita d'Arte, 12 (1913) 59 (Abb.). — Emporium, 46 (1917) 2/11, m. Abbn; 48 (1918) 42 (Abb.), 43; 84 (1936) 54; 85 (1937) 217.

Biazzi, Mario, ital. Bildnismaler, * 19.12. 1880 Castelverde (Cremona), ansässig in Mailand.
Stud. bei Bignami, Mentessi u. Tallone an d. Akad. in Mailand u. bei Ponziano Loverini an d. Accad. Carrara in Bergamo. Studienaufenthalt in London (3 Jahre). Ließ sich dann in Mailand nieder.
Lit.: Comanducci. — Pagine d'Arte, 3 (1915) 52.

Bib, George Auguste, eigentl. *Breitel,* franz. humorist. Zeichner, * 22. 5. 1888 Paris, ansässig ebda.
Autodidakt. Mitglied der Soc. d. Dessinat. Humoristes, deren Salon er seit 1906 beschickte, u. der Soc. d. Art. Indépendants. Illustr. u. a. zu: E. Bourcier, „Complet des courses", P. Fournier, „Le Pur sang", Rob. Ganzo, „Moi, danseur".
Lit.: Joseph, I. — Bénézit, [2] I (1948).

Bibal, Ignace François, franz. Landschafts- u. Blumenmaler, * St-Jean-de-Luz (Basses-Pyrénées), ansässig in Paris.
Stellte 1926/37 im Salon der Soc. d. Art. Indépendants, 1923/28 im Salon des Tuileries aus.
Lit.: Joseph, I. — Bénézit, [2] I (1948).

Biberfeld, Arthur, dtsch. Architekt, * 11.4. 1874 Berlin, ansässig ebda.
Schüler von Ende u. Schmalz an d. Techn. Hochsch. Charlottenburg. Hauptbauten: Komische Oper in Berlin (1904); Sanatorium in Schlachtensee (1905); Schloß Groß-Schwarzlosen (1906). Gold. Med. auf der Weltausst. St. Louis 1904.
Lit.: Berl. Architekturwelt, 3 (1901) 244f., 381/82; 5 (1903) 227, 281f., 350; 6 (1904) 380f.; 8 (1906) 275f., 399, 406/14. — Architektur des 20. Jahrh.s, 1905 Taf. 82/83; 1906 Taf. 5. — Dtsche Kunst u. Dekor., 15 (1904/05) 217. — D. Profanbau, 1906, p. 25ff.

Biberman, Edward, amer. Maler, * 23. 10. 1904 Philadelphia, Pa., ansässig in New York.
Stud. an d. Pennsylv. Acad. of the F. Arts in Philadelphia. Ebda: Frau mit Blume. Im Mus. of F. Arts in Houston, Tex.: Anna in Blau. Koll.-Ausst. in d. Gal. Zak in Paris 1929, in d. Neuen Ksthandlung in Berlin 1929 u. in d. Fraymart Gall. in Los Angeles 1950.
Lit.: Who's Who in Amer. Art, I: 1936/37. — Art Digest, 16, Nr v. 1. 10. 1947 p. 21. — Beaux-Arts, 7 (1929) H. 4, p. 18. — D. Cicerone, 21 (1929) 268. — The Studio, 113 (1937) 19 (Abb.). — Monro. — Art Digest, Nr v. 15. 5. 1950, p. 4. — The Art News, 49, Juni 1950, p. 63, Abb, p. 35.

Bibikoff, Viktor Ssergejewitsch, sowjet. Linolschneider, * 1903.
Farbige Linolschnitte mit Ansichten russ. Schlachtschiffe; Sportszenen.
Lit.: The Studio, 129 (1945) 141 (Abb.), 143 (Abb.), — The Connoisseur, 115 (1945) 557 (Abb.). — Kat. d. Staatl. Tretjakoff-Gal. Moskau, 1947.

Bibrowicz, Wanda, dtsche Textilkstlerin u. Malerin, * 3.6.1878 Graetz, Prov. Posen, ansässig auf Schloß Pillnitz b. Dresden.

Stud. bei Max Wislicenus an d. Kstsch. in Breslau. Weitergebildet in München u. Berlin. 1904/11 Lehrerin an d. Kstsch. in Breslau. 1911/19 eigene Webwerkstätte in Schreiberhau i. Riesengeb. 1919 nach Pillnitz übergesiedelt, gründete dort mit Wislicenus die Werkstätte für Bildwirkerei. Seit 1931 zugleich Leiterin einer Webklasse an der Dresdner Kstgew.-Akad. Wandteppiche u. a. im Kstgew.-Mus. in Breslau, im Kreishaus in Ratzeburg, im Rathaus zu Plauen i. V., im Kstgew.-Mus. in Dresden, im Theater des Volkes ebda u. in der Forstakad. Tharandt b. Dresden.

Lit.: Dreßler. — D. Bild, 8 (1938) 236f., 238f. (Abbn). — bild. kunst, 3 (1949) 231, m. Abb. — Feuer, 3 (1922) Beibl. p. 50. — Das Schöne Heim, 38 (1934) 65/68. — Sächs. Heimat, 4 (1921) 301/03, m. Taf. — D. Kunst, 34 (1915/16) 397ff., m. Abbn; 42 (1919/20) 313ff., m. Abbn; 54 (1925/26) 129ff., m. Abbn; 72 (1934/35) 49/53, m. Abbn. — Aus dem Ostlande, 13 (1918) 342. — Mitteil. d. Künstlerin.

Bica-Stanovici, Alimanestiano (Alimănesci), rumän. Landschaftsmaler * Slatina, ansässig in Paris.

Schüler von L. Biloul. Stellte 1927/29 im Salon der Soc. d. Art. Franç. aus.

Lit.: Joseph, I. — Bénézit, [2] I (1948).

Bicchi, Silvio, ital. Figuren-, Bildnis- u. Tiermaler, * 20. (Bénézit: 26.) 11. 1874 Livorno, ansässig in Florenz.

Schüler von Gio. Fattore an der Akad. in Florenz. 1906 in Paris, anschließend in London, dann 4 Jahre in den USA. Malte bes. in Tempera u. Pastell. Erhielt 1918 den Principe-Umberto-Preis. Bevorzugt stumpfe, freskoähnliche Farben. Hauptsächlich Szenen aus dem ländlichen Volksleben und Interieurs mit Figuren- oder Tierstaffage.

Lit.: Comanducci, m. Abb. — Bénézit,[2] I (1948). — Arte e Storia, 1912, p. 292. — Pagine d'Arte, 6 (1918) 114 (Abb.), 115. — Cronache d'Arte, 3 (1926) 207f., m. Abbn; 4 (1927) 285 ff., m. Abbn. — Emporium, 80 (1934) 350/54, m. 9 Abbn.

Bichard, Anne Marie, franz. Landschaftsmalerin (Öl u. Aquar.), * Clermont-Ferrand, ansässig in Saint-Gérand-le-Puy (Allier). Gattin des Félix.

Stellte 1926/32 im Salon d. Art. Indépendants aus.

Lit.: Joseph, I. — Bénézit, [2] I (1948).

Bichard, Félix, franz. Tier- u. Landschaftsmaler, * Cusset (Allier), ansässig in Saint-Gérand-le-Puy (Allier). Gatte der Vor.

Stellte 1926ff. im Salon d. Art. Indépendants aus.

Lit.: Joseph, I. — Bénézit, [2] I (1948).

Bicher, Reinhold, dtsch. Maler, * 25.2. 1895 Förde-Grevenbrück i. W., ansässig ebda.

Stud. an d. Kstgewerbesch. in Magdeburg u. an d. Münchner Akad. Studienaufenthalt in Italien.

Lit.: Dreßler.

Bick, Eduard, schweiz. Stein- u. Holzbildhauer, Maler (Öl u. Aquar.) u. Graph., * 15.1.1883 Wil, Kt. St. Gallen, ansässig in Zürich.

Lernte zuerst Silberschmied u. Ziseleur an d. Goldschm.-Schule in Hanau/M., dann 3 Jahre Malschüler an der Akademie in München. Wandte sich 1909 in Rom der Plastik zu. Bis 1919 in Berlin, dann in Zürich. Arbeitet mit Vorliebe in Holz. Hauptsächlich Akte u. Bildnisbüsten. 2 öff. Brunnen in Zürich. Bildwerke in den Museen in Bern, Zürich, Winterthur u. Wuppertal u. in d. Smlg d. Freih. August v. d. Heydt in Elberfeld (Kat. Heise, Lpzg 1918, m. 2 Taf.). Ein gem. Bildnis des Archit. V. Zuber im Städt. Mus. in Wuppertal. Kollekt.-Ausst. 1919 im Züricher Ksthaus, Mai/Juni 1930 im Mus. Musegg in Luzern.

Lit.: Dreßler. — Dtsche Kst u. Dekor., 43 (1918–19) 18 (Abb.), 25 (Abb.); 44 (1919) 261/63, m. 3 Abbn. — D. Werk, 3 (1916) 20; 6 (1919) 144 (Abb.); 8 (1921) 57/62, m. 3 Abbn; 13 (1926) 286, Abbn p. 280/87; 15 (1928) 94f., m. Abbn; 24 (1937) Beibl. p. XIV, m. Abbn. — D. Kunst, 43 (1920/21) 166 (Abb.), 170; 67 (1932/33) 373/76, m. 6 Abbn. — D. Cicerone, 11 (1919) 817f. — Pages d'Art, 1919 p. 323 (Abb.). — Schweizer Kst, 1931/32 p. 67 (Abb.). — Schweizerland, 1920 p. 499, 620ff., m. Abbn, 675f. — 3. Jahresber. d. Ver. Zürcher Kstfreunde, 1919/20 p. 15f., Taf. 1/5.

Bickel, Karl, schweiz. Graphiker, Pastellzeichn. u. Maler, * 1886 Zürich, ansässig ebda.

Lernte 1902/04 als graph. Zeichner, stand dann 4 Jahre als techn. Leiter einem Reklameinstitut vor. Im übrigen Autodidakt. Mai-Okt. 1912 in Italien; tiefe Beeindruckung durch Michelangelo u. Leonardo. — Heroische Landschaften, Figürliches, Bildnisse, Studienköpfe. Zyklus: Die Nacht (7 Lith.). Einzelblätter: Kind (Lith.); Frauenkopf (Rötel-Lith.); Bildnis Meinrad Lienert.

Lit.: Bauer, m. Abb. — D. Schweiz, 1906 p. 419 (Abb.); 1907 p. 176 (Abb.), 401. — Schweizerland (Chur), 3 (1916/17) 68/74, m. 3 Textabbn u. 7 Taf.; 4 (1917/18) Taf. geg. p. 462. — D. Kunst, 35 (1916/17) Beibl. zu Heft 2 (Nov. 1916) p. IV.

Bicker, Hinrikus, dtsch. Graphiker, * 21.7.1925 Riepe/Ostfriesland, ansässig ebda.

Autodidakt. Spezialgebiet: Farbholzschnitte.

Bicknell, Evelyn Montague, amer. Malerin, * 14. 7. 1857 New York, † 1936 ebda.

Lit.: Amer. Art Annual, 20 (1923) 442. — Who's Who in Amer. Art, I : 1936/37. — Mallett.

Bicknell, Frank Alfred, amer. Maler, * 17. 2. 1866 Augusta, Me., † 1943 Old Lyme, Conn. Sohn des Albion Harris B. († 1915).

Schüler s. Vaters, dann von Bouguereau u. Robert-Fleury an d. Acad. Julian in Paris. Hauptsächlich Landschafter. Bilder u. a. in d. Nat. Gall. in Washington, D. C., in den Museen Montclair, N. J., u. Denver, im Boston Art Club u. im Union League Club in New York.

Lit.: Fielding. — Amer. Art Annual, 30 (1933). — Who's Who in Amer. Art, I: 1936/37. — Bénézit, [2] 1 (1948). — Monro.

Bicknell, Phillis Ellen, geb. *Lovibond,* engl. Aquarellmalerin, * 3. 2. 1877 Lewisham, ansässig in Gosforth, Newcastle-on-Tyne.

Lit.: Who's Who in Art, [3] 1934.

Bidart, Marie Antoinette, franz. Landschaftsmalerin (Öl u. Aquar.), * Lille, ansässig in Rucil (Seine-et-Oise).

Schülerin von Mme Faux-Froidure, Benner u. Henri Zo. Stellte 1926ff. im Salon der Soc. d. Art. Franç. u. bei den Indépendants aus.

Lit.: Joseph, I. — Bénézit, [2] I (1948).

Biddle, George, amer. Maler, Bildhauer, Lithogr., Rad. u. Kstschriftst., * 19. 1. 1885 Philadelphia, Pa., ansässig in Croton-on-Hudson, N. Y.

Schüler d. Pennsylv. Acad. of F. Arts in Philadelphia u. d. Acad. Julian in Paris. Lebte längere Zeit auf Tahiti. 1935 Präsident des Vereins der Mural

Painters of America. — Bilder in d. Pennsylv. Acad. of F. Arts in Philadelphia (Tahitan. Familie) u. im Metrop. Mus. in New York. 5 gr. Wandfresken für das Depart. of Justice in Washington (1936); Wandgem. für das Postgeb. in New Brunswick, N. J. (1939). — Buchwerk: American Artists' Story, 1939.

Lit.: Fielding. — Amer. Art Annual, 30 (1933). — Who's Who in Amer. Art, I: 1936/37. — The Internat. Who's Who, [16] 1952. — Monro. — Beaux-Arts, 2 (1924) 15. — The Pennsylv. Mus. Journal (Philad.), Nr 162 (1934) 73ff. passim, m. Abb. — Parnassus (New York), 7, Nr 6, p. 3ff. passim, m. Abb. — The Studio, 107 (1934) 66 (Abb.), 119. — College Art Assoc.: Research Inst. Index of 20th Cent. Artists, Okt. 1933/Juni 1935. — Pennsylv. Mus. Bull., 29 (1933/34) Nr 162, Abb. geg. p. 71; 35 (1939/40) Nr 186, p. 11. — Art Index (New York), 1928ff. passim. — Painting in the United States 1949, Ausst. Carnegie Inst. Pittsburgh, Kat., m.Abb. Taf. 7.

Biddle, William, engl. Kupferstecher, Wappenzeichner u. Emailleur, * 6. 2. 1878 Wolverhampton, ansässig in Birmingham.

Lit.: Who's Who in Art, [3] 1934.

Biddle, Winifred Percy, engl. Malerin (Öl u. Aquar.), * Kingston-on-Thames, ansässig in Kingston Hill, Surrey.

Stud. an der Lambeth Art School. Bildnisse, Figürliches, Landschaften.

Lit.: Who's Who in Art, [3] 1934.

Bidlo, František, tschech. Pressezeichner, * 3. 9. 1895 Prag, † 1945 ebda.

Autodidakt. Begabter Karikaturenzeichner. Ausstell. 1933 in Prag, 1936 in „Krásná Jizba".

Lit.: Toman, I 63. *Blž.*

Bie, Curt, dän. Architekt, * 1. 8. 1896 Kopenhagen, ansässig ebda.

Bauplan für Rønne (zus. mit V. Dam-Jensen u. Tage Matthissen). Altersheim des Handels- u. Kontoristen-Vereins in Kopenhagen.

Lit.: Krak's Blaa Bog, 1936.

Bié, Jacques, franz. Landschaftsmaler, * La Ferté-Saint-Aubin (Loiret), ansässig in Paris.

Schüler von Flameng u. L. Simon. Mitglied der Soc. d. Art. Franç., beschickte deren Salon 1923/39.

Lit.: Joseph, I. — Bénézit, [2] I (1948).

Bie Leuveling Tjeenk, Jan de, holl. Architekt, * 18. 5. 1885 Amsterdam, ansässig ebda.

Stud. an der Techn. Hochsch. Delft. Studienaufenthalte in Italien u. Griechenland. Weltreise. Schule in Utrecht, Kontorgeb. in Delft, Landhäuser in Zeist, Hilversum, Wolfhezen, Werkhoven u. Schagen, Wohnhäuser in A'dam, Messehaus in Utrecht.

Lit.: Wie is dat?, 1935. — Brandes, Taf. 33, 34. — Persoonlijkheden, m. Fotobildnis.

Biebendt, Albert, dtsch. Architekt, * 28. 5. 1873 Berlin, † 6. 7. 1939 ebda.

Stud. an der Berl. Baugewerksch. u. an der Techn. Hochsch. München.

Lit.: Dreßler. — D. Kunst, 53 (1925/26), Beibl. Maih. p. XIV. — Zentralbl. d. Bauverwaltg, 59/II (1939/II), Nachr. d. Archit.- u. Ingenieur-Ver. Berlin, Nr 7 (Nekrol.).

Bieber, Arnim, schweiz. Maler u. Graph., * 5. 6. 1892 Schinznach-Bad, Aargau, ansässig in Bern.

Schüler von E. Linck. Zeichner der „Schweiz. Illustr. Zeitung' für Sport. Plakatentwürfe, Karikaturen, Buchschmuck, humorist. Zeichngn.

Lit.: Schweiz. Zeitgen.-Lex., 1932.

Bieber, Oswald, dtsch. Architekt (Prof.), * 6. 9. 1874 Pockau, Erzgeb., ansässig in München.

Arbeitete einige Zeit unter Grässel am Stadtbauamt Dresden. Ließ sich später in München nieder. 1922 Ehrenmitgl. d. Akad. d. bild. Kste München. — Landhäuser in der Münchner Umgebung, in Holzhausen u. Buch am Ammersee; Kaffeehaus im Neuen Münchner Stadtpark; Haus der Münchner Rückversicherungsgesellsch. in München (zus. mit Wilh. Hollweck); Haus des Deutschen Rechtes ebda; St. Johanniskirche in Augsburg; Rathaus in Garmisch-Partenkirchen.

Lit.: Der Deutsche Almanach f. Kst u. Wissensch., 1 (Berlin 1933) p. 68, m. Bildnis, gez. v. Franz Pfeffer. — München u. s. Bauten, 1912. — Breuer, m. 2 Abbn u. Bildn. B.s, gem. von Paul Roloff. — Innendekoration, 25 (1914), Abb. geg. p. 167, 167/98. — D. Kunst, 52 (1924/25) 281f., m. Abb., 288, 296 (Abb.); 54 (1925/26) 1ff., m. Abbn; 67 (1932/33) 169 (Abb.), 212/14, m. Abbn; 75 (1936) 89, m. 2 Abbn. — Kunst u. Handwerk, 1915, p. 147/50, 158/63, m. Abbn; 1925, p. 123 (Abb.). — Wasmuths Monatsh. f. Baukst, 6 (1921) 129/40. — Die Plastik, 1915, p. 21, Taf. 18. — D. Profanbau, 1916/I, Reg. — Zentralbl. d. Bauverwaltg, 45 (1925) 218f., m. Abbn; 60 (1940) 173/82, m. Abbn.

Bieberfeld, James, dtsch. Maler u. Graphiker, * 16. 4. 1879 Leipzig, ansässig in München.

Stud. an den Akad. Leipzig u. Berlin u. bei N. Gysis an der Münchner Akad. Bild im Alpinen Mus. in München.

Lit.: Dreßler.

Bieberkraut, James, dtsch. Maler u. Rad., * 16. 4. 1879 Leipzig, ansässig in München.

Schüler von Boese in Berlin, dann 4 Jahre bei Gysis in München. Anschließend 2 Jahre in Italien. Hauptsächl. Landschaften u. Bildnisse.

Lit.: Dtschlands, Öst.-Ung. u. d. Schweiz Gelehrte, Kstler u. Schriftst., [2] Hannover 1911, m. Fotobildn.

Biebrach, Karl, dtsch. Maler u. Graph., * 10. 4. 1882 Dresden, ansässig in Tharandt b. Dresden.

Stud. bei Ažbè in München, an d. Kstgewerbesch. u. Akad. in Dresden. Impressionist. Dekorat. Blumenstücke u. Landschaftsbilder. Plakate.

Biebricher, August, dtsch. Architekt (Prof.), * 4. 6. 1878 Bleialf, ansässig in Krefeld.

Stud. an d. Techn. Hochsch. Darmstadt. Geschäfts- u. Wohnhäuser, Siedlungen, Raumkunst.

Lit.: Dreßler. — Die Heimat (Krefeld), 3 (1924) 10/14, m. Abbn. — Wasmuths Monatsh. f. Baukst, 3 (1918) 71/77, m. Abb. — Zeitschr. d. Rhein. Ver. f. Denkmalpflege u. Heimatschutz, 21 (1928) H. 2, p. 86, 92, Abbn p. 90, 91.

Biedermann, Albrecht, dtsch. Landschaftsmaler u. Graph., * 24. 10. 1870 Berlin, ansässig ebda.

Stud. an den Akad. in Berlin u. München.

Lit.: Dreßler.

Biedermann, Ernst, dtsch. Landschaftsmaler, * 21. 12. 1868 Gotha, † 18. 8. 1928 Jena.

Stud. an der Akad. in Karlsruhe bei Schönleber u. an der Kstsch. in Weimar bei Thedy u. Kalckreuth. Bild im Stadtmus. in Jena.

Lit.: Th.-B., 4 (1910). — Dreßler. — Weber, Städt. Mus. Jena. Bericht über d. Jahre 1911, 1912, 1913, 1914 p. 21.

Biegas, Bolesław, poln. Bildhauer u. Maler, * 1877, ansässig in Paris.

Schüler von K. Laszczka an der Krakauer Kunstsch., ließ sich in Paris nieder. Stellte 1912/27 im Salon der Soc. Nat. d. B.-Arts aus. Mitglied der Wiener Secession. Genregruppen u. -figuren, Bildnisbüsten.

Lit.: Th.-B., 4 (1910). — Bénézit, [2] 1 (1948). — L'Art et les Artistes, 21 (1916), Spezial-Nr: La Pologne immortelle, 1917 p. 75f. — Kat. d. Expos. d'Art Polonais, Paris, Soc. Nat. d. B.-Arts, 1921.

Biegert, Hermann, dtsch. Aquarellmaler u. Graph., * 17.1.1892 in Eßlingen a. N., ansässig in Heidelberg.

Lit.: Das sind Wir. Heidelb. Bildner usw., 1934, 95 (Abb.), 96, 97 (Abb.).

Biehler, Bruno, dtsch. Architekt (Reg.-Baumeister), ansässig in München.

Krieger-Ged.-Kapelle in Reit im Winkel — stimmungsvoller, der Landschaft vorzüglich angepaßter kleiner Bau; Waldfriedhofanlage in den Karpathen (1917); Sport-, Wochenend- u. Ferienhäuser; Stadthalle in Osnabrück (1933, zus. mit Th. Burlage); Wandelhalle u. Konzertsaal in Bad Wiessee.

Lit.: Dreßler. — D. Baumeister, 1934, p. 41ff. passim, 192/94. — D. Kunst, 52 (1924/25) 256ff., m. Abbn; 70 (1934) 245ff. passim. — D. Plastik, 1918, p. 30, 31. — D. Kst u. d. schöne Heim, 50 (1951/52) Beil. p. 53. — D. Türmer, 37/I (1934/35) 482 (Abb.), 484. — Zentralbl. d. Bauverwaltg, 55 (1935) 673ff.

Biehler, Johanna, dtsche Bildhauerin, ansässig in München-Nymphenburg.

Seitenaltarfig.: Mad. m. d. Kinde, in d. St. Ludwigsk. in Frankenthal (Pfalz).

Lit.: Dreßler. — H. Schnell, VI, Nr 340/41, p. 5, 12, 14 (Abb.).

Biehler, Sepp, dtsch. Figurenmaler, * 1907 Allmannsdorf b. Konstanz, ansässig in Konstanz.

Stud. 1925/28 bei E. Würtenberger u. Scholz, besuchte bis 1929 die Akad. Karlsruhe. Studienaufenthalte in Kleinasien, Griechenland, Rom u. Paris. Bildnisse, Figürliches (meist relig. Inhalts). Sein energisch modellierender, auf monumentale Wirkungen ausgehender Stil ist stark aufs Lineare ausgerichtet. Wandbilder in der Kapelle auf Burg Breuberg im Bes. von Fürst von Löwenstein; Fresken in den Konzilgaststätten in Konstanz u. im Hallenschwimmbad ebda; Altar in Aufen bei Donaueschingen; Kreuzwegstationen für St. Georg in Allmannsdorf-Konstanz u. in d. Kirche in Raithaslach.

Lit.: Kst- u. Antiquitäten-Rundschau, 45 (1937) 34/37, m. 7 Abbn, dar. Selbstbildn. v. 1933. — Die neue Saat, 2 (1939) 13/15, 34f., m. 4 Abbn, dar. Selbstbildn. v. 1938. — Die Kunst, 48 (1950) H. 4, p. 135, m. Abb. — D. Münster, 2 (1948/49) 103 (Abb.), 105; 5 (1951/52) 158f., m. 3 Abbn.

Biel, Egon Vitalis, öst. Maler, Illustr. u. Schriftst., * 27. 11. 1902 Wien, ansässig ebda.

Autodidakt. Stud. Kstgesch. bei Dvořák u. Strzygowski. Beschickte die Ausst. des Hagenbundes. Zeichngn im Bes. der Albertina Wien u. der Städt. Ksthalle Mannheim.

Lit.: Wer ist Wer? (Wien), 1937.

Biel, Joseph, russ.-amer. Maler, * 27. 10. 1891 (in Rußland?), † 1943 New York.

Stud. an d. Art Students' League in New York u. an d. Russ. Akad. in Paris. Vertreten im Mus. Westeurop. Kst in Moskau.

Lit.: Who's Who in Amer. Art, I: 1936/37. — Mallett. — Monro. — Art Digest, 17, Nr v. 1. 5. 1943, p. 15.

Biel, Mary, dtsche Blumenmalerin, * 22. 1. 1872 Itzehohe, Holstein, ansässig in Berlin.

Stud. im Atelier Hormann in München.

Lit.: Dreßler.

Bielawski, Wacław, poln. Maler, * 13. 1. 1906 Warschau, ansässig ebda.

Lit.: Czy wiesz kto tojest?, 1938, m. Bildnis.

Bielecki, Władysław, poln. Holzschneider (Architektur, Landschaft), ansässig in Wieliczka.

Lit.: Kat. Expos. internat. grav. orig. sur bois, Warschau 1933, p. 61.

Bielefeld, Bruno, dtsch. Maler, Radierer u. Lithogr., * 18. 5. 1879 Blumenau (Ostpr.), ansässig in Berlin.

Stud. an der Unterrichtsanstalt des Berl. Kstgewerbemus. u. bei Ad. Männchen in Danzig. Studienaufenthalte in England, Schottland u. Irland. Hauptsächlich Architektur- u. Straßenbilder aus Alt-Berlin u. Potsdam. 4 Bilder im Märk. Mus. in Berlin. 2 Bilder im Deutsch. Mus. in München. Mappenwerk: Aus Ostpreußens Not (Dürerbund, Callwey, München, 1914). Koll.-Ausst. im Verein f. d. Gesch. Berlins 1912.

Lit.: Dreßler. — Zeitschr. f. Bücherfr., 1915, p. 162. — Der Tag, Nr 2 v. 14. 1. 1912; Nr 213 v. 11. 9. 1912, m. Abbn.

Biéler, Ernest, schweiz. Landsch.-, Genre- u. Bildnismaler, Entwurfzeichner für Glasmalerei u. Mosaik u. Holzschneider, * 31. 7. 1863 Rolle (Waadt), † 1948 Lausanne.

Stud. 1880ff. bei J. Lefebvre u. Boulanger in Paris. Bauernmaler. Deckenmalereien im Stadttheater in Bern u. im Mus. Ariana in Genf; Fresken in der Tellskapelle in Lausanne, in der Bibl. des Bundesgerichts, im Großratssaal in Sitten u. an der Fassade des Rathauses in Le Locle (Kt. Waadt). Kreuzweg in Savièse (Kt. Wallis). Chorfenster in St. Martin in Vevey; Kuppelfenster des Bundespalastes in Bern; Glasfenster in den Kirchen von Osières, Savièse u. in St-François, Lausanne. Versuche in neuen bzw. vergessenen Maltechniken. Bilder im Kunstmus. in Bern, in Lausanne, Lugano u. Neuchâtel. Aquarelle im Ksthaus Zürich. 120 Kostümskizzen im Mus. Jenisch in Vevey.

Lit.: Th.-B., 4 (1910). — Brun, IV. — Graber. — Schweiz. Zeitgen.-Lex., 1932. — Jenny. — Lonchamp, II, Nr 335, 796, 797, 800/03, 805, 809, 1062, 1063, 1263a, 3357. — J. B. Manson, E. B., Lausanne 1936. Bespr. in: D. Werk, 24 (1937) 272f. — Art moderne, 1896, Liefg 7 (Abb.). — L'Art décor., 1904/I 41/47. — D. Schweiz, 1904, p. 455; 1905, p. 392 (farb. Abb.); 1908, p. 320 (farb. Abb.), 475, 560; 1909, p. 228ff., m. Abbn; 1910 p. 147, 434; 1911, p. 12, 13; 1913, p. 39; 1914, farb. Taf.-Abb. n. p. 4. — Art et Décor., 1914/I, p. 1, 3 (Abb.) — Etrennes helvét., 1914, p. 10, 23, 24. — Bibliothèque univers. et Revue Suisse, 91 (1918) Nr 271, p. 89/99. — Schweizerland, 1919, p. 622 (Abb.). — O mein Heimatland, 1922, p. 286ff. (Abbn). — Beaux-Arts, 75e année Nr 229 v. 21. 5. 1937, p. 7, m. Abb. — Das Werk, 25 (1938) 200/02; 30 (1943), H. 9, Beil. p. X. — D. Münster, 2 (1948), H. 3/4 p. 119.

Bieler, Helene von, dtsche Bildnis- u. Landschaftsmalerin u. Rad., * 25.12.1874 Lindenau, Kr. Graudenz, zuletzt ansässig in Zoppot.

Stud. bei Schultze-Naumburg in Berlin u. an der Damen-Akad. in München.

Lit.: Dreßler.

Bieling, Günter, dtsch. Maler, * 2. 5. 1921 Hannover, ansässig ebda.

Lit.: Kat. der 3. Dtsch. Kstausst. Dresden 1953.

Bieling, Herman, holl. Maler, Bildh., Rad., Holz- u. Linolschneider, * 21. 6. 1887 Rotterdam, ansässig in Rhoon (Overmaas).
Stud. bei van Maasdijk an der Akad. R'dam, weitergebildet auf Studienreisen in Belgien, Frankreich (Paris, Bretagne), Spanien, Mallorca, Deutschland u. in London. Blumenstücke, Stilleben, Landschaften, figürl. Kompositionen, Bildnisse u. Tierbilder. Vertreten im Mus. Boymans in Rotterdam, im Sted. Mus. im Haag u. im Mus. v. Kerkelijke Kst in Utrecht.
Lit.: Plasschaert. — Huebner, p. 96. — Waay. — Waller. — Hall, Nrn 7252/53. — P. Fierens, L'Art holl. contemp. — Jahrb. d. jungen Kst, 3 (1922) 240 (Abb.) — D. Kstblatt, 5 (1921) 307 (Abb.). — Maandbl. v. beeld. Kunsten, 2 (1925) 350f., m. Abbn; 3 (1926) 351f.; 4 (1927) 191; 13 (1936) 155; 17 (1940) 199, m. Abb. — Die Schaffenden, III, Mappe 2: Linolschnitt 1921, Kirmes. — The Studio, 114 (1937) 242, m. Abb. — Persoonlijkheden.

Bielska, Leokadja, poln. Bildnismalerin, * 1901 Chrezanow bei Krakau 1901, lebt in Warschau.
Lit.: Kat. d. Ausst. Polnische Kunst, Berlin, Pr. Akad. d. Kste, 1935.

Bielz, Henriette, rumän. Malerin, * 1892 Bukarest, ansässig in Sibiu (Hermannstadt).
2 Bilder im Mus. Brukenthal in Sibiu (Führer, 1941, Nr 1406/07).

Biendl, August, tirol. Bildhauer u. Metallplastiker, * 17. 9. 1863 Innsbruck, † 15. 10. 1935 ebda.
Prof. an d. Staatsgewerbesch. in Innsbr. Nachbildungen (in verkleinertem Maßstab) nach den Bronzebildwerken vom Grabmal Kaiser Maximilians i. d. Hofkirche zu Innsbruck; Statuette Kaiser Maximilians als Jäger; Metallkruzifixe. Modellierte einige verlorene dekorat. Teile zu den Grabmalsfiguren in d. Hofkirche u. die Gedenktafel für d. Geigenbauer Jakob Stainer in Absam. Porträtplaketten.
Lit.: Mitt. d. Tir. Gewerbever., 1885. — Jahresber. d. Staatsgewerbesch. Innsbruck, 1/17. — Tir. Tagblatt, 1891 Nr 149. — Tir. Bote, 1891 p. 1330; 1892 p. 215, 2490; 1896 p. 1512; 1898 p. 996. — A. Hofer, 1893 p. 535. — Tir. Anz., 1935 Nr 239. — Innsbr. Nachr., 1899 Nr 19; 1906 Nr 91. — Mitt. d. k. k. Central-Comm., 1901 p. 41. — Fischnaler, Innsbr. Chronik, V 52. *J. R.*

Bieńkowski, Stanisław, poln. Graphiker, * 17. 11. 1889 Suwalki, ansässig in Warschau.
Stud. am Polytechnikum Karlsruhe.
Lit.: Czy wiesz kto to jest?, 1938.

Biennier, Marie, franz. Holzschneiderin, * 23. 3. 1886 Chambéry, ansässig in Annecy.
Schülerin von Jeanne Burdy. Mitglied der Soc. d. Art. Franç. Hauptsächlich Landschaften.
Lit.: Joseph, I. — Bénézit, [2] I (1948).

Bierand, Géo (Georges), belg. Maler, * 4. 3. 1895 Brüssel.
Schüler von E. Degas, sonst Autodidakt. Blumenstücke, Landschaften, Figürliches, Bildnisse.
Lit.: Seyn, I. — Bénézit, [2] I (1948).

Bierbrauer, Willy, dtsch. Bildhauer, * 8. 8. 1881 Bierstadt b. Wiesbaden, ansässig in Wiesbaden.
Stud. b. Fr. Hausmann am Städelschen Institut in Frankfurt a. M. Lehrer an d. Kstgewerbesch. in Wiesbaden.
Lit.: Dreßler. — Weizsäcker-Dessoff. — D. Kunst, 54 (1925/26) 63.

Bjercke, Andreas, norweg. Architekt, * 2. 11. 1883 Kristiania (Oslo), ansässig ebda.
Stud. an der Kst- u. Handwerkssch. in Oslo, 1904–06 an der Techn. Hochsch. in Stockholm. 1906/10 Assistent bei Ragnar Østberg ebda. 1910/11 Studienreisen in Frankreich u. Italien. Seit 1911 in Oslo, assoziiert mit G. Eliassen. — Fjeldheimschule in Drammen; Seemannsschulen in Oslo u. Tønsberg; Haus der Norwegen-Amerikalinie in Oslo; Kraftstationen; Klub- u. Vereinshäuser, u. a. in Drønningen u. Stavern; Eigenheime; Sommerrestaurant Sundöya, im Binnensee Tyrifjorden, Südnorwegen.
Lit.: Hvem er Hvem?, [4] 1938. — Vem är Vem i Norden, Stockh. 1941, p. 620. — Kat. Jubil.-Utstill. Norges Kunst 1814–1914, Kra. 1914, p. 137 (3 Abbn), 138 (Abb.), 208. — Dtsche Bauztg, 67 (1933) 347ff.

Bjerg, Johannes C., dän. Bildhauer, * 26. 1. 1886 Ødis, ansässig in Kopenhagen.
Stud. 1908/11 an der Akad. in Kopenhagen, 1911–14 in Paris. Stellt seit 1909 auf Charlottenborg aus. Ancker-Prämie 1918. Berührt sich in seiner graziösen Kunst gelegentlich mit Kolbe. Werke im Kstmus. Kopenhagen (Liebeskampf; Abessinierknabe; Kummer; Büste des Vaters des Künstlers), in der Nat.-Gal. in Oslo (Salome), im Kunstindustrie-Mus. in Kopenhagen (Frau bei Flickarbeit), im Nat.-Mus. in Stockholm (Mann auf bäumendem Pferde), in den Museen in Røningen (Danaide), Kolding (Hanna) u. Aarhus (Die Schwangere [geschliffener Granit]). Am Haupteingang der Glyptothek in Kopenhagen: Standbild des Bildhauers J. A. Jerichau. Allegor. Reliefs (Landarbeit, Stadtarbeit, Künste u. Wissenschaften) im Thronsaal des Schlosses Christiansborg u. in d. Handelsschule für Frauen in Kopenhagen. Bildnishermen: Architekt I. A. Hansen, Techn. Schule in Kolding; Oberpräsident J. Jensen, Rathaus Kopenhagen. Denkmäler: Schiffer Clement in Aalborg; Ole Hansen in Ringsted; Wilman in Lyngby; König Waldemar I. in Kopenhagen; Denkmal der dän. Industrie ebda; Denkm. der gefallenen dän. u. dtsch. Soldaten in Apenrade.
Lit.: L. Swane, J. C. B., Kopenh. o. J. — Krak's Blaa Bog, 1936. — Vem är Vem i Norden, Stockh. 1941, p. 36. — The Internat. Who's Who, [16] 1952. — L'Art vivant, 1935, p. 140f. passim, m. Abb. — Dtsche Kst u. Dekor., 59 (1926/27) 176 (Abb.). — Kunst og Kultur, 8 (1920) 214/17, m. Abbn; 11 (1923) 152, 158, m. Abbn. — Ord och Bild, 33 (1924) 103 (Abb.); 39 (1930) 416, m. Abb. — Samleren, 1936, p. 21/38, m. 45 Abbn. — Aarhus Stiftstidende, v. 8. 12. 1918.

Bierhals, Otto, dtsch-amer. Wandmaler u. Illustr., * 5. 9. 1879 Nürnberg, ansässig in Tenafly, N. J.
Schüler von H. Groeber in München. Zeichner. Mitarbeiter an: Pencil Points Magazine u. Adventure Magaz.
Lit.: Who's Who in Amer. Art, I: 1936/37. — Mallett.

Bieri, Fred, engl.-schweiz. Maler u. Graph., * 24. 2. 1889 London, ansässig in Bern.
Mitarbeiter an den satirischen Zeitschriften „Nebelspalter" u. „Bärenspiegel".

Bjerke, Arvid, schwed. Architekt, * 1880 Göteborg, ansässig in Stockholm.
Stud. an der Techn. Hochsch. u. an der Akad. in Stockholm. 1913/20 assoziiert mit R. O. Swensson, gründete mit diesem, E. Torulf u. Sigfr. Ericson das Architektenkonsortium „Ares". — Hauptbauten: Lindholmsche Schule in Göteborg; Rambergsche Sch. ebda; Herrenhäuser auf Lilleskog u. Rossared; Bauten (dar. Kongreßhalle) für die Jubiläumsausstell. Göteborg 1923 (zus. mit Sigfr. Ericson); Kstmus. in Göteborg (mit dems.); Carlandersches Krankenhaus in Göteborg; Krankenhaus in Fäßberg.
Lit.: Thomœus. — Ahlberg, p. 22, 35, m. zahlr.

Taf.-Abbn. — S. E. Rasmussen, Nord. Baukst, Berl. 1940.

Biernacki, Kazimierz, poln. Architekt, * 27. 5. 1892 Łeczyca, ansässig in Warschau.
Lit.: Czy wiesz kto to jest?, 1938, m. Fotobildn. — Tygodnik Ilustr., 1922 p. 33/43.

Biernie, Caroline, s. *Haverman.*

Bjernrud, Otto, schwed. Landschafts-, Figuren- u. Stillebenmaler, * 1891 Väsby, Schonen, ansässig in Hälsingborg.
Stud. an der Malschule Althin, in Deutschland u. in Frankreich.
Lit.: Thomœus.

Bjerre, Niels, dän. Maler (Öl u. Aquar.), * 5. 1. 1864 Engbjerg bei Lemvig, † 19. 3. 1942 Frederiksberg (Kopenhagen).
Stud. an der Akad. in Kopenhagen, an der Malschule Krøyers u. bei L. Tuxen. Landschaften (bes. aus Westjütland), Interieurs mit Figuren, Bauern.
Lit.: Th.-B., 4 (1910). — L. Swane, N. B., Kopenh. 1935. — Dahl-Engelstoft, I. — Vem är Vem i Norden, Stockh. 1941, p. 36. — Krak's Blaa Bog, 1936; 1950, Totenliste. — Konstrevy, 1936, p. 93 (Abb.) — Kunstmus. Aarsskrift, 1932; 1933 -34; 1936, p. 61/71, m. 6 Abbn. — Ord och Bild, 50 (1941) 449 (Abb.), 450. — Samleren, 1932, p. 81/84, m. 6 Abbn. — The Studio, 111 (1936) 248, 253 (Abb.). — Tilskueren, 1932/I, p. 298/309, m. 8 Abbn; 1932/II, p. 12/27, m. 5 Abbn. — Weilbach, [3] I.

Bieruma Oosting, Johanna, holl. Malerin, Lithogr. u. Rad., * 5. 2. 1898 Leeuwarden, lebt in Paris.
Schülerin von Wijnhoff u. F. Grabijn, als Rad. von Jessurun de Mesquita, Monnickendam, P. Bodifée, Alb. Roelofs u. W. v. Konijnenburg. Stilleben, Blumenstücke, Landschaften, Bildnisse.
Lit.: Plasschaert. — Waay. — Niehaus, m. Abb. p. 244. — Waller, p. 245. — Ex-libris ... naar dertig Teekeningen van A. Jeanne W. B. O. Met een Vorrede van Joh. Schwencke, Maastricht 1929. Album (Het Nederl. Ex-libris, IV). — M. v. Loon, J. B. O. als grafisch kunstenares, Rotterdam-Antwerpen 1946, m. 25 Abbn (Beeld. kunstenaars, Nr 1). — Maandbl. v. beeld. Kunsten, 4 (1927) 57; 12 (1935) 56f., m. Abb.; 14 (1937) 347; 18 (1941) 25. — Mededeel. v. d. Dienst v. Ksten en Wetensch. d. Gem. 's-Gravenh., Deel 3 (1933/34) 116.

Biervliet, Hilaire van, belg. Blumen- u. Landschaftsmaler, * 1891 Courtrai.
Schüler von Delvin u. Minne an der Genter Akad. Hielt sich längere Zeit in der Normandie auf.
Lit.: Seyn, II 990.

Bies, Marinus Johan, holl. Landschaftsmaler, * 12. 2. 1894 Aerle Rixel, lebt ebda.
Schüler von A. M. Gorter in Amsterdam, im übrigen Autodidakt. Vertreten im Abbe-Mus. in Eindhoven.
Lit.: Waay.

Biesbroeck, Jules van, *d. J.*, belg. Bildhauer u. Maler, * 25. 10. 1873 Portici (Italien), ansässig in Gent. Sohn des gleichnam. Genre- u. Bildnismalers (* 1848, † 1920).
Schüler der Genter Akad. u. s. Vaters. 1895 u. 1898 2. Rompreis für Malerei, 1897 2. Rompreis für Bildhauerei. Grand prix auf der Pariser Weltausst. 1900. Denkmal des Sozialistenführers Jean Volders auf dem Brüsseler Friedhof; Denkmale Fr. Laurent u. Van Beveren in Gent. Als Maler u. Pastellzeichner hauptsächlich Porträts, Landschaften (Motive aus Sizilien u. der Riviera, wo B. häufig weilte) u. Idealkompositionen von eklektischem Gepräge.
Lit.: Th.-B., 4 (1910). — Seyn, II 991. — Bénézit, [2] I (1948). — F. Arnaudiès, J. v. B., peintre et sculpt., Algier 1931. — Emporium, 51 (1920) 2/12, m. zahlr. Abbn; 56 (1922) 84, m. Taf.-Abbn. — Vita d'arte, 7 (1911) 44/46, m. 3 Abbn.

Biese, Gerth, dtsch. Bildnis- u. Figurenmaler, * 20. 8. 1901 Karlsruhe, ansässig in Stuttgart. Sohn des Landschaftsmal. u. Lithogr. Karl B. (* 1863, † um 1930).
Stud. an d. Kstgewerbesch. in Karlsruhe (Bühler, Geri) u. an d. Akad. in Stuttgart (Pötzelberger, Landenberger). Beeinflußt von Altherr. 1939 in Griechenland u. Italien. Hauptsächl. Wandmalereien.
Lit.: Westermanns Monatsh., 160 (1936) 373f.; 164 (1938) 401/04, m. Abbn. — D. Weltkst. 17 Nr 11/12 v. 14. 3. 1943, p. 1, Abb. — Bildersmlg Schwarz-Weiß, Kst-Verl. F. Heyder, Berlin-Zehlendorf o. J. [1919], p. 5 (Abb.). — Kat. Ausst. Junge Kst im Dtsch. Reich, Wien 1943, m. Abb. 12.

Biese, Helmi, geb. *Ahlman*, Landschaftsmalerin, * 9. 8. 1867 Helsingfors (Helsinki), † 18. 10. 1933.
Stud. an d. Kstsch. in Helsinki u. bei G. F. Berndtson.
Lit.: Th.-B., 4 (1910). — Vem och Vad?, Helsingf. 1936, p. 689.

Biesel, H. Fred, amer. Maler u. Illustr., * 27. 9. 1893 Philadelphia, Pa., ansässig in Chicago, Ill.
Stud. am Art Inst. in Chicago.
Lit.: Fielding. — Amer. Art Annual, 30 (1933). — Who's Who in Amer. Art, I: 1936/37. — Monro. — Art Digest, 24, Nr v. 15. 11. 1949, p. 10.

Biesemann, Paul, dtsch. Landsch.-, Bildnis- u. Stillebenmaler u. Radierer, * 19. 8. 1896 Rotterdam, † Anf. 1943 Kaiserswerth.
Stud. an der Düsseldorfer Akad.
Lit.: Dreßler. — Kstrundschau, 51 (1943) 44. — D. Weltkst, 17, Nr 11/12 v. 14. 3. 1943, p. 6.

Bigard, Gaston, franz. Metallkünstler u. Medailleur, * 30. 3. 1883 Paris, ansässig ebda.
Mitglied der Soc. d. Art. Franç. 3 Arbeiten im Pariser Musée des Arts Décoratifs.
Lit.: Joseph, I. — Bénézit, [2] I (1948).

Bigatti, Alfredo, argent. Bildhauer, * 1898 Buenos Aires, ansässig ebda.
Stud. an d. Akad. in Buenos Aires, 1923/24 bei Bourdelle in Paris. Bereiste Europa. Prof. für Bildh. (figürl. Komposition) an der Esc. Nac. de B. Artes in Buenos Aires. 1941/42 Präsid. des Argent. Bildhauervereins. Nat.-Preis für Bildh. Buenos Aires 1935; Grand Prix auf d. Expos. Internat. Paris 1937. — Denkmale des Generals B. Mitre in La Plata u. des Generals Roca in Choele-Choel, Rio Negro (1940); Denkmal der Nationalflagge in Rosario de Santa Fé (mit José Fioravanti). Hochreliefs für die argent. Pavillons auf den internat. Ausstell. Paris 1937 u. San Francisco 1939.
Lit.: Kirstein, p. 87. — J. E. Payró, A. B., m. 24 Abbn, Buenos Aires, 1941. — The Internat. Who's Who, [16] 1952. — La Renaiss. de l'Art franç., 9 (1926) 481, Abb. p. 486. — Beaux-Arts, 75me année, Nr 247 v. 24. 9. 1937, p. 3 (Abb.).

Bigeard, Paul Emile, franz. Figurenbildhauer, * Paris, ansässig in Gentilly (Seine).
Schüler von Coutan. Seit 1922 Mitglied der Soc. d. Art. Franç. (Salon-Kat. z. T. m. Abbn).

Bigelow, Charles C., amer. Maler u. Illustr., * 20. 2. 1891 Buffalo, N. Y., ansässig ebda.

Stud. an d. Albright Kstschule in Buffalo u. an d. Univers. in Syracuse. Hauptsächl. Wandmalereien, u. a. im Buffalo Consistory.

Lit.: Amer. Art Annual, 30 (1933). — Who's Who in Amer. Art, I: 1936/37.

Bigelow, Constance, amer. Malerin, * 1. 9. 1881 New York, ansässig in Provincetown, Mass.

Lit.: Who's Who in Amer. Art, I: 1936/37. — Mallett.

Bigenwald, Leo, dtsch. Bildhauer u. Keramiker, * 23. 1. 1904 Krefeld, ansässig in Krefeld-Forstwald.

Stud. an d. Kstgewerbesch. in Krefeld, dann in München u. bei Gerstel an d. Hochsch. f. Freie Kst in Berlin. Studienaufenthalte in Italien, Paris, Belgien, Holland, Dänemark u. Schweden. Als Soldat 2 Jahre in Griechenland (Athen). Ging 1945 zur abstrakten Kst über. Fast das gesamte Werk im 2. Weltkrieg zerstört. Vertreten im Kaiser-Wilh.-Mus. in Krefeld. Koll.-Ausst. ebda Mai 1950.

Lit.: Die Kst u. d. schöne Heim, 48. Jahrg. (1950 –51) p. 149. — Mitteil. d. Künstlers.

Biger, Daniel, franz. Landschafts- u. Stilllebenmaler, * Beauvais, ansässig in Paris.

Schüler von Ernest Laurent. Mitglied der Soc. du Salon d'Automne, den er 1928/31 beschickte. Stellt auch im Salon der Soc. des Art. Franç. u. im Salon des Tuileries aus.

Lit.: Joseph, I. — Bénézit, [2] I (1948).

Biggs, Ernest John, engl. Holzschneider, * 26. 9. 1896 Otley, Yorkshire, ansässig in Amsterdam.

Stud. an der Kstschule in Birmingham.

Lit.: Who's Who in Art, [3] 1934.

Biggs, Lilian, engl. Miniaturmalerin (Bildnisse, Blumen, Landsch.) u. Modelleurin, ansässig in Thames, Ditton.

Lit.: Who's Who in Art, [3] 1934.

Biggs, Walter, amer. Illustrator, * 4. 6. 1886 Elliston, Va., ansässig in Salem, Va.

Schüler von Kenneth Hayes Miller, Robert Henri u. Edward Penfield. Zeichnete für Harper's u. Scribner's, für Ladies' Home Journal, Good Housekeeping u. and. Zeitschr.

Lit.: Fielding. — Amer. Art Annual, 30 (1933). — Who's Who in Amer. Art, I: 1936/37. — Art Index, Okt. 1944/Sept. 45. — Monro.

Bignon, René Louis, franz. Figuren-, Landschafts- u. Blumenmaler u. Bildhauer, * Versailles, ansässig in Paris.

Schüler von Verlet u. J. P. Laurens. Mitglied der Soc. d. Art. Franç. Stellte 1927/32 auch bei den Indépendants aus.

Lit.: Joseph, I. — Bénézit, [2] I (1948).

Bignozzi, Tarquinio, ital. Maler, Rad. u. Lithogr., * 12. 11. 1885 Rom, ansässig ebda.

Pflegt alle Techniken der Kupferstichkunst. Einige Zeit Mallehrer an der Kunstakad. in Córdoba (Argentinien), dann Leiter der Calcografia Naz. in Rom, z. Zt. Leiter der Scuola governativa d'Arte ebda. Begründete mit G. Ruberti die Rassegna dell'Istruzione Artist., nachdem er 1929 das Istituto del Libro in Urbino neu organisiert hatte.

Lit.: C. Ratta, Acquafortisti italiani, Bologna 1926ff., I u. III. — Regime fascista (Cremona), v. 30. 3. 1933. — Cimento (Neapel), Nr 86 (1931); Nr 124 (1934). — Corriere Adriatico (Ancona), v. 5. 7. 1933. — Il Secolo nostro (Messina), 1933 p. 303f. — L. Servolini, Diz. d. Incisori ital. mod. e contemp., 1952.

L. Servolini.

Bigonet, Charles, franz. Bildhauer, * Paris, † 1931 ebda.

Mitglied der Soc. d. Art. Franç. Stellte auch im Salon d'Automne aus. Pensionär der Villa Abd-el-Tif in Algier. Denkmal des ehem. Maire von Algier, Charles de Galland, in einem dort. Park aufgestellt; Denkmal zur Erinnerung an die Gefallenen des 1. Weltkrieges, ebda (zus. mit Landowski). Im Mus. in Algier Büste eines Judenmädchens, im Luxembourg-Mus. in Paris Büste eines Mädchens aus Bou-Saâda.

Lit.: Joseph, I. — H. Bouchard, Ch. B., sculpteur oriental., Paris 1933, m. 24 Tafeln. — Bénézit, [2] I (1948). — Beaux-Arts, 3 (1925) 314f., m. Abb. — Gaz. d. B.-Arts, 1927/II p. 334 (Abb.), 335. — Revue de l'Art, 60 (1931), Bull. p. 355, 413 (Abb.); 63 (1933), Bull. p. 247f.

Bigot, Paul, franz. Architekt, * 20. 10. 1870 Orbec (Calvados), † 1942 Paris. Bruder des Folg.

Schüler von Laloux. 1900 Rompreis. Umbau des Palais Matignon in ein Palais für das Präsidium des Staatsrats; Erweiterung des Bürogeb. des Ministeriums für Auswärtige Angelegenheiten; Denkmal für Aristide Briand.

Lit.: Joseph, I. — Revue de l'Art, 61 (1932), Bull. p. 6, m. Abb. — L'Art et les Artistes, 1932 Nr 13 p. 57/62, m. 5 Abbn. — Revue des Deux-Mondes, 1932 p. 674/76. — Mouseion, 1934 p. 163/69, m. 3 Taf. — L'Architecture, 1935 p. 125/28, m. 7 Abbn. — Revue de l'Art anc. et mod., 71 (1937) 103 (Abb.), 107f., 181. — Bâtiment ill., Mai 1937, p. 14/17, m. 4 Abbn. — Revue Archéol., Juli 1949, p. 126f.

Bigot, Raymond, franz. Holzbildhauer, Aquarellmaler u. Zeichner, * 17. 5. 1872 Orbec (Calvados), ansässig in Honfleur (Calvados). Bruder des Vor.

Autodidakt. Arbeitete dann 8 Jahre als Möbeltischler in Paris. Mitglied der Soc. Nat. d. B.-Arts. Stellt auch im Salon d'Automne aus. Tier-, u. zwar hauptsächl. Vogelplastiken, meist in Lebensgröße. Verwendet gern kostbare exotische Hölzer, wie Amarant, Mahagoni, Ebenholz, Rosenholz. Im Luxembourg-Mus. in Paris: Truthahn; Waldeulenpaar. Weitere plast. Arbeiten im Musée Galliera (Adler), im Musée d. Arts Décorat. u. im Mus. in Le Havre (Truthahn mit 3 Hennen). Gallischer Hahn (Stein, in Kolossalgröße) auf dem Gefallenendenkmal in Honfleur. Seine Aquarelle u. Tuschzeichnungen behandeln dieselben Vorwürfe (bes. Raubvögel).

Lit.: Joseph, I. — Bénézit, [2] I (1948). — L'Art décor., 1909/I p. 109 (Abb.). — L'Art et les Artistes, 16 (1913) 214, m. Abb.; N. S. 5 (1922) 265, m. Abb. u. Taf.; 17 (1928/29) 126/32, m. 10 Abbn; 20 (1930) 287 (Abb.). — Beeld. Kunst (Utrecht), 2 (1914/15), Heft X Taf. 76. — The Studio, 83 (1922) 338f., m. Abb. — Bull. de l'Art, 1928 p. 404 (Abb.).

Bija, Augusts, lett. Bildhauer u. Medailleur, * 27. 11. 1872 Assern (b. Riga).

Lernte zuerst als Gravierer an der Gewerbesch. in Riga, weitergebildet an d. Kstgewerbesch. in Kristiania (Oslo). Dann Schüler des Medailleurs Trondzen, als Bildhauer Schüler von Vanderstappen in Brüssel. Standbilder des Politikers Z. Meiarovic u. des Dichters J. Rainis in Riga.

Lit.: Latviešu Konvers. Vārdnīca, 2 (Riga 1928 –29), m. Abb. (Rêverie [sitzende Nackte]) u. Fotobildn.

Biilmann-Petersen, Gunnar, dän. Architekt u. Graph., * 17. 11. 1897 Frederiksberg (Kopenhagen), ansässig in Kopenhagen.

Seit 1925 Lehrer an der Graph. Schule der Akad. in Kopenhagen. Reklamezeichnungen, Geschäftsetiketten, Plakate (Holzschnitt u. Lithogr.). Illustrationen zu „Rodins Testament", zu der Jubiläumsschrift „Munkemølle", J. V. Jensen-Myten „Ravna". Koll.-Ausst. im Kstindustriemus. in Kopenhagen 1939.

Lit.: Krak's Blaa Bog, 1936. — Vem är Vem i Norden, Stockh. 1941, p. 33. — Konstrevy, 1939, p. 153. — Weilbach, [3] I.

Bijur, Nathan, amer. Maler u. Rad., * 2. 7. 1875 New York, ansässig ebda.

Schüler von A. Gorky.

Lit.: Who's Who in Amer. Art, I: 1936/37. — Mallett.

Bik, Willem, holl. Graph. u. Aquarellmaler, * 27. 8. 1880 Pontianak (N. I.), † 21. 11. 1918 Den Haag.

Lit.: Waller.

Bilderbeek, Bernardus van, holl. Architekt, * 15. 12. 1876 Amsterdam, ansässig in Dordrecht.

Arbeitete 1895/1907 als Zeichner im Büro der Gebr. A. L. v. Gendt in Zonen. Seitdem selbständig in Dordrecht, seit 1917 assoziiert mit H. A. Reus. Wohnbauten, Fabrik- u. Schulgebäude. Restaurierte 1925ff. die Groote Kerk ebda.

Lit.: Wie is dat?, 1935.

Bílek, Alois, tschech. Maler, * 15. 6. 1887 Slupy bei Tábor.

Stud. an der Prager Akad. (M. Pirner). Lebte einige Jahre in Paris, wo er u. a. im Salon der Soc. Nat. d. B.-Arts 1923 (40 Bilder) u. in La Boëthie 1924 (90 Bilder) ausstellte. Sonderausstellgn in Prag 1923 (Gal. Topič), 1935 (Gal. Feigl), 1938 (Kstverein). Genre, Stilleben, Bildnisse. Buchillustrat. zu Poe, Timmermans usw.

Lit.: Panorama (Prag), 4 (1927), Heft 8, m. Abbn. — Toman, I 64. *Blž.*

Bílek, Antonín, tschech. Bildhauer, * 13. 3. 1881 Chýnov b. Tábor, † 31. 12. 1937 Prag. Bruder des Folg.

Stud. an der Kstgewerbesch. in Prag. Gefallenen-Denkmäler in Písek, Strakonice, Košice. Budovec-Gedenktafel in Prag (1927).

Lit.: Toman, I 64. *Blž.*

Bílek, František, tschech. Bildhauer u. Graph., * 6. 11. 1872 Chýnov b. Tábor, † 13. 10. 1941 ebda. Bruder des Vor.

Bauernsohn. Stud. 1888/90 bei M. Pirner an d. Prager Akad., 1891/92 an d. Acad. Colarossi in Paris (A. Injalbert). 1902 Studienreise in Italien. Seit 1904 ansässig in Prag. Beeinflußt von gotischer Kunst, die seiner religiös-grüblerischen, zur Mystik neigenden Natur entgegenkam, aber auch von dem die feste plast. Form lockernden Impressionismus berührt. Mitglied d. tschech. Akad. d. Wiss. u. Künste. Pflegte hauptsächlich die kirchl. Kunst u. Denkmalplastik, unter Bevorzugung von Holz als Material. Gr. Holzkruzifix in d. St. Veitskirche in Prag (1899); Jan-Hus-Denkmale in Kolín (1914) u. Tábor (1930); Komenskýs Abschied von s. Heimat, in Prag, vor dem Hause des Künstlers (1926; als Holzgruppe schon 1915); Moses-Denkmal in Prag; Březina-Grabmal in Jaroměřice (1932); Grabdenkm. auf d. Friedhof in Chýnov. In d. Prager Nat.-Gal.: Golgathagruppe (Bronze); Kolossalfiguren (Holz): Die Blinden (1903); Das Entsetzen (1907); Relief: Leib, Welt u. Himmelsgewölbe sind der Seele enge Haft (Bronze), usw. — Illustr. (bes. Holzschnitte) zu Březina's Werken (Gedichtzyklus: Die Hände usw.); Album: Das Gebet (1896); Vater Unser (1901); Das Leben (Lith.); Exlibris. B.s graph. Werk in der Nat.-Gal. u. d. Karásek-Gal. in Prag. In den letzten Jahren beschäftigte sich B. in Chýnov auch mit Keramik- u. Hafnerentwürfen (jetzt im Mus. in Chýnov ausgest.). Das Prager Atelier B.s wurde als sein Museum erhalten. Sonderausstellgn in d. Gal. Heinemann, München, Okt./Nov. 1904 (Katal.), u. in Prag 1915 (Holzschnitte), 1917, 1921, 1926/27, sämtlich in „Umělecká beseda".

Lit.: Th.-B., 4 (1910). — Z. Braunerova, F. B. a jeho dílo, in: Volné směry (Prag), 4 (1900), m. Abbn. — M. Šáreck, O životě a díle sochaře F. Bílka, Prag 1908, m. Abbn. — D. Architekt, 1912, m. Taf. 36/37, 46/47. — Die Graph. Künste (Wien), 37 (1914) 45, m. Abb.; 38 (1915) 42, m. Abb. — D Kst, 27 (1912/13) 87, m. Abb. — L'Art et les Artistes, 18 (1914) 57/63, m. 7 Abbn. — F. Žákavec, O českých výtvarnících, Prag 1920, p. 204f. — Volné směry (Prag), 21 (1921/22) 225f., m. Abbn. — Matějček-Wirth, 38, m. Abbn; dies., Modern and contemp. Czech Art, London 1924, p. 56f., m. Abbn. — Hollar (Prag), 3 (1925/26) 49f., m. Abbn. — Kat. d. Ausst.: Sto let českého umění 1830–1930, S. V. U. Mánes, Prag 1930. — Dějepis výtvarných umění v Československu (Sfinx), Prag 1935, p. 273, m. Abb. — F. B., Coll. Prameny, Bd 47, Prag 1941. — K. Novotný, F. B., Volné směry (Prag), 37 (1941/42) 72. — Umění (Prag), 14 (1943) 225, m. Abbn. — J. Pavel, Dějiny našeho umění, Prag 1947, p. 278f. — Toman, I 65. *Blažíček.*

Bilek, Franziska, dtsche Zeichnerin, ansässig in München.

Illustr. u. a. zu: Lukian, „Hetärengespräche", Stuttgart 1944; P. Wolrum, „Das kann nur München sein. Ein fröhliches u. besinnliches Buch", München 1944.

Lit.: Prisma (München), 1 (1946/47) H. 3, p. VI (Abbn); H. 11 p. 12/14 (Abbn).

Bilger, Magret, steiermärk. Graphikerin.

Entwickelte eine eigentümliche Holzschnitt-Technik, indem sie mit dem Stichel ein dicht verschlungenes Linienwerk in die Holzplatte ritzt. Landschaften u. figürl. Szenen von mystisch-visionärem Charakter. Koll.-Ausstellgn bei Günther Franke, München, 1943, in d. Wiener Albertina 1949 u. im Gurlitt-Verlag, München 1950 (Kat. m. 7 Abbn).

Lit.: Velhagen & Klasings Monatsh., 47/I (1932/33), p. 310, m. Abb. — Zeitschr. f. Kst, 4 (1950) 173. — D. Kstwerk, 5 (1951) H. 1 p. 41.

Bilger-Geigenbauer, Annelies, dtsche Hinterglasmalerin, * 1904 Ulm ansässig in München.

Bilhaut, Georges Henri, franz. Landschafts- u. Stillebenmaler, * 22. 5. 1882 Abbeville, ansässig ebda.

Mitglied der Soc. d. Art. Indépendants. Stellt auch im Salon der Soc. Nat. d. B.-Arts aus.

Lit.: Joseph, I. — Bénézit, [2] I (1948).

Bilibin, Iwan Jakowlewitsch, russ. Maler u. Illustr., * 1875, ansässig in Paris.

Stud. 1898ff. bei Rjepin. Bereiste Italien u. die Schweiz. Einige Zeit in München, Vignetten u. Leisten, russ. Natur- u. Städtebilder darstellend, in „Mir Isskusstwa" (Die Weltkunst) 1900ff. Illustr. zu dem Märchen „Iwanuschka Duratschok" (Iwan der Narr). Bilderbücher mit Motiven aus heimischen Märchen. Aquarelle im Rumjanzeff-Mus. in Moskau u. in d. Staatl. Tretjakoff-Gal. ebda.

Lit.: Bénézit, [2] I. — Mir Isskusstwa, 3 (1900) 25, 48, 55, Chronik p. 113, 114; 5 (1901) 187, Chronik 194, 195, 196; 6 (1906) 347. — Zeitschr. f. Bücherfr., VII/1 (1903/04) p. 41. — Die Graph. Künste (Wien), 55 (1932) 11.

Bilko, Franz, öst. Maler u. Zeichner, * 1894 Gumpoldskirchen.

Lit.: Der getreue Eckart (Wien), 4/I (1926/27) 426/37 (Abbn von Zeichnungen), m. 1 Taf.; 5/I (1927

–28) 45/50 (8 Abbn von Zeichngn), farb. Taf. geg. p. 44; 8/II (1930/31) 569/76, 685/93, 905/13 (Abbn); 10 (1932/33) 208/14, 339/48, 563/71 (Abbn). — Dtsche Heimat (Plan b. Marienbad), 4 (1928) Taf. geg. p. 177; 5 (1929) Taf. geg. p. 167; 6 (1930) 129/33 (Abbn). — Westermanns Monatsh., 165 (1938/39) 419, Abb. am Schluß d. Bandes.

Bill, Carroll, amer. Maler, * 28. 12. 1877 Philadelphia, Pa., ansässig in Boston, Mass. Gatte der Sally.

Stud. an der Harvard Archit. School. Hauptsächl. Wandmalereien, u. a. im Haus d. Consolidated Gas Co. in Boston. Vertreten im John Herron Art Inst. in Indianapolis, Ind., im Mass. Inst. of Technology in Cambridge, Mass., u. in d. Univers. of Michigan in Ann Abor.

Lit.: Fielding. — Amer. Art Annual, 30 (1933). — Who's Who in Amer. Art, I: 1936/37.

Bill, Max, schweiz. Architekt, Bildhauer, Maler, Gebrauchsgraph., Ausstellungsorganisator u. Schriftst., * 22.12.1908 Winterthur, ansässig in Zürich.

Stud. an der Kstgewerbesch. Zürich u. am Bauhaus in Dessau. Reisen in Frankreich u. Italien. Seit 1929 in Zürich. Mitglied des schweiz. Werkbundes u. der „Ciam". Mitgl. d. Gruppe „Abstraction-Création", Paris 1932/36. Einer der führenden Avantgardisten der Schweiz, der die Ideen des Bauhauses auf allen Gebieten konsequent weiterentwickelt hat. 1936 kstler. Gestaltung d. schweiz. Sektion auf d. Triennale in Mailand. Seine Kunst, deren Grundlagen mathematische Denkweise u. Intuition sind, „strebt zu absoluter Klarheit, zur Gesetzmäßigkeit und damit zur Realität selbst". Kollektiv-Ausst. Herbst 1951 im Kstver. in Freiburg i. Br. Graph. Veröffentlichungen: 15 Variations sur un même thème, Paris 1938; 10 Originallithos, Zürich 1941. — Eigene Aufsätze: Über Typographie, in: Schweizer graf. Mitteilungen, April 1946; Erfahrungen bei der Formgestaltung von Industrieprodukten, in: Das Werk (Zürich), 1946, Nr 5; Worte rund um Malerei u. Plastik, Kat., Allianz, Zürich 1947; Von der abstrakten zur konkreten Kunst, Züricher Mittelschulzeitung 1948; Die mathematische Denkweise in der Kunst uns. Zeit, in: D. Werk, 1949, Nr 3; Schönheit aus Funktion und als Funktion, ebda, Nr 8; Vorwort zur Kandinsky-Mappe, Basel 1949; Vorwort zu Arp, 11 Configurations, Zürich 1945; Vorwort zu Vantongerloo, Paintings, Sculptures, Reflections, New York 1948. — Buchwerke: Moderne Schweizer Architektur, Basel 1947; Robert Maillart, Zürich 1949. — Gab heraus: Le Corbusier et P. Jeanneret 1934–1938, Zürich 1939; Abstrakt-konkret, 12 Hefte, Zürich 1944/45.

Lit.: Giedion-Welcker. — Architect. Forum, 83 (1945) 144; 90 (1949) 170. — Beaux-Arts, 26. 12. 1947, p. 3, m. Abb. — Graphis (Zürich), 4 (1948) Nr 21 p. 74/75 (Abbn), 80/85. — Kstchronik, 4 (1950/51) 230. — D. Kst in d. Schweiz, 1929 p. 155, m. 3 Abbn. — Das Kstwerk, 2 (1948) Heft 8 p. 44; 3 (1949) Heft 4 p. 41f., 27 (Taf.); 4 (1950) Heft 8/9 p. 96. — Pro Arte (Genf), 2 (1943) 206, m. Abb. — D. Werk (Zürich), 36 (1949) 86/91, 272/74 u. Suppl. p. 111. — Art Index (New York), Okt. 1947/April 1953.

Bill, Sally, geb. *Cross*, amer. Malerin, * Lawrence, Mass., ansässig in Boston. Gattin des Carroll.

Schülerin von De Camp u. Ross Turner in Boston. Erhielt eine silb. Medaille für Miniaturen auf der Panama-Pacific Expos. San Francisco 1915. — Wandmalereien in St. James Church in New Bedford (zus. mit ihrem Gatten). Vertreten im Mus. in Philadelphia, Pa., u. im Woman's City Club in Boston.

Lit.: Who's Who in Amer. Art, I: 1936/37. — Amer. Art Annual, 30 (1933).

Billard, Jean-Bapt. Antoine, franz. Landschaftsmaler, * Lyon, ansässig in Sarcelles (Seine-et-Oise).

Mitglied der Pariser Soc. d. Art. Franç., beschickte deren Salon 1923/39.

Lit.: Bénézit, [2] 1 (1948).

Billard, Jean Honoré Franc. Victor, franz. Maler, * Saint-Rémy-sur-Avre (Eure-et-Loir), ansässig in Bécon-les-Bruyères (Seine).

Schüler von Foreau, H. Léandre, Corlin u. J. P. Laurens. Mitglied der Soc. d. Art. Franç., beschickte deren Salon 1929–1938 (Kat. z. T. m. Abbn). Stellte häufig auch bei den Indépendants aus. Bildnisse, Landschaften, Stilleben, religiöses Genre.

Lit.: Joseph, I. — Bénézit, [2] I (1948).

Billaudet, Jeanne Louise, franz. Blumen-, Stilleben- u. Genremalerin, * Paris, ansässig ebda.

Schülerin von Jules Grün. Seit 1930 Mitglied der Soc. d. Art. Franç. (Salon-Kat. z. T. m. Abbn).

Lit.: Joseph, I. — Bénézit, [2] I (1948).

Bille, Edmond, schweiz. Maler, Entwurfzeichner für Glasmalerei u. Mosaik, Holzschneider, Rad. u. Lithogr., * 24.1.1878 Valagin (Kt. Neuchâtel), ansässig in Sierre (Kt. Wallis).

Schüler der Ec. d. B.-Arts in Genf, 1895/97 von J. P. Laurens u. B. Constant an der Acad. Julian in Paris. Seit 1900 ansässig in Chandolin (Wallis), seit 1904 in Sierre. 1902 u. 1903 in Italien. Hauptsächlich Landschafter. Graph. Folgen: Une Danse macabre (20 Farbenholzschnittte, m. Einführg v. B. Ritter), Lausanne 1919; Au pays de Tell 1914/15 (satir. Zeichngn), Lausanne 1915; Entwürfe f. Glasgemälde in der Kathedr. zu Lausanne, in d. Deutschen Weißen Kirche bei Neuveville (Neuenstadt), in d. Friedhofkapelle in Le Landeron, in d. Kirche in Corcelles u. in d. Pfarrk. in Sierre. Mosaiken in der Kirche in Chamoson. Bilder in den Museen Basel, Lausanne, Neuchâtel u. Solothurn. Illustr. zu Reynold, Contes et Légendes de la Suisse héroique, Lausanne 1914, u. zu Curty, Geschichte d. Schweiz im 19. Jh.

Lit.: Th.-B., 4 (1910). — Brun, 4. — Jenny. — Lonchamp, I 163; II Nr 773, 2465, 2466, 3110. — P. Budry, E. B. (Coll. „Artistes suisses"), Genf u. Neuchâtel 1934. — Bénézit, [2] 1 (1948). — Die Schweiz, 1905, p. 328, 440, m. Abbn; 1906, p. 60; 1907, p. 104; 1908, p. 473; 1911, p. 463ff., m. zahlr. Abbn, 477ff.; 1915, p. 354 (Abb.); 1919, p. 577, 578 (Abb.). — L'Art et les Artistes, 17 (1913) 206f., m. 2 Abbn. — Das Werk, 2 (1915) 167 (Abb.); 22 (1935), 138, m. Abb., 139f. — Pages d'Art, 1915, H. 5, p.1ff., m. Abbn. — Etrennes helvét., 1914, p. 9, 21 (Abb.). — Schweizerland, 1918, p. 570ff., m. Abbn; 1919, p. 622 (Abb.). — Gaz. d. B.-Arts, 1921/II p. 170. — D. Kstwanderer, 1922/23, p. 107. — Schweizer Kst, 1931/32, p. 86f., m. Abb.

Bille, Jacques, franz. Blumenmaler (Öl u. Pastell), * 13. 2. 1880 Paris, ansässig ebda.

Mitglied der Soc. des Art. Franç. (Salon-Kat. z. T. m. Abbn) u. der Soc. Nat. d. B.-Arts. Bilder im Pariser Musée d. Arts Décor. u. im Mus. in Toulouse.

Lit.: Joseph, I. — Bénézit, [2] I (1948).

Billetdoux, Adrienne, franz. Bildnismalerin u. Rad., * Montpellier, † 1936 Paris.

Schülerin von Jeanne Burdy u. E. Gauguet. Mitglied der Soc. d. Art. Français.

Lit.: Joseph, I. — Bénézit, [2] I (1948).

Billette, Raymond, franz. Genre-, Landschafts-, Blumen- u. Stillebenmaler, * 3. 11. 1875 Paris, anssäsig ebda.

Mitglied der Soc. d. Art. Indépendants, beschickte deren Salon 1906/30. Stellte auch im Salon d'Automne u. im Salon des Tuileries aus.
Lit.: Joseph, I, m. Selbstbildn. (Zeichng). — Bénézit, [2] I (1948).

Billgren, Hans, schwed. Bildnis-, Figuren-, Interieur, Landschafts- u. Blumenmaler, * 1909 Löderup, Schonen, ansässig ebda.

Stud. in Kopenhagen u. Paris. Bild im Mus. in Ystad. — Seine Gattin Grete, geb. *Lutzhöft,* * 1907 Kopenhagen, stud. dort u. in Deutschland, malt Bildnisse, Landschaften u. Stilleben.
Lit.: Thomœus.

Billing, Hermann, dtsch. Architekt (Oberbaurat, Dr.h.c.), Kstgewerbler u. Radierer, * 7.2.1867 Karlsruhe, † 2.3.1946 ebda.

Schüler von H. Götz an der Karlsruher Kunstgewerbesch., dann von Warth u. Durm an der Techn. Hochsch. ebda. Seit 1901 Dozent (seit 1906 Prof.) an derselben. Knüpft an die süddtsche Barocktradition an. Hauptwerke: Hofapotheke in Karlsruhe; Neue Weserbrücke in Bremen; Nahebrücke in Kreuznach; Rheinbrücke in Ruhrort; Stephansbrunnen in Karlsruhe; Kunsthallen in Mannheim u. Baden-Baden; Rathaus in Kiel; Kollegiengeb. d. Universität Freiburg i. Br.; Städt. Feuerwache in Karlsruhe; Städt. Krankenhaus in Singen-Hohentwiel. Radierte einige Blätter mit Phantasiearchitekturen.
Lit.: Th.-B., 4 (1910). — Dreßler. — K. Martin, H. B., Berlin 1930. — Oechelhäuser, Gesch. d. Bad. Akad. d. bild. Kste, Karlsr. 1904, p. 111, 112 (Abb.), 153, Abb. geg. p. 156. — Platz. — Architektur d. 20. Jahrh.'s, 1912, Taf. 36, 37, 38; 1913, p. 36, Taf. 60. — Moderne Bauformen, VI p. 89, 218; IX; XI. — Blätter f. Architektur u. Ksthandwerk, 15 (1902) 69. — Dtsche Bauzeitung, 46 (1912) 43/45; Taf. 4; 54 (1920) 365ff., m. Fortsetzgn. — D. Kunst, 30 (1913/14) 102 (Abb.), 103 (Abb.), 104. — Dtsche Monatshefte, 1913, p. 299/302, m. Abbn; 1917, p. 61ff. (Abbn). — Profanbau, 1912, p. 316. — Dtsch. Volkstum, 22 (1920) 95f.

Billinghurst, Alfred John, engl. Bildnis- u. Landschaftsmaler, * 1880 Blackheath, ansässig in London.

Stud. an d. Slade School in London, an d. Acad. Julian in Paris u. an d. dort. Ecole d. B.-Arts.
Lit.: Who's Who in Art, [3] 1934.

Billings, Henry, amer. Maler u. Zeichner, * 13.7.1901 New York, ansässig in Rhinebeck, N.Y.

Schüler von Boardman Robinson u. Kenneth Hayes Miller an d. Art Students' League in New York. Im Whitney Mus. of Amer. Art in New York ein Knabenbildnis. Koll.-Ausst. 1932 im Squibb Building ebda.
Lit.: Who's Who in Amer. Art, I: 1936/37. — Amer. Art Annual, 3 (1933). — The Studio, 104 (1932) 257 (Abb.). — Art Index (New York), Okt. 1941 –Sept. 1946. — Monro.

Billings, Mary Hathaway, amer. Malerin, * Brooklyn, N.Y., ansässig in Northampton, Mass.

Schülerin von Rhoda Holmes Nicholls, Cullen Yates, Pape u. Whittaker.
Lit.: Fielding. — Amer. Art Annual, 30 (1933). — Who's Who in Amer. Art, I: 1936/37.

Billmaier, Trud, dtsche Malerin, * 28.7.1891 Hördt b. Straßburg, ansässig in Karlsruhe.

Schülerin von Zengerle in Karlsruhe, dann bei O. Kemmer, F. Fehr u. W. Nagel ebda Zuletzt Meisterschülerin von Feldbauer in München. Hauptsächl. Landschaften u. Figürliches. Koll.-Ausstellgn 1916 u. 1920 im Kstverein Karlsruhe.
Lit.: Dreßler.

Billman, Torsten, schwed. Graphiker, * 1909 Kullavik, Bohus län, ansässig ebda.

Stud. an der Kstgewerbesch. in Göteborg. Marinen, Hafenansichten, Fischertypen usw.
Lit.: Thomœus.

Billmann, August, dtsch. Bildhauer u. Plakettenkstler, * 1895 Ochsenfurth/Unterfr., ansässig in München.

Schüler von Widmer u. Heilmeier an der Nürnberger Kstgewerbeschule, dann von Hahn an der Münchner Akad.
Lit.: Dreßler. — Alckens, D. Denkm. u. Denkst. d. St. München, 1936. — D. Baumeister, 22 (1924), Beibl. p. 93.

Billmyer, James, amer. Illustrator, * 1897 Union Bridge, Md., ansässig in Jackson Heights, N.Y.

Schüler von Dunn. Illustr. u. a. für Pictorial Review u. Country Home. — Seine Gattin Charlotte, geb. *Post,* * 16.9.1901 Brooklyn, N.Y., Schülerin von Dunn u. Ward, illustriert gleichfalls.
Lit.: Amer. Art Annual, 30 (1933). — Who's Who in Amer. Art, I: 1936/37.

Billot, Charles, franz. Bildhauer u. Medailleur, ansässig in Nogent-sur-Marne.

Schüler von Barrias, Coutan u. Picard.
Lit.: Joseph, I. — Forrer, VII. — Bénézit, [2] I (1948).

Billotey, Louis, franz. Figurenmaler u. Entwurfzeichner für Glasmalerei, * Paris, ansässig ebda.

Schüler von J. Lefebvre u. T. Robert-Fleury. Gr. Rompreis 1907. Mitgl. der Soc. d. Art. Franç., beschickt deren Salon seit 1907 (Kat. z. T. m. Abbn). Preisgekrönt auf der Internat. Ausst. Paris 1937. Bilder u. Glasmalereien in der Kirche in Ciry-Salsogne (Aisne).
Lit.: Bénézit, [2] I (1948). — Architecture, 1926 p. 337/46, passim. — Gaz. d. B.-Arts, 1931/I 501, m. Abb.

Bilotti, Salvatore F., ital. Bildhauer, * 3.2.1879 Cosenza, ansässig in New York.
Lit.: Fielding. — Amer. Art Annual, 30 (1933). — The Art News, 21, Nr 28 v. 21.4.1923 p. 1 (Abb.); 22, Nr 7 v. 24.11.1923 p. 1, m. Abb. — Who's Who in Amer. Art, I: 1936/37.

Biloul, Louis, franz. Genre- (bes. Akt-) u. Bildnismaler, * 15.10.1874 Paris, † 1947 ebda.

Schüler von J. P. Laurens u. B. Constant. Mitglied der Soc. d. Art. Franç. Bild: Nach dem Bade, im Luxembourg-Mus.
Lit.: Th.-B., 4 (1910). — Joseph, 1. — Bénézit, [2] 1 (1948). — Art et Décoration, 35 (1914), Suppl. Jan. p. 4. — Apollo (London), 7 (1928) 279.

Bilţiu-Dăncuş, Traian, rumän. Maler, * 1899 Jeud.

Stud. an der Kunstsch. in Bukarest. Bereiste 1925–27 Frankreich, Spanien, Tunis u. Italien. Bild im Mus. Toma Stelian in Bukarest (Kat. 1939).
Lit.: Petranu, p. 55.

Bimler, Kurt, dtsch. Kstgelehrter u. Bildhauer, * 28.9.1883 Alt-Schalkowitz, zuletzt ansässig in Breslau.

Bildnisbüsten im Oberschles. Landesmus. in Gleiwitz u. in d. Techn. Hochsch. Breslau; Portalfiguren am Magdalenengymnasium in Breslau; Kriegerdenkmal in Zaborze.

Lit.: Dreßler. — Der Oberschlesier, 10 (1928), Abb. geg. p. 640.

Binaepfel, Lucien, elsäss. Maler, * 1. 10. 1893 Rixheim, ansässig in Mülhausen.

Seit 1942 Leiter der Ksthalle in Mülhausen. Figürliches, Landschaften, Blumenstücke, Stilleben (Öl u. Aquar.). Koll.-Ausst. im Kstsalon Bretschneider, Leipzig, Febr./März 1927 (ill. Verzeichnis). Landschaftsaquar. im Mus. in Straßburg.

Lit.: Bénézit, [2] I (1948). — Musées de la Ville de Strasbourg. Compte-rendu 1922, Str. 1923, p. 5.

Binaghi, Luigi, ital. Genre- u. Landschaftsmaler, * 11. 10. 1890 Como.

Autodidakt.

Lit.: Comanducci. — Emporium, 94 (1941) 192, m. Abb.

Binder, Carl, schweiz. Bildhauer, * 6. 3. 1881 Brienz, ansässig ebda.

Stud. in Winterthur, dann an der Ec. d. B.-Arts in Genf u. 1903ff. an der Acad. Julian in Paris. Im Bes. d. Stadt Paris: Pariserin.

Lit.: Brun, IV. — Schweiz. Zeitgen.-Lex., 1932.

Binder, Carl F., dtsch-amer. Maler u. Lithograph, * 10. 2. 1887, ansässig in Cleveland Heights, Ohio.

Schüler von H. Knackfuß an der Akad. in Kassel. Wiederholt durch Preise ausgezeichnet. In d. Pennsylvania Acad. of F. Arts in Philadelphia: The Lunch Basket.

Lit.: Amer. Art Annual, 30 (1933). — Who's Who in Amer. Art, I: 1936/37. — Bull. of the Cleveland Mus. of Art, 14 (1927) 79, 86 (Abb.), 91; 17 (1930) 123.

Binder, Franz, tirol. Maler, * 16. 11. 1918 Kundl, ansässig ebda.

Schüler von Tony Kirchmayr u. Gustav Bechler. Landschaften; ornamentale Malereien. *J. R.*

Binder, Friedrich, dtsch. Maler u. Graphiker, * 31. 3. 1897 Ludwigshafen a. Rh., ansässig ebda.

Stud. in Paris, Berlin, München u. Frankfurt a. M. Hauptsächlich Werbegraphik u. Reklame.

Lit.: Dreßler.

Binder, Jacob, russ.-amer. Bildnismaler, * 10. 1. 1887 Kreslavke Dwinsk, wohnhaft in Roxbury, Mass., u. in Boston, Mass.

Schüler von Jos De Camp in Boston u. von John S. Sargent; weitergebildet in Rußland. Bild: Der alte Talmudleser, Mus. in Boston.

Lit.: Amer. Art Annual, 30 (1933). — Who's Who in Amer. Art, I: 1936/37. — Bull of the Mus. of F. Arts Boston, 24 (1926) 90, m. Abb. — The Art News, 25, Nr 10 v. 11. 12. 1926, p. 4. — Monro.

Binder, Josef, öst. Maler, Plakatkünstler u. Gebrauchsgraph., * 3. 3. 1898 Wien, ansässig ebda.

Schüler von Löffler an der Wiener Kstgewerbesch., 1926 Staatspreis Wien.

Lit.: Dreßler. — Arts et Métiers graph. (Paris), Nr 30 (1932) 45/47, m. 7 Abbn. — Der getreue Eckart, 14 (1937) 245/49. — D. Kunst, 61 (1929/30) 76 (Abb.). — Dtsche Kst u. Dekor., 60 (1927) 240. — The Studio, 91 (1926) 335, 336, m. 4 Reklame-Zchgn, dar. 1 ganzs. Abb.; 95 (1928) 66, 67, m. 2 Abbn u. 1 ganzs. farb. Abb.

Binder, Kaspar, dtsch. Bildnis- u. Figurenmaler, † 1925 München.

Mitgl. d. Münchner Kstlergenossensch.

Lit.: D. Cicerone, 17 (1925/I) 526. — D. Kunst, 52 (1924/25) p. 340 (Abb.) u. Beibl. z. Junih. p. XIV; 55 (1925/26), Beibl. z. Märzh. p. XVIII.

Binder, Oskar, dtsch. Bildnis-, Genre-, Landsch.- u. Stillebenmaler, * 27. 8. 1891 München, ansässig ebda.

Stud. an der Münchner Akad.

Lit.: Dreßler. — Karl, I, m. Abb.

Binder, Tony, öst. Orientmaler u. Illustr., * 25. 10. 1868 Wien, † Januar 1944 München.

Stud. in Wien, München u. bei C. Boiry in Paris. Bereiste Italien, Ägypten u. Griechenland. Hauptsächlich Interieur-Szenen u. Landschaften aus dem Orient (Öl u. Aquar.). Mitgl. d. Kstlergenossensch. München. (Glaspalast-Kat., z. T. m. Abbn).

Lit.: Dreßler.

Bindewald, Erwin, dtsch. Maler u. Graph., * 10. 9. 1897 Charlottenburg, ansässig in Berlin.

Stud. 1914/24 an der Berl. Akad. bei G. Koch, Fr. Böse, Plontke, A. Kampf u. Schuster-Woldan. Wandbilder im Phyletischen Museum in Jena u. im Jagdschloß Eras in Münchenhofen. Buchschmuck u. a. zu Wolfg. Goetz, Der Herr Geh. Rat. 100 kl. Geschichten von u. um Goethe, erzählt von s. Zeitgenossen, Frunsberg-Verlag, Berl. 1941 u. 1944, u. zu: W. Zerlett, Aus dem Stegreif. Plaudereien über Redensarten, Aufwärts-Verl. Berl. 1944.

Lit.: Dreßler. — D. Kstwerk (Baden-Baden), 2 (1948) H. 8, p. 16 (Taf.-Abb.).

Bindhardt, Georg, dtsch. Bildhauer u. Ziseleur, * 2. 3. 1875 Bockenheim b. Frankfurt a. M., zuletzt ansässig in Altona.

Schüler von W. Widemann u. J. Kowarzik an d. Kstgewerbesch. in Frankfurt u. von Eberle an d. Münchner Akad. 1898/1900 in Frankfurt, bis 1904 in Schwäb.-Gmünd, seit 1905 in Altona (Lehrer an d. Handwerker- u. Kstgewerbesch.). Bronzereliefs in den Kstgewerbe-Mus. in Hanau u. Schwäb.-Gmünd.

Lit.: Weizsäcker-Dessoff.

Bine, Jekabs, lett. Maler u. Kstkritiker, * 1895 Riga, ansässig ebda.

Schüler von J. R. Tillbergs an d. Kstakad. in Riga (bis 1926). Beteiligt an der Lett. Kstausst. im Pariser Musée du Jeu de Paume 1939.

Lit.: Bénézit, [2] I (1948).

Binenbaum, Lazar, Bildnismaler, * 20. 1. 1876 Adrianopel (Türkei), ansässig in München.

Schüler von Defregger in München.

Lit.: Dreßler. — Beaux-Arts, Nr 324 v. 17. 3. 1939, p. 2 (Abb.).

Binet, Alice, franz. Figuren- u. Bildnismalerin, * Paris, ansässig ebda.

Schülerin von R. Collin, Schommer u. P. Gervais. Mitglied der Soc. d. Art. Franç., beschickte deren Salon 1912/36 (Kat. z. T. m. Abbn). Silb. Med. 1923.

Lit.: Joseph, I. — Bénézit, [2] I (1948).

Binford, Julian, amer. Maler u. Zeichner, * 1908 Fine Creek Mills, Virginia.

Stud. am Art. Inst. in Chicago, erwarb die Ryerson Traveling Fellowship, bereiste Frankreich u. Spanien.

Lit.: Bull. Addison Gall. of Amer. Art, Andover, Mass., 1942 p. 25. — Mallett. — Art Index (New York), Okt. 1941/Okt. 1951. — Monro.

Bing, Henry, franz. Landschaftsmaler, Lithogr. u. Karikaturenzeichner, * 23. 8. 1888 Paris, ansässig ebda.

20 farb. Orig.-Lithos u. d. T.: Au Camp, Bern 1917;

12 farb. Orig.-Lithos zu G. de Reynold, Paysage suisse, Genf 1918. Sonder-Ausstell. bei Brakl in München 1912, bei Hans Goltz ebda 1914 u. im Ksthaus in Zürich 1916.

Lit.: Bénézit, [2] I (1948). — D. Ksthaus, 1916 H. 10 p. 2. — D. Kunst, 25 (1912) 410.

Bing, Olga, franz. Blumen-, Früchte- u. Landschaftsmalerin, * Paris, ansässig in Fontenay-sous-Bois.

Stellte 1911/30 bei den Indépendants aus.

Lit.: Joseph, I. — Bénézit, [2] I (1948). — La Renaiss. de l'Art Franç., 9 (1926) 122.

Binks, Ward, engl. Hundemaler (Öl u. Aquar.) u. Aquatintast., * Bolton, ansässig in London.

Lit.: Who's Who in Art, [3] 1934.

Binna, Helene, öst. Keramikerin, * 14. 7. 1897 Weidlingen b. Wien, ansässig in Innsbruck.

Stud. an der graph. Lehranstalt u. d. Kstgewerbeschule in Wien (Powolny). Arbeitete in keram. Werkstätten in Gmunden u. Scheibbs. Seit 1936 in Innsbruck. Hauptsächlich Gefäßkeramik. *J. R.*

Binns, Charles Fergus, amer. Kunsttöpfer u. Fachschriftst., * 4. 10. 1857 Worcester, † 4. 12. 1934 Alfred, N. Y.

Sohn des Richard William B., Direktors der Roy. Porcelain Works in Worcester, für die B. selbst 1872–96 tätig war. 1897/1900 Leiter der Technical School of Science and Art in Trenton, N. J., 1901/31 Direktor der New York State School of Clay Working a. Ceramiks. Präsident der von ihm mitbegründeten Amer. Ceramic Soc. — Proben seiner glasierten Kunsttöpfereien im Metrop. Mus. in New York, im Art Inst. in Chicago u. im Detroit Inst. of Arts. — Buchwerke: Ceramik Technology; The Story of the Potter; The Potter's Craft.

Lit.: Th.-B., 4 (1910). — Who's Who in Amer. Art, I: 1936/37, p. 492. — Mallett.

Binyon, Helen, engl. Holzschneiderin, Kupferstech. u. Illustrat., * 9. 12. 1904 London, ansässig ebda.

Tochter des Kstgelehrten Rob. Laurence B. Stud. am Roy. Coll. of Art. Illustr. zu: „Street of Queer Houses", zu „Sophra the Wise" usw.

Lit.: Who's Who in Art, [3] 1934. — The Studio, 100 (1930) 194 (Abb.); 117 (1939) 50 (Abb.).

Binz, Hermann, dtsch. Bildhauer u. Keramiker, * 22. 6. 1876 Karlsruhe, ansässig ebda.

Schüler von Herm. Volz. Hauptsächl. Bauplastik: Stephansbrunnen in Karlsruhe; Kanzelrelief mit Bergpredigt in d. Lutherkirche ebda; Portalreliefs an d. Stadthalle zu Mühlheim a. d. Ruhr; weibl. Akte (z. T. in Majolika); Sitzfig.: Malerei u. Plastik, vor d. Ksthalle in Baden-Baden.

Lit.: Th.-B., 4 (1910). — Dreßler. — Architekt. Rundschau, 28, Taf. 128ff. — D. Kunst, 57 (1927/28) 100/04, m. Abbn. — Dtsche Kst u. Dekor., 57 (1925/26) 99 (Abb.). — Dtsche Bauzeitung, 1912, p. 228. — D. Bild, 11 (1941) 107f., m. 4 Abbn.

Björk, Eva, geb. *Jancke*, schwed. Malerin u. Kunstgewerblerin, * 1882 Näs, ansässig in Göteborg.

Stud. in Stockholm, Paris u. Italien. Entwürfe für Textilien, Glas u Keramik.

Lit.: Thomœus.

Björklund, August Matthias (Matti), finn. Architekt u. Graph., * 31. 5. 1885 Uleåborg, ansässig in Helsinki.

Stud. am Polytechn. Inst. in Åbo (Turku). Unterhielt 1916/34 ein Architekturbüro in Vasa, seitdem in Helsinki. Geschäftshäuser, Fabrik- u. Kommunalgebäude. Illustrationen.

Lit.: Vem och Vad?, Helsingf. 1936.

Björklund, Nils, schwed. Bildnis- u. Landschaftsmaler, * 1912 Högsjö, Ångermanland, ansässig in Stockholm.

Stud. an den Akad. in Brüssel, München u. Paris.

Lit.: Thomœus.

Björklund, Oddmar, schwed. Genre- u. Landschaftsmaler, * 1907 Stockholm, ansässig in Nacka.

Lit.: Thomœus.

Björklund, Richard, schwed. Genre-, Bildnis- u. Landschaftsmaler, * 1897 Hyllie, Schonen, ansässig in Malmö.

Stud. in Paris u. Berlin. Studienaufenthalte in Italien, Frankreich u. Dalmatien. Bilder im Nat.-Mus. in Stockholm, im Mus. in Malmö u. in der Smlg des Prinzen Eugen v. Schweden (†).

Lit.: Thomœus. — Konstrevy, 1937, Heft 3, p. VIII f., m. Abb., IX (Abb.); 1938, p. 197, m. Abb.; 1939, p. 77.

Björkman, Andreas, schwed. Maler (Öl u. Aquar.), * 1906 Kviinge, Schonen, ansässig in Åhus, Schonen.

Stud. in Kristianstad u. an der Akad. in Stockholm. Bildnisse, Landschaften, Interieurs mit Figuren, Blumenstücke.

Lit.: Thomœus.

Björkman (B.-Goldschmidt), Elsa, schwed. Malerin u. Holzschneiderin, * 1888 Linköping, ansässig in Stockholm.

Stud. an der Radierschule Axel Tallbergs u. an der Akad. in Stockholm. Reisen im Ausland, bes. in Belgien. Hauptsächl. Landschaften (Motive aus Dalarne).

Lit.: Thomœus, p. 107 (s. v. Goldschmidt).

Björkquist, Nils, schwed. Tiermaler, * 1900 Göteborg, ansässig in Mölndal.

Autodidakt. Füchse, Hasen, Waldvögel usw.

Lit.: Thomœus.

Björnberg, Evald, schwed. Bildnis-, Genre-, Landschafts- u. Blumenmaler, * 1895 Göteborg, ansässig in Stockholm.

Stud. an der Akad. in Stockholm, dann in Paris u. Dresden. Bilder im Nat.-Mus. in Stockholm u. in den Museen in Gävle, Göteborg, Malmö u. Östersund.

Lit.: Thomœus. — Göteborgs Museum, Årstryck, 1937, p. 44. — Konstrevy, 1937, p. 211, m. Abb.

Björnberg, Ivar, schwed. Maler u. Plakat- u. Reklamezeichner, * 1895 Gävle, ansässig in Stockholm.

Lit.: Thomœus.

Biong, Kristian, norweg. Architekt, * 23. 11. 1870 Ullensaker, ansässig in Oslo.

Stud. an der Kst- u. Gewerbesch. in Oslo bei H. Schirmer u. Nissen. Weitergebildet in England, Holland, Belgien u. Frankreich. Seit 1900 in Oslo selbständig. — Sanatorium in Vardåsen; Norweg. Kreditbank in Oslo; Psychiatrische Kliniken in Vinderen u. Gaustad; Tuberkuloseheim in Lillehammer; Kraftstation Langerak.

Lit.: Th.-B., 4 (1910). — Hvem er Hvem?, [4] 1938. — Vem är Vem i Norden, Stockh. 1941, p. 619. — Kunst og Kultur, 2 (1911/12) 145, 146 (Abb.), 147 (Abb.), 148 (Abb.), 150 (Abb.). — Kat. Jubil.-Utstill.

Norges Kunst 1814–1914, Kra. 1914, p. [137] (Abb.), [139] (Abb.), [208].

Bjorkman, Olof, schwed. Bildhauer, * 15. 7. 1886 Stockholm, ansässig in New York.

Stud. in Stockholm, dann bei Injalbert u. Bourdelle in Paris (1906/11). Denkmäler (Beethoven, Rodin, Jenny Lind [Bathery Park in New York], E. A. Poe u. a.), Reliefbildnisse Charles Lindberghs in der Schwed. Handelskammer in New York, Frances Eyre Parker's im Parker Memorial Building ebda.

Lit.: N. F., 21 (Suppl.). — Vem är det?, 1935. — Thomœus. — The Internat. Who's Who, [8] 1943/44.

Biosca, Joseph, katal. Figurenbildhauer, * Albatarrech (Lérida), ansässig in Charenton (Seine).

Mitglied der Pariser Soc. du Salon d'Automne, den er seit 1928 beschickte.

Lit.: Joseph, I. — Bénézit, [2] I (1948).

Biosca-Vila, Joaquim, katal. Figuren-, Porträt- u. Landschaftsmaler, * Barcelona, ansässig in Paris.

Stellte 1926/32 im Salon der Soc. d. Art. Indépendants, 1925 im Salon d'Automne in Paris aus.

Lit.: Joseph, I. — Bénézit, [2] I (1948).

Birch, Geraldine, verehel. *Duncan*, engl.-amer. Malerin u. Rad., * 12. 11. 1883 Forest Row, Sussex, ansässig in Pasadena, Calif.

Schülerin von Desvallières, Ménard u. Prinet in Paris. In der State Libr. in Sacramento: Der Bücherwurm.

Lit.: Who's Who in Amer. Art, I: 1936/37. — Amer. Art Annual, 29 (1932).

Birch, Reginald Bathurst, engl.-amer. Illustrator, * 1856 London, † 1943 New York.

Seit 1872 in den USA. Stud. in München u. Italien. Illustr. u. a. zu: Little Lord Fauntleroy.

Lit.: Fielding. — Amer. Art Annual, 20 (1923) 443. — Mellquist. — Architect. Forum (Chicago), 79 (1943) 132, m. Bildnis.

Birch, William Henry, engl. Landsch.- u. Bildnismaler u. Buchillustr., * 19. 5. 1895 Epsom, ansässig ebda.

Stud. an der Kstschule in Epsom.

Lit.: Who's Who in Art, [3] 1934.

Birch-Lindgren, Gustaf, s. *Lindgren.*

Birchall, William Minshall, amer.-engl. Marinemaler (Aquar.), * 10. 9. 1884 Cedar Rapids, Iowa, USA, ansässig in London.

Lit.: Who's Who in Art, [3] 1934.

Bircks, Else, dtsche Malerin u. Kstgewerblerin, * 2. 9. 1903 Düsseldorf, ansässig ebda.

Stud. an d. Akad. in Düsseldorf. Figürl. Wandmalereien in d. kath. Pfarrk. in Melsungen; Tabernakeltüre (Treibarbeit) in d. Elisabethk. in Krefeld.

Lit.: Dreßler.

Bird, Constance, engl. Landschaftsmalerin (Aquar.), * Aigburth, Liverpool, ansässig ebda.

Lit.: Who's Who in Art, [3] 1934.

Bird, George Frederick, engl. Bildnismaler, * 22. 3. 1883 Forest Hill, ansässig in London.

Stud. an der Kstschule der Roy. Acad. u. an der Landseer-Schule in London.

Lit.: Who's Who in Art, [3] 1934.

Birenheide, Walter, dtsch. Maler, * 25. 5. 1913 Hannover, ansässig in Berlin.

Zuerst Volksschullehrer in Emden u. Dortmund. Dann Schüler von Bernh. Hasler an d. Hochsch. f. Ksterziehung in Berlin. 1939/45 Soldat. Nach d. Kriege Schüler von O. Moll in Berlin.

Lit.: Kat. Ausst. „30 junge dtsche maler", Kestner-Ges. (Hannover) 1950.

Birge, Mary, geb. *Thompson*, amer. Malerin, * 5. 6. 1872 New York, ansässig in Indianapolis, Indiana.

Stud. an d. Yale Kstschule in New York.

Lit.: Fielding. — Amer. Art Annual, 20 (1923) 443.

Birgels, Wilhelm, dtsch. Landsch.- u. Blumenmaler, * 15. 11. 1870 Krefeld, ansässig ebda.

Stud. 1885/89 an d. Malklasse der Krefelder Webeschule, im übrigen Autodidakt. Studienaufenthalte in England, Holland, Belgien u. Frankreich (1 Jahr in Paris). Gold. Med. auf d. Weltausst. Paris 1900 für Entwürfe für Textilien. Seit ca. 1910 Ksthändler. Kollekt.-Ausst. anläßl. s. 75. Geb.-Tages (ca. 70 Ölgem. u. Aquar.) im Kaiser-Wilh.-Mus. in Krefeld.

Lit.: Mitteilg d. Künstlers.

Birger, Birger, schwed. Bildnis-, Figuren- u. Landschaftsmaler (Öl, Aquar., Tempera), * 1904 Nyköping, ansässig in Vaxholm.

Autodidakt. Phantasiefiguren, exotisches Milieu. Bild im Mus. in Eskilstuna.

Lit.: Thomœus.

Biringer, Richard, dtsch. Maler, Bildhauer u. Medailleur, * 24. 4. 1877 Höchst a. M., ansässig ebda.

Stud. an d. Kstgewerbesch. u. im Städel-Inst. in Frankfurt, dann an der Heymannsch. bei Groeber in München. Studienaufenthalte in Italien, Tirol, der Schweiz u. in Paris. Industriebilder u. Zeichngn im Verwaltungsgeb. d. Farbwerke in Höchst. Freiplastik: Der Krieg, in den Städt. Anlagen in Frankfurt; Bronze: Tigerkopf, in den Städelschen Kstsmlgn ebda; Plakette: Medusa, im Kstgewerbemus. ebda. Gebrauchsgraphik (Geschäftskartenumschläge, Buchschmuck usw.).

Lit.: Dreßler. — Kst u. Handwerk, 1911 p. 264f. (Abbn). — Hellweg (Essen), 5 (1925/II) 598/601.

Birkbeck, Geoffrey, engl. Aquarellmaler, * 12. 10. 1875 Norwich, ansässig in London.

Lit.: Who's Who in Art, [3] 1934.

Birke, Ernst, öst. Maler, * 1905 Braunau a. Inn, Oberöst.

Stud. an den Akad. in Dresden u. Prag. Bereiste Deutschland u. Italien. Landschaften, Blumenstücke, Stilleben, Bildnisse. Kollekt.-Ausst. Frühjahr 1935 in Trautenau.

Lit.: D. Ackermann aus Böhmen, 3 (1935) 565, m. 4 Taf.-Abbn.

Birkenholz, Peter, dtsch. Architekt u. Kstgewerbler (Prof.), * 30. 7. 1876 Elberfeld, ansässig in München.

Stud. an d. Techn. Hochsch. Darmstadt. Landhaus Graf Larisch am Isarufer bei Geiselgasteig (zus. mit C. Jäger); Villenbauten an der Bergstraße; Umbau des Sanatoriums Hoeßlin in München. Inneneinrichtungen, Möbel.

Lit.: Th.-B., 4 (1910). — Dreßler. — Dtsche Bauzeitung, 45 (1911) 309. — Dtsche Konkurrenzen, 24, H. 1, 11 u. 12. — Schweiz. Bauztg, 69 (1917) 156ff., m. Abbn. — München u. s. Bauten, 1912, m. Abb. — Innendekor., 22 (1914) 411ff., m. Abb. — D. Kunst, 42 (1919/20) 73ff., m. Abbn, 297ff., m. Abbn; 52 (1924/25) 109ff., m. Abbn.

Birkert, Hans, dtsch. Maler, * 8. 2. 1911 Nördlingen, ansässig in Augsburg.

Lernte Dekorationsmalerei. Autodidakt. Studienaufenthalt in Frankreich.
Lit.: Ausst. Augsburg. Kstler, Schaezler-Palais, Augsburg, 8. 12. 1946–2. 1. 1947.

Birkheimer, Ernst, dtsch. Maler (Öl u. Aquar.), * 14. 2. 1926 Mainz, ansässig ebda.
Lit.: Kat. der 3. Dtsch. Kstausst. Dresden 1953.

Birkholm, Axel, dän. Maler, * 1909 Thisted, ansässig in Stockholm.
Stud. in Kopenhagen u. Stockholm. Studienaufenthalte in Frankreich, Holland u. Westindien. Figürliches (bes. Akte in Landschaft) u. Bildnisse.
Lit.: Thomœus.

Birkle, Albert, dtsch. Maler (Landschaft, Bildnis, Raumgestaltung, Fresko) u. Entwurfzeichner für Glasmalerei, * 21.4.1900 Charlottenburg, ansässig in Salzburg-Parsch.
Schwäb. Herkunft (Wessingen b. Hechingen). Stud. 1918/24 bei A. Kampf u. Ferd. Spiegel an der Berl. Akad. Ansässig in Berlin, seit 1930 in Salzburg-Parsch. Industrielandschaften aus Oberschlesien; Ansichten aus Breslau; Kirchenfresken, u. a. in Geislingen b. Balingen, in Wessingen u. in Sulden (Württ.); Glasmalereien in den Kirchen in Herrenberg b. Stuttgart, in Weitingen b. Horb a. N., in St. Blasius in Salzburg, in der Stadtpfarrk. in Graz, in St. Georg in Bischofshofen u. in der Totenkap. in Niederndorf b. Kufstein. Zeichnungen u. Aquarelle in der Wiener Albertina u. in den Museen in Linz a. d. Donau, in Salzburg u. im Bes. der Stadt Berlin.
Lit.: Dreßler. — Bie, m. 4 Abbn. — D. Bergstadt, Jg. 19 Nr v. 6. 3. 1931, p. 522/28. — D. Cicerone, 19 (1927) 287, 609; 21 (1929) 322. — Hellweg (Essen), 4 (1924/I) 341f., m. Abbn. — D. Kunst, 55 (1926/27) 336; 57 (1927/28) 126ff., m. Abbn, 312 (Abb.); 65 (1931/32) 108/14, m. 6 Abbn (Aufsatz von A. B.: Vom Erlebnis d. Malers); 77 (1938) 253/56 (Aufs. von A. B.: Glasfenster). — D. Christl. Kst, 25 (1928/29) 149 (Abbn), 152, 158; 31 (1934/35) 175, 183 (Abb.), farb. Taf. geg. p. 161. — Dtsche Kst u. Dekor., 62 (1928) 105. — Kst u. Kirche, 7 (1930) 22 (Abb.), 24. — D. Kstblatt, 11 (1927) 383. — Mecklenburg. Monatsh., 5 (1929) 461 (Abb.). — Velhagen & Klasings Monatsh., 38/II (1923/24), farb. Taf. geg. p. 113, 224; 41/I (1926/27), farb. Taf. geg. p. 592, 696; 43/I (1928/29), farb. Taf. geg. p. 632, 719; 44/I (1929–30) 235f., farb. Taf. geg. p. 236; 45/I (1930/31) 675, 677 (Taf.); 46/I (1931/32), farb. Taf. geg. p. 296. — Wasmuth's Monatsh. f. Baukst u. Städtebau, 20 (1936) 422 (Abbn), 423. — Westermanns Monatsh., 146/I (1929) 81/88, m. 8 farb. Abbn; 160/I (1936) 191f., m. Abb.; 161/II (1936/37) 479, m. Abb. am Schluß d. Bd.; 162/II (1937) 427, Abb. am Schluß d. Bd. — D. Münster, 2 (1949) 371, m. Taf.; 3 (1950) H. 9/10 p. 315. — Prager Illustr. Wochenschau, 6. Jg, Folge 29 v. 15. 7. 1924, p. 5 (Abb.). — The Studio, 89 (1925) 54f., m. Abbn; 90 (1925) 127, 128 (Abb.). — D. Weltkst, 22 (1952) H. 4 p. 10f., m. 2 Abbn, H. 9 p. 10. — Teichl.

Birkmann, Johann, tirol. Dekorationsmaler, * 29. 9. 1876 Altensittenbach, ansässig in Innsbruck.
Stud. an d. Kstgewerbesch. Nürnberg u. d. Akad. Dresden. Seit 1909 in Innsbruck. Landschaften, Stillleben. *J. R.*

Birley, Oswald, engl. Porträt- u. Aktmaler, * 1880 Auckland (Neuseeland), † 1952 London.
Schüler von Baschet in Paris. Mitglied der Soc. d. Art. Franç., beschickte deren Salon 1903–1932 (Kat. z. T. m. Abbn). Herrenbildnis in d. Art Gall. in Glasgow.
Lit.: Bénézit,[2] 1 (1948). — The Studio, 63 (1915) 140, 218; 65 (1915) 168/78, m. 9 Abbn u. 1 farb. Taf.; 84 (1922) 110f.; 85 (1923) 33 (Abb.); 110 (1935) farb. Taf. (Staatsportr. Georgs V.) geg. p. 311. — The Art News, 22 (1923/24) Nr 24, p. 1, m. Abb. — The Connoisseur, 95 (1935) 243 (farb. Taf.). — Weltkst, 22 (1952) 12, Beil. p. 11

Birman, Bokros, ungar. Bildhauer, *1889.
Stud. in Paris.
Lit.: Kstchronik, 2 (1949) 84.

Birman, Deszö, ungar. Bildhauer, * 1889.
Lit.: bild. kst, 3 (1949) 162.

Birnbaum, Uriel, öst. Graphiker, Plakatzeichner, Maler u. Dichter, * 13.11.1894 Wien, ansässig ebda.
Autodidakt. 1916 erste Kollektivausst. in Wien. Bauernfeldpreis Wien 1923. Phantasievoller, stark aus dem Literarischen schöpfender Graphiker (bes. Lithogr. u. Zeichner). Schafft mit Vorliebe in Zyklen, zu denen er meist auch den Text schreibt: biblische Themen (Versdrama „David"), Totentänze, Phantastische Träumereien („Weltuntergang"; „Wolken"; „Abenteurer"; „Gebäude"); religiöse, z. T. durch das Erlebnis des 1. Weltkrieges angeregte Themen („Ein Weg zu Gott"; „Gottes Krieg"; „Von Welt zu Welt"; „Seelen-Spiegel"; „Das Buch Jona" usw.). Illustr. zu Edgar Poe u. zum Buch Daniel. Gebrauchsgraphik (Etiketten, Reklame, Karten usw.). In farbiger Tusche gemalte Zyklen: Der Kaiser u. der Architekt (1921/22); Moses (1921/24). Farbige Illustrationen zu deutschen Übersetzungen von Lewis Carroll's Kindermärchen „Alice im Spiegelland" u. „Alice im Wunderland" (Sesam-Verlag, Leipzig, Wien, New York). 40 farb. Titelblätter für die Kinderzeitschr. „Der Regenbogen" (Verlag Steyrermühl, Wien, 1926). Gezeichneter Zyklus: Weltgeschichte in Köpfen. Kollektivausstellgn u. a. im Kstsalon Heller in Wien, 1916, u. in der „Wiener Zeitkunst" 1919 u. 1924.
Lit.: Dreßler. — Jüd. Lex., I. — Hoditz Polzer, U. B. Dichter, Maler, Denker (Die Schriftenreihe d. Garbe, 2), Wien 1936. — D. Cicerone, 11 (1919) 300; 14 (1922) 76; 16 (1924) 635. — Der Jude, 2 (1917/18) 717; 4 (1919), Bemerkungen zu H. 4 (nach p. 190). — Die bild. Künste (Wien), 2 (1919/20) Beibl. p. XIX. — D. Graph. Künste (Wien), 42 (1919) 70/72; 50 (1927) 87/102, m. zahlr. Abbn. — Kst u. Ksthandwerk (Wien), 19 (1916) 267; 22 (1919) 282. — Kstchronik, N.F. 27 (1915/16) 290f.; 33 (1921/22) 283.

Birnstengel, Richard, dtsch. Maler u. Graphiker, * 27.10.1881 Dresden, ansässig in Dresden-Blasewitz.
Stud. 1901/09 bei Zwintscher u. G. Kuehl an der Dresdner Akad. Studienreisen in Böhmen, Österreich Frankreich, Ostpreußen. Landschaften, Blumen, Figürliches, Bildnisse. Koll.-Ausstellgn bei Emil Richter in Dresden, Okt. 1915, in der Gal. Arnold ebda, 1927, u. im Kstverein ebda, 1934.
Lit.: Dreßler (falsches Geburtsdatum: 27. 11. 1887). — D. Bild (Karlsruhe), 6 (1936) 360 (Abb.); 11 (1941) 193, mit 2 Abbn p. 197 u. 1 Abb. p. 198. — D. Cicerone, 19 (1927) 165. — Deutschland, 8 (1917) 55. — Kstchronik, N. F., 27 (1915/16) 19. — Velhagen & Klasings Monatsh., 41/II (1926/27) Taf. geg. p. 392, 448; 50/I (1935/36), farb. Taf. geg. p. 332, 348. — Westermanns Monatsh., 163 (1937/38) 250, Abb. am Schluß d. Bd.; 165 (1938/39) 1/8, m. Abbn; 166 (1939) 409 (Abb.), 411.

Biró, József, ungar. Genremaler, * 1887 Pókakeresztúr, ansässig in Italien.
Stud. in Budapest u. Paris (Acad. Julian). Studienreisen: Deutschland, Holland, England, Frankreich.
Lit.: Krücken-Parlagi. — D. Kst in d. Schweiz, 1929 p. 230, m. Taf.

Biró, Mihály, ungar. Maler, Graph., Plakatkstler u. Bildhauer, * 30. 11. 1886 Budapest, † 1949 ebda.

Stud. an der Kstgewerbesch. in Budapest, weitergebildet 1908ff. in Berlin, Paris u. London. Seit 1910 wieder in Budapest.

Lit.: Szendrei-Szentiványi. — Ex-Libris, 25 (1915) 83f., Abbn p. 85 u. 87. — D. Plakat, 5 (1914) 82ff., m. Abbn, 225, m. Abb.; 7 (1916) 135, 158 u. Abb.-Reg.; 8 (1917) 30ff., m. Abbn, 117 u. Abb.-Reg.; 11 (1928) 21f., 25.

Birolli, Renato, ital. Maler u. Kstschriftsteller, * 10. 12. 1906 Verona, ansässig in Mailand.

Längere Zeit Korrektor für Modellieren an d. Ambrosiana in Mailand. Berührt von van Gogh; nahm auch Einflüsse von Kokoschka, Scipione u. Ensor auf (Herodias, 1934; Eldorado, 1935; Maschere vaganti, 1937). Von 1937 datieren die Zeichnungen zu den „Metamorfosi" (Text von S. Bini), die einen von fern an Goya erinnernden magischen Subjektivismus verraten. 1938 in Mailand Mitbegründer der „Corrente". Im 2. Weltkrieg entstand eine Reihe von Zeichnungen mit Szenen aus den Partisanenkämpfen (Smlg Cavellini, Brescia). In Auswirkung mehrerer Aufenthalte in Paris folgte eine von Cézanne u. dem späten Picasso inspirierte Periode des Konstruktivismus (Stilleben, Gall. Naz. d'Arte Mod., Rom, 1947; Folge von Zeichngn mit Bergleuten, 1949/50, Smlg Cavellini, Brescia; Gelbe Maske; Bildnis der Mutter, 1941). — Buchwerk: Sedici Taccuini, 1943. 1947 Mitbegründer des „Fronte Nuovo delle Arti".

Lit.: S. Bini, R. B., ed. „Corrente", Mailand 1941. — A. Tullier, R. B., Mailand 1951. — Sedici Taccuini di R. B., con 10 disegni e una nota di U. Apollonio, Novara 1943. — Venturoli. — L. Venturi, Pittura contemp., Mailand 1947. — U. Apollonio, Pittura Mod. Ital., Venedig 1950. — Carrieri. — Ghiringhelli. — Cahiers d'Art, 25 (1950) 247. — Arte Ital. del nostro Tempo, Bergamo 1946. — Commentari, I/1 (1950) p. 43ff. — Panorama dell'Arte Ital., Turin 1950. — Corrente (Mailand), 31. 12. 1939. — Domus (Mailand), Febr. 1941, p. 34. — Emporium, 94 (1941) 175, 197; 95 (1942) 94; 96 (1942) 332, 333, 350, 497; 97 (1943) 175f.; 101 (1945) 49f.; 102 (1945) 125f.; 105 (1947) 262, 267; 107 (1948) 34 (Abb.), 266; 111 (1950) 82f.; 112 (1950) 88, 115. — Magaz. of Art, 42 (1949) 68f. — Sette giorni, 1942, Nr 1. — Stile (Mailand), April 1942. — Tempo (Mailand), 21./28. 5. 1942. — Commentari, 1 (1950) Nr 1, p. 43/49. — Immagine, I 153. — Kultur-Archiv, III/5 (1948). — Palma Bucarelli, Espos. d'Arte contemp., Rom 1944/45; dies., La Gall. Naz. d'Arte Mod., Guida breve, Rom 1949; dies., ~, Itinerario, 1951. — Kat.: Ausst. Ital. Kst d. Gegenw., München u. a. O. 1950/51, m. Abb. *C. M.*

Birnie, George, holl. Maler u. Rad., * 28. 4. 1879 Groningen. Bruder des Folg.

Anfänglich Möbelzeichner im Haag u. in Amsterdam. 1908/09 Malstudien bei W. Roelofs u. B. Schregel, als Rad. Schüler von Ed. Becht. Ließ sich in Soerabaya auf Java nieder.

Lit.: Plasschaert. — Waay. — Waller. — De Kunst, 1915, Lief. 322/35, p. 606, m. 2 Abbn. — Onze Kunst, 26 (1914) 89.

Birnie, Johan, holl. Maler u. Rad., * 31. 10. 1866 Djember auf Java, ansässig in Amersfoort. Bruder des Vor.

Bis 1890 Seeoffizier. Stud. an der Akad. Minerva in Groningen. Hauptsächl. Landschafter.

Lit.: Plasschaert. — Waller. — Holland Express, 7 (1914) 638/42, m. Abb.

Biron, Clémence, belg. Blumen- u. Stilllebenmalerin, * 1889 Valenciennes.

Schülerin von Herm. Richir an der Brüsseler Akad. Bild im Mus. Namur.

Lit.: Seyn, I, m. Fotobildnis.

Birrer, Max, schweiz. Maler, * 1905 Basel, † 1937 in Südfrankreich.

Beeinflußt von Cézanne. Ged.-Ausstellg 1939 im Kunstmus. in Winterthur.

Lit.: Schweizer Kunst, 1937/38, p. 34. — Das Werk, 26 (1939) Beibl. zu H. 8, p. XXII.

Birtchansky, Raphael, russ.-franz. Blumen- u. Landschaftsmaler, * Moskau, ansässig in Paris.

Schüler s. Onkels Lévitan. Stellt seit 1935 im Salon d'Automne, seit 1937 bei den Indépendants aus. Beeinflußt von den franz. Impressionisten u. Henri Matisse. Koll.-Ausst. in der Gal. Charpentier Juni 1937.

Lit.: Bénézit, [2] I (1948). — L'Art vivant, Okt. 1935, p. 242, m. 2 Abbn. — Beaux-Arts, Nr 231 v. 4. 6. 1937, p. 8, m. 2 Abbn.

Bis, Ferdo, kroat. Stillebenmaler.

Lit.: Kat. d. Ausst. Kroat. Kst, Berlin, Pr. Akad. d. Kste, Jan./Febr. 1943, p. 17.

Biscellia, Gaspare, ital. Bildhauer, * 30. 10. 1880 Montesant' Angelo (Foggia), ansässig in Neapel.

Zuerst Malschüler bei Cammarano u. Volpe. Wandte sich dann der Bildhauerei zu. Genrestatuen u. -statuetten (Bronze).

Lit.: Giannelli.

Bischof, Anton, dtsch. Maler u. Holzschneider, * 29. 10. 1877 Weißenhorn (Schwaben), ansässig in München.

Stud. 1900/07 bei Raupp, Feuerstein u. W. v. Diez an der Münchner Akad. Szenen aus dem oberbay. Bauernleben Vertreten im Städt. Mus. München.

Lit.: Dreßler. — D. Bayerland, 43 (1932) 447 (Abb.). — Kst-Rundschau, 44 (1936) 229, m. Abb. — Velhagen & Klasings Monatsh., 48/II (1933/34) 464/65 (Tafeln), 560 (fälschl. Eduard). — Westermanns Monatsh., 161 (1936/37) 157, 197. — D. Schwäb. Museum, 1 (1925) 82.

Bischof, Josef, dtsch. Architekt (Stadtbaurat), * 8. 4. 1889 Berlin, ansässig in Potsdam.

Stud. an der Techn. Hochsch. Charlottenburg u. im Meisteratelier Joh. Otzen an d. Berl. Akad. Hauptwerke: Dtsche Girozentrale Berlin; Kinderkrankenhaus in Berlin-Lichtenrade.

Lit.: Dreßler. — Wasmuths Monatsh. f. Baukst u. Städtebau, 21 (1937) 57/64, m. Abbn, 65/69, m. Abbn. — Dtsche Bauztg, 67 (1933) 636f.

Bischoff, August, dtsch. Bildhauer, * 25. 4. 1876 Hanau, ansässig in Frankfurt a. M.

Stud. am Städel-Inst. in Frankfurt. Kriegerdenkmal in Arnoldsheim i. T.; Kriegerfriedhof in Hanau. Monumentalplastik: Der Wille, in der Riederwaldschule in Frankfurt. Kolossalfiguren am Denkmal der Arbeit in Hanau.

Lit.: Dreßler.

Bischoff, Charles Adolphe, franz. Bildnis, Figuren-, Landschafts- u. Stillebenmaler, * Rouen, ansässig in Paris.

Mitglied der 1920 begründeten Gruppe: La Jeune Peinture Française. Stellte 1912/19 im Salon d'Automne, bei den Indépendants u. 1927/34 im Salon des Tuileries aus. Hielt sich 1923/24 in New York auf.

Lit.: Joseph, I. — Bénézit, [2] I (1948). — Les Arts, 1920 Nr 185 p. 21, m. Abb. — The Art News (New York), 23 (1924/25) Nr 6 p. 3.

Bischoff, Constanze, dtsche Malerin u. Graphikerin, ansässig in Düsseldorf.

Schülerin von Schneider-Didam u. Eug. Kampf in Düsseldorf.

Lit.: Dreßler.

Bischoff, Eduard, dtsch. Maler (Prof.), * 20.1.1890 Königsberg, ansässig ebda.

Stud. an der Königsb. Akad. Kraftvoller Impressionist. Bildnisse, Landschaften, Tierbilder. In den Kstsmlgn der Stadt Königsberg ein 1919 dat. Bildnis der Gattin des Kstlers. Im Rektorzimmer der dort. Universität eine Ansicht der Alten Universität Königsberg. Im Rathaus in Elbing ein Brustbild d. Oberbürgermeisters C. F. Merten.

Lit.: Dreßler. — W. Franz, Der Maler E. B., Königsbg 1929. — D. Bild (Karlsr.), 11 (1941) 191f., Abb. (Selbstbildn.) p. 195. — D. Cicerone, 17 (1925) 344; 18 (1926) 301; 19 (1927) 227, 231 (Abb.). — Elbinger Jahrb., 14 (1937) 246. — D. Kunst, 57 (1927–28) 306. — D. Kstkammer, 1. Heft (1936) Ausg. A, p. 4 (Abb.), 5 (Abb.). — Ostdtsche Monatsh., 14 (1933–34) 726; 15 (1934/35) 19 (Abb.), 20. — Velhagen & Klasings Monatsh., 43/II (1928/29), Taf.-Abb. geg. p. 264, 359; 53/II (1938/39), farb. Taf. geg. p. 376, 381. — Prager Illustr. Wochenschau, 6. Jg, Folge 29, Nr v. 15. 7. 1944 p. 4 (Abb.), 5 (Abb.).

Bischoff, Henry, schweiz. Maler u. Holzschneider, * 16.6.1882 Lausanne, ansässig in Rolle (Kt. Waadt).

Stud. in Genf, München u. Paris. Seit 1913 in Rolle ansässig. Haupttätigkeit als Holzschneider. Illustr. u. a. zu: Diderot, „Le Neveu de Rameau" (B. Schwabe & Co., Basel), Benj. Constant, „Adolphe", Genf 1920, René Morax, „Théâtre de poupées", 1917, u. „Le Roi David", Lausanne 1921, Ramuz, „Chansons", Lausanne 1914 (éd. Cahiers Vaudois, Nr 8). — Einzelblätter (meist handkolor.): Le joli Bois, Paysans, Voiture provençale, Jeu, Les Sylphides (russ. Tänzer), Idylle, La Fête chez François, Le Patineur, La Promenade en bateau, usw. — Mappenwerk: Fêtes, 6 Holzschn., m. Text von Fr. Roger-Cornaz (Cahiers noirs et blancs, Heft 1), Lausanne 1927; Iles, 6 Holzschn. m. Text von Fr. Jammes (dies. Folge, H. 2), Laus. 1928. — Malereien im Klubhaus „Zur Geduld" in Winterthur.

Lit.: Graber, I, m. 2 Abbn. — Joseph, I, m. Abb. — Das Werk (Bern), 2 (1915) 161 (Abb.); 4 (1917) 185 (Abb.); 5 (1918) 93f., m. Abbn; 6 (1919) 114f. (Abbn); 9 (1922) 229ff.; 10 (1923) 128 (Abb.). — Schweizerland (Zürich), 3 (1917) 363/65, m. 2 Abbn; 5 (1919) 18 (Abb.), 54 (Abb.); 7 (1921) 282ff., 310. — L'Art en Suisse (Genf), Aug. 1933, p. 33, m. Abb. — Das Graph. Kabinett (Winterthur), 3 (1918) 29, 107–11; 4 (1919) 81; 11 (1926) 36, 46.

Bischoff, Ilse Martha, amer. Illustratorin u. Malerin, * 21. 11. 1903 New York, ansässig ebda.

Schülerin von Jos. Pennell u. George Buchner. Illustr. u. a. zu: „Hansel the Gander" u. „Nursery Rhymes of New York City". Bild: Harlem Loge, in d. Gem.-Gal. in Dartmouth.

Lit.: Amer. Art Annual, 29 (1932). — Who's Who in Amer. Art, I: 1936/37.

Bischoff, Max, dtsch. Architekt (Baurat), * 4.10.1875 Magdeburg, ansässig in Berlin.

Hauptwerk: Ufa-Theater in Berlin.

Lit.: Dreßler. — Dtsche Bauzeitung, 59 (1925) 1. Halbbd, p. 573ff., m. Abbn. — D. Kunst, 18 (1907/08) Abb.-Reg.

Bischoff, Robert. schweiz. Architekt, * 1876, † 1920 Zürich.

Arbeitete bei Curjel & Moser in Karlsruhe u. bei Heinr. Dollmetsch in Stuttgart. Assoziiert mit Hermann Weideli in Firma Bischoff & Weideli. Hauptbauten der Firma: Börse in Basel; St. Anna-Kapelle in Zürich; Kirche in Spiez, Kt. Bern; Vereinshaus zu Kaufleuten, Zürich (1913/15; seitdem erweitert); Städt. Schulhaus Zürich; Geschäftshaus „Zum Kohlenhof" ebda; Kirche in Walliselln, Kt. Zürich.

Lit.: Th.-B., 35 (1942) p. 263. — Jenny. — Architektur d. 20. Jh.'s, 1911 Taf. 46. — Mod. Bauformen, 10 (1911) 95ff. (Abbn); 11 (1912) 493ff., m. Abbn, 500f. u. Taf., 505ff., 508, 512, 513, 519ff. — Schweiz. Bauzeitung, 44 (1904) 290ff.; 45 (1905) 53, 101ff.; 46 (1905) 67ff.; 47 (1906) 41ff., 64, 170ff.; 51 (1908) 1ff., 171ff.; 52 (1908) 267f.; 54 (1909) 145ff.; 58 (1911) 19ff., 312ff.; 59 (1912) 87, 150ff., 216ff., 294ff.; 61 (1913) 333f.; 67 (1916) 18ff., 58, 146, 192ff., 235ff., 246ff.; 70 (1917) 56ff., 179; 71 (1918) 28ff.; 72 (1918) 184ff.; 76 (1920) 245f. (Nekrol.). — D. Rheinlande, 7 (1907) II 119; 8 (1908) II 115f. — D. Schweiz, 1912 p. 81; 1913 p. 1ff. — D. Werk, 3 (1916) 65; 7 (1920) 220 (Fotobildn.), 224 (Nekrol.).

Bischoff, Walter, dtsch. Bildhauer u. Medailleur, * 5.7.1885 Wassertrüdingen, ansässig in Erlangen.

Schüler von E. Kurz an der Münchner Akad. Bachbüste im Bachhaus in Eisenach. Luthermedaille.

Lit.: Dreßler. — D. Plastik, 1917, p. 68.

Bishop, Florence, s. *Fitzgerald.*

Bishop, Harold S., amer. Maler, Rad. u. Lithogr., * 25. 3. 1884, ansässig in Rochester.

Schüler d. Akad. Cincinnati u. Fr. Duveneck's.

Lit.: Amer. Art Annual, 30 (1933). — Who's Who in Amer. Art, I: 1936/37.

Bishop, Henry, engl. Landschaftsmaler, * London, ansässig ebda.

Stud. in Paris. Bereiste Nordafrika (Tetuan, Kairouan) u. Italien (Venedig, Carrara). Bild: Ansicht von Brüssel, in d. Tate Gall. London.

Lit.: Who's Who in Art, [3] 1934. — The Studio, 66 (1916) 277; 114 (1937) 6, 9. — Apollo (London), 4 (1926) 275, m. Abbn. — The Connoisseur, 76 (1926) 261f., m. Abb.

Bishop, Irene, s. *Hurley.*

Bishop, Isabel, verehel. *Wolff,* amer. Malerin u. Rad., * 3. 3. 1902 Cincinnati, O., ansässig in New York.

Schülerin von Kenneth H. Miller. 2 Arbeiten im Whitney Mus. of Amer. Art in New York.

Lit.: Who's Who in Amer. Art, I: 1936/37. — Art Index (New York), Okt. 1941/Okt. 1952. — Monro.

Bishop, Richard, amer. Radierer, * 30. 5. 1887 Syracuse, N. Y., ansässig in Mt. Airy, P. O., Philadelphia, Pa.

Schüler von Ernest D. Roth. Hauptsächlich Vögel.

Lit.: Fielding. — Who's Who in Amer. Art, I: 1936/37. — Mallett.

Bisi Fabbri, Adriana, ital. Genremalerin, Illustratorin u. Karikaturistin, * 1. 9. 1881 Ferrara, † 29. 5. 1918 Gravedona (Varese).

Autodidaktin.

Lit.: Comanducci, m. Abb. — Pagine d'Arte, 6 (1918) 76, 87. — Vita d'Arte, 13 (1914) 119f. (Bisi Fabri).

Bismouth, Maurice, franz. Figuren-, Bildnis- u. Landschaftsmaler, * Tunis, ansässig ebda.

Schüler von Jules Adler. Mitglied der Soc. d. Art. Franç., beschickte deren Salon 1912/30 (Kat. z. T. m. Abbn).

Lit.: Joseph, I. — Bénézit, [2] I (1948).

Bisschop, Emile de, belg. Bildhauer, * 1888 Termonde.

Schüler der Akad. Antwerpen, Gent u. Brüssel u. von Géo Verbanck.

Lit.: Seyn, I 203.

Bisschop, Sara, holl. Malerin u. Radiererin, * 10. 2. 1894 im Haag, ansässig ebda. Tochter des Richard u. der Suze B. († 1922).

Schülerin der Haager Akad. u. von Oldevelt an der Rotterdamer Akad.

Lit.: Plasschaert, p. 377. — Waller. — Waay. — Elseviers geïll. Maandschr., 59 (1920) 429/31, m. Abbn. — Maandbl. v. beeld. Kunsten, 1 (1924) 122.

Bisschops, Gabrielle, belg. Blumen-, Bildnis- u. Landschaftsmalerin, bes. Pastellistin, * 1887 Ixelles.

Lit.: Seyn, I.

Bissell, Dorothy, amer. Kinder- u. Tiermalerin, * 17. 5. 1874 Buffalo, N. Y.

Bissell, George Edwin, amer. Bildhauer, * 16. 2. 1839 New Preston, Conn., † Ende September 1920 Mt. Vernon, N. Y.

Lit.: Th.-B., 4 (1910). — The Amer. Architect, 65 (1899/II) Tafel-Abb. zu H. Nr 1240. — Amer. Art Annual, 16, Obituary.

Bissell, Osmond Hick, engl. Werbezeichner, * 28. 7. 1906 Harborne, ansässig in Kidderminster.

Stud. an der Kst- u. Gew.-Sch. in Birmingham.

Lit.: Who's Who in Art, [3] 1934.

Bissenko (Bicenko), André, russ-franz. Maler, * 17. 10. 1886 Kursk, ansässig in Paris.

Stud. an den Akad. in Kijeff u. St. Petersburg (Leningrad). Während des 1. Weltkrieges auf der Insel Lemnos interniert. Impressionist. 1. Preis 1914 auf der Ausst. in Kijeff, 1924 auf der russ. Ausst. in Belgrad. Mitglied der Pariser Soc. Nat. d. B.-Arts. Ikonen u. Fresken in der Kathedr. in Leskovac (Jugoslavien). Bildnisse, Genre. 3 Bilder in der städt. Gal. Kovalenko in Jekaterinodar.

Lit.: Joseph, I, m. 2 Abbn. — Bénézit, [2] I.

Bissier, Julius Heinrich, dtsch. Maler, Graph. u. Entwurfzeichner für Textilien, * 3. 12. 1893 Freiburg i. Br., ansässig in Hagnau, Bodensee.

Stud. an der Akad. Karlsruhe. 1930 Übergang zur Abstraktion. Freundschaft mit W. Baumeister u. Schlemmer. 1934/46 ausschließlich Tuschpinselarbeiten, an chines. Schriftzeichen erinnernd, seit 1946 farbige Monotypien. Kollekt.-Ausst. Sept. 1951 im Kstverein in Freiburg i. Br.

Lit.: Dreßler. — D. Cicerone, 16 (1924) 642, m. Abb., 645; 18 (1926) 54/59, m. Abbn. — D. Kst, 57 (1927/28) 311 (Abb.). — Dtsche Kst u. Dekor., 59 (1926/27) 119 (Abb.); 62 (1928) 230 (Abb.); 64 (1929) 292; 65 (1929) Taf.-Abb. geg. p. 236. — Oberrhein. Kst, 4 (1930) Beibl. p. 11. — D. Kst u. d. schöne Heim, 50 (1951/52) 165 (Abb.); Heft 2, Beil. p. 44. — D. Kstwerk, 4 (1950), Heft 8/9 p. 52/54, 64 (Abb.), 88, 97. — Kstchronik, 4 (1950/51) 131, 230. — The Studio, 92 (1926) 8, m. Abb. — Kat.: Juryfreie Kstschau Berlin 1927, Nr 53/59, m. Abb.; 1929 Nr 95/99; Gegenstandslose Malerei, Freiburg i. Br. 150.

Bissière, Roger, franz. Figuren-, Bildnis- u. Stillebenmaler, * 1888 Villeréal, ansässig in Paris.

Stud. an der Ec. d. B.-Arts in Bordeaux u. bei G. Ferrier. Beeinflußt von Corot, Renoir u. Braque. Mitglied der Soc. du Salon d'Automne. Stellte auch im Salon des Tuileries (1924/28) u. bei den Indépendants (1927ff.) aus. Prof. an d. Acad. Ranson. Koll.-Ausst. 1951 in d. Gal. Jeanne Bucher in Paris.

Lit.: Joseph, I, m. Abb. — Bénézit, [2] I. — Apollo (London), 19 (1934) 112. — The Connoisseur, 93 (1934) 115. — The Studio, 101 (1931) 152 (ganzseit. Abb.), 219 (farb. Taf.).

Bissill, George William, engl. Landsch.- u. Figurenmaler (Öl u. Aquar.) u. Möbelzeichner, * 22. 6. 1896 Fairford, Gloucestershire, ansässig in London.

Stud. an der Kstschule in Nottingham.

Lit.: Who's Who in Art, [3] 1934. — Apollo (London), 6 (1927) 91; 25 (1937) 168 (Abb.), 226.

Bisson, Charles, franz. Maler u. Holzschneider, * 1888 Paris, ansässig ebda. u. in Maisons-Alfort (Seine).

Tief religiös veranlagt, trat 20jährig zum Katholizismus über und widmete sich im wesentlichen der religiösen Kunst (hauptsächl. Szenen aus der Passion). Illustr. zu Léon Bloy: „Lettre de Jeunesse" u. „La Femme pauvre" (Holzschn., geschnitten von Georges Beltrand). Pflegt daneben das Bildnis- u. Landschaftsfach (bes. Zeichnung u. Aquarell). Mitglied der Soc. Nat. d. B.-Arts. Stellte 1924/29 auch im Salon des Tuileries aus.

Lit.: Joseph, I. — Bénézit, [2] I (1948). — L'Art et les Artistes, N. S. 14 (1926/27) 91/96, m. 7 Abbn.

Bisson, Henri, franz. Landschaftsmaler, * Paris, ansässig ebda.

Stellte 1927ff. im Salon der Indépendants aus.

Lit.: Joseph, I. — Bénézit, [2] I (1948).

Bisson, Lucienne, franz. Bildnis- u. Blumenmalerin (Öl u. Aquar.), * Paris, ansässig ebda.

Mitglied der Soc. d. Art. Franç., beschickte deren Salon 1904/39. Stellte 1926ff. auch bei den Indépendants aus.

Lit.: Joseph, I. — Bénézit, [2] I (1948).

Bistolfi, Leonardo, ital. Bildhauer, * 14. 3. 1859 Casale Monferrato, † 2. 9. 1933 Turin.

Berühmter Denkmal- u. Grabplastiker. Chronolog. Verzeichnis s. Hauptwerke bis z. J. 1908 bei Th.-B. Hauptwerke aus den beiden letzten Jahrzehnten s. Lebens: Cavour-Denkmal in Bergamo (1913); Gedenkstein für den Maler Ant. Fontanesi in Reggio (1921); Sitzstatue Lombroso's in Verona. Grabmäler Toscanini u. Fanny Lacroix in Mailand, Familie Hofmann in Turin, Familie Abegg in Zürich. In d. Gall. d'Arte Mod. in Rom: Marmorwiederholung des Segantini-Denkmals in St. Moritz; kl. Bronzegruppe: Im Regen; Hochrelief: Das Kreuz. Im Mus. d'Arte Mod. in Turin: Halbfig. des Gekreuzigten (Relief). Im Mus. Revoltella in Triest: 2 Gipsmodelle: Begräbnis der Jungfrau; Kreuzrelief (Kat. 1933, m. Taf.).

Lit.: Th.-B., 4 (1909). — L. B., Mailand 1917. Folio, 50 Taf. — Ad. Berardelli, L. B. Commemorazione, Padua 1935. — U. Ojetti, Ritratti Artisti ital., Mail. 1931. — S. Vigezzi, La Scultura ital. dell'Ottoc., Mail. 1932. — Costantini, m. 2 Abbn. — Emporium, 38 (1913) 313f., m. Abb., Taf. geg. p. 304; 51 (1920) 268, 269 (Abbn); 55 (1922) 123, m. Abb.; 57 (1923) 240/48, m. 7 Abbn, 2 Taf. u. Fotobildn.; 58 (1923) 319f., m. Abbn; 75 (1932) 317 (Abb.); 78 (1933) 187/89, m. Abbn. — Arte e Storia, 1914, p. 270. — L'Archiginnasio, 9 (1914) 343f. — Pagine d'Arte, 6 (1918) 74, m. Abbn; 7 (1919) 13 (Abb.). — Vita d'Arte, 1918, p. 83/94, m. Abbn. — Art in America, 12 (1922–23) 260/68, m. 2 Taf.-Abbn. — Dedalo, Anno V, Bd 2 (1925) 515 (Abb.), 518f., m. Abbn, 530.

Bisttram, Emil, ungar.-amer. Maler u. Graph., * 7. 4. 1895 in Ungarn, ansässig in Taos, N. M.

Schüler von Howard Giles. Bilder in d. Albright Art Gall. in Buffalo, N. Y., u. im Roerich Mus. in New York. 3 Fresken im Taos County Court House.

Lit.: Amer. Art Annual, 30 (1933). — Who's Who in Amer. Art, I: 1936/37. — Monro. — The Art News, 48, Jan. 1950, p. 52.

Bitschkowa-Koltzoff, Alexandra, russ. Dekorationsmalerin u. Illustr., * 18.4.1898 Moskau.

Lit.: Joseph, I. — Bénézit, [2] I (1948).

Bitter, Ary Jean Léon, franz. Figurenbildhauer, * 29. 5. 1883 Marseille, ansässig in Paris.

Schüler von Coutan u. Barrias. Mitglied der Soc. d. Art. Franç., beschickte deren Salon 1912/39. Im Luxembourg-Mus. Paris: Diana (lebensgr.).

Lit.: Joseph, I. — Bénézit, [2] I (1948). — Revue de l'Art anc. et mod., 46 (1924) 48, 52 (Abb.).

Bitter, Theo, holl. Maler, * 1918, ansässig im Haag.

Erhielt 1949 den Jacob-Maris-Preis. Lehrtätig an d. Kstakad. im Haag. Abstrakter Künstler.

Lit.: college art journal, 10 (1951) 256, 267. — die constghesellen, 2 (1947) 172f., m. Abb.

Bitterlich, Albert, dtsch. Bildnis-, Genre- u. Landschaftsmaler, * 6.1.1871 Bräunsdorf i. Sa., zuletzt ansässig in München.

Stud. an d. Kstschule in Dresden, dann bei G. v. Hackl u. W. v. Diez an der Münchner Akad.

Lit.: Dreßler. — Velhagen & Klasings Monatsh., 40/I (1925/26) farb. Taf. geg. p. 512.

Bitterlich, Hans, öst. Bildhauer (Prof.), * 28.4.1860 Wien, † 5. 8. 1949 ebda.

Lit.: Th.-B., 4 (1910). — Teichl, p. 369f.

Bitterlich, Hans, dtsch-böhm. Figurenbildhauer, Maler u. Graph., Dr. jur. Oberstaatsbahnrat, * 20. 2. 1889 Cheinow (Böhmen), ansässig in Innsbruck.

Stud. an d. Kstgewerbesch. in Innsbruck u. bei Josef Durst ebda.

Lit.: Fischnaler, Innsbr. Chronik, V 52. *J. R.*

Bitterlich, Wolfgang Justus, dtsch. Bildnis- u. Landschaftsmaler, * 6.9.1899 Schöneberg (Berlin), ansässig in Berlin.

Stud. an der Münchner Akad. bei A. Jank, C. v. Marr, Habermann, Feuerstein u. Caspar.

Lit.: Dreßler.

Bitterlich-Brink, Roswitha, öst. Malerin u. Graph., * 24. 4. 1920 Bregenz, ansässig in Barwies, Tirol. Tochter des Hans B.

Schülerin ihres Vaters, 1939/42 der Akad. Stuttgart. Stellte als 12jähr. Kind erstmalig 1932 in Innsbruck aus. In den darauffolg. Jahren Ausstellgn in Lienz (1935), Wien (1935), Salzburg (1936), Den Haag, Amsterdam (1937), London, Zürich, Konstanz, Stuttgart (1937). — Illustr. zu Märchen, Erzählungen u. Sagen, Phantasiekompositionen u. religiöse Szenen. Malt in Öl u. Aquar.; Federzeichngn, Radiergn u. Holzschnitte, u. a. eine Folge aus der „Apokalypse" u. dem „Till Eulenspiegel".

Lit.: R. B., Schwarz-Weiß-Kst, Innsbr. 1936. Bespr. in: D. Kst, 1936/37. Beibl. zu H. 2 p. 15. — R. B. Licht im Schnee, Ein Weihnachtsgang, Innsbr., Wien, Münch. 1935. — Roswitha-Kalender, mit Abb. v. R. B., 1936, Rosenheim-Lpzg 1935. — Die Weltkst, Nr 46 v. 17. 11. 1935, p. 2, m. Abb.; Nr 51 v. 18. 12. 38, p. 3. — Öst. Kst, 6 (1935), Heft 11, p. 25; H. 12, p. 19. — Beaux-Arts, 1936 Nr 196, p. 4, m. 2 Abbn. — Das Werk (Zürich), 23 (1936), Beibl. zu H. 2 p. XIV. — Emporium, 33 (1936) 102f., m. Abbn. — Stimmen der Zeit, 67 (1937) 326/29. — Maandbl. voor beeld Kunsten, 13 (1937) 57. — Tir. Anz., 1932 Nr 126; 1934 Nr 96; 1935 Nr 184; 1937 Nr 17, 120, 283, 292, 294. — Innsbr. Ztg, 1934 Nr 108; 1935 Nr 173, 291. — Neueste Ztg, 1932, Nr 127; 1932, Nr 159. — Tir. Tagesztg, 1945 Nr 29, 79, 118; 1947 Nr 62; 1948 Nr 111, m. Abb. *J. R.*

Bitterling, Artur, dtsch. Maler u. Radierer, * 30.12.1881 Leipzig, ansässig in Wiershausen a. Harz, Post Oldenrode-Süderode.

Stud. an d. Kstgewerbesch. in Leipzig, dann bei O. Seitz u. Frank Kirchbach an d. Münchner Akad. Bildnisse u. Landschaften. In der Ksthalle Hamburg: Boote auf der Elbe bei Neumühlen.

Lit.: Dreßler.

Bittinger, Charles, amer. Interieur- u. Figurenmaler, * 27. 6. 1879 Washington, D. C., ansässig ebda, sommers in Duxbury, Mass.

Schüler der Art Student's League in New York, dann von Delécluse an d. Ec. d. B.-Arts in Paris u. d. Acad. Colarossi ebda.

Lit.: Fielding. — Amer. Art Annual, 10 (1913) Abb. geg. p. 177; 20 (1923) 444; 30 (1933). — Bénézit, [2] 1. — Who's Who in Amer. Art, I: 1936/37. — Monro.

Bitzan, Rudolf, dtsch-böhm. Architekt, * 1872 Wartenberg b. Niemes, † Ende 1938 Dresden.

Schüler von G. v. Seidl, Hocheder u. M. Dülfer, gefördert von H. Billing in Karlsruhe. Seit 1903 Mitarbeiter W. Lossows in Dresden. Hauptwerk: Stadttheater in Teplitz-Schönau.

Lit.: Th.-B., 4 (1910). — D. Baumeister, 23 (1925) 80 (Abb.), 81. — Dtsche Bauzeitg, 59 (1925/I) 493ff., m. Abbn, 506ff., 645ff., m. Abbn. — Neudtsche Bauzeitg, 9 (1913), m. Abb. — Dtsche Heimat (Plan b. Marienbad), 4 (1928) 465 (Abb.). — Wasmuths Monatsh. f. Baukst, 9 (1925) 73ff., m. Abbn. — D. Profanbau, 1911, p. 605, 606, 609/18; 1913, p. 425 –56. — D. Kst, 80 (1928/29), Beil. z. Jan.-H. p. 2.

Bitzó, Ilona, ungar. Landschaftsmalerin.

Stud. an der Akad. Budapest.

Lit.: Szendrei-Szentiványi.

Bjurman, Andrew, schwed.-amer. Bildhauer, * 4. 4. 1876 in Schweden, ansässig in Alhambra, Calif.

Herrenbüste im John-Morton Mem. Mus. in Philadelphia, Pa.

Lit.: Fielding. — Amer. Art Annual, 30 (1933). — Who's Who in Amer. Art, I: 1936/37. — Kinston Parkes, The Art of Carved Sculpture, Lo. 1932.

Bjursten, Magnus, schwed. Bildnis-, Figuren-, Landschafts- u. Stillebenmaler, *1907 Göteborg, ansässig ebda.

Stud. in Paris. Beeinflußt vom franz. Impressionismus. Im Mus. in Gävle: Atelierinterieur.

Lit.: Thomæus. — Konstrevy, 1932, p. 29, m. Abb.

Bjurström, Tor, schwed. Maler u. Graphiker, * 1888 (1887?) Stockholm, ansässig in Göteborg.

Stud. an der Schule des Kstvereins in Stockholm, bei Zahrtmann in Kopenhagen u. in Paris. Studienreisen in Norwegen, Dänemark, Holland, Belgien u. England. Beeinflußt von Cézanne u. Bonnard. Landschaften (bes. aus Bohus län), Blumenstücke, Stillleben. Fresken im Stadttheater in Göteborg. Glasfenster in der Schwed. Kirche in Paris. Bilder im Nat.-Mus. in Stockholm, im Statens Mus. for Kunst in Kopenhagen u. in den Museen in Göteborg u. Malmö.

Lit.: Thiis, p. 32. — Thomœus. — Göteborgs Mus. Årstryck, 1926/27 p. 59; 1929, p. 45, 46, 48; 1931, p. 57; 1933, p. 108; 1936, p. 45, 46. — Konstrevy, 1930, p. 34, m. Abb; 1937, p. 202/03, m. 3 Abbn, u. Spezialnummer, p. 45 (Abb.); 1939, Spez.-Nr Göteborg, p. 25/26, m. Abb., 36/37, m. 3 Abbn.

Biuw, Eric, schwed. Landschafts-, Marine- u. Blumenmaler (Öl, Aquarell, Tempera), * 1894 Stockholm, ansässig in Smedslätten.

Stud. in Paris. Bereiste England u. Deutschland. Bild im Mus. in Västerås.

Lit.: Thomœus. — Konstrevy, 1939, p. 234, m. Abb.

Bivel, Fernand, franz. Bildnis- u. Genremaler (Öl u. Pastell), * 14. 10. 1888 Paris, ansässig ebda.

Schüler von Cormon u. Jules Adler. Mitglied der Soc. d. Art. Franç. (Salon-Kat. z. T. m. Abbn) u. der Soc. d. Pastellistes. Gold. Med. Weltausst. Paris 1937.

Lit.: Joseph, I. — Bénézit, [2] I (1948). — Beaux-Arts, Nr 331 v. 5. 5. 1939, p. 2 (Abb.).

Bizard, Charles Henry, franz. Landschaftsmaler, * 14. 11. 1887 Roubaix (Nord), ansässig ebda.

Schüler von E. Deully u. Ph. de Winter. Mitglied der Soc. d. Art. Franç. (Salon-Kat. z. T. m. Abbn).

Lit.: Joseph, I. — Bénézit, [2] I (1948).

Bizard, Suzanne, franz. Bildnis-, Genre- u. Tiermodelleurin, * 1. 8. 1873 Saint-Amand (Cher), ansässig in Paris.

Mitglied der Soc. d. Art. Franç.

Lit.: Joseph, I. — Bénézit, [2] I (1948).

Bizardel, Josée, franz. Landschafts- u. Architekturmalerin, * Paris, ansässig in Epernay (Marne).

Stellte 1929/39 im Salon der Soc. d. Art. Franç. aus (Kat. z. T. m. Abbn).

Lit.: Joseph, I. — Bénézit, [2] I (1948).

Bizer, Emil, dtsch. Landschaftsmaler u. Graph. (Prof.), * 5. 8. 1881 Pforzheim, ansässig in Oberweiler i. B.

Malt in Öl u. Aquarell. Graph. Folge: Passion (6 farb. Holzschn.). Einzelblätter: Rheinufer in Basel (Rad.). Mappenwerke: Tierstudien (12 Lith.); Landschaft i. Badenweiler (8 mehrfarb. Lichtdr. nach Grisaillen v. E. B., mit einführ. Text v. A. v. Schneider u. F. Schmeller, Georg Lüttke-Verl. Berlin). Kollekt.-Ausst. anläßl. s. 70. Geb.-Tages 1951 im Kstver. Freiburg i. Br.

Lit.: Dreßler. — D. Cicerone, 12 (1920) 418, 557; 17 (1925) 435f. — D. graph. Kste (Wien), 45 (1922), Beibl. p. 63. — Oberrhein. Kst, 4 (1930), Beibl. p. 36. — Dtsche Kst u. Dekor., 64 (1929) 292. — Dtsche Monatsh. (D. Rheinlande), 16 (1916) 41 (Abb.). — Velhagen & Klasings Almanach, 1923, p. 24f.

Bizet, Andrée, franz. Landschafts-, Bildnis-, Akt- u. Blumenmalerin, * 2. 3. 1888 Poitiers, ansässig in Paris.

Schülerin von F. Humbert. Mitglied der Soc. du Salon d'Automne, deren Salon sie seit 1910 beschickt, u. der Indépendants. 2 Bilder im Petit Palais in Paris.

Lit.: Joseph, I. — Bénézit, [2] I (1948).

Bizet, Maurice, franz. Landschaftsmaler (Öl u. Aquar.), * Paris, ansässig ebda.

Stellt seit 1925 im Salon d'Automne, seit 1928 im Salon der Soc. d. Art. Indépendants aus.

Lit.: Joseph, I. — Bénézit, [2] I (1948). — La Renaissance de l'Art Franç., 9 (1926) 365f.

Bizette-Lindet, André, franz. Figurenbildhauer, * Savenay (Loire-Infér.), ansässig in Paris.

Schüler von Injalbert. Gr. Rompreis 1930. Mitgl. der Soc. d. Art. Français, deren Salon er seit 1929 beschickt. Gold. Med. 1935.

Lit.: Joseph, I. — Bénézit, [2] I (1948). — Beaux-Arts, 8 (1930) Nr 8 p. 19 (Abb.).

Bizot, René, franz. Maler, * Cravant (Yonne), ansässig in Paris.

Stellte 1926ff. bei den Indépendants u. im Salon d'Automne aus.

Lit.: Joseph, I. — Bénézit, [2] I (1948).

Bizouard, Valéry, franz. Entwurfzeichner für Goldschmiedearbeiten, * 23. 10. 1875 Dijon, ansässig in Paris.

Stellte im Salon des Art. Décor., im Salon d'Automne u. im Salon der Soc. Nat. d. B.-Arts aus.

Lit.: Bénézit, [2] I (1948). — Mobilier et Décor., 1930/I, p. 197ff. passim, m. Abb.

Blaaderen, Gerrit Willem van, holl. Maler, * 18. 6. 1873 Nieuwer-Amstel, lebt in Bergen.

Schüler von H. Hulk u. Vaarzom Morel an d. Akad. Antwerpen. Stadtansichten, Stilleben, Figuren in Landschaft. Bilder im Reichsmus. u. im Sted. Mus. Amsterdam.

Lit.: Plasschaert. — Waay. — Hall, Nr 7313. — Onze Kunst, 15 (1909) 203.

Blaas, Carl Theodor von, öst. Bildnismaler, * 5. 6. 1886 Kreuth, Oberbay., ansässig in Kitzbühel, Tirol.

Schüler s. Vaters Julius v. B. d. Ält. (* 1845, † 1922), C. v. Marrs in München, Lucien Simon's u. René Ménard's in Paris. 1929/31 in USA, 1932/35 in London, bis 1940 in Wien. Beliebter Porträtist der öst. Hocharistokratie.

Lit.: Dreßler. — Wer ist Wer? (Wien), 1937. — Teichl.

Blaas, Julius von, *d. Jüng.*, tirol. Bildnismaler, * August 1888 Venedig, † Mai 1934 New York. Sohn des Eugen (* 1843, † 1931).

Schüler s. Vaters u. Ettore Tito's. Studienaufenthalte in München u. Paris. Seit 1922 in den USA.

Lit.: Comanducci, p. 182. — Mallett. — New York Papers, 15. 5. 1934.

Blaas, Mathias, tirol. Maler, * 17. 10. 1893 Meran, † 31. 10. 1949 Innsbruck.

Landschaften, Gehöfte, Orts- u. Straßenbilder von Meran u. Umgebung (Öl u. Aquar.). *J. R.*

Black, Eleanor, geb. *Simms*, amer. Malerin, * 1872 Washington, D. C., ansässig in Pittsburgh, Pa.

Schülerin von Howard Helmick, C. W. Hawthorne u. O. L. Linde.

Lit.: Fielding. — Amer. Art Annual, 30 (1933). — Who's Who in Amer. Art, I: 1936/37.

Black, Franciszek, poln. Bildhauer, * 3. 12. 1881 Warschau, ansässig in Paris.

Stud. 1901 in London die Holzschnitzerei, 1903ff. in Paris die Bildhauerei bei Ant. Mercié an der Pariser Ec. d. B.-Arts. Ließ sich später in Lausanne (Schweiz), nach dem 1. Weltkrieg in Paris nieder. Genrestatuen, Bildnisbüsten. Tannenberg-Denkmal in Krakau, gemeins. mit dem Archit. Antoni Wiwulski (1910). — Damenbüste im Luxembourg-Mus. Paris. Büsten Paderewskis im dort. Musikkonservatorium u. im Mus. in Vevey, Schweiz.

Lit.: Bénézit, [2] I (1948). — The Studio, 85 (1923) 172f., m. Abbn. — La Renaiss. de l'Art franç., 10 (1927) 438, m. Abbn. — Revue de l'Art anc. et mod.,

70 (1936) 34. — Tygodnik ilustrow., 1923, p. 747, m. 3 Abbn. — Kat. Ausst. i. Ksthaus Zürich, 10. 3.–2. 4. 1918, p. 10, 12 (Biogr.). — Kat. d. Expos. d'Art Polonais, Paris, Soc. Nat. d. B.-Arts, 1921.

Black, John Lorin, amer. Figurenmaler, * 1895.

Erhielt 1929 von der Jury des Cleveland Mus. of Art in Cleveland, Ohio, einen 1. Preis für 5 Bilder: Komunikanten in Toskana; Bauern in San Barberino; Morgenstunde; Mondschein über SanGimignano; Toskanische Arbeiter.

Lit.: Mallett. — Bull. of the Cleveland Mus. of Art, 16 (1929) 83, 89 (Abbn), 96.

Black, Mary C.W., amer. Malerin, * Poughkeepsie, N. Y., ansässig in Monterey, Calif.

Schülerin von W. L. Latherop, Mora u. Glenn Newell.

Lit.: Fielding. — Amer. Art Annual, 30 (1933). — Who's Who in Amer. Art, I: 1936/37.

Black, Montague Birrell, engl. Reklamekstler u. Illustrator, * 29. 3. 1884 Stockwell, ansässig in Harrow, Middlesex.

Lit.: Who's Who in Art, [3] 1934.

Black, Norman, amer. Maler u. Illustr., * 8. 11. 1883 Chelsea, Mass., ansässig in Cliff Island, Casco Bay, Me.

Schüler von Eric Pape in Boston u. d. Acad. Julian u. Ec. d. B.-Arts in Paris. — Seine Gattin, * 15. 4. 1884 Providence, R. I., Malerin, gleichfalls Schülerin von Eric Pape u. d. Acad. Julian in Paris, weitergebildet in München.

Lit.: Fielding. — Amer. Art Annual, 30 (1933) 444. — Who's Who in Amer. Art, I: 1936/37.

Black, Oswald (signiert „Oz"), amer. Pressezeichner, * 29. 10. 1898 Neoga, Ill., ansässig in Lincoln, Neb.

Schüler von W. L. Evans u. d. Kstschule d. Univers. of Nebraska. Zeichnete u. a. für „Lincoln Star" u. „Nebraska State Journal".

Lit.: Who's Who in Amer. Art, I: 1936/37.

Black, Reuben, engl. Landschaftsmaler, * 31. 3. 1899 Leeds, ansässig in Newport, Monmouthshire.

Lit.: Who's Who in Art, [3] 1934.

Black, Richard B., amer. Maler, * 1888 Greenfield, Ind., † 7. 4. 1915 ebda.

Stud. in Paris u. in Deutschland, lebte 2 Jahre in Nordafrika.

Lit.: Amer. Art News, 13, Nr 29 v. 24. 4. 1915, p. 4. — Amer. Art Annual, 12 (1915) 256. — M. Q. Burnet, Art and Artists of Indiana, New York 1921.

Blackall, Clarence Howard, amer. Architekt, * 1857, † 1942.

Hauptwerk: Kolonialtheater in Boston.

Lit.: The Amer. Architect, 72 (1901/I) Taf.-Abbn zu Heft Nr 1322, p. 11 Text u. Abbn zu Heft Nr 1329. — Octagon (Washington, D. C.), 14, Juni 1942, p. 5f. — Architectural Record (New York), 91, April 1942, p. 14.

Blackburn, Morris Atkinson, amer. Maler u. Zeichner, * 13. 10. 1902 Philadelphia, Pa., ansässig in Upper Darby, Pa.

Schüler der Pennsylv. Acad. of F. Arts in Philadelphia u. Henry McCarter's. Hauptsächl. Wandmaler. Skizzen für Fresken im Pennsylv. Mus.

Lit.: Who's Who in Amer. Art, I: 1936/37. — Art Index (New York), Okt. 1941/Okt. 51 passim.

Blackham, Dorothy, irische Malerin u. Linolschneiderin, * 1. 3. 1896 Dublin, ansässig ebda.

Stud. an d. Roy. Hibernian Acad. Dublin.

Lit.: Who's Who in Art, [3] 1934.

Blacklock, Nellie, engl. Blumenmalerin (Aquar.), * 3. 1. 1889 London, ansässig ebda.

Lit.: Who's Who in Art, [3] 1934.

Blackman, Carrie, geb. *Horton*, amer. Malerin, * Cincinnati, Ohio, ansässig in St. Louis, Mo.

Stud. an d. Kstschule in St. Louis u. bei Chaplin in Paris.

Lit.: Fielding. — Amer. Art Annual, 30 (1933).

Blackshear, Annie Laura Eve, amer. Malerin u. Illustr., * 30. 10. 1875 Augusta, Ga., ansässig in Athens, Ga.

Schülerin von Twachtman, W. M. Chase, Breckenridge u. Garber.

Lit.: Fielding. — Amer. Art Annual, 30 (1933).

Blackshear, Kathleen, amer. Maler u. Lithogr., * 6. 6. 1897 Navasota, Tex., ansässig in Chicago, Ill., sommers in Navasota.

Lit.: Amer. Art Annual, 30 (1933). — Art Digest, 24, Nr v. 15. 11. 1949, p. 9 (Abb.).

Blackstone, Harriet, amer. Maler, * 1864 New Hartford, N. Y., † 1939 New York.

Stud. an der Acad. Julian in Paris, bei W. M. Chase u. am Pratt Inst. in Brooklyn, N. Y. Bilder in der Nat. Gall. in Washington, D. C., u. in den Museen Brooklyn, N. Y. (Damenbildnis), u. San Francisco, Calif.

Lit.: Fielding. — Amer. Art Annual, 30 (1933). — Art Digest, 16, Juli 1942, p. 16 (Abb.). — Monro.

Bladh, Johan, schwed. Bildnis-, Landschafts-, Blumen- u. Stillebenmaler, * 1893 Mörsil, Jämtland, ansässig in Stockholm.

Stud. an der Malschule Althin u. an der Techn. Schule in Stockholm.

Lit.: Thomæus.

Bläsi, Gusti (Auguste), schweiz. Porträtbildhauerin, * Stans, Kt. Luzern, ansässig in Berlin.

Stellte 1927/33 im Salon d'Automne in Paris aus.

Lit.: Bénézit, [2] I (1948). — Dtsche Kst u. Dekor., 53 (1923/24) 186/90 (5 Abbn).

Blahak, Leo, mähr. Bildhauer, * Markersdorf b. Mähr.-Schönberg, ansässig in Prag.

Anfänglich Steinmetz in Olmütz. Schüler der Prager Akad. Bildnisbüsten (R. M. Rilke), Akte.

Lit.: Mährisch-Schles. Landesztg, 18. 1. 1945. — Kst u. Ksthandwerk (Reichenberg i. B.), I (1938) 62 (Abb.), 75.

Blai, Boris, russ.-amer. Bildhauer, * 24. 7. 1893 Rowno, ansässig in Philadelphia, Pa.

Schüler von Rodin u. der Akad. in St. Petersburg. Lehrer für Plastik an d. Stella Elkins Tyler School der Temple University in Philadelphia. Figürliches (Tänzerinnen Mary Wigman u. Pawlowna).

Lit.: Amer. Art Annual, 37 (1948). — Who's Who in Amer. Art, I: 1936/37. — The Art News, 31, Nr 29 v. 15. 4. 1933, p. 12, m. Abb., Nr 31 v. 29. 4. 1933, p. 5; 32 (1933/34) Nr 21 p. 16, m. Abb. — Monro.

Blaikley, Ernest, engl. Maler u. Rad., * 12. 4. 1885 London, ansässig ebda.

Stud. an der Slade School. Assistent am Imperial War Mus. Bildniszeichngn. Rad.: The Unknown Visitor, The Shrub Farm, u. a.

Lit.: Who's Who in Art, [3] 1934.

Blailé, Alfred, schweiz. Maler, * 27.2. 1878 Genf, ansässig in Neuchâtel.

Schüler von P. Pignolat, 1900/01 von Frank Bail an der Pariser Ec. d. B.-Arts. Hauptsächlich Landschafter u. Stillebenmaler. 1931/41 Präsident der Gesellsch. schweiz. Maler, Bildhauer u. Architekten.

Lit.: Schweiz, 1916 p. 590. — Das Werk (Zürich), 2 (1915) 160 (Abb.). — Kat. d. Ausst. Ksthaus Zürich: Westschweiz. Kstler, 12. 5.–6. 6. 1937, p. 3, 12. — Pro Arte (Genf), 2 (1943) 303.

Blair, Lee, amer. Maler u. Pressezeichner, * 1. 10. 1911 Los Angeles, Calif., ansässig ebda.

Schüler von D. Alfaro Siqueiros, M. Russell, L. Murphy u. Pruett Carter. Vertreten im Calif. Palace of the Legion of Honor in San Francisco.

Lit.: Who's Who in Amer. Art, I: 1936/37. — Amer. Art Annual, 30 (1933). — Monro.

Blaise, Aimé, franz. Bildhauer, * 8. 7. 1877 Anzin (Nord), ansässig in Paris.

Schüler von Barrias u. Coutan. 1906 Rompreis. Mitglied der Soc. d. Art. Franç., beschickt deren Salon seit 1908.

Lit.: Joseph, I. — Bénézit, [2] I (1948).

Blake, Donald, amer. Illustrator, * 26. 6. 1889 Tampa, Florida, ansässig ebda.

Schüler der Pennsylv. Acad. of F. Arts in Philadelphia, Pa., u. des Henry McCarter.

Lit.: Fielding. — Amer. Art Annual, 30 (1933). — Who's Who in Amer. Art, I: 1936/37.

Blake, Dorothea Frances, engl. Figuren-, Bildnis- u. Landschaftsmalerin, * 18. 1. 1895 Greenock, ansässig in London.

Schülerin von Byam Shaw u. der Roy. Acad. Schools.

Lit.: Who's Who in Art, [3] 1934.

Blake, Edith, geb. *Cotton*, amer. Zeichnerin, * 27. 7. 1883 Warren, N. H., ansässig in Plymouth, N. H.

Schülerin von Mary M. Atwater u. Cec. Cleveland Willard.

Lit.: Who's Who in Amer. Art, I: 1936/37.

Blake, Eileen Mary, engl. Aquarellmalerin u. Schwarz-Weiß-Kstlerin, * 12. 12. 1878 Moseley, Birmingham, ansässig ebda.

Stud. an der Kstschule in Birmingham. Landschaften, Marinen, Interieurs, Kinderbilder.

Lit.: Who's Who in Art, [3] 1934.

Blake, Pauline B., amer. Lithographin, * 1894 Fargo, N. D., ansässig in New York.

Schülerin von Ch. Martin, Lehrerin an der Columbia University in New York.

Lit.: Amer. Art Annual, 27 (1930) 510.

Blake, Vernon, engl. Architekturzeichner, Bildhauer u. Kunstschriftst., * 22. 9. 1875 Reigate, † 1930.

Stud. bei E. Carrière in Paris, an den Scuole Libere in Florenz u. Rom, an d. Acad. Colarossi in Paris u. der Brit. Acad. in Rom, die ihn später zum Prof. u. 1906 zum Direktor ernannte. Bereiste Ägypten u. den Fernen Osten. Ließ sich 1908 in Les Beaux, Bouches-du-Rhône, Frankreich, nieder. Entwarf Kriegerdenkmäler für Frankreich, deren skulpturale Teile er selbst ausführte.

Lit.: Who's Who in Art, [2] 1929; [3] 1934, Obituary, p. 447. — Mercure de France, 132 (1919) 144. — The Connoisseur, 69 (1924) 183. — The Studio, 90 (1925) 313, m. Abb.

Blakeley, Arthur, engl. Landschaftsmaler (Aquar.), * 4. 9. 1890 Sheffield, ansässig in Bridgham, Norwich.

Lit.: Who's Who in Art, [3] 1934.

Blakeley, John Harold, engl. Maler (Öl u. Aquar.), Rad. u. Illustr. * 14. 7. 1887 Blackpool, ansässig ebda.

In d. Blackpool Art Gall.: Landhaus in Berkshire. Illustr. für die Weihnachts-Beilagen von „Blackpool Gazette and Herald".

Lit.: Who's Who in Art, [3] 1934.

Blakely, Dudley Moore, amer. Maler, Kunstgewerbler, Illustr. u. Zeichner, * 13. 10. 1902 Harriman, Tenn., ansässig in New York.

Lit.: Amer. Art Annual, 30 (1933). — Who's Who in Amer. Art, I: 1936/37.

Blakeman, Thomas Greenleaf, amer. Radierer, Lithogr. u. Illustr., * 23. 10. 1887 Orange, N. J., ansässig in North Truro, Mass.

Lit.: Amer. Art Annual, 30 (1933). — Who's Who in Amer. Art, I: 1936/37.

Blakstad, Gudolf, norweg. Architekt, * 19. 5. 1893 Skien, ansässig in Oslo.

Stud. an der Norweg. Techn. Hochschule. — Neues Theater in Oslo (zus. mit Jens Dunker). Seit 1922 assoziiert mit Herm. Munthe-Kaas: Künstlerhaus in Oslo; Filiale der Norweg. Bank in Gjøvik; Druckereigeb. der Norweg. Bank in Oslo; Odd Fellow-Haus ebda.

Lit.: Hvem er Hvem?, [4] 1938. — Vem är Vem i Norden, Stockh. 1941, p. 623. — Kunst og Kultur, 19 (1933) 14, Abb. p. 16.

Blampied, Edmund, engl. Maler (Öl u. Aquar.), Rad., Kaltnadelst. u. Lithogr., * 30. 3. 1886 auf Jersey, ansässig in London.

Sohn eines Farmers. 1903ff. Schüler der Lambeth School u. der County Council Art School in London, wo er bei W. Seymour die Radiertechnik erlernte. Zeichnete während seiner Lehrzeit für „Daily Chronicle". Seit 1921 Mitglied der Roy. Soc. of Painter-Etchers. Zu seinen frühsten bedeutenden Blättern gehören die Rad.: „Driving Home in the Rain" u. „Loading Seaweed" und das Kaltnadelblatt: „An Argument" (3 Bauern, am Tische sich beratend). Weitere Hauptblätter (meist Kaltnadel) sind: „Flies" (Pferd, die Fliegen abwehrend), „Grazing Horses", „Fetch it!", „Sunday Morning Batters" (Pferde in der Schwemme), „Soup" (Bauern bei der Mahlzeit), „The Sick Man". Die flotte technische Behandlung erinnert oft an Zorn. Im übrigen scheint Forain einigen Einfluß auf ihn ausgeübt zu haben. Ein grotesker Humor, wie er in den Blättern: „Country Cider", „The Male Choir", „L'Apéritif", „The Accusation", „Giving Advice to a Drowning Man", „The Speach of the Evening" zum Ausdruck kommt, nähert ihn Goya u. Daumier, als deren Erbe man B. bezeichnet hat. Für seine Radierungen benutzt B. meist die Zinkplatte, die ihm bei sparsamsten Mitteln außerordentlich weiche, malerische Wirkungen zu erzielen erlaubt, für die Kaltnadelblätter das Kupfer. Nicht weniger reizvoll sind seine Lithogr. („The Lame Horse", „The Black Bottle", „Splash' Splash!" „On the Banks of the Seine", „The Stream" u. a.), die erst ab 1920 datieren. Direkt auf den Stein gezeichnet, geben sie in ihrer weichen, tonigen Behandlung, der feinen Wiedergabe des Atmosphärischen u. der flüchtigen Bewegung („Fetching the Doctor" [Bote über das Feld galoppierend]) ein Äußerstes an Eindruckskraft wieder. Einen vollständigen Katalog seiner Rad. u. Kaltnadelblätter hat C. Dodgson aufgestellt.

Lit.: Who's Who in Art, [3] 1934. — M. C. Salaman, E. B. (Modern Masters of Etching, Bd 10), Lo. 1926. — The Burlington Magaz., 37 (1920) 264. —

The Studio, 83 (1922) 245/53, m. Abb.; 89 (1925) 129ff., m. Abbn; 91 (1926) 425 (ganzseit. Abb.); 99 (1930) 191 (Abb.); 100 (1930) 42, 45 (Abb.); 102 (1931) 154f. (Abbn). — Amer. Art News, 21, Nr 7 v. 25. 11. 1922, p. 1f.; The Art News, 22, Nr 3 v. 27. 10. 1923, p. 3. — Apollo (London), 1 (1925) 110, Abb. nach p. 120; 2 (1925) 51f., m. Abb.; 4 (1926) 79, m. Abb.; 8 (1928) 308 (Abbn); 9 (1929) 281ff., m. Abbn; 10 (1929) 299 (Abb.); 14 (1931) Abb. geg. p. 72; 23 (1936) 51; 26 (1937) 178 (Abb.). — Artwork, 2 (1925/26) 129 (Abb.); 4 (1928) 16, 20. — The Print Coll.'s Quarterly, 13 (1926) 69/96, m. Abbn; 19 (1932) 298/319, m. Abbn; 24 (1937) 101 (Abb.); 363/93, m. 16 Abb.; 27 (1940) 503. — The Connoisseur, 83 (1929) 372; 95 (1935) 52 (Abb.). — Bull. of the Cleveland Mus. of Art (Cleveland, Ohio), 28 (1941) 40. — Bull. Detroit Inst. of Arts, 29 (1949/50) 46.

Blanc, Charles, franz. Bildnis-, Figuren- u. Landschaftsmaler, * 21. 12. 1896 Limoges, ansässig in Paris.

Stud. an der Ec. d. Arts décor. in Limoges, dann 3 Wochen an der Acad. Julian in Paris; im übrigen Autodidakt. Beeinflußt von den franz. Romantikern, bes. von Delacroix. Malt Szenen aus der Bibel, Shakespeare, Rabelais. Mitglied des Salon d'Automne. Stellt auch bei den Indépendants u. im Salon des Tuileries aus.

Lit.: Joseph, 1. — Bénézit,[2] 1 (1948). — L'Art vivant, 6 (1930) 132f., m. 3 Abbn; 9 (1933) 92, m. 3 Abbn, 123. — Art et Décor., 62 (1933), Les Echos d'Art, März p. IIIf., m. Abb. — Revue de l'Art anc. et mod., 67 (1935) 186, 191 (Abb.); 70 (1936) 190 (Abb.). — Beaux-Arts, Nr 278 v. 29. 4. 1938, p. 4, m. Abb.; Nr 283 v. 3. 6. 38, p. 12 (Abb.); Nr 306 v. 11. 11. 38, p. 1 (Abb.); Nr 335 v. 2. 6. 39, p. 2 (Abbn); Nr v. 5. 3. 48. p. 1 (Abb.); Nr. v. 6. 8. 48, p. 6.

Blanc, Frank Edward Belcombe, schott. Architekt, * 27. 2. 1890 Edinburgh, ansässig ebda.

Fabriken u. Geschäftshäuser der North Brit. Rubber Co. in Edinburgh u. London; Electric Theatre nebst Restaurant in London, Coventry Str.

Lit.: Who's Who in Art,[3] 1934.

Blanc, Pierre, schweiz. Tierbildhauer, * Lausanne.

Stellt seit 1928 im Pariser Salon d'Automne, 1930ff. im Salon des Tuileries aus.

Lit.: Joseph, I. — Bénézit,[2] I (1948). — L'Amour de l'Art, 10 (1929) 449 (Abb.); 11 (1930) 388 (Abb.). — Pro Arte (Genf), 2 (1943) 271 (Abb.). — Schweizer Kst, 1944 p. 31 (Abb.).

Blanc, Pierre Cyrille Emile, franz. Landschaftsmaler, * 11. 2. 1908 Paris, ansässig ebda.

Schüler von Roger u. Dargouge. Mitglied der Soc. Nat. d. B.-Arts.

Lit.: Joseph, I. — Bénézit,[2] I (1948).

Blanch, Arnold, amer. Maler, * 4. 6. 1896 Mantorville, Minn., ansässig in Woodstock, N. Y. Gatte der Lucille.

Schüler von Kenneth H. Miller, J. Sloan u. Robert Henri. Vertreten im Metropol. Mus. in New York u. im Whitney Mus. of Amer. Art ebda. Kollektiv-Ausst. April 1932 in d. Gal. Rehn, New York.

Lit.: Who's Who in Amer. Art, I: 1936/37. — Amer. Art Annual, 30 (1933). — The Studio, 117 (1939) 3 (Abb.). — New York Times, 9. 4. 1932. — Art Index (New York), 1928ff. passim. — Monro.

Blanch, Lucille, amer. Malerin u. Lithographin, * 31. 12. 1895 Hawley, Minn., ansässig in Woodstock, N.Y. Gattin des Arnold. Schülerin von Goetsch u. Du Mond. Vertreten u. a. im Whitney Mus. of Amer. Art in New York.

Lit.: Who's Who in Amer. Art, I: 1936/37. — Amer. Art Annual, 30 (1933). — Art Digest, 16, Nr v. 1. 3. 1942, p. 10 (Abb.). — Monro.

Blanchard, Ethel, s. *Collver.*

Blanchard, Maria, span.-franz. Figuren- u. Bildnismalerin, * 1881 Santander, † 5. 4. 1932 Paris.

Vater: Spanier, Mutter: Französin. Stud. in Madrid, dann bei Van Dongen u. Anglada y Camarasa in Paris, wo sie sich niederließ. Gehörte dem Kreis um Picasso, Gris u. Lipschitz an. Stellte 1923 bei den Indépendants aus. Anfänglich, bes. in kolorist. Hinsicht, stark eklektisch, später eine kräftige, kubistischen Tendenzen sich nähernde Linienkunst vertretend. Ein Pastell: Die Mahlzeit, im Musée du Jeu de Paume in Paris. Ein Ölbild im Mus. in Grenoble.

Lit.: W. George, M. B. („Ceux de Demain"), Paris 1927. — M. Raynal, Anthologie de la Peint. en France etc., 1927, m. 3 Abbn. — J. Muls, Van El Greco tot het Cubisme, Brügge 1929. — Bénézit,[2] I (1948). — L'Amour de l'Art, 1922 p. 112f., m. 2 Abbn. — D. Ararat, 2 (1921) 252, 255 (Abb.). — Revista esp. de arte, I (1932) Nr 1 p. 53/56 (Nachruf). — Le Centaure (Brüssel), 2 (1927) 100, m. Abb. — Beaux-Arts, Nr 330 v. 28. 4. 1939 p. 4, m. Abb.

Blanchard, Maurice, franz. Maler u. Zeichner, * 14. 1. 1903 Paris, ansässig in Montreuil-sous-Bois (Seine).

Bildnisse, Landschaften, Figürliches. Stellt seit 1926 im Salon der Soc. d. Art. Indépendants aus.

Lit.: Joseph, I. — Bénézit,[2] I (1948).

Blanche, Emmanuel, franz. Tier-, Interieur- u. Landschaftsmaler, * Paris, ansässig ebda.

Stellt seit 1925 bei den Indépendants aus.

Lit.: Joseph, I. — Bénézit,[2] I (1948).

Blanche, Jacques Emile, franz. Bildnismaler, Graph., Romancier, Essayist u. Kstschriftst., * 1. 2. 1861 Paris, † 1942 Auteuil.

Schüler von Gervex u. Humbert. Beraten von Degas, Renoir u. bes. von Whistler. Beeinflußt von den engl. Porträtisten des 18. Jh.s Mitglied des Institut. Malte neben Bildnissen auch Stilleben, Blumenstücke u. Interieurs. Virtuose Technik u. zarte Farbenharmonien kennzeichnen seine Kunst. Mitglied der Soc. Nat. d. B.-Arts u. der Internat. Soc. of Sculptors, Gravors u. Etchers. Stellte seit 1923 auch im Salon des Tuileries aus. — In zahlr. öff. Smlgn des In- u. Auslandes vertreten. Im Luxembourg-Mus. in Paris: Bildnis des Malers F. Thaulow mit s. Familie, ein Interieur u. ein Blumenstück. Im Mus. in Versailles: Bildnis der Gräfin Noailles. Im Mus. Brüssel: Bildn. des Malers Ch. Cottet. In der Gall. Naz. d'Arte Mod. in Rom: Studie zu dem Bildn. des Sir Noble. In der Tate Gall. London: Bildn. Thomas Hardy; in der dort. Nat. Gall.: Bildn. Beardsley's. Im Mus. Prinz Paul in Belgrad: Bildn. der Prinzessin Olga (farb. Taf. im Kat. 1939). In der Kirche in Offranville bei Dieppe eine 1918 entstandene gr. Tafel mit der um ihren Priester versammelten und ihre Gefallenen betrauernden Dorfgemeinde. Im Art Inst. in Chicago: Die Reisende (Abb. in: Guide ... in the German. Coll., 1925 p. 73). Besonders reich vertreten im Mus. in Rouen. — Buchwerke: Aymeris; Essais et Portraits; Cahiers d'un Artiste; De David à Degas; Tous des Anges, 1920; Mes Modèles, Souvenirs littér., 1931.

Lit.: Th.-B., 4 (1910). — Qui Etes-vous? 1924. — Joseph, 1, m. 2 Abbn u. Fotobildn. — Who's Who in Art,[3] 1934. — Bénézit,[2] 1 (1948), m. Taf. 25. — L'Art décoratif, 4 (1902) 221/33. — Vita d'Arte, 10 (1912) 157/61. — Emporium, 37 (1913) 1/20; 74 (1931)

233, m. Abb., 236, m. Abb. — D. Kunst, 29 (1914) 121/26, Abbn bis p. 130, m. farb. Taf. — La Renaiss. de l'Art Franç. etc., 2 (1919) 441/48, m. 18 Abbn; 7 (1924) 167f. — Gaz. d. B.-Arts, 1921/I p. 277ff. — Revue de l'Art anc. et mod., 45 (1924) 251/64, m. 16 Abbn. — L'Art vivant, 1927 p. 544/47, m. 3 Abbn; 1931 p. 249. — Apollo (London), 6 (1927) 83f.; 12 (1930) 201/05; 30 (1939) 34f. — Revue des Deux-Mondes, 1928 p. 674/81. — Formes, 1931 p. 85f. — Bull. d. Musées de France, 3 (1931) 242 (Abb.). — Artwork, 6 (1930) 146 (Abb.). — The Studio, 110 (1935) 16 (Abb.); 114 (1937) 325/27, m. 4 Abbn. — Beaux-Arts, 1 (1923) 27f.; 2 (1924) 111; 7 (1929) Nr 5 p. 30, Nr 6 p. 18; 8 (1931), Mai p. 1f., m. Abbn; 10 (1932), Juni p. 10, 12 (Abb.); Nr 220 v. 19. 3. 1937 p. 3, m. Abb., Nr 332 v. 12. 5. 39, p. 4, m. Abb. — Art Digest (New York), 17, Nr v. 15. 10. 1942, p. 22 (Nachruf). — Revue d. B.-Arts de France, 1943 p. 129ff. — L'Amour de l'Art, 1933 p. 58f.

Blanchet, Alexandre, schweiz. Maler u. Graph., * 23.4.1882 Pforzheim, Baden, gebürtig aus Carouge bei Genf, ansässig in Confignon, Kt. Genf.

Stud. bis 1903 an der Genfer Ec. d. B.-Arts, 1905 in Paris, 1906 in Florenz u. Rom. Beschickte 1908/14, damals in Paris ansässig, den Salon des Indépendants. Ließ sich dann in Confignon nieder. Strenge, auf monumentale Wirkungen ausgehende Form; freskenartig gedämpfte Farben (Vorliebe für graue, braunrötliche u. gelbliche Töne). Figürliches, Akte, Bildnisse, Stilleben. Wandbilder im Sitzungssaal des N. Bundesgerichtsgeb. in Lausanne. Pietà in d. kath. Kirche in Tavannes. Vertreten u. a. in den Museen in Aarau, Basel, Bern, Genf, Winterthur u. Zürich.

Lit.: Joseph, I. — Bénézit, ² I (1948). — Jenny. — Graber, 1918 p. 14f., 32, m. 3 Taf.-Abbn. — F. Fosca, A. B., Lausanne 1929. — H. Graber, A. B., Basel 1925. — W. George, Quelques Artistes suisses, Paris 1928. — L'Amour de l'Art, 1928, p. 419 –22, m. 4 Abbn; 1929 p. 416. — Gaz. d. B.-Arts, 1912/II p. 407, m. Abb. — D. Graph. Kabinett (Winterthur), 4 (1919) 29; 5 (1920) 6, 99; 6 (1921) 62, 65f.; 11 (1926) 36, 46f. — D. Kstblatt, 2 (1918) 215. — Dtsche Kst u. Dekor., 57 (1925/26) 109 (Abb.), 123 (Abb.). — D. Kst in d. Schweiz, 1930, p. 178/81; April/Mai, Kstmarkt, p. XX (Selbstbildn.). — D. Werk, 2 (1915) 85f., Abbn p. 86/88; 4 (1917) 88 (Abb.); 6 (1919) 120 (Abb.); 10 (1923) 199/205, m. 3 Abbn; 14 (1927) 323 (Abb.), 333f.; 23 (1936) 236 (Abb.); 29 (1942) 129/33. — D. Schweiz, 24 (1920) 454, 455 (Abb.); 25 (1921) 92, Taf. vor p. 49. — Schweizer Kst, 1933/34 p. 29, m. 3 Abbn; 1934/35 p. 54 (Abb.); Umschlagbild Heft 9, April 1940. — Schweizerland, 1 (1914/15) Abb. geg. p. 672; 1917, Abb. geg. p. 522; 1920 p. 168, 473.

Blanchetée, Mathilde de la, franz. Blumen-, Landschafts- u. Dekorationsmalerin, * Montpellier, wohnhaft in Nizza,

Schülerin von Chabal-Dussurgey. Mitglied der Soc. d. Art. Franç., beschickte deren Salon 1912/34.

Lit.: Joseph, I. — Bénézit, ² I (1948).

Blanchetière, Henri Emile, franz. Bucheinbandkünstler, * 18. 4. 1881 Paris, ansässig ebda.

Lit.: Joseph, I, m. Abb.

Blanchon, Yvonne, franz. Blumen- u. Landschaftsmalerin, * Cosne (Nièvre), ansässig in Paris.

Schülerin von Mathilde Delattre u. Mlle Bougleux. Mitglied der Soc. d. Art. Franç., beschickte deren Salon 1926/39.

Lit.: Joseph, I. — Bénézit, ² I (1948).

Blanchot, Gustave, siehe *Bofa*, Gus.

Blanck, Nils, schwed. Architekt u. Graphiker, * 22. 10. 1884 Stockholm, ansässig in Malmö.

Stud. 1910 an der Techn. Hochschule in Stockholm, 1913 an der Kstakad., 1913/15 bei I. Tengbom, 1916 bei A. Lilienberg in Göteborg. Seit 1922 Reg.-Architekt in Malmö. — Bauten: Geolog.-Geogr. Institut in Lund; Landsstatshus in Malmö; Butterkontrollstation ebda; Kirchen in Trolle-Ljungby u. Barkåkra.

Lit.: N. F., 21 (Suppl.). — Vem är det?, 1935. — Thomœus. — Vem är Vem i Norden, 1941 p. 989.

Blanckaert, Gérard, franz. Holzschneider, * Bergues (Nord), ansässig ebda.

Schüler von Demarque. Stellt im Salon der Soc. d. Art. Franç. aus. Architektur- u. Straßenansichten.

Lit.: Joseph, I.

Bland, Beatrice (Emily B.), engl. Landschafts- u. Blumenmalerin (Öl u. Aquar.), ansässig in London.

Stud. an der Slade School. Stellte 1890ff. aus. Vertreten in der Tate Gall. London (Duveen Fund) u. in den Gal. Manchester u. Birkenhead.

Lit.: Graves, I. — Who's Who in Art, ³ 1934. — Athenæum, 16. 1. 1920, p. 85. — Apollo (London), 8 (1928) 379; 18 (1933) 336. — The Connoisseur, 82 (1928) 266. — The Studio, 113 (1937) farb. Taf. geg. p. 200, 220.

Blandin, André, belg. Schriftst., Zeichner, Maler u. Rad., * 1878 Paris, ansässig in Brüssel.

Lit.: Seyn, I.

Blanes, David, holl. Maler u. Lithogr., * 10. 5. 1896 Amsterdam, ansässig ebda.

Stud. an der Akad. Amsterdam u. an d. Acad. Julian in Paris. Szenen aus dem Leben der Juden.

Lit.: Plasschaert, p. 378. — Waay. — Waller.

Blanes Viale, Pedro, uruguayischer Landschaftsmaler, * 1879 Montevideo, † 1926 ebda.

Stud. an der Akad. San Fernando in Madrid. Später Direktor der Kst- u. Gewerbesch. in Montevideo. Stellte im Salon in Barcelona 1898, im Salon d'Automne in Paris 1912 u. 1913 aus. Impressionist. Beeinflußt von Puvis de Chavannes, Whistler u. Henri Martin.

Lit.: Kirstein, p. 103. — Bénézit, ² I (1948). — La Renaiss. de l'Art franç., 9 (1926) 477.

Blank, Hermann, dtsch. Maler u. Graphiker, * 22.10.1910 Krefeld, ansässig in Leipzig.

Stud. an der Akad. in Stuttgart.

Blanke, Esther, amer. Malerin u. Kstgewerblerin, * 2. 2. 1882 Chicago, Ill., ansässig ebda.

Stud. am Chicago Art Inst., in London u. München.

Lit.: Fielding. — Amer. Art Annual, 20 (1923) 445; 27 (1930) 510.

Blanke, Hans, dtsch. Maler, Graphiker u. Bühnenbildner, * 3.3.1886 Magdeburg, ansässig in Düsseldorf.

Leiter des Ausstattungswesens an den Städt. Theatern in Düsseldorf. Figürliches, Bildnisse, Landschaften.

Lit.: Dreßler.

Blanke, Marie Elsa, amer. Malerin u. kstgewerbl. Zeichnerin, * Chicago, Ill., ansässig ebda.

Stud. am Chicago Art Inst., in München u. London

Lit.: Fielding. — Amer. Art Annual, 20 (1923) 445; 27 (1930) 510; 30 (1933). — Who's Who in Amer. Art, I: 1936/37.

Blanke, Wilhelm, dtsch. Maler, * 11.3. 1873 Unruhstadt, Prov. Posen, zuletzt ansässig in Berlin-Steglitz.

Autodidakt. Kircheninterieurs, Landschaften, Prozessionsszenen, Bildnisse, Blumenstücke, Stilleben.

Lit.: Dreßler. — E. A. Seemanns „Meister der Farbe", 13 (1916) H. 7 Nr 896; H. 9 Nr 909; H. 11 Nr 916. — Westermanns Monatsh., 127/I (1919) 50/56.

Blankenburg, Ewald, dtsch. Maler, * 1920 Schönerlinde b. Berlin, ansässig in Schönebeck b. Magdeburg.

Blankenburg, Lothar, dtsch. Landschaftsmaler, Graphiker u. Bühnenbildner, * 6.1. 1888 Potsdam, ansässig ebda.

Schüler von Martin Schöne, Phil. Franck, Erich Knithan, Hauschild u. Erich Kleinhempel. Kohlezeichngn in d. Graph. Smlg in Potsdam.

Lit.: Dreßler.

Blankenstein, August, dtsch. Genremaler, * 20.9.1876 Bochum, † 4.10.1931 Düsseldorf.

Schüler von Fr. Thöne, dann von E. v. Gebhardt an d. Düsseldorfer Akad.

Lit.: Dreßler. — D. Christl. Kst, 10 (1913/14) 217 (Abb.).

Blanzat, Louis, franz. Landschaftsmaler, * Paris, ansässig ebda.

Schüler von Romanet. Mitglied der Soc. d. Art. Franç., beschickte deren Salon 1925/39 (Kat. z. T. m. Abbn). Stellte auch bei den Indépendants aus.

Lit.: Joseph, I. — Bénézit, [2] I (1948).

Blas, Camilo, peruan. Maler, * 1903 Cajamarca, ansässig in Lima.

Stud. an der Nat. Kstschule in Lima u. bei José Sabogal ebda. Mitglied des Künstlerstabes des dort. Archäolog. Museums. Lehrtätig an der gen. Kstschule.

Lit.: Kirstein, p. 102. — S. Francisco Mus. of Art. Quart. Bull., 2 (1942) Nr 2/4 p. 37f., m. 3 Abbn. — The Art News, 15. 10. 1941 p. 12 (Abb.).

Blaschczik, Hanna, öst. Bildhauerin u. Plakettenkünstlerin, ansässig in Wien.

Schülerin von Hella Unger u. Hans Bitterlich. Pflegt hauptsächl. das religiöse Fach. Mitgl. der Öst. Gesellsch. f. Christl. Kst. Gruppe: Sub specie aeternitatis (Sitzende Frau, einen Totenschädel im Schoße haltend) im Marmorsaal des Stiftes Klosterneuburg; Relief mit dem Bildnis Billroths für das 1930 enthüllte Billroth-Denkmal in St. Gilgen am Wolfgangsee. Bildnisplaketten u. Büsten (Kinder u. Frauen). Heiligenfiguren (Statuetten), z. T. in Wachs. Modelle (Madonna mit Kind, Pietà u. a.) für die Gmundner Keram. Werkstätten.

Lit.: Kirchenkst (Wien), 3 (1931) 64/68, m. 5 Abbn; 5 (1933) 174f., m. Abb. — Öst. Kst, 4 (1933), Heft 4, p. 25, m. Abbn.

Blaschke, Friedrich, dtsch. Bildnismaler, * 18.10.1920 Breslau, ansässig in Halle.

Autodidakt. Studienreisen in Norditalien.

Blaschke, Herbert, dtsch. Maler, * 1901 Breslau, ansässig in Habelschwerdt, Grafsch. Glatz.

Schüler von Hanusch an d. Akad. Breslau.

Lit.: Glatzer Heimatblätter, 18 (1932) 141, m. Abb. u. Bildnis (Zeichng).

Blasco, Eulogio, span. Maler, Holzbildh. u. Kupferst., ansässig in Madrid.

Autodidakt. Kollekt.-Ausst. in Círculo de Bellas Artes in Madrid.

Lit.: Francés, 1923/24 p. 432f.

Blaser, Jakob, dtsch. Bildhauer, * 1874 Ravensburg, † 28.12.1930 im Benediktinerkloster Münsterschwarzach.

Stud. an der Münchner Akad. bei Syrius Eberle u. I. Taschner. Ansässig in Karlsruhe, während der letzten Jahre s. Lebens als Oblatenbruder Franz Blaser, O S B, im Benediktinerkloster Münsterschwarzach. Arbeitete in Holz u. Stein. Hauptwerke: Hochaltar in Forst b. Bruchsal, Baden (Kreuzigung in Alabaster); Sitzende Mad. mit d. Kinde auf dem Marienaltar der St. Bernhardsk. in Baden-Baden; Hochrelief mit dem Hl. Joseph ebda; Pietà in der Kriegergedächtniskap. von St. Peter u. Paul in Karlsruhe-Mühlburg; Hl. Bischof für den Hochaltar in Wehr; Hl. Franz in d. Stiftsk. in Baden-Baden; Kruzifix in d. Benediktinerk. in Würzburg. Weitere Arbeiten im Benediktinerkloster Münsterschwarzach.

Lit.: D. Christl. Kst, 21 (1924/25) 113/20, m. Abbn bis p. 125; 27 (1930/31) 121.

Blasingame, Marguerite, amer. Malerin, Bildhauerin u. Zeichnerin, * 2. 2. 1906 Honolulu, T. H., ansässig ebda.

Schüler der Stanford Univers. u. der Univ. of Hawaii. Als Malerin vertreten in der Kstakad. in Honolulu, als Bildhauerin ebda u. in d. Library of Hawaii.

Lit.: Who's Who in Amer. Art, I: 1936/37. — Mallett.

Blass, Charlotte, amer. Bildnismalerin, * 21. 4. 1908 Orange, N. J., ansässig in Little Neck, L. I., N. Y.

Schülerin von Ch. W. Hawthorne. Bilder u. a. in d. Bibliothek der U.S. Military Acad. in West Point, N. Y., u. im Mus. in Brooklyn.

Lit.: Who's Who in Amer. Art, I: 1936/37.

Blat, Ismael, Figuren- u. Bildnismaler, * Benimanet (Valencia), ansässig in Madrid.

Lit.: Kat. d. Ausst. Span. Kunst d. Gegenw., Berlin, Pr. Akad. d. Kste, 1942.

Blatas, Arbit Nicolai, s. *Arbit-Blatas,* N.

Blatchford, Conway, engl. Landsch.- u. Marinemaler, * 18. 3. 1873 Bristol, ansässig in Newton Abbot, South Devonshire.

Stud. an der Kstschule in Bristol.

Lit.: Who's Who in Art, [3] 1934.

Blatherwick, Lily, s. *Hartrick.*

Blattner, Géza, ungar. Aquarellmaler u. Holzschneider, * Debreczen, ansässig in Paris.

Stellt seit 1926 im Salon des Indépendants u. im Salon d'Automne aus.

Lit.: Joseph, I. — Bénézit, [2] I (1948).

Blau, Daniel, amer. Maler u. Radierer, * 2. 2. 1894 Dayton, Ohio, ansässig ebda.

Schüler von Max Seifert.

Lit.: Who's Wo in Amer. Art, I: 1936/37. — Amer. Art Annual, 29 (1932).

Blau, Friedrich, dtsch. Maler u. Holzschneider, * 1.3.1883 Berlin, ansässig in Grünheide, Mark.

Schüler von Schultze-Naumburg in Saaleck, von Karl Heider in Karlsruhe u. von L. Corinth in Berlin. Buchwerke: Holzschnittechnik, Straßburg, Heitz, 1912; Geißelungen St. Elisabeths, E. R. Meyer, Berl.

Lit.: Dreßler.

Blaue, Wilhelm, dtsch. Maler u. Glasmaler, * 7.12.1873 Kassel, ansässig ebda.

Stud. Architektur an den Techn. Hochsch. Berlin u. Karlsruhe.

Lit.: Dreßler. — Bau- u. Kstdenkm. Kassel, N. F. 3: Kr. d. Eisenberges, 1939.

Blauensteiner, Leopold, öst. Maler u. Holzschneider (Prof.), * 16. 1. 1880 Wien, ansässig ebda.

Schüler von Chr. Griepenkerl u. Alfr. Roller an der Wiener Akad. Mitglied der Wiener Sezession u. des Hagenbundes. — Landschaften, Bildnisse, Figürliches. Zeichngn in der Albertina. Erhielt 1927 einen Staatspreis, 1932 die Staatspreismed.

Lit.: Wer ist Wer? (Wien), 1937. — Klang. — Ver Sacrum, 6 (1903). — D. Graph. Kste (Wien), 31 (1908) 76f. — D. Kunst, 21 (1909/10) 70 (Abb.). — Kat. Frühj.-Ausst. Kstlerh. Wien 1934, m. Abb.

Blay y Fábregas, Miguel, katal. Bildhauer, * 4. 10. 1866 Olot, Prov. Gerona, † 1936 Madrid.

Schüler von José Berga in Madrid, dann von Henry Chapu in Paris. Direktor der Kunstsch. in Madrid, dann Dir. der Span. Akad. in Rom. Kraftvoller Realist, der sein Bestes in seinen ausdrucksvollen Holzkruzifixen gegeben hat (u. a. in der Jesuitenk. in Gijón). Im Mus. Nac. de Arte Mod. in Madrid eine Gipsgruppe: Dem Ideal entgegen! Im Instituto Rubio ebda ein Denkmal des Grafen von San Diego. Im Parque del Oeste ebda ein Denkmal des Fed. Rubio. Im Pal. de Iturbe ebda: Gruppe der verwitweten Marquesa mit ihrem Töchterchen. In Santiago del Estero ein Denkmal des hl. Francisco Solano. Im Panteón de Silvestre Ochoa in Montevideo: Fischergruppe. An dem von Luis Domenech y Montaner erbauten Palau de la Música in Barcelona eine vielfigurige dekor. Eckgruppe.

Lit.: Th.-B., 4 (1910). — Francés, 1917 p. 374. — Bol. de la Soc. esp. de Excurs., 19 (1911) 267/73, m. 6 Taf.-Abbn; 20 (1912) 32f., m. 1 Taf.-Abb. — Forma (Barcelona), 2 (1907) 364. — G. Richert, Barcelona (Veröff. d. Ibero-Amer. Inst.), Hambg-Berlin 1927, m. Abb.

Blayac, A. Pierre, franz. Bildnis-, Figuren- u. Landschaftsmaler, * Béziers (Hérault), ansässig in Paris.

Schüler von P. Laurens. Mitglied der Soc. d. Art. Franç., beschickte deren Salon 1927/33.

Lit.: Bénézit, [2] I (1948).

Blaylock, Thomas Todd, engl. Maler, Pastellzeichner, Holzschneider u. Radierer, * 1. 2. 1876 Langholm, Dumfries, † 1929 Woodgreen, Salisbury.

Stud. am Roy. Coll. of Art in London.

Lit.: Who's Who in Art, [2] 1929; [3] 1934, Obituary, p. 447.

Blažek, Antonín, tschech. Architekt, * 22. 2. 1874 Derfle bei Uherské Hradiště, † 5. 8. 1944 Uherské Hradiště.

Stud. an der Prager Kstgewerbesch. u. bei F. Ohmann an der Wiener Akad. Kunsthaus in Hodonin (Göding); Bürgerschule in Brno-Královo Pole; Entwürfe für Miethäuser, Arbeiterwohnungen usw.

Lit.: Toman, I 68. *Blž.*

Blažek, Josef Tomáš, tschech. Maler u. Graphiker, * 7. 8. 1884 Dolní Kalná.

Schüler der Prager Kunstgewerbesch. (E. K. Liška, J. Preisler) u. Akad. (M. Pirner). Studienaufenthalte in Holland, England, Frankreich. Zuerst fast ausschließlich Figurenmaler u. Porträtist, später auch Landschafter. Auch als Illustrator u. Pressezeichner tätig. Sonderausstellungen in Prag 1928 (Gal. Topič) u. 1934 („Jednota").

Lit.: Toman, I 69. *Blž.*

Blažek, Václav, tschech. Bildhauer, * 16. 5. 1907 Těšín b. Jičín.

Stud. 1926/32 bei O. Španiel an der Prager Akad. Studienaufenthalt in Italien. Denkmal d. Dichters K. H. Mácha für Litoměřice (Leitmeritz) 1936. Sonderausst. in Prag 1940 („Jednota").

Lit.: Toman, I 70. *Blž.*

Blazey, Lawrence E. amer. Maler u. Zeichner, * 6. 4. 1902 Cleveland, Ohio, ansässig ebda.

Hauptsächl. Landschaften u. Industriebilder.

Lit.: Who's Who in Amer. Art, I: 1936/37. — Amer. Art Annual, 30 (1933).

Blažíček, Oldřich, tschech. Maler, * 5. 1. 1887 Slavkovice (Mähren), † 3. 5. 1953 Prag.

Zuerst Dekorationsmaler, 1905/09 Schüler der Prager Kstgewerbesch. (E. Dítě, K. Mašek) u., bis 1912, der Akad. (H. Schwaiger). Von Anfang an fesselte ihn die Landschaftsmalerei. Impressive Motiverfassung u. koloristische Formbildung. Debütierte 1912 in Prag mit Darstellungen architekton. Innenräume (Inneres des St. Veitsdomes in Prag u. a.), die seitdem zu B.s charakteristischen Themen gehören, und in denen mehr u. mehr die Lichtimpression gegenüber der linearen Konstruktion hervortrat. Während des 1. Weltkrieges in Tirol; auf Studienreisen in Italien, Dalmatien, Holland, Deutschland, Frankreich, Spanien, Norwegen, Balkan skizzierte er Landschaften u. Architekturen. Sein Hauptinteresse gehört der Landschaft Böhmens u. Mährens, die er zu allen Jahreszeiten u. in allen Lichtstimmungen malt, mit Menschen belebt. Aus den 30er Jahren häufig Landschaften aus der Slowakei u. der Umgebung von Prag, Stilleben, Blumen, Bildnisse. 1921/48 Prof. an d. Techn. Hochschule Prag, Mitglied der tschech. Akad. der Wiss. u. Künste. Sonderausstell. in Prag 1925 (Gemeindehaus), 1927 (Gal. Topič), 1938 (Gemeindehaus), in Pilsen 1928 (Kstgew.-Mus.), in Brno (Brünn) 1931 (Kstlerhaus). Beteiligt an den internat. Ausstell. in Venedig, Pittsburgh (Carnegie Inst.), Philadelphia, Warschau, Moskau usw. — In der Prager Nat.-Gal.: Tauwetter in Stramberk, 1913; Gartenrestauration, 1917; Hütten in Paběnice, 1935; Kirche in Výborná, 1937, u. v. a. Weitere Bilder in d. Stadtgal. in Prag u. in d. Landesgal. in Brünn.

Lit.: J. R. Marek, O. B. (Coll. „Galerie", Bd 1), Prag 1933. — A. Matějček, O. B., Prag 1941. — A. Veselý, O. B., Brünn 1947. — J. Květ, Chrámový prostor v díle O. B., Prag 1947. — A. Matějček-Z. Wirth, p. 25, m. Abb. — Topičův sborník (Prag), 12 (1925) 573f., m. Abb. — Kat. d. Sonderausst. Prag 1925. — Revue du Vrai et du Beau, 5 (1926) Nr 77, m. Abbn. — Les Artistes d'aujourd'hui, 1. 2. 1926, m. Abbn. — La Revue moderne (Paris), 26 (1926) Heft 4 u. 22, m. Abbn. — Art a. Archeology, 28 (1929) 216f. — Scribner's Magazine, 87/I (1930) 118. — Dílo (Prag), 23 (1931) 14f., m. Abbn; 24 (1932) 235f.; 29 (1938) 65f., m. Abbn 137. — Öst. Kunst (Wien), 3 (1932), Heft 2 p. 5, 13 (Abb.) — Belvedere (Wien), 11 (1932/I) 86. — Kat. d. Ausst. Prag 1938. — J. Pavel, Dějiny našeho umění, Prag 1947, p. 290. — Toman, I 70. *Red.*

Blazys, Alexander, litauischer Bildhauer, * 16. 2. 1894 in Litauen, ansässig in Cleveland, Ohio.

Schüler von S. Volnuchin. Im Mus. in Cleveland: Russ. Tänzerinnen.

Lit.: Who's Who in Amer. Art, I: 1936/37. — Bull. of the Cleveland Mus., 14 (1927) 73 (Abb.), 79, 84 (Abb.), 91, 92; 15 (1928) 106/10 (Abb.), 118; 28 (1941) 64 u. Taf.-Abb.

Blechschmidt, Günther, dtsch. Maler, * 3. 2. 1891 Sohra b. Freiberg i. Sa., ansässig in Oppach i. Sa.

Stud. an d. Akad. in Dresden. Studienreisen nach Italien, Südfrankreich, Spanien. Naturalist. In öff. Besitz: Mus. Basel, Stadt Dresden, Sächs. Staat, Sächs. Kstverein, Landesbank u. Landesfinanzministerium Dresden. Wandbild in der Schule zu Oppach.

Blechschmidt, Hermann, dtsch. Bildhauer, Graphiker u. Maler, * 22.1.1882 Schalkau in Thür., ansässig in Eisenach.

Stud. an den Kstgewerbeschulen in Karlsruhe, Nürnberg u. Dresden u. an der Akad. in München. Studienaufenthalte in Belgien, Holland, Italien u. Rußland. Hauptsächlich Bildnisse u. Landschaften.

Lit.: Dreßler.

Bleckmann-Töpper, Friederike, dtsche Stillebenmalerin, * 14.7.1884 Dortmund, zuletzt ansässig in Kamin (Pommern). Gattin des Friedr. Wilh. Töpper.

Schülerin von Baluschek u. Eltze.

Lit.: Dreßler.

Bleeker, Bernhard, dtsch. Bildhauer, Medailleur, Maler u. Entwurfzeichner f. Glasmalerei (Prof.), * 26.7.1881 Münster i. W., ansässig in München. Bruder des Hermann.

Lernte als Steinmetz in Münster u. München, dann Schüler der Rümann-Klasse an der Münchn. Akad. Seit 1922 Prof. an derselben. Seit 1951 ord. Mitgl. der Münchner Akad. d. Sch. Kste. Erhielt 23jährig Auftrag auf e. Kriegerdenkmal (Hl. Michael als Drachentöter) für Miesbach. Bildnisbüsten (Maler Lang, F. v. Stuck, Olaf Gulbransson, Archit. Rich. Riemerschmid; Bildh. Akersberg u. Ad. v. Hildebrand; Musiker J. Hösl; Prof. Ernst Neisser; Flugzeugkonstrukteur Heinkel; Gattin des Kstlers [Staatsgal. München] u. a.) u. monumentale Wirkungen anstrebende Figuren u. Figurengruppen: Hl. Christophorus am Isarkai zwischen Max- u. Prinzregenten-Brücke in München; Löwen am Portal des Polizeigeb. ebda; Kriegerehrenmal (toter Soldat) vor dem ehem. Armee-Mus. ebda; Rossebändiger vor der Techn. Hochsch. ebda; Hundebrunnen, ebda; Grabdenkmäler (Fr. v. Stuck im Münchner Waldfriedhof); Joh. Klein-Denkm. in Frankenthal (Pfalz). Als Maler Impressionist: Nackte Jünglinge mit Rossen, N. Pinak. München; Bildnisse, Interieurs. Im östl. Hochchor des Augsburger Domes ein gr. Glasgem.: Christus als König, u. Szenen aus d. Marienleben.

Lit.: Dreßler. — Alckens. — Werner, p. 114–15, 116, 117 (Abb.), 205. — Bernhart. — Breuer, m. 2 Abbn u. Bildn. B.s gez. von O. Gulbransson. — Schnell, I Nr 64 p. 8. — München u. s. Bauten, 1912, m. Abb. — Zentralbl. d. Bauverwaltg, 57/II (1937/II) 1142, 1148 (Abbn). — Bayerland, 34 (1923) 98/100, m. Abb. — D. Cicerone, 14 (1922) 357. — Münchner Jahrb. d. bild. Kst, 9 (1914/15) 149. — Westdtsch. Jahrb. f. Kstgesch. (Wallr.-Rich.-Jahrb.), 10 (1938) 265. — D. Kst, 29 (1913/14) 139 (Abb.), 146, m. Abb., Taf. zw. p. 520/21; 33 (1915/16) 11/18, m. Abbn; 41 (1919/20) 240 (Abb.); 46 (1921/22) Beibl. Junih., p. XXVI; 51 (1924/25) 218 (Abb.); 57 (1927–28) 38 (Abb.); 69 (1933/34) 37/49; 71 (1934/35) 211 (Abb.); 73 (1935/36) 182 (Abb.), 334 (Abb.); 75 (1936/37) 366 (Abb.); 83 (1940/41) Sept.-H. Beibl. p. 2; 85 (1941/42) 35 (Abb.). — Dtsche Kst u. Dekor., 34 (1914) 341 (Abb.), 343 (Abb.); 36 (1915) Abb. geg. p. 77, 90, 91; 38 (1916) 319 (Abb.), 330 (Abb.); 41 (1918) 290 (Abb.), 293; 43 (1919) 252 (Abb.); 57 (1926) 33 (Abb.); 67 (1931) 3 (Abb.); 68 (1931) 341 (Abb.). — Oberrhein. Kunst, 10 (1942) 204, r. Sp. — Kst- u. Antiquit.-Rundschau, 42 (1934) 240, m. Abb.; 43 (1935) 8/11, m. 3 Abbn. — Kst u. Handwerk, 1911, p. 241, 242 (Abb.), 243; 1912, p. 173, 177 (Abb.); 1913, p. 107 (Abb.). — Pfälz. Museum, 39 (1922) 272f. — D. Plastik, 2 (1912) Taf. 19/26, p. 25ff., Taf. 90, Beil. z. Heft 11 p. V; 3 (1913) Taf. 74; 6 (1916) Taf. 39/41, p. 52. — Die neue Saat, 2 (1939) 85 (ganzseit. Abb.). — Die Weltkst, 15, Nr 31/32 v. 3. 8. 1941, p. 10.

Bleeker, Hermann, dtsch. Bildhauer (Prof.), * 31.12.1889 Münster i. W., ansässig in München. Bruder des Bernhard.

Schüler von I. Kurz u. A. v. Hildebrand an d. Münchner Akad. Studienaufenthalt in Florenz. Im Mus. in Stettin Bronzestatue: Läufer; im Prov.-Mus. in Münster i. W.: Büste der Schwester des Künstlers; im Städt. Mus. in Nürnberg: Selbstbildn. (1921). — Seine Gattin, Hilde Bleeker-Kullmer, Textilkünstlerin, * 7. 7. 1893 Lambrecht, stud. bei Rob. Engel an d. Kstgewerbesch. in München.

Lit.: Dreßler. — D. Kunst, 29 (1913/14) 148, 157 (Abb.). — D. Plastik, 4 (1914) Taf. 69, p. 8.

Bleeker, Laurentius, holl. Bildnismaler u. Glasmaler, * 20. 5. 1905 Beverwijk, lebt in Amsterdam.

Schüler von Jurres u. Wolter an der Amsterd. Akad., als Glasmaler von Roland Holst. Mitgl. der „Onafhankelijken". Neo-Impressionist.

Lit.: Waay.

Bleeker, M. A., holl. Malerin u. Rad., * 20. 1. 1885 Groningen, ansässig in Amsterdam.

Schülerin der Akad. „Minerva" in Groningen, der Haager Zeichenakad., von M. de Jonge in Zutphen u. P. Bodifée in Deventer. Hauptsächl. Stilleben.

Lit.: Plasschaert. — Waay. — Waller.

Bleekrode, Mayer, holl. Bildnis- u. Stilllebenmaler u. Graph., * 13. 2. 1896 Amsterdam, ansässig ebda.

Lit.: Waay. — Waller.

Bléger, Paul, franz. Bildnis- u. Figurenmaler, * Mülhausen i. E., wohnhaft in Genf.

Schüler von Schommer, Baschet, Déchenaud u. Gervais. Mitglied der Soc. d. Art. Franç., beschickte deren Salon 1922/36 (Kat. z. T. m. Abbn).

Lit.: Joseph, I. — Bénézit, ² I (1948).

Bleil, Charles George, amer. Maler u. Rad., * 24. 12. 1893 San Francisco, Calif., ansässig in San Mateo, Calif.

Schüler des San Francisco Inst. of Art. Bild in der Calif. Artist's Gall.

Lit.: Fielding. — Amer. Art Annual, 20 (1923) 445; 29 (1932).

Bleischläger, Emil, öst. Bildnis-, Landschafts-, Stilleben- u. Blumenmaler, * 1898 Wien, ansässig ebda.

Schüler von Egge Sturm-Skrla.

Lit.: D. getreue Eckart (Wien), 10/I (1932/33) 397/400, m. 5 farb. Abbn u. Selbstbildn.

Blendermann, Otto, dtsch. Architekt, * 17.9.1879 Bremen, ansässig ebda.

Stud. an der Techn. Hochsch. München. Assoziierte sich mit Aug. Abbehusen. Bauten der Firma Abbehusen & Blendermann: Kirche zu Woltmershausen; Umbau der Baumwollbörse in Bremen; Rennbahn ebda; Nationalbank in Oldenburg; Rathaus in Blumenthal; Volksschulen ebda u. in Vegesack; Landvillen, Geschäftshäuser, Arbeitersiedlungen.

Lit.: Th.-B., 4 (1910). — Dreßler. — W. Hegemann, Herrenhaus Hohehorst b. Bremen; erbaut von O. B., Berlin 1929. — D. Baumeister, 12 (1914), Beil. p. 181 ff.; 13 (1915). — Dtsche Bauzeitg, 60/I (1926) 641 ff., m. Abbn. — D. Kstwelt, 1 (1911/12) 64 ff.; 2 (1912/13) 726/29 (Abb.). — Wasmuth's Monatsh. f. Baukst, 11 (1927) 131 f., m. Abbn; 14 (1930) 76/82, m. Abbn. — D. Profanbau, 1916/I.

Blepp, August, dtsch. Maler u. Radierer, * 9.1.1885 Weiler unter den Rinnen, OA. Spaichingen, † 1949 ebda.

Stud. an der Kstgewerbesch. u. der Akad. in Stuttgart bei Hölzel. Pflegte ausschließlich die religiöse Kunst. Hauptsächlich Monumentalmaler. Altarblatt: Hl. Familie, in d. Pfarrk. in Lautlingen, OA. Balingen. Vesperbild in d. Friedhofkap. in Altstadt-Rottweil. Fresken in den Kirchen in Ratshausen, Wellendingen, Beisingen, Dauchingen u. Eisenherz. Radierfolge: Leidensstationen Christi.

Lit.: Dreßler. — Baum. — D. Christl. Kst, 25 (1928/29) 141 (Abb.), 143 (Abb.), 148, 156. — Heilige Kunst, 1950, p. 63 f. (Nachruf).

Blersch, Karl, dtsch. Stukkator u. Altarbauer, ansässig in München.

Deckenstukkaturen u. a. in d. Neuen Stadtpfarrk. in Lindenberg i. Allgäu, in St. Franziskus in München u. in d. Basilika zu Altötting. Hochaltar u. Seitenaltäre u. a. in St. Franziskus in München.

Lit.: Schnell, I, H. 26, p. 4, H. 52, p. 3; VII H. 442/43 p. 13. — Jahrb. d. Ver. f. Christl. Kst in München, 6 (1925/26) 330 f., m. Abbn.

Blétel, Charles Gabriel, franz. Maler, * Boissy-l'Aillerie (Seine-et-Oise), ansässig ebda.

Schüler von L. O. Merson u. Désiré Lucas. Mitglied der Soc. d. Art. Franç., beschickte deren Salon 1914 –38 (Kat. z. T. m. Abbn). Landschaften, Stilleben, Interieurs, Bildnisse.

Lit.: Joseph, 1. — Bénézit, ² 1 (1948).

Bleuler, Johann, dtsch. Maler, * 2. 2. 1903 Augsburg, ansässig ebda.

Schüler von Glogger u. Rupflin in Augsburg.

Lit.: Kat. Ausst. Augsburger Kstler. Schaezler-Palais, Augsbg 8. 12. 1946–2. 1. 1947.

Bley, Heinrich, dtsch. Bildnis- u. Landschaftsmaler, * 3. 4. 1887 Neuenburg i. Oldenburg, ansässig ebda.

Stud. an d. Kstgewerbesch. u. Akad. in München.

Lit.: Dreßler.

Bley, Werner, dtsch. Aquarellmaler (Bildnis, Figuren, Stilleben, Landschaft) u. Graphiker, * 15. 6. 1897 Hamburg, ansässig ebda.

Stud. 1914/16 u. 1919 bei Arthur Illies u. Jul. Wohlers. Feiner, romantisch empfindender Schilderer der norddeutsch. Flachlandschaft.

Lit.: Dreßler. — D. Kunst, 67 (1932/33) 24 f., m. Abbn.

Bleyfus, Lucien, franz. Landschaftsmaler, * 12. 8. 1876 Thorigny (Seine-et-Marne), ansässig in Paris.

Schüler von A. Renaudin. Stellte 1930/39 bei den Indépendants aus.

Lit.: Joseph, I. — Bénézit, ² I (1948).

Blichmann, Max, dtsch. Bildhauer, * 15. 6. 1870 Freiburg i. Schles., ansässig in Berlin.

Schüler von Ludw. Manzel u. C. Heinemann.

Lit.: Dreßler.

Blickx, Théo, belg. Bildh., Zeichner u. Maler, * 10. 2. 1875 Mecheln, ansässig ebda.

Schüler von Jef Willems, J. W. Rosier u. Ch. van der Stappen. Prof. an der Akad. Mecheln. Leiter der Zeitschr.: De Distel. Beeinflußt von Guill. Charlier u. C. Meunier.

Lit.: Th.-B., 4 (1910). — Seyn, I, m. Fotobildn.

Blieck, Maurice, belg. Figuren-, Bildnis- u. Marinemaler, * 13. 9. 1876 Laeken b. Brüssel, † 1922 Brüssel.

Schüler der Brüsseler Akad. Weitergebild. in Paris (1896). Gefördert durch s. Vetter Paul Blieck (1867–1901). Impressionist. Hafenbild u. Marine im Mus. Antwerpen. Weitere Bilder in den Museen Brügge u. Elsene. Kollektivausst. im Cercle artist. in Paris 1912.

Lit: Th.-B., 4. — Seyn, I, m. Fotobildnis. — Bénézit, ² I (1948). — Onze Kunst, 16 (1909/II) 127/34, m. Abbn u. 2 Taf. — The Studio, 64 (1915) 267; 67 (1916) 58; 69 (1917) 116. — Pourquoi pas?, 1912 p. 734.

Blin, Edouard, franz. Medailleur, * 30. 8. 1877 Chartres, ansässig in Paris.

Schüler von Chaplain, Bottée u. H. Lemaire. Mitglied der Soc. d. Art. Franç. Silb. Med. 1921. Gold. Med. Weltausst. Paris 1937.

Lit.: Joseph, I. — Forrer, VII. — Bénézit, ² I.

Blisch, Kurt, dtsch. Landschaftsmaler u. Zeichner, * 1902 Königshütte, OS., ansässig in Berlin.

Stud. an der Berl. Akad. Illustr. u. a. zu: Ulrich Sander, Sturm in der Düne, Berl. 1944; Lydia Kath, Der Bauernkanzler, Berl. 1944; Erika Müller-Hennig, Abenteuer um Saratow, Berl. 1944; Lydia Schürer-Stolle, So sind wir. Jungmädel erzählen, Berl. 1944; Gertrud Kunzemann, Heim zum Land, Berl. 1944.

Lit.: Dtsche Monatsh., Zeitschr. f. Gesch. u. Gegenw. des Ostdeutschtums, 7 (17) Heft 5/6, Nov.–Dez. 1940 p. 218/20, m. 8 Abbn. — Der Oberschlesier, 20 (1938) Abb. zw. p. 306/07, 325/28, m. Abbn, 365. — Kat. d. Ausst.: Niederschles. Kst, Schloß Schönhausen, Berlin, 1942 p. 49 f., 59 (Abb.).

Bliss, Alma Hirsig, schweiz.-amer. Miniaturmalerin, * Bern, ansässig in New York.

Lit.: Amer. Art Annual, 20 (1923) 445; 30 (1933). — The Art News, 30, Nr 18 v. 30. 1. 1932, p. 18, m. Abb.

Bliss, Douglas Percy, schott. Maler, Illustrator, Holzschneider u. Schriftst., * 1900, ansässig in London.

Als Maler hauptsächl. Landschafter. Illustr. u. a. zu: Samuel Johnson, The History of Rasselas (J. N. Dent & Sons, Ltd).

Lit.: Apollo (London), 26 (1937) 235 f., m. Abb.; 27 (1938) 292. — Artwork, 1 (1924/25) H. 2, p. 123; 2 (1925/26) H. 5, p. 60 (Abb.). — The Print Coll.'s Quarterly, 13 (1926) 301. — The Studio, 92 (1926) 379 f., m. Abb.; 98 (1929) 485/88, m. Abbn; 110 (1935) 314 (Abb.); 112 (1936) 18 (Abb.); 114 (1937) 3 (Abb.); 137 (1949) 80/83; 139 (1950) 51 (Abb.).

Bliss, Elizabeth, s. *Theobald.*

Blittersdorff, Franz Heinr. Freih. von, öst. Graphiker u. Maler, * 8. 4. 1907 Linz a. d. D., ansässig in Wien.

Sohn des Schriftst. Phil. Maria Karl Friedr. Franz v. B. (Pseud.: René van Rhyn). Stud. an d. Graph. Lehr- u. Versuchsanst. in Wien 1927/31. Exlibris, Wappen, Gebrauchsgraphik aller Art.

Lit.: Wer ist Wer? (Wien), 1937. — Kirchenkst, 7 (1936) 5/6, m. 2 Abbn.

Blives, Roger de, franz. Maler, * 10. 5. 1876 Paris, fiel am 9. 5. 1915 bei Loos.

Schüler von L. O. Merson. Gründermitglied der Soc. d. Peintres de Paris. Stellte seit 1903 auch ge-

legentlich bei den Indépendants aus. Figürliches, bes. Akte, Bildnisse, Landschaften, Stilleben.
Lit.: Joseph, I. — Ginisty, 1919 p. 13f. — Le Livre d'Or d. peintres expos., 1921 p. X. — Bénézit, [2] I (1948).

Blix, Ragnvald, norweg. Zeichner, * 12. 9. 1882 Kristiania (Oslo), ansässig in Kopenhagen.
Autodidakt. Seit 1904 längere Zeit in Paris ansässig. Zeichnete für französ. Zeitungen (Le Journal, Rire, Vie Parisienne) u. für norweg., schwed. u. amerik. Blätter. 1907/18 Mitarbeiter des Simplicissimus. Blix-Album, Kopenhagen 1927, 1933, 34, 35 u. 36. 1919/21 Herausgeber des „Exlex".
Lit.: Th.-B., 4 (1910). — Hvem er Hvem?, [4] 1938. — N. F., 3. — Vem är Vem i Norden, Stockh. 1941, p. 624. — Kat. Jubil.-Utstill. Norges Kunst 1814–1914, Kra. 1914, p. [55].

Blixt, Margit, schwed. Bildnis-, Landschafts- u. Blumenmalerin, * 1913 Umeå, ansässig. ebda.
Stud. an der Kstindustriesch. in Stockholm. Bereiste Frankreich u. Italien.
Lit.: Thomæus.

Bloch, Albert, amer. Landschaftsmaler u. Zeichner, * 2.8.1882 St. Louis, Mo., ansässig in Lawrence, Kansas, dtsch. Abkunft.
Stud. in St. Louis. Vertreten u. a. in der Phillips Memorial Gall. in Washington, D. C., u. im Art Inst. in Chicago. Koll.-Ausst. bei Goltz, München, 1914 u. 1919 (ill. Kat.), u. bei Daniel, New York, 1922. Visionäre Landschaften mit figürl. oder Tierstaffage.
Lit.: Who's Who in Amer. Art, I: 1936/37. — Ararat, 1 (1920) 137ff., m. Abb. 143ff. (Abbn). — D. Cicerone, 14 (1922) 50. — D. Kstblatt, 3 (1919) 236, 254. — Dial, 72 (1922) Nr 1, p. 68 (Abb.).

Bloch, Armand, franz. Bildhauer, * 1. 7. 1866 Montbéliard (Mömpelgard), † 1932 Paris.
Schüler von Falguière u. Mercié. Mitglied der Soc. d. Art. Franç. (Salon-Kat. z. T. m. Abbn). Silb. Med. 1924. Arbeitete in Stein, Holz u. für Bronzeguß. Hauptsächlich Porträtist. Im Mus. in Straßburg eine Bronze: Der Märtyrer. Im Luxembourg-Mus. in Paris: Bildnis des Maler-Lithogr. Alex. Lunois (Holz) u. Märtyrer (Holz). In Delle: Denkmal des Generals Scherer (1914).
Lit.: Th.-B., 4 (1910). — Joseph, I. — Bénézit, [2] I (1948). — Revue de l'Art, 61 (1932), Bull. p. 171. — Musées de la ville de Strasbourg. Compte-rendu 1923/26, Straßbg 1927, p. 10. — Revue d'Alsace, 65 (1914) 395, m. Taf.-Abb.

Bloch, August, dtsch. Bildnis-, Landschafts- u. Stillebenmaler, * 29.7.1876 Dortmund, zuletzt ansässig in Köln-Münstereifel.
Schüler von Ludw. Mausz in Köln u. von Fr. Neuhaus u. Ludw. Heupel-Siegen in Düsseldorf.
Lit.: Dreßler.

Bloch, Hans, dtsch. Maler, * 17.5.1881 Breslau, fiel am 17.12.1914 vor Verdun.
Schüler von Ed. Kaempffer an d. Akad. in Breslau. 1905/11 Zeichenlehrer am Gymnasium in Kattowitz, an d. Fürstenschule in Pleß u. am Gymnasium in Glogau. 1911 nach Paris, 1912 nach Korsika, wo er in Ajaccio Matisse u. Purrmann kennenlernte. Dann wieder einige Monate in Paris. Januar 1913 Rückkehr nach Breslau. 1913/14 in Italien (Rom). Juli 1914 wieder in Breslau, anschließend nach Hiddensee.
Lit.: D. christl. Kst, 13 (1916/17), Beil. p. 16. — Der Oberschlesier, 14 (1932) 219f., Abb. geg. p. 190. — A. Hadelt u. O. Hellmann, H. B. Skizzen u. Studien e. schles. Kstlers, Glogau 1916.

Bloch, Hans, dtsch. Bildhauer, * 4.9.1885 Breslau, ansässig in Berlin.
Arbeitete in Holz u. Stein.
Lit.: Dreßler. — D. Kstblatt, 13 (1929) 7 (Abb.), 11. — D. Plastik, 2 (1912) 61. — Berl. Zeitg, Nr 275 v. 24. 11. 1946.

Bloch, Jacqueline, franz. Malerin, * Paris, ansässig ebda.
Schülerin von J. Burdy u. J.-B. Duffaud. Stellte 1932ff. im Salon der Soc. d. Art. Franç., 1935ff. im Salon der Soc. Nat. d. B.-Arts aus. Bildnisse, Landschaften, Blumenstücke, Stilleben.
Lit.: Bénézit, [2] 1 (1948).

Bloch, Julius, dtsch-amer. Maler, * 12. 5. 1888 Kehl/Baden, ansässig in Philadelphia.
Schüler der Pennsylv. Acad. of F. Arts in Philadelphia. Bild im dort. Museum.
Lit.: Fielding. — Amer. Art Annual, 20 (1923) 445; 30 (1933). — Beaux-Arts, 75e Année, Nr 280 v. 13. 5. 1938, p. 2 (Abb.). — Philad. Mus. of Art Bull., 37, Mai 1942 (Abb.). — Monro.

Bloch, Marcel, franz. Maler, Rad. u. Illustr., * 26. 12. 1882 Paris, ansässig ebda.
Schüler von P. Renouard. Seit 1921 Mitglied der Soc. d. Art. Franç. Stellte 1909ff. auch bei den Indépendants u. im Salon der Dessinateurs Humoristes aus. Malt in Öl, Aquar. u. Pastell.
Lit.: Joseph, I.

Bloch, Marcel, gen. *Bloch-Marcel*, franz. Landschaftsmaler u. Rad., * 11. 7. 1884 Paris, ansässig ebda.
Stellte bei den Indépendants aus. Rad.-Folge: Les Pins à Sainte-Maxime (éd. Norbert).
Lit.: Joseph, I. — Bénézit, [2] I (1948).

Bloch, Martin, dtsch. Maler, * 17.11. 1883 Neiße, ansässig in Charlottenburg.
Schüler von George Mosson u. L. Corinth. Studienaufenthalte in Paris u. Spanien.
Lit.: Dreßler. — Kstchronik, N. F. 32 (1920/21) 525. — D. Kstwanderer, (1919/20) p. 429.

Bloch, Raymond René, franz. Landschafts-, Architektur-, Akt- u. Bildnismaler, * Paris, ansässig ebda.
Schüler von P. A. Laurens u. Ch. Ventrillon-Horber. Mitglied der Soc. d. Art. Franç., beschickte deren Salon 1927/39 (Kat. z. T. m. Abbn).
Lit.: Joseph, I. — Bénézit, [2] I (1948).

Bloche, Roger, s. *Roger-Bloche*, Paul.

Blocherer, Karl, dtsch. Maler, Graph. u. Entwurfzeichner für Glasmalerei u. Mosaik (Prof.), * 6.4.1889 München, ansässig ebda.
Stud. an d. Kstgewerbesch. u. bei Karl Caspar, Stuck, R. Berndl u. Jul. Diez an d. Akad. München. 1912 in Italien. Seit 1919 Leiter einer Schule für angewandte Kst in München. 1931 Gastprof. am Wells Coll. in Aurora, N. Y. Bildnisse, figürl. Kompositionen, Landschaften, Stilleben, Architektur. Fresken in der Krieger-Gedächtniskapelle in Ruhpolding u. in der Kapelle des Kinderheims in Westerhamm. Glasgemälde u. a. in der gen. Gedächtsniskap. u. in den Pfarrkirchen in Gersthofen b. Augsburg u. in Erbendorf in Oberfranken. Koll.-Ausstellungen u. a. im Dtsch. Mus. in München 1938 (Aquarelle mit Ansichten aus Bayern u. Tirol), im Münchner Kstverein 1941 u. 1942, im Schaezler-Palais in Augsburg 1945 (Kat.) u. in d. Dtsch. Ges. f. christl. Kst in München, Nov. 1951.
Lit.: Dreßler. — Breuer, m. 2 Abbn u. Selbstbildn. — Art a. Archaeol. (USA), 2 (1931) 109/12, m. 6 Abbn. — D. Kunst, 57 (1927/28) 340; 59 (1928/29) 334 (Abb.); 48. Jg (1950) H. 12, p. 451 (Abb.). —

D. Christl. Kst, 21 (1924/25) 81 (Abb.), 102, 255, 257ff., m. Abbn, Beibl. p. 45, 66; 22 (1925/26) 275; 24 (1927/28) 217f.; 26 (1929/30) 56; 28 (1931/32) 122. — Kst- u. Antiquit.-Rundschau, 42 (1934) 474, m. Abb. — D. Kstwerk (Baden-Baden), 1 (1946/47) H. 5 p. 39. — Velhagen & Klasings Monatsh., 43/II (1928/29) Taf.-Abb. geg. p. 576, 590; 44/II (1929/30) farb. Taf. geg. p. 192. — Westermanns Monatsh., 164/I u. II (1938) p. 352, farb. Taf. zw. p. 340/41. — D. Münster, 1 (1947/48) 97. — D. Weltkst, 13, Nr 15 v. 16. 4. 1939, p. 4; 15, Nr 19/20 v. 11. 5. 1941, p. 2; 16, Nr 21/22 v. 24. 3. 1942, p. 3.

Block, Adolph, amer. Bildhauer, * 29. 1. 1906 New York, ansässig ebda.

Schüler von Hermon A. MacNeil, E. F. Sanford, A. Sterling Calder u. E. McCartan; weitergebildet in Paris.

Lit.: Who's Who in Amer. Art, I: 1936/37. — Amer. Art Annual, 30 (1933).

Block, Emil, dtsch. Maler (Öl u. Aquar.) u. Zeichner, * 25.11.1884 Leipzig, ansässig ebda.

Autodidakt. Bildnisse, Figürliches, Landschaften, Stilleben. Koll.-Ausst. im Gohliser Schlößchen in Leipzig 1940.

Lit.: Leipz. N. Nachr. v. 20. 1. 1940.

Block, Fritz, dtsch. Architekt (Dr.-Ing.), * 13.1.1889 Warburg, Westf., ansässig in Hamburg.

Stud. an den Techn. Hochsch. Karlsruhe, Darmstadt, Dresden, München u. Charlottenburg. Arbeitete dann unter Wilh. Kreis beim Wiederaufbau Ostpreußens. Assoziiert mit Ernst Hochfeld in Hamburg. Hauptwerke: Dammtorbau Hamburg; Deutschland-Haus ebda. — Buchwerk: Probleme des Bauens, Potsdam 1928.

Lit.: Platz. — Dreßler. — Zentralbl. d. Bauverwaltg, 51 (1931) 301/06, m. Abbn.

Block, Hein, holl. Holzschneider u. Maler, * 19. 4. 1885 Amsterdam, ansässig in Ede.

Stud. an d. Akad. in Stuttgart u. bei Maur. Denis an der Acad. Ranson in Paris.

Lit.: Waller.

Block, Henry, litauisch-amer. Maler u. Holzschneider u. Radierer, * 11. 3. 1875 Litauen, † 1938 Dunellen, N. J.

Schüler der Art Student's League in New York.

Lit.: Amer. Art Annual, 30 (1933). — Who's Who in Amer. Art, I: 1936/37.

Block, Max, dtsch. Maler, * 6.5.1890 Königsberg, ansässig ebda.

Schüler von Heinrich Wolff u. Rich. Pfeiffer.

Lit.: Dreßler. — Velhagen & Klasings Monatsh., 45/II (1930/31) Taf. geg. p. 102, 104.

Block-Quast, Adelaide von, dtsche Malerin, * 7.8.1906 Hamburg, ansässig ebda.

Stud. an d. Kunstschule in Hamburg. Studienreisen in Frankreich u. Italien.

Lit.: D. Kstwerk, 5 (1951) H. 3, p. 71, m. Abb.

Block-Smulders, Anna de, holl. Malerin u. Lithogr., * 14. 10. 1876 Rotterdam, ansässig ebda.

Schülerin von Jan Toorop. Tätig in Rotterdam, später in Ajaccio auf Korsika. Entwürfe für dekorative Raumausstattungen.

Lit.: Plasschaert. — Waay (irrig: Blonck-Smulders). — Waller, p. 306.

Blodgett, Walton, amer. Maler, * 23. 12. 1908 Cleveland, Ohio, ansässig in Stanford, Conn.

Schüler von Ennis u. Luke.

Lit.: Who's Who in Amer. Art, I: 1936/37. — Amer. Art Annual, 30 (1933). — Monro.

Blöchlinger, Anton, schweiz. Kstgewerbler, * 30.11.1885 Rapperswyl (Kt. St. Gallen), lebt in St. Gallen.

Stud. in München. Entwürfe für Metallarbeiten (bes. kirchl. Gebrauchsgegenstände).

Lit.: Brun, IV. — D. Kstwelt, 3 (1913/14) 37 (Abb.), 38. — D. Schweiz, 19 (1915) 567/69, m. Abbn. — Schweizerland, 4 (1917/18) Beil. z. Heft 2, p. 1 (Abb.). — Zeitschr. f. Bücherfreunde, N. F. 11 (1919–20) 112, m. Abb. — D. Christl. Kst, 24 (1927/28) 156.

Bloem, Hendrik van, holl. Maler u. Rad., * 31. 3. 1874 Amsterdam, ansässig im Haag.

Stud. 4 Jahre an der Quellinussch. in A'dam. Arbeitete dann unter Jan Maandag als Bühnenmaler an der Niederl. Oper. Später beraten von Th. de Bock u. Geo Poggenbeek. Mitgl. der A'damer Künstlervereinigung „Arti et Amicitiae". Landschaften, Städteansichten, Stilleben, Blumen. Malte u. a. in Barbizon, 1913 in Italien.

Lit.: Plasschaert. — Waay. — Hall, Nrn 7369–7372. — Waller. — De Cicerone (Haag), 2 (1919) 52 (Abb.), 55f.

Bloem, Wolf, dtsch. Landschaftsmaler (Öl u. Aquar.) u. Graph., * 3.12.1896 Düsseldorf, ansässig in München.

Stud. 1914/15 an der Düsseld. Akad. bei Keller u. Döringer. 1916/19 in d. Schweiz. Weitergebildet 1919/24 an der Heymann-Schule in München. 2 Bilder in der Städt. Gal. ebda. Koll.-Ausst. im Kstver. München 1939.

Lit.: Dreßler. — Karl, 1, m. 2 Abbn. — Kst-Rundschau, 43 (1935) 96, m. Abb. — D. Weltkst, 13, Nr 9 v. 5. 3. 1939, p. 3; Nr 16 v. 23. 4. 1939 p. 2; 15, Nr 19/20 v. 11. 5. 1941, p. 1; 16, Nr 21/22 v. 24. 5. 1942 p. 3.

Bloemers, Hans, dtsch. Architekt, * 1872 Koblenz, ansässig in Bonn.

Anfängl. als Bildhauer ausgebildet. Stud. dann in England Architektur, setzte s. Studien in New York fort. — Marienkirche in Düsseldorf, Stadthalle u. Bismarcksäule in Bonn, Ständehaus in Neuwied, Grabdenkmäler, Kriegergedenksteine usw. Mitarbeiter an dem Werk: Ländliche Kleinwohnungen für den Landkreis Bonn.

Lit.: Deutschlands, Öst.-Ung. u. der Schweiz Gelehrte, Kstler u. Schriftst. in Wort u. Bild, [3] Hannover 1911, m. Fotobildn.

Blöndal, Gunnlaugur, isländ. Landsch.- u. Marinemaler, * 27. 8. 1893 Þingeyjarsysla, Island, ansässig in Kopenhagen.

Stud. 1917/19 in Oslo, 1920 in Karlsruhe, 1923/26 in Paris. Bilder im Nat.-Mus. in Stockholm u. im Luxembourg-Mus. in Paris. Koll.-Ausst. Nov./Dez. 1938 im Kstlerhaus in Stockholm.

Lit.: Vem är Vem i Norden, Stockh. 1941, p. 568. — G. Gretor, Islands Kultur u. s. junge Malerei (Ausst. d. Nord. Gesellsch.), Jena 1928, m. 2 Abbn (Selbstbildn. u. Mädchenakt). — Konstrevy, 1938, p. 241, m. Abb. — D. Kunst, 67 (1932/33) 111 (Abb.). — Kst og Kultur, 25 (1939) 112 (Abb.), 113 (Abb.), 114 (Abb.), 115 (Abb.). — Weilbach, [3] I.

Bloesch, Alfred, schweiz. Maler, * 23.2. 1890 Laufenburg, ansässig in Basel.

Schüler von Becker-Gundahl in München. Studienaufenthalte in Basel, Paris, Südfrankreich, Italien. Seit 1919 in Basel ansässig.

Lit.: Schweiz. Zeitgen.-Lex., 1932.

Blössner, August, dtsch. Architekt (Oberbaurat), * 9.4.1875 München, ansässig ebda.

Stud. an der Techn. Hochsch. München. Städt. Oberingenieur, Vorstand der Abteilung Stadterweiterung. Hauptwerk: Christkönigskirche in Nymphenburg.
Lit.: Dreßler. — Alckens. — München u. s. Bauten, 1912. — D. Baumeister, 7 (1908/09) 18, 197. — Kst u. Handwerk, 1916, p. 93/95 (Abb.). — Monatsh. f. Baukst u. Städtebau, 18 (1934) 166/68. — Zeitschr. f. Bauwesen, 73 (1923) 11.

Blohm, Carl, dtsch. Landsch.- u. Bildnismaler, * 18.4.1886 Tönning a.d. Eider, ansässig in Bielenburg b. Glückstadt a.d.E.
Schüler von Jul. Wohlers u. Arthur Illies an d. Kstgew.-Schule Hamburg. Weitergebildet in Paris. 2 Landschaften in d. Hamburger Ksthalle.
Lit.: Dreßler. — Zeitschr. f. bild. Kst, 60 (1926–27), Kstchronik, p. 131.

Blohm, Waldemar, dtsch. Landschaftsmaler u. Radierer, * 12.5.1874 Berlin, zuletzt ansässig in Charlottenburg.
Stud. an der Berl. Hochschule f. bild. Kste.
Lit.: D: Kunst, I (1899/1900) 214.

Blok van der Velden, Adrianus Dirk, holl. Maler, * 12. 4. 1919 Dordrecht, ansässig ebda.
Stud. an der Akad. in Nizza. Stilleben, Landschaften, Blumen.
Lit.: Waay.

Blom, Karin, schwed. Kunstgewerblerin, * 1881 Dannemora, ansässig in Kopenhagen.
Stud. an der Kunstindustriesch. in Stockholm. Seit 1942 tätig für die kgl. Porzellanmanuf. in Kopenhagen. Arbeiten in den Kstind.-Museen ebda u. Oslo.
Lit.: Thomœus.

Blomberg, David, schwed. Architekt, * 1. 2. 1874 Linde, ansässig in Stocksund.
Schüler von Carl Grabow u. Agi Lindegren, weitergebildet in Berlin u. Leipzig. Ausstellungsbauten: St. Petersburg 1908, Köln 1928, Barcelona 1929, Stockholm („Svea Rike") 1930, Antwerpen 1930.
Lit.: Vem är det?, 1935. — Thomœus. — Vem är Vem i Norden, 1941 p. 990.

Blomberg, Henrik, schwed. Bildnismaler u. Graphiker, * 8. 4. 1879 Svanhals, Östergötland, † 1936 Stockholm.
Stud. in Strängnäs, 1903/10 Lehrer für Perspektive an d. Akad. in Stockholm u. an Althins Malschule. 1920/22 Lehrer an der Kunstsch. in Stockholm, seit 1924 Leiter einer eigenen Malschule.
Lit.: Vem är det?, 1935. — Thomœus.

Blomberg, Karl, schwed. Figuren-, Landschafts-, Marine- u. Blumenmaler, * 1895 Sturefors, ansässig in Norrköping.
Autodidakt, Szenen aus dem Fischerleben.
Lit.: Thomœus.

Blomberg, Marie Louise, finn. Bildhauerin, * 1898 Åbo (Turku), ansässig in Stockholm.
Stud. an der Akad. Stockholm u. bei Bourdelle in Paris. Hauptsächlich Bildnisbüsten.
Lit.: Thomœus.

Blomberg, Olle, schwed. Bildnis-, Figuren-, Landschafts- u. Stillebenmaler, * 1909 Umeå, ansässig in Lycksele.
Autodidakt. Kirchendekorationen; Wandmalereien im Landessanatorium in Hällnäs.
Lit.: Thomœus.

Blomberg, Sven Åke, schwed. Zeichner, * 1903 Lindesberg, ansässig in Stockholm.
Stud. an der Techn. Schule in Stockholm. Hauptsächlich Reklamezeichner.
Lit.: Thomœus.

Blomberg, Stig, schwed. Bildhauer u. Buchillustr., * 16. 10. 1901 Linköping, ansässig in Lidingö.
Stud. 1919/23 an der Akad. Stockholm. 1927/30 Studienaufenthalte in Italien, Spanien, Frankreich, Nordafrika u. den USA. Im Stadthaus in Stockholm ein Denkmal der Andrée-Expedition; im Hof der Katharina-Realschule ebda eine Gruppe: Vor dem großen Abenteuer; im Nat.-Mus. eine Gruppe: Ringende Knaben, u. Neger; im Park in Laholm eine Gruppe: Badende Knaben (2 Exempl. im Mus. in Göteborg). Dekorat. Skulpturen (groteske Kupfertreibarbeiten) zur Ausschmückung des Rathauses in Halmstad u. des Mausoleums Viktor Rydberg. Marmorstatue: Mädchen an der Quelle, im Institut Tessin in Paris. — Illustr. zu: „Den Gamla Goda Tiden" aus: „Dikter från Värmland" von Fröding.
Lit.: Vem är det?, 1935. — Thomœus. — Konstrevy, 1931, p. 52; 1933, p. 27 (Abb.); 1935, p. 55f., 57 (Abb.); 1936, p. 147, m. Abb.; 1937, p. 14 (Abb.), 15 u. H. 3, p. V (Abb.); 1938, p. 40/41, Abbn p. 55; 1939, Spez.-Nr: Göteborg, p. 5 (Abb.), 52 (Abb.). — Ord och Bild, 48 (1939) 71 (Abb.), 72 (Abb.), 73/76, m. 5 Abbn, 345, m. Abb.; 49 (1940) Taf.-Abbn geg. p. 1 u. 193. — The Studio, 109 (1935) 17 (Abb.). — Vem är Vem i Norden, 1941 p. 991.

Blomgren, Ester, schwed. Bildnis-, Akt-, Landschafts- u. Kircheninterieurmalerin, * 1887 Risinge, Östergötland, ansässig in Motala.
Stud. in Paris u. Italien.
Lit.: Thomœus.

Blomme, Alphonse, belg. Landsch.- u. Bildnismaler u. Rad., * 1889 Roulers.
Schüler der Brüsseler Akad. 1920 Rompreis. Gr. dekor. Kompositionen. Ausmalung der Säle des Hôtel Miramar in Ostende u. des Palais des fêtes in Roulers.
Lit.: Seyn, I.

Blomme, Pierre, belg. Figuren- u. Bildnismaler, * 1891 Gent, fiel 1914.
Schüler von Jean Delvin. 2 Guaschen (Männerkopf u. Frauenkopf) im Mus. in Gent.

Blommestein, L. A. van, holl. Malerin u. Buchschmuckkünstlerin, * 17. 3. 1882 Paris.
Schülerin von Blanc-Garin u. Jean Delville in Brüssel, 1898/99 in Florenz. Kinderbildnisse, Stilleben, Blumenstücke.
Lit.: Plasschaert. — Waay.

Blomquist, Bengt, schwed. Landschaftsmaler, * 1920 Göteborg, ansässig in Mölndal.
Stud. im Ausland. Bilder in den Mus. in Göteborg, Borås u. Karlstad.
Lit.: Thomœus.

Blomquist, Lennart, schwed. Landschaftsmaler, * 1877, ansässig in Paris.
Hauptsächlich Straßenmotive aus Paris. Bild im Nat.-Mus. in Stockholm.
Lit.: Thomœus.

Blomstedt, Pauli, finn. Architekt, * 1. 8. 1900 Jyväskylä, † 3. 11. 1935 Helsinki.
Unterhielt seit 1926 eigenes Architekturbüro in Helsinki. Baute dort u. a. das Hôtel Helsinki u. das Volksrestaurant Alko. Begräbniskap. in Jyväskylä.
Lit.: Vem och Vad?, Helsingf. 1936.

Blomstedt, Rafael, finn. Architekt, * 14.9. 1885 Helsingfors (Helsinki), ansässig ebda.

Stud. 1909 in Wien. Häufige Aufenthalte im Ausland (Deutschland, Italien, Frankreich, Österreich).
Lit.: Vem och Vad?, Helsingf. 1936. — Vem är Vem i Norden, Stockh. 1941, p. 416.

Blomstedt, Väinö, finn. Maler u. kstgewerbl. Zeichner, * 1. 4. 1871 Nyslott (Savonlinna), ansässig in Helsinki.

Stud. an d. Zeichensch. des Kunstvereins in Helsinki. Häufige Aufenthalte im Ausland (Paris, Italien, Holland, England). Anfänglich Impressionist, später beeinflußt durch Gauguin u. die ital. Quattrocentisten. Hauptsächl. Porträtist u. Landschafter. Im Ateneum Helsinki: Francesca.
Lit.: Th.-B., 4 (1910). — Öhquist, m. 1 Abb. — Okkonen, p. 35, m. 2 Abbn. — The Studio, 90 (1925) 267f., m. Abb.

Blonay, Marguerite Anne de, elsäss. Bildhauerin, * 9. 7. 1897 Zinsweiler, ansässig in Paris.

Schülerin von Ary Bitter. Mitglied der Soc. d. Art. Franç., beschickte deren Salon 1927/33. Stellte auch bei den Indépendants u. (1933f.) im Salon des Tuileries aus. Figürliches, Bildnisbüsten.
Lit.: Joseph, I. — Bénézit, [2] I (1948).

Blondat, Max, franz. Bildhauer, * 30. 9. 1872 Crain (Yonne), † 17. 11. 1925 Paris.

Schüler von Thomas, Math. Moreau u. Valton. Mitglied der Soc. d. Art. Franç., deren Salon er von Paris, später von Boulogne-sur-Seine aus regelmäßig beschickte. Denkmalentwürfe, Brunnen (Wollishofen), Bildnisbüsten, dekor. u. kunstgewerbl. Plastiken. Im Luxembourg-Mus. 2 Marmorarbeiten: Amour u. L'Offrande. Gefallenendenkmäler in Deauville (Calvados) u. im Ministerium des Innern in Paris.
Lit.: Th.-B., 4 (1910). — Joseph, I (abweichendes Geburtsdatum: 3. 9. 1879). — Bénézit, [2] 1 (1948), desgl. — Zeitschr. f. Bauwesen, 67 (1917) Sp. 652, m. Abb. — Chron. d. Arts, 1921 p. 115. — Beaux-Arts, 1 (1923) 291; 3 (1925) 318. — Bull. de l'Art anc. et mod., 1925/II p. 319. — La Renaiss. de l'Art franç., 8 (1925) 258 (Abb.), 442 (Abbn), 449, 532 (Abbn). — Art et Décor., 1913/II p. 4 (Abb.); 1920/II, Chron., Juli p. 5, m. Abb.; 1922/II Chron., Juli p. 5, m. Abb.; 29 (1925) Chron., Dez. p. 4 (Nachruf).

Blondeau, Gaston, franz. Bildnismaler, * Paris, anssäsig ebda.

Schüler von Gérôme u. G. Ferrier. Stellte 1904ff. im Salon der Soc. d. Art. Franç. aus.
Lit.: Bénézit, [2] 1 (1948).

Blondeau, Paul, franz. Landschafts- u. Architekturmaler (Öl u. Aquar.), * Paris, ansässig in Rolleboise bei Bonnières (Seine-et-Oise).

Schüler von T. Robert-Fleury, J. Lefebvre u. Ridgway Knight. Stellte seit 1904 im Salon der Soc. d. Art. Franç. aus (seit 1911 Mitglied).
Lit.: Bénézit, [2] 1 (1948).

Blondeau, Suzanne, franz. Landschafts- u. Stillebenmalerin, * Verberie (Oise), wohnhaft in Paris.

Stellte 1926ff. im Salon d. Indépendants aus.
Lit.: Joseph, I. — Bénézit, [2] I (1948).

Blondeaux, Léon, franz. Landschaftsmaler, * Paris, ansässig ebda.

Schüler von Giot. Mitgl. d. Soc. d. Art. Franç., beschickte deren Salon 1927/1939.
Lit.: Bénézit, [2] I (1948). — L'Art vivant, 1932, p. 194, m. 2 Abbn. — Beaux-Arts, 10 (1932), Märzh. p. 22 (Abb.), 24.

Blondel-Weiß, Zina, franz. Landschafts- u. Stillebenmalerin, * Courbevoie (Seine), ansässig in Asnières (Seine).

Schülerin von Mlle Delattre. Mitglied der Soc. d Art. Franç., beschickte deren Salon 1927/38.
Lit.: Bénézit, [2] 1 (1948).

Blondheim, Adolphe W., amer. Maler, Radierer u. Lithogr., * 16. 10. 1888 Baltimore, Md., ansässig in New Hope, Pa.

Schüler der Pennsylv. Acad. of F. Arts unter W. M. Chase, Beau u. Breckenridge. Bilder im Chicago Art Inst., in d. California Public Library u. im State House, Mo.
Lit.: Fielding. — Amer. Art Annual, 30 (1933). — Who's Who in Amer. Art, I: 1936/37.

Blondin, Fernand, schweiz. Bildnismaler, * 1887 Genf, ansässig ebda.

Gehört dem Kreis um Alex. Cingria an. Sonderausstellgn im Ksthaus in Zürich 1916 u. Genf 1917.
Lit.: Jahrb. f. Kst u. Kstpflege in d. Schweiz, 4: 1925/27, Basel 1928, Abb. geg. p. 238, 241. — Kunsthaus, 1916, H. 9 p. 2, H. 10 p. 2; 1917 H. 2, p. X. — Pages d'Art, 1918 p. 349ff. — Schweizerland, 1917 p. 522.

Blonker Hernij, Alida, s. *Breems.*

Bloom, Hyman, litauischer Maler u. Radierer, * 1913 in Litauen, ansässig in Boston.

Lehrer am Wellesley Coll. in Boston. Kollekt.-Ausst. bei Durlacher, New York, 1946 u. 1948. Arbeiten im Mus. of Mod. Art in New York u. in der Addison Gall. in Andover, Mass.
Lit.: Mallett. — Art Digest, 20, Nr v. 15. 1. 1946, p. 15 (Abb.); 22, Nr v. 15. 4. 1948, p. 19, m. Abb.; 23, Nr v. 1. 3. 1949, p. 6. — The Art News, 44, Nr v. 15. 1. 1946, p. 21; 45, Nov. 1946, p. 19 (Abb.); 47, April 1948, p. 50; 48, März 1949, p. 6, m. Abb.; 50, Sept. 1951, p. 11. — Art in America, 34 (1946) 120/27, m. 6 Abbn. — Magaz. of Art, 35 (1942) 78 (Abb.); 42 (1950) 290 (Abb.); 43 (1950) 290 (Abb.). — Mus. of Modern Art Bull., 12 (1945) Nr 4 p. 14 (Abb.). — Worcester Art Mus. Bu l., 10 (März 1945), p. [1] (Abb.). — The Studio, 130 (1945) 14 (Abb.). — The Art Index (New York), Okt. 1941/Okt. 1952 passim.

Bloomfield, Harry, engl. Landsch.-, Stillleben- u. Bildnismaler, ansässig in Brüssel.

Schüler des Bildh. Alfred Gilbert, weitergebildet in Paris, gefördert von Renoir. Beeinflußt auch von Cézanne. Koll.-Ausstellg in d. Gal. Matthiesen in London, 1939.
Lit.: Apollo (London), 29 (1939) 319. — D. Kstwanderer, 1926/27, p. 335.

Bloos, Richard, dtsch. Maler u. Radierer, * 9. 10. 1878 Brühl b. Köln, ansässig in Düsseldorf-Oberkassel.

Schüler von P. Janssen, W. Spatz u. G. Forberg an d. Düsseld. Akad., lebte 1906/14 in Paris, seitdem in Düsseldorf. Impressionist. Bevorzugt Darstellungen von Prospekten mit Parks, Rasenplätzen u. Alleen, die er mit zahlreichen, spritzig hingesetzten Figürchen belebt: Konzert im Luxembourg-Garten, Pelouse de St-Cloud (Prov.-Mus. Hannover), Luxembourg-Garten (Mus. Leipzig), Sonntag in Charenton, Bal Musette usw. — Kollektiv-Ausst. bei Brakl in München 1911. Beschickte die Ausstellgn der Münchner Sezession u. (seit 1908) den Salon der Soc. Nat. d. B.-Arts in Paris.
Lit.: Dreßler. — Deutschlands, Öst.-Ung. u. d. Schweiz Gelehrte, Kstler u. Schriftst. in Wort u. Bild, [1] 1908, m. Fotobildn. — Dtsche Kst u. Dekor., 28 (1911) 19, m. Abbn bis p. 21; 29 (1911/12) 5 (Abb.); 30 (1912) 95 (Abb.), 352, 356 (Abb.); 32 (1913) 226 (Abb.), 228; 33 (1913/14) 116 (Abb.). — Kst u. Ksthandwerk (Wien), 17 (1914) 56. — Velhagen &

Klasings Monatsh., 47/I (1932/33) 606ff. (4 Abbn). — Vita d'Arte, 13 (1914) 211 (Abb.), 213f. — Zeitschr. f. bild. Kst, 58 (1924/25), Beibl. Monatsrundschau, p. 124.

Blore, Kate du Plessis, geb. *Hockly,* engl. Bildnis- u. Landschaftsmalerin, * Grahanstown, Südafrika, ansässig ebda.

Stud. an der Herkomer-Schule in Bushey.
Lit.: Who's Who in Art, [3] 1934.

Blos, Carl, dtsch. Landsch.-, Bildnis-, Figuren- u. Interieurmaler, * 24.11.1860 Mannheim, † 18.11.1941 München.

Zu den bei Th.-B. gen. Bildern in öff. Besitz hinzuzufügen das Bildnis des Prinzregenten Luitpold v. Bayern in d. Ksthalle in Karlsruhe. Koll.-Ausst. aus Anlaß s. 70. Geburtstages im Münchner Kstverein Nov. 1930. Verleihung des Lenbachpreises der Stadt München 1937.
Lit.: Th.-B., 4 (1910). — Dreßler. — D. Bayerland, 50 (1939) 505f., m. Abb. — Das Bild, 12 (1942) 68/69, 76 (Abbn). — D. Kunst, 83 (1940/41), Beibl. z. Dez.-H. p. 24; 85 (1941/42), Beibl. z. Jan.-H. p. 16f. — Oberrhein. Kst, 7 (1936) 224. — Kst-Rundschau, 44 (1936) 277, m. Abb. — D. Kunstwelt, II. Jg. (1912/13) Abbn geg. p. 704, 706/10, m. Abb. — Velhagen & Klasings Monatshefte, 34/II (1920) 393/407, m. Abbn; 53/II (1938/39) farb. Taf.-Abb. geg. p. 60, 91f. — Westermann's Monatsh., 135 (1924) 183ff., m. 12 Abbn u. Taf.-Abb. [11] u. [12]. — D. Weltkst, 14 Nr 50/51 v. 8. 12. 1940 p. 12; 15 Nr 49/50 v. 7. 12. 1941 p. 6. — Münchner Ztg, Nr 318 v. 19. 11. 1930, m. Fotobildn.

Bloser, Florence Parker, amer. Malerin, * 19. 10. 1889 Los Angeles, Calif., ansässig ebda.

Schülerin von A. Gilbert, Millard Sheets u. Alfredo Remos Martinez.
Lit.: Who's Who in Amer. Art, I: 1936/37. — Amer. Art Annual, 30 (1933).

Bloß, Otto, dtsch. Maler (Dr. phil.), * 7.11.1898 Eisfeld i. Thür., ansässig in Coburg.

Landschaften mit Figuren (Öl u. Aquar.).
Lit.: D. Bild, 1939, p. 295 (Abb.). — Ill. Zeitung (J. J. Weber), 99. Jg, Nr 5001 v. 14. 5. 1942, Abb. geg. p. 300f. — Kat. 3. Wanderausstellg d. dtsch. Kstgesellsch. Karlsruhe 1943, m. Abb. p. 22. — Kat. Oberrhein. Wandmalerei. Dtsche Malerei d. Gegenwart, Mülhausen/E., Dez. 1941/Jan. 1942, p. [27] (Abb.), [50] (Abb.), [55].

Bloß, Willy, dtsch. Bildhauer, * 12.4. 1906 Nürnberg, ansässig ebda.

Lernte als Kunstschmied, dann Schüler der Münchner Akad. bei Hahn. Bildnisse, Akte.
Lit.: Kat. Ausst.: 150 J. Nürnberger Kst, Nürnbg 1942 p. 45.

Blot, Jacques, franz. Landschafts-, Dekorations-, Stilleben- u. Bildnismaler, * Paris, ansässig ebda.

Mitglied des Salon d'Automne, den er seit 1908 beschickt. Stellte 1906ff. auch bei den Indépendants u. 1923ff. im Salon des Tuileries aus. Im Luxembourg-Mus. eine Ansicht aus dem Yerre-Tal.
Lit.: Joseph, I. — Bénézit, [2] I (1948). — L'Art et les Artistes, N. S. 5 (1922) 234/36, m. 5 Abbn; 16 (1928) 212; 17 (1928/29) 138.

Blot, Robert Henri, franz. Landschaftsmaler, * 2. 5. 1881 Paris, ansässig ebda.

Schüler von J. Lefebvre, T. Robert-Fleury u. Alb. Gosselin. Mitglied der Soc. d. Art. Franç. (Salon-Kat. z. T. m. Abbn). Eine Parkansicht im Luxembourg-Mus. Paris.
Lit.: Joseph, I. — Bénézit, [2] I (1948).

Blower, David Harrison, amer. Maler, * 18. 9. 1901 Fontanet, Ind., ansässig in Detroit, Mich.

Stud. an d. Wicker-Kstschule in Detroit.
Lit.: Who's Who in Amer. Art, I: 1936/37. — Amer. Art Annual, 30 (1933).

Bloxam, Joan Mary, engl. Lithographin, Federzeichnerin, Bildnisminiatur- u. Landschaftsmalerin, * London, ansässig ebda

Stud. an John Hassals Kstschule u. an d. Central School of Arts and Crafts in London.
Lit.: Who's Who in Art, [3] 1934.

Blümel, Carl, dtsch. Archäologe (Dr. phil.) u. Bildhauer, * 13.4.1893 Berlin, ansässig ebda.

Stud. an den Universitäten Berlin u. Göttingen. Prof. an den Staatl. Museen in Berlin. Als Bildhauer Autodidakt. In der St. Michaelskirche in Berlin lebensgr. Sitzstatue des Schmerzensmannes.
Lit.: Dreßler, p. 1158. — D. Christl. Kst, 27 (1930/31) 84f., m. Abb. — D. Kstwerk (Baden-Baden), 1 (1946/47) H. 10/11 p. 71.

Blümel, Otto, dtsch. Graphiker, Maler, Scherenschnittkünstler und Innenarchitekt, * 21.10.1881 Augsburg, ansässig in Garmisch-Partenkirchen.

Stud. an der Techn. Hochsch. München. 1907/14 künstler. Leiter der „Verein. Werkstätten für Kst u. Handwerk A. G." in München. Seit 1920 Direktor der Fachsch. für Holzschnitzerei in Partenkirchen. Seit 1925 Leiter des Bezirksmuseums ebda. Als Graphiker hauptsächlich Exlibris-Künstler, als Maler Landschafter. Entwürfe für Inneneinrichtungen, Möbel u. Textilien, ausgeführt in den Verein. Werkstätten.
Lit.: Th.-B., 4 (1910). — Dreßler. — D. Kunst, 28 (1912/13) 33/44, m. zahlr. Abbn.

Blümelhuber, Michel, öst. Stahl- u. Eisenschneider (Prof.), * 23. 9. 1865 Unterhimmel-Christkindl bei Steyr, Ob.-Öst., † 29. 1. 1936 Steyr.

Seit 1908 Leiter der von ihm begründeten oberöst. Landeskunstsch. f. Stahlschnitt in Steyr. Fertigte zierlichst ausgeschnittene Meisterstücke (Linzer Domschlüssel, Papierscheren, Eßbestecke u. Jagdmesser mit kunstvoll verzierten Griffen, Schmuck, Kleinplastik, Plaketten) aus Edelstahl mit meist eigenhändig zu diesem Zweck geschmiedeten Werkzeugen. Reliquiar im Wiener Stefansdom.
Lit.: R. Sterlike, M. B. (Eckart-Kstbücher), Wien 1925. — E. Kapralik, M. B., der Stahlschnittmeister in Steyr, Wien 1924. — Wer ist Wer? (Wien), 1937. — Zeitschr. f. christl. Kst, 27 (1914) 128f. — Christl. Kstblätter (Linz), 64 (1923) 54, 56, m. Abb.; 70 (1929) 44f., m. Abb.; 77 (1936) 54/55. — Öst.s Bau- u. Werkkst, 1 (1924/25) 136. — Der getreue Eckart (Wien), 2 (1924/25) 1015/30, m. Abbn. — D. Christl. Kst, 23 (1926/27) 130; 27 (1930/31) 150/52, m. Abbn; 32 (1935/36) 253. — Kst in Öst. (Leoben), 1 (1934) 80, m. Abb. — Öst. Kst, 6 (1935) H. 10, p. 3/5, m. Abbn u. Bildnis B.s. — Kirchenkst, 7 (1935) 82/85, m. Abb. — D. Kst, 74 (1935/36) Beibl. zu H. 6, p. 11.

Blümhuber, Georg, dtsch. Bildhauer, * 13.4.1882 Feldkirchen, Oberbay., ansässig in München.

Schüler von B. Bleeker u. U. Janssen an der Münchner Akad. Hauptsächl. Porträtbüsten u. relig.

Plastik. In Altenwangen, Oberbay.: Christusaltar (Holz); in Trostberg : Kreuzigungsgruppe (Holz).
Lit.: Dreßler. — Mitteil. d. Künstlers. — Schwäb. Merkur, Nr 302 v. 2. 7. 1912.

Bluemner, Oscar Florianus, dtsch-amer. Maler, * 1867 in Deutschland, † 1938 South Braintree, Mass. (Freitod).
Stud. zuerst Architektur, ging dann zur Malerei über. Seit 1892 in den USA. Beschäftigte sich bes. mit geometrischen Linien- u. Flächenproblemen. Kollektiv-Ausst. in der Intimate Gall. in New York 1928. Bild im Whitney Mus. of Amer. Art ebda.
Lit.: Amer. Art Annual, 30 (1933). — Who's Who in Amer. Art, I: 1936/37. — Mellquist, m. Taf. geg. p. 208. — D. Cicerone, 17 (1925) 50. — The Art News, 32 (1933/34) Nr 21 p. 11, m. Abb.

Blüthgen, Hans, dtsch. Architekt (Baurat) u. Landschaftsmaler, * 20.3.1885 Leipzig, ansässig ebda.
Lit.: Kat. 7. u. 8. Wurzner Kstausstellg 1941 u. 1942.

Blum, Alex. A., ungar.-amer. Maler u. Rad., * 7. 2. 1889 Budapest, ansässig in New York. Gatte der Helen.
Schüler von Duveneck in Cincinnati u. von Melatz in New York.
Lit.: Fielding. — Amer. Art Annual, 20 (1923) 445; 30 (1933). — Who's Who in Amer. Art, I: 1936/37.

Blum, Anita, dtsche Zeichnerin, Malerin u. Bildhauerin, * Kleve, ansässig in Charlottenburg.
Schülerin von Gerd Brüx u. Hußmann an den Kölner Werkschulen (Klasse für Buchkst u. Graphik), dann in der Klasse für Akt- u. Modeschule, an der Reimannschule in Berlin u. im Atelier des Bildh. H. Perathoner. Hauptsächl. relig. Stoffe, Kinderstudien, Bildnisse, Märchenbilder.
Lit.: D. Christl. Kst, 32 (1935) 8/11. — D. Kstkammer (Berlin) Ausg. B, 10. Heft, Okt. 1935, p. 21 (Abb.).

Blum, Clarence, engl. Bildhauer, * 1897 Liverpool, ansässig in Enebyberg, Schweden.
Stud. an der Akad. in Stockholm, in Dresden, Paris u. Florenz. Schmuckbrunnen im Eastman-Institut in Stockholm; Skulpturen im dort. Krematorium.
Lit.: Thomœus. — Konstrevy, 1938, p. 60, m. Abb.

Blum, Fritz Paul, dtsch. Bildnis-, Landschafts- u. Marinemaler, * 7.6.1897 Berlin, ansässig ebda. Gatte der Lisa Marie.
Schüler von Emil Orlik u. Bruno Paul an der Berl. Kstgewerbesch. 1923 Silb. Med. des Ministeriums für Wissensch., Kst u. Volksbildung. Fauvist.
Lit.: Dreßler. — Dtsche Kst u. Dekor., 61 (1927–28) 227 (2 Abbn). — Mitteil. d. Kstlers.

Blum, Hans, dtsch. Porträt-, Genre-, Architektur- u. Landschaftsmaler (Prof.), * 23.1. 1858 Nürnberg-Doos, † 13.4.1942 München.
Koll.-Ausst. in d. Neuen Galerie München 1939.
Lit.: Th.-B., 4 (1910) — Dreßler. — D. Bild, 7 (1937) 178/81, m. Abb, 184 (Abb.). — D. Cicerone, 21 (1929) 554. — D. Kunst, 61 (1929/30) 120, m. Abb. — D. Christl. Kst, 8 (1911/12), Beil. p. 26, 27 (Abb.). — Kst u. Kstler, 27 (1928/29) 365, m. Abb. — Kstrundschau, 50 (1942) 55. — D. Weltkst, 12 Nr 6 v. 6. 2. 1938, p. 4; 16 Nr 13/14 v. 29. 3. 1942, p. 6; 17 Nr 5/6 v. 31. 3. 1943, p. 3. — Kat. Ausst. 150 J. Nürnb. Kst, Nürnb. 1942, p. 18, Abb. 14.

Blum, Helen Abrahams, amer. Malerin, * 17. 8. 1886 Philadelphia, Pa., ansässig ebda. Gattin des Alex.
Schülerin von Elliott Dangerfield, Henry Snell u. Hugh Breckenridge.
Lit.: Amer. Art Annual, 20 (1923) 446.

Blum, Karl, dtsch. Bildnis- u. Landschaftsmaler, * 1.11.1888 Freiburg i. Br., ansässig ebda.
Stud. an der Akad. in Karlsruhe. In der Städt. Gem.-Smlg in Freiburg: Abend am Bodensee.
Lit.: Dreßler.

Blum, Lisa Marie, geb. *Koch*, dtsche Malerin, Kinderbuch-Illustratorin u. Jugendschriftst., * 3.10.1911 Bremerhaven-Geestemünde, ansässig in Berlin. Gattin des Fritz.
Stud. 1930/34 bei ihrem späteren Gatten in Berlin. Bilder zu Kinder- u. Jugendschriften mit von ihr selbst verfaßten Versen: Das bunte Buch, Verlag W. Flechsig, Dresden 1942; Der Geburtstagskuchen, Verl. G. Westermann, Braunschweig 1946; Ringelblume Nickkopf, ebda 1949.
Mitteilg d. Kstlerin.

Blum, Theo, dtsch. Landschaftsmaler, Radierer u. Gebrauchsgraphiker, * 10.1.1883 München-Gladbach, ansässig in Köln.
Stud. an d. Kstgewerbesch. in Krefeld. 1908/13 in Düsseldorf, Berlin u. Rom. 1914/18 Kriegsmaler bei der 1. Armee. 1925 mehrmonatiger Aufenthalt in Rom. Graph. Hauptwerke: Romwerk (6 Kaltnadelrad.), Köln 1925; Italien (24 Rad.), 1930.
Lit.: Dreßler. — Der Feuerrreiter (Köln), 10. Jg, Nr 2 v. 31. 1. 1934, m. 2 Abbn. — Alt-Köln, 17 (1928) 123f.; 19 (1930) 187; 20 (1931) 18. — D. Christl. Kst, 22 (1925/26) 87f., m. Abb.

Blum-Lazarus, Sophie, dtsche Landschafts- u. Puppenmalerin (Öl u. Pastell), * Stuttgart, ansässig in Paris.
Stellt seit 1908 im Salon d'Automne u. im Salon der Soc. d. Art. Indépendants aus.
Lit.: Joseph, I. — Bénézit, [2] I (1948).

Blumberg, Yuli, s. *Kopman*, Yuli.

Blume, Friedrich, dtsch. Architekt, ansässig in Berlin.
Geschäfts-, Miet- u. Landhäuser in Berlin u. Umgebung; Eigenherdschule in Kleinmachnow; Verwaltungsgeb. der Siemens-Schuckert-Werke Berlin.
Lit.: Dreßler. — Architektur des 20. Jahrh.s, 1912, Taf. 25; 1913, p. 40, Taf. 70. — D. Baumeister, 13 (1915). — D. Kunst, 78 (1937/38) 272f., m. Abbn. — Dtsche Kst u. Dekor., 38 (1915/16) 401ff., m. Abbn. — Monatsh. f. Städtebau, 22 (1936) 1/8, m. Abbn. — D. Profanbau, 1909 p. 157ff.; 1909, p. 218ff.

Blume, Melita, dtsch-amer. Landschaftsmalerin, * Halle/Saale, ansässig in Brookhaven, L. I., N. Y.
Schülerin der Art Student's League in New York u. der Münchner Akad.
Lit.: Fielding. — Amer. Art Annual, 30 (1933).

Blume, Peter, russ.-amer. Maler, * 27. 10. 1906 in Rußland, ansässig in Sherman, Conn.
Stud. in New York. Gehört zu den Naivisten. Höchst subtiler Malvortrag. Originelle Erfindung, überraschende Bildausschnitte. 1932 in Italien. Bilder im Mus. of Mod. Art in New York, im Metrop. Mus. of Art ebda u. in den Museen in Newark u. Columbus.
Lit.: Amer. Art Annual, 30 (1933). — Who's Who in Amer. Art, I: 1936/37. — The Internat. Who's

Who, [11] 1952. — Mellquist. — Monro. — La Renaiss., 15 (1932) 157/60, m. 7 Abbn. — The Pennsylv. Mus. Journal (Philadelphia), 1936, Nr 170, p. 3ff. passim. — Bull. Cleveland Mus. of Art, 15 (1928) 131; 17 (1930) 121 (Abb.), 123. — Bull. Detroit Instit. of Arts, 27 (1948) 28. — The Studio, 105 (1933) 84, m. Abb.; 109 (1935) 108, m. Abb.; 115 (1938) 161; 117 (1939) 105 (Abb.). — Newsweek, 15. 3. 1943 p. 72, m. Abb. — Prisma (München), 1 (1947) Heft 6, p. 11 (Abb.). — The Art Index (New York), 1941ff. passim. — Kat. d. Ausst.: Amerika schildert, Amsterdam, Sted. Mus. 1950, m. 2 Abbn p. 26.

Blume, Richard, dtsch. Bildnis- u. Landschaftsmaler u. Graphiker, * 13. 3. 1891 Hannover, ansässig in München.

Schüler der Münchner Akad.

Lit.: Dreßler. — Kat. d. Ausst.: Maler imWartheland, Kaiser-Friedr.-Mus., Posen 1943, m. Abb.

Blumenschein, Ernest Leonard, amer. Maler u. Illustr., * 26. 5. 1874 Pittsburgh, ansässig in Taos, New Mexico. Gatte der Folg.

Schüler der Art Student's League in New York, dann von B. Constant, J. P. Laurens u. Collin in Paris. Bildnisse, Figürliches, Landschaften. Bilder u. a. im Metrop. Mus. New York („The Burro"), in den Museen Brooklyn, Cincinnati, Los Angeles u. Toronto, in d. Kansas City Library u. im Pratt Inst. in Brooklyn. Zeichnete 1896–1908 für Century, Scribner's, Harper's u. and. Magazine.

Lit.: Th.-B., 4 (1910). — Who's Who in Amer. Art, I: 1936/37. — Monro. — Fielding. — The Internat. Who's Who, [11] 1952. — Bénézit, [2] 1. — Earle. — Amer. Art Annual, 11 (1914), Abb. geg. p. 259; 20 (1923) 446; 27 (1930) 133; 30 (1933). — The Brooklyn Mus. Quarterly, 16 (1929) 103, 141 (Abb.), 142. — The Studio, 113 (1937) 82 (Abb.). — Art Index (New York), Okt. 1947/Okt. 1950.

Blumenschein, Mary, geb. *Shepard Greene*, amer. Malerin u. Bildh., * New York, ansässig in Taos, New Mexico. Gattin des Vor.

Schülerin von Herbert Adams in New York u. von Collin in Paris. Vertreten im Mus. in Brooklyn.

Lit.: Fielding. — Bénézit, [2] 1 (1948). — Monro. — Amer. Art Annual, 30 (1933). — Who's Who in Amer. Art, I: 1936/37. — Earle.

Blumenthal, Barbara, amer. Bildhauerin, * Schanghai, ansässig in Paris.

Stellt seit 1927 im Salon der Soc. d. Art. Franç. aus (Bildnisbüsten, Akte).

Lit.: Joseph, I. — Salon-Kat. (z. T. m. Abbn).

Blumenthal, Hermann, dtsch. Bildhauer, * 31.12.1905 Essen, fiel am 17.8.1942.

1920/24 Steinbildhauerlehre in Essen, 1924 Gesellenprüfung; nebenher bis 1925 Besuch der dort. Handwerker- u. Kstgewerbeschule. 1925/31 Schüler von Wilh. Gerstel u. Edwin Scharff an den Verein. Staatsschulen für freie u. angewandte Kst in Berlin. 1929 Preis der Stadt Köln. 1930 Gr. Staatspreis d. Preuß. Akad. d. Künste. 1931/32 an d. Dtsch. Akad. in Rom. 1932/34 in Nowawes b. Potsdam u. in Essen. 1935 Stipendiat der Akad. Kassel, 1936/37 in Rom u. Florenz (Stipendiat der Villa Massimo u. der Villa Romana). 1937/40 in Berlin. 1938 Cornelius-Preis der Stadt Düsseldorf. 1940 Einberufung zum Kriegsdienst. Figürliches (bes. Akte), Bildnisbüsten, Flachreliefs (in Zink, Terrakotta oder Bronze). Gedächtnis-Ausstellgn: Haus am Waldsee in Berlin-Zehlendorf Nov. 1947, Mus. in Dortmund April/Mai 1949 (ill. Kat.), Kestner-Gesellsch. Hannover Nov./Dez. 1949 (ill. Kat. m. Fotobildn.), Behnhaus in Lübeck Jan. 1951, Orangerie der Univ. Erlangen März/April 1951. In der Hamburger Ksthalle: Nackter Schreitender (Bronze); im Folkwang-Mus. Essen: Kopf.

Lit.: Ch. A. Isermeyer, Der Bildh. H. B., Berlin 1947 (reich ill.). — Nemitz, m. Abbn. — Werner, p. 188f. (Abbn), 192f., 205. — Jahrb. d. Hamb. Kstsammlgn, 1 (1948) 4/7, m. Abb., Taf. zw. p. 64 u. Schluß. — Westdtsches Jahrb., 1936, p. 261. — D. Kstwerk, 1 (1946/47) H. 12 p. 59; 2 (1948) H. 1/2 p. 63 (Abb.), 65; H. 3/4 p. 72; H. 8, Taf. p. 29. — Die Kunst, 79 (1938/39) 340/44, m. Abbn; 81 (1939/40), Beibl. Okt.-H. p. 3. 47. Jg. (1949) H. 4 p. 132, m. Abb. — bild kunst, 1 (1947) H. 6, p. 27, H. 8 p. 27; 2 (1948) H. 3, p. 20/23, m. Abbn. — Kst u. Künstler, 29 (1930/31) 249 (Abb.). — Kstchronik, 2 (1949) 80, 131, 259. — D. Kstwerk, 5 (1951) H. 2, p. 10, m. Abb., 14, 18, 39, 41; 6 (1952) H. 5, p. 10, m. Abb., 11 (Abb.), 23/25 (Abbn). — Weltkst, 16, Nr 39/40 v. 27. 9. 1942 p. 6. — Zeitschr. f. Kst, 1 (1947) H. 1 p. 62 (Abb.), 66; 4 (1949) 274/77, m. Abbn, 281/82 (Abb.). — Die neue Ztg (München), 17. 8. 1948, m. Abb. — Berl. Ztg (Berlin), 21. 11. 1947. — Kat. d. Ausst.: Dtsche Bildh. d. Gegenw., Kestner-Ges. Hannover 26. 4. /17. 6. 1951.

Blumenthal, Moses Lawrence, amer. Illustrator, * 13. 7. 1879 Wilmington, N. C., ansässig in Elkins Park, Pa.

Stud. an d. Schule des Pennsylv. Mus. in Philadelphia u. in München. Zeichnete u. a. für „Saturday Evening Post", „The Ladies' Home Journal", „Collier's", Scribner's usw.

Lit.: Fielding. — Amer. Art Annual, 30 (1933). — Who's Who in Amer. Art, I: 1936/37.

Blumer, Lucien, elsäss. Landsch.- u. Architekturmaler u. Radierer, 14.10.1871 Straßburg, ansässig ebda.

Stud. bei Seebach in Straßburg, bei Ritter in Karlsruhe u. bei Lefebvre u. Eug. Carrière in Paris. Ölbild mit Ansicht aus Straßburg im dort. Musée Histor. 2 Aquarelle mit Straßb. Ansichten im dort. Mus. d. B.-Arts.

Lit.: Archives alsac. d'hist. de l'art, 1 (1922) 133f., m. Abb. — Compte-rendu de 1922, Musées de la ville de Strasbourg, 1923, p. 5. — Elsaß-Lothr. Jahrb., 12 (1933) 281f. — La Vie en Alsace, 1929, p. 80ff.

Blumert, Johanne Marie, amer. Illustratorin, * 22. 3. 1901 Fresno, Calif., ansässig in Oakland, Calif.

Schülerin von Hans Hofmann u. Vaclav Vytlacil.

Lit.: Who's Who in Amer. Art, I: 1936/37. — Amer. Art Annual, 30 (1933).

Blunck, Erich, dtsch. Architekt (Prof.), * 18.4.1872 Heide, Holst., ansässig in Berlin.

Stud. bei K. Schäfer, Joh. Vollmer u. O. Schmalz an der Techn. Hochsch. Charlottenburg. 1900 im Preuß. Kultusministerium. 1907 Regierungsrat. Ord. Prof. an der Techn. Hochschule Charlottenburg. Seit 1919 Prov.-Konservator für die Mark Brandenburg. — Kirchen in Berlin-Nikolassee u. am Lietzensee; Marienstifts-Gymnasium in Stettin; Friedhofskap. an der Heerstraße in Berlin; Kais.-Wilhelm-Volkshaus in Lübeck. Wiederherstellung der Stadtkirche in Wittenberg.

Lit.: Blätter f. Archit. u. Ksthandwerk, 18 (1905) 69; 24 (1911) Taf. 21/25. — Kstgewerbebl., N. F. 25 (1914) 56f. — Zentralbl. d. Bauverwaltg, 31 (1911) 238ff., m. Abb.; 37 (1917) 385; 40 (1920) 629 (Abb.), 631. — Dtsche Bauztg, 66 (1932) 325f., m. Fotobildn. — Neudtsche Bauzeitg, 18 (1922) 179 (Abb.). — Dtsche Kst u. Dekor., 51 (1922/23) 122, 124 (Abbn).

Blunck-Heikendorf, Heinrich, dtsch. Landschaftsmaler u. Lithogr., * 30.4.1891 Kiel, ansässig in Kiel-Heikendorf.

Schüler von L. Lesker in München u. von G. Burmester an der Akad. in Kassel.
Lit.: Dreßler.

Blundell, Alfred Richard, engl. Kaltnadelstecher, Rad., Maler (Öl u. Aquar.) u. Modelleur, * 24. 12. 1883 Bury St. Edmunds, ansässig in Icklingham, Suffolk.
Architekturansichten (Florenz, Avignon, Albi).
Lit.: Who's Who in Art, [3] 1934. — The Studio, 92 (1926) 432 (Abb.), 433; 100 (1930) 116, 118 (Abb.); 113 (1937) 348 (Abb.). — J. Duveen, Thirty Years of Brit. Art. Introd. by M. Conway, New York 1930.

Blundell, Margaret Leah, engl. Werbezeichnerin, Holzschneiderin u. Dekorationsmalerin, * 9. 7. 1907 Wallasey, ansässig in London.
Stud. an d. Kstschulen in Cheltenham u. Liverpool.
Lit.: Who's Who in Art, [3] 1934.

Blundstone, Ferdinand Victor, engl. Bildhauer, * 17. 7. 1882 in d. Schweiz, ansässig in London.
Stud. an der Schule der Roy. Acad. u. der Landseer-Schule in London. Studienreisen nach Ägypten, Griechenland, Italien, Paris. Kriegerdenkm. in Holborn Bars, Folkestone u. Stalybridge (Neuseeland).
Lit.: Who's Who in Art, [3] 1934. — The Studio, 66 (1916) 193, m. Abb.; 67 (1916) 22, 23 (Abbn). — Maryon.

Blunt, John Silvester, engl. Landschaftsmaler (Öl, Pastell, Aquar.), * Jan. 1874 Alberton, Northampton, ansässig in Aldringston, Middlesex.
Lit.: Who's Who in Art, [3] 1934.

Blunt, Sybil, engl. Aquarellmalerin, Rad. u. Federzeichnerin, * 27. 10. 1880 Dorchester, Oxford, ansässig in Winchester.
Stud. an der Kstschule in Edinburgh.
Lit.: Who's Who in Art, [3] 1934.

Blutbacher, Wilhelm, dtsch. Bildnis- u. Landschaftsmaler, * 1. 4. 1888 Ludwigsburg, ansässig ebda.
Lit.: Kat. der 3. Dtsch. Kstausst., Dresden 1953.

Bo, Kazuo, jap. Landschaftsmaler, * Hiroshima, ansässig in Paris.
Stellte 1927 u. 28 im Salon d'Automne, 1928 u. 30 im Salon der Soc. Nat. aus.
Lit.: Joseph, I. — Bénézit, [2] I (1948).

Bo, Romolo del, ital. Bildhauer, ansässig in Mailand.
Zart gestimmter, archaisierender Plastiker, relig. Themen bevorzugend.
Lit.: Th.-B., 4 (1910). — Costantini, m. Abb. — Emporium, 41 (1915) 408, 411; 86 (1937) 394. — Pagine d'Arte, 5 (1917) 85f., m. Abb.

Boak, Robert Cresswell, irisch. Landschafts- u. Bildnismaler u. Radierer, * 31. 5. 1875 Letterkenny, Grafsch. Donegal, ansässig in Belfast.
Stud. an der Kstschule in Glasgow u. am Roy. Coll. of Art in London. Studienaufenthalte in Paris u. Rom.
Lit.: Who's Who in Art, [3] 1934.

Board, Edwin John, engl. Landsch.- u. Marinemaler (Öl u. Pastell), * 15. 1. 1886 Torquay, Devon, ansässig in Bristol.
Lit.: Who's Who in Art, [3] 1934.

Board, Ernest, engl. Historien- u. Bildnismaler u. Zeichner für Glasmalerei, * 1877 Worcester, † 1934 Albury, Surrey.
Stud. an d. Schule der Roy. Acad. In d. Art Gall. in Bristol: Abreise von John u. Seb. Cabot zu ihrer 1. Entdeckungsfahrt. Fresko: Latimer predigend vor Eduard VI. in St. Pauls Cross, im Parlamentshaus in London (Korridor zwischen St. Stephen's Hall u. Waiting Hall).
Lit.: Who's Who in Art, [3] 1934.

Boardman, Rosina, amer. Miniaturmalerin, * New York, ansässig in Huntington, L. I., N. Y.
Schülerin von Alice Beckington, Georges Bridgman u. Frank Du Mond.
Lit.: Fielding. — Amer. Art Annual, 30 (1933). — Who's Who in Amer. Art, I: 1936/37.

Boardman, Ruby, engl. Bildnis-, Figuren- u. Stillebenmaler, ansässig in Paris.
Stellt 1930ff. im Salon des Tuileries aus.
Lit.: Joseph, I. — Bénézit, [2] I (1948). — La Renaiss. de l'Art Franç., 13 (1930) 234 (recte 276), m. Abb. — The Studio, 109 (1935) 156 (Abb.).

Boas, Simone, geb. *Brangier*, franz.-amer. Bildhauerin, * 3. 2. 1895 in Frankreich, ansässig in Baltimore, Md.
Schülerin von Bourdelle in Paris. 3 Bildnisbüsten in Johns Hopkins Univers. in Baltimore.
Lit.: Who's Who in Amer. Art I: 1936/37. — Amer. Art Annual, 30 (1933). — Mallett.

Boas-Zélander, Maria Catharina, holl. Bildnis- u. Stillebenmalerin, * 5. 9. 1889 Amsterdam.
Schülerin der Amsterdamer Akad.
Lit.: Waay.

Boasson, Isidor, holl. Landschaftsmaler u. Rad., * 21. 11. 1875 Middelburg.
Schüler von W. Schütz u. J. C. Ritsema. 1911/12 in Barbizon, 1912 in Spanien u. Tanger, 1923 in Fontainebleau. Landschaften, Bildnisse.
Lit.: Plasschaert. — Waay. — Hall, Nrn 7407–7410. — Waller. — La Renaiss. de l'Art franç., 9 (1926) 115f., m. 5 Abbn.

Bobbs, Ruth Pratt, amer. Malerin, * 3. 9. 1884 Indianapolis, Ind., ansässig ebda.
Schülerin von W. M. Chase.
Lit.: Fielding. — Amer. Art Annual, 30 (1933). — Who's Who in Amer. Art, I: 1936/37.

Bobeldijk, Felicien, holl. Maler, Rad. u. Lithogr., * 17. 10. 1876 Koog aan de Zaan, ansässig in Amsterdam.
Stud. bei Allebé, Dake u. Van der Waay an der Reichsakad. in Amsterdam. Landschaften, Stadtansichten, Blumenstücke, Bildnisse.
Lit.: Plasschaert. — Waay. — Waller. — Onze Kunst, 21 (1912) 131f. — Op de Hoogte. Maandschr., 20 (1923) 28/32, m. Abbn. — Maandbl. v. beeld. Kunsten, 10 (1933) 88. — Kat. Eeretentoonstell. F. B. 15. 4.–7. 5. 1939 im Sted. Mus. in Amsterdam. — Calker, p. 30ff., m. 2 Abbn u. Fotobildn. Taf. 9.

Bober, Hans-Joachim, dtsch. Maler, * 19. 1. 1908 Berlin, ansässig in Wernigerode/Harz.
Stud. an der Berl. Hochsch. für Kunsterziehung.

Boberg, Anna, geb. *Scholander*, schwed. Malerin u. Entwurfzeichnerin für Textilien u. Porzellan, * 3. 12. 1864 Stockholm, † 27. 1. 1935 ebda. Gattin des Ferdinand.
Tochter des schwed. Archit. u. Dichters Fredrik

Vilh. Scholander. Stud. in Paris. Malte hauptsächlich Lofotenlandschaften (bes. Hafenszenerien mit Schiffen). Auch Ansichten aus Italien, Ägypten u. Palästina. — Bilder u. a. im Nat.-Mus. in Stockholm, in den Museen in Göteborg u. Malmö, im Luxembourg-Mus. in Paris, im Mus. in Brooklyn, N. Y., u. in den Museen in Rom, Venedig u. San Francisco, Calif., USA. — Buchwerke: Genom Indien i kronprinsparets följe (1928); Envar sitt ödes lekboll (Memoiren), 1934.

Lit.: Th.-B., 4 (1910). — Vem är det?, 1935. — N. F., 3 u. 21 (Suppl.). — Thomœus. — Ojetti, La X Espos. d'Arte a Venezia 1912, Bergamo 1912, p. 39f., 309/12 (Abbn). — L'Art et les Art., 11 (1910) 167/71, m. 6 Abbn.; N. S. 15 (1927) 274/79, m. 7 Abbn. — Art et Décor., 1927/I Chron. p. 4, m. Abb. — Emporium, 33 (1911) 187/91, m. 7 Abbn u. Fotobildn. — Konstrevy, 1937, p. 62. — Kunst og Kultur, 25 (1939) 187 (Abb.), 188. — Vita d'Arte, 10 (1912) 172/87, m. 7 Abbn.

Boberg, Ferdinand (Gustaf F.), schwed. Architekt, Radierer u. Aquarellmaler, * 11. 4. 1860 Falun, † 1946 Stockholm. Gatte der Anna.

Stud. 1878/82 an der Techn. Hochsch. Stockholm, 1882/84 an der dort. Akad. Glänzender Dekorator, der geborene Ausstellungsarchitekt. — Hauptbauten: Elektrizitätswerk in Stockholm (1892); Gaswerk in Värtan (1893); Maschinenhalle u. weitere Baulichkeiten in Kopparberg; Kirche in Alnö, Medelpad (1896); Kirche der Göttl. Offenbarung in Saltsjöbaden b. Stockh., mit überreich ausgestattetem Innenraum (Malereien von Olle Hjortzberg, Skulpturen von Carl Milles, 1913); Bauten der Balt. Ausst. Malmö 1914; Geschäftshaus der Nordischen Gesellschaft in Stockholm (1915); Hauptpostgeb. in Stockholm u. Malmö. Entwürfe für Möbel, Öfen, Gobelins, Bucheinbände usw. Als Radierer hauptsächl. Architekturansichten u. Landschaftsmotive aus Schweden, Spanien, Italien, Ägypten usw. — Gedächtnis-Ausst. in der Stockholmer Akad. 1930. Ein Aquarell, Ansicht aus Rom, in der Smlg Thorsten Laurin in Stockholm (Taf. 23 im Kat. R. Hoppe, 1936). Lithogr. Zyklus: Svenska bilder från början av 19-talet. Ein illustr. beschr. Kat. s. Radiergn (83 Ss., 1 Taf.) wurde von A. Gauffin herausgegeben, Stockholm 1917.

Lit.: Th.-B., 4 (1910). — Vem är det?, 1935. — Vem är Vem i Norden. Biogr. Handbok, 1941, p. 992. — N. F., 3, m. Fotobildn., u. 21 (Suppl.). — Thomœus. — Ahlberg, p. 17, 21, 34. — Hahr, Stora Kopparbergs Bergslags Aktiebolags Porträtt och Tavel Samlingar, 1920, p. 78/80, m. Abb. — L'Architecte, 1910, p. 8, Taf. 2f.; 1914, p. 29/31, m. 4 Taf. — L'Art et les Art., 11 (1910) 171/74, m. 5 Abbn. — Art et Décor., 30 (1926) Juli-Heft Chronique p. 6f., m. Abb. — Emporium, 50 (1919) 226ff., m. 21 Abbn. — Konst och Konstnärer, 2 (1911) 116/19. — Konstrevy, 1930, p. 72, 222; 1933 p. 71; 1936, p. 167. — Kunst og Kultur, 3 (1912/13) 251/66. — Der Kstwanderer, 1929–30) 350. — Meddelande fria fören. för graf. konst, 5 (1917). — Ord och Bild, 27 (1918) 33/40, m. 8 Abbn; 32 (1923) 241 (Abb.); 1935, p. 219/22, m. 5 Abbn. — Vita d'Arte, 15 (1916) 157 (Taf.-Abb.), 165/68, m. 5 Abbn. — Zeitschr. f. bild. Kst, N. F. 28 (1917) 16, 18/19 (Abbn). — Sveriges kyrkor, Medelpad, H. 1, p. 99.

Boberg, Paul, schwed. Architekt, * 1884 Brunskog, Värmland, † 1947 Växjö.

Hauptsächlich Restaurationen von Kirchen in Småland. Selbständiger Bau: Stadthotel in Växjö.

Lit.: Thomœus.

Boberg, Sven, schwed. Bildhauer, * 13. 12. 1870 Hylletofta, Jönköping, † 1935 Stockholm.

Stud. an der Techn. Schule in Stockholm 1889/91 u. an der Akad. Colarossi in Paris 1902/05. 1897/1901 Lehrer für Modellieren an der Techn. Schule in Jönköping. 1905/08 für den Architekten W. E. Stenhammar tätig. 1908/13 in Uppsala, seitdem in Stockholm. Hauptsächl. Genrestatuetten u. Bildnisbüsten.

Lit.: Thomœus. — Vem är det?, 1935.

Boberman, Voldemar, armen. Marine-, Landschafts- u. Aktmaler, * Erivan, ansässig in Paris.

Ansichten aus Amsterdam, Venedig, London u. Paris, die Beeinflussung durch Jongkind u. Boudin verraten. Impressionist, sehr zurückhaltende Farben, Bevorzugung der grauen u. grünlichen Töne. Stellt seit 1927 bei den Indépendants u. im Salon des Tuileries aus.

Lit.: Joseph, I. — Bénézit, [2] I (1948). — L'Art vivant, 1934 p. 475, m. 2 Abbn. — Beaux-Arts, Nr 306 v. 11. 11. 1938, p. 3 (Abb.); Nr 315 v. 13. 1. 39, p. 3, m. Abb.; Nr 335 v. 2. 6. 39, p. 2 (Abb.); Nr v. 16. 1. 48, p. 5 (Abb.), 30. 1. 48, p. 4. — The Studio, 135 (1948) 192 (Abb.).

Boblenz, Marianne, dtsche Landschafts- u. Stillebenmalerin, * 6. 4. 1878 Wolmirstedt, ansässig in Erkner b. Berlin.

Schülerin von Leo von König.

Lit.: Dreßler.

Boblenz, Viktoria, dtsche Bildnis- u. Landschaftsmalerin, * 5. 4. 1904 Quedlinburg, ansässig in Erkner b. Berlin.

Schülerin von Leo v. König u. Karl Hofer an der Berliner Akad.

Lit.: Dreßler.

Bobleter, Lowell Stanley, amer. Maler u. Rad., * 24. 12. 1902 New Ulm, Minn., ansässig in St. Paul, Minn.

Schüler von George Resler.

Lit.: Who's Who in Amer. Art, I: 1936/37. — Art Index (New York), Okt. 1941/Okt. 1950 passim.

Bobovnikoff, Emily, geb. *William*, engl. Figuren-, Interieur- u. Blumenmalerin (Öl u. Pastell), * März 1876 London, wohnhaft in Paris u. Mentone.

Stud. an der Acad. Colarossi in Paris u. bei Gust. Courtois ebda.

Lit.: Who's Who in Art, [3] 1934.

Bobritskij (Bobri), Wladimir, russ. Maler, * 1898, ansässig in New York.

Lit.: Amer. Artist, 6, Jan. 1942, p. 3, März 1942, p. 12/17, 27; 9, Juni 1945, p. 26f., 29. — Art and Industry, 32 (1942) 168 (Abb.). — The Art News, 43, Sept. 1944, p. 11 (Abb.); 44, Nr v. 1. 12. 1945, p. 30 (Abb.). — Almanac of Russian Artists in America, I (New York 1932). — Graphis, 6 (1950) Nr 29, p. 42 (Abb.).

Bobrowskij, Georgij, russ. Porträtmaler, ansässig in St. Petersburg (Leningrad).

Stud. in Europa, von westlicher Kunst beeinflußt. Stellte 1909 im Münchener Glaspalast ein von der Kritik beachtetes Bildnis einer schwarz gekleideten Dame aus.

Lit.: Ss. Makowskij, Kunstkrit. Studien (russ.), 3, St. Petersbg 1913, p. 79. — Apollon (Moskau), I (1909), Heft 5, Abb. vor p. 1.

Bobula, János, ungar. Architekt u. Fachschriftst., * 24. 2. 1871 Budapest, ansässig ebda.

Sohn des gleichnam. Archit. (1844–1903). Stud. bei Hauszmann, Samu Pecz u. L. Rauscher. 1893 nach den USA u. England. Herrensitze in Ungarn;

Finanzpalais in Nagyenyed; Postgeb. in Debreczen. Rathaus in Munkács; Krankenhäuser; Griech.-kath. Kirche in Debreczen.

Lit.: Szendrei-Szentiványi. — Krücken-Parlagi.

Bocca, Anna, ital. Stilleben-, Blumen-, Landschafts- u. Figurenmalerin, * 24. 7. 1900 Vigevano. Tochter des Folg.

Schülerin ihres Vaters.

Lit.: Comanducci.

Bocca, Luigi, ital. Bildnis- u. Genremaler u. Freskant, * 1872 Vigevano, † 1930 ebda. Vater der Vor.

Schüler von Casnedi u. Merlini an d. Akad. in Mailand. Im Mus. Civ. in Turin ein Bildnis der Mutter des Kstlers, ein gleiches in d. Gall. Civ. in Pavia. Deckenbild im Teatro Colli-Tibaldi in Vigevano.

Lit.: Comanducci. — Vigevanum, 1910, fasc. 1, p. 77.

Boccacci, Marcello, ital. Maler u. Radierer, * 1914 Florenz, ansässig ebda.

Kat. d. Ausst.: Ital. Kst d. Gegenw., München u. a. O. 1950/51.

Boccalatte, Pietro Anacleto, ital. Landschafts- u. Bildnismaler, * 1885 Monferrato.

Schüler der Akad. Turin.

Lit.: Comanducci.

Bocchetti, Gaetano, ital. Genre- u. Landschaftsmaler, * 29. 8. 1888 Neapel.

Lit.: Comanducci. — Emporium, 63 (1926) 202 (Abb.), 203.

Bocchi, Amedeo, ital. Genre- u. Landschaftsmaler, * 24. 8. 1883 Parma, ansässig in Rom.

Schüler von Barilli in Rom u. von Casanova in Padua. Gold. Med. auf der Ausst. in Mailand 1912; „Premio Perpetua" in Parma 1913; Preis auf der Mostra del Ritratto in Monza 1923. — 2 Bilder: Beim Frühstück u. Fischer in den Pontinischen Sümpfen, in der Gall. Ricci-Oddi in Piacenza. Dekor. Malereien im Sitzungssaal der Sparkasse in Parma.

Lit.: P. Scarpa, Archit. contemp., I. — Chi è?, 1940. — Arte e Storia, 1912, p. 387. — Rass. d'Arte ant. e mod., 20 (1920) 113, m. Abb.

Boccioni, Umberto, ital. Maler, Graphiker u. Bildhauer, * 19. 10. 1882 Reggio Calabria, † 16. 8. 1916 Verona.

1898/1902 Schüler von Giac. Balla in Rom, im übrigen Autodidakt. 1902/04 Studienaufenthalte in Paris u. Berlin, dann 6 Monate in St. Petersburg. Seit 1904 wohnhaft in Padua u. Venedig, seit 1907 in Mailand. Begann als Realist (Signora Virginia in d. Gall. d'Arte Mod. Mailand), näherte sich dann dem Divisionismus (Landschaften). Traf 1907 mit Marinetti, dem Begründer der futuristischen Bewegung, zusammen. Brachte 1909 mit Russolo, Balla, Severini u. Carrà das erste Manifest des Futurismus (veröff. im „Figaro" v. 20. 2. 1909) heraus, den er durch Vorträge u. Ausstellungen in allen Hauptstädten Europas propagierte. Erste futuristische Ausstellung in der Galerie Bernheim Jeune in Paris In dems. Jahr Herausgabe des Manifesto tecnico della Scultura futurista. Flammender Protest der Kritik, an ihrer Spitze die Zeitschrift „La Voce". Eine Stütze fand der Futurismus in der neugegründeten „Lacerba" als einer unerschrockenen Verteidigerin dieser revolutionären Bewegung, der der 1. Weltkrieg, an dem B. seit 1914 als freiwilliger Kämpfer teilnahm, und der vorzeitige Tod ihres Hauptexponenten ein schnelles Ende bereiteten. — Von den futurist. Plastiken B.s („Muscoli in velocità", „Sintesi del dinamismo umano", u. and.) übermittelt eine erschöpfende Vorstellung der mehr maschinell als organisch gebildete Aufbau: „Linea unica nella continuità dello spazio" (1913), in d. Gall. d'Arte Mod. in Mailand, dessen Ziel eine Verdeutlichung der Bewegung des aus abstrakten Formen aufgetürmten menschlichen Körpers ist. Eine gewisse Weiterentwicklung hat diese futurist. Plastik u. a. in Al. Archipenko u. Rudolf Belling gefunden. Wesentlich ausgeglichener sind B.s Radierungen u. Kaltnadelarbeiten, die meist s. Frühzeit angehören: 2 Bildnisse der Mutter, Lesende Alte, Liegender Mann im Freien, Bildnis einer jungen Frau usw. — Eine Apologie des Futurismus hat B. selbst in seiner Schrift: Pittura e scultura futuriste, Mailand 1914, gegeben. Gesamtausg. s. literar. Werke: Foligno 1927.

Lit.: R. Longhi, Scultura futurista: B., Florenz 1914, m. Bildn. u. 9 Taf. — Soffici, Cubismo e Futurismo. — Marinetti, B., Mailand 1924. — Coquiot. — Einstein, p. 322 (Abb.). — Comanducci, m. Abb. (Selbstbildn.). — Costantini, m. 3 Abbn. — Giedion-Welcker. — Pagine d'Arte, 3 (1916) 112, 147. — D. Querschnitt, 1 (1921) 126 (Abb.). — D. Kstblatt, 9 (1925) 354f. — Emporium, 39 (1914) 74/75, m. Abbn; 78 (1933) 127/131, m. Abbn; 85 (1937) 45, l. Sp.; 93 (1941) 105, 107 (Abb.); 96 (1942) 537f.; 107 (1948) 72f., 196f. (Abb.). — Beaux-Arts, 72 (1933) Nr 29 p. 2. — Dedalo, 13 (1933) 116/26, m. Abb. — D. Kstwerk, 5 (1951) H. 3, p. 6 (Abb.), 11 (Abb.), 13 (Abb.).

Boccolari, Benito, ital. Bildhauer u. Holzschneider, * 18. 6. 1888 Modena, ansässig ebda.

Schüler von Leon. Bistolfi in Turin u. von Aug. Rivalta in Florenz; bildhauer. Studien bei Quattrini in Rom. Hauptsächl. Grabmäler. Holzschnitte zu mehreren Bänden der „Classici del Ridere" (ed. Formiggini). Album: Dal'alto (8 Holzschnitte; ed. Soc. d'Arte Tip. del Com. di Bologna). Weitere Hauptblätter: Badende, Frühling, Winterlandschaft, Prozession. Campanile.

Lit.: Chi è?, 1940. — Rass. d'Arte, 21 (1921) 286. — Cronache d'Arte, 3 (1926) 90/100, m. 22 Abbn.

Bochenski, Jan, poln. Maler u. Graph., * 10. 9. 1888 Hrubieszów, ansässig in Posen.

Stud. an der Akad. Krakau u. in Paris.

Lit.: Czy wiesz kto to jest?, 1938.

Bochet, Etienne Henri, franz. Landschaftsmaler, * Mézières (Ardennes).

Stellt seit 1928 bei den Indépendants aus.

Lit.: Joseph, I.

Bochmann, Gregor von, *d. J.*, dtsch. Bildhauer, * 23. 9. 1878 Düsseldorf, fiel am 20. 9. 1914. Sohn des gleichnam. Malers († 1930).

Schüler von Karl Janssen an der Düsseld. Akad. Genregruppen, Studienköpfe, Bildnisbüsten, Akte. Brunnengruppe am Hohenzollern-Gymnasium in Düsseldorf. Gedächtnis-Ausst. in derKsthalle in Düsseldorf 1917. In der Düsseld. Gal. die Gruppe: Abschied (Gr. Gold. Med. Wien 1904).

Lit.: Th.-B., 4 (1910). — Der dtsche Almanach für Kst u. Wissensch., 1. Jg (Berlin 1933) 13 (Abb.), 16. — D. Cicerone, 9 (1917) 321. — D. Kunst, 31 (1914/15) 160; 35 (1916/17) 461 (Abb.), 472 u. Beil. zu H. 3, p. VI. — Kstchronik, N. F. 26 (1914/15) 39; 28 (1916/17) 396f. — Dtsche Monatshefte, 1915 (D. Rheinlande, 15) p. 93ff., m. Abbn.

Bochnia, Walter, dtsch. Figuren-, Bildnis- u. Landschaftsmaler, * 8. 2. 1903 Breslau, ansässig in Riesa.

Stud. an d. Kstgewerbesch. in Breslau u. bei Arthur Wasner ebda. Bis 1945 in Breslau ansässig.

Lit.: Kat. 10. Niederschles. Kstausst. Breslau 1943.

Bochořáková - Dittrichová, Helena,

tschech. Malerin u. Holzschneiderin, * 31. 7. 1894 Vyskov (Mähren), tätig in Brünn (Brno).

Stud. an d. Prager Akad. bei A. Brömse. Studienaufenthalt in Paris. Stellt dort seit 1924 im Salon d. Indépendants aus. Exlibris, Holzschnittillustrat. u. graph. Folgen: Christus; Der Schatz; Die Revolution; Die Kinder; Das verheißene Land; In der Wüste.

Lit.: Revue du Vrai et du Beau, 15. 3. 1924. — Les Artistes d'aujourd'hui, 15. 5. 1925, m. Abbn. — Toman, I 78. *Blž.*

Bocianowski, Bogdan, poln. Graphiker.

Buchillustr. u. a. für Janczarki, „Spechtwohnung", Ewa Szelburg-Zarembina, „Frohe Arbeit". Illustr. für die Kinderztg „Plomyk".

Lit.: Kryszowski, m. Abb.

Bock, Arthur, dtsch. Bildhauer (Prof.), * 12. 5. 1875 Leipzig, ansässig in Hamburg.

Stud. an der Berliner Akad. Justitia am Oberlandesgericht in Hamburg; Grabmäler auf dem Ohlsdorfer Friedhof ebda; Gefallenendenkmal in Dortmund-Mengede (1927/28).

Lit.: Th.-B., 4 (1910). — Dreßler. — D. Kunst, 27 (1912/13) 553 (Abb.); 55 (1926/27), Beil. z. Januarh. p. XIV. — Mecklenb. Monatsh., 13 (1937) 485.

Bock, Auguste, dtsche Kinderbildnismalerin, † 5. 2. 1917 Hannover.

Lit.: Hannov. Courier v. 8. 2. 1917.

Bock, Bernhard, dtsch. Maler, * 1872 Weimar, † 1946 ebda.

Schüler von Carl Fritz Smith an d. Weimarer Kstschule. Bilder im Landesmus. in Weimar u. in städt. Besitz.

Lit.: Askan Schmitt, Weimar von A bis Z, Weimar 1932, p. 129 — W Scheidig, D. Weimarer Malerschule d. 19. Jh.s, Erfurt 1950.

Bock, Charles Peter, dtsch-amer. Maler, * 1872 in Deutschland, ansässig in Manvel, Texas.

Schüler des Art Instit. in Chicago u. von Simon in Paris. Hauptsächlich Landschafter.

Lit.: Fielding. — Amer. Art Annual, 12 (1915).

Bock, Hanns, dtsch. Bildnis- u. Landschaftsmaler u. Graphiker, * 21. 3. 1885 Leipzig, ansässig in Eisenach.

Autodidakt. Lehrer an der Staatl. Zeichensch. in Eisenach.

Lit.: Dreßler.

Bock, Hansl, dtsche Landschafts-, Stillleben- u. Figurenmalerin, ansässig in München.

Mitgl. der Vereinigung „Die Juryfreien". Koll.-Ausst. ebda Sept. 1929.

Lit.: D. Cicerone, 21 (1929) 554. — Zweijahrbuch 1929/30 dtscher Kstlerverb. Die Juryfreien, München, p. [16] Abb., [17] Abb. — Münchner Zeitg, Nr 243 v. 3. 9. 1929.

Bock, Josef, öst. Bildhauer u. Medailleur, * 11. 2. 1883 Wien, ansässig ebda.

In der Jubil.-Ausst. Nov. 1941/Febr. 1942 im Kstlerhaus in Wien 2 Arbeiten: Weib mit Panther (schwarzer Marmor) u. Badende (Gips) (Kat. p. 36, Anhang p. [12]).

Lit.: Dreßler. — Teichl.

Bock, Karl, dtsch. Maler u. Radierer, * 12. 11. 1873 Braunschweig, zuletzt ansässig in Stralsund.

Stud. 1898/1903 an der Düsseldorfer Akad.; Meisterschüler von Dücker.

Lit.: Dreßler.

Bock, Ludwig, dtsch. Landsch.-, Blumen-, Stilleben- u. Aktmaler (Prof.), * 7. 10. 1886 München, ansässig ebda.

Schüler von Buttersack u. Knirr, Meisterschüler von H. v. Zügel an der Münchner Akad. 1913 in Paris. Bilder in der N. Staatsgal. in München, in der Städt. Gal. u. in der Sezessionsgal. ebda.

Lit.: Dreßler. — Breuer, m. 2 Abbn u. Bildniskarikatur B.s von Fr. Heubner (1932). — D. Kunst, 29 (1913/14) 91; 43 (1920/21) 306 (Abb.); 55 (1926/27) 383 (Abb.); 61 (1929/30) farb. Taf.-Abb. geg. p. 137, 164/68, m. Abbn; 65 (1931/32) 34 (Abb.); 67 (1932/33) 361 (Abb.). — Dtsche Kst u. Dekor., 36 (1915) 380, 389; 67 (1930/31) 16 (Abb.). — Mitteilungsblatt d. Ges. d. Zügelfreunde E.V. Wörth a./Rh., Dez. 1951, p. [4]. — Velhagen & Klasings Monatsh., 46/II (1931/32) farb. Taf. geg. p. 512, 573. — Zeitschr. f. Bücherfreunde, N. F. 12 (1920/21), Beibl. p. 314.

Bock, Richard Walter, dtsch-amer. Bildhauer, * 16. 7. 1865 in Deutschland, † River Forest, Ill.

Kam 5 jährig nach Amerika. Schüler von Schaper an d. Berliner Akad. und von Falguière an d. Pariser Ec. d. B.-Arts. Lovejoy-Denkmal in Alton, Ill.; Kriegerdenkmäler in Shiloh u. Chicamaugua, Ill.; Bronzegruppe für die Public Library in Indianapolis, Ind.

Lit.: Fielding. — Amer. Art Annual, 30 (1933). — Who's Who in Amer. Art, I: 1936/37. — Taft.

Bock, Vera, russ.-amer. Malerin u. Illustr., * 1. 4. 1905 St. Petersburg, ansässig in New York.

Wandmalereien in Privathäusern. Illustr. u. a. zu: Ella Young, The Tangle-Coatet Horse; Waldemar Bonsels, The Adventures of May the Bee; Helena Carus, Metten of Tyre.

Lit.: Amer. Art Annual, 27 (1930) 510. — Mallett. — Art Index (New York), Okt. 1944/Okt. 1950.

Bock-Schnirlin, Gertrud, dtsche Bildnis- u. Landschaftsmalerin, * 13. 4. 1878 Hamburg, ansässig in Berlin.

Schülerin von Lepsius in Berlin.

Lit.: Dreßler.

Bocquet, François, schweiz. Bildhauer, Gold- u. Silberschmied, * 1874 Carouge bei Genf.

Stud. in Genf u. Paris. Reliefs in d. kath. Kirche in Grange-Canal in Genf u. im Bundesgerichtsgeb. in Lausanne. Goldschmiedearbeiten im Genfer Mus. d. Arts décor., im Luxembourg-Mus. in Paris u. im Pavillon Marsan ebda. Eine Büste (Silbertreibarbeit, in Bronze eingelassen): Frau mit dem Helm, im Genfer Mus. d'Art et d'Hist.

Lit.: Brun, IV. — D. Schweiz, 1910, p. 66, 67, m. Abbn. — Schweiz. Bauzeitg, 1917, p. 5/8, m. Abbn. — D. Ksthaus, 1 (1911) Heft 12, p. 5.

Bodaan, Johan Jacob, holl. Maler u. Zeichner, * 1. 2. 1881 im Haag, lebt in Rijnsaterwoude.

Schüler der Haager Akad. Mitglied von „Pulchri Studio". Stilleben, Figürliches, Akte, Blumenstücke, Tiere.

Lit.: Kunst en Nijverheid, I, Nrn 3, 4, 5. — Waay.

Bodard, Pierre, franz. Genre-, Bildnis- u. Landschaftsmaler, * 15. 4. 1881 Bordeaux, ansässig in Paris.

Schüler von G. Ferrier, Carolus-Duran u. A. Besnard. Rompreis 1909. Mitglied der Soc. d. Art. Franç. (Salon-Kat. z. T. m. Abbn).

Lit.: Joseph, I. — Bénézit, [2] I (1948).

Bodart, Henry, belg. Landschaftsmaler u. Rad., * 1874 Namur.

Schüler von Th. Baron, als Rad. von Aug. Danse.

Lit.: Seyn, I, m. Fotobildn. — Joyeuse, 1911 p. 4/6. — La Revue Franco-Wallonne, 1914 p. 28/33.

Bode, Adolf, dtsch. Figuren- u. Landschaftsmaler, ansässig in Offenbach a.M.

Ausgebildet in Paris. Koll.-Ausst. ebda 1940.

Lit.: Dreßler. — Dtsche Kst u. Dekor., 68 (1931) 274, 276 (Abb.), 280 (Abb.).

Bode, Arnold, dtsch. Stilleben-, Landschafts- u. Bildnismaler u. Raumkünstler (Prof.), * 23.12.1900 Kassel, ansässig ebda.

Schüler von Witte u. Dülberg an der Kasseler Akad., weitergebildet in Berlin u. Paris. Dozent am Werklehrer-Seminar in Berlin. 1933 wegen antifaschistischer Einstellung entlassen. Nach der Kapitulation 1. Vorsitzender der Hess. Sezession. Prof. an d. Staatl. Werkakad. Kassel.

Lit.: Dreßler. — Wer ist Wer?, 1948. — Kst u. Kstler, 29 (1930/31) 250 (Abb.).

Bode, Ernst, dtsch. Architekt (Reg.-Baumeister), ansässig in Essen.

Beigeordneter der Stadt Essen. Hauptbauten ebda: Bürohaus „Glückauf"; Kinderklinik; Badeanstalt (Alten-Essen); Baedeker-Haus; Lichtburg; Großmarkthalle; Umgestaltung des Burgplatzes.

Lit.: Dreßler. — Dtsche Bauzeitg, 59 (1925/I) 509ff., m. Abbn. — Wasmuth's Monatsh. f. Baukst, 10 (1926) 139ff., m. Abbn. — D. Kstblatt, 13 (1929) 305. — Zeitschr. d. Rhein. Ver. f. Denkmalpflege u. Heimatschutz, 21 (1928) H. 2, p. 163. — Zentralbl. d. Bauverwaltg, 49 (1929) 681/83, m. Abbn, 773/76, m. Abbn; 51 (1931) 33/38, m. Abbn; 52 (1932) 605/09.

Bode, J. F. G., holl. Maler, * 12. 6. 1870 Breda.

Schüler von P. Balmaker in Breda, 1908/10 von P. Bodifée in Deventer.

Lit.: Plasschaert. — Waay.

Bodecker, Margarete von, dtsche Malerin (bes. Kopistin), * 26.9.1874 Sprottau, Schles., zuletzt ansässig in Diessen a. Ammersee.

Schülerin von Adolf Meyer u. M. Brandenburg in Berlin, von George Mosson u. Julius Exter in München.

Lit.: Dreßler.

Boden-Heim, Hermann, dtsch. Landschafts-, Tier- u. Genremaler, * 16.7.1876 Dresden, ansässig in Stuttgart.

Schüler von Pohle u. Bantzer an d. Dresdner Akad., von Höcker u. Zügel in München u. von Kalckreuth an d. Stuttgarter Akad. Ließ sich in Blaubeuren nieder.

Lit.: Dreßler. — Mitteilgn des Künstlers.

Bodenbender, Laura, amer. Malerin, * 2. 7. 1900 New Orleans, La., ansässig in Rom.

Schülerin von K. Nicolaides u. K. H. Miller. Vertreten im Mus. of Fine Arts in Houston, Tex., u. im Mus. in Montgomery, Alabama.

Lit.: Amer. Art Annual, 30 (1933). — Who's Who in Amer. Art, I: 1936/37.

Bodenhausen, Mathilde Freiin von, dtsche Malerin u. Holzschneiderin, * 28.5. 1870 auf Schloß Arnstein (Hessen), zuletzt ansässig in München.

Schülerin von A. Jank u. M. Feldbauer in München u. von Henri Martin in Paris. Längere Zeit in Italien u. Sizilien. Bildnisse, Blumenstücke, Landschaften.

Lit.: Dreßler. — Karl, II, m. Abb.

Bodenheim, Cornelia (Nelly), holl. Zeichnerin, Illustr. u. Scherenschnittkünstlerin, * 27. 5. 1874 Amsterdam, ansässig ebda.

Schülerin der Reichsakad. in A'dam u. Jan P. Veths. Illustr. für Kinderbücher: Handje-Plak, 1900; Raadsels, 1903; Luilekkerland, 1915; Een Vruchtenmandje (mit Versen von Lizzy Ansingh), 1927; Fransche liedjes, 1928.

Lit.: Th.-B., 4 (1910). — Plasschaert. — Waay. — Hall, Nrn 7422–7425. — Wie is dat?, 1935. — Waller. — C. Veth, N. B. illustratrice, Rotterdam-Antwerpen 1946 (m. 26 Abbn). — Maandbl. v. beeld. Kunsten, 13 (1936) 135/39, 177/86, m. zahlr. Abbn.

Bodenthal, Walter, dtsch. Maler, * 24.12. 1892 Klitten, Oberlausitz, ansässig in Leipzig.

Autodidakt. B.-Mappe, Verlag „Volk und Buch", 1947.

Lit.: Kat. Leipz. Kstausst. 1946, Nr 19/25, m. Abb. p. 7; 1948, m. Abb. p. 26.

Bodet, Henri André, franz. Architekt u. Aquarellmaler, * 29. 7. 1888 Paris.

Schüler von Ch. Genuys u. der Ec. d. Arts Décoratifs. Mitglied der Soc. Nat. d. B.-Arts.

Lit.: Joseph, I.

Bodifée, Paulus, holl. Maler, Lithogr. u. Rad., * 29. 6. 1866 Deventer, † 23. 1. 1938 ebda.

Schüler der Reichsakad. Amsterdam. Hauptsächl. Landschafter. Impressionist. Beeinflußt von der Barbizon-Schule.

Lit.: Plasschaert. — Waller. — Onze Kunst, 25 (1914) 113.

Bodin, Edvin, schwed. Landschaftsmaler, * 1898 Ore, Dalarne, ansässig in Stockholm.

Stud. an der Akad. Stockholm u. in Italien. Bilder u. a. in den Museen in Falun, Gävle u. Hudiksvall.

Lit.: Thomœus. — Konstrevy, 1937, p. 31 m. Abb.

Bodingbauer, Karl, öst. Holz- u. Beinschnitzer u. Metallplastiker, * 1. 2. 1903 Wien, † 28. 9. 1946 Schwaz i. T.

Stud. 1922/24 bei Hanak a. d. Wiener Kstgewerbesch. Seit 1925 in Tirol. Von Hause aus Graveur u. Silberschmied, wandte sich der Holzbildhauerei, später vor allem der Beinschnitzerei und Kupfer- u. Silbertreibarbeit zu. Durch Cl. Holzmeister weitgehend gefördert. — Werke: Schubertdenkmal in Korneuburg; Erinnerungsmal an Förster Hausotter im Rohrwald; 5 figürl. Holzplastiken im Festspielhaus in Salzburg; Eichentüren am Neuen Landhaus in Eisenstadt; Lastträger (Kupfer) in der Rauchmühle in Innsbruck; Christusstatue, Pfarrk. in Merchingen, Saar; — Figürl. Beinschnitzereien aus Rinderknochen (Stock- u. Schirmgriffe, Dosen, Schmuck). — Monstranz, Engelkranz in Silber (Entwurf Cl. Holzmeister) u. Hängeleuchter, Pfarrk. in Sexten.

Lit.: Öst.'s Bau- u. Werkkst, 1 (1924/25) 197 (Abb.); 2 (1925/26) 22f. (m. Abbn), 201 (Abb.), 207 (Abb.). — Die Christl. Kst, 22 (1925/26), 96, 101 (Abb.), 226 (Abb.); 27 (1930/31) 228, m. Abb., 232. — Dtsche Kst u. Dekor., 57 (1925/26) 326 (Abb.). — Die Kst, 56 (1926/27) 87, 91 (Abb.). — Der getreue Eckart (Wien), 5 (1927/28) 399/406, m. Abbn. — Bergland (Innsbr.), 1926, H. 10; 1939, H. 9/10 (m. Abb.). — Kat. Ausst. Tir. Kstler Westfalen-Rheinland, 1925/26, m. Abb. — Tir. Nachr., 1946 Nr 217. — Tir. Tagesztg, 1946 Nr 227; 1949 Nr 207. — Bühne, Welt u. Mode, 1928 Nr 157 (Beil. d. Wiener N. Nachr.), mit 13 Abbn. *J. R.*

Bodley, Josselin, engl. Figuren-, Bildnis- u. Landschaftsmaler, * Veaux (Charente-Infér.), ansässig in Paris.

Mitglied der Soc. Nat. d. B.-Arts, beschickt deren Salon seit 1925: Orientszenen, Ansichten aus dem Baskenland, Italien (Venedig) u. Frankreich.

Lit.: Joseph, I. — Bénézit,[2] I (1948). — Apollo (London), 11 (1930) 144 (Abb.); 19 (1934) 51; 21 (1935) 100, m. 2 Abbn. — D. Cicerone, 22 (1930) 25 (Abb.). — La Renaiss. de l'Art Franç., 14 (1931) 36/38, m. 5 Abbn; 15 (1932) 188, m. Abb. — The Studio, 111 (1936) 73 (Abb.); 113 (1937) 343; 114 (1937) 43 (Abb.).

Bodmer, Anny, schweiz. Malerin, † 1930 Locarno-Muralto.

Lit.: Dreßler. — Schweizer Kunst, 2 (1930/31) 88.

Bodmer, Paul, schweiz. Maler (bes. Wandmaler) u. Lithogr., * 1886 Zürich, ansässig in Oetwil am See.

Lernte bei dem Theatermaler Isler in Zürich, bildete sich autodidaktisch weiter. Ließ sich 1911 in Gfell, dann in Orn, Kt. Zürich, nieder. Seine beiden monumentalen Hauptwerke sind die 1921/28 ausgeführte Freskenfolge im Zürcher Fraumünster-Durchgang u. die beiden gr. Wandbilder im Gemeindehaus in Zollikon (voll. 1944). Die in dem Durchgang zwischen Stadthaus u. Fraumünsterkirche in Zürich befindlichen Fresken — 2 gr. Rundbogenfelder u. je 3 Spitzbogenfelder an 2 gegenüberliegenden Wänden — schildern Szenen aus der legendären Gründungssage des Fraumünsters, die Begegnung der Töchter König Ludwigs des Deutschen mit dem Heil. Hirsch, die dadurch veranlaßte Gründung eines geistl. Stifters, des späteren Fraumünsters, durch die beiden Prinzessinnen und die Überführung der Reliquien der hll. Felix, Regula u. Exuberantius in die ihnen geweihte Kirche. Zu diesem Zyklus in dem vordern weiten, hallenartigen Teil des Kreuzgangs schuf B. eine Fortsetzung in den 1932 vollendeten Bildern des anschließenden schmalen Ganges, die sich auf die Legende der 3 Zürcher Stadtheiligen beziehen: Berufung, Missionstätigkeit, Gefangennahme, Enthauptung u. das darauf folgende Wunder. Eine weitere Fortsetzung bilden die 1939 vollendeten Wandgemälde mit der Sage von Karl d. Gr. u. der Schlange in dem sog. romanischen Teil des Kreuzgangs, deren gedämpfte Farbigkeit einen fast grisaillenhaften Charakter trägt. — Die beiden Zollikonfresken schildern Themen aus der Geschichte der Ortschaft: St. Galler Mönche verteilen die Lehen an die Zollikofer Bauern, und: Auszug junger Zollikofer Krieger vor der Schlacht bei Murten. Die figurenreichen Bilder, deren Ausführung zahlreiche Vorstudien, Zeichnungen u. Aquarelle vorausgingen, zeigen Beeinflussung durch oberital. Quattrocentokunst. Zeitlich zwischen die Zürcher u. Zollikofer Freskenfolgen gruppiert sich das 1933 entstand. Kolossalfresko ($8^3/_4 \times 4$ m) in der Aula der Zürcher Universität, darstellend eine Versammlung ideal gekleideter Frauenfiguren in einem heiligen Hain, deren feierlicher Aufmarsch gewisse Anklänge an Puvis verrät. Weitere dekorat. Arbeiten in der Friedhofskap. Fluntern in Zürich, im Lettenschulhaus ebda u. im Hause der Schweiz. Unfallversicherungsanstalt in Luzern. Ein hl. Christophorus außen am Chor der St. Justuskirche in Flums. Im Berner Kunstmus. das 1935 entstand. Bild: Frauen im Walde (Abb. im Kat. 1946: Aus der Sammlung. Wiedergaben von Gemälden usw., Taf. 189). Im Zürcher Ksthaus mehrere Arbeiten, dar. 2 Selbstbildnisse (Pastell) von 1920 u. 1924, u. Entwurf zu einem Wandgem. für die Kirche in Fällanden. In der Öff. Kunstsmlg in Basel: Das Lied der Heimat. Umfassende Kollekt.-Ausst. 1920 im Zürcher Ksthaus.

Lit.: Brun, IV 481. — Jenny. — Die Fresken von P. B. im Fraumünster Kreuzgang. Einführung v. E. Poeschel, Zürich 1942. — D. Werk, 3 (1916) 113ff.; 6 (1919) 140 (Abb.); 7 (1920) 153/56, m. 4 Abbn; 15 (1928) 129/35; 19 (1932) 170/77; 20 (1933) 321ff.; 21 (1934) 153 (Abb.); 22 (1935) 29f., 123 (Abb.); 23 (1936) 231 (Abb.); 26 (1939) 229 (Abb.), Heft 3, Beiblatt p. XXII; 27 (1940) 33/40; 28 (1941) 175 (Abb.); 29 (1942) 5/10; 31 (1944) Heft 7, Beiblatt p. IX. — D. Kst in d. Schweiz, 1928 p. 266, Umschau p. V. — D. Ksthaus, 1916 Heft 10 p. 3; 1917 H. 3 p. 3. — D. Kstblatt, 2 (1918) 202, 217 (Abb.). — D. Schweiz, 25 (1921) 46 (Abb.). — D. Christl. Kst, 26 (1929/30) 277/81. — Die Kunst, 53 (1925/26) 39 (Abb.); 67 (1932/33) 331/34. — Revue de l'Art anc. et mod., 65 (1934/I), Bull. p. 118 (Abb.). — Anz. f. schweiz. Altertumskunde, 37 (1935) 232 (Abb.). — Oberrhein. Kst, 9 (1940) 232; 10 (1942) 194. — Schweizer Journal, 8 (1942) 7/13. — Pro Arte (Genf), 2 (1943) 331f., m. Abb. — Kstdenkm. d. Schweiz, 10: Kt. Zürich, IV/1: Stadt Zürich, 1939 p. 1922/31. — Jahresber. d. Öff. Kstsmlg Basel 1940, p. 9f., Taf. zw. p. 28/29. — Jahresber. d. Zürcher Kstgesellsch., 1930 p. 6; 1934 p. 3; 1936 p. 4; 1940 p. 40, 48.

Bodmer, Walter, schweiz. Maler, * 1903 Basel, ansässig ebda.

Abstrakter Künstler. Sammelausstellg in der Gal. Bettie Thommen, Basel 1951.

Lit.: D. Kst u. das Schöne Heim, 49 (1951) Beilage p. 195. — D. Kstwerk, 3 (1949) H. 4 p. 40; 4 (1950) H. 8/9 p. 96.

Bodnár, Thomas, ungar.-amerik. Maler u. Rad., * 23. 5. 1882 in Ungarn, ansässig in East Branch, N. Y.

Schüler von Bridgman in Boston.

Lit.: Amer. Art Annual, 20 (1923).

Bodnár-Baghy, Margit, ungar. Landschaftsmalerin, * 2. 2. 1885 Czibakháza auf der Tópártpuszta.

Stud. in Budapest.

Lit.: Szendrei-Szentiványi.

Bodon, Henri, franz. Landschafts- u. Aktmaler, * 20. 11. 1902 Bellême (Orne), ansässig in Paris.

Mitglied der Soc. d. Art. Indépendants, beschickt deren Salon seit 1926.

Lit.: Joseph, I. — Bénézit,[2] I (1948).

Boebinger, Charles William, amer. Maler u. Illustr., * 17. 6. 1876 Cincinnati, Ohio, ansässig ebda.

Stud. an d. Cincinnati Art Acad., an d. Art Student's League in New York, bei John F. Carlson u. bei W. Crane in England.

Lit.: Fielding. — Amer. Art Annual, 20 (1923) 446; 28 (1931). — Who's Who in Amer. Art, I: 1936/37.

Böcher, August, dtsch. Bildnis-, Genre- u. Landschaftsmaler, * Biebrich a. Rh., ansässig in Berlin.

Schüler der Berliner Akad.

Lit.: Dreßler. — D. Bild, 1935 p. 278, m. Abb. — D. Kst, 59 (1928/29) 366 (Abb.). — D. Kstwanderer, 1927/1928 p. 157 — Velhagen & Klasings Monatsh., 38/I (1923/24) farb. Taf.-Abb. geg. p. 280. — Westermanns Monatsh., 134 (1923) 403f. u. Taf. [29]; 135 (1924) 317ff., m. 17 (teilw. farb.) Abbn.

Böck, Siegfried, dtsch. Maler u. Illustr., * 24.12.1893 Kempten, ansässig in Bernau (Oberbayern).

Stud. an der Kstgewerbesch. u. Akad. München.

Lit.: Dreßler.

Boeckel, Louis (Lodewijk) van, belg. Kunstschmied, * 1857 Lierre, † 1944.

Autodidakt. Virtuoser Techniker, auf allen Gebieten u. in allen Größenabmessungen arbeitend: Schlangen, Raubtiere im Kampf miteinander, Schmuckgirlanden, Treppengeländer, Gitter usw. Arbeiten in Kstgewerbemuseen des In- u. Auslandes.

Lit.: Seyn, II 992, m. Fotobildn. — Dietsche Warande en Belfort, 1911 p. 595/604, m. Abb. — Die Weltkst, 18 (1944) Nr 8 p. 4.

Böcker, Hermann, dtsch. Landschaftsmaler (Öl u. Aquar.), ansässig in München.

Kollektivausstellgn im Münchner Kstverein 1939 u. 1942.

Lit.: Dreßler. — Westermanns Monatsh., 165 (1938/39) 464 (farb. Taf.-Abb.), 512.

Böckh, Walter, dtsch. Bildnismaler u. Graph., * 9. 5. 1904 Weisweil, Kaiserstuhl, ansässig in Heidelberg.

Gatte der Bildnismalerin Lotte B.-Vetter, * 1904 Richelsdorfer Hütte (Hessen). Lange Jahre Leiter einer Vorklasse an der Hochsch. f. bild. Kste in Karlsruhe.

Lit.: Das sind Wir. Heidelb. Bildner usw., 1934, p. 23 (Abb.), 24, 25 (Abb.), 27 (Abb.), 28, 29 (Abb.). — D. Bild, 1940 p. 33/35, m. Abbn u. 1 Taf. — Kst-Rundschau, 49 (1941) 170.

Böckl, Herbert, kärntner Maler (Prof.), * 3. 6. 1894 Klagenfurt, ansässig in Wien.

Autodidakt. Anfänglich beeinflußt von Schiele, Kokoschka u. dem späten Corinth (Übersteigerung des seelischen Ausdrucks), dann von den Abstrakten. 1922 nach Berlin, Paris u. Sizilien. Eindrücke von Cézanne, van Gogh u. Munch. Seit 1935 Prof. an der Wiener Akad. Bildnisse, Figürliches (bes. Akte), Landschaften, Stilleben. In der Mod. Gal. in Wien: Ulrichsberg in Kärnten; 2 weibl. Akte vor grünem Vorhang; Maler Clementschitsch; Stilleben mit Perlhuhn; Selbstbildnis (1923). Koll.-Ausst. in der Wiener Sezession 1928. In der Kirche in Maria-Saal, Bez. Klagenfurt, ein Fresko: Christus, auf dem Meere wandelnd (innen an der Südwand des Querhauses).

Lit.: Ararat, 2 (1921) 227ff. — Belvedere, 6 (1924) 175, m. Abb. — D. Cicerone, 20 (1928) 39; 21 (1929) 487 (Abb.). — Donauland, 4/I (1920/21) H. 2 p. 135. — Kirchenkst, 5 (1933) 13/16, m. Abbn. — D. bild. Kste (Wien), 3 (1920/21) 73, 74 (Abb.). — D. Graph. Kste (Wien), 55 (1932) 29/36, m. Abbn. — Kst u. Kstler, 25 (1926/27) 462ff., m. 2 Abbn; 26 (1927/28) 159; 27 (1928/29) 289. — Dtsche Kst u. Dekor., 64 (1929) 82. — Öst. Kst, 1 (1929/30) H. 1 p. 28; H. 2 p. 5/15, m. 11 Abbn; H. 11, p. 12/17; 4 (1933) H. 2, p. 1/3. — Kst in Österr., hg. v. Jos. Rutter, 1 (Leoben 1934), farb. Taf. vor dem Titelbl., 44ff. — D. Kstwerk, 5 (1951) H. 1 p. 42 (Abb.), 44. — Maandbl. v. beeld. Kunsten, I (1924) 243, 244 (Abb.). — D. Münster, 2 (1948/49) 193, m. 2 Abbn; 4 (1951/52) 247. — Die Kstdenkm. Kärntens, V/2. — W. Frodl u. A. Macku, Die Kstdenkm. d. polit. Bez. v. Klagenfurt (Land), o. J. [1932] 585 (Abb.), 586. — Teichl.

Böcklin, Carlo, schweiz. Maler, * 18. 1. 1870 Basel, † 31. 8. 1934 San Domenico di Fiesole.

Sohn des Arnold. Stud. zuerst Architektur an d. Techn. Hochsch. Zürich, ging 1894 zur Malerei über. Hauptsächlich Landschafter u. Porträtist. Stark beeinflußt von seinem Vater, nach dessen Bildern er häufig kopierte.

Lit.: Th.-B., 4 (1910). — G. Battelli, Ricordo di C. B., in: Illustraz. Toscana e dell'Etruria, Febr. 1936. — Emporium, 91 (1940) 277/80, m. Abbn.

Boeckman, Carl L., norweg.-amer. Maler, * Kristiania (Oslo), ansässig in Minneapolis.

Stud. in Kristiania, Kopenhagen u. München. Bild: Schlacht bei Killdeer Mountain, im Kapitol in St. Paul, Minn.

Lit.: Amer. Art Annual, 30 (1933).

Böckman, Edgar, schwed. Keramiker, * 1890 Malmö, ansässig in Stockholm.

Stud. an der Kunstindustriesch. in Stockholm u. an der keram. Fachschule in Prag. Hauptsächlich Schmuck- u. Gebrauchsgeschirr. Vertreten im Nat.-Mus. in Stockholm u. im Kunstindustrie-Mus. in Prag.

Lit.: Wettergren, p. 29 (Abb.), 30, 124 (Abb.), 181. — Thomæus.

Böckstiegel, Peter August, dtsch. Maler, Graph. u. Bildhauer, * 7. 4. 1889 Arrode-Werther i. W., † 22. 3. 1951 ebda.

Stud. an der Handwerker- u. Kstgewerbesch. in Bielefeld, dann bei Zwintscher u. O. Gussmann an d. Dresdner Akad. 1913 Staatspreis Dresden. 1921 Rompreis d. Akad. Dresden. 1928 Dürerpreis. 1937 Beschlagnahme s. Arbeiten in öff. Besitz im Zuge der nationalsozialist. „Säuberungsaktion". Bei dem Luftangriff auf Dresden 1945 Verlust des größten Teils s. Lebenswerkes, Vernichtung aller Holzstöcke u. Radierplatten. Mitgl. der Berliner. Dresdner u. Westfäl. Sezessionen. Kollekt.-Ausst. Nov. 1927 im Ksthaus Karl Heumann, Hamburg (ill. Verz.). Gedächtn.-Ausst. Mai/Juni 1951 im Städt. Ksthaus in Bielefeld (Kat.). Bilder in: Stadtmus. Dresden (Der Rhein bei Linn); Mod. Gal. ebda (Trude u. Äpfel); Staatl. Lindenau-Mus. Altenburg/Thür. (Stilleben u. Arroder Bauer); Landesmus. der Prov. Westfalen in Münster (Der Säemann); Ruhmeshalle in Wuppertal-Barmen (Schneestern); Städt. Gem.-Gal. Nürnberg (Mutter d. Künstlers); Museen in Hamm i. W. (Tante Konig), Mühlheim a. d. Ruhr (Mutter d. Kstlers) u. Recklinghausen (Westfäl. Bauer). Als Graphiker hauptsächl. Radierer u. Lithogr. (Bauernköpfe). Bildnisköpfe in gebranntem Ton.

Lit.: Dreßler. — H. Becker, Das graph. Werk P. A. B.s, Bielefelder Kstverein, 1932. — Neue Blätter f. Kst u. Dichtung, 1 (1918/19) Abb. geg. p. 165, Abb. nach p. 170, geg. p. 252, 259. — D. Cicerone, 7 (1915) 447; 12 (1920) 14f.; 15 (1923) 763; 16 (1924) 90, 239, 468f. — Die Horen, 4 (1927/28) II p. 1033/42. — D. Kst, 78 (1937/38) Beibl. z. Dez.-H. p. 9. — bild. kunst, 3 (1949) 354. — Dtsche Kst u. Dekor., 52 (1923) 330 (Abb.), 331; 67 (1930/31) 104/10, m. Taf. u. 6 Abbn. — D. Kst u. d. schöne Heim, 50 (1952) Beil. p. 181. — D. Kstblatt, 1 (1917) 334 (Abb.). — Kstchronik, N. F. 32 (1920/21) 335; 34 (1922/23) 799. — Ill. Zeitung (J. J. Weber, Lpzg) Nr 4647 v. 5. 4. 1934, p. 408. — Velhagen & Klasings Monatsh., 43/II (1928/29) Taf.-Abb. geg. p. 24, 118. — Hellweg (Essen), 2 (1922) 933; 3 (1923) 358. — Häuslicher Ratgeber, Jg. 46 (1931/32) H. 32 p. 12f., m. Abbn. — Westfalenblatt, 7. 5. 1951, m. Abb.

Boedts, Jan, belg. Bildh., * 1904 Tongres.

Schüler der Akad. in Lüttich u. d. Akad. Julian in Paris. Hauptsächlich Porträtist.

Lit.: Seyn, I. — L'Art et la Vie (Gent), 1936 p. 207/09, m. 2 Abbn. — De Tijdspiegel, 3 (1948) 222/26.

Bögel, Oscar, dtsch. Maler u. Radierer, * 6. 3. 1871 Hamburg, ansässig ebda.

Lit.: Dreßler.

Bøgelund-Jensen, Thor, dän. Zeichner, Dekorationsmaler u. Plakatkstler, * 31. 7. 1890 Sorø, ansässig in Gjentofte.

Schüler von Julius Poulsen u. J. Skovgaard. Bereiste 1910/14 Deutschland, die Schweiz, Italien u. Spanien. Dekor. Malereien in der Absalon-Kirche in Kopenhagen, im Arena-Theater u. im Park-Theater ebda.

Lit.: Krak's Blaa Bog, 1936. — Vem är Vem i Norden, Stockh. 1941, p. 61.

Böhl, Wilhelmina, holl. Malerin u. Rad., * 7. 8. 1877 Wien, † 1. 4. 1934 Leiden.

Stud. bei Aarts u. Fr. Jansen an der Haager Akad.,

dann bei L. Simon u. R. Ménard in Paris. Bildnisse, Landschaften, Interieurs.

Lit.: Plasschaert. — Waay. — Waller.

Boehland, Johannes, Buch- u. Schriftkünstler, Gebrauchsgraphiker u. Exlibriskünstler (Prof.), ansässig in Berlin.

Leiter der Staatl. Porzellan-Manufaktur Meißen.

Lit.: Leo Hans Mally, Prag. Mit Zeichngn v. J. B., Prag 1943. — D. neue Schau, 3 (1942) 219/22, m. Abb. — Westermanns Monatsh., 87 (1942/43) 105/08, m. Abb.

Lit.: Eberh. Hoelscher, Der Graphiker J. B., Wien 1934. — Fritz Hellwag, J. B. (4. Bd d. Monogr. kstler. Schrift), Berlin o. J. [1938]. — Archiv f. Buchgew. u. Graphik, 75 (1938) 122/28. — Exlibris, 43 (1933) 37/41, m. Abbn. — D. Kunst, 81 (1939/40) 215/16, m. Abbn. — D. Kstwanderer, 1928–29, p. 280, m. Abb. — D. Kstwerk, 1 (1946/47) H. 4, p. 51. — Die zeitgemäße Schrift, H. 58 (Juli 1941) 11/13. — D. Weltkunst, 13 Nr 19 v. 14. 5. 1939 p. 2, m. Abb. — Kst-Rundschau, 49 (1941) 171.

Boehland, Richard, dtsch. Architektur-, Bildnis- u. Landschaftsmaler, * 28.9.1868 Berlin, † 1935 ebda.

Prof. an den Verein. Staatsschulen für freie u. angewandte Kunst in Charlottenburg. Gemälde im Kirchensaal des Schlosses Altenburg, Thür.; Wand- u. Deckengemälde im Landgericht in Halberstadt u. in der Städt. Oper in Charlottenburg. Lutherfenster in d. Apostel-Paulus-Kirche in Berlin-Schöneberg.

Lit.: Th.-B., 4 (1910). — Dreßler. — Die Kunst, 74 (1935/36), Beibl. zu H. 3, p. 10.

Boehle, Fritz, dtsch. Maler, Graph. u. Bildh., * 7. 2. 1873 Emmendingen i. B., † 20.10.1916 Frankfurt a. M.

Schüler von Hasselhorst am Städel in Frankfurt, 1892 von W. Diez in München. 1894/96 in München, seit 1897 in Frankfurt ansässig. Von den alten Meistern (Dürer, Cranach, Schongauer, Mantegna, Donatello) stark beeinflußter Romantiker. Kollekt.-Ausst. 1907/08 im Städel. Gedächtnis-Ausstellgn im Frankf. Kstverein Dez. 1916/Jan. 1917, im ehem. Wohnhaus des Künstlers in Frankf.-Sachsenhausen, Mai 1932 (Kat. m. Vorw. von Rud. Schrey) u. — anläßl. s. 80. Geb.-Tages — in Emmendingen 1953. — Seine schlicht-treuherzige, aufs Zeichnerische ausgerichtete u. Monumentalisierung anstrebende Kunst berührt sich in ihren besten graph. Leistungen mit Hans Thoma (Rad.: Der Dachdecker; Einsiedler mit Hirsch; Fuhrknecht u. Bauernmagd). Reich vertreten in der Gal. des Städel-Instituts. Weitere Bilder in der Nat.-Gal. Berlin (Bildnis des Baumeisters Spannagel; Lesender Mönch), im Schles. Mus. in Breslau (Selbstbildn.), in d. Städt. Gal. in Frankfurt (Bildn. d. Mutter d. Kstlers; Lanzenreiter u. a.), in d. Ksthalle in Karlsruhe (Selbstbildn.; Sexautal b. Emmendingen) u. in d. Ksthalle in Mannheim (Gärtnersfrau).

Lit.: Th.B., 4 (1910). — E. W. Bredt, F. B., ein dtsch. Maler u. Rad., Münch. 1938. — Fr. Stern, F. B. als Mensch u. Kstler, Frankf. a. M. 1918. — Weizsäcker-Dessoff. — R. Schrey, D. graph. Werk F. B.s 1892–1912. Beschr. Verz., Frankf. a. M. 1914; ders., F. B. Leben u. Schaffen e. dtsch. Kstlers, Frankf. a. M. 1925, m. Kat. d. graph. Arbeiten. — *Nachrufe:* D. Cicerone, 8 (1916) 446; D. Kunst, 35 (1916/17) 118ff., mit Fotobildnis; D. Christl. Kst, 13 (1916/17) 74; Kst u. Kstler, 15 (1917) 140; Kstchronik, N. F. 28 (1916/17) 35f.; Zentralbl. f. bild. Kst, 2 (1916) 16; Velhagen&Klasings Monatsh., Sept. 1916, p. 69/78. — Ekkhart, Jahrb. f. d. Badener Land, 17 (1936) 26/36, m. 9 Abbn u. Lit. — Deutsch. Wille, Jg 30/I, 2. Nov.-H. (1916) 161/65. — Deutschland, Jg 8/I (1917) 11/13. — Gartenlaube, 1917, p. 11/14. — Mein Heimatland, 4 (1917) 68/80. — Die Graph. Künste (Wien), 41 (1918) 49/54, m. Abbn. — D. Kunst, 39 (1918/19) 1ff., mit Abbn bis p. 40; 71 (1934/35) Taf.-Abb. nach p. 300, 303 (Abb.); 75 (1936/37) 33/41, m. 11 Abbn u. 2 Taf. — D. Christl. Kst, 32 (1935/36) 148f. — Dtsche Kst u. Dekor., 39 (1916/17) 219 (Abb.); 40 (1917) 3ff. — Oberrhein. Kst, 8 (1939) p. 202; 10 (1942) 202. — Kstchronik, N. F. 28 (1916/17) 226/29. — März, 10 (1916) H. 44, p. 96/98. — Volk u. Scholle, 12 (1934) 207/09. — Schau ins Land, 45 (1918) 35/38. — Zeitschr. f. bild. Kst, 58 (1924/25), Beibl. p. 13. — Frankf. Ztg (Reichsausg.) Nr 353/55 v. 13. 5. 1932.

Böhler, Hans, öst. Maler u. Zeichner, * 11.9.1884 Wien, ansässig ebda.

Autodidakt. 1911 Studienaufenthalte in China, Korea u. Japan. Hauptsächlich Porträts u. figürl. Kompositionen. Baut seine Bilder nach rein malerischen Gesichtspunkten auf.

Lit.: A. Roeßler, Der Maler H. B., Wien 1930. Besprechung in: Apollo (London), 12 (1930) 236. — Dreßler. — Dtsche Kst u. Dekor., 29 (1911/12) 438/44, m. Abbn; 41 (1917/18) 116 (Abb.); 61 (1927/28) 184/90, m. 7 Abbn; 64 (1929) 82, 86 (Abb.). — Öst. Kunst, 1931, H. 8, p. 24 (Abb.), 25/26, m. Abbn. — Profil, 3 (1935) 120f. — Kst ins Volk (Wien), 3 (1951) 380, 435/37, m. 3 Abbn.

Böhler, Otto, öst. Silhouettenkünstler (Dr.), † 1913 Wien.

Hauptsächlich Bildnissilhouetten: Rich. Wagner, Anton Bruckner; Aufführung der Götterdämmerung in Wien.

Lit.: Archiv f. Buchgew., 52 (1915) 8. — Bergland (Innsbruck), 15 (1933) Okt.-H. p. 25/30. — Die Bergstadt, II 5. — Donauland, 2 (1918) 69/73, m. Abb. — Kat. Rich.-Wagner-Ausst. Leipzig 1913, Nr 89, 90.

Böhlig, Rolf, dtsch. Landschaftsmaler, * 6. 4. 1904 Hamburg, ansässig ebda.

Lit.: Kat. d. 3. Dtsch. Kstausst., Dresden, 1953.

Boehm, Antal, ungar. Bildnismaler, ansässig in Szeged.

Lit.: Szendrei-Szentiványi. — Krücken-Parlagi.

Böhm, Dominikus dtsch. Architekt (Prof.), * 23.10.1880 Jettingen, Bay. Schwaben, ansässig in Köln. Vater des Gottfried.

Stud. bei Th. Fischer an der Techn. Hochsch. Stuttgart. Hauptlehrer an d. Techn. Staatslehranstalt in Offenbach a. M., seit 1926 Prof. an den Kölner Werkschulen (Leiter der Abteilung für Christl. Kunst). Ehrenmitgl. der Düsseld. Kunstakad. Hat sich bes. als Kirchenbaumeister einen Namen gemacht: Herz-Jesu-Kirche in Bremen-Neustadt; St. Engelbert in Essen; Heilig-Kreuz-K. in Bocholt; Kirche in Frielingsdorf im Bergischen Land; Kirche in Freihalden b. Jettingen; St. Joseph in Offenbach; Kath. Kirche u. Schwäb. Gedächtniskirche in Neu-Ulm; Dorfkirchen in Großwelzheim a. M., in Bischofsheim-Mainz u. in Dettingen; Bonifatiusk. in Frankfurt-Sachsenhausen; kath. Kirche in Köln-Riehl; Kirchen in Ringenberg b. Wesel, Hohenlind u. a. O.; ferner: Heilanstalt für Asthmakranke in Gladbach-Rheydt; Postsiedlung in Augsburg; Benediktinerkloster im Vaals, Holland; Priesterseminar in Limburg; Heimatmuseum in Telgte; Verwaltungsgeb. des Gesellenhauses in Köln. Charakteristisch für seine Kirchenbauten die schweren, wuchtigen Formen sowohl im Außen- wie im Innenbau (Herunterziehung der Gewölbe bis auf den Fußboden) u. ihr wehrhafter, monumentaler Charakter selbst bei kleinen räumlichen Ausmaßen.

Lit.: Dreßler. — Aug. Hoff, D. B., Prof. an den Kölner Werkschulen, Berl. 1930. — Klapheck, p. 7, 166, 167f., 169 (Abb.), 170f., 213 (Abb.). —

Platz. — Das Asthma-Krankenhaus in Gladbach-Rheydt. Geleitw. v. F. Schellmann, Köln-Bachem 1931. — D. Baumeister, 13 (1915); 25 (1927) 249ff., 257f., m. Abbn. — Neudtsche Bauzeitung, 9 (1913); 11 (1915); 12 (1916). — D. Cicerone, 11 (1919) 478f., m. 2 Abbn. — Kstgabe d. Ver. f. Christl. Kst. im Erzbist. Köln u. Aachen, 1939, p. 42f., 43 (Abb.). — D. Kunst, 63 (1930/31), Beibl. p. XLIX. — Die Kst u. d. Schöne Heim, 49. Jg., Heft 3 (Dez. 1950) p. 41, Personalia. — D. Christl. Kst, 22 (1925/26) 145, 259f. (Abbn), 274f. (Abb.), 345ff., m. Abbn; 24 (1927/28) 71 (Abb.), 257 (Abb.), 259 (Abb.), 258ff., 260/63 (Abb.), 294, 297, m. Abb., 298 (Abb.), 299 (Abb.), 301f., 308; 25 (1928/29) 279f., 335 (Abb.), 368f.; 26 (1929/30) 321/32, m. Abbn, 383f. — Dtsche Kst u. Dekor., 30 (1912) 134, 135 (Abbn); 47 (1920/21) 165/67. — Monatsh. f. Baukst u. Städtebau, 16 (1932) 1/6. — D. Münster, 1 (1947/48) 109, 190; 2 (1948/49) 168ff, 194, 196, m. 2 Abbn; 3 (1949/50) 294/99, m. 7 Abbn; 4 (1950/51) 43, 313, r. Sp. — D. Profanbau, 1914 p. 473/84. — Die neue Saat, 2 (1939) 10/15, m. Abbn. — Die Schildgenossen, 16 (1937) 131/34. — Westfalen, 26 (1941) 98. — Zentralbl. d. Bauverwaltg, 52 (1932) 229/36; 53 (1933) 25/33. — Kst u. Kirche, 9 (1932) 20.

Böhm, Emil, dtsch. Maler, * 4.9.1873 München, ansässig ebda.

Stud. an der Kstgewerbesch. u. Akad. München. Hochaltarbild (Kopie nach Rubens) im Dom zu Freising b. München.

Lit.: Dreßler.

Böhm, Ernst, dtsch. Maler u. Graph. (Prof.), * 6.3.1890 Berlin, ansässig ebda.

Stud. an d. Unterrichtsanstalt des Berl. Kstgewerbemus. 1913/37 Lehrer an den Verein. Staatsschulen für freie u. angewandte Kunst in Charlottenburg. Studienaufenthalte in Paris, Italien, Palästina u. Schweden. 1937 aus s. Lehramt entlassen wegen jüdischer Ehefrau. Seit 1945 Prof. (u. Dekan) der Hochsch. f. bild. Kst in Berlin-Wilmersdorf. Landschaften, Bildnisse, Figürliches, Blumenstücke. Als Graphiker hauptsächlich Buchschmuck, Buchumschläge u. Einbände, Entwürfe für Webemuster, Stoffe, Plakate, Holzschnitzereien u. Porzellan.

Lit.: Dreßler. — Wer ist Wer? 1948. — D. Bild, 5 (1935) 263 (Abb.), 264. — D. Kunst, 56 (1926/27) 216 (Abb.). — Velhagen & Klasings Monatsh., 62/I (1937/38) farb. Taf. geg. p. 56, 91. — Westermanns Monatshefte, 158 (1935) 82 (Abb.), 83f., 371; farb. Abb. 21 am Schluß d. Bd. — Sonntag (Berlin), Nr 26 v. 31. 12. 1946.

Böhm, Gottfried, dtsch. Bildhauer u. Entwurfzeichner für Glasmalerei, * 1920 Offenbach a. M., ansässig in Köln. Sohn des Dominikus.

Lit.: D. Münster, 2 (1948/49) 201, 204.

Böhm, Gustave, siehe *Bohm,* Gust.

Boehm, Karl, dtsch. Maler, * 28. 2. 1898 Hochkirch, ansässig in Coburg.

Lit.: Kat. d. 3. Dtsch. Kstausst., Dresden 1953.

Böhm, Viktor, mähr. Radierer u. Holzschneider, * 15.10.1880 Brünn, ansässig in Solalinden, Post Haar b. München.

Stud. an der Wiener Akad. u. bei H. v. Zügel in München. Studienaufenthalte in Skandinavien, Ungarn, Galizien u. Italien. Genre, Tiere, Landschaften.

Lit.: Dreßler. — D. Graph. Künste (Wien), 30 (1907) 106.

Böhme, Alfred, dtscher Bildnismaler, * 13.5.1881 Broschwitz b. Meißen, ansässig in Meißen.

Lit.: Dreßler.

Böhme, Friedrich, dtsch. Maler u. Graph., * 18. 7. 1878 Chemnitz, † 2. 6. 1946 Schneeberg/Erzgeb. Vater der Hilde B.-Burkhardt.

Dekorationsmalerlehrling, Handwerkersch. Chemnitz, Kstgewerbesch. Dresden (Donatini), Ausbildung als Zeichenlehrer daselbst. 1901 Preismed. vom Sächs. Ministerium. Naturalist, später in s. Aquarellen zum Impressionismus neigend. 1905/40 Zeichenlehrer a. d. staatl. Zeichenschule für Textilindustrie zu Schneeberg (spätere Barbara-Uttmann-Schule). Ölbild im Sitzungssaal des Rathauses zu Schneeberg. 2 Bilder im Stadtmus. Zwickau. *J.*

Böhme, Hans, dtsch. Architekt, * 8.9. 1879 Leipzig, ansässig ebda.

Stud. an der Techn. Hochsch. in Stuttgart. Silb. Med. d. Stadt Leipzig, Iba Leipzig 1913; gold. Med. Bugra Leipzig 1914.

Lit.: Dreßler. — D. Profanbau, 1913, p. 576, 579. — Neudtsche Bauzeitung, 9 (1913).

Boehme, Hazel Fetterley, amer. Maler u. Rad., * 6. 10. 1900 Minneapolis, Minn., ansässig in Los Angeles, Calif.

Schüler von Millard Sheets u. Fr. Zimmerer.

Lit.: Who's Who in Amer. Art, I: 1936/37. — Amer. Art Annual, 30 (1933).

Böhme, Hildegard, dtsche Malerin, * 27.5. 1907 Dresden, ansässig ebda.

Schülerin von Georg Oehme, dann der Dresdner Akad. unter Richard Müller, F. Dorsch u. M. Feldbauer.

Boehme, Karl, dtsch. Marinemaler, * 9.6. 1866 Hamburg, † 1939 (München ?).

1886/92 Schüler von Schönleber an der Karlsruher Akad. Lebte lange Zeit auf Capri. Studienaufenthalte auf Rügen, Bornholm, den Lofoten, in Biarritz u. in Lizard (Engld). In der Gem.-Gal. Baden-Baden: Brandung bei Capri. In der Gem.-Gal. Karlsruhe: Morgen auf Capri. Im Mus. Revoltella in Triest: Ansicht von den Lofoten (Kat. 1933 Abb. Taf. 40); in d. Ksthalle Mannheim: Am Golf von Gascogne. Ged.-Ausstellg 1941 in d. Gal. Zinckgraf in München.

Lit.: Th.-B., 4 (1910). — Dreßler. — D. Kunst, 85 (1941/42), Beibl. z. Jan.-H. p. 11f. — Velhagen & Klasings Monatsh., 52/II (1938), farb. Taf. geg. p. 312, 378. — D. Weltkst, 15 Nr 45/46 v. 9. 11. 1941, p. 3.

Böhme-Brauer, Wilhelm, dtsch. Maler u. Gebrauchsgraph., * 10.12.1875 Berlin, ansässig ebda.

Stud. an der Unterrichtsanstalt des Berl. Kstgewerbemus. u. an der Akad. ebda.

Lit.: Dreßler.

Böhme-Burkhardt, Hilde, dtsche Malerin (Öl u. Aquarell), Zeichnerin u. Buchkünstlerin, * 4.8.1915 Schneeberg im Erzgeb., ansässig ebda. Tochter des Friedrich Böhme.

Stud. an der Staatl. Zeichensch. in Schneeberg, dann bei A. Drescher an der Akad. f. angewandte Kunst in Dresden, bei G. W. Rößner an der Berliner Akad. u. bei Hoenich an der Prager Akad. Landschaften, Blumenstücke, Bildnisse, Akte. Sonderausstellg Febr./März 1946 im Stadt- u. Bergbau-Mus. in Freiberg i. Sa. (ill. Kat.).

Lit.: Kat. d. 2. Ausst. Erzgeb. Kstler i. Stadt- u. Bergbau-Mus. Freiberg Juli/Aug. 1947, m. Abb.

Böhmer, Gunter, dtsch. Maler u. Illustr., * 13.4.1911 Dresden, ansässig in Montagnola.

Schüler von Emil Orlik u. Hans Meid. Beeinflußt durch L. Corinth u. Slevogt, in Paris durch Corot u. Manet. Später unter dem Eindruck van Gogh's. Als Maler hauptsächl. Landschaften: Ansichten aus dem

Tessin, wo B. seit 1933 lebt. Illustrationen zu: Flaubert, Madame Bovary; Isolde Kurz, Die Liebenden und der Narr (Verlag R. Wunderlich, Tübingen 1935); G. d'Annunzio, Oleandro (Officina Bodoni, Verona 1936); Herm. Hesse, Hermann Lauscher (Verl. S. Fischer, Berlin); Geno Hartlaub, Die Entführung. Eine Geschichte aus Neapel (Verl. Frick, Wien 1944).

Lit.: Kst- u. Antiquitäten-Rundschau, 44 (1936) 269/74, m. 4 Abbn. — Das Werk (Zürich), 25 (1938) 65/67, m. Abbn bis p. 69. — D. Kstwerk, 2 (1948/49) H. 3/4, p. 4 (Abb.), 74; H. 5/6, Taf. 15; 5 (1951) H. 6, p. 42, 43, m. Abb. (Selbstportr.) u. 1 ganzseit. Abb.

Böhncke, Maria, geb. *Kelting,* holl. Malerin u. Rad., * 29. 10. 1886 Amsterdam, ansässig in Blaricum. Gattin des Folg.

Schülerin von Allebé u. D. B. Nanninga. Mitglied der „Onafhankelijken". Blumenstücke, Landschaften, Stilleben, Bildnisse.

Lit.: Plasschaert, p. 211. — Waay. — Waller, p. 172.

Böhncke, Petrus, holl. Bildhauer, * 7. 5. 1873 Amsterdam, zuletzt ansässig in Blaricum. Gatte der Vor.

Autodidakt. Kinderfig., Tiere. Mitglied der „Onafhankelijken".

Lit.: Waay.

Böhner, Christoph, dtsch. Maler, * 9. 1. 1881 Nürnberg, fiel am 5. 9. 1914 vor Nancy.

Stud. an der Nürnb. Kstgewerbesch., 1901/11 an der Münchner Akad., zuletzt in der Komponierklasse Mart. Feuersteins. Malte 1910/13 den Chor der Herz-Jesu-Kirche in Augsburg-Pfersee aus. 4 Altarbilder für die kath. Kirche in Rieden a. Kötz bei Ichenhausen; 5 Historienbilder für das Restaurant St. Leonhard in Augsburg.

Lit.: D. Christl. Kst, 11 (1914) 32.

Böhringer, Karl, s. Art. *Abel,* Adolf.

Böhringer, Margherita, dtsche Malerin. * 14. 6. 1906 Leipzig.

Musikstudium in Leipzig. Als Malerin Autodidaktin. Studienreisen nach Italien, Jugoslawien, Frankreich, Dänemark u. Holland. Ihre zarten, schwach konturierten Aquarelle sind stark im Ausdruck u. von lyrischer Verdichtung. „Ballongucker" im Bes. des Württ.-Bad. Ministeriums. Kollektivausst. 1951 im Foyer des Jungen Theaters in Stuttgart u. 1952 im Spendhaus in Reutlingen. *J.*

Böhringer, Volker, dtsch. Maler, * 7. 11. 1912 Eßlingen a. N.

Kurze Zeit Schüler von Spiegel an der Akad. in Stuttgart, im wesentlichen Autodidakt. Realist. Bilder u. a. im Bes. d. Staatl. Kunstsmlgn Dresden u. in d. Württ. Staatsgal. in Stuttgart.

Lit.: Baum, m. Abb. — D. Werk (Zürich), 1947, Nr 9; 1949, Juliheft.

Boeken, Albert, holl. Architekt, * 1. 3. 1891 Amsterdam, ansässig ebda.

Stud. an d. Techn. Hochsch. in Delft. 1919/26 in städt. Diensten in A'dam, seitdem selbständig. Bauten in A'dam: Telephonzentrale am Middenweg; Laboratorium für Elektro-Chemie an der Hoogte Kadijk; Stationsgeb. luchthaven Schiphol; Tennis- u. Ausstellungshalle „Apollo".

Lit.: Wie is dat?, 1935. — Mieras-Yerbury. — Brandes, Taf. 32.

Boekstal, Willem Frederik, holl. Maler, * 27. 11. 1887 Amsterdam, ansässig ebda.

Schüler der Akad. Antwerpen u. A'dam unter Steelink u. van der Waay. Landschaften, Stilleben, Bildnisse. Mitglied der „Onafhankelijken".

Lit.: Waay. — Verslagen 's Rijks Verzam. van Gesch. en Kunst, 1944/45 p. 57.

Bölcskey, Ferencz von, ungar. Landschaftsmaler, lebt im Ausland.

Stellt in Amsterdam, im Haag (Kunstsalon Kleykamp, 1931), in Rom (Gall. Giacomili, 1926) aus.

Lit.: Maandbl. v. beeld. Kunsten, 8 (1931) 87f., m. Abb. — Vita artistica, 1 (1926) 35, m. 2 Abbn, 140.

Bölke, Lore, dtsche Malerin, * 10. 10. 1911 Dresden, ansässig in Bischofswerda.

Schülerin von Henrik Moor u. C. O. Müller in München, dann der Dresdner Akad. Landschaften, Blumenstücke, Bildnisse.

Böll, Alois, dtsch. Architekt, * 26. 2. 1878 Köln, ansässig ebda.

Stud. an der Techn. Hochsch. Darmstadt. Assoziiert mit Otto Neuhaus (* 7. 5. 1880).

Lit.: [A.] B. u. [Otto] Neuhaus, Architekten. Mit Einl. von E. E. Berger [u. a.], Köln 1932, 25 Bl.

Bölsche, Rudolf, dtsch. Holzschneider, * 25. 10. 1904 Oelze (Kr. Schwarzburg-Rudolstadt), ansässig in Nürnberg.

Schüler von Schiestl in Nürnberg u. von Niemann u. Burmester an der Kasseler Akad. Studienaufenthalte in Frankreich u. Italien.

Lit.: Kat. Ausst. 150 J. Nürnberger Kst, Nürnbg 1942, p. 45.

Boendermarker, Cornelis, holl. Maler, * 27. 5. 1904 Amsterdam, ansässig ebda.

Schüler der Amsterd. Akad. und von Gestel, Colnot u. M. Wiegman. Stilleben, Landschaften u. Figürliches. Bilder in den Museen Alkmaar, Haag, Haarlem u. Vlissingen.

Lit.: Waay.

Böninger, Luise, dtsche Bildhauerin, * Düsseldorf, ansässig in Karlsruhe.

Stud. 1904ff. bei Böcklin in Zürich, 1907/11 an der keramischen Fachklasse der Karlsruher Kstgewerbesch., 1915/17 bei Schreyögg in Karlsruhe. Studienköpfe, Akte. Koll.-Ausst. bei Flechtheim in Düsseldorf Okt/Nov. 1920 (ill. Kat.).

Bönninghausen, Hans, dtsch. Maler u. Holzschneider, * 17. 6. 1906 Dortmund, ansässig in Leipzig.

Stud. an der Akad. in Stuttgart.

Boer, Gerard J. de, holl. Maler, * 28. 11. 1874 Amsterdam.

Stud. an der Quellinusschule. Figuren in Landschaft.

Lit.: Plasschaert. — Waay. — Holland Express, 9 (1916) 244/45.

Boer, H. de, holl. Maler, * 12. 7. 1880 Amsterdam, ansässig ebda.

Stud. an der Amsterd. Akad. Tätig in der Schweiz, 1908 in Italien, 1910 in Haarlem, später in A'dam.

Lit: Plasschaert. — Waay.

Boer, Hendrik de, holl. Radierer u. Zeichner, * 15. 1. 1888 Hoorn, ansässig im Haag.

Lit.: Waller.

Boer, J. den, holl. Maler, * 19. 11. 1877 Middelburg.

Schüler von W. Schütz. Malt Bauernhäuser auf Walcheren.

Lit.: Plasschaert. — Waay.

Boer, Jan de, holl. Maler, * 3. 10. 1877 Harlingen, ansässig in Amsterdam.

Im wesentlichen Autodidakt. Landschaften, Figurenbilder, Bildnisse.

Lit.: Plasschaert. — Waay. — Waller.

Börén, John, schwed. Landschafts-, Still-

leben- u. Interieurmaler, * 1903 Malmö, ansässig in Hököpinge, Schonen.
Lit.: Thomœus.

Boeres, Franz, dtsch. Bildhauer, * 4.9. 1872 Seligenstadt (Hessen), ansässig in Stuttgart.
Stud. 5 J. an d. Zeichenakad. in Hanau (M. Wiese). Seit 1892 in Stuttgart.
Lit.: Dreßler. — Mitteil. d. Kstlers.

Boerewaard, Isidor (Door), belg. Marinemaler, * 1893 Termonde.
Lit.: Seyn, I. — W. Doevenspeck, D. B., (Kstenaars v. heden), Antw. 1943.

Börje, Gideon, schwed. Maler, * 21. 2. 1891 Stockholm, ansässig ebda.
Stud. an der Techn. Schule in Stockholm, weitergebildet selbständig. 1921/24 Studienaufenthalte in Paris, Italien u. Tunis. 1928 mit dem Lindahl-Stipendium in Südfrankreich. Impressionist. — Landschaften, Stilleben, Figürliches, Bildnisse. Bilder u. a. im Nat.-Mus. in Stockholm, in den Museen Göteborg u. Malmö, in der Nat.-Gal. in Oslo u. im Statens Mus. for Kunst in Kopenhagen. Eine Sommerlandschaft in der Smlg Thorsten Laurin in Stockholm (Taf. 24 im Kat. Hoppe, 1936). Koll.-Ausst. in d. Akad. in Stockholm 1934.
Lit.: Vem är det?, 1935. — Thomœus. — Bror Hjorth, G. B. (Bonniers konstböcker), Stockholm 1937. — Roh. — Thiis, 22. — Konstrevy, 3 (1927) H. 1 p. 14 (Abb.), H. 4, p. 16, H. 5 p. 16 (Abb.); 6 (1930) 72f., m. Abb., 178; 8 (1932) 208 (Abb.); 9 (1333) 114; 10 (1934) 55/58, m. Abbn; 11 (1935) 191 (Abb.); 12 (1936) 118 (Abb.); 13 (1937) 70 u. Spezial-Nr, p. 39 (Abb.); 14 (1938) 111, m. Abb.; 15 (1939) 57 (Abb). — Kunst u. Künstler, 33 (1924/25) 386 (Abb.), 300. — Ord och Bild, 49 (1940) Taf.-Abb. vor p. 241. — Vem är Vem i Norden, 1941 p. 1015. — Nat.-Mus. Stockh. [Bilderbuch], 1948 p. 134.

Börjeson, Börje, schwed. Porträtbildhauer, * 1881 Stockholm, ansässig in Stureby. Bruder des Gunnar.
Sohn des Bildh. John B. (1835–1910).
Lit.: Thomœus. — Konst och Konstnäret, 1910, p. 101 (Abb.), 102.

Börjeson, Bror, schwed. Porträtmaler (Öl, Aquar., Tempera), * 1903 Stockholm, ansässig ebda.
Stud. an der Akad. in Stockholm. Bild im Mus. in Örebro.
Lit.: Thomœus.

Börjeson, Gunnar, schwed. Landschafts-, Bildnis- u. Interieurmaler, * 4. 8. 1877 auf dem Hof Nielstrup (Dänemark), † 1945 Bornholm. Bruder des Börje.
Sohn des Bildh. John B. Stud. 1898/1903 an der Akad. in Stockholm. — Seine Schwester *Lena*, ansässig in Stockholm, ist Kleinplastikerin.
Lit: Thomœus. — Arktos, 1 (1908/09) 276 (Abb.). — Konst och Konstnärer, 4 (1913) 7 (Abb.: Bildnis d. Vaters d. Künstlers).

Börjesson, Birger, schwed. Landschaftsmaler, * 1903 Hanhals (Halland), ansässig ebda.
Stud. an der Malsch. Valand in Göteborg u. in Paris.
Lit.: Thomœus.

Boermeester, Louis, holl. Figurenmaler u. Entwurfzeichner für Glasmalerei u. Mosaik, * 12. 1. 1908 Amsterdam, ansässig ebda.
Schüler der Amsterd. Akad. unter Roland Holst u. Campendonck.
Lit.: Waay.

Börner, Fritz, dtsch. Maler, * 1921 Brandis b. Leipzig.
Nach praktischer Lehre des Malerhandwerks Schüler der Kstgewerbeschule in Graz bei Silberbauer, dann der Hochsch. für bild. Kste in Berlin bei M. Pechstein.

Börner, Paul (Emil P.), dtsch. Maler, Porzellanmodelleur, Plakettenkünstler u. Medailleur (Prof.), * 12. 2. 1888 Meißen, ansässig in Dresden.
Schüler von Richard Müller u. Zwintscher an der Akad. in Dresden, von Sascha Schneider in Florenz. Seit 1925 Leiter eines Meisterateliers an der Staatl. Porzellanmanufaktur in Meißen. Seit 1930 Direktor der künstler. Abteilungen Malerei u. Plastik ebda. Seit 1937 Prof. an d. Staatl. Akad. für Kunstgewerbe in Dresden, seit 1942 an der Staatl. Ksthochschule ebda. Fresken im Krematorium in Meißen. Glasgemälde in der Kirche in Kreischa. Porzellanplastik (Odaliske) im Kstgewerbemus. in Stuttgart. Wandschale im Mus. in Magdeburg. Münzen, Medaillen u. Plaketten in Böttgersteinzeug. Modelle (Figürliches u. Kstgewerbliches) für die Manufaktur Meißen. Ausstattung der Kriegergedächtniskirche in Meißen.
Lit.: Dreßler. — Bericht Staatl. Porz.-Manuf. Meißen, 1914, p. 15, 18. — Das Bild, 1936, p. 214, 216 (Abbn). — Blätter für Münzfreunde, 55 (1920) 49, 68. — D. Cicerone, 18 (1926) 77. — D. Kunst, 28 (1912/13) 468ff. (Abbn), 475, 478 (Abb.); 72 (1934/35) 234 (Abb.), 235. — Dtsche Kst u. Dekor., 30 (1912) 272; 52 (1923) 286f. Abbn; 53 (1923/24) 230 (Abbn); 58 (1926) 136ff., m. Abb.; 60 (1927) 339 (Abb.); 64 (1929) 235, m. Abb., 236/40 (Tafeln); 66 (1930) 396/98 (Abbn); 68 (1931) 127/31 (Abbn), 324, 325 (Abbn). — D. Kstwanderer, 1924/25, p. 355; 1927/28, p. 472. — D. Kstwelt, 1. Jg, Bd III, p. 803 (Abb.), 805. — Kstgewerbeblatt, N. F. 26 (1915) 157. — Velhagen & Klasings Monatsh., 46/I (1931/32) 430 (Abb.). — Sachsenblätter, 2 (1922) 148.

Börnig, Stephanie, dtsche Malerin, * 13.10.1894 Leipzig, ansässig in Markranstädt.
Bildnisse, Tierstücke, Landschaften (Öl u. Kohlezeichng).

Boers, Frans, holl. Maler u. Kunstkritiker, * 29. 5. 1904 Amsterdam, ansässig ebda. Bruder des Willy.
Surrealist. Mitglied der „Onafhankelijken".
Lit.: Anthony Bosman, F. B.-Willy Boers, A'dam 1948 (31 schwarz-weiß u. 2 farb. Abbn u. 31 S.). — Bénézit, [2] I. — Waller. — die constghesellen, 3 (1948) 442f., 445, m. Abb. — Kroniek van Kunst en Kultuur, 8 (1947) 353/54, m. Abb. — Waay.

Boers, Willy, holl. Maler u. Bilderrestaurator, * 13. 10. 1905 Amsterdam, ansässig ebda. Bruder des Frans.
Autodidakt. Anhänger der abstrakten Richtung, Stadtansichten, Stilleben, Bildnisse. Mitglied der „Brug", der „Onafhankelijken" u. des „Haagsche Kunstkring".
Lit.: s. vor. Artikel. — Kst-Chronik, 5 (1952) 132.

Börsig, Rudolf, dtsch. Bildnis- u. Landschaftsmaler u. Gebrauchsgraphiker, * 27. 6. 1896 Dobrilugk, ansässig in Darmstadt.
Stud. an der Kstgewerbesch. Darmstadt. Künstler. Leiter der Kunstanstalt Wirtz ebda.
Lit.: Dreßler.

Börtin, Gösta, schwed. Figuren- u. Landschaftszeichner, * 1894 Gamleby, Småland.
Stud. in München. — Seine Schwester Inge, * 1898 Gamleby, ansässig in Borås, ist Landschafts- u. Stillebenmalerin. Stud. in Frankreich. Bild im Mus. in Borås.
Lit.: Thomœus.

Börtner, Gustaf, schwed. Landschaftsmaler, * 1905 Stockholm, ansässig in Göteborg.
Stud. in Kopenhagen u. bei I. Grünewald. Bilder in den Museen in Bollnäs u. Kristianstad.
Lit.: Thomœus.

Börtsök, Samu, ungar. Maler, * 15. 3. 1881 Tápió-Szelé (Kom. Pest-Pilis-Solt-Kiskunmegy), ansässig in Budapest.
Stud. 1902/07 in Nagybánya bei K. Ferenczy, B. Iványi-Grünwald u. J. Thorma. 1907 in München, Wien, Paris. Bild: Verschneiter Heuschober, in der N. Ungar. Gal. in Budapest.
Lit.: Szendrei-Szentiványi.

Börtz, Sigvard, schwed. Bildnis-, Landschafts-, Blumen- u. Stillebenmaler u. Graphiker, * 1904 Norra Mellby, Schonen, ansässig in Osby, Schonen.
Schüler von C. Wilhelmson u. der Akad. Stockholm.
Lit.: Thomœus.

Boës, Siegfried, franz. Goldschmied u. Schmuckkünstler, * 2. 3. 1901 Paris, ansässig ebda.
Mitglied der Soc. d. Art. Décorateurs.
Lit.: Joseph, I. — Bénézit, [2] I (1948). — L'Amour de l'Art, 1928 p. 136, m. 3 Abbn.

Bösch, Karl, dtsch. Bildnis- u. Landschaftsmaler, Radierer u. Gebrauchsgraph., * 6. 6. 1883 Bremerhaven, ansässig in Wittmund, Ostfriesland.
Stud. an der Akad. in Düsseldorf u. an den Fachschulen in München u. Siegen.
Lit.: Dreßler.

Boesch, Paul, schweiz. Maler, Bildhauer u. Graph., * Toggenburg, Freiburg i. Ü., ansässig in Zürich. Autodidakt.
Lit.: Das Werk, 21 (1934) 378. — Exlibris, 26 (1916) 184, 185, m. Abb. — Kat. Mai-Ausst. Ksthaus Zürich 1913 p. 10, 15.

Boeschenstein, Hugo, schweiz. Holzschneider, ansässig in Stein a. Rhein.
Mappenwerke: Stein am Rhein (10 Holzschn.), mit Text von Ludw. Finckh, Wangen a. Bodensee 1923; Die Halbinsel Höri (12 Holzschn.), m. Text von L. Finckh, Wangen 1928; Schaffhausen (10 Holzschn.), m. Text von L. Finckh, Wangen 1929; Uferwärts, 12 kl. Holzschn. vom Untersee, m. Text von Elga Kern, Wangen 1928.
Lit.: Dreßler. — D. Graph. Kabinett (Winterthur), 11 (1926) 48, 99. — Jahrb. f. Kst u. Kstpflege in d. Schweiz, 5: 1928/29, p. 449.

Boese, Gustav, dtsch. Bildnis- u. Landschaftsmaler, * 19. 5. 1878 Schwerin a. d. W., ansässig in Berlin.
Stud. an der Berl. Kstgewerbesch.
Lit.: Dreßler. — D. Bild, 4 (1934) 360, 362f. (3 Abbn).

Bösel, Heinz, dtsch. Aquarellmaler, Zeichner u. Lithogr., * 23. 9. 1913 Leipzig, ansässig ebda.
Schüler von Bruno Héroux. Studienaufenthalte in Rußland, Frankreich u. Italien.

Bösken, Lorenz, dtsch. Architektur-, Landschafts- u. Bildnismaler, * 31. 3. 1891 Geldern, ansässig in Düsseldorf.
Stud. an der Kstgewerbesch. Krefeld, 1907/18 an d. Akad. in Düsseldorf. Studienaufenthalte in Rom, Paris, Florenz, München. 6 Wandgemälde für das Kurhaus in Bad Kissingen; Wandbild für den Sitzungssaal des Rathauses in Essen-Stoppenberg. Schneelandschaft in den Städt. Kstsmlgn in Düsseldorf.
Lit.: Dreßler. — Hellweg (Essen), 2 (1922) 84f., m. Abb. — Velhagen & Klasings Monatsh., 39/II (1924/25) p. 145/60, m. farb. Abbn; 42/II (1927/28), farb. Taf. geg. p. 488, 570.

Boeß, Berthold, dtsch. Bildhauer, * 9. 11. 1877 Karlsruhe, ansässig in Weimar.
Stud. 1893/96 an d. Kstgewerbesch. in Karlsruhe, 1900/01 bei Dietsche ebda. Seit 1913 in Weimar ansässig. Denkmäler auf dem Ehrenfriedhof in Weimar; auf Schloß Cartlow i. P., in Stolp auf Usedom, in Stecklin u. Selchow i. P., in Teplitz u. in Komotau in Böhmen. Löwenbrunnen am Graben in Weimar; Köpfe am Arbeitsamt ebda.
Lit.: Dreßler. — Askan Schmitt, Weimar von A bis Z, Weim. 1932.

Boessenecker, J. Henri, amer. Wandmaler, * 14. 10. 1883 New York, ansässig ebda.
Schüler von Robert Blum, der Akad. in München u. von Claude Monet in Paris.
Lit.: Who's Who in Amer. Art, I: 1936/37.

Bössenroth, Carl, dtsch. Marine- u. Landschaftsmaler, * 6. 2. 1862 Berlin, † 26. 9. 1935 ebda.
Schüler von Bracht u. der Münchner Akad. Etwa 30 Jahre in Dachau b. München, seit 1918 in Berlin ansässig. Während des 1. Weltkrieges als Kriegsmarinemaler in Kiel.
Lit.: Th.-B., 4 (1910) irrig: * 1869. — Dreßler (irrig: * 1863). — D. Kunst, 74 (1935/36), Beibl. zu H. 2 p. 11 (Nekrol.).

Bössenroth, Otto, dtsch. Bildnis- u. Figurenmaler, * 4. 1. 1897 Berlin, ansässig in Frankfurt a. M.
Stud. am Städel-Institut in Frankfurt u. an der Kstschule in Weimar.
Lit.: Dreßler.

Bœswillwald, Emile, franz. Genre-, Bildnis- u. Stillebenmaler, * 2. 2. 1873 Paris, † 1935 ebda.
Schüler von Bonnat. Mitglied der Soc. d. Art. Franç. (Salon-Kat. z. T. m. Abbn).
Lit.: Joseph, I. — Qui Etes-Vous?, 1924. — Bénézit, [2] I (1948).

Bötel, Fritz, dtsch. Maler u. Graph., * 21. 7. 1896 Celle, ansässig ebda.
Stud. an der Akad. in Kassel.
Lit.: Dreßler.

Boëthius, Lars, schwed. Landschafts-, Stilleben- u. Interieurmaler, * 1903 Stockholm, ansässig ebda.
Stud. an Althins Malschule u. an der Akad. in Stockholm, weitergebildet in Paris. Bilder im Nat.-Mus. in Stockholm u. in den Museen in Göteborg, Malmö u. Ystad.
Lit.: Thomœus. — Konstrevy, 1928, p. 14 (Abb.), 22, 128f., m. Abbn; 1929, p. 198, 202; 1933, p. 41, m. Abb.

Bötjer, Sophie, dtsche Stilleben- u. Landschaftsmalerin u. Textilkünstlerin, * 11.7. 1887 Worpswede, ansässig ebda.

Schülerin von Thiersch an d. Kstgewerbesch. in Halle.

Lit.: Dreßler.

Böttcher, Curt, dtsch. Maler, * 27. 10. 1886 Chemnitz, ansässig ebda.

Autodidakt, später Privatstudium bei E. Bracht u. Rich. Müller in Dresden. Bevorzugt Landschaftsmotive der erzgebirg. Heimat. Wandlung im Schaffen vom Impressionismus zum Realismus. Arbeiten in den Städt. Kstsmlgn Chemnitz, im dort. Schulamt, i. Bes. des Kulturausschusses der Stadt Chemnitz u. der Hotelgesellsch. in Chemnitz. *J.*

Böttcher, Hans, dtsch. Maler u. Holzschneider, ansässig in Berlin.

Expressionist. Landschaften, Stilleben. Studienaufenthalt in Brasilien. Koll.-Ausst. in d. Gal. Cares in Berlin Nov. 1947.

Lit.: Dreßler. — Für Dich (Berlin), Nr 10 v. 20. 10. 1946 (Abb.). — Berlin am Mittag, Nr v. 5. 6. 1947 (Abb.).

Böttcher, Helge, schwed. Figuren- u. Interieurmaler, * 1907 Landskrona, ansässig ebda.

Autodidakt, bildete sich besonders in Dänemark. Hauptsächl. bibl. Stoffe.

Lit.: Thomæus.

Boettcher-Achenbach, Hedwig, dtsche Bildnis-, Genre- u. Landschaftsmalerin, * Oberholzklau, Kr. Siegen, ansässig in Berlin.

Lit.: Dreßler.

Böttger, Herbert, dtsch. Bildnis-, Figuren- u. Landschaftsmaler, * 8.8.1898 Krefeld, ansässig in Büderich b. Neuss.

Stud. an der Kstgewerbesch. in Krefeld, dann an der Akad. in Düsseldorf, längere Zeit dort ansässig. Bilder in den Städt. Kstsmlgn in Düsseldorf (Getreidefeld bei Gewitter), in d. Dionysiusk. in Krefeld (Madonna) u. in d. ehem. Smlg Kröller-Müller im Haag (Eisenbahnbrücke).

Lit.: Dreßler. — D. Kunst u. d. Schöne Heim, 49. Jg. (1950/51) p. 92f., m. 4 Abbn (dar. Selbstbildn.). — D. Völk. Kst, 1 (1935) 154 (Abb.). — Zeitschr. f. Kunst, 3 (1949) 279 (Abb.), 286. — Kat. Ausst. Kst d. Ruhrmark, Mauritshuis Haag, 1942, m. Abb.

Böttger, Rudolf, sudetendtsch. Maler, * 4.7.1887 Tachau, Egerland, ansässig in Wien.

1905/10 Schüler von Rumpler an d. Wiener Akad. (Spezialsch. f. Historienmal.), dann bei C. v. Marr an d. Münchner Akad. Frühjahr 1911 zurück nach Wien. Seitdem fast alljährlich bis 1923 (mit Ausnahme der Kriegsjahre) sommers in Unterberg bei Steinach-Irdning tätig. 1914 als Kriegsfreiwilliger an die russ. Front, März 1918 ins Kriegspressequartier kommandiert (Reisen mit O. Laske in die Ukraine u. nach der Krim). Erste Koll.-Ausst. Herbst 1919 im Kstlerhaus in Wien. Landschaften mit Figuren, Interieurs, Akte in Landschaft, Bildnisse, figürl. Kompositionen. In den Städt. Smlgn in Wien: Bildn. des Dichters Jos. Wenter.

Lit.: Dreßler. — [H. Ankwicz-Kleehoven,] R. B. (Eckart-Kstbücher), Wien o. J., m. 16 (meist farb.) Abbn. — Der getreue Eckart (Wien), 4/I (1926/27) 17/32, m. 15 [10 farb.] Abbn u. farb. Taf.; 13/II (1935/36) Abb. vor p. 697, 715/18 (Abbn); 14/I (1936) 11/16; 16 (1938/39) farb. Abb. vor p. 9. — Dtsche Heimat (Plan b. Marienbad), 5 (1929) Taf. geg. p. 346; 6 (1930) Taf. geg. p. 431, 446, Text p. 449/54. — Öst. Kst, 1 (1929/30) H. 6 p. 28 (Abb.); 13 (932) H. 6 p. 5, 6 (Abb.); 4 (1933) H. 1 p. 6 (Abb.). — Velhagen & Klasings Monatsh., 51/II (1937) farb. Taf. geg. p. 476, 491f.; 53/II (1938/39) farb. Taf. geg. p. 289, 377. — Kat. Ausst. „Das schöne Wiener Frauenbild“, Schloßmus. Breslau 1942, m. Abb.; Jubil.-Ausst. Kstlerhaus Wien Nov. 1941/Febr. 1942, p. 36, Abb.-Anh. p. 38. — Teichl.

Bötticher, Annie, dtsche Bildnis- u. Landschaftsmalerin, * Berlin, ansässig ebda.

Schülerin von Skarbina, Stahl u. Lepsius.

Lit.: Dreßler.

Bötticher, Hans, s. *Ringelnatz,* Joachim.

Bötticher, Johann Hermann, dtsch. Landsch.- u. Blumenmaler, * 23.4.1892 Magdeburg, fiel am 23.9.1915 in Rußland.

Stud. in München u bei H. v. Hayek in Dachau b. München. Kollekt.-Ausst., veranst. vom Dürerbund, Osnabrück April 1916 (Kat.).

Bötticher, Walter, dtsch. Maler, Holz- u. Linolschneider, * 1885 Hagen i.W., fiel im Sept. 1916 bei den Kämpfen an der Somme.

Stud. an d. Kstsch. in Weimar u. an d. Debschitz-Schule in München.

Schüler von Chr. Rohlfs, gefördert von Nolde. Expressionist. Preis im Essener Wettbewerb 1913 mit dem Holzschnitt: Der Flötenspieler. Kollektivausst. im Folkwang-Mus. in Essen 1911 u. 1912. Gedächtnisausstellgn. im Frankfurter Kstverein 1919, und 1952 im Karl-Ernst-Osthaus-Museum in Hagen i. W. 8 Bilder: König David, Kuhweide, Landschaft bei Hagen, Landsch. bei Ratzeburg, Selbstbildnis (1914), Stilleben, Waldburg, Dickicht, im Folkwang-Mus. in Essen. Holzschnitt-Folge: Genesis (6 Bll.), Horen-Verlag, Worpswede-Charlottenburg 1913.

Lit.: Wedderkop, p. 9, 20f., 85ff. (Abbn). — D. Cicerone, 3 (1911) 970; 4 (1912) 937; 5 (1913) 693; 8 (1916) 414; 11 (1919) 464; 12 (1920) 104. — D. Kstblatt, 1919, p. 220. — Kstchronik, N. F. 23 (1911/12) 361. — Dtsche Monatsh., 1913, Abb. geg. p. 279, 282. — Zentralbl. d. bild. Kst, 2 (1916) 3.

Boettinger, Hugo (Pseudonym als Zeichner u. Karikaturist: Dr. Desiderius), tschech. Maler u. Graphiker, * 30. 4. 1880 Pilsen, † 9. 12. 1934 Prag.

Stud. 1895/98 an der Kstgewerbesch. (E. K. Liška, F. Jenewein), 1899 an der Prager Akad. (M. Pirner). 1903/06 Studienaufenthalte in Frankreich, Italien, Holland, Belgien u. England. Ansässig in Prag, Mitglied der Kstlervereinigung „Mánes“, des Graphikervereins „Hollar“ u. der tschech. Akad. der Wiss. u. Künste. Bedeutender Kolorist. Realistische Bildnisse (T. G. Masaryk, Graf Lützow, Violinist Ondříček, Komponisten J. Suk u. V. Novák, Gruppenbild des „Tschechischen Quartetts“) und poetisch aufgefaßte Figurenkompositionen mit jugendl. Gestalten in Tanzbewegung (Die Hesperiden, Badende Mädchen, Jugend, usw.). In der Prager Nat.-Gal.: Der Sommertag, Gattin des Künstlers, Maler František Šimon u. a. Als Zeichner u. Graphiker bekannt durch seine Bewegungsstudien (Folgen: Zu den Dalcroze-Schulfesten, 18 Orig. Lith.; Amor u. Psyche, 19 Lith., 1922, usw.) und bes. durch seine Karikaturen von Persönlichkeiten der tschech. Öffentlichkeit (Karikaturen aus Parlaments-Versammlungen, aus den Sitzungen der Akad. u. der Kstlervereinigung „Mánes“). Einige Folgen seiner Zeichnungen als Mappen publiziert: Grotesky, Prag 1924; Včera a dnes, Veselé kresby, Prag 1934; Lidé a lidičky, Prag 1941. — Sonderausst. Prag 1912 (Mánes), Graphik: 1919, 1923, 1926, 1929, 1936, 1939, sämtlich in der Graphikervereinig. „Hollar“.

Lit.: J. Čadík, H. B. (Coll. „Galerie“), Prag 1936. — A. Friedl, H. B., Coll. Prameny, Bd 43, Prag

1940. — Die Kunst, 35 (1917) 60 (m. Abb.), 70. — Hollar (Prag), 4 (1926/27) 145f., m. Abbn; 6 (1928/29) 45f., m. Abbn. — Umění (Prag), 6 (1933) 451f.; 8 (1935) 269f., m. Abbn; 17 (1941). — Dějepis výtv. umění v Českoslov. (Sfinx), Prag 1935, p. 294. — Kat. d. Ausst.: Sto let českého umění 1830–1930, S. V. U. Mánes, Prag 1930. — J. Pavel, Dějiny našeho umění, Prag 1947, p. 308. — Toman, I 72. *Blž.*

Boetto, Giulio, piemont. Maler u. Karikaturenzeichner, * 13. 2. 1894 Turin, ansässig ebda.

Schüler der Turiner Akad. Hauptsächlich Landschafter u. Tiermaler. 1923 Gold. Med.

Lit.: Comanducci. — Emporium, 80 (1934) 119 (Abb.). — The Studio, 90 (1925) 266, m. Abb.; 94 (1927) 94 (Abb.).

Boevé, Gesina, holl. Lithographin, Aquar.- u. Pastellmalerin, * 1. 12. 1881 Rotterdam, ansässig ebda.

Stud. bei Nachtweh, Buisman, Le Comte, Luns, van Maasdijk u. Oldewelt an d. Rotterd. Akad. Kollektivausstellgn 1926 in „De Sirkel" im Haag, 1930 bei Van Hasselt in Rotterdam.

Lit.: Waller. — Maandbl. v. beeld. Kunsten, 3 (1926) 310f., m. Abb.; 7 (1930) 27/28, m. Abb.

Boever, Jean François de, belg. Figurenmaler, * 1872 Gent.

Schüler von L. Tytgadt. Prof. an d. Genter Akad. Im dort. Mus.: La Virago, u. 1 Aquar. (Vierge des Ténèbres).

Lit.: Seyn, I 206. — Gand XXe siècle, 1914 p. 12f., m. Abb.

Bøyesen, Peter Rostrup, dän. Maler, * 16. 1. 1882 Varde, ansässig in Kopenhagen.

Stud. 1900/01 an der Akad. in Kopenhagen, 1901 –04 an der Zahrtmann-Schule ebda. Stellt seit 1906 auf Christiansborg aus. 1910/19 Assistent an der Malschule der Akad. Hauptsächlich Figürliches u. Ansichten aus d. Armenviertel Kopenhagens. Bilder im Statens Mus. in Kopenhagen (2 Landschaften aus Nørrebro), im Nat.-Mus. in Helsinki u. in den Museen in Aarhus (Frühlingstag), Faaborg (Polakenjunge mit Krug; 2 Polakenmädchen), Göteborg u. Randers.

Lit.: Thiis, p. 37. — Krak's Blaa Bog, 1936. — Vem är Vem i Norden, Stockh. 1941, p. 63.

Boeyinga, Berend Tobia, holl. Architekt, * 27. 3. 1886 Noordscharwoude, lebt in Amsterdam.

Schüler von Berlage, Bazel u. Kromhout. Praktische Tätigkeit bei Ed. Cuypers, u. M. de Klerk. 1921/26 im städt. Wohnungsdienst in Amsterdam. Kirchen u. a. in Rotterdam, Bergen op Zoom, Almelo, Bergen, N. H., u. Wageningen. — Buchwerk: Kerkbouw voor den Protest. Eeredienst.

Lit.: Wie is dat?, 1935. — Persoonlijkheden, m. Fotobildn.

Bofa, Gus, eigentlich *Gust. Blanchot,* franz. humorist. Zeichner, Holzschneider, Rad. u. Buchillustrator, * Paris, ansässig ebda.

Mitgründer des „Salon de l'Araignée" (1920). Alben: Les Toubibs; La Guerre de Cent Ans. Illustr. u. a. zu: Swift, Conseils aux domestiques, 1921; R. L. Stevenson, L'Ile au trésor, 1922; J. de Lafontaine, Fables; Raym. Hesse, Riquet à la Houppe, 1925; H. Béraud, Le Martyre de l'Obèse; Cervantes, Don Quichotte (éd. Kra, 4 Bde), 1926.

Lit.: Joseph, I. — P. Mac Orlan, G. B., Paris 1930. — Bénézit, [2] I (1948). — Revue de l'Art anc. et mod., 42 (1922) 312, m. Abb. — Apollo (London), 3 (1926) 349. — L'Amour de l'Art, 1931 p. 75/77, m. 6 Abbn. — Byblis, 1931 p. 87/92, m. 2 Taf. — Arts et Métiers graph., 1933 Nr 38 p. 13/20, m. 2 Taf. u. 16 Abbn (Liste der von B. illustr. Werke).

Boffa, Ballaran Corinto, piemont. Landschafts-, Architektur- u. Dekorationsmaler, * 5. 5. 1895 Tavigliano, ansässig in Biella.

Lit.: Comanducci.

Boffa, Tarlatta Luigi, ital. Genre-, Bildnis- u. Landschaftsmaler, * 14. 7. 1889 Rialmosso (Vercelli), ansässig in Turin.

Schüler von P. Gaidano u. Giac. Rosso an d. Akad. in Turin, später Lehrer für Bühnenbildnerei an derselben. Gold. Med. Florenz 1919 (Bildnis d. Mutter d. Kstlers). Dekorat. Malereien in der Aula des Parlamentsgebäudes in Lima, Peru, u. im Dom zu Monticelli.

Lit.: Comanducci, m. Abb.

Boffard, Madeleine, franz. Interieurmalerin, * Morestel (Isère), ansässig in Lyon.

Schülerin von P. Bonnaud. Stellt seit 1929 im Salon der Soc. d. Art. Franç. in Paris aus.

Lit.: Joseph, I. — Bénézit, [2] I (1948).

Bofill, Antoine, katalan. Genre- u. Porträtbildhauer, * Barcelona, ansässig in Paris.

Stud. an d. Akad. in Barcelona. Beschickte zw. 1894 u. 1921 den Salon der Soc. d. Art. franç.

Lit.: Bénézit, [2] I (1948).

Bogaerd, Herman, belg. Erzähler u. Landschaftsmaler, * 1867 Evergem, † 1932 Laeken b. Brüssel.

Lit.: Seyn, I, m. Fotobildnis.

Bogaerts, Jan, holl. Landschaftsmaler, * 6. 7. 1878 Herzogenbusch, ansässig in Wassenaar.

Schüler von A. van Welie, 1889ff. von J. u. A. de Vriendt in Antwerpen. Stilleben, Landschaften, Bildnisse. Ein Stilleben im Sted. Mus. Amsterdam.

Lit.: Plasschaert. — Waay. — Hall, Nrn 7430 –35. — Maandbl. v. beeld. Kunsten, 1 (1924) 371.

Bogajewskij, Konstantin Fjodorowitsch, sowjet. Landschaftsmaler u. Rad., * 1872 Feodosia, † 1942 ebda.

Stud. bei Aiwasowskij, dann im Meisteratelier A. J. Kuindshi's in Petersburg. 4 Arbeiten in d. Staatl. Tretjakoff-Gal. in Moskau (Kat. 1952).

Lit.: Th.-B., 4. — Mallett. — Ss. Makowskij, Kstkrit. Studien (russ.), 3, St. Petersbg 1913, p. 91ff., m. Abb. — Bénézit, [2] I (1948). — Apollon (Moskau), 1 (1909) Heft 1, p. 43ff. — Ssredi Kollekzioneroff, 1923, Heft 5 p. 48; 1924 H. 3/4 p. 51.

Bogdan, Catul, rumän. Landsch.- u. Stillebenmaler, * 1897 Kolmar i. Elsaß, ansässig in Paris.

Stellte in den 1920er Jahren im Salon d'Automne u. im Salon der Soc. Nat. d. B.-Arts in Paris aus.

Lit.: Oprescu, 1935; 1936 p. 20. — Petranu, p. 54, 55. — Bénézit, [2] I (1948). — Kat. d. Ausst.: Rumän. Kst d. Gegenw., Zürich, Ksthaus, 1943, p. 13.

Bogdan, Elie, rumän. Bildhauer, * Vale (Călmătuiu), † 1937 Paris.

Schüler von J. Boucher. Stellte in den 1920er Jahren im Salon der Soc. d. Art. franç. aus.

Lit.: Bénézit, [2] I (1948).

Bogdan, Helene, öst. Bildnisminiaturmalerin, ansässig in Wien.

Stellte im Kstlerhaus u. im Hagenbund aus.

Lit.: Öst. Kunst, 6 (1935), H. 5, p. 18, m. 3 Abbn. — D. Wiener Kstwanderer, 2 (1934) Nr 7/8, p. 26f., m. 4 Abbn.

Bogdanoff, Abram Jakowlewitsch, russ.-amer. Maler, * 11.8.1888 (nach and. Nachr.: 2.9.1888) Minsk, † 1946 New York.
Schüler der Nat. Acad. of Design in New York unter G. W. Maynard u. F. C. Jones. Wandmalereien u. a. in der Brooklyn Commercial High School u. in d. Brooklyn Manual Training High School. Bildnis Fred. B. Robinson im College of the City of New York.
Lit.: Fielding. — Amer. Art Annual, 20 (1923) 447; 30 (1933). — Who's Who in Amer. Art, I: 1936 –37. — Art Digest, 20, Sept. 1945/6, p. 14 (Nachruf).

Bogdanoff, Iwan Petrowitsch, russ. Genremaler, * 1855, † 1932.
Bild: Bei der Abrechnung, in d. Staatl. Tretjakoff-Gal. in Moskau (Kat. 1952).
Lit.: Zeitschr. f. Kunst, 2 (1948) 105 (Abb.).

Bogdanoff, Pjotr (Pierre), russ.-franz. Landschaftsmaler, * Kursk, ansässig in Paris.
Stellte 1929ff. bei den Indépendants aus.
Lit.: Joseph, I. — Bénézit, [2] I (1948).

Bogdanoff, Wladimir, russ. Genre- u. Bildnismaler, * 1863.
Schüler der Akad. St. Petersburg (1888/94).
Lit.: Kondakoff, Jub.-Handb. d. Kstakad. St. Petersburg (russ.), II 18. — Staryje Gody, 1916, Jan. p. 52. — Kat. Glaspalast-Ausst. München 1901 p. 53.

Bogdanoff-Bjeljskij, Nikolai Petrowitsch, russ. Genremaler, * 1868 im Gouvern. Smolensk, † 1945 Leningrad.
Stud. an d. Kstsch. in Moskau. Luminarist. Breiter, an die Münchner „Scholle" erinnernder Malvortrag. Figurenszenen im Freien (Namenstag der Volksschülerinnen; farb. Taf. in: Die Kunst, 25 [1912] geg. p. 557) u. Interieurs mit Figuren (bes. Bauernkinder u. -frauen). Bilder im Russ. Mus. in Leningrad u. in d. Staatl. Tretjakoff-Gal. in Moskau (Kat. 1952).
Lit.: Th.-B., 4 (1910). — Umanskij, Neue Kst in Rußland (russ.), p. 8. — Bénézit, [2] I. — Mir Isskusstwa, 1 (1899), Chronik p. 102; 3 (1900), Chron. p. 104, 156, 162; 6 (1901) 346. — Ssredi Kollekzioneroff, 1922, Heft 2 p. 47. — The Studio, 61 (1914) 333, ganzseit. Abb. p. 329. — Velhagen & Klasings Monatsh., 42/I (1927/28) 313, 315 (farb. Abbn), Text p. 316; 49/I (1934/35), farb. Taf. geg. p. 469, Text p. 579. — Daheim, 69. Jg, Nr 13 v. 29. 12. 1932 (farb. Taf.).

Bogdanov, Georgi, bulgar. Genremaler, * 1910, ansässig in Sofia.
Stud. in Sofia u. Berlin. Studienaufenthalte in Italien, Frankreich, Holland u. Griechenland.
Lit.: Kat. d. Ausst. Bulgar. Kstler in Deutschland, Leipzig, Kstver. 1941/42.

Bogerianoff, Alexander, russ.-franz. Figurenmaler, * St. Petersburg (Leningrad), ansässig in Paris.
Stellt 1926ff. bei den Indépendants aus.
Lit.: Joseph, I. — Bénézit, [2] I.

Bogert, George Hirst, amer. Landschaftsmaler, * 1864 New York, † 1944 ebda.
Bilder im Metrop. Mus. New York, im Mus. Boston, im Art Inst. Brooklyn, N. Y., im Art Inst. in Chicago u. in d. Corcoran Gall. in Washington, D. C.
Lit.: Th.-B., 4 (1910). — Fielding. — Bénézit, [2] I. — Earle. — Monro. — Bull. Metrop. Mus. New York, 1 (1906) 56f. — Amer. Art Annual, 30 (1933). — Art Digest, 19, Nr v. 1. 1. 1945, p. 20 (Nachruf).

Bogler, Friedr. Wilh., dtsch. Maler, * 18. 10. 1902 Hofgeismar, ansässig in Ziegenhain, Hessen.
Lit.: Bantzer, Hessen in d. dtsch. Malerei (Beitr. z. hess. Volks- u. Landeskde, H. 4), Marburg 1939, m. Abb. — Hessenland. 46 (1935).

Boglino, Elisa Maria, dän.-ital. Figuren- u. Bildnismalerin u. Tuschzeichnerin, ansässig in Sizilien, sommers in Dänemark.
Kollektivausst. 1933 in Kopenhagen bei Chr. Larsen.
Lit.: Emporium, 75 (1932) 235, m. Abb. — Konstrevy, 1933, p. 226, m. Abb. — B. 62 riproduzioni e nota di P. M. Bardi, Florenz o. J.

Boglione, Marcello, ital. Landschaftsmaler u. Rad., * 21. 2. 1891 Pescara, ansässig in Turin.
Schüler von Henry Mottez in Nizza u. von Dante Ricci in Rom. Prof. für Kupferstecherei an der Turiner Akad. Graph. Folgen: Sei incisioni originali (zus. mit Erc. Dogliani), Mail. 1927; Vecchia Torino (12 Bll., zus. mit E. Dogliani), Turin 1928; Solitudini (10 Orig.-Rad.), Turin 1930.
Lit.: Chi è?, 1940. — Comanducci, m. Abb. — The Print Coll.'s Quarterly, 27 (1940) 389 (Abb.).

Bognard, Auguste, franz. Landschaftsmaler, * Paris, ansässig ebda.
Stellt 1928ff. bei den Indépendants aus.
Lit.: Joseph, I. — Bénézit, [2] I (1948). — Art et Décoration, 62 (1933): Les Echos d'Art, Febr. p. VIf.

Bogoljuboff, Benjamin Jakowlewitsch, sowjet. Bildhauer, * 1896.
In der Staatl. Tretjakoff-Gal. in Moskau ein mit Wladimir Ingal gefertigtes Standbild des Ssergo Ordjonikidse (Kat. 1947, m. Abb. 196).

Bogoni, Adriano, ital. Genre-, Landschafts- u. Bildnismaler, * 16. 7. 1896 Verona.
Schüler von Angelo Dall'Oca Bianca. Malte mit Vorliebe in Malcesine am Gardasee. Selbstbildn. in d. Gall. d'Arte Mod. in Mailand. Kollekt.-Ausst. Febr. 1946 in Mailand. Anfangs Impressionist, später Annäherung an die oberital. Quattrocentisten.
Lit.: Comanducci. — Emporium, 94 (1941) 14, 20 (Abb.). — Neues Europa (Hann.-Minden), 1948, Heft 3, m. 3 Abbn.

Bogorodskij, Fjodor Ssemjonowitsch, sowjet. Figurenmaler, * 1895 Nijnij Nowgorod.
Ging erst 1922 zur Malerei über. 1938 zum Professor ernannt. Stalinpreisträger. Korrespondier. Mitgl. der Akad. d. Kste der UdSSR. Volkskünstler der RSFSR. Bildnisse, Szenen aus dem Bürgerkrieg. Mitgl. der Gruppe „Das Sein". In der Staatl. Tretjakoff-Gal. in Moskau ein gr. Bild: Slawische Beklagung eines gefallenen Helden (Kat. 1947, m. Abb. 166).
Lit.: Encykl. d. Union d. Sozial. Sowjetrepubl., 2 (1950), m. Abb. — 50 Monogr. von Meistern der Sowjet. bild. Kst (russ.), Heft [5]. — Isskusstwo, 1933, Nr 3 p. 65/84, m. 1 Taf. u. 20 Abbn. — D. Kstwerk, 1 (1946/47) H. 3, p. 47.

Bogren, Ruth, schwed. Malerin u. Bildhauerin, * 1886 Hälsingborg, ansässig ebda.
Stud. in Kopenhagen, Paris, Stockholm u. in den USA. Hauptsächlich Landschaften u. Blumenstücke, als Bildhauerin Porträtbüsten u. symbolische Figuren.
Lit.: Thomœus.

Bohacsek, Ede, ungar. Maler, * 1888, † 9. 8. 1915 Budapest.
Autodidakt. Volkstümlicher Naivist.
Lit.: Kállai, m. 2 Abbn (irrig: Paul B.). — Művészet, 14 (1915) 334.

Bohdanowicz, Jadwiga, poln. Bildhauerin, * Warschau, ansässig in Paris.

Stellte zw. 1919 u. 1928 im Salon d'Automne, 1925/33 im Salon des Tuileries aus. Seit 1921 Mitgl. d. Soc. Nat. d. B.-Arts. Akte, Statuetten, Bildnisbüsten, Reliefs.

Lit.: Bénézit, [2] I (1948). — La Renaiss. de l'Art franç., 13 (1930) 362 (recte 406), m. Abb. 361 (recte 405); 15 (1932) 169, 172 (Abb.). — Kat. d. Expos. d'Art Polonais, Paris, Soc. Nat. d. B.-Arts, 1921.

Bohdanowicz, Julian, poln. Graphiker, * 28. 12. 1897 Symbirsk, ansässig in Warschau.

Stud. an der Warschauer Akad.

Lit.: Czy wiesz kto to jest?, 1938, m. Bildnis.

Bohe, Carl, dtsch. Landschaftsmaler u. Gebrauchsgraph., * 16.4.1895 Celle, ansässig ebda.

Stud. in Düsseldorf, München u. Kassel.

Lit.: Dreßler.

Bohland, Gustav, öst.-amer. Bildhauer, * 26. 1. 1897 in Österreich, ansässig in Miami Beach, Florida.

Schüler von A. A. Weinman. Hauptsächl. Porträtist.

Lit.: Who's Who in Amer. Art, I: 1936/37. — Amer. Art Annual, 30 (1933).

Bohleman, Herman, amer. Landschaftsmaler, * 15. 4. 1872 Portland, Ore., ansässig ebda.

Schüler von Clyde Keller.

Lit.: Amer. Art Annual, 30 (1933). — Who's Who in Amer. Art, I: 1936/37.

Bohlens, Hermann Heinrich August, dtsch. Bildnis- u. Landschaftsmaler u. Rad., * 27.3.1899 Bergedorf, ansässig in Hamburg.

Stud. bei Artur Illies an d. Kstgewerbesch. in Hamburg (1921/25).

Lit.: Dreßler.

Bohlin, Karl Wilhelm, schwed. Landschafts- u. Marinemaler (Öl u. Pastell), * 1869 Tegelmora, Uppland, † 1928 Malmö.

Stud. im Ausland. — Seine Gattin Edla, * 1879 Stockholm, ist Kunsthandwerkerin u. Malerin. Bilder auf Seide.

Lit.: Thomœus.

Bohlman, Edgar Lemoine, amer. Maler, * 2. 6. 1902 Cottage Grove, Oregon, ansässig in New York.

Anfangs Kostümzeichner u. Bühnenbildner. 1932 nach Spanien u. weiter nach Marokko (Fez, später in d. Araberdorf Oudaias). Mehrere Koll.-Ausstellgn in Rabat. 1933 in Paris: Koll.-Ausst. in d. Gal. Mona Lisa.

Lit.: Amer. Art Annual, 27 (1930) 510; 30 (1933). — The Studio, 111 (1936) 272/75, m. 4 Abbn. — Art News, 46, April 1947, p. 45.

Bohm, Curry, amer. Maler, * 19. 10. 1894 Nashville, Ind., ansässig ebda.

Schüler von E. F. Timmins. Vertreten u. a. im Illinois State Mus. in Springfield.

Lit.: Amer. Art Annual, 30 (1933). — Who's Who in Amer. Art, I: 1936/37.

Bohm, Gösta, schwed. Landschafts- u. Figurenmaler, * 1890 im Kirchspiel Idenors, Gävleborgslän, ansässig in Hudiksvall. Gatte der Marthe.

Stud. an der Akad. in Dresden. Studienreisen in Frankreich, Deutschland u. Italien. Hauptsächlich nordländ. Motive u. Hafenansichten mit Arbeitern. Bilder im Nat.-Mus. in Stockholm u. im Mus. in Hudiksvall.

Lit.: Thomœus. — Konstrevy, 9 (1933) 229; 14 (1938) 78, m. Abb.; 15 (1939) 78, m. Abb.

Bohm (Böhm), Gustave, dtsch-böhm. Maler, Zeichner, Radierer u. Lithogr., * 22. 6. 1885 Otin (Offenschlag), Kr. Neuhaus (Böhmen), ansässig in Agen (Lot-et-Garonne).

Schüler von S. Brunner in Brünn, der Graph. Lehr- u. Versuchsanstalt in Wien u. der Acad. Julian in Paris. Studienaufenthalte in Italien, Frankreich, Deutschland, England, Holland, Belgien, Spanien, Griechenland, Ägypten, Palästina u. Dalmatien. Bildnisse, Landschaften, Stilleben, Interieurs (Öl u. Aquar.). Bis 1939 in Brünn, seitdem in Frankreich ansässig. Vertreten in der Mod. Gal. in Prag, im Mähr. Landes-Mus. in Brünn, im Slowak. Landesmus. in Preßburg (Bratislava) u. im Mus. in Tel Aviv.

Lit.: Dreßler. — The Studio, 58 (1913) 145 (Abb.), 146; 59 (1913) 322 (Abb.); 61 (1914) 77 (Abb.). — Donauland, 1 (1917) H. 10, m. Abb. — Mitteil. d. Künstlers.

Bohm, Märta, schwed. Buchkünstlerin u. Illustr., * 1910 Uddevalla, ansässig in Stockholm.

Stud. an Valands Schule in Göteborg u. in Prag.

Lit.: Thomœus.

Bohm, Marthe, schwed. Landschafts- u. Figurenmalerin, * 1898 Warnsdorf, Böhmen, ansässig in Hudiksvall. Gattin des Gösta.

Stud. in Deutschland. Bild im Mus. in Hudiksvall.

Lit.: Thomœus.

Bohm, Max, amer. Maler, * 21. 1. 1868 Cleveland, Ohio, † 19. 9. 1923 Provincetown, Mass.

Stud. in Paris bei J. P. Laurens, Guillemet u. B. Constant. Häufig ausgezeichnet (u. a. gold. Med. auf der Panama-Pacific Expos. San Francisco 1915). Figürliches, Marinen, Landschaften, Bildnisse, Stillleben. Bilder u. a. im Luxembourg-Mus. in Paris (Goldene Stunden), in der Nat. Gall. Washington, D. C., im Metropol. Mus. New York (Natur u. Phantasie; Die Abendmahlzeit), im Detroit Instit. of Arts in Detroit, Mich. (Sea Babies), im Brooklyn Instit. of Arts (Auf der Themse). Wandbilder im Court House in Cleveland, Ohio; Bildnis des Governer Lind im Capitol in St. Paul, Minn.

Lit.: Th.-B., 4 (1910). — Fielding. — Amer. Art Annual, 20 (1923) 260. — D. A. B. — Monro. — The Studio, 53 (1911) 103ff., m. 3 Abbn u. 1 farb. Taf.; 62 (1914) 298. — The Art News, 21, Nr 26 v. 7. 4. 1923, p. 1, m. Abb.; 22, Nr 1 v. 13. 10. 23, p. 1, m. Abb., 8; 23, Nr 8 v. 29. 11. 1924 p. 1, m. Abb., Nr 10 v. 13. 12. 1924, p. 1, m. Abb.; 24, Nr 7 v. 21. 11. 1925, p. 13, Nr 16 v. 23. 1. 1926, p. 5, m. Abb., Nr 18 v. 6. 2. 1926, p. 4, 8. — Art in America, 1927/I, p. 117/23, m. 7 Abbn. — Bull. of the Detroit Inst. of Arts, 7 (1925/26) 65f., m. Abb. — Bull. of the Minneapolis Inst. of Arts, 1936, p. 114/16, m. Abb.

Bohman, Signe, schwed. Bildnis-, Landschafts- u. Marinemalerin, * 1885 Stockholm, ansässig ebda.

Stud. an der Akad. Stockholm.

Lit.: Thomœus.

Bohn, Hans, dtsch. Gebrauchsgraphiker, * 23. 12. 1891 Oberlahnstein, ansässig in Frankfurt a. M.

Stud. bei Rud. Koch u. Franz Franke an d. Kstgewerbesch. in Offenbach a. M. (1910/12). 1912/36 tätig in verschied. graph. Werkstätten u. Verlagen.

1946 Leiter d. Fachklasse Gebrauchsgraphik an d. Meistersch. in Offenbach.

Lit.: Dreßler. — Mitteil. des Exlibris-Vereins zu Berlin, 15 (1921) 21. — Kat. d. Ausst. Dtsche Gebrauchsgraphik, Schaezler-Palais, Augsburg, Nov. 1947.

Bohn, Heinrich, dtsch. Graphiker, * 1911 Osnabrück, ansässig ebda.

Lit.: Kalender: Kst im Osnabrücker Land, 1952, p. 13, m. Abb.

Bohn, Kurt, dtsch. Bildhauer, * 1909 Suhl, Thür., ansässig in Berlin.

Schüler von Fritz Klimsch.

Lit.: Grothe, m. 2 Tafeln. — Westermanns Monatsh., 164/I u. II (1938) 425f. passim, Abb. am Schluß d. Bd.

Bohnert, Herbert, amer. Maler u. Illustr., * 19. 5. 1890 Cleveland, Ohio, ansässig in New York.

Stud. an d. Kstschule in Cleveland.

Lit.: Fielding. — Amer. Art Annual, 30 (1933). — Who's Who in Amer. Art, I: 1936/37.

Bohr, Roland von, öst. Bildhauer (Holz u. Stein), * Wien, ansässig in Salzburg.

Schüler von Hanak u. Wackerle.

Lit.: D. Kunst, 56 (1926/27) 87, 91 (Abb.); 75 (1936/37) 213/16, m. Abbn. — Dtsche Kst u. Dekor., 57 (1925/26) 436 (Abb.). — Kunst in Öst., hg. v. Jos. Reuter, 1 (Leoben 1934) 87 (Abb.).

Bohrod, Aaron, amer. Landschaftsmaler u. Kstschriftst., * 21.11.1907 Chicago, Ill., ansässig in Madison, Wis.

Schüler von John Sloan, Bordman Robinson, K. H. Miller, Charles Locke u. Rich. Lahey. Vertreten u. a. im Whitney Mus. of Amer. Art in New York, im Art Inst. in Chicago u. in d. Univers. of Illinois in Urbana. — Aufsatz über J. Sloan veröff. in: college art journal, 10 (1950) 3/9.

Lit.: Who's Who in Amer. Art, I: 1936/37. — Amer. Artist (New York), 9 (1945) April-H. p. 18, m. Abb. — Art Index (New York), 1941ff. passim. — The Art News, 1. 11. 1941 p. 30; Aug. 42 p. 32 (Abb.); 1. 11. 42 p. 30 (Abb.); 1. 1. 43 p. 8 (Abb.), 1. 4. 43 p. 19 (Abb.); Aug. 43 p. 26 (Abb.); Aug. 45 p. 24; April 46 p. 57, m. Abb. — California Palace of the Legion of Honor Mus. Bull. (S. Francisco), 5 (1947), Dez.-H. p. 67 (Abb.). — Carnegie Magaz. (Pittsburgh), 21 (1948) Febr.-H. p. 199 (Abb.). — Magaz. of Art (New York), 37 (1944) 250/53, m. Abbn. — The Studio, 129 (1945) 199 (Abb.); 141 (1951) 71 (Abb.). — D. Werk (Zürich), 29 (1942) 24 (Abb.), 25. — Paintings in the Un. States 1949, Carnegie Inst. Pittsburgh, Ausst., Kat. m. Taf. 66.

Boie, Helene, dtsche Bildnis- u. Landschaftsmalerin, * 15.1.1894 Stellau b. Woist, ansässig in Wandsbek b. Hamburg.

Stud. 1913/16 an d. Kstsch. in Lübeck, 1917/18 an d. Akad. in Leipzig, 1920/21 in Hamburg.

Lit.: Dreßler.

Bojim, Ssolomon Ssamssonowitsch, sowjet. Graphiker, * 1899.

Lit.: Kat. d. Staatl. Tretjakoff-Gal. Moskau, 1947.

Boileau, Louis Hippolyte, franz. Architekt, * 1878 Paris, ansässig ebda.

Sohn des Architekten Louis Charles B. Schüler von G. F. Redon. Baute u. a. das Amphitheater u. die Laboratorien des Conservatoire Nat. des Arts et Métiers in Paris (1933) u. — zus. mit Azéma u. Carlu — den Neuen Trocadero-Palast (1936/37).

Lit.: Delaire, p. 186. — L'Architecte, 1908 p. 79, Taf. 49/58; 1911 p. 37ff., Taf. 25/30; 1934 p. 49/55, m. 1 Taf. u. 7 Abbn; 1935 p. 38/40, m. 2 Taf. u. 3 Abbn. — L'Architecture, 1932 p. 363/72, m. 12 Abbn; 1936 p. 109/11, m. 8 Abbn; 1937 p. 69/78, m. 19 Abbn. — Beaux-Arts, 1936 Nr 159 p. 3, m. 6 Abbn. — Illustration, 1936/I p. 153, m. Abbn. — Emporium, 88 (1938) 38. — The Studio, 90 (1925) 19 (Abb.).

Boillat, Laurent, schweiz. Landschafts- u. Bildnismaler u. Modelleur, * 17.4.1911 La Chaux-sur-Tramelan, ansässig ebda.

Stud. bei Willi Nicolet in Porrentruy u. bei Charles Gogler in St-Imier.

Lit.: Amweg, I.

Boineau, Jules Jean Auguste, franz. Maler, * Grenoble, ansässig ebda.

Stellt seit 1927 im Salon der Soc. d. Art. Indépendants in Paris aus. Landschaften, Blumenstücke, Architekturansichten, Interieurs.

Lit.: Joseph, I. — Bénézit, [2] I (1948).

Boinot, Paul Léon, franz. Landschaftsmaler, * Thouars (Deux-Sèvres), ansässig ebda.

Stellt seit 1927 im Salon der Soc. d. Art. Indépendants in Paris aus.

Lit.: Joseph, I. — Bénézit, [2] I (1948).

Boiry, Camille, franz. Orientmaler, * 6. 1. 1871 Rennes, ansässig in Paris.

Schüler von L. Bonnat. Mitglied der Soc. d. Art. Franç. Gold. Med. 1922. Pleinairist. Einige Zeit lehrtätig an der Akad. in La Paz, Bolivien. Im Mus. Tours: Dante in der Unterwelt.

Lit.: Th.-B., 4 (1910). — Bénézit, [2] I (1948). — L'Art et les Artistes, N. S. 6 (1923) 24 (2 Abbn), 36.

Bois, Guy Pène Du, amer. Maler (Öl u. Aquar.) u. Schriftst., * 4. 1. 1884 Brooklyn, N. Y., ansässig in New York.

Schüler von Wm. Chase, Du Mond u. Rob. Henri. Bilder im Metrop. Mus. in New York (Die Puppe u. das Ungeheuer), im Toledo Mus. of Art (weibl. Akt) u. in d. Phillips Mem. Gall. in Washington. 2 Aquar. im Detroit Inst. of Arts.

Lit.: Fielding, p. 101. — Amer. Art Annual, 30 (1933). — Isham. — R. Cortissoz, G. P. du B., New York 1931. — S. La Follette, Art in Amer., New York 1934. — Who's Who in Amer. Art, I: 1936/37, p. 126. — The Artwork, 2 (1925/26) 95 (Abb.). — Museum News. The Toledo Mus. of Art, Nr 80, Sept. 1937, p. 6, 8 (Abb.), 9. — The Studio, 96 (1928) 203/05, m. Abbn; 113 (1937) farb. Taf. geg. p. 16, 109 (Abb.), 111. — Painting in the Un. States 1949. Ausst. Carnegie Inst. Pittsburgh, Kat. m. Abb. Taf. 108. — Art Index (New York), 1928ff. passim. — Monro, p. 201f.

Boisgontier, Henri, franz. Landschaftsmaler, * Saint-Cyr b. Tours, ansässig in Paris.

Stellte seit 1901 bei den Indépendants aus.

Lit.: Joseph, I. — Bénézit, [2] I (1948).

Boisroger, Agenor de, franz. Bildnismaler, * Avranches (Manche), ansässig in Paris.

Schüler von Bouguereau, R. Colin, T. R.-Fleury u. R. X. Prinet. Mitglied der Soc. d. Art. Franç., beschickte deren Salon 1911/34.

Lit.: Joseph, I. — Bénézit, [2] I (1948).

Boissart, Pierre Paul, franz. Bildnis- u. Landschaftsmaler u. Rad., * Valenciennes, ansässig in Paris.

Schüler von Bonnat. Mitglied der Soc. d. Art. Franç., beschickte deren Salon 1911/38 (Kat. z. T. m. Abbn).

Lit.: Joseph, I. — Bénézit, [2] I (1948).

Boisselier, Alexandre Charles, franz. Bildhauer, * Paris, ansässig in Le Perreux.
Schüler von Coutan Patey, Seysses u. Marx. Stellte 1927ff. im Salon der Soc. d. Art. Franç. aus (Kat. z. T. m. Abbn).
Lit.: Joseph, I. — Bénézit, [2] I (1948).

Boisselier, Georges Alex. Lucien, franz. Bildnis- u. Genremaler, * 15. 3. 1876 Paris, ansässig ebda.
Schüler von Bouguereau, Ferrier, A. Maignan u. H. Lévy. 1903 Rompreis. Mitglied der Soc. d. Art. Franç. (Salon-Kat. z. T. m. Abbn). 1901 Silb., 1927 Gold. Med. Mit Bildnissen vertreten im Mus. der Ehrenlegion in Paris u. im Mus. in Le Val-de-Grâce.
Lit.: Joseph, I. — Bénézit, [2] I (1948).

Boissier, Gaston Maurice Emile, franz. Landschafts- u. Marinemaler, * Paris, ansässig ebda.
Stellt seit 1905 bei den Indépendants aus.
Lit.: Bénézit, [2] I (1948).

Boissière, Michèle, dän.-franz. Genre- u. Bildnismalerin, * Maribo auf Laaland, ansässig in Bois-Colombes (Seine).
Stellt seit 1923 im Salon der Soc. d. Art. Indépendants in Paris aus.
Lit.: Joseph, I. — Bénézit, [2] I (1948).

Boisson, Isaac Edmond, franz. Maler u. Bildh., * Valence (Drôme), † 1925 Le Havre.
Schüler von Elie Delaunay u. G. Moreau. Stellte im Salon der Soc. d. Art. Franç. aus (Kat. z. T. m. Abbn).
Lit.: Bénézit, [2] I (1948).

Boissonnet, Edmond, franz. Maler, * 20. 7. 1906 Bordeaux, ansässig in Paris.
Stud. zuerst als Bildhauer an der Ec. d. B.-Arts in Bordeaux, ging dann zur Malerei über. Stellte im Salon des Tuileries in Paris aus. Bilder im Besitz der Stadt Bordeaux.
Lit.: Bénézit, [2] I (1948). — Beaux-Arts, Nr 310 v. 9. 12. 1938, p. 3 (Abb.).

Boitel, Edmond, schweiz. Architekt u. Aquarellmaler, * 21. 5. 1876 Cormondrèche, † 1936.
Stud. am Polytechnikum in Zürich u. an der Ec. d. B.-Arts in Paris.
Lit.: Bénézit, [2] I (1948). — Schweizer Kst, 1935–36, p. 118f. m. Fotobildn.

Boivie, Jane, s. *Swartling.*

Bokhorst, Bernardina, geb. *Midderigh,* s. *Midderigh-Bokhorst,* Joh. Bernardina.

Boks, G. J. W., holl. Maler, * 18. 3. 1873 Apeldoorn.
Schüler von Coba Ritsema u. H. v. Voorthuysen-Van Hove.
Lit.: Waay.

Bokusen, Künstlername des *Shimada* (s.d.).

Bol-Smit, Elisabeth, holl. Malerin, * 13. 2. 1904 Hellevoetsluis, lebt in Middelburg.
Autodidaktin. Bildnisse u. Stilleben.
Lit.: Waay.

Bolander, Karl S., amer. Maler, * 3. 5. 1893 Marion, Ohio, ansässig in Fort Vayne, Ind.
Schüler von Dow, Walter Sargent u. des Pratt Instit. in Brooklyn, N. Y. Direktor der Kstschule des Mus. in Fort Vayne.
Lit.: Fielding. — Amer. Art Annual, 28 (1931).

Bolding, Cornelis (Cees), holl. Maler, Rad. u. Holzschneider, * 7. 1. 1897 Wormerveer, ansässig in Amsterdam.
Schüler von G. Sturm (1914/17), N. v. d. Waay (1917/19) u. J. H. Jurres (1919/21) an der Amsterd. Akad. Figürliches (Bauern u. Fischer), Stadtansichten. Bilder im Gem.-Mus. im Haag, im Abbe-Mus. in Eindhoven u. im Mus. in Schiedam.
Lit.: Plasschaert. — Waay. — Waller. — Maandbl. v. beeld. Kunsten, 3 (1926) 123; 22 (1946) 38ff.

Boldizsár, István, ungar. Landschafts- u. Figurenmaler (Öl u. Aquar.), * 1897 Orosháza, ansässig in Budapest.
Stud. in Budapest. Studienaufenthalte in München, Paris u. Italien. Seit 1940 Prof. der Hochsch. f. Bild. Kste.
Lit.: Balás-Piry. — Kat. Ausst. Ungar. Malerei d. Gegenw., Berlin u. a. O. 1942/43, p. 28 u. 36, m. Abb.

Boldogfei-Farkas, Sándor, ung. Medailleur, * 1907.
Lit.: Balás-Piry. — Kat. „Ausst. Ung. Kst", Dtsche Akad. d. Kste, Berlin Okt./Nov. 1951.

Boldrin, Paolo, ital. Bildhauer, * 12. 11. 1887 Padua, ansässig ebda.
Hauptsächlich Denk- u. Grabmäler. Im Mus. Civ. in Padua Kopf (Marmor) des Malers De Zolt u. Basrelief: Hl. Veronika.
Lit.: Chi è?, 1940. — Emporium, 70 (1929) 182 (Abb.), 183; 89 (1939) 412. — Die Christl. Kst, 28 (1931/32) 12, 14 (Abb.). — Boll. del Museo Civ. di Padova, 20 (1927) 88; 23 (1930) 224.

Boldt, Fritz, dtsch. Genre- u. Landschaftsmaler u. Graph., * 24. 6. 1902 Oppeln, O.S., ansässig in Leipzig. Autodidakt.
Lit.: Dreßler.

Boldt, Leonhard, dtsch. Bildnis- u. Landschaftsmaler, * 26. 12. 1877 Eutin, zuletzt ansässig in Hamburg.
Stud. an der Berliner Akad., in Paris u. bei H. v. Herkomer.
Lit.: Dreßler.

Bolegard, Joseph, ital. Landschafts- u. Genremaler, franz. Herkunft, * Treviso, ansässig in La Garde (Alpes-Maritimes).
Stellt seit 1925 bei den Indépendants, seit 1934 im Salon des Tuileries in Paris aus.
Lit.: Joseph, I. — Bénézit, [2] I (1948).

Bolens, Ernst, schweiz. Maler, * 1881 (1883?) Müllheim-Wigoltingen (Thurgau), ansässig in Basel.
Stud. an d. Kstgewerbesch. in Karlsruhe, 1901 bei Weinhold, dann bei Feuerstein in München. Ließ sich 1903 in Aarau nieder. Weitergebildet 1904 bei Bouguereau u. G. Ferrier an d. Acad. Julian in Paris. 1905 in Florenz. 1905/13 in Aarau, 1913/14 in Paris, seitdem in Basel. Landschaften, Figürliches, Bildnisse, Stilleben (Öl u. Aquar.). Anfänglich beeinflußt von Hodler, später von Cézanne, van Gogh u. Gauguin. Bilder in d. Kstsmlg in Aarau, in d. Öff. Kstsmlg in Basel, im Mus. Schwab in Biel u. im Mus. in Genf. Ein Selbstbildnis (1915) im Mus. Winterthur. Koll.-Ausst. anläßl. s. 60. Geb.-Tages Okt./Nov. 1943 in d. Ksthalle in Basel.
Lit.: Reinhart-Fink. — D. Kunst, 25 (1912) 474. — Dtsche Kst u. Dekor., 33 (1913/14) 137 (Abb.). — D. Werk, 6 (1919) 131 (Abb.); 23 (1936) 234 (Abb.); 31 (1944) Heft 1, Chronik p. IXf. — D. Schweiz, 23 (1919) 574, Taf.-Abb. vor p. 557. — Schweizer Kst, 2 (1930/31) 99. — Schweizerland, 1917 p. 522.

Bolgiano, Ludwig, dtsch. Landschaftsmaler u. -zeichner (Prof.), * 20.3.1866 München, † 29.10.1948 Grabenstätt a. Chiemsee.

Entstammte einer im 18. Jh. aus Südtirol oder dem Mailändischen in die Pfalz eingewanderten Familie. Schüler von Fr. Fehr u. G. v. Hackl an der Münchner Akad. Durchwanderte Deutschland, Österreich, die Schweiz u. Italien. Arbeitete dann einige Zeit bei August Fink. Knüpfte an die Münchner Tradition (Lier, Schleich, Willroider) an. Malte hauptsächl. im Isartal (Gegend von Lenggries), im Odenwald u. in d. Pfalz. Lange Zeit Vorsitzender des Isartalvereins. Auch als Heimatschriftst. tätig. Kollektivausstellgn in d. Städt. Kstaust. d. Münchner Kstlergenossenschaft Jan./Febr. 1917 u. Mai 1924 (ill. Kat.) u. im Münchner Kstverein März 1930. Gold. Med. Internat. Ausst. München 1909, Silb. Prinzregenten-Med. 1911.

Lit.: Th.-B., 4 (1910). — Dreßler. — Breuer, m. 2 Abbn u. Bildnis B.s, gez. von K. Weinmair. — Münchner Jahrb. d. bild. Kst, 1914/15, p. 148. — Jahrb. d. Ver. f. Christl. Kst in München, 6 (1926) 332, m. Abbn. — D. Kunst, 35 (1916/17) 64 (Abb.), 65; 83 (1940/41) 261/63, m. 3 Abbn. — Kst- u. Antiquit.-Rundsch., 42 (1934) 289, m. Abb. — D. Christl. Kst, 12 (1915/16), Beibl. p. 19; 17 (1920/21), Beibl. p. 12. — D. Kstwerk, 3 (1949) Heft 1, Personalien p. 53. — Die Weltkst, 15 Nr 15/16 v. 13. 4. 1941 p. 14; 17 Nr 11/12 v. 14.3.1943, p. 1, Nr 19/22 v. 30.5.1943, p. 1.

Bolhuis, Gerrit, holl. Bildh., * 23. 6. 1907 Amsterdam, ansässig ebda.

Schüler von Bronner. 1934 Rompreis.

Lit.: Waay.

Bolin, Sascha, livländ. Landschafts- u. Architekturmaler u. Graphiker, * 1889 Riga.

Stud. an der Akad. in Stockholm bei Tallberg.

Lit.: Thomœus.

Bolkart, Richard, dtsch. Wand- u. Porträtmaler, * 2.2.1879 Biberach a. Riß, ansässig ebda.

Schüler von Knirr an d. Münchner Akad. u. von Landenberger in Stuttgart. Entwürfe für einen histor. Festzug u. Trachtenbilder im Braith-Mali-Mus. in Biberach. Im Städt. Mus. ebda: Bildnis der Mutter des Künstlers in Biberacher Bauerntracht.

Lit.: Kuhn, Bedeutende Biberacher, Biberach 1929, p. 115f. — Dreßler.

Boll, André, franz. Bühnenbildner, Figurinenzeichner u. Fachschriftst., * 25. 4. 1896 Paris, ansässig ebda.

Mitglied der Soc. d. Art. Décorat., Präsident der Section théâtrale in der Chambre Syndicale des Art. Décor. Modernes.

Lit.: Joseph, I. — Bénézit,[2] I (1948). — Art et Décoration, 62 (1933): Les Échos d'Art, Dez. p. VII, m. Abb.; 1936 p. 84ff. passim. — Beaux-Arts, 1936 Nr 170 p. 1, m Abb.; Nr 171 p. 1 u. 5; Nr 173 p. 1 u. 6; Nr 174 p. 3; Nr 175 p. 3, Nr 176 p. 3. — L'Art et les Artistes, 32 (1936) 240ff. passim. — Art et Décor., 1937 p. 152/57, m. 11 Abbn.

Bolla, Alfred, schweiz. Marinemaler, * 1887 Morges (Waadt), ansässig ebda.

Stud. in Genf u. an der Pariser Ec. d. B.-Arts.

Lit.: Schweiz. Zeitgen.-Lex., 1932.

Bolla, Aristide, ital. Maler u. Freskant, * 18. 11. 1877 Verona.

Schüler von Danieli u. Nap. Nani, weitergebildet bei Mosè Bianchi. Hauptsächl. relig. Themen.

Lit.: Comanducci.

Bolle, Leendert, holl. Bildh. u. Medailleur, * 11. 4. 1879 Rotterdam, † 1942 ebda.

Ausgebildet in Rotterdam, Paris u. Florenz, 3 Jahre in Amerika. Vertreten im Mus. Boymans in Rotterdam. Denkmal für Vossius u. Barlacus in Amsterdam.

Lit.: Wie is dat?, 1935. — Kroniek van Kunst en Kultuur, 7 (1946) 215/18, m. 4 Abbn. — Maandbl. v. beeld. Kunsten, 1 (1924) 363ff., m. Abbn; 5 (1928) 215f., m. Abbn; 23 (1947) 23f., m. 1 Abb. — Persoonlijkheden, m. Fotobildnis.

Bollee, Evert, holl. Maler, * 26. 4. 1901 Amsterdam, ansässig ebda.

Schüler von J. van Tongeren. Mitglied der „Onafhankelijken".

Lit.: Waay.

Bollert, Joh., s. Art. Herter, Herm.

Bollier, Walter, schweiz. Maler, * 1878 Horgen b. Zürich, ansässig in Zürich.

Stud. an der Kstgewerbesch. in Zürich, an der Akad. in Florenz u. unter Ad. Hölzel u. Löfftz in München. Figürliches, Landschaften.

Lit.: Schweiz. Zeitgen.-Lex., 1932.

Bolliger, Rodolphe, schweiz. Maler u. Zeichner, * Arbon, ansässig in Paris.

Stellt seit 1909 im Salon des Indépendants aus. Bildnisse, Akte, Pferde, Landschaften.

Lit.: Joseph, I. — Bénézit,[2] I (1948). — Das Graph. Kabinett (Winterthur), 6 (1921) 57; 8 (1923) 115. — Kat. Ausst. Ksthaus Zürich. Sektion Paris, April/Mai 1941.

Bolling, Leslie Garland, amer. Bildhauer, * 16. 9. 1898 Dendron, Va., ansässig in Richmond, Va. Autodidakt.

Lit.: Amer. Art Annual, 30 (1933). — Who's Who in Amer. Art, I: 1936/37.

Bollmann, Emil, schweiz. Landschafts- u. Interieurmaler, Graph. u. Fachschriftst., * 4.8.1885 Kyburg, ansässig in Winterthur.

Stud. an der Kstgewerbesch. in Straßburg (bei Anton Seder) u. der Kunstgewerbesch. u. Akad. in Düsseldorf (bei Heupel-Siegen). Hauptsächlich kunstpädagogisch tätig. Bilderfolgen: „Bilder aus Alt-Zürich", m. Geleitwort von Olga Amberger; „Historische Stätten der Schweiz", 1914. Illustr. zu: N. v. Escher, Alt-Zürich, Bd 15, Zürich-Wien; A. Huggenberger, Aus meinem Sommergarten, Frauenfeld 1919; Hunziker, Gottfried Keller, Heimat u. Dichtung, Frauenfeld 1915. Buchwerk: Über Kunst u. Kunstverstehen, Winterthur 1917.

Lit.: Schweiz. Zeitgen.-Lex. 1932. — D. Schweiz, 1904, p. 505; 1905, p. 281, 283; 1906, p. 319; 1907, p. 536, 560; 1908, p. 64ff.; 1909, p. 361ff.; 1910, p. 1ff.; 1911, p. 17, 47; 1912, p. 539ff.; 1913, p. 127ff., m. Abbn; 1914, p. 181; 1917, farb. Taf.-Abb. vor p. 1; 1918, farb. Taf. vor p. 61, 77, p. 103ff., m. 7 Abbn u. Fotobildnis; 1919, p. 1ff. Abbn. — „Kyburg", Eine Skizze mit Abbildungen nach Orig.-Zeichngn von E. B., Grüningen 1907. — Jahrbuch d. Liter. Vereinig. Winterthur, 6. Gabe (1922) p. 218/23. — D. Graph. Kabinett (Winterthur), 10 (1925) 110.

Bollmann, Paul, dtsch. Maler, * 4.5.1885 Hannover, ansässig in Hamburg.

Stud. bei C. Grethe u. Hölzel an der Akad. in Stuttgart, wo er bis 1912 lebte. Einjähriger Aufenthalt in Paris. Impressionist. Hauptsächl. Landschafter. In der Hamburger Ksthalle: Bildnis des Bürgermeisters Ross; in der Stephanuskirche in Hamburg-Eimsbüttel: Vision des Hl. Stephanus. Koll.-Ausstellgn im Hamburger Kstverein Sept. 1913 u. in Junge Mosaikkstwerkstätten ebda 1947.

Lit.: Dreßler. — Kstchronik, N. F. 34 (1922/23) 632. — Niedersachsen, 26 (1921) 235. — Hamburger Fremdenbl. v. 5. 9. 1913.

Bollschweiler, Jacob Friedrich, dtsch.

Tiermaler u. Zeichner, * 9.10.1888 Lörrach i.B., † 30.4.1938 in Süditalien (Unfall).

Lernte 1903/07 als Lithograph in Zürich, 1907/12 an der Kstsch. in Karlsruhe bei Hans Thoma, Trübner u. Conz. 1912 in Italien. Weitergebildet bei Peter Halm an der Münchner Akad. Seit 1919 in Zürich ansässig. 1925 auf Capri. Seit Ende 1927 in Berlin. Arbeitete hauptsächlich in Pastell u. Kreide. Kollektivausstellgn in der Preuß. Akad. d. Künste in Berlin 1938 (ill. Kat.) u. im Leipziger Kstverein Jan. 1939.

Lit.: D. Bild, 1939 Beibl. zu H. 1 p. [5]. — D. Kunst, 78 (1937/38) Beil. z. Juni-H. p. 4f. — D. Kstblatt, 1 (1917) p. 369 (Abb.), 370/73 (Abbn); 5 (1921) 304 (Abb.). — Westermanns Monatsh., 166 (1939) 101/04, m. Abbn. — Die Schaffenden, 1 (1918) 2. Mappe. — D. Weltkst, 12 Nr 20/21 v. 22. 5. 1938, p. 6; Nr 50 v. 11. 12. 38, p. 4.

Bolm, Fritz, dtsch. Maler, † 1942 Hannover.

Landschaften, Bildnisse, Tierbilder. Ausmalung von Kirchenräumen in Niedersachsen. Gedächtnis-Ausst. im Hannoverschen Kstverein Dez. 1942.

Lit.: D. Weltkst, 16 Nr 49/50 v. 6. 12. 1942 p. 1. — Kat. Herbstausst. Hannov. Kstler, Kstverein Hannover 1942.

Bolmar, Carl Pierce, amer. Illustrator, * 28. 8. 1874, ansässig in Topeka, Kansas.

Schüler der Pennsylv. Acad. of F. Arts in Philadelphia. Schrieb Kstkritiken u. zeichnete für das Topeka State Journal.

Lit.: Amer. Art Annual, 30 (1933). — Who's Who in Amer. Art, I: 1936/37.

Bologna, Paola, piemont. Malerin u. Illustr., * 29. 8. 1898 Turin, ansässig ebda.

Autodidaktin.

Lit.: Comanducci.

Bolongaro, Luigi, ital. Bildnismaler, * 24. 4. 1874 Stresa, † 7. 2. 1914 Pozzuoli.

Schüler von Gilardi u. Grosso an der Turiner Akad. 1896 in Varna (Bulgarien) an der Illustrierung eines Albums beteiligt, das die bulgar. Regierung dem russ. Zaren als Geschenk überreichte. In die Heimat zurückgekehrt, hielt er sich meist am Lago Maggiore auf. Auch Landschafter u. Figurenmaler. Im Mus. Civ. in Turin ein Bildnis s. Gattin.

Lit.: Th.-B., 4 (1910). — Comanducci, m. Abb. (Selbstbildn.). — Pagine d'Arte, 3 (1915) 28.

Bolsinger, Willy, dtsch. Radierer u. Maler, * 27.11.1892 Ebingen, Württbg, ansässig in Buenos Aires.

Stud. in Stuttgart, München, Budapest u. Rom. Hauptsächlich Kaltnadelblätter (Tiere u. Landschaften).

Lit: Mitteil. d. Künstlers.

Bolt, N. P., dän. Bildnis-, Landschafts- u. Blumenmaler, * 13. 3. 1885 Kopenhagen, ansässig ebda.

Stud. 1904/06 an der Malsch. N. V. Dorphs, 1907–08 an der Freien Kstschule in Kopenhagen. Stellt seit 1916 auf Charlottenborg aus.

Lit.: Krak's Blaa Bog, 1936.

Bolt, Richard Henry, amer. Holzschneider, * 22.4.1911 Peking, ansässig in Berkeley, Calif.

Schüler von John F. W. Smith.

Lit.: Amer. Art Annual, 27 (1930) 510.

Bolte, Adolf, dtsch. Landschaftsmaler u. Radierer, * 11.3.1881 Stötel, ansässig in Berlin.

Stud. an den Kstgewerbesch. in Bremen u. Dortmund, dann bei Alois Kolb an der Berl. Akad.

Lit.: Dreßler.

Boltenstern, Erich, öst. Architekt, * 21. 6. 1896 Wien, ansässig ebda.

Wohn- u. Wochenendhäuser in u. bei Wien. Gaststätte auf dem Kahlenberg.

Lit.: D. Baumeister, 1935, p. 28f.; 1937, p. 95/102. — D. Kunst, 66 (1931/32) 204/05 (Abbn). — Dtsche Kst u. Denkmalpflege, 1937, p. 251ff. — Dtsche Kst u. Dekoration, 70 (1932) 152/57 (Abbn). — Öst. Kst, 4 (1933), H. 9, p. 13/14, m. Abb.; 7 (1936) H. 12, p. 24f. — Öst. Zeitschr. f. Denkmalpflege, 1 (1947) H. 1/3 p. 21, 22, m. Abb. — Teichl.

Bolton, Robert Frederick, amer. Maler, * 19. 3. 1901 New York, ansässig ebda.

Schüler von Curran, Francis C. Jones, Menard u. Bridgman.

Lit.: Fielding. — Amer. Art Annual, 20 (1923) 447.

Bolton, Theodore, amer. Buchillustrator, Rad. u. Schriftst., * 12. 1. 1889 Columbia, S. C., ansässig in New York.

Schüler der Corcoran Art School in Washington u. des Pratt Instit. in Brooklyn, N. Y.

Lit.: Who's Who in Amer., 18 (1934/35). — Who's Who in Amer. Art, I: 1936/37.

Bolz, Hans, dtsch. Maler u. Holzschneider, * 21.1.1887 Aachen, † 4.7.1918 in der Kuranstalt Neuwittelsbach b. München.

Gefördert von Herwarth Walden u. seinem „Sturm". Lebte bis 1914 meist in Paris, kurze Zeit in München. Kollektivausst. im Reiff-Mus. in Aachen 1913. Schloß sich den Abstrakten an. Bild aus seiner späteren expressionist. Periode: Der Balkon, in der Ruhmeshalle in Wuppertal-Barmen. Im Suermondt-Mus. in Aachen ein 1918 entstand. Selbstbildnis in Halbfigur. Der Hauptteil seines Werkes von ihm selbst kurz vor s. Tode zerstört. Die Hauptmasse des Erhaltenen bei dem Münchner Kunsthändler Julius Diezel. Gedächtnis-Ausst. März 1922 in der Gal. Flechtheim in Düsseldorf (Kat. m. Abbn). Hat sich gelegentlich auch als Karikaturenzeichner u. Bildhauer betätigt: Männl. Bildnisbüste, Mus. in Aachen.

Lit.: Wedderkop. — D. Cicerone, 11 (1919) 566. — Westdtsch. Jahrb., 9 (1936) 240, 241. — Aachener Kstblätter, 15 (1931) 40f., m. Abbn. — D. Querschnitt, 1 (1921) 201ff., m. Abbn.

Bolz, Karl, dtsch. Maler u. Graphiker, * 14.9.1877, ansässig in Mainz.

Hauptsächlich Landschafter. Bilder in der Kstsmlg in Gießen u. im Städt. Mus. in Mainz.

Lit.: Dreßler.

Bolz, Willy, dtsch. Bildhauer, * 17. 10. 1905 Stuttgart, ansässig ebda.

Stud. an d. Kstgewerbesch. u. Akad. in Stuttgart.

Lit.: Dreßler.

Boman, Karl Erik, schwed. Figuren- u. Landschaftsmaler, * 1913 Stockholm, ansässig in Ängby.

Stud. an Otte Skölds Malschule in Stockholm.

Lit.: Thomæus.

Boman, Klas Wilhelm, schwed. Architekt u. Radierer, * 1866 Venjan, Dalarne, † 1940 Hedemora.

Stud. an der Techn. Hochsch. u. der Akad. in Stockholm u. bei Tallberg. Radierungen mit Architekturmotiven aus Ronneby u. Rom.

Lit.: Thomæus.

Bombach, Willy Julius, dtsch. Bildnis-

u. Genremaler u. Radierer, * 30.4.1880 Dresden, ansässig in Hamburg.

Lit.: Dreßler.

Bomberg, David, engl. Maler, * Birmingham.

Stud. an der Slade School in London. Hielt sich längere Zeit in Palästina auf. Kollektivausstellgn Frühjahr 1928 in den Leicester Gall. in London, Febr. 1929 in der John Gibbins Ruskin Gall. in Birmingham.

Lit.: Apollo (London), 9 (1929) 138. — Artwork, 4 (1928) 6, 8 (Abb.), 11. — Athenaeum, 1920/II p. 184.

Bombled, Louis Charles, holl. Militärmaler u. Illustr., * 6. 7. 1862 Chantilly, von holl. Eltern, † 9. 10. 1927 Pierrefonds (Oise).

Sohn des holl. Malers Karel Frederik B. (1822 –1902). Schüler von Luminair. Gold. Med. Weltausst. Paris 1900. Mitarbeiter an: Illustration, Petit Journal u. Monde Illustré Illustr. zu: Dick de Lonlay: Français et Allemands, Michelet: Histoire de France, Las Cases: La Mémorial de Ste-Hélène, u. zu einigen Romanen W. Scott's.

Lit.: Joseph, I. — Bénezit, [2] I (1948). — Bull. de l'Art anc. et mod., 1927 p. 322.

Bombois, Camille, franz. Landschafts-, Stilleben- u. Architekturmaler, * 3. 2. 1883 Vénarey-les-Laumes (Côte-d'Or), ansässig in Paris.

Sohn eines Bootsführers. Viehhüter auf einem Bauernhof bei Migènes. Kam nach abenteuerlichen Jugendjahren 1907 nach Paris, konnte sich aber nach autodidakt. Studium erst gegen 1924 ganz der Malerei widmen. Gehört zur Gruppe der Naivisten. Malt hauptsächl. dörfliche oder kleinstädt. Straßenansichten, meist mit bescheidener figürl. Staffage, die von romantischem Stimmungsreiz u. beglückender Leuchtkraft der Farben erfüllt sind, gelegentlich auch Akte, Figuren aus dem Zirkus- u. Artistenleben, dem B. selbst einige Zeit angehört hat, Wäscherinnen am Fluß, usw. Bild: Die Angler, in der Städt. Gal. in Kassel. Bei Prof. A. E. Brinckmann, Köln: Blick auf Sacré-Cœur. Im Ksthaus Zürich eine sommerliche Flußlandschaft (Taf. 3 in: Zürcher Kstgesellsch. Jahresber. 1937).

Lit.: Joseph, I, m. Fotobildnis. — Bénézit, [2] I, m. Taf. 30. — M. Raynal, Anthologie de la Peint. en France etc., 1927, m. Abb. — W. Uhde, 5 primitive Meister, Zürich 1947. — L'Art vivant, 5 (1929) 295, m. 3 Abbn; 6 (1930) 425, m. Abb.; 7 (1931) 140, m, Abb.; 13 (1937) 201 ff. passim. — Formes, 1930 Nr 2 p. 7/10, m. 6 Abbn. — L'Amour de l'Art, 12 (1931) 363 (Abb.). — Dtsche Kst u. Dekor., 68 (1931) 137/44, m. 6 Abbn u. 1 farb. Taf. — D. Kstwerk, 2 (1948), Heft 9 p. 10, Taf. p. 14; 4 (1950) H. 3 p. 46, m. Abb. — Die Kst u. d. schöne Heim, 47 (1949) 225 (Abb.), 227 (Abb.). — The Studio, 115 (1938) 276 (Abb.). — Konstrevy, 1938 p. 175 (Abb.). — Zeitschr. f. Kstgesch., 4 (1935) 290, 292 (Abb.), 296 (Abb.). — Museum of Modern Art Bull. (New York), 9, Nov. 1941, p. 8, m. Abb. — Magaz. of Art (New York), 38, März 1945, p. 84 (Abb.).

Bomhof, Evert, holl. Landschafts- u. Figurenmaler, * 15. 11. 1886 Zwolle.

Lit.: Waay. — Erica, 2 (1946/47), p. 92 f., m. 2 Abbn. — De Hollandsche Revue, 34 (1929) 410/11, m. Abbn.

Bomhoff, Heinrich, dtsch. Architekt, * 17.3.1878 Westerland auf Sylt, ansässig in Hamburg.

Stud. an der Techn. Hochsch. Hannover. Reform-Realschule in Reinbeck b. Hamburg.

Lit.: Dreßler. — D. Baumeister, 10 (1912). — Mod. Bauformen, 9. — D. Kunst, 58 (1927/28) 49 (Abb.). — Schlesw.-Holst. Jahrb., 1927, p. 66 ff.

Bommer, Marie Anne, amer. Blumenmalerin, * 2. 11. 1905 Brooklyn, N. Y., ansässig ebda.

Schülerin von Anna Fisher. Kollektiv-Ausst. Mai 1927 in den Ainslie Gall. in New York.

Lit.: Amer. Art Annual, 30 (1933). — Who's Who in Amer. Art, I: 1936/37. — The Art News, 25, Nr 31 v. 7. 5. 1927 p. 9.

Bompard, Luigi, ital. Figuren- u. Bildnismaler (Öl u. Aquar.) u. Illustr., 8. 10. 1879 Bologna, ansässig in Rom.

Autodidakt. Illustrationen für humorist. Zeitschriften. Sportbilder u. Szenen aus d. Leben der eleganten Welt. Mappenwerk: 30 Zeichngn, mit Vorw. von Lucio D'Ambra, Mail. 1935.

Lit.: Marangoni, p. 11, m. Taf.-Abb. XXII. — Comanducci. — Chi è?, 1940. — Vita d'Arte, 15 (1916) 62 (Abb.). — Boll. d'Arte, 11 (1917), Cronaca p. 49. — V. Pica, L'Arte Mondiale alla VI Espos. di Venezia, 1905, p. 128 (Abb.).

Bompard, Maurice, franz. Marine-, Genre- u. Stillebenmaler, * 1857 Rodez (Aveyron), † 1935 Paris.

Schüler von G. Boulanger u. J. Lefebvre. Mitglied der Soc. d. Art. Franç. (Salon-Kat. z. T. m. Abbn). — Bilder im Luxembourg-Mus. in Paris (Persische Fayencen; Gebet an die Madonna) u. in den Museen Le Puy, Mülhausen u. Tourcoing.

Lit.: Th.-B., 4 (1910). — Joseph, I. — Bénézit, [2] I (1948). — L'Art décor., 1906/I p. 18, m. Abb. — Revue de l'Art anc. et mod., 52 (1927) 31 (Abb.); 67 (1935), Bull. p. 240.

Bompard, Pierre, franz. Genre-, Landschafts-, Früchte- u. Stillebenmaler, * 1890 Verdun, ansässig in Paris.

Schüler von Valton. Stellt seit 1911 bei den Indépendants, seit 1925 auch im Salon des Tuileries aus. Dekor. Malereien im physikal. u. chem. Hörsaal im Collège de France.

Lit.: Joseph, I. — Bénézit, [2] I (1948). — Beaux-Arts, 1936 Nr 169 p. 8 (Abb.); 1939 Nr 314 p. 1 f., m. Abb.; Nr v. 26. 9. 47, p. 5 (Abb.). — L'Art et les Artistes, N. S. 17 (1928/29) 137, m. Abb.; 21 (1930 –31) 107; 23 (1931/32) 129/35, m. 7 Abbn. — Art et Décor., 1928/II: Chron., Dez. p. 2 (Abb.).

Bompiani, Augusto, ital. Landschafts-, Tier- u. Genremaler (Öl u. Aquar.), * 11. 8. 1852 Rom, † 9. 5. 1930 ebda. Vater des Carlo. Bruder der Clelia Bompiani-Battaglia.

Sohn des Malers Roberto B. (1821–1908). Stud. an d. Akad. S. Luca in Rom, später Lehrer an ders. Begründete mit s. Vater u. dem Bildh. Paolo Bartolini die Accad. Raffaello Sanzio in Rom, die ca. 20 Jahre bestand.

Lit.: Th.-B., 4 (1910). — Comanducci. — Bénézit, [2] I (1948).

Bompiani, Carlo, ital. Genremaler, * 1898 Rom, ansässig ebda. Sohn des Augusto.

Schüler s. Vaters u. s. Großvaters Roberto B. Hauptsächlich Bemalung von Keramiken.

Lit.: Comanducci.

Bompiani-Battaglia, Clelia, ital. Genremalerin (Öl u. Aquar.), * 5. 8. 1848 Rom, † 23. 2. 1927 ebda. Schwester des Augusto.

Schülerin ihres Vaters Roberto B.

Lit.: Th.-B., 4 (1910). — Comanducci. — Bénézit, [2] I (1948).

Bon, Angelo del, ital. Landschafts- u. Bildnismaler, * 12. 4. 1898 Mailand, ansässig ebda.

Schüler von Alciati an der Brera-Akad.

Lit.: Comanducci, p. 187.

Bon-Desbenoit (eigentlich *Jamet*), Hélène, franz. Landschafts- u. Blumenmalerin, * Paris, ansässig ebda.

Schülerin von Ach. Cesbron u. Filliard. Mitglied der Soc. d. Art. Franç.

Lit.: Joseph, I. — Bénézit, [2] I (1948).

Bona, Anthony di, amer. Bildhauer, * 11. 10. 1896 Trudeau, N. Y., ansässig ebda.

Schüler von Philip L. Hale, Ch. Grafly, L. P. Thompson, Bela Pratt an der Museumsschule in Boston, weitergebildet in Rom u. Paris. — Bildnisbüsten, Schmuckbrunnen, Kriegsdenkmäler (u. a. in Woburn, Mass.).

Lit.: Who's Who in Amer. Art, I: 1936/37, p. 120. — Amer. Art Annual, 30 (1933).

Bonacina, Carlo, ital. Maler u. Rad., *20.9. 1905 Mestrino (Padua), ansässig in Cles.

Stud. an der Akad. in Venedig u. bei Brugnoli. Stellt seit 1928 aus.

Lit.: C. Ratta, Acquafortisti ital., Bologna 1926ff. I. — Il Gazzettino (Venedig), v. 4. 5. 1928; 20. 2. 38; 8. 3. 40; 11. 6. 40; 11. 8. 41. — Corriere d. Sera, v. 7. 12. 1929; 7. 9. 38. — Emporium, 82 (1935) 221; 97 (1943) 88. — Meridiano di Roma, v. 28. 1. 1939; 15. 10. 40. — La Biennale di Venezia, 1933 p. 144. — L. Servolini, Diz. d. Incisori ital. mod. e contemp., 1952.

L. Servolini.

Bonamy, Armand, franz. Marine- u. Figurenmaler, * Nantes, ansässig in Paris.

Stellt seit 1910 im Salon der Soc. Nat. d. B.-Arts, seit 1923 bei den Indépendants u. im Salon d'Automne aus (Kat. z. T. m. Abbn.).

Bonanomi, Cesare, ital. Landschafts- u. Figurenmaler (bes. Bauern), * Piacenza, ansässig in Paris.

Stellt seit 1912 bei den Indépendants, im Salon d'Automne u. im Salon der Soc. Nat. d. B.-Arts aus. Malt mit Vorliebe an den Plätzen der ital. Riviera (San Remo, Bordighera), in Kalabrien, im Venezianischen u. auf Capri.

Lit.: Joseph, I. — Bénézit, [2] I (1948). — L'Art et les Artistes, N. S. 10 (1924/25) 88/90, m. 4 Abbn.

Bonapace, Ermete, ital. Bildhauer, * 24.3. 1887 Mezzolombardo, ansässig in Trient.

Stud. 1906/11 an d. Wiener Akad., 1914/16 in russ. Kriegsgefangenschaft. Denkmal für die gefallenen ital. Soldaten in Kirsanoff (1916).

Lit.: Gerola, m. Abb.

Bonatti, Vittorio, ital. Genre- u. Bildnismaler, * 29. 11. 1890 Torricella di Mantova.

Stud. an der Akad. Mailand. 1915 Hayez-Preis.

Lit.: Comanducci.

Bonatz, Paul, dtsch. Architekt (Prof.), * 6. 12. 1877 Solgne, Lothr., † 1951 Berlin.

Stud. 1896/1900 an der Techn. Hochsch. München. Seit 1902 in Stuttgart. 1905 Assistent bei Th. Fischer, seit 1908 dessen Nachfolger als Prof. an d. Techn. Hochsch. Stuttgart. Assoziiert mit F. E. Scholer. Beeinflußt von s. Lehrer Fischer u. der franz. Baukunst des 18. Jh.s. Hauptwerke: Empfangsgeb. d. Hauptbahnhofes in Stuttgart (1913/27); Sektkellerei Henkell in Biebrich (1908/09); Universitätsbibliothek in Tübingen (1910/12); Stadthalle in Hannover (1911/14); Bürohaus für den Stumm-Konzern in Düsseldorf (1923/25; 1. Hochhaus in Deutschland); Landtagsgeb. in Oldenburg; Kaufhaus Reisenberg in Köln; Justizgeb. in Mainz; Reichsdankhaus in Schneidemühl; Schulhaus mit Turnhalle in Feuerbach b. Stuttgart; Industrieverwaltungsgeb. in Schweinfurt; Kunstmus. in Basel (zus. mit Rud. Christ); Spital in Straßburg. Ging aus zahlreichen öff. Konkurrenzen als Sieger hervor (u. a. Rathaus in Barmen; Markthalle in Stuttgart). Bearbeitete in seinen letzten Jahren in Ankara (Türkei) große Bauaufgaben in Zusammenarbeit mit türk. Architekten. Leitete seit Juni 1950 den Ausbau des Schillertheaters in Berlin.

Lit.: Th.-B., 4 (1910). — G. Graubner, P. B. u. s. Schüler, Stuttgt-Gerlingen 1931. — Fr. Tamms, P. B. Arbeiten aus den Jahren 1907–1937, Stuttgt 1937. — Th. Heuss, Das Haus d. Freundsch. in Konstantinopel, 1918, p. 13, 20ff., m. Abbn Nr 25/30. — Platz. — Mod. Bauformen, 12 (1913) 593ff. — Baum, m. Abb. — D. Baumeister, 7 (1909); 12 (1914); 13 (1915). — Dtsche Bauztg, 45 (1911) 456ff.; 60 (1926) 625ff. — Hellweg (Essen), 6 (1926) 623ff. — D. Kst, 44 (1920/21) 129ff.; 48 (1922/23) 113ff.; 54 (1925/26) 46f.; 58 (1927/28) 1ff.; 78 (1937/38) Beibl. z. Febr.-H., p. 11. — Kst-Rundschau, 46 (1938) 109/12. — Velhagen & Klasings Monatsh., 61 (1953) 26/32. — Wasmuths Monatsh. f. Baukst, 6 (1921) 43/46; 7 (1923) 279/81; 10 (1926) 96f.; 12 (1928) 1/7, 145ff., 343; 15 (1931) 337/46; Monatsh. für Baukst u. Städtebau, 18 (1934) 13/16. — D. Profanbau, 1911 p. 65/98; 1912 p. 365, 389, 408; 1916, Reg.; 1918, p. 89ff.; 1919 p. 17. — Kst-Rundschau, 46 (1938) 109/12. — D. Werk (Zürich), 11 (1924) 101ff.; 19 (1932) 93ff.; 23 (1936) 316/23. — Zentralbl. d. Bauverwaltg, 30 (1910) 2ff.; 31 (1911) 333; 49 (1929) 805/10; 58 (1938) 30. — D. Neue Zeitg (München), 15. 12. 1947.

Bonaventure, Gabrielle, franz. Stillleben- u. Blumenmalerin, * Cheniers (Creuse), ansässig in Paris.

Stellt seit 1926 bei den Indépendants aus.

Lit.: Joseph, I. — Bénézit, [2] I (1948).

Bonazza, Luigi, trient. Genre- u. Landschaftsmaler u. Radierer, * 1. 2. 1877 Arco, ansässig in Trient.

Schüler von Myrbach u. Matsch in Wien. Beeinflußt von Klimt u. Stuck. Hauptsächlich Radierer. Antike Mythologie (Folge: Jovis Amores; Allegoria sul giorno). Rad. Bildnisse (Dante; Mons. Bonomelli). Dekorat. Malereien in den Kirchen in Fezze u. Santa Giuliana, Valsugana.

Lit.: Comanducci, m. Abb. — Gerola, m. 2 Abbn. — D. Kst, 15 (1906/07) 398, 400 (Abb.); 25 (1912) 535 (Abb.). — D. Kstwelt, 2 (Febr.-Mai 1913) p. 397 (Abb.).

Boncinelli, Evaristo, ital. Bildhauer, * 29. 3. 1883 S. Maria a Montignano, ansässig in Florenz.

Schüler von Dupré, Ad. Galducci u. d. Akad. in Florenz unter Dom. Trentacoste. Bildnisse, psychologisch scharf erfaßte Studienköpfe (Die Blinde; Der Idiot usw.), Figürliches. In d. Gall. d'Arte Mod. in Rom: Die Blinde (Bronze), in d. Gall. d'Arte Mod. in Florenz: Herrenbüste.

Lit.: M. Tinti, E. B., Florenz 1928. — Chi è?, 1940. — Costantini, p. 396, m. 2 Abbn u. 463, m. Bibliogr. — Emporium, 69 (1929) 176f., m. Abb.

Bond, Kate Lee Bacon, amer. Miniaturmalerin, * 18. 11. 1890 Topeka, Kan., ansässig in Winnetka, Ill.

Lit.: Amer. Art Annual, 30 (1933).

Bondarjenko, P. J., sowjet. Bildhauer, * 1917.

Stalinpreisträger. Hauptsächl. Porträtist.

Bondi, Livio, ital. Genre- u. Bildnismaler, * 2. 10. 1895 Udine, † 26. 4. 1929 Venedig.

Schüler von E. Tito in Venedig. In d. Gall. Civ. Marangoni in Udine: Der weiße Schleier.

Lit.: Comanducci, m. Abb. (Selbstbildn.).

Bondy, Walter, dtsch.-böhm. Maler u. Schriftst., * 28.12.1880 Prag, ansässig in Berlin.

Stud. an den Akad. Wien, Berlin (bei Gg. Mosson) u. München. 1903/13 in Paris, seitdem in Berlin ansässig. Beschickte die Ausstellgn der Berl. Sezession u. der Freien Sezession. Anfänglich hauptsächl. Akte, Stilleben u. Blumenstücke, später vornehmlich Porträts. In der Frühzeit zeichnerisch orientiert, in der Pariser Zeit koloristisch von Renoir beeinflußt. 2 Bilder: Ruhendes Mädchen u. Friedhof Montparnasse, in d. Mod. Gal. in Prag. Kollektivausstellgn bei Flechtheim in Düsseldorf 1914, im selben Salon in Berlin 1925. — Buchwerk: Kang-Hsi, e. Blüteepoche der chines. Porzellankunst, Münch. 1923.

Lit.: Th.-B., 4 (1910). — Dtsche Kst u. Dekor., 38 (1915/16) 172 (Abb.). — Kst u. Kstler, 12 (1914) 480 (Abb.); 14 (1916) 334 (Abb.); 16 (1918) 147/55, 374f. (Abbn), 392/94; 23 (1924/25) 494 (Abb.), 497.

Bone, Herbert Alfred, engl. Historien- u. Genremaler, * 1854, † Nov. 1932 London.

Stud. an der Lambeth School u. an den Roy. Acad. Schools unter Leighton u. Millais. Anfänglich Entwurfzeichner für Textilien. Stellte seit 1876 in der Roy. Acad. aus. In den Russell-Cotes Art Gall. in Bournemouth sein bekanntestes Bild: Als die Dänen vor 1000 Jahren über den Kanal kamen.

Lit.: The Connoisseur, 89 (1932) 61f. — Graves, I (unterscheidet irrig zw. Herbert B. u. Herbert A. B.).

Bone, Muirhead, schott. Maler (Öl u. Aquar.), Rad., Kaltnadelst. u. Kstschriftst., * 23. 3. 1876 Partick bei Glasgow, ansässig in London. Vater des Stephen.

Stud. an der Kstschule in Glasgow. Dann Architekturstudien. Gab die Malerei frühzeitig auf zugunsten der Stecherei, in der ihm Méryon Vorbild war. Seine Landschaften u. Stadtansichten zeichnen sich ebenso durch ihre feinen atmosphär. Stimmungen wie durch ihre exakte meisterliche Zeichnung u. eindrucksvolle Komposition aus. Das umfangreiche Zeichnungswerk über Spanien hat ihm den Ehrentitel des Piranesi unserer Zeit eingetragen. Daneben hat B. auch einige Bildnis- u. Figurenstud. radiert u. Illustr. für das Buch s. Gattin Gertrude „Children's Children" gezeichnet, doch liegt der Schwerpunkt s. Schaffens in seinen architekton.-landschaftl. Blättern, den weiträumigen Ansichten aus Schottland, England, Frankreich, Holland, Schweiz, Italien, Spanien, die oft durch reizvolle Figuren- oder Tierstaffage belebt sind. Einen Katalog s. Druckgraphik hat C. Dodgson aufgestellt, und zwar erstmalig 1909, die Produktion von 1898–1907 umfassend, dann 1922, die Produktion bis 1916 nebst 3 Nachträgen zu der älteren Liste einbegreifend. — Mappenwerke: Old Spain. Drawings. Descriptions by Gertrude B. (2 Bde); The Western Front (Zeichnungen); With the Grand Fleet (6 Marine-Zeichngn). Zeichnungen u. Aquarelle u. a. im Brit. Mus. London u. in öff. Smlgn der USA (Cleveland, Detroit, Philadelphia).

Lit.: Th.-B., 4 (1910). — Caw, m. Abb. — Bénézit, [2] 1 (1948). — F. Wedmore, Etchings, Kap. 8: M. B., London 1911. — Singer. — D. Kstwelt, 1911–12/II, p. 383/387, m. Abbn. — The Studio, 61 (1914) 319; 63 (1915) 217; 64 (1915) 197; 65 (1915) 186; 66 (1916) 106; 68 (1916) 118; 69 (1917) 178; 70 (1917) 68; 87 (1924) 74, 75 (Abb.), 77f.; 102 (1931) 301 (Abb.); 112 (1936) 160. — Das Graph. Kabinett (Winterthur), 1916, p. 25, 27/36. — The Burlington Magaz., 30 (1916) 128; 31 (1917) 249; 32 (1918) 29, 206; 70 (1937) 95f. — The Connoisseur, 47 (1917) 109, 177f.; 48 (1917) 53, 119f., 239; 49 (1917) 118, 179; 50 (1918) 179; 51 (1918) 107f., 239; 55 (1919) 255; 60 (1921) 120; 87 (1931) 58, 61; 99 (1937) 49f., m. Abb. — Pagine d'Arte, 5 (1917) 198, m. Abbn. — Emporium, 47 (1918) 2ff., m. Abbn. — The Print Coll.'s Quarterly, 9 (1922) 173/200, m. 11 Abbn (C. Dodgson); 18 (1931) 174 (Abb.); 24 (1937) 218 (Abb.). — Artwork, 4 (1928) 11, 15; 5 (1929/30), m. Abbn (M. Bone, From Glasgow to London); 6 (1930) 292 (Abb.), 297 (Abb.). — Apollo (London), 12 (1930) Taf. geg. p. 458; 13 (1931) 400 (Abb.); 24 (1936) 363. — Pennsylv. Mus. Bull., 27 (1931/32) Nr 146, p. 102 (Abb.); Nr 157, p. 8 (Abb.). — Bull. of the Cleveland Mus. of Art, Cleveland, O., 25 (1938) 65, 130. — Bull. of the Detroit Inst. of Arts, 26 (1947) 39 (3 ×), 45 (2 ×). — Art Index (New York), Okt. 1941/April 53.

Bone, Phyllis Mary, schott. Tierbildhauerin, * 15. 2. 1896 Hornby, ansässig in Edinburgh.

Stud. am Art Coll. in Edinburgh. Löwe u. Einhorn am Eingang zum Schott. Nat. Kriegsdenkmal ebda.

Lit.: Who's Who in Art, [3] 1934.

Bóné, Rudolf, ungar. Maler u. Zeichner, * 6. 2. 1879 Székesfehervár (Stuhlweißenburg).

Stud. bei Hegedüs u. Balló in Budapest, dann bei E. Kacz u. J. Molnár. Zeichner. Mitarbeiter der Wochenschrift „Kakas Márton".

Lit.: Szendrei-Szentiványi.

Bone, Stephen, engl. Maler (Öl u. Aquar.) u. Holzschneider, * 13. 11. 1904 London, ansässig ebda. Sohn des Muirhead.

Beeinflußt von s. Vater. Landschaften, Stadtansichten, Interieurs, Blumenstücke. Wandbild (Darstellgn ländl. Belustigungen) in d. Piccadilly Circus Station. Illustr. (9 Holzschn.) zu dem Gedichtbuch s. Mutter Gertrude B.: The Furrowed Earth.

Lit.: Who's Who in Art, [3] 1934. — The Burlington Magaz., 39 (1921) 310. — Artwork, 5 (1929) 89 (Abb.), 91. — The Studio, 103 (1932) 200 (Abb.). — Konstrevy, 13 (1937) 33, m. Abb. — Apollo (London), 27 (1938) 221.

Bonebakker, Clara Johanna, holl. Malerin, * 1. 5. 1904 Soerabaja, lebt im Haag.

Schülerin von Ernst Rich. Dietze in Dresden u. von Anders Osterlind in Paris. Bildnisse, Stilleben, Landschaften, Blumenstücke.

Lit.: Waay.

Bonebakker, J. A., holl. Bildnismaler, * 1. 8. 1889 Amsterdam.

Schüler von G. v. d. Wall Perné u. H. v. der Poll.

Lit.: Plasschaert. — Waay.

Bonelli, Giuseppina, ital. Bildnismalerin, * 21. 8. 1898 Genua, ansässig ebda.

Schülerin von Luigi Gallina.

Lit.: Comanducci.

Boner, Alice, ital.-schweiz. Bildhauerin, * 1889 Legnano, ansässig in Zürich.

Schülerin von Blanc-Garin an der Zeichensch. in Brüssel, 1908/09 Malstudien bei Feldbauer u. Müller-Dachau in München. Ging dann zur Bildhauerei über. Stud. 1909/10 bei Bermann in München, 1912 bei Carl Burckhardt in Basel. Figürliches, Bildnisbüsten, Rötelzeichnungen.

Lit.: D. Ksthaus, 1916, H. 10 p. 1. — Kat. Ausst. Ksthaus Zürich 2.–29. 11. 1916, p. 10, 15.

Bonfantini, Sergio, ital. Bildnis- u. Tiermaler, * Novara.

Schüler von Casorati. Koll.-Ausst. in Turin 1937.

Lit.: Emporium, 71 (1930) 374 (Abb.); 85 (1937) 160 l. Sp., 161 (Abb.).

Bonfiglio, Antonio, sizil. Bildhauer, * 16. 1. 1895 Messina, ansässig ebda.

Autodidakt. Denkmal Fante im Tempio votivo in Messina. Dekor. Skulpturen am Justizpalast u. am Pal. Municipale ebda. In der Gall. d'Arte Mod. in Palermo: Der Blinde (Kopf).

Lit.: Chi è?, 1940.

Bonfils, Robert, franz. Maler, Holzschneider, Rad., Lithogr., Illustr., Bühnenbildner u. Kostümzeichner, * 15. 10. 1886 Paris, ansässig ebda.

Mitglied des Salon d'Automne. Stellt auch im Salon des Tuileries seit dessen Gründung (1923) u. im Salon des Art. Décorat. aus. Vielseitiger Künstler, der auf allen Gebieten der Graphik, als Bildnis- u. Wandmaler, Buchschmuckkünstler u. kunstgewerbl. Zeichner tätig ist. Buchillustr. u. a. zu: H. Régnier, „Les rencontres de M. de Bréot" u. „La double maîtresse", zu P. Verlaine, „Fêtes galantes", zu Alb. Samain, „Le Chariot d'Or", zu Prévost, „Manon Lescaut", usw. — Mappenwerke: Images symboliques de la grande guerre; Divertissements; Seize vues de Paris; Modes et manières d'aujourd'hui; Les jardins de Vert-cœur. — Bild im Mus. Toma Stelian in Bukarest.

Lit.: Joseph, I, m. Selbstbildn. — Bénézit, [2] I (1948). — Art et Décor., 55 (1929) 33/43, m. 17 Abbn; 62 (1933): Les Echos d'Art, Mai p. VII. — The Studio, 83 (1922) 340, m. Abb.; 94 (1927) 145f., m. Abb. — L'Amour de l'Art, 12 (1931) 261 (Abb.). — Beaux-Arts, Nr 319 v. 10. 2. 1939 p. 4 (Abb.); Nr v. 14. 5. 1948 p. 5, m. Abb.

Bongé, Irmgard von, dtsche Bildnis-, Interieur- u. Landschaftsmalerin, ansässig in Weimar.

Sammelausstellg im Thür. Ausstellgs-Verein in Weimar, Juli 1920.

Lit.: Dreßler. — Weimar. Landeszeitg, v. 5. 7. 1920. — Westermanns Monatsh., 134 (1923) 299 u. Taf. [18], [19], [20].

Bongé, Walter von, dtsch. Bildnismaler, * 13. 8. 1868 Rawitsch, fiel am 6. 7. 1916.

Zuerst Offizier, stud. 1894/96 an der Dresdner, bis 1899 an der Münchner Akad.

Lit.: Th.-B., 4 (1910). — Rechensch.-Ber. d. Münchner Kstvereins, 1922/23, p. 17 (Nekrol.). — D. Kunst, 34 (1915/16), Beil. z. Heft 12, p. VIII.

Bongiovanni, Radice Renzo, ital. Figurenmaler, * 1. 9. 1900 Palazzolo Milanese, ansässig in Mailand.

Schüler von Attilio Andreoli.

Lit.: Comanducci, m. Abb. — Emporium, 93 (1941) 255, m. Abb.

Bonhomme, Léon, franz. Figuren- u. Bildnismaler, * 1870 St-Denis, † August 1924 Paris.

Schüler von G. Moreau. Stellte seit 1888 im Salon der Soc. d. Art. Franç. aus.

Lit.: Th.-B., 4 (1910). — Bénézit, [2] I (1948). — D. Kstwerk, 2 (1948) H. 5/6, p. 17ff., m. 3 Abbn; 4 (1950) H. 3, p. 32, m. Abb., 34.

Bonhotal, Henri, franz. Marinemaler, * Sedan, ansässig in Toulon.

Stellt seit 1928 bei den Indépendants aus.

Lit.: Joseph, I. — Bénézit, [2] I (1948).

Bonhotal, Paul Emile, franz. Landsch.- u. Stillebenmaler, * Montpont (Saône-et-Loire), ansässig in Clichy (Seine).

Stellt seit 1923 bei den Indépendants aus.

Lit.: Joseph, I. — Bénézit, [2] I (1948).

Boni, Giuseppe, ital. Architekt, * 19. 11. 1884 Carrara, † zwischen 1936 u. 1940 Rom.

1910/15 Hilfsprof. an der Akad. u. 1915/16 am Polytechnikum in Mailand, dann Prof. an der Akad. in Carrara, seit 1919 an der Architektursch. in Rom. Denkmal für den General Maceo all'Avana auf Cuba.

Lit.: Chi è?, 1936; 1940, Anhang: Chi fu?

Boni, Napoleone, ital. Genre- (bes. Orient-) u. Bildnismaler, * 1863 Torano bei Carrara, † 1927 Castel Fiorentino.

Schüler von A. Cassioli in Florenz u. von Carolus-Duran in Paris. In der Brera-Akad. in Mailand: Bildnis des Physikers Evang. Torricelli.

Lit.: Comanducci.

Bonichi, Gino (Luigi), gen. *Scipione*, ital. Figuren- u. Bildnismaler, * 1904, † 1933.

Beeinflußt von der ital. Malerei des 17. Jahrh.'s. Vorliebe für sensationelle Themen. Ged.-Ausst. in der Brera in Mailand, Mai 1941, u. in d. Biennale Venedig 1948.

Lit.: Emporium, 81 (1935) 84, 88 (Abb.), 89 (Abb.); 93 (1941) 255 (Abb.), 256, 292 (Abbn); 106 (1947) 13 (Abb.). — The Studio, 137 (1949) 84 (Abb.). — D. Weltkst, 15, Nr 19/20 v. 11. 5. 1941, p. 3. — D. Kstwerk, 2 (1948), H. 10 p. 44.

Bonifas, Paul, schweiz. Kunsttöpfer, * 11. 11. 1893 Genf, ansässig in Zürich.

Mit handgeformten lüstrierten Vasen u. Schalen vertreten in den Kunstgew.-Museen in Basel, Genf, Zürich u. Paris.

Lit.: Joseph, I. — Bénézit, [2] I (1948). — Jahresber. 1916/17 d. Soc. d. Arts, Genf, p. 313f. — Pages d'Art (Genf), 1917 p. 487ff. — Das Werk (Zürich), 5 (1918) 126 (Abb.); 31 (1944) Heft 9, Chronik p. XXVf. — L'Amour de l'Art, 11 (1930) 172/75, m. 8 Abbn. — Art et Décor., 1937 p. 108/12, m. 8 Abbn.

Bonin, Nemours Eugène, franz. Stilllebenmaler, * La Flotte (Ile de Ré, Charente Infér.), ansässig in Troyes.

Schüler von J. P. Laurens. Beschickt seit 1929 den Pariser Salon der Soc. d. Art. Franç.

Lit.: Joseph, I. — Bénézit, [2] I (1948).

Boninsegno, Egidio, ital. Figurenbildhauer u. Medailleur, ansässig in Mailand.

Stud. an der Akad. in Rom. 1896 Nationalpreisträger. Zeigte auf der Brera-Ausst. 1914 eine große Gruppe: Kybele u. Attis. Grabdenkmäler für die Familien Barni, Levi u. Vernetti.

Lit.: Th.-B., 4 (1910). — Forrer, 7. — Dedalo, Anno V, Bd II (1925) 526 (Abbn), 530. — Emporium, 40 (1914) 377 (Abb.), 378. — Vita d'Arte, 13 (1914) 220, 226 (Abb.). — Natura ed Arte, 38 (1910) 797/802, m. 6 Abbn.

Bonivento, Eugenio, ital. Landschaftsmaler, * 30. 4. 1880 Chioggia.

Schüler der Akad. Venedig. Pleinairist. Bild im Mus. in Lima, Argentinien.

Lit.: Comanducci, m. Abb. — Kat. Sonderausst. E. B. 20/30. 10. 1939 Gall. Rotta, Genua, Mail. 1939.

Bonn, Johannes Ernst, dtsch. Bildhauer, * 20. 12. 1884 Meißen, ansässig in Dresden.

Stud. an der Kstgewerbesch. u. Akad. in Dresden.

Lit.: Dreßler.

Bonnafont, André, gen. *Touraine*, franz. Illustrator, * 1883, fiel am 24. 10. 1916.

Zeichner. Mitarbeiter der „Vie Parisienne".

Lit.: Ginisty, 1919, p. 10.

Bonnamy, Louis, franz. Landschafts-, Weidevieh-, Früchte- u. Interieurmaler, * Meunet-Planches (Indre), ansässig in Paris.

Stellt seit 1905 bei den Indépendants aus.

Lit.: Joseph, I. — Bénézit, [2] I (1948).

Bonnard, Pierre, franz. Maler u. Graph., * 30. 10. 1867 Fontenay-aux-Roses (Seine), † 23. 1. 1947 Le Cannet bei Cannes.

Schüler von Bouguereau u. T. Robert-Fleury an der Acad. Julian, wo er mit Paul Sérusier, Maur. Denis u. Ed. Vuillard in Berührung kam u. mit dem Werk Gauguin's bekannt wurde. Schloß sich 1891 der jungen Gruppe der Indépendants, 1892 dem Kreis der „Nabis" an, dem auch Vuillard u. Roussel angehörten. Lebte meist auf dem Lande, zuerst in Montval bei St-Germain-en-Laye, später in Triel, Médan u. in Vernonnet bei Vernon (Eure). Begann mit Arbeiten dekorativ-kunstgewerbl. Art wie Entwürfen für Möbel, Tapeten, Wandschirme, Plakate, Bühnenbilder, Theaterfigurinen u. mit Buchillustr. (150 Lith. zu dem Schäferroman: Poimenika oder Daphnis et Chloë, des griech. Erotikers Longus, Ambr. Vollard, Paris 1902). Als Maler zuerst Naturalist, dann (um 1905) sich dem Impressionismus zuwendend. Seit ca. 1910 unter dem Einfluß von Degas, Manet u. Cézanne bemüht, die äußere Wahrheit des Impressionismus durch eine innere, höhere Wahrheit zu ersetzen. Meister in der Wiedergabe der delikatesten Zwischentöne. Sein Stoffgebiet, in dessen Mittelpunkt die Frau steht, ist unumschränkt, umfaßt vor allem Figürliches (Akte), Bildnisse, Landschaften u. Stillleben. Bilder in zahlr. öffentl. Smlgn Frankreichs (17 Bilder im Luxembourg-Mus., 1 Bild im Petit Palais in Paris), des europ. Auslandes (Tate Gall. London, Mus. Brüssel, Folkwang Essen, Kstmus. Bern, Ksthaus Zürich, Nat.-Mus. Stockholm, Mus. Göteborg, Ny Carlsberg Glyptothek Kopenhagen, Nat.-Gal. Oslo, Prinz-Paul-Mus. Belgrad, Mus. d. Mod. Kste Moskau) u. der USA (New York, Chicago, Toledo u. a.). Als Graphiker unter dem Eindruck von Toulouse-Lautrec gebildet, mit dem zus. er die Illustr. zu den „Histoires naturelles" von Jules Renard schuf. Graph. Folge: Quelques Aspects de la vie de Paris (1899). — Illustr. (meist. Lith.) zu Dichtungen P. Verlaine's („Parallèlement"), O. Mirbeau's („Dingo", 1924), A. Vollard's („Vie de Sainte Monique", 1930), A. Gide's („Le Prométhée mal enchaîné"), Cl. Anet's („Notes sur l'Amour"), V. Barrucand's („D'un pays plus beau") u. and.

Lit.: Th.-B., 4 (1910). — Joseph, I, m. 7 Abbn u. Fotobildnis. — Bénézit, [2] I (1948), m. Taf. vor d. Titelbl. — L. Werth, B., Paris 1920. — F. Fosca, B. (Peintres et sculpt, d'aujourd'hui), Paris 1921. — G. Coquiot, B., Paris 1922. — C. Roger-Marx, P. B. (Les peintres franç. nouv., Bd 19), Paris 1925; ders., Les Illustrations de B., Paris 1926. — Ch. Terrasse, B., Paris 1927. — J. Rewald, P. B., New York 1948. — G. Jedlicka, P. B., Erlenbach-Zürich 1949. — A. Fontaine, Albums d'Art Druet: B., Paris 1928, 24 Taf. — G. Besson, B., Paris 1934. — Grautoff, p. 10f. — Scheffler, 2. — A. Basler et Ch. Kunstler, La Peint. Indép. en France, I: De Monet à B., Paris 1929. — H. Read, M. Raynal, J. Leymarie, Hist. of Mod. Painting from Baudelaire to B., Genf 1949/50. — L'Art Décoratif, 28 (1912) 361–76, m. 17 Abbn u. 1 farb. Taf. — Das Graph. Kabinett (Winterthur), 2 (1917) 135/39. — L'Amour de l'Art, 1921 p. 241/46, m. 5 Abbn; 1930 p. 162ff.; 1933, p. 83/89, m. 11 Abbn. — The Print Coll.'s Quarterly, 11 (1924) 444 (Abb.), 448f. — Revue de l'Art anc. et mod., 45 (1924), Bull. p. 125f. — L'Art d'aujourd'hui, 1927 p. 21f., m. 18 Taf. u. 9 Abbn. — L'Art vivant, 1931 p. 25, m. 7 Abbn; 1933 p. 375, m. 5 Abbn. — Ganymed, 5 (1925) 89ff. — Kst u. Kstler, 31 (1932) 444/50. — Formes, 33 (1933) 380f., m. 4 Abbn. — L'Art et les Artistes, 1935 Nr 162 p. 85/88. — Arts et Métiers graph., 1935 Nr 46 p. 9/18, m. 1 Taf. u. 19 Abbn. — Emporium, 82 (1935) 80/92; 107 (1948) 50/57. — Konstrevy, 13 (1937) 119/23. — Kunst og Kultur, 25 (1939) 83/102. — The Art News, 41, Nr v. 1. 10. 1942, p. 22/25; 45, Jan. 1947, p. 22/23; 46, Mai 1947, p. 52, Nov. 1947, p. 166 (Sp. 2). — Magaz. of Art (New York), 39 (1946) 366/70. — Bull. of the Cleveland Mus. of Art, 35 (1948) 35; 37 (1950) 2 (Abb.), 5/8, 19 (Abb.). — The Studio, 100 (1930) 112/15; 101 (1931) 345 (Abb.); 110 (1935) farb. Taf. geg. p. 12; 114 (1937) 267, m. Abbn; 128 (1944) 63 (Abb.); 134 (1947) 54f.; 141 (1951) 133 (Abb.). — Beaux-Arts, 8. 8. 1947 p. 3; 22. 8. 1947, p. 1. — The Burl. Magaz., 89 (1947) 105. — Gaz. d. B.-Arts, 1948/I, p. 301/16. — Prisma (München), 1 (1947) Heft 6 p. 30ff., m. Abbn. — bild. kunst, 1 (1947) Heft 1 p. [34], m. farb. Abb.; Heft 3 p. 2, m. farb. Abb. — Wort u. Tat, 2 (1949/50) 124/28, m. 9 Abbn (dar. 1 farb.). — Das Kstwerk, 3 (1949) Heft 3 p. 16, 19 (Taf.); 4 (1950) H. 3 p. 25, 76 (Abb.). — Zeitschr. f. Kst, 3 (1949) 289. — The Art Index, New York 1928ff. passim.

Bonnardel, Alexandre, franz. Genremaler, * Pajay (Isère), ansässig in Lyon.

Mitglied der Soc. d. Art. Franç., beschickt deren Salon seit 1904 (Kat. z. T. mit Abbn).

Lit.: Joseph, 1.

Bonnaud, Paul, franz. Landschaftsmaler, * Ville-d'Avray, ansässig in Paris.

Stellte seit 1910 bei den Indépendants aus.

Lit.: Bénézit, [2] II (1949).

Bonnaure-Desruelles, Remyne Camille franz. Stillebenmalerin, * Paris, ansässig ebda.

Schülerin von Henri Le Sidaner. Mitglied der Soc. d. Art. Franç. (Salon-Kat. z. T. m. Abbn).

Lit.: Bénézit, [2] II (1949).

Bonne, Pierre, franz. Landschaftsmaler, * Saint-Cyr-l'École (Seine-et-Oise), ansässig in Paris.

Stellte seit 1926 bei den Indépendants aus.

Lit.: Joseph, I.

Bonneau, Florence Mary, s. *Cockburn.*

Bonneau, Jacques, franz. Blumen- u. Landschaftsmaler, * 21. 3. 1875 Paris, ansässig ebda.

Schüler von Pomey-Ballue, Rixens u. Gumery. Stellte seit 1913 im Salon der Soc. Nat. d. B.-Arts u. bei den Indépendants aus.

Lit.: Joseph, I. — Bénézit, [2] II.

Bonneau-Ladoux, Adrienne, franz. Genrebildhauerin, * Valenciennes, ansässig in Paris.

Schülerin von Moreau-Vauthier u. M. Blondat. Mitglied der Soc. d. Art. Franç., beschickte deren Salon 1911/22 mit Genrefiguren u. Bildnisbüsten (Kat. z. T. m. Abbn).

Lit.: Joseph, I. — Bénézit, [2] II.

Bonnechose, Bertrand de, franz. Landschaftsmaler, * Versailles, ansässig in Bettiri-Baïta über Ciboure (Basses-Pyrénées).

Schüler von Biloul u. Guillonet. Mitglied der Soc. d. Art. Franç., beschickt deren Salon seit 1923 (Kat. z. T. m. Abbn). Längere Zeit in Tunesien.

Lit.: Joseph, I. — Bénézit, [2] II.

Bonnefont, Henri, franz. Medailleur, * Mâcon, ansässig in Paris.

Schüler von M. Auban. Mitglied der Soc. d. Art. Franç.

Lit.: Joseph, 1. — Forrer, 7. — Bénézit, [2] 2.

Bonnefoy, Eugénie Sophie, franz. Figurenmalerin, * Puiseaux (Loiret), ansässig in Choisy-le-Roi (Seine).
Schülerin von Ed. Zier. Stellte 1922/31 im Salon der Soc. Nat. d. B.-Arts, seit 1925 bei den Indépendants aus.
Lit.: Joseph, I. — Bénézit, [2] II.

Bonnekamp, Paul Franz, dtsch. Maler u. Glasmaler, * 27. 7. 1925 Inden, Kr. Jülich, ansässig ebda.
Nach prakt. Lehre als Glasmaler Studium an den Kölner Werkschulen.

Bonnén, Folmer, dän. Bildnis- u. Figurenmaler u. Freskant, * 17. 2. 1885 Randers, ansässig in Bagsværd.
Schüler von Zahrtmann in Kopenhagen. Pleinairist. Christusbild in d. Hans-Tavsens-Kirche.
Lit.: Dahl-Engelstoft, I. — Krak's Blaa Bog, 1936. — Vem är Vem i Norden, Stockh. 1941, p. 45. — Vor Tid, 2 (1918) 501/06.

Bonner, Mary, amer. Radiererin, * 1885 Bastrop, La., † 26. 6. 1935 San Antonio, Tex.
Schülerin von Edouard Léon in Paris. Szenen aus d. Leben der Bewohner von Texas; Ansichten aus d. Bretagne. Stellte 1924/30 im Salon der Soc. Nat. d. B.-Arts in Paris aus (Kat. z. T. m. Abbn).
Lit.: Amer. Art Annual, 30 (1933). — Who's Who in Amer. Art, I: 1936/37, p. 492. — Bénézit, [2] 2 (1949). — La Renaiss. de l'Art franç., 9 (1926) 1046 (recte 697).

Bonnerot, Pierre, franz. Landschaftsmaler, * La Celle-Saint-Cyr (Yonne), ansässig in Paris.
Schüler von Cormon, P. Laurens, G. Leroux u. Em. Aubry. Mitglied der Soc. d. Art. Franç. (Salon-Kat. z. T. m. Abbn).
Lit.: Joseph, I. — Bénézit, [2] II.

Bonnesen, Carl J., dän. Bildhauer, * 26. 5. 1868 Aalborg, † 13. 12. 1933 Kopenhagen.
Stud. 1887/89 an der Akad. in Kopenhagen. Besuchte Ägypten, Siam, Japan u. Nordamerika. Im Staatl. Kunstmus. in Kopenhagen: Kain; Zur Hunnenzeit; Elefant mit Jungem. Auf dem Trondhjemsplatz ebda: Diana. In der Glyptothek: Reiterstatue der Prinzessin Marie. In Aalborg eine Reiterstatue König Christians IX.
Lit.: Krak's Blaa Bog, 1929ff.; 1936; 1940, p. 14. — Dahl-Engelstoft, I. — N. F., III. — Weilbach, [2] I.

Bonnesen, Niels Christian Julius, dän. Landschaftsmaler, * 1870 Fredericia.
Stellt seit 1904 auf Charlottenborg aus.
Lit: Th.-B., 4 (1910).

Bonnet, Amedée Jean-Bapt., franz. Landschaftsmaler, * Lurcy-Lévy (Allier), ansässig in Hérisson (Allier).
Stellt seit 1926 im Salon der Soc. d. Art. Indépendants in Paris aus.
Lit.: Joseph, I. — Bénézit, [2] II.

Bonnet, Auguste Michel, franz. Landschaftsmaler, * Morières (Vaucluse), ansässig in Paris.
Stellte 1905ff. bei den Indépendants aus.
Lit.: Bénézit, [2] II.

Bonnet, Gaston, franz. Landschaftsmaler, * Paris, ansässig ebda.
Stellte 1907 bei den Indépendants aus.
Lit.: Bénézit, [2] II.

Bonnet, Georges Henri, franz. Landschaftsmaler, * Paris, ansässig ebda.
Stellt seit 1929 bei den Indépendants aus.
Lit.: Joseph, I.

Bonnet, Jean, franz. Landschafts- u. Bildnismaler, * Niort (Deux-Sèvres), ansässig in Paris.
Stellte 1919/31 im Salon d'Automne, 1926ff. bei den Indépendants u. im Salon der Soc. Nat. d. B.-Arts aus.
Lit.: Joseph, I. — Bénézit, [2] II.

Bonnet, Juliette, franz. Blumen- u. Stilllebenmalerin, * Marseille, ansässig ebda.
Schülerin von Jean Aubéry. Stellt seit 1927 im Salon der Soc. d. Art. Franç. aus.
Lit.: Bénézit, [2] II.

Bonnet, Leon, amer. Maler, * 12. 9. 1868 Philadelphia, Pa., † 1936 Bonita, Calif.
Schüler von Elliot Clark u. Edw. Potthast.
Lit.: Amer. Art Annual, 30 (1933). — Who's Who in Amer. Art, 1: 1936/37.

Bonnet, Marcelle Renée, franz. Genre- u. Landschaftsmalerin, * Paris, ansässig ebda.
Schülerin von Ferd. Humbert u. Louis Roger. Stellte 1927ff. im Salon der Soc. d. Art. Franç. (Salon-Kat. z. T. m. Abbn), 1938/40 im Salon der Soc. Nat. d. B.-Arts aus.
Lit.: Bénézit, [2] II.

Bonnet, Patrice, franz. Architekt u. Aquarellmaler, * 27. 6. 1879 St-Girons (Ariège), ansässig in Straßburg.
Schüler von P. J. Esquié an der Pariser Ec. d. B.-Arts. 1906 Grand Prix. Bis 1911 in Rom an der Acad. de France. Zeigte im Salon der Soc. d. Art. Franç. 1920 Aquarelle mit Ansichten vom Schloß u. Villa Farnese in Caprarola u. Idealrekonstruktion einer jonisch-hellenist. Stadt.
Lit.: Delaire, p. 187. — Joseph, I. — Arte e storia, 1911 p. 191. — Gaz. d. B.-Arts, 1920/II p. 15, m. Abb.

Bonnet, Rudolf, holl. Landschaftsmaler.
Arbeitete längere Zeit in Indien und auf Bali. Sammelausstellgn im Salon Van Hasselt, Rotterdam 1927, u. im Salon Kleykamp im Haag 1937.
Lit.: De Bouwgids, 22 (1930) 6. — Maandbl. v. beeld. Kunsten, 4 (1927) 58, 60 (Abb.); 13 (1937) 379, m. Abb. — The Studio, 91 (1926) 322ff., m. Abbn.

Bonnetain, Armand, belg. Bildhauer, Medailleur u. Plakettenkünstler, * 24. 6. 1883 Brüssel.
Schüler von Constant Montald u. Ch. v. d. Stappen Bildnismedaillen (A. J. Wauters, Jules Destrée, Edm. Picard); Plaketten (Le Parfum); Denkmal Trésignies in Brüssel.
Lit.: Forrer, 7. — Seyn, I, m. Fotobildnis. — L'Art et la Vie (Gent), 1936, p. 18 (Abb.). — Chron. d. Arts, 1921 p. 107. — Jaarverslag v. d. Vereenig. voor Penningkst te Amsterd., 1947, p. 5, m. Abb. — Médailles, 11 (1948) Nr 1, p. 5; Nr 3, p. 5. — The Studio, 65 (1915) 113.

Bonneton, Germain Eugène, franz. Landschaftsmaler, * 18. 9. 1874 Tournon (Rhône), fiel Nov. 1915 in den Argonnen.
Schüler von Albert Maignan u. L. O. Merson an der Pariser Ec. d. B.-Arts. Hauptsächlich Ansichten aus Alt-Paris u. s. nächsten Umgebung.
Lit.: Bénézit, [2] II (1949). — Ginisty, 1916, p. 11. — Joseph, I.

Bonnier, Jean, franz. Genremaler, * März 1882 Paris, ansässig ebda.

Mitglied der Soc. d. Art. Franç. Stellte auch bei den Indépendants aus. Bilder im Musée Carnavalet in Paris u. im Mus. in Lille.
Lit.: Joseph, I. — Bénézit, [2] II.

Bonnotte, Ernest Lucien, franz. Bildnis- u. Genremaler, * Dijon, ansässig in Paris.
Mitglied der Soc. d. Art. Franç., beschickt deren Salon seit 1898 (Kat. z. T. m. Abbn).
Lit.: Th.-B., 4 (1910). — Joseph, I.

Bono, Primitif, ital. Bildnis- u. Landschaftsmaler, * Brescia, ansässig in Cannes, seit ca. 1925 in Paris.
Weilte längere Zeit in Algerien. Mitglied der Soc. d. Art. Franç., beschickte deren Salon 1920/39 (Kat. z. T. m. Abbn).
Lit.: Joseph, I. — Bénézit, [2] II.

Bonome, Santiago Rodriguez, siehe *Santiago Bonome,* Rodriguez.

Bonomelli, Romeo, ital. Landschafts-, Bildnis- u. Genremaler u. Rad., * 30. 6. 1871 Bergamo, ansässig ebda.
Schüler von Ces. Tallone.
Lit.: Comanducci. — Emporium, 57 (1923) 303, 304f. Abbn; 65 (1927) 131f., m. 5 Abbn.

Bonomi, Alberto, ital. Landschaftsmaler, * Mailand, fiel im 1. Weltkrieg 1914/18.
Stellte im Salon d'Automne in Paris 1909 aus. Schloß sich der Gruppe der Divisionisten an.
Lit.: Comanducci. — Bénézit, [2] II (1949). — Emporium, 50 (1919) 267.

Bonomi, Carlo, ital. Maler, Bildhauer u. Architekt, * 28. 12. 1880 Turbigo (Mailand), ansässig ebda.
Stud. in Mailand u. München. Anfängl. Maler; als solcher tätig in Rom, Budapest, Wien u. München. Machte sich dann in Turbigo ansässig. Malt Alpenlandschaften u. Szenen aus d. Leben der Landbevölkerung. Seit ca. 1920 auch Bildhauer u. Architekt (mittätig an der Wiederherstellung des Broletto in Novara).
Lit.: Chi è?, 1940. — Comanducci. — Vita artistica, 1 (1926) 57 (Abb.). — D. Cicerone, 18/I (1926) 388 (Abb.).

Bonpunt, Bertrand, franz. Landschaftsradierer u. Lithogr., * 30. 1. 1887 Rodez (Aveyron), ansässig in Rieupeyroux.
Schüler von A. Mignon. Mitglied der Soc. d. Art. Franç.

Bonta, Elizabeth Brainard, amer. Aquarellmalerin, * Syracuse, N. Y., ansässig in Brooklyn, N. Y.
Schülerin von A. W. Dow, J. Alden Weir u. Geo. De Forest Brush. Landschaft im St. Paul Institute.
Lit.: Fielding. — Amer. Art Annual, 30 (1933).

Bontjen van Beek, Jan, dän. Keramiker (Prof.), * 18.1.1899 Veyla, ansässig in Charlottenburg.
Enkel des Malers Eduard Abraham B. v. B. Seit 1945 Direktor der Hochsch. für angewandte Kunst in Berlin. Seit 1946 Leiter der Keram. Klasse an der Hochsch. f. bild. Kunst ebda.
Lit.: Wer ist Wer?, 1948.

Bontkes, Jantjen, holl. Radierer u. Maler, * 20. 3. 1884 Finsterwolde.
Schüler von H. M. Krabbé in A'dam.
Lit.: Waller.

Bonvalot, Carlos Augusto, portug. Maler u. Dekorateur, * 24. 6. 1893 Cascais, † 13. 2. 1934 ebda.
Stud. an d. Kstschule in Lissabon, Schüler von Ernesto Condeixa u. Veloso Salgado ebda. Pensionär des Valmôr-Legats. Gold. Med. auf der Jahrh.-Ausst. der Unabhängigkeit Brasiliens 1922. Konservator am Mus. Conde Castro Guimarães in Cascais. Vertreten ebda, im Nat.-Mus. zeitgen. Kst in Lissabon (Fischer; Frühling; Pierrot), im Mus. Grão-Vasco in Vizeu (Santo Antonio dos Portugueses in Rom), im Mus. Regional in Évora (Melancholie; Interieur), im Rathaus u. in d. Akad. der Kste in Lissabon. Ausschmückung der Kirche St. Anton in Estoril.
Lit.: Pamplona, p. 296. — Gr. Enc. Port. e Brasil., IV 897.

Bonvoisin, Joseph, belg. Maler u. Rad., * 1896 Lüttich.
Schüler von Harpoux in Birmingham (Engl.) u. von Adr. de Witte in Lüttich. Figürliches, Landschaften.
Lit.: Seyn, I.

Bony de Lavergne, Léopold de, franz. Porträtbildhauer, * Paris, ansässig ebda.
Schüler von D. Puech. Mitgl. d. Soc. d. Art. Franç., beschickte deren Salon 1903/14 (Kat. z. T. m. Abbn).
Lit.: Bénézit, [2] II (1949).

Bonzagni, Aroldo, ital. Maler u. Karikaturenzeichner, * 24. 9. 1887 Cento (Ferrara), † 30. 12. 1918 Mailand.
Schüler von Mallarini u. der Akad. in Mailand. Lebte mehrere Jahre in Südamerika, dann in Mailand. Amüsanter Schilderer d s Großstadtlebens (Kaffeehaus-, Konzertsaal-, Straßenszenen usw.) in satirischer Färbung. Politische Karikaturen.
Lit.: Comanducci, m. Abb. — Emporium, 36 (1912) 398; 37 (1913) 476/77 (Abbn). — Vita d'Arte, 11 (1913) 23 (Anm.). — Pagine d'Arte, 3 (1915) 60; 7 (1919) 8, m. Abb., 11 (Abb.), 92, m. Abb. — Kstchronik u. Kstmarkt, N. F. 31 (1919/20) 810. — Rass. d'Arte, 20 (1920), Cronaca H. 6, p. III (Abb.).

Bonzel, Suzanne, franz. Bildnis- u. Stilllebenmalerin, * Haubourdin (Nord), ansässig in Lille.
Schülerin von Jane Chauleur-Ozeel. Stellt seit 1927 im Pariser Salon der Soc. d. Art. Franç. aus (Kat. z. T. m. Abbn).
Lit.: Joseph, I. — Bénézit, [2] II.

Boode, Dirk, holl. Maler, * 25. 6. 1891, ansässig in Delft.
Schüler der Haager Akad. Biblische Vorwürfe, Bildnisse.
Lit.: Waay.

Boog, Carle Michel, schweiz.-amer. Maler u. Illustr., * 27. 6. 1877 Sursee, Kt. Luzern, ansässig in Brooklyn, N. Y.
Stud. an d. Art Student's League in New York u. an d. Pariser Ec. d. B.-Arts unter Bonnat. 2 Bilder im Mus. f. Mod. Kst in New York.
Lit.: Fielding. — Amer. Art Annual, 30 (1933). — Who's Who in Amer. Art, I: 1936/37. — Bénézit, [2] 2 (1949).

Boogaard, Herman van den, holl. Maler u. Kstgewerbler, * 15. 11. 1891 Amsterdam, ansässig ebda.
Schüler von Pieter Das. Symbolische Kompositionen, Möbelentwürfe, Bucheinbände.
Lit.: Waay.

Boogar, William F., amer. Maler u. Holzschnitzer, * 12. 8. 1893 Salem, N. J., ansässig in Provincetown, Mass.
Stud. an der Pennsylv. Acad. of Fine Arts in Philadelphia.

Lit.: Fielding. — Amer. Art Annual, 20 (1923) 447. — The Art News, 24, Nr 20 v. 20. 2. 1926, p. 7.

Boolskij (eigentl. Bogopolskij), Jacques, kaukas. Bildnis- u. Landschaftsmaler, ansässig in Genf.

Schüler der Genfer Ec. d. B.-Arts. Porträtierte gelegentlich der 500-Jahrfeier der Universität Genf 1918 sämtliche Professoren derselben.

Lit.: Joseph, I.

Boon, Geraldine, engl. Malerin (Öl, Pastell, Aquar.), * 7. 10. 1896 London, lebt in Alassio, Italien.

Stud. an den Akad. Julian u. Colarossi in Paris u. bei F. S. Beaumont.

Lit.: Who's Who in Art, [3] 1934.

Boon, Jan, holl. Radierer, Holzschneider u. Maler, * 2. 12. 1882 Nieuwer-Amstel, ansässig in Oostenrijk.

Schüler von Ph. Zilcken u. J. Maris. Bildnisse, Landschaften, Blumen- u. Tierstücke. Bild im Sted. Mus. in Amsterdam.

Lit.: Th.-B., 4 (1910). — Plasschaert. — Waay. — Hall, Nrn 7495/7501. — Waller. — Maandbl. v. beeld. Ksten, 9 (1932) 308/10, m. Abb. — La Revue d'Art (Antwerpen), 30 (1929) 53ff., m. Abbn.

Boon, Johannes Jacob, holl. Maler u. Rad., * 7. 6. 1918 Breda, ansässig in Utrecht.

Schüler von W. v. Leusden, W. v. d. Berg u. Röling. Bildnisse, Stadtansichten, mytholog. Vorwürfe.

Lit.: Waay. — Kat. Tentoonst. van Nederl. beeld. Kst, A'dam 1942, m. Abb.

Boon, Willem, holl. Maler, Holzschneider u. Rad., * 28. 2. 1902 Dordrecht, ansässig in Hilligersberg.

Schüler der Rotterdamer Akad. Landschaften, Figürliches, Stilleben.

Lit.: Waay.

Boonstra, Hendrik Cornelis, holl. Landschaftsmaler, * 20. 4. 1885 Aengwirden, ansässig in Soest (Prov. Utrecht). Autodidakt.

Lit.: Waay.

Boot, Henri Frédéric, holl. Maler, Holzschneider u. Lithogr., * 8. 2. 1877 Maastricht, ansässig in Haarlem.

Schüler von Weingartner in Breda u. von J. H. Weitkamp in Rotterdam, weitergebildet bei Maasdijk, Miedema u. Ezerman an der Rotterdamer Akad. Figurenbilder (Akte), Stilleben, Bildnisse, Interieurs, Landschaften. Mitglied der „Onafhankelijken". Bilder in den Museen Amsterdam, Haag u. Rotterdam.

Lit.: Plasschaert. — Waay. — Waller. — Maandbl. v. beeld. Kunsten, 2 (1925) 117f., m. Abb.; 13 (1937) 42/48, m. Abb.

Booth, Cameron, amer. Maler, * 11. 3. 1892 Erie, Pa., ansässig in Minneapolis, Minn.

Schüler von H. M. Walcott, dann von A. Lhote in Paris u. Hans Hofmann in München. Vertreten in d. Pennsylv. Acad. of the F. Arts in Philadelphia u. in der Newark Mus. Assoc. in Newark, N. J.

Lit.: Amer. Art Annual, 30 (1933). — Who's Who in Amer. Art, I: 1936/37. — Art Index (New York), 1941 ff. passim. — Monro.

Booth, Dorothy, siehe *Davis*.

Booth, Franklin, amer. Maler u. Illustr., * 1874 Indiana, ansässig in New York.

Figürliches, Landschaften, Bildnisse.

Lit.: Amer. Art Annual, 20 (1923) 447; 30 (1933). — Mellquist. — The Studio, 91 (1926) 220f., m. 3 Abbn. — Who's Who in America, 18 (1934/35). — Monro.

Booth, Hanson, amer. Maler u. Illustr., * 19. 5. 1886 Noblesville, Ind., ansässig in Woodstock, Ulster Co., N. Y.

Schüler von van der Poel u. C. F. Browne in Chicago u. von G. Bridgman in New York. Illustr. zu „Harper's Monthly", „Water Babies" von Ch. Kingsley, „The Little Lame Prince" von Miss Mullock.

Lit.: Fielding. — Amer. Art Annual, 28 (1931).

Booth, James Scripps, amer. Maler u. Bildhauer, * 31. 5. 1888 Detroit, Mich., ansässig ebda.

Stud. am Detroit Inst. of Arts.

Lit.: Fielding. — Amer. Art Annual, 30 (1933). — Monro.

Booth, Nina Mason, amer. Malerin, * 25. 8. 1884 Gilbert Mills, N. Y., ansässig in Batavia, N. Y.

Schülerin von Frank E. Mason.

Lit.: Amer. Art Annual, 30 (1933). — Who's Who in Amer. Art, I: 1936/37.

Bora, Piero, ital. Maler, * Biella, fiel im 2. Weltkrieg an der griech. Front.

Stud. seit 1929 an der Akad. in Turin. Beeinflußt von Cézanne u. van Gogh. Figürliches, Stilleben, Landschaften. Gedächtnis-Ausstellgn in Turin, Vercelli u. Biella 1942.

Lit.: Emporium, 96 (1942) 359f., m. 2 Abbn.

Borai, Viktor, ungar. Bildhauer u. Plakettenkstler, ansässig in Budapest.

Akte, Kinderköpfe.

Lit.: Szendrei-Szentiványi.

Borbély-Tokaji, Gisella, ungar. Bildhauerin u. Plakettenkünstlerin, * 25. 9. 1880 Békés.

Schülerin der Akad. Budapest. Studienaufenthalte in Rom, Neapel, München, Brüssel, Paris, London.

Lit.: Krücken-Parlagi.

Borch, Christen, dän. Architekt, * 4. 3. 1883 Kopenhagen, ansässig ebda. Sohn des Archit. Martin B. (* 1852, † 1937).

Schloß 1909 s. Studien an der Kopenhag. Akad. ab. Kl. Gold. Med. 1910.

Lit.: Krak's Blaa Bog, 1936.

Borch, Elna, dän. Bildhauerin, * 6. 12. 1869 Roskilde, † 3. 10. 1950 Kopenhagen.

Schülerin von A. Saabye an der Akad. in Kopenh., weitergeb. in Paris. Neuhaus-Prämie 1903 (Trauernder Knabe). In der Glyptothek: Sterbendes Mädchen (Marmorgruppe). Im Städt. Hospital in Kopenh. eine Büste Prof. Tcernings.

Lit.: Dahl-Engelstoft, I. — Krak's Blaa Bog, 1936; 1951, Totenliste. — N. F., III. — Vem är Vem i Norden, Stockh. 1941, p. 46. — Weilbach, [3] I.

Borch, Orla Valdemar, dän. Landschafts- u. Figurenmaler, * 25. 5. 1891 Kopenhagen, ansässig ebda. Gatte der Bildhauerin Ragnhild Ekelund Jensen (* 2. 2. 1892 Kopenhagen).

Stellt seit 1920 auf Charlottenborg aus. Bilder im Staatens Mus. Kopenhagen. Koll.-Ausst im Kstsalon Bach 1934.

Lit.: Krak's Blaa Bog, 1936. — Vem är Vem i Norden, Stockh. 1941, p. 46. — Konstrevy, 1934, p. 28, m. Abb. — Kunstmus. Aarsskrift, 1932.

Borchard, Walter, dtsch. Architekt, * 1887 Stettin, ansässig in Berlin.

Stud. an der Techn. Hochsch. Charlottenburg. Wohnhausgruppe an der Genter-Luxemburger-Str. in Berlin (1912/14, zus. mit Jakob Schallenberger);

Bankhaus Markus Goldschmidt-Rotschild in Potsdam (1922, zus. mit Helmuth v. Stegmann-Stein); Wohnhausgruppe der Heimstättengesellsch. d. Straßenbahn in Berlin-Tempelhof (1924); Wohnhausgruppen des B.W.V. Dtscher Lokomotivführer in Spandau u. Neukölln.
Lit.: Platz. — Dreßler (Borchart).

Borchardt, Karl, dtsch. Landschaftsmaler, * 27.4.1879 Hombruch i. W., ansässig in Hannover.
Lit.: Dreßler. — Hannov. Kurier, 16. 10. 1920.

Borchardt, Norman, amer. Illustrator, * 21. 1. 1891 Brunswick, Ga., ansässig in New York.
Schüler von John Vanderpoel u. J. Norton.
Lit.: Who's Who in Amer. Art, I: 1936/37. — Mallett.

Borchers, Heinz, dtsch. Maler u. Graph., * 4. 5. 1898 Bremen, ansässig ebda.
Stud. an d. Kstgewerbesch. in Bremen u. am Staatl. Bauhaus in Weimar. Kollektivausstellgn 1932 u. 1950 in der Bremer Ksthalle. Glasfenster in der Kapelle des Riensberger Friedhofs.

Borchert, Bernhard, dtsch.-balt. Maler u. Graph., * 7.8.1910 Riga, ansässig in Berlin.
Schüler von Böhm und Hadank an den Verein. Staatsschulen für freie u. angew. Graphik, Berlin. Seit 1949 Lehrbeauftragter an der Hochschule für bild. Kste ebda. Plakate u. Buchausstattungen in einem expressiv-realist. Stil in derber Pinseltechnik. Bevorzugt östl. Motive, auch Eskimo- u. Naturvölkerdarstellungen. Illustr. zu: Tolstoi, Herr u. Knecht, R. Zech-Verlag, 1948; Grusdew, Das Leben des jungen Gorki, ebda, 1949; Florence Hayes, Der Eskimojäger, Gebr. Weiß-Verl. 1949; Robinson Crusoë, Safari-Verlag, 1948; Peter Tutein, Ich lebte unter Eskimos, Gebr. Weiß-Verl., 1950. Plakate für den Berliner Zoo (1950).

Borchgrevink, Ridley, norweg. Maler, * 1. 2. 1898 Wimbledon, ansässig in Vettakolm.
Stud. 1918 an der Norweg. Techn. Hochsch. in Oslo, 1921 bei A. Lhote in Paris, dann in Italien, Deutschland u. Holland. 1924 Weltreise mit halbjährig. Aufenthalt in Hinterindien u. Siam. Bilder in der Nat.-Gal. in Oslo (3) u. in der Bildergal. in Bergen. Illustrat. zu Asbjørnsen's „Huldrecventyr", 1934. — Buchwerk: „Svart og hvitt i Afrika", 1932.
Lit.: Hvem er Hvem?, [4] 1938. — Konstrevy, 1938, p. 114, m. Abb. — Kunst og Kultur, 15 (1928) 60, 61 (Abb.); 21 (1935) 31 (Abb.), 33 (Abb.), 70f.; 25 (1939) 61 (Abb.).

Borcht, Henri van der, belg. Maler u. Rad., * 11. 8. 1849 Antwerpen, † 4. 3. 1918 ebda.
Schüler der Antwerp. Akad. u. von E. Joors. Im Mus. Antwerpen 2 Straßenansichten.
Lit.: Th.-B., 4 (1910). — Seyn, II 1019.

Bordeaux, Pierre Auguste, franz. Landschaftsmaler, * Paris, ansässig ebda.
Schüler von Bergès. Stellte 1927ff. bei den Indépendants, seit 1930 im Salon der Soc. d. Art. Franç. aus.
Lit.: Joseph, I. — Bénézit, [2] II.

Borden, Reyer van der, holl. Maler, Rad. u. Holzschneider, * 30. 3. 1897 Vlaardingen, ansässig ebda.
Schüler von Luns, J. Schonk u. A. Dall'Oca.
Lit.: Waller.

Bordenave-Aurous, Yvonne, franz. Malerin (Öl u. Pastell), * Rochefort-sur-Mer (Charente-Infér.), ansässig in Paris.
Schülerin von Georges Roussin. Mitglied der Soc. d. Art. Franç. u. der Union des Femmes peintres et sculpteurs. Hauptsächlich marokkanische Motive.
Lit.: Joseph, I. — Bénézit, [2] II.

Bordereau, Maurice René, franz. Landschaftsmaler, * Angers, ansässig ebda.
Stellt mit s. Gattin, der Landschaftsmalerin Odette Marie B. (* Angers), seit 1929 im Pariser Salon der Soc. d. Art. Franç. aus.
Lit.: Joseph, I. — Bénézit, [2] II.

Borderie, Antoine André de, franz. Holzschneider, * 15. 5. 1906 Le Chesnay (Seine-et-Oise), ansässig in Paris.
Stellt seit 1926 im Salon der Soc. Nat. d. B.-Arts aus. Illustr. zu Jean Vignaud, La Maison du Maltais.
Lit.: Joseph, I.

Bordignon, Noè, ital. Genremaler, * 3. 9. 1841 Castelfranco Veneto, † 7. 12. 1920 San Zenone degli Ezzelini.
Schüler von Grigoletti u. Carlo de Blaas, weitergebildet in Rom. Szenen aus dem venez. Volksleben. Auch Fresken (Hochzeit zu Kana u. a.).
Lit.: Comanducci, m. Abb. — Bénézit, [2] II.

Bordoni, Enrico, ital. Landschafts- u. Stillebenmaler, aus Ligurien stammend, ansässig in Florenz.
Sammelausst. in der Gal. „Il Ponte" Florenz 1941.
Lit.: Raf. Franchi, B., Florenz 1942. Besprechg in: Emporium, 96 (1942) 456. — Emporium, 92 (1940) 22 (Abb.); 94 (1941) 45, m. Abb.

Boreel, Wendela, engl. Landschaftsmalerin (bes. Aquar.) u. Rad., * 18. 3. 1895 Frankreich, ansässig in Bray-on-Thames.
Schülerin von W. R. Sickert.
Lit.: Who's Who in Art, [3] 1934. — Apollo (London), 16 (1932) 198; 22 (1935) 303.

Borein, Edward, amer. Radierer, * 21.10. 1872 San Leandro, Calif., ansässig in Santa Barbara, Calif.
Stud. an Hopkin's Art School in San Francisco. Szenen aus dem Leben der Indianer u. Cowboys.
Lit.: Fielding. — Amer. Art Annual, 30 (1933). — Who's Who in Amer. Art, I: 1936/37. — Velhagen & Klasings Monatsh., 46/I (1931/32) 265/71, m. 6 Abbn.

Borès, Francisco, span. Maler u. Radierer, * 6.5.1898 Madrid, ansässig in Paris.
Vater: Andalusier, Mutter: Kastilianerin. Bezog 16jährig eine von Plà geleitete freie Akad. an der Madrider Kunstschule. Stellte 1922 erstmalig in Madrid aus, 1925 ebda im Salon der Iberischen Künstler, dem ersten nicht akadem. Salon Madrids. Ließ sich 1925 in Paris nieder. Stellte dort seit 1928 im Salon des Tuileries, später im Salon des Surindépendants aus. Sammelausstellgn in Zürich (1929), im Haag (1932), in Brüssel (1934), London (1935), Chicago (1936), Stockholm (1937), Hollywood (1938), New York (1939). Zarte, lockere Farben, raumlose, vielleicht japanisch beeinflußte Komposition. Bilder in der Tate Gall. in London u. im Mus. in Nantes.
Lit.: Bénézit, [2] II (1949). — L'Amour de l'Art, 1934, p. 363f. passim, m. Abb. — Arts et Métiers, Nr 57 (1937) p. 5/8, m. 4 Abbn. — Beaux-Arts, 1934, Nr 100 p. 1, m. 2 Abbn; Nr 227 v. 7. 5. 1937, p. 6; Nr v. 3. 5. 1946 p. 2 (Abb.); Nr v. 29. 11. 1946 p. 3, m. Abb.; Nr v. 26. 9. 1947 p. 6 (Abb.). — Cahiers d'Art, 1927 p. 108/12, m. 6 Abbn; 1931 p. 95/97, m.

16 Abbn. — Le Centaure (Brüssel), 4 (1930) 61/63, m. Abb. — Emporium, 104 (1946) 226 (Abb.). — D. Kstblatt, 15 (1931) 224ff., m. 5 Abbn, 246. — The Studio, 138 (1949) 180 (Abb.). — D. Werk (Zürich), 36 (Mai 1949), Beibl. p. 62, m. Abb.

Boresch, Hans, dtsch. Maler u. Radierer, * 13. 1. 1890 Berlin, † 27. 6. 1944 Innsbruck.

Besuchte die Kstgewerbesch. in Wien u. Hamburg u. die Malsch. Streblow in Berlin. Einige Jahre in Berlin als Kinderporträtist tätig. Seit 1920 in Innsbruck, hauptsächl. als Landschaftsradierer.

Lit.: Fischnaler, Innsbr. Chronik, V 53. — Innsbr. Nachr. 1930 Nr 221. — Bergland, 1925 Nr 5; 1926 Nr 5. — Kstler Tirols, 1927, Ms. Ferdinandeum, Innsbr. *J. R.*

Borg, Carl Oscar, schwed.-amerik. Maler, Bildhauer u. Radierer, * 3. 3. 1879 Grinstad, Älvsborg län, von amerik. Eltern, † 1947 Santa Barbara, Calif.

Kam 1901 nach den USA, bildete sich autodidaktisch zunächst in der Bildhauerei. Studienaufenthalte in Ägypten, Spanien, Italien, Frankreich. Auch als Maler Autodidakt. Hauptsächlich Landschaften (Motive aus Kalifornien u. Mittelamerika), Indianerbildnisse u. Szenen aus dem Indianerleben, bes. in Aquarell. Radierungen mit Straßenansichten aus Paris, Rom u. a. O. Mehrere Aquarelle im Mus. in Göteborg, Arbeiten ferner im Mus. in Los Angeles, im Golden Gate Mus. in San Francisco, in der Hearst Free Library in Anaconda u. in der Calif. State Library in Sacramento. Silb. Med. in San Diego 1915, Gold. Med. ebda 1916. — Rad.-Folge: C. O. B. The great Southwest. Etchings. Santa Anna (USA), Fine Arts Press 1936.

Lit.: Amer. Art Annual, 20 (1923) 447; 30 (1933). — Who's Who in Amer. Art, I: 1936/37. — Who's Who in America, 18: 1934/35. — The Internat. Who's Who, [8] 1943/44. — L'Art et les Art., 17 (1913) 268/74, m. 9 Abbn u. Fotobildn. — Göteborgs Museum, Årstryck 1937, p. 60ff., m. Abb. — Konstrevy, 1939, p. 160. — The Studio, 58 (1913) 336/38.

Borg, Elsi, finn. Architektin, * 3. 10. 1893 Nastola, ansässig in Helsinki. Gattin des Malers Anton Lindforss (seit 1930). Schwester des Kaarlo.

Kirchein Jyväskylä (Abb. 47 bei Hahm).

Lit.: Hahm. — Vem och Vad?, Helsingf. 1936.

Borg, Kaarlo, finn. Architekt, * 17. 8. 1888 Frederikshamn, ansässig in Helsinki. Bruder der Elsi.

1918/25 assoziiert mit Joh. Sirén u. Åberg. Pfarrhaus u. Versammlungshaus in Berghäll; H O K : s Verwaltungsgeb. u. mehrere Geschäftshäuser in Helsinki; Volksschule in Kotka; Zellulosefabrik in Veitsiluoto. Wohnhausbauten in Tölö (Vorstadt von Helsinki).

Lit.: Hahm, p. 21.

Borga, Eugène Antoine, franz. Tierbildhauer, * Paris, ansässig in Montrouge.

Mitglied der Soc. d. Art. Franç.; beschickte deren Salon 1905/39, zw. 1919 u. 1938 auch den Salon d'Automne.

Lit.: Joseph, 1. — Bénézit, [2] II.

Borges de Torre, Norah, argent. Malerin u. Buchillustr., * 1903 Buenos Aires.

Stud. in d. Schweiz u. in Spanien. Koll.-Ausst. in Madrid 1933. Entwürfe für Bühnendekorationen u. Textilien. Im Mus. f. Mod. Kst in New York 2 Temperabilder: Kinder, u.: Karwoche. Illustr. zu J. R. Jiménez, Platero y yo, Buenos Aires 1942.

Lit.: Kirstein, p. 87, Abb. p. 25.

Borgès, Pedro Alexandrino, brasil. Genre- u. Stillebenmaler, * São Paulo, ansässig in Paris.

Schüler von Chrétien. Stellte 1899/1907 im Salon der Soc. d. Art. Franç. aus (Kat. z. T. m. Abbn).

Lit.: Bénézit, [2] II (1949).

Borgese, Leonardo, ital. Maler u. Kstkritiker, * 20. 12. 1904 Neapel, ansässig in Mailand.

Schüler der Brera-Akad. in Mailand. Lebte nacheinander in Florenz, Turin, Rom, Bern. Studienreisen in Frankreich u. Griechenland. Stellte erstmalig 1919 aus. Kollektiv-Ausst. in der „Permanente" 1941. Beschickte auch die Biennali in Venedig (1934, 36, 40). Als Kstkritiker seit 1945 tätig für den Corriere d. Sera.

Lit.: C. Carrà, L. B. L'Odierna Arte del Bianco e Nero, Mailand o. J., mit Taf. — Corriere d. Artisti (Mailand), 25. 5. 1948. — Arte contemp. (Rom), Juni 1948. — Corriere d. Sera (Mail.), 4. 5. 1948. — Il Corriere di Milano, 30. 4. 1948. — Eccoci (Cremona), 1. 4. 1943, m. Abbn. — Emporium, 79 (1934) 364; 84 (1936) 54; 88 (1938) 57; 93 (1941) 255 (Abb.); 95 (1942) 175 (Abb.); 103 (1941) 255 (Abb.). — Gazzetta di Modena, 5. 2. 1948. — Il Giornale dell'Emilia (Bologna), 13. 2. 1949. — Illustr. Ital. (Mailand), 9. 5. 1948. — Il Tempo (Mail.), 4./11. 6. 1942, mit 2 farb. Abbn. *P. B.*

Borgex, Louis, s. *Bourgeois-Borgex*, L.

Borgey, Léon, franz. Bildhauer, * 23. 10. 1888 Bregnier-Cordon (Ain), ansässig in Paris.

Schüler von Coutan. 1916 erster Preis für Skulptur u. Reisestipendium, 1917 Prix Danton. Stellt seit 1919 bei den Indépendants aus. Folgt der kubistischen Richtung. Arbeitet in Stein u. Holz.

Lit.: Joseph, I. — Bénézit, [2] II.

Borgh, Knut, schwed. Landschaftsmaler, * 1867 Stockholm, † 1946 Råsunda.

Bild im Nat.-Mus. in Stockholm.

Lit.: Th.-B., 4 (1910). — Thomœus.

Borgiotti, Mario, ital. Maler u. Kunstschriftst., * 22. 8. 1906 Livorno.

Anfänglich im Kunsthandel tätig, begann 1930 als Autodidakt zu malen. Kenner u. Sammler der Malerei der Macchiaiuoli. Hauptsächlich Porträtist. Bildnis Ulvi Liegi in der Gall. d'Arte mod in Florenz. Folge von Florent. Ansichten. — Buchwerke: I Macchiaiuoli, Flor. 1946; Il mio mare, Flor. 1948; Dodici capolavori macchiaiuoli, Turin 1949.

Lit.: M. B. pittore, Florenz, Arnaud, 1944. — Emporium, 85 (1937) 47. — L. Servolini, L'Arte in Livorno (in Vorbereitung). *L. Servolini.*

Borglind, Stig, schwed. Radierer u. Kaltnadelstecher, * 18. 11. 1892 Piteå, ansässig in Falun.

Stud. an Althins Malschule in Göteborg u. an der Akad. in Stockholm. Landschaften, Blumenstücke, Stadtmotive, Industriebauten. Virtuoser Zeichner.

Lit.: Thomœus. — Göteborgs Museum, Årstryck 1943, p. 36. — Konstrevy, 1928, p. 148, 149 (Abb.); 13 (1937), Spezial-Nr, p. 20 (Abb.); 14 (1938) 25, 26 (Abb.). — Meddelanden VI från Fören. för Graf. Konst, p. 4f. — Ord och Bild, 47 (1938) Taf.-Abb. geg. p. 1, 13/22, m. Abbn. — The Studio, 91 (1926) 441, m. Abb. — Vem är Vem i Norden, 1941 p. 1000.

Borglum, Gutzon, amer. Bildhauer, Maler u. Schriftst., * 25. 3. 1867 (1871?) Idaho, Calif., † 1941 (San Antonio, Tex.?). Bruder des Folg.

Stud. in San Francisco u. an d. Acad. Julian in Paris. Seit 1902 in New York ansässig. Kolossalkopf Lincoln's im Kapitol in Washington, D. C.; Mount-

Rushmore-Denkmal in South Dakota mit den in den Felsen gehauenen Kolossalköpfen Washington's, Jefferson's, Lincoln's u. Roosevelt's; Marmorbüste Lincoln's im Detroit Inst. of Arts in Detroit, Mich.; Sheridan-Denkmal in Washington, D. C.; Die Pferde des Diomedes u. Ruskin im Metrop. Mus. in New York; Lincoln-Denkmal in Newark, N. J.; Der Flieger, Univers. of Virginia in Charlottesville.

Lit.: Th.-B., 4 (1910). — Fielding. — Who's Who in America, 18: 1934/35. — Who's Who in Amer. Art, I: 1936/37. — Bénézit, [2] 2 (1949). — G. H. Chase and C. R. Post, Hist. of Sculpt., New York 1925. — Earle. — J. W. McSpadden, Famous Sculptors of America, New York. 1924. — Amer. Art Annual, 6 (1907/08) Abb. geg. p. 202; 30 (1933). — Art and Archeology, 1923, p. 229/32, m. 3 Abbn. — Bull. of the Cleveland Mus. of Art, 1923, p. 135, m. Abb. — Bull. of the Detroit Instit. of Arts, 6 (1924/25) 1 (Abb.), 2. — The Art News, 23, Nr 24 v. 21. 3. 1925, p. 1, m. Abb., Nr 25 v. 28. 3. 1925, p. 1, m. Abb. — Kst u. Kstler, 28 (1929/30) 517. — Kstchronik u. Kstmarkt, N. F. 35 (1925/26) 236. — Art Index (New York), 1928ff. passim.

Borglum, Solon Hannibal, amer. Bildhauer, * 22. 12. 1868 Ogdem, Utah, † 30. 1. 1922 Stamford, Conn. Bruder des Vor.

Stud. an d. Akad. in Cincinnati, 1898ff. bei Frémiet u. Puech in Paris. Hauptsächlich Wildwesttypen. Guter Darsteller des Pferdes. Reiterstatuen des Generals John B. Gordon in Atlanta u. Bucky O'Neil's in Prescott, Ariz. 5 Kolossalbüsten von Generalen aus dem Bürgerkrieg im Nationalpark in Vicksburg; Kriegerdenkmal in Danbury, Conn. Weitere Arbeiten in den Museen in Cincinnati, New York u. Toronto.

Lit.: Th.-B., 4 (1910). — Fielding. — Bénézit, [2] 2 (1949). — The Studio, 73 (1918). — Amer. Art News, 20, Nr 17 v. 4. 2. 1922, p. 8 (Nachruf); 23, Nr 33 v. 23. 5. 1925, p. 5, m. Abb. — G. H. Chase a. C. R. Post, Hist. of Sculpt., New York 1925. — Taft. — H. Maryon, Modern Sculpture, London 1933. — Earle. — Art Index (New York), 1928ff. passim.

Borgmann, Lina, dtsche Bildnis- u. Landschaftsmalerin, * 6.11.1875 Berlin, ansässig ebda.

Lit.: Dreßler.

Borgo-Prund, rumän. Holzbildhauer, * 1900 Prundul Bărgăuli.

Stud. an der Kunstsch. in Bukarest. 2 Reliefs (weibl. Akte) im Mus. Toma Stelian ebda (Kat. 1939 p. 125, m. Abb.).

Lit.: Beaux-Arts, 75e année, Spezial-Nr Sept. 1937: L'Art Roumain à l'Expos. de 1937, p. 16, Abb. p. 20.

Borgognoni, Romeo, ital. Genre- u. Landschaftsmaler, * 5. 5. 1875 Ravenna, ansässig in Pavia.

Schüler von Pietro Michis in Pavia.

Lit.: Comanducci.

Borgomainerio, Luigi, ital. Genre- u. Landschaftsmaler, * 1876 Mailand, ansässig ebda.

Lit.: Th.-B., 4 (1910).

Borgoni, Mario, ital. Genremaler u. Reklamezeichner, * 24. 7. 1869 Pesaro, ansässig in Neapel.

Schüler von Ignazio Perricci.

Lit.: Giannelli, m. Fotobildn. — Comanducci.

Borgonovo, Giovanni, ital. Landschaftsmaler, * 2. 6. 1881 Mailand, ansässig ebda.

Schüler von Gius. Barbaglia u. Ces. Tallone. 1920 Principe-Umberto-Preis. Bild in der Banca Ital. in Mailand.

Lit.: Comanducci.

Borgord, Martin, norweg.-amer. Maler u. Bildhauer, * 1869 Gansdal, Norwegen, † 1935 Riverside, Calif.

Schüler von J. P. Laurens u. R. Verlet in Paris. Bildnisse, Landschaften, Statuetten, Studienköpfe. Bild im Carnegie Instit. in Pittsburgh.

Lit.: Fielding. — Bénézit, [2] 2 (1949). — The Art News, 22, Nr 32 v. 17. 5. 1924, p. 1, m. 3 Abbn; Nr 33 v. 24. 5. 1924, p. 1, m. 3 Abbn. — Amer. Art Annual, 30 (1933).

Borgstedt, Douglas Henning, amer. Pressezeichner, * 3. 1. 1911 Yonkers, N. Y., ansässig in Bryn Mawr, Pa.

Lit.: Who's Who in Amer. Art, I: 1936/37.

Borgström, Carl-Einar, schwed. Porträtmaler u. Bildhauer, * 1914 Ystad, ansässig in Stockholm.

Stud. an der Techn. Schule u. der Akad. Stockholm.

Lit.: Thomœus.

Borgström, Hugo, schwed. Maler (Öl, Tempera, Fresko) u. Bildhauer, * 1903 Gävle, ansässig in Stockholm.

Stud. an der Techn. Schule u. an der Akad. in Stockholm. Bereiste Frankreich, Deutschland, Italien u. Nordafrika. Hauptsächlich Landschaften u. figürl. Kompositionen. Altartafel in der Kirche in Ramsjö. Fresken in der von Birger Borgström erbauten Västerledskirche in Äppelviken (Stockholm). Stuckreliefs im Gemeindehaus in Mora, im Freimaurerhaus in Luleå u. in der Friedhofskap. in Gävle. Bilder im Mus. in Gävle u. im Kstmus. der Univ. in Lund.

Lit.: Thomœus. — Konstrevy, 1932, p. 109 m. Abb.; 1939, p. 43 (Abb.), 78 (Abb.). — Sveriges kyrkor, Stockholm, VIII/1 (1940) 70.

Borgström, Josef, schwed. Landschaftsmaler, * 1893 Gävle, ansässig in Stockholm.

Stud. an der Akad. in Stockholm u. in Frankreich.

Lit.: Thomœus.

Borgström, Ulla, schwed. Landschafts- u. Stillebenmalerin, * 1918 Malmö, ansässig ebda.

Schülerin von Otte Sköld in Stockholm.

Lit.: Thomœus.

Borie, Adolph, amer. Maler, * 5. 1. 1877 Philadelphia, Pa., † 14. 5. 1934 ebda.

Stud. an d. Pennsylv. Acad. of F. Arts in Philadelphia u. 3 Jahre an d. Münchner Akad. Seit 1902 in Philadelphia ansässig. Öftere Aufenthalte in New York u. Paris. Wiederholt ausgezeichnet, u. a. Gold. Med. Philadelphia Art Club 1928. Hauptsächlich Porträtist. Bilder u. a. im Metrop. Mus. New York, im Whitney Mus. of Amer. Art ebda u. im Pennsylv. Mus. of Art in Philadelphia.

Lit.: Fielding. — Amer. Art Annual, 30 (1933). — Who's Who in Amer. Art, I: 1936/37, p. 492. — Bénézit, [2] 2. — George Biddle, A. B., 1937. — Parnassus, 7 (1935) Nr 7 p. 3/6, m. 3 Abbn. — Pennsylv. Mus. Bull., 27 (1931/32) Nr 146 p. 111; 29 (1933/34) Nr 161 p. 64 (Abb.); 30 (1934/35) Nr 167, p. 70; 35 (1939/40) Nr 186, p. 13. — Monro.

Borissoff, Alexander Alexejewitsch, russ. Landschaftsmaler, * 1866 im Gouv. Wologda, † 1934.

Schüler der Petersburger Akad. Seine zahlr., oft großformatigen Schilderungen der nördl. Polargegenden haben mehr gegenständliches als künstler. Interesse. Kollekt.-Ausst. 1905 im Wiener Künstlerhaus, 1906 im Münchner Kstverein, 1907 in d. Pariser Gal. d. Art. modernes. Reich vertreten in d. Staatl. Tretjakoff-Gal. in Moskau (Kat. 1952).

Lit.: Th.-B., 4 (1910). — Bénézit, [2] 2 (1949). — Kondakoff, II 21. — Die Christl. Kst, 2 (1905/06) Beil. zu Heft 5, p. V.

Borkman, Gustaf, schwed.-amer. Holzschneider, * 1842 in Schweden, † 19. 2. 1921 Brooklyn, N. Y.

Zeichnete für Zeitschr. wie The Graphic, Harper's Weekly u. Harper's Monthly.

Lit.: Fielding. — Bénézit, [2] 2 (1949). — Amer. Art Annual, 18 (1921) 225.

Bormann, Emma, verehel. *Milch*, öst. Graphikerin u. Malerin (Dr. phil.), * 1887 Döbling b. Wien, ansässig in Klosterneuburg.

Tochter des berühmten Wiener Inschriftenforschers Eugen B. Stud. Germanistik u. Prähistorie. Promovierte 1917. Angeregt durch die Arbeiten Ludw. Michaleks u. Oskar Laskes, wandte sie sich der Graphik zu u. begann 1913 in der Graph. Lehr- u. Versuchsanstalt in Wien als Schülerin Michaleks in Kupfer zu stechen u. zu lithographieren. Ging 1917 nach München, wo sie bis 1920 blieb (1 Semester Kunstgewerbesch., dann Lehrerin f. graph. Fächer). Aus dieser Zeit stammen u. a. Holzschnitte wie: Marienplatz; Englischer Garten mit Rodlern; Frauenkirche; Leichenbegängnis Kurt Eisners; Bahnhof; Warenhaus Tietz. 1920 Reise durch Süddeutschland u. das Salzkammergut. 1922 in Holland (Groningen, Haag, Rotterdam). Aus diesem Jahr der Holzschnitt: Universität in Groningen. 1924 in England, Dalmatien, Rom, Schweden (Verheiratung mit dem öst. Arzt Dr. Eugen Milch). 1929 in Dalmatien, Konstantinopel. 1931 in Paris, 1932 in Prag. Pflegt außer dem Holzschnitt, der Lithogr. u. Radierung auch den Linolschnitt (Im Wiener Opernhaus) u. die Schabkunst (Vorlesung Dvořáks). Ihre meisten Blätter sind einfarbig, gelegentlich erscheinen bunte, handgemalte Partien oder Verwendung mehrerer Farbplatten.

Lit.: Der getreue Eckart (Wien), 10/I (1932/33) 443/49 (Abbn); 10/II (1932/33) 773/78, m. 6 farb. Abbn u. Taf. geg. p. 764. — D. Graph. Künste (Wien), 45 (1922) 64/70, m. 6 Abbn, 1 Orig.-Holzschn. u. 1 Lichtdr.-Taf. — The Studio, 83 (1922) 279ff., m. Abb; 87 (1924) 137, m. Abb.

Bormann, Ferdinand, dtsch. Bildnis- u. Landschaftsmaler, * 7. 3. 1879 Suurbrodt, zuletzt ansässig in Berlin.

Stud. an der Berl. Kstgewerbesch.

Lit.: Dreßler. — Velhagen & Klasings Monatsh., 52/I (1937/38) farb. Taf.-Abb. geg. p. 376, 384.

Bormann, Wilhelm, dtsch. Bildhauer u. Medailleur, * 29. 7. 1885 Braunschweig, ansässig in Wien.

Hauptsächlich kirchl. Plastik: 4 Seitenaltäre (Terrakotta) u. Hochaltartabernakel in der Priesterseminarkirche in Klagenfurt; figürl. Reliefschmuck der Altarnische d. Kirche zu Ebelsberg; Altar in der Handelsschule in Belitz.

Lit.: D. Architekt, 19, Taf. 60, 63. — D. Christl. Kst, 9 (1912/13) 100, 107. — Dtsche Kst u. Dekor., 31 (1912/13) 246 (Abb.). — Kirchenkst, 4 (1932) 113–15, m. Abb.; 6 (1934) 77 (Abb.). — Die Medaille der Ostmark. Hg. 1938 vom Wiener Bund f. Medaillenkst usw., Wien/Leipzig 1939, p. 61, m. Med.- u. Plakettenverz. — Kstdenkm. Kärnten, 8: Pol. Bez. Wolfsberg, o. J. [1933], p. 1035.

Born, Ernest, amer. Maler u. Lithogr., * 21. 2. 1898 San Francisco, ansässig ebda.

Schüler von John Galen Howard, Armin Hansen u. P. Baudouin. Hauptsächl. Porträtist.

Lit.: Who's Who in Amer. Art, I: 1936/37. — Amer. Art Annual, 30 (1933). — Architect. Forum, 86 (1947) 56, 72.

Born, Franz, dtscher Bildhauer, * 6. 1. 1881 Frankfurt a. M., ansässig ebda.

Schüler s. Vaters Franz Jakob B. u. Frietz Hausmanns in München. Marktbrunnen in Wiesbaden. Bildnisbüsten.

Lit.: Th.-B., 5 (1911).

Born, Johann Ernst, dtsch. Bildhauer, * 20. 12. 1884 Meißen, ansässig in Dresden.

Stud. an der Kstgewerbesch. u. Akad. in Dresden. Tuchmacherbrunnen in Forst in der Lausitz; Kriegerdenkmäler in Pulsnitz, Großrohrsdorf u. Cossebaude; Jüngling mit Flügelrad vor dem Verwaltungsgeb. der Reichseisenbahndirektion Dresden.

Lit.: Dreßler. — Leipziger N. Nachr. v. 5. 2. 1936, m. Abb.; v. 24. 12. 1944.

Born, Rudolf, dtsch. Bildhauer (Prof.), * 23. 5. 1882 Dresden, ansässig ebda.

Stud. an der Dresdner Akad. Prof. an der Staatl. Akad. f. Kunstgewerbe ebda. Kriegerehrungen in Zittau, Kamenz, Liegnitz u. in der Johanniskirche in Dresden.

Lit.: Dreßler. — Oberlausitzer Heimatzeitg, 3 (1922). — Schlesw.-Holst. Jahrb., 1927, p. 22 (Abb.). — Innendekoration, 25 (1914) 145 (Abb.), 150. — Kstrundschau, 50 (1942) 115. — D. Kstwanderer, 1925/26 p. 420. — Zeitschr. f. Bauwesen, 66 (1916) 485/510.

Born, Wolfgang, dtsch. Maler u. Illustrator, * Breslau, ansässig in Wien.

Stud. anfänglich Kunstgesch. Als Maler Autodidakt. Ließ sich nach dem 1. Weltkrieg in München nieder. Stilleben, Blumenstücke, Figürliches, Bildnisse, Illustr. u. a. zu Giambatt. Basile, Der Pentamerone (Lith.), Verl. G. Hirth, München o. J.; Ch. Dickens, Ausgewählte Erzählungen (Klassiker. Eine Bibliothek für die Jugend, Bd 5), Allg. Verlagsanstalt, München 1924; Wesselski, Dante-Novellen, Thomas Mann, Der Tod in Venedig. Kollektivausstellgn in d. Gal. Ferd. Möller, Berlin, Herbst 1921, u. i. d. Mod. Gal. Thannhauser in München, Nov. 1922.

Lit.: D. Cicerone, 16 (1924) 285. — Dtsche Kst u. Dekor., 63 (1928/29) 108f. (Abbn). — D. Kstwanderer, 1921/22, p. 42. — Velhagen & Klasings Monatsh., 42/II (1927/28) 691, 692 (Abb.).

Borne, Theresa, engl. Bildhauerin, * 18. 7. 1906 London, ansässig ebda.

Lit.: Who's Who in Art, [3] 1934.

Bornemann, Anna, dtsche Landschafts-, Blumen- u. Bildnismalerin, ansässig in Darmstadt.

Stud. in Hamburg u. an d. Kstsch. in Weimar.

Lit.: Dreßler. — Kat. Ausst. Dtsche Kst, Darmstadt 1922, Nr 16, p. 184/86, m. Abb.

Bornemisza, Géza, ungar. Maler, * 4. 2. 1884 Nábrád (Kom. Szatmár), ansässig in Budapest.

Stud. in Nagybánya, dann an der Acad. Julian u. bei H. Matisse in Paris u. in München. In der N. Ungar. Gal. Budapest ein Aquarell: Angler an der Kleinen Donau.

Lit.: Szendrei-Szentiványi. — Kállai, m. Abb. — Krücken-Parlagi. — Jahrb. d. Mus. d. Bild. Kste in Budapest, 9 (1940) 274

Bornet, Paul, franz. Maler u. Holzschneider (Prof.), * 11. 9. 1878 Ranchot (Jura), ansässig in Paris.

Stellte im Salon der Soc. d. Art. Franç., bei den Indépendants u. im Salon der Soc. Nat. d. B.-Arts aus. Holzschnitte nach eigenen u. fremden Vorlagen (Velázquez, Corot, Ch. Cottet u. a.).

Lit.: Joseph, I. — Bénézit, ² II. — Gaz. d. Art. grav. franç., 1914 p. 877/79. — La Renaiss. de l'Art franç., 3 (1920) 208 (Abb.).

Bornhofen, Heinrich, dtsch. Bühnen- u. Architekturmaler, * 6. 8. 1888 Mannheim, ansässig ebda.

Stud. an d. Akad. in Karlsruhe.

Lit.: Dreßler.

Bornozi, Diana, griech. Bildnismalerin, * Wien, ansässig in Paris.

Stellt seit 1914 im Salon der Soc. Nat. d. B.-Arts aus (Miniaturbildnisse auf Elfenbein).

Lit.: Joseph, I. — Bénézit, ² II.

Bornschlegel, Karl, dtsch. Holzschnitzer u. Steinbildh., * 6. 6. 1894 München, ansässig in Burglengenfeld, Ob.-Pfalz.

Praktische Tätigkeit. Autodidakt. Pflegt ausschließlich die christl. Kunst. Madonna, Haus Werdenfels b. Regensburg; Hl. Anna u. Br. Konrad, Herz-Jesuk. in Waiden; Kruzifix, Kirche in Maxhütte; Herbergsuche, Bischofshof Regensburg; Hochaltar, kath. Kirche St. Barbara in Luitpoldhöhe b. Amberg; Hochaltar, Kirche in Burglengenfeld (sämtl. Holz); Hl. Christophorus (Stein), Postamt Nabburg; 12 Apostel (Stuck), Kirche in Teublitz. Krippenfiguren.

Lit.: D. christl. Kst, 25 (1928/29) 56 (Abb.), 57 (Abbn), 60. — D. Kunst, 73 (1935/36) 150. — Jahresmappe d. Dtsch. Gesellsch. f. Christl. Kst, 1927. — Mitteilgn d. Kstlers.

Boromisza, Tibor, ungar. Maler, * 1880 Bácsalmás, ansässig in Nagybánya.

Stud. bei Ferenczy in Nagybánya, 1905/06 in Rom, Paris u. München. Neoimpressionist. Landschaften, Figürliches, Bildnisse.

Lit.: Szendrei-Szentiványi. — Krücken-Parlagi, m. falsch. Geb.-Jahr.

Boron, Vivian Browne, amer. Maler, * 16. 5. 1902 Harbor Beach, Mich., ansässig in Detroit, Mich.

Stud. an d. Akad. in Chicago, bei Balande u. Lhote in Paris. Wandmalereien im Justizpalast in Lyon u. im Michigan Historical Mus. in Detroit.

Lit.: Amer. Art Annual, 30 (1933). — Who's Who in Amer. Art, I: 1936/37.

Boronda, Beonne, amer. Bildhauerin, * 23. 5. 1911 Monterey, Calif., ansässig in New York, Gattin des Folg.

Schülerin von Du Mond u. A. Lee.

Lit.: Who's Who in Amer. Art, I: 1936/37. — Amer. Art Annual, 30 (1933).

Boronda, Lester David, amer. Maler, * 24. 6. 1886 Reno, Nevada, ansässig in New York, sommers in Mystic, Conn. Gatte der Vor.

Lit.: Fielding. — Amer. Art Annual, 30 (1933). — Art Digest, 22, Nr v. 15. 2. 1948, p. 21. — Monro.

Borough Johnson, Ernest, engl. Maler, Lithogr. u. Kstschriftst., * 9. 12. 1867 Shifnal, Shropshire, † 1949 London.

Stud. an der Slade School bei A. Legros u. an der Herkomer-Schule in Bushey. Bildnisse, Genre, Landschaften (Öl, Aquar., Tempera, Pastell). Bilder in d. Nat. Gall. in Melbourne (Im Schutz der Heilsarmee) u. in d. Städt. Gal. in Aberdeen. Viele Zeichngn u. Lithos im Brit. Mus. u. im S. Kensington Mus. London. Buchwerke: The Technique of Pencil Drawing. Mappenwerk: A Portfolio of Nude-figure Studies. — Seine Gattin Esther, geb. *George*, * Sutton Maddock, Shropshire, malt Genrebilder u. Kinderbildnisse.

Lit.: Th.-B., 19 (1926), s. v. Johnson. — Artist, 37, Nr v. 3. 4. 1949, p. 41/43, m. Abbn. — Who's Who in Art, ³ 1934. — The Connoisseur, 37 (1913) 190; 74 (1926) 49. — The Studio, 90 (1925) 248, 249 (Abb.). — Esther betr.: Artist, 36, Febr. 1949, p. 143 (Abb.); 37, Aug. 1949, p. 138 f., m. Abb.

Borowski, Wacław, poln. Figurenmaler u. Lithogr., * 1886 Lodz, ansässig in Warschau.

Mitglied der Gruppe „Rytm". Bedeutender Kolorist.

Lit.: Treter, p. 11. — Kuhn, m. Abb. — Beaux-Arts, 75ᵉ année, Nr 254 v. 12. 11. 1937, p. 3. — Ausst.-Kat.: Poln. Kst, Wien, Secession, 1928, m. Abb.; Berlin, Pr. Akad. d. Kste, 1935, m. Abb.; Art Polonais, Paris, Soc. Nat. d. B.-Arts, 1921. — Tygodnik ilustrowany, 1923 p. 734 f., m. Abb.

Borrà, Pompeo, ital. Figuren-, Bildnis-, Landschafts- u. Stillebenmaler, * 28. 1. 1898 Mailand, ansässig ebda.

Schüler der Brera-Akad. Schloß sich der Richtung der „Valori Plastici" an. Strenge Tektonik der Komposition. — Bilder in d. Gall. d'Arte Mod. in Mailand u. im Mus. westeurop. Kst in Moskau.

Lit.: Comanducci. — Emporium, 69 (1929) 173; 79 (1934) 369 (Abb.); 84 (1936) 127, l. Sp., 146 (Abb.). — Dtsche Kst u. Dekor., 66 (1930) 88 (Abb.). — D. Kstwerk, 2 (1948) Heft 10, Taf. p. 42. — bild. kst, 2 (1948) H. 11/12 p. 20 (Abb.), 23, m. Abb. — Thema (München), Heft 2 (1949) p. 19 (Abb.).

Borregaard, Eduard, dän. Figuren-, Blumen- u. Stillebenmaler.

Impressionist. Kollektivausstellgn bei „Bo" in Kopenhagen 1934 u. 1937. Temperabild in d. Kupferstichsmlg des Mus. Kopenhagen.

Lit.: Kunstmus. Aarsskrift, 1933/34. — Konstrevy, 1934, p. 189, m. Abb.; 1937, p. 29, m. Abb.

Borrowman, Charles Gordon, schott. Aquarellmaler, * 30. 5. 1892 Edinburgh, ansässig in Punjab, Indien.

Figuren, Tiere, Landsch. (bes. ind. Motive).

Lit.: Who's Who in Art, ³ 1934.

Bors, Károly, ungar. Maler, * 1880 Sopron (Ödenburg), ansässig in Debreczen.

Stud. an der Akad. Budapest u. auf Auslandsreisen. Hauptsächlich Porträtist.

Lit.: Szendrei-Szentiványi.

Borsa, Roberto, ital. Maler, * 30. 8. 1880 Mailand, ansässig ebda.

Schüler von Mentessi u. Tallone an d. Brera-Akad. Ehrenmitgl. derselben. Kollekt.-Ausst.: Mailand, Gall. Bolzani, 1939 (Kat.), Como, Gall. Permanente, 1947 (Kat.), Monza, Paris u. a. O. Figürliches u. Landschaften. Knüpfte an die lombard. Tradition an. Bilder in d. Gall. d'Arte Mod. in Mailand. Im Ospedale Maggiore ebda ein Bildnis der Wohltäterin Luigia Antonini Rossini.

Lit.: Emporium, 36 (1912) 398; 56 (1922) 121; 76 (1932) 314. — La Cultura Mod. (Natura ed Arte), 40 (1910/11) 289; 41 (1911/12) 376 (Tafel), 386/92, m. 8 Abbn; 45 (1915/16) 440. *P. B.*

Borsari, Constante, Tessiner Maler, * 15. 1. 1896 Lugano, ansässig ebda.

Selbstbildnis im Mus. in Lugano.

Lit.: Schweiz. Zeitgen.-Lex., 1932. — Kat. Ausst. Ksthaus Zürich 14. 6.–20. 7. 1941.

Borsari, Pietro Antonio, Tessiner Bildhauer u. Graph., * 24. 11. 1894 Lugano, ansässig ebda.

Lit.: Schweiz. Zeitgen.-Lex., 1932. — Schweizer Kst, 1935 Nr 5, Dez., Umschlagbild; 1942 p. 42 (Abb.).

Borschke, Hans, dtsch. Maler, * Königsberg, fiel im 1. Weltkrieg 1915.

Kollektivausst. im Kstsalon Riesemann & Lintaler in Königsberg, Okt. 1920.

Lit.: Königsb. Allg. Ztg v. 28. 10. 1920.

Borsos, Miklós, ungar. Maler u. Bildhauer, * 1906 Siebenbürgen, ansässig in Györ.

Stud. an der Kunstsch. in Budapest, ließ sich dann in Györ nieder. Reisen in Italien (bes. Florenz) u. Südfrankreich. Zuerst Maler, seit 1933 ausschließlich Bildhauer. Arbeitete in Holz, Granit, Porphyr, Marmor und für den Kupferguß. Bildnisbüsten, Akte. Beeinflußt von mittelalterl. franz. Kathedralplastik u. griechisch-archaischer Kunst.

Lit.: Nouv Revue de Hongrie, 64 (1941/I) 336f., m. 3 Abbn. — bild. kunst, 3 (1949) 162. — Kat. Ausst. „Ung. Kst". Dtsche Akad. d. Kste, Berlin 1951.

Borßdorf, Alfred, dtsch. Maler, Radierer u. Holzschneider, * 18. 11. 1881 Meißen, ansässig ebda.

Schüler von G. Kuehl an der Dresdner Akad., weitergebildet in München, Paris u. Hamburg. Landschaften, Bildnisse, Stilleben.

Lit.: Dreßler.

Borst, George, amer. Bildhauer, * 9. 2. 1889 Philadelphia, Pa., ansässig ebda.

Schüler von Ch. Grafly, Alb. Laessle u. Itallo Vagnetti in Florenz. Brunnenstatue (Boy Scout) in Village Common, Plymouth, N. H.

Lit.: Who's Who in Amer. Art, I: 1936/37. — Amer. Art Annual, 30 (1933).

Borszéky, Frigyes, ungar. Bildnis- u. Figurenmaler, * 6. 3. 1880 Megyaszó (Kom. Zemplén), ansässig in Budapest.

Stud. 1899/1903 bei Balló in Budapest, weitergebildet in München u. London.

Lit.: Szendrei-Szentiványi. — Krücken-Parlagi. — Dtschlands, Öst.-Ung. u. d. Schweiz Gelehrte, Kstler u. Schriftst., [1] Hannover 1911. — Apollo (London), 9 (1929) 330.

Borter, Klara, schweiz. Malerin, * 11. 3. 1888 Interlaken, ansässig ebda.

1907/09 bei Böcklin in Zürich, dann Schülerin von Max Buri in Brienz. Landschaften, Figürliches.

Lit.: Brun, IV. — D. Schweiz, 1916, p. 539ff., m. Abbn.

Borthwick, Alfred Edward, schott. Landsch.-, Genre- u. Bildnismaler (Öl, Aquar., Tempera), Rad. u. Glasmaler, * 22. 4. 1871 Scarborough, ansässig in Edinburgh.

Stud. bei Bouguereau an der Acad. Julian in Paris, an der Kstschule in Edinburgh u. in Antwerpen. Fensterrose in der Christ Church in Edinburgh.

Lit.: Th.-B., 4 (1910). — Who's Who in Art, [3] 1934. — Mallett. — The Connoisseur, 76 (1926) 59f., 61 (Abb.).

Bortnyik, Sándor, ungar. Maler.

Anfänglich Anhänger des Konstruktivismus, ging später zu einem nüchternen Naturalismus über.

Lit.: Kállai, m. 3 Abbn.

Bortolotti, Timo, ital. Bildhauer.

Sieger im Wettbewerb um ein Denkmal auf dem Valico del Tonale (1923). Grand prix der Internat. Ausst. Paris 1937. Beschickte die 4. Biennale in Venedig. Seine Kunst trägt einen pathetisch-klassizist. Charakter und weist enge Verbindung mit dem Eklektizismus des 19. Jahrh. auf.

Lit.: Aldo Carpi, Opere di T. B., Mailand 1935. — L'Amour de l'Art, 1935 p. 127ff. passim, m. Abbn. — Arte Cristiana, Jan. 1941, m. 8 Abbn. — Emporium, 79 (1934) 386, m. Abb.; 83 (1936) 161; 104 (1941) 39ff., m. Abbn. — F. Ciliberti, Cat. d. 45 Mostra d. Gall. di Roma, p. 19/22. *P. B.*

Bortoluzzi, Pietro, Künstlername: *Pieretto Bianco,* ital. Maler u. Bühnenbildner, * 28. 8. 1875 Triest, † zw. 1936 u. 1940 Rom.

Stud. am Istit. di B. Arti in Venedig, im übrigen autodidaktisch gebildet. Genrebilder, Landschaften, Blumenstücke. Nahm um 1900 zur Unterscheidung von dem Landschaftsmaler Camillo (Millo) Bortoluzzi (* 1868 Treviso) den Namen Pieretto Bianco an. Bilder in d. Gall. d'Arte Mod. in Rom, im Mus. Revoltella in Triest, im Mus. Marangoni in Udine, im Mus. in Magdeburg u. im Mus. d'Arte Mod. in Madrid. Selbstbildn. in den Uffizien in Florenz. Fresko- u. Mosaikausschmückung der Capp. d'Oria Pamfilj auf dem Giannicolo. 1916/20 Bühnenbildner an der Metropolitan-Oper in New York, danach an d. Scala in Mailand.

Lit.: Comanducci. — Chi è?, 1936; 1940, Anhang: Chi fu? — Rivista d'Italia, anno 8, fasc. 8, p. 315/27. — Vita d'Arte, 10 (1912) 121f. — D. Kst, 25 (1912) 539, 554 (Abb.). — D. Christl. Kst, 9 (1912–13) Beil. p. 9. — D. Kstwanderer, 1924/25, p. 204. — The Connoisseur, 75 (1926) 62. — Emporium, 80 (1934) 323f., m. Abb.; 81 (1935) 178f. — Kat. Civ. Museo Revoltella, Triest 1933.

Boruciński, Michał, poln. Bildnis- u. Historienmaler, * 1885 Siedlec, ansässig in Warschau.

Lit.: Sztuki Piękne, 1926/27 p. 341/48, m. 9 Abbn. — Przegląd Artystyczny, 1951 Heft 5 p. 42/44, m. 7 Abbn. — Ausst.-Kat.: Poln. Kst, Wien, Secession, 1928, m. Abb.; Berlin, Pr. Akad. d. Kste, 1935.

Borucki, Kazimierz, poln. Maler, * 11. 7. 1898 Inowracław, ansässig in Bydgoszcz.

Boruth, Andor, ungar. Maler, * 18. 6. 1873 Sátoraljaujhely, ansässig in Budapest.

Stud. bei Hollósy in München (1892/93), dann bei J. Lefebvre, L. Doucet u. T. Robert-Fleury in Paris (1894/99) u. in der Meistersch. Benczúr's in Budapest. 1904 in Spanien (Velázquez-Studien). — In der N. Ungar. Gal. in Budapest: Bildnis der Mutter des Künstlers (Abb. im Kat. 1930), Zigeunerfamilie, Mann mit Hund u. ein Selbstbildnis (Kohlezeichn.). In der Wissensch. Akad. ebda mehrere Gelehrtenbildnisse.

Lit.: Th.-B., 4 (1910). — Szendrei-Szentiványi. — Krücken-Parlagi. — Művészet, 15 (1916) 59; 16 (1917) 37. — Jahrb. d. Mus. d. Bild. Kste in Budapest, 8 (1937) 175; 9 (1940) 274.

Borutta, Willy, dtsch. Aquarellmaler u. Lithogr., * 1893 Essen, ansässig in Bochum.

Als Soldat im 1. Weltkrieg in Rußland u. Frankreich. Impressionist. Veröffentl. 24 jährig die 1. Sturm-Mappe: Aufruhr (7 Steinzeichngn), von starker Kraft des Erlebens u. dämonischer Stimmung erfüllt. 2. graph. Folge: Aus dem Bergmannsleben, mit Vorw. des Hauers Heinr. Bohnenkamp (11. Mappe der Gal. Flechtheim, Düsseldorf; 8 Lithos).

Lit.: Wedderkop, p. 9, 90 (Abb.). — Hellweg (Essen), 2 (1922) 619/21, m. 2 Abbn. — D. Querschnitt, 1 (1921) 153 (Abb.), 192.

Bory, Albert-Auguste, schweiz. Maler, * 4. 9. 1887 Trélex b. Nyon, ansässig in Lausanne.

Stud. 1905/09 an der Ec. d. B.-Arts in Genf bei Ravel, Villert u. Gaus. Ließ sich in Lausanne nieder. Bildnisse, Landschaften.

Lit.: Brun, IV. — Loachamp, II, Nr 439, 602, 1404.

Bory, Jenő, ungar. Bildhauer u. Architekt, * 9. 11. 1879 Székesfehérvár (Stuhlweißenburg).
Als Bildh. Schüler Strobls, als Archit. Schüler der Techn. Hochsch. Budapest. 1905 in Deutschland 1906 mit Staatsstipendium nach Italien (Carrara). Seit 1912 Prof. an der Budap. Hochsch. f. bild. Kste. — Grabdenkmäler; Denkmal für Graf Lajos Batthyány in Ikervár (1913).
Lit.: Szendrei-Szentiványi. — Krücken-Parlagi.

Borysowski, Stanisław, poln. Landschaftsmaler, * 1906 Lemberg, ansässig in Krakau.
Lit.: Kat. d. Ausst. Poln. Kst, Pr. Akad. d. Kste, Berlin 1935.

Borzaga, Gustavo, ital. Maler, Holzschneider u. Exlibriszeichner, * 3. 2. 1884 Arco, † 17. 6. 1920 Trient.
Malereien in der Kirche in Kalzenau (1915).
Lit.: Gerola, m. Abb.

Borzásy, Béla, ungar. Maler, * 23. 2. 1878 Debreczen.
Stud. bei Z. Vajda u. S. Bihary in Debreczen, dann an der Musterzeichensch. in Budapest. 1906 in München, 1907/08 in Paris an d. Acad. Julian. 1909 in Italien, 1910 in London, 1911 in Berlin. Interieurs, Genre, Straßenveduten.
Lit.: Szendrei-Szentiványi.

Borzo, Karel, holl.-amer. Maler, * 3. 4. 1888 Herzogenbusch, ansässig in Seattle, Washington.
Lit.: Amer. Art Annual, 30 (1933).

Borzym, Kazimierz, poln. Maler, * 20. 4. 1886 Oziemków, ansässig in Warschau.
Lit.: Czy wiesz kto to jest?, 1938.

Bos, Anne van den, holl. Figuren- u. Landschaftsmalerin, * 31. 7. 1900 Hemrik (Gem. Opsterland), ansässig in Utrecht.
Schülerin von van Leusden u. Ellens.
Lit.: Waay.

Bosa, Louis, ital. Maler, * 1906 Udine, ansässig in New York.
Kam 1923 nach Amerika. Autodidakt. 1951 Europareise. Malt mit Vorliebe Nonnen u. Geistliche.
Lit.: college art journal, 10 (1951) 156, 167/69. — Art Index (New York), 1941 ff. passim. — Monro.

Bosch, Cornelis, holl. Landschaftsmaler u. Lithogr., * 21. 10. 1888 Zutphen, ansässig in Gouda.
Lit.: Waay. — Waller.

Bosch, Etienne, holl. Maler u. Rad., * 18. 5. 1863 Amsterdam, † 10. 6. 1933 Den Haag.
Schüler von J. Ph. Koelman an der Haager Akad. Landschaften, Stadtansichten, Figürliches, Stilleben. Bereiste England, Frankreich u. Italien (Venedig, Florenz, Rom, Salerno).
Lit.: Th.-B., 4 (1910). — Plasschaert. — Hall, Nrn 7618/21. — Waller. — Onze Kunst, 17 (1910) 145/57, m. Abbn. — Vita d'arte, 6 (1910) 110 ff., m. Abbn.

Bosch, Florian, dtsch. Maler (Öl u. Fresko), * 13. 10. 1900 Sannerlach b. München, ansässig in München.
Stud. 1917/24 bei Becker-Gundahl an d. Münchner Akad. Hauptsächlich Bildnisse u. weiträumige Landschaften, hauptsächl. aus Niederbayern, dem Allgäu u. aus Norddeutschland. Ausmalungen der Kriegsgedächtniskirche St. Dominikus in Kaufbeuren u. des Rathaussaales in Furth im Wald.
Lit.: Dreßler. — Breuer, p. 283/85, m. 2 Abbn u. Selbstbildn. (Zeichng). — D. Cicerone, 18 (1926) 721. — Westermanns Monatsh., 161/I u. II (1936/37) 92, m. Abb. am Schluß d. Bd. — D. Weltkst, 13 Nr 16 v. 23. 4. 1939, p. 2; 16 Nr 1/2 v. 4. 1. 1942 p. 6.

Bosch, Friedrich (Fritz), dtsch. Bildnis- u. Landschaftsmaler u. Entwurfzeichner für Glasmalerei, * 25. 4. 1893 Nürnberg, ansässig ebda.
Stud. an d. Kstgewerbesch. Nürnberg u. an d. Akad. in München. Selbstbildnis (1932) in d. Städt. Gal. Nürnberg.
Lit.: Dreßler. — Fränk. Heimat, 18 (1939) 26. — Kst u. Handwerk, 1913, p. 216 (Abb.), 217 (Abb.).

Bosch, Lena Cornelia ten, holl. Blumen-, Stilleben- u. Bildnismalerin, * 18. 6. 1890, ansässig in Delft.
Schülerin von Leon Senf, Jansen u. Dav. Bautz an der Haager Akad.
Lit.: Waay.

Bosch, Lodewijk, holl. Maler, Rad. u. Schriftst., * 4. 4. 1894 Amsterdam, ansässig ebda. Autodidakt. Bereiste Spanien.
Lit.: Waller.

Boscher, Jean Edouard Ferdinand, franz. Landschafts- u. Blumenmaler (Öl, Aquar., Pastell), * 5. 3. 1888 Paris.
Lit.: Joseph, I. — Bénézit,[2] II.

Boscheron, Geneviève, franz. Landschafts- u. Bildnismalerin, * Bordeaux, ansässig in Paris.
Schülerin von Voisin. Stellt seit 1924 im Salon der Soc. d. Art. Indépendants aus.
Lit.: Joseph, I.

Boschinov, Alexander, bulgar. Maler, Karikaturenzeichner u. humorist. Erzähler, * 1878 Svištov, ansässig in Sofia.
Stud. in Sofia u. München. Studienaufenthalte in Deutschland, Frankreich, Italien u. Jugoslawien. Mitgl. der Bulgar. Akad. d. Wissensch. u. Künste. Stellte wiederholt auch im Ausland (Belgrad, Zagreb, Berlin) aus. Polit. Karikaturen für Tageszeitungen.
Lit.: Filov, m. Abb. — The Studio, 115 (1938) 132 (Abb.). — Kat. d. Ausst. Bulgar. Kstler in Deutschland, Leipzig, Kstver., 1941/42, m. Abb.

Boscovits, Fritz, schweiz. Maler, Illustr., Lithogr., Karikaturenzeichner u. Graph. (bes. Plakatkünstler), * 13. 11. 1871 Zürich, ansässig in Zollikon. Ungar. Abkunft.
Sohn des ungar. Malers u. Karikatur. Friedrich B. (* 6. 1. 1845 Budapest), der sich um 1866 in Zürich niederließ. Stud. an der Münchner Akad. bei Knirr, L. v. Löfftz, P. Höcker u. Defregger. 1895/97 in Florenz. Seit 1900 in Zürich ansässig. Mappe Malerische Winkel in Zürich, 36 Orig.-Lith., Zürich 1900. Lithos in: Lithogr. aus der Stadt Zürich, hg. v. Stadtrat Zürich 1918. Illustr. zu: B. Meinecke, Ein kleines Märchenbuch, Zürich 1918. Fresken im Postgebäude in Schaffhausen u. in der Landwirtschaftl. Schule d. eidg. Polytechnikums in Zürich. Bilder im Mus. Olten u. im Ksthaus Zürich.
Lit.: Schweiz. Zeitgen.-Lex., 1932. — Graber. — Bénézit,[2] 2 (1949). — Lonchamps, II, Nr 394. — D. Schweiz, 1909, p. 393; 1913, p. 229, m. Abb.; 1914, p. 181. — D. Werk, 2 (1915) Nr 10, p. 10, m. Abb. — D. Ksthaus, 1916, H. 3, p. 1. — Schweizer Kst, 1931

–32, p. 96. — Kat. Ausst. Ksthaus Zürich 1.–29. 10. 1916 u. 23. 3.–26. 4. 1916.

Boscowitz, Alice, dtsche Porträtmalerin, * 14. 1. 1875 Regensburg, ansässig in München.

Schülerin von Ludw. Herterich, W. v. Diez u. F. v. Lenbach in München.

Lit.: Dreßler. — Münchner Ztg, Nr 65 v. 9. 3. 1931.

Bose, Atul, ind. Maler u, Kstschriftst., * 22. 2. 1889 Mymensingh, Ost-Pakistan, ansässig in Kalkutta.

Stud. bis 1916 am Bengal. Techn. Inst. u. an der Jub. Art Acad., dann, nach Promotion an d. Gov. School of Art in Kalkutta (1916/18), an d. Roy. Acad. of Arts in London (1924/26). Erwarb die Würde eines Guruprasanna Ghosh Travelling an d. Univ. Kalkutta. Als Ergebnis eines ind. Wettbewerbs 1930 von der ind. Regierung beauftragt, einige Bildnisse von Mitgl. des brit. Königshauses für das Haus des Vizekönigs in Delhi nach Originalen im Buckingham Palast u. im Schloß Windsor zu kopieren. Wurde Leiter der Gov. School of Art in Kalkutta, 1945/48 leitender Beamter der Sektion Kunst u. Direktor der Gov. Art Gall. Seine Bildnisse sind durch feinste Tonunterschiede u. Kraft des Ausdrucks gekennzeichnet. Organisator allind. Ausstellgn in Kalkutta, der Soc. of Fine Arts (1921) u. der Acad of F. Arts (1933). Entwarf auch einen vom Vizekönig 1935 genehmigten Plan für eine nationale Kstgalerie. Vertreten im Prince of Wales Mus. in Bombay, im Hause des Präsidenten in New Delhi, im Regierungsgeb. in Kalkutta u. in d. Victoria Memorial Hall ebda. — Schriften: A. Review of Indian Art, in: The Year Book Oriental Art, London 1925; Verified Perspective (Veröffentl. der Univ. Kalkutta).

Lit.: Indian Art through the Ages, p. 70.

Bose, Nandalal, ind. Maler, * 3. 12. 1883 Kharagpur, Monghyr, Bihar.

2. Sohn des † Ingenieurs u. Betriebsleiters Purna Chandra B. Der bedeutendste ind. Maler der Gegenwart, ebenso hervorragend als ausübender Künstler wie als Ksterzieher u. -organisator. Begann schon im Alter von 9 Jahren, angeregt durch die ortsansässigen Töpfer, mit Modellieren, Schnitzen u. Zeichnen. Trat 15jährig in die Central Coll. School in Kalkutta ein, wo er 1903 die Reifeprüfung ablegte. Der Besuch mehrerer Hochschulen Kalkuttas u. der dort. Handelsschule blieb ohne Erfolg. Dann Eintritt in die dort. Gov. School of Arts a. Crafts, mit E. B. Havel als Direktor u. A. Tagore als stellvertret. Leiter. Nach Erwerb der Mitgliedschaft malte er dort noch als Schüler seine berühmten Bilder „Sati", „Siva Sati", „Karna", „Tandav-nritya", „Gandhari" u. andere mytholog. Szenen aus den Epen u. Puranas. Nach Abschluß s. Lehrzeit wurde er Schüler von Abanindranath Tagore u. arbeitete 1916 auch einige Zeit in „Vichitra", einer Kstschule im Wohnsitz des Dichters Rabindranath Tagore in Kalkutta, zus. mit Asit Kumar Haldar, Mukul Dey u. Surendranath Kar. Wurde zum Leiter der Indian Soc. of Oriental Art ernannt. Malte 1919 im Auftrag der Lady Herringham gemeinsam mit Haldar, Venkatappa u. Samar Gupta Kopien der Ajanta-Gemälde. Lebte dann eine Zeitlang in s. Landhaus in Rajganj, Howrah, u. malte Fresken in Sir J. C. Boses Inst. of Science in Kalkutta (1919). 192' beteiligt bei Herstellung von Kopien der Wandgemälde der Bagh-Höhle, deren Studium ihn tief in den Geist der altind. Kunst eindringen ließ. Erhielt auf Anregung des Dichters Tagore die Leitung von Kalabhavan, Santiniketan, nach Gründung der Visva-Bharati 1922, ein Posten, von dem er sich erst 1950 zurückzog. Bereiste 1924 mit dem Dichter R. Tagore China u. Japan. Dreimal lud ihn Mahatma Gandhi ein, Ausstellgn zu organisieren u. die Häuser der Ind. Nat.-Kongresses in Lucknow, Faizpur u. d. Haripura-Tagungen auszuschmücken. 1939 von Baroda Dabar beauftragt, Wandgemälde in Kirti Mandir auszuführen. Entwarf Bühnenausstattungen für Tagores Schauspiele. 1950 verlieh ihm die Hindu-Universität Benares die Würde eines Dr. jur. h. c. — Buchwerke: Rupavali; Ornamental Art; Silpakatha. Veröff. auch ein Album mit Reprodukt. seiner Werke. Als einer der frühesten Schüler von A. Tagore hat N. B. die ind. Kst einen guten Schritt weitergefördert auf ihrem Wege nach neuen Formen u. neuer Technik. Er hat gewissenhaft die traditionellen ind. Kstformen benutzt, um reale Gegenstände zu malen. Anwendung heimischer Volksüberlieferung bei Entwerfen einer Reihe von Plakaten, die das ind. Leben darstellen u. während der Sitzungen des Ind. Nat.-Kongresses ausgestellt waren.

Lit.: Album of Paintings on Buddha's Life, publ. by Times of India, Bombay. — Indian Art through the Ages, Delhi, p. 43, 53. — Venkatachalam, Contemp. Indian Painters, p. 29/34. — L'Art décor., 32 (1914) 74f., m. Abbn, p. 70f. u. farb. Taf. p. 74, 76. — Art et Décor., 1913/I, Suppl., Mai-H., p. 4f. — Journal of the Ind. Soc. of Oriental Art, Bd 1, Nr 2, p. 87/96; Bd 4, Nr 2, p. 126/29. — Roopa-Lekha, 1929 Nr 4, p. 26/29, m. 2 Taf.-Abbn. — Visva-Bharati, 1, Nr 1 (1935) p. 84/97 passim, m. Taf.-Abbn. — Oriental Art, 4 (1936) 126/29 passim. — Niriksha (Murshidabad), 1944: Nandalal-Bose-Nr. — The Studio, 135 (1948) 172 (farb. Abb.).

Boselli, Magda, ital. Landschafts-, Stilleben-, Bildnis- u. Figurenmalerin, * 14. 11. 1900 Como, ansässig in Mailand.

Schüler von Gius. Fei u. der Akad. Mailand.

Lit.: Comanducci.

Bosen, Franciscus, holl. Holz- u. Linolschneider, * 27. 1. 1891 Amsterdam, ansässig in Blaricum.

Schüler von L. Louryse, van Rhijn u. J. G. Veldheer.

Lit.: Waller.

Bosia, Agostino, piemont. Landschafts-, Bildnis- u. Figurenmaler, * 15. 9. 1886 Turin, ansässig ebda.

Schüler von G. Giani u. Bistolfi. Ein Kinderbildnis u. ein Bildnis Leon. Bistolfi's im Mus. Civ. in Turin. Eine Flußlandsch. in d. Gall. d'Arte Mod. in Rom. Freskolünette in d. Kirche d. Madonna degli Angeli in Turin.

Lit.: Comanducci. — Bénézit, [2] 2 (1949). — Emporium, 40 (1914) 369; 72 (1930) 115 (Abb.), 116; 81 (1935) 317f. — The Studio, 66 (1916) 67.

Bosiers, René, belg. Maler u. Rad., * 13. 1. 1875 Antwerpen, † 1927 ebda.

Schüler von J. Rosier u. J. de Vriendt. Genreszenen, Städteansichten. Im Mus. Antwerpen ein Aquar.: Am Hafen.

Lit.: Seyn, I.

Bosin, Ture, schwed. Landschafts-, Marine- u. Stillebenmaler, * 1894 Umeå, ansässig in Lidingö.

Stud. an der Akad. in Stockholm, bereiste Holland u. Frankreich. Malte mit Vorliebe auf Öland u. Gotland.

Lit.: Thomœus. — Konstrevy, 15 (1939) 234, m. Abb.

Boskamp, Han, holl. Maler, * 16. 2. 1894 Overveen, ansässig in Bloemendaal.

Stud. anfänglich Innenarchitekt in Haarlem, dann Malschüler von Herm. Kruyder. Stilleben, Bildnisse, Figürliches, Landschaften. Kollektivausst. im Kstsalon „De Vuurslag" im Haag, 1929.

Lit.: Waay. — Maandbl. v. beeld. Ksten, 6 (1929) 259 f., m. Abb.

Bosley, Frederick Andrew, amer. Genre- u. Bildnismaler, * 24. 2. 1881 Lebanon, N. H., † 1942 Concord, Mass.

Schüler von Tarbell u. Benson an d. Kstschule in Boston. Seit 1913 Lehrer an ders. Bild: Der Träumer, im Mus. of F. Arts in Boston.

Lit.: Fielding. — Monro. — Amer. Art Annual, 30 (1933). — Who's Who in Amer., 18 (1934/35). — The Art News, 22, Nr 9 v. 8. 12. 1923, p. 7, m. Abb.

Bosma, Jan, holl. Maler u. Rad., * 25. 7. 1896 Amsterdam, ansässig ebda. Bruder des. Folg. Schüler von H. A. van der Wal.

Lit.: Waller.

Bosma, Willem, holl. Wand-, Blumen-, Hafen- u. Stadtansichtenmaler, * 21. 9. 1902 Amsterdam, ansässig in Rotterdam. Bruder des Vor.

Autodidakt. Mitgl. der „Onafhankelijken".

Lit.: Niehaus, m. Abb. p. 250. — Waay. — Tentoonst. W. B., Amsterdam, M. L. de Boer, 10. 5. –7. 6. 1947 (Kat. m. 3 Abbn).

Bosoni, Pietro, ital. Genre-, Historien- u. Bildnismaler, * 30. 3. 1890 Viadana (Mantua), ansässig in Mailand.

Schüler von Marini u. Baratta an d. Akad. in Parma, weitergebildet in Rom. Fresken, darunter eine Bekehrung der Magdalena, im Kapuzinerkloster in Rom. Wandmalereien im Istit. Aeronautico ebda.

Lit.: Comanducci.

Bosoni Majocchi, Eugenia, ital. Bildnis- u. Landschaftsmalerin, * 16. 12. 1890 Mailand.

Schülerin von Rapetti, Paolo Sala, Riccardo Galli u. Ermeneg. Agazzi.

Lit.: Comanducci.

Boss, Eduard, schweiz. Maler (Öl u. Aquarell), Lithogr. u. Plakatzeichner, * 26. 12. 1873 Muri b. Bern (nach and.: Gündlischwand b. Interlaken), ansässig in Bern.

Stud. an der Kstschule Bern, 1891 Schüler von B. Menn in Genf, weitergebildet bei Raupp u. W. Diez in München. Seit 1897 in Muri, dann in Münsingen, seit 1908 in Bern. Beeinflußt von Hodler, Cézanne u. Matisse. Figürliches (Bauernbilder), Landschaften, Bildnisse, Stilleben. Wandgemälde (Der Redner) im Unionssaal des Berner Volkshauses. Bilder in den Mus. Bern, Ulm u. Zürich.

Lit.: Th.-B., 4 (1910). — Brun, IV 52, 482. — Graber. — Schäfer, 64, m. Abb. Nr 20. — Weese & Born, Jahrh.-Festschr. d. bern. Kstges., 1913, p. 80, m. Abb. — Müller-Schürch, p. 4, m. Abb. Taf. 4. — D. Schweiz, 1904, p. 415, 454; 1908, p. 473; 1909, p. 393; 1911, p. 332; 1915, Taf.-Abb. n. p. 546, 555, 556/60, m. Abbn, 561 (Abb.); 1916, p. 591; 1919, p. 565 (Abb.), 573. — N. Zürcher Zeitg, 1910 Nr 160. — Dtsche Kst u. Dekor., 32 (1913) 395, m. Abb., 404 (Abb.); 57 (1925/26) 112 (Abb.); 59 (1926/27) 29 (Abb.). — Das Werk, 1 (1914) Heft 1 p. 26 (Abb.); 2 (1915) 78 (Abb.), 84f. (Abbn); 4 (1917) 95 (Abb.); 5 (1918) 133 (farb. Abb.); 6 (1919) 95 (Abb.); 8 (1921) 53/56, m. 4 Abbn; 21 (1934) H. 3, p. XXXI. — D. Ksthaus, 1916, H. 9, p. 1. — Schweizerland, 1915/16 p. 3; 1917, p. 522, m. Abb. — D. Kstblatt, 2 (1918) 202. — Das Graph. Kabinett (Winterthur), 1918, p. 30. — Pages d'Art, 1919, p. 298. — Die Kst in der Schweiz, 1927 p. 196, Taf. Nrn 6/8 u. 14. — Die Kst, 53 (1925 –26) 30 (Abb.); 59 (1928/29) 60, 63 (Abb.). — Jahrb. f. Kst u. Kstpflege in d. Schweiz, 5: 1928/29 (1930) 65. — Schweizer Kst, 1929/30, p. 12, 122, 125 (Abb.); 1933/34, p. 97/102, m. Abbn. — Pro Arte (Genf), 2 (1943) 275 (Abb.), 276.

Boss, Homer, amer. Maler, * 9. 7. 1882 Blandford, Mass., ansässig in Santa Cruz, N. M.

Schüler von Chase, Anshutz u. Robert Henri. Lehrer an der Art Students' League in New York. Motive aus New Mexico; Bildnisse der Pueblo-Indianer. Kollektivausst. April 1932 in den Midtown Gall. in New York.

Lit.: Fielding. — Amer. Art Annual, 20 (1923) 448; 30 (1933). — Who's Who in Amer. Art, I: 1936/37. — Monro. — The New York Times, 28. 4. 1932.

Boss, Marcus Arthur, engl. Maler, * 2. 6. 1892 London, ansässig ebda.

Stud. an den Roy. Acad. Schools.

Lit.: Who's Who in Art, [3] 1934.

Bossanyi, Ervin, ungar. Bildhauer, Kstgewerbler u. Dekorationsmaler, ansässig in London.

Längere Zeit in Deutschland ansässig, erwarb die deutsche Staatsangehörigkeit, emigrierte nach 1933 unter dem Naziregime nach England. Wandbilder im Lesesaal der Stadtbibl. in Lübeck. Entwürfe für Glasfenster, Webereien, Keramik (Fliesen als Wandschmuck) u. Mosaiken. Kollektiv-Ausst. in der Beaux-Arts Gall. in London 1935.

Lit.: Apollo (London), 22 (1935) 303. — D. Kreis (Hamburg), 2 (1925) Heft 5, p. 35, 36, 45 (Abb.); 8 (1931) 134/39. — D. Kst, 1931/32, Beibl. p. CVIIIf. — The Studio, 110 (1935) 358 (Abb.); 118 (1939) 79 (ganzseit. Abb.).

Bossard, Carl Thomas, schweiz. Goldschmied, * 25. 2. 1876 Luzern, ansässig ebda.

Schüler s. Vaters Karl B. († 27. 12. 1914 Luzern), weitergebildet in Paris, London u. New York. Seit 1901 Teilhaber, seit 1913 alleiniger Inhaber des väterl. Geschäfts. — Schaubecher, Trinkgefäße, z. T. mit Tierschmuck, Monstranzen (u. a. für Altstetten u. d. Pauluskirche in Luzern), Tafelaufsätze, Jardinieren usw.

Lit.: Brun, IV 482.

Bossard, Johann, schweiz. Bildhauer, Maler u. Illustr., * 16. 12. 1874 Zug, † April 1950 auf s. Landsitz in der Lüneburger Heide.

Stud. an den Akad. München bei W. Rümann u. in Berlin bei A. Kampf. Prof. an d. Kstgewerbesch. in Hamburg. Figürliches, Plastiken (Bronze, Stein, Fayence, Terrakotta), dekor. Malereien, Exlibris. Graph. Folgen: „Das Jahr" (40 Lith.), „Tragödie des Daseins" (Zeichngn), „Der Held". Illustrationen zu Märchenbüchern. Mappenwerke (Lith.). Als Bildhauer vertreten in den Museen Bern u. Danzig.

Lit.: Th.-B., 4 (1910). — Brun, IV. — Schweiz. Zeitgen.-Lex., 1932. — Rhaue, p. 66, 74, 75. — J. B., Dekorat. Malereien (14 Taf.), Berlin 1902. — D. Schweiz, 1902, p. 505, 527; 1903, p. 108ff.; 1910, p. 11; 1912, p. 134f. — N. Zürch. Zeitg, 1910, Nr 176, 178. — Zuger Neujahrsbl., 1914, p. 38 (m. Lit.-Ang.). — Das Werk, 5 (1918) H. 11, p. X. — Pages d'Art, 1919 p. 298. — Schweiz. Bl. f. Exlibris-Sammler, II, Nr 3, p. 62. — Velhagen & Klasings Monatsh., 33/II (1923/24) 650/64, m. zahlr. Abbn.

Bosschère, Jean de (Pseudonym: J.-P. Aubertin), belg. Dichter, Romancier, Kunstschriftst., Zeichner u. Illustr., * 25. 7. 1881 Uccle.

Lebte längere Zeit in England. Illustrierte zahlr. engl. (bzw. ins Engl. übersetzte) Bücher, darunter: Gedichte von O. Wilde; Versuchung des hl. Antonius von Flaubert; Beaudelaire, Rabelais, Boccaccio u. Ovid. Illustr. zu eigenen Werken: Edifices anciens; Essai sur la Dialectique du Dessin; Métiers divins.

Lit.: Seyn, I 208. — Bénézit, [2] II. — L'Art vivant, 1927, p. 726f., m. 4 Abbn. — The Bodleian, 18 (1926) H. 7, p. 103, Abb. geg. p. 108. — The Burlington Magaz., 31 (1917) 248, 252. — The Connoisseur, 64 (1922) 265. — La Revue d'Art (Antwerpen), 29 (1928) 222. — The Studio, 78 (1920) 193/200.

Bossek, Rudolf, dtsch. Maler u. Graphiker, * 10.9.1897 Berlin, ansässig ebda.

Stud. an der Unterrichtsanstalt des Berl. Kstgewerbemus.

Lit.: Dreßler.

Bosselt, Rudolf, dtsch. Bildhauer, Medailleur, Plakettenkstler u. Schriftst. (Prof.), * 29.6.1871 Perleberg, † 2.1.1938 Berlin.

Stud. am Städel-Institut in Frankfurt a. M. u. an der Acad. Julian in Paris. 1899 an die Künstlerkolonie in Darmstadt berufen. 1904/11 Lehrer an d. Kstgewerbesch. in Düsseldorf, 1911/25 Direktor der Kstgewerbe- u. Handwerkersch. in Magdeburg. 1928 –31 Leiter der Kstgewerbesch. in Braunschweig. Seitdem in Berlin ansässig. Hauptsächlich Kleinplastiker (Bildnis- u. Ausstellungsmedaillen, Plaketten). Figürl. Reliefs für ein Grabmal in Mühlheim a. d. Ruhr u. für ein Grabmal auf Rittergut Halchter b. Wolfenbüttel. Brunnenfiguren (Akte), Porträtbüsten, Tiere. Kinderfiguren am Stollwerckhaus in Köln. Arbeiten im Mus. in Magdeburg. Kriegerehrenmal im Kreuzgange des dort. Domes. — Buchwerke: Über die Kunst der Medaille, Darmst. o. J.; Probleme der plastischen Kunst u. des Kunst-Unterrichts, Magdeb. o. J.

Lit.: Th.-B., 4 (1910). — Deutschlands, Öst.-Ung. u. d. Schweiz. Gelehrte, Kstler u. Schriftst., [3] Hannover 1911. — Forrer, 7. — D. Bild, 1938, Beil. z. Märzh. p. 6. — Blätter f. Münzfreunde, Bd 18 (Jg 65 –68: 1930/33), 1934; Bd 19 (Jg 69–71: 1934/36), 1937. — Berl. Museen, 49 (1928) 19. — Die Kunst, 31 (1914 –15) 347 (Abb.), 350; 38 (1917/18) 97 (Abb.); 73 (1935/36) 243 (Abb.) 245; 78 (1937/38) Beih. z. Febr.-H. p. 12 (Nekrol.). — Dtsche Kst u. Dekor., 42 (1917 –18) 305 (Abb.). — Kst u. Kstler, 19 (1920/21) 192. — Kstgewerbebl., N. F. 23 (1912) 61/72. — D. Weltkst, 5 Nr 27 v. 5. 7. 1931 p. 8; 12 Nr 3 v. 16. 1. 1938, p. 4. — Velhagen & Klasings Monatsh., 48/I (1933/34) p. 116f., m. Abb. — Deutsche Monatsh., 1911, p. 125/28, m. Abbn.

Bosser, Eugène, franz. Landschaftsmaler, * Paris, ansässig ebda.

Schüler von L. Bonnat. Stellt seit 1926 bei den Indépendants aus.

Lit.: Joseph, I (irrig: Bossler). — Bénézit, [2] II.

Bosserman, Lyman Webber, amer. Maler u. Zeichner, * 29. 11. 1909 La Porte, Ind., ansässig in Glandale, Calif.

Schüler von George W. Carpenter, Marius Smith u. Henri de Kruif.

Lit.: Who's Who in Amer. Art, I: 1936/37.

Bossert, Otto Richard, dtsch. Graphiker u. Maler, * 23.4.1874 Heidelberg, † 14.1. 1919 Leipzig.

Stud. an der Akad. Karlsruhe. Seit 1904 Lehrer an der Akad. f. Graph. Künste in Leipzig. Hauptsächlich Holzschneider u. Radierer. Wiederholte Aufenthalte in Süddeutschland, Frankreich u. Italien. Sein graph. Werk katalogisiert von Zeitler. Graph. Folgen: Das Meer I (Rad.), 1912; Das Meer II (Rad.), 1914; Am See (Rad.), 1917; Das Land (Kupferstich, 8 Bll. unvollendet), 1919, Darstellungen des Landlebens enthaltend. Holzschnitte: Pflügende Bauern (1915); Obsternte (1917); Idyll (Mädchen mit Reh). Als Graphiker anfänglich beeinflußt von Max Klinger, später — in seinen figürl. Blättern — von Marées. Ein Selbstbildnis (Öl) im Mus. Leipzig.

Lit.: Jul. Zeitler, O. R. B., Leben u. Werk e. graph. Kstlers. Mit 62 Abbn u. 6 Lichtdr.-Taf., Leipzig o. J. [1922]. — Die Graph. Künste (Wien), 33 (1910) 51 (Abb.), 58; 38 (1915) 31f.; 42 (1919) 73ff., m. Abb. — Ill. Zeitung (J. J. Weber), Leipzig, v. 30. 1. 1919. — Die Kunst, 39 (1918/19) 221/28, m. Abbn. — Kstchronik, N. F. 30 (1918/19) 303. — Zeitschr. f. bild. Kst, N. F. 27 (1916) 213/19, m. Abbn.

Bosset, Henry de, schweiz. Architekt u. Aquarellmaler, * 27.4.1876 Neuchâtel, ansässig ebda.

Schüler von Scellier de Gisors an der Pariser Ec. d. B.-Arts u. von Defrasse.

Lit.: Schweiz. Zeitgen.-Lex., 1932. — Delaire, p. 189.

Bosshard, Albert, schweiz. Landschafts- u. Panoramenmaler, * 1870 Winterthur, † 1948 ebda.

Mehrere Aquarelle im Besitz des Kunstvereins Winterthur.

Lit.: Das Graph. Kabinett (Winterthur), 5 (1920) 3. — Jahresber. d. Zürcher Kstgesellsch. 1940, p. 14. — D. Kstwerk, 2 (1948) Heft 10 p. 50. — D. Werk (Zürich), 37, Jan. 1950, Beil. p. 2f., m. Abb. — Kat. Ausst. Ksth. Zürich 29. 3.–23. 4. 1940, p. 10.

Bosshard, Anna, schweiz. Stilleben- u. Genremalerin, * 20. 3. 1875 Zürich, † 1908 Lugano.

Stud. an d. Kst- u. Gewerbesch. in Zürich.

Lit.: Bénézit, [2] II (1949). — Bettelheim, 13, Totenliste 1908.

Bosshard, Armin Arnold, schweiz. Maler u. Graph., ansässig in Zürich.

Bildnisse u. Landschaften.

Lit.: Kat. Ausst. Ksth. Zürich 29. 6.–7. 8. 1921, p. 7.

Bosshard, Rodolphe Théoph., schweiz. Maler, * 7.6.1889 Morges, ansässig in Montricher b. Lausanne.

Schüler von J. Crosnier, E. Gilliard, D. Estoppey, R. Martin u. P. E. Vibert, weitergebildet an der Grande Chaumière in Paris. Studienaufenthalte in Deutschland, England u. Frankreich. Seit 1914 ansässig in Montricher. Akte, Landschaften, Stilleben, Bildnisse, Wandmalereien in der Halle d. Höh. Töchterschule in Lausanne (9 Musen). Blumenstück im Mus. Neuchâtel. Weibl. Halbakt im Bes. d. Zürcher Kstgesellschaft.

Lit: Joseph, I, m. Abb. u. Fotobildn. — Bénézit, [2] II (1949). — Keinhard-Fink, p. 81, m. Abb. — A. Sandoz, R.-Th. B., Paris 1930. — P.-L. Mathey, Seize à vingt, Mit Reprod. e. Gemäldes von B. — M. Magnat, Canserie de M. M. sur les peintres Th. B. etc. à l'occasion du vernissage de l'Expos. (Kstsalon F. Wyss) des peintres romands 1919 à Berne, Bern 1919. — D. Ksthaus (Zürich), 1916, H. 10, p. 1; 1917, H. 3, p. 2. — Die Schweiz, 22 (1918) 34ff. (5 Abbn). — D. Kstblatt, 2 (1918) 200, 205 (Abb.); 11 (1927) 318. — La Renaiss. de l'Art, 12 (1929) 265, m. Abb.; 14 (1931) 116 (Abb.). — D. Kst in d. Schweiz, 1929, Beil. Umschau: Mai-H. p. XI; 1930, Beil. Umschau: März-H. p. XXV, XXVI u. Beil.: Kstmarkt, p. XXI. — L'Art vivant, 6 (1930) 392, 425, m. Abbn. — Dtsche Kst u. Dekor., 66 (1930) 245 (Abb.). — Das Werk, 18 (1931) Beil. zu H. 3 p. XLII, zu H. 11, p. XLI; 22 (1935) 109/12, m. Abbn. — Kat. Ausst. Ksth. Zürich 1.–28. 6. 1916, p. 5, 13; 2.–29. 11. 1916, p. 6, 14.

Bosshart, Ernst, schweiz. Maler, * 1879 Zürich-Griesbach, ansässig in Zürich.

Stud. 1907/08 an der Münchner Akad., weitergebildet bei W. Hummel und 1909/10 an der Acad. Ranson in Paris. 1912/13 Studienaufenthalt in Frankreich. Landschaften, Blumenstücke. — Hl. Sebastian im Ksthaus in Zürich (Kat. 1925).

Lit.: Kat. Ausst. Ksthaus Zürich 1.–29. 10. 1916, p. 9, 15.

Bossi, Aurelio, ital. Figurenbildhauer, * 20. 7. 1884 Monticello Pavese, ansässig in Mailand.

Stud. an der Brera-Akad. in Mailand. Wiederholt ausgezeichnet. Premio Fumagalli 1920 („Die Witwe"). Im Mus. Municip. in Mailand: Der Nordländer; im Mus. in Pavia: Das Kreuz.

Lit.: Chi è?, 1940. — Vita d'Arte, 13 (1914) 218, m. Abb.; 15 (1916) 23 (Abb.). — Rass. d'Arte ant. e mod., 20 (1920), Cronaca Heft 11/12, p. XVI. — The Studio, 94 (1927) 97 (Abb.).

Bosslet, Albert, dtsch. Architekt (Landesbaurat, Prof.), * 23. 1. 1880 Frankenthal (Pfalz), ansässig in Würzburg.

Vielbeschäftigter Kirchenarchitekt. Erstellte besonders in der Rheinpfalz eine Reihe mustergültiger kath. Kirchenbauten. Von Pius XI. 1925 zum Ritter des Ordens Gregorius' des Großen ernannt. Kirchen (z. T. zus. mit Dipl.-Ing. Karl Lochner, Ludwigshafen): St. Bonifatius in Ludwigshafen (1929/30); Herz-Jesu- u. Marienkirche, ebda; St. Hildegard in St. Ingbert, Saargebiet; Herz-Jesu-Kirche u. St. Joseph in Aschaffenburg; St. Pius-Kirche in Regensburg; Abteikirche i. Münsterschwarzach; St. Laurentius in Schifferstadt; Dorfkirchen in Hauenstein, Altenhain i. T., Donsieders, Oberotterbach i. T., Ramsen, Ixheim, Ormesheim i. Saargebiet. Mutter-, Studien- u. Erholungshaus der Kongregation der Marianhiller-Missionare mit Herz-Jesu-Kirche in Würzburg; Kurhaus „Lieberfrauenberg" in Bergzabern; Marienheim in Speier; kath. Schulhaus in Biesingen; kath. Pfarrhaus in Hornbach; St. Antoniushaus in Oggersheim; Weingut „Im Forstgärtl" in St. Martin.

Lit.: R. Hoffmann u. G. Steinlein, A. B., Querschnitt durch s. Schaffen, München 1931. — A. B. 1880–1940, Zeichnen u. Bauen. Mit Vorw. von H. Schnell. Über 100 Bildtafeln, München 1941. — Schnell, 6 (1939), H. 340/41 p. 5, 6, 13f., 14; H. 342–43, p. 5, 6, 14; H. 351/52 p. 21 (Abb.), 11, 12, 13 (Abb.); 7 (1940) H. 455 p. 4, 8, 9, 11. — Dtsche Bauzeitung, 62/I (1928) 853/60; 64/I (1930) 680/88. — D. Baumeister, 1933, p. 113/17, 118; 1935 p. 418f. — Neudtsche Bauzeitung, 14 (1918). — D. Kunst, 67 (1932–33) 161 (Abb.), 168 (Abb.); 69 (1933/34) 172f.; 71 (1934/35) 117f., 119; 77 (1938). — D. christl. Kunst, 10 (1913/14) 193/209; 21 (1924/25) 188, 189ff.; 25 (1928/29) 12, 18ff., 382; 26 (1929/30) 51, 328/51. — D. Münster, 1 (1947/48) 109; 2 (1949) Heft 9/10, Umschlagbild; 3 (1950) 86/89, m. 4 Abbn; 5 (1952) 326–30. — The Studio, 111 (1936) 198 (2 Abbn), 202 (Abb.), 203, 204 (Abb.). — Kstdenkm. Bayern, Pfalz, 2 (1928): St. u. Bez.-Amt Landau, p. 209; 3 (1934); 4 (1935); 5 (1937); 6 (1936); 7 (1938); 8 (1939).

Bossu, Antonin, franz. Architekturmaler, * 13. 12. 1879 Paris, ansässig in Clamart (Seine).

Schüler von J. P. Laurens u. Alb. Laurens. Mitglied der Soc. d. Art. Franç. (Salon-Kat. z. T. m. Abbn). Gold. Med. 1926. Hauptsächl. Kircheninterieurs.

Lit.: Joseph, I. — Bénézit, [2] II.

Bosteels, Prosper, belg. Landschaftsmaler, * 1881 Buggenhout.

Schüler von J. Rosier u. Ferd. Willaert an der Akad. in Termonde.

Lit.: Seyn, I.

Boston, Eric James, engl. Maler, * 3. 5. 1899 Southport, ansässig ebda.

Stud. bei Othon Friesz in Paris.

Lit.: Who's Who in Art, [3] 1934.

Boswell, Jessie, engl. Interieurmalerin, * 10. 3. 1895 Leeds, ansässig in Turin.

Schülerin von Pollonera u. Casorati in Turin.

Lit.: Comanducci, m. Abb.

Boswell, Norman Gould, amer. Maler, * 10. 9. 1882 Halifax, Neu-Schottland, ansässig in San José, Calif.

Schüler der Victoria-Kstschule in Halifax, der Otis-Kstsch. in Los Angeles u. H. W. Cannon's. Bild: Christus, die Welt segnend, im Rosicrucian Oriental Mus. in San José.

Lit.: Who's Who in Amer. Art, I: 1936/37. — Amer. Art Annual, 30 (1933).

Bosworth, Winifred, amer. Malerin u. Rad., * 1885 Elgin, Ill., ansässig ebda.

Stud. am Mus. in Boston, an d. Art Student's League in New York, bei J. P. Laurens in Paris u. bei Eisengruber in München.

Lit.: Fielding. — Amer. Art Annual, 20 (1923) 448.

Boszrucker, Lajos Vilmos, ungar. Architekt, * 1. 4. 1873 Budapest, ansässig ebda.

Seit 1912 Prof. an der Budap. Hochsch. f. bild. Kste. Schulen, Bankgeb., Grabdenkmale.

Lit.: Szendrei-Szentiványi. — Krücken-Parlagi.

Botas, Juan, span. Genremaler, * Santa Cruz de Tenerife (Kanar. Inseln), ansässig in Madrid.

Lit.: Bénézit, [2] 2 (1949). — Francés, 1916 p. 292. — Cat. Expos. Nac. de Pint. etc., 1910.

Botcherby, Harold, engl. Maler, * 17. 4. 1907 Cookham Dean, ansässig in London.

Stud. an den Roy. Acad. Schools.

Lit.: Who's Who in Art, [3] 1934.

Botelho (Teixeira Basto Nunes Botelho), Carlos Antonio, portug. Landschafts- u. Bühnenmaler u. Dekorateur, * 18. 9. 1899 Lissabon.

Schüler von Condeixa a. d. Kstschule zu Lissabon, weitergebildet in Paris. Grand Prix auf der Internat. Ausst. Paris 1937. Sousa-Cardoso-Preis 1938 vom Staatsministerium f. Inform. Lissabon; 1. Preis der Watson-Stiftung auf der Internat. Ausst. in San Francisco 1939; Columbano-Preis des Informationsamtes 1940: Ausschmückung der portug. Pavillone auf den Pariser Ausst. 1931 u. 1937, der New Yorker Ausst. 1939, der Ausst. San Francisco 1939, der port. Weltausst. 1940. Bilder im Städt. Mus. in Lissabon u. im Mus. f. Volksskst ebda. Ausstattungen für das Ballett „D. Sebastião" der Gruppe „Verde Gaio" 1942.

Lit.: Gr. Enc. Portug. e Brasil., IV 974. — Pamplona, p. 366. — Quem é Alguém, 1947 p. 132. — Ausst.-Kat.: 1938 „Salon du Século"; 1943 Porto; 1947 Gal. Lucy Krohg, Paris. — Beaux-Arts, 24. 10. 1947, p. 5, m. Abb.

Botermans, Hans, holl. Maler, Rad., Lithogr. u. Holzschneider, * 25. 9. 1888 't Woud (Hof van Delft), ansässig im Haag.

Schüler von H. Leeuw u. E. F. J. Lücker.

Lit.: Waller.

Both, Armand, amer. Maler u. Illustr., * 1881 Portland, Maine, † 1. 2. 1922 New Rochelle, N. Y.

Schüler von Albert E. More u. Eric Pape in Boston, dann bei J. P. Laurens u. Steinlen in Paris. Illustr. u. a. die Werke von Sir Gilbert Parker.

Lit.: Fielding. — The Art News, 20, Nr 18 v. 11. 2. 1922, p. 8 (Nachruf).

Both, Menyhért, ungar. Bildnismaler, * Budapest, † 1916.

Seit 1884 Schüler von Székely u. K. Lotz, weitergebildet in München u. bei J. P. Laurens an der Acad. Julian in Paris.

Lit.: Szendrei-Szentiványi. — Krücken-Parlagi. — Müvészet, 15 (1916) 79.

Both, William C., amer. Illustrator, *1880 Chicago, Ill., ansässig ebda.

Lit.: Amer. Art Annual, 30 (1933).

Bothe, Albert, dtsch. Maler, Reklamekstler u. Entwurfzeichner f. Glasmalerei, * 28. 12. 1875 Magdeburg, zuletzt ansässig in Breslau.

Stud. an der Unterrichtsanstalt des Berliner Kunstgewerbemus., an der Acad. Julian in Paris u. an den Akad. München u. Dresden. Oberlehrer an d. Kstgewerbesch. in Breslau.

Lit.: Dreßler. — Kstschule, 7 (1924) 26ff., m. Abbn, 334ff., m. Abbn.

Bothwell, Dorr, amer. Maler u. Zeichner f. Textilien, * 1902, ansässig in Los Angeles.

Lit.: Mallett. — The Art Index (New York), Okt. 1947/Okt. 1952 passim.

Botinelly, Louis Marcel, franz. Bildhauer, * 26. 1. 1883 Digne (Basses-Alpes), ansässig in Marseille.

Schüler von Jules Coutan. Mitglied der Soc. d. Art. Franç. (Salon-Kat. z. T. m. Abbn). Gold. Med. 1928. Figürliches, Bildnisbüsten. Kriegerdenkmal in Digne.

Lit.: Joseph, I. — Bénézit, [2] II. — Chron. d. Arts, 1920 p. 82.

Botke, Cornelis, holl.-amer. Landsch.- u. Stillebenmaler u. Rad., * 6. 7. 1887 Leeuwarden, ansässig in Santa Paula, Calif. Gatte der Folg.

Schüler von Chris Lebeau. Bilder in d. Oak Park High School u. in d. Public Library in Ponca City, Okla.

Lit.: Fielding. — Amer. Art Annual, 30 (1933). — Who's Who in Amer. Art, I: 1936/37. — Monro.

Botke, Jessie, geb. *Arms*, amer. Tiermalerin, * 27. 5. 1883 Chicago, Ill., ansässig in Santa Paula, Calif. Gattin des Vor.

Stud. am Art Inst. in Chicago, bei Johansen, Woodbury u. Herter. Bilder in d. Städt. Gal. in Chicago (Weiße Schwäne) u. im Art Inst. ebda (Gänse). Wandmalereien in der Ida Noyes' Hall der Univ. Chicago.

Lit.: Th.-B., 2 (1908) 119. — Bénézit, [2] 2. — Monro. — Fielding. — Amer. Art Annual, 20 (1923) 448; 27 (1930) 108; 30 (1933). — Who's Who in Amer. Art, I: 1936/37. — The Art News, 24, Nr 4 v. 31. 10. 1925, p. 1, m. Abb.; Nr 39 v. 14. 8. 1926, p. 8 (Abb.). — Guide Paint. Perm. Coll., Art Inst. Chicago, 1925, p. 116, m. Abb., 127. — Art Index (New York), Okt. 47/Okt. 50.

Botkin, Henry Albert, amer. Maler, * 5. 4. 1896 Boston, Mass., ansässig in New York.

Schüler von E. R. Major u. Bridgman. Vertreten im Denver Art Mus. u. in den Museen in Brooklyn, N. Y., u. Newark, N. J.

Lit.: Who's Who in Amer. Art, I: 1936/37. — Amer. Art Annual, 30 (1933). — Art Index (New York), 1941ff. passim. — The Art News, 22 (1923/24) N 7 p. 1, m. Abb. — Monro.

Botrel, Marcellin Jean, franz. Marinemaler, * Loudéac (Côtes-du-Nord).

Stellte 1928/32 bei den Indépendants aus.

Lit.: Bénézit. [2] II.

Bott, Alfred, dtsch. Landschaftsmaler u. Graph., * 13. 6. 1883 Frankfurt a. M., ansässig ebda.

Stud. bei A. Egersdörfer u. W. A. Beer am Städel-Institut in Frankfurt.

Lit.: Dreßler.

Bott, Antoine, franz. Landschaftsmaler, * Morlaix (Ille-et-Vilaine), ansässig in Crozon (Finistère) u. in Paris.

Stellte 1905ff. bei den Indépendants aus.

Bott, Earle Wayne, amer. Maler, * 1894 Indianapolis, Ind., ansässig in Brazil. Gatte der Mabel.

Lit.: Amer. Art Annual, 30 (1933).

Bott, Francis, dtsch. Maler u. Graph., * 8. 3. 1904 Frankfurt a. M., ansässig in Paris.

Schüler von Kokoschka. Seit 1937 in Paris. Beschickte die Ausst. der Deutschen Antifaschist. Maler ebda 1938 u. den Salon des Tuileries 1939. Surrealist. Beeinflußt von Fr. Picabia.

Lit.: Bénézit, [2] 2 (1949). — D. Kst u. das schöne Heim, 49 (1951) Beilage p. 139. — D. Kstwerk, 4 (1950), Heft 8/9 p. 92. — Beaux-Arts, 10. 10. 1947, p. 8 (Abb.).

Bott, Mabel, geb. *Siegelin*, amer. Malerin u. Batikkünstlerin, * 12. 9. 1900 Clay County, Ind., ansässig in Brazil, Ind. Gattin d. Earle.

Schülerin von John Herron.

Lit.: Amer. Art Annual, 27 (1930) 511. — Who's Who in Amer. Art, I: 1936/37.

Bottema, Tjeerd, holl. Maler, Lithogr. u. Rad., * 6. 2. 1884 Langezwaag, Friesland, † 1940 Laren. Bruder des Tjerk.

Schüler von Rosenbeek u. Dupont. 1907 Rompreis. 1908 in Italien, 1909 in Spanien, Marokko u. Frankreich, 1910 in England. 4 Bildw. in der Bibl. im Haag.

Lit.: Plasschaert. — Waay. — Waller. — Architectura, XX (1912), p. 76/77.

Bottema, Tjerk, holl. Maler, Rad. u. Lithogr., * 4. 3. 1882 Bowenknijpe Schoterland), Friesland, † 1940 auf dem Meere. Bruder des Tjeerd.

1910 in London, 1910/11 Schüler von de Vriendt in Amsterdam. Studienaufenthalte in Berlin, Paris u. Italien. Hauptsächl. Stadtansichten u. Interieurs. Zeichnete 8 Jahre für den „Notenkraker" (Amsterdam). Stellte 1921ff. im Salon der Soc. d. Art. Franc., 1924ff. bei den Indépendants in Paris aus. Bilder u. a. in den Museen im Haag u. in Leeuwarden.

Lit.: Bénézit, [2] 2 (1949). — Waller. — Plasschaert. — Joseph, I. — Waay. — Morks Magazijn (Dordrecht), 33 (1931) 77/83, m. Abbn.

Bottet, Bernard, franz. Figurenmaler, * Maffliers (Seine-et-Oise), ansässig in Paris.

Stellte 1926/29 bei den Indépendants, 1931/32 im Salon des Tuileries aus.

Lit.: Joseph, I. — Bénézit, [2] II.

Bottiau, Alfred Alphonse, franz. Figurenbildhauer, * 9. 2. 1899 Valenciennes, ansässig in Paris.

Schüler von Injalbert. 2. Rompreis 1919. Zeigte 1920 im Salon der Soc. d. Art. Franç. eine Statue: Der Waffenstillstand.

Lit.: Joseph, I (falsches Geburtsdatum). — Bénézit, [2] II (desgl.). — Chron. d. Arts, 1917/19, p. 241. — La Renaiss. de l'Art franç., 9 (1926) 178, m. Abb.

Bottigelli, Angelo, ital. Maler u. Rad.,

* 3. 10. 1897 Busto Arsizio, ansässig in Mailand.

Mappenwerk mit Ansichten aus dem alten Busto Arsizio (10 Rad.).

Lit.: Comanducci, [3] 1945, I. — La Prov. di Como, April 1945. — La Prov. di Lecco, April 1930. — L. Servolini, Diz. d. Incisori ital. mod. e contemp., 1952. *L. Servolini.*

Bottimelli, Constantin, dtsch. Landschaftsmaler u. Restaurator, * 9. 4. 1870 Frankfurt a. M., ansässig ebda.

Schüler von Hasselhorst am Städel in Frankfurt. Studienaufenthalte: München, Paris, Italien, Schweiz.

Lit.: Dreßler.

Bottini, Georges Alfred, franz. Maler (Öl u. Aquar.) u. Rad., * 1. 2. 1874 Paris, † 16. 12. 1907 Villejuif.

Schüler von Cormon. Anfänglich Landschaften aus der Bretagne, später weibl. Akte u. Interieurs, Damen bei der Toilette usw. Bar-, Café- u. Ballhausszenen, bisweilen an Guys erinnernd. Besonders geschätzt seine Aquarelle. Stellte im Salon der Soc. Nat. d. B.-Arts aus.

Lit.: Joseph, I, m. 6 Abbn u. Selbstbildn. — Bénézit, [2] II. — Chron. d. Arts, 1907 p. 374. — Bull. de l'Art anc. et mod., 1907 p. 323; 1926 p. 156. — La Renaiss. de l'Art franç., 9 (1926) 304, m. 2 Abbn. — L'Art vivant, 1926 p. 336 f., m. 3 Abbn. — La Vie artist., 1926 p. 135/37, m. Abb.

Bottka, Miklós, ungar. Landschaftsmaler u. Graph., ansässig in Budapest (Lehrer an der Akad.).

Stellt seit 1908 aus (Aquar. u. Pastelle).

Lit.: Szendrei-Szentiványi. — Krücken-Parlagi. — Művészet, 16 (1917) 31.

Bottlik, Tibor, ungar. Bildnismaler, Graph. u. Exlibriszeichner, * 16. 2. 1884 Fehértemplom (Kom. Temes), ansässig in Paris.

Schüler von Z. Vajda, weitergebildet bei Fr. Hohenberger u. Bacher in Wien, 1906/07 bei O. Knirr in München. Seit 1908 in Paris. Stellte seit 1909 im Salon d'Automne u. bei den Indépendants aus. Figürliches (bes. Akte), Bildnisse.

Lit.: Szendrei-Szentiványi. — Krücken-Parlagi. — Bénézit, [2] II (1949).

Bottomley, Albert Ernest, engl. Landschaftsmaler, * 1. 3. 1873 Leeds, ansässig in Reigate.

Lit.: Graves, I. — Who's Who in Art, [3] 1934.

Bottomley, Fred, engl. Maler, * 13. 1. 1883, ansässig in St. Ives.

Lit.: Who's Who in Art, [3] 1934.

Botton, Jean Isy de, franz. Figuren- (bes. Akt-), Bildnis- u. Landschaftsmaler, * 1900 (1898?) Saloniki, ansässig in Paris.

Schüler von Bourdelle u. B. Naudin, im übrigen Autodidakt. Debütierte 1920 bei den Indépendants, 1921 im Salon d'Automne. Erwarb s. Lebensunterhalt anfänglich mit Entwerfen von Möbeln, bunten Plakaten usw. Lenkte mit einem virtuos gemaltem weibl. Rückenakt (Nu au trois-mâts) im Salon d'Automne 1927 zuerst die Aufmerksamkeit der Kritik auf sich. Eine im Salon des Tuileries 1929 gezeigte Leda befestigte s. Ruf. Leidenschaftliches Malertemperament; sucht die Idee des Objekts herauszuarbeiten, dabei ganz willkürlich mit Maßstäben u. Raumverhältnissen umgehend (Der Zirkus, Die Eroberer). Koll.-Ausst. Mai 1936 in d. Leger Gal. in Paris, Mai 1945 in d. Knoedler Gall., New York.

Lit.: Joseph, I (irrig unterschieden zwischen Jean de B. u. Isy de B.); II 227 ff., m. 5 Abbn. — Bénézit, [2] II. — Beaux-Arts, 7 (1929) Nov. p. 21, m. Abb.; 8 (1930) Nr 2 p. 16 f., m. Abb., Nr 8 p. 13 (Abb.), Nr 11 p. 18 (Abb.). — L'Amour de l'Art, 11 (1930) 151 (Abb.), 152; 15 (1934) 365 ff. passim. — The Studio, 111 (1936) 106 (Abb.); 112 (1936) 46, m. Abb., 339 (Abb.). — Apollo (London), 23 (1936) 290, m. Abb. — The Art News, 44, Nr v. 1. 5. 1945, p. 6. — Art Digest, 19, Nr v. 1. 5. 1945, p. 13.

Bótzaris, Sava, serb.-griech. Bildhauer u. Karikaturenzeichner.

Sohn eines Hofmalers der Könige Peter von Serbien u. Nikolaus von Montenegro, der mehrere griech.-orthodoxe Kirchen ausgemalt hat. Zuerst Gehilfe s. Vaters, mit dem er viele Reisen unternahm und 10 Sprachen beherrschen lernte. Anfänglich für die diplomat. Karriere bestimmt, zu welchem Zweck er in Italien studierte. Ging dann zur Bildhauerei über, die er als Schüler von Meštrović in Agram (Zagreb), dann in Rom, Florenz, Prag u. an der Ec. Nat. d. B.-Arts in Paris studierte. Von B. Shaw in Amerika u. England bekannt gemacht. Hauptsächlich Porträtist. Kollekt.-Ausstellgn in der French Gall. in London 1929 u. in den Leicester Gall. ebda Febr. 1938. Im Brooklyn-Mus. in New York eine Bronze: Liegende.

Lit.: Apollo (London), 9 (1929) 128 f., m. Abbn; 27 (1938) 109 f. m. Abb., 161. — The Connoisseur, 83 (1929) 191. — The Studio, 97 (1929) 289 (Abb.); 115 (1938) 41, m. Fotobildn., 156 (Abbn).

Botzenhard, Agnes, dtsche Malerin, * 21. 5. 1929 Aÿ üb. Neu-Ulm (Bayern), † (durch Unfall) 30. 8. 1950.

Tochter des Stukkateurs u. Malers Albert B. Stud. bei Wilhelm Geyer an d. Kstschule in Ulm, dann bei Henselmann in München. Kollektiv-Ausst. 1952 im Ulmer Kstver.

Lit.: D. Kst u. d. schöne Heim, 50 (1952) Beil. p. 184. — Mitteilgn des Vaters d. Kstlerin.

Bouard, Ernest Auguste, franz. Genre- u. Landschaftsmaler, * Paris, † 1938 ebda.

Mitglied der Soc. d. Art. Franç., beschickte deren Salon seit 1910 (Kat. z. T. m. Abbn).

Schüler von Boulanger, Bonnat u. J. Lefebvre.

Lit.: Joseph, I. — Bénézit, [2] II.

Boucart, Gaston Hippolyte Ambroise, franz. Landschaftsmaler u. Rad., * 7. 12. 1878 Angoulême, ansässig in Paris.

Schüler von G. Moreau, F. Cormon u. P. Gervais. Mitglied der Soc. d. Art. Franç., beschickt deren Salon seit 1904 (Kat. z. T. m. Abbn). Bilder in den Museen Angoulême, Niort, Rochefort u. im Bes. der Stadt Paris.

Lit.: Joseph, I. — Bénézit, [2] II.

Bouchard, Henri, franz. Bildhauer u. Medailleur, * 13. 12. 1875 Dijon, ansässig in Paris.

Schüler von Dameron u. Barrias. 1901 Gr. Rompreis. Seit 1903 Mitglied der Soc. d. Art. Franç. (Salon-Kat. z. T. mit Abbn). 1904 in Spanien u. Marokko, 1906 in Griechenland u. Rom. Naturalist. — Hauptwerke: Denkmal der Reformierten in Genf, zus. mit P. Landowski (von B. die Kolossalstatuen Cromwell's, des Gr. Kurfürsten u. des Puritaners Roger Williams sowie 4 Reliefs); Denkmal des Physiologen Marey in Beaune; Grabmal des Bildh. Bartholomé auf d. Père-Lachaise; Statuen der Architektur u. der Skulptur im Eingangshof des Luxembourg-Mus. in Paris; Denkmal Lamartine-Victor Hugo in Straßburg; Mann mit Hacke, Mus. in Dijon; Der Holzablader, Luxembourg-Mus. in Paris; Statue des Kanzlers Nicolas Rollin, Mus. in Algier (Abb im Kat. [Bull. d. Musées de France, 1930], p. 18); Der Schmied, Metrop. Mus. in New York. Dazu zahlr.

Bildnisbüsten (Maler Henri Martin im Luxembourg-Mus.), Genregruppen u. -statuetten (burgund. Schanzarbeiter ebda). In Notre-Dame in Paris eine Liegestatue des Kardinals Dubois. An der Fassade der Unterkapelle der Kirche St-Pierre in Chaillot umfangreiche Reliefdekoration mit Szenen aus der Legende des hl. Petrus.

Lit.: Th.-B., 4 (1910). — Joseph, 1. — Bénézit, [2] 2 (1949). — Salmon, 1919 p. 66f. — Canale. — Michel, 8 (1926) p. 531, m. Abbn. — Chase-Post. — H. Classens, La Médaille franç. contemp., Paris 1930. — La Revue de Bourgogne, 1911 p. 203/14, m. 6 Abbn u. 2 Taf. — Bull. of the Metrop. Mus. New York, 6 (1911) 178f., m. Abb. — Gaz. d. B.-Arts, 1913/I p. 236–52, m. 10 Abbn; 1921/I p. 358 (Abb.); 1925/II p. 29 (Abb.), 287 (Abb.); 1926/I p. 333 (Abb.), 334. — Beaux-Arts, 3 (1925) 161, m. Abb., 265 (Abb.); 4 (1926) 172, m. Abb.; 6 (1928) 239, m. Abb.; N. S. 73e année, Nr 106 v. 11. 1. 1935, p. 4, m. 2 Abbn. — La Renaiss. de l'Art franç., 10 (1927) 48, m. 2 Abbn. — Revue de l'Art anc. et mod., 38 (1920) 176ff.; 40 (1921) 19 (Abb.); 44 (1923) 107 (Abb.); 46 (1924) 48, 51 (Abb.); 50 (1926) 63 (Abb.); 52 (1927) 35 (Abb.); 54 (1928) 29 (Abb.); 55 (1929) 127 (Abb.); 60 (1931), Bull. p. 296; 66 (1934) 37 (Abb.); 67 (1935) 229/31. — Bull. de l'Art, 1928 p. 51 (Abb.); 1929 p. 9 (Abb.); 1930/I p. 11 (Abb.), 12.

Bouchaud, Etienne, franz. Figuren-, Stillleben-, Landschafts- u. Architekturmaler, * Nantes, ansässig in Paris. Bruder der Jean, Michel u. Pierre.

Stud. an der Ec. d. B.-Arts u. an der Acad. Julian in Paris. Weitergebildet 1924 in Algier (Villa Abd-el-Tif). Beschickt seit 1924 den Salon der Soc. d. Art. Indépendants, seit 1927 auch den Salon des Tuileries. Ansässig in Marseille, dann in Paris. Fast alljährlich Aufenthalte in Marokko u. Algier. Ansichten aus Nordafrika. Kuppelgemälde in der Kirche in Pontchâteau (Loire-Infér.).

Lit.: Joseph, I. — Bénézit, [2] II. — L'Amour de l'Art, 10 (1929) 450 (Abb.); 12 (1931) 375, m. 4 Abbn. — L'Art et les Artistes, N. S. 17 (1922/23) 10f. (Abbn), 36; 21 (1930/31) 44/51, m. 3 Abbn; 22 (1931) 321 (Abb.). — Beaux-Arts, 1936 Nr 186 p. 4, m. Abb.

Bouchaud, Jean, franz. Figuren- u. Landschaftsmaler, * 29. 10. 1891 Saint-Herblain b. Nantes, ansässig in Paris. Bruder der Etienne, Michel u. Pierre.

Schüler von Harpignies u. Baschet. Der Ausbruch des 1. Weltkrieges rief ihn aus Italien zurück. Während des Krieges in Tunis u. Marokko. Erhielt 1920 eine 2. Med. im Salon des Art. Franç. mit d. Bilde: Friedhof von Rabat. Dann 2 Jahre in der Villa Abd-el-Tif in Algier. 1922 Preis des Generalgouvernements von Algerien, 1924 Preis von Indochina; 1928 Gold. Med.; 1937 Grand Prix. Studienaufenthalte im Fernen Osten, in Tunkin, Anam, Kambodscha u. Cochinchina. Malt Volk u. Landschaft dieser Gegenden. Mitglied der Soc. d. Art. Franç. (Salon-Kat. z. T. m. Abbn). 4 Kolossalfresken für die Eingangshalle der Kolonialausstellg in Vincennes (Cité des Informations), 1931. Malereien in der Apsis der Kirche in Vieillevigne, Vendée (gemeinsam mit s. Bruder Pierre), u. in d. Kapelle in La Bridonnière.

Lit.: Joseph, I. — Bénézit, [2] II. — L'Art et les Artistes, N. S. 13 (1926) 331/35, m. 8 Abbn; 21 (1930–31) 44/51, m. 2 Abbn; 22 (1931) 297 (Abb.), 298, 326 (Abb.). — The Studio, 95 (1928) 208/11, m. Abbn. — Revue de l'Art anc. et mod., 67 (1935), Bull. p. 246, 251 (Abb.). — Beaux-Arts, 8 (recte 9), 1931 Juli-Heft p. 12 (Abb.), 13, 21.

Bouchaud, Michel, franz. Maler u. Illustrator, * Nantes, jüngster Bruder der Etienne, Jean u. Pierre.

Lit.: L'Art et les Artistes, N. S. 21 (1930/31) 46, m. 2 Abbn.

Bouchaud, Pierre, franz. Priester u. Maler, * Nantes, ansässig ebda, ältester Bruder der Etienne, Jean u. Michel.

Lebte lange in Italien, bes. in Rom, Florenz, Ravenna, Pisa, Assisi, Perugia u. Siena. Hauptsächlich Freskant, aber auch Porträtist u. Landschafter. Wandmalereien in den Kirchen in Saint-Brévin-l'Océan, Le Loroux-Bottereau (Loire-Infér.) u. — gemeinsam mit s. Bruder Jean — in der Kirche in Vieillevigne.

Lit.: L'Art et les Artistes, N. S. 21 (1930/31) 46, 49ff., m. 3 Abbn.

Bouché, Arnulf de, dtsch. Bildnis-, Akt- u. Stillebenmaler, * 6. 7. 1872 München, ansässig ebda. Sohn des Carl (1845–1920).

Schüler von Hackl u. P. Höcker an der Münchner Akad. Selbstbildnis von 1912 im Städt. Mus. in Nürnberg. Stellte seit 1901 im Münchner Glaspalast aus (Kat. z. T. mit Abbn).

Lit.: Dreßler. — Karl, 1 m. 2 Abbn. — Kst- u. Antiquit.-Rundschau, 45 (1937) 235, m. Abb.

Bouche, Georges, franz. Figuren-, Blumen-, Landschafts- u. Interieurmaler, * 24. 1. 1874 Lyon, ansässig in Ablon-sur-Seine.

Stud. zuerst Architektur bei Blondel in Paris, wandte sich dann der Malerei zu. Beschickte seit 1905 — damals in Paris wohnhaft — den Salon d'Automne, später auch den Salon der Indépendants. Anfangs Impressionist, ging später — wohl unter dem Einfluß von Segonzac — zum Expressionismus über.

Lit.: Th.-B., 4 (1910). — Joseph, I, m. Abb. (Selbstbildn.). — Bénézit, [2] II. — D. Cicerone, 17 (1925) 259, 261 (Abb.). — Apollo (London), 5 (1927) 177. — La Renaiss. de l'Art franç., 10 (1927) 201. — L'Amour de l'Art, 1934 p. 284ff. passim. — Beaux-Arts, 1939 Nr 323 p. 1 (Abb.); Nr 324 p. 3, m. Abb.

Bouché, Louis, amer. Maler u. Rad., * 18. 3. 1896 New York, ansässig ebda.

Schüler von Richard Miller, Simon, Ménard u. J. P. Laurens in Paris, dann von Ossip Linde, Du Mond u. Louis Mora in New York. Kollekt.-Ausst. 1951 in d. Kraushaar Gall. in New York.

Lit.: Fielding. — Mellquist. — Monro. — Amer. Art Annual, 20 (1923) 448; 27 (1930) 511; 30 (1933). — Art Index (New York), 1941ff. passim. — D. Kst u. d. schöne Heim, 49 (1951) 141. — Life, 14. 4. 1941, farb. Abb. p. 73. — Painting in the Un. States 1949. — Ausst. Carnegie Inst. Pittsburgh, Kat. m. Abb. Taf. 8.

Bouché, Marian Wright, amer. Maler, * 8. 12. 1895 New York, ansässig ebda.

Schüler von Henri Matisse u. Walt Kuhn in Paris.

Lit.: Fielding. — Amer. Art Annual, 20 (1923) 449.

Bouché-Leclerq, Camille Henri, franz. Porträtmaler u. Illustr., * 28. 11. 1878 Paris, ansässig ebda.

Schüler von L. Bonnat u. P. J. Blanc. Mitglied der Soc. d. Art. Franç. (Salon-Kat. z. T. m. Abbn). Konservator des Musée Jacquemart-André in Paris. Deckenmalereien in der Mairie von Saint-Mandé (Seine). Entwürfe für keramische Dekorationen. Illustr. u. a. zu: „Poèmes Saturniens" von Verlaine u. zu „Sapho" von A. Daudet.

Lit.: Joseph, I. — Bénézit, [2] II.

Boucher, Jean Marie, gen. *Jean-Boucher*, franz. Bildhauer, * 20. 11. 1870 Cesson (Ille-et-Vilaine), † 17. 6. 1939 Paris.

Schüler von Chapu, Falguière u. A. Mercié. Mitglied der Soc. d. Art. Franç. (Kat. s. v. Jean-Boucher) 1901 Nationalpreis; 1908 Ehrenmed. Im Luxembourg-Mus. in Paris: Kolossalstatue Fra Angelico's (Marmor). Im Mus. in Nantes die Marmorgruppe: Antique et Moderne (Abb. in: Gaz. d. B.-Arts, 1901/II p. 117). Im Musée Victor Hugo in Paris eine Büste des Dichters. Im Mus. in Algier Büste einer Senegalnegerin. In Verdun ein Siegesdenkmal (zus. mit d. Archit. Léon Chesnay). In Tréguier (Côtes-du-Nord) ein Ernest-Renan-Denkmal. In Guernesey ein Victor-Hugo-Denkmal. In Brest ein Denkmal für den Docteur Mesny.

Lit.: Th.-B., 4 (1910). — Joseph, I, m. 2 Abbn. — Bénézit, [2] II. — Gaz. d. B.-Arts, 1913/II p. 35, m. Abb. — Revue de l'Art anc. et mod., 35 (1914) 456, m. Taf.; 41 (1922) 328/31, m. 2 Abbn; 44 (1923) 105 (Abb.). — Art et Décoration, 1922/I, Chron., Febr. p. 2f., m. Abb. — L'Art et les Artistes, N. S. 9 (1924) 374/80, m. 8 Abbn. — La Renaiss. de l'Art franç., 10 (1927) 408/11, m. 6 Abbn. — Bull. de l'Art, 66 (1934 –II) 348.

Boucher, Lucien, franz. Holzschneider, Lithogr. u. Illustr., * 26. 12. 1889 Chartres, ansässig in Paris.

Illustr. u. a. zu Rabelais, Cinq Livres (farb. Holzschn.); Romain Rolland, Les Léonides (Holzschn.); Th. Gautier, Le Capitaine Fracasse (Aquar.); Balzac, Quatre hist. de bêtes (Aquar.); P. Mac Orlan, Boutiques de la Foire (6 farb. Orig.-Lith.).

Lit.: Bénézit, [2] II. — Gebrauchsgraphik, 19. Jg, H. 11 (H. Allner, L. B.). — Arts graph., Nr 34 (1933) p. 35/40, m. 1 Taf. u. 25 Abbn. — Byblis, 1930, p. 75 –82, m. 3 Abbn.

Boucherle, Pierre, franz. Maler, * 11. 4. 1895 Tunis, ansässig ebda.

Beschickte nach dem 1. Weltkrieg Pariser Salons (Automne, Tuileries, Indépendants) u. den Salon de l'Afrique franç. Figürliches (bes. Akte), Landschaften, Stilleben. Vertreten im Nat.-Mus. in Algier u. im Mus. in Oran.

Lit.: Bénézit, [2] 2 (1949).

Bouchery, Omer, franz. Radierer u. Kupferst., * 5. 8. 1882 Lille, ansässig in Paris.

Schüler von J. Jacquet, Cormon, Hipp. Lefebvre u. Dezarrois, 1912 2. gr. Prix. Mitglied der Soc. d. Art. Franç. (Salon-Kat. z. T. m. Abbn). Figürliches. Hauptblätter: Miséreux aux Halles de Paris; La Coquette. Illustr. zu „Lys Rouge" von A. France (35 Vernis-mou-Blätter), 1925. Mappenwerk: Courettes lilloises.

Lit.: Joseph, I. — Revue de l'Art anc. et mod., 32 (1912) 362, m. Abb.; 37 (1920) 155f. (Abbn), 160f., m. Abb. — Bull. de l'Art anc. et mod., 1912 p. 212.

Bouchery, Robert, franz. Landschafts- u. Bildnismaler, * Lille, ansässig in Paris.

Stellt seit 1924 — damals in Lambersart bei Lille wohnhaft — im Pariser Salon der Soc. d. Art. Indépendants aus.

Lit.: Joseph, I.

Bouchet, Auguste, franz. Landschaftsmaler (Öl u. Pastell), * 6. 10. 1876 Bordeaux, † 1937 Paris.

Schüler von Fritz Thaulow. Mitglied der Soc. d. Art. Franç. (Salon-Kat. z. T. m. Abbn).

Lit.: Joseph, I. — Bénézit, [2] II.

Bouchet, Léon, franz. Möbelarchitekt, * Cannes, ansässig in Paris.

Seit 1913 Prof. an der Ecole Boulle in Paris, beschickt seit 1909 den Salon d'Automne.

Lit.: Bénézit, [2] II. — L'Art et les Art., N. S. 5 (1922) 237/41, m. 5 Abb. — Art et Décor., 1929/II p. 157/58, m. 6 Abbn. — Mobilier et Décor., 1930/I 93/111, m. 20 Abbn.

Bouchet, Louis Daniel, franz. Landschaftsmaler, * Paris, ansässig ebda.

Beschickt seit 1905 den Salon d'Automne, seit 1925 auch den Salon des Tuileries.

Lit.: Joseph, I.

Bouchet, Marguerite, franz. Blumen- u. Stillebenmalerin, * Amiens, ansässig in Neuilly (Seine).

Schülerin von J. Adler u. J. Bergès. Mitglied der Soc. d. Art. Franç., beschickt deren Salon seit 1927.

Lit.: Joseph, I.

Bouchet, Robert, franz. Stillebenmaler, * 10. 4. 1898 Paris, ansässig ebda.

Stellt seit 1923 im Salon des Tuileries, seit 1927 auch im Salon des Indépendants aus.

Lit.: Joseph, I.

Bouchez, Maurice, franz. Landschafts- u. Interieurmaler, * Paris, ansässig ebda.

Stellt seit 1925 bei den Indépendants aus.

Lit.: Joseph, I.

Bouchor, Joseph Félix, franz. Maler (Öl u. Pastell) u. Illustrator, * 15. 9. 1853 Paris, † 1937 ebda.

Schüler von B. Constant u. J. Lefebvre. Bereiste Ägypten, Marokko u. Algier. Mitglied der Soc. d. Art. Franç. (Salon-Kat. z. T. m. Abbn). Hauptsächlich Landschaften, Militär- u. vielfigurige Orientszenen, auch Bildnisse. Bilder in den Museen Mülhausen (General Mangin), Straßburg (Kriegsminister Al. Millerand) u. Versailles (General Gallieni); ferner in den Museen in Lille, Marseille, Rouen, im Mus. der Ehrenlegion in Paris (Marschall Franchet d'Esperey) u. im Mus. in Brooklyn, N. Y. — Mappenwerke: „Naples et son golfe". 50 farb. Taf. nach Gem. von J. F. B., Text von C. Mauclair, Paris 1928; „Venise" u. „Fès ville sainte", von C. Mauclair; „Le Maroc" von J. Tharaud; „Verdun", m. Text von capit. Delvert, Briefvorw. von Marschall Pétain; „The American Army in France", Text von capit. David Gray, Einleitg von Theod. Roosevelt; „Souvenirs de la grande guerre", nach Gemälden e. Augenzeugen, m. Vorw. von J. Richepin.

Lit.: Th.-B., 4 (1910). — Qui Etes-Vous?, 1924. — Joseph, I. — Bénézit, [2] 2 (1949). — Chron. d. Arts, 1921 p. 157f. — Bull. de l'Art anc. et mod., 1921 p. 5; 1923 p. 53; 1926 p. 319 (Abb.), 322; 1928 p. 119 (Abb.); 1929 p. 178 (Abb.), 284 (Abb.); 1930 p. 64 (Abb.), 65, 154 (Abb.). — L'Art et les Art., N. S. 6 (1922/23) 33 (Abb.), 34; 7 (1923) 247, m. Abb.; 15 (recte 16), 1927 –28 p. 136f., m. 2 Abbn; 20 (1930) 216; 24 (1932) 215. — Revue de l'Art anc. et mod., 66 (1934) 47 (Abb.); 67 (1935), Bull. p. 21 (Abb.); 70 (1936) 117. — The Brooklyn Mus. Quarterly, 16 (1929) 137 (Abb.).

Bouda, Cyril, tschech. Maler (Öl u. Aquar.) u. Graph., * 14. 11. 1901 Kladno, ansässig in Prag.

Sohn d. Alois B., Malers u. Zeichenlehrers in Prag (1867–1934). Stud. an der Prager Kstgewerbesch. (F. Kysela) u. an der Akad. (M. Švabinský). Seit 1929 Assistent der akad. Spezialschule F. T. Šimons, seit 1932 lehrtätig an der Prager Techn. Hochschule, seit 1945 an der Pädagog. Fakultät in Prag. Studienreisen in Frankreich u. Italien. Sein starkes dekorat. Talent führte ihn zur Buchgraphik u. angewandten Kunst. Über 350 Bucheinbände, Buchausstattungen, Plakate, Exlibris usw. Hat Bedeutendes auch als Illustrator geleistet (30 Kupferst. zu Benv. Cellinis Autobiographie, 1936/38, Lith. Märchenillustr. usw.). Einzelblätter (Rad., Kupferst., Lith.), Aquarelle u. Ölbilder: romantische Stimmungslandschaften, Stadtveduten, Stilleben, Fruchtstücke, Bildnisse. Entwürfe zu Bühnendekorationen und zu 2 farb. Glasfenstern im St. Veitsdom in Prag.

— Sonderausst. in Turnov 1934, in Prag 1944 („Hollar"), 1946 (Gal. Vilímek).
Lit.: J. Květ, C. B. (Coll. Grafické zjevy), Prag 1941. — J. Loriš, C. B., Prag 1949. — The Studio, 94 (1927) 360, 363, m. Abb.; 102 (1931) 160 (Abb.). — Kat.: Expos. internat. de grav. orig. sur bois, Warschau 1933. — Hollar (Prag), 12 (1936) 1/10, m. 17 Abbn; 24 (1952) 92/93, m. 3 Abbn. — Umění (Prag), 15 (1943/44) 75f. — Toman, I 83. *Blž.*

Boudal, Léon, franz. Landschafts- u. Architekturmaler (Abbé), * Saint-Dier-d'Auvergne (Puy-de-Dôme), ansässig in Murols (Puy-de-Dôme).
Schüler von Victor Charreton. Mitglied der Soc. d. Art. Franç.. beschickt deren Salon seit 1914 (Kat. z. T. m. Abbn).
Lit.: Joseph, I.

Boudarel, Albert Vital, franz. Tier- u. Figurenbildhauer, * 19. 9. 1888 Paris, ansässig ebda.
Schüler von Loiseau, Rousseau u. Terrier. Mitglied der Soc. d. Art. Franç., beschickt deren Salon seit 1908 (Kat. z. T. m. Abbn).
Lit.: Joseph, I.

Boudet, Ernest Victor, gen. *Georges,* franz. Tier- u. Figurenmaler, * Vichères (Eure-et-Loir), ansässig in Bois-Colombes.
Stellt seit 1926 bei den Indépendants aus.
Lit.: Joseph, I.

Boudet, Gustave, franz. Landschafts-, Blumen- u. Früchtemaler, * Paris, ansässig ebda.
Stellte 1905ff. bei den Indépendants aus.

Boudet, Léon René Lucien, franz. Porträtbildhauer, * Versailles, ansässig ebda.
Schüler von Gabr. René Janson. Mitglied der Soc. d. Art. Franç., beschickt deren Salon seit 1924.
Lit.: Bénézit, [2] II (1949).

Boudon, Emile, franz. Bildhauer, * Lyon, ansässig in Montrouge (Seine).
Beschickt seit 1924 den Salon der Soc. d. Art. Franç. mit Bildnisbüsten u. Genrestatuetten.
Lit.: Bénézit, [2] II.

Boudot, Léon, franz. Landschaftsmaler, * Besançon, † 1930 ebda.
Schüler von L. Français. Mitglied der Soc. d. Art. Franç., beschickte deren Salon 1877–1924. Bilder in d. Museen Mülhausen u. Reims.
Lit.: Th.-B., 4 (1910). — Joseph, 1. — Bénézit, [2] 2 (1949).

Boudot-Lamotte, Maurice, franz. Maler, * La Fère (Aisne), ansässig in Paris.
Beschickt seit 1907 den Salon des Indépendants, seit 1908 auch den Salon d'Automne. Landschaften, Stilleben, Blumenstücke, Bildnisse, Figürliches.
Lit.: Joseph, I. — Bénézit, [2] II.

Bouduquet, Oscar, franz. Landschaftsmaler, * Paris, ansässig ebda.
Stellt seit 1924 bei den Indépendants aus.
Lit.: Joseph, I.

Bouffanais, Jules René, franz. Graphiker u. Maler, * 4. 1. 1885 Champagne-de-Bel-Air (Dordogne), fiel im 1. Weltkrieg 1915.
Schüler von Laguillermie. Erhielt 1914 den 2. Grand Prix für Graphik. Zeigte im Salon (Art. Franç.) 1914 ein dekor. Gemälde: Pan-Fest.
Lit.: Joseph, I. — Ginisty, 1916 p. 11f. — Livre d'Or d. Peintres expos., 1921 p. Xf.

Bouffez, François, franz. Bildhauer, *Montbéliard (Mömpelgard), ansässig in Paris.
Stellte seit 1914 im Salon der Soc. Nat. d. B.-Arts u. im Salon d'Automne aus.
Lit.: Bénézit, [2] II (1949). — Gaz. d. B.-Arts, 1921/I p. 48, m. Abb.

Bough, Elizabeth, s. *Amour-Watson.*

Bougourd, Cécile, franz. Landschaftsmalerin, * Pont-Audemer (Eure), ansässig in Toulon.
Schülerin ihres Vaters Auguste B. Mitglied der Soc. d. Art. Franç., beschickte seit 1908 — damals von Tunis aus — deren Salon.
Lit.: Joseph, I. — Bénézit, [2] II.

Bouhuys, Jaap, holl. Figurenmaler, * 31. 7. 1902, ansässig in Amsterdam.
Schüler von Jurres, Bronner u. Roland Holst. Mitgl. der „Onafhankelijken". Hauptsächlich Wand- u. Glasmaler. Arbeiten im Stadthaus in Enschede, im Haus des Hoogen Raad im Haag, im Mädchen-Lyceum in A'dam u. im Gasthaus „Wilhelmina" ebda.
Lit.: Persoonlijkheden. — Waay.

Bouillette, Alice, franz. Bildnisminiaturmalerin, * 15. 4. 1878 Guéret (Creuse), ansässig in Paris.
Schülerin von Clarissa Bernamont. Mitglied der Soc. d. Art. Franç., beschickt deren Salon seit 1920.
Lit.: Joseph, I.

Bouillette, Edgard, franz. Landschaftsmaler u. Rad., * 15. 2. 1872 Paris, ansässig ebda.
Schüler von J. Lefebvre u. T. Robert-Fleury. Mitglied der Soc. d. Art. Franç. Farb. Radiergn.
Lit.: Joseph, I.

Bouillon, André Jacques, franz. Bildhauer, * Cambrai, ansässig in Le Chesnay (Seine-et-Oise).
Schüler von Gabr. René Janson. Bildnis- u. Idealbüsten. Stellte 1927 im Pariser Salon der Soc. d. Art. Franç. aus. — Sein Bruder Alfred Julien, * Caudry (Nord), Schüler von G. R. Janson, ist gleichfalls als Bildh. in Le Chesnay ansässig.

Bouillon, Henri, franz. Bildhauer, * 21. 4. 1864 Saint-Front (Charente-Infér.), † Herbst 1933 Paris.
Schüler von Mercié, P. Dubois u. A. Paris. Stellte 1886ff. im Salon der Soc. d. Art. Franç. aus. Hauptsächl. Porträtbüsten.
Lit.: Th.-B., 4 (1910). — Joseph, 1. — Bénézit, [2] 2 (1949). — Revue de l'Art, 65 (1933), Bull. p. 409.

Bouillot, Maurice, franz. Landschaftsmaler, * Auxerre, ansässig in Paris.
Beschickte seit 1931 den Salon der Soc. Nat. d. B.-Arts u. den Salon d'Automne, 1935/39 den Salon des Indépendants.
Lit.: Bénézit, [2] II. — Beaux-Arts, Nr 252 v. 29. 10. 1937 p. 2 (Abb.); Nr 270 v. 4. 3. 1938 p. 2 (Abb.); Nr 283 v. 3. 6. 1939 p. 11; Nr 310 v. 9. 12. 1939 p. 3, m. Abb.; Nr 341 v. 14. 7. 1939 p. 4, m. Abb.

Bouis, Jacques Victor, franz. Maler (Öl, Aquar., Miniatur), * 24. 10. 1893 Marseille, ansässig ebda.
Lit.: Who's Who in Art, [3] 1934. — Bénézit, [2] II.

Bouisset, Félix François, franz. Lithograph, * Moissac (Tarn-et-Garonne), ansässig in Montauban.
Schüler von L. Bonnat. Stellt seit 1921 im Salon der

Soc. d. Art. Franç. aus. Hauptsächl. Landschaften u. Bildnisse.
Lit.: Joseph, I.

Bouisset, Georges, franz. Maler u. Illustrator, * 12. 5. 1903 Toulouse, ansässig in Paris.
Schüler von Henri Bonis u. E. Laurent. Weitergebildet bis 1927 an der Ec. Nat. d. B.-Arts in Paris. Bild: Ländliche Mahlzeit, im Bes. d. Stadt Paris. Illustr.-Folge für eine Ausgabe von Lamartine's „Jocelyn" (1928).
Lit.: Bénézit, [2] 2 (1949).

Bouisset, Pierre, franz. Bildhauer, * 30. 12. 1889 Paris, fiel am 1. 3. 1915.
Schüler s. Vaters Firmin (* 1859, † 1925). Stellte 1913 u. 1914 Büsten im Salon der Soc. d. Art. Franç. aus.
Lit.: Joseph, I. — Ginisty, 1916 p. 63f.

Bouisset, Théodore, franz. Maler, * Albi (Tarn-et-Garonne), ansässig in Paris.
Stellte 1907ff. bei den Indépendants aus. Straßenszenen, Landschaften, Figürliches, Stilleben.
Lit.: Joseph, I.

Bouisset-Mignon, Yvonne, franz. Radiererin, * Paris, ansässig ebda.
Mitglied der Soc. d. Art. Franç., beschickt deren Salon seit 1928 (Kat. z. T. m. Abbn). Figürliches.
Lit.: Joseph, I.

Boulanger, Camille, franz. Maler (Öl, Aquar., Guasch), * Paris, ansässig ebda.
Stellt seit 1910 bei den Indépendants aus. Hauptsächl. Katzen- u. Hundebilder.
Lit.: Joseph, I.

Boulard, Emile, franz. Bildnis-, Landschafts- u. Interieurmaler, * Champagne (Seine-et-Oise), ansässig in Paris.
Schüler s. Vaters Auguste (* 1852, † 1927). Mitglied der Soc. Nat. d. B.-Arts (Salon-Kat. z. T. m. Abbn). Feiner, empfindungsvoller Impressionist. Landschaft im Luxembourg-Mus.
Lit.: Th.-B., 4 (1910). — Joseph, 1.

Boulard, Suzanne, franz. Genremalerin, * Niort (Deux-Sèvres), ansässig ebda.
Schüler von Ribouleau. Stellte 1927 im Pariser Salon (Art. Franç.) aus.
Lit.: Joseph, I.

Boulard, Théodore Louis, franz. Genremaler, * Le Mans, ansässig in Nantes.
Mitglied der Pariser Soc. d. Art. Franç. (Salon-Kat. z. T. m. Abbn).
Lit.: Joseph, I. — Bénézit, [2] II.

Boulard de Villeneuve, Maxime, franz. Landschaftsmaler, * Paris, ansässig in Montmorency, zeitweilig in Nizza.
Stellt 1922/39 im Salon der Soc. Nat. d. B.-Arts, 1926 bei den Indépendants in Paris aus.
Lit.: Joseph, I. — Bénézit, [2] II.

Boulay, Paul Clément, franz. Interieurmaler, * Nantes, ansässig ebda.
Schüler von Fougerat u. Boubinet. Stellt seit 1930 im Salon der Soc. d. Art. Franç. in Paris aus.
Lit.: Joseph, I.

Boulay-Hue, Hélène, franz. Bildhauerin, * Sevilla, ansässig in Paris.
Schülerin von Sicard u. Carli. Seit 1930 Mitglied der Soc. d. Art. Franç., beschickt deren Salon seit 1928. Bildnisse, Figürliches. 1932 Rompreis.
Lit.: Joseph, I. — Bénézit, [2] II. — Beaux-Arts, 10 (1932), Juli p. 13, m. Abb.

Boulet, Camille Lucie, franz. Malerin (Öl u. Aquar.), * Bois-Colombes (Seine-et-Oise), ansässig in Paris.
Stellt seit 1925 bei den Indépendants aus. Figürliches, Interieurs.
Lit.: Joseph, I.

Boulet, Charles Robert, franz. Maler u. Kstschriftst., * 22. 4. 1895 Agnetz (Oise), ansässig in Paris.
Schüler von D. Maillart, Maurice Denis, seinem späteren Schwiegervater, u. P. Sérusier. Mitbegründer der Ateliers d'Art Sacré. Stellte u. a. 1920 im Salon der Soc. Nat. d. B.-Arts, 1937 im Pavillon Pontifical der Pariser Weltausstellg, 1934 im Salon des Tuileries aus. — Buchwerk: Romée ou le Pelérin moderne à Rome (zus. mit s. Gattin Noële).
Lit.: Bénézit, [2] 2 (1949).

Boulet-Cyprien, Eugène, franz. Akt-, Bildnis- u. Landschaftsmaler, * 21. 12. 1877 Toulouse, ansässig in Paris.
Schüler von J. P. Laurens, Cormon u. R. Collin. Mitglied der Soc. d. Art. Franç., deren Salon er 1900–1939 beschickte (Kat. z. T. m. Abbn).
Lit.: Joseph, 1. — Bénézit, [2] II (1949), irrig: † 1927. — Beaux-Arts, Nr 226 v. 30. 4. 1937 p. 8 (Abb.); Nr 280 v. 13. 5. 1938 p. 1 (Abb.); Nr 313 v. 30. 12. 1938 p. 4; Nr 331 v. 5. 5. 1939 p. 2 (Abb.). — Velhagen & Klasings Monatsh., 40/I (1925/26), Taf.-Abb. geg. p. 152, 239; 43/II (1928/29) 708f., 711 (farb. Abb.).

Boulez, Jules, belg. Figuren-, Bildnis- u. Stillebenmaler, * 1889 Vyve-Saint-Eloi, ansässig in Audenaarde.
Schüler von Jean Delvin an der Genter Akad. u. von Charlier in Paris. Hauptsächl. Bauernbilder u. Akte in kraftvollem malerischen Vortrag. Landschaften im Mus. Gent u. im Städt. Mus. in Deynze.
Lit.: Seyn, I. — Marlier, p. 60f., m. 2 Abbn. — Apollo (Brüssel), Nr 19 v. 1. 2. 1943 p. 19; Nr 20 v. 1. 3. 43 p. 1/5, m. 5 Abbn.

Boulicaut, P., franz. Genremaler, * Chalon-sur-Saône, † 1926 Paris.
Mitgl. d. Soc. d. Art. Franç., beschickte deren Salon seit 1888 (Kat. z. T. mit Abbn). Stellte später auch im Salon der Soc. Nat. d. B.-Arts aus (Kat. z. T. mit Abbn).
Lit.: Bénézit, [2] II (1949).

Boulier, Lucien, franz. Bildnis- u. Figurenmaler, * Verdun, ansässig in Clamart.
Schüler von Gérôme. Stellte seit 1919 im Salon d'Automne, seit 1925 bei den Indépendants in Paris aus. Pointillist.
Lit.: Joseph, I. — Bénézit, [2] II (1949).

Boulineau, Abel, franz. Maler, * Auberive (Haute-Marne), ansässig in Paris.
Mitglied der Soc. d. Art. Franç., beschickt deren Salon seit 1927. Landschaften, Stilleben.

Boullaire, Jacques, franz. Maler u. Holzschneider, * 20. 12. 1893 Paris, ansässig ebda.
Stellt seit 1927 bei den Indépendants, seit 1938 im Salon d'Automne aus. Illustr. u. a. zu Balzac, César Birotteau; G. Flaubert, Madame Bovary; A. de Musset, Frédéric et Bernerette.
Lit.: Bénézit, [2] II (1949). — Joseph, I. — Artwork, 4 (1928) 20. — D. Kstwerk, 1 (1946/47) H. 6, p. 28 (Abb.). — Beaux-Arts, 20. 12. 1946 p. 5.

Boulland, Gabriel, franz. Figurenmaler, * Paris, ansässig in Asnières (Seine).
Stellt seit 1926 bei den Indépendants aus.
Lit.: Joseph, I.

Boulnois de Chelles, franz. Maler, * 30. 10. 1913 Rouen.

Schüler von Jean Dupas an der Pariser Ec. d. B.-Arts. Während des 2. Weltkrieges in Kriegsgefangenschaft. Gründete mit anderen in dieser Zeit die „Baraque des Artistes". Aus der Gefangenschaft entlassen, beschickte er 1943 u. 1944 den Salon d'Automne u. den Salon der Soc. Nat. d. B.-Arts.

Lit.: Bénézit, [2] II (1949).

Boulongne, Paul de, franz. Bildhauer, * Marseille, † 1938 Paris.

Stellte seit 1910 im Salon der Soc. Nat. d. B.-Arts aus. Statuetten (Bronze, Biskuit), bes. von Tänzerinnen.

Lit.: Joseph, I. — Bénézit, [2] II.

Boulton, Frederick William, amer. Maler u. Kstgewerbler, * 18. 3. 1904 Mishawaka, Ind., ansässig in Chicago, Ill.

Schüler von John Norton, Ch. H. Woodbury u. Jos. Allworthy.

Lit.: Who's Who in Amer. Art, I: 1936/37. — Amer. Art Annual, 30 (1933).

Boulton, Joseph Lorkowski, amer. Bildhauer, * 28. 5. 1896 Fort Worth, Texas, ansässig in Ridgefield, Conn.

Schüler von MacNeil. Eine Bronze (Maus) im Detroit Instit. of Arts.

Lit.: Fielding. — Amer. Art Annual, 30 (1933). — Bull. of the Detroit Inst. of Arts, 11 (1929/30) p. LXX.

Boumeester, Christine Annie, holl. Malerin, Graphikerin u. Illustratorin, * 12. 8. 1904 Batavia, ansässig im Haag.

Stud. an der Akad. im Haag, an der sie später als Zeichenlehrerin wirkte. Stellte im Salon der Surindépendants in Paris aus. Illustr. u. a. zu: Florez, De Zeven Pijlers, 1935; Georges Hugnet, La Femme facile, 1942; D. H. Arends, Inlandsche Vergiften, 1927. Koll.-Ausst. 1951 in d. Gal. Nina Dausset, Paris.

Lit.: Bénézit, [2] II (1949). — D. Kst u. das schöne Heim, 50 (1951/52) Beil. p. 114.

Boumphrey, Pauline, geb. *Firth*, amer. Bildhauerin, * 11. 10. 1886 Boston, USA, ansässig in London.

Stellte in der Londoner Roy. Acad. u. im Salon der Soc. des Art. franç. in Paris aus. Sonderschau Dez. 1948 in d. Ferargil Gall., New York.

Lit.: Who's Who in Art, [3] 1934. — Bénézit, [2] II (1949). — Art Digest, 23, Nr v. 1. 12. 1948 p. 18.

Boundey, Burton Shepard, amer. Maler, * 2. 2. 1879 Oconomowoc, Wis., ansässig in Monterey, Calif.

Schüler von Robert Henri.

Lit.: Who's Who in Amer. Art, I: 1936/37. — Amer. Art Annual, 30 (1933).

Bouneau, Emile, franz. Maler, * 7. 2. 1902 Avignon, ansässig in Paris.

Mitglied des Salon d'Automne. Stellt auch im Salon des Tuileries aus. Figürliches, Bildnisse, Landschaften.

Lit.: Joseph, I. — Bénézit, [2] II.

Bouniol, Lucie, franz. Bildhauerin, * Giroussens (Tarn), ansässig in Paris.

Schülerin von Ségoffin. Mitglied der Soc. d. Art. Franç., beschickt deren Salon seit 1921. Genrestatuetten, Studienköpfe; Entwurf zu einem Gefallenendenkmal für die Gemeinde Trémont (Meuse).

Lit.: Joseph, I. — Bénézit, [2] II.

Bouny, Paul, franz. Bildhauer, * Laforce (Dordogne), ansässig in Paris. Stellte 1904ff. im Salon der Soc. d. Art. Franç. aus. Bildnisbüsten, Akte.

Lit.: Joseph, I.

Bouquet, Camille, franz. Figurenmaler, * Sancerre (Cher), ansässig in Paris.

Schüler von A. Déchenaud. Stellt seit 1929 im Salon der Soc. d. Art. Franç. aus.

Lit.: Joseph, I.

Bouquet, Louis, franz. Bildnis- u. Figurenmaler u. Zeichner für Tapisserien, * 6. 12. 1885 Lyon, ansässig in Paris.

Beschickt seit 1911 den Salon des Art. Indépendants, seit 1926 auch den Salon des Tuileries. Mitglied des Salon d'Automne, wo er seit 1921 ausstellt. Breiter dekor. malerischer Vortrag.

Lit.: Joseph, I. — Bénézit, [2] II (1949). — L'Art décor., 28 (1912) 300 (Abb.: Bildn. des Bildh. Jos. Bernard). — L'Amour de l'Art, 1928, p. 63/65, m. 5 Abbn, 121 ff. passim, m. Abb.; 1929, p. 458 (Abb.); 1930, p. 395 (Abb.). — Art et Décoration, 1928/II p. 168 (Abb.). — Gaz. d. B.-Arts, 1924/II, p. 94 (Abb.), 98; 1926/I, p. 341 (Abb.), 342 f.

Bouquillon, Albert, franz. Bildhauer, * Douai.

Schüler von Injalbert u. Bouchard. Mitgl. d. Soc. d. Art. Franç. Reisestipendium 1933, Rompreis 1934.

Lit.: Bénézit, [2] II (1949). — Emporium, 84 (1936) 165 r. Sp.

Bouraine, Marcel, franz. Bildhauer, * Pontoise (Seine-et-Oise), ansässig in Paris.

Beschickt seit 1923 den Salon der Soc. des Art. Franç., den Salon d'Automne u. den Salon des Tuileries. Figürliches (Akte), Bildnisbüsten, Studienköpfe.

Lit.: Bénézit, [2] II (1949). — Gaz. d. B.-Arts, 1925/II, p. 47 (Abb.). — La Renaiss. de l'Art franç., 9 (1926) 251 (Abb.). — D. Schweiz, 25 (1921) 120, m. Abb. — The Studio, 90 (1925) 18 (Abb.); 95 (1928) 133 (Abb.).

Bourassa, Napoléon, kanad. Maler.

Bildnisse, Zeichnungen, Entwürfe. Briefe, veröff. von s. Tochter (Lettres d'un artiste canad., Brügge-Paris 1931).

Lit.: Beaux-Arts, 9 (1931), März-H. p. 18.

Bourbon e Meneses (Carmo Falcão Cota de B. e M.), Helena Maria do, portug. Bildnis- u. Blumenmalerin, * 5. 7. 1892 Lissabon, ansässig ebda.

Stud. an d. Kstschule Lissabon, Schülerin von Carlos Reis u. Columbano. Prof. an d. Techn. Schule, Zeichnerin am Anatom. Inst. d. med. Fakultät ebda. Stellt in der Soc. Nac. de B. Artes in Lissabon aus.

Lit.: Gr. Enc. Port. e Brasil., IV 1003.

Bourceret, Jean Marie, franz. Landschaftsmaler, * Paris, ansässig ebda.

Schüler von D. Lucas u. Pernelle. Stellt seit 1929 im Salon der Soc. d. Art. Franç. aus.

Lit.: Joseph, I. — Bénézit, [2] II.

Bourde, Adolphe Elisée, franz. Bildnis-, Genre-, Landsch.- u. Stillebenmaler (Öl u. Pastell), * 11. 2. 1859 Saint-Jean-d'Avelane (Isère), † 1937 Lyon.

Lit.: Th.-B., 4 (1910). — Bénézit, [2] 2 (1949).

Bourdeau, Edouard Marie, * Niort (Deux-Sèvres), ansässig in Paris.

Schüler von M. Baschet. Mitglied der Soc. d. Art. Franç., beschickt deren Salon seit 1925.

Lit.: Joseph, I.

Bourdelle, Emile Antoine, franz. Bildhauer, Ziseleur, Maler, Zeichner für Holzschnitt u. Glasmalerei u. Buchillustr., * 30

10. 1861 Montauban, † 1. 10. 1929 Le Vésinet (Seine-et-Oise).

Schüler von Falguière, Dalou u. Rodin, der starken Einfluß auf ihn gewann, von dem er sich aber schnell befreite. Schon die 1905 entstandene „Badende" ist dafür Zeugnis. Der bedeutendste franz. Plastiker um die Jahrhundertwende, wenn auch ungleich in s. Leistungen u. vielfach experimentierend, indem er bei den verschiedensten histor. Stilen (griech. Archaismus, ägypt. Kunst, Gotik) gelegentlich Anleihen machte. Längere Zeit krankheitshalber an der Ausübung der Bildhauerei verhindert, malte u. zeichnete er damals viel (bes. Pastell, Guasch u. Aquarell). — Bildhauer. Hauptwerke: Erster Sieg Hannibals (Kampf des Knaben mit e. Adler), Musée Ingres in Montauban (1885); Denkmal für Léon Cladel im Garten der Präfektur in Montauban; Kriegerdenkmal für 1870/71 ebda; Herakles als Bogenspanner, Gall. Naz. d'arte mod. in Rom; Reiterstandbild des Generals Alvéar in Buenos Aires, mit 4 allegor. Begleitfiguren; Basreliefs für die Fassade u. den Logenumgang des Théâtre des Champs-Elysées in Paris u. für das Opernhaus in Marseille. Mad. mit dem Kinde („La Vierge d'Alsace") auf dem Hartmannsweilerkopf in den Vogesen (1922); Kolossalstatue Frankreichs an der Gironde-Mündung in Pointe de Grave; Statue der hl. Barbara in der Kirche St-Julien in L'Herms (Isère); Denkmal für den poln. Dichter Mickiewicz auf der Place de l'Alma in Paris (1929). Im Luxembourg-Mus. 6 Arbeiten, dar. der großartige Beethovenkopf u. Büsten von Anatole France u. dem Chirurgen Dr. Koeberlé. Im Garten der Ksthalle in Basel die Bronzestatue: Le Fruit. Im Mus. in Brüssel Maske eines jungen Mädchens u. eine Replik des Herakles. Im Mus. in Montauban ein Knabenkopf. Im Mus. Simu in Bukarest: Die Frucht u. Büsten des Ehepaares Simu. Aquarelle u. Zeichngn (Beethoven-Studien) im Kurpfälz. Mus. in Heidelberg. — Illustr. zu folg. Büchern: La Reine de Saba; Isidora Duncan, fille de Prométhée, von Fernand Divoire; Demosthène, von Georges Clémenceau (14 farb. Holzschnitte, ausgef. nach Zeichngn B.s von J. L. Perrichon); Les Mois, von Karel-Toman; L'Enchantement de la Mer, von Roussel-Despieres; La Légende de St-Julien l'Hospitalier, von G. Flaubert; Poème du temps qui meurt, von A. Suarès. — Seine Malereien — Bildnisse, Genre, Studien nach der Tänzerin Isidora Duncan, nach der brennenden Kathedrale zu Reims, usw. — sind in Privatbesitz verstreut. Einige dekor. Fresken im Théâtre des Champs-Elysées in Paris, wo er als Maler mit Maur. Denis u. Vuillard in Wettbewerb trat. — Glasgemälde in der Kirche in Le Raincy.

Lit.: Th.-B., 4 (1910). — Michel, VIII 543. — P. Viguié, L'Essor pathétique de B., Paris 1925. — Fr. Fosca, E. A. B., Paris 1925. — F. Monod, L'œuvre de A. B., Brüssel 1928. — A. Fontainas, B., Paris 1930. — E. Fr. Julia, A. B., maître d'œuvre, Paris 1930. Bespr. in: La Renaiss. de l'Art franç., 15 (1932) 166. — Ch. Léger, A. B., Paris 1930. — D. Marquis-Sébie, Le Message de B. Préf. de A. Fontainas, Paris 1931. — H. P. L. Wiessing, A. B., Amsterdam 1931. — S. Kémeri, Visage de B., Paris 1931. Bespr. in: L'Art et les Artistes, N. S. 22 (1931) 252; Apollo (London), 13 (1931) 255f. — G. Varenne, B. par lui-même. Sa Pensée et son Art, Paris 1937. Bespr. in: Gaz. d. B.-Arts, 1937/I p. 337f. — B. Ternovetz, E. B., Moskau 1935. — Qui Êtes-Vous?, 1924. — Joseph, I, m. Fotobildn. u. 12 Abbn. — Benezit, [2] 2, m. Taf. 7. — Maryon. — Casson. — L'Art et les Artistes, 9 (1909) 261/67; N. S. 7 (1923) 205/42; 15 (1927/28) 141; 18 (1929) 285; 19 (1929/30) 35; 20 (1930) 251; 21 (1930/31) 145/55; 22 (1931) 209f., 252; 32 (1936) 263/68. — Art et Décorat., 33 (1913/I) 113ff. — D. Kunst, 29 (1914) 218/27; 59 (1929) 142/51; 61 (1930) 90/94; 64 (1933) 129/40. — Die Kst u. das schöne Heim, 49 (1951) Beil. p. 239. — Bull. de la Vie artist., 1922 p. 494/96. — La Renaiss. de l'Art franç., 7 (1924) 105 (Abb.), 107, 369/82; 10 (1927) 296 (Abb.), 299; 14 (1931) 101/04. — L'Amour de l'Art, 1924 p. 139f.; 1927 p. 69/74; 1929 p. 9/14, 1930 p. 1/5, 7/13, 15/19, 21/31, 33/37, 39/42, 45/50; 51/53; 1931 p. 113/17, 119. — L'Art vivant, 4 (1928) 865f.; 5 (1929) 462, 789/91. — Cahiers de Belgique, 1928 p. 315/20, 322/30, 331/41, 342/50, 392/94. — Apollo (London), 8 (1928) 267/70; 11 (1930) 103/07. — The Studio, 1928/II p. 415/18; 1929 p. 900/02. — Maandbl. voor beeld. Kunsten, 5 (1928) 358/69. — Revue d'Art (Brüssel), 29 (1928) 237/47. — Le Mercure de France, 1929 p. 513/18; 1931/I p. 82/92. — Revue d. Deux-Mondes, 1929 p. 945/48; 1931/II p. 160/73. — Revue de l'Art anc. et mod., 1925/II p. 117, 123, 246f.; 1929/I p. 245/48; 1929/II p. 173 –78; 1933/II p. 129/40; 1937/I p. 209f. — Dedalo, 11 (1930/31) 43/64. — D. Cicerone, 21 (1929) 588f. — The Print Coll.'s Quarterly, 16 (1929) 161 (Abb.: Litho), 162. — Bull. d. Musées de France, 3 (1931) 29 –34. — Beaux-Arts, 1931, Febr. p. 1f.; 1937 Nr 237 p. 5; Nr 250 p. 1 u. 4. — Bull. de l'Art, 1932 p. 384f. — Revue de France, 1937 p. 331/43, 439/55 (Briefe). — Pro Arte (Genf), 2 (1943) 35/37. — Art Index (New York), Okt. 1947/Okt. 1952 passim.

Bourdon, Julien Léon, franz. Landschafts- u. Marinemaler, * Dijon, ansässig in Lyon.

Schüler von Cormon. Mitgl. d. Soc. d. Art. Franç., beschickte deren Salon 1903/39.

Lit.: Bénézit, [2] II (1949).

Boureille, Pascal, franz. Bildhauer, * Paris, ansässig ebda.

Schüler von Carli, Coutan, Landowski u. Navellier. Stellt seit 1927 im Salon der Soc. d. Art. Franç. u. bei den Indépendants aus. Hauptsächl. Kleinplastik (Figürliches, Tiere).

Lit.: Joseph, I. — Bénezit, [2] II.

Bourg, Emile, franz. Genre-, Blumen- u. Landschaftsmaler, * Metz, ansässig in Juvisy-sur-Orge (Seine-et-Oise).

Stellt seit 1911 bei den Indépendants aus.

Lit.: Joseph, I.

Bourgade, Augusta de, franz. Figuren- u. Landschaftsmalerin, * Caudéran (Gironde), ansässig in Paris.

Schülerin von Humbert. Mitglied der Soc. d. Art. Franç., beschickt deren Salon seit 1920 (Kat. z. T. m. Abbn). Stellt seit 1927 auch bei den Indépendants aus.

Lit.: Joseph, I. — Bénézit, [2] II.

Bourgain, Gustave, franz. Genre- u. Bildnismaler, * Paris, † 1921 ebda.

Schüler von Gérôme u. Ed. Detaille.

Lit.: Th.-B., 4 (1910). — Bénézit, [2] II (1949).

Bourgain, Odette, franz. Landschaftsmalerin, * Cognac (Charente), ansässig in Paris.

Schülerin von Bourda u. Artigue. Stellte 1919/45 im Salon der Soc. des Art. Franç. aus.

Lit.: Bénézit, [2] II (1949). — Renaiss. de l'art franç., 1934 p. 97, m. Abb. — Art Sacré, Mai 1937 p. 150f. passim, m. Abb.

Bourgat, Alice, franz. Figuren-, Stilleben- u. Landschaftsmalerin, * Narbonne, ansässig in Paris.

Stellt seit 1923 bei den Indépendants aus.

Bourgat, Jules, franz. Landschaftsmaler, * Perpignan, ansässig in Paris.

Stellt seit 1927 bei den Indépendants aus.
Lit.: Joseph, I.

Bourgeois, Alfred, franz. Landschaftsmaler, * Paris, ansässig in Pierrefitte (Seine).
Stellt seit 1905 bei den Indépendants aus.
Lit.: Joseph, I.

Bourgeois, Victor Ferdinand, franz. Genre- u. Landschaftsmaler, * 1870 Amiens, ansässig in Paris.
Schüler von L. O Merson u. L. Delambre. Mitglied der Soc. d. Art. Franç., beschickt deren Salon seit 1898. 3 Arbeiten im Mus. Amiens, dar. das gr. Triptychon: Bei den Chouans, u. eine Ansicht vom Genfer See (Pastell). Auf der Pariser Weltausst. 1900 zeigte er eine gr. Dekoration: Die Stadt Amiens empfängt die Huldigung ihrer Industrien (Bes. d. Stadt).
Lit.: Joseph, I. — Benezit, [2] II. —

Bourgeois-Borgex, Louis, franz. Maler u. Lithogr., * 5. 6. 1873 Fontaines-St-Martin (Rhône), ansässig in Paris.
Stellt seit 1905 im Salon des Art. Indépendants aus. Zeigte im Salon des Humoristes 1929 2 Bilder: Bernard Shaw hat das Wort, u.: Feierzeit: das englische Problem. Signierte anfänglich Borgex, später Bourgeois-Borgex.
Lit.: Joseph, I. — Bénézit, [2] II. — The Studio, 87 (1924) 110ff., m. Abbn.

Bourgeoiset, Marguerite, franz. Tierbildhauerin, * Nuits-Saint-Georges (Côte-d'Or), ansässig in Paris.
Schülerin von Charlotte Mouginot. Stellt seit 1928 im Salon der Soc. d. Art. Franç. u. bei den Indépendants aus.
Lit.: Joseph, I. — Bénézit, [2] II.

Bourgeot, Georges, franz. Glasmaler, Möbelzeichner u. Keramiker, * 25. 10. 1876 Paris, ansässig ebda.
Schüler von Grasset. Mitglied der Soc. d. Art. Décorateurs. Grand Prix Mailand 1906, London 1907, Kopenhagen 1909, Turin 1911, Barcelona 1923.
Lit.: Joseph, I.

Bourget, Geneviève, franz. Bildhauerin u. Medailleurin, * St-Germain-en-Laye, ansässig in Paris.
Schülerin von Frémiet u. Icard.
Lit.: Forrer, 7 (1923).

Bourgogne, Georges Alexandre, franz. Genre- u. Bildnismaler, * Meaux, ansässig in Douai.
Schüler von J. Lefebvre. Mitglied der Soc. d. Art. Franç., beschickt deren Salon seit 1890. Bild (Das Gebet) im Mus. in Douai.
Lit.: Joseph, I.

Bourgoin, Guy, franz. Radierer, * 10. 12. 1903 Paris, ansässig ebda.
Schüler von Laguillermie, Buland, J. P. Laurens u. Crauk. Mitglied der Soc. d. Art. Franç. Radiert nach eigenen u. fremden Vorlagen.
Lit.: Joseph, I.

Bourgois, Jules, belg. Figuren-, Bildnis- u. Landschaftsmaler, * 1891 Courtrai.
Stud. an den Akad. in Courtrai, Gent u. Brüssel. In St-Jean-Bapt. in Courtrai: Joh. d. T. mit Lamm.
Lit.: Seyn, I, m. Fotobildnis.

Bourgonjon, Gerard Prosper David, holl. Bildhauer, * 13. 9. 1871 Gent, zuletzt ansässig in Tilburg.
Schüler von B. van Hove, L. F. Bourgonjon, C. Meunier u. Fr. Vermeylen, weitergebildet bei Gust. Deloye u. Ch. Mane in Paris. Bildnisbüsten, Figurengruppen, Bauplastik.
Lit.: Waay.

Bourgonnier, Claude Charles, franz. Genre- u. Bildnismaler u. Lithogr., * Paris, † 1921 ebda.
Schüler von Cabanel u. Falguière. Mitglied der Soc. d. Art. Franç., beschickte deren Salon seit 1881. — Seine Gattin Bertha, geb. *Claude*, * Paris, † 1922 ebda, malte Blumen- u. Genrestücke.
Lit.: Th.-B., 4 (1910) — Joseph, 1. — Bénézit, [2] 2 (1949).

Bourgouin, Eugène, franz. Bildhauer, * 1880 Reims, † Ende 1924 Paris.
Stellte im Salon der Soc. d. Art. Franç., 1923 auch im Salon des Tuileries aus. Figürliches, Bildnisbüsten. Sein von Marcel-Lenoir gem. Bildnis war im Salon (Soc. Nat.) 1911 (Abb. in L'Art décor., 1911/I 334).
Lit.: Joseph, I. — Bénézit, [2] II (1949). — Bull. de l'Art, 1925/I 45. — Revue de l'Art anc. et mod., 26 (1909) 45, m. Abb.

Bouriello, Blanche, geb. *Ageron*, franz. Genre- u. Bildnismalerin, * Gap (Hautes-Alpes), ansässig in Paris.
Schülerin von F. Humbert. Beschickt seit 1912 den Salon d'Automne, seit 1924 auch den Salon d. Indépendants. Pflegt bes. das romantische Genre.
Lit.: Joseph, I. — Bénézit, [2] II.

Bourillon-Tournay, Jeanne, franz. Bildnismalerin, * 1867 Paris, † 1932 ebda.
Schülerin von Lauth u. F. Humbert. Mitglied der Soc. d. Art. Franç., beschickt deren Salon seit 1902 (Kat. z. T. m. Abbn). Gold. Med. 1914.
Lit.: Joseph, I. — Bénézit, [2] II.

Bourlange, Antoine, franz. Figurenbildh., * Villeneuve-sur-Lot, ansässig in Paris.
Schüler von Falguière u. Mercié. Mitglied der Soc. d. Art. Franç., beschickt deren Salon seit 1893.
Lit.: Th.-B., 4 (1910). — Joseph, I.

Bourly, Henri, franz. Landschaftsmaler, * Paris, ansässig ebda.
Stellt seit 1923 bei den Indépendants aus.
Lit.: Joseph, I. — Bénézit, [2] II.

Bournac, André, franz. Porträtmaler, * Arcachon (Gironde), ansässig in Paris.
Schüler von L. Bonnat. Stellte seit 1909 im Salon der Soc. d. Art. Franç. aus.
Lit.: Bénézit, [2] II (1949).

Bourne, Evelin Bedfish, amer. Malerin * 10. 7. 1882 Waresham, Mass., ansässig ebda,
Schülerin von Brush, Volk u. Jones.
Lit.: Amer. Art Annual, 20 (1923) 449. — Mallett.

Bourne, Gertrude, geb. *Beals*, amer. Malerin (bes. Aquar.), * Boston, Mass., ansässig ebda.
Schülerin von Henry B. Snell u. Henry W. Rice.
Lit.: Fielding. — Amer. Art Annual, 30 (1933). — Who's Who in Amer. Art, I: 1936/37. — Mallett.

Bourne, Josette, franz. Porträtmalerin, * 19. 8. 1905 Vichy.
Schülerin von George Desvallières u. Maurice Denis. Malt auch große dekorative Bilder, Landschaften u. Marinen. Seit 1933 Mitglied der Soc. du Salon d'Automne.
Lit.: Bénézit, [2] II (1949).

Bourne, Olive Grace, engl. Malerin u. Holzschneiderin, * 30. 4. 1897 London, ansässig ebda.

Stud. an der Croydon-Kunstsch. in London. Stellt in der Roy. Acad. aus.

Lit.: Bénézit, [2] II (1949). — The Studio, 92 (1926) 272f. (Abbn), 279. — Who's Who in Art, [2] 1934.

Bouroult, Robert, franz. Genremaler, * Paris, ansässig ebda.

Schüler von Dagnan-Bouveret, P. Laurens u. J. A. Muenier. Mitglied der Soc. d. Art. Franç. (Salon-Kat. z. T. m. Abbn).

Lit.: Joseph, 1.

Bouroux, Paul Adrien, franz. Radierer u. Holzschneider, * 14. 6. 1878 Mézières (Ardennes), ansässig in Paris.

Schüler von L. O. Merson u. V. Focillon. Mitglied der Soc. d. Art. Franç. (Salon-Kat. z. T. m. Abbn). Vortrefflicher Architekturdarsteller. Ansichten aus Paris, Reims, der Bretagne, Belgien usw. Illustr. zu: A. Peraté, Assise, zu J. K. Huysmans, L'Oblat, zu M. Barrès, Colette Baudoche, zu H. Cochin, En Flandre maritime, Une Ville d'Art flamande: Bergues-Saint-Winoc, usw.

Lit.: Joseph, 1. — E. Langlade, Artistes de mon temps, 1 (1936). — Bénézit, [2] 2 (1949). — Gaz. d. B.-Arts, 1917 p. 370; 1918 p. 401ff.; 1922/I p. 159f., m. Abb.; 1923/II p. 345ff., m. Abbn. — Beaux-Arts, 4 (1926) 286 (Abb.), 287. — Bull. de l'Art, 1926 p. 52 (Abb.), 54. — Revue de l'Art anc. et mod., 37 (1920) 279/84, m. Orig.-Rad. — L'Art et les Artistes, N. S. 9 (1924) 255 (Abb.); 16 (1928) 360; 21 (1930/31) 36.

Bourroux, André, franz. Bildhauer, * Levallois-Perret (Seine), ansässig in Paris.

Schüler von Boucher. Mitglied der Soc. d. Art. Franç., beschickt deren Salon seit 1926.

Lit.: Joseph, I. — Bénézit, [2] II.

Bousquet, Charles, franz. Landschaftsmaler, * Paris, ansässig ebda.

Stellte seit 1905 bei den Indépendants aus.

Boussingault, Jean Louis, franz. Maler u. Graph., * 8. 3. 1883 Paris, † 1944 ebda.

Gefördert im Verkehr mit Segonzac, L. A. Moreau, Marchand, Fauconnet, La Fresnaye, später auch mit Laprade u. Desvallières. Kam durch Letzteren in Verbindung mit der „Grande Revue", die seine frühsten Zeichnungen veröffentlichte. Arbeitete dann auch für die von Paul Iribe u. Bernouard herausgeg. Blätter: „Témoin", „Panurge" u. „Shéhérazade". Als Maler seit 1911 für Paul Poiret tätig, für den er Mannequins u. Dekorationen entwirft. Stellt seit Anfang der 1920er Jahre bei den Indépendants aus: Bildnisse, Akte, Landschaften, Stilleben. Illustriert für die Amis de l'Amour de l'Art 1930 „D'Après Paris" von L. P. Fargue. Wendet sich — angeregt durch einen Besuch Englands — 1929 auch der Radierung u. der Kaltnadelarbeit zu, nachdem er bis dahin nur gezeichnet bzw. lithogr. hatte: Illustr. zu den Prosagedichten „Spleen de Paris" von Baudelaire (éd. Jeanne Walter); Straßenszenen aus London. Thematisch stehen im Mittelpunkt seiner Malerei die Frau u. das Blumenstück. Aus den letzten Jahren auch Entwürfe für umfangreiche Wandmalereien u. Kartons für Wandteppiche. Seine Farben anfänglich herb u. zurückhaltend, später zu vollen, rauschenden Tönen übergehend. Im Luxembourg-Mus. in Paris: Das Kammermädchen.

Lit.: Joseph, I, m. Abb. — Bénézit, [2] II. — Beaux-Arts, 2 (1924) 142, m. Abb.; Nr v. 28. 5. 1948, p. 4. — Art et Décoration, 1927/I p. 125 (Abb.), 126. — L'Amour de l'Art, 8 (1927) 443/51, m. 10 Abbn; 11 (1930) 170 (Abb.), 171. — L'Art vivant, 6 (1930) 392, 425, m. Abb. — Gaz. d. B.-Arts, 1933/I p. 301/08, m. 4 Abbn u. Orig.-Rad.; sér. 6, vol. 28 (1945) p. 43/54. — Pro Arte (Genf), 3 (1944) 214f., m. Abb. — Les Musées de France, März 1949, p. 41. — Art Index (New York), Okt. 1947/Okt. 1950.

Bout, Daniel (Daan), holl. Maler, Rad. u. Lithogr., * 20. 1. 1891 Amsterdam, ansässig ebda.

Beraten von Jaap Wyand, dann Schüler von Klaas van Leeuwen. Mitglied der „Onafhankelijken". Landschaften mit Landarbeitern u. Pferden, Figürliches, Akte, Bildnisse. War in Amerika, London u. Paris.

Lit.: Waay. — Waller.

Boutarel, Simone, franz. Kleinplastikerin u. Medailleurin, * Paris, ansässig ebda.

Schülerin von Landowski u. Fraisse. Mitglied der Soc. d. Art. Franç., beschickt deren Salon seit 1925.

Lit.: Joseph, I.

Boute, Auguste, belg. Bildnismaler u. Bildh., * 1875 Gent, ansässig ebda.

Schüler von L. Tydgadt, J. v. Biesbroeck u. Jean Delvin als Maler, von L. v. Biesbroeck als Bildh. Im Rathaus Gent eine Büste König Alberts. Denkmal Guill. Verspeyen ebda. Im dort. Mus. ein Bild: Aufbruch zur Jagd.

Lit.: Seyn, I, m. Fotobildnis.

Boutet-Lagrée, Paul, franz. Bildnis- u. Orientmaler, * Paris, ansässig in Meudon.

Schüler von Chantron u. F. Lamy. Beschickt seit 1930 den Salon der Soc. d. Art. Franç.

Lit.: Benezit, [2] II.

Boutet de Monvel, Bernard, franz. Genre- u. Bildnismaler, Rad. u. Modelleur, * 10. 8. 1884 Paris, ansässig ebda u. in Nemours.

Sohn des Malers Maurice B. de M. (1851–1913), Bruder des Schriftst. Roger B. de M., Vetter des Graphikers Pierre Brissaud. Schüler von L. O. Merson u. J. Dampt. Mitglied der Soc. Nat. d. B.-Arts (Salon-Kat. z. T. m. Abbn) u. der Soc. du Salon d'Automne. Stellte 1904ff. auch bei den Indépendants aus. Geschmackvoller, fein kultivierter Figurendarsteller u. Porträtist. Betont stark das dekorat. Element in seinen Kompositionen. — Im Luxembourg-Mus. in Paris ein Bildnis des Kunsthändlers Bernard Naudin. Im Metrop. Mus. in New York eine Ansicht von Trouville. Im John Herron Art Inst. in Indianapolis, Indiana, eine Ansicht von Fez (Marokko). Im Carnegie Inst. in Pittsburgh Ganzfigurbildnis einer alten Dame.

Lit.: Th.-B., 4 (1910). — Joseph, 1 (m. falschem Geburtsjahr). — Bénézit, [2] 2 (1949). — Gaz. d. B.-Arts, 1920/II p. 321 (Abb.), 324; 1921/I p. 285 (Abb.), 286. — L'Art et les Artistes, N. S. 6 (1922/23) 14f. (Abbn), 36. — Bull. de l'Art anc. et mod., 1924 p. 106, m. Abb. — Beaux-Arts, 3 (1925) 178, m. Abb. — Revue de l'Art anc. et mod., 50 (1926) 128 (Abb.). — La Renaiss. de l'Art franç., 9 (1926) 1006/11 [recte 657/62], m. 11 Abbn. — The Studio, 94 (1927) 307/14, m. 3 Taf. u. 6 Textabbn. — Gebrauchsgraphik, 4 (1927) 8ff. — Bull. of the Art Assoc. of Indianapolis, Ind., 14 (1927) 29 (Abb.), 33. — Art News (New York), 46, Dez. 1947, p. 59.

Bouthéon, Charles, franz. Landschaftsmaler, * Lyon, ansässig in Paris.

Schüler von Cormon u. V. Charreton. Beschickt seit 1929 den Salon der Soc. d. Art. Franç.

Lit.: Joseph, I. — Bénezit, [2] II.

Boutrolle, Armand, franz. Kleinplastiker u. Elfenbeinschnitzer, * Paris, ansässig ebda.

Mitglied der Soc. d. Art. Franç., beschickt deren Salon seit 1921.

Lit.: Bénézit, [2] II.

Boutrolle, Maurice, franz. Kleinplastiker u. Elfenbeinschnitzer, * Paris, ansässig ebda.

Stellt seit 1924 im Salon der Soc. d. Art. Franç aus.

Lit.: Joseph, I.

Boutrolle, René, franz. Kleinplastiker u. Elfenbeinschnitzer, * Paris, ansässig ebda.
Mitglied der Soc. d. Art. Franç., beschickt deren Salon seit 1921.
Lit.: Joseph, I.

Boutry, Edgar Henri, franz. Bildhauer, * 13. 1. 1875 Lille, ansässig in Paris.
Schüler von J. Cavelier u. Barrias. 1887 Rompreis. Mitglied der Soc. d. Art. Franç. Im Mus. in Arras: Der Jäger.
Lit.: Th.-B., 4 (1910). — Joseph, I. — Revue d. Arts décor., 19 (1899) 37.

Boutwood, Charles Edward, engl.-amer. Maler, * in England, ansässig in Chicago, Ill.
Stud. an d. Roy. Acad. in London u. in Paris. Ließ sich 1892 in den USA naturalisieren. Prof. am Art Inst. in Chicago.
Lit.: Fielding. — Amer. Art Annual, 20 (1923) 449; 30 (1933). — Bénézit, [2] 2 (1949).

Bouuaert, Joseph, belg. Maler, Rad. u. Lithogr., * 1881 Brügge, ansässig in Vilvorde.
Schüler von Ch. Rousseau u. Edm. van Hove. Lebte längere Zeit in Frankreich.
Lit.: Seyn, I.

Bouval, Maurice, franz. Bildhauer, * Toulouse, † um 1920 Paris.
Schüler von Falguière. Mitgl. der Soc. d. Art. Franç. Im Mus. in Beaune: Die Weintrauben (Gips).
Lit.: Bénézit, [2] II (1949).

Bouvard, Hugo Ritter von, öst. Maler, * 18. 5. 1879 Wien, ansässig ebda.
Aus savoyischem Emigrantengeschlecht, das in der 2. Hälfte des 18. Jahrh.'s nach Österreich eingewandert war. Zum Offizier bestimmt, 1901 Leutnant, 1908 beurlaubt. Trat 1908 in die Wiener Akad. ein als Schüler von Rud. Bacher. 1910 Privatschüler Heinr. Knirrs in München, dann zu Hans Müller nach Dachau. 1913 in Paris. 1914 an die Front. Seit 1915 Kriegsmaler. Seit 1921 Mitgl. der Wiener Sezession. Bildnisse, Figürliches, Landschaften, Stillleben. Kollektivausstellg in den Brook Street Gall. in London, Frühj. 1926.
Lit.: Dreßler. — Der getreue Eckart (Wien), 10/I (1932/33) 281/86, m. 7 Zeichngn; 10/II (1932/33) farb. Taf. vor p. 533, 549/46, mit 9 (7 farb.) Abbn. — Öst. Kunst, 3 (1932) H. 6, p. 4 (Abb.). — Kst in Österr. (Leoben), 1 (1934) 52 (Abb.), 54. — The Connoisseur, 74 (1926) 128. — Teichl.

Bouvet, René, franz. Gemmenschneider u. Medailleur, * Paris, ansässig ebda.
Schüler von Levasseur. Stellte seit 1899 im Salon aus.
Lit.: Forrer, 7. — Bénézit, [2] II (1949).

Bouvier, François Constant, schweiz. Bildhauer, ansässig in Genf.
Stellte in Paris (1903, 07, 09) u. im Münchner Glaspalast (1909) aus.
Lit.: Bénézit, [2] II (1949).

Bouvier, Paul, schweiz. Architekt u. Aquarellmaler, * 30. 5. 1857 Neuchâtel, † 27. 3. 1949 ebda.
Schüler von Paul de Pury, William Mayor u. E. G. Coquart an der Pariser Ec. d. B.-Arts. Studienaufenthalte in Italien u. Tunis. Schuf das „Schweizer Dorf" für die Ausst. Genf 1896 u. die Pariser Weltausst. 1900. Aquarelle mit Ansichten von Städten, Dörfern u. landsch. Motiven des Kantons Neuchâtel (u. a. im Mus. Rath in Genf u. im Mus. in Neuchâtel).
Lit.: Th.-B., 4 (1910). — Delaire, p. 194. — Bénézit, [2] 2 (1949). — Schweizer Kst, 1939/40 p. 135f. (Nachruf), 137f. (Gedicht auf B.).

Bouvier, Pierre Eugène, schweiz. Maler, * 7. 9. 1901 Neuchâtel, ansässig ebda.
Schüler der Genfer Ec. d. B.-Arts. Bereiste Holland, Belgien u. Italien. Hauptsächlich Landschafter.
Lit.: Schweiz. Zeitgen.-Lex., 1932. — D. Kst in d. Schweiz, 1930, farb. Taf. geg. p. 1.

Bouviolle, Maurice, franz. Orientmaler, * Beauvais, ansässig in Blida (Algerien).
Schüler von Rochegrosse. Mitglied der Soc. d. Art. Franç., beschickt deren Salon seit 1922 (Kat. z. T. m. Abbn).
Lit.: Joseph, I. — Bénézit, [2] II.

Bouvrie, Henri, amer. Architektur- u. Landsch.-Radierer, * Vertus (Marne), ansässig in Nogent-sur-Marne (Seine).
Schüler von Em. Humblot. Mitglied der Soc. d. Art. Franç., beschickt deren Salon seit 1927.
Lit.: Joseph, I.

Bouzin, Emile, belg.-franz. Landschaftsmaler, * Rumes, ansässig in Croix (Nord). Naturalisierter Franzose.
Schüler von Mils. Stellte zwischen 1894 u. 1908 im Salon der Soc. d. Art. Franç. aus.
Lit.: Bénézit, [2] II (1949).

Bowbelski, Adam, poln. Graphiker.
Buchumschläge, u. a. zu: Jan Dembowski, Sowjetische Lehre; Jan Mulak, Illegales Heer.
Lit.: Kryszowski.

Bowcher, Frank, engl. Bildhauer, Medailleur u. Plakettenkstler, * 1864 London, † 1938 ebda.
Sohn des Rad. William Henry Boucher. Stud. an d. South Kensington-Schule. Med. für: Roy. Coli. of Art, Roy. Coll. of Science, Roy. Coll. of Physicians, Roy. Coll. of Music, Eton Coll. usw.; Silbersiegel für Eduard VII. u. Georg V.; Bildnismed. u. -büsten; Silberstatuetten; Bildnismedaillons (u. a. Dr. Precy E. Spielmann; M. H. Spielmann).
Lit.: Th.-B., 4 (1910). — Spielmann. — Forrer, 7, m. Abbn. — Who's Who in Art, [3] 1934. — The Connoisseur, 66 (1923) 244, 245 (Abb.). — Artwork, 1 (1924/25) 161f., 165, m. vielen Abbn. — Apollo (London), 10 (1929) 67f., m. Abb. — Man, a Monthly Record of Anthropol. Science (Gr.-Brit.), 1932, p. 71, m. 2 Abbn.

Bowden, Henry (Harry?), amer. Maler u. Bildhauer, * 9. 2. 1907 in Kalifornien, ansässig in New York.
Schüler von J. Francis Smith u. Hans Hofmann in München.
Lit.: Who's Who in Amer. Art, I: 1936/37. — Art Digest, 23, Nr v. 15. 4. 1949, p. 19. — Art News, 48, Mai 1949, p. 45.

Bowden-Smith, Daisy Beatrice, geb. *Porter*, engl. Malerin (Aquar. u. Miniatur), * 1882 Gaya, Indien.
Stud. an der Acad. Julian in Paris u. bei Mme La Forge.
Lit.: Who's Who in Art, [3] 1934.

Bowdoin, Harriette, amer. Malerin u. Illustr., ansässig in New York.
Schülerin von Henry B. Snell u. Elliott Daingerfield in New York, dann von Frank Brangwyn in Paris.
Lit.: Fielding. — Amer. Art Annual, 30 (1933).

Bowe, Francis Domonic, irisch. Bildhauer, Rad. u. Maler, * 20. 1. 1892 Dublin.
Lit.: Who's Who in Art, [2] 1929.

Bowedt, Carl, schwed. Maler (Öl, Tempera, Fresko), * 1889 Lund, lebt in Kopenhagen.
Stud. in Kopenhagen, Berlin u. Luzern. Bereiste Spanien u. Italien.
Lit.: Thomœus.

Bowen, Benjamin James, amer. Maler, * 1. 2. 1859 South Boston, Mass., † Anfang 1930 Lausanne, Schweiz.
Schüler von Lefebvre, Robert-Fleury u. Bouguereau in Paris. Seit 1898 in der Schweiz ansässig, doch häufig Aufenthalte in Boston.
Lit.: Fielding. — Amer. Art Annual, 27 (1930) 406. — Bénézit, [2] 2. — Earle.

Bowen, Irene, amer. Malerin, * 27. 11. 1892 South Bend, Washington, ansässig in Los Angeles, Calif.
Schülerin von John F. Carlson.
Lit.: Amer. Art Annual, 20 (1923) 449.

Bowen, Owen, engl. Landsch.- u. Stilllebenmaler, * 28. 4. 1873 Leeds, ansässig ebda.
Stellte seit 1892 in d. Roy. Acad. aus.
Lit.: Graves, 1. — Who's Who in Art, [3] 1934. — The Studio, 88 (1924) 40, m. Abb.

Bower, Alexander, amer. Maler, * 31. 3. 1875 New York, ansässig in Portland, Maine.
Schüler von Thomas P. Anshutz.
Lit.: Th.-B., 4 (1910). — Fielding. — Amer. Art Annual, 20 (1923) 449; 30 (1933). — Bénézit, [2] 2. — Monro.

Bower, Lucy Scott, amer. Malerin u. Schriftst., * 18. 1. 1867 (1864?) Rochester, Iowa, † 14. 11. 1934 Paris.
Schülerin von W. M. Chase, Robert-Fleury, Ménard, Castellucho u. Lefebvre in Paris. Mitglied der Nat. Association of Women Painters a. Sculptors. Seit ca. 1914 in England u. Frankreich lebend. Bild im Mus. in Vitré.
Lit.: Amer. Art Annual, 20 (1923) 449; 30 (1933). — The Art News, 22, Nr 8 v. 1. 12. 1923, p. 1, m. Abb.; 23, Nr 21 v. 28. 2. 1925, p. 5, m. Abb.; 24, Nr 7 v. 21. 11. 1925, p. 4 (Abb.). — Who's Who in Amer. Art, I: 1936/37, p. 493. — Kst u. Ksthandwerk (Wien), 12 (1909) 61 (Abb.), 62.

Bower, Philip Frederick, amer. Wandmaler, * 15. 7. 1895 Astoria, Ore., † 1935 Malaga, Spanien.
Stud. an der Amer. Akad. in Rom.
Lit.: Who's Who in Amer. Art, I: 1936/37, Anh. p. 493. — Amer. Art Annual, 30 (1933).

Bowes, Julian, amer. Bildhauer u. Graph., * 7. 3. 1893 New York, ansässig ebda.
Als Graphiker Schüler von Jay Hambidge, als Bildhauer Autodidakt.
Lit.: Fielding. — Amer. Art Annual, 20 (1923) 449; 30 (1933).

Bowie, John, schott. Bildnis- u. Landschaftsmaler, * Edinburgh, ansässig ebda.
Schüler der Roy. Scottish Acad. und T. Rob. Fleury's in Paris. Stud. in Haarlem Fr. Hals, in Madrid Velázquez. Seit 1903 Mitglied der Roy. Scott. Acad. Bildnisse, Genre, Kostümbilder, in breiter malerischer Behandlung.
Lit.: Caw. — Who's Who in Art, [3] 1934.

Bowler, Harold Thomas, amer. Maler, * 1903 Syracuse, N. Y., ansässig in New York.
Lit.: Mallett. — Design (Columbus, Ohio), 43, Dez. 1941, p. 26.

Bowles, Janet Payne, amer. Goldschmiedin u. Fachschriftst., * 29. 6. 1884 Indianapolis, Ind., ansässig ebda.
Schülerin von Wm. James. Hauptsächlich kirchl. Geräte. — Buchwerke: „Gossamer to Steel", 1917; „Complete Story of Christmas Tree", 1918.
Lit.: Amer. Art Annual, 27 (1930) 511. — Who's Who in Amer. Art, I: 1936/37.

Bowles, M. André, amer. Maler, * 1864 New Orleans, La., † 14. 5. 1930 Chicago, Ill.
Lit.: Amer. Art Annual, 27 (1930) 407.

Bowman, Nora, geb. *Conybeare,* engl. Aquarellmalerin (Landsch. u. Figürl.), * 21. 6. 1896 Itchen Stoke, ansässig in London.
Lit.: Who's Who in Art, [3] 1934.

Bowyer, John, engl. Maler (Öl u. Aquar.), * 7. 11. 1872 Norwood, ansässig in London.
Stud. an der Croydon-Kunstschule.
Lit.: Who's Who in Art, [3] 1934.

Box, Alfred Ashdown, engl. Landschaftsmaler u. Kirchenorganist, * Manningtree, Essex, ansässig in Birmingham.
Lit.: Who's Who in Art, [3] 1934.

Boxer, P. Noel, engl. Vedutenzeichner, ansässig in der Schweiz.
Lehrer an der Blackheath Kunstschule u. der Goldsmiths' College School of Art, New Cross. Ließ sich 1913 in der Schweiz nieder.
Lit.: The Studio, 58 (1913) 195/201 (7 Abbn).

Boxsius, Daisy, geb. *Tuff,* engl. Illuminatorin u. Aquarellmalerin, * 11. 11. 1885 London, ansässig ebda. Gattin des Folg.
Lit.: Who's Who in Art, [3] 1934.

Boxsius, Sylvan G., engl. Illustrator, Linolschneider, Bildnis- u. Landschaftsmaler, * Juni 1878 London, ansässig ebda. Gatte der Vor.
Lit.: Who's Who in Art, [3] 1934. — Apollo (London), 12 (1930) 243f. (Abbn), 246.

Boyajian, Zabelle, armen. Landschafts-, Genre- u. Bildnismalerin (Öl u. Pastell), ansässig in England.
Herausgeberin u. Illustr. der „American Legends and Poems", London, Dent & Sons, Ltd. Kollektiv-Ausstellg Juli 1912 in der Ryder Gall. in London.
Lit.: Aar (Regensburg), Nov. 1912, p. 177/85, mit 12 Abbn u. Bildnis d. Kstlerin. — The Standard v. 8. 7. 1912.

Boyar, Ali Sami, türk. Graphiker, * 1890 Istanbul (Konstantinopel), ansässig ebda.
1901 von der Militärschule diplomiert. Stud. dann an d. Akad. d. Sch. Künste zu Istanbul u. bei Cormon in Paris. 1914 zurück nach Istanbul. 1. Direktor der Abteilung für junge Mädchen an d. dort. Akad. Bis 1944 Direktor des Hagia-Sofia-Museums. Impressionist.

Boyd, Byron Bennett, amer. Maler u. Lithogr., * 22. 1. 1887 Wichita, Kansas, ansässig in Des Moines, Ia.
Stud. an d. Columbia Univers., bei Jean Manheim u. Harry Leith-Ross.
Lit.: Amer. Art Annual, 30 (1933). — Who's Who in Amer. Art, I: 1936/37.

Boyd, Elizabeth, schott. Malerin u. Holzschneiderin, * Skelmorlie, ansässig in London.
Beschickte seit 1907 den Salon der Soc. d. Art.

Indépendants in Paris. Landschaften, Blumenstücke, Genre.
Lit.: Joseph, I.

Boyd, Fiske, amer. Maler, Holzschneider, Radierer u. Lithograph, * 5. 7. 1895 Philadelphia, Pa., ansässig in Summit, N. J.
Bilder in der Phillips Memorial Gall. in Washington, D. C., im Whitney Mus. of Amer. Art in New York u. im Mus. in Newark, N. J. — Seine Gattin Clare Shenahan ist Malerin.
Lit.: Mallett. — Who's Who in Amer. Art, I: 1936/37. — Monro. — The Print Coll.'s Quarterly, 29 (1949), Febr. p. 18 (Abb.), 60 (Abb.). — Print (Woodstock, Vt.), 6 (1949) Nr 2 p. 26 (Abb.).

Boyd, Penleigh, austral. Landschaftsmaler u. Kupferst., † Anf. Dez. 1923, 33jährig (Autounfall), bei Warragul, Victoria.
Lit.: Mallett. — Print Coll.'s Quarterly, 11 (1924) 306. — The Art News, 22, Nr 9 v. 8. 12. 1923, p. 8.

Boyd, William, schott.-amer. Maler, * 24. 8. 1882 Glasgow, ansässig in Pittsburgh, Pa.
Stud. in Paris. Hauptsächlich Aquarellist.
Lit.: Small, p. 12, 13. — Amer. Art Annual, 30 (1933). — Who's Who in Amer. Art, I: 1936/37.

Boyden, Dwight Frederick, amer. Landschaftsmaler, * 1860 (nach anderen 1861 oder 1865) Boston, Mass., † 16. 5. 1933 Baltimore.
Schüler von Boulanger u. Lefebvre in Paris.
Lit.: Th.-B., 4 (1910). — Fielding. — Amer. Art Annual, 20 (1923) 449; 30 (1933), Obituary. — The Art News, 31, Nr 36 v. 3. 6. 1933, p. 8. — Art Digest, 6. 1. 1933, Obituary.

Boyé, Abel, franz. Genre- (bes. Akt-) u. Bildnismaler, * 6. 5. 1864 Marmande (Lot-et-Garonne), † Juli 1933 Levallois-Perret.
Schüler von B. Constant. Mitglied der Soc. d. Art. Franç. (Salon-Kat. z. T. m. Abbn). Gold. Med. 1895. — Bilder in den Museen Agen, Bordeaux u. Narbonne. In der Sorbonne in Paris: Nausikaa.
Lit.: Joseph, I. — Bénézit, [2] II. — Revue de l'Art anc. et mod., 64 (1933) Bull. p. 370. — Beaux-Arts, Nr 30 v. 28. 7. 1933 p. 6.

Boyer, Emile, franz. Landschaftsmaler, * 30. 6. 1877 Paris, ansässig ebda.
Anfänglich Straßenhändler, dessen künstler. Talent von Wilh. Uhde entdeckt u. gefördert wurde. Malt in einem naiv-primitiven Stil stille Waldplätze, verschwiegene Weiher mit einsamen Häuschen, verlassene Dorfstraßen usw., in die er bisweilen eine bescheidene Staffage setzt. Mitglied des Salon d'Automne.
Lit.: Joseph, I. — Raynal, Anthologie de la Peint. en France de 1906 à nos jours, 1927. — Bénézit, [2] II. — D. Kstblatt, 9 (1925) 198 (Abb.), 202; 10 (1926) 441. — D. Cicerone, 18 (1926) 262, 640. — La Renaiss. de l'Art franç., 9 (1926) 175, m. Abb.

Boyer, Emile, franz. Figurenbildhauer u. Medailleur, * Saint-Etienne, ansässig in Paris.
Schüler von A. Mercié. Stellte seit 1903 im Salon der Soc. d. Art. Franç. aus.
Lit.: Joseph, I. — Forrer, 7 (1923).

Boyer, Otto, Maler, Illustr., Kunsttheoretiker (Farbenlehre) u. Dichter, * 21. 7. 1874 Ückendorf b. Gelsenkirchen, † 30. 12. 1912 Weimar.
Schüler Ed. v. Gebhardts an der Düsseldorfer Akad. Ließ sich in Düsseldorf, später in Weimar nieder. Kollektiv-Ausst. Nov. 1911 im Mus. in Weimar. Nachlaß-Ausst. 1913 in d. Städt. Ksthalle in Düsseldorf.
Lit.: Die Kunst, 7 (1903) 332; 25 (1912) 467, 470 (Abb.); 27 (1913) 427f. — Kstchronik, N. F. 24 (1912–13) 216. — Literar. Echo, 15 (1912) 662. — Velhagen & Klasings Monatsh., 28. Jg., Heft 11, Juli 1914, p. 353/65. — Daheim, 60. Jg., Nr 40 v. 28. 6. 1924, m. 6 farb. Abbn.

Boyer, Ralph L., amer. Radierer u. Maler, * 23. 7. 1879 Camden, N. J., ansässig in Westport, Conn.
Schüler von Anshutz, Breckenridge, Beaux u. Chase.
Lit.: Who's Who in Amer. Art, I: 1936/37. — Amer. Art Annual, 30 (1933).

Boyer-Breton, Marthe, franz. Genre-, Bildnis- u. Landschaftsmalerin, * Paris, † 1926 ebda.
Schülerin von Parrot, Humbert u. Bonnat. Stellte 1900/23 im Salon der Soc. d. Art. Franç. aus.
Lit.: Bénézit, [2] II (1949).

Bô Yin Râ s. *Schneiderfranken*, Joseph.

Boylan, William, amer. Maler, * 10. 4. 1879 Brooklyn, N. Y., ansässig ebda.
Lit.: Amer. Art Annual, 20 (1923) 449.

Boyle, Cerise, geb. *Champion de Crespigny*, engl. Pferde- u. Landschaftsmalerin, * 6. 12. 1875 Ringwood, ansässig in Pulborough, Sussex.
Stud. an der Westminster Art School.
Lit.: Who's Who in Art, [3] 1934.

Boyle, Charles Washington, amer. Bildnis- u. Landschaftsmaler, * 1861 New Orleans, La., † 21. 2. 1925 ebda.
Schüler von Paul Poincy u. Andrew Molinary in New York. Bilder im Delgado Mus. in New Orleans, dessen Kurator er war, im Mus. in Richmond u. im Louisana State Mus. in New Orleans.
Lit.: Fielding. — Amer. Art Annual, 20 (1923) 450. — The Art News, 23, Nr 20 v. 21. 2. 1925, p. 8.

Boyle, John Joseph, amer. Maler, * 30. 5. 1874 Pittsburgh, Pa., † 25. 4. 1911 Ocean View, N. J.
Schüler der Pennsylvania Acad. of the Fine Arts u. d. Acad. Julian in Paris unter B. Constant u. J. P. Laurens. Hauptsächlich kirchl. Wandmalereien.
Lit.: Th.-B., 4 (1910). — Amer. Art Annual, 9 (1911) 308.

Boyle, Sarah Yocum McFadden, amer. Miniaturmalerin, * Germantown, Pa., ansässig in West Philadelphia, Pa.
Schülerin von Pyle, Deigendesch u. Herman Faber in Philadelphia.
Lit.: Fielding. — Amer. Art Annual, 30 (1933).

Boyle-Kanno, Gertrude, amer. Porträtbildhauerin, ansässig in New York.
Lit.: Amer. Art Annual, 20 (1923) 450. — The Art News, 24, Nr 5 v. 7. 11. 1925, p. 4. — Brooklyn Mus. Quarterly, 15 (1928) 120, 122 (Abb.).

Boylesve, Marie, franz. Malerin, * Tours, ansässig in Paris.
Stellte 1910/32 im Salon der Soc. Nat. d. B.-Arts, 1923 auch im Salon des Tuileries aus. Bildnisse, Landschaften, Interieurs.
Lit.: Bénézit, [2] II (1949).

Boynton, George Rufus, amer. Porträtmaler, * 16. 10. 1866 Pleasent, Grove, Wis., † 1945 New York.
Schüler von J. G. Brown, C. Y. Turner, Walter Shirlaw u. W. M. Chase. Bildnisse u. a. im Union

League Club, in der Universität in New York und im Carnegie Instit. Pittsburgh, Pa.

Lit.: Fielding. — Amer. Art Annual, 20 (1923) 450; 30 (1933). — Who's Who in Amer. Art, I: 1936 –37. — Monro. — Cat. of the Works of Art of City of New York, 2 (1920) 44, 51.

Boynton, Ray, amer. Maler (bes. Freskant), * 14. 1. 1883 Whitten, Ia., ansässig in Berkeley, Calif.

Schüler von William P. Henderson u. John Norton. Fresken u. a. im Musikauditorium in Mills College, Calif., im Speisesaal des Mark Hopkins Hotel in San Francisco, Calif., u. im Kloster der California School of F. Arts ebda. Wandbilder (Öl) im Haus der Dollar Steamship Comp. in Portland, Ore.

Lit.: Amer. Art Annual, 20 (1923) 450; 27 (1930) 511; 30 (1933). — Who's Who in Amer. Art, I: 1936 –37. — Monro.

Boysen, Jens, dtsch. Holzbildhauer (Prof.), * 11.8.1874 Lüdersholm, Kr. Tondern, ansässig in Krefeld.

Stud. an der Fachsch. für Kunstschreiner u. Bildschnitzer in Flensburg, dann an der Berliner Kstgewerbesch. 1901/07 bei Olbrich in Darmstadt. Seit 1907 Fachlehrer an der Kunstgewerbesch. in Krefeld. Gold. Med. St. Louis 1904. 2 Gedenktafeln (Eichenholz) in der Lutherkirche in Krefeld.

Lit.: Dreßler. — Die Heimat (Krefeld), 8 (1929) 75, m. Abbn.

Bozcali, Sabiha, türk. Malerin, * 1904 Istanbul (Konstantinopel), ansässig ebda.

Stud. an d. Akad. d. Sch. Künste zu Istanbul, weitergebildet 5 Jahre im Ausland: in Berlin bei Lovis Corinth, in Paris bei P. Signac, in Rom bei Giorgio de Chirico. Nahm nach Rückkehr nach Istanbul an Ausstellgn in der Türkei, in Kairo u. Paris teil. Gehört der türk. modernen Schule an.

Lit.: Berk, p. 24.

Bozino, Attilio, ital. Bildnis- u. Genremaler, * 18. 11. 1890 Sostegno (Vercelli).

Schüler von Giac. Grosso an d. Turiner Akad. Bild im Mus. Borgogna in Vercelli.

Lit.: Comanducci, m. Abb.

Boznańska, Olga, poln. Malerin, * 15. 4. 1865 Krakau, † 1942 Paris.

Schülerin von Siedlecki, dann von Hipp. Lipinski u. A. Piotrowski in Krakau, weitergebildet in München bei Kriecheldorf u. Wilh. Dürr, zuletzt bei Sam. Hirszenberg. Seit 1890 in Krakau, seit 1898 in Paris ansässig. Mitglied der „Sztuka", seit 1901 Mitgl. der Pariser Soc. Nat. d. B.-Arts. Stellte seit 1923 auch im Salon des Tuileries aus. Hauptsächl. Porträtistin. Erhielt die Gold. Med. in Wien 1893, auf der Women Exhib. in London 1900 u. auf d. Internat. Ausst. in München 1905. Ihre zarte, sehr reizvolle Palette bedient sich gern leicht verschleierter Töne. Bilder in den Nat.-Mus. in Warschau u. Krakau, im Schles. Mus. in Beuthen u. im Musée du Jeu de Paume in Paris.

Lit.: Th.-B., 4 (1910). — Joseph, 1. — Bénézit, [2] 2 (1949). — Kuhn, m. Abb. — Sztuka, 1912 p. 26 –29, m. 5 Abbn. — L'Art et les Artistes, 18 (1913 –14) 129/34, m. 7 Abbn; 21 (1917) 68 (Abb.); Nouv. Sér., 3 (1921) 304 (Abb.), 306. — Blick nach Polen, 1949, Heft 1 p. 37 (Abb.). — Revue de l'Art, 49 (1926) 117 (Abb.). — The Studio, 129 (1945) 11 (Abb.). — Emporium, 107 (1948) 135 (Abb.). — Sztuki Piękne; 1925, Nr 3 v. 15. 12., p. 97/118, m. 2 Taf. u. 18 Abbn. — 1933 p. 281 ff. passim, m. Abb. — Ausst.-Kat.: Poln. Kst, Wien, Kstlerhaus, 1915, m. Abb.; Art Polonais, Paris, Soc. Nat. d. B.-Arts, 1921; Berlin, Pr. Akad. d. Kste, 1935; Wander-Ausst. Poln. Maler des 19. u. 20. Jh., Berlin u. a. O. 1949, m. Abb.

Bozzalla, Giuseppe, piemont. Landsch.- u. Genremaler, * 2. 3. 1874 Biella.

Schüler von Giac. Grosso an d. Akad. in Turin, beeinflußt von Delleani. Eine Winterlandschaft im Mus. Civ. in Turin.

Lit.: Th.-B., 4 (1910). — Comanducci, m. Abb. — Opere del pittore G. B., Catalogo, Mailand 1929. — Fr. O. Palermo, Profili di artisti: Alciati, B., Galeota etc., Vercelli 1930. — T. Grandi, G. B.; Mostra personale. Gall. d'arte, Biella, Turin 1935. — Emporium, 86 (1937) 396.

Bra, Mabel Mason de, amer. Malerin, * 24. 10. 1899 Milledgeville, O., ansässig in Columbus, O.

Schülerin von Henry B. Snell, Will S. Taylor, Walter Beck u. George Pearse Ennis. Wandbild im Ohio State Archaeol. Museum.

Lit.: Who's Who in Amer. Art, I: 1936/37 p. 115. — Amer. Art Annual, 30 (1933).

Braakensiek, Henri, holl. Maler, Rad. u. Holzschneider, * 17. 3. 1891 Amsterdam, † 18. 8. 1941 ebda.

Schüler s. Vaters (?) Johan B. (* 1858, † 1940) u. von Hobbe Smith, weitergebildet in Antwerpen u. Paris. 1911/14 Pensionär der Königin. Akte, Bildnisse, Tingeltangelszenen, Landschaften.

Lit.: Plasschaert. — Waay. — Waller. — De Kunst (A'dam), 14 (1921/22) 136.

Braakensiek-Dekker, Anna Maria, holl. Landschafts-, Bildnis- u. Stillebenmalerin, ansässig in Amsterdam.

Schülerin von G. W. Knap in A'dam, weitergebildet in Antwerpen u. Paris. Mitglied der „Onafhankelijken".

Lit.: Waay.

Braamcamp de Figueiredo, Maria de Lourdes, portug Malerin, * 1899 Azaruja, † 1933 Porto.

Schülerin von Luciano Freire, Roque Gameiro, Castelbrucho, Em. Motte, Jean Delville u. der Slade School in London. Vertreten in: Mus. Nac. de Arte Contemp. in Lissabon, Mus. Nac. de Soares dos Reis in Porto u. Mus. Grão-Vasco in Vizeu.

Lit.: Pamplona, p. 371.

Braat, Leendert, holl. Bildhauer, * 23. 11. 1908 Arnheim, lebt in Amsterdam. Gatte der Maaike B.

Schüler von Gijs, Jacobs van den Hof in Arnheim, weitergebildet in Paris. Mitglied der „Onafhankelijken". Anhänger der neoklassizistischen Richtung: Brunnen im Beatrixpark in A'dam. Figur (Der Sieg des Geistes) in der Vorhalle des Gymnasiums in Arnheim.

Lit.: Waay.

Braat, Maaike, holl. Landschaftsmalerin, * 12. 3. 1907, lebt in Amsterdam. Gattin des Leendert B.

Schülerin von Balanche in Paris. Hauptsächl. Aquarellistin. Mitglied der „Onafhankelijken".

Lit.: Waay.

Braathen, Maja, schwed. Figuren- u. Landschaftsmalerin u. Porträtbildhauerin, * 1896 Sundsvall, ansässig in Stockholm.

Stud. in Stockholm, Göteborg, Oslo u. Paris.

Lit.: Thomœus.

Brabandt, Rudolf, dtsch. Maler, * 1. 7. 1902 Leipzig, ansässig ebda.

Schüler d. Leipz. Akad. f. Graph. Künste.

Brabo, Albert, franz. Landschafts- u. Figuren- (bes. Akt-) Maler, * Alès (Gard), ansässig in Paris.

Stellt seit 1910 bei den Indépendants aus. Kolossalgemälde für den Neubau der Handelskammer in Alès (zus. mit Berth. Saint-André).

Lit.: Joseph, I. — Bénézit, [2] II. — Bull. de l'Art, 1926 p. 151, m. Abb. — Art et Décoration, 50 (1926) 173, 175 (Abb.); 55 (1929) 44/49, m. 6 Abbn. — Beaux-Arts, 5 (1927) 143; Nr 301 v. 7. 10. 1938, p. 3 (Abb.); Nr 335 v. 2. 6. 39, p. 7 (Abb.).

Bracchi, Luigi, ital. Figuren-, Bildnis- u. Landschaftsmaler, * 17. 5. 1892 Tirano (Sondrio), ansässig in Mailand.

Bilder u. a. in den Gall. d'Arte Mod. in Mailand u. Rom u. im Castello Sforzesco in Mailand.

Lit.: Chi è?, 1940. — Cronache d'Arte, 3 (1926) 332, m. Abb. — Emporium, 68 (1928) 142 (Abb.); 71 (1930) 324 (Abb.); 79 (1934) 377 (Abb.); 81 (1935) 87, 98 (Abb.); 83 (1936) 326, 328 (Abb.).

Brach (Künstlername *Zinek*), Bernhard Günter Lebrecht, dtsch-poln. Bildnis- u. Bühnenmaler u. Graph., * 8. 7. 1902 Gniezno, Polen, ansässig in Hannover. Autodidakt.

Lit.: Dreßler.

Bracher, W., s. im Art. *Widmer*, Franz Fr.

Brachert, Hermann, dtsch. Ziseleur, Gold- u. Stahlgraveur, Stein- u. Holzbildhauer u. Medailleur (Prof.), * 11. 12. 1890 Stuttgart, ansässig ebda.

Stud. an der Kstgewerbesch. in Stuttgart. Leiter der Abteilung für Bildhauerei u. Goldschmiedekunst an der Kstgewerbesch. in Königsberg. Einige Zeit ansässig in Georgswalde (Samland, Ostpr.), neuerdings in Stuttg. (1951 Rektor der Akad.). Grabmäler (u. a. von Geßler im Stuttg. Waldfriedhof), Büsten, Akte (Schreitendes Mädchen, Bronze, Städt. Kstsmlgn, Königsberg), Architekturplastik (Handelshof u. Haus d. Technik in Königsberg). Denkmal: Genius der Kunst, zu Ehren von Lovis Corinth, in Königsberg.

Lit.: Dreßler. — Baum, m. Abb. — Neue Baukunst, 1 (1925) Heft 3. — Das Bild, 1936 p. 362 (Abb.), 367. — D. Cicerone, 17/I (1925) 524. — D. Kunst, 55 (1926/27) 83f. (Tafeln), 86ff. (Abbn); 63 (1930/31) 29/35 (Abbn). — D. Weltkst, 21 (1951) H. 1, p. 13, H. 10, p. 12.

Brachet, Loys, franz. Architekt (bes. Innenarch.) u. Möbelkünstler, * 1877 Paris, ansässig ebda.

Schüler von Vaudremer u. Genuys an der Pariser Ec. d. B.-Arts. Mitgl. d. Soc. des Art. Décorateurs. Stellte auch im Salon d'Automne aus.

Lit.: Th.-B., 4 (1910). — L'Art décoratif, 1909/I p. 106ff.

Brachetti, Paul, dtsch. Maler, * 9. 4. 1895 Dortmund, ansässig in München.

Stud. an der Folkwangsch. in Essen, dann an d. Münchener Akad. bei v. Zügel, später bei W. Püttner. Studienreisen nach Frankreich u. Italien. 1935/37 Mitarbeiter der Münchner „Jugend". Bilder im Bes. des Bayr. Staates, in der Städt. Gal. München u. im Folkwangmus. in Essen. Impressionist. Bevorzugtes Motiv: Venedig. *J.*

Brachmann, Raymund, dtsch. Architekt, * 7. 6. 1872 Leipzig, ansässig ebda.

Stud. an der Techn. Hochsch. Dresden. Gold. Preis, Bugra Leipzig 1914. Buchwerk: Das ländliche Arbeiterwohnhaus (Heimkultur-Verlag Wiesbaden).

Lit.: Th.-B., 4 (1910). — Dreßler. — D. Baumeister, 11 (1913) 143 (Abb.). — Neudtsche Bauzeitung, 9 (1913). — D. Profanbau, 1908 p. 56ff.; 1913 p. 553, 556/58.

Bracho, Angel, mexik. Maler (Öl u. Fresko) u. Plakatkünstler, * 1911 Mexico City, ansässig ebda.

Stud. an der Akad. San Carlos, Mexico.

Lit.: Kirstein, p. 96.

Bracho, Carlos, mexik. Bildhauer, ansässig in Paris.

Stellte im Salon d'Automne aus, so 1926 eine Kolossalgruppe in rosa Granit: Die Umarmung (indisches Liebespaar sitzend in Umschlingung). Primitiver, auf kubische Geschlossenheit ausgehender Stil.

Lit.: La Renaiss. de l'Art franç., 9 (1926) 487, Abb. p. 485.

Brack, Max, schweiz. Landsch.- u. Bildnismaler, * 23. 11. 1878 Mönthal (Kt. Aargau), ansässig in Gwatt bei Thun.

Architekturstudien an der Techn. Hochsch. Stuttgart, dann Malschüler von H. Knirr in München u. der dort. Akad. unter O. Seitz. 1902 in Italien, 1903 in Paris. Im Mus. Winterthur: Herbstlandsch.; im Mus. Bern: Seelandsch., Kanderschlucht (Abb. Kat. 1946); im Parlamentsgeb. Bern: Winterlandsch. Wandbilder im Volkshaus in Bern u. im Wartesaal I. u. II. Kl. im Bahnhof Lausanne.

Lit.: Brun, IV. — Schweiz. Zeitgen.-Lex., 1932. — Schäfer. — D. Werk, 2 (1915) 55 (Abb.); 5 (1918) 136 (Abb.). — Müller-Schürch, p. 5. — Dtsche Kst u. Dekor., 59 (1926/27) 30 (Abb.).

Brackel, Josef von, dtsch. Maler u. Graphiker, * 7. 6. 1874 Cleve, ansässig in Kassel.

Beschickte die Gr. Berliner Kstausstellg, die Münchner Sezession u. die Deutsch-Nat. Kstausst. Düsseldorf 1907.

Lit.: Dreßler. — D. Kst, 11 (1904/05) 376.

Bracken, Clio Hinton, geb. *Huneker*, amer. Bildhauerin, * 1870 Rhinebeck, N. Y., † 12. 2. 1925 New York.

Schülerin von Rodin, MacMonnies u. Saint-Gaudens in Paris. Hauptsächlich Porträtistin.

Lit.: Th.-B., 4 (1910). — Fielding. — The Art News, 23, Nr 19 v. 12. 2. 1925, p. 6. — Taft.

Bracken, Julia, s. *Wendt*.

Brackenbury, Georgina, engl. Bildnismalerin.

In der Nat. Portr. Gall. in London ein Bildnis der engl. Frauenrechtlerin Mrs. Emmeline Pankhurst (1858–1928).

Lit.: Apollo (London), 18 (1933) 274. — The Burlington Magaz., 55 (1929), Beibl. p. XXXIX.

Brackenridge, Cornelia, s. *Talbot*.

Brackman, Robert, russ.-amer. Maler u. Rad., * 25. 9. 1896 Odessa, ansässig in Noank, Conn.

Stud. an der Nat. Acad. of Design in New York. Bildnisse, Figürliches (bes. Akte), Stilleben. Koll.-Ausst. 1932 in den Grand Central Art Gall. in New York. Weibl. Akt im Mus. Brooklyn; Lesendes Mädchen in der Rhode Island School of Design in Providence, R. I., N. Y.

Lit.: Fielding. — Amer. Art Annual, 30 (1933). — Who's Who in Amer. Art, I: 1936/37. — The Art News, 23, Nr 34 v. 30. 5. 1925, p. 3, m. Abb.; 25, Nr 28 v. 16. 4. 1927, p. 9. — La Renaiss. de l'Art fr., 10 (1927) 101 (Abb.). — The Brooklyn Mus. Quart., 24 (1937) 72, 76 (Abb.). — The Studio, 104 (1932) 356 (Abb.); 107 (1939) 121 (ganzseit. Abb.); 113 (1937) 19 (Abb.); 114 (1937) 336 (Abb.). — Art Index (New York), 1928ff. passim. — Painting in the Un. States 1949. Ausst. Carnegie Inst. Pittsburgh, Kat. m. Abb. Taf. 4. — Monro.

Bracquemond, Emile, franz. Bildhauer, * Paris, ansässig ebda.
Stellt seit 1907 im Salon der Soc. Nat. d. B.-Arts aus. Figürliches (Faun u. Bacchantin), Bildnisbüsten.
Lit.: Joseph, 1. — Bénézit, [2] 2 (1949).

Bracquemond, Pierre, franz. Maler, * 30. 1. (Th.-B.: 22. 6.) 1870 Paris, † 1926 ebda.
Schüler s. Vaters Félix B. (* 1833, † 1914) u. von Henri Cros. Mitglied der Soc. du Salon d'Automne. Stellte auch im Salon der Soc. Nat. d. B.-Arts aus. Figürliches (bes. Akte), Damenbildnisse, Interieurs.
Lit.: Th.-B., 4 (1910). — Joseph, 1. — Bénézit, [2] 2. — Bull. de l'Art anc. et mod., 1926 p. 88. — L'Art et les Artistes, N. S. 8 (1923/24) 30, 31.

Bradaczek, Ernst, Kärntner Maler.
Figürliches, Landschaften.
Lit.: Öst. Kst, 1 (1929/30) H. 11 p. 30. — Kst in Österr. (Leoben), 1 (1934) 72 (Abb.), 73.

Bradbury, Arthur, engl. Bildnis-, Landschafts- u. Marinemaler (Öl u. Aquar.) u. Rad., ansässig in Bournemouth.
Stud. an den Roy. Acad. Schools in London.
Lit.: Who's Who in Art, [3] 1934.

Bradbury, Charles Earl, amer. Maler u. Illustr., * 21. 5. 1888 North Bay, Oneida Co., N. Y., ansässig in Champaign, Ill.
Schüler von J. P. Laurens u. d. Acad. Julian in Paris.
Lit.: Fielding. — Amer. Art Annual, 20 (1923); 27 (1930) 511; 30 (1933). — Who's Who in Amer. Art, I: 1936/37.

Bradbury, Eric, engl. Bildhauer, * 25. 2. 1881 London, ansässig ebda.
Sohn des Bauplastikers Fred George B. Stud. an der Lambeth-Kstschule. Bildnisplaketten, Medaillenentwürfe.
Lit.: Forrer, 8, p. 320. — Who's Who in Art, [3] 1934.

Braddock, Katherine, amer. Malerin, * 19. 9. 1870 Mt. Vernon, O., ansässig in Stockton, Calif.
Schülerin von Frank Duveneck, John Henri Sharp u. Thomas Noble.
Lit.: Who's Who in Amer. Art, I: 1936/37.

Brademann, Richard, dtsch. Architekt, ansässig in Berlin.
Hochbauten der Reichsbahndirektion in Berlin (u. a. Empfangsgeb. Bahnhof Wannsee); Schaltwerk Halensee.
Lit.: Dtsche Bauzeitung, 1928 p. 313/20, 441/48. — Wasmuths Monatsh. f. Baukst, 13 (1929) 481/94.

Braden, Dorothy Kathleen Nora, engl. Ksttöpferin, * 19. 7. 1901 Margate, ansässig in Highworth, Wiltshire.
Arbeitet zus. mit Kathar. Pleydell-Bouverie (* 7. 6. 1895 Hightworth, Wiltshire). Glasierte Vasen, Töpfe, Schüsseln usw., dekoriert mit Landschaften, Blumen, Fischen, Krebsen usw.
Lit.: Who's Who in Art, [3] 1934. — Artwork, 6 (1930) 257/63, m. Abbn.

Bradford, Francis Scott, amer. Maler, * 17. 8. 1898 Appleton, Wis., ansässig in New York.
Stud. an der Nat. Acad. of Design in New York u. an der Amer.Acad. in Rom (1923 Rompreis). 25 Wandbilder im City Court House in Milwaukee; 10 Wandbilder im Geb. der Hooker Elektro-Chemical Comp. in New York; Altarbild in Cranbook, Mich.
Lit.: Amer. Art Annual, 20 (1923) 450; 30 (1933). — Who's Who in Amer. Art, I: 1936/37. — The Studio, 117 (1939) 188 (Abb.).

Bradley, Anne Cary, amer. Malerin, * 19. 8. 1884 Fryeburg, Me., ansässig ebda.
Schülerin von H. R. Pooer, George Elmer Browne u. H. E. Field.
Lit.: Amer. Art Annual, 20 (1923) 450; 30 (1933).

Bradley, Carolyn Gertrude, amer. Malerin, * Richmond, Ind., ansässig in Columbus, Ohio.
Schülerin von Victor Julius, William Forsyth, Henri B. Snell, W. L. Stevens u. George P. Ennes. Wiederholt durch Preise ausgezeichnet. Arbeiten u. a. in der Smlg der Richmond Art Assoc.
Lit.: Who's Who in Amer. Art, I: 1936/37. — Amer. Art Annual, 30 (1933). — Columbus Gall. of F. Arts, Ohio, Bull., 13, Mai 1943, p. [7], m. Abb.

Bradshaw, Antonia Violet Hamilton, engl. Aquarellmalerin, * Caversham, ansässig in London.
Stud. an der Slade School in London. Vertreten in der Art Gall. in Manchester.
Lit.: Who's Who in Art, [3] 1934.

Bradshaw, George Fagan, irischer Marinemaler (Öl u. Tempera) u. Schwarz-Weiß-Kstler, * 6. 12. 1887 Belfast, ansässig in St. Ives, Cornwall.
Diente bis 1921 bei der Marine.
Lit.: Who's Who in Art, [3] 1934.

Bradshaw, Harold Chalton, engl. Architekt, * 15. 2. 1893 Liverpool, ansässig in London.
Stud. in Liverpool, Rom u. London.
Lit.: Who's Who in Art, [3] 1934.

Bradshaw, John Harry, engl. Innenarchitekt, Möbelzeichner u. Rad., * 23. 4. 1888 Denton, Manchester, ansässig in Durban.
Stud. an der Kstschule in Manchester.
Lit.: Who's Who in Art, [3] 1934.

Bradshaw, Laurence, engl. Maler, Bildhauer u. Holzschneider, * 1. 4. 1899 Cheshire, ansässig in London.
Stud. in Liverpool u. London. Einige Zeit Assistent bei Frank Brangwyn. Zeichnungen für Bühnenkostüme im Vict. a. Albert Mus. Basreliefs für die Kirche in Brompton (London).
Lit.: Who's Who in Art, [3] 1934. — Artwork, 4 (1928) 78 (Abb.), 80.

Bradstreet, Edward D., amer. Maler, * 1878 Meriden, Conn., † 14. 1. 1921 ebda.
Lit.: Amer. Art Annual, 18 (1921) 225.

Bradway, Florence Dell, amer. Malerin, * 16. 10. 1898 Philadelphia, ansässig ebda.
Schülerin der Philadelphia School of Design, lehrtätig an derselben.
Lit.: Fielding. — Amer. Art Annual, 30 (1933). — Who's Who in Amer. Art, I: 1936/37. — Monro.

Brady, Emmet, schott. Radierer u. Landschaftsmaler (Öl u. Aquar.), * Glasgow, ansässig ebda.
Stud. in Glasgow, London u. Paris.
Lit.: Who's Who in Art, [3] 1934.

Brady, Mabel Claire, amer. Keramikerin, * 28. 10. 1877 Homer, N. Y., ansässig in New York.

Schülerin von Maude Robinson, Mary Lewis, Ch. Upjohn u. Henri B. Snell, weitergebildet in Europa.
Lit.: Who's Who in Amer. Art, I: 1936/37. — Amer. Art Annual, 27 (1930) 511.

Bräckle, Jakob, dtsch. Landschafts- u. Figurenmaler, * 10.12.1897 Winterreutte b. Biberach a. R., ansässig ebda.

Stud. an d. Kstgewerbesch. in Stuttgart u. an der Akad. ebda (Altherr, Beyer, Landenberger u. Waldschmidt). Ließ sich nach beendetem Studium 1925 in Winterreute nieder. Bevorzugt kleine Bildformate. Malt die Bauern s. Heimat bei der Arbeit. Bild im Bes. des Württemb. Staates. Im Mus. d. Stadt Ulm: Kuhhandel.
Lit: A. Kuhn, Bedeutende Biberacher, Biberach 1929, p. 117f. — Kst- u. Antiquit.-Rundschau, 44 (1936) 19/21, m. 3 Abbn, 26 (Abb.). — Württemberg, 6 (1934) 392/97.

Brägger, Carl, schweiz. Maler, Rad. u. Holzschneider, * 8.4.1875 St. Gallen, † 24. 6.1907 ebda.

Schüler von Stauffacher. Seit 1900 Leiter u. Hauptlehrer für Zeichnen u. Malen an der Textilzeichensch. in Zürich, seit 1904 in gleicher Eigenschaft am Gewerbemus. in St. Gallen. Landschaften, Tiere, Blumenstücke.
Lit.: Brun, IV. — Kstchronik, N. F. 18 (1907) 487.

Bräm, Heinrich, schweiz. Architekt, * 2.9.1887 Zürich, ansässig ebda.

Seit 1911 assoziiert mit s. Bruder Adolf (* 21. 9. 1873 Zürich, † 14. 5. 1944 ebda) in Firma Gebr. Bräm. Hauptbauten: Lettenschulhaus in Zürich; Fassadengestaltung des Maschinen- u. Schalthauses der Kraftwerke Wäggital, Zentrale in Sibnen; Altersheim in Wädenswil; Postdienst- u. Verwaltungsgeb. d. Schweiz. Bundesbahnen in Zürich; Umbau der Kirche in Dübendorf, Kt. Zürich; Stadthaus in Solothurn; Zwinglihaus u. Victoriahaus, beide in Zürich.
Lit.: Schweiz. Zeitgen.-Lex., 1932. — Jenny. — Schweiz. Bauzeitg, 54 (1909) 242f., 254ff.; 55 (1910) 238ff., m. Abbn; 59 (1912) 36f., m. Abb.; 59 (1912) 330; 61 (1913) 200, m. Abb.; 64 (1914) 17, m. Abb.; 300, m. Abbn; 66 (1915) 101f., m. Abbn, 116ff., m. Abbn; 67 (1916) 148, m. Abbn, 204ff., m. Abbn; 68 (1916) 273ff., m. Abbn; 70 (1917), m. Abbn, 170, m. Abbn. — Zentralbl. d. Bauverwaltung, 30 (1910) 140. — D. Werk, 3 (1916) 113/25, m. Abbn; 12 (1925) 277ff.; 23 (1936) 129/34 (Abbn); 25 (1938) 329/33, m. Abbn, 338/44, m. Abbn; 27 (1940) 46f., m. Abbn; 31 (1944) Heft 11, Beil. p. XXII, XXV. — D. Christl. Kst, 24 (1927/28) 146.

Bræstrup, Cosmus, dän. Architekt, * 23. 7. 1877 Frederiksberg, † 9. 3. 1944 Kopenhagen.

Schloß 1910 seine Studien an d. Kopenh. Akad. ab. Diskontobank in Stege.
Lit.: Krak's Blaa Bog, 1936. — Weilbach, [3] I.

Bräuer, Karl, öst. Architekt u. Kstgewerbler, * 1881 Wien, ansässig ebda.

Stud. an der Wiener Kstgewerbesch. (Fachsch. f. Architekten, J. Hoffmann). Bürgerl. Innenausstattung für die Wiener Weichmöbel-Fabrik Johann Staf. Entwürfe für Kirchengerät usw.
Lit.: Dreßler. — D. Architekt, 23 (1920) 82 (Abb.), 90 (Abb.). — D. Christl. Kst, 9 (1912/13) 100, 107, 110, 120 (Abb.). — Dtsche Kst u. Dekor., 31 (1912/13) 250 (Abb.). — Kst u. Ksthandwerk (Wien), 23 (1920/21) 252f. (Abbn), 263.

Bräuning, Fritz, dtsch. Architekt (Stadtbaurat), * 20.1.1879 Halle, ansässig in Berlin.

Stud. an den Techn. Hochschulen Charlottenburg, München, Dresden. Bis 1912 im Pr. Staatsdienst, dann Amts- u. Gemeindebaurat in Berlin-Tempelhof. — Handels- u. Gewerbeschule für Mädchen in Potsdam; Joachimsthalisches Gymnasium in Templin; Schulen in Berlin-Tempelhof; Siedlung auf dem Tempelhofer Feld, Berlin-Tempelhof (1920/27); Kirche auf dem Tempelhofer Feld; Rathaus in Rüstringen i. O.
Lit.: Dreßler. — Platz. — D. Baumeister, 13 (1915). — Dtsche Bauztg, 1928 p. 513/17, m. Abbn. — Neudtsche Bauzeitg, 11 (1915) 158/59, m. Abb. — Zentralbl. d. Bauverwaltg, 35. Jg (1915) p. 461/65, 501/02. — D. Kunst, 67 (1932/33) 165 (Abb.). — Dtsche Kst u. Dekor., 30 (1912) 126, 127, 128, 130 (Abbn). — Kst u. Kstler, 29 (1930/31) 304f. (Abbn). — Wasmuths Monatsh. f. Baukst, 8 (1924) 333ff., m. Abbn; 12 (1928) 397ff., m. Abbn.

Brag, Else, schwed. Landschafts- u. Figurenmalerin (Öl u. Aquarell) u. Illustr., * 1903 München, ansässig in Stockholm. Tochter des Folg.

Stud. an der Akad. in Stockholm, in Paris u. Kopenhagen, Illustr. für Tageszeitungen u. Kinderbücher.
Lit.: Thomœus.

Brag, Karl Gustaf Albin, schwed. Architekt, Maler u. Graphiker, * 1878 Söderköping, † 1937 Stockholm. Vater der Vor.

Stud. an den Techn. Hochschulen Stockholm u. München. Seit 1908 Lehrer an der Techn. Schule in Stockholm. Hafenmotive mit Schiffen, bes. aus Marstrand.
Lit.: Thomœus.

Bragantini, Giovanni, ital. Genremaler, * 1890 Verona, ansässig ebda.

Schüler von Carlo Donati. Pflegt besonders das relig. Fach.
Lit.: Comanducci.

Bragard, Henri Louis, franz. Landschaftsmaler, * Orléans, ansässig in Paris.

Stellt seit 1926 bei den Indépendants aus.
Lit.: Joseph, I.

Braguin, Simeon, russ. Maler u. Zeichner, * Januar 1907 Charkoff, ansässig in New York.

Schüler von Bordman Robinson. Zeichner für Harper's Bazaar.
Lit.: Who's Who in Amer. Art, I: 1936/37. — Vogue (Ausg. New York), 15. 1. 1937, p. 61 (farb. Abb.).

Brahme, Attie, schwed. Bildnis-, Landschafts- u. Stillebenmalerin, * 1916 Malmö, ansässig in Eslöv.

Stud. in Kopenhagen, Malmö u. Stockholm.
Lit.: Thomœus.

Brahmstädt, Franz, dtsch. Bildhauer, ansässig in Krefeld.

Bildnisbüsten, Statuetten. Kollektivausstellg im Kais.-Wilhelm-Mus. in Krefeld, Dez. 1907.
Lit.: Dreßler. — Die Rheinlande, 6/II (1906) p. 46, 50 (Abb.).

Brahn, Hedwig, dtsche Landschaftsmalerin u. Gebrauchsgraph., * 25.2.1880 Berlin, ansässig ebda.

Lit.: Dreßler.

Brailowskij, Leonid, russ. Bühnendekorator u. Maler (Prof.), † 1937 Rom.

Stud. an der Akad. in St. Petersburg. Prof. an der Stroganoff-Kunstsch. in Moskau. Bühnenmaler für die Kais. Oper ebda. Ging nach der Revolution von 1917 nach Konstantinopel, weiter nach Belgrad, dort als Bühnenmaler für das Kgl. Theater tätig. Seit 1924 in Rom. Kollektivausstellgn in London, München, Budapest u. a. O.

Lit.: The Art News, 25 (1926/27) Nr 26 p. 9f. — Rechenschaftsbericht Kstverein München 1926, p. 5. — Revue de l'Art anc. et mod., 71 (1937/I) 294. — The Studio, 91 (1926) 231ff., m. 6 Abbn.; 94 (1927) farb. Taf. geg. p. 383; 95 (1928) 446, 449 (Abb.). — Cat. Exhib. of Mod. Art. California Palace of the Legion of Honor, San Francisco, 1.9.–1.11.1927, p. 11.

Brailsford, Alfred, engl. Bildhauer, * 5. 2. 1888 Carmathen, ansässig in Bournemouth.

Lit.: Who's Who in Art, [3] 1934.

Braithwaite, Sam Hartley, engl. Landschaftsmaler (Öl u. Aquar.) u. Rad., * 20. 7. 1883 Egremont, Cumberland, ansässig in Bournemouth.

Stud. an d. Kunstsch. in Bournemouth. Vertreten im Vict. a Albert-Mus. in London u. in d. Art Gall. in Birmingham.

Lit.: Who's Who in Art, [3] 1934.

Braitou-Sala, Albert, franz. Bildnismaler, * 16. 2. 1885 La Goulette (Tunis), ansässig in Paris.

Schüler von Déchenaud, H. Royer u. P. A. Laurens. Mitglied der Soc. d. Art. Franç., beschickt deren Salon seit 1920 (Kat. z. T. m. Abbn, anfängl. s. v. Sala). Gold. Med. 1922.

Lit.: Joseph, I. — Bénézit, [2] II. — Beaux-Arts, Nr 226 v. 30. 4. 1937, p. 8 (Abb.); Nr 331 v. 5. 5. 39, p. 1 (Abb.).

Braken, Peter Anthonius van den, holl. Landschaftsmaler, * 25. 9. 1896 Eindhoven, lebt in Kortenhoef.

Autodidakt.

Lit.: Waay. — Hall, Nrn 7778/79. — Maandbl. v. beeld. Kunsten, 1 (1924) 255f., 378.

Bramanti, Bruno, ital. Holzschneider, * 28. 12. 1897 Florenz, ansässig ebda.

Gebrauchsgraphik (Firmensignete, Reklame, Exlibris, Buchtitel usw.).

Lit.: Bénézit, [2] 2 (1949). — Dedalo, 9 (1928/29) 634/641, m. 30 Abbn. — The Studio, 96 (1928) 198f., m. Abbn. — Kat. Ausst. zeitgenöss. toskan. Kstler, Ksth. Düsseldorf, 1942, m. Taf.-Abb.

Bramanti, Donatello, ital. Bildnisminiatur-, Landschafts-, Blumen- u. Stillebenmaler, * 11. 2. 1888 Florenz, ansässig ebda.

Lit.: Comanducci.

Brambilla, Riccardo, ital. Bildnis- u. Landschaftsmaler, * 1871 Calco (Brianza), ansässig in Mailand.

Schüler der Brera-Akad. in Mailand.

Lit.: Comanducci.

Bramer, Hendrikus Joh., holl. Landschaftsmaler * 7. 1. 1911 Den Ham, lebt ebda.

Lit.: Waay.

Bramnick, David, russ.-amer. Maler, * 17. 5. 1894 Kishineff, ansässig in Philadelphia.

Schüler der Pennsylvania Acad. of the F. Arts.

Lit.: Fielding. — Amer. Art Annual, 20 (1923) 450.

Bramzelius, Abbe, schwed. Bildnis-, Marine- u. Landschaftsmaler, * 1902 Malmö, ansässig in Jönköping. Gatte der Folg.

Stud. an der Akad. Colarossi in Paris. Hielt sich einige Zeit auf Java auf. Malte mit Vorliebe Motive aus Småland u. Norrland.

Lit.: Thomœus.

Bramzelius, Märta, schwed. Bildhauerin, * 1909 Uppsala Näs, Uppland län, ansässig in Jönköping. Gattin des Vor.

Stud. in Stockholm, Paris u. München. Bildnisbüsten u. Figürliches. Auch Aquarelle (Blumen).

Lit.: Thomœus.

Brancaccio, Giovanni, ital. Maler, Rad. u. Lithogr., * 12. 2. 1903 Pozzuoli, ansässig in Neapel.

Autodidakt. Prof. für Bühnenbildnerei u. Malerei an der Accad. di B. Arti in Neapel.

Lit.: C. Ratta, L'Arte di Litogr. in Italia, Bologna 1929. — Emporium, 79 (1934) 373 (Abb.); 92 (1940) 68, 95 (Abb.); 95 (1942) 88 (Abb.), 89. — A. Codignola, L'Italia e gli Ital. di oggi, Genua 1947, p. 165. — L. Servolini, Diz. d. Incisori ital. mod. e contemp., 1952. — The Studio, 104 (1932) 192 (Abb.). — Kat. d. VI. Quadriennale, Rom, 1951/52, m. Abb. *L. Servolini.*

Brancato, Biagio, ital. Maler, Holzschneider u. Rad., * 2. 1. 1921 Comiso (Ragusa), ansässig ebda.

Lit.: Meridiano di Roma, v. 2. 8. 1942. — Tripode (Siracusa), 1949 Nr 6 (Abb.). — La Fiera Letteraria (Rom), 5 (1950) Nr 43 p. 7. — L. Servolini, La Xilografia, Mail. 1950, p. 216; ders., Diz. d. Incisori ital. mod. e contemp., 1952. *L. Servolini.*

Branchard, Emile, amer. Maler, * 4. 12. 1881 New York, † 1938 ebda.

Autodidakt. Landschaften, Figürliches (bes. Akte), Stilleben, Blumenstücke. Gehört der Gruppe der Naivisten an. Stellt die Wirkung s. Bilder auf den Umriß ab. Vertreten im Mus. of Modern Art in New York, in d. Art Gall. in Toronto, in d. Columbus Gall. of F. Arts, im Newark Mus., N. J., u. in d. Addison Gall. of Amer. Art in Andover, Mass.

Lit.: Fielding. — Amer. Art Annual, 30 (1933). — Who's Who in Amer. Art, I: 1936/37. — Mellquist, p. 226. — Monro. — D. Cicerone, 19 (1927) 455 (Abb.), 456 (Abb.), 457f. — The Art News, 31, Nr 8 v. 19. 11. 1949, p. 6.

Brancour-Lenique, Berthe Marie, franz. Genre- u. Bildnismalerin, * 5. 12. 1872 Paris.

Schülerin von J. P. Laurens, B. Constant u. Stella Samson. Stellte seit 1899 im Salon der Soc. d. Art. Franç. aus.

Lit.: Joseph, I. — Bénézit, [2] II.

Brâncusi, Constantin, rumän. Bildhauer, Holzschnitzer u. Metallbildhauer, * 21.2. 1876 Pestisani Gorj (Walachei), ansässig in Paris.

Bauernsohn. Stud. 1894/98 an d. Krakauer Kstsch; 1898/1902 an d. Kstsch. in Bukarest, 1904/07 bei A. Mercié in Paris. Beraten von Rodin. 1. Kollektiv-Ausst. in Paris 1906. Bereiste Europa u. Amerika. Anfänglich Naturalist. Seine vom rumän. Staat erworbene Statue des geschundenen Antinous (1902) dient den Zöglingen der Bukarester Kunstsch. und den Medizinstudierenden der Universität als anatomisches Modell. In diese Frühzeit gehören ferner die Büste des Generals Davila im Militärspital in Bukarest u. das Grabmal Peter Stanesco auf d. Friedhof von Borzcu. Wandelte bald darauf seinen Stil und wurde der Begründer der abstrakten Richtung in der rumän. Bildhauerei, zu deren radikalsten Verfechtern er gehört. Treibt die Vereinfachung der Form so weit, daß das konkrete Naturvorbild nur noch als abstrakte Idee wirksam wird. Arbeitet in Stein, Holz, Alabaster u. für Bronze, auch in blankem Onyx, neuerdings mit Vorliebe für den Metallguß (polierter Messing). Die wichtigsten seiner seit 1905 in Paris im Salon der Soc. Nat., im Salon d'Automne u. bei den Indépendants

(1910ff.) gezeigten Werke sind: Schlafende Muse; Der Kuß; Die Hexe; Das Vögelchen; Büste der Prinzessin X.; letztere rief ihrer antinaturalist. Formgebung wegen auf der Ausst. der Indépendants 1920 einen Skandal hervor. 1926 wurde ihm von den Zollbehörden der USA ein Prozeß wegen „betrügerischer Einführung von Bronze unter dem Vorwand von Kunstwerken" anhängig gemacht. — Werke in folg. öff. Smlgn: Mus. Simu in Bukarest; Pinak. des Ateneums ebda (Kinderbüste, Büste des Malers Nic. Dărâscu; Buffalo Fine Arts Acad. in Buffalo (Büste Miss Pogany [Bronze]); Art Club Chicago (Goldvogel); Cleveland Mus. of Art in Cleveland, Ohio (Jünglingstorso); Tate Gall. in London (Der Fisch); Gall. of Mod. Art in New York (Torso); Musée d'Art Mod., Paris (Die Robbe); Mus. of Art in Philadelphia, Pa. (Büste Miss Pogany [Marmor]). Für Indor (Haidarabad), Vorderindien, wo B. sich 1937/38 aufhielt, lieferte er den Entwurf zu einem Tempel der Befreiung mit dem Vogel im Luftraum. — Kollektiv-Ausst. in New York 1913/14 (Gal. Stieglitz), 1926 (Gal. Brummer) u. 1936 (Mus. of Mod. Art).

Lit.: Joseph, I, m. 2 Abbn. — Bénézit, [3] II (1949) — Einstein, p. 168, 525ff. — Oprescu, 1935, m. 4 Abbn. — Mellquist. — Giedion-Welcker. — Apollo (London), 49 (1949) 124ff. — Art Digest, 22, Aug. 1948, p. 14 (Abb.). — The Art News, 32 (1933/34) Nr 8, p. 4ff., m. Abb.; 48, März 1949, p. 13 (Abb.). — Museum of Mod. Art Bull., 18 (1950) Nr 2 p. 31 (Abb.). — Bull. of the Cleveland Mus. of Art, 25 (1938) 63f., Abb. p. 58. — Philadelphia Mus. of Art Bull., 37, März 1942, p. 27 (Abb.); 38, Mai 1943, p. [15] (Abb.); 46 (1951) Nr 230, p. 68 (Abb.). — Yale University, Assoc. in F. Arts. Bull., 17, Jan. 1949, p. [19] (Abb.). — Beaux-Arts, 75e année, Spez.-Nr Sept. 1937: L'Art Roumain à l'Expos. de 1937, p. 16. — Cahiers d'Art, 1927, p. 69f., m. 9 Abbn; 1929, p. 383/85, m. 14 Abbn. — Documents, 1929 p. 391, m. Abbn. — Horizon, 19 (1949) 193/202, m. Abbn. — The Pennsylvania Mus. Journal (Philadelphia), 1936 Nr 170 p. 3ff., m. Abb. — D. Werk (Zürich), 35 (1948) 321/31, m. Abbn. — Kat. d. Ausst. Rumän. Kst d. Gegenw., Zürich, Ksthaus, März -April 1943, p. 14f. — Kat. d. Ausst.: La Sculpt. franç. de Rodin à nos jours, Berlin, Zeughaus, 1947.

Brand, Ernst, dtsch. Architektur- u. Vedutenmaler, * Trier, ansässig ebda.

Stud. an d. Kunstgewerbesch. in Trier, 1 Jahr bei Peter Philippi in Rothenburg o. d. T., dann an d. Düsseldorfer Akad. bei Clarenbach. Studienaufenthalte in Frankreich, Süditalien, Tripolis, Cyrenaika, Rom (2 ×) u. Paris. Hauptsächl. Ansichten aus Trier (Öl u. Aquar.). Bilder im Bes. der Stadt Trier, d. Stadt Düsseldorf, des Mus. in Neuß u. des Kunstvereins für die Rheinlande u. Westfalen, Düsseldf.

Lit.: Trierische Heimat, 11 (1934/35) 18/21, m. 4 Abbn; weitere Abbn p. 1, 4, 5, 17. — Kstdenkm. d. Kr. Ottweiler u. Saarlouis, 1934. — Kstdenkm. Rheinprov., XV/1, Kr. Bernkastel, 1935 p. 36.

Brand, Johann, dtsch. Maler, * 1910 Osnabrück, ansässig ebda.

Lit.: Kalender. Kst im Osnabrücker Land, 1952, p. 27, m. Abb.

Brand, Walter, engl. Architekt u. Schwarz-Weiß-Kstler, * 1872, ansässig in Leicester.

Lit.: Who's Who in Art, [3] 1934. — The Studio, 85 (1923) 15ff., m. Abbn.

Brand, Walter, dtsch. Blumenmaler, * 27.1.1894 Leipzig, ansässig in Auerbach i.V.

Schüler von Rentzsch u. Horst-Schulze.

Brandão, Alipio, portug. Bildhauer u. Maler, * 18. 8. 1902 Oliveira de Azemeis.

Stud. an der Faria Guimarães-Schule u. an d. Schule der Soc. Nac. de B. Artes in Lissabon; Schüler von José de Brito, Artur Loureiro, Joaquim Lopes u. Manuel Rodrigues. Beschickt die Ausstellgn der Soc. Nac. de B. Artes in Lissabon (Kat.).

Lit.: Quem é Alguém, 1947 p. 141.

Brandau, Agnes, dtsche Blumen- u. Landschaftsmalerin, Radiererin u. Holzschneiderin, * 1.8.1880 Einbeck, ansässig in Berlin.

Schülerin von Brandenburg, Mosson u. A. Loewenstein.

Lit.: Dreßler.

Brandberg, Harald, schwed. Landschaftsmaler, * 1899 Falun, ansässig in Hammarbyhöjden.

Stud. in Uppsala u. in Rom. Bereiste Italien, Griechenland, Deutschland, Belgien u. Frankreich. Hauptsächlich Motive aus Dalarne u. Falun.

Lit.: Thomœus.

Brande, Gomaris van den, belg. Figurenmaler, * 1884 Lierre.

Schüler der Antwerpener Akad. u. Th. Vinçotte's, weitergebildet an der Acad. Julian in Paris unter P. A. Laurens. Bereiste England u. Schottland. Hauptsächlich religiöse Sujets.

Lit.: Seyn, II 1005.

Brandel, Konstanty, poln. Maler u. Rad., * 12. 4. 1879 Warschau, ansässig in Paris.

Stud. in Krakau u. Paris. Rad.: Kathedrale; Pompes funèbres; Mutterschaft. — Exlibris.

Lit.: Czy wiesz kto to jest?, 1938. — Kat. Expos. d'Art Polonais, Paris, Soc. Nat. d. B.-Arts, 1921; Ausst. Poln. Kst, Pr. Akad. d. Kste, Berlin, 1935. — Poln. Graphik, Ed. Stichnote, Potsdam 1948.

Brandels, Carin, siehe *Engkvist.*

Brandenberg, Wilhelm, dtsch. Landsch.-, Figuren- u. Stillebenmaler, * 22.12.1889 Essen, ansässig in Krefeld.

Schüler von Spatz, Junghanns u. Münzer an d. Düsseldorfer Akad. 1914/18 Frontoffizier. Seit 1935 Lehrer an d. Meisterschule des Deutschen Handwerks in Essen (Folkwangschule). Bild (Neußer Brücke) im Folkwang-Mus. in Essen.

Lit.: Dreßler. — Der Türmer, 38/II (1935/36) 513/19, m. Abbn, geg. p. 520 (Abb.). — Westdtsches Jahrb., 9 (1936) 261.

Brandenburg, Cornelis, holl. Maler u. Rad., * 5. 12. 1884 Wormerveer, ansässig in Amsterdam.

Schüler von George Rueter in Amsterdam, dann von Allebé u. Derkinderen. Erlernte das Radieren bei P. Dupont. Stadtansichten.

Lit.: Plasschaert. — Waay. — Waller.

Brandenburg, Lolo, dtsche Bildnis- u. Landschaftsmalerin, Radiererin u. Scherenschnittkstlerin, * 6.7.1891 Rastatt i.B., ansässig in München.

Stud. bei Jul. Diez u. Ad. Schinnerer an der Münchner Kstgewerbesch., weitergebildet an d. Malsch. Angerer. Bild (Moorseen) im Städt. Hoesch-Mus. in Düren/Rhld.

Lit.: Dreßler. — Karl, I, m. 2 Abbn.

Brandenburg, Machiel, holl. Maler, * 4.5. 1907 Rotterdam, lebt in Hilversum.

Schüler der Akad. Rotterdam. Mitglied der „Onafhankelijken" u. der „Brug". Bildnisse, Akte, Figuren, Stilleben (Pflanzen).

Lit.: Waay.

Brandenburg, Martin, dtsch. Maler u. Zeichner, * 8.3.1870 Posen, † 19.2.1919 Stuttgart.

Stud. an der Berliner Akad., dann bei J. P. Laurens u. B. Constant in Paris. 1897 Mitgl. der „XI", später der Berliner Sezession. Büßte als Kriegsfreiwilliger im 1. Weltkrieg ein Auge ein. Vorliebe für natursymbolistische (Menschen unter der Wolke) u. romantische Themen (Der Minnesänger; Parzival; Der schwarze Wahn; Das Herz). Gedächtnisausst. im Berl. Kstlerhaus, Nov. 1919. Altarbild: Christus erscheint den Jüngern, in der St. Paulkirche in Posen.

Lit.: Th.-B., 4 (1910). — D. Cicerone, 5 (1913) 846; 11 (1919) 147f. — Die Kunst, 25 (1911/12) 224, 237 (Abb.), 421, 423 (Abb.); 40 (1918/19) Beil. zu Heft 7 (April) p. Xff. — Kstchronik, N. F. 25 (1914) 153f.; 27 (1916) 8; 30 (1918/19) 441f.; 31 (1919/20) 119. — Kst u. Kstler, 17 (1918/19) 282f. — The Studio, 60 (1914) 39ff., m. Abbn. — Das Feuer, I/1 (1919/20) 287/92, m. zahlr. Abbn. — Aus d. Ostlande, 14 (1919) 115. — Velhagen & Klasings Monatsh., 34/II (1920) 497/512. — Tägl. Rundschau, Nr 95 v. 21. 2. 1919; Nr 547 v. 30. 11. 1919. — Vossische Ztg, Nr 94 v. 20. 2. 1919. — Berl. Börsen-Courier, Nr 89 v. 22. 2. 1919.

Brandenburg-Polster, Dora, dtsche Landschafts- u. Bildnismalerin, Graph. u. Kstgewerblerin, * 9.8.1884 Magdeburg, ansässig in Böbing, Oberbay.

Schülerin von W. v. Debschitz. Gattin des Schriftstellers Hans Brandenburg. Koll.-Ausst. (Aquar. u. Federzeichngn) Juli 1949 im Kstsalon Götz, München.

Lit.: Th.-B., 27 (1933) p. 221. — Dreßler. — Die Kunst, 79 (1938/39) 147/51, m. Abbn. — Westermanns Monatshefte, 147 (1929/30) 565/72, mit farb. Abbn; 152 (1932) 287/94, m. farb. Abbn; 160/I u. II (1936) 375 (Abb.), 376. — D. Weltkst, 22 (1952) H. 2, p. 8. — Münch. Merkur, 15. 7. 49.

Brandes, August, dtsch. Dekorationsmaler, aus dem Hannöverschen stammend, ansässig in München.

Stud. an der Kstgewerbesch. in Hannover, seit 1892 an der Münchner Akad. Später Lehrer an einer Fachsch. für Dekorationsmaler. Von Fr. von Thiersch mit Aufnahmen der Augsburger Fassadenmalereien gelegentlich des Augsb. Architektentages 1902 betraut (z. T. in der Architektur-Smlg d. Techn. Hochsch. München bewahrt). Fassadenmalereien am Rathaus zu Friedrichshafen (1907), am Perlachturm in Augsburg, am dort. Weberzunfthaus (1913) u. im Sitzungssaal für die Schweizer Bundesbahnen in St. Gallen.

Lit.: Dreßler. — Schnell, 7 (1940) H. 428 p. 10. — Kst u. Handwerk, 69 (1918/19), p. 29/33, m. Abbn, Taf. p. 37/60. — Dtsche Bauzeitung, 50 (1916).

Brandes, Georg, dtsch. Maler, * 6.3.1878 Hannover, ansässig in Berlin.

Stud. an der Kstgewerbesch. u. Akad. Dresden, weitergebildet in Paris. Bild im Kestner-Mus. in Hannover.

Lit.: Dreßler.

Brandes, Jacobus Johannes, holl. Architekt u. Möbelzeichner, * 27. 12. 1884 's-Gravenhage, tätig ebda.

Arbeitete 1900/12 auf den Archit.-Büros Hoek & Wouters und J. A. G. v. d. Steur im Haag. 1912–15 assoziiert mit Hoek & Wouters, 1915/18 mit Wouters. Seitdem eigene Praxis. Hauptwerke: Palace Hotel in Noordwijk; Park Zorgvliet mit Villa im Haag; Landhäuser in Gr. Hazebroek u. Oud-Wassenaar; Villa im Park Marlot im Haag.

Lit.: Wie is dat?, 1935.

Brandes, Willy, dtsch. Tiermaler, * 25.12. 1876 Bornstädt b. Potsdam, ansässig in Berlin.

Stud. bei L. Hertel u. P. Meyerheim an der Berl. Akad., dann im Meisteratelier Eugen Bracht.

Lit.: Dreßler. — D. Bild, 1936, p. 18f., m. 3 Abbn. — D. Cicerone, 4 (1912) 680.

Brandis, August von, dtsch. Interieur- u. Stillebenmaler, * 12.5.1862 Haselhorst b. Spandau, † 18.10.1947 Aachen.

Schüler von Hugo Vogel u. A. v. Werner. Anfängl. hauptsächl. relig. Bilder (Grablegung Christi, Suermondt-Mus. Aachen; Auferweckung von Jairi Töchterlein, Kirche in Kaldenkirchen), später fast ausschließlich Interieurs mit Stilleben, Blumenstücken usw. (Herbstsonne, Suermondt-Mus. Aachen; Treppe im Scheiblerschen Haus zu Montjoie, ebda; Interieur im Hause Uphagen, Stadtmus. Danzig; Durchblick, N. Pinak. München). Weitere Bilder in d. Städt. Gal. Berlin, im Kaiser-Wilh.-Mus. in Krefeld u. im Landesmus. in Stuttgart. Kollektivausstellgn im Reiff-Mus. der Techn. Hochsch. Aachen, Dez. 1910, u. im Ksthaus Zirkel in Bonn, Jan./Febr. 1917. Kl. Gold. Med. auf der Gr. Berl. Kstausst. 1911.

Lit.: Th.-B., 4 (1910). — Dreßler. — Aachener Kstblätter, 11 (1915/23) 13, Abbn Taf. XV, 23. — D. Cicerone, 9 (1917) 61. — D. Kunst, 33 (1915/16) 80 (Abb.); 57 (1927/28) Beil. Januarh. p. XV. — E. A. Seemanns „Meister der Farbe", 1917 H. 11, Nr 977; 21 (1925) Taf. 2 u. Taf. 62 m. Text. — Velhagen & Klasings Monatsh., 33/I (1918/19) 371/78, m. Abbn; 54/II (1940), 6 farb. Abbn p. 419/22, Text p. 446. — Westermanns Monatsh., 131 (1921) farb. Taf. geg. p. 32; 152 (1932) 479/86, m. farb. Abbn. — D. Weltkst, 18 (1944) Nr 6, p. 4. — Politisches Tagebl., Nr 283 v. 4. 12. 1910. — Zeitschr. f. Kst, 2 (1948) 72.

Brandner, Karl, amer. Maler u. Rad., * 17. 1. 1898 Berwyn, Ill., ansässig ebda.

Stud. am Art Inst. in Chicago, Ill. Wiederholt durch Preise ausgezeichnet. Vertreten im State Mus. of F. Arts in Springfield, Ill.

Lit.: Who's Who in Amer. Art, I: 1936/37. — Amer. Art Annual, 30 (1933).

Brando, Angelo, ital. Genremaler, * 10.1. (Comanducci: 10 6.) 1878 Maratea (Potenza), ansässig in Neapel.

Schüler von Michele Cammarano. Bilder in der Gall. Naz. in Venedig.

Lit.: Giannelli. — Comanducci. — La Cultura Mod., 43 (1912/13) 345 (Abb.).

Brandolisio, Eugenio, ital. Genremaler, * 1878 Spezia.

Schüler von Fel. del Santo, weitergebildet an d. Akad. in Florenz.

Lit.: Comanducci. — Bénézit, [2] 2 (1949).

Brandriff, George Kennedy, amer. Landsch.- u. Dekorationsmaler, * 13. 2. 1890 Millville, N. J., † 1936 Laguna Beach, Calif.

Schüler von C. O. Borg u. J. Wilkinson Smith.

Lit.: Amer. Art Annual, 30 (1933). — Who's Who in Amer. Art, I: 1936/37.

Brandstrup, Ludvig, dän. Bildhauer, * 16. 8. 1861 Tranckjoe auf Langeland, † 13. 5. 1935 Kopenhagen.

Schüler von V. Bissen. Reiterstatuen Christians IX. in Esbjerg u. Slagelse. Im Staatl. Mus. in Kopenhagen eine Büste der Gattin des Künstlers (Bronze) u. des Gutsherrn Joh. Hage (Gips in d. Samlg auf Nivaagaard). Im Nat.-Hist.-Mus. ebda eine Büste des Literarhist. Georg Brandes (Marmor).

Lit.: Th.-B., 4 (1910). — Krak's Blaa Bog, 1935; 1936 p. 12. — Dahl-Engelstoft, I. — Kunstmus. Aarsskrift, 1936. — Weilbach, [3] I.

Brandt, Anna Lisa, geb. *Ångman*, schwed. Bildnis-, Landschafts- u. Stillebenmalerin, * 1890 Orsa, Dalarne, ansässig in Enskede.

Stud. an Althin's Malsch. in Göteborg u. an der Akad. in Stockholm. Auslandsreisen. Bilder im Theater-Mus. in Drottningholm u. im Art Inst. in Philadelphia, USA.

Lit.: Thomœus.

Brandt, Edgar, franz. Kunstschmied, * 24. 12. 1880 Paris, ansässig ebda.

Mitglied der Soc. d. Art. Décorat., Art. Franç. u. Salon d'Automne. Häufig ausgezeichnet. Gitter, Kaminvorsätze, Ständer in Baumform für Seidenauslagen, Beleuchtungskörper, Spiegelrahmen usw.

Lit.: Joseph, 1. — Bénézit, [2] 2 (1949). — L'Art décor., 1904/II 145/52; 1906/I 51 ff. — Archives alsac. d'Hist. de l'Art, 3 (1924) 147/66, m. Abbn u. Lit. — L'Art et les Artistes, N. S. 5 (1922) 276/80, m. 7 Abbn. — La Renaiss. de l'Art franç., 3 (1920) 517, 519 (Abb.); 7 (1924) 3 (Abb.), 10, 387; 8 (1925) 5 (Abb.), 6, 288 ff., 390 f.; 9 (1926) 1/16. — Artwork, 2 (1925/26) Heft 5 p. 56 (Abb.), 57. — The Studio, 91 (1926) 330 ff. — Art et Décor., 1928/II p. 149/53. — Beaux-Arts, 1 (1923) 46, m. Abb.; 3 (1925) 97 (Abb.), 99, 105, 226 f., 231; 10 (1932) Juni p. 14 (Abb.). — L'Alsace Franc., 20. 4. 1930. — L'Amour de l'Art, 1925 p. 342 f.

Brandt, Erik, norweg. Maler, * 17. 3. 1897 Kristiania (Oslo), ansässig ebda.

Stud. an d. Akad. in Oslo, 1915/19 an d. Hochsch. für Bild. Künste in Weimar, 1920/22 in Paris. Lebte später in Weimar, Dessau u. (bis 1928) in Paris. Seitdem in Oslo. Bilder in d. Nat.-Gal. ebda (Stilleben) u. in d. Bildergal. in Trondheim.

Lit.: Hvem er Hvem?, [4] 1938. — Vem är Vem i Norden, Stockh. 1941, p. 629.

Brandt, Erik, schwed. Porträtmaler, * 1901 Malmö, ansässig in Svalöv.

Stud. an der Malsch. in Malmö.

Lit.: Thomœus.

Brandt, Marianne, dtsche Malerin u. Bildhauerin, * 1. 10. 1893 Chemnitz, ansässig in Dresden.

Stud. an der Ksthochsch. Weimar. Studienreisen in Norwegen u. Frankreich. Erneutes Studium am Staatl. Bauhaus in Dessau. Erst Studierende für Metallarbeiten, später stellvertr. Leiterin in der Werkstatt. Als Malerin vorwiegend Stilleben- u. Landschaftsaquarelle naturalist. Richtung. Seit 1949 Dozentin für industr. Gestaltung an der Hochsch. für bild. Kst in Dresden. *J.*

Brandt, Viggo, dän. Landschaftsmaler (Öl u. Aquar.), * 1882.

Ölbild (Hafenansicht) im Mus. in Aalborg. Ein Aquarell in der Kupferstich-Smlg des Kunstmus. Kopenhagen.

Lit.: Kunstmuseets Aarsskrift, 1941.

Brandt, Willem Johan, holl. Maler u. Rad., * 13. 5. 1889 Haarlem, ansässig in Amsterdam.

Stud. in Paris. Landschaften (bes. aus Südfrankreich), Interieurs, Bildnisse, Stadtansichten, Blumenstücke u. Stilleben.

Lit.: Plasschaert (* 15. 6. 89). — Waay. — Waller.

Brandtberg, Oscar, schwed. Maler u. Zeichn. für Kunstgewerbe, * 28. 7. 1886 Stockholm, ansässig in Lidingö. Vater des Folg.

Mittätig an der Ausmalung der Kirchen in Saltsjöbaden u. Lidingö. Mit Ivar Tengbom tätig in Rockelstad. Offenbarung der hl. Birgitta, 1918, Högalidskyrka, Stockh. Dekor. Malereien auf den Ausstellgn in Stockholm, 1909; Balt. Ausst., 1914; San Francisco, 1915. Entwürfe für kirchl. Textilien u. a. für die Riddarholmskirche, die Högalidsk. u. die Klarak. in Stockholm u. die Schwed. Kirche in London. Glasgemälde für die Kirchen in Löt, Solna u. Åby.

Lit.: Vem är det? ,1935. — Thomœus. — Stockholms Dagblad v. 6. 10. 1918. — Studio-Year-Book, 1921, p. 120, m. Abb. — Sveriges kyrkor, Östergötland, II (1935) 124 (Abb.), 125; Stockholms kyrkor, Bd II, H. 2 (1937) 286, 294 (Abb.); Uppland, Bd I/2 (1928) 184. — Vem är Vem i Norden, 1941 p. 1003.

Brandtberg, Sture, schwed. Landschafts- u. Interieurmaler, * 1914 Malmö, ansässig in Lidingö. Sohn des Vor.

Stud. an der Akad. in Stockholm u. in Holland. Hauptsächlich Interieurs mit Figuren (Öl u. Aquar.). Bild im Nat.-Mus. in Stockholm.

Lit.: Thomœus.

Brañez de Hoyos, Enrique, span. Maler u. Lithogr., * 9. 2. 1892 Madrid, ansässig ebda.

Schüler der Akad. S. Fernando Madrid. Erhielt auf der Nat. Ausst. 1941 eine 1. Med.

Lit.: The Studio, 93 (1927) 223 (Abb.); 95 (1928) 297, m. Abb. — Kat. Ausst. Span. Kst d. Gegenw., Berlin, Pr. Akad. d. Kste, 1942.

Brangwyn, Frank, engl. Maler (Öl, Aquar.), Innendekorateur, Radierer, Lithogr., Zeichner für den Holzschnitt u. f. Kstgewerbe, bes. Glasmalerei u. Mosaik, * 13. 5. 1867 Brügge, ansässig in Ditchling, Sussex.

Sohn des wie seine Gattin aus Wales stammenden Architekten u. Innendekorateurs William Curtis B., der sich z. Zt. der Geburt Franks in Brügge aufhielt, bald darauf aber nach London zurückkehrte, wo er 1875, 76 u. 79 als Aussteller in der Roy. Acad. erscheint (vgl. Graves, I). Ging nach 3jähr. Lehrzeit bei Wm. Morris auf Reisen: Orient, Spanien, Italien, Afrika. Sehr vielseitiger u. äußerst produktiver Künstler. Hat seine Hauptbedeutung als Radierer. Hat an die 400 Platten, z. T. ungewöhnlich großen Formats, gestochen (Kat., die Produktion bis 1925 umfassend, mit Abb. jedes Blattes, von Wm. Gaunt). Dazu zahlr. Holzschnitte (u. a. die Folge: Belgium [1916], 52 Bll.) u. einige, meist aus späterer Zeit stammende Lithogr. (Der Stahlofen; Ypern; Das letzte Schiff nach Antwerpen [1914, verkauft zugunsten des Belg. Roten Kreuzes]; Briten rufen zu den Waffen [tendenziös gefärbtes Werbebild]). Am besten in seinen, meist durch zahlreiche Figürchen belebten, technisch höchst effektvoll behandelten Architekturradierungen (Pont Valentré in Cahors; Notre-Dame in Eu; Apsis des Domes zu Messina; Tower-Brücke in London; Seufzerbrücke in Venedig; Pont Neuf in Paris) u. in seinen Landschaften (Die schwarze Mühle von Winchelsea; Bei Avignon). — Die Angaben über den Maler bei Th.-B. zu ergänzen durch: Wandgemälde für das Haus der Lords in London, die Hall der Worshipful Comp. of Skinners (Kürschnergilde) ebda (1909 voll.), das Büro der General Trunk Railway ebda, die Kapelle des Christ's Hospital in West Horsham, das Curt House in Cleveland, Ohio, das Neue Missouri-Kapitol in Jefferson City (1925 voll.) u. für die Große Halle des Rockefeller-Hauses in New York. 4 Bilder in d. Art Gall. in Glasgow. Nach seinen Entwürfen ausgeführt die Mosaiken in St-Aidan in Leeds u. 3 Holzreliefs für die Fassade der Rowley Gall. in London.

Lit.: Th.-B., 4 (1910). — Who's Who in Art, [3] 1934.

— W. S. Sparrow, F. B. and his Work, Lo. 1910; ders., Appendices ... bought down to 1914, Lo. 1914; ders., A. Book of Bridges: Pictures by F. B., Lo. u. New York o. J. [1917]; ders., Prints a. Drawings by F. B., Lo. 1918. Bespr. in: The Connoisseur, 53 (1919) 55/57. — A. Sara Levetus, F. B., 20 graph. Arbeiten, Wien 1921; dies., F. B., der Radierer, Wien 1924. — H. Furst, The Decor. Art of F. B., Lo. 1925. Bespr. in: Apollo (Lo.), 1 (1925) 54, m. farb. Taf. — F. B. (Modern Masters of Etching Series, Bd I), Introd. by M. C. Salaman, Lo. 1924. — Wm. Gaunt, The Etchings of F. B. Cat. rais. (The Studio), Lo. 1926. Bespr. in: The Connoisseur, 76 (1926) 253. — G. Soulier, F. B. et ses eaux-fortes, Paris o. J. — Fr. Rutter, The Brit. Empire Panels designed for the House of Lords by F. B., Lo. 1933. Bespr. in: Apollo (Lo.), 18 (1933) 114. — F. B. Bookplates, Lo. 1920. — V. Pica, L'Arte Mondiale a Roma nel 1911, Bergamo 1913, p. LX–LXIV. — Apollo (Lo.), 1 (1925), Taf. (Rad.) vor p. 47; 2 (1925) 185; 3 (1926) 199/205, m. zahlr. Abbn u. farb. Taf. (Wandgem. in Jefferson City); 18 (1933) 206, m. Abb.; 19 (1934) 276 (Abb.), 277; 28 (1938) 42, m. Abb., 250; 40 (1944) 126; 41 (1944) 5/8. — L'Art décor., 24 (1910) 81/94. — Art and Industry, 32 (1942) 125f.; 40 (1946) 83 (Abb.); 41 (1946) 87 (Abb.); 44 (1948) 131 (Abb.). — The Art News, 22 (1923/24) Nr 36, p. 5; Nr 38, p. 1; 23 (1924–25) Nr 23 p. 1, m. Abb., 4; Nr 22, p. 1, m. Abbn; 31 (1932/33) Nr 40, p. 5. — Artist, 32 (1947) 120 (Abb.). — Belvedere (Wien), 3 (1923) 75/79, m. Abbn. — The Bodleian, 18 (1926) H. 7, p. 99 (Abb.), 108, 118 (Abb.). — The Brit. Mus. Quarterly, 11 (1936) 96. — Bull. de l'Art anc. et mod., 1924, p. 206f. — The Burlington Magaz., 30 (1917) 158; 35 (1919) 117; 63 (1933) 237f. — De Cicerone (Haag), 1 (1918) 215, 217 (Abb.); 2 (1919) 89. — The Connoisseur, 43 (1915) 241/45, m. farb. Taf.; 45 (1916) 59, 118, 124, 184 (Abb.), 185; 46 (1916) 51f., m. Abb., 172f., 253 (Abb.), 254; 48 (1917) 56, 239; 49 (1917) 238; 50 (1918) 235 (Abb.), 239; 51 (1918) 56; 68 (1924) 184; 69 (1924) 176f.; 73 (1925) 61f.; 76 (1926) 253; 77 (1927) 115f.; 91 (1933) 195f.; 93 (1934) 397 (Abb.), 398; 114 (1944) 131. — Gaz. d. B.-Arts, 1912/I p. 31/45; 1920/I p. 362/66. — Münchner Jahrb. d. bild. Kst, 9 (1914/15) 164. — D. Graph. Künste (Wien), 44 (1921) 41/51 (Zeichngn d. Albertina). — D. Kunst, 21 (1909/10) 337/45 (üb. die Rad.); 25 (1911/12) 245/52, m. Abbn bis p. 260; 49 (1923/24) 321/31. — Maandbl. v. beeld. Kunsten, 2 (1925) 153ff. — The Magaz. of Art, 1903, p. 157ff., 483ff.; 1904, p. 119/24. — Les Musées de France, 1914, p. 69ff., m. Taf. 32 u. 33. — Museum (Barcelona), 1 (1911) 43/48 (üb. die Rad.), m. farb. Taf. geg. p. 52; 2 (1912) 7/20 (üb. die Zeichngn). — The Print Coll.'s Quarterly, 12 (1925) 63; 13 (1926) 302. — Revue de l'Art anc. et mod., 31 (1912) 177/92. — The Studio, 41 (1907) 9/21; 61 (1914) 6, 10 (Abb.); 62 (1914) 96, 101 (Abb.); 63 (1915) 55 (ganzs. Abb.), 131, 287 (ganzs. Abb.); 64 (1915) 75, 199 (ganzs. Abb.); 65 (1915) 281; 66 (1916) 61, 74, 151, 206, 293; 68 (1916) 40, 46 (ganzs. Abb.); 69 (1917) 108, 116, 144; 70 (1917) 44; 72 (1918) 3/14, 142/47; 73 (1918) 70; 80 (1920) 163; 82 (1921) 87, m. Abb.; 83 (1922) 119/26, 304; 87 (1924) 249ff.; 89 (1925) 58f.; 91 (1926) 314 (ganzseit. Abb.), 315; 93 (1927) 72f., 379; 95 (1928) 4, 5 (ganzs. Abb.); 100 (1930) 440/45; 101 (1931) 308/19, m. 8 ganzseit. Abbn, 1 farb. Taf. u. 3 Abbn, 344 (Abb.), 388 (Abb.); 102 (1931) 38f. (Abbn), 157 (Tafel: farb. Holzschnitt von Y. Urushibara nach Zeichn. v. B.); 103 (1932) 244 (Abb.), 292, 293 (Abb.); 105 (1933) 213 (Abb.); 106 (1933) 106f.; 107 (1934) 335 (Abb.); 113 (1937) 295 (Abb.), 297f.; 116 (1938) 116/17 (Abb.); 125 (1943) 132 (Abb.); 129 (1945) 63. — Salaman, Modern Woodcuts a. Lithogr. Studio, Spec.-Nr 1919, p. 2, 143, 145/47. — Brit. Marine Painting. Studio, Spec.-Nr 1919, p. 75. — Vita d'Arte, 15 (1916) 25ff. passim, 147/56. — The Art Instit. of Chicago. Guide to the Paintings in the Perm. Coll., 1925, p. 39, m. Abb., 128.

Brann, Louise, amer. Wandmalerin, * 18. 8. 1906 Mount Vernon, N. Y., ansässig in Yonkers, N. Y.

Schülerin von M. La Montagne St-Hubert, J. C. Chase, George Bridgman u. G. Davidson. Wandbilder u. a. in d. Kirche vom Hl. Herzen Jesu in Montereau, Frankr.

Lit.: Who's Who in Amer. Art, I: 1936/37.

Brannan, Edward Eaton, engl. Maler (Öl u. Aquar.), * 2. 6. 1886 Nottingham, ansässig in Cleethorpes, Lincolnshire.

Stud. an d. Kunstschule in Grimsby u. bei Herbert Rollett ebda.

Lit.: Who's Who in Art, [3] 1934.

Brannan, Sophie Marston, amer. Malerin, * Mountain View, Calif., ansässig in New York.

Stud. am Mark Hopkins Instit. of Art in San Francisco, Calif., dann in Paris.

Lit.: Fielding. — Amer. Art Annual, 20 (1923) 451; 30 (1933).

Brannigan, Gladys, amer. Malerin, * 1882 Hingham, Mass., ansässig in New York.

Stud. an der Corcoran Art School in Washington, D. C., an der Nat. Acad. of Design in New York u. bei H. B. Snell.

Lit.: Fielding. — Amer. Art Annual, 20 (1923) 451; 30 (1933). — Monro.

Bransom, Paul, amer. Maler u. Illustr., * 26. 7. 1885 Washington, D. C., ansässig in Fulton Co., N. Y.

Hauptsächl. Tierillustrationen.

Lit.: Fielding. — Who's Who in Amer. Art, I: 1936/37. — Amer. Art Annual, 30 (1933). — Art Index, Juni 1947; Okt. 1947/Sept. 48.

Branson, Isabel Parke, amer. Malerin, * 4. 9. 1886 Coatesville, Pa., wohnhaft ebda u. in Philadelphia.

Lit.: Amer. Art Annual, 12 (1915) 329.

Branson, Lloyd, amer. Maler, * 1861, † Juni 1925 Knoxville, Tenn.

Lit.: Fielding. — Monro. — The Art News, 23, Nr 37 v. 20. 6. 1925, p. 2.

Brantly, Ben (Benjamin), amer. Landschaftsmaler, * Little Rock, Ark., ansässig ebda.

Lit.: Amer. Art Annual, 30 (1933). — Who's Who in Amer. Art, I: 1936/37.

Brantonne, René Louis, franz. Landschafts- u. Figurenmaler, * Paris, ansässig ebda.

Stellt seit 1926 bei den Indépendants aus.

Lit.: Joseph, I.

Brantzky, Franz, dtsch. Architekt, * 19. 1. 1871 Köln, ansässig ebda.

Stud. an d. Akad. München. 1897 Gr. Staatspreis der Akad. Berlin. Gold. Med. Köln 1905 u. Internationale München 1909. Hauptwerke: Schnütgen-Mus. in Köln; Ostasiat. Mus. ebda; Römerbrunnen ebda; Handelskammer in Reichenberg i. B.; Ev. Kirche in Velbert i. Rhld; Warenhaus Jacobsen in Kiel; Möhntalsperre (Westfalen); Signalstation Seeschleuse in Wilhelmshaven. — Buchwerke: Reiseskizzen, Leipzig 1898; Architektur, Köln 1906.

Lit.: Th.-B., 4 (1910). — Dreßler. — Bredt, Friedhof u. Grabmal, 1916, p. 159 (Abb.). — Die Architektur des 20. Jahrh.'s, 14 (1914) 4 Taf. 10, 28 Taf. 53. — Dtsche Konkurrenzen, 25 H. 1. — Kst u. Ksthandwerk (Wien), 16 (1913) 603. — Kst u.

Handwerk, 1913, p. 150/53 (Abbn). — Kstchronik, N. F. 26 (1912/13) 478. — Zentralbl. d. Bauverwaltg, 35 (1915) 473. — Frankf. Ztg, v. 5. 10. 1933.

Branzell, Sten, schwed. Architekt, * 1893 Stockholm, ansässig in Göteborg.

Stud. an der Techn. Hochsch. u. der Akad. in Stockholm. Seit 1944 Stadtarchitekt von Göteborg.

Lit.: Thomæus. — Sveriges kyrkor, Dalsland, I/1 (1931) 114.

Braque, Georges, franz. Maler, Graph. u. Plastiker, * 13.5.1882 Argenteuil-sur-Seine, ansässig in Varengeville bei Dieppe.

Beginnt als Malergehilfe, besucht die Kstschule in Le Havre, 1902/04 die Ecole d. B.-Arts in Paris. 1906 mit O. Friesz in Antwerpen, dort erste „Fauves"-Bilder. 1906/10 regelmäßig in L'Estaque, Einfluß Cézannes. 1909 Freundschaft mit Picasso, mit dem er gemeinsam den Übergang zum Kubismus vollzieht; vorkubistische Bilder in La Roche-Guyon. 1910 analytischer Kubismus. 1911 erstes Bild mit eingesetzten Buchstaben. 1912 synthetischer Kubismus und erste Collages. 1914/15 im Krieg; verwundet u. entlassen. 1920 Übergang zu einem freieren Stil und Anklängen an die Wirklichkeit. Seit 1930 jeden Sommer in Varengeville. 1936 neuer Figurenstil, 1937 erster Preis der Carnegie Exhib., Pittsburg. Seit 1947 in St. Louis. 1949 Lehramt beim Art Depart. des Mus. in Brooklyn, N. Y.

Beginnt als „Fauve" in der Art von Matisse u. Derain (1906/07); aus dieser Epoche 20 Bilder. Setzt sich 1908/09 mit Cézanne auseinander und kommt gleichzeitig mit Picasso zum Kubismus. 1910/12 ist es ein analytischer, 1912/20 ein synthetischer Kubismus. Das Verhältnis von Braque u. Picasso ist das eines gegenseitigen Gebens u. Nehmens. Im Gegensatz zu dem Spanier Picasso ist B. in den Bildern dieser Jahre sensibler und in den Farben wärmer. Von 1920 an stellt sich die Verschiedenheit der Anlage immer mehr heraus. B. sucht den „Einklang mit der Natur" und „Das Gesetz, das das Gefühl korrigiert". Malt fast ausschließlich Stilleben, ab 1935 auch Interieurs u. Figurenbilder. Das Malerische u. die Farbe beschäftigen ihn zunehmend. Er gilt als der französischste Maler der Gegenwart.

Hauptwerke: 1906 Hafen von Antwerpen; 1907 Akt; 1908 Häuser in L'Estaque; 1909 Stilleben mit Violine; 1910 Frau mit Mandoline; 1911 Der Portugiese; 1912 Collage mit Zeitung; 1913 Frau mit Gitarre; Stilleben mit Spielkarten; 1919 Das Buffett; Café-Bar; 1922 Kamin; 1927 Schwarze Rose; 1928 Der Tisch; 1929 Kliff und Boot; 1937 Sitzende Frau mit Mandoline; 1939 Atelier; 1942 Interieur; 1944 Salon. — Vertreten (außer in franz. Museen) in: Detroit (Inst. of Arts), Frankfurt (Städel), Göteborg, Kopenhagen (Statens Mus.), New York (Mus. of Mod. Art), Philadelphia, Ulm, Washington (Phillips Mem. Gall.). — *Sonderausst.:* Basel, Ksthalle 1933; Paris, Gal. Rosenberg 1936, 37, 38, 39, 45; Brüssel, Palais d. Beaux-Arts 1936, 45; New York, Buchholz Gall. 1938; Washington, Phillips Mem. Gall. 1939; New York, Gal. Rosenberg 1942, 48; Amsterdam, Stedelijk Mus. 1945; Zürich, Ksthaus 1946; London, Tate Gall. 1946; Paris, Gal. Maeght 1947; Venedig, Biennale 1948 (1. Preis); New York, Mus. of Mod. Art 1949; Köln u. München 1950; Aachen u. Krefeld 1951; Hamburg, Gal. Dr. E. Hauswedell, 1952. — *Graphiken:* 1932: 16 Rad. zu Hesiods „Theogonie"; 1946/47: verschiedene Fassungen der Lithogr. „Helios". — *Eigene Schriften:* Réflexions, in: Nord-Süd (Paris), Dez. 1917; Enquête, in: Cahiers d'Art, 10 (1935) 21f.; Cahier de G. B., Paris 1948.

Lit.: M. Raynal, Anthologie de la Peint. en France etc., Paris 1927. — Schmidt. — Bénézit, [2]2, m. Taf. 9. — G. Bissière, G. B., Paris 1920. — C. Einstein, G. B., Paris 1934. — St. Fumet, G. B., Paris 1946. — P. Gallatin, G. B., New York 1943. — Genier, G. B., Paris 1948. — H. R. Hope, G. B., New York o. J. — Huyghe, G. B., Paris 1932; ders., Hist. de l'Art contemp., Paris 1935. — J. Paulhorn, B. le Patron, Genf 1947. — F. Ponge, G. B., Genf 1948. — M. Raynal, G. B. („L'Effort mod."), Paris 1921; ders., G. B., Rom 1921; ders., G. B., Peintures 1909/47, m. 16 Farbtafeln, Paris 1948; ders., Peintres du XXe siècle, Genf 1947. — G. Apollinaire, Les peintres cubistes, 1913, p. 40ff., m. Abbn. — Einstein. — H. Hildebrandt, D. Kst d. 19. u. 20. Jh.s. — G. Jedlicka, Begegnungen, Basel 1933. — Muls. — Salmon, 1912 u. 1919. — Skira, Anthologie du livre illustré, Genf 1946. — Die Meister franz. Malerei d. Gegenwart. Hrsg. v. M. Jardot u. Kurt Martin, Baden-Baden 1948. — L'Amour de l'Art, 1922, p. 298/300; 1926, p. 135/40; 1931, p. 207/208; 1935, p. 357ff. passim. — The Art News, Febr. 1949, p. 1, 8, m. Abb., 24/35. — Baltimore Mus. of Art, News, 11 (1948) 1/4. — bild. kst, 2 (1948) H. 1, p. 7 (Taf.), H. 10, p. 9 (Abb.); 3 (1949) 304. — Bull. d. Mus. de France, 1936, p. 39/45 passim. — Bull., St. Louis, City Art Mus., 30 (1945) April-H. p. 1/4; 32 (1947) März-H., p. 21; 33 (1948) Nr 3, p. 16 (Abb.). — The Burlington Magaz., 91 (1949) 147. — Cahiers d'Art, 1927, p. 5/8, 141; 1928, p. 361–66; 1931, p. 35/38; 1932, p. 13/20, 21/22 (Abbn); 1933, p. 1/84; 1937, p. 37/38; 1940, p. 3/13. — Le Centaure (Brüssel), 1 (1926/27) 118, 120 (Abb.), 184f. — D. Cicerone, 17 (1925) 904f., 918; 21 (1929) 576ff., 584. — The Connoisseur, 117 (1946) 123f. — Documents, 1929, p. 289/96. — Emporium, 106 (1947) 121/23. — Esprit Nouv., 1 (1921) 638/56. — Formes, 1930, Nr 3, p. 4f. — Kst u. Kstler, 27 (1928/29) 386–89. — D. Kstblatt, 4 (1920) 49f., 214 (Abb.); 6 (1922) 9/13; 14 (1930) 103f. — D. Kstwerk, 1 (1946–47) H. 8/9, p. 44 (Abb.), 53; 2 (1948/49) H. 1/2, p. 68 (Abb.); 4 (1950/51) H. 8/9, p. 15f. m. Fotobildn. p. 27, 92. — Life, 2. 5. 1949, p. 80/86. — Nouv. Revue franç., Juni 1919, p. 153/55. — Querschnitt, 1 (1921) 14 (Abb.), 104, 156, 160 (Abb.), 209ff. — The Studio, 132 (1946) 21, 24 (Abb.), 102 (Abb.), 167 (Abbn), 171 (Abbn); 138 (1949) 64. — Thema (Gauting b. München), 1949/50, H. 4, p. 9ff., m. 3 Taf.-Abbn. — Zeitschr. f. Kst, 4 (1950) 245/47, 248. — The Art Index, New York 1928ff. passim.

Brasch, Hans, dtsch. Maler u. Radierer, * 2.4.1882 Karlsruhe, ansässig in Stuttgart.

Schüler von Schmid-Reutte, Fehr u. Ritter an der Karlsruher Akad., dann 4 Jahre Meisterschüler H. Thomas. Weitergebildet in Paris u. bei F. Hodler in Genf. Bildnisse, Figürliches, Landschaften (Öl u. Aquarell). Wandmalereien u. a. in der Bahnhofshalle in Bad Orb. Ein Herrenbildnis in der Ksthalle Karlsruhe. Mehrere Aquarelle im Städel-Institut in Frankfurt. Bildnis des Physiologen Rubner im Physiolog. Institut der Berliner Universität. Bildnis Trendelenburgs in der Univers. Tübingen. Koll.-Ausst. April 1952 im Württ. Kstver. Stuttgart, April 1952 im Kstver. Frankfurt a. M.

Lit.: Th.-B., 4 (1910). — Dreßler. — Kstchronik, 5 (1952) 106.

Brasch, Sven, dän. Zeichner, * 29. 1. 1886 Borup auf Sjælland, ansässig in Hellerup.

Mitarbeiter an in- u. ausländischen Zeitungen u. humorist. Zeitschriften.

Lit.: Dahl-Engelstoft, I. — Who's Who in Art, [3]1934. — Krak's Blaa Bog, 1936. — Vem är Vem i Norden, Stockh. 1941, p. 49.

Braschier, Otto, schweiz. Maler, * 27.1. 1909, ansässig in Genf.

Schüler der Genfer Ec. d. B.-Arts. Hauptsächlich Porträts (Zeichngn).

Lit.: Schweiz. Zeitgen.-Lex., 1932.

Brasini, Armando, ital. Architekt, * 21.9. 1879 Rom, ansässig ebda.

Autodidakt. Baute im Stil der Hochrenaiss. (Bramante) u. des Barock, den er meisterlich beherrscht. Hauptbauten in Rom: Tempio dei Quattro Evangelisti e del Sacro Cuore di Maria di Parioli; Sala della Battaglie im Pal. Venezia; Sala della Vittoria im Pal. Chigi. Ferner: Pal. del Governo in Tarent; Pal. del Podestà in Foggia; Denkmal für die Gefallenen des 1. Weltkrieges u. Sparkassengeb. in Tripolis; Stadion in São Paulo, Brasilien. Filmausstattungen („Quo vadis"). Sein großartiger Erweiterungsplan für die Stadt Rom kam nicht zur Ausführung.

Lit.: Chi è?, 1940. — Emporium, 74 (1931) 238f. (Abbn). — D. Christl. Kst, 28 (1931/32) 2 (Abb..), 3f.

Brass, Hans, dtsch. Maler, * 9.7.1885 Wesel a. Rh., ansässig in Arenshoop b. Güstrow, Mecklenburg.

Autodidakt. Folgt anfänglich der kubistischen, dann der expressionist. Richtung. Kollektivausstellgn bei Alfred Heller, Charlottenburg, 1921, u. in d. Gal. Lowinsky, Berlin, Sept. 1950.

Lit.: Dreßler. — D. Kstblatt, 4 (1920) 351 (Abb.); 5 (1921) 65/68, m. 4 Abbn (H. B., Der Weg), 192. — Kst d. Zeit, 3 (1928/29) 17 (Abb.). — Die Schaffenden, 3, Mappe 2: 2 Lithos. — Landesztg f. Mecklenb. u. Vorpommern, Nr 161 v. 19. 10. 1946.

Brass, Italo (Italico), ital. Genre-, Bildnis- u. Landschaftsmaler, * 14. 12. 1870 Görz (Isonzo), † 1943 Venedig.

Schüler von Raupp in München, dann von Bouguereau u. J. P. Laurens in Paris. Impressionist. Geistvoller Chronist Venedigs, seiner Feste, Prozessionen u. seines bewegten malerischen Volkslebens, dabei gern auf das Kostüm des 18. Jh.s zurückgreifend. Bilder u. a. in den Gall. d'Arte Mod. in Venedig, Rom, Mailand, im Castello Sforzesco in Mailand, im Mus. in Görz u. in mehreren öff. Smlgn des Auslandes (Luxembourg-Mus. Paris, Nat.-Gal. Budapest, Carnegie Instit. Pittsburgh, Penna., Mus. in Buenos Aires). Ein Selbstbildn. (Halbfig.) in den Uffizien in Florenz.

Lit.: Th.-B., 4 (1910). — Comanducci, m. 2 Abbn. — Bénézit, [2] 2 (1949). — The Studio, 66 (1916) 67; 97 (1929) 282, m. Abb.; 112 (1936) 298 (Abb.). — Pagine d'Arte, 6 (1918) Titelbl.-Abb. von Heft 4 u. 10. — Vita d'Arte, 7 (1911) 1/22, m. 20 Abbn u. Taf.; 13 (1914) 125f., 127 (Abb.); 1918 (März/April-Nr), p. 25/37. — Emporium, 35 (1912) 78/80, m. Abbn; 48 (1918) 267f., m. Abb.; 68 (1928) 136, 149 (Abb.); 79 (1934) 364 (Abb.); 81 (1935) 393, 394, 397 (Abb.). — D. Kst, 81 (1939/40) 2/9, m. Abbn. — D. Kstwerk, 2 (1948) Heft 10 p. 44.

Brass, Ossip (Jossif) Emmanujilowitsch, russ. Maler, * 1872 Odessa, † 1936.

Stud. in München u. Paris, dann bei Rjepin in Leningrad. Mitgl. der „Mir Isskusstwa". Hauptsächlich Bildnisse u. vornehme Interieurs. Vertreten im Russ. Mus. Leningrad u. in der Staatl. Tretjakoff-Gal. Moskau (Bildnis des Schriftst. Anton Tschechoff.

Lit.: Th.-B., 4 (1910) 541. — Kondakoff, II 22. — Mir Isskusstwa, 1 (1899), Abbn p. 149 u. n. p. 150; Chron. p. 102; 2 (1899) 73 (Abb.); 3 (1900) Chronik, p. 113, 114; 5 (1901) 187 u. Tafelteil p. 116, 118; 6 (1901) Chron. p. 13; 7 (1902) n. p. 24 (Abb.), 180, 182, 288. — Ssredi Kollekzioneroff, 1922 Heft 4 p. 55, 57; H 7 p. 80, 88; 1924 H. 3/4 p. 50.

Brassai, Károly, ungar. Figurenmaler, * 28. 1. 1876 Brassó (Kronstadt).

Lit.: Krücken-Parlagi.

Brasseur, Georges, belg. Figuren-, Bildnis- u. Landschaftsmaler, * 1880 Charleroi.

Wandmalereien in der Kirche der Pères du T. S. Sacrement in Brüssel u. in der Minoritenkirche in Hal.

Lit.: Seyn, I.

Brasseur, Lucien, franz. Bildhauer, * 18. 8. 1878 Saultain (Nord), ansässig in Paris.

Schüler von Barrias u. Coutan. 1905 Rompreis. Mitglied der Soc. d. Art. Franç.

Lit.: Joseph, I.

Brasz, Arnold Franz, amer. Maler, Bildhauer, Illustr. u. Rad., * 19. 7. 1888 Polk County, Wis., ansässig in Oshkosh, Wis.

Stud. an der Kstschule in Minneapolis u. bei Robert Henri in New York.

Lit.: Fielding. — Amer. Art Annual, 20 (1923) 451.

Brateş-Pillat, Maria, rumän. Malerin (bes. Aquar.), * 1893 Bukarest, ansässig ebda.

Aquarell im Mus. Toma Stelian in Bukarest (Kat. 1939).

Lit.: Oprescu, 1935.

Bratt, Signe, geb. *Jolin*, schwed. Bildnis-, Figuren-, Landschafts- u. Blumenmalerin, * 1887 Stockholm, ansässig in Alingsås.

Schülerin ihres Bruders Einar Jolin.

Lit.: Thomœus.

Brattberg, Arthur, schwed. Bildhauer, * 1872 Uddevalla, ansässig in Snöfrid.

Schüler von Per Hasselberg, weitergebildet in Paris u. Stockholm. Hauptsächlich Porträtbüsten u. Figurenreliefs.

Lit.: Thomœus.

Brattström, Gustaf, schwed. Landschafts-, Architektur- u. Bildnismaler u. Zeichner, * 1881 Stockholm, ansässig in Lund.

Lit.: Thomœus.

Brau, Casimir u. Louis, franz. Landschaftsmaler, Brüder, * Bagnères-de-Bigorre (Hautes-Pyrénées), ansässig in Paris.

Stellten 1905ff. bei den Indépendants aus.

Lit.: Bénézit, [1] II.

Brau, Gertrud Du, dtsch-amer. Malerin u. Illustratorin, * 1. 6. 1889 in Deutschland, ansässig in Cumberland, Md.

Stud. in Leipzig, an der Roy. Acad. in London u. am Maryland Instit. in Baltimore. Wandgem. im Masonic Temple in Cumberland u. in der City Hall Rotunda ebda (Truppenbesichtigung General Washington's am Fort Cumberland 1794).

Lit.: Fielding, p. 101. — Who's Who in Amer. Art. I: 1936/37, p. 126.

Brauckmann, Hanns, dtsch. Maler u. Schriftst., * 11. 8. 1883 Mühlheim a. d. R., ansässig in Essen.

Stud. Kunstgesch. an d. Univers. Bonn, Malerei bei Enselings u. Thorn-Prikker in München u. Worpswede. Reisen in Italien, Spanien, Nordafrika, Griechenland, Kleinasien.

Lit.: Dreßler.

Brauer, Fanny, dtsche Blumen- u. Landschaftsmalerin, * 1874 Augsburg, ansässig ebda.

Stud. an d. Kstgewerbesch. München, weitergebildet in Voorburg bei Marg. Roosenboom und in Paris.

Lit.: Kat. Kst-Ausst. Augsburg, Schaezler-Palais, Dez. 1945; Ausst. Augsburg. Kstler, Schaezler-Palais, Augsbg 8. 12. 1946–2. 1. 1947.

Brauer, Johannes (Hans), dtsch. Maler, Illustrator, Gebrauchsgraph. u. Reklamekünstler, * 24. 2. 1887 Leipzig, ansässig ebda.

Stud. an d. Akad. f. Graph. Künste u. Buchgew. in Leipzig u. an d. Akad. in München. Landschaften, Figürliches, Bildnisse (Öl u. Aquar.). — Illustrat. zu: Willy Schüßler, Deutsche Märchen (Verlag für Militärgesch. u. dtsch. Schrifttum Paul Brügge, Naumburg 1944) u. Dtsche Sagen (ebda 1944).

Lit.: Dreßler. — Kat. 7. u. 8. Wurzner Kstausst., 1941 u. 1942. — Mitteilgn d. Künstlers.

Brauer, Johannes, dtsch. Maler u. Graphiker, * 8. 9. 1905 Meerane, ansässig in Leipzig.

Stud. an der Akad. f. Graph. Künste u. Buchgew. in Leipzig. Bild: König Löwe, im Mus. in Bernburg. Buchwerk: Raucherkarikaturen. Verse u. Zeichnungen v. J. B. Verlag M. Möhring, Leipzig.

Braught, Ross Eugene, amer. Maler, * 6. 8. 1898 Carlisle, Pa., ansässig ebda.

Schüler der Pennsylv. Acad. of the F. Arts in Philadelphia u. von Jos. T. Pearson. Hauptsächlich Landschafter. Bilder in der Pennsylv. Acad. of the Fine Arts. Wandgemälde in d. Musikhalle d. Auditoriums in Kansas City.

Lit.: Fielding. — Monro. — Amer. Art Annual, 20 (1923) 451; 30 (1933). — Who's Who in Amer. Art, I: 1936/37. — The Studio, 112 (1936) 290.

Braumann, Max, dtsch. Maler (Dr. phil.), * 6. 1. 1880 München, ansässig ebda.

Stud. an der Akad. in München. Bereiste Frankreich, Spanien, Dalmatien. Bilder im Bes. des Bayer. Staates u. der Stadt München.

Lit.: Dreßler. — Velhagen & Klasings Monatsh., 43/II (1928/29) 186 (Abb.), 189.

Braumüller, Georg, dtsch. Lithograph u. Holzschneider, * 16. 9. 1870 Berlin, † Wiesbaden zw. 1928 u. 1935.

Stud. an der Akad. in Kassel, der Kstschule in Weimar u. bei Fr. Fehr in München. Hauptsächlich farb. Holzschnitte: Bildnisse (u. a. Max Reger u. Martin Greif), Figürliches, Tiere, Landschaften.

Lit.: Th.-B., 4 (1910). — Degener's Wer ist's, [10] 1935, Totenliste.

Braun, Albert, dtsch. Bildhauer, * 21. 9. 1899 Freiberg/Sa., ansässig in Dresden.

Stud. an d. Kstgewerbesch. u. Akad. in Dresden. Meisterschüler von K. Albiker. Seit 1945 Leiter der bildhauer. Erneuerungsarbeiten am Zwinger u. an der kath. Hofkirche in Dresden.

Braun, Albrecht, dtsch. Landschaftsmaler u. Lithogr., * 13. 8. 1905 Tuttlingen, ansässig in Stuttgart.

Stud. an den Akad. in Stuttgart u. Berlin. Seit 1938 lehrtätig an d. Akad. in Stuttgart.

Lit.: Kat. Ausst. „Junge Kunst im Deutschen Reich", Wien 1943, m. Abb. 51.

Braun, August, dtsch. Maler u. Illustrator, * 1876, ansässig in Wangen i. Allgäu.

Fresken in den Kirchen in Bachhaupten, Bittelschieß u. im Reichgotteshaus in Rottenmünster i. Württbg, letztere zus. mit s. Neffen Josef Braun. Illustrat. zu: Victoria Roer, Tik u. Taki. Eine Krähengesch., mit Bildern von A. B., [2] Freiburg i. Br. 1944.

Lit.: Schnell, 7 (1940) H. 431/32, p. 8 (Abb.), 14. — D. Christl. Kst, 25 (1928/29) 144 (Abb.), 155. — Hohenzoll. Jahreshefte, 4 (1937) 291 f., 293, Anm. 2; 7 (1940) 125. — D. Münster, 4 (1951) 247. — Kstdenkm. Hohenzoll., I: Kr. Hechingen, 1939.

Braun, Cora, amer. Malerin, * 27. 5. 1885 Jordon, Minn., ansässig in Knoxville, Tenn.

Schülerin von Garber, Hale, Jos. Pearson, Brackenridge u. W. M. Chase.

Lit.: Fielding. — Amer. Art Annual, 20 (1923) 451.

Braun, Eduard, dtsch. Zeichner u. Holzschneider, * 29. 7. 1902 Wetzlar, ansässig in Berlin.

Stud. an der Akad. in Düsseldorf u. an den Lehrwerkstätten in München. Seine politisch-satirischen Zeichnungen erscheinen z. T. unter dem Pseudonym „*Urban*". Federzeichnungen im Stil A. Kubins zu einem noch unveröff. Bilderbuch zur Erinnerung an die Einnahme von Berlin 1945. Holzschnitte: Ritt ins Feld, Kind mit Puppe, usw.

Lit: F. A. Herbigs Ksthefte, H. 1: Graphik Berl. Kstler, mit Begleittext von W. Fiedler, Berlin-Grunewald 1947. — Velhagen & Klasings Monatsh., 45/II (1930/31) p. 346 (2 Abbn), 348; 48/I (1933/34) p. 344 (Abb.). — Der Kurier (Berlin), 30. 10. 46 (Abb.), 12. 7. 1947 (Abb.) u. 19. 7. 47 (Abb.). — Berl. Mittag, 18. 10. 1947.

Braun, Greta von, schwed. Kleinplastikerin (bes. Holz), * 1892 Stockholm, ansässig ebda.

Schülerin von Signe Blomberg.

Lit.: Thomœus.

Braun, Hans, dtsch. Landschaftsmaler, * 1903 Nürnberg.

Lit.: Westermanns Monatshefte, 163 (1937/38) 165 (Abb.), 167. — Jahrb. d. Denkmalpflege in d. Prov. Sachsen u. im Anhalt., 1931, p. 64.

Braun, Heinrich, dtsch. Maler, Modelleur u. Raumkünstler, * 23. 4. 1893 Karlsruhe, ansässig ebda.

Direktor d. Fayencefabrik Karlsruhe.

Lit.: Dreßler. — Velhagen & Klasings Monatsh., 43/I (1928/29), farb. Taf. geg. p. 712.

Braun, Josef, dtsch. Maler, * 22. 7. 1903 Wangen/Allgäu, ansässig ebda.

Nach Studium an der Kstgewerbesch. u. der Akad. in München Meisterschüler von Tiemann an der Akad. in Leipzig. Malte zus. mit s. Onkel August Braun im Reichsgotteshaus in Rottenmünster, Württbg. Selbständige Arbeiten: Fresko (Christus als König) in d. St. Johannis-Pfarrk. in Steinbach, Württbg; Stationsbilder in d. Kirche in Leipzig-Connewitz. Restaurierung der großen Säle im Ludwigsburger Schloß.

Lit.: Schnell, 6 (1939) H. 356/57, p. 14; 7 (1940) H. 431/32, p. 6, 13, 14. — D. Christl. Kst, 25 (1928-29) 140 (Abb.), Taf. geg. p. 152, 155; 26 (1929/30) 157. *J.*

Braun, Leo Hubert, dtsch. Maler u. Graph., * 31. 5. 1891 Eschweiler, Rhld, ansässig in Stuttgart.

Schüler von Landenberger u. Breyer, dann im Meisteratelier Altherrs. Seit 1925 selbständig.

Lit.: Dreßler. — D. Christl. Kst, 25 (1928/29) 155.

Braun, Maurice, ungar.-amer. Maler, * 1. 10. 1877 Nagy Bittse, † 1941 Point Loma, Calif.

Schüler von E. M. Ward, Maynard u. Francis C. Jones an der Nat. Acad. of Design in New York. Gold. Med. auf der Panama Calif. Expos. in San Diego 1915 u. 1916. Bilder in d. Städt. Smlg in Phoenix, Ariz., im Mus. in San Diego u. in der öff. Smlg in Oklahoma City.

Lit.: Fielding. — Monro. — Amer. Art Annual, 20 (1923) 451; 30 (1933). — Art Digest, 1. 12. 1941 p. 16.

Braun, Rudolph, dtsch. Tier-, Bildnis- u. Landschaftsmaler u. Zeichner, * 7. 2. 1867 Hundisburg, Bez. Magdeburg, † April 1940 Berlin.

Stud. an d. Akad. in Düsseldorf (1892/97), weitergebildet in Italien. Bild: Kühe auf der Weide, in d. Städt. Gal. in Berlin.
Lit.: Dreßler.

Braun, Sébastien, belg. Holzschneider, * 1881 Brüssel, ansässig in Maredsous.
Illustr. zu dem Livre des Bénédictions (1900) seines Bruders Thomas B.
Lit.: Seyn, I.

Braun, Vera, ungar. Malerin u. Graphikerin, * Budapest, ansässig in Paris.
Stichfolge: Die Straße des Westens (12 Bl.).
Lit.: Nouv. Revue de Hongrie, 47 (1932/II) 76f.

Braun, Wilhelm, dtsch. Maler, Entwurfzeichner f. Glasmalerei u. Graph., * 4. 5. 1906 Kreuzau/Rhld, ansässig in München.
Nach Erlernung des Malerhandwerks einige Jahre als Gehilfe tätig. Dann Akad. in München, Meisterschüler von Klemmer. Streben nach künstler. Wahrhaftigkeit u. Gestaltung des Charakteristischen. In öff. Besitz: Städt. Gal. München: Hiob; Gemäldegal. Konstanz: Alte Boote am Ufer. Apostelfresken in der Kirche zu Kreuzau. 3 große Fenster f. d. Kirche in Kreuzau. Koll.-Ausst. Juli/Aug. 1951 im Leopold-Hoesch-Mus. in Düren, Aug./Sept. 1951 im Städt. Suermondt-Mus. in Aachen.
Lit.: Weltkunst, 20. Jg (1950), H. 20, p. 8 (Abb.). — Bodenseebuch, 1944, 1946, 1950. — Kstchronik, 4 (1950/51) 132, 204, 230. — D. Münster, 4 (1951) 181, 313, r. Sp. — Echo der Woche (München), 10. 9. 1948, m. Abb. *J.*

Braun-Kirchberg, Hans Emil, dtsch. Maler u. Radierer, * 13.7.1887 Künzelsau, Württ., ansässig in Stuttgart.
Schüler von Alois Kolb in Stuttgart u. von Beck-Gran in Nürnberg, dann 6 Jahre Buchhändler. Weitergebildet 1913/17 bei Landenberger, Altherr u. Haug an der Stuttg. Akad.
Lit.: Dreßler. — Das Bild, 1939, p. 117, 118 (Abb.), 120 (Abb.). — Kstchronik, N. F. 34 (1922/23) 259. — Mitteilgn d. Exlibris-Vereins, Berlin, 16 (1922) 34.

Braunagel, Paul, elsäss. Maler, Illustr. u. Zeichner für Glasmalerei, * 5.11.1873 Straßburg, ansässig ebda.
Schüler von Phil. Roll in Paris. Gold. Med. Dresden 1906.
Lit.: Th.-B., 4 (1910). — Dreßler. — Revue alsac. ill., 13 (1911) Taf.-Abb. in H. 2.

Braune, Hugo L., dtsch. Maler, Lithograph u. Illustr., * 1.2.1872 Frankenhausen am Kyffhäuser, ansässig in Berlin.
Schüler von Th. Hagen u. L. v. Kalckreuth an d. Kstsch. in Weimar. Ansässig in München, seit 1908 in Berlin. 1914/18 Kriegsmaler. Deckengem. im Königin-Olga-Bau in Stuttgart. — Mappenwerke: Dietrich von Bern; Götterdämmerung; Rich. Wagners Bühnenwerke (Leipzig [2] 1924); Den größten Deutschen zur Ehre (Berlin 1925).
Lit.: Th.-B., 4 (1910). — Dreßler. — E. A. Seemanns „Meister d. Farbe" Textbl., 13 (1916) 1ff., m. Abb., 9ff., 17ff. — Kat. Bildersmlg Schwarz-Weiß, Kstverlag F. Heyder, Berlin-Zehlendorf o. J. [1918], p. 10, m. 2 Abbn.

Brauner, Gustav, sudetendtsch. Maler (Öl u. Aquar.), * 1880, ansässig in Mährisch-Neustadt.
Stud. an d. Wiener Akad. Hauptsächlich Landschafter. Bild: Ansicht des Marktplatzes in Mähr.-Neustadt mit der Barocksäule, im dort. Mus. Kollektivausst. in Mähr.-Neustadt 1940 aus Anlaß des 60. Geb.-Tages des Künstlers.
Lit.: Dtsche Heimat (Plan b. Marienbad), 3 (1927); 4 (1928) 91/93, m. 4 Abbn; 5 (1929) Taf. geg. p. 379; 6 (1930) 480f., Taf. geg. p. 462; 10 (1934) geg. p. 80 (ganzs. Abb.); 11 (1935) Taf. geg. p. 80. — Dtsche Post (Troppau), Nr 68 v. 9. 3. 1941.

Brauner, Olaf, norweg.-amer. Maler u. Bildhauer, * 9. 2. 1869 Kristiania (Oslo), ansässig in Ithaca, N. Y.
Schüler von Benson u. Tarbell an d. Schule des Art Mus. in Boston, Mass. Seit 1900 Professor für Malerei an der Cornell University in Ithaca. Bildnisse in der Kimball Library in Randolph, Vt.; Altargemälde in der Erlöserkirche in Chicago, Ill.; Dane-Denkmal in Brookline, Mass.
Lit.: Fielding. — Amer. Art Annual, 20 (1923) 451; 30 (1933). — Bénézit, [2] 2. — Who's Who in Amer. Art, I: 1936/37.

Brauner, Victor, rumän. Maler, * 15.6. 1903 Piatra, ansässig in Paris.
Gehört der Gruppe der Surrealisten an. Arbeitet meist in Südfrankreich. Stellte 1947 im Salon des Surindépendants in Paris aus. Koll.-Ausst. Nov. 1950 u. März 1951 in der Hugo Gall. in New York.
Lit.: Bénézit, [2] 2 (1949). — D. Kstwerk, 1 (1946–47), H. 12, p. 54; 4 (1950), H. 8/9 p. 92. — Art Index (New York), Okt. 1947/Okt. 1952.

Braunerová, Zdenka, tschech. Malerin u. Graph., * 9. 4. 1858 Prag, † 23. 5. 1934 ebda.
Stud. bei S. Pinkas u. A. Chittussi in Prag, dann in Paris bei G. Courtois, wo sie von der Barbizon-Schule stark beeinflußt wurde. Studienreisen in Italien u. England. Nahm mit Vorliebe die romantischen Altprager Ansichten in Zeichnungen, Aquarellen u. Radierungen auf. Pflegte auch die Buchausstattung im Sinne W. Morris', gleichzeitig durch alte böhm. Drucke u. Volkskunst angeregt (Ausstatt. der Schriften von V. Mrštík, M. Marten u. a.). Mitglied des Graphikervereins „Hollar". Beteiligte sich an den Pariser Ausstellungen (Salons d'Automne); Sonderausstellgn in Prag 1932, 1934, 1950 („Hollar"). Bilder, Zeichngn u. Graphik in der Prager Nat.-Gal.
Lit.: Th.-B., 4 (1910). — Bénézit, [2] 2. — J. Maria, Z. B. 1862–1934, Prag 1937. — A. Dolenský, Moderní česká grafika, Prag 1912, p. 21/22. — V. V. Štech, O Zdence Braunerové, in: Hollar (Prag), 8 (1931/32) 49f., m. Abbn. — A Novák, Knižní grafika Z. Braunerové, Český bibliofil, Prag 1932. — La Revue franç. de Prague, 15. 6. 1934. — Bibliofil (Prag), 11 (1934) 50. — Sborník Kruhu výtv. umělkyň, Prag 1935 p. 28. — Umění (Prag), 7 (1934) 468. — Hollar, 14 (1938/39) 73f. — V. Helmuth, Šalda-Braunerová (Briefe), Prag 1939; ders., Přátelství básníka a malířky (Briefe), Prag 1941. — Marginalie (Prag), 1944 p. 93. — Toman, I 94. *Blažíček.*

Braunmiller, Franz Xaver (Bruder Wilfrid OSB.), dtsch. Bildnis- u. Kirchenmaler u. Entwurfzeichner für Glasmalerei, * 20.3. 1905 München, ansässig ebda.
Schüler von Halm, Meyershofer, Schinnerer u. C. v. Marr an d. Münchn. Akad. Glasfenster u. a. in der St. Ludwigskirche in Frankenthal, Pfalz.
Lit.: Dreßler. — Schnell, 6 (1939) H. 340/41, p. 6, 13, m. Abb.

Braunschweig, Artur, dtsch. Maler, Graph. u. Fachschriftst., * 8.4.1888 Piasken, Kr. Lyck, Ostpr., ansässig in Solln b. München.
Stud. an der Kunstsch. in Breslau und an den Akad. Leipzig u. München. Ländliche Szenen, Tierbilder (Hunde, Pferde, Ziegen, Schafe, Esel), Bild-

nisse. Stellt seit 1920 in der Münchner Sezession aus. 1923/25 Amerikareise. Bilder in der Staatsgal. München (3 Reiter), in der Städt. Gal. ebda (Zicklein) u. in der Sezessionsgal. in Schleißheim (Kinderkopf). Wandgem.: Himmelfahrt Christi, in der Ev. Kirche in Neuburg a. d. D.; Monumentalmalerei in d. Vorhalle der Dermatolog. Klinik in München.

Lit.: Dreßler. — Breuer, p. 196/98, m. 2 Abbn u. Selbstbildn. — Karl, 2, m. 3 Abbn. — D. Kst, 53 (1925/26), Beil. z. Nov.-H. 1925, p. XX. — D. Völk. Kunst, 1 (1935) 314 (Abb.), 317. — Monatsh. f. Baukst u Städtebau, 18 (1934) 353/55, m. Abbn. — Velhagen & Klasings Monatsh., 41/II (1926/27) 444, m. farb. Abb.

Braunthal, Eduard, öst. Maler, * 24.3. 1873 Wien, ansässig ebda.

Stud. an der Wiener Akad. Bereiste Italien, Sardinien u. Kreta. 1915/17 Kriegsmaler.

Lit.: Dreßler.

Braunthal, Erich, dtsch. Maler, * Frankfurt a.M., ansässig in Paris.

Stellte seit 1934 im Salon d'Automne, seit 1935 auch bei den Indépendants u. im Salon der Soc. d. Art. Franç. aus. Akte, Bildnisse, Landschaften, Stillleben, Blumenstücke.

Lit.: Bénézit, [2] II (1949). — Beaux-Arts, Nr 280 v. 13. 5. 1938 p. 1 (Abb.); Nr 324 v. 17. 3. 1939, p. 7 (Abb.).

Braus, Hedwig, schweiz. Kleinplastikerin, ansässig in Zürich.

Schülerin von Herm. Haller. Treffliche Aktstatuetten in lebhafter Bewegung; Kinderköpfchen (Terrakotta). Kollektivausst. in d. Gal. M. O. Schmidlin in Zürich, April 1939.

Lit.: Das Werk (Zürich), 20 (1933) 170f. (Abbn), 172, m. Abbn; 26 (1939), Beih. zu Nr 4, p. XX. — Das ideale Heim, 6 (1932) 216 (irrig: Brause).

Braut, Albert, franz. Landschafts-, Bildnis- u. Genremaler, * 1874 Roye (Somme), † 6. 2. 1912 Pau.

Schüler von G. Moreau. Stellte 1905ff. bei den Indépendants u. im Pariser Herbstsalon aus. Bild: Spielende Kinder im Parc Monceau, im Mus. in Auxerre.

Lit.: Bénézit, [2] II. — Gaz. d. B.-Arts, 1907/I p. 359, m. Abb.; 1909/II p. 378. — L'Art décor., 1909/II p. 99 (Abb.); 28 (1912) 291 (Abb.). — Museum (Barcelona), 3 (1913) 60 (Abb.).

Braxton, William Ernest, amer. Maler u. Illustr., * 10. 12. 1878 Washington, D. C., ansässig in Brooklyn, N. Y.

Schüler von J. B. Whittaker.

Lit.: Fielding. — Amer. Art Annual, 20 (1923) 451; 30 (1933).

Bray-Baker, May, engl. Kstgewerblerin (Stickereien, Lederarbeiten), Landsch.- u. Blumenmalerin, * 18. 3. 1887 Acton, ansässig in London.

Stud. am Roy. Coll. of Art in London.

Lit.: Who's Who in Art, [3] 1934.

Brayer, Yves, franz. Maler (Öl u. Aquar.), Graph. u. Kunstschriftst., * 18. 11. 1907 Versailles, ansässig in Paris.

Schüler von L. Simon u. Forain. Mitglied der Soc. d. Art. Franç. Stellt auch im Salon d'Automne, bei den Indépendants u. im Salon der Soc. Nat. d. B.-Arts aus. Im Luxembourg-Mus. in Paris: Villa Medici in Rom.

Lit.: Joseph, I. — Bénézit, [2] II. — Gaz. d. B.-Arts, 1927/I p. 282 (Abb.), 285. — Bull. d. Musées de France, 7 (1935) 41ff., m. Abb. — Beaux-Arts, 8 (1930) Nr 7 p. 2 (Abb.), 27 (Abb.); 1934 Nr 58 p. 3, m. Abb.; 1935 Nr 127 p. 8, m. Abb.; 1937 Nr 238 p. 3, m. Abb.; Nr 252 p. 8 (Abb.); Nr 255 p. 4, m. Abb.; Nr 265 p. 4, m. Abb.; Nr 267 p. 4, m. Abb.; Nr 273 p. 3 (Abb.); Nr 278 p. 4, m. Abb.; Nr 283 p. 1 (Abb.); Nr 290 p. 4 (Abb.); Nr 306 p. 2 (Abb.); Nr 329 p. 3 (Abb.); Nr 335 p. 1 (Abb.); Nr 345 p. 2 (Abb.); Nr v. 7. 11. 47 p. 4; v. 14. 11. 47 p. 2; v. 5. 3. 48 p. 1; v. 11. 6. 48 p. 8. — The Studio, 100 (1930) 52 (Abb.); 129 (1945) 59, m. Abb.; 143 (1952) 88 (Abb.). — Revue de l'Art anc. et mod., 65 (1934) 25f., m. Abb., 134, m. Abb.; 66 (1934) 43 (Abb.), 44; Bull. p. 395, m. Abb.; 67 (1935), Bull. p. 251 (Abb.); 69 (1936) 167 (Abb.). — Die Kunst, 75 (1936/37) 339, 340 (Abb.). — Apollo (London), 21 (1935) 101. — Art Index (New York), Okt. 1947/Okt. 1952.

Brayer-Lefranc, Henriette, franz. Bildnis- u. Landschaftsmalerin, * Paris, ansässig ebda.

Stellt seit 1924 bei den Indépendants aus.

Lit.: Joseph, I.

Brayovitch, Yanko, montenegrin. Bildhauer, * 1889 Cetinje, ansässig in London.

Stud. an d. Akad. in Wien.

Lit.: Who's Who in Art, [3] 1934.

Brázda, Jan, tschech. Maler u. Graphiker, * 1917 Rom, ansässig in Stockholm. Sohn des Folg.

Stud. an der Akad. in Prag. Bereiste Südeuropa. Figürliches u. Stilleben. Bilder im Nat.-Mus. in Stockholm, im Mus. in Karlstad u. in d. Smlg des Prinzen Eugen von Schweden.

Lit.: Thomœus.

Brázda, Oskar, tschech. Maler, * 30. 9. 1888 Rosice, ansässig in Ličkov, Böhmen. Vater des Jan.

Stud. 1903/11 an der Wiener Akad. bei R. Bacher u. K. Pochwalski. Seit 1913 in Rom, wo er bes. als Bildnismaler arbeitete. Seit 1925 in Ličkov ansässig. Bildnisse u. Figürliches, Stilleben. Breiter malerischer Vortrag. In d. Mailänder Gall. d'Arte Mod. sein Selbstporträt; weitere Werke in Venedig (Gall. d'Arte Mod.), Brüssel (Musée Mod.) u. in d. Prager Nat.-Gal. Sonderausstellgn in Žatec 1929, in Prag 1930 („Jednota").

Lit.: Dílo (Prag), 17 (1923). — The Studio, 88 (1924) 115f., m. 2 Abbn. — Emporium, 55 (1922) 2/14, m. 20 Abbn u. 1 farb. Taf. — Öst. Kunst, 3 (1932) Heft 2, p. 8 (Abbn). — Kat. Ausst. Prag 1925. — Toman, I 96.

Brcin, John David, serb.-amer. Bildhauer, * 15. 8. 1899 in Serbien, ansässig in Chicago, Ill.

Schüler von Albin Polasek in Chicago. Gedenktafeln (Reliefs) für Newton Mann in der First Unitarian Church in Omaha, Neb., u. für Benj. Franklin Lounsbury in Washington Blvd. Hospital in Chicago. Vertreten im Witte Memorial Museum in San Antonio, Tex., u. in d. Städt. Smlg in Chicago.

Lit.: Fielding. — Amer. Art Annual, 20 (1923) 451; 30 (1933). — Who's Who in Amer. Art, I: 1936/37.

Brealey, William Ramsden, engl. Bildnis- u. Figurenmaler, * 29. 6. 1889 Sheffield, ansässig in London.

Lit.: Who's Who in Art, [3] 1934.

Bréard, Henri Georges, franz. Figurenmaler, * 1873 Paris, ansässig ebda.

Schüler von H. Royer u. Schommer. Seit 1928 Mitglied der Soc. d. Art. Franç.

Lit.: Joseph, I. — Bénézit, [2] II. — Meister der Farbe (E. A. Seemann, Leipzig), 1922 Taf. 22.

Brechenmacher, Raymond Jacques, franz. Porträtmaler u. Kupferstecher, * 1897 Paris, deutsch. Herkunft (wohl aus der Gegend von Nördlingen), ansässig in Versailles.

Schüler von Flameng u. Cormon. 1922 Rompreis. 1928 Silb. Med. Stellte im Salon der Soc. d. Art. Franç. 1930 ein Damenbildnis aus (Abb. im Kat.). Hauptblatt: Urteil des Paris.

Lit.: Joseph, I.

Brécheret, Victor, brasil. Bildhauer, * São Paulo, ansässig in Paris.

Stellt seit 1924 im Salon d'Automne, 1925 im Salon des Tuileries, seit 1929 auch bei den Indépendants aus. Akte in strenger geometrischer Stilisierung.

Lit.: Joseph, I. — Bénézit, [2] II. — La Renaiss. de l'Art franç., 9 (1926) 480 (Abb.), 484.

Breck, Robert Evens, amer. Bildnismaler, * 22. 11. 1907 White Plains, N. Y., ansässig in Boston, Mass.

Schüler von Harvard, Yale u. Dean Cornwell.

Lit.: Who's Who in Amer. Art, I: 1936/37. — Amer. Art Annual, 30 (1933).

Breckenridge, Hugh Henry, amer. Maler, * 6. 10. 1870 Leesburg, Va., † 1937 Fort Washington, Pa.

Schüler von Bouguereau, Ferrier u. Doucet in Paris. Wiederholt durch Medaillen ausgezeichnet. Silb. Medaille Buenos Aires Exp. 1910; Gold. Med. Panama-Pac. Exp. San Francisco 1915. Bildnisse u. a. im Jefferson Medical College der Universität Philadelphia, Pa., im College of Physicians und in der Historical Society ebda. Landschaften u. a. im St. Louis Club in St. Louis, Mo. Ein Stilleben im Mus. in San Francisco. Altarbild im Mus. in Los Angeles, Calif.

Lit.: Th.-B., 4 (1910). — Fielding. — Amer. Art Annual, 14 (1917) 434, m. Fotobildn. geg. p. 410; 20 (1923) 451; 30 (1933). — The Studio, 67 (1916) 206; 70 (1917) 143, m. Abb. — Cat. de Luxe of the Departm. of F. Arts Panama-Pacific Intern. Expos. San Francisco, II (1915), Taf. geg. p. 288, 292. — Earle. — Who's Who in Amer. Art, I: 1936/37. — Monro.

Brecq, Fernand, franz. Landschafts- u. Stillebenmaler, * Loudun (Vienne), ansässig in Garches (Seine-et-Oise).

Stellte seit 1900 bei den Indépendants in Paris aus.

Lit.: Joseph, I. — Bénézit, [2] II.

Bredberg, Mina, s. *Carlson,* Vilhelmina.

Bredemeier, Carl, amer. Maler u. Kartonzeichner, * 26. 6. 1892 Chicago, Ill., ansässig in Buffalo, N. Y.

Schüler von Homer Boss, Henry Rankin Poore u. Carl Peters.

Lit.: Who's Who in Amer. Art, I: 1936/37. — Amer. Art Annual, 30 (1933).

Bredin, R. Sloan, amer. Landschafts- u. Bildnismaler, * 9. 9. 1881 Butler, Butler Co., Pa., † Juli 1933 New Hope, Bucks Co., Pa.

Schüler von W. M. Chase, Du Mond u. Beckwith. Bilder in der Art Soc. in Minneapolis u. im Arts Club in Philadelphia, Pa.

Lit.: Fielding. — Amer. Art Annual, 20 (1923) 452. — Monro. — The Art News, 31, Nr 39 v. 12. 8. 1933, p. 6; 32, Nr 1 v. 7. 10. 1933, p. 14, m. Abb.

Bredow, Gustav Adolf, dtsch. Bildhauer (Prof.), * 22. 8. 1875 Krefeld, ansässig in Stuttgart.

Stud. an der Düsseldorfer Akad. Bergpredigt, Matthäusk. in Stuttgart; Altarkreuz, St. Michaelisk. in Waiblingen. Bauplastik: Lindenmuseum in Stuttgart; Rathaus in Hannover. Grabmäler in Stuttgart, Neresheim, Göppingen u. a. O. Figürlich reich verzierter Brunnen für Buenos Aires; Reliefs über den Türen zum gr. Festsaal u. im Treppenhaus des Rathauses in Hannover; Kanzelrelief in d. Kirche in Eutringen; Ehrengrab für die verstorbenen deutschen Internierten des 1. Weltkrieges in Holland auf Crosswyk (1919).

Lit.: Th.-B., 4 (1910). — Dreßler. — Antiquitäten-Rundschau, 20 (1922) 56. — Mod. Bauformen, 8. — D. Kunst, 27 (1912/13) 518, 520 (Abb.); 29 (1913/14) 351/57, m. Abb.; 30 (1913/14) 212, 216 (Abb.), 219 (Abb.). — D. Plastik, 4 (1914) Taf. 79 (Abbn). — Kstgewerbeblatt, N. F. 25 (1914) 169, m. 2 Abbn. — Mitteil. d. Exlibris-Vereins Berlin, 16 (1922) 35.

Bredow, Otto, dtsch. Bildnis- u. Landschaftsmaler, * 4. 8. 1874 Berlin, ansässig ebda.

Stud. 1893/96 an d. kgl. Kunstschule, 1900/05 an d. Akad. in Berlin, 1903 Adolf-Menzel-Preis. Bild: Lagerhäuser in Kopenhagen, im Bes. d. Stadt Berlin.

Lit.: Dreßler.

Bredsdorff, Axel, dän. Figuren- u. Porträtmaler, * 1883.

Sohn des Landschaftsmalers Joh. Ulrik B. (* 1845, † 1929). Bildnis des Dichters u. Pädagogen Jakob Knudsen im Mus. in Maribø (1914).

Lit.: Dahl-Engelstoft, I. — Ord och Bild, 27 (1917) 219 (Abb.).

Bredt, Ferdinand Max, dtsch. Orient-, Figuren- u. Bildnismaler, * 7. 6. 1868 Leipzig † 8. 6. 1921 Ruhpolding, Oberbay.

Schüler von Kräutler, Rustige u. Häberle, dann von B. v. Neher, J. Grünenwald u. C. v. Häberlin in Stuttgart u. von W. v. Lindenschmit in München. Häufige Aufenthalte im Orient u. in Griechenland. Mitgl. der Münchner Sezession. Seit 1892 meist auf Schloß Hartmannsberg a. Chiemsee, seit 1897 bei Ruhpolding ansässig. Bild in d. Gal. in Stuttgart. Sonder-Ausst. im Haus d. Münchner Künstlergenossensch. März/April 1917 (ill. Kat.).

Lit.: Th.-B., 4 (1910). — Rechensch.-Ber. Kstver. München, 1922/23, p. 19/21. — D. Kunst, 44 (1920–21), Beibl. Julih. p. XVI. — Kstchronik, N. F. 31 (1919/20) 739; 32 (1920/21) 727. — E. A. Seemann's „Meister d. Farbe", 1917, H. 3 Nr 935. — Westermanns Monatsh., 136 (1924) 599ff., m. 14 Abbn u. Taf.-Abb. 46.

Brée, Álvaro de, portug. Bildhauer u. Medailleur, * 6. 8. 1903 Lissabon.

Stud. an der Kunstsch. in Lissabon; Schüler von Niclousse, Bourdelle u. Despiau in Paris, an d. Acad. Julian u. an d. Acad. Scandinave. Beschickt den Salon d'Automne u. den Salon des Tuileries in Paris. Erhielt 1941 den Preis „Mestre Manuel Pereira". — Vertreten im Nat.-Mus. f. zeitgenöss. Kunst in Lissabon. Standbild des port. Navigators João Rodrigues Cabrilho in San Diego, Kalifornien; Statuen der Navigatoren Diogo Gomes, Pedro de Sintra, João de Santarém u. Diogo Cão; Tympanon der Kathedr. in Nova Lisboa; 2 Basreliefs für die Schule des Archit. Eugénio dos Santos e Carvalho in Alvalade; Basrelief für d. Denkmal des João do Rio; Denkmal der Helden Portugals (in Zusammenarbeit mit Archit. Cristino da Silva); Statue der Santa Regina für Odivelas.

Lit.: Pamplona, p. 375f. — Portugal, S. P. N., 1946 p. 392. — Cel. Soares, California and the Portuguese. — A. Heilmeyer-R. Benet, La Escultura Mod. y Contemp., 1949 p. 249. — Bénézit, [2] 2 (1949). — Kat.: Salon Internat. de la Médaille, Paris 1949; Internat. Ausst. mod. Medaillen, Amsterdam 1950.

Breek, Hans van, dtsch. Bildhauer (Prof.), * 5. 11. 1906 Elberfeld, ansässig in Weimar.

Nach Lehrzeit als Steinmetz u. Bildhauer in der väterl. Werkstatt Schüler der Dresdner Akad. unter Albiker. Dann Meisterschüler Rich. Langers in Düsseldorf. 1936 erster Corneliuspreisträger der Düsseld. Akademie. 1941 Villa-Romana-Preis. 1942/43 Studienaufenthalt in Rom u. Florenz. Seit 1945 Prof. an der Hochsch. der bild. Kste in Weimar, seit 1947 Prof. u. Lehrstuhlinhaber für freie Plastik ebda. Meißelt direkt aus dem Steinblock heraus. Erstrebt eine unproblematische, starke u. streng tektonische Naturform. In öff. Smlgn: Ksthalle Düsseldorf, Marmorfigur; Rathaus Mühlhausen, Thomas-Münzer-Büste; Nationaltheater Weimar, Goethe-Büste; Akad. der Kste Moskau, Karl-Marx-Büste; Angermuseum Erfurt, Frauenporträt u. Aktzeichnungen; Meiningen, Goethepark, Goethe-Büste; Park Weimar, Hockende.

Lit.: Thür. Volk (Weimar), 23. 4. 1949, m. Abb.

Breemen, Jacobus Willem van, holl. Landschaftsmaler u. Rad., * 23. 1. 1881.

Schüler von Heyberg u. Maasdijk an der Rotterdamer Akad.

Lit.: Waay.

Breemer, J., holl. Zeichner, * 8. 12. 1875.

1894/95 Schüler der Akad. Amsterdam.

Lit.: Plasschaert. — Waay.

Breems, Alida den, verehel. *BlonkerHernij*, holl. Stilleben- u. Landschaftsmalerin, * 12. 1. 1885 im Haag, ansässig ebda.

Schülerin von R. Bisschop.

Lit.: Plasschaert. — Waay. — Waller.

Breest-Justus, Elisabeth, dtsche Blumen- u. Landschaftsmalerin, * 27. 3. 1872 Hamburg, ansässig in München.

Stud. bei Peter Paul Müller, C. Bössenroth u. Th. Hummel in München.

Lit.: Dreßler.

Breetvelt, A., holl. Figuren- u. Stillebenmaler u. -zeichner, * 31. 12. 1892 Delft, ansässig in Amsterdam.

Schüler der Haager Akad., modellierte bei Toon Dupuis. Ging 1920 als Zeichenlehrer nach Niederl.-Indien. Anfangs Surrealist, ging später zum Naturalismus über.

Lit.: Waay.

Brefel, Jean, franz. Genrebildhauer, * Toulon, ansässig in Paris.

Schüler von J. Labatut. Mitglied der Soc. d. Art. Franç., beschickt deren Salon seit 1913. Ehrenvolle Erwähnung 1920.

Lit.: Joseph, I. — Bénézit, [2] II.

Breffort, Jean, franz. Landschafts- u. Architekturmaler, ansässig in Paris.

Stellt seit 1925 bei den Indépendants aus.

Lit.: Joseph, I.

Bregegère, Arthur, franz. Maler, * Chanier (Charente-Maritime).

Stellt seit 1935 bei den Indépendants aus.

Lit.: Bénézit, [2] II (1949). — Beaux-Arts, Nr 270 v. 4. 3. 1938, p. 2 (Abb.); Nr 324 v. 17. 3. 1939, p. 2 (Abb.).

Bregler, Charles, amer. Maler u. Bildhauer, * Philadelphia, Pa., ansässig ebda.

Schüler von Thomas Eakins u. der Art Student's League in New York.

Lit.: Fielding. — Amer. Art Annual, 20 (1923) 452.

Bregy, Edith, amer. Malerin, * Philadelphia, Pa., ansässig ebda.

Schülerin von Snell, Beaux, Carlson u. Ch. Woodbury. Blumenstück im Herron Art Inst. in Indianapolis, Ind.

Lit.: Fielding. — Amer. Art Annual, 20 (1923) 452; 30 (1933).

Brehm, George, amer. Illustrator, * 30. 9. 1878 Anderson, Ind., ansässig in New York. Bruder des Folg.

Schüler von Twachtman, Bridgman u. Du Mond.

Lit.: Fielding. — Amer. Art Annual, 20 (1923) 452; 30 (1933).

Brehm, Worth, amer. Illustrator, * 8. 8. 1883 Anderson, Ind., ansässig in New Rochelle, N. Y. Bruder des Vor.

Schüler des John Herron Inst. u. der Art Student's League in New York.

Lit.: Amer. Art Annual, 20 (1923) 452.

Breidvik, Mons, norweg.-amer. Radierer u. Lithogr., * 15. 1. 1881 Yttre Sogen, ansässig in New York.

Schüler von Erik Werenskiold u. Harriet Backer. Selbstbildnis (1906) im Mus. in Bergen, Norwegen. Weitere Zeichnungen im Mus. in Brooklyn, N. Y.

Lit.: Amer. Art Annual, 27 (1930) 512; 29 (1932). — Who's Who in Amer. Art, I: 1936/37.

Breikšs, Nikolajs, lett. Landschafts- u. Stillebenmaler, * 1911 Mohilew (Rußland), ansässig in Riga.

Schüler von V. Puvītis an d. Akad. in Riga. Beteiligt an der Lett. Ausst. im Pariser Musée du Jeu de Paume Jan./Febr. 1939.

Lit.: Bénézit, [2] II (1949).

Breil, Bruno, dtsch. Maler, * 27. 7. 1888 Königsdorf, Kr. Marienburg, ansässig in Berlin.

Stud. an der Berl. Akad. Architektur, Bildnisse, Figürliches, Landschaften. Im Bes. der Stadt Berlin: Mädchen mit Blume; im Rathaus in Berlin-Schöneberg: Bildnis Bürgermeister Berndt.

Lit.: Dreßler. — Mecklenb. Monatsh., 5 (1929) farb. Taf. geg. p. 1.

Brein, John David, serb.-amer. Bildhauer, * 1899 Serbien, ansässig in Chicago.

Lit.: Fielding.

Breinlinger, Hans, dtsch. Maler u. Entwurfzeichner für Mosaik, * 8. 7. 1888 Konstanz, ansässig ebda.

Schüler von Trübner. Einige Zeit in Dachau bei München, dann in Berlin ansässig, wo er die Juryfreie Kstschau 1927 u. 1929 (Kat. mit Abbn) beschickte. Seitdem in Konstanz. Kollektivausst.: Mod. Gal. Thannhauser, München, Febr. 1926; Wessenberghaus, Konstanz, Sept. 1948.

Lit.: Dreßler. — D. Kstblatt, 11 (1927) 365f. (Abbn). — D. Kstwerk, 2 (1948) H. 9, p. 56. — D. Münster, 1 (1948) 308, m. Abb. — Schwarzwäld. Post. Oberndorf/N., 20. 9. 1948.

Breitenstein, Ernst, schweiz. Maler, * 12. 7. 1857 Binningen b. Basel, † Mitte Nov. 1929 Basel.

Schüler von F. Schider in Basel, weitergebildet im Atelier Colarossi in Paris. In der Öff. Kstsmlg in Basel außer den bei Th.-B. gen. 3 Bildern ein Bildnis der Mutter des Künstlers u. ein Bildnis seiner Eltern. Weitere Bilder in den Museen in Lugano u. St. Gallen. Selbstbiogr.: Öppis us mim Läbe, Basel 1923 (39 S., m. Abbn).

Lit.: Th.-B., 4 (1910). — Dreßler. — Basler

Nachr. Nr 314 v. 16./17. 11. 1929. — Kst u. das schöne Heim, 50 (1951) H. 2, Beil. p. 53. — D. Kstwerk, 5 (1951) H. 3, p. 71, m. Abb.

Breitfeld, Karl August, dtsch. Maler u. Graph., * 2.12.1902 Buchholz/Erzgeb., ansässig in Brannenburg/Inn. Gatte der Folg.

Stud. am Lehrerseminar in Annaberg, an d. Techn. Hochsch. Dresden, der Universität u. Akad. in Leipzig u. an den Akad. Königsberg (Meisterschüler von Rich. Pfeiffer) u. Dresden. Stud. Kunstgeschichte, Zoologie, Botanik u. Geographie. Kunstgeschichtl., geograph. u. Malerreisen nach Italien, Holland, Schweiz u. Skandinavien. *J.*

Breitfeld-Ulbricht, Charlotte, dtsche Blumenmalerin, * 5.1.1902 Neusalza/Sachs., ansässig in Brannenburg/Inn. Gattin des Vor.

Stud. am Lehrerin-Seminar in Dresden, an der T. H. Dresden u. an d. Univers. u. Akad. Leipzig. Längere kunstgesch. Tätigkeit in Italien. *J.*

Breithut, Peter, öst. Medailleur, Kleinplastiker, Plaketten- u. Schmuckkünstler, Maler u. Radierer, * 12.6.1869 Krems a.d.D., † 1930 Mannheim. Gatte der Eugenie Munk.

Lernte zunächst Goldschmied, dann Medailleur u. Bildh. bei Edm. Hellmer an der Wiener Akad. Wandte sich nach längerer bildhauer. Tätigkeit um 1913 der Malerei zu: Landsch. (Öl u. Aquar.), Bildnisse, Figürliches (Fischpredigt des hl. Antonius in der Wiener Sezession 1913). Hat ca. 25, mit der kalten Nadel unmittelbar vor der Natur auf Kupfer geritzte, in wenigen Abzügen vorhandene Radierungen hinterlassen: Bildnisse, Landschaften, Architekturen, Blumenstücke; auch einige Exlibris. Mitglied des Hagenbundes. Seit 1922 in Mannheim ansässig.

Lit.: Th.-B., 4 (1910). — D. Cicerone, 5 (1913) 216. — D. bild. Künste (Wien), 3 (1920/21) 100 (Abb.). — Die Graph. Künste (Wien), 56 (1933) 23f., m. 2 Abbn. — Dtsche Kst u. Dekor., 67 (1930/31) Beil. p. 42.

Breitkopf-Cosel, Josef, dtsch. Bildhauer, * 18.7.1876 (1866?) Bovislawitz, Oberschl., ansässig in Berlin.

Schüler der Berl. Akad. Lehrer an der Kstgewerbesch. in Charlottenburg. Figürliches, Bildnisbüsten (Rich. Wagner, Papst Leo XIII., Kais. Wilhelm II.) u. -statuetten (R. Wagner). Bauplastik (Hochrelief: Erleuchtung, für die Taubstummenanstalt in Berlin-Neukölln; allegor. Gruppen: Gelehrsamkeit u. Weltkunde, für das Gymnasium in Spandau); dekor. Skulpturen für die Bergakad. (Erweiterungsbau der Techn. Hochsch. Charlottenburg) u. das Polizeidienstgeb. in Schöneberg; Portalstatue der Königin Luise für die Königin-Luise-Gedächtniskirche in Berlin-Weidmannslust. Im Berliner Lessing-Mus. ein Bildnisrelief E. M. Arndts.

Lit.: Dreßler. — D. Christl. Kst, 4 (1907/08) 199 (Abb.), 200 (Abb.); 10 (1913/14) Beil. p. 31; 12 (1915 –16) 159. — D. Oberschlesier, 10 (1928) Abbn geg. pp. 477, 484, 492, 500, p. 495/96 (Text). — The Studio, 39 (1907) 171, m. Abb.

Breker, Arno, dtsch. Bildhauer (Prof.), * 19.7.1900 Elberfeld, ansässig in Berlin. Bruder des Hans.

Schüler von Hubert Netzer an der Düsseldorfer Akad. (1920/25), trat hier in Verbindung mit d. Archit. Wilh. Kreis, der sein erster Auftraggeber wurde. 1927/33 in Paris, dazwischen 8 Monate an der Deutsch. Akad. in Rom. Seit 1933 in Berlin. Werkstätte, verbunden mit einer Bildteppichweberei, in Wriezen. Hauptsächlich Aktdarstellungen in klassizist. Auffassung u. Bildnisbüsten. Kolossalfiguren (Zehnkämpfer, Siegerin) für das Berliner Reichssportfeld. Kollektivausstellungen Okt. 1935 in d. Gal. Alex. Vömel in Düsseldorf, Mai 1942 in d. Orangerie in Paris, Febr. 1943 im Haus d. Rhein. Heimat in Köln. Röntgendenkmal in Lennep-Remscheid. Eine Auswahl s. Zeichngn veröff. in Reprodukt. (davon 2 getönt) der Verlag Ed. Stichnote in Potsdam. Arbeiten in den Museen in Düren u. Wuppertal-Elberfeld.

Lit.: Joh. Sommer, A. B. (Rhein. Meisterwerke, H. 11), Bonn o. J. [1942]. — Ch. Despiau, A. B., Paris 1942. — H. Grothe, m. 2 Abbn. — Werner, p. 156/59, 161, 165/69, 205f., m. Fotobildn. — Dtsche Bauztg, 70 (1936) 845 (Abb.). — D. Bild, 1936, p. 227 (Abb.); 1939, p. 260 (Abb.). — D. Cicerone, 17 (1925) 794 (Abb.); 20 (1928) 440 (Abb.); 21 (1929) 712 (Abb.); 22 (1930) 523. — D. Kunst, 59 (1928/29) 370ff., m. Abbn; 65 (1931/32) 323 (Abb.); 67 (1932 –33) Beibl. p. V; 69 (1933/34) p. 16, 17 (Abb.); 18 (Abb.); 19 (Abbn), 20 (Abb.); 71 (1934/35) 237 (Abb.), 244; 75 (1937) 361 (Abb.); 79 (1938/39) 18/25, m. Abbn; 81 (1939/40) 235 (Abb.), 285 (Abb.), 286 (Abb.), 288; 85 (1941/42) 10, 13 (Abb.), 240, 242 (Abb.). — D. Kst f. Alle, 53 (1937/38) 259 (Abb.), 269 (Abb.). — Dtsche Kst u. Dekor., 63 (1928/29) 87, m. Abb. — Kst u. Kstler, 27 (1928/29) 166 (Abb.); 29 (1930/31) 217, m. Abb.; 32 (1933) 147 (Abb.). — Die Kst dem Volk, 10 (1938) 13/17. — D. Kstblatt, 1926, p. 185 (Abb.); 1929, p. 78 (Abb.). — Kstrundschau, 50 (1942) 78, 92 (Abb.), 93. — Velhagen & Klasings Monatsh., 55 (1940) 77/84. — Westermanns Monatsh., 165 (1938/39) 101/08, m. Abbn, 169, Abb. am Schluß des Bandes.

Breker, Hans, dtsch. Bildhauer, * 5.11. 1906 Elberfeld, ansässig in Düsseldorf. Bruder des Arno.

Stud. 1925/27 bei Albiker an der Dresdner Akad., 1928/32 bei Langer an der Düsseld. Akad. 1941 Villa-Romana-Preis. Kriegerehrenmal in Elbing. Arbeiten für die Matthäikirche in Düsseldorf.

Lit.: Nemitz, p. 21/23 (Abbn). — Werner, p. 197f., 206. — Westermanns Monatsh., 166 (1939) 242, Abb. am Schluß d. Bandes. — Grothe.

Breling, Amalie, dtsche Bildhauerin, Keramikerin u. Rad., * 11.11.1876, ansässig in Fischerhude b. Bremen.

Schülerin von A. Maillol in Paris. Derbe, volkstümliche keramische Kleinplastikgruppen, ausgef. in den M.-Laeuger-Tonwerken in Kandern. Sammelausst. in d. Neuen Kunst H. Goltz, München, 1913.

Lit.: Dreßler. — D. Plastik, 1912, Taf. 12 u. 17.

Brellochs, Hermann, dtsch. Bildhauer u. Zeichner, * 22.7.1899 Heilbronn, ansässig in Stuttgart.

Autodidakt. Hauptsächlich Bildnisbüsten u. Akte.

Lit.: Dreßler. — D. Kunst, 63 (1930/31) 112/17, m. Abbn. — Dtsche Kst u. Dekor., 67 (1930/31) 192 –95, m. Abbn.

Bremaecker, Eugène de, belg. Bildhauer, Medailleur u. Plakettenkstler, * 1879 Brüssel, ansässig in Neuilly-sur-Seine.

Schüler von V. Rousseau u. J. Dillens an der Brüsseler Akad. Stellt im Salon der Soc. d. Art. Franç. u. im Salon d. Soc. Nat. d. B.-Arts in Paris aus (Kat. z. T. m. Abbn). Hauptsächlich Porträtbüsten u. Genre. Denkmal Trésignies in Charleroi.

Lit.: Seyn, I 211. — Forrer, 7. — Le Home, Dez. 1913 p. 417/23, m. 15 Abbn.

Breman, Elisabeth (Lizzy), geb. *Schouten,* holl. Bildnismalerin u. -zeichnerin, * 29. 11. 1887 Amsterdam, ansässig in Laren.

Schülerin der Akad. A'dam 1905/08.

Lit.: Plasschaert. — Waay. — Waller, p. 294.

Bremer, Anne, amer. Malerin (bes. Wandmalerin), * San Francisco, Calif., † Nov. 1923 ebda.

Schülerin des Mark Hopkins Inst. in San Francisco, der Art Student's League in New York u. d. Acad. Moderne in Paris. Wandbilder u. a. in Mt. Zion Hospital in San Francisco, im Palace of F. Arts ebda, im Mills College u. in d. Oakland Art Gall. in Oakland, Calif.

Lit.: Fielding. — Amer. Art Annual, 20 (1923) 452. — Monro.

Bremer, Hans, dtsch. Maler u. Graph., * 25. 2. 1885 Berlin, ansässig in Birkenwerder.

Schüler der Berl. Akad. 1908/13 bei Fr. Kallmorgen. Italienpreis der Karl-Blechen-Stiftung. Stillleben, Landschaften, Genre.

Lit.: Dreßler. — Westermanns Monatsh., 122/II (1917) 761, m. Abb. — D. Weltkst, 15 Nr 21/22 v. 25. 5. 1941, p. 1 (Abb.).

Bremer, Hester, elsäss.-amer. Bildhauerin, * 8. 7. 1887 im Elsaß, ansässig in Chicago, Ill.

Schülerin von Hudler u. Murdach.

Lit.: Amer. Art Annual, 20 (1923) 452.

Bremme-Schoeller, Margit, elsäss. Bildhauerin, * 17. 9. 1916 Straßburg, ansässig in Düsseldorf.

Autodidaktin. Kinderporträts, Kleinplastiken.

Bremmer, H. P., holl. Kstschriftst. u. Landschaftsmaler, * 1872 Leiden.

Stadtansichten, Blumenstücke. Pointillist.

Lit.: Plasschaert. — Waay.

Bremmer, Rudolf (Rolf), holl. Stilleben-, Tier- u. Landschaftsmaler u. Zeichner.

Lit.: Maandbl. v. beeld. Kunsten, 13 (1936) 85 (Abb.), 87; 14 (1937) 306/13, m. 6 Abbn (dar. Selbstbildn., 1920).

Brémond, Henri, franz. Bildnis-, Landschafts- u. Genremaler, * 8. 5. 1875 Pourcieux (Var), ansässig in Marseille.

Schüler von Gérôme u. Cormon. Mitglied der Soc. d. Art. Franç., stellt dort seit 1899 aus. Dekor. Malereien im Stadthaus in Surêmes, in der Comédie Française u. in d. Handelskammer in Marseille.

Lit.: Joseph, I. — Bénézit, ² II. — A. J. A. Lobry, H. B. Vie d'un peintre pendant la guerre, Paris u. Nancy 1917. — Journal of Aesthetics a. Art Criticisme (Pittsburgh), 4 (1946) 229/35. — The Internat. Who's Who 1943/44, 8. Ausg. (irrig Brimond).

Brémond, Marie Jeanne, franz. Malerin, * Paris, † 11. 7. 1926 ebda.

Schülerin ihres Gatten Jean Louis B. (* 1858) u. von Gervex. Bildnisse, Genre, Pferde, Landschaften. Stellte 1892ff. bei den Indépendants aus. 1927 posthume Ausstellg ebda.

Lit.: Joseph, I. — Bénézit, ² II.

Brencēns, Eduards, livländ. Maler, Zeichner u. Buchillustr., * 2. 7. 1885. Bruder des Kārlis.

Stud. 1904/10 an der Stieglitz-Malschule in Petersburg (Leningrad). Mitbegründer des Künstlervereins Balto Varnu. Neuromantiker. Bühnendekorationen für das Nationaltheater in Riga.

Lit.: Latviešu Konvers. Vārdnīca, 2 (Riga 1928/29), m. 2 Abbn u. Selbstbildn. (Zeichng).

Brencens, Kārlis, livländ. Bildnis- u. Aktmaler, * 24. 4. 1879. Bruder des Eduards.

Stud. 1897/1903 an der Stieglitz-Malschule in Petersburg (Leningrad), 1904/07 bei Anglada y Camarasa in Paris. 1907/20 Lehrer an der Stieglitz-Schule. Erklärter Naturalist. Vertreten im Kstmus. in Riga.

Lit.: Latviešu Konvers. Vārdnīca, 2 (Riga 1928–29), m. 2 Abbn u. Fotobildn. — Tidskrift f. Konstvetenskap, 14 (1930) 93f.

Brendecke, Paula, dtsche Malerin u. Rad., * 18. 7. 1879 Braunschweig, ansässig ebda.

Stud. an d. Leipziger Akad., dann bei Groeber u. Caroline Kempter in München u. bei J. Simon in Paris.

Lit.: Dreßler.

Brendekilde, Hans Andersen, dän. Genremaler, * 7. 4. 1857 Brændekilde auf Fünen, † 30. 3. 1942 Jyllinge b. Roskilde.

Bildete sich anfängl. als Bildhauer. Stellte seit 1882 aus. Eckersberg-Med. 1893. Gold. Med. Internat. Ausst. München 1891. Bilder im Staatl. Kstmus. in Kopenhagen u. in den Museen in Aalborg u. Göteborg.

Lit.: Th.-B., 4 (1910). — Dahl-Engelstoft, I. — Krak's Blaa Bog, 1936. — N. F., 3. — Vem är Vem i Norden, Stockh. 1941, p. 51. — Kunstmuseets Aarsskrift, 1937; 1941. — Weilbach, ³ I.

Brendel, Carl Alexander, dtsch. Tier- u. Landschaftsmaler u. Holzschneider (Prof.), * 24. 6. 1877 Weimar, zuletzt ansässig in Buschmühle b. Frankfurt a. d. O.

Sohn des Tiermalers Albert B. Stud. 1894/99 bei Carl Fritj. Smith an d. Weimarer Kunstsch., 1900 an der Acad. Julian in Paris, 1905/11 im Meisteratelier Albert Hertels u. in der Tierklasse P. Meyerheim. 1908/09 Stipendiat der Berliner Akad. in Rom. Seit 1911 in Buschmühle ansässig. 1921/24 Prof. an der Staatl. Hochsch. für bild. Kunst in Weimar. Bilder u. a. im Mus. in Frankfurt a. d. O. u. in der Gemäldegal. in Mainz. Wandgemälde in der Marienkirche in Frankf. a. d. O.

Lit.: Th.-B., 4 (1910). — Dreßler. — Vom Schaffen ostmärk. Maler (Verlag „Heilige Ostmark"), 10 (1934) Heft 10 (Sonderh.). — D. Graph. Künste (Wien), 38 (1915) 41 (Abb.), 45. — Ostdtsche Monatsh., 18 (1937) 529/44. — Monatsh. f. Lit., Kst u. Wiss., 12 (1936) 469/76. — Velhagen & Klasings Monatsh., 36 (1921/22) p. 120; 38 (1923/24), farb. Taf.-Abb. geg. p. 296. — Westermanns Monatsh., 132/I (1922) 65/72, 96. — Der Tag, Nr 211 v. 9. 9. 1913, m. Abb.

Brendel, Karl Adolf, dtsch. Architekt, * 3. 4. 1870 Nördlingen, zuletzt ansässig in Nürnberg.

Stud. an den Techn. Hochschulen München u. Charlottenburg. 1901/11 Lehrer an der Kreisbausch. in Kaiserslautern. — Distriktskrankenhaus in Oettingen; evang. Kirchen in Erbendorf, Pfaffenhofen a. d. Ilm u. Naabburg, Oberpfalz.

Lit.: Dreßler.

Brendel, Ursula, dtsche Bildnismalerin, * 11. 2. 1876 Weimar, ansässig ebda.

Stud. an der Unterrichtsanstalt des Berliner Kstgew.-Mus. u. an der Kstschule in Weimar.

Lit.: Dreßler. — Velhagen & Klasings Monatsh., 44/I (1929/30) 441ff. (Abbn).

Brender à Brandis, Gerard (Geraldo), holl. Maler, * 21. 3. 1878 im Haag, ansässig in Blaricum.

Schüler von Wijsmüller u. Hart Nibbrig, dann der Haager Akad. u. 1898 der Amsterd. Akad. — Landschaften, Stilleben (bes. Früchte), Interieurs, Figürliches, Tiere (bes. Pferde). Auch Buchschmuck. Mitglied der „Onafhankelijken". 1913/14 in England.

Lit.: Plasschaert. — Waller. — Onze Kunst, 32 (1917) 179/92.

Breneiser, Stanley, amer. Maler, * 10. 1. 1890 Reading, Pa., ansässig in Santa Maria, Calif., sommers in Eidolon, N. M.

Stud. an d. Industriesch. des Pennsylvania Mus. in Philadelphia u. an d. Art Student's League in New York. Bereiste England, Frankreich, Italien, Deutschland, Holland u. Belgien. — Seine Gattin Elizabeth, * 20. 4. 1890, ist Juwelierin, Leder- u. Batikkünstlerin.

Lit.: Amer. Art Annual, 27 (1930) 512; 30 (1933). — Who's Who in Amer. Art, I: 1936/37. — Design (Columbus, O.), 50, Juni 1949, p. 10 (Abb.).

Brenet, Albert, franz. Maler, * Harfleur (Seine-Infér.), ansässig in Paris.

Schüler von E. Laurent u. M. R. Marx. Bildnisse, Tiere, Marinen. Mitglied der Soc. d. Art. Franç.

Lit.: Joseph, I.

Brennan, Alexander Joseph, amer. Maler, * 18. 5. 1881 New York, ansässig ebda.

Lit.: Amer. Art Annual, 20 (1923) 452.

Brenneisen, Heinrich Wilhelm, dtsch. Maler u. Radierer, * 2. 3. 1895 Aglasterhausen, Amt Mosbach, ansässig in Karlsruhe.

Schüler von W. Georgi u. Jul. Bergmann an der Karlsruher Akad., dann im Meisteratelier H. A. Bühler. Gemälde im Bürgersaal des Rathauses in Eppingen.

Lit.: Dreßler.

Brenner, Anton, öst. Architekt, * 1896 Wien, ansässig in Frankfurt a. M.

Stud. an der Wiener Kstgewerbesch., dann an der Akad. bei Frank, Strnad u. C. Holzmeister. Tätig beim Hochbauamt in Frankfurt. — Kirche u. Schule für die chines.-protestant. Gemeinde in Tsingtau; Bebauungsplan zu einer Siedlung Sagedergasse-Altmannsdorfer Anger in Wien.

Lit.: Platz. — Emporium, 81 (1935) 292 (Abb.).

Brenner, Heinrich, dtsch-balt. Bildhauer, * 2. 12. 1883 Marienburg/Livland, ansässig in Chemnitz.

Stud. an den Akad. in Leipzig u. Dresden. Vorliebe für indische u. gotische Kunst. Arbeiten in Museumsbesitz: Albertinum Dresden, Mutter u. Kind. Museum Chemnitz, Porträtbüste Pfarrer Hoffmann; Frau Theiler; Plakette (Liebespaar). Vogelbrunnen im Stadtpark Chemnitz. Ehrenmal für verstorbene Kriegsgefangene in Chemnitz. Diskuswerfer (überlebensgroß, Bronze), Chemnitz. Brunnen m. Figuren in Arbeitersiedlung der Wandererwerke, ebda. Mutter u. Kind, Stein, Siedlung Chemnitz. Industrieschule Chemnitz, Portalgestaltung, 5 m hohe Figur. Karl-Marx-Schule Chemnitz, 8 überlebensgr. Fassadenfiguren. Figürl. Ausschmückung des Standesamtes Chemnitz. Büste Geh. Rat Schaarschmidt, Karl-Marx-Schule, Chemnitz.

Lit.: Mart. Elsner, Künstler abseits vom Wege 1907–27, Verlag Chemnitzer Kstlergruppe. — Kat. 3. Ausst. Erzgeb. Kstler i. Stadt- u. Bergbaumus. Freiberg/Sa. Mai–11. 7. 1948. *J.*

Brenner, Victor David, amer. Bildhauer, Medailleur u. Plakettenkstler, * 12. 6. 1871 Schaulen (Schawli), Gouv. Kowno, Sohn amer. Eltern, † April 1924 New York.

Lit.: Th.-B., 4 (1910). — Fielding. — Amer. Art Annual, 4 (1903) Abb. geg. p. 198; 6 (1907/08) Abb. geg. p. 84; 20 (1923) 452. — Forrer, I; VII 117; VIII 320. — L'Art décor., 1907/I 115/20, m. Abbn. — The Art News, 22, Nr 27 v. 12. 4. 1924, p. 6. — D.A.B. — Taft.

Brenninger, Georg, dtsch. Bildhauer (Prof.), * 18. 12. 1909 Velden, Niederbay., ansässig in München.

Stud. zuerst Architektur bei Th. Fischer; 1933/40 Schüler von Herm. Halm an d. Münchner Akad. Zeigte in d. Ausst. d. Dtsch. Gesellsch. f. Christl. Kunst in München Febr./März 1947 eine Reliefgruppe: Christus u. d. Apostel am Ölberg (Tonmodell). Kollektivausst. im Stuttgarter Kstkabinett, 1947. Figürliches, Bildnisbüsten.

Lit.: H. Eckstein, Maler u. Bildh. in München, Münch. 1946, m. 5 Abb. u. Fotobildn. — D. Kstwerk, 1 (1946/47) H. 5 p. 42; H. 12 p. 59; 5 (1951) H. 2 p. 17 (Abb.), 39. — D. Münster, 1 (1947/48) 98, Abb. p. 96. — Dtsch. Kstlerbund 1950. 1. Ausst. Berlin 1951, Kat. m. Abb.

Brennwald, W. O., dtsch. Maler u. Graph., * 9. 1. 1897 Halberstadt, ansässig in Wegeleben.

Nach prakt. Malerlehre Besuch der Kstgewerbesch. Magdeburg. Hauptsächlich Landschafter.

Brenot-Abrand, Marie Jeanne, franz. Landschafts- u. Blumenmalerin (Öl u. Aquar.), * 26. 2. 1888 Belley (Ain).

Lit.: Joseph, I.

Brenson, Teodoro, livländ.-ital. Maler, Rad., Holzschneider u. Lithogr., * 27. 11. 1893 Riga, Livland, naturalisierter Italiener, ansässig in Turin.

Mitglied der „Gruppo Romano Incisori Artisti". Besuchte 1927/28 Kalabrien, veröffentl. darauf „Visioni di Calabria", mit Vorwort von L. Parpagliolo, Flor. 1929. Großformat. Architekturrad., angeregt durch Piranesi. — Hauptblätter (Rad.): Folge S. Pietro (1924/25); Folge Roma antica (1925/27); Folge Portofino (1934); Folge Castellammare di Stabia (1935) 10 Illustr. zu „Viaggio in Italia" von I. Taine (Holzschn., 1923); Lithogr.: Erinnerung an Neapel; Republikan. Wache; In den kalabrischen Bergen.

Lit.: P. Muratori, B., Mail. 1925. — La Nuova Lettura, 1926. — Fantasie d'Italia (Mail.), März 1927. — L'Amour de l'Art, Juni 1932. — Rass. d'Istruz. Artist. (Rom), 1930 Nr 7; 1932 Nr 7. — L'Art et les Artistes, 30 (1935) 222/28, m. 7 Abbn. — Les Echos d'Art, Juni-Heft p. IV. — C. Ratta, Acquafortisti ital., 1 (1926); 2 (1928). — Brutium, v. 31. 8. 1929. — Art et Décoration, 61 (1932). — The Print Coll.'s Quarterly, 29 (1942) 8/25, 281 (Abb.). — Art Digest, 16 (1942) 11; 17 (1942) 15. — Gaz. d. B.-Arts, 22 (1942) 187; 26 (1944) 60 (Abb.). — Osteuropa, 4 (1928/29) 554. — D. Kstwanderer, 1922/23, p. 314 (Abb.), 320, 372 f. (Abbn), 374; 1925/26 p. 172; 1926/27 p. 252. — Beaux-Arts, 1935 Nr 144 p. 6, m. 2 Abbn; 1937 Nr 217 p. 8, m. Abb.; 1939 Nr 323 p. 5 (Abb.), Nr 330 p. 5 (Abb.). — L. Servolini, Diz. d. Incisori ital. mod. e contemp., 1952. *L. Servolini.*

Brent, Camino, peruan. Maler, * 1909 Lima, ansässig ebda.

Schüler von José Sabogal, 1922/32 der Kunstschule in Lima. Bereiste Peru, Bolivia u. die USA.

Lit.: Kirstein, p. 102.

Brenzinger, Heinrich, dtsch. Maler, * 20. 6. 1879, ansässig in Freiburg/Br.

Lit.: Das Bild, 1939, Beil. z. H. 6 p. [1].

Bresciani, Archimede (da Gazoldo), ital. Bildnis-, Figuren- u. Landschaftsmaler, * 29. 7. 1881 Redondesco.

Schüler von Ces. Tallone an d. Akad. in Mailand. Gold. Med. Biennale Brera Mailand 1923. In d. Gall. Civ. in Novara eine Winterlandschaft; in d. Gall. Civ. in Mantua: In Erwartung des Helden.

Lit.: Comanducci, m. Abb. — Emporium, 73 (1931) 55, m. 2 Abbn. — The Studio, 93 (1927) 368f., m. Abbn.

Bresciani, Attilio, ital. Landschafts-, Figuren- u. Bildnismaler u. Graphiker, * Febr. 1879 Verona, ansässig ebda.

Schüler von Napol. Nani.

Lit.: Comanducci, m. Abb.

Bresgen, August, dtsch. Landschaftsmaler u. Bildhauer (Prof.), * Dresden, ansässig in München.

Lit.: D. Cicerone, 18/II (1926) 721. — D. Kstwanderer, 1926/27, p. 80.

Breslau, Louise, schweiz. Bildnis- u. Blumenmalerin u. Pastellzeichnerin, * 6.12.1856 München, † 13.5.1927 Neuilly-s.-Seine.

Verlebte Kindheit u. Jugend in Zürich. Erste Malstudien ebda bei Ed. Pfyffer. Stud. 1878/83 bei Robert Fleury in Paris, wo sie sich niederließ. Weitergebildet autodidaktisch, beraten von B. Lepage, Forain u. Degas. Bereiste Belgien, Holland, Italien u. England. Seit 1891 in Zürich eingebürgert. Bilder u.a. in den Museen Bern, Genf, Lausanne, Solothurn, Zürich, im Luxembourg-Mus. in Paris u. in den Museen Carpentras u. Rouen. Ein Bildnis des schweiz. Dichters Carl Spitteler in d. Bibliothek in Genf.

Lit.: Th.-B., 4 (1910). — Joseph, I, m. 3 Abbn. — Bénézit, [2] II (1949). — Brun, IV. — A. Alexandre, L. B. (Maîtres de l'Art mod.), Paris 1928, m. 60 Taf. — Madeleine Zilhardt, L. C. B. et ses amis, Paris o. J. [1933]. — D. Schweiz, 1907, p. 544, m. Abb.; 1908, p. 474; 1912, p. 11, m. Abbn. — L'Art et les Artistes, 11 (1910) 208/13; N. S. 16 (recte 17), 1928 p. 210f., m. Abb. — Les Arts, 1918, Nr 164, p. 22f., m. 2 Abbn. — La Renaiss. de l'Art franç., 4 (1921) 132, m. Abb.; 9 (1926) 241, 601ff., m. Abbn; 11 (1928) 213, m. Abb. — Revue de l'Art anc. et mod., 39 (1921) 253/62; 41 (1922) 384, 385 (Abb.); 63 (1933/I) 247 (Bull.). — Art et Décor., 30 (1926) Chron., Märzh. p. 4f., m. Abb.; 1927/I, Chron. Junih., p. 1; 1928/I, Chron. Maih. p. 2f. — Bull. de l'Art, 1926, p. 123 (Abbn), 124, 125 (Abb.); 1927, p. 192; 1928, p. 218 (Abb.). — Beaux-Arts, 4 (1926) 93ff., m. Abbn; 5 (1927) 180; 8 (1930) H. 6, p. 28 (Abb.). — D. Werk (Zürich), 15 (1928) 262. — Bull. d. Musées de France, (1929) 275/77, m. Abb.; 2 (1930) 12f., m. Abb. — Apollo (London), 11 (1930) 121. — Genava, 14 (1936) 252.

Bresse, Paul Eugène, franz. Architekt u. Figurenmaler, * 26. 2. 1891 Vienne (Isère), ansässig ebda.

Stellte 1927ff. bei den Indépendants in Paris aus. Baute die Salle Berlioz in Vienne u. restaurierte das Schloß Septême (Isère).

Lit.: Joseph, I.

Bressin, André, schweiz. Tiermaler, † 20.12.1918 Fenil-sur-Corsier bei Vevey.

Lit.: Chron d. Arts, 1917/19, p. 173.

Bressler, Emile, schweiz. Maler, Rad. u. Illustr., * 1886 Genf, ansässig ebda.

Anfänglich Besitzer eines kleinen Graviergeschäftes, malte in seinen Freistunden auf dem Lande. Dann 3 Jahre Schüler von Léon Gaud, 4 Jahre von E. Gilliard an der Genfer Ec. d. B.-Arts. Studienaufenthalte in Paris u. in d. Bretagne. Gründete mit Maur. Barraud u. and. die Gruppe „Falot" in Genf. Helle, heitere Palette, starke Betonung der Linie. Figürliches, Landschaften. — 2 Bilder im Mus. Elberfeld, je 1 Bild im Mus. in Genf, in der Smlg des Baseler Kstver. u. im Mus. in Winterthur. Illustrationen zu: Herbert Moos, Der Bürger, Frauenfeld 1918, u. zu: R. Bizet, Peines de rien, Genf 1919. Koll.-Ausst. Febr. 1950 im Musée Rath in Genf, Jan. 1953 im dort. Atheneum.

Lit.: Graber, 1918 p. 16f., 33, Taf. 10. — Schweizerland, 1914/15, p. 296, m. ganzs. farb. Abb.; 1916, p. 476, m. ganzs. Abb.; 1917, p. 355ff., m. 1 Abb.; 1920 p. 169, m. Abb., 502ff. — D. Schweiz, 1915, p. 303, m. Abb.; 1920, p. 450, m. Abb., 454. — D. Ksthaus (Zürich), 1916, H. 11/12, p. 2. — Jahresber. 1916/17 Soc. des Arts, Genf, p. 268, 317. — Pages d'Art, 1919, p. 298, 319 (Abb.); 1924, p. 243f., m. Abb. — Dtsche Kst u. Dekor., 57 (1925/26) 125 (Abb.). — D. Kst in d. Schweiz, 1928, April, Umschau p. Vf.; 1929 p. 140. — D. Werk, 37, Febr. 1950, Beibl. p. 18; 40, Jan. 1953, Beibl. p. 6. — Kat. Ausst. Ksthaus Zürich 1.–28. 6. 1916, p. 5, 14.

Bresslern-Roth, Norbertine von, steiermärk. Tiermalerin u. Graph. (Prof.), * 13. 11. 1891 Graz, ansässig ebda.

Schülerin A. v. Schrötters an d. steierm. Kstschule in Graz-Kroisbach (1901/10), dann F. Schmutzers in Wien (1911/16) u. H. v. Hayeks in Dachau. 1916 Rückkehr nach Graz. Anfängl. hauptsächl. Tiermalerin (von Brangwyn für die größte Tierdarstellerin der Gegenwart erklärt). 1928 in Nordafrika. Dramatische Tierkompositionen (Löwen in den Kraal einbrechend; Sterbender, von Pfeilen durchbohrter Löwe). Später dekorativ wirksame, kraftvoll stilisierte Figurenkompositionen: Tanzende Frauen, Tanzende Männer, Vogeljäger usw. Wiederholt ausgezeichnet: 1906 Silb., 1922 Gold. Med. der Stadt Graz. In der dort. Landesgal.: Käthchen von Heilbronn u. 3 Tierstudien. Pflegt bes. den farb. Linol- u. Holzschnitt. Entwürfe für Gobelins.

Lit.: Th.-B., 29 (1935) 90. — N. B.-R. Die berühmte Tiermalerin (Eckart-Kstbücher), Wien o. J. — Wer ist Wer? (Wien), 1937. — Bergland (Innsbr.), 1936 Heft 2, p. 25ff. — D. getreue Eckart (Wien), 8 (1930/31) 563/67 (Abbn v. Zeichngn), 815/20 (desgl.); 10 (1932/33) 47/50 (Abbn v. 5 Holzschnitten), 249/56, m. 8 [4 farb.] Abbn, 411/16 (Abbn von 3 Holzschnitten); 14 (1936/37) 203/06, m. Abbn, Abb. geg. p. 237, 767/70, m. Abbn; 16 (1938/39) farb. Abb. geg. p. 757. — Öst. Kst, 5 (1934) H. 1, p. 19 m. Abbn. — Velhagen & Klasings Monatsh., 53/II (1938/39) Taf.-Abb. geg. p. 8, 90; 54/I (1939/40) 153/60, m. 8 farb. Abbn. — The Studio, 91 (1926) 79, 85 (ganzs. farb. Taf.); 93 (1927) 176/78, 178/82 (Abbn); 102 (1931) 289f., m. 6 Abbn (dar. Selbstbildn.); 116 (1938) 206f., m. 4 Abbn.

Bressy, Richard, belg. Figuren- u. Landschaftsmaler, * 1906 Châtelineau (Hennegau).

Schüler von Eug. Paulus u. Scoriel.

Lit.: Seyn, I, m. Fotobildnis.

Bret, François, franz. Maler, Graph. u. Illustr., * 7. 7. 1918 Blois, ansässig in Paris.

Schüler von Devambez u. Ch. Guérin. Stellt seit 1938 im Salon d. Art. Franç. aus. In franz. Staatsbes.: Pont Saint-Michel im Schnee. Illustr. u.a. zu: Balzac, La Rabouilleuse, u. zu Stendhal, La Chartreuse de Parme. Koll.-Ausst. April 1942 in d. Gal. Allard, Paris.

Lit.: Bénézit, [2] 2. — Beaux-Arts, Nr v. 5. 3. 1948, p. 3 (Abb.); Nr v. 16. 4. 48, p. 5.

Bret, Paul, franz. Landschafts-, Figuren- u. Bildnismaler, * 23. 3. 1902 Draguignan (Var), ansässig in Paris.

Schüler von Goulinat, L. Simon, Ménard, Maur. Denis u. Flandrin. Beschickt seit 1923 den Salon der Soc. Nat. d. B.-Arts (Kat. z. T. m. Abbn). 1927 Rompreis. Kreuzweg für die Karmeliterkirche in Paris. Wandmalereien im Festsaal der Maison des Étudiants ebda.

Lit.: Joseph, I, m. Abb. — Bénézit, [2] II. — Art et Décor., 1927/II, Chron., Aug. p. 2. — Apollo (London), 7 (1928) 294. — La Renaiss. de l'Art franç., 14 (1931) 113 (Abb.). — Revue de l'Art anc. et mod., 67 (1935), Bull. p. 394 (Abb.), 395. — Beaux-Arts, Nr 274 v. 1. 4. 1938; Nr v. 22. 2. 46 p. 1, m. Abb.; v. 7. 6. 46 p. 4 (Abb.); v. 22. 11. 46 p. 4 (Abb.); v. 21. 5. 48 p. 5 (Abb.); v. 28. 5. 48 p. 4; v. 11. 6. 48 p. 8 (Abb.).

Breton, Charles Eugène, franz. Porträt- u. Genrebildhauer u. Medailleur, * 13. 4. 1878 Tours, ansässig in Paris.

Schüler von Barrias, Verlet, Coutan u. Denys Puech. Mitglied der Soc. d. Art. Franç. (Salon-Kat. z. T. m. Abbn).

Lit.: Th.-B., 4 (1910). — Forrer, 7 (1923) 122; 8 (1930) 321. — Joseph, I. — La Renaiss. de l'Art franç., 9 (1926) 526 (Abb.). — Bénézit, [2] 2.

Breton, Joseph Marcel, franz. Aquarellmaler u. Holzschneider, * Besançon, ansässig in Paris.

Schüler von J. P. Laurens u. B. Constant.

Lit.: Joseph, 1. — Bénézit, [2] 2 (1949). — L'Art décor., 1909/II p. 57ff.

Breton, Paul Eugène, franz. Bildhauer, * 21. 5. 1868 Toulouse, † 1933 Paris.

Schüler von Falguière. Mitglied der Soc. d. Art. Franç.

Lit.: Th.-B., 4 (1910). — Joseph, 1. — Bénézit, [2] 2.

Brett, Dorothy, engl.-amer. Malerin, * 1883 London, ansässig in Taos, sommers in San Cristobal, N. M.

Stud. an der Slade School in London u. am Univers. College ebda. Im Buffalo Mus. of Science, Buffalo, N.Y.: Indianische Kaninchenjagd. Koll.-Ausst. April 1950 in d. Amer. Brit. Gall. New York.

Lit.: Amer. Art Annual, 30 (1933). — Who's Who in Amer. Art, I: 1936/37. — Art Digest, 24, Nr v. 1. 4. 1950, p. 21. — Art News, 49, April 1950, p. 46.

Brett, Harold, amer. Maler u. Illustr., * 13. 12. 1880 Middleboro, Mass., ansässig in Boston, Mass.

Schüler von W. A. Clark, H. Siddons Mowbray u. Howard Pyle.

Lit.: Fielding. — Amer. Art Annual, 20 (1923) 452; 30 (1933). — Who's Who in Amer. Art, I: 1936 –37.

Bretz, Julius, dtsch. Landschaftsmaler (Öl, Pastell, Kohlezeichng) u. Lithograph, * 1870 Wiesbaden, ansässig in Honnef.

Schüler der Düsseld. Akad. Weitergebildet bei Mesdag u. Jakob Maris. Malte viel im Sieg- u. im Aggertal. Bilder u. a. im Wallraf-Richartz-Mus. in Köln, in d. Ruhmeshalle in Wuppertal-Barmen u. im Ksthaus in Zürich. 1936 Corneliuspreis. Ehrenausst. anläßl. s. 80. Geb.-Tages im Köln. Kstverein Jan. 1950.

Lit.: Th.-B., 4 (1910). — D. Cicerone, 12 (1920) 127; 20 (1928) 439 (Abb.). — D. Kunst, 35 (1916/17) 460 (Abb.), 472; 41 (1919/20) 388 (Abb.); 61 (1929/30) Beibl. p. XVIII; 81 (1939/40) März-H. Beibl. p. 9. — D. Kunst u. d. schöne Heim, 50 (1951) 88/91, m. 3 Abbn u. 1 ganzseit. Abb. — Dtsche Kst u. Dekor. 62 (1928) 227. — Kst- u. Antiquit.-Rundsch., 42 (1934) 231 (Abb.). — Kstchronik, N. F. 31 (1919/20) 272f. — Dtsche Monatshefte, 1911 p. 325/35, m. Abbn u. Tafeln; 18 (1918) 132 (Abb.); 20 (1920) 53/56, m. Abbn u. 4 Taf. — Velhagen & Klasings Monatsh., 41/II (1926/27) farb. Taf. geg. p. 472. — D. Querschnitt, 1 (1921) 90 (Abb.). — Kat. Ausst. Dtsche Malerei u. Plastik d. Gegenwart, im Staatenhaus der Messe in Köln v. 14. 5.–3. 7. 1949.

Breu, Max, dtsch. Bildnis- u. Landschaftszeichner, * 1915 München, ansässig ebda.

Lit.: Jugend (München), 1938 Nr 34 p. 535 (Abb.), 536f., m. Abbn, 538 (Abb.).

Breucker, Hermann, dtsch. Bildhauer, Holz- u. Linolschneider, * 1911 Waltrop, ansässig ebda.

Autodidakt. Mitbegründer der Gruppe „Junger Westen".

Breuer, Carl, dtsch. Bühnenbildner, * 26. 4. 1872 Koburg, zuletzt ansässig in Wuppertal-Elberfeld.

Schüler von Lutkemeyer in Koburg, dann von Franz Gruber in Hamburg. Ateliervorstand des Stadttheaters in Elberfeld.

Lit.: Dreßler.

Breuer, Marcel Lajos, dtsch-ungar. Architekt u. Entwurfzeichner für Möbel, * 1902, ansässig in Cambridge, Mass., USA.

Stud. bei Gropius am Bauhaus in Weimar. 1925 –28 Lehrer an dems. nach s. Verlegung nach Dessau. Mitgl. der „November-Gruppe". 1928/31 in Berlin. 1931/35 Reisen in Spanien, Marokko, der Schweiz, Deutschland, Griechenland u. England. 1935/37 in London. Seit 1937 Prof. an d. Zeichenschule der Harvard Univers. in Cambridge. Extremer Anhänger der „Neuen Sachlichkeit". Hauptwerk: Theater in Charkoff. Buchwerke: Art in Our Time, 1939; The Modern House, 1940; Design of Modern Interiors, 1942.

Lit.: The Internat. Who's Who, [16] 1952. — Arquitectura (Madrid), 1932 p. 82/90; 1933 p. 43. — Art et Décor., 1937 p. 87/92, passim. — Internat. Archit., I (Bauhausbücher) 90 (Abb.). — Bauhausbücher, VII 12 passim (Abbn). — Emporium, 83 (1930) 204 (Abb.), 207 (Abb.). — D. Kstblatt, 11 (1927) 96. — D. Werk (Zürich), 21 (1934) 197/201. — Kunst, I (1948), Halbjahrb., p. 77 (Abb.). — Art Index (New York), 1941 ff. passim.

Breuer, Peter, dtsch. Bildhauer, * 19. 5. 1856 Köln, † 2. 5. 1930 Berlin.

Zu den bei Th.-B. gen. Arbeiten hinzuzufügen: Adolf-Menzel-Standbild, für die Vorhalle des Berl. Alten Museums; Kolossalgruppe (Gips): Christus als Kinderfreund, für die Taufkammer der Altroßgärter Kirche in Königsberg.

Lit.: Th.-B., 4 (1910). — Degener's Wer ists?, [10] 1935, Totenliste. — A. Ulbrich, Kstgesch. Ostpreuß. v. d. Ordenszeit bis z. Gegenw., Königsbg o. J. [1932]. — Antiquitäten-Rundschau, 19 (1921) 123. — Dtsche Kst u. Denkmalpflege, 1944, p. 49/57 passim, m. Abb. — Kst u. Kstler, 15 (1917) 97f. — Ostdtsche Monatsh., 2 (1921/22) 168. — Zeitschr. d. hist. Ver. f. Gesch. Schlesiens, 53 (1919) 137* — Kstdenkm. d. Rheinprov., VII/4: Stadt Köln, Bd II, Abt. 4 (1930) 583. — Velhagen & Klasings Monatsh., 32/I (1917/18) 319/30, m. Abb.

Breuer, Wolfgang, dtsch. Radierer u. Maler, † 22. 5. 1927.

Kollektivausst. bei Amsler & Ruthardt, Berlin, März 1924. Landschaften (Kohlezeichng). Zyklus (Radierg): Golgatha. Seine Radiergn ganz auf Helldunkelwirkung im Rembrandtschen Sinne abgestimmt.

Lit.: Illustr. Ztg (I. I. Weber, Leipzig), 160 (1923) 226, m. Abb. — D. Kunst, 55 (1926/27), Beil. z. August-H. p. XXIII. — D. Kstwanderer, 1923/24, p. 196, m. Abb. — Velhagen & Klasings Monatsh., 38/I (1923/24) Taf.-Abb. geg. p. 16; 44/II (1929/30) ganzs. Abb. p. 293. — Westermanns Monatsh., 129/II (1920/21) p. 609/16, m. Abb.; 132 (1922) Taf. geg. p. 324, 407; 134 (1923) p. 617, Taf. [45].

Breuer-Curth, Carl, dtsch. Maler, Radierer u. Reklamekünstler, * 23.10.1884 Aachen, ansässig in Stuttgart.

Stud. an den Kunstgewerbeschulen Aachen u. Düsseldorf.

Lit.: Dreßler.

Breuhaus (de Groot), Fritz August, dtsch. Architekt u. Kstgewerbler (Prof.), * 9.2.1883 Solingen, ansässig in Berlin.

Enkel des Malers Franz Arnold B. de G. Stud. an der Techn. Hochsch. Charlottenburg u. bei Peter Behrens. Tätig in München, Bremen, Düsseldorf (assoziiert mit Heinr. Roßkotten), seit 1932 in Berlin. — Wohnsiedelungen u. Industriebauten für die Thyssenwerke in Hamborn u. die Gelsenkirchner Bergwerks-A. G. in Gelsenkirchen; Zeche Karolinenglück; Schloß des Herzogs von Arenberg; Schloß Pesch; Westfalenbank in Bochum; Haus Alex. Koch in Darmstadt. Landhäuser, in echt ländlichen, dem landesüblichen Stil angepaßten Formen (Caslano am Luganersee, Villa Fahrwangen i. Aargau u. a.). Stadthäuser in Duisburg u. a. O. Ausstattung von Überseedampfern des Norddtsch. Lloyd. — Buchwerke: Landhäuser u. Innenräume, Düsseldorf 1910; Neue Bauten u. Räume, Berlin 1941.

Lit.: Dreßler. — F. W. Bredt, Friedhof u. Grabmal, 1916, p. 157 (Abb.). — H. Eulenburg u. M. Osborn, F. A. B. de G., Kritik des Werkes (Neue Werkkst), Berlin 1929. — Kuno Graf v. Hardenberg, Das Haus eines Freundes. Haus Alex. Koch, Darmstadt, Darmst. o. J. — Dtsche Bauztg, 67 (1933) H. 6, Beil. p. 2 (Zum 50. Geb.-Tag). — D. Cicerone, 20 (1928) 447 (Abb.). — Innendekoration, 23 (1912) 249ff., m. Abb.; 24 (1913); 25 (1914) 151/57, m. Abbn; 39 (1928) 74ff., m. Abbn, 195ff., m. Abbn, 272ff., m. Abb., 275ff. (Abbn). — D. Kunst, 58 (1927/28) 140 (Abb.), 141 (Abb.), 150ff. (Abbn), 234 (Abb.), 235 (Abb.); 60 (1928/29) 177/74, m. Abbn, 244ff. (Abbn), 284; 62 (1929/30) 29 (Abb.), 30 (Abb.), 33/40 (Abb.); 68 (1932/33) Taf.-Abb. geg. p. 81, 81/85, m. Abbn, 220f. (Abbn), 222f. (Abbn); 72 (1934/35) 17/20 m. Taf. u. Abb.; 74 (1935/36) 169/73, m. Abbn; 76 (1937) 253/56 passim; 78 (1937/38) 97/104, m. Abbn; 80 (1938/39) 281/83, m. Abbn; 82 (1939/40) 186/88 (Abbn); 84 (1940/41) 195/99, m. Abbn. — Dtsche Kst u. Dekor., 32 (1913) 97/106 (Abbn); 34 (1914) 191/96, m. Abbn bis p. 210, 443/60; 49 (1921/22) 132, 154 (Abb.), 211ff., m. Abbn; 50 (1922) 87ff., m. Abbn; 52 (1923) 296f. (Abbn), 298ff., m. Abbn; 53 (1923/24, 53ff., m. Abbn, 96 (Abbn), 110ff. (Abbn); 55 (1924 –25) 311ff., m. Abbn; 56 (1925) 103ff., m. Abbn; 58 (1926) 181/83, m. Abbn bis p. 201; 59 (1927) 128/34, m. Abbn; 60 (1927) 44/49, m. Abbn bis p. 56; 62 (1928) 64ff., m. Abbn, 177, 182, 183; 63 (1928/29) 52ff. (Abbn), 222f., m. Abbn, 352ff., m. Abbn; 64 (1929) 127ff.; 65 (1929/30) 52/57, 59, 60, 111, 113 passim; 68 (1931) 173/182. — D. Kst in d. Schweiz, 1929 p. 117/20. — Velhagen & Klasings Monatsh., 44/I (1929/30) 470, 471 (Abb.); 51/II (1937) 33/40, m. zahlr. Abbn. — Wasmuths Monatsh. f. Baukst, 7 (1922) 52/57; 10 (1926) 452ff., m. Abbn.

Breuillaud, André François, franz. Maler, * Lizy-sur-Ourcq (Seine-et-Marne), ansässig in Paris.

Stellt seit 1926 bei den Indépendants u. im Salon d'Automne, seit 1933 im Salon des Tuileries aus. Bildnisse, Akte, Landschaften, Stilleben.

Lit.: Bénézit, [2] II (1949). — Beaux-Arts, Nr 270 v. 4. 3. 1938, p. 7 (Abb.); Nr v. 26. 9. 1947, p. 6 (Abb.).

Breul, Harold Guenther, amer. Maler u. Rad., * 6. 5. 1889 Providence, R. I., ansässig ebda.

Schüler von Henry McCarter u. der Pennsylv. Acad. of the F. Arts in Philadelphia. Zeichnete u. a. für Collier's und die Mc Graw-Hill-Veröffentlichungen. Illustr. zu: „The Romance of the American Map" von Esse V. Hathaway.

Lit.: Fielding. — Amer. Art Annual, 20 (1923) 452; 28 (1931). — Who's Who in Amer. Art, I: 1936/37.

Breul, Heinrich, dtsch. Bildnis- u. Landschaftsmaler, * 19.5.1889 Kassel, ansässig ebda.

Stud. 1915/20 an der Kstgewerbesch. u. Akad. in Kassel. Erhielt 1919 das Bose-Stipendium der Stadt Kassel. Mappenwerk: Hessenblut (6 Zeichngn), Heimatschollen-Verlag, Melsungen 1923.

Lit.: Dreßler.

Breunig, August, dtsch. Bildhauer, * 11. 1. 1884 Preunschen, ansässig in Dresden.

Nach praktischer Metallbildhauerlehre kurzes Studium an den Staatl. Kunstsch. in Kopenhagen u. Hanau. Studienaufenthalte in Italien, Belgien u. Paris. Hauptsächl. Porträtbüsten u. Plaketten.

Breusing, Ima, dtsche Bildnis- u. Landschaftsmalerin, * 1886 Berlin, ansässig ebda.

Stud. an der Kstschule u. am Bauhaus in Weimar.

Lit.: Dreßler.

Breveglieri, Cesare, ital. Maler, * 12. 3. 1902 Mailand, † 22. 3. 1948 ebda.

Anfängl. Elementarlehrer, bildete sich autodidaktisch in Rom zum Maler aus. Stellte seit 1931 regelmäßig in den Quadriennali in Rom, seit 1932 in den Biennali in Venedig aus. Beschickte 1935 die ital. Ausst. in Budapest. Ging 1930 mit Stipendium der Cassa di Risparmio d. Provincie Lombardi nach Paris. 1934 Fumagalli-Preis auf der Biennale in Mailand. 1937 Preis für Landschaftsmalerei auf der 4. Quinquennale in Lecco. Seine Malerei erinnert an den Naivismus Henri Rousseau's und ist erfüllt von einer poetischen Empfindung, die die von ihm geschilderten Szenen in eine zauberhafte Atmosphäre rückt (Hochzeit auf dem Lande, 1938; Romantischer Spaziergang, 1944). Im Bes. der Regierung in Rom: Die beiden Schwestern.

Lit.: A. Tullier, C. B. disegnatore (Arte Mod. Ital., Nr 48), Mailand 1950. — S. Cairola, Pittura ital. del nostro tempo, Bergamo 1946. — Domus, Jan. 1939. — Emporium, 79 (1934) 360 (Abb.); 94 (1941) 11, 13 (Abb.). — L'Europeo (Mailand), 2. 6. 1946. — Illustraz. Ital. (Mailand), 10. 10. 1942. — D. Kstwerk, 2 (1948) H. 8, Taf. p. 40; H. 10 p. 44. — L. Borgese, Presentaz. di C. B. nel Cat. d. XXIV Espos. Internaz. d'Arte di Venezia, Ven. 1948. — M. Valsecchi, Dodici Opere di C. B. (Pittori ital. contemp. Nr 11), Mailand 1950. — Primato, 1. 6. 1943 p. 207. — Stile (Mail.), Aug./Okt. 1943. — Vernice, 3 (1948) Nr 22/23, p. 32. *A. Gabrielli.*

Brewer, Adrian Louis, amer. Maler, * 2. 10. 1891 St. Paul, Minn., ansässig in Little Rock, Arkansas.

Schüler von Nicholas Rich. Brewer u. Al. Jean Fournier. Herrenbildnis im Staatskapitol in Little Rock, Ark.; Landschaft in der Munic. Art Gall. ebda.

Lit.: Fielding. — Amer. Art Annual, 20 (1923) 452; 30 (1933). — Monro.

Brewer, Alice Ham, amer. Miniaturmalerin, * 14. 3. 1872 Chicago, Ill., ansässig in Montclair, N. J.

Schülerin von Henry Mosler, W. J. Whittemore u. R. H. Nicholls.

Lit.: Fielding. — Amer. Art Annual, 20 (1923) 453; 30 (1933).

Brewer, Edward Vincent, amer. Maler u. Illustr., * 12. 4. 1883 St. Paul, Minn., ansässig ebda.

Schüler von Kenyon Cox, W. Appleton Clark, F. V. Du Mond u. Twachtman. Hauptsächl. Wandmalereien. 30 Richterbildnisse im Courthouse in St. Paul.

Lit.: Who's Who in Amer. Art, I: 1936/37.

Brewer, Henry Charles, engl. Dekorationsmaler, Aquarellist u. Rad., ansässig in London.

Sohn des Architekturzeichners Henry William B. († 1903). Schüler von Fred Brown. Dekor. Malereien u. a. in d. Christ Church in Hastings u. in Holy Trinity in Kensington. — B.s Bruder James Alphege, Radierer u. Maler, gleichfalls in London ansässig.

Lit.: Th.-B., 5 (1911). — Who's Who in Art, ³ 1934.

Brewer, Leonard, engl. Architekturmaler (Öl u. Aquar.) u. Rad., * 20. 4. 1875 Manchester, ansässig ebda.

Lit.: Who's Who in Art, ³ 1934.

Brewer, Mary Locke, amer. Landschaftsmalerin.

Stud. 1911 in Rom bei Tanni, dann in Paris bei Robert Henri, Martin u. Ernest Laurent.

Lit.: Fielding. — The Art News, 22, Nr 21 v. 1. 3. 1924, p. 1, m. Abb., 3.

Brewer, Nicholas Richard, amer. Maler, * 11. 6. 1857 Olmstead County, Minn., † 1949 St. Paul, Minn.

Schüler von D. W. Tryon u. Ch. Noel Flagg in New York. Bildnisse, Figürliches, Stilleben, Landschaften. Bilder u. a. im St. Paul Art Instit. in Chicago, im Art Instit. in Decatur, Ill., in der Univers. of Oklahoma, in der Univers. of Minnesota in Minneapolis u. im dort. Staatskapitol.

Lit.: Fielding. — Amer. Art Annual, 20 (1923) 453; 30 (1933). — Who's Who in Amer., 18 (1934/35). — Who's Who in Amer. Art, I: 1936/37. — Art Digest, 23, Nr v. 1. 3. 1949 p. 15. — Monro.

Brewster, Achsah Barlow, amer. Genremaler, * New Haven, ansässig in Paris. Bruder des Earl Henry.

Stellt seit 1913 im Salon d'Automne u. bei den Indépendants in Paris aus.

Lit. s. Artikel Earl Henry Brewster.

Brewster, Ada Augusta, amer. Malerin, * Kingston, Mass., ansässig in New York.

Schülerin von Samuel Rouse u. Virgil Williams. Bildnisse, Interieurs.

Lit.: Amer. Art Annual, 1 (1898) 423 (Abb.), 427.

Brewster, Amanda, s. *Sewell.*

Brewster, Anna, geb. *Richards,* amer. Malerin, Illustr. u. Bildhauerin, * 3. 4. 1870 Germantown, Pa., ansässig in Scarsdale, N. Y., sommers in Wakefield, R. I.

Schülerin von Dennis Bunker u. H. Siddons Mowbray, dann von B. Constant u. J. P. Laurens in Paris.

Lit.: Fielding. — Amer. Art Annual, 20 (1923) 453; 30 (1933). — Who's Who in Amer. Art, I: 1936/37.

Brewster, Earl Henry, amer. Maler, * 21. 9. 1879 Chagrin Falls, Ohio, ansässig in Paris. Bruder des Achsah Barlow.

Schüler der New York School of Art u. der Art Student's League ebda. In der Hillyer Art Gall. in Northampton, Mass.: Badende im Mondenschein. Stellt seit 1913 im Salon d'Automne u. bei den Indépendants in Paris aus.

Lit.: Amer. Art Annual, 12 (1915) 331. — Bénézit, ² 2 (1949). — L'Œuvre de E. H. B. et Achsah B.: 32 Reprod. en Phototypie précéd. d'Essais autobiogr., Rom 1923.

Brewster, Eugene V., amer. Landschaftsmaler, * 7. 9. 1870 Bayshore, N. Y., ansässig in Brooklyn, N. Y. Autodidakt.

Lit.: Fielding. — Amer. Art Annual, 20 (1923) 453. — The Art News, 21, Nr 2 v. 21. 10. 1922, p. 2.

Breyer, Robert, dtsch. Stilleben-, Interieur- u. Porträtmaler, * 19. 6. 1866 Stuttgart, † 1941 ebda.

Schüler von Nauen u. W. v. Diez in München. Seit 1901 in Berlin, seit 1914 in Stuttgart ansässig. Lehrer an der dort. Akad. Mitgl. der Münchner u. Berliner Sezession. Impressionist. Bilder in d. Sezessionsgal. in München u. in d. Gal. Stuttgart.

Lit.: Th.-B., 5 (1911). — Dreßler. — Baum. — D. Kunst, 1936/37, Beibl. zu H. 2 p. 6. — Kst u. Kstler, 14 (1916) 322; 25 (1926/27) 153. — Kstchronik, N. F. 27 (1916) 359; 32 (1920/21) 938. — Schwaben, 13 (1942) 144/54. — E. A. Seemanns „Meister der Farbe", 16 (1919) Nr 8081. — Velhagen & Klasings Monatsh., 33/I (1918/19) 249/68, m. Abb. — Württemberg, 1931, Nr v. 5. 5., p. 197/204.

Breyer, Tadeusz, poln. Bildhauer, * 15. 10. 1884 Mielc, † 1952 Warschau.

Schüler der Krakauer Akad., weitergebildet in Italien. Prof. an der Warschauer Akad.

Lit.: Czy wiesz kto to jest?, 1938. — The Studio, 95 (1928) 100. — Przegląd Artystyczny, 1952, Heft 3, p. 73f., m. Abb.

Breyne, Edgar, belg. Figuren-, Bildnis- u. Stillebenmaler, * 1887 Gent.

Schüler von Delvin u. van Biesbroeck.

Lit.: Seyn, I.

Březa, Rudolf, tschech. Bildhauer, * 5. 4. 1888 Podolí bei Brünn, ansässig in Prag.

Stud. an der Prager Kstgewerbesch. bei S. Sucharda bis 1912. Studienreisen in Deutschland, Italien, Frankreich. Štefanik-Denkmal in Myjava (Slowakei); Masaryk-Denkmal in Dobrovice (1927); Ruman-Denkmal in Košice (1927). Ausstellgn in Hradec Králové 1923, in Prag 1932.

Lit.: Výtvarné snahy (Prag), 6 (1925) 107. — P. Dějev, Výtvarníci-legionáři, Prag 1937, p. 303f. — Toman, I 109. *Blž.*

Breznay, József, ungar. Figuren- u. Porträtmaler, * 1916.

Lit.: Kat. „Ausst. Ungar. Kst", Dtsche Akad. d. Kste, Berlin Okt/Nov. 1951.

Brianchon, Maurice, franz. Figuren-, Blumen- u. Landschaftsmaler, Bühnenbildner u. Kartonzeichner für Tapisserien, * 11. 1. 1899 Fresnay (Sarthe), ansässig in Neuilly-sur-Seine.

Schüler von Eug. Morand. Beeinflußt von Bonnard. Szenen aus d. Theater-, Zirkus- u. Varietéleben. Feiner, die grauen u. Rosatöne bevorzugender Kolorist. Stellt seit 1923 im Salon des Tuileries, seit 1927 bei den Indépendants aus. Kollekt.-Ausst. 1951 im Pavillon de Marsan. Dekorationen für das Lyzeum Janson de Sailly.

Lit.: Joseph, I. — Bénézit, ² II. — Art et Décoration, 1926/II p. 34ff., m. Abbn; 1927/II p. 25 (Abb.); 1934 p. 283/90, m. 11 Abbn. — Revue de l'Art anc. et mod., 52 (1927) 90 (Abb.); 54 (1928) 37 (Abb.); 67 (1935) 183, 185 (Abb.). — Gaz. d. B.-Arts, 1927/I p. 353 (Abb.), 358. — The Studio, 130 (1945) 168, m. Abb. — Bull. de l'Art, 1929 p. 23 (Abb.). — L'Amour de l'Art, 11 (1930) 390 (Abb.); 13

(1932) 213, m. Abb.; 15 (1934) 365, m. Abb. — L'Art vivant, 1932 p. 131 f., m. Abb. — L'Art et les Artistes, N. S. 25 (1932) 43/47, m. 5 Abbn. — La Renaiss. de l'Art franç., 13 (1930) 335 (recte 379), m. Abb. — Beaux-Arts, 1936 Nr 203 p. 8, m. Abb.; 1938 Nr 306, m. Abb.; 1939 Nr 335 p. 1 (Abb.); Nr v. 16. 4. 48 p. 8, m. Abb. — D. Kstwerk, 4 (1950) Heft 3 p. 57 (Abb.), 58. — Konstrevy, 1930 p. 104 (Abb.); 1939 p. 57 (Abb.). — Kat. Ausst. Franz. Kunst d. Gegenw., Berlin, Pr Akad. d. Kste, 1937, m. Abb. — Art Index (New York), Okt. 1947/Okt. 1952 passim.

Briard, Maurice, franz. Figurenmaler, * 18. 2. 1887 Paris, ansässig ebda.

Schüler von Gérôme. Seit 1929 Mitglied der Soc. d. Art. Franç. Stellt seit 1923 auch bei den Indépendants aus.

Lit.: Joseph, I. — Bénézit, [2] II.

Bricard, François Xavier, franz. Figuren- (bes. Akt-), Bildnis-, Landschafts- u. Blumenmaler, * Angers, ansässig in Paris. Bruder der Folg.

Schüler von Cormon u. J. Tournoux. Mitglied der Soc. d. Art. Franç., beschickt deren Salon seit 1904 (Kat. z. T. m. Abbn). Stellt seit 1907 auch bei den Indépendants aus.

Lit.: Joseph, I. — Bénézit, [2] II. — Revue de l'Art anc. et mod., 44 (1923) 51 (Abb.). — Beaux-Arts, Nr 226 v. 30. 4. 1937 p. 7 (Abb.); Nr 280 v. 13. 5. 38 p. 1 (Abb.).

Bricard, Gertrude, franz. Landschafts-, Blumen- u. Genremalerin, anfänglich Bildhauerin, * 7. 1. 1881 Angers, ansässig in Paris. Schwester des Vor.

Schülerin von J. Tournoux, F. Humbert u. Biloul. Mitglied der Soc. d. Art. Franç. (Salon-Kat. z. T. m. Abbn). Stellt auch bei den Indépendants aus.

Lit.: Joseph, 1. — Bénézit, [2] 2 (1949).

Bricard-Lassudrie, Bérengère, franz. Bildhauerin u. Malerin, ansässig in Paris.

Anfänglich Bildhauerin, ging später zur Malerei über. Hauptsächl. Blumenstücke u. dekor. Kompositionen. Koll.-Ausstellg in d. Gal. d'Astorg Juli 1914.

Lit.: Benezit, [2] II. — Chron. d. Arts, 1914, p. 213.

Brickwedde, Bernard, dtsch. Bildnis- u. Landschaftsmaler u. Gebrauchsgraphiker, * 12. 4. 1895 Osnabrück, ansässig in Bad Essen, Bez. Osnabrück.

Autodidakt. 1921/24 Studien als Restaurator in München, Berlin u. Paris.

Lit.: Dreßler. — Kst im Osnabrücker Land, Kalender 1952, p. 33 (Abb.). — Mitteilgn d. Kstlers.

Bridge, Evelyn, amer. Miniaturmalerin u. Radiererin, * Chicago, Ill., ansässig in Provincetown, Mass.

Schülerin von Ethel Coe, Fursman u. Senseney.

Lit.: Amer. Art Annual, 20 (1923) 453.

Bridge, Vera Ermyntrude, s. *Osborne.*

Bridgham, Eliza, s. *Appleton.*

Bridgwater, Harry Scott, engl. Maler, Radierer u. Schabkünstler, * Dudley, ansässig in London.

Stellt seit 1893 in d. Roy. Acad. aus.

Lit.: Th.-B., 5 (1911). — Who's Who in Art, [3] 1934.

Bridler, Otto, s. im Artikel *Völki,* Lebrecht.

Bridon, Joseph, franz. Bildnis- u. Genremaler, * 11. 4. 1875 Pornic (Loire-Infér.), fiel im 1. Weltkrieg (1914/18).

Schüler von L. O. Merson. Stellte im Salon der Soc. des Art. Franç. aus.

Lit.: Joseph, I.

Briedé, Johan, holl. Maler, Holzschneider u. Illustr., * 2. 5. 1885 Rotterdam, ansässig in Laren.

Schüler der Rotterd. u. Haager Akad., von Chr. Lebeau in Haarlem u. von L. W. R. Wenckebach in Laren. Marinen mit Schiffen. Illustr. (u. a. zu H. G. Wells: The Food of the Gods, E. A. Poe: The House of Usher), sehr subtil durchgeführte, oft aus unmittelbarer Nahansicht aufgenommene Federzeichngn von Architekturen, Pflanzen, Blumen, Vögeln u. morphologisch genau wiedergegebenen Insekten (bes. Spinnen u. Käfer). Zeichnete für „De Vliegende Hollander". Mappenwerk: Oude huizen van Rotterdam, 130 Federzeichngn, Rotterdam 1915.

Lit.: Waay. — Hall, Nrn 7855/57. — Waller. — Maandbl. v. beeld. Ksten, 10 (1933) 71/81, m. Abbn. — Onze Kunst, 29 (1916) 138 ff. — The Studio, 85 (1923) 173 ff., m. Abbn.

Brieger, Curt, dtsch. Maler, * 19. 10. 1877 Glatz, Schles., ansässig in Charlottenburg.

Stud. an der Dresdner Akad. u. bei Otto Eckmann an der Unterrichtsanstalt des Berliner Kstgewerbemus.

Lit.: Dreßler.

Briel, Ernst Theodor van, holl. Landschafts- u. Figurenmaler, * 9. 10. 1904 Kleef, ansässig in Rotterdam.

Schüler der Haager Akad. Mitglied der „Onafhankelijken" u. der Rotterd. Kstlervereinigung „R. 33".

Lit.: Waay.

Brien, Jules Félix, franz. Landschaftsmaler, * Vierzon (Cher), ansässig in Malakoff (Seine).

Schüler von Cormon. Mitglied der Soc. d. Art. Franç. (Salon-Kat. z. T. m. Abbn).

Lit.: Joseph, I.

Brier, Richard, dtsch. Maler, Holz- u. Linolschneider, zuletzt ansässig in Glatz-Halbendorf, Schles.

Stud. an d. Kstgewerbesch. in Breslau. Landschaften, Architektur, Tiere, Akte.

Lit.: Glatzer Heimatblätter, 18 (1932) 143, m. Abb. u. Selbstbildn. (Zeichng).

Brigante, Nicholas, ital.-amer. Maler (Öl u. Aquar.) u. Rad., * 29. 6. 1895 Neapel, ansässig in Hollywood, Calif.

Schüler von Rex Slinkard, Val Castello, L. Murphy u. S. MacDonald Wright.

Lit.: Who's Who in Amer. Art, I: 1936/37. — Art News, 49, April 1950, p. 50.

Brigden, Fred H., kanad. Landschafter.

Mitgl. der Canad. Soc. of Paint. in Water Colour.

Lit.: The Studio, 112 (1936) 208 (Abb.); 114 (1937) 65 (Abb.).

Briggs, Berta, geb. *Nadersberg,* amer. Malerin (bes. Aquar.) u. Holzschneiderin, * 5. 6. 1884 St. Paul, Minn., ansässig in New York.

Schülerin von Berta Lun, Arthur Dow, Ernest Batchelder u. Kenyon Cox. Landschaften u. dekor. Tierkompositionen.

Lit.: Amer. Art Annual, 27 (1930) 512; 30 (1933). — Art Digest, 17, Nr. v. 15. 4. 1943, p. 21. — Who's Who in Amer. Art, I: 1936/37.

Briggs, Clare A., amer. Illustrator u. Pressezeichner, * 5. 8. 1875 Reedsburg, Wisc., † 3. 1. 1930 New York.

Lit.: Amer. Art Annual, 27 (1930) 407.

Briggs, Nicol, franz. Maler, * Paris, ansässig ebda.
Mitglied der Soc. du Salon d'Automne, den er seit 1921 beschickt. Stellt im Salon der Soc. Nat. d. B.-Arts u. seit 1923 auch bei den Indépendants aus. Bildnisse, Akte, Landschaften, Marinen, Stilleben.
Lit.: Joseph, I. — Bénézit, [2] II.

Brigham, Clara Rust, amer. Malerin, * 25. 7. 1879 Cleveland, Ohio, ansässig in Providence, R. I. Gattin des William Edgar.
Schülerin von Blanche Dillay u. William Brigham.
Lit.: Amer. Art Annual, 20 (1923) 454.

Brigham, Walter Cole, amer. Maler u. Kstgewerbler, * 11. 1. 1870 Baltimore, Md., † 1941 Shelter, Long Island, N. Y.
Schüler der Art Student's League in New York. Kartons für Mosaiken mit Marinedarstellgn.
Lit.: Amer. Art Annual, 20 (1923) 454; 30 (1933). — Art News, 40, Sept. 1941, p. 24.

Brigham, William Edgar, amer. Maler, Zeichner u. Metallkstler, * 29. 7. 1885 North Attleboro, Mass., ansässig in Providence, R. I. Gatte der Clara Rust B.
Schüler von Henry Hunt Clark u. Denman Ross.
Lit.: Amer. Art Annual, 20 (1923) 454; 27 (1930) 512. — Who's Who in Amer. Art, I: 1936/37.

Brignoli, Luigi, ital. Bildnis-, Landschafts- u. Genremaler, * 18. 4. 1881 Palosco (Bergamo), ansässig in Bergamo.
Schüler von Ces. Tallone u. Ponziano Loverini an d. Accad. Carrara in Bergamo. 1926/30 Lehrer an derselben. Bereiste 1923 Algerien u. Spanien. Zahlreiche Orientmotive u. afrik. Volkstypen, die ihm den Beinamen „Brignoli l'Africano" eintrugen.
Lit.: G. R. Crippa, L. B. strapaesano d'anteguerra, Bergamo 1935, 5 Abbn. — G. Marangoni, L. B., Bergamo 1940, m. 89 Schwarz-Weiß-Taf. u. 24 farb. Taf. — Comanducci. — Pagine d'Arte, 6 (1918) 115 (Abb.). — Emporium, 57 (1923) 399/401, m. 3 Abbn u. 1 farb.Taf.; 64 (1926) 266/68, m. 4 Abbn; 67 (1928) 184ff., m. 6 Abbn; 70 (1929) 125, 126 (Abb.); 72 (1930) 49, m. 4 Abbn u. 1 farb. Taf.; 75 (1932), farb. Taf. geg. p. 294; 76 (1932) 218/33, m. 18 Abbn u. Fotobildn.; 80 (1934) 65f., m. Abb.

Brignoni, Serge, Tessiner Maler, * 12.10. 1903 Chiasso, ansässig in Bern.
Stud. an der Gewerbesch. in Bern u. an der Aktklasse der Malschule Viktor Surbek ebda. Dann 2 Jahre an der Hochsch. f. bild. Künste in Berlin. 1923/29 in Paris. Beeinflußt von Giorgio de Chirico. Surrealist. Kollektivausst. in der Gal. Jeanne Bucher, Paris, Frühj. 1930 u. Dez. 1931, in d. Gal. Betty Thommen, Basel, Juni 1943, in d. Gal. Hella Nebelung, Düsseldorf, 1951, in d. Gal. Chichio Haller, Zürich, 1952.
Lit.: Bénézit, [2] 2 (1949). — Giedion-Welcker. — Emporium, 67 (1928) 253f., m. Abb. — D. Kst u. d. schöne Heim, 49 (1951) Beil. p. 196; 50 (1952) 130. — D. Kstblatt, 11 (1927) 318. — La Renaissance, 13 (1930) 143 (recte 185): Abb. — Das Werk (Zürich), 23 (1936) 241 (Abb.); 26 (1939) 156 (Abb.), Beil. zu Nr 9, p. XVI; 30 (1943) Beil. zu Nr 9, p. XIII.

Brill, Eduard, dtsch. Architekt u. Kstgewerbler, * 2.11.1877 München, ansässig in Nürnberg. Gatte der Rosa Brill-Ulsamer.
Stud. an den Techn. Hochsch. München u. Charottenburg. 1900/03 am Landbauamt Nürnberg tätig. 1903/05 im Staatsbaudienst als Bauamts-Assessor in Passau. 1905/08 bei Th. Fischer in Stuttgart. 1908/10 Bauleitung der Garnisonkirche in Ulm. Seit 1910 Direktor des Pfälz. Gewerbemus. in Kaiserslautern u. Rektor der dort. Kreisbau- u. Handwerkerschule. Seit ca. 1930 Direktor der Staatssch. für angewandte Kunst in Nürnberg.
Lit.: Dreßler. — Architekt. Rundschau, 1913, Nov.-H. (Abb.). — D. Baumeister, 16 (1918). — Dtsche Kst u. Dekor., 31 (1912/13) 516, 524 (Abb.). — Profanbau, 1911, p. 471, 473, 508.

Brill, Erich, dtsch. Bildnis- u. Landschaftsmaler (Dr. phil.), * 20. 9. 1895 Lübeck, ansässig in Hamburg.
Stud. an den Kstgewerbeschulen in Hamburg u. Frankfurt a. M. 3 Bilder (Blinde Jüdin; Kleiner Platz in Paris; Markt in Locarno) in der Ksthalle in Hamburg. Kollektivausstellgn in d. Ksthandlung V. Hartberg in Berlin 1929 u. bei Van Lier in Amsterdam 1933.
Lit.: Dreßler. — D. Cicerone, 21 (1929) 554. — D. Kunst, 61 (1929/30) Beibl. p. XXII. — D. Kstwanderer, 1929/30, p. 69. — Maandbl. v. beeld. Kunsten, 10 (1933) 312.

Brill, Reginald, engl. Maler, * 1902.
Stud. an d. Slade School in London u. in Rom. 1932 in Ägypten.
Lit.: The Studio, 104 (1932) 19 (Abb.); 134 (1947) 56. — Magaz. of Art, 41 (1948) 278.

Brill-Ulsamer, Rosa, dtsche Bildnis- u. Landschaftsmalerin u. Graph., * 27.7.1884 Nürnberg, ansässig ebda. Gattin des Eduard B.
Stud. an d. Kstgewerbesch. in München u. Paris. Bilder u. Graphik in d. Städt. Gal. in Nürnberg.
Lit.: Th.-B., 32 (1939) 553.

Brillaud de Laujardière, Marc, s. im Art. *Puthomme,* Raymond.

Brindeau de Jarny, Louis Edouard, franz. Bildnis- u. Genremaler, * Paris, † 8. 2. 1943 ebda.
Beschickte 1910/35 den Salon der Soc. Nat. d. B.-Arts (Kat. z. T. m. Abbn).
Lit.: Th.-B., 5 (1911). — Bénézit, [2] 2.

Brindesi, Olympio, ital.-amer. Bildhauer, * 7. 2. 1897 in einem Abruzzendorf, ansässig in New York.
Schüler von Chester Beach u. A. P. Proctor.
Lit.: Fielding. — Amer. Art Annual, 20 (1923) 454; 30 (1933). — Who's Who in Amer. Art, I: 1936/37. — The Studio, 117 (1939) 188 (Abb.).

Brindle, Fred, engl. Landschaftsmaler (Öl u. Aquar.), ansässig in Bolton, Lancashire.
Lit.: Who's Who in Art, [3] 1934.

Bring, Maj, schwed. Landschaftsmalerin (Öl u. Aquarell), * 1880 Uppsala, ansässig in Stockholm.
Stud. an der Akad. in Stockholm u. in Paris.
Lit.: Thomæus.

Bringfelt, Anna, geb. *Varenius,* schwed. Landschaftsmalerin, * 1904 Stockholm, ansässig in Söderköping. Gattin des Folg.
Stud. an Valands Malschule in Göteborg u. an den Akademien in Stockholm u. Kopenhagen.
Lit.: Thomæus.

Bringfelt, Nils, schwed. Figuren- u. Landschaftsmaler, * 1903 Hov, Östergötland, ansässig in Söderköping. Gatte der Vor.
Stud. an Valands Malschule in Göteborg u. an der Akad. in Stockholm.
Lit.: Thomæus.

Bringmann, Carl, dtsch. Fresko- u. Glasmaler, * 15.2.1878 Münster i.W., ansässig in Coburg.

Chorfenster in d. Kirche in Marktschorgast; Altarraumfenster in d. Gedächtniskapelle der Herzogin von Albanien in Hinteriß, Tirol, u. in d. Kirche zu Moschendorf-Hof; Fenster i. d. Kirche zu Grafengehaig i. Frankenwald.

Lit.: Dreßler. — Diamant. Glas-Industrie-Ztg (Leipzig), 50 (1928) Nr 36; 51 (1929) Nr 14. — Coburger Ztg v. 2. 11. 1929.

Brink, Jan van den, holl. Blumen-, Landsch.- u. Stillebenmaler, * 23. 2. 1895 Amersfoort, ansässig in Loenen.

Schüler von Alb. Neuhuys u. B. Leao Lopes de Laguna. Mitglied der „Onafhankelijken".

Lit.: Waay.

Brinkerhoff, Robert Moore, amer. Illustrator, * 4. 5. 1880 Toledo, Ohio, ansässig in New York.

Stud. an der Art Student's League in New York, dann in Florenz u. an der Acad. Colarossi in Paris. Zeichnete für Harper's, Collier's, New York Evening World, Evening Mail, The Saturday Evening Post.

Lit.: Fielding. — Amer. Art Annual, 20 (1923) 454; 28 (1931). — Who's Who in Amer. Art, I: 1936/37.

Brinkmann, Woldemar, dtsch. Innenarchitekt (Prof.), * 12.3.1889, ansässig in Bremen.

Lit.: D. Kunst, 72 (1934/35) 244ff. (Abbn); 74 (1935/36) 198/204 (Abbn); 81 (1939/40) April-Heft, Beibl. p. 8. — Kunst dem Volk, 11 (1940) 37/41. — D. Schlüssel, Bremer Beitr. z. dtsch. Kultur u. Wirtsch., Heft 7 (1937) Abb.

Brinks, Kuno, holl. Maler u. Graph., * 24. 3. 1908 Bussum, lebt in Amsterdam. Gatte der Folg.

Schüler der Amsterd. Akad. Landschaften u. Figürliches. 1933 Rompreis für Graphik. Seit 1936 Lehrer an d. Reichsakad. f. Bild. Kste in Amsterdam.

Lit.: Waay. — C. Veth, K. B., etser en graveur (Beeld. kunstenaars Nr 5), Rotterd.-Antw. 1946 (39 S., 24 Abbn). — Maandbl. v. beeld. Kunsten, 19 (1942) 273, m. Abb. — Apollo (Brüssel), Nr 20 p. 20f., m. Abb. — The Studio, 136 (1948) 118/19, m. 3 Abbn. — Verslagen 's Rijks Verzamel. van Gesch. en Kunst, 1943, p. 29, m. Taf.-Abb.

Brinks-Sluyters, Louise (Lize), holl. Malerin, * 14. 4. 1908 Amsterdam, ansässig ebda. Gattin des Vor.

Schülerin der Amsterd. Akad. Bildnisse, Figürliches, Stilleben, Landschaften, Stadtansichten.

Lit.: Waay.

Brinley, Daniel Putnam, amer. Wand- u. Glasmaler, * 8. 3. 1879 Newport, R. I., ansässig in New Canaan, Conn.

Schüler der Art Student's League in New York, weitergebildet in Florenz u. Paris. 24 Darstell. aus dem Weltkriege im Kansas City War Memorial; Brooklyn in Vergangenheit, Gegenwart u. Zukunft, Wandbilder u. a. im Hudson Motor Car Building in New York, in der Brooklyn Savings Bank u. in der St. Georgskirche in Bridgeport, Conn. Dekor. Darstellg von Long Island im Direktorzimmer der Home Title Insurance Comp. in Brooklyn. Glasfenster für die luth. Kirche in Fordham, N. Y.; 2 Gedächtnisfenster für die Markuskirche in New Canaan, Conn.

Lit.: Fielding. — Amer. Art Annual, 20 (1923) 454; 27 (1930) 512; 30 (1933). — Who's Who in Amer. Art, I: 1936/37. — Monro.

Brinson, J. Paul, engl. Landschaftsmaler (Pastell u. Aquar.), † Dez. 1927 West Woodlands, Reading.

Lit.: Who's Who in Art, [2] 1929, Anhang: Obituary.

Briones, Fernando, span. Figurenmaler (bes. Akt), * Ecija (Sevilla).

Stud. an der Esc. Sup. de Pintura in Madrid. 2. Preis auf der Exp. Nac. Madrid 1934.

Lit.: The Studio, 112 (1936) 188 (Abb.), 192 (Abb.), 195.

Briquemont, Jean Auguste, franz. Bildhauer u. Medailleur, * Paris, ansässig ebda.

Schüler von Perrin. Mitgl. d. Soc. d. Art. Franç. Silb. Medaille 1937.

Lit.: Bénézit, [2] II (1949). — L'Art et les Art., N. S. 20 (1930) 241f., m. 6 Abbn.

Brisac, Edith Mae, amer. Malerin u. Zeichnerin für Kstgewerbe, * 18. 1. 1894 Walton, N. Y., ansässig in Denton, Tex.

Schülerin des Pratt Inst. in Brooklyn, N. Y., u. d. Ec. Amér. des B.-Arts in Fontainebleau.

Lit.: Who's Who in Amer. Art, I: 1936/37. — Mallett.

Brisard, Fernand, franz. Maler (Öl u. Aquar.), * 21. 4. 1870 Hauterive (Orne), ansässig in Paris.

Schüler von Bonnat. Bildnisse, Genre(bes. Akte), Landschaften. Mitglied der Soc. d. Art. Franç. (Salon-Kat. z. T. m. Abbn). Bild: Der Absinthtrinker, im Mus. in Alençon.

Lit.: Joseph, 1. — Bénézit, [2] 2 (1949).

Brischle, Emil, dtsch. Maler u. Radierer, * 9.10.1884 Offenburg i. B., ansässig in Berlin.

Schüler von Schlabitz in Berlin, dann der Akad. Berlin u. München. 1908/09 bei P. Halm u. H. Groeber in München. Beeinflußt von Rembrandt, Cézanne u. den Japanern. Hauptsächlich Landschaften, Stilleben u. Bildnisse. Bilder in den Museen in Metz (Bildnis e. Schauspielerin), Straßburg (Stilleben) u. d. Städt. Smlgn in Düsseldorf (Damenbildnis). Kollektiv-Ausst. (23 Aktzeichngn) im Graph. Kabinett in Offenburg, April 1949.

Lit.: Th.-B., 5 (1911). — Elsaß-Lothr. Jahrb., 12 (1933) 289. — D. Kstwelt, 3. Jg (1913/14) p. 535 (Abb.). — Dtsche Monatsh., 17 (1917) 67. — Badener Tagebl. (Baden-Baden), 12. 4. 1949.

Briscoe, Arthur, engl. Maler (Öl u. Aquar.), Radierer u. Kaltnadelstecher, * 25. 2. 1873 Birkenhead, ansässig in London.

Stud. bei Fred Brown an d. Slade School u. an d. Acad. Julian in Paris. Reiste dann, unermüdlich malend u. skizzierend, mit Vorliebe an den Küsten Englands, Frankreichs u. Hollands. Anfänglich fast ausschließlich Maler, beginnt erst seit Anfang der 1920er Jahre sich mit der Rad. u. Kaltnadelstecherei zu beschäftigen. Von einer leidenschaftlichen Liebe zum Meer beseelt, schildert er in s. Bildern u. s. äußerst flott, impressionistisch behandelten Radierungen das gefahrvolle Leben der Seeleute u. Fischer, die Matrosen auf dem Mastbaum, an der Takelage oder an den Pumpen arbeitend, den Steuermann am Steuerrad, die Fischer beim Herausziehen der Boote an das Ufer, beim Hissen oder Reffen der Segel, beim Lösen der Ankertaue, die Schiffe in stillem Hafen, auf hoher See oder im Trockendock. 3 seiner Platten sind farbig gedruckt, doch bedarf es bei dem außerordentlich malerischen Charakter seiner Blätter nicht der Farbe zur Erhöhung ihrer Wirkung. Seine frühe graph. Produktion ist von J. Laver, das Werk von 1930/38 von H. J. L. Wright katalogisiert worden. Das graph.

Korpus umfaßt von 1923 bis 1950 189 Platten; die älteren, von Robert Spence beeinflußten Blätter sind von B. selbst verworfen worden. Als Graphiker reich vertreten im Brit. Mus. u. im Victoria a. Albert Mus. in London u. in den öff. Kupferstichkab. der USA, Kanadas u. der Nat. Gall. in Sydney, N. S. Wales.

Lit.: Who's Who in Art, [3] 1934. — J. Laver, Etchings a. Drypoints by A. B., Lo. 1930. — Weiterführung des Kataloges von H. J. L. Wright in: The Print Coll.'s Quarterly, 26 (1939) 97/103, m. Abbn. — Apollo, 2 (1925) 173/177, m. Abbn; 7 (1928) 191; 8 (1928) 27f., m. 2 Abbn. — The Studio, 91(1926) 90ff., m. 2 Abbn; 92 (1926) 37f., m. Abb.; 102 (1931) 155 (Abb.), 246 (Abb.); 103 (1932) 252 (Abb.); 104 (1932) 328 (Abb.); 108 (1934) 229 (Abb.); 110 (1935) 130 (Abb.); 113 (1937) 220. — Artwork, 4 (1928) 102. — Brooklyn Mus. Quarterly, 21 (1934) 13 (Abb.). — The Print Coll.'s Quarterly, 24 (1937) 102 (Abb.), 334 (Abb.); 25 (1938) 284/311, m. Abbn, 371 (Abb.); 26 (1939) 497 (Abb.); 27 (1940) 116 (Abb.).

Briscoe, Ernest Edward, engl. Illustrator u. Aquarellmaler, * 5. 3. 1882, ansässig in St. Helen's auf der Insel Wight.

Illustr. zu J. R. Batley, Byways of London, 1 (1924); 2 (1928).

Lit.: Who's Who in Art, [3] 1934.

Brisgand, Gustave, franz. Bildnis-, Genre- u. Aktmaler, * Paris, ansässig ebda.

Mitglied der Soc. d. Art. Franç., beschickte deren Salon seit 1905 (Kat. z. T. m. Abbn). Geschätzter Frauenmaler (Rollenbildnisse von Schauspielerinnen).

Lit.: Joseph, 1, m. 2 Abbn. — Bénézit, [2] 2.

Brison, Mary J., amer. Malerin u. Kstgewerblerin, * 11. 5. 1878 Rawdon, Kanada, ansässig in Athens, Ohio.

Schülerin von Dow, Friesz u. Twachtman.

Lit.: Amer. Art Annual, 20 (1923) 454.

Brissaud, Jacques, franz. Maler (Öl u. Aquar.) u. Radierer, * Paris, ansässig ebda.

Mitglied der Soc. Nat. d. B.-Arts, beschickt deren Salon seit 1904 (Kat. z. T. m. Abbn). Stellt auch bei den Indépendants u. im Salon des Tuileries aus. Landschaften, Genre, Akte, Bildnisse.

Lit.: Joseph, I. — Art et Décor., 1913/I p. 176 (Abb.); 1919 p. 65ff. passim, m. Abb. — Chron. d. Arts, 1914 p. 75.

Brissaud, Pierre, franz. Aquarellmaler, Buchillustr., Plakatkünstler u. Gebrauchsgraph., * 23. 12. 1885 Paris, ansässig ebda.

Mitglied der Soc. Nat. d. B.-Arts. Stellt auch im Salon des Tuileries (1924ff.) aus. Zeichnete für die Gaz. du Bon Ton. Illustr. u. a. zu: Balzac „Eugénie Grandet", F. Jammes „Almaïde d'Etremont", A. Hermant „Histoire d'un fils de roi", A. France „Le Petit Pierre" u. „La Vie en Fleur". G. Flaubert, „Mme Bovary", R. Boylesve „La Leçon d'amour dans un parc" u. „Alcindor".

Lit.: Joseph, I. — Qui Etes-vous?, 1924. — Bénézit, [2] II. — G. Dulac, P. B., étude crit., Paris 1929. — The Studio, 92 (1926) 323f., m. Abbn bis p. 329.

Brissmyr, Einar, schwed. Landschafts- u. Marinemaler, * 1908 Halmstad, ansässig in Stockholm.

Stud. in England, Deutschland, Frankreich u. Italien. Hauptsächlich Straßenpartien in graublauen Tönen.

Lit.: Thomœus.

Bristol, René, franz. Bildhauer u. Medailleur, * 1888 Thiviers (Dordogne), † 1934 Colombes (Seine).

Schüler von Mercié, Lorieux u. Jean Boucher. Mitglied der Soc. d. Art. Franç. u. der Soc. du Salon d'Automne.

Lit.: Joseph, 1. — Forrer, 7. — Bénézit, [2] 2.

Brito, José de, portug. Maler, * 18. 2. 1855 Sta Marta de Vianna do Castello, † 26. 3. 1946 Porto.

Stud. Historienzeichnen an d. Ksthochschule in Porto, Schüler von João Correia, B. Constant u. J. P. Laurens an d. Akad. Julian in Paris, wo er sich als Stipendiat König Ferdinands aufhielt. — Ausstellungen: Pariser Salon 1888/96, Panama-Pacific Exp. S. Francisco 1915, Soc. Nac. de B. Artes in Lissabon u. Porto. Prof. a. d. Ksthochschule in Porto. — Bilder im Nat.-Mus. zeitgen. Kst in Lissabon, im Nat.-Mus. in Soares dos Reis, im Städt. Mus. in Porto u. in den Museen in Évora, Grão-Vasco u. Vizeu.

Lit.: Th.-B., 5 (1911). — Pamplona, p. 156. — Gr. Enc. Port. e Brasil., V 107, m. Fotobildn. — Arte (Porto), 1 (1905) Nr 5 p. 2 (m. Abb.); 2 (1906) Nr 15 p. 1f. (m. Abb.), Nr 16/17 p. 8 (m. Bildn.).

Brito, Julio José de, portug. Architekt u. Ingenieur, * 30. 3. 1896 Paris, ansässig in Porto.

Stud. an d. Kunstsch. in Porto u. an d. dort. Universität. Schüler von Marques da Silva. Soares dos Reis-Preis. Theater, Kinos, Hotels, Wohnhäuser, Industriebauten.

Britt, Ralph M., amer. Landschaftsmaler, * 19. 7. 1895 Winchester, Ind., ansässig ebda.

Schüler von Wm. Forsyth, Clifton Wheeler, Otto Stark u. Olive Rush.

Lit.: Fielding. — Amer. Art Annual, 20 (1923) 454; 30 (1933). — Who's Who in Amer. Art, I: 1936/37.

Brittan, Charles Edward, engl. Landschaftsmaler (Aquar.), * 2. 6. 1870 Plymouth, ansässig in Lewdon, N. Devon.

Lit.: Who's Who in Art, [3] 1934.

Britton, Harry, kanad. Maler, * 1878 Cambridge, Engl., ansässig in Parrsboro, N. S.

Lit.: Mallett. — The Studio, 67 (1916) 66; 70 (1917) 34, m. Abb.

Britton, James, amer. Maler u. Illustrator u. Rad., * 20. 2. 1878 Hartford, Conn., † 1936 New York.

Schüler von C. N. Flagg, George de F. Brush u. R. B. Brandegee. Herrenbildnis im Morgan Mus. in Hartford.

Lit.: Fielding. — Amer. Art Annual, 20 (1923) 454. — Mallett.

Britze, Marianne, dtsche Malerin u. Holzschneiderin, * 11. 6. 1883 Bautzen, ansässig ebda.

Schülerin von Ferd. Dorsch an der Dresdner Akad. Studienaufenthalte in Belgien, Holland, Florenz, Paris. Im Mus. in Bautzen ein Blumenstück.

Lit.: Dreßler. — Oberlausitzer Heimatzeitung, 1 (1920) 394.

Brivot, Arsène, Pseudonym: *Arvot-Brisène,* franz. Maler, Holzschneider, Rad. u. Buchillustrator, * 16. 2. 1898 Saint-Jean-de-Losne (Côte-d'Or), ansässig in Vincennes.

Schüler von L. Simon. Mitglied der Soc. d. Art. Franç. u. der Soc. d. Dessinat. Humoristes. — Illustr. u. a. zu: Henri Bordeaux, „Le lac noir", J. H. Rosny „Le cœur tendre et cruel".

Lit.: Joseph, I.

Brizzolara, Luigi, ital. Bildhauer.

Hauptwerke: Denkmal der Republik Brasilien in

Rio de Janeiro — kolossale, e. Flächenraum von ca. 2000 qm einnehmende, vielfigurige Anlage (begonnen 1923); Denkmal des brasil. Komponisten Carlos Gomes in São Paulo, 1922.

Lit.: Emporium, 58 (1923) 319, m. Abb. — Vie d'Italia e d. America latina, 1928, p. 517/24, m. 8 Abbn.

Broad, Harry, amer. Maler, * 17. 2. 1910 Chicago, Ill., ansässig ebda.

Schüler von Arthur R. Young u. Laura van Papplendam.

Lit.: Amer. Art Annual, 30 (1933). — Who's Who in Amer. Art, I: 1936/37.

Broad, Kenneth, engl. Holzschneider u. Aquarellmaler, * London, ansässig ebda.

Lit.: Who's Who in Art, ³ 1934.

Broadhead, Marion, engl. Bildnismalerin (bes. Miniatur) u. Rad., * Macclesfield, ansässig in London.

Stud. in London u. Paris.

Lit.: Who's Who in Art, ³ 1934.

Brobeck, Charles J., amer. Maler, * 29. 9. 1888 Columbus, Ohio, ansässig ebda.

Stud. an den Kstschulen in Columbus u. Detroit.

Lit.: Fielding. — Amer. Art Annual, 20 (1923) 454.

Broberg, John, schwed. Maler (Öl, Aquar., Tempera) u. Graphiker, * 1892 Sandviken, Gästrikland, ansässig in Lidingö.

Stud. an der Akad. in Stockholm. Bereiste Deutschland, Frankreich u. Italien. Bildnisse, Landschaften, Stilleben. Bilder u. a. in den Museen in Nyköping u. Östersund.

Lit.: Thomœus.

Broberg, Ivan, schwed. Landschafts-, Marine- u. Stillebenmaler, * 1887 Söndrum, Halland, ansässig in Göteborg.

Stud. an der Techn. Schule in Halmstad u. an Valands Malsch. in Göteborg. Bild im Mus. in Halmstad.

Lit.: Thomœus. — Konstrevy, 15 (1939) H. 5/6 p. IV (Abb.).

Brocas, Maurice, belg. Holzschneider u. Maler, * 1892 Brüssel, ansässig in Uccle. Gatte der Suzanne Cocq.

Landschaften, Stilleben, Städteansichten. Buchschmuck, Exlibris, Schlußvignetten. Illustr. u. a. zu: Ernest Claes, Toen Onze-Lieve-Vrouwke heuren beeweg deed (1934), u. zu Thomas Braun, Ex Voto (1932).

Lit.: Seyn, I, m. Fotobildn. — Apollo (Brüssel), Nr 10 v. 1. 3. 1942, p. 12 (Abb.), 14 (Abb.), 15.

Broche, Jacques Lucien Bernard, franz. Maler, * 7. 12. 1905 Presles-et-Thierny (Aisne), ansässig in Laon.

Schüler von Sabatté u. Selmy in Lille. Figürliches, Architekturansichten, Stilleben. Beschickt seit 1929 den Salon der Soc. d. Art. Franç. (Kat. z. T. m. Abbn).

Lit.: Joseph, I. — Bénézit, ² II.

Brochenberger, Hans, dtsch. Holz- u. Steinbildhauer, * 1887 Schellenberg, O.-Bay., zuletzt ansässig in Reichenberg i. B.

Stud. an der Fachsch. für Holzschnitzerei in Berchtesgaden, an der Kstgewerbesch. in München u. in der Meisterklasse Ad. Hildebrand an der Münchner Akad. Rompreis. Tätig bis Ausbruch des 1. Weltkrieges 1914 für den Architekten Gabriel v. Seidl u. die Bildh. Netzer u. Seidler. 1919 an die Holzschnitzfachsch. in Bad Warmbrunn i. Schles. berufen. Hauptsächlich Holzbildhauer, arbeitete aber auch in Granit, für Bronze u. Keramik. Heldendenkmäler in Bad Warmbrunn, Krummhübel, Linderode u. Jannowitz, Holzschnitzereien am Außen- u. Innenbau vieler Bauden des Riesengeb.

Lit.: D. Kunst, 69 (1933/34) 148/49, m. Abbn. — D. Christl. Kst, 26 (1929/30) 74 (Abb.). — Kst u. Handwerk, 59 (1908/09) 176, 181 (Abb.).

Brochet, Henri Eugène, franz. Maler, * 24. 5. 1898 Paris, ansässig ebda.

Mitglied der Soc. du Salon d'Automne. Stellt auch bei den Indépendants u. bei der Soc. Nat. d. B.-Arts aus. Pflegt bes. das religiöse Fach, daneben das Bildnis u. Stilleben, neuerdings auch das Bühnenbild.

Lit.: Joseph, I. — L'Amour de l'Art, 1935 p. 357 ff. passim.

Brock, Charles Edmund, engl. Illustrator u. Maler, * 5. 2. 1870 Holloway, † 1938 Cambridge.

Illustr. zu: Lamb's Essay, Westward Ho, Jane Austen, English Idylls, John Gilpin (ed. Dent, 1898). Genre, Bildnisse (bes. Kinder), Landschaften.

Lit.: Th.-B., 5 (1911). — Who's Who in Art, ³ 1934. — Bénézit, ² 2 (1949). — The Studio, 68 (1916) 93–102, m. 9 Abbn; 91 (1926) 429 (Abb.); 92 (1926) 41 f.; 104 (1932) 67 (ganzseit. Abb.); 108 (1934) 14 (Abb.). — The Print Coll.'s Quarterly, 23 (1936) 184.

Brock, Emma Lillian, amer. Illustratorin, * 11. 6. 1886 Fort Shaw, Mont., ansässig in Fort Snelling, Minn.

Schülerin von E. A. Batchelder, Mary M. Cheney u. George Bridgman.

Lit.: Fielding. — Amer. Art Annual, 30 (1933). — Who's Who in Amer. Art, I: 1936/37.

Brock, Henry Mathew, engl. Aquarellmaler, Exlibris- u. Schwarz-Weiß-Kstler, * 11. 7. 1875 Cambridge, ansässig ebda.

Zeichnete u. a. für den „Punch" u. „The Old Fairy Tales".

Lit.: Who's Who in Art, ³ 1934. — The Studio, 61 (1914) 53 (Abb.).

Brock, William, engl. Tier- u. Landschaftsmaler, * 7. 4. 1874 St. John's Wood, ansässig in Waldringfield, Woodbridge.

Stud. an den Londoner Roy. Acad. Schools u. an der Pariser Ecole d. B.-Arts.

Lit.: Who's Who in Art, ³ 1934. — Journal de Rouen, 28. 1. 1914.

Brockbank, Elisabeth, engl. Bildnismalerin (bes. Miniatur), * 8. 7. 1882 Settle, Yorkshire, ansässig in Carnforth, Lancashire.

Lit.: Who's Who in Art, ³ 1934.

Brocke, Curt von, dtsch. Architekt, * 1873 Wilsnack, Brandenburg, ansässig in Kassel.

Schüler von Herm. Ende an der Techn. Hochsch. Charlottenburg. Vorstand der Bauabteilung der Lokomotiv- u. Maschinenfabrik Henschel & Sohn in Kassel, für die er eine Reihe von Industriebauten entwarf.

Lit.: Platz. — D. Horen, 3 (1926/27) 361/68. — Wasmuth's Monatsh. f. Baukst, 9 (1925) 83 ff., m. Abbn; 10 (1926) 315 ff., m. Abbn.

Brocker, Carl, dtsch. Architekt (Regierungsbaum. a.D., Konsul), ansässig in Düsseldorf.

Spezialist für Krankenhausbauten: Wohlfahrtsstätte „St. Johann" nebst Kirche u. St. Johannes-Hospital in Hamborn a. Rh.; Haus „Duisburger Hof" in Duisburg; St. Camillus-Hospital in Walsum a. Rh.;

Marienkrankenhaus in Nordhorn i. H.; St. Joseph Heil- u. Pflegeanstalt in Düsseldorf-Unterrath; Anna-Katharinenstift in Karthaus bei Dülmen i. W.; St. Raphaels-Klinik in Münster.

Lit.: Neue Baukst, 6 (1930) Nr 7 p. 1, m. Abbn bis p. 14. — D. Christl. Kst, 25 (1928/29) 375. — Dtsche Bauztg, 67 (1933) 265.

Brockhoff, Johann, dtsch. Maler u. Graphiker, * 16. 6. 1871 Aachen, zuletzt ansässig in München.

Schüler von Bantzer in Dresden, von Halm in München u. der Akad. Julian in Paris. Interieurs, Architektur, Landschaften.

Lit.: Th.-B., 5 (1911).

Brockhurst, Gerald Leslie, engl. Bildnismaler, Rad. u. Zeichner, * Okt. 1890 Birmingham, ansässig in London.

Stud. bei E. R. Taylor u. Catterson Smith an d. Kstschule in Birmingham, seit 1907 an d. Schule der Londoner Roy. Acad. 1913 Gold. Med. (Teich Bethesda). Ging dann nach Paris, wo ihn bes. die ital. Quattrocentisten (Botticelli, Piero della Francesca) fesselten, von dort nach Mailand um Leonardo u. dessen Schule (Boltraffio, Luini) zu studieren. Seit 1923 Mitgl. der Roy. Soc. of Portrait-Painters, seit 1928 Associate der Roy. Acad., seit 1937 deren Mitglied. Die strenge Form seiner Vorbilder hat ebenso seinen malerischen wie seinen graph. Stil bestimmt, der auf klare Umrisse u. genaue, in der Frühzeit bisweilen etwas trockene Wiedergabe aller Einzelformen u. Modellierung der Köpfe ausgeht. Nach dem Muster der Italiener liebt er es, seine Bildnisse vor eine neutrale, ziemlich summarisch behandelte landschaftl. Folie zu stellen. Besonders reizvoll sind seine Kinderköpfe u. einige genreartig behandelte Frauenbildnisse: Mélisande, The Mirror, Le Béguin, By the Window, La Tresse oder das entzückende Blatt der jugendlichen Tänzerin in Ganzfigur, Bildnis s. Gattin, einer rassigen Baskin, die ihm oft als Modell gedient hat. Einen chronolog. geordneten Katalog seiner Rad., die Produktion des Jahrzehnts 1914/24 umfassend, hat Wright 1924, einen Nachtrag dazu und die weitere Produktion bis 1934 umfassend ders. Autor in The Print Coll.'s Quarterly 1935 veröffentlicht.

Lit.: Who's Who in Art, [3] 1934. — M. C. Salaman, G. L. B. (Mod. Masters of Etching, 19), New York 1929. — The Studio, 66 (1916) 277ff., m. Abbn; 85 (1923) 243/50, m. 8 Abbn u. 1 farb. Taf.; 88 (1924) 209 (Abb.), 212; 89 (1925) 92f., m. Abb.; 91 (1926) 308, 313 (Taf.-Abb.); 97 (1929) 268, 269 (ganzseit. Abb.); 99 (1930) 190 (ganzseit. Abb.); 104 (1932) 55 (Abb.); 105 (1933) 301 (ganzseit. Abb.); 108 (1934) 5 (Abb.); 110 (1935) 133 (Abb.); 111 (1936) 69 (Abb.); 113 (1937) 302 (Abb.); 114 (1937) 4, 13 (Abb.); 115 (1938) farb. Taf. geg. p. 156; 116 (1938) 73; 137 (1949) 9 (Abb.); 140 (1950) 6 (Abb.). — Art News, Dez. 1949, p. 54. — Nation a. Athenæum, 28 (1921) 754. — The Print Coll.'s Quarterly, 11 (1924) 409/43, m. Abbn; 21 (1934) 317/36, m. Abbn; 22 (1935) 62/77, m. Abbn. — Apollo (London), 1 (1925) 126, 177; 11 (1930) Taf. geg. p. 300; 12 (1930) 113/19, m. Abbn; 13 (1931) Taf. geg. p. 250, 267; 25 (1937) 358, 359 (Abb.); 27 (1938) 161, m. Abb. — Artwork, 4 (1928) 20; 5 (1929) Nr 19, p. XXI. — Die Graph. Kste (Wien), 49 (1926) 16f. — Bull. of City Art Mus. St. Louis, 1927, p. 3/7, m. 2 Abbn. — Bull. of the Mus. of F. Arts Boston, 28 (1930) 102 (Abb.). — Brooklyn Mus. Quarterly, 21 (1934) 11, 14 (Abb.). — Parnassus, Nov. 1936, p. 5/8 passim, m. Abb. — The Connoisseur, 71 (1925) 112; 82 (1928) 119f. — Art Index (New York), 1928ff.

Brockhusen, Theo von, dtsch. Maler, * 16. 7. 1882 Marggrabowa, Ostpr., † 20. 4. 1919 Berlin.

Schüler von Max Schmidt u. O. Jernberg an der Akad. in Königsberg. Seit 1904 in Berlin ansässig. Mitglied u. während der letzten beiden Jahre s. Lebens Präsident der Berl. Sezession. Hauptsächlich Landschafter, aber auch große figurale Kompositionen. Stark abhängig von van Gogh, dessen flammenden Stil er auf die Schilderung der kargen Landschaft der Berliner Umgebung (Havel, Werder-Baumgartenbrück) übertrug. Zum großen relig. Historienbild durch einen Aufenthalt in Italien 1913 angeregt (Träger des Villa-Romana-Preises). Kollektivausst. bei Cassirer in Berlin, 1915. Gedächtnisausstellgn in der Freien Sezession Berlin 1919 u. in d. Gal. F. Möller, Berlin 1924. Bilder u. a. in d. Berl. Nat.-Gal. u. in d. Städt. Smlg Königsberg.

Lit.: Th.-B., 5 (9111). — D. Cicerone, 7 (1915) 51; 11 (1919) 260, 462; 16 (1924) 466. — D. Kunst, 27 (1912/13) 477 (Abb.); 29 (1913/14) 180, 184 (Abb.); 33 (1915/16) 309ff., m. Abbn; 37 (1917/18) 54 (Abb.); 39 (1918/19) 412; 40 (1918/19) Beil. zu Heft 9, p. I; 67 (1932/33) Beibl. p. LXXXVI; 69 (1933/34) 58/59, m. 2 Abbn, 60/62 (4 Abbn). — Kst u. Kstler, 12 (1914) 200, 480, 482 (Abb.). — D. Christl. Kst, 16 (1919/20), Beibl. p. 5. — Dtsche Kst u. Dekor., 30 (1912) 300 (Abb.); 32 (1913) 248 (Abb.); 33 (1913/14) 359 (Abb.), 363; 43 (1918/19) Abb. p. 4, 8. — Kst u. Kstler, 12 (1914) 200; 14 (1916) 322; 19 (1920/21) 168. — Kstchronik, 30 (1918/19) 597f. — Mitteil. d. Ges. f. d. Gesch. von Ost- u. Westpreußen, 2 (1927) 41f.

Brockman, Ann, verehel. *McNulty*, amer. Malerin, * 6. 11. 1899 Alameda, Calif., † 1943 New York.

Schülerin von Gifford Beal u. John Sloan.

Lit.: Who's Who in Amer. Art, I: 1936/37. — Art Index (New York), Okt. 1941/Sept. 1946. — Monro.

Brockman(n), Henry, s. *Knudsen*, H.

Brockmann, Adolf, dtsch. Maler u. Holzschneider, * 5. 10. 1895 Vilsendorf, Kr. Bielefeld, ansässig in Dresden.

Schüler von Gußmann u. Rob. Sterl an der Dresdner Akad. Landschaften, Stilleben, Blumenstücke.

Brockmann, Dorothee, dtsche Illustratorin, * 12. 7. 1899 Holzminden, ansässig in München.

Stud. an der Kstgewerbesch. in München.

Lit.: Dreßler.

Brockmann, Gottfried, dtsch. Maler, Graphiker u. Innenarchitekt, * 19. 11. 1903 Köln-Lindenthal, ansässig in Köln-Klettenberg.

Stud. an der Akad. Düsseldorf. Innenausbau des Erholungshauses der I. G. Farbenindustrie in Leverkusen (1926/27). Linolschnitte: Arbeiter (Bilderbogen der Zeit, H. 1), Düsseldorf, Westdtsche Verlagsdruckerei. Koll.-Ausst. Amt Charlottenburg (Berlin), Nov. 1951.

Lit.: Dreßler. — D. Kstblatt, 12 (1928) 95.

Brockmüller, Friedrich Franz, dtsch. Bildhauer, * 26. 9. 1880 Schwerin, ansässig in Berlin.

Stud. an der Hochsch. f. bild. Künste u. an der Akad. in Berlin. Hauptsächlich Tiere (Kleinplastik) u. Bildnisbüsten. Mehrere Arbeiten im Mecklenb. Landesmus. in Schwerin; Bildnisrelief des Erfinders Mergenthaler im Dtsch. Mus. in München.

Lit.: Th.-B., 5 (1911). — Dreßler. — Mecklenb. Monatsh., 4 (1928) 139 (Abb.); 5 (1929) 95 (Abb.), Taf. geg. p. 138, 425 (Abb.); 9 (1933) Taf. geg. p. 361 u. 461, 469/72, m. Fotobildn. u. 4 Abbn; 10 (1934) 247 (Abb.). — Westermanns Monatsh., 138 (1925) 534/40, m. 12 Abbn.

Brod, Fritzi, tschech.-amer. Malerin u. Lithogr., * 16.6.1900 Prag, ansässig in Chicago.
Lit.: Mallett. — Art Digest, 22, Nr v. 1. 5. 1948, p. 8 (Abb.). — Art News, 46, Dez. 1947, p. 48 (Abb.).

Brodatij, L., sowjet. Karikaturist, * 1891.
Karikaturen für die satir. Zeitschr. „Krokodil".

Brodauf, Friedrich, dtsch. Gebrauchsgraphiker u. (seit 1907) Bildhauer (Prof.), * 15.10.1872 Groß-Hartmannsdorf/Erzgeb., † 16.7.1939 Edwards (New York).
Schüler von Schupp u. Nierth in Dresden. Lebte in Dresden/Oberloschwitz. Figürliches, Bildnisbüsten, Reliefs. Auch Modelle für Lauchhammer Eisenbildguß. Im Stadtmus. in Dresden eine Büste des Komponisten Gerh. Schielderup.
Lit.: Th.-B., 5 (1911). — Dreßler. — D. Kstwanderer, 1925/26 p. 419. — Ausst.-Kat. Dresdner Kstgenossensch. 1917, p. 38, m. Abb.; Drei Künstlergruppen, Dresden 1933, p. 62, m. Abb. — Leipziger Neuste Nachr. v. 24. 7. 1939.

Brodführer, Carl, dtsch. Architekt (Reg.-Baurat), ansässig in Berlin.
Neue Kurbauten in Bad Pyrmont; Ev. Lindenkirche in Berlin-Wilmersdorf.
Lit.: Dreßler. — Zentralbl. d. Bauverwaltung, 49 (1929) 645/52, m. Abbn; 57/II (1937) 702ff., m. Abbn.

Brodin, Arne, schwed. Landschaftsmaler, * 1912 Herräng, ansässig in Stockholm.
Autodidakt.
Lit.: Thomœus.

Brodskij, B., sowjet. Bildhauer.
Büste des russ. Forschungsreisenden Ssemjon Iwanowitsch Dejneff.
Lit.: Ill. Rundschau, 3. Jg, Nr 22, Nov. 1948, p. 14 (Abb.).

Brodskij, Isaak Israiljewitsch, sowjet. Maler, * 1884 auf der Krim, † 1939 Leningrad.
Direktor der Leningrader Akad. Verdienter Künstler der RSFSR. Realist. Bildnisse, hist. Szenen, Landschaften. Bilder im Russ. Mus. Leningrad (Kat. 1912 Nr 5453) u. in der Staatl. Tretjakoff-Gal. Moskau (Lenin).
Lit.: Encykl. d. Union d. Sozial. Sowjetrepubl., II (1950). — Kondakoff, II 23. — bild. kst, 3 (1949) 242 (Abb.), 244. — Ssredi Kollekzioneroff, 1922, Heft 5, p. 79; H. 9 p. 70. — Velhagen & Klassings Monatsh., 38/I (1923/24) p. 297, Abb. p. 294. — Revue de l'Art, 49 (1926) 192f. (Abbn). — Isskustwo, 1934 Nr 5 p. 1/26, m. 4 Taf. u. 23 Abbn. — Neues Deutschland (Berlin), 14. 6. 1949, m. Abb. — Kat. d. Sonderausst. I. B., Leningrad 1934 u. Moskau 1934, beide illustr. — The Studio, 67 (1916) 276 (ganzseit. Abb.), 277. — Kunst og Kultur (Bergen, Norw.), 20 (1934) 1, m. Abb. — Kat. d. Ausst. Sowjet. Malerei im Haus d. Kultur d. Sowjetunion in Berlin, 1949.

Brodsky, Nina Anna, russ. Bildnismalerin, Holzschneiderin, Gebrauchsgraph. u. Bühnenbildnerin, * 13. 6. 1892 Kiew, ansässig in Berlin.
Schülerin von Herm. Struck in Berlin (1905/07), der Stroganoff-Schule in Moskau, der Kstschule in Weimar u. von A. Jakowleff u. M. Dobouzinskij in Petersburg. Bühnenbilder u. Kostüme für das Theater „Der Blaue Vogel" in Berlin.
Lit.: Dreßler. — Gebrauchsgraphik, 4 (1927) H. 9, p. 30ff., m. Abbn.

Brodtbeck, Wilhelm, schweiz. Architekt, * 25. 9. 1873 Liestal, ansässig ebda.
Stud. an den Techn. Hochsch. Stuttgart u. Karlsruhe. Schulhäuser in Liestal, Laufen, Pfeffingen, Olfingen, Augst u. a. O.; Kant. Bankgeb. in Liestal; Wohnkolonie „Wasserhaus" in der „Neuen Welt" b. Basel; „Lerchengarten" in Birsfelden.
Lit.: Schweiz. Zeitgen.-Lex., 1932. — D. Werk, 5 (1918) 181/91.

Brodzky, Horace, austral. Maler, Illustr., Rad. u. Kunstschriftst., * 30. 1. 1885 Melbourne, ansässig in New York.
Stud. in Melbourne u. London.
Lit.: Fielding. — Amer. Art Annual, 20 (1923) 455. — James Laver, Forty Drawings by H. B., London o. J. [1936].

Broeckaert, Herman, belg. Landschaftsmaler u. Dichter, * 1878 Wetteren, † 1930 Gent.
Lit.: Seyn, I, m. Fotobildnis. — Nieuw leven (Alost), 1911, p. 99/143, m. 2 Abbn u. 2 Tafeln. — Ons Volk ontwaakt, 1914 p. 114f., m. 2 Abbn u. Bildn.

Bröckl, Emil, öst. Holzschneider u. Zeichner, ansässig in Wien.
Lit.: D. getr. Eckart (Wien), 8/II (1930/31) 849/54 (Abbn von 10 Zeichngn). — Kat. Jubil.-Ausst. Kstlerhaus Wien, Nov. 1941–Febr. 1942, p. 36, Abb. Anh. p 25.

Broeckman, Adrienne, geb. *Klinkhamer*, holl. Malerin, Holzschneiderin u. Rad., * 4. 12. 1876 Amsterdam, ansässig in Santpoort.
Schülerin von Fr. Jansen an d. Haager Akad. u. von Ph. Zilcken. Stilleben, Blumen (Aquar.), Märchendarstellgn.
Lit.: Plasschaert. — Waay. — Waller, p. 176.

Broedel, Max, dtsch-amer. Illustrator, * 8. 6. 1870 Leipzig, ansässig in Baltimore, Md.
Illustr. für medizin. Werke.
Lit.: Fielding. — Forrer, 7. — Amer. Art Annual, 20 (1923) 455; 28 (1931). — Who's Who in Amer. Art, I: 1936/37.

Broedelet, André, holl. Kindermaler, * 7. 8. 1872 Batavia, ansässig im Haag. Gatte der Folg.
Schüler der Haager Akad. unter Fr. Jansen (1889–95). In Antwerpen, dann abwechselnd in Hilversum u. im Haag, 1903/08 in Laren ansässig.
Lit.: Plasschaert. — Waay. — De Holl. Revue, 15 (1910) 864/67. — Maandbl. v. beeld. Kunsten, 1 (1924) 369. — Onze Kunst, 19 (1911) 67f.

Broedelet-Henkes, Hetty, holl. Blumen- u. Stillebenmalerin, * 18. 1. 1877 Delfshaven, ansässig im Haag. Gattin des Vor.
Schülerin der Haager Akad. unter Fr. Jansen (1891/98).
Lit.: Plasschaert. — Waay. — De Hollandsche Revue, 15 (1910) 864/67. — Maandbl. v. beeld. Ksten, 1 (1924) 369, 370 (Abb.). — The Studio, 82 (1921) 129. — Onze Kunst, 19 (1911) 67f.

Bröker, Bernhard, dtsch. Maler, * 22. 12. 1883 Münster i. W., ansässig ebda.
Stud. an d. Berliner Akad. Mitgl. der Freien Künstlergenossenschaft.
Lit.: Velhagen & Klasings Monatsh., 49/II (1934–35) farb. Taf.-Abb. geg. p. 440, 446.

Bröker, Margarete, dtsche Holzbildhauerin, ansässig in Berlin.
Schülerin von Perathoner. Reliefs an der Kanzel u. Stationsbilder in der Herz-Jesu-Kirche in Berlin.
Lit.: D. Christl. Kunst, 27 (1930/31) 83, 86f. (3Abbn).

Broekman, A. M., holl. Bildnis- u. Stillebenmaler, * 1. 3. 1874 Amsterdam.
Schüler von Al. Boom u. Dijsselhof.
Lit.: Plasschaert. — Waay.

Broekman, Dirk Hendrik Herm., holl. Bildhauer u. Holzschneider, * 14. 6. 1875 Den Helder, ansässig in Soest (Prov. Utrecht).
Lit.: Waller.

Broeksmit, Frederika, holl. Malerin u. Rad., * 14. 8. 1875 Charlois b. Rotterdam, ansässig in Katwijk a. Zee.
Schülerin von H. J. Melis, van Maasdijk an der Rotterdamer Akad., Dake, Allebé u. v. d. Waay an der Akad. Amsterdam. Mitglied der „Onafhankelijken". Landschaften, Hafenansichten, Blumen, Tiere (bes. Hunde u. Wasservögel). Farbenradierungen.
Lit.: Plasschaert. — Waay. — Waller. — Vita d'arte, 7 (1911) 133/35; 12 (1913) 87/90, m. Abbn.

Broel, Georg, dtsch. Landschaftsmaler, Radierer u. Exlibriskünstler, * 8. 5. 1884 Honnef/Rh., † 11. 1. 1940 München.
Stud. bei M. Dasio an der Münchner Kstgewerbeschule, dann bei H. Groeber u. an d. Münchner Akad. bei Becker-Gundahl u. Habermann. Feiner, lyrisch gestimmter Naturinterpret. Mappenwerke: Frühlings-Sinfonie, 1917; Waldsinfonie (1920), beide bei F. Bruckmann A. G.; An die Heimat, Düsseldorf, G. Pavel, 1927. Nachlaßausstellg im Kst- u. Kstgew.-Verein Pforzheim, 1940.
Lit.: Dreßler. — Das Bild, 1934, Beibl. nach p. 200; 1937, p. 201 (Abb.), 203 (Abb.), 205 (Abb.), 207/09 (Abbn), 210/14, m. Abbn; 1940 p. 129/33, m. Abbn. — Exlibris, 26 (1916) p. 19, 24; m. Abb.; 27 (1917) 32; 30 (1920) 75/80. — D. Kunst, 31 (1914/15) 305/13; 37 (1917/18) 213/20, m. Abbn, 387/88 (Abb.); 43 (1920/21) 65/70; 81 (1939/40), März-Heft Beibl. p. 9; 83 (1940/41), Dez.-H. Beibl. p. 18f. — Kstchronik, N. F. 32 (1920/21) 86. — Dtsch. Volkstum H. 11 (1922) p. 371. — Mitteilgn des Exlibris-Vereins zu Berlin, 15 (1921) 4, 20.

Broemel, Carl William, amer. Maler u. Illustrator, * 5. 9. 1891 Cleveland, Ohio, ansässig ebda.
Schüler von H. G. Keller in Cleveland u. von Robert Engels in München. Wiederholt durch Preise ausgezeichnet. Vertreten im Cleveland Museum u. im Mus. in Brooklyn, N. Y.
Lit.: Who's Who in Amer. Art, I: 1936/37. — Amer. Art Annual, 30 (1933). — The Art News, 25 (1926/27) Nr 13 p. 13. — Bull. of the Cleveland Mus. of Art, 15 (1928) 105, 118; 25 (1938) 86 (Abb.). — Monro.

Brömse, August, sudetendtsch. Maler u. Graph. (Prof.), * 2. 9. 1873 Franzensbad, † 7. 11. 1925 Prag.
Stud. an d. Berliner Akad. bei Wold. Friedrich, Chr. Ludw. Bockelmann u. P. Meyerheim, als Graph. Schüler von Louis Jacoby. Seit 1906 in Prag, seit 1910 Prof. an d. dort. Akad. Hauptsächl. religiöse Stoffe. Anfänglich von M. Klinger u. E. Munch beeinflußt, später sich dem Expressionismus nähernd. Gold. Med. im Pariser Salon (Soc. Nat. d. B.-Arts) 1905. Nachlaß-Ausst. in Aussig u. Prag 1926 u. in Wien 1927. Hat ein sehr umfangreiches graph. Werk hinterlassen (Rad., Lith., Holzschn., Zeichngn). Hauptfolgen: Der Tod u. das Mädchen (14 Bll.); Das ganze Sein ist flammend Leid (10 Bll.); Es fiel ein Reif... Die Aug.-Brömse-Gesellsch. in Prag hat seine Graphiken in mehreren Mappen herausgegeben. Als Maler mit 5 Bildern (Beweinung, Kreuzabnahme, Ecce Homo, Klagende Frauen, Joh. Ev.) in der Mod. Gal. in Prag vertreten (Kat. 1926, m. 1 Abb.).
Lit.: Th.-B., 5 (1911). — Sudetendtsche Lebensbilder, hg. von E. Gierach (Reichenberg), 2 (1930) 155/60. — Toman, I 100. — Beitr. z. Heimatkde d. Aussig-Karbitzer Bezirkes, 7 (1927) 48. — Unser Egerland, 42 (1938) 97/103, m. Abbn. — Die graph. Künste (Wien), 41 (1918) 73/84, m. 12 Abbn. — D. Kunst, 25 (1911/12) 117/24, m. 7 Abbn; 53 (1925/26), Beilage z. Januarh. 1926, p. XVIII. — D. christl. Kst, 23 (1926/27) 317. — D. Kstwanderer, 1925/26, p. 123. — D. Wiener Kstwanderer, 2 (1934) Nr 5 p. 10/15, m. 7 Abbn.

Broer, Hendrik, holl. Maler, * 18. 6. 1886 Giethoorn, ansässig ebda.
Schüler von M. Monnickendam. Stilleben, Bildnisse (bes. Kinder), Landschaften.
Lit.: Waay.

Broer, Hilde, dtsche Bildhauerin u. Plakettenkstlerin, * 1904 Witten a. d. Ruhr, ansässig in Kressbronn a. Bodensee.
Stud. 1924/27 an den Kölner Werkschulen, dann an den Verein. Staatssch. in Berlin (Meisterschülerin von Ludw. Gies). Pflegt hauptsächl. die kirchl. Kunst.
Lit.: D. Kstwerk, 5 (1951) H. 2, p. 39. — D. Münster, 5 (1951/52) 154f., m. 5 Abbn.

Broerman, Eugène, belg. Maler u. Zeichner, * 1860 (1861?) Saint-Gilles (Brüssel), † 1932 Brüssel.
Schüler von J. Portaels. Bildnisse, Genre, Landschaften. 1881 Sieger im Concours Godecharle. Arbeitete wiederholt in der Provence. Veröff. 1893 unter dem T.: Célébrités nationales eine 55 Bildniszeichnungen enthaltende Mappe. Allegor. Wandmalereien in einem Saal des Rathauses in Saint-Gilles. Bildnisse in den Museen Brüssel u. Tournai.
Lit.: Seyn, I. — Bénézit, [2] II (1949).

Broers, Edmée, holl. Malerin u. Rad., * 12. 11. 1876 Geertruidenberg, ansässig im Haag.
Schülerin von Fr. Jansen u. J. Aarts an der Haager Akad., dann 2 Jahre bei J. Haverman. Bildnisse, Figuren u. Stilleben. Mitglied der Kstlervereinig. „Arti".
Lit.: Plasschaert (* 1877). — Waay. — Waller. — De Vrouw en haar huis, 24 (1929/30) 76/81, m. Abbn.

Broerse, Cornelis, holl. Landschaftsmaler, Lithograph. u. Rad., * 13. 10. 1900 Serooskerken, ansässig in Enschede.
Schüler von Mees, Willenberg u. Bautz an der Akad. Rotterdam.
Lit.: Waay.

Brösel, Oskar Max, dtsch. Landschafts- u. Bildnismaler, * 6. 6. 1871 Dresden, † 9. 10. 1947 Radebeul.
Schüler von Pauwels u. Leon Pohle an der Dresdner Akad. Studienaufenthalt in Paris.

Broet, Adolphe, franz. Landschafts-, Bildnis- u. Genremaler u. Graph., * Tournon (Ardèche), ansässig in Paris.
Schüler von L. Bonnat. Mitglied der Soc. d. Art. Franç.; beschickte deren Salon 1903/39 (Kat. z. T. m. Abbn).
Lit.: Joseph, 1. — Bénézit, [2] 2 (1949).

Brofeldt, Vendla, s. *Soldan-Brofeldt.*

Broggini, Luigi, ital. Bildhauer, * 28. 1. 1908 Cittiglio (Varese), ansässig in Mailand.
Stud. bei Ad. Wildt an der Brera-Akad. in Mailand. Schloß sich der von Persico begründeten Gruppe „Corrente" an. Lebte in Paris, später in d. Schweiz u. in Belgien. Kurze Zeit beeinflußt von Wildt. Befreite sich frühzeitig von der Tradition und näherte sich der expressionist. Richtung. Hauptwerke: Letzter Sommer (1933); Miss Edith Winter (1933); Lachende Frau (1934); „Ballerina" (1938); dazu zahl-

reiche zwischen 1937 u. 1939 entstandene Akte. Beschickte u. a. die 5. Quadriennale in Rom (1948) u. die 25. Biennale in Venedig (1950). Vertreten in der Gall. Naz. d'Arte Mod. in Rom u. in der Civ. Gall. d'Arte Mod. in Mailand.

Lit.: A. Gatto, L. B., Mailand 1945, m. Lit. — Carrieri, m. Lit. — S. Cairola, Arte ital. del nostro tempo, Bergamo 1946. — Emporium, 93 (1941) 102; 95 (1942) 95; 96 (1942) 451; 98 (1943) 177, 224; 101 (1945) 51; 108 (1948) 158. — Stile, Nr 14, Febr. 1942, p. 29 (Abb.). — Palma Bucarelli, La Gall. Naz. d'Arte Mod., Guida breve, Rom 1949; dies., ~, Itinerario, 1951. *A. Gabrielli.*

Brogi, Ettore, ital. Bildhauer u. Bronzebildner, * Siena, † jung um 1930.

Bronzekandelaber für den Dom zu Siena.Lebensgr. Statue e. verwundeten Amazone (Marmor); Grabmal d. Familie Franci mit weibl. allegor. Gestalt (Hochrelief) im Cimitero d. Misericordia in Siena; Brüllender Löwe (Marmor).

Lit.: La Balzana (Siena), 1 (1927) 194f. — Bull. senese di Storia Patria, N. S. 4 (1933) 203f.

Broglio, Dante, ital. Rad. u. Maler, * 6.4. 1873 Sorgà (Verona), ansässig in Colognola ai Colli.

Schüler von Mosè Bianchi in Verona. Erlernte das Radieren bei Eman. Brugnoli in Venedig. Ansichten aus dem alten Rom.

Lit.: Chi è?, 1940. — Comanducci, m. Abb. — Selbstbiogr. in: Cimento di Napoli, 1923 Nr 2. — Kat. d. 6. Quadriennale, Rom 1951/52.

Broglio, Mario, ital. Verleger, Kstkritiker u. Maler, * 2. 8. 1891 Piacenza, † Dez. 1948 Lucca.

Ließ sich in Rom nieder. Gründete mit R. Melli die Zeitschr. „Valori Plastici" (1918/22), die das Sammelbecken der Polemiken über die zeitgenöss. Kunst wurde. Nach Eingehen der Zeitschr. veröffentl. B. unter dems. Titel: Valori Plastici, eine Folge von Schriften über ital. Kunst u. eine Reihe von kleinen Monographien über lebende europ. Künstler. Als Maler beeinflußt von den ital. Trecentisten u. Quattrocentisten (Giotto, Piero della Francesca); kam schließlich zu einer mehr u. mehr programmatischen Verwirklichung der von ihm verfochtenen metaphys. Tendenzen. Beschickte u. a. die 4. Quadriennale in Rom 1943 u. die 24. u. 25. Biennale in Venedig 1948 u. 1950. Arbeiten u. a. in d. Gall. Naz. d'Arte Mod. in Rom u. in der Civ. Gall. d'Arte Mod. in Mailand. Ein Teil seiner Schriften erschien gesammelt unter d. Titel „Dove va l'Arte Moderna", Spoleto 1950.

Lit.: U. Apollonio, Pittura Mod. Ital., Venedig 1950. — Carrieri, p. 169. — Le Arti, 1 (1938/39), Taf. 66. — Emporium, 81 (1935) 71, 72 (Abb.); 112 (1950) 104. — Illustraz. Ital., 16. 1. 1949 p. 97. — Konstrevy, 11 (1935) 100 (Abb.); 12 (1936) 158, 159 (Abb.). — Ulisse, Nr 12 (1950), p. 705f. — Palma Bucarelli, La Gall. Naz. d'Arte Mod., Guida breve, Rom 1949; dies., ~, Itinerario, 1951. *Maltese.*

Brohée, Louise, belg. Malerin, * 1875 Bracquegnies im Hennegau, ansässig in Lüttich.

Sonderausstellg 1927 in der Gal. d'Art de la Meuse in Lüttich. Bildnisse, Figürliches, Blumenstücke, Stilleben.

Lit.: Joseph, I.

Broise, Jacques de la, franz. Maler, * Saint-Lô (Manche).

Schüler von P. A. Laurens. Mitgl. d. Soc. d. Art. Franç. Beschickt auch den Salon des Tuileries u. den Salon d'Automne. Bildnisse, Landschaften, Ansichten aus Paris, Interieurs, Blumenstücke.

Lit.: Bénézit, [2] 2 (1949).

Brokaw, Irving, amer. Maler, * 29. 3. 1871 New York, ansässig ebda.

Schüler von Bouguereau, Ferrier u. d. Acad. Julian in Paris, dann von W. M. Chase u. Field.

Lit.: Fielding. — Amer. Art Annual, 20 (1923) 455; 30 (1933).

Brokman Davis, William David, engl. Radierer, * 7. 4. 1892 Birmingham, ansässig in Leck, N. Staffordshire.

Lit.: Who's Who in Art, [3] 1934.

Brom, Jan Eloy, holl. Kunstschmied u. Bronzebildner, * 23. 8. 1891 Utrecht, ansässig ebda. Bruder der beiden Folg.

Stud. an der Akad. in Amsterdam u. an der Staatl. Zeichenakad. in Hanau a. M. Bereiste Italien, Spanien u. Nordamerika. Seit 1915 Leiter des Hauses „Brom's Edelsmidse" in Utrecht, seit 1928 Konservator des Erzbisch. Mus. ebda, seit 1934 auch Konservator des Mus. für Neue relig. Kunst ebda. Taufstein d. kath. Kirche St. Antonius Abt in Scheveningen (Bronze) u. Tür der kath. Kirche in Zeist.

Lit.: Wie is dat?, 1935. — Waay. — Die Christl. Kst, 28 (1931/32) 322 (Abb.). — The Studio, 111 (1936) 189 (Abb.), 194 (Abb.); 114 (1937) 249 (Abb.); 116 (1938) 7 (Abb.), 283 (Abb.). — Beaux-Arts, 75e année, Nr 285 v. 17. 6. 1938, p. 7, m. Abb.

Brom, Johanna, holl. Emailkünstlerin, * 8. 11. 1898 Utrecht, ansässig ebda. Schwester des Jan Eloy u. des Leo.

Stud. auf der Kstgewerbeschule in Wien, Berlin u. Leipzig, u. a. bei Hilbert u. Hasenohr. Kirchl. Geräte, Pflanzen u. Tiere. Altarkreuz für die St. Agneskirche in Amsterdam, Tabernakeltüren für die Kirchen in Almelo u. Nymwegen.

Lit.: Waay. — Die Christl. Kst, 28 (1931/32) 322 (Abb.).

Brom, Leo, holl.Metallkünstler, *30.5.1896 Utrecht, ansässig ebda. Bruder d. beiden Vor.

Stud. in Utrecht, Brüssel u. München, weitergeb. bei B. van Hove, Dake, Bronner u. J. H. Brom an der Akad. Amsterdam. Arbeiten in getriebenem u. gegossenem Metall. Vertreten im Sted. Mus. in A'dam. Kolossalbildwerk für das Theater in Utrecht.

Lit.: Waay. — Beaux-Arts, 75e Année, Nr 285 v. 17. 6. 1938 p. 7, m. Abb. — The Studio, 114 (1937) 249 (Abb.).

Brom-Fischer, Hildegard, dtsch-holl. Textilkünstlerin, * 16. 7. 1908 Coesfeld (Westf.), ansässig in Utrecht.

Stud. an der Kstgewerbesch. in Münster. Kirchl. Textilien, Pflanzen u. Tiere. Arbeiten im Mus. für Neue relig. Kunst in Utrecht, im Sted. Mus. in Amsterdam u. im Heimatmus. in Coesfeld.

Lit.: Waay.

Broman, Mela, öst. Aquarellmalerin u. Illustr., * 1887 Wien, ansässig in Stockholm.

Stud. in Wien. Figürliches; Illustr. zu Kinderbüchern; Entwürfe für Theater- u. Ballettkostüme.

Lit.: Thomæus.

Bromberg, Edgar, dtsch. Landschafts- u. Blumenmaler, * 24. 12. 1883 Hamburg, † 11.12.1910 ebda.

Schüler von Knirr in München u. A. Siebelist in Hamburg. In der dort. Kunsthalle: Belgische Landschaft u. Blumenstilleben (Kat. 1927).

Bromberg, Paul, holl. Möbelzeichner u. Innenarchitekt, * 12. 7. 1893 Amsterdam, ansässig ebda.

Schüler von J. L. van Ishoven.

Lit.: Who's Who in Art, [3] 1934.

Bromberger, Dora, dtsche Landschaftsmalerin, * 16.5.1871 Bremen, ansässig ebda.
Stud. an d. Malschule H. Groeber in München u. bei M. Denis u. Sérusier in Paris. Pflegt einen gemäßigten Expressionismus.
Lit.: Dreßler. — Dtsche Kst u. Dekor., 45 (1919–20) 14 (Abb.). — Niedersachsen, 25 (1920) 273.

Bromberger, Otto, dtsch. Maler, Illustr. u. Lithograph, * 20.6.1862 Leipzig, † 1943 München.
Schüler der Münchner Akad. Mitarbeiter der „Fliegenden Blätter" u. der „Meggendorfer". Illustr. zu Märchenbüchern u. Jugendschriften.
Lit.: Th.-B., 5 (1911). — Dreßler. — D. Weltkst, 17, Nr 5/6 v. 31. 1. 1943, p. 6.

Brombo, Angelo, ital. Landschafts- u. Architekturmaler, * 5. 1. 1893 Chioggia, ansässig in Venedig.
Lit.: Comanducci. — Emporium, 94 (1941) 41, m. Abb. — Kat. Sonder-Ausst. A. B., Gall. d'Arte, Triest 1940.

Bromet, Mary, geb. *Pownall*, engl. Bildhauerin, ansässig in Watford, Hertfordshire.
Stud. in Paris u. Rom.
Lit.: M. P. B., Reponse, Lo., o. J. [1936?]. Bespr. in: Apollo (London), 23 (1936) 170. — Who's Who in Art,[1] 1934.

Bromme, Heinrich, dtsch. Maler, * 1911, Mühlhausen (Kr. Pr. Eylau), fiel Juli 1941 vor Reval.
Meisterschüler der Königsberger Akad. Maler der ostpreuß. Landschaft. Gedächtnis-Ausst. Febr. 1942 im Königsberger Schloß.
Lit.: Kstrundschau, 49 (1941) 138; 50 (1942) 36. — D. Weltkst, 15, Nr 37/38 v. 14. 9. 1941 p. 9. — D. Kst, 85 (1941/42), Beibl. Okt.-H. p. 17.

Bromme, Max, dtsch. Gartenarchitekt, * 1878 Grünberg (Schles.), ansässig in Frankfurt a.M.
Schüler von Fritz Encke an d. Lehr- u. Forschungsanstalt für Gartenbau in Wildpark-Potsdam. 1903/08 unter Encke in Köln tätig. 1908/12 Stadtgarten-Direktor in Erfurt, dann in Frankfurt (Leiter des Städt. Garten- u. Friedhofswesens). Park an der Daberstädter Schanze in Erfurt; Peterstor-Volksgarten, Lohrberg-Park, Sommerhoff-Volkspark, Brentano-Volkspark, Holbeinplatz und Stadion, sämtlich in Frankfurt.
Lit.: Dreßler. — Platz.

Bromwell, Elisabeth Henrietta, amer. Malerin u. Bildhauerin, * Charleston, Ill., ansässig in Denver, Colo.
Lit.: Fielding. — Amer. Art Annual, 20 (1923) 455.

Bron, Achille, franz. Landschaftsmaler, * Crazannes (Charente-Infér.), ansässig in Taillebourg (Charente-Infér.).
Stellte seit 1911 bei den Indépendants, 1921/39 auch im Salon der Soc. d. Art. Franç. in Paris aus.
Lit.: Joseph, I. — Bénézit,[2] II.

Bron, César, schweiz. Landschaftsmaler, * Vevey, ansässig in Paris.
Stellt seit 1927 bei den Indépendants aus.
Lit.: Joseph, I. — Bénézit,[2] II.

Bron, Louis (Lou), holl. Maler u. Rad., * 6. 7. 1884 im Haag, ansässig ebda.
Schüler von B. A. Bongers in Delft (1899/1900) u. von Fr. Jansen an der Haager Akad. (1901/02). Hauptsächl. Landschaften u. Marinen mit Schiffen. Bild im Gem.-Mus. im Haag.
Lit.: Plasschaert. — Waay. — Elsevier's geïll. Maandschr., 61 (1921) 214/15. — Kat. Tentconst. van Nederl. beeld. Kst, A'dam 1942, m. Abb.

Brondi, Gigi, ital. Maler u. Karikaturist, * 21. 6. 1894 Cuneo, ansässig in Mailand.
Schüler von Ces. Tallone u. Algiati, weitergebildet autodidaktisch.
Lit.: Comanducci.

Broniewski, Tadeusz Andrzej, poln. Architekt, * 29. 8. 1894 Krakau, ansässig in Jarosław.
Stud. am Polytechnikum in Lemberg.
Lit.: Czy wiesz kto to jest?, 1938, m. Fotobildn.

Bronisch, Paul, dtsch. Bildhauer, * 1904 Comptendorf b. Cottbus, ansässig in Berlin.
Stud. an d. Akad. in Breslau (Th. v. Gosen) u. München (Bernh. Bleeker). Weibl. Aktfig. in monumentaler Formgebung: Ruhende, Kniende („Primavera"), Stehende, Kniende mit ausgebreiteten Armen. Bildnisbüste Hans Pfitzners. Kriegerdenkmale für Züllichau u. Dyhernfurth. 2 Soldatenfig. am Eingang des ehem. Reichsehrenmals in Tannenberg. Kruzifix (Holz) in d. Dorfkirche in Flatow (Mark).
Lit.: Nemitz, p. 15 (Abb.). — Das Bild, 12 (1942) 2/5, m. 3 Abbn, 144/50. — D. Kst, 71 (1934/35) 281; 83 (1940/41). — Kst f. Alle, 56, p. 217/23, m. Abbn bis p. 225. — Kst u. Kirche, 16 (1939) 29 (Abb.). — Zentralbl. d. Bauverwaltung, 57 (1937) 1149.

Bronner, Jan, holl. Bildhauer (Prof.), * 1881 Zype, ansässig in Amsterdam.
Schüler von G. Veldheer in Harlem u. der Reichsakad. Amsterdam (1907/11), an der er seit 1914 als Lehrer wirkt. Bildnisbüsten, Statuetten (Bronze u. Stein). Denkmal des Dichters Hildebrand-Beets in Haarlem.
Lit.: Niehaus, m. Abb. p. 238. — Waay. — Eigen Haard, 1914 p. 897f. — Kstchronik, N. F. 26 (1914/15) 152.

Bronstert, Franz, dtsch. Landschaftsmaler (hauptsächl. Aquarellist), * Dorsten i.W., ansässig in Hagen i.W.
Lit.: Hellweg, 2 (1922) 701. — Kat. Gr. Westfäl. Kstausst. Dortmund 1942, m. Abb. — Kat. Ausst. Kst d. Ruhrmark Mauritshuis Haag 1942, m. 2 Abbn.

Bront, Luigi, ital. Bildnis- u. Genremaler, * 25. 3. 1891 Cividale del Friuli.
Autodidakt. 3 Monate Unterricht im Aktzeichnen in Rom. Bildnis der Mutter des Künstlers in d. Gall. Marangoni in Udine. Altarbild in d. Capp. della Montanina in Fogazzaro. Tod des Hl. Rochus in d. Kirche S. Rocco in Ziracco.
Lit.: Comanducci.

Brook, Alexander, amer. Maler u. Zeichner, * 14. 7. 1898 Brooklyn, N. Y., ansässig in Sag Harbor, L. I., N. Y. Gatte der Peggy Bacon.
Schüler von K. H. Miller an d. Art Student's League in New York. Figürliches (bes. Akte), Bildnisse, Interieurs, Stilleben, Blumenstücke. Mitglied der Gruppe: Modern Artists of America. Kollektiv-Ausst. im Whitney Mus. of Amer. Art in New York 1922 u. 1932. Bilder im Mus. in Toledo, Ohio (Der rote Rock), in der William Brockhill Nelson Gall. in Kansas City (Bildniskopf) u. in der K. M. Rehn Gall. in New York (Sommerwind [weibl. Halbakt]).
Lit.: Fielding. — Mellquist. — E. A. Jewell, A. B., New York 1931. — Amer. Art Annual, 20 (1923) 455; 27 (1930), Abb. geg. p. 96, 285; 30 (1933). — Who's Who in Amer. Art, I: 1936/37. — Monro. — D. Kstblatt, 10 (1926) 424, 430 (Abb.). — The Studio

98 (1929) 715/18, m. Abbn; 111 (1936) 237f., m. Abb.; 113 (1937) 28 (Abb.); 115 (1938) 102 (Abb.); 118 (1939) 20f., m. 2 Abbn. — Pennsylv. Mus. Bull., 27 (1931/32) Nr 143, p. 68 (Abb.). — Bull. of the Cleveland Mus., 14 (1927) 102, 104, 115 (Abb.); 15 (1928) 130, 132; 17 (1930) 123. — Museum News Toledo, Nr 80, Sept. 1937 p. 6, 8f. — Parnassus (N. York), Nov. 1932, p. 5f., passim, m. Abb. — 43. Annual Report of the Departm. of F. Arts Carnegie Inst. 1939, Pittsburgh, p. 10, 18. — Art Index (New York), Okt. 1941 –Okt. 1952 passim. — Painting in the Un. States 1949. Ausst. Carnegie Inst. Pittsburgh, Kat. m. Abb. Taf. 5.

Brooker, Peter, engl. Figurenmaler, * 6. 11. 1900 London, ansässig ebda.

Sohn des Archit. James William B. Stud. an der Slade School. 2 Bilder (Stilleben u. Toter Christus) in d. Lond. Nat. Gall. Millbank. — Seine Gattin Trekkie, geb. *Ritchie,* * 15. 6. 1902 Natal, ist Genre- u. Bildnismalerin.

Lit.: Who's Who in Art, [3] 1934.

Brooks, Adele Richards, amer. Malerin u. Kstgewerblerin, * 22. 9. 1873 Buffalo, Kansas, ansässig in St. Louis, Mo.

Schülerin von Simon, Richard Miller u. William H. Varlum. Miniaturen auf Elfenbein, Leder-, Batik- u. Juwelierarbeiten.

Lit.: Amer. Art Annual, 20 (1923) 455; 27 (1930) 512; 30 (1933). — Who's Who in Amer. Art, I: 1936/37.

Brooks, Arthur D., amer. Maler (Figürliches, Landschaften, Allegorie), * 23. 5. 1877 Cleveland, Ohio, ansässig ebda.

Schüler von Henry Keller.

Lit.: Bull. of the Cleveland Mus. of Art, 14 (1927) 86 (Abbn), 90; 15 (1928) 104, 112 (Abb.), 117, 132; 17 (1930) 123; 23 (1936), Abb. nach p. 72. — Amer. Art Annual, 30 (1933).

Brooks, Carol, siehe *MacNeil.*

Brooks, Cora Smalley, amer. Malerin, † 26. 3. 1930 Lansdowne, Pa.

Schülerin von Daingerfield u. Snell in Philadelphia, Pa. Hauptsächlich Blumenmalerin. Vertreten u. a. im Pennsylvania State College.

Lit.: Fielding. — Amer. Art Annual, 20 (1923) 455; 27 (1930) 407.

Brooks, Erica May, engl.-amer. Malerin, Bildhauerin u. Illustratorin, * 9. 7. 1894 London, ansässig in New York.

Schülerin von Myra K. Hughes, Norman Garstin u. Charles Woodbury.

Lit.: Who's Who in Amer. Art, I: 1936/37. — Amer. Art Annual, 30 (1933).

Brooks, Henry Howard, amer. Maler, * 8. 2. 1898 Bedford, Mass., ansässig in Boston, Mass.

Schüler von W. M. Paixton.

Lit.: Amer. Art Annual, 30 (1933). — Monro. — Art Digest, 22, Nr v. 15. 11. 1947, p. 18.

Brooks, I. W., engl. Landsch.-, Marine-, Genre- u. Bildnismaler.

Lit.: Brit. Marine Painting. Studio Spec.-Nr 1919, p. 128, 129, 131. — Athenæum, 28. 5. 1920, p. 708. — The Connoisseur, 57 (1920) 248.

Brooks, Jacob, engl. Landsch.-, Bildnis- u. Figurenmaler, Reklamekstler u. Dekorator von Keramiken, * 19. 1. 1877 Birmingham, ansässig ebda.

Stud. an d. Antwerpener Akad. u. in Kapstadt, Südafrika. Malte hauptsächlich ländliche Szenen.

Lit.: Who's Who in Art, [3] 1934.

Brooks, Kathleen, engl. Bildnismalerin (Öl u. Miniatur), ansässig in Hornsey (London). Schwester der Marjorie.

Stud. an den Roy. Acad. Schools in London.

Lit.: Who's Who in Art, [3] 1934.

Brooks, Maie, geb. *Masters,* engl. Bildnismalerin (Öl, Aquar., Pastell, Miniatur), * Clifton, Bristol, ansässig in London.

Lit.: Who's Who in Art, [3] 1934.

Brooks, Marjorie, verehel. *Holford,* engl. Figurenmalerin u. Bühnenbildnerin, * 7. 7. 1904 Hornsey (London), ansässig ebda. Gattin des Bühnenbildners William Holford.

Stud. an d. London County Council Central School of Arts and Crafts u. an d. Schule der Roy. Acad. Gold. Med. 1927, Rompreis 1930. Bereiste Spanien, Italien, Frankreich, Belgien. Bildnisse u. Figürliches.

Lit.: Who's Who in Art, [3] 1934. — The Studio, 96 (1928) 210 (Abb.). — Apollo (London), 12 (1930) 238, m. Abb.; 20 (1934) 101, m. Abb. — Journal of the Roy. Inst. of Brit. Architects, 50, Dez. 1942, p. 25 (Abb.).

Brooks, Mildred Bryant, amer. Radierer, * 21. 7. 1901 Maryville, ansässig in South Pasadena, Calif.

Schülerin von A. Millier u. Frank T. Chamberlin.

Lit.: Who's Who in Amer. Art, I: 1936/37. — Mallett. — Print Coll.'s Quart., 24 (1937) 450 (Abb.).

Brooks, Romaine, amer. Bildnismalerin, * Rom, ansässig in Paris.

Schülerin von Whistler. Bildnis Gabriele D'Annunzio's im Mus. du Jeu de Paume in Paris.

Lit.: L'Art et les Artistes, N. S. 7 (1923) 307ff., m. 13 Abbn u. Bildnis, 362. — Vita d'Arte, 12 (1913) 52 (Abb.). — Revue de l'art anc. et mod., 36 (1914/19) 202 (Abb.); 49 (1926) 168 (Abb.). — Les Arts, 1920, Nr 184, p. 4 (Abb.). — Bull. de l'Art, 1925/I, 112, 113 (Abb.). — The Art News, 24, Nr 7 v. 21. 11. 1925 p. 1, m. Abb., 3. — Kat. d. Koll.-Ausst. bei Durand-Ruel, Paris, Mai 1910, m. Vorw. v. Roger Marx.

Brooks, Ruth Walker, amer. Bildhauerin, * 22. 5. 1909 New York, ansässig ebda.

Schülerin von Ad. Weinman, Charles Keck, V. Salvatore u. Charles Hawthorne. Gedenktafel für Cox (Mad. m. d. Kinde) in der Auferstehungskirche in New York.

Lit.: Who's Who in Amer. Art, I: 1936/37.

Broom, Marion, engl. Blumen-, Interieur- u. Landschaftsmalerin, anfänglich Opernsängerin, * Norfolk, ansässig in High Wycombe, Buckinghamshire.

Lit.: Who's Who in Art, [3] 1934.

Broomfield, George Henry, engl. Maler (Öl u. Aquar.) u. Figurenzeichner, * 20. 4. 1891 Liverpool, ansässig in Manchester.

Stud. am Roy. Coll. of Art in London.

Lit.: Who's Who in Art, [3] 1934.

Broos, Dick, holl. Glasmaler, Mosaikkünstler, Intarsiator, Holzschneider u. Aquarellist, * 23. 2. 1903 Utrecht, ansässig ebda.

Schüler der Akad. Amsterdam unter Jurres u. Roland Holst. Glasmalereien u. a. in den Rathäusern in Alphen a. d. Rijn u. Utrecht (Neubau).

Lit.: Waay.

Broquet, Gaston, franz. Bildhauer, * 19. (9.?) 9. 1880 Void (Meuse), † 25. 4. 1947 Paris.

Schüler von Injalbert u. Thomas. Wiederholt durch

Preise ausgezeichnet. Mitglied der Soc. des Art. Franç. u. der Dessinateurs Humoristes. Bildnisbüsten, Figürliches (auch Kleinplastik), Kriegerdenkmäler (u. a. in Saint-Souplet, Châlons-sur-Marne u. Racn-l'Etappe).
Lit.: Joseph, 1. — Bénézit, [2] 2 (1949).

Broquet, Léon, franz. Landschaftsmaler, * 1. 11. 1869 Paris, † 1936 ebda.
Schüler von Cl. Monet, Guillemet u. Nozal. Mitglied der Soc. d. Art. Franç., beschickte deren Salon seit 1901 (Kat. z. T. m. Abbn).
Lit.: Joseph, I. — Revue de l'Art anc. et mod., 52 (1927) 24 (Abb.); 69 (1936) 110. — Velhagen & Klasings Monatsh., 44/I (1929/30) Taf. geg. p. 488, 582.

Brosch, Georg, Maler, * 19.12.1874 Venedig, deutsch-böhm. Herkunft.
Stud. bei A. E. Paoletti in Venedig u. am dort. Istituto di B. Arti, 1. Semester bei Stuck in München (1902) u. bis 1905 in der Ludwig-von-Herterich-schule. Seit 1909 in München ansässig. Kartons für Mosaik; venez. Veduten; Wandgemälde mit histor. Stoffen.
Lit.: D. Kunst, 25 (1912) 549 (Abb.). — Vita d'Arte. 10 (1912) 134 (Abb.). — Mitteilgn d. Kstlers.

Brosch, Klemens, öst. Graphiker u. Aquarellmaler, * 21.10. 1894 Linz a. d. D., † 17.12. 1926 ebda.
Stud. an d. Wiener Akad. Vertreten im Mus. in Linz u. in d. Wiener Albertina.
Lit.: D. ostbair. Grenzmarken, 16 (1927) 398. — Kst u. Ksthandwerk (Wien), 18 (1915) 318, 322.

Brossard, Jeanne, franz. Malerin, * Rougeux (Haute-Marne), ansässig in Paris.
Schülerin von Jeanne Amen u. Léon Comerre.
Lit.: Bénézit, [2] 1949.

Broszat, Gottfried, dtsch. Maler, * 2. 4. 1924 Leipzig, ansässig in Großdeuben b. Leipzig.
Schüler von Seliger u. Schwimmer. Hauptsächl. Landschaftsaquarelle.

Brotchie, James Rainy, schott. Maler (Öl u. Aquar.), * 7. 6. 1909 Glasgow, ansässig ebda.
Stud. an d. Kstsch. in Glasgow.
Lit.: Who's Who in Art, [3] 1934.

Brouardel, Jean, franz. Kleinplastiker, * Paris, ansässig ebda.
Schüler von Jean Camus. Stellt im Salon der Soc. d. Art. Franç. aus (Kat. z. T. m. Abbn).
Lit.: Joseph, I. — Bénézit, [2] II.

Brouet, Auguste, franz. Radierer, Lithogr. u. Illustr., * 10. 10. 1872 Paris, † 1941 ebda.
Schüler von A. Delatre u. Delaunay, gefördert von G. Moreau. Beeinflußt von Rembrandt u. Whistler, thematisch auch von Degas (Tänzerinnen). Bevorzugt kleine Plattenformate. Ansichten aus Rouen, Moret, bes. aber aus den Außenvierteln von Paris, Szenen aus dem Pariser Vorstadtleben, dem Jahrmarktstreiben, Handwerkerwerkstätten usw. — Hauptblätter: Die Würfelspieler, Zirkus Franconi, Die Brüder Zemgano, Der Uhrmacher, Die Trödlerin, Der Geigenbauer, Die Schuhflicker, Die Arabeske (Tänzerin), Der alte Orgelspieler. — Illustr. u. a. zu: J. K. Huysmans, „La Bièvre et Saint-Séverin" u. „Le Drageoir aux Epices", G. Geffroy, „L'Apprentie", F. Carco, „Jésus-la-Caille", Goncourt, „Les Frères Zemganno". — Gedächtn.-Ausst. Juli 1948 in d. Gal. L'Estampe moderne in Paris.
Lit.: Joseph, 1, m. 2 Abbn. — Bénézit, [2] 2 (1949). — G. Geoffroy, L'œuvre gravé d'A. B., Paris 1924, m. 296 Taf. — Art et Décor., 35 (1914) 55/58, m. 4 Abbn. — Gaz. d. B.-Arts, 1917 p. 364. — La Gravure et la Lithogr. franç., Nr 104, Juni 1914, p. 196 -202, m. 4 Abbn, 210f. — La Renaiss. de l'Art franç. etc., 5 (1922) 107/14, m. 10 Abbn u. Taf.; 10 (1927) 515. — Amer. Art News, 21 (1922/23) Nr 5 p. 3, m. Abb. — The Studio, 79 (1920) 134/39, m. 6 Abbn. — The Connoisseur, 69 (1924) 184. — Beaux-Arts, 1 (1923) 73 (Abb.), 74; Nr v. 16. 7. 48 p. 4. — L'Art et les Artistes, N. S. 15 (recte 16), 1927/28 p. 81/88, m. 10 Abbn.

Brough, Alan, engl. Bildhauer, * 17. 1. 1890 Wilmslow, Cheshire, ansässig ebda.
Stud. an d. Kstschule in Manchester. In der City Art Gall. ebda: Primavera.
Lit.: Who's Who in Art, [3] 1934.

Brough, Walter, amer. Maler, * 2. 9. 1890 Philadelphia, Pa., ansässig in Lakewood, Ohio.
Schüler von W. M. Chase u. Breckenridge.
Lit.: Amer. Art Annual, 20 (1923) 455; 30 (1933).

Broughton, Charles Henry, engl. Bildhauer u. Medailleur, * 31. 12. 1878 Derby, ansässig in Bedhampton, Havant.
Stud. am Roy. Coll. of Art in London. Einige Zeit lehrtätig am Coll. of Art in Leeds.
Lit.: Who's Who in Art, [3] 1934.

Brouillard, Eugène, franz. Genre-, Bildnis- u. Landschaftsmaler, * 9. 5. 1870 Lyon, ansässig ebda.
Autodidakt. Bilder in den Museen Lyon u. Sadagne. Wandgem. im Festsaal der Mairie des 3. Bezirks in Lyon. Illustr. zu mehreren Dichtungen P. Aguétant's.
Lit.: Th.-B., 5 (1911). — Joseph, 1.

Brouillard-Tiberghien, Antoinette, franz. Stillebenmalerin, * Roubaix (Nord), ansässig in Croix (Nord).
Schülerin von Mme Chauleur-Ozeel. Stellte 1929ff. im Pariser Salon der Soc. d. Art. Franç. aus (Kat. z. T. m. Abbn).
Lit.: Joseph, I. — Bénézit, [2] II.

Broun, Aaron, engl.-amer. Illustrator, * 1. 3. 1895 London, ansässig in New York.
Schüler der New York School of Design.
Lit.: Fielding. — Amer. Art Annual, 20 (1923) 455.

Brousse, Pierre, franz. Landschaftsmaler, * Levallois-Perret (Seine), ansässig in Paris.
Schüler von L. Roger u. P. A. Laurens.
Lit.: Joseph, I. — Bénézit, [2] II.

Broutelle, Honoré, franz. Graphiker, * Nantes, ansässig in Le Mans.
Beschickt seit 1920 den Salon d'Automne in Paris, meist mit Holzschnitten.
Lit.: Bénézit, [2] II (1949). — Sentenac et Thubert, Les 4 Grav. du Mans, Paris 1922.

Brouwer, Alexander, holl. Maler, * 23.1. 1883 Medemblik, ansässig in Blaricum.
Schüler von Breeman, dann autodidaktisch weitergebildet in Paris u. Blaricum. Bildnisse, Stilleben.
Lit.: Plasschaert. — Waay. — Waller.

Brouwer, Antoinette Juliana Elisabeth, holl. Bildnis- u. Stillebenmalerin, * 8. 2. 1894 Rotterdam, ansässig im Haag.
Schülerin der Akad. Rotterdam (unter Heyberg) u. Haag. Ausmalungen einiger Schiffe des Rotterd. Lloyd.
Lit.: Waay.

Brouwer, Frederik, holl. Maler, * 12. 5. 1891 Rotterdam, ansässig im Haag.

Schüler von v. d. Waay an der Reichsakad. Stillleben, Stadtansichten, Bildnisse.
Lit.: Waay. — Maandbl. v. beeld. Kunsten, 12 (1935) 347f., m. Abb.

Brouwer, Willem Coenrad, holl. Keramiker, Bildh., Holzschnitzer, Holzschneider u. Zeichner, * 19.10.1877 Leiden, † 23.5. 1933 Leiderdorp.
Lernte in Leiden, dann an der Pfeifenfabrik in Gouda. Stellte anfängl. Geschirr her, später Bauplastik (Kolossalfiguren an d. Departement für Landbau, Handel u. Industrie im Haag), Tiere (z. T. in Verbindung als Schmuck f. Gartenbänke usw.), Grabmäler. Ornament- u. Tierschmuck an den Hoffassaden des Friedenspalastes im Haag; Giebelschmuck am Getreidehaus in Rotterdam; Schmuckbrunnen in Nymwegen; Ausschmückung der Fassade des Bahnhofs in Maastricht. Zahlr. Arbeiten für Arnheim.
Lit.: Th.-B., 5 (1911). — Waller. — Maandbl. v. beeld. Kunsten, 2 (1925) 10/15, m. Abbn, 153f. m. 3 Abbn, 387; 3 (1926) 250. —Onze Kunst, 12 (1907/II) 96/102, m. Abbn; 31 (1917/I) 165/71, m. 8 Abbn.

Brouwers, Jacobus Johannes, holl. Maler, * 23. 12. 1892, ansässig in Oosterhout.
Schüler von van den Berg u. Schildt an der Haager Akad. Stilleben und Landschaften mit Figuren. Expressionist.
Lit.: Waay.

Brouwers, Jules, holl.-belg. Stilleben- u. Landschaftsmaler, * 26. 7. 1869 Gulpen, holl. Limburg. Naturalisierter Belgier. Zuletzt ansässig in Vilvoorden b. Brüssel.
Schüler der Akad. Lüttich u. von P. J. C. Gabriël im Haag 1892/94. Aquarell im Mus. Gent. Stilleben im Mus. Brüssel.
Lit.: Seyn, I. — Plasschaert. — Waay. — La Revue d'Art (Antwerpen), 30 (1929) 216. — Apollo (Brüssel), Nr 13 v. 1. 6. 1942, p. 20. — Morks' Magaz., 29 (1927) 241/48, m. Abbn.

Brovik, Åke, schwed. Maler, Bildhauer u. Kstgewerbler, * 1911 Göteborg, ansässig in Lidingö.
Stud. an der Kstindustriesch. in Göteborg. Hafenbilder, Landschaften, mit Vorliebe in grauen Tönen u. breitem Malauftrag, Exlibris; Holzstatuetten (afrikan. Motive). Vertreten im Kulturhistor. Mus. in Göteborg.
Lit.: Thomœus.

Browar, Jakof Iwanowitsch, russ. Maler, * 1865.
1885/96 Schüler d. Akad. St. Petersburg (Leningrad). Bild (In der Krim) in d. Staatl. Tretjakoff-Gal. in Moskau (Kat. 1912 Nr 938).
Lit.: Kondakoff, Jub.-Handbuch d. Kstakad. St. Petersb. (russ.), II 23.

Brown, Aaron, engl. Reklame- u. Werbezeichnerin, * 1. 3. 1894 in England, ansässig in New York.
Stud. an der Art Student's League in New York.
Lit.: Who's Who in Art, [3] 1934.

Brown, Abigail, geb. *Keyes*, amer. Malerin, * 29. 3. 1891 Rockford, Ill., ansässig ebda.
Schülerin von Marques E. Reitzel, Carl Krafft u. William Owen. In der Illinois Acad. of Fine Arts in Chicago: Offenes Wasser.
Lit.: Who's Who in Amer. Art, I: 1936/37.

Brown, Sir Arnesby (John Alfred), engl. Tier- u. Landschaftsmaler, * 1866 Nottingham, † März 1931 London.
Schüler von A. MacCallum u. der Herkomer-Schule in Bushey. Seit 1903 Associate der Roy. Acad. Vertreten u. a. in den Museen in Liverpool, Nottingham u. Kapstadt.
Lit.: Th.-B., 5 (1911). — Bénézit, [2] 2 (1949).— Who's Who in Art, [1] 1929; [3] 1934, Anh.: Obituary. — A. L. Baldry, The Work of A. B., Lond. 1921. — The Connoisseur, 75 (1926) 124. — Magazine of Art, 1902, p. 97ff., m. Abbn. — The Studio, 60 (1914) 304; 66 (1916) 214; 68 (1916) 40, 52, m. Abb.; 71 (1917) 129/36, m. 8 Abbn u. 2 farb. Taf.; 81 (1921) 219; 82 (1921) 87, 89, m. Abb.; 83 (1922) 144/47, m. Abb., 302, 303, 304; 113 (1937) 307 (Abb.); 134 (1947) 32 (Abb.); 136 (1948) 108 (Abb.). — Artist, 40 (1951) 127 (Abb.). — National Gall. of Brit. Art. Studio Spec.-Nr Art Coll. of Nation 1920, p. 111.

Brown, Bolton, dtsch-amer. Maler, Lithograph u. Rad., * 27. 11. 1865 Dresden, † 1936 New York.
Hauptsächlich Landschafter.
Lit.: Th.-B., 5 (1911). — Fielding. — Amer. Art Annual, 30 (1933). — Who's Who in Amer. Art, I: 1936/37. — Amer. Art News, 21, Nr 2 v. 21. 10. 1922, p. 2; 25, Nr 33 v. 21. 5. 1927, p. 12. —The Studio, 114 (1937) 214. — The Print Coll.'s Quarterly, 27 (1940) 503f.

Brown, Caroleen, geb. *Ackerman*, amer. Malerin, * New York, † 1939 Brooklyn, N. Y.
Schülerin von Seymour Bloodgood.
Lit.: Amer. Art Annual, 30 (1933).

Brown, Charlotte, geb. *Harding*, amer. Illustratorin, * 31. 8. 1873 Newark, N. J., ansässig in Smithtown, L. I., N. Y.
Schülerin von Howard Pyle am Drexel Instit. in Philadelphia, Pa. Zeichnete u. a. für „Century".
Lit.: Fielding. — Amer. Art Annual, 30 (1933). — Who's Who in Amer. Art, I: 1936/37.

Brown, Dorothy Foster, amer. Malerin u. Illustr., * 9. 7. 1901 Worcester, Mass., ansässig ebda.
Stud. an d. Schule des Mus. in Worcester.
Lit.: Amer. Art Annual, 20 (1923) 456.

Brown, Ethel Isadore, amer. Genremalerin, * 30. 11. 1871 Boston, ansässig in Albany, N. Y.
Stud. an der Cowles-Kunstschule in Boston u. bei L. O. Merson in Paris. Stellte dort in den 1890er Jahren im Salon der Soc. Nat. d. B.-Arts aus (Kat. 1896, m. Abb. p. 22). Lehrtätig an der St. Agnes-Schule in Albany.
Lit.: Bénézit, [2] II (1949).

Brown, Fanny Wilcox, amer. Malerin u. Kstgewerblerin, * 10. 10. 1882 Baltimore, Md., ansässig in New York.
Schülerin von Bryson Burroughs in New York.
Lit.: Amer. Art Annual, 20 (1923) 456.

Brown, Francis Clark, amer. Wandmaler, * 7. 8. 1908 New Sharon, Ia., ansässig in Noblesville, Ind.
Schüler von Clifton Wheeler, Oakley u. Richey. Hauptsächlich Landschafter. Wandmalereien in der öff. Bibl. in Noblesville, Ind.
Lit.: Who's Who in Amer. Art, I: 1936/37. — Mallett.

Brown, Francis F., amer. Maler, * 19. 1. 1891 Glassboro, N. J., ansässig in Muncie, Ind.

Schüler von J. Ottis Adams u. William Forsyth. Ein Ölbild u. ein Pastell im John Herron Art Instit. in Indianapolis, Ind.

Lit.: Fielding. — Amer. Art Annual, 20 (1923) 456; 30 (1933).

Brown, Frank A., amer. Landschaftsmaler, * 21. 4. 1876 Beverley, Mass., ansässig in New York.

Schüler von Louis Kronberg u. der Acad. Julian in Paris. Hauptsächl. Aquarellist. Bereiste Italien, Sizilien u. Nordafrika.

Lit.: Amer. Art Annual, 30 (1933). — Who's Who in Amer. Art, I: 1936/37. — The Art News, 24, Nr 17 v. 30. 1. 1926, p. 9, m. Abb.; 25, Nr 29 v. 23. 4. 1927, p. 11. — L'Art et les Artistes, t. 34 (1937) 61/63, m. 3 Abbn.

Brown, Frederick, engl. Maler, * März 1851 Chelmsford, † 1941 Essex.

Zu den bei Th.-B. gen. öff. Sammlungen, in denen Arbeiten B.s bewahrt werden, kommt hinzu die Tate Gall. in London (Selbstbildn. v. 1920). Eine autobiogr. Skizze veröffentl. in Artwork, 1930.

Lit.: Th.-B., 5 (1911). — Bénézit, [2] 2 (1949). — Apollo, 3 (1926) 2ff., m. Abbn. — The Artwork, 6 (1930) 149/60, m. Abbn, 268/78, m. Abbn. — The Studio, 65 (1915) 186, m. Abb.; 70 (1917) 41, m. Abb.; 129 (1945) 65, 72 (Abb.); 132 (1946) 115/18.

Brown, George Bacon, amer. Maler, * 1893 Ogdensburg, N. Y., † Okt. 1923 Mankato, Min.

Schüler des Art Instit. in Chicago, Ill., u. von Lee Woodward Zeigler. Bildnisse u. Wanddekorationen. Wandbild im Elks' Club in St. Paul.

Lit.: Fielding. — The Art News, 22, Nr 1 v. 13. 10. 1923, p. 8. — Amer. Art Annual, 20 (1923) 260.

Brown, Gerald, engl. Landschaftsmaler u. Reklamekstler, * Bentley, Suffolk, ansässig in Ipswich.

Lit.: Who's Who in Art, [3] 1934.

Brown, Glenn Madison, amer. Maler, Rad. u. Lithogr., * 28. 10. 1876 Hartford, Conn., † 1932 Washington, D. C.

Schüler der Art Student's League in New York, der Acad. Julian in Paris u. von J. P. Laurens an d. Acad. Colarossi ebda.

Lit.: Fielding. — Amer. Art Annual, 20 (1923) 456; 30 (1933). — Who's Who in Amer. Art, I: 1936/37.

Brown, Grace Evelyne, amer. Malerin u. Illustr., * 24. 11. 1873 Beverley, Mass., ansässig in Newton, Mass.

Schülerin von Joseph De Camp, Albert H. Munsell u. Vesper L. George.

Lit.: Fielding. — Amer. Art Annual, 30 (1933).

Brown, Gregory, engl. Plakat- u. Vorsatzblattzeichner, Landschaftsmaler u. Illustr., * 4. 1. 1887 London, † 1941 ebda.

Lit.: Who's Who in Art, [3] 1934. — The Connoisseur, 61 (1921) 121. — Artwork, 2 (1925/26) 66. — Amer. Artist, 15, März 1951, p. 33 (Abb.).

Brown, Harold Haven, amer. Maler u. Illustr., * 6. 6. 1869 Malden, Mass., † 1932 Indianapolis, Ind.

Stud. an d. Ec. d. B.-Arts unter Gérôme in Paris u. an der Acad. Julian ebda unter J. P. Laurens. 1914/21 Direktor des John Herron Art Instit. in Indianapolis.

Lit.: Fielding. — Amer. Art Annual, 20 (1923) 456; 27 (1930) 513. — M. Q. Burnet, Art and Artists of Indiana, New York 1921.

Brown, Harrison Paul, amer. Maler, * 29. 1. 1889 Waterloo, Ind., ansässig in Mt. Clemens, Mich.

Schüler von Walter M. Clute, F. F. Fursman, George Senseney u. Wellington Reynolds.

Lit.: Fielding. — Amer. Art Annual, 20 (1923) 456; 27 (1930) 513; 30 (1933).

Brown, Henry James Stuart, siehe *Stuart Brown*, Henry James.

Brown, Horace, amer. Maler, * 23. 10. 1876 Rockford, Ill., † 1932 Springfield, Vt.

Schüler von John Carlson, John Johansen u. W. L. Lathrop. Bilder in der Pennsylv. Acad. of the F. Arts in Philadelphia u. in den städt. Smlgn in Oak Park, Ill., u. in Orange, N. J.

Lit.: Fielding. — Amer. Art Annual, 20 (1923) 456; 30 (1933). — Who's Who in Amer. Art, I: 1936/37. — Monro.

Brown, Howard, amer. Maler u. Illustr., * 5. 7. 1878 Lexington, Ky., ansässig in New York.

Stud. an der Art Student's League in New York.

Lit.: Fielding. — Amer. Art Annual, 30 (1933).

Brown, Howard Scott, amer. Karikaturenzeichner u. Illustr., * 25. 12. 1909 Mansfield, Ohio, ansässig ebda.

Zeichnet u. a. für Saturday Evening Post.

Lit.: Who's Who in Amer. Art, I: 1936/37.

Brown, Howard Willis, amer. Radierer, * 7. 8. 1905 Fitzgerald, Ga., ansässig in Chicago, Ill.

Lit.: Who's Who in Amer. Art, I: 1936/37.

Brown, Howell Chambers, amer. Rad., * 20. 7. 1880 Little Rock, Ark., ansässig in Pasadena, Calif.

Malte hauptsächlich Indianerszenen. Bilder u. a. im Mus. in Los Angeles u. in der California State Library in Sacramento, Calif.

Lit.: Fielding. — Amer. Art Annual, 20 (1923) 456; 28 (1931). — Who's Who in Amer. Art, I: 1936/37.

Brown, James Francis, amer. Maler, * 1862 Niagara Falls, N. Y., † 6. 2. 1935 New York.

Schüler der Nat Acad. of Design in New York, dann von Collin u. Bouguereau in Paris. Figürliches, Theater- u. Zirkusszenen, Szenen aus Märchenland.

Lit.: Fielding. — Amer. Art News, 21, Nr 2 v. 21. 10. 1922, p. 1f. — Amer. Art Annual, 30 (1933). — Who's Who in Amer. Art, I: 1936/37, p. 493. — Monro.

Brown, Irene, amer. Malerin u. Bildhauerin, * 25. 2. 1881 Hastings, Mich., † 28. 7. 1934 Hyannisport, Mass.

Schülerin von W. M. Chase, Hawthorne u. Johansen.

Lit.: Amer. Art Annual, 12 (1915); 20 (1923) 456. — Fielding. — Who's Who in Amer. Art, I: 1936–37, p. 493.

Brown, Lucille Rosemary, amer. Malerin u. Illustr., * 25. 7. 1905 Hollywood, Calif., ansässig in Venice, Calif.

Schülerin der Univ. of Calif. in Los Angeles.

Lit.: Who's Who in Amer. Art, I: 1936/37. — Amer. Art Annual, 30 (1933).

Brown, Lydia M., amer. Malerin u. Zeichnerin, * Watertown, N. Y., ansässig in New Orleans, La.

Schülerin der Art Student's League in New York, von Du Mond, Hawthorne, Breckenridge u. Carlson.
Lit.: Amer. Art Annual, 30 (1933).

Brown, Mary, geb. *Robertson,* schott. Aquarellmalerin u. Rad., * 5. 3. 1887, ansässig in Edinburgh. Gattin des Genre- u. Landsch.-Malers Marshall B. (* 1863).
Stud. in Edinburgh. Hauptsächl. Statdansichten.
Lit.: Who's Who in Art, [3] 1934.

Brown, Mildred, engl. Malerin u. Fächerzeichnerin, * 29. 6. 1898 Preston, ansässig in Cheadle, Cheshire.
Lit.: Who's Who in Art, [3] 1934.

Brown, Pamela, amer. Bildnis- u. Miniaturmalerin, ansässig in New York u. in Woodstock, N. Y.
Lit.: Fielding.

Brown, Paul, amer. Radierer, Illustr. u. Aquarellmaler, * 27.11.1893 Mapleton, Minn., ansässig in Garden City, L. I., N. Y.
Hauptsächl. Sport- u. Jagdszenen.
Lit.: Who's Who in Amer. Art, I: 1936/37. — Amer. Artist, 11, Dez. 1947, p. 25 (Abb.).

Brown, R. Alston, amer. Illustrator, * 4. 6. 1878 Xenia, Ohio, ansässig in New York.
Schüler von W. M. Chase, Du Mond, Mora u. Nowottny.
Lit.: Amer. Art Annual, 20 (1923) 457.

Brown, Roy Henry, amer. Landschaftsmaler (Öl u. Aquar.) u. Illustr., * 1879 Decatur, Ill., ansässig in New York.
Stud. an der Art Student's League in New York, dann bei Rafaelli u. Ménard an d. Acad. Julian in Paris. — Bilder u. a. im Metrop. Mus. in New York, im Art Inst. in Chicago, Ill., in der Springfield Art Assoc. in Springfield, im John Herron Art Inst. in Indianapolis, Ind., u. in der Städt. Gal. in Decatur.
Lit.: Fielding. — The Internat. Who's Who, [8] 1943/44. — Monro. — Amer. Art Annual, 20 (1923) 457; 27 (1930) 118; 30 (1933). — The Studio, 62 (1914) 258, 298. — The Art News, 25, Nr 18 v. 2. 5. 1927 p. 15 (Abb.).

Brown, Samuel John Milton, engl. Marinemaler, * 13. 4. 1873 Liverpool, ansässig ebda.
Stud. an der Kstschule in Liverpool.
Lit.: Who's Who in Art, [3] 1934.

Brown, Samuel Joseph, amer. Maler, * 16. 4. 1907 Wilmington, N. C., ansässig in Philadelphia, Pa.
Schüler der Pennsylvania Mus.-School of Industry. Vertreten im Pennsylvania Mus. u. in der Univers. of Pennsylvania in Philadelphia, Pa.
Lit.: Who's Who in Amer. Art, I: 1936/37. — Art Index (New York), Okt. 1944/Sept. 1946. — Monro.

Brown, Ssonja, russ.-amer. Malerin u. Bildhauerin, * 11. 1. 1890 Moskau, ansässig in New York.
Schülerin von Nik. Andrejeff u. Sseroff, dann von Bourdelle in Paris. Hauptsächlich Bildnisse.
Lit.: Amer. Art Annual, 30 (1933). — The Art News, 23, Nr 8 v. 29. 11. 1924, p. 2. — The Brooklyn Mus. Quart., 22 (1935) 137, 141 (Abb.).

Brown, Thomas E., amer. Maler * 31. 5. 1881 Wilmington, N. C., † 1938 Washington.
Schüler der Corcoran-Kstschule in Washington u. der Pennsylvania Acad. of Fine Arts in Philadelphia bei W. Lester Stevens u. Edgar Nye.
Lit.: Amer. Art Annual, 30 (1933).

Brown, Thomas Harry, engl. Landschaftsmaler u. Holzschneider, * 17. 12. 1881 Manchester, ansässig ebda.
Lit.: Who's Who in Art, [3] 1934.

Brown, William Alden, amer. Landschaftsmaler, * 15. 3. 1877 Providence, R. I., ansässig ebda.
Schüler von E. M. Bannister u. der Art Student's League in Woodstock, N. Y. dann von Frank V. Du Mond. Bild im State Coll. in Kingston, R. I.
Lit.: Fielding. — Amer. Art Annual, 30 (1933).

Browne, Belmore, amer. Tiermaler, * 9. 6. 1880 Tomkinsville, S. I., N. Y., ansässig in Banff, Alberta, Canada.
Schüler von W. M. Chase u. Caroll Beckwith, dann der Acad. Julian in Paris.
Lit.: Fielding. — Amer. Art Annual, 30 (1933). — Who's Who in Amer., 18 (1934/35). — Who's Who in Amer. Art, I: 1936/37. — Monro.

Browne, Byron, amer. Maler, * 1907, ansässig in New York.
Abstrakter Künstler. Letzte Kollektiv-Ausstellgn in den Grand Central Gall. März 1949 u. Febr. 1951.
Lit.: Mallett. — Art Index (New York), 1942ff. — Monro.

Browne, Clive Richard, engl. Landschaftsmaler, * 27. 7. 1901 Keelby, ansässig in Waltham, Lincolnshire.
Lit.: Who's Who in Art, [3] 1934.

Browne, Ellen Charlson, engl. Landschaftsmaler (Aquar.), * 10. 2. 1903 Blackpool, ansässig in Appleybridge, Lancashire.
Stud. an d. Kstsch. in Liverpool u. Christchurch, Neuseeland.
Lit.: Who's Who in Art, [3] 1934.

Browne, George Elmer, amer. Landschafts-, Marine-, Bildnis- u. Figurenmaler, * 6. 5. 1871 Gloucester, Mass., † Sept. 1946. Vater des Harold Putnam.
Stud. an der Kstschule in Boston u. bei Lefebvre u. Robert-Fleury an d. Acad. Julian in Paris. War wohnhaft in New York u. Paris, sommers in Provincetown, Mass. Stellte seit 1904 im Salon der Société d. Art. Franç. aus (Kat. z. T. m. Abbn). Bilder u. a. in der Nat. Gall. in Washington, D. C., im Art Inst. in Chicago, im Mus. in Toledo, im Art Inst. in Milwaukee, im Luxembourg-Mus. in Paris u. in den Museen in Cahors u. Montpellier.
Lit.: Th.-B., 5 (1911). — Fielding. — The Internat. Who's Who, [8] 1943/44. — Bénézit, [2] 2 (1949). — Earle. — Amer. Art Annual, 13 (1916) Abb. geg. p. 236; 20 (1923) 457f.; 30 (1933). — Fine Arts Journal, 31 (1914) 593 (Abb.). — The Art News, 31 Nr 11 v. 10. 12. 1932, p. 5, 12 (Abb.); 45 (1946) August-H. p. 9 (Nachruf). — Amer. Artist, 10 (1946) Sept.-H. p. 12 (desgl.). — Art Index (New York), Okt. 1941 –Sept. 42; Okt. 45/Sept. 46. — Monro.

Browne, Gordon Frederick, engl. Maler u. Buchillustr., * 15. 4. 1858 Banstead Surrey, † 27. 5. 1932 Richmond, Surrey.
Schüler von P. Heatherley in London. Seit 1894 Mitgl. d. Roy. Soc. of Brit. Art., seit 1897 auch Mitgl. des Roy. Inst. Illustr. u. a. zu einer bei Henry Irving erschienenen Shakespeare-Ausgabe u. zu Ausgaben von Defoe, Swift, Bunyan, Scott u. Stevenson.
Lit.: Th.-B., 5 (1911). — Who's Who in Art, [2] 1929; [3] 1934, Anhang, Obituary. — The Connoisseur, 90 (1932) 59. — The Art News, 30, Nr 38 v. 16. 7. 1932, p. 8.

Browne, Harold Putnam, amer. Maler, * 27. 4. 1894 Danvers, Mass., † 1931 Lawrence, Kansas. Sohn des George Elmer.

Schüler von Caro-Delvaille u. der Acad. Colarossi in Paris, dann von J. P. Laurens u. P. A. Laurens an d. Acad. Julian ebda, von Heymann in München u. von F. Louis Mora in New York. Prof. an der Kstschule d. Univ. of Kansas. Aquarelle im J. B. Speed Memorial Mus. d. Univers. in Louisville, Ky.

Lit.: Fielding. — Amer. Art Annual, 20 (1923) 458; 27 (1930) 131. — The Toledo Mus. of Art, Accessions etc. 1930, p. (16f.), m. Abb.

Browne, Irene, irische Bronzebildnerin u. Keramikerin (Kleinplastik), ansässig in Clifton, Sussex.

Vertreten u. a. im Victoria and Albert Mus. in London, in der Art Gall. in Manchester u. im Mus. in Hanley, Staffordshire.

Lit.: Who's Who in Art, [3] 1934.

Browne, Lewis, engl.-amer. Illustrator u. Schriftst., * 24. 6. 1897 London, ansässig in New York.

Lit.: Who's Who in Amer. Art, I: 1936/37.

Browne, Margaret Fitzhugh, amer. Bildnismalerin, * 7. 6. 1884 Boston, Mass., ansässig ebda.

Schülerin von Jos. De Camp, Rich. Andrew u. Albert H. Munsell.

Lit.: Fielding. — Amer. Art Annual, 20 (1923) 458; 27 (1930) 84; 30 (1933). — Who's Who in Amer. Art, I: 1936/37. — Monro. — The Art News, 25, Nr 8 v. 27. 12. 1926, p. 6, m. Abb., Nr 9 v. 4. 12. 1926, p. 9, Nr 11 v. 18. 12. 1926, p. 6, m. Abb., Nr 24 v. 14. 3. 1927, p. 7, Nr 35 v. 4. 6. 1927, p. 10; 32, Nr 20 (1933/34) p. 6, m. Abb.

Browne, Nassau Blair, irischer Landsch.- u. Tiermaler, ansässig in Fareham, Hampshire, vordem in Dublin als Leiter der Nat. Gall. of Ireland.

Lit.: Who's Who in Art, [3] 1934.

Browne, Syd, amer. Landschaftsmaler u. -radierer, * 1907, ansässig in New York.

Lit.: Mallett. — The Print Coll.'s Quarterly, 25 (1938) 242 (Abb.), 372 (Abb.); 29 (1942) 282 (Abb.). — Art Digest, 22, Nr v. 1. 12. 1947, p. 16 (Abb.); Nr v. 1. 4. 1948, p. 5 (Abb.); v. 15. 10. 49, p. 16 (Abb.); v. 1. 4. 50, p. 21; v. 1. 5. 51, p. 29. — The Art News, 45 (1946) Aug.-H. p. 46 (Abb.); 50 (1951) Mai-H. p. 58. — Pictures on Exhib., 5 (1942) März-H. p. 27 (Abb.).

Browne, Tom, engl. Zeichner, Illustrator u. Karikaturist, * 1872 Nottingham, † 16. 3. 1910 London.

Lit.: Th.-B., 5 (1911). — The Studio, 63 (1915) 249, m. Abb.

Brownell, Matilda, amer. Malerin, * New York, ansässig ebda, sommers in Stockbridge, Mass.

Schülerin von W. M. Chase u. MacMonnies. Hauptsächl. Stilleben. Bilder in der Yale Univers., im Bernard Coll. u. im Mus. in Brooklyn, N. Y.

Lit.: Fielding. — Amer. Art Annual, 20 (1923) 458; 30 (1933). — Who's Who in Amer. Art, I: 1936/37.

Browning, Amy Kather., s. *Dugdale.*

Browning, Anzie D., amer. Zeichner, * 29. 2. 1892 Kent, Wash., ansässig in Tacoma, Wash.

Schülerin von George Z. Huston.

Lit.: Amer. Art Annual, 20 (1923) 458; 27 (1930) 513; 30 (1933).

Broxner, Helene, dtsche Malerin, * 29. 9. 1881 München, ansässig ebda.

Stud. an der Kstgewerbesch. u. Damenakad. des Künstlerinnenvereins in München.

Lit.: Dreßler.

Broxner, Hermann, dtsch. Bildhauer u. Keramiker, * 1900 Ingolstadt, ansässig in München.

Stud. an der Gewerbesch. u. Akad. München, Schüler von Hahn, Fritz Schmidt u. O. Lohr.

Lit.: Alckens. — Kst u. Handwerk, 1924, p. 10 (Abbn), 40 (Abb.).

Broxton, Thomas, engl. Landsch.- u. Marinemaler, * 10. 10. 1871 Liverpool.

Lit.: Who's Who in Art, [3] 1934.

Broyelle, Raphaël Albert, franz. Landschaftsmaler, * Paris, ansässig ebda.

Schüler von L. O. Merson, R. Collin u. F. Humbert. Mitglied der Soc. d. Art. Franç. (Salon-Kat. z. T. m. Abbn).

Lit.: Joseph, I. — Bénézit, [2] II.

Brož, Josef, tschech. Maler u. Illustr., * 13. 8. 1904 Krásno b. Valašské Meziříčí, ansässig in Prag.

Stud. 1927/34 an d. Kstgewerbesch. in Prag, 1934–35 in Paris (F. Kupka). Landschaften, Figürliches. Soz. Sujets. Sonderausst. in Prag 1942, 1943 („Um. beseda").

Lit.: Kat. d. Ausst. in Prag 1943. — Toman, I 103. *Blž.*

Brozzi, Renato, ital. Tierbildner (bes. Kleinplastiker) u. Plakettenkstler, * 10. 8. 1885 Traversetolo, ansässig in Rom.

Vertreten in d. Gall. Naz. d'Arte Mod. in Rom. Beeinflußt von Charpentier. Hauptsächl. Wild- u. Weidevieh. Stellte häufig in Mailand aus.

Lit.: L'Arte, 12 (1909) 393. — Dedalo, anno V, Bd II (1925) 527 (Abbn), 530. — Emporium, 36 (1912) 313/16, m. Abbn. — Pagine d'Arte, 5 (1917) 85f., m. Abb. — The Studio, 60 (1914) 237f., m. 4 Abbn. — Vita d'Arte, 4 (1909) 524; 13 (1914) 82, 87, 89. — Kat. 6. Quadriennale, Rom 1951/52.

Brubaker, Jay C., amer. Maler u. Illustr., * 5. 10. 1875 Dixon, Ill., ansässig in Greenport, N. Y.

Schüler von George B. Bridgman.

Lit.: Fielding. — Amer. Art Annual, 30 (1933).

Bruce, Blanche Canfield, amer. Malerin u. Lithographin, * 20. 9. 1880 Wells, Minn., ansässig in Terre Haute, Ind.

Schülerin von Hawthorne, Susan Ricker Knox u Hayley Lever. Vertreten u. a. im Naturhist. Mus. in Chicago.

Lit.: Who's Who in Amer. Art, I: 1936/37. — Amer. Art Annual, 30 (1933).

Bruce, Edward, amer. Landschafts- u. Stillebenmaler, * 1879 Dover Plains, N. Y., † 1943 New York.

Anfänglich Großkaufmann, ging erst 1922 zur Malerei über. 1. Koll.-Ausst. 1924 New York, 2. Koll.-Ausst. 1927 in d. New Gall. ebda, auf der alle 27 ausgest. Bilder innerhalb 14 Tagen verkauft waren. Arbeitete zeitweilig in Italien (bes. Venedig u. Florenz) u. in Frankreich (Marseille).

Lit.: Fielding. — Monro. — Amer. Art Annual, 30 (1933). — E. Neuhaus, Hist. a. Ideals of Amer. Art, Stanford Univ., Cal., 1931. — Who's Who in

Amer. Art, I: 1936/37. — Artwork, 2 (1925/26) H. 6, p. 95 (Abb.). — Bull. of the Cleveland Mus., Cleveland (Ohio), 14 (1927) 104, 106 (Abb.); 15 (1928) 132; 17 (1930) 123; 18 (1931) 116 (Abb.); 21 (1934) Abb. geg. p. 95. — The Art News, 25, Nr 10 v. 11. 12. 1926, p. 9; 31, Nr 7 v. 12. 11. 1932 p. 5. — L'Amour de l'Art, 1929, p. 37f., m. 3 Abbn. — L'Art et les Artistes, N. S. 18 (1929) 210. — Apollo (London), 18 (1933) 119 f., m. 2 Abbn. — Parnassus, Nov. 1936, p. 5ff. passim, m. Abb. — The Studio, 109 (1935) 107f., m. 2 Abbn; 113 (1937) 21 (Abb.); 114 (1937) 160 (Abb.). — Kat. d. Exh. of Mod. Art, Calif. Palace of the Legion of Honor, Lincoln Park, S. Francisco, Calif., Sept./Okt. 1938.

Bruce, Martin, engl. Landsch.-, Marine- u. Tiermaler, ansässig in London.

Arbeitete hauptsächl. in Holland u. Belgien. Stellte 1895ff. in d. Roy. Acad. aus.

Lit.: The Artist, 27 (1900) 413/20, m. 10 Abbn u. 1 Taf. — Graves, I.

Bruce Lockhart, John Harold, schott. Aquarellmaler (Landschafter).

Stud. in Cambridge. Weitergebildet in Deutschland u. Frankreich. Seit 1937 Prof. an der Sedbergh-Schule. Stellte in d. Roy. Acad. in London u. in d. Roy. Scott. Acad. aus.

Lit.: Bénézit, [2] 2 (1949).

Bruce-Low, Mabel, schott. Malerin u. Graph., * Edinburgh, ansässig in London.

Schülerin von W. Sickert in London, von Rob. Burns in Edinburgh u. von Rich. Jack. Seit 1919 Mitgl. der Roy. Soc. of Brit. Artists.

Lit.: Bénézit, [2] 2. — Who's Who in Art, [3] 1934.

Bruch, Hans, Maler u. Rad., * 18.3.1887 Berlin, † 4.6.1913 Jena.

Sohn des Komponisten Max Bruch. Schüler von F. Kallmorgen. Hauptsächl. Landschafter.

Lit.: Kstchronik, N. F. 24 (1913) 543.

Bruchhäuser, Karl, dtsch. Maler, * 20. 4. 1917 Dudenhoven, ansässig in Neuwied/Rh.

Stud. an d. Akad. Düsseldorf. Bildnisse u. Landschaften. Bild im Bes. des Staates Rheinland-Pfalz.

Lit.: Manifest an die Kunstschaffenden 1949. *J.*

Bruck, Albrecht, dtsch. Maler u. Graph., * 4.1.1874 Lauban (Schles.), ansässig in Berlin-Lankwitz.

Schüler von Hans Meyer an der Berliner Akad. u. von Eug. Bracht an der Dresdner Akad. Hauptsächl. Landschaftsradierer. Rad. nach eigenen u. fremden Vorlagen (u. a. Corot u. Th. Herbst).

Lit.: Dreßler.

Bruck, Hermann, dtsch. Landschafts- u. Interieurmaler, * 14.4.1873 Hirschberg in Schles., zuletzt ansässig in Hamburg.

Stud. an den Akad. in Dresden, München u. Berlin. Studienaufenthalte in Paris u. Spanien (1912). In der Hamburger Ksthalle: Hamburger Hochbahn bei Schnee (Kat. 1922).

Lit.: Th.-B., 5 (1911). — Dreßler. — D. Cicerone, 17 (1925) 480. — Kstchronik, N. F. 27 (1916) 92. — Zeitschr. f. bild. Kst, 60 (1926/27), Kstchronik, p. 3.

Brucker, Edmund, amer. Figurenmaler, * 1912.

Erhielt 1938 den 1. Preis des Cleveland Mus. of Art für sein Bild: Mangbettu-Weib.

Lit.: Bull. of the Cleveland Mus. of Art, 25 (1938) 78, 87 (Abb.); 32 (1945) 63 (Abb.). — Monro.

Bruckman, Karel Lodewijk, holl. Bühnenbildner, Bildnis- u. Dekorationsmaler, * 13. 8. 1903 im Haag, tätig ebda.

Stud. an der Akad. im Haag. Zus. mit s. Zwillingsbruder Lodewijk Karel als Dekorationsmaler u. Kostümzeichner für die Kleine Komische Oper in New York tätig. Koll.-Ausst. Mai 1951 u. Dez. 52 in. d. Grand Central Gall. ebda.

Lit.: Wie is dat?, 1935. — Art Digest, 25, Nr v. 1. 5. 1951, p. 18, m. Abb.; 27, Nr v. 15. 11. 52, p. 20. — Art News, 47, Dez. 1948, p. 53; 50, Mai 1951, p. 54.

Bruckmeyer, Elisabeth, dtsche Malerin u. Werkkünstlerin, * 8.7.1884 Bremen, ansässig ebda.

Stud. an der Kstschule in Weimar u. in München.

Lit.: Dreßler.

Bruckner, Theodor, öst. Wand- u. Porträtmaler u. Bühnenbildner, * 6.3.1870 Wien, ansässig ebda.

Stud. 1885/91 an der Wiener Kstgewerbesch., 1893–94 an der Akad. Julian in Paris, 1896/97 bei B. Constant u. J. P. Laurens ebda.

Lit.: Th.-B., 5 (1911).

Brucks, Eberhardt, dtsch. Graphiker, ansässig in Berlin.

Hauptsächl. Federzeichnungen in einem zerzausten, krausen, an Kubin erinnernden Strich. Eine Sammlung s. höchst phantasiereichen u. faszinierend-eindrucksvollen Zeichnungen wurde veröff. 1946 im Verlag Horst Böttcher, Berlin, enthaltend die Blätter der Leuchter, Andante, Mondnacht, Er, Yvonne u. a. Mappe: E. T. A. Hoffmann (Böttcher-Kstverlag, Berlin). Entwürfe für Bühnenkostüme, Ausstattung von Balletten. Buchillustr.: Gerh. Grindel, Der leuchtende Teppich; Burkat, Der heimliche Garten. Kollekt.-Ausst. Dez. 1947/Jan. 1948 im Renaissance-Theater in Berlin.

Lit.: D. Kst u. d. schöne Heim, 49 (1951) Beil. p 195. — Sie (Berlin), 1. 9. 1946 u. 14. 12. 1947, m. Abbn. — Sonntag (Berlin), 14. 7. 1946. — Roland von Berlin (Berlin), 8. 2. 1948. — Nacht-Express (Berlin), 5. 2. 48. — Neue Zeit (Berlin), 16. 1. 1948.

Brude, Erich, dtsch. Maler u. Werkkstler, * 1874 Stuttgart, ansässig ebda.

Stud. an der Kstgewerbesch. u. Akad. München.

Lit.: Dreßler. — Das Bild, 8 (1938) 104/09, m. Abbn.

Bruders, Eugen, dtsch. Maler, * 22. 2. 1922 Kaunas (Kowno), Litauen.

Zunächst privater Malunterricht. Reisen in Italien u. Dänemark. Schüler der Malklasse an der Rob.-Schumann-Akad. in Zwickau. Impressionist. Malweise, zum Surrealismus neigend. Der arbeitende Mensch in Verbindung mit dem Zeitgeschehen thematisch im Mittelpunkt seines Schaffens. *J.*

Brudo, Yvonne, franz. Genre-, Marine- u. Landsch.-Malerin, * Paris, ansässig ebda.

Schülerin von F. Humbert u. J. Adler. Mitglied der Soc. d. Art. Franç. (Salon-Kat. z. T. m. Abbn). Ehrenvolle Erwähnung 1922.

Lit.: Bénézit, [2] II (1949).

Brück, Hans, dtsch. Maler u. Holzschneider, * 4.10.1890 Mannheim, ansässig ebda.

Stud. an der Landeskunstsch. in Karlsruhe. Bildnisse, Landschaften.

Lit.: Dreßler.

Brückner, Karl Heinz, dtsch. Bildhauer (Holz u. Stein), * 6. 7. 1915 Leipzig, ansässig ebda.

Stud. an d. Kstgewerbesch. Leipzig.

Brückner, Max, dtsch. Maler u. Graph., * 13.11.1888 Dresden, ansässig in Berlin.

Stud. an der Kstgewerbesch. Dresden. Landschaften, Architektur. Mappenwerke: Havelland; Alt-Berlin; Oberspree; Dresden; Sächs. Schweiz;

Harz (sämtl. bei Fritz Heyder, Berlin-Zehlendorf); Unsere Ostmark (Stiefbold & Co., Berlin 1925).
Lit.: Dreßler.

Brückner, Oswald, dtsch. Bildhauer, * 6.3.1897 Nürnberg, ansässig ebda.
Stud. an d. Nürnb. Kstgewerbesch. Studienaufenthalte in Ungarn, Dänemark u. Italien. Hauptsächl. Porträtist.
Lit.: Kat. Ausst. 150 Jahre Nürnberger Kunst, Nürnbg 1942, p. 45.

Brügger, Arnold, schweiz. Maler, Lithogr. u. Gebrauchsgraph., * 19.10.1888 Meiringen, ansässig ebda.
Lernte zuerst Lithogr., dann Schüler der Kstgewerbesch. Bern (1908/09) u. Köln (1909/10). Weitergebildet in Berlin u. München (1911/12). Seit 1912/13 abwechselnd in Paris u. Meiringen tätig. Bild: Tanzlokal, im Bes. d. Zürcher Kstgesellsch.
Lit.: Schweiz. Zeitgen.-Lex., 1932. — Reinhart-Fink. — D. Schweiz, 1916, p. 592. — Schweizerland, 1917, p. 522, m. Abb. — Das Graph. Jahr, 3 (1918) 87. — D. Werk, 6 (1919) 122 (Abb.); 26 (1939) Beil. zu H. 4 p. XXf.; 29 (1942) Beil. zu H. 11, p. XVIII. — Pages d'Art, 1919, p. 311, m. Abb. — Pro Helvetia, 1921, p. 254, m. Abbn. — Mitteilgn d. Exlibris-Ver. zu Berlin, 15 (1921), p. 8. — Dtsche Kst u. Dekor., 57 (1925/26) 116 (Abb.). — D. Cicerone, 20 (1928) 109.

Brügger, Fanny, schweiz. Malerin u. Rad., * 1886 Frauenfeld, ansässig in Zürich.
Stud. 1904/08 bei Léon Gaud u. Eug. Gilliard an d. Kstsch. in Genf. Seit 1911 in Zürich. Stellt seit 1909 im Zürcher Ksthaus aus. Bildnisse, Figürliches, Stillleben, Landschaften. Bilder im Rätischen Mus. in Chur u. in d. Smlg des Kstver. Schaffhausen.
Lit.: Schweiz. Archiv f. Volkskde, 19 (1915) p. 137–60, m. Taf. 20. — Kat. Ausst. Ksthaus Zürich, 10. 3.–2. 4. 1918, p. 5, 12; 17. 3.–10. 4. 1929, p. 9f., 20.

Brügmann, Margot, dtsche Malerin u. Illustr., * 7.8.1908 Leipzig, ansässig ebda.
Stud. an der Leipz. Akad. bei W. Tiemann.

Brühl, Alfred, dtsch. Maler, * 28.12.1920 Giesenkirchen, Kr. M.-Gladbach, ansässig in Fürstenau.
Schüler von P. Helms in Hamburg. Impressionist.
Lit.: Kstkalender „Kunst im Osnabrücker Land", 1951, p. 19; 1952, p. 48, m. Abb.

Brühlhart, Ernst, schweiz. Bildnis- u. Landsch.-Maler, * Okt. 1878 Alterswyl (Kt. Freiburg).
Stud. 1900/04 an d. Acad. Julian u. d. Ec. d. B.-Arts in Paris. Ließ sich 1904 in Freiburg nieder. Bereiste 1905 die Bretagne, Belgien, Holland u. Norwegen, 1917 Spanien. Landschaft im Kstmus. Luzern.
Lit.: Brun, IV. — Jahrb. f. Kst u. Kstpflege in d. Schweiz, 5: 1928/29 (1930) 79.

Brühlmann, Hans, schweiz. Maler, * 25.2.1878 Amriswil, Kt. Thurgau, † 29.11.1911 Stuttgart (Freitod).
Schüler von Herm. Gattiker in Rüschlikon, dann (1901) von C. Grethe, A. Hölzel, seit 1903 von Kalckreuth in Stuttgart. 1904 u. 1906 in Italien (Rom, Florenz, Assisi), 1908 in Paris. Anfängl. beeinflußt von Hodler u. C. Hofer, vorübergehend von Cézanne, dann von Marées. Bildnisse, Figürliches, Landschaften, Stilleben. Wandmalereien in den Pfullinger Hallen bei Reutlingen u. in der Erlöserkirche in Stuttgart. Ein Selbstbildnis in d. Öff. Kstsmlg Basel (Jahresber., N. F. 22/23 [1927], Taf.-Abb. n. p. 16). Weitere Bilder ebda (u. a. Sitzender weibl. Akt), in der Kstsmlg Aarau (Blumenstück, Landschaft), im Kstmus. Bern (Frau in Gelb [Kat. 1946, m. Taf.-Abb.]), im Wallraf-Rich.-Mus. Köln (Landschaft), im Mus. Ulm (Apfelmeitli, Liegender Akt mit Hund), im Mus. Winterthur (Landschaft, Ananas-Stilleben, Bildnis d. Frau des Kstlers [Jahrb. f. Kst u. Kstpflege in d. Schweiz, 1921/24, Taf.-Abb. n. p. 271]) u. im Ksthaus Zürich (Blumenstück). Gedächtn. Ausst. im Ksthaus Schaller Stuttgart, Okt. 1936. — Seine Gattin Nina, geb. *Bindschedeler*, * 1877 Winterthur, Schülerin ihres Gatten, war kunstgewerblich tätig (Entwürfe für Schmuck).
Lit.: Th.-B., 5 (1911). — Brun, 4. — A. Roessler, H. B. Ein Beitrag zur Gesch. d. mod. Kst, Wien 1918. — H. Hildebrandt, H. B.; sein Leben u. Schaffen, Bern 1921 (m. 40 Abbn). — Reinhart u. Fink, p. 81. — Graber. — W. Hausenstein, Die bild. Kst d. Gegenw., ³ Berl./Lpzg 1923. — Secker, D. Kstsamml. im Franziskanerkloster in Danzig, 1918 44, 47 (Abb.). — Baum, m. Abb. — D. Werk, 1 (1914) 24, m. Abb.; 2 (1915) 6 (Abb. [betr. Nina]); 9 (1922) 149/58, m. 10 Abbn.; 25 (1938) Beibl. zu H. 8 p. XXIV, zu H. 9 p. XX. — D. Cicerone, 3 (1911), 806; 6 (1914) 20, 215, 340; 12 (1920) 482; 14 (1922) 845f.; 17 (1925) 956; 18 (1926) 461; 20 (1928) 141, 142 (Abb.). — Schweizerland, 1916, p. 474, 476 (Abb.); 1920, p. 273ff., m. Abbn, 500; 1921, p. 230ff., m. Abbn. — Schweiz. Baukst, 1918, p. 72, m. Abbn. — D. Kstwanderer, 1919/20, p. 456. — Die Schweiz, 13 (1909) 449ff.; 24 (1920) 273/80, m. Abbn bis p. 285, Taf. geg. p. 256, 272 u. 280. — Feuer (Saarbrücken), II/1 (1920/21) 555 (Abb.), 558. — Ganymed, 2 (1920) 195, 200/01 (Abbn). — D. Graph. Kabinett (Winterthur), 5 (1920) 47, 53. — Belvedere (Wien), 8 (1925) Forum, p. 27. — Dtsche Kst u. Dekor., 57 (1925/26) 117 (Abb.). — D. Kst, 53 (1925/26) 34 (Abb.) u. Beibl. z. Okt.-Heft, p. XV; z. Juli-Heft p. XII. — Österr.'s Bau- u. Werkkst, 3 (1926/27) 128 (Abbn). — D. Ernte, 9 (1928) 65, m. Abbn. — D. Kstblatt, 15 (1931) 175, m. Abb. 178. — D. Weltkst, 10, Nr 41/42 v. 18. 10. 1936, p. 3. — Kst-Rundschau, 46 (1938) p. 12 (Abb.), 13. — Oberrhein. Kst, 10 (1942) 193. — D. Weltkst, 19 (1949) H. 9 p. 6, m. Abb.

Bruel, Willem van den, belg. Maler, * 1871 Brüssel.
Schüler von J. Portaels an der Brüsseler Akad., seit 1899 Prof. an derselben. Landschaften, Marinen, Interieurs, Figürliches.
Lit.: Seyn, II 1008, m. Fotobildnis. — Joseph, I.

Brüllmann, Jakob, schweiz. Bildhauer, * 9.12.1872 Weinfelden (Kt. Thurgau), † 28.12.1938 Stuttgart.
Schüler von Rümann an der Münchner Akad. Praktisch tätig bei Joh. Floßmann in München. Plastiken in d. ev. Kirche in Arbon; Reformationsdenkmal an der Hospitalkirche in Stuttgart (1911); Bornhauserbrunnen in Weinfelden; Brunnen im Garten d. Geb. d. Schweiz. Rückversicherungs-Gesellsch., Hl. Georg am Giebelfeld d. Südseite des Bezirksgerichtsgeb., Geiserbrunnen am Bürkliplatz mit Stierbändiger, sämtl. Zürich. Erinnerungstafel für die gefallenen Ulanen im Ulmer Münster.
Lit.: Brun, IV 484. — Jenny. — Baum. — Schweiz. Bauzeitg, 56 (1910) 138ff.; 59 (1912) 151 (Abb.); 70 (1917) 74. — D. Schweiz, 1911, p. 486, m. Abb.; 1912, p. 39, m. Abb. — Chronik der Haupt- u. Residenzstadt Stuttgart, 1911, p. 195. — Profanbau, 1911, p. 471, 472, 484, 499. — Dtsche Monatshefte, 17 (1917) 173/76, m. 4 Abbn. — Schwäb. Heimatbuch, 1932 p. 129. — Thurgauische Beiträge z. vaterländ. Gesch., 71 (1934) 34, 125. — Kst-Rundschau, 46 (1938) 15, m. Abb. — Kst u. Kirche, 17 (1940) 8/10, m. 5 Abbn — D. Werk (Zürich), 27 (1940) 30f., m. Abbn.

Brümmer, Nikolaj Leondowitsch, sowjet. Holzschneider u. Buchillustr., * 1898 Leningrad, † 1929 ebda.

Schüler von P. A. Schillingowskij. Herausgeber der Zeitschr. „Grawjura".
Lit.: D. Cicerone, 21 (1929) 452. — Osteuropa, 4 (1928/29) 498.

Brün, Theodor, dtsch. Holzbildh., Holzschneider, Rad. u. Aquarellmaler, * 18. 9. 1885 Hamm, Westf., ansässig in Hagen i.W.
Besuchte nach jurist. Studium die Radiersch. in München. Illustrat. zu Tolstoj-Erzählungen, Furche-Verlag, Berl. 1926. Stark verinnerlichter religiöser Zug in s. gern in Steilkompositionen angelegten Holzbildwerken: Jakobs Kampf mit d. Engel; Christus auf d. Meere wandelnd, Gute Hirte; D. verlorene Sohn. Sammelausst. im Düsseldorfer Kstverein 1935. Arbeiten in den öff. Smlgn in Düsseldorf, Elberfeld, Hagen (Osthausmus.), Hamm, Münster (Landesmus.), Hannover.
Lit.: Die Kunst, 74 (1935/36), Beibl. zu Heft 10, p. 7. — Die Christl. Kst, 31 (1935), 377/78. — Kstrundschau, 43 (1935) 92/94, m. 3 Abbn. — Zeitschr. f. Bücherfreunde, 19 (1927), Beil. Jan.-Febr.-H. Sp. 39, *J.*

Bruenauer, Otto, öst. Genremaler, * 12. 8. 1877 Wien, † 20. 7. 1912 ebda.
Schüler H. Knirrs in München. Hauptsächl. Stillleben u. Interieurs. Mitgl. der „Luitpold-Gruppe" u. des „Hagenbundes", Wien. Vertreten in d. Mod. Gal. in Wien.
Lit.: Jahres-Bericht d. Kstver. München, 1913 p. XVI (Nachruf m. Bildnis). — Bettelheim, 18: 1913, p. 335. — Die Kunst, 25 (1911/12) 580.

Brüne, Heinrich, dtsch. Maler, * 5. 11. 1869 Bonn, † 1945 Oberpfaffenhofen b. München.
Schüler von O. Seitz, W. v. Diez u. A. Wagner an der Münchner Akad. Knüpfte an die Leibl-Trübner-Tradition an. Impressionist. Längere Zeit in Paris (Freundschaft mit Renoir). Hauptsächl. Landschaften, Bildnisse u. Akte. Malte viel in Südfrankreich, Italien (Riviera, Gardasee), in Franken, Schwaben u. am Rhein. Pietà in der Kirche in Oberpfaffenhofen. Waldlandsch. mit Tieren im Bes. der Bayer. Staatsgemäldesmlgn.
Lit.: Th.-B., 5 (1911). — Breuer, m. 2 Abbn u. gez. Selbstbildnis. — D. Kunst, 21 (1909/10) 535 (Abb.); 27 (1912/13) 267 (Abb.), Taf. geg. p. 553, p. 562; 59 (1928/29) 276 (Abb.); 61 (1929/30) 103 (Abb.); 65 (1931/32) 39 (Abb.). — D. Kunst u. d. Schöne Heim, 48 (1950) 324, m. Abb. — Dtsche Kst u. Dekor., 41 (1917/18) 294 (Abb.), 296; 47 (1920/21) 12 (Abb.); 51 (1922/23) 3, 4 (Abb.), 18 (Abb.); 57 (1925/26) 7 (Abb.), 8; 59 (1926/27) 21 (Abb.), 98 (Abb. 7); 65 (1929) 5 (Abb.), 15 (Abb.).

Brüning, Max, dtsch. Maler u. Radierer, * 19. 2. 1887 Delitzsch, ansässig in Lindau i. B. Gatte der Viktoria.
Schüler von Alois Kolb an der Leipziger Akad. u. von Stuck in München. Studienaufenthalte in Griechenland, im Orient, in Paris u. Tirol. Landschaften, Bildnisse. Das Radierwerk (über 200 Platten) im 2. Weltkrieg durch Bombenangriff vernichtet.
Lit.: Dreßler. — Kstchronik, 2 (1949) 131. — Westermanns Monatsh., 140 (1926) 139/149, m. 14 (teilw. farb.) Abbn. — Ex-Libris, 26 (1916) 25. — Leipz. Tagebl., 23. 5. 1910. — Chemnitzer Tagebl., 13. 3. 1910. — Schwarzwälder Sonntagspost, 1. 7. 1949. — Lindauer Tagbl., 2. 6. 1949 u. 14. 8. 1950. — Vorarlb. Volksbl., 22. 6. 1949 u. 28. 7. 1951.

Brüning, Rudolf, öst. Architekt, ansässig in Düsseldorf.
Hauptbau: Verwaltungsgeb. der Rhenania-Ossag-Mineralölwerke A. G. (Shellhaus) am Alsterufer in Hamburg, 9stöckiger, seinen Zwecken in mustergültiger Weise gerecht werdender Monumentalbau.
Lit.: Öst. Bau- u. Werkkst, 5 (1928/29) 221 ff. — Dtsche Kst u. Dekor., 68 (1931) 101/08. — Monatsh. f. Baukst u. Städtebau, 16 (1932) 399/401. — Wasmuths Monatsh. f. Baukst, 7 (1923) 190, 223.

Brüning, Viktoria, russ.-dtsche Landsch.- u. Blumenmalerin u. Graph., * 5. 1. 1911 Karatschew b. Orel, Rußland, ansässig in Lindau i. B. Gattin des Max.
Schülerin von Joh. Itten, Fr. Lenk u. Max Wehlte an der Akad. in Berlin, weitergebildet bei dem japan. Maler Takehisa Jume, dessen Einfluß in ihren Arbeiten spürbar ist.

Brünisholz, Erwin, dtsch. Maler, * 22. 5. 1908 Ludwigshafen, fiel am 14. 7. 1943.
Stud. an d. Akad. München. Studienreisen nach Italien, Holland, Frankreich.
Lit.: Westmark, 10 (1943), H. 6. — Pfalz u. Pfälzer, Okt. 1951, H. 10. — Festschr. zum 675. Jubiläum der Stadterhebung Kaiserslautern 1951. — Gedächtnisausstellg in der Pfälz. Landesgewerbeanstalt Kaiserslautern, Mai/Juni 1951 (ill. Prospekt). *J.*

Brünner, Hans, schweiz. Maler u. Graph., * 14. 2. 1883 Basel, ansässig in Karlsruhe.
Stud. 1901/05 an der Kasseler Akad. bei Kolitz u. Knackfuß, 1905/10 an der Karlsruher Akad. bei Ferd. Keller u. W. Trübner. Lehrer an der Gewerbesch. in Karlsruhe. In der dort. Ksthalle: Herbstlandschaft.
Lit.: Dreßler. — Kstchronik, N. F. 27 (1915/16) 220.

Bruestle, Bertram G., amer. Maler u. Illustr., * 24. 4. 1902 New York, ansässig in Old Lyme, Conn. Sohn (?) des Folg.
Stud. an d. Nat. Acad. of Design in New York. Landschaften u. naturhist. Sujets, bes. Vögel.
Lit.: Who's Who in Amer. Art, I: 1936/37. — Amer. Art Annual, 30 (1933).

Bruestle, George Matthew, amer. Landschaftsmaler, * 22. 12. 1872 (1871?) New York, † 1939 Old Lyme, Conn.
Schüler von Mowbray an d. Art Student's League in New York, dann von Courtois u. Aman-Jean an d. Acad. Colarossi in Paris. Bilder im Gibbes Memorial Mus. in Charleston, S. C., u. im Mus. in Reading, Pa.
Lit.: Fielding. — Amer. Art Annual, 30 (1933); 37 (1948) 420. — Who's Who in Amer., 18 (1934/35). — Who's Who in Amer. Art, I: 1936/37.

Bruet, René, franz. Landschafts- u. Blumenmaler, * Valence, ansässig ebda.
Stellt seit 1927 bei den Indépendants in Paris aus.
Lit.: Joseph, I. — Bénezit, ² II.

Brütt, Adolf, dtsch. Bildhauer, * 10. 5. 1855 Husum (Schleswig), † Febr. 1940 Bad Berka a. d. Ilm.
Lit.: Th.-B., 5 (1911). — D. Kunst, 81 (1939/40) Febr.-H., Beibl. p. 7. — Kstchronik, N. F. 26 (1914–15) 440. — Niedersachsen, 9 (1903/04) 310/12, m. Abbn. — Schlesw.-Holst. Jahrb., (1930/31) 78 (Abb.). — Unsere Nordmark, II 254 f., m. Abb. — Profanbau, 1911 p. 214.

Brütt, Ferdinand, dtsch. Maler, * 13. 7. 1849 Hamburg, † 6. 11. 1936 Bergen b. Celle.
Zu den bei Th.-B. gen. Arbeiten ist als Hauptwerk s. Spätzeit zu nennen: Heidegericht, für das Amtsgericht in Lüneburg. Kollektiv-Ausstellgn: 1936 bei Bock & Sohn in Hamburg u. im Frankfurter Kstverein, 1937 im Düsseldorfer Kstverein, im Mus. in Bochum u. im Münchner Kstverein, 1938 im Leipziger Kstverein u. im Schloßmus. in Königsberg, 1939 in d. Hamburger Ksthalle.

Lit.: Th.-B., 5 (1911). — L. Vogel, B.s Wandgem. i. Lüneburger Schloß, Lauenburg 1926. — Dreßler. — D. Cicerone, 17 (1925) 1005. — D. Kunst, 77 (1937/38) Beibl. z. Okt.-H. p. 7; 80 (1938/39) Beibl. z. Sept.-H. p. 4. — Dtsche Kst u. Dekor., 64 (1929) Beibl. z. H. 12. — D. Kstwanderer, 1925–26, p. 82. — Dtsche Monatshefte (D. Rheinlande), 12 (1912) 213/56. — Niedersachsen, 41 (1936) 560. — D. Weltkst, 20 (1950) H. 1, p. 11, m. Abb. — Leipz. N. Nachr., 23. 6. 1938.

Bruford, Marjorie Frances (Midge), engl. Bildnis- u. Figurenmalerin, * 9. 4. 1902 Eastburne, ansässig in Mouschole.

Lit.: Who's Who in Art, [3] 1934.

Brughetti, Faustino, argentin. Maler, ital. Herkunft, ansässig in Buenos Aires.

Kam jung nach Italien, stud. in Rom, kehrte dann nach Buenos Aires zurück, wo er eine Malschule eröffnete. Bildnisse (Kstkritiker Almafuerte, Abgeordnetenkammer in Buenos Aires), Figürliches (Kolonistenversammlg in Buenos Aires 1810), Interieurs (Schmiedewerkstatt; Ausgang aus dem Vatikan [Salone Costa]), Landschaften.

Lit.: Emporium, 74 (1931) 349/62.

Brugman, Bemordus Jacobus, holl. Landsch.-, Blumen- u. Bildnismaler, * 25. 9. 1915 Almelo, ansässig ebda.

Lit.: Waay.

Brugmann, Hedwig, dtsche Werkkünstlerin, * 2.4.1883 Hohenburg b. Lenggries (Oberbay.), ansässig in Wiesbaden.

Stud. an der Kstgewerbesch. in Wiesbaden, bei Georg Geyer ebda, bei W. v. Debschitz in München u. bei Hans Völcker in Wiesbaden. Leiterin der Fachklasse für künstler. Frauenarbeiten an der Handwerks- u. Kstgewerbeschule Wiesbaden.

Lit.: Dreßler.

Brugmann, Walter, dtsch. Architekt (Prof.), * 2. 4. 1887 Leipzig, fiel im Juli 1944.

Leiter des Hochbauamtes Nürnberg. 1933 mit Durchführung der Großbauten für das Reichsparteigelände ebda beauftragt, später mit der Generalbauleitung für die Neugestaltung Berlins. Straßenbahnwartehalle am Plärrer in Nürnberg.

Lit.: D. Baumeister, 1933 p. 11/16, m. 3 Taf. u. 15 Abbn. — D. Kstwanderer, 1925/26, p. 463. — Leipz. N. Nachr. v. 4. 6. 1944.

Brugnon, Raymonde, franz. Bildnis- u. Stillebenmalerin, * Paris, ansässig ebda.

Schülerin von Henri Zo u. Many Benner. Mitglied der Soc. d. Art. Franç., beschickt deren Salon seit 1928.

Lit.: Joseph, I. — Bénézit, [2] II.

Brugnot, Henri, franz. Landsch.- u. Porträtmaler (Öl u. Pastell), * 24. 3. 1874 Lyon, † 20. 1. 1940 Uzès (Gard).

Schüler von Poncet in Lyon, dann von Cormon u. G. Moreau in Paris. Mitglied der Soc. d. Art. Franç., beschickte seit 1902 auch den Salon der Soc. Nat. d. B.-Arts.

Lit.: Th.-B., 5 (1911). — Bénézit, [2] 2 (1949). — Beaux-Arts, 21. 3. 1947 p. 4; 28. 3. 1947 p. 5 (Abb.).

Brugnoud, Armand, franz. Landschafts- u. Stillebenmaler, * Lapalisse (Allier), ansässig in Paris.

Stellt seit 1928 bei den Indépendants aus.

Lit.: Joseph, I.

Bruguière, Fernand, franz. Architekturmaler, * Nîmes (Gard), ansässig in Paris.

Stellt seit 1907 bei den Indépendants u. im Salon d'Automne aus.

Lit.: Joseph, 1. — Bénézit, [2] 2 (1949).

Bruhl, L. Burleigh, engl. Landschaftsmaler (Öl u. Aquar.), * Bagdad (Türkei), ansässig in London.

Beschickte 1891/1928 die Ausst. d. Roy. Acad. Präsident der Old Dudley Art Soc., der Brit. Water Colour Soc. u. des Constable Sketching Club.

Lit.: Th.-B., 5 (1911). — The Connoisseur, 66 (1923) 177f.; 67 (1923) 119f., 174. — The Studio, 66 (1916) 206; 88 (1924) 94 (Abb.), 98, 204, 08, m. 3 Abbn u. 1 farb. Taf.; 90 (1925) 308; 107 (1934) 272 (Abb.).

Bruhn, Arnold, dtsch. Architekt, ansässig in Kiel (?).

Vorbildliche Anlagen in Backsteinausführung: Siedlungshäuser (u. a. Gemeinden Neumühlen-Dietrichsdorf u. Hasselkamp), Geschäfts- u. Einzelwohnhäuser, hauptsächl. in Kronshagen; Wohnhausblock in Scharnberg; Erweiterungsbauten des Gewerkschaftshauses in Kiel, mit diskreter Heranziehung figürl. Reliefschmucks für Belebung der Fassade, u. des Hauses der Schleswig-Holst. Volkszeitung ebda.

Lit.: M. Rich. Moebius, A. B., Berlin 1930.

Bruhn, Wilhelm, dtsch. Maler u. Graphiker, * 30. 1. 1903 Nürnberg.

Stud. an der Staatsschule f. Angewandte Kunst in Nürnberg.

Lit.: Kat. Ausst.: 150 J. Nürnberger Kst, Nürnberg 1942, p. 45.

Bruin, Annie Martha Elizabeth, holl. Landschaftsmalerin, * 24. 9. 1870 Koog-Zaandijk, zuletzt ansässig in Laren.

Schülerin von D. Huibers in Amsterdam.

Lit.: Waay.

Bruin, Cornelis de, holl. Landschafts- u. Kostümmaler, * 1870, † August 1940.

Schüler von A. Allebé an der Reichsakad. Amsterdam. Als Fayencemaler für die Fayencefabrik „de Distel" ebda u. für die Dordtsche Kunstpotterij in Dordrecht tätig.

Lit.: Waay.

Brukalski, Stanisław, poln. Architekt, * 8. 5. 1894 Warschau, ansässig ebda.

Stud. 1912/14 am Polytechnikum in Mailand, 1925 am Polytechn. in Warschau. Seine Gattin Barbara Brukalska, geb. *Sokołowski*, * 4. 12. 1899 Breźc, arbeitet gleichfalls auf architekt. Gebiet.

Lit.: Czy wiesz kto to jest?, 1938, m. Fotobildn.

Brulé, Charles, franz. Bildhauer u. Medailleur, * Grenoble.

Stellt seit 1906 im Pariser Salon aus.

Lit.: Forrer, 7 (1923).

Brulé, Constant, franz. Bildhauer u. Kleinplastiker, * Dammartin-en-Goële (Seine-et-Marne), ansässig in Paris.

Schüler von Coutan. Mitglied der Soc. d. Art. Franç., beschickt deren Salon seit 1924. Bildnisbüsten, Kleinplastiken.

Lit.: Joseph, I. — Bénézit, [2] II.

Brulez-Mavromati, Fortuna, rumän. Malerin u. Holzschneiderin, ansässig in Hamburg.

Stud. in Belgien. Seit 1920 in Hamburg. Bildnisse, Akte, Studienköpfe. Atelier-Ausst. 1925.

Lit.: Dreßler. — D. Cicerone, 17 (1925) 480.

Brulhart, Hiram, schweiz. Maler u. Lithogr., * 14. 10. 1878 Freiburg/Schw., ansässig in Alterswyl, Kt. Freiburg.

Stud. zuerst Maschineningenieur an d. Techn.

Hochsch. in Zürich, ging 1900 zur Malerei über. Studien an der Acad. Julian, der Grande Chaumière u. d. Ec. d. B.-Arts in Paris. 1905 Studienreise durch Frankreich, Belgien, Holland, Deutschland, Norwegen, später durch Spanien, Korsika u. Rumänien.
Lit.: D. Kst in d. Schweiz, Dez. 1930. — Schweizer Kst, 1933/34 p. 3 (Abb.). — D. Graph. Kabinett (Winterthur), 11 (1926) 99. — Kat. Ausst. Ksthaus Zürich „Westschweiz. Kstler", 12. 5.–6. 6. 1937, p. 3f., 12.

Bruller, Jean, gen. *Vercors,* franz. Buchillustrator u. humorist. Zeichner, ansässig in Paris.
Buchillustr.: Hypothèses sur les amateurs de peintures à l'état latent (16 Lith.); 21 recettes pratiques de mort violente; Deux fragments d'une Histoire universelle (17 Rad.); Un homme coupé en tranches (18 Rad.).
Lit.: Joseph, I. — Bénézit, [2] II. — L'Amour de l'Art, 11 (1930) 519; 12 (1931) 379 (4 Abbn).

Brumatti, Giani, ital. Maler, * 2. 7. 1901 Triest, ansässig ebda.
Kollekt.-Ausst. April 1942 in d. Gall. Michelazzi in Triest. Hauptsächl. Landschafter.
Lit.: Emporium, 95 (1942) 181f., m. Abb.

Brumback, Louise Upton, amer. Landschafts- u. Blumenmalerin (Öl u. Aquarell), * 1872 Rochester, N. Y., † 1929 New York.
Schülerin von W. M. Chase. Bilder in der Memorial Gall. in Rochester u. im Bes. der Art Assoc. in Omaha, Nebr.
Lit.: Fielding. — Amer. Art Annual, 20 (1923) 458. — The Art News, 23, Nr 30 v. 2. 5. 1925, p. 7, m. Abb.; 25, Nr 22 v. 5. 3. 1927, p. 3 (Abb.); Nr 23 v. 12. 3. 1927, p. 9. — Monro.

Brument, Albert, franz. Porträtmaler, ansässig in Herblay (Seine-et-Oise).
Stellt seit 1899 im Salon der Soc. d. Art. Franç. aus (seit 1905 Mitgl. derselben).
Lit.: Bénézit, [2] 2 (1949).

Brumme, Max Alfred, dtsch. Bildhauer u. Maler, * 19. 2. 1891 Leipzig, ansässig ebda.
Stud. an der Leipz. Akad. u. an der Kstgewerbeschule in Dresden. Lehrer an der Kstgewerbe- u. Handwerkersch. in Leipzig. — Kriegerehrenmale in Markkleeberg u. in Regis-Breitingen (Rochlitzer Porphyr). Figuren u. Reliefs am Kirchengemeindehaus in Böhlitz-Ehrenberg; Relief an der Friedhofskapelle in Leipzig-Connewitz; Frauenkopf (Kalkstein) im Städt. Mus. in Leipzig; Büste des Bildh. Peter Breuer im Mus. in Zwickau; Büste Rob. Teichmüllers in d. Musikhochschule in Leipzig. — Buchwerk: Die dunkle Wolke, Leipzig 1918.
Lit.: Dreßler. — Leipz. N. Nachr., 14. 12. 1935, m. Abb.

Brummer, Arttu, finn. Innenarchitekt, * 10. 5. 1891 Tawastehus, ansässig in Helsinki.
Seit 1927 Intendant des Kunstind.-Mus. in Helsinki. Verheiratet mit der Textilkünstlerin Eva Martio.
Lit.: Vem och Vad?, Helsingf. 1936.

Brummer, Beata, geb. *Mårtensson,* schwed. Malerin u. Ksthandwerkerin, * 1880 Lund, ansässig in New York.
Stud. an der Techn. Schule in Stockholm, in Paris u. Italien. Hauptsächlich Kanal- u. Straßenansichten aus Venedig, auch Blumenstücke (Öl, Tempera, Aquarell). Arbeitete einige Zeit für die Porzellanfabrik Gustafsberg.
Lit.: Thomœus.

Brummer, Carl, dän. Architekt, * 12. 7. 1864 Oregaard, ansässig in Klampenborg.
Gatte der Malerin Benedicte Olrik (* 1881, Tochter des Malers Henrik Olrik). Schloß 1896 s. Studien an der Kopenhag. Akad. ab, Schüler von H. B. Storck. Hauptsächlich vornehme Privatvillen u. Stadtpaläste (u. a. Paul Hagemann in Grøningen; Direktor Simonsen in Kopenhagen); Kirche in Gurre; Ausstellungsbauten (u. a. Biennale Venedig).
Lit.: Th.-B., 5 (1911). — Dahl-Engelstoft, I. — Krak's Blaa Bog, 1936. — Vem är Vem i Norden, Stockh. 1941, p. 53. — Architekt. Rundschau, 1911, p. 197. — Der Baumeister, 8 (1910). — Moderne Bauformen, 11 (1912), m. Abb.

Brummer, József, ungar. Bildhauer, * 22. 10. 1883 Zombor, ansässig in Paris.
Stud. 1897 an der Metall-Fachschule in Szeged, 1899 an der Gewerbesch. in Budapest. 1903 in München, 1904 in Paris, 1905 in Nagybánya. Seit 1907 in Paris.
Lit.: Szendrei-Szentiványi.

Brun, Gaston, franz. Landschaftsmaler, * 2. 1. 1873 Paris, † 17. 5. 1918 Amélie-les-Bains (an d. Folgen einer Kriegsverwundung).
Schüler von Gérôme u. Guay.
Lit.: Le Livre d'Or d. peintres expos., 1921 p. XI. — Joseph, I. — Chron. des Arts, 1917/19 p. 117.

Brun, Louis, franz. Landschafts- u. Blumenmaler, * Paris, ansässig ebda.
Stellt seit 1927 bei den Indépendants aus.
Lit.: Joseph, I.

Brun-Buisson, Gabriel, franz. Landsch.- u. Architekturmaler, * Voiron (Isère).
Mitglied d. Soc. d. Art. Franç. (Kat. 1928 m. Abb.).
Lit.: Joseph, I. — Bénézit, [2] II.

Brun-Martin, Mireille, franz. Landschafts- u. Genremalerin, * Fort-de-France auf der Insel Martinique, ansässig in Laon.
Schülerin von Desiré Lucas u. Marie Réol. Stellt seit 1927 im Salon der Soc. d. Art. Franç. aus.
Lit.: Joseph, I 215. — Bénézit, [2] II.

Brun-Stiller, Benedikt, dtsch. Maler, * 9. 12. 1897 Breslau, zuletzt ansässig ebda.
Lit.: Dreßler.

Brunck de Freundeck, Richard, elsäss. Radierer u. Zeichner, * 4. 7. 1899 Paris, † 14. 12. 1949 ebda.
Stud. an d. Pariser Ec. d. B.-Arts bei Charles Guérin, Ernest Laurent u. Waltner. Beeinflußt von Dürer. Seit 1918 im Elsaß. 1933 Studienreise nach Griechenland. Illustrationen u. a. zu: Goethe, Faust, 2. Teil (22 Zeichngn), Straßburg, éd. Aktuarius, 1936; V. Hugo, L'Aigle du Casque (31 Rad.), Paris, Les Biblioph. Comtois, 1928; Sept péchés Capitaux, 1930; Racine, Phèdre (4 Rad.), 1942; Flaubert, La Légende de Saint-Julien l'Hospitalier (7 Aquar.), Straßbg 1926; Ch. Péguy, Le Porche du Mystère de la deuxième Vertu, 1944; Dante, Vita Nova (30 Rad., letztes Werk, unvollendet). Gedächtnis-Ausst. Juni 1950 im Château des Rohan, Straßburg (Katal. m. Vorw. von R. Heitz).
Lit.: Bénézit, [2] 2 u. 4. — R. Heitz, Le Grav. R. B. de F., 1899–1949 (Artistes d'Alsace, H. 5), Straßburg 1950. — La Vie en Alsace, 1929, p. 273ff. — L'Art et les Art., N. S. 22 (1931) 213.

Brundrit, Reginald Grange, engl. Landschafts- u. Figurenmaler, * 13. 5. 1883 Liverpool, ansässig in Masham b. Ripon, Yorks.
Schüler von John M. Swan. Seit 1938 Mitgl. der Londoner Roy. Acad. Bilder in d. Nat. Gall. in Syd-

ney, in d. Corp. Art Gall. in Bradford u. in d. Tate Gall. in London.
Lit.: Who's Who in Art, [3] 1934. — The Internat. Who's Who, [16] 1952. — Artist, 31 (1946) April-H. p. 34/36. — The Connoisseur, 121 (1948) 115 (Abb.). — The Studio, 116 (1938) 77 (Abb.).

Brune, Pierre, franz. Landsch.- u. Stilllebenmaler, * Paris, ansässig in Céret (Pyrénées-Orientales).
Lit.: Bénézit, [2] II. — Gaz. d. B.-Arts, 1914/II p. 148f., m. Abb.

Bruneau, Emile Henri Joseph, franz. Landschaftsmaler, * Tourcoing (Nord), ansässig in Paris.
Schüler von Léty. Mitglied der Soc. d. Art. Franç.
Lit.: Joseph, I.

Bruneau, Florimond, belg. Landschaftsmaler, * 1879 Forest (Hennegau).
Lit.: Seyn, I. — Scarabée, 20 (1947) Nr 7 p. 8/12, m. 3 Abbn.

Brunelleschi, Umberto, ital. Maler, Bühnenbildner, Kostümzeichner u. Illustr., *21.6. 1879 Pistoia, ansässig in Paris.
Stud. an d. Akad. in Florenz. Seit 1901 in Paris. Bildnisse, dekor. Gemälde. Bühnenausstattungen u. a. für das Théâtre de Paris, die Bouffes parisiens, die Folies-Bergères u. die Scala in Mailand. Illustr. zu Luxusausgaben, dar.: „Grazielle" (éd. Piazza, Paris). „C'était le soir de Dieu", „Le Radja de Mazulipatam" (éd. Mornay, Paris), „Les Aventures du roi Pausole" (éd. Estampe mod., Paris) u. zu Voltaire's „Candide" (Gibert jeune, Libr. d'amateur).
Lit.: Joseph, I, m. Abb. — Chi è?, 1940. — Bénézit, [2] II (1949). — L'Art décoratif, 23 (1910) 251 (Abb.). — The Studio, 59 (1913) 51 (Abb.), 52.

Brunello, Luigi, ital. Maler, * Venedig, ansässig ebda.
Zeichnung: Szene aus d. Leben des hl. Franz, im Mus. Civ. in Padua.
Lit.: Boll. d'Arte, 1909 p. 158. — Boll. d. Mus. Civ. di Padova, 20 (1927) 88.

Brunet, Adele Laure, amer. Malerin u. Illustr., * 10. 8. 1879 Austin, Texas, ansässig in Dallas, Tex.
Lit.: Who's Who in Amer. Art, I: 1936/37.

Brunet, Jean, franz. Landschaftsmaler, * Mézières-en-Brenne (Indre), ansässig in Paris.
Stellt seit 1924 bei den Indépendants aus.
Lit.: Joseph, I.

Brunet, Maurice, franz. Landsch.- u. Genremaler, * 1880 Mesnil-Saint-Denis (Seine-et-Oise).
Stellt bei den Indépendants, seit 1938 im Salon d'Automne in Paris aus.
Lit.: Beaux-Arts, v. 11. 11. 1938, p. 1 (Abb.); 26. 4. 46, p. 2 (Abb.); 11. 10. 46, p. 4 (Abb.); 16. 4. 48, p. 5; 14. 5. 48, p. 5 (Abb.). — Bénézit, [2] II.

Brunet-Lotter, Marie Thérèse, franz. Landschaftsmalerin, * Tours, ansässig ebda.
Schülerin von J. P. Laurens. Mitglied der Soc. d. Art. Franç.
Lit.: Joseph, I.

Bruneton, Jeanne, franz. Bildhauerin, * Paris, ansässig ebda.
Stellt seit 1933 im Salon des Tuileries u. im Salon d'Automne aus. Hauptsächlich Akte u. Bildnisse.
Lit.: Bénézit, [2] 2 (1949).

Brunetti, Bruno, ital. Maler, * 1920 Florenz, ansässig ebda.
Stud. an der Akad. in Florenz.
Lit.: D. Kstwerk, 4 (1950) H. 8/9 p. 94 (Abb.), 95.

Brunfaut, Fernand, belg. Architekt, * 1886 Anseremme-lez-Dinant.
Arbeitete im Architekturbüro V. Horta's. Volkshäuser in Dinant u. Willebroek. Neubauten der „Vooruit" in Gent.
Lit.: Seyn, I.

Brunhoff, Jean de, franz. Maler u. Zeichner, * 9. 12. 1899 Paris, † 1937 ebda.
Mitglied des Salon des Tuileries, den er seit 1924 beschickte. Bildnisse, Figürliches, Landschaften, Stillleben, Illustr. zu Kinderbüchern, u. a. zu A. A. Milne, The Travels of Babar.
Lit.: Joseph, I. — Arts et Métiers graph., 1937 Nr 56 p. 31 ff. passim, m. Abb. — Beaux-Arts, Nr 251 v. 22. 10. 1937. — Worcester Art Mus. News Bull. and Calendar, 3 Nr 8, Mai 1938.

Bruni, Laure, franz. Landschafts-, Blumen- u. Bildnismalerin, * Lüttich, ansässig in Paris.
Anfänglich Musiklehrerin in Genf, ging um 1920 zur Malerei über. Stellte seit 1923 bei den Indépendants aus. Ansichten aus der Umgebung von Genf, später hauptsächl. aus der Bretagne u. dem Drômetal. Rhônelandschaft im Petit Palais in Paris.
Lit.: Joseph, I. — Art et Décor., 24 (1920), Chron., Dez.-Heft p. 10f. — Pages d'Art (Genf), 1923 p. 1/20, m. 16 Abbn. — Beaux-Arts, 4 (1926) 300f. — L'Art et les Artistes, N. S. 15 (1926/27) 67, 339/42, m. 4 Abbn. — L'Art vivant, 1928 p. 413, m. Abb. — La Renaiss. de l'Art franç. etc., 11 (1928) 220, m. 2 Abbn.

Brunij, Ljew Alexandrowitsch, sowjet. Graphiker u. Aquarellmaler, * 1894.
Lit.: Kat. d. Staatl. Tretjakoff-Gal. Moskau, 1947. — Sowjet-Literatur (Moskau), Nr 6 (1947) 126 (Abb. e. Zeichng). — Osteuropa, 4 (1928/29) 497.

Brunila, Birger, finn. Architekt u. Fachschriftst., * 4. 10. 1882 Kotka, ansässig in Helsinki.
Stud. in Helsinki. Auslandsreisen: Deutschland, Österr. (1913, 1926), England (1920). Seit 1917 Stadtplanarchit. von Helsinki. Lieferte Stadtplanungen, Regulierungsentwürfe u. a. für Hangö, Kexholm, Kotka, Gamla Karleby, Lovisa, Brahestadt u. Tammerfors (Tampere).
Lit.: Vem och Vad?, Helsingf. 1936. — Vem är Vem i Norden, Stockh. 1941, p. 421.

Brunin, André, franz. Bildnismaler, * Tourcoing (Nord), ansässig in Brüssel.
Schüler von Ph. de Winter. Stellt seit 1911 im Salon der Soc. d. Art. Franç. in Paris aus (Kat. z. T. m. Abbn).
Lit.: Bénézit, [2] II (1949).

Brunini, Ettore, ital. Bildnis- u. Genremaler, * Livorno, ansässig in Paris. Naturalisierter Franzose.
Mitglied der Soc. d. Art. Franç., beschickt deren Salon seit 1910. Ehrenvolle Erwähnung 1913.
Lit.: Joseph, I. — Bénézit, [2] II (1949).

Brunius, Göran, schwed. Maler, Bildhauer u. Bühnenbildner, * 1911 Lidingö, ansässig in Stockholm.
Stud. bei Otte Sköld an der Akad. in Stockholm u. in Paris. Bildnisse, Figürliches, Landschaften, Marinen, Tierbilder. Vertreten im Nat.-Mus. Stockholm.
Lit.: Thomæus. — Konstrevy, 1935, p. 128, m. Abb.; 1936, p. 202.

Brunkow, Willi, dtsch. Maler, * 3.7.1904 Kjeflinge (Schweden) als Sohn deutscher Eltern, ansässig in Köln-Bickendorf.

Stud. an d. Kstgewerbesch. Köln. Studienreisen nach Holland, Belgien, Frankreich und den skandinav. Ländern.

Brunner, Adolf, dtsch. Maler, * 17.2.1905 Pforzheim, ansässig in Garmisch.

Stud. an d. Akad. in München. Anfangs unter dem Eindruck des franz. Impressionismus stehend, setzt sich neuerdings mit streng vereinfachtem Formaufbau auseinander. Bilder im Besitz d. Städt. Smlgn in München, Klagenfurth u. Breslau, d. Bayer. Staates u. d. Gal. in Würzburg. *J.*

Brunner, Alois, dtsch. Aquarell- u. Glasmaler u. Illustr., * 31.1.1859 Tirschenreuth (Oberpfalz), † 26.4.1941 Brannenburg a. Inn.

Stud. 1877/80 an d. Kstschule in München (Lehrer: Ferd. Barth). Dann Kartonist für das Figürliche in der Zettlerschen Hofglasmalerei in München. Fertigte u. a. die Entwürfe für die Glasfenster in dem rumän. Königsschloß Sinaja. Später hauptsächl. Aquarellist u. Illustr. Befreundet mit Leibl u. Sperl.

Lit.: D. Bild, 8 (1938) 324, m. Abb.; 10 (1940) 95 (Abb.), 96; 11 (1941) Heft 7/8, Beibl.: Nachruf. — Dtsche Bildkst, 3 (1933) H. 8 p. 24/25, m. Abb. — D. Oberpfalz, 27 (1933) 29, m. Fotobildn., 31 (Abb.), 33 (Abb.), 35 (Abb.), 63 (Abb.).

Brunner, Bruce Christian, amer. Maler, Bildhauer u. Graphiker, * 4. 11. 1898 New York, ansässig ebda.

Stud. am Cooper Inst. of Science and Art.

Lit.: Who's Who in Amer. Art, I: 1936/37.

Brunner, Ferdinand, öst. Landschaftsmaler (Prof.), * 1.5.1870 Wien, ansässig ebda.

Schüler von Ed. v. Lichtenfels an der Wiener Akad. Rompreis. Bilder in der Staatsgal. (Häuser aus Gaudenzdorf; Wanderer) u. in der Liechtenstein-Gal. Wien (Mühle bei Eisenkappel; Weinkeller).

Lit.: Th.-B., 5 (1911). — Wer ist Wer? (Wien), 1937. — Dreßler. — Die bild. Künste (Wien), 1 (1917) 33/36, m. 7 Abbn.

Brunner, Frederick Sands, amer. Illustrator, * 27. 7. 1886 Boyertown, Pa., ansässig in Philadelphia, Pa.

Schüler von Herman Deigendesch, Walter H. Everett u. Daniel Garber.

Lit.: Fielding. — Amer. Art Annual, 20 (1923) 458. — Who's Who in Amer. Art, I: 1936/37.

Brunner, Friedrich, dtsch. Bildnis- u. Figurenmaler u. Graph., * 24.7.1901 Düsseldorf, ansässig ebda. Autodidakt.

Lit.: Dreßler. — Velhagen & Klasings Monatsh., 54/II (1940) 12 farb. Abbn p. 693/96, 742.

Brunner, Hermann, dtsch. Figurenmaler u. Graph., * 31.7.1871 Waldshut i.B., ansässig in München.

Stud. an der Kstgewerbesch. in Zürich u. der Akad. in München.

Lit.: Dreßler.

Brunner, Theresia, öst. Figurenbildhauerin, ansässig in Wien.

Schülerin d. Wiener Frauen-Akad. unter Heinr. Zita.

Lit.: Öst. Kunst, 7 (1936) H. 7/8 p. 11 (Abb.).

Brunner, Vratislav H., tschech. Maler u. Graph., * 15. 10. 1886 Prag, † 13. 7. 1928 Lomnice b. Jilové.

Stud. 1903/06 an d. Prager Akad. bei M. Pirner u. V. Bukovac. Studienaufenthalte in München, 1912 in Leipzig, 1927 in Italien. Seit 1922 Prof. an d. Prager Kstgewerbesch. Bedeutender Buchgraphiker, Entwerfer von Einbänden, Titeln, Exlibris u. Illustrat., der die modernen Anregungen mit der zeichnerischen Aleš-Tradition zu verschmelzen strebte. Auch Entwürfe zu Briefmarken, Plakaten u. Bühnendekorationen. 1. Preis auf der Pariser Ausst. 1925. Karikaturenzeichnungen für die Prager Zeitschr.: Šibeničky, Kopřivy, Rozpravy Aventina, bisweilen unter dem Pseudonym: Studnička oder Daudas. Zusammen mit d. Bildh. O. Španiel arbeitete B. an den Bronzetüren des St. Veitsdomes in Prag (1929). Sonderausstellgn in Prag 1926 (Karikaturen), 1928 (Gesamtwerk), beide mit „Mánes".

Lit.: Dilo V. H. B., Prag o. J. („Mánes"). — K. Herain, Dílo V. H. B., Výtvarné snahy (Prag), 8 (1927). — Umění (Prag), 2 (1928) 45f. — J. Krecar, Pan V. H. B., Prag 1928. — B. Polívková, Výtvarná práce V. H. B. pro českou knihu, Prag 1929. — Volné směry (Prag), 26 (1928/29) 265, m. Abbn. — Umění (Prag), 15 (1943/44) 349f. — Toman, I 107. *Blažíček.*

Brunner-Bremgarten, Guido Joseph, dtsch. Maler, Bildhauer u. Werkkstler, * 14.9.1880 München, ansässig ebda.

Stud. an der Kstschule u. Akad. in München. Bereiste Holland, Belgien, Italien. Bild im Alpinen Mus. in München. Geologische Schau- u. Lehrmodelle im Dtsch. Mus. ebda.

Lit.: Dreßler.

Brunnlechner, Adolf, steiermärk. Maler (Prof.), * 6.4.1863 Mürzzuschlag, † Graz.

Stud. an der Techn. Hochsch. in Graz (Bank, Wagner) u. bei Röwer u. Bellarini in Triest. Bereiste Kleinasien, Griechenland, Palästina u. Italien. Mappenwerk: Rund um den Grimming, Salzburg 1927.

Lit.: Dreßler. — Teichl.

Bruno da Osimo s. *Marsili,* Bruno.

Bruno, Otto, dtsch. Maler, * 18. 3. 1881 Bremen, ansässig ebda.

Stud. an d. Kstgewerbesch. Bremen. Anfänglich unter dem Einfluß spätimpressionist. u. surrealist. Eindrücke. Kollektivausst. 1931, 1932, 1934 u. 1948 in Bremen. Werke in brem. Staatsbes. u. im Oldenburger Kunstverein.

Lit.: Bremer Nachr. v. 19. 5. 1931 u. 10. 1. 1932. — Weser-Ztg (Bremen), 13. 1. 1934. — Nordsee-Ztg (Bremen), 5. 11. 1948. *J.*

Bruno, Walter, schwed. Porträtbildhauer u. Medailleur, * 1896 Hälsingborg, † 1946 Stockholm.

Stud. an der Techn. Schule in Stockholm.

Lit.: Thomœus.

Brunotte, Carl, dtsch. Bildhauer (Prof.), * 19.6.1879 Hannover, ansässig in Berlin.

Stud. an der Unterrichtsanstalt des Berliner Kstgewerbemus. Bis 1920 Lehrer an der Kstgewerbesch. in Bromberg, dann in Hildesheim, zuletzt in Berlin.

Lit.: Dreßler.

Bruns-Wüstefeld, Käte, dtsche Architektur- u. Landschaftsmalerin, * 3.8.1881 Stettin, ansässig in Bremen.

Schülerin von Müller-Schaessel in Bremen, von Martin Körte u. L. Corinth in Berlin.

Lit.: Dreßler.

Brunschwig, Marcelle, elsäss. Landschaftsmalerin, ansässig in Paris.

Stellt seit 1938 im Salon des Tuileries aus.

Lit.: Bénézit, [2] 2 (1949). — Beaux-Arts, 75 année, Nr 306 v. 2. 11. 1938 p. 2 (Abb.); 76 a., Nr 335 v. 2. 6. 1939, p. 2 (Abb.).

Brunton, Elizabeth York, schott. Malerin u. Holzschneiderin, ansässig in Edinburgh.

Stud. in Edinburgh u. Paris. Mit farbigen Holzschnitten im Brit. Mus. vertreten.

Lit.: Who's Who in Art, [3] 1934.

Brunton, Violet, verehel. *Angless,* engl. Bildnisminiaturmalerin, * 28. 10. 1878 Brighouse, Yorkshire, ansässig in London.

Stud. an d. Kstschule in Liverpool u. am Roy. Coll. of Art in London. Herrenbildnis im Vict. a. Albert Mus. 16 farb. Illustr. zu: Ecclesiasticus: The Wisdom of Jesus, the Son of Sirach, m. Einleitg von C. Lewis Hind, Lo. 1927.

Lit.: Who's Who in Art, [3] 1934. — The Studio, 89 (1925) 105f., m. Abb.; 90 (1925) 41, m. Abb.

Brunton, Winifred Mabel, geb. *Newberry,* engl. Bildnisminiatur- u. Landschaftsmalerin, * 6. 5. 1880 London, ansässig in Ma'adi bei Kairo.

Stud. an d. Slade School in London. Vertreten in der Art Gall. in Johannisburg.

Lit.: Who's Who in Art, [3] 1934.

Brurein, Wilhelm, dtsch. Architekt, * 10. 10. 1873 Mannheim, † 8. 4. 1932 Hamburg.

Stud. an der Techn. Hochsch. in München, bei Ohmann in Wien u. bei Bruno Schmitz in Berlin. Bezirksarchitekt für den Wiederaufbau der kriegszerstörten Gebäude in Stadt u. Kreis Lyck, Ostpr., 1915/25. 4000 Gebäude, Städt. Geb.-Block (Rathaus, Geschäfts- u. Wohnbauten) in Lyck (1923/25). Abstimmungsdenkmal in Einstein, Ostpr., 1926/28.

Lit.: Th.-B., 5. (1911). — Dreßler. — Berliner Architekturwelt, 14 (1912). — Mod. Bauformen, IX (Abb.). — D. Baumeister, 7 (1908 09) 98,105. — Dtsche Bauzeitung, 1912 p. 912, 922, 927/28; 57 (1923) 272; 60 (1926) 489ff., m. Abbn, 505ff., m. Abbn; 66 (1932) Nr 18, Beibl. p. 5 (Nachruf). — Neudtsche Bauzeitung, 9 (1913); 11 (1915). — D. Kstwelt, 2 (1912/13) 317, 318, 320, 323, 326, m. Abb.

Brusa, Angelo, ital. Genre- u. Dekorationsmaler, * 1886 Mailand, ansässig ebda.

Stud. an d. Brera-Akad. in Mailand.

Lit.: Comanducci.

Brusenbauch, Artur, öst. Maler u. Graph., * 24. 11. 1881 Preßburg (Bratislava), ansässig in Abtsdorf am Attersee.

Zuerst Bühnenmaler, dann 2 Jahre Architekturstudien, 1918 Schüler von Jettmar, dann von Rud. Bacher an d. Wiener Akad. Mitgl. der Wiener Sezession. — Fresken, Glasfenster u. Ölbilder im bischöfl. Alumnat St. Pölten; Altarfresken in der dort. Josefsk. In der Städt. Gal. Wien: Brückenbau; in d. Sezessionsgal.: Blick auf den Semmering u. Sibir. Landschaft; in öst. Staatsbes.: Hydraulische Presse. Wandmalereien im Altarraum der Anstaltskirche im Wilhelminenspital, Wien. Landschaften, Akte, Kinderbildnisse, Stilleben. Weitere Bilder im Mus. in Preßburg. Farb. Holzschnitte, Lithogr., Radiergn.

Lit.: Dreßler. — Wer ist Wer? (Wien), 1937. — D. Graph. Kste (Wien), 43 (1920) 63ff., m. Abbn u. gez. Selbstbildn. — Öst.s Bau- u. Werkkst, 3 (1926–27) 19 (Abb.). — D. getreue Eckart (Wien), 5 (1927–28) 629/36 (Abbn); 10 (1932/33) farb. Taf. vor p. 159, 175/83, m. 8 farb. Abbn, farb. Taf. geg. p. 311, 379, 381. — Velhagen & Klasings Monatsh., 45/I (1930/31) farb. Taf. nach p. 588, 678. — Öst. Kst, 3 (1932) H. 5, p. 2/4, 21 (Abb.). — D. Christl. Kst, 30 (1934) 161/63. — Kirchenkst, 6 (1934) 88 (Abb.); 8 (1936) 132. — Kst dem Volke, 10 (1939) 15/18. — Kat. Jubil.-Ausst. Kstlerhaus Wien Nov. 1941/Febr. 1942. — Teichl.

Brush, Charles E., amer. Architekt, * 1855 Carpondale, Ill., † 1. 11. 1916 Chicago, Ill.

Stud. an der Architektursch. d. Univers. of Illinois in Chicago. Hauptbauten: Lee County Court House in Dixon, Ill.; Illinois Normal School in De Kalb, Ill.

Lit.: Amer. Art Annual, 14 (1917) 320.

Brush, George de Forest, amer. Figuren- u. Bildnismaler, * 28. 9. 1855 Shelbyville, Tenn., † 1941 New York.

Schüler von Gérôme in Paris. Bilder u. a. in d. Addison Gall. of Amer. Art in Andover, Mass., in den Museen Boston, Chicago, Cleveland, Detroit, im Metrop. Mus. in New York, in der Freer Gall. of Art im Smithsonian Inst. in Washington, D. C., u. in der Corcoran Art Gall. ebda.

Lit.: Th.-B., 5 (1911). — Bénézit, [2] 2 (1949). — Earle. — Who's Who in Amer. Art, I: 1936/37. — R. Cortissoz, Amer. Artists, New York 1923. — Monro. — Fielding. — Amer. Art Annual, 5 (1905–06) Taf. geg. p. 256; 6 (1907/08) Abb. geg. p. 96; 20 (1923) 458; 27 (1930) 87; 37 (1948) 420. — Art in America, 11 (1922/23) 200ff.; 18 (1929/30) 214/18. — Apollo (London), 11 (1930) 193, m. Abb. — The Art News, 30, Nr 22 v. 27. 2. 1932, p. 4, m. Abbn, Nr 23 v. 5. 3. 1932, p. 10, m. Abb. — Bull. of the Cleveland Mus. of Art, 25 (1938) 125 (Abb.), 129. — Magaz. of Art, 42, Mai 1949, p. 170 (Abb.). — Addison Gall. of Amer. Art. Handbook of Painting etc., Andover, Mass., 1939, Abb. Taf. 54. — Pictures on Exhib., 6, Nov. 1944, Umschlagbild. — Guide Paint. Perm. Coll., Art Inst. Chicago 1925, p. 100, m. Abb., 128. — Cat. de Luxe of the Departm. of F. Arts Panama-Pacific Intern. Expos. San Francisco, II (1915) Taf.-Abb. geg. p. 292, 294. — Art Index, Okt. 1944/Sept. 45; Okt. 48/Okt. 49.

Brusselmans, Jan, belg. Maler, Rad. u. Holzschneider, * 13. 6. 1884 Brüssel, † 1952 Dilbeek b. Brüssel.

Schüler von Is. Verheyden an d. Brüsseler Akad., weitergebildet in Paris. Beeinflußt von van Gogh. Figürliches, Landschaften, Marinen, Stilleben (Öl, Aquarell, Pastell). Post-Impressionist. Im Mus. Brüssel: Im Garten.

Lit.: P. Haesaerts, J. B., Brüssel. — Seyn, I. — Marlier, p. 83ff., m. 2 Abbn. — Cahiers de Belg., 1930 p. 151/57, m. 6 Abbn. — Apollo (Brüssel), Nr 21 v. 1. 4. 1943 p. 1f. (Abb.); Beiblatt: Ephémérides, I (1943) Nr 14 p. 1f.; Nr 16 p. 4; Nr 21 p. 4. — D. Cicerone, 17 (1925/I) 367f. — Arts de France, 13/14 (1947) 49/55, m. 4 Abbn. — U. van de Voorde, Herkomst der hedendaagsche Vlaamsche schilderkst, Antw. 1943, m. Abbn. — Beaux-Arts, 75e année, Nr 316 v. 20. 1. 1939, p. 5, m. Abb; 28. 3. 1947, p. 1ff., m. Abb.; 6. 8. 1948, p. 8 (Abb.). — Emporium, 84 (1936) 273, m. Abb.; 106 (1947) 144. — Erasme, 2 (1947) 222/24. — Sonderausst.: Brüssel, Gal. „Le Centaure", April 1931; Brüssel, Gal. „Apollo", Mai/Juni 1943; Paris, Gal. de France, März/April 1947, Kat. m. Vorw. v. P. Fierens. — D. Ksthandel (München), Febr. 1953 p. 21.

Brust, Karl Friedrich, dtsch. Maler, ansässig in Frankfurt a. M.

Kollektiv-Ausst. in der Gal. Cramer in Frankfurt Nov. 1921.

Lit.: Kstchronik, N. F. 33/I (1921/22) 141.

Brutzer, Agi, geb. *Jürgens,* dtsche Bildhauerin, * 22. 10. 1881 Twer, Rußland, ansässig in Luckau, Lausitz.

Schülerin von Bourdelle in Paris. Im Mus. in Riga: Verlassen.

Lit.: Dreßler.

Bruycker, Jules de, belg. Zeichner, Illustr., Rad. u. Aquarellmaler, * 22. (29.?) 3. 1870 Gent, † 1945 ebda.

Schüler von L. Tytgadt an der Genter Akad. 1914–18 in London. Prof. am Institut supérieur d. B.-Arts in Antwerpen. Hat seine Hauptbedeutung als Rad. Seine Kunst trägt metaphysisches Gepräge. Seine von spukhaften Visionen erfüllten figürlichen Kompositionen (Die Parias, Der Totentanz, Die Ernte, Der Tod in Flandern) üben eine faszinierende Wirkung aus, die stimmungsmäßig an Rabelais u. Edgar Poe, Bosch u. Breughel erinnert. Seine Landschaften u. Architekturdarstellungen sind phantastische Träume, die nur ganz von fern noch an das Naturvorbild erinnern. Das Erlebnis des Krieges hat sich ihm zu einem Danse macabre von erschütternder Dämonie verdichtet. Aus seinen Zeichnungen u. Aquarellen spricht ein philosophischer Weltbetrachter, zugleich ein erbarmungslos scharfer Menschenbeobachter, dessen Spottlust vor nichts halt macht. Gelegentlich wird man an Kubin erinnert. Seine Linie hat etwas eminent Anregendes, und Form u. Inhalt kommen in seinen Rad. restlos zur Deckung, worin das Geheimnis ihrerWirkung liegt. Die Kraft seiner inneren Vorstellung befähigt ihn zum Illustrator großen Stils (Ill. zu dem Roman von Franz Hellens: En ville morte; zum Thyl Uylenspiegel von Charles de Coster [éd. La Maison du Livre]). Seine Rad. haben zum Teil sehr großes Format, so das bekannte Bl.: Heraufwinden des Drachens auf den Genter Beffroi und die Folge der von grausigen Phantasien erfüllten Kriegsallegorien (Der Tod in Flandern u.a.). Besonders wirkungsvoll sind seine Architekturansichten aus Gent, Antwerpen, Amiens, Bourges, Reims, Paris u. a. O. (L'Eglise St-Nicolas à Gand [Mappe mit 10 Rad. u. 20 Reprod. nach Zeichngn], m. Vorwort von Grég. Le Roy; Sites et Visions de Gand, m. Vorw. von dems., 1932). — 2 Aquarelle (Trödelmarkt u. Rast der Erntearbeiter) im Mus. Brüssel; 4 Aquar., dar. Bildnis Frans Masereel u. eine seiner beliebten Genter Marktszenen, im Mus. Gent. Weitere Zeichngn bzw. Aquarelle in den Mus. Antwerpen u. Lüttich.

Lit.: Th.-B., 5 (1911). — Seyn, I 213, m. Selbstbildn. — Grég. Le Roy, L'Œuvre gravé de J. de B., Brüssel 1933, 61 SS., 84 Taf. — Marlier, p. 61. — Elsevier's geïllustr. Maandschr., 1912 p. 301/24, m. 10 Abbn. — Van onzen Tyd, 14 (1914) p. 369f., m. 4 Abbn., 658 61. — Onze Kunst, 32 (1917/II) 45ff. — L'Expansion belge, 1914 p. 24/28, m. 4 Abbn. — The Connoisseur, 50 (1918) 188, m. Abb., 193 (Abb.). — La Revue d'Art (Antw.), 28 (1926) 75/86, m. 13 Abbn. — The Studio, 63 (1915) 209, m. Abbn; 108 (1934) 263/65, m. 4 Abbn. — The Print Coll.'s Quarterly, 21 (1934) 37/58, m. zahlr. Abbn. — De Faun, 1 (1945) 210 (Nachruf). — Kat. d. Ausst.: Fläm. Graphik d. Gegenwart, Ksthalle Mannheim 1942, p. 7, m. Abb.

Bruyer, Georges, franz. Holzschneider, Rad., Illustr., Aquarellmaler u. Keramiker, * 19. 7. 1883 Paris, ansässig in Asnières.

Schüler von Gérôme u. Ferrier. Techn. Leiter des Xylographenateliers im Louvre. Mitglied der Soc. d. Art. Franç., des Salon d'Automne u. der Soc. d. Art. Décorateurs. — Illustr. zu: Théâtre de Molière (2 Bde, Libr. Crès, Smlg: Les grands livres), Paris 1925; La Bruyère, „Les Caractères (éd. Kiefer), Paris 1927; Shakespeare, „Hamlet"; Clément Marot, „Les Erispandants de Duhamel"; F. Mauriac, „Un homme de lettre"; Jean Lorrain, „Vice Errant", usw.

Lit.: Joseph, I. — Bénézit, ² II. — L'Art et les Artistes, 20 (1915), Spezial-Nr 2, p. 1ff. (Abbn); N. S. 12 (1925/26) 33, 36, m. Abb.; 14 (1926/27) 66. — Revue de l'Art anc. et mod., 51 (1927) 73.

Bruyn, Jacob, holl. Maler, * 19. 9. 1906 Den Haag, lebt in Wassenaar.

Schüler von George Rueter in Amsterdam u. von Henk Meyer an der Haager Akad. Hauptsächl. Bildnisse, auch Stilleben und phantast. Landschaften.

Lit.: Waay.

Bruyn Ouboter, Rudolf de, holl. Maler, * 7. 7. 1894 Hulst, Seeland.

Schüler von Bern. Schregel im Haag u. von Walter Thor in München, weitergebildet in Paris. Blumen, Stilleben, Bildnisse, hauptsächl. in Aquarell.

Lit.: Waay (irrig: Bruyn Celbok). — Beeld. Kunst, 1938 Nr 6. — Maandbl. v. beeld. Ksten, 12 (1935) 380, m. Abb.; 15 (1938) 163/69, m. Abb.

Bry, Edith, amer. Malerin u. Lithographin, * 30. 11. 1898 St. Louis, Mo., ansässig in New York.

Schülerin von W. Reis, Archipenko u. Herm. Struck.

Lit.: Who's Who in Amer. Art, I: 1936/37. — Mallett. — Art News, 42, Nr v. 1. 5. 1943, p. 21.

Bryan, William Edward, amer. Maler u. Illustr., * 14. 9. 1876 Iredell, Texas, ansässig in Dublin, Texas.

Schüler von Duveneck, Renard u. Laurens.

Lit.: Amer. Art Annual, 20 (1923) 459. — Mallett.

Bryant, Annie (Nanna), verehel. *Matthews,* amer. Figurenbildhauerin, * 1871, † 1933 Waltham, Mass., ansässig in Boston.

Lit.: Fielding. — Amer. Art Annual, 20 (1923) 459; 30 (1933), Obituary. — Amer. Art News (The Art News), 21, Nr 15 v. 20. 1. 1923, p. 1; 24, Nr 9 v. 5. 12. 1925, p. 2. — The Studio, 88 (1924) 354, m. Abb.

Bryant, Annie, geb. *Smith,* engl. Landschafts- u. Blumenmalerin, * 14. 4. 1874 Port Adelaide, ansässig in Lawrence, Devonshire.

Schülerin von H. P. Gill in Adelaide.

Lit.: Who's Who in Art, ³ 1934.

Bryant, Charles, austral. Marinemaler, * 11. 5. 1883 in New South Wales, † 1937 London.

Schüler von W. Lister-Lister u. Jul. Olssen. Bilder in d. Nat. Art Gall. of New South Wales in Sydney, in d. Nat. Gall. in Victoria u. im War Mus. in London. Während des 1. Weltkrieges den austral. Streitkräften als Kriegsmaler zugeteilt.

Lit.: Who's Who in Art, ³ 1934.

Bryant, Everett Lloyd, amer. Maler, * 13. 11. 1864 Galion, Ohio, † 1946 Los Angeles, Calif.

Schüler von Blanc u. Couture in Paris, von Herkomer in London, von Anshutz, W. M. Chase u. Breckenridge in Philadelphia, Pa. Hauptsächl. Blumenmaler. Bilder u. a. in der Pennsylv. Acad. of F. Arts in Philadelphia u. im St. Paul Institute.

Lit.: Th.-B., 5 (1911). — Monro. — Who's Who in Amer. Art, I: 1936/37. — Fielding. — Amer. Art Annual, 30 (1933). — Baltimore Mus. of Art, News, 9, Juni 1946, p. 8 (Nachruf).

Bryant, Maude, geb. *Drew* (Drein?), amer. Blumenmalerin, * 11. 5. 1880 Wilmington, Del., ansässig in Hendricks, Pa.

Schülerin von Anshutz, Breckenridge u. W. M. Chase in Philadelphia, Pa., u. der Acad. Colarossi in Paris. Bilder u. a. in d. Pennsylvania Acad. of the F. Arts in Philadelphia.

Lit.: Fielding. — Monro. — Amer. Art Annual, 30 (1933). — Who's Who in Amer. Art, I: 1936/37. — The Studio, 67 (1916) 206.

Bryant, Wallace, amer. Porträtmaler, * Boston, Mass., ansässig in Washington.
Schüler von B. Constant, J. P. Laurens, Robert-Fleury u. Bouguereau in Paris.
Lit.: Fielding. — Amer. Art Annual, 12 (1915); 20 (1923) 459. — Monro.

Bryce, Helen, schott. Blumenmalerin u. Plakatzeichnerin, * Glasgow, ansässig in Burford, Oxford.
Bild in der Laing Gall. in Newcastle.
Lit.: Who's Who in Art, [3] 1934. — The Studio, 95 (1928) 275, m. Abb.

Brychta, Jaroslav, tschech. Modelleur u. Kstgewerbler (Prof.), * 9. 3. 1895 Pohodlí, ansässig in Eisenbrod (Železný Brod).
Stud. an der Kstgewerbesch. in Prag, bei J. Drahoňovský, der sein Interesse für Glaskunst weckte, dann noch 1 Semester an den Glasfachschulen von Steinschönau u. Haida. Entwürfe für geschnittene Kristallgläser u. geblasene Glasfigürchen. Prof. an der Fachschule für Glasindustrie in Eisenbrod. Gold. Med. auf d. Pariser Internat. Ausst. 1925.
Lit.: Drobné umění (Prag), 6 (1925) 109, 116f., m. Abbn. — Toman, I 108. — D. Kunst, 58 (1927/28) 221/23, m. 4 Abbn. — The Studio, 115 (1938) 201 (Abbn). *Blž.*

Bryden, Olivia Mary, engl. Malerin, ansässig in London.
Stud. bei L. Simon, René Ménard, Cottet u. Morisset an der Acad. Colarossi in Paris. Bildnisse, religiöse Gemälde.
Lit.: Who's Who in Art, [3] 1934.

Bryggman, Erik, finn. Architekt, * 2. 7. 1891 Åbo (Turku), ansässig ebda.
Stud. in Turku u. an d. Techn. Hochsch. in Helsinki. Arbeitete dann bei Armas Lindgren u. Sig. Frosterus. Seit 1923 eigenes Architekturbüro in Turku. Städt. Begräbniskap. in Turku u. Pargas (Parainen); Finn. Pavillon auf der Weltausst. in Antwerpen 1930; Sportheim bei Vierumäki, Südfinnl.
Lit.: Hahm, p. 21, m. 2 Abbn. — Vem är Vem i Norden, Stockh. 1941, p. 421. — Monatsh. f. Baukst u. Städtebau, 19 (1935) 353/58; 21 (1937) 422/23, m. Abbn. — Emporium, 91 (1940) 170 (Abb.), 172.

Brygoo, Raoul, franz. Landschafts- u. Marinemaler, * 24. 11. 1886 Lille, ansässig in Wissant (Pas-de-Calais).
Stellt im Salon der Soc. d. Art. Franc. aus (Kat. z. T. m. Abbn). Vertreten u. a. in den öffentl. Sammlungen in Tourcoing u. Lille.
Lit.: Who's Who in Art, [3] 1934. — Bénézit, [2] II (1949).

Bryn, Finn, norweg. Architekt, * 9. 12. 1890 Oslo, ansässig ebda.
Stud. an der Techn. Schule in Bergen u. an d. Techn. Hochsch. in Oslo. Selbständig seit 1916. Baute zus. mit J. Ellefsen (s. d.) das Universitätsgeb. u. das Pharmazeutische Institut in Blindern bei Oslo.
Lit.: Hvem er Hvem?, [4] 1938. — Vem är Vem i Norden, Stockh. 1941, p. 635.

Bryson, Hope Mercereau, amer. Maler, * 4. 1. 1887 St. Louis, Mo., ansässig in New York.
Schüler von Ch. Guérin, H. Morisset u. E. Scott in Paris.
Lit.: Who's Who in Amer. Art, I: 1936/37. — Amer. Art Annual, 30 (1933).

Bryson, Robert Alexander, amer. Maler, * 19. 9. 1906 Marshallton, Del., ansässig in Wilmington, Del.
Lit.: Who's Who in Amer. Art, I: 1936/37. — Mallett.

Brzeczkowski, Stanisław, poln. Marinemaler, Holzschneider u. Kaltnadelstecher, * 24.9.1897 Koronow bei Bydgoszcz, ansässig in Danzig.
Stud. an den Kstgewerbeschulen Berlin u. Danzig. Holzschnittfolge: Danziger Miniaturen; Kaltnadelarbeit: Valse E-moll Chopin.
Lit.: Czy wiesz kto to jest?, 1938. — Dreßler. — Ausst.-Kat.: Expos. internat. de grav. orig. sur bois, Warschau 1933, p. 61f.; Poln. Kst, Berlin, Pr. Akad. d. Kste, 1935.

Brzega, Wojciech, poln. Bildhauer, * 12. 9. 1872 Zakopane, ansässig ebda.
Stud. an der Krakauer Akad., in München u. Paris.
Lit.: Czy wiesz kto to jest?, 1938. — Sztuka, 1911 p. 164/69, m. 10 Abbn.

Brzeski, Janusz Marja, poln. Graphiker.
Buchumschläge u. a. zu: Wacław Zawadzki, „Über München zum 2. Weltkrieg", u. Jan Drda, „Das Städtchen auf der Hand".
Lit.: Kryszowski.

Brzeziński-Mora, Kazimierz Tadeusz Bartlomicj, poln. Journalist u. Maler, * 9. 5. 1887 Warschau, anssäsig ebda.
Stud. an der Krakauer Akad., in Paris u. Warschau.
Lit.: Czy wiesz kto to jest?, 1938.

Bub-Camnitzer, Christiane, dtsch-tirol. Malerin, * 10. 4. 1892 Nürnberg, ansässig in Klobenstein am Ritten.
Stud. 1936/39 bei Robert Hahn in Dresden. Hauptsächlich Porträtistin. *J. R.*

Bubeníček, Jindřich, tschech. Maler, * 13. 7. 1856 Kšely, † 9. 8. 1935 Svratka.
Schüler von H. Sweerts an der Prager Akad. Hauptsächlich Aquarelle (Burgen u. Stadtansichten). Ausst. in Prag 1926 („Jednota", zus. mit Ladislav Novák), in Chrudim 1936 (Museum).
Lit.: Dílo (Prag), 26 (1935) 205. — Toman, I 112. *Blž.*

Bubeníček, Ota, tschech. Landschaftsmaler, * 31. 10. 1871 Uhříněves.
Zuerst Lithograph, dann Schüler von J. Mařák u. R. Ottenfeld an der Prager Akad. 1899/1904. Studienaufenthalte in München u. Paris, Studienreisen in Belgien u. Holland. Debütierte 1900 auf der Kunstvereins-Ausst. in Prag. Seit 1934 auf dem Lande in Mladá Vožice b. Tábor lebend. Impressionist. Beteiligte sich an Ausstell. im Ausland (Venedig 1926; Oslo 1929). Sonder-Ausst. in Prag 1909 (Topič-Gal.), 1922, 1932 („Jednota"), in Mladá Vožice u. Tábor 1934 u. 1941. Einige Bilder in der Nat.-Gal. u. der Städt. Gal. in Prag.
Lit.: V. Šuman, Julius Mařák a jeho škola, Prag 1929, p. 39f., m. Abbn. — Památník, O. Bubeníčka, Mladá Vožice 1941, m. Abbn. — J. R. Marek, Malíř O. B., in: Dílo (Prag), 32 (1942) 70, m. Abbn. — Toman, I 113. — Österr. Kunst, 3 (1932) H. 2, p. 11 (Abb.). — Výtvarné umění, 1952, Heft 7/8, p. 348 –50, m. 2 Abbn. *Blž.*

Bubenzer, Max, dtsch. Landschaftsmaler, * 1889 Essen.
Lit.: Westermanns Monatsh., 163 (1937/38) 428, m. Abb.; 164 (1938) 76, Abb. am Schluß d. Bandes.

Bublik, Jaroslav, öst. Architekt, * 20. 4. 1871, ansässig in Wien.
Stud. an der Staatsgewerbesch. u. der Akad. Wien. Seit 1906 selbständig. Villen, Wohnhäuser, Fabrikbauten (Semperitfabrik in Prag), Brücke in Schwe-

chat. Chef eines bekannten Bauunternehmens in Wien, dessen tschechische Filiale von s. gleichnam. Sohn geleitet wird.

Lit.: Klang.

Bublitz, Carl, dtsch. Maler u. Radierer, * 23. 8. 1866, † 1933 Königsberg.

Schüler von Steffeck u. Neide an der Königsb. Akad. Hauptsächl. Porträtist. Gedächtnis-Ausst. 1934 in der Ksthalle Königsberg.

Lit.: Dreßler. — Ostdtsche Monatsh., 14 (1933–34) 726.

Bubnoff, Alexander Pawlowitsch, sowjet. Landsch.-, Genre- u. Historienmaler u. Graphiker, * 1908 Atkarsk (Wolgagebiet).

Mit dem Stalinpreis 1947 ausgezeichnet für s. Gemälde: Morgendämmerung auf dem Kulikowo-Felde (Erinnerung an den Sieg der Russen über die Tataren bei Kulikowo 1380; Taf.-Abb. in: Sowjet-Literatur [Moskau], Nr 5/6 [1948] geg. p. 128).

Lit.: Encykl. d. Union d. Sozial. Sowjetrepubl., 2 (1950). — 50 Monogr. von Meistern der Sowjet. bild. Kst (russ.), Heft [6], Moskau 1948.

Bučánek, Alois, tschech. Bildhauer, * 6. 9. 1897 Slavičín, † 9. 5. 1945 im Konzentrationslager Terezín.

Stud. an d. Bildhauersch. in Hořice, 1923/27 an d. Akad. in Prag (J. Štursa, O. Španiel). Gefallenen-Denkmal in Velké Opatovice (1926); Masaryk-Denkmale in Holešov (1928) u. Hodonín (Göding); Bildnisse (Schauspieler Karen; Maler R. Havelka).

Lit.: P. Dějev, Výtvarníci-legionáři, Prag 1937. — Dílo (Prag), 34 (1945/46) 40. — Toman, I 113.
Blž.

Bucas, Julien, franz. Figurenmaler, * Paris, ansässig ebda.

Stellte 1907/38 bei den Indépendants aus. Symbolistische Themen wie: Vision psychique.

Lit.: Joseph, 1. — Bénézit, ² 2 (1949).

Bucci, Anselmo, ital. Zeichner, Radierer, Lithogr., Maler, Keramiker u. Schriftst., * 23. 5. 1887 Fossombrone (Pesaro), ansässig in Monza.

Schüler von Fr. Salvini u. Guido Guiducci in Fossombrone, dann 2 Jahre Lehrzeit an d. Akad. in Mailand. 1906 nach Paris, erlernte dort die Radier- u. Vernis-Mou-Technik. Bis zum Eintritt Italiens in den 1. Weltkrieg, den er als Freiwilliger mitmachte, in Paris. Gründete 1919 mit Calzi eine Majolika-Bottega in Faenza, aus der verzierte Vasen, Tafelservice, Wandschmuck usw. hervorgingen. Einige Zeit lehrtätig im Fach der Majolikamalerei an d. R. Scuola di Ceramica in Faenza. 1922 Mitbegründer der Gruppe „Novecento" in Mailand, wo er sich ansässig machte. Vielseitiger Künstler, der sich auch als Bildhauer u. Goldschmied betätigte. Hat seine Hauptbedeutung als Zeichner. Graph. Folgen: Le petit Paris qui bouge (25 Rad.), 1908; I Vecchi (12 Rad.), 1908; Rouen (9 Rad.), 1908; Paris qui bouge (50 Rad.), 1909; Algeri Notturna (6 Rad.), 1912; Bretagna (8 Rad.), 1912; Croquis du Front italien (50 Kaltnadelst. in 4 Albums), Paris 1918; Marina a terra (50 farb. Lith.), 1918; Finis Austriae (12 farb. Lith.), Mail. 1919. Illustr. zu Rudjard Kipling's „Jungle Book" (8 Kaltnadelst.), 1922. Als Maler (Landschaften, Figürliches, Bildnisse) anfänglich Impressionist, später zu festerer, plastischer Stilisierung übergehend. Pariser Straßenansicht i. d. Gall. d'Arte Mod. in Mailand. — Buchwerk: Il Pittore Volante, Mail. 1930.

Lit.: Comanducci, m. Abb. — O. Vergani, A. B. (Arte mod. ital., Nr 30), Mail. 1938. — Costantini, m. 3 Abbn. — Bénézit, ² 2 (1949). — Pagine d'Arte, 5 (1917) 156/58, m. 4 Abbn, 170; 6 (1918) Titelbl. zu Heft 9; 7 (1919) 1/4, m. 5 Abbn, 49/52, m. 3 Abbn u. Titelbl. zu Heft 6. — Vita d'Arte, 14 (1915) 29 (Abb.), 33, 36; 15 (1916) 2/4 (Abbn), 8/11 (Abbn), 65f. (Taf.). — Emporium, 41 (1915) 189 (Abb.); 46 (1917) 107/12, m. 10 Abbn; 48 (1918) 269/71, m. 4 Abbn; 64 (1926) 329f., m. Abbn; 79 (1934) 359 (Abb.); 84 (1936) 53 r. Sp.; 91 (1940) 115/24, m. 11 Abbn u. 2 Taf., 305, 307 (Abb.); 93 (1941) 112, 114 (Abb.); 94 (1941) 163/70, m. Abbn. — The Studio, 92 (1926) 446f., m. Abb.; 96 (1928) 430/33, m. Abbn; 99 (1930) 364 (Abb.); 101 (1931) 433/37, m. 6 Abbn.; 104 (1932) 191 (Abb.). — Dtsche Kst u. Dekor., 61 (1927/28) 348/50, m. 2 Abbn u. Taf. — Faenza, 16 (1928) 144, m. 2 Taf.; 22 (1934) 193; 27 (1939) 111; 28 (1940) 124. — Le Arti, 3 (1940/41) 463, m. 2 Abbn auf Taf. 169.

Bucci, Mario, ital. Maler, * 1903 Foggia, ansässig in Florenz.

Beteiligt am Wettbewerb um den Premio Livorno 1939. Beschickte die 22. u. 23. Biennale in Venedig. Beeinflußt von Vagnetti u. Tosi. Gab sein Bestes in s. Stilleben. Kollektiv-Ausst. in Prato März 1941 u. Florenz Dez. 1943.

Lit.: La Nazione (Florenz), 6. 1. 1938. — Il Bargello (Florenz), 30. 3. 1941 u. 31. 12. 1943. — Emporium, 85 (1937) 48, l. Sp. — Kat. d. Ausst.: Zeitgenöss. toskan. Kstler, Ksthalle Düsseldorf, 1942.

Bucek, Maria, öst. Malerin u. Graph., * 19. 9. 1887 Dobromil (Galizien), ansässig in Innsbruck.

Besuchte die Frauenkunstsch. u. die Illustrationsschule Prätorius in Wien. Seit 1920 Zeichnerin am Botan. Institut in Innsbruck. Blumenstücke, Landschaften.

Lit.: Bote f. Tirol, Kulturber., 1953 Nr 59/60. — TYROL, 1953 Nr 4, m. zahlr. farb. Abbn. *J. R.*

Buch, Bruno, dtsch. Architekt, ansässig in Berlin.

Erstellte über 100 Industrieanlagen, z. T. riesigen Umfangs, darunter Zuckerraffinerie Fr. Meyers Sohn in Tangermünde (1925/26); Messingwerk in Berlin-Borsigwalde; Magirus- u. Opelwerke in Berlin; Aktiengesellsch. für Automobilbau in Berlin-Lichtenberg (1916); Brauereianlagen der Engelhardt-A.G. in Berlin-Stralau; Fahrzeugfabrik F. G. Dittmann-A.G. in Berlin-Wittenau; Glasfabrik Marienhütte in Cöpenick b. Berlin (1926); Sarotti A.G. in Berlin-Tempelhof (1921/23), nebst Verwaltungsgeb. (1925–26); Autogen Gasakkumulator-A. G. in Berlin-Adlershof (1925); Rundfunksender Königswusterhausen (1927); Schokoladenfabrik „Feodora" in Tangermünde (1925/26); Textilsyndikat in Chemnitz.

Lit.: M. R. Moebius, B. B., Industriearchitekt, Berlin 1929. — Dtsche Bauzeitung, 1928 p. 168/74, m. Abbn. — Wasmuths Monatsh. f. Baukst, 8 (1924) 151 ff., m. Abbn.

Buch, Hans, dtsch. Maler u. Graph., * 28. 7. 1889 Wiesbaden, ansässig in Fischerhude b. Bremen.

Koll.-Ausst. anläßl. s. 60. Geb.-Tages 1949 in Bremen u. im Graph. Kabinett Bremen 1951.

Lit.: Kstchronik, 2 (1949) 102. — D. Kst u. d. schöne Heim, 50 (1951) H. 2 Beilage. — Kat. d. 3. Dtsch. Kstausst. Dresden 1953, m. Abb.

Buchaille, Marcel, franz. Landschaftsmaler, * Villefranche-sur-Saône, ansässig in Courbevoie (Seine).

Stellt seit 1927 bei den Indépendants aus.

Lit.: Joseph, I.

Buchanan, Bertram, engl. Maler u. Aquatintakünstler.

Lit.: Athenæum, 1920/II p. 843. — The Print Coll.'s Quarterly, 11 (1924) 365 (Abb.), 368.

Buchanan, Ella, amer. Porträt- u. Genrebildhauerin, * Preston, Canada, ansässig in Hollywood, Calif.

Stud. am Art Inst. in Chicago bei Charles J. Mulligan. Bildnisbüsten (Roosevelt, Wilson, George Washington) u. -statuetten (Mrs. Eleanor Roosevelt). 2 Arbeiten im Southwest Mus. in Los Angeles.

Lit.: Fielding. — Amer. Art Annual, 20 (1923) 459; 30 (1933). — Who's Who in Amer. Art, I: 1936 –37. — The Internat. Who's Who, [8] 1943/44.

Buchanan, Fred, engl. humorist. Zeichner, * 14. 6. 1879 Woolwich, ansässig in London.

Lit.: Who's Who in Art, [3] 1934.

Buchanan, James, schott. Landschaftsmaler, * 26. 6. 1889 Largs, lebt in Glasgow.

Stud. an der Kstschule in Glasgow.

Lit.: Who's Who in Art, [3] 1934.

Buchart, Karl, dtsch. Heimatmaler, * 4. 5. 1893, ansässig in Wanfried a. d. Werra.

Lit.: Bantzer, Hessen i. d. dtsch. Malerei, Beitr. z. hess. Volks- u. Landeskde, H. 4, Marburg 1939.

Bucher, Edwin, schweiz. Tierbildhauer, * 14. 3. 1879 Luzern, ansässig in Sèvres.

Schüler von Bourdelle u. Rodin in Paris. Im Bes. der Schweiz. Eidgenossensch.: Der Stier (Bronze); im Mus. Le Locle: Ziegenkopf. Auch Bildnisbüsten.

Lit.: Brun, IV.

Bucher, Hertha, öst. Keramikerin, ansässig in Wien.

Schülerin von Strnad. Arbeiten hauptsächl. in glasierter Keramik u. Porzellan: Blumenbehälter u. -schalen, Leuchter, Vasen, Heizkörperverkleidungen, Standuhren, Briefbeschwerer, Bonbonnieren, Kaffeeservice usw., auch figürliche Plastik, z. T. lebensgroß (Gartenfiguren), u. Bildnisbüsten. Schafft seit 1920 in eigener Werkstätte.

Lit.: Das schöne Heim, 13 (1942) 260/64. — D. Kunst, 56 (1926/27) 151 (Abb.); 72 (1934/35) Taf.-Abb. vor p. 121; 86 (1941/42) 260/64, m. Abbn. — Dtsche Kst u. Dekor., 51 (1922/23) 232, m. Abbn bis p. 235; 56 (1925) 328f., m. Abbn bis p. 336; 62 (1928) 397f., m. Abb., 400 (Abb.), 401 (Abb.), 403 (Abbn), 404 (Abb.); 64 (1929) 117f., 119 (Abb.), 121f. (Abbn); 68 (1931) 244/52, m. Abbn. — Kst u. Handwerk, 1924 p. 93 (Abb.), 94. — Österr.'s Bau- u. Werkkst, 1 (1924/25) 27 (Abb.); 3 (1926/27) 273ff. (Abb.).

Bucher, Richard Hubert, s. *Lestocq de Castelnau-Bucher.*

Bucherer, Max, schweiz. Graphiker, * 8. 7. 1883 Basel, ansässig in Zürich.

Stud. bei Knirr u. Jank in München, 1903/07 an der Acad. Julian in Paris. 2. Präsid. der „Walze". Seit 1909 Lehrer f. Graphik an d. Gewerbesch. München. Bereiste wiederholt Bosnien u. den Balkan. Mappenwerke: Aus Galizien u. Polen, 12 Lith., 1916; 12 Orig.-Holzschn., Münch. 1917; 12 Holzschnitte der Kriegs- u. Wanderjahre; Karikaturen aus dem k. u. k. Kriegspressequartier, Münch. 1915; Aus Galizien u. Polen, 14 Steinzeichngn vom östl. Kriegsschauplatz, Münch. 1915; 10 Holzschnitte, Münch. 1919; 12 Holzschnitte, Selbstverl. Zürich 1919. — Buchwerk: Der Originalholzschnitt, Münch. 1914.

Lit.: Th.-B., 5 (1911). — Brun, IV 76, 484. — Baur, m. Abb. — Rhaue, 33. — Lonchamp, II Nr 3230. — D. Schweiz, 12 (1908), 315ff., m. Abbn, 322, 420, 475; 14 (1910) 13; 17 (1913) 178; 18 (1914) 131, m. Abb.; farb. Orig.-Holzschn. n. p. 322, 323 (Abb.), 325 (Abb.), 326 (Abb.), 327/28, m. Abbn bis p. 329; 19 (1915) 561/62, m. Taf.-Abb. n. p. 562; 23 (1919) 664 (Abb.). — Schweizerland, 1 (1914/15) 544, m. Abb., 557; 3 (1916/17) 161ff., m. Abbn; 4 (1917 –18) 454, m. Abb. — Arch. f. Buchgewerbe, 52 (1915) 8, m. 2 Abbn. — Zeitschr. f. Bücherfreunde, N. F. 11 (1919/20) 107f. — Pro Helvetia, 1920, p. 151ff., m. Abbn. — Schweiz. Bl. f. Exlibris-Sammler, III, Nr 3, p. 70. — D. Werk, 5 (1918) 177 (Abb.).

Buchert, Hermann, dtsch. Architekt (Prof.), ansässig in München.

Prof. an d. Techn. Hochsch. München. Preisträger in zahlreichen Wettbewerben (u. a. Verkehrsministerium, Deutsches Museum, Polizeidirektion, Rückversicherungsgesellschaft, sämtl. München; Empfangsgeb. des Leipziger Hauptbahnhofes). Ausgeführte Bauten: Lehrerbildungsanstalt in Pasing; St. Korbinianskirche in München; Umbau der St. Silvesterkirche ebda.

Lit.: M. Hartig, Bestehende mittelalterl. Kirchen Münchens (Dtsche Kstführer, 21), 1928, p. 97. — D. Baumeister, 7 (1908/09) 127, Taf. 82. — Dtsche Bauzeitg, 38 (1904) 225. — Neudtsche Bauzeitg, 17 (1921) 191, m. Abbn, 23ff. (Abbn); 18 (1922) 176. — Blätter f. Archit. u. Ksthandwerk, 26 (1913). — D. Christl. Kst, 23 (1926/27) 326ff. Abbn, 338, 342. — Kst u. Handwerk, 1912 p. 195 (Abb.), 200, 201. — Wasmuths Monatsh. f. Baukst, 7 (1923) 269/70, m. Abb. — Zentralbl. d. Bauverwaltung, 41 (1921) 30f., m. Abbn.

Buchet, Gustave, schweiz. Maler u. Holzschneider, * 1888 Étoy, Kt. Waadt, ansässig in Genf.

Stud. bei E. Gilliard an der Genfer Ec. d. B.-Arts, dann an der Grande Chaumière in Paris. Figürliches (bes. Akte), Interieurs, Blumenstücke, Landschaften. Bild im Mus. in Elberfeld. Graph. Folge: Douze nuits. Illustr. zu P. Verlaine, „Les Amies" u. „Filles".

Lit.: Magnat, Causerie sur Th. Bosshard, G. B. etc., Bern 1919. — Bénézit, [2] II (1949). — Schweizerland, 1 (1914/15) 156, m. ganzseit. Abb.; 3 (1917) 362f., m. Abb. — D. Ksthaus, 1916, H. 2, p. 2. — Kat. Ausst. Ksthaus Zürich, 1.–28. 6. 1916, p. 6, 14.

Buchgschwenter, Hans, tirol. Bildhauer, * 23. 3. 1898 Matrei a. Br., ansässig ebda.

Vierjähr. Lehrzeit bei Jos. Bachlechner in Hall, dann Besuch der Staatsgewerbesch. in Innsbruck u. 1925/29 der Akad. in Wien (Müllner). — Kirchliche Großplastik in Stein, Kststein u. Holz, Grabmäler, Bildnisbüsten, Metalltreibarbeiten, Krippen. Kriegerdenkmäler in Gries a. Br. u. Navis. Altäre in Kleinholz b. Kufstein (Hl. Theresia), in d. Johannesk. in Matrei (Kreuzigungsgruppe), in Innsbruck-Pradl, Pfarrk. (Kreuzaltar), u. in d. Saggenk. (Hochaltar, Mad. mit Engeln). — Religiöse Skulpturen: Pfarrk. Navis (Hl. Christophorus u. Jakobsrelief); Bludenz, Kreuzk. (Hl. Josef); Innsbruck, Krankenhauskap. (Mad. u. hl. Josef); ebda Lehrerbildungsanstalt (Mad.); Barwies, Ortsk. (Stationen). — Innsbr.-Pradl, Pfarrk., Deckel des Taufbrunnens (Bronze); Innsbr.-Arzl, Pfarrk., Kirchentür. — Kollekt.-Ausst.: 1934 in Innsbruck, Mus. Ferdinandeum, 1947 im Kstsalon „Am Burggraben".

Lit.: Bergland (Innsbr.), 6 (1924), H. 6. — Tir. Heimatblätter, 8 (1930) 203, m. 3 Abbn; 14 (1936) 340. — Weltguck, 1935 Nr 4 (m. Abb.). — Hochenegg, Die Kirchen Tirols, Innsbr. 1935. — Tir. Anz., 1934 Nr 180. — Innsbr. Nachr., 1934 Nr 177; 1936 Nr 189. — Innsbr. Ztg, 1936, Nr 188, 292; 1937 Nr 16, 99. — Die Quelle, 1947 Nr 3. — Volksbote, 1948 Nr 50, 52; 1952 Nr 8. — Tir. Tagesztg, 1947 Nr 63, 97; 1950 Nr 188. — Tir. Nachr., 1947 Nr 105; 1951 Nr 4; 1952 Nr 163. — Tir. Bauernztg, 1947 Nr 17, 19; 1949 Nr 25. *J. R.*

Buchheim, Johannes, dtsch. Maler, * 21. 6. 1910 Colditz i. Sa., ansässig ebda.

Stud. an der Kstgewerbesch. in Leipzig u. an der Akad. in Bremen.

Buchheim, Lothar Günther, dtsch. Graphiker (bes. Linol- u. Holzschneider) u. Maler, * 1918 Weimar, ansässig ebda.

Autodidakt. Städteansichten (Chemnitz, Schneeberg, Schloß Rochlitz, Stadtk. in Wittenberg, Marienk. in Rostock), Figürliches.

Lit.: G. Buchheim, ein ganz junger Künstler (12 Linolschnitte m. Text), Vorw. von Werner Böhm, Chemnitz 1935. — Illustr. Zeitg (J. J. Weber, Leipzig), 180 (1933/I) 518, m. 4 Abbn. — Westermanns Monatsh., 166 (1939) 75, Abb. am Schluß des Bandes.

Buchheister, Carl, dtsch. Landschaftsmaler, * 17.10.1890 Hannover, ansässig ebda.

Stud. an der Unterrichtsanstalt des Berliner Kstgewerbemus. Anfängl. Anhänger der abstrakten Richtung, später zu einer naturnahen Auffassung übergehend. Bild im Mus. in Wuppertal.

Lit.: Dreßler. — D. Cicerone, 21 (1929) 322. — Kat. Herbstausst. Hannov. Kstler, Hannover 1942, m. Abb.

Buchholz, Erich, dtsch. Maler, * 31.1. 1891 Bromberg, ansässig in Berlin.

Stud. an der Kstgewerbe- u. Baugewerkschule in Berlin. Anhänger der abstrakten Richtung. Kollekt.-Ausst. August 1947 bei William Wauer in Berlin-Tempelhof.

Lit.: Dreßler. — Telegraf (Berlin), 15. 8. 1947. — Nacht-Expreß (Berlin), 12. 8. 1947 (Abb.).

Buchholz, Fred, amer. Maler, * 1901 Springfield, Mass., ansässig in New York.

Lit.: Mallett. — The Art News, 42, Nr v. 15. 5. 1943, p. 13 (Abb.).

Buchholz, Fritz, dtsch. Landschafts- u. Blumenmaler, * 9.4.1871 Berlin, ansässig in Dessau.

Schüler der Berliner Akad. Leiter der Kstgewerbesch. in Dessau. In der Städt. Kstsmlg ebda: Am Kühnauer See.

Lit.: Th.-B., 5 (1911). — A. Fuchs, Wegweiser durch Dessau. — Neues Dtschland, 9. 8. 1947.

Buchholz, Fritz, dtsch. Bildnis- u. Landschaftsmaler, Graph. u. Werkkstler, * 8.3.1890 Zehdenick a. d. H., ansässig in Lützschena b. Leipzig.

Schüler der Leipz. Akad. 2 Bilder im Städt. Mus. in Bautzen: Junge u. Alte Wendin. 2 Industriebilder im Deutschen Mus. in München.

Lit.: Dreßler. — Illustr. Zeitg (J. J. Weber), 177 (1931/II) 538 (Abb.). — Kat. Gr. Leipz. Kstausst. 1941 u. 1942, m. Abb.

Buchholz, Gerhardt, dtsch. Maler, Bühnenbildner u. Schriftst., * 1.1.1898 Mockrau, Westpr., ansässig in Köln.

Stud. an d. Akad. Königsberg. Meisterschüler von A. Degner. 1. Ausst. „Freie Sezession" Berlin 1921. Malweise: Vom Impressionismus zum Expressionismus wechselnd. Als Bühnenbildner in Königsberg, Frankfurt a. M., Wiesbaden, Hamburg, Berlin, Wien, Dresden. — Roman „Das goldene Tor", Berl. 1935.

Lit.: Hellweg (Essen), 4 (1924), 2. Halbj.-Bd, p. 734/39, m. Abb. *J.*

Buchholz, Heinz, Figuren-, Landschafts- u. Blumenmaler, * 1906 Berlin, ansässig in Göteborg.

Stud. in Frankreich u. Spanien.

Lit.: Thomœus.

Buchholz, Heinz Bernhard, dtsch. Gold- u. Silberschmied, * 3.5.1906 Züllichau, ansässig ebda.

Stud. an den Kstgewerbeschulen in Halle u. Frankfurt a. M.

Lit.: Dreßler.

Buchhorn zu Hofen, Paul A., dtsch. Maler, * 5.10.1890 Berlin, † 7.1.1938 Dresden.

Kollektiv-Ausst. 1926 bei Amsler & Ruthardt, Berlin (Rich.-Wagner-Ged.-Ausstellg). Im Rich.-Wagner-Mus. in Bayreuth ein Gemälde: Rheingold.

Lit.: Das Bild, 8 (1938), Beil. zu Heft 3, p. 6; 10 (1940), Beil. zu H. 11, vor p. 165. — D. Kstwanderer, 1925/26, p. 424.

Buchkremer, Josef, dtsch. Architekt (Prof.), Münsterbaumeister in Aachen, † 1949 ebda, 85jährig.

Lit.: Dreßler. — D. Christl. Kst, 28 (1931/32) 65ff., m. Abbn. — D. Münster, 2 (1949) 308.

Buchmann, Wilfried, schweiz. Maler, * 15.2.1878 Zürich, † 7.(?)3.1933 ebda.

Schüler der Acad. Colarossi in Paris. 1900/01 in München, dann einige Jahre in Zürich (W. Lehmann u. G. Kägi), 1905/06 u. 1907/08 in Rom, seitdem in Zürich ansässig. Studienaufenthalte in Italien (Frühj. 1913 im Sabinergeb.), auf Elba, Sizilien, in Tunis, Frankreich u. Deutschland. Hauptsächlich Landschafter. Im Ksthaus Zürich: Toskan. Landschaft. Im Bes. d. Zürcher Kstgesellschaft: 3 Landschaften u. Selbstbildnis. Weitere Arbeiten in d. Öff. Kstsmlg in Basel, in Schaffhausen u. Winterthur.

Lit.: Brun, IV. — Schweiz. Zeitgen.-Lex., 1932. — Aug. Schmidt, Erinnerungen an W. B., m. 8 Taf., Zürich 1934. — Jahrb. d. Kst u. Kstpflege in d. Schweiz, 5 (1928/29) 59. — D. Graph. Kabinett (Winterthur), 7 (1922) 48f., 57. — D. Schweiz, 1911, p. 331. — Schweizerland, 1916, p. 574, 576 (Abb.). — Schweizer Kst, 1932/33, p. 131, m. Totenmaske. — D. Werk (Zürich), 20 (1933) 344, m. Abb., 345 (Abbn). — N. Zürcher Ztg, 1912 Nr 770. — Kat. Ged.-Ausst. W. B. Kstver. Winterthur, 1933. — Kat. Ausst. Ksthaus Zürich 18. 5.–17. 6. 1934.

Buchner, Diethelm, dtsch. Maler, * 29.1. 1915 München, ansässig in Lindau-Äschach.

Stud. an d. Akad. in München. Schüler von Teutsch u. Schinnerer.

Buchner, Ernst, schweiz. Maler, Holzschneider u. Rad., * 3.6.1886 Basel, † 1952 ebda.

Schüler von Fritz Schider in Basel, 1907/11 von M. Heymann in München. Studienaufenthalte in Paris u. der Normandie (1912/13). Blumenstücke, Landschaften, Stilleben, Bildnisse, Tiere. Gedächtn.-Ausst. 1952 in d. Ksthalle in Basel.

Lit.: Brun, IV 485. — Baur, m. Abb. — D. Schweiz, 1914, p. 131, m. Abb. — D. Werk, 1915, Heft 9, p. X. — O mein Heimatland, 1922, p. 62ff., m. Abbn, 158f. (Abbn). — D. Kst u. d. schöne Heim, 50 (1952) Beil. p. 239.

Buchner, Georg, dtsch. Architekt (Baurat), ansässig in München-Pasing.

Sohn des Malers u. Illustr. Georg B. (* 1858, † 1914). Pfarrkirche in Obermenzing b. München (Weihe 1924); Kirche in Oberschleißheim b. München; Albertus-Magnus-Kirche in Freimann b. Münch.; Marienkirche in Treuchtlingen; Grabdenkmal Familie Gassner in Bludenz, Vorarlberg (zus. mit Hans Panzer); Grabdenkmal Wilh. Krausneck im Nordfriedhof München (zus. mit Panzer); Betriebsgeb. in Bad Tölz u. Lenggries, Oberbay.; Gasthaus der Eisenbahner-Baugenossensch. in Neu-Aubing b. München; Kinderheim in Westerham, Oberbay.

Lit.: Neue Baukst, 5 (1929) Jan.-Heft p. 1f., m. Abbn bis p. 49. — Der Baumeister, 24 (1926) 73ff., m. Abbn. — D. Kunst, 67 (1932/33) 168 (Abb.); 75

(1936/37) 286f., m. Abbn. — D. Christl. Kst, 21 (1924/25) 137ff. passim bis 162f.; 22 (1925/26) 145, m. Abb.; 25 (1928/29) 22, 28f. (Abbn.), 83 (Abb.), 85 (Abb.); 27 (1930/31) 368 (Abb.). — Kst u. Handwerk, 76 (1926) 96ff., m. Abbn. — Monatsh. f. Baukst u. Städtebau, 18 (1934) 158/60; 19 (1935) 113/14, 241/43. — Zentralbl. d. Bauverwaltung, 56 (1936) 284f., m. Abbn.

Buchner, Gustav Joh., dtsch. Genre-, Bildnis- u. Landschaftsmaler, * 2.8.1880 München, † 26.3.1951 Schliersee.

Schüler von G. v. Hackl u. H. v. Zügel. 1908 in Paris, 1913/14 in Italien. Im Besitz des Bayer. Staates: Frühling in den Sudeten.

Lit.: Th.-B., 5 (1911). — Dreßler. — D. Kst, 75 (1936/37) 341/45, m. 5 Abbn; 81 (1939/40) Aug.-H., Beibl. p. 10; 85 (1941/42) 230 (Abb.). — Kst u. Antiquitäten-Rundschau, 45 (1937) 58, m. Abb. — Mitteilungsblatt d. Gesellsch. d. Zügelfreunde E. V., Wörth a. Rh., August 1951, p. (3). — D. Weltkst, 14 Nr 30/31 v. 21. 7. 1940, p. 10, Nr 32/33 v. 4. 8. 1940, p. 12; 18 Nr 2 v. 15. 2. 1944, p. 3 (Abb.); 21 (1951) Nr 8 p. 11.

Buchner, Karl, dtsch. Bildhauer u. Holzschnitzer, ansässig in München.

Bauplastik (u. a. im Vereinshaus des Akadem. Gesangvereins in München u. am Schulbau des Mozarteums in Salzburg); holzgeschnitzte Marionettenfiguren; Entwürfe für Metalltreibarbeiten (Turmhahn).

Lit.: Kst u. Handwerk, 1912 p. 199 (Abb.), 200. — Die Plastik, 4 (1914) Taf. 9; 6 (1916) Taf. 8/12; 8 (1919) Taf. 17, 18.

Buchner, Rudolf, öst. Maler u. Graphiker, * 15.3.1894 Wermsdorf, Mähren, ansässig in Wien.

Lit.: Dreßler. — Teichl.

Buchs, Raymond, schweiz. Maler u. Glasmaler, * 1878 Freiburg (Schw.), ansässig ebda.

Lit.: D. Kst in d. Schweiz, Dez. 1930, m. 3 Taf.

Buchsbaum, Elizabeth, amer. Malerin, Illustratorin, Radiererin u. Lithogr., * 25.11. 1909 auf den Philippinen, ansässig in Gary, Ind.

Schülerin des Art Inst. in Chicago, von Edmund Giesbert, Louis Ritman, Laura van Pappelendam u. Allen Phildrick. Wandmalerei in der Öff. Bibl. in Gary.

Lit.: Who's Who in Amer. Art, I: 1936/37. — Amer. Art Annual, 30 (1933).

Buchty, Josef, dtsch. Landschaftsmaler, * 26.3.1893 Aachen, ansässig in München.

Bereiste u. a. Finnland, Lappland (vgl. Die Kunst, 59 [1928/29] p. 152/56) u. Afrika.

Lit.: Dreßler. — Die Kunst, 63 (1930/31) 297/99 m. 4 Abbn.

Buchwald, Alfred, dtsch. Bildnis- u. Landschaftsmaler u. Graph., * 10.7.1894 Breslau, ansässig ebda.

Sohn des 1856 * Architekten (Reg.- u. Baurat i. R.) Artur B. (stand 30 Jahre an der Spitze des Univ.-Bauwesens in Breslau; die meisten Univ.-Institute von ihm entworfen). Stud. an der Breslauer Akad. bei A. Busch, Hans Poelzig u. Pautzsch.

Lit.: Dreßler. — Dtsche Bauztg, 70 (1936), Beibl. p. 272 (Zum 80. Geb.-Tag Artur B.s).

Buchwald-Zinnwald, Erich, dtsch. Landschaftsmaler u. Holzschneider, * 14.9.1884 Dresden, ansässig in Loschwitz b. Dresden.

Schüler von Rich. Müller, Schindler, Bantzer u. Gotth. Kuehl an der Dresdner Akad. Bilder im Stadtmus. in Dresden u. in den Museen Chemnitz u. Leipzig.

Lit.: Dreßler. — Glückauf, 44 (1924) 79/85, m. Abbn; 58 (1938) 57/62, m. Abbn. — Kat. Ausst. Dresdner Kstler im Stadt- u. Bergbau-Mus. Freiberg/Sa. Nov. 1946/Jan. 1947, m. Abb.

Buck, Anne Lillias, engl. Bildnisminiaturmalerin, * London, ansässig in Edinburgh.

Lit.: Who's Who in Art, [2] 1929. — Graves, I.

Buck, Claude, amer. Maler, Bildhauer u. Rad., * 3. 7. 1890 New York, ansässig ebda.

Schüler von Emil Carlsen u. Francis Jones.

Lit.: Fielding. — Amer. Art Annual, 20 (1923) 459; 27 (1930) 112; 30 (1933). — Who's Who in Amer. Art, I: 1936/37.

Buck, Emma, amer. Malerin u. Bildhauerin, * 16. 2. 1888 Chicago, Ill., ansässig ebda.

Schülerin von Charles Mulligan.

Lit.: Fielding. — Amer. Art Annual, 20 (1923) 459.

Buck, Evariste de, belg. Maler, * 1892 Mont-Saint-Amand (Gent).

Schüler von van Biesbroeck, J. Delvin u. Montald. Landschaften, Bildnisse, relig. Vorwürfe.

Lit.: Seyn, I 215.

Buck, John Sandford, engl. Landschaftsmaler, * 13. 4. 1896 Minehead, Somerset, ansässig in Blakeney, Gloucestershire.

Lit.: Who's Who in Art, [3] 1934.

Buckland, Arthur Herbert, engl. Bildnismaler (Öl u. Aquar.) u. Illustr., * 22. 1. 1870 Taunton, zuletzt ansässig in Barnet, Hertfordshire.

Stud. an d. Acad. Julian in Paris.

Lit.: Th.-B., 5 (1911). — Who's Who in Art, [3] 1934.

Buckler, Muriel, engl. Landsch.- u. Figurenmalerin, * Sept. 1898, ansässig in Portsmouth.

Stud. an der Kstschule in Portsmouth.

Lit.: Who's Who in Art, [3] 1934.

Buckley, John Michael, amer. Maler u. Radierer, * 11. 12. 1891 Boston, Mass., ansässig in Rockport, Mass.

Schüler von W. D. Hamilton, E. L. Major u. A. T. Hibbard.

Lit.: Who's Who in Amer. Art, I: 1936/37.

Bud, Walter, dtsch. Radierer, * 1.8. 1890 Leipzig, fiel am 11.5.1915 vor Ypern.

Stud. an der Dresdner Akad., dann bei Groeber u. P. Halm in München. Nachlaß-Ausst. Juli 1915 im Leipziger Kstverein. Mappenwerk: 16 Radierungen, P. H. Beyer & Sohn, Leipzig, 1922.

Lit.: Leipz. N. Nachr., 14. 7. 1915.

Budai, Sándor, ungar. Bildnis-, Akt- u. Genremaler, * 26. 2. 1891 Kőröstarcsa (Kom. Békés), ansässig in Budapest.

Stud. an der Akad. Budapest, weitergebildet in Italien, Paris u. München.

Lit.: Szendrei-Szentiványi.

Buday, György, ung. Holzschneider, aus siebenbürg. Familie.

Hauptwerk s. Frühzeit: Folge: Le pardon de Sainte-Vierge (15 Holzschnitte). Es folgten die Schnitte für die alljährlich erscheinenden Bändchen des Szeged-Kalenders, dann die Schnitte für die von Ortutay gesammelten ungar. Volksballaden, für die 1935 erschienene Balladen-Smlg von J. Arany, die 20 Schnitte für eine schwed. Ausgabe der „Menschlichen Tragödie“ von Madách (1936) u. 45 Illustrat. für die Volkserzählungen von Nyrr u. Rétkőz. Eine Auswahl seiner schönsten Schnitte erschien mit kurzer Einleitung in London 1934 unter dem Titel: Book of Ballads.

Lit.: Nouv. Revue de Hongrie, 54 (1936/I) 439/42, m. 5 Abbn. — Apollo, 22 (1935) 355. — The Print Coll.'s Quarterly, 21 (1934) 103; 23 (1936) 5. — The Studio, 107 (1934) 284 (Abb.).

Budd, Barbara Nellie, engl. Illuminatorin, Kststickerin u. Zeichnerin, * 25. 11. 1895 Dulwich, ansässig ebda.

Stud. am Roy. Coll. of Art in London.

Lit.: Who's Who in Art, [3] 1934.

Budd, Helen, geb. *Mackenzie*, engl. Radiererin, Bildnis- u. Genremalerin, * Elgin, ansässig in London. Gattin des Folg.

Lit.: Who's Who in Art, [3] 1934. — The Studio, 86 (1923) 48, m. Abb.; 113 (1937) 104 (Abb.); 128 (1944) 33 (Abb.).

Budd, Herbert Ashwin, engl. Figuren- u. Bildnismaler, * 10. 1. 1881 Smallthorne, Staffordshire, ansässig in London. Gatte der Vor.

Stud. am Roy. Coll. of Art in London.

Lit.: Who's Who in Art, [3] 1934. — The Studio, 90 (1925) 371 (ganzseit. Abb.); 95 (1928) 14/19, m. 4 Abbn u. 1 farb. Taf.

Budde, Grete, dtsche Bildhauerin, * 4. 2. 1883 Luckenwalde, ansässig in Halle.

Schülerin von Fritz Klimsch u. Max Kruse in Berlin u. von Ulfert Janssen in München. Studienaufenthalt in Paris. Hauptsächl Porträtbüsten, von denen einige in den Universitäten Halle, Berlin u. Rom Aufstellung fanden.

Buddenberg, Wilhelm, dtsch. Tier- u. Jagdmaler, * 16. 7. 1890 Trier, ansässig ebda.

Schüler der Berliner Akad.

Lit.: Dreßler.

Budell, Ada, amer. Malerin u. Illustr., * 19. 6. 1873 Westfield, N. J., ansässig ebda. Schwester der Folg.

Schülerin der Art Student's League in New York. Illustriert hauptsächlich Kinderbücher.

Lit.: Fielding. — Amer. Art Annual, 20 (1923) 459; 30 (1933). — Who's Who in Amer. Art, I: 1936/37.

Budell, Hortense, franz.-amer. Malerin, * Lyon, ansässig in Westfield, N. J. Schwester der Vor.

Schülerin der Art Student's League in New York, von John F. Carlson u. Henry B. Snell.

Lit.: Fielding. — Amer. Art Annual, 20 (1923) 459; 30 (1933). — Who's Who in Amer. Art, I: 1936/37.

Budgen, Frank Spencer, engl. Maler u. Bildhauer, * Crowhurst, Surrey, ansässig in London.

Lit.: Who's Who in Art, [3] 1934.

Budinski-Stachel, Walter, dtsch. Bildnis- u. Landschaftsmaler u. Graph., * 30. 11. 1884 Freystadt, Westpr., zuletzt ansässig in Tilsit.

Stud. an den Akad. in Königsberg u. München, Weitergebildet in Rom.

Lit.: Dreßler.

Budko, Joseph, dtsch. Maler, Rad. u. Holzschneider, * 27. 8. 1888 Plonsk (russ. Polen), ansässig in Berlin.

Stud. an der Kstschule in Wilna, an der Unterrichtsanstalt des Berliner Kstgewerbemus. u. bei Herm. Struck. Mappenwerk: Hagadah, 26 Rad. (1917). Exlibris. Buchwerke: Hagadah, Wien 1917; Das Jahr der Juden, [illegible] Rad., Frankfurt a. M. 1919; Rabbi von Bacharach ([illegible]21); Samuel Lewis, Chassidische Legende (1[illegible]); Bjalik (1923); Psalmen (1919); Der babylonische Talmud (1924). Illustrationen zu Gedichten von Bjalik.

Lit.: Dreßler. — D. Cicerone, 13 (1921) 535f. — Ex Libris, 26 (1916) [illegible]/93, m. Abb.

Budt, Victor de, belg. Figuren- u. Bildnismaler, * 1886 Gent.

Schüler von J. Delvin. Prof. an der Genter Akad. Im dort. Mus.: Bildnis der Tochter des Künstlers.

Lit.: Seyn, I 216. — De Cicerone (Haag), I (1918) 250.

Budworth, William Sylvester, amer. Maler, * 22. 9. 1861 Brooklyn, N. Y., † 1938 Mt. Vernon, N. Y.

Autodidakt. Bild im Mus. in Rochester, N. Y.

Lit.: Th.-B., 5 (1911). — Fielding. — Amer. Art Annual, 20 (1923) 459; 30 (1933). — Who's Who in Amer. Art, I: 1936/37.

Budzinski, Robert, dtsch. Bildnis- u. Landschaftsmaler, Graph. u. Märchenerzähler, * 5. 4. 1876 Klein-Schläfken, Kr. Neidenburg, zuletzt ansässig in Königsberg.

Stud. an den Akad. in Königsberg u. Berlin. 10 Exlibris-Rad., Bad Rothenfelde, Holzwarth, 1923. Beherrscht alle graph. Techniken: Lith., Holzschnitt, Rad., Kaltnadel- u. Linolschnitt.

Lit.: Das Bild, 8 (1938) 382 (Abb.), 383/86, m. 3 Abbn. — Ex Libris, 26 (1916) 119, m. Abb., 205; 27 (1917) 25; 28 (1918) 22/26. — Ostdtsche Monatsh., 14 (1933/34) 352. — Westermanns Monatsh., 147 (1929/30) 317/26, m. farb. Abbn. — Die Zeichnung, Heft 16 [1922] Abb.

Bueche, Louis, schweiz. Architekt, * 21. 2. 1880 Court, ansässig in Saint-Imier.

Stud. am Polytechnikum in Wien, dann tätig in Dresden u. Davos. Seit 1907 assoziiert mit s. Schwager Louis Bosset. Preisträger in mehreren Wettbewerben. Baute u. a. die Schweizer Volksbank in Saint-Imier u. die Landwirtschaftsschule in Courtemelon.

Lit.: Amweg, I.

Bücher, Paul, dtsch. Maler, * 25. 3. 1891 Düsseldorf, ansässig ebda.

Stud. an d. Akad. Düsseldorf.

Büchli, Werner, schweiz. Maler, * 1871, † 11. 12. 1942 Lenzburg.

Stud. in Deutschland, dann 10 Jahre lang Zeichner anatom. Präparate an der Univ. Basel. Mitarbeit an J. Kollmann's „Plastische Anatomie für Künstler“ (1901). Hist. Wandbilder in Sgraffitotechnik am Gemeindeschulhaus in Lenzburg (1904). Entwürfe im Heimatmus. Lenzburg. Weitere Wandbilder: Kantonschule in Aarau, Krematorien in Zürich, Brügg u. Aarau, Kirche in Othmarsingen.

Lit.: Lenzburger Neujahrsbll., 1944 p. 86/89 passim, m. Fotobildn. u. 4 Abbn.

Büchner, Emil, dtsch. Architektur- u. Landschaftsmaler (Aquar.), * 6. 9. 1872 Leipzig, ansässig in Gaschwitz b. Leipzig.

Schüler von C. Werner in Leipzig, dann von G. v. Hackl in München.

Lit.: Th.-B., 5 (1911). — Dreßler.

Büchner, Fritz, dtsch. Landschaftsmaler, * 1.4.1880 Pfungstadt b. Darmstadt, ansässig in Eberstadt b. Darmstadt.

Schüler von Bader in Darmstadt.

Lit.: Dreßler.

Büchner, Ludwig, dtsch. Maler u. Graph., * 27. 2. 1901 Saargemünd, ansässig in Jena.

Stud. an d. Zeichensch. u. d. Hochsch. für bild. Kste in Weimar. Studienreisen in Norddeutschland, Holland, Frankreich, Dänemark. Bildnisse, Landschaft, figürl. Kompositionen.

Büchsel-Schmidt, Luise, dtsche Malerin u. Graph., * 30.1.1896 Breslau, ansässig in Gräfentonna, Thür.

Schülerin von Sigfr. Haertel u. der Akad. in Breslau u. Königsberg.

Lit.: Dreßler.

Büchtger, Robert, dtsch. Landsch.- u. Bildnismaler, * 23.9.1862 St. Petersburg, † 1951 München.

Stud. in Petersburg, Düsseldorf, Paris u. München, wo er sich 1886 niederließ. Kollektiv-Ausstellg Mai – Juni 1920 im Alten Nat.-Mus. in München (ill. Katal.).

Lit.: Th.-B., 5 (1911. — Das Bild, 7 (1937) Beil. zu Heft 9; 8 (1938) 94, m. Abb. — Kst-Rundschau, 46 (1938) 141, m. Abb. — Velhagen & Klasings Monatsh., 50/II (1936), farb. Taf.-Abb. geg. p. 552, 560 (Text). — D. Weltkst, 11 Nr 40/41 v. 10. 10. 1937 p. 6; 16 Nr 21/22 v. 24. 5. 1942 p. 3; 17 Nr 39/44 v. 15. 10. 1942 p. 6; 21 (1951) H. 8 p. 11. — E. A. Seemann's „Meister der Farbe", Leipzig 1917, Heft 1, 928.

Bücking, Klaus, dtsch. Bildhauer, * 25. 6. 1908 Bremen, ansässig ebda.

Nach anfängl. jurist. Studien kurzes Studium an der Staatl. Kstschule Bremen. Arbeiten in Holz, Stein u. Keramik.

Büger, Adolf, dtsch. Maler, * München, ansässig ebda.

Schüler von Halm u. A. Jank. Malt anfänglich Landschaften, Akte, Tiere u. Stilleben, später auch relig. Kompositionen u. Bildnisse. Kollektiv-Ausstellgn bei Thannhauser 1918 u. im Kunstauktionshaus A. Weinmüller Nov. 1939 in München. Bedeutender Kolorist u. monumentaler Figuren- u. Landschaftsgestalter.

Lit.: Dtsche Kst u. Dekor., 41 (1917/18) 347f., m. 3 Abbn; 45 (1919/20) 275/80, m. 7 Abbn. — Westermanns Monatsh., 161 (1936/37) 479, m. Abb.; 163 (1937/38) 251, Abb. am Schluß des Bandes. — D. Weltkst, 13 Nr 46/47 v. 26. 11. 1939, p. 6; 17 Nr 9/10 v. 28. 2. 1943, p. 3.

Bühler, Gerhard, schweiz. Maler (bes. Pastellist) u. Rad., * 21.7.1868 Igis, Kt. Graubünden, † 11.2.1940 Solothurn.

Stud. an den Akad. Dresden, Karlsruhe, Berlin (bei P. Meyerheim), München (bei Raab u. O. Seitz), an der Kstsch. in Genf u. an der Techn. Hochsch. Charlottenburg. Landschaften, Bildnisse, Figürliches, Stilleben, Architektur, 2 Bilder im Mus. Solothurn.

Lit.: Th.-B., 5 (1911). — Schweiz. Zeitgen.-Lex., 1932. — D. Schweiz, 1905, p. 430/31, m. 2 Abbn; 1907, p. 236f., m. Abbn; 1911, p. 61, m. Abb. — Schweizer Kst, 1935/36, p. 47 (Abbn), 48; 1939/40 p. 103, 134 (Nachruf m. Fotobildn.); 1941/42 Heft 1 p. 3 (Abb.).

Bühler, Hans Adolf, dtsch. Maler u. Rad. (Prof.), * 4.7.1877 Steinen i. Wiesental, † 1951 auf Burg Sponeck, Baden.

Schüler von H. Thoma an der Karlsruher Akad. (1898/1908). Rom-Aufenthalt. Seit 1932 Direktor der Bad. Ksthalle in Karlsruhe. Beeinflußt von Hodler u. s. Lehrer Thoma. Phantasievoller, lyrisch gestimmter Radierer, verliert sich aber leicht in's Gedanklich-Literarische. Folge: Das Nachtigallenlied, eine symphonische Bilddichtung in 12 Kupfern (1918). Einzelblätter: Märchenbrunnen; Der junge Traum; Mädchenbildnis u. a. Die gleichen dichterischen Vorstellungen in seinen Figurenbildern mächtig: Die Königskinder; Die Hohe Zeit; Hl. Christophorus; Dem unbekannten Gott (Ksthalle Mannheim). Fresko (Prometheus) in der Halle des Kollegiengebäudes der Universität Freiburg i. B. In d. Städt. Smlg ebda: Hiob; D. Herlinsaltar; Bildn. d. Komponisten Jul. Weismann. In der Gem.-Gal. Stuttgart: Bildnis d. Gattin d. Kstlers (1909); in d. Ksthalle Karlsruhe: Beweinung (Tempera, 1910); in d. Nat.-Gal. Rom: Fegfeuer (Tempera, 1913). 5 Wandgem. im Bürgersaal des Karlsr. Rathauses. — Modelle für die Majolikamanuf. Karlsruhe: Pietà; Büste Dr. Rees. — Umfassende Kollektiv-Ausst., veranstaltet von d. Hans-Thoma-Gesellsch. in Frankfurt a. M., Januar 1933. Buchwerk: Das innere Gesetz der Farbe, 1930.

Lit.: Th.-B., 5 (1911). — Dreßler. — Herm. Eris Busse, H. A. B. (Heimatbl. „Vom Bodensee zum Main" Nr 38), Karlsruhe 1931. — Ekkhart, Kalender f. d. Badner Land, 1921 p. 63/68. — Das Bild, 4 (1934) farb. Taf. geg. p. 365, Beibl. zu H. 3, p. 2; 5 (1935) Taf.-Abb. vor p. 169, 265, 363 (Abb.), 393/97, m. Abbn. — Dtsche Bildkunst, 1 (1931) H. 1 Abb. vor p. 3, H. 2 p. 3/7, m. 2 Abbn; 2 (1932) H. 5, p. 4f., m. Abb. — D. Cicerone, 6 (1914) 21. — Exlibris, 26 (1916) 185. — Bad. Heimat, 3 (1916) 165/88, m. Abb.; 10 (1923) Tafelabb. 3, 15. — Mein Heimatland, 17 (1930) 268/69; 23 (1936) 136/40. — Die Kunst, 27 (1912/13) 38, m. Abb.; 29 (1913/14) 193 –204; farb. Taf. u. 12 Abbn; 43 (1920/21) 265ff., m. Abbn; 55 (1926/27), Beibl. Februarh. p. IX, Aug.-H. p. XVIIIf.; 1936/37, Beibl. zu H. 9 p. 9f.; D. Kst u. d. schöne Heim, 50 (1951) Beil. p. 62. — Oberrhein. Kst, 4 (1930) Beibl. p. 11. — Niedersachsen, 38 (1933) 388. — Velhagen & Klasings Monatsh., 37/II (1922/23) 617, m. Abbn; 38/II (1923/24) farb. Taf. geg. p. 616, 669f.; 42/I (1927/28) 657/60, m. 5 farb. Abbn; 43/II (1928/29) Taf. geg. p. 241, 358. — Westermanns Monatsh., 137 (1924/25) 457ff., m. 17 Abbn; 158 (1935) 481/89, m. Abbn. — The Studio, 96 (1928) 64f. (Abbn). — D. Türmer, 25/I (1920/21) 289/91. — Dtsch. Volkstum, 20 (1918) 19/21, m. Abbn. — Die Westmark, 1934/35, H. 9 (Juni 1935) 484/87.

Bühler, Hans Eduard, schweiz. Maler (Aquar. u. Pastell) u. Graphiker.

Erster Zeichenunterricht am Technikum in Winterthur. Lernte das Radieren bei Greuter, 1916 bei Corinth in Berlin, 1917 in Winterthur u. Genf. Hauptsächlich Akte u. Pferde. Illustr. zum Todspieler von Münchhausen. Tierskizzen, 15 Orig.-Rad., Neumann, Berlin.

Lit.: Jahresber. 1916/17 Kstver. Winterthur, p. 8. — D. Graph. Kabinett (Winterthur), 1919, p. 16, 18.

Buehler, Lytton, amer. Maler, * 1888 Gettysburg, Pa., ansässig in New York.

Schüler der Pennsylvania Acad. of Fine Arts in Philadelphia, Pa. Herrenbildnis in d. Public Library in Canandaigua, N. Y.

Lit.: Fielding. — Amer. Art Annual, 12 (1915); 20 (1923) 459.

Bührer, Hans, schweiz. Maler, * 22.10. 1907 Zürich, ansässig in Neuhausen.

Stud. an der Kstgewerbesch. in Zürich u. bei Rudolf Mülli. Figürliches, Landschaften.

Lit.: Pro Arte (Genf), 2 (1943) 304, m. Abb.

Bühring, Carl James, dtsch. Architekt (Stadtbaurat, Dr. Ing h.c.); * 11.5.1871 Berlin, † Januar 1936 Leipzig.

Stud. an den Techn. Hochsch. Charlottenburg u.

Braunschweig. 1906 Leiter des Hochbauamtes Berlin-Weißensee, Gemeindebauten ebda. 1915/24 Leiter des Hochbauamtes Leipzig. Siedlungsbauten ebda. Preisträger in zahlr. Wettbewerben.

Lit.: Dreßler. — Dtsche Bauzeitung, 55 (1921) 90ff., m. Abbn, 93ff., m. Abbn; 58 (1924), m. Abbn. — Die Kstwelt, 1 (1912) 330ff., m. Abbn. — Der Profanbau, 1919, p. 189ff., m. Abbn. — Leipz. N. Nachr. v. 3. 1. 1936.

Büker, Willy, dtsch. Bildnis- u. Landschaftsmaler, * 26.6.1886 Bützfleth, ansässig in München.

Schüler von A. Jank u. Caspar in München.

Lit.: Dreßler.

Bükkerti, Mariska, ungar. Malerin u. Kunstgewerblerin, * 1895 Budapest.

Stud. bei A. Edyi Illés u. I. Révész in Budapest, als Kunstgewerblerin bei Rob. Nadler. Stilleben, Landschaften (Öl u. Aquar.).

Lit: Szendrei-Szentiványi. — Krücken-Parlagi.

Buell, Alice Standish, amer. Radiererin, * 4. 2. 1892 Oak Park, Ill., ansässig in Whiteplains, N. Y.

Stud. an d. Art Student's League in New York u. bei Martin Lewis.

Lit.: Who's Who in Amer. Art, I: 1936/37. — Mallett. — The Print Coll.'s Quarterly, 25 (1938) 273 (Abb.). — Monro.

Bülow, Agnes von, geb. *Salomon,* dtsche Malerin u. Graph., * 6. 5. 1884 Hamburg, ansässig in Brüssel. Gattin des Joachim von B.

Schülerin v. A. Jank u. Landenberger in München.

Lit.: Dreßler. — E. A. Seemanns „Meister der Farbe", 12 (1915) p. 101 (Abb.).

Bülow, Folke, schwed. Maler u. Graphiker, * 1905 Motala, ansässig ebda.

Stud. an Blombergs Malschule, an der Akad. Stockholm u. in Paris. Figürliches u. Stadtansichten (bes. Wintermotive). Wandbilder mit Szenen aus der Fritjofsage im Gasthaus Gamla in Uppsala.

Lit.: Thomœus.

Bülow, Joachim von, dtsch. Landschafts- u. Blumenmaler (Dr. jur.), * 11.12.1877 Breslau, ansässig in Brüssel. Gatte der Agnes.

Stud. in Paris. Hauptsächlich Bildnisse, Blumenstücke u. Wandbilder. Stellte 1907/27, damals in Paris ansässig, im Salon d'Automne aus.

Lit.: Th.-B., 5 (1911). — E. A. Seemanns „Meister der Farbe", 12 (1915) Hefte, 6, 7, 9, 11, 12.

Bülow-Hübe, Runa, geb. *Ekwall,* schwed. Malerin u. Bildhauerin, * 1890 Romanö, Småland, ansässig in Malmö.

Schülerin von Milles an der Akad. Stockholm. Blumenstücke in Aquarell, Kleinplastik, Porträtbüsten, Kinderreliefs.

Lit.: Thomœus.

Büning, Wilhelm, dtsch. Architekt (Prof.), * 4.4.1881 Borke i. W., ansässig in Charlottenburg.

Stud. an den Techn. Hochschulen München, Charlottenburg, Dresden. Prof. an den Ver. Staatsschulen für freie u. angewandte Kunst in Berlin u. an der Techn. Hochschule Charlottenburg. Siedlungen (u. a. in Berlin-Reinickendorf für die Heimstättengesellschaft „Primus"), Einzelwohnhäuser. Buchwerk: Bauanatomie, Berlin 1928.

Lit.: Dreßler. — Die Kunst, 52 (1924/25) 297ff., m. Abbn. — Kst u. Kstler, 29 (1930/31) 273 (Abb.). — D. Kstblatt, 11 (1927) 246.

Bueno y Jimeno, José, span. Figurenbildhauer, * Zaragoza, ansässig in Madrid.

Stud. an d. Spezialkunstsch. in Zaragoza. Ehrenvolle Erwähnung auf der Expos. gen. 1906. Stellte in der Nat. Kstausst. Madrid 1915 einen weibl. kolossalen Akt (La Tarde), 1917 eine dreifig. Gruppe: Humanidad, aus.

Lit.: Francés, 1915, p. 146; 1917, p. 55, 292, 294, Abb. p. 295. — Arte Aragonés (Saragossa), 1913, Jan.-Heft, m. 2 Abbn. — Cat. Expos. Nac. de Pint. etc., 1910ff.

Bueno, Pedro, span. Maler, * Juli 1910 Villa del Rio (Córdoba).

Stud. an der Kunstschule Madrid.

Lit.: Si (Madrid), II Nr 80 v. 11. 7. 1943, p. 7, m. Fotobildn. — The Studio, 136 (1948) 83 (Abbn).

Bueno, Xavier, span. Figurenmaler, * Vera de Navarra, ansässig in Paris.

Beschickt seit 1937 den Salon d'Automne u. den Salon des Tuileries.

Lit.: Bénézit, [2] 1949. — Beaux-Arts, 76me année Nr 329 v. 21. 4. 1939 p. 3 (Abb.).

Bünz, Otto, dtsch. Architekt u. Fachschriftst., * 2.3.1881 Berlin, ansässig ebda.

Stud. an den Techn. Hochschulen Darmstadt u. München. Städtebau, Hochbau, Innenbau. Buchwerke: Städtebaustudien, Darmstadt 1908/10; Städtebau in Rom, Berlin 1925 u. 1928; Städtebau u. Landesplanung, Berlin 1928. Sonderausst. Berlin 1925.

Lit.: Dreßler. — Dtsche Bauzeitung, 59/I (1925) 11f.

Bürck, Paul, dtsch. Maler, Graphiker u. Kstgewerbler, * 3. 9. 1878 Elberfeld, ansässig in München.

Stud. an der Kstgewerbesch. in München. 1899 nach Darmstadt an die Künstlerkolonie berufen. Seit 1904 Lehrer an der Kstgewerbe- u. Handwerkersch. in Magdeburg. Seit 1908 in München ansässig. Bildnisse, Landschaften, dekor. Wandgemälde (Akte). Radierte Folgen: Totentanz; Ital. Volksleben. Entwürfe für Buchschmuck, Teppiche, Tapeten u. Webereien. Sammelausst. von Kriegszeichnungen im Kölner Kstverein im Sommer 1915. Kollektiv-Ausst. von Bildern der Jahre 1917/20 in der Gal. Baum in München, April 1920. Bilder im Mus. in Magdeburg u. in den Smlgn in Essen u. Nürnberg. Wandgem. i. d. Borstei in München.

Lit.: Th.-B., 5 (1911). — Dreßler. — Die Kunst, 29 (1913/14) 205 (Abb.), 210; 85 (1941/42) 155/57, m. Abbn bis p. 159. — Kst- u. Antiquit.-Rundsch., 42 (1934) 437, m. Abb. — Dtsche Kst u. Dekor., 33 (1913/14) 297/99, mit Abbn bis p. 304. — Kstchronik, N. F. 26 (1914/15) 454. — E. A. Seemanns „Meister der Farbe", 15 (1918) 8002, Heft 4. — Velhagen & Klasings Monatsh., 38/I (1923/24) farb. Taf.-Abb. geg. p. 577, Text p. 687f.; 40/I (1925/26) Taf.-Abb. geg. p. 424, 474; 41/II (1926/27) Taf.-Abb. geg. p. 480; 48/II (1934) 72/73 (Taf.-Abbn) 112; 51/II (1937) 587 (Abb.).

Büren, Nathalie de, schweiz. Bildhauerin, * 29. 1. 1903 Argentinien, ansässig in Genf.

Stud. an der Genfer Ec. d. B.-Arts u. bei James Vibert. Bereiste 1938/39 die Antillen.

Lit.: Schweiz. Zeitgen.-Lex., 1932.

Bürger, Fritz, dtsch. Bildhauer u. Maler (Dr. phil.), * 28.5.1888 Hamburg, ansässig ebda.

Schüler von Knirr an der Münchner Akad., von Fehr in Karlsruhe, von Luksch u. A. Illies in Hamburg. Hauptsächlich Porträtist. Im Allgem. Krankenhaus in Eppendorf: Bildnis Prof. Plaut. Buchwerk: Die Gensler, Straßbg 1906.

Lit.: Dreßler. — Die Kunst, 71 (1934/35) 341 (Abb.), 342. — Kst-Rundschau (Hamburg), 1 (1924), Nr 4/5 p. 29. — D. Kreis (Hambg), 3 (1926) 548/51, Abbn geg. p. 545 u. 560.

Bürger, Hugo, dtsch. Bildhauer u. Metallbildner, * Berlin, ansässig in Paderborn.

Schüler von Eberle u. Balth. Schmidt an der Münchner Akad. Mehrere Arbeiten darunter ein Christus u. Abendmahlsdarstellung, in der Ev. Garnisonkirche u. Kriegergedächtnis-Halle in Allenstein, Ostpr.

Lit.: Dreßler. — Zentralbl. der Bauverwaltung, 39 (1919) 43.

Bürger, Peter, dtsch. Bildhauer, * 29.7. 1880 Köln, ansässig ebda.

Schüler von Dorenbach u. Stockmann in Köln, 1900/07 der Düsseldorfer Akad. Standbild des Ministerpräsid. v. Manteuffel in Lübben; Puttenfigur im Stadthaus in Köln; Marmorbüste Prof. Otto Fischer im Ostasiat. Mus. ebda; Hochrelief: Der Verlorene Sohn, im Waisenhaus in Köln-Sülz.

Lit.: Dreßler.

Bürger-Diether, Paul, holl. Maler u. Rad., * 1. 9. 1886 Tegal auf Java, ansässig in Paris.

Schüler von Carl Sierig im Haag, seit 1901 an der Haager Akad. unter Nepreu u. Fritz Jansen, weitergebildet in Düsseldorf bei Adolf Maennchen u. L. Keller u. in Karlsruhe bei L. Schmid-Reutte. Beeinflußt von Hans Thoma. 1906 in Stockholm, beraten von C. Larsson u. Wilhelmson, 1906/08 in Genf, 1908/11 in Zürich, seitdem in Paris ansässig. Figürliches, Bildnisse.

Lit.: Brun, IV 77.

Bürgerling, Franz, dtsch. Bildhauer u. Medailleur, * 12.8.1884 München, ansässig ebda.

Stud. an der Holzschnitzsch. in Berchtesgaden, der Kstgewerbesch. u. der Akad. in München. Kriegerdenkmäler in Reichenhall u. in Anger bei Bad Tölz.

Lit.: Dreßler. — Kst u. Handwerk, 1912, p. 175, 181 (Abb.). — Die Christl. Kst, 19 (1922/23) 155 (Abb.), irrig Hans; 23 (1926/27) 285.

Buergerniss, Carl, amer. Wand- u. Bildnismaler, * 30. 12. 1877 Philadelphia, Pa., ansässig in Westmont, N. J.

Schüler der Pennsylvania Acad. in Philadelphia.

Lit.: Who's Who in Amer. Art, I: 1936/37.

Bürgers, Felix, dtsch. Landschaftsmaler (Prof.), * 15.7.1870 Köln, † 18.8.1934 Dachau b. München. Gatte der Folg.

Schüler von A. Hölzel in Dachau, von Schmid-Reutte in Karlsruhe u. von O. Reiniger in Stuttgart. Seit 1900 in Dachau. Gehört zu den Hauptvertretern der Neu-Dachauer Schule. Kollektiv-Ausst. in d. Gal. Heinemann, München, Mai/Juni 1920 u. im Münchner Kstverein Januar 1926. Gedächtnis-Ausst. im Münchner Kstverein 1935. Bilder u. a. im Wallraf-Rich.-Mus. in Köln, in der Staatsgal. München u. im Bes. des Bayer. Staates.

Lit.: Th.-B., 5 (1911). — Dreßler. — D. Kunst, 65 (1931/32) 372 (Abb.); 67 (1932/33) 355 (Abb.); 71 (1934/35) 353/56, m. Abb. bis p. 357; 72 (1934/35) Beibl. zu Heft 1 p. 1. — Kst-Rundschau, 43 (1935) 161f. — D. Weltkst, 8 Nr 34 v. 26. 8. 1934 p. 4. — Westermanns Monatsh., 157 (1934), farb. Abb. am Schluß des Bandes.

Bürgers-Laurenz, Gertrud, dtsche Bildnismalerin, * 1.9.1874, zuletzt ansässig in Hannover. Gattin des Vor.

Schülerin von Skarbina in Berlin, von Habermann in München u. von Schmid-Reutte in Karlsruhe. Bis 1934 in Dachau ansässig. Bilder u. a. im Kestner-Mus. in Hannover.

Lit.: Th.-B., 5 (1911).

Büsser, Eduard, schweiz. Graphiker, ansässig in St. Gallen. Bruder des Folg.

Lit.: Dreßler. — Schweizer Kunst, 1933/34, p. 51 (Abb.).

Büsser, Josef, schweiz. Bildhauer, ansässig in St. Gallen. Bruder des Vor.

Lit.: Dreßler. — 1. Jahresgabe d. „Societas Sancti Lucae", Basel 1927. — Schweizer Kst, 1933–34, p. 52 (Abb.).

Büter, Bernhard, dtsch. Maler, * 14.3. 1883 Groß-Beessen, ansässig in Düsseldorf.

Stud. an d. Akad. Düsseldorf.

Büttner, Erich, dtsch. Maler u. Graph., * 7.10.1889 Berlin, † 7.9.1936 Freiburg i. B.

Stud. 1906/11 bei E. Orlik an der Unterrichtsanstalt des Berliner Kunstgewerbemuseums. Begann als Gebrauchsgraph. Mitglied der Berl. Sezession. Vielseitiger Künstler: als Maler hauptsächlich Porträtist (Arno Holz, Klabund, Franz Evers, Rud. Presber u. a.) u. Landschafter. Zahlreiche Exlibris, Buchumschlagblätter, Entwürfe für Stickereien (ausgef. von Elsa Hoffmann). Anfängl. dunkel gestimmte Palette, später Aufhellung im Zusammenhang mit pleinairist. Tendenzen, schließlich Hinneigung zu einem gemäßigten Expressionismus. In der Berl. Nat.-Gal.: Das Gartenhaus. Im Suermondt-Mus. in Aachen ein Bildnis des Graph. u. Kstgelehrten Joseph Kern; in der Mod. Gal. Darmstadt: Bergpredigt. — Mappenwerke: „Exlibris", 1921, u. „Neue Exlibris", 1923 (Verlag Friedr. Kutz, Berlin). — Buchwerk: Ein Berliner Bilderbuch, Verlag E. Heyder, Berlin-Zehlendorf 1924. Graph. Einzelblätter: Frühling (Lith.); Universitätsgarten (Rad.); Grunewald (Rad.); Bahnbau auf dem Tempelhofer Feld (Rad.). — Gedächtnis-Ausst. Okt. 1947 in der Buchhandlung Nowicki, Berlin-Neukölln.

Lit.: Dreßler. — D. Cicerone, 7 (1915) 159. — Ex-Libris, 26 (1916) 25; 33 (1923) 32ff., m. Abbn; 35 (1925) Mitteil. p. 15f. — D. graph. Künste, 54 (1931) 24, 42 (Abb.). — D. Kunst, 37 (1917/18) 117, 120 (Abb.), 434 (Abb.); 43 (1920/21) 44 (Abb.); 45 (1921/22) 159/68, m. Abbn; 75 (1936/37), H. 2, Beil. p. 8. — bild. kunst, 1 (1947) H. 6, p. 25. — Dtsche Kst u. Dekor., 36 (1915) 301 (Abb.); 37 (1915/16) 269, m. Abbn bis p. 272 (Abb.); 39 (1916/17) 309/20, m. Abbn bis p. 330; 43 (1918/19) 107/08, m. Abbn bis p. 116; 44 (1918/19) 170, 177 (Abb.), 184; 55 (1924/25) 178/83, m. Abbn; 57 (1925/26) 311 (Abb.); 65 (1929) 229 (Abb.). — D. Kstwanderer, 1921/22, p. 185, 476; 1925/26, p. 291. — Licht u. Schatten, 1913/14 Nr 21 (Abbn). — Velhagen & Klasings Monatsh., 39/I (1924–25) p. 473/88, m. 10 farb. Abbn; 43/I (1928/29) farb. Abb. p. 595, 596; 46/II (1931/32) farb. Taf.-Abb. geg. p. 412, 480; 50/I (1925/26) 576. — D. Weltkst, 10 Nr 37/38 v. 20. 9. 1936, p. 6. — Neues Deutschland, v. 12. 8. 1947.

Büttner, Werner, dtsch. Landschaftsmaler, * 27.3.1915 Gotha, ansässig in Halle.

Stud. Jura. Als Maler Autodidakt. Die anfangs stark impressionist. Art seiner Bilder wandelte sich zu einer vereinfachten Darstellungsweise. In öff. Besitz: Moritzburgmus. Halle (Burg Giebichenstein); Landesregierung Sachsen-Anhalt (Hallesches Gaswerk); Provisor. Volkskammer Sachsen (Stadtrand). 1949 Preis für das beste Bild eines Industriewerkes auf der Landeskstausst. Sachsen-Anhalt. *J.*

Bufano, Beniamino, ital.-amer. Bildhauer, * 1898, ansässig in San Francisco.

Stud. in New York. Aufenthalte in Cambodja, auf Java, Sumatra u. in China. Östl. Einflüsse deutlich in seinem Werk. Bildnisbüsten, Gartenfiguren u. -gruppen.

Lit.: The Studio, 92 (1926) 406/09, m. 5 Abbn. — The Art News, 23 (1924/25) Nr 14 p. 3. — Parnassus (New York), 1936, Jan.-H. p. 3ff. passim. — Art Digest, 16, Nr v. 1. 1. 1942 p. 6. — Newsweek, 24, Nr v. 23. 10. 1944, p. 105f. — Arts a. Architecture (Los Angeles), 65, Jan. 1948, p. 29 (Abb.). — Carnegie Magaz. (Pittsburgh), 26 (1952) 139 (Abb.).

Bufe, Eduard, dtsch. Maler, ansässig in Münster, Westf.

Wandgemälde in der Hanse-Trinkstube des neuen Ratskellers zu Münster.

Lit.: Heimatblätter der Roten Erde, 4 (1925) 114ff., m. 7 Abbn.

Buff, Conrad, schweiz. Maler u. Lithogr., * 15. 1. 1886, ansässig in Los Angeles, Calif.

Stud. in München. Wiederholt durch Preise ausgezeichnet. Hauptsächl. Wandmalereien (u. a. in der Kirche in Latter Day Saints).

Lit.: Who's Who in Amer. Art, I: 1936/37. — Art Digest, 19, Nr v. 1. 4. 1945, p. 34 (Abb.). — Monro.

Buffa, Giovanni, ital. Maler, Entwurfzeichner f. Glasmalerei, Illustr. u. Bildhauer, * 10. 10. 1871 Casale Monferrato, ansässig in Mailand.

Schüler der Brera-Akad. Bildnisse, Figürliches, Tierbilder. Gründete 1900 eine Werkstatt für Glasmalerei, aus der u. a. die Fenster mit Szenen aus dem Leben des hl. Karl Borromäus im Dom zu Mailand hervorgingen. In d. Gall. d'Arte Mod. in Mailand Bildnisse des Giov. Beltramè u. des Bassano Danielli. Im Cimitero in Pogliano ein Fresko. Illustr. zu: „Teresa" von Necra, „Preludio" von Fr. Chiesa, zu einem Gedichtband von Lucini, zu Dante's „Divina Commedia", usw. Bildhauer. Arbeiten: Eva (Marmor); Entwurf zu einem Denkmal für Don Dosco; Entwürfe zur Ausschmückung der Seitenportale des Mailänder Domes.

Lit.: Th.-B., 5 (1911). — Comanducci, m. Abb. — Vita d'Arte, 15 (1916) 5, 19 (Taf.). — Emporium, 46 (1917) 227/40, m. zahlr. Abbn. — The Studio Year Book 1920, p. 79 (Abb.).

Buffel, Gustave, belg. Landschafts- u. Marinemaler, * 1886 Loo, Westflandern.

Schüler von Flori van Acker u. G. de Sloovere an der Brügger Akad.

Lit.: Seyn, I.

Buffet, Amédée, franz. Genre- u. Landschaftsmaler, * 30. 7. 1869 Paris, † Herbst 1933 ebda. Bruder des Malers Paul B. (* 1864).

Schüler von J. Lefebvre u. T. Robert-Fleury. Mitglied der Soc. d. Art. Franç. (Salon-Kat. z. T. m. Abbn). — Bilder u. a. in den Museen Carcassonne, Le Puy u. Marseille.

Lit.: Th.-B., 5 (1911). — Bénézit, [2] 2 (1949). — Joseph, 1. — Notes d'Art et d'Archéol., 1914, Januar-Nr (Tafelabb.). — Revue de l'Art, 64 (1933), Bull. p. 409.

Buffet, Bernard, franz. Maler u. Graphiker, * 10. 7. 1928 Paris, ansässig ebda.

Stud. kurze Zeit an d. Ecole d. B.-Arts, im übrigen Autodidakt. Seit 1947 Mitglied des Salon d'Automne. Stellt auch bei den Indépendants aus. 1948 Grand Prix de la Critique. Kollektiv-Ausst. 1951 in d. Gal. Lefevre, London. Bild im Mus. of Mod. Art in New York.

Lit.: Bénézit, [2] 2 (1949). — D. Kstwerk, 5 (1951) H. 1, p. 64 (Abb.). — D. Kst u. das schöne Heim, 49 (1951) Beil. p. 178. — Weltkst, 21 (1951) H. 9, p. 8.

Buffet, Etienne, franz. Genre- u. Bildnismaler, * Paris, ansässig ebda.

Schüler von Franck Bail, Laparra, Alb. u. P. Laurens. Mitglied der Soc. d. Art. Franç. (Salon-Kat. 1903ff., z. T. m. Abbn). Ehrenvolle Erwähnung 1938.

Lit.: Joseph, 1. — Bénézit, [2] 2 (1949).

Buffin, Carlos, franz. Maler, * Tourcoing, fiel im 1. Weltkrieg 1914/18.

Schüler von G. Moreau u. H. Levert. Mitgl. d. Soc. d. Art. Franç., beschickte deren Salon seit 1907. Hauptsächl. Marktszenen u. Landschaften.

Lit.: Bénézit, [2] 2 (1949).

Buffin, Louis, franz. Landschafts- u. Bildnismaler, * Tarbes, ansässig in Bagnères-de-Bigorre (Hautes-Pyrénées).

Stellt seit 1924 bei den Indépendants in Paris aus.

Lit.: Joseph, I. — Bénézit, [2] II.

Buffin, René Joseph Pierre, franz. Maler, * 13. 6. 1902 Tourcoing (Nord), ansässig ebda.

Schüler von Gran u. E. Maxence. 1931 Reisestipendium. Mitglied der Soc. d. Art. Franç. (Salon-Kat. z. T. m. Abbn). Hauptsächl. Interieurs, Landschaften u. Marktszenen.

Lit.: Joseph, I. — Bénézit, [2] II (irrig: Paul).

Buffington, Eliza, amer. Malerin u. Illustr., * 16. 11. 1883 Springfield, Mass., † 1938 Madison, N. J.

Schülerin von Arthur W. Dow, Denman Ross, Nicolai Fechin u. Harvey Dunn.

Lit.: Amer. Art Annual, 30 (1933). — Who's Who in Amer. Art, I: 1936/37.

Buffington, Ralph Meldrim, amer. Zeichner u. Architekt, * 7. 2. 1907 White Sulphur, Ga., ansässig in Pendergrass, Ga.

Entwürfe für d. Kasino im Indian Springs State Park in Indian Springs, Ga., u. für das Gaston County-Kriegsdenkmal in Gastonia, N. C.

Lit.: Who's Who in Amer. Art, I: 1936/37.

Buffon, Nadille de, franz. Bildhauerin, * Rennes, ansässig in Paris.

Schülerin von Chapu u. Puech. Stellte zwischen 1897 u. 1933 im Salon der Soc. d. Art. Franç. aus.

Lit.: Bénézit, [2] 2 (1949).

Buffum, Katharine, amer. Illustratorin, * 1884 Providence, R. I., † Dez. 1921 Philadelphia, Pa.

Schülerin der Pennsylvania Acad. of Fine Arts in Philadelphia. Hauptsächl. Silhouettenkünstlerin.

Lit.: Fielding.

Bugatti, Rembrandt, ital. Tierbildhauer, * 1885 Mailand, † 10. 1. 1916 Paris.

Schüler s. Vaters, des Möbeltischlers u. Raumkünstlers Carlo B. Neffe Giov. Segantini's. Ging 1906 über Antwerpen nach Paris. Frühreifes Talent. Beeinflußt von Troubetzkoij. Impressionist. Meister in der Erfassung der momentanen Bewegung des Tieres (Raubkatzen, Wild, Bären, Elefanten, Zugpferde, Pelikane, Marabu). Gelegentlich auch Akte.

Lit.: Th.-B., 5 (1911). — Joseph, 1. — Bénézit, [2] 2. — L'Art décor., 12 (1904) 61/66. — Art et Décor., 34 (1913) 157/64, m. 12 Abbn. — Chron. d. Arts, 1914–16 p. 237; 1920 p. 105. — Pagine d'arte, 4 (1916) 3, 10f., m. Fotobildnis. — Vita d'arte, 1915 p. 157/63. — Le Temps, 3. 6. 1920. — Boll. d'arte, ser. II, anno 3 (1923/24) p. 497, m. 4 Abbn. — Amer. Art News, 14 (1915/16) Nr 15 p. 4. — The Connoisseur, 84 (1929) 334. — Bull. de l'Art, 1927 p. 326 (Abb.). — Apollo (London), 10 (1929) 312f., m. 2 Abbn. — La Renaiss. de l'Art franç., 6 (1923) 67; 8 (1925) 443 (Abb.).

Bugiani, Pietro, ital. Landsch.-, Figuren- u. Porträtmaler, * um 1900 Pistoja, lebt ebda.

Anfänglich Stuben- u. Dekorationsmaler. Nach Berührung mit Giov. Costetti Übergang zur Kunst, selbständig weitergebildet durch das Studium der alten Kirchenfresken. Volkstümlicher Charakter seiner Malerei. Kollekt.-Ausstellgn 1931 in Berlin (Toskan. Ausst. „L'Arco"), 1942 im Salon „Ponte" in Florenz.

Lit.: Emporium, 69 (1929) 175 (Abb.); 96 (1942) 360, 363 (Abb.). — Die Kunst, 63 (1931) 265/67, m. 3 Abbn.

Bugnon, Berthe, franz. Veduten- u. Architekturmalerin u. Rad., * Paris, ansässig in Versailles.

Stellt seit 1912 bei den Indépendants aus.

Lit.: Joseph, I. — Bénézit, ² II.

Buhe, Walter, dtsch. Maler, Graphiker u. Plakatkstler (Prof.), * 26.5.1882 Aschersleben, ansässig in Leipzig.

Schüler von E. Orlik an der Unterrichtsanstalt des Berliner Kunstgewerbemus. Studienreisen in Litauen, Polen, Rumänien, Ungarn, Tschechoslowakei. 1912–15 Lehrer an der Kstschule in Berlin, 1920/45 Professor an der Akad. für Graph. Künste u. Buchgew. in Leipzig. Farbige Holzschnitte. Als Maler (Öl, Tempera) hauptsächlich Landschafter. Glasfenster im Stadtmus. in Aschersleben.

Lit.: Th.-B., 5 (1911). — Dreßler. — Dtsche Arbeit, 34 (1934) 348f. — Archiv f. Buchgew. u. Graphik, 69 (1932) 199/214. — Exlibris, 26 (1916) 200f., m. Abb. — Gebrauchsgraphik, 1 (1924/25) H. 1, p. 97. — Die Kunst, 53 (1925/26) Beil. z. Junih., p. XIV. — Dtsche Kst u. Dekor., 49 (1921) 250ff., m. Abbn. — Das Plakat, 6 (1915); 7 (1916) Märzh., m. 3 farb. Taf. u. 16 Abbn im Text; 8 (1917) 106f. (Abbn), 108f., m. Abbn, 117. — D. Weltkst, 16 Nr 23/24 v. 7. 6. 1942, p. 3. — Zeitschr. f. bild. Kst, 60 (1926/27), Kstchronik, p. 66.

Buhl, Bernhard, dtsch. Maler, * 21.3. 1870 Hamburg, ansässig in Dresden.

Schüler von Fritz Schaper in Hamburg. Bildnisse, Stilleben, Landschaften (Öl u. Aquar.).

Buhl, Martha, dtsche Landsch.- u. Blumenmalerin u. Graph., * Stuttgart, ansässig in München.

Stud. an d. Akad. in Stuttgart bei Pankok u. Püttner. Kollektiv-Ausst. März 1941 im Münchner Kstverein.

Lit.: Dreßler. — Karl, 2 (1929), m. 5 Abbn.

Buhot, Jean, franz. Interieur-, Veduten- u. Bildnismaler, * Paris, ansässig ebda.

Stellt seit 1911 bei den Indépendants aus.

Lit.: Joseph, I. — Bénézit, ² II.

Buhtz, Walter, dtsch. Bucheinbandkünstler, * 15.10.1872 Magdeburg, ansässig ebda.

Silb. Med. St. Louis 1904, Gold. Med. Magdeburg 1904 u. 1926.

Lit.: Dreßler.

Bujados, Manuel, span. Zeichner, Plakatkünstler u. Dichter, * um 1895 in Galicien.

Kapriziöser Zeichner. Beeinflußt von den engl. Präraffaeliten u. Aubrey Beardsley. Exlibris, Frontispize, Buchschmuck.

Lit.: Francés, 1915 p. 19/21; 1916 p. 5 (Abb.), 164, m. Abb.; 1917 p. 5 (Abb.), 15 (Abb.); 1919 p. 5 (Abb.), 59 (Abb.); 1921 Taf. XVII.

Buisman, Hendrik, holl. Bildnismaler, * 1. 1. 1873 Wieringerwaard, ansässig in Haarlem.

Schüler von A. Le Comte u. den Akad. Haag und Antwerpen. Konservator des Teyler-Mus. in Haarlem.

Lit.: Th.-B., 5 (1911). — Plasschaert. — Waay.

Buisseret, Louis, belg. Maler u. Graph., * 1888 Binche (Hennegau).

Stud. an den Akad. Brüssel u. Mons bei Em. Motte, H. Richir u. Jean Delville. 1910 zweiter Rompreis als Maler, 1911 erster Rompreis als Rad. Seit 1931 Direktor der Akad. in Mons. Bildnisse, Interieurs. Knüpft an die Ingres-Tradition an. Stellte 1926 mehrere Bildnisse im Brüsseler Salon „Pour l'Art" aus. Im Mus. Brüssel: Im Atelier.

Lit.: Seyn, I, m. Fotobildnis. — La Revue d'Art (Antw.), 30 (1929) 216. — The Studio, 92 (1926) 143, m. Taf.-Abb.; 96 (1928) 127 (Abb.). — Die Kunst, 67 (1933) 8 (Abb.). — Velhagen & Klasings Monatsh., 43/I (1928/29), farb. Taf. geg. p. 249, p. 359.

Buisson, Catherine, franz. Malerin, * Paris, ansässig ebda.

Stellt seit 1923 bei den Indépendants aus. Landschaften, Stilleben, Blumenstücke, Bildnisse, Akte, Interieurs.

Lit.: Joseph, I. — Bénézit, ² II.

Buisson, Léon, franz. Bildhauer, * Paris, ansässig ebda.

Schüler von P. Lecourtier, A. Moreau u. Delépine. Mitgl. der Soc. d. Art. Franç., beschickt deren Salon seit 1908.

Lit.: Bénézit, ² 2 (1949).

Buisson, Marguerite, franz. Landschafts- u. Blumenmalerin, * Langres, ans. in Paris.

Schülerin von Jul. Adler u. P. A. Laurens. Mitglied der Soc. d. Art. Franç., beschickt deren Salon seit 1924. Silb. Med. Pariser Weltausst. 1937.

Lit.: Joseph, 1. — Bénézit, ² 2 (1949).

Buisson, Thérèse, franz. Landschafts- u. Blumenmalerin, * Urbigny-sur-Nère (Cher).

Schülerin von F. Sabatté. Mitgl. d. Soc. d. Art. Franç., beschickt deren Salon seit 1931.

Lit.: Bénézit, ² 2 (1949).

Bukowiezkij, Jewgenij Jossifowitsch, russ. Maler, * 1866.

Bild („Bei den reichen Verwandten") in d. Tretjakoff-Gal. Moskau (Kat. 1912 Nr 887).

Bulakowski, S., sowjet. Bildhauer, * 1880, † 1937.

Mitglied der 1926 gegründeten ORS (Verband der russ. Bildhauer).

Lit.: Encykl. d. Union d. Soz. Sowjetrepubliken, 2 (1950).

Bulcke, Emile, belg. Maler, bes. Miniaturist, * 1875 Ostende.

Schüler von Edm. van Hove an der Brügger, von Portaels u. Stallaert an der Brüsseler Akad., weitergebildet bei L. Bonnat an der Pariser Ec. d. B.-Arts.

Lit.: Seyn, I, m. Fotobildnis.

Bulcock, Percy, engl. Lithogr., * 1877 Norton, † 1914 Liverpool.

Schüler von G. E. Moira. Lehrtätig an der Kunstschule in Liverpool.

Lit.: Kat. Walker Art Gall., Liverpool 1927.

Bulder, Nicolaas, holl. Buchillustrator, Holzschneider u. Rad., * 29. 10. 1898 Hoogezand, ansässig ebda.

Stud. in Groningen.

Lit.: Waller. — The Studio, 114 (1937) 244f., m. Abb. — Waay. — Boek en Grafiek, 1 (1946) 45/50 (m. 4 Abbn).

Bulgaras, Petre, rumän. Maler, * Barlad, ansässig in Paris.

Schüler von L. O. Merson. Mitglied der Soc. d. Art. Français.

Lit.: Bénézit, ² II (1949).

Bulgaru, Bob, rumän. Maler u. Zeichner, * 1907 Huşi, † März 1938 Bukarest.
Autodidakt. Hauptsächlich Porträtist. Kohlezeichn. im Mus. Toma Stelian in Bukarest (Kat. 1939).

Bulić, Bruno, kroat. Stilleben-, Figuren- u. Landschaftsmaler.
Lit.: Kat. d. Ausst. Kroat. Kst, Berlin, Pr. Akad. d. Kste, Jan./Febr. 1943, p. 17, Abb. Taf. 15.

Bull, Charles Livingston, amer. Tiermaler u. Illustr., * 1874 im Staat New York, † 1932 Oradell, N. J.
Schüler von Harvey Ellis u. M. Louise Stowell.
Lit.: Fielding. — Amer. Art Annual, 20 (1923) 460; 28 (1931).

Bull, Hermann, dtsch. Bildnis- u. Landschaftsmaler, * 24.9.1885 Frankfurt a. M., ansässig in Düsseldorf.
Stud. an der Düsseld. Akad. Studienaufenthalte in England, Frankreich u. der Schweiz.
Lit.: Dreßler.

Bullard, Marion R., amer. Landschaftsmalerin u. Illustr., * Middletown, N. Y., ansässig in Woodstock, N. Y.
Lit.: Fielding. — Amer. Art Annual, 20 (1923) 460; 30 (1933). — Who's Who in Amer. Art, I: 1936/37.

Bullard, Roger Harrington, amer. Architekt, * 7. 5. 1884 New York, † 2. 3. 1935 Plandome, L. I., N. Y.
Stud. an der Architekturklasse der Columbia Univers. 1933. Gold Med. für s. Entwurf: Bettler Homes in America.
Lit.: Who's Who in Amer. Art, I: 1936/37, p. 493.

Bulleid, Annie Eleanor, geb. *Austin,* austral. Landsch.- u. Blumenmalerin, * 1872 Victoria, ansässig in Midsomer Norton, Somerset.
Lit.: Who's Who in Art, [3] 1934.

Bullens, Hendricus Petrus, holl. Blumen- u. Stillebenmaler, * 19. 1. 1908 Helmond. Autodidakt.
Lit.: Waay.

Buller, Cecil, verehel. *Murphy,* kanad. Holzschneiderin u. Malerin, * 1890 Montreal.
Malstudien an d. Royal Canad.-Kstschule, dann bei Maur. Denis in Paris u. bei Noel Rooke in London. Heiratete 1916 den Holzschneider John J. A. Murphy, mit dem sie 1918 nach Amerika zurückkehrte. 1922/23 wieder in England. Hauptsächlich Akte in Landschaft. Folge: Das Hohe Lied Salomonis (1929). Einzelblätter: Sommer (1915), Die Tänzerinnen (1923). Sehr kraftvolle, materialgerechte Stricheltechnik.
Lit.: The Print Coll.'s Quarterly, 17 (1930) 92/105, m. 8 Abbn; 29 (1949) Febr.-H., p. 20 (Abb.).

Bullert, Walter, dtsch. Architektur- u. Porträtmaler (Öl, Fresko u. Sgraffito) u. Graph., * 24. 5. 1895 Potsdam, ansässig ebda.
Stud. an der Unterrichtsanstalt des Kstgewerbemus. u. an der Akad. in Berlin. Fresko im Alten Rathaus in Potsdam. Plastisches Wandgemälde, aus drei übereinander aufgetragenen Farbputzschichten nach Art eines Sgraffito herausgekratzt, zus. mit Hans Schindler, in d. Stadtsparkasse in Potsdam. Buchwerk: Potsdam z. Zt. Friedrichs d. Gr., Potsd. 1923.
Lit.: Dreßler. — Gebrauchsgraphik, 1 (1924/25) H. 4 p. 65ff., m. Abbn. — Kat. d. Ausst. „Künstler schaffen f. d. Frieden", Berlin 1. 12. 1951/31. 1. 1952, Abb. p. 60. — D. Tagespost (Potsdam), 24. 6. 1949.

Bullinger, Hans, dtsch. Rad., * 5. 3. 1896 Haßloch, ansässig in Oberhausen, Rheinld.
Lit.: Pfälz. Museum, 40 (1923) 187, m. Abb.

Bullio, Eugène, franz. Landsch.- u. Marinemaler, * Marseille, ansässig in Paris.
Stellte seit 1903 im Salon der Soc. d. Art. Franç. (seit 1914 Mitglied), 1906/32 bei den Indépendants aus.
Lit.: Joseph, 1. — Bénézit, [2] 2 (1949).

Bulman, Henry Herbert, engl. Maler u. Schwarz-Weiß-Kstler, * 9. 11. 1871 Carlisle, † Febr. 1929 London.
Lit.: Who's Who in Art, [2] 1929; [3] 1934, p. 447.

Bulthuis, Pieter, holl. Maler u. Graph., * 21. 12. 1898 Gouda, ansässig in Loosduinen.
Schüler der Haager Akad., von Fr. Jansen u. Henk Meyer. Pflegt bes. den Linolschnitt.
Lit.: Wie is dat?, 1935. — Waller. — Kroniek, 15 (1929) 113/17, m. Abbn.

Bummerstedt, Heinrich, dtsch. Figurenmaler, * 6. 2. 1883 Settenbeck b. Bremen, ansässig in München.
Stud. an den Akad. Berlin, Dresden, München.
Lit.: Dreßler. — Dtsche Kst u. Dekor., 61 (1927–28) 18 (Abb.).

Bumstead, Ethel Quincy, engl.-amer. Malerin, * 2. 6. 1873 London, ansässig in Cambridge, Mass.
Schülerin von Abbot Graves u. A. Buhler.
Lit.: Fielding. — Amer. Art Annual, 12 (1915); 20 (1923) 460.

Bunand-Sevastos, Fanny, franz. Figuren- (bes. Akt-) Malerin, * 14. 2. 1905 Asnières (Seine), ansässig in Paris.
Schülerin ihres Onkels Ant. Bourdelle. Stellt seit 1927 im Salon des Tuileries aus.
Lit.: Joseph, I. — Bénézit, [2] II.

Bundgaard, Anders, dän. Bildhauer u. Medailleur, * 7. 8. 1864 Ersted bei Aalborg, † 19. 9. 1937 Kopenhagen.
Schüler von Ring u. St. Sinding. Hauptsächlich Denkmäler u. Bauplastik. Gruppen für den Eingang des Tivoli, für das Rathaus (Walroßportal), für den Innenhof des Telephongeb. u. für das Haus der Ostasiat. Kompagnie, sämtlich Kopenhagen. Wappen für Schloß Christiansborg. Denkmal für die 1848 u. 1864 gefallenen Freiwilligen an der Smedelinie; Schmuckbrunnen an der Langelinie, Kopenhagen.
Lit.: Th.-B., 5 (1911), irrig: Buntgard. — Krak's Blaa Bog, 1936; 1940, Totenliste. — Dahl-Engelstoft, I. — N. F., 4 u. 21. — Kunstmus. Aarsskrift, 1919. — Weilbach, [3] I.

Bundschuh, Ottó, ungar. Landschaftsmaler, * 21. 10. 1885 Ajtó (Kom. Kolozs), ansässig in Jászberény.
Stud. bei A. Edvi Illés u. I. Révész an der Akad. in Budapest. 1911 in Italien.
Lit.: Szendrei-Szentiványi. — Krücken-Parlagi.

Bundt, Livinus van de, holl. Holzschneider u. Rad., * 5. 3. 1909 Zeist, ansässig im Haag.
Schüler der Haager Akad. Einige Zeit in Paris, bereiste Südfrankreich u. Italien. Mitglied der „Onafhankelijken".
Lit.: Waay. — Waller.

Bunescu, Marius, rumän. Landschafts-, Architektur- u. Stillebenmaler, * Mai 1881 Caracal, ansässig in Bukarest.

Stud. 1906/12 an der Münchner Akad., dann in Paris. Direktor des Mus. Simu. Beeinflußt von Maur. Utrillo. 5 Bilder im Mus. Toma Stelian in Bukarest (Kat. 1939, p. 58f., m. Abb.).
Lit.: Oprescu, 1935 (m. 3 Abbn); 1936, p. 16. — Beaux-Arts, 75e année, Nr 234 v. 25. 6. 1937, p. 3 Sp. 7, Abb.-p. 1; Spezial-Nr Sept. 1937: L'Art Roumain à l'Expos. de 1937, p. 15. — Kat. d. Ausst.: Rumän. Kst d. Gegenw. Zürich, Ksthaus, 1943, p. 11f., 19, m. Abb.

Bunge, Hans Willi Theodor, dtsch. Maler u. Buchkünstler, * 3. 6. 1899 Altona-Ottensen, ansässig in Mölln (Lauenburg).
Stud. bei Hugo Steiner-Prag u. H. Soltmann an der Leipziger Akad., bei J. Becker-Gundahl an der Münchner Akad.
Lit.: Dreßler.

Bunge, Kurt, dtsch. Maler u. Restaurator, * 1911 Bitterfeld, ansässig in Halle.
Ursprünglich Dekorationsmaler, später Schüler von Carl Crodel an der Kstgewerbesch. in Halle. Studienreisen in Italien, Österreich u. der Tschechoslowakei. Koll.-Ausst. März 1948 in d. Gal. Henning in Halle.
Lit.: bild. kunst, 1 (1947), H. 4/5, p. 40; 3 (1949), Abb. geg. p. 205. — Freiheit (Halle), 11. 3. 1948. *J.*

Bungerz, Alexander, dtsch. Maler, * 7. 11. 1874 München-Gladbach, ansässig in Tegernsee, Oberbay.
Stud. an der Düsseld. Akad. u. in Rom.
Lit.: Dreßler.

Bungter, Hans Michael, dtsch. Bildnis- u. Landschaftsmaler, Radierer u. Holzschneider, * 8. 6. 1896 Leipzig, ansässig in Mölkau b. Leipzig.
Schüler von Delitsch, Alois Kolb, W. Buhe u. H. Soltmann an der Leipz. Akad. Mappenwerke: Alte Gassen (6 Linolschnitte), Leipzig 1923; Bad Schmiedeberg u. Düben a. d. Mulde, Bad Schmiedeberg 1925.
Lit.: Dreßler. — Archiv f. Buchgewerbe u. Gebrauchsgraphik, 72 (1935) H. 6.

Buning, Joh. Norbertus, holl. Landsch.- u. Stillebenmaler, * 19. 6. 1893 Amsterdam, ansässig ebda. Autodidakt.
Lit.: Waay. — D. Constghesellen, 1 (1946) 29/31 passim.

Bunke, Franz, dtsch. Landschaftsmaler u. Radierer (Prof.), * 3. 12. 1857 Schwaan (Mecklenbg), † 6. 7. 1939 Oberweimar bei Weimar.
Sammelausstellg, veranstalt. v. Thür. Ausstellungsver., Frühj. 1933 in Weimar.
Lit.: Th.-B., 5 (1911). — Dreßler. — Das Bild, 9 (1939), Beibl. zu H. 7 p. 2. — Mecklenb. Monatsh., 1 (1925) 574/79 (F. B., Wie ich zur Kst kam und was sie mir ist), m. Taf.; 5 (1929) Taf. geg. p. 161, 211; 6 (1930) Taf. geg. p. 467; 8 (1932) 603, m. Fotobildn.; 15 (1939) 467/71, m. 4 Abbn. — Westermanns Monatsh., 124/I (1918) 221/29, m. Abb. — Aufruf! An die berufsmäßigen Vertreter der bild. Kunst (R. Fichte), Chemnitz 1. 11. 1932.

Bunki, Künstlername des *Tsuneoka* (s. d.).

Bunnens, Léo, belg. Genre- u. Landschaftsmaler, * 1871 Lokeren.
Schüler der Akad. Gent.
Lit.: Seyn, I.

Bunner, Rudolph, amer. Aquarellmaler u. Illustr., ansässig in Ridgefield, Conn.
Lit.: Fielding. — Amer. Art Annual, 20 (1923) 460; 28 (1931).

Bunsch, Adam, poln. Maler u. Holzschneider, * 20. 12. 1896 Krakau, ansässig in Bielsko (Bielitz).
Schüler von Mehoffer. Tiere (bes. Vögel) u. Blumen in farb. Holzschn. Bisweilen an japan. Kunst erinnernd.
Lit.: Czy wiesz kto to jest?, 1938, m. Fotobildn. — The Print Coll.'s Quarterly, 22 (1935) 331. — Ausst.-Kat.: Expos. internat. de grav. orig. sur bois, Warschau 1933, p. 62; Poln. Kunst, Berlin, Pr. Akad. d. Kste, 1935.

Buonapace, Francesco, ital. Bildhauer, * 30. 9. 1902 Lecce, ansässig in Pesaro.
Schüler von D. Trentacoste u. E. Ceccarelli in Florenz. Bildnisbüsten, Grabmäler, Bauplastik. 2 Statuen für das Postgeb. in Tarent; eine Statue für das Finanzgeb. in Bari. Fontana del Ciriolo del Littorio in Lecce.
Lit.: Chi è?, 1940.

Buracchio, Elio, ital. Maler, Zeichner u. Dichter, * 26. 5. 1905 Bari, ansässig in Siena.
Schüler von Servolini in Livorno.
Lit.: Il Telegrafo (Livorno), v. 7. 9. 1941; 28. 9. 41; 29. 5. 42; 30. 12. 42. — La Nazione (Florenz), 29. 12. 42; 12. 8. 49; 25. 9. 50. — Pomeriggio (Florenz), v. 19. 8. 50. *L. Servolini.*

Buratti, Domenico, ital. Maler, * 21. 11. 1882 Nola Canavese (Turin), ansässig in Turin.
Schüler von Gaidano u. Giac. Grosso an d. Turiner Akad. Im Mus. Civ. in Turin: 2 Bildnisse.
Lit.: Chi è?, 1940. —Comanducci. — Emporium, 91 (1940) 250f.

Burbank, Addison Buswell, amer. Illustrator u. Maler, * 1. 6. 1895 Los Angeles, Calif., ansässig in New York.
Stud. am Art Inst. in Chicago u. an der Grande Chaumière in Paris. 1. Preis für eine Wandmalerei, Chicago 1933.
Lit.: Who's Who in Amer. Art, I: 1936/37.

Burbank, James, amer. Marinemaler u. Radierer, * 22. 4. 1900 New York, ansässig in Brooklyn, N. Y.
Schüler von Ernest W. Watson, G. L. Briem u. des Pratt Instit.
Lit.: Who's Who in Amer. Art, I: 1936/37.

Burbank, Louise Godding, amer. Zeichnerin, * 26. 9. 1887 Providence, R. I., ansässig ebda.
Schülerin von Henry Hunt Clark u. Mabel Woodward.
Lit.: Amer. Art Annual, 27 (1930) 513.

Burbank, William Edwin, * 6. 10. 1866 Boston, Mass., † Febr. 1922 ebda.
Stud. an der Cowles Art School in Boston u. bei J. P. Laurens u. B. Constant in Paris. Bilder im Field Mus. u. in der Newberry Library in Chicago, Ill., u. im Bes. der Smithsonian Instit. in Washington, D. C.
Lit.: Fielding. — Amer. Art Annual, 20 (1923) 260, 460.

Burbott, Viktor Wilhelm, dtsch. Bildhauer, * 27. 2. 1892 Berlin, ansässig ebda.
Stud. an der Berl. Akad. Im Bes. der Stadt Berlin: Großmutter. In Lübben, Niederlaus., ein Brunnen.
Lit.: Dreßler.

Burcardo, H. B., dtsch. Maler, * 1901 Pforzheim, ansässig in Karlsruhe.
Stud. bei H. Hoffmann in München u. bei Bab-

berger in Karlsruhe, Studienaufenthalt in Italien. Abstrakter Künstler.
Lit.: D. Kstwerk, 1 (1946/47) H. 8/9 p. 16 (Abb.), 53, m. Abb.

Burchard, Albrecht, dtsch. Landschaftsmaler, * 1876 Othmarschen, Schlesw.-Holst., ansässig in Altona.

Burchard, Pablo, chilen. Maler, * 1876 (1877?) Santiago, ansässig ebda.
Stud. an der Architektursch. in Santiago u. bei Pedro Lira. Prof. für Malerei an der Kunstsch. in Santiago.
Lit.: Kirstein, p. 92. — Carnegie Magaz. (Pittsburgh), 16 (1943) 235 (Abb.).

Burchard-Bélaváry, Enrica, geb. *Coppini*, ital.-ungar. Bildnismalerin, * 22. 9. 1872 Florenz, ansässig in Preßburg (Pozsony). Gattin des Folg.
Stud. 1886/88 bei H. Charlemont in Wien, 1890/98 bei Gelli in Florenz, 1898/99 bei Lenbach u. Böcklin in München.
Lit.: Szendrei-Szentiványi.

Burchard-Bélaváry, István, ungar. Bildnis- u. Tiermaler (bes. Pferde), * 4. 2. 1864 Mád, Komitat Zemplén, zuletzt ansässig in Preßburg (Pozsony). Gatte der Vor.
Stud. in Wien, 1889/90 in San Francisco. Lebte 8 Jahre in Kalifornien. 1894 wieder nach Europa, stud. 1895/96 in München bei Ažbè, 1897/98 in Paris an der Acad. Colarossi. Dann längere Zeit in Florenz. Rückkehr nach Budapest, seit 1904 in Preßburg Leiter einer privaten Malschule.
Lit.: Szendrei-Szentiványi. — Krücken-Parlagi.

Burchartz, Max, dtsch. Maler (Öl u. Aquar.) u. Graph. (Prof.), * 28. 7. 1887 Elberfeld, ansässig in Essen.
Stud. 1906/08 an der Düsseld. Akad. bei Walter Corde, dann je 1 Jahr in München u. Berlin; Studienaufenthalte in Paris (Cézanne, Picasso), Antwerpen, Holland, Algier. Nach dem 1. Weltkrieg in Hannover, dann in Weimar ansässig. 1926/33 Lehrer an d. Folkwangschule in Essen. Begann als Impressionist. Ging um 1945 zum Expressionismus, später zu einer auf Quadraten bzw. geometr. Flächen basierenden Formgebung über. Tief beeindruckt durch Dostojewskij, malte u. lithogr. Szenen aus Raskolnikoff, 10 Lithos (Mappenwerk, A. Flechtheim, Düsseld., 1919); Dämonen, 8 Lithos (P. Stegemann, Hannover, 1919). Aquarelle im Prov.-Mus. in Hannover u. im Kestner-Mus. ebda. Ölbilder: Trinkender Mann im Mus. in Elberfeld; 2 Kinder, Ruhmeshalle in Wuppertal-Barmen. Sammelausst. in d. Gal. Flechtheim, Düsseldorf, Nov./Dez. 1920 (ill. Katal.).
Lit.: Dreßler. — Wedderkop, p. 9, 26f., m. Abb., 91f. (Abbn). — D. Cicerone, 11 (1919) 671; 12 (1920) 165, 393/97, m. Abbn bis p. 408, 572. — Jahrb. d. Jungen Kst, 1 (1920) 157ff., m. 13 Abbn; 5 (1924) 378, Abb. p. 381. — D. Kst, 41 (1919/20) 387 (Abb.). — Dtsche Kst u. Dekor., 50 (1922) 75f., m. Abbn. — Das Kstblatt, 3 (1919) 225 (Abb.), 239 (Abb.), 240/42, m. 3 Abbn, 336; 4 (1920) 243 (Abb.). — Kstchronik, N.F. 33 (1921/22) 102. — D. Querschnitt, 1 (1921) 21, 83 (Abb.), 105, 109, 175 (Abb.). — D. Schaffenden, I, 4. Mappe; III, 1. Mappe. — Kat. Ausst. Dtsche Malerei u. Plastik d. Gegenwart im Staatenhaus der Messe in Köln v. 14. 5.–3. 7. 1949.

Burchell, Nathaniel, amer. Maler, * 1866 New York, † 9. 7. 1934 New Rochelle, N. Y.
Schüler von W. M. Chase. Seit ca. 1895 in New Rochelle ansässig. Lehrtätig an der Art Student's League in New York.
Lit.: Who's Who in Amer. Art, I: 1936/37, p. 493. — New York Papers, 11. 7. 1934.

Burchfield, Charles Ephraim, amer. Aquarellmaler, * 9. 4. 1893 Ashtabula Harbor, Ohio, ansässig in Gardenville, N. Y.
Schüler von Henry G. Keller an der Cleveland School of Art in Cleveland. Malt hauptsächlich Straßenansichten u. Landschaften. Beeinflußt von den Japanern. Vertreten u. a. im Mus. in Cleveland, im Detroit Inst. of Arts in Detroit, im Fogg Mus. der Harvard University in Cambridge, Mass., im Pennsylv. Mus. in Philadelphia, Brooklyn-Mus., N. Y., in der Philips Memorial Gall. in Washington, D. C., u. in d. Addison Gall. in Andover, Mass. (Handbook of Paintings etc., 1939, p. 57, 98 (Abb.). — Koll.-Ausst. 1928 im Mus. of Mod. Art in New York.
Lit.: Fielding. — Mellquist. — Amer. Art Annual, 20 (1923) 460; 30 (1933). — Gallatin, Amer. Water Colourists, 1922, p. XIII, 3, 16f., m. Abb. — Who's Who in Amer. Art, I: 1936/37. — Monro. — Amer. Art News (The Art News), 21, Nr 3 v. 28. 10. 1922, p. 2; 24, Nr 21 v. 27. 2. 1926, p. 7; 30, Nr 5 v. 31. 10. 1931, p. 10; 32, Nr 12 v. 23. 12. 1933, p. 13, m. Abb. — Bull. of the Cleveland Mus. of Art, 15 (1928) 131, 132, 143 (Abb.); 25 (1938) 66, Abb. geg. p. 70; 37 (1950) 21, Abb. — The Pennsylv. Mus. Bull., 27 (1932) 69, 72 (Abb.). — 13. Jahresbericht d. Cleveland Mus. of Art, 1928, p. 34 (Abb.). — Bull. of the Detroit Inst., 14 (1934/35) 35f., m. Abb.; 26 (1947) 27. — The Studio, 105 (1933) 86 (Abb.); 111 (1936) 64, 65 (Abb.); 113 (1937) 28 (Abb.); 116 (1938) 208/11, m. 5 Abbn. — Das Kunstblatt, 10 (1926) 423, 428 (Abb.). — The Arts (Amer.), 1928/II, p. 5/12, m. 6 Abbn. — Apollo (London), 25 (1937) 43, m. Abb. — Das Werk (Zürich), 29 (1942) 29 (Abb.). — Bull. of the Fogg-Mus. of Art, 10 (1946) 155/61, m. Abbn. — Art Index (New York), 1928ff. passim. — Kat. Ausst. Amerik. Mal. Berlin 1951, m. Abb. — Painting in the Un. States 1949. Ausst. Carnegie Inst. Pittsburgh, Kat. m. Abb. Taf. 28.

Burckhardt, Carl, schweiz. Maler, Bildhauer u. Kstschriftst., * 13. 1. 1878 Lindau, Kt. Zürich, † 24. 12. 1923 Ligornetto (Tessin). Gatte der Sophie, Bruder des Paul.
Zuerst Malschüler von Knirr in München, ging 1899 in Rom zur Bildhauerei über. Verkehr im Kreis der Hildebrand-Marées-Schule. Als Bildh. anfängl. beeinflußt von der Antike u. M. Klinger: Kolossalgruppe: Zeus u. Eros, nur fragmentarisch erhalten und im Bronzeguß nicht vollendet (der Zeus als Depositum der Eidgen. Gottfr.-Keller-Stiftung überlassen). Polylithe Venusstatue (Ksthalle Basel). Ein Relief: Christus u. die Sünder, über dem Portal der Pauluskirche in Basel (1904/05). Von der Folge der großen Reliefs für das Zürcher Ksthaus wurden nur 5 vollendet; sie stellen berittene nackte Frauen u. Männer in Anlehnung an den Parthenonfries dar. Zur Höhe seines Schaffens erhob sich B. in den beiden Brunnengruppen: Der Rhein und Die Wiese, vor dem Haupteingang des Badischen Bahnhofs in Basel, die in summarischer Stilisierung einen nackten Mann mit Pferd und eine nackte Frau mit Stier darstellen. Neben diesen Baseler Flußgöttergruppen stehen als weitere Monumentalwerke die ihr Pferd führende schreitende Amazone am Brückenkopf der Mittleren Rheinbrücke in Basel, deren Bronzeguß erst nach dem Tode B.s erfolgte, und die sich auf turmartigem, sich verjüngendem Sockel über einer unregelmäßigen Treppenanlage erhebende Gruppe des hl. Georg zu Pferde am Kohlenberg in Basel. Im Mus. in Winterthur die Bronzestatue eines Tänzers, im Mus. in Ulm die Skizze (Bronze) zu der Baseler Amazone, im Ksthaus

Zürich: Der Tänzer. Als Maler vertreten in der Öff. Kstsmlg Basel mit dem 1904 entstand. Bild: Fischer von Sorrent. Ein Kolossalgemälde (7 m lang) aus seinen letzten Jahren (1922): Tessiner Weinernte, stellt eine vielfigurige Komposition in strengem Wandbildcharakter dar. Im Ksthaus Zürich: Hirtin u. Korbträgerin. Zeichnungen, Aquarelle u. Pastelle, darunter Entwürfe zu dem Zyklus der Reliefs am Zürcher Ksthaus u. zu dem Portalrelief der Pauluskirche, im Kupferstichkab. der Öff. Kstsmlg Basel. — Auch kunstschriftstell. tätig (über Holbein u. Böcklin im Jahresbericht des Basler Kstvereins 1923). Buchwerk: Rodin u. das plastische Problem, Basel 1921.

Lit.: Th.-B., 5 (1911). — Brun, IV 488f. — W. Barth, Zu den Plastiken von C. B. Beitr. z. zeitgenöss. Kst, hg. vom Basler Kstver. 2. F., I; ders., C. B. (Monogr. zur Schweizer Kst, 8), Zürich 1936. — D. B. J., 5: 1923, p. 48/52 u. Totenliste. — Jenny. — Emporium, 86 (1937) 388, mittl. Sp., 389 (Abb.). — D. Werk (Zürich), 3 (1916) 1/10, m. Abbn; 5 (1918) 22f., m. 3 Abbn; 6 (1919) 134 (Abb.), 173/80, 177 (Abb.); 10 (1923) 206 (Abb.), 207 (Abb.); 11 (1924) 26, 90f., m. Abbn; 13 (1926), Heft 7, Beil. p. XXIV; 14 (1927) 26f.; 20 (1933) 353/59, m. Abbn; 36 (1949), Beil. p. 39. — Die Rheinlande, 21 (1921) 13ff., m. Abbn. — Die Kst, 51 (1924/25) 152/60, m. 9 Abbn. — Kat. Ausst. von Werken C. B.s in d. Basler Ksthalle. Mit Einf. v. W. Barth, Basel 1924.

Burckhardt, Ernst Friedr., schweiz. Architekt, * 1900, ansässig in Zürich.

Baute u. a. die Reformierte St. Johanniskirche in Basel u. ein Landhaus in Erlenbach b. Zürich. Umbau des Corso-Theaters in Zürich (zus. mit K. Knell). — Buchwerk: Theaterbau gestern u. heute, 1948.

Lit.: Der Baumeister, 1933, p. 94f. — Das Werk (Zürich), 22 (1935) 314/15; 23 (1936) 333/41; 25 (1938) 306/09 (Abbn); 26 (1939) 144f. (Abbn); 36 (1949), Beil. p. 9f.; 37 (1950) 254/56; 40 (1953) 1/4.

Burckhardt, Karl, schweiz. Architekt, * 16.10.1879 Basel, ansässig ebda.

Stud. an der Techn. Hochsch. München bei Fr. Bluntschli, F. von Thiersch, Hocheder u. Moser. Anfänglich assoziiert mit Wenk & Cie. Geschäfts-, Kauf- u. Landhäuser.

Lit.: Brun, IV 489. — D. Werk (Zürich), 10 (1923) 196 (Abb.), 198 (Abb.).

Burckhardt, Otto, schweiz. Architekt, * 22.11.1872, ansässig ebda.

Stud. an der Pariser Ec. d. B.-Arts u. bei Pascal. Seit 1901 assoziiert mit Rud. Suter (Firma: Suter & Burckhardt). Wohnhäuser in Basel u. Badenweiler; Hotel „Drei Könige" in Basel; Kinderspital ebda; Basler Heilstätte in Davos; Banken; Industriegeb.; Kraftwerk Augst der Stadt Basel; Kraftwerk Chaney-Pougny bei Genf.

Lit.: Brun, IV 489. — Schweiz. Zeitgen.-Lex., 1932. — Architektur des 20. Jh.s, 1911, Taf. 38. — D. schweiz. Baukst, 1914, p. 259/64, m. Abbn.

Burckhardt, Paul, schweiz. Maler, Lithogr. u. Reiseschriftst., * 12.5.1880 Rüti b. Zürich, ansässig in Basel, Bruder des Carl.

Anfängl. Architekturstudien an der Techn. Hochsch. München bei C. Hocheder u. M. Dülfer, dann in Darmstadt bei Olbrich. 1905/06 längerer Aufenthalt in Süditalien, 1913/14 in Indien. Seitdem in Basel ansässig. Hauptsächlich Landschaften u. Marinen (Öl u. Aquar.), gelegentlich auch Bildnisse u. Stilleben. Wandgemälde im Städt. Gymnasium in Basel, im Restaurationssaal des Bundesbahnhofes ebda u. im Sitzungssaal der Ersparniskasse. Bilder u. a. in den Museen Aarau, Basel, Biel u. Schaffhausen. Buchwerke (illustr.): Heitere Reiseerlebnisse eines Malers in Italien, Basel 1926, u.: Aus Indien. Reiseschilderung e. Malers, Basel o. J. [1927].

Lit.: Th.-B., 5 (1911). — Brun, IV 489. — Schweiz. Zeitgen.-Lex., 1932. — L. Lichtenhan, P. B., Basel, o. J. [1943]. — Reinhart-Fink, p. 82. — D. Werk (Zürich), 1 (1914) 15 (Abb.); 5 (1918) 12 (Abb.); 27 (1940) Beibl. Nr 9, p. XII, 337 (Abbn), 338/42, m. Abbn, Beibl. zu Nr 10, p. XVI f. — Schweizerland, 1916, p. 425, m. Abb., 473; 1917, p. 574, m. Abb. — D. Schweiz, 1920, p. 453, m. Abb., 455. — Dtsche Kst u. Dekor., 57 (1925/26) 103 (Abb.); 59 (1926/27) 32 (Abb.). — Basler Nachr., Sonntagsbl., 15. 9. 1929, Nr 37, p. 162 (W. Barth, P. B. Schweiz. Kstler d. Gegenw.). — Kstdenkm. d. Schweiz, XII: Kt. Basel Stadt, 3 (1941) 585, 587.

Burckhardt, Sophie, geb. *Hipp,* schweiz. Malerin (Öl u. Pastell), elsäss. Herkunft, zuletzt ansässig in Basel. Gattin des Carl.

Stud. in Karlsruhe, München u. Rom. Hauptsächlich Kinderporträts.

Lit.: Brun, IV 490. — Die Kunst, 15 (1907) 391.

Burd, Clara Miller, amer. Malerin, Glasmalerin u. Illustr., * New York, ansässig ebda.

Stud. bei Courtois u. an d. Acad. Colarossi in Paris, dann bei W. M. Chase u. an d. Nat. Acad. of Design in New York. Illustr. Kinderbücher, malte Kinderbildnisse, entwarf Umschläge für Zeitschriften u. zeichnete Kartons für Glasmalereien.

Lit.: Fielding. — Amer. Art Annual, 20 (1923) 460; 27 (1930) 513; 30 (1933).

Burde, Richard, dtsch. Figurenmaler, * 23.10.1912 Frankfurt a. d. O., ansässig in Dresden.

Schüler von Carl Kleindienst in Frankfurt, 1936–39 der Dresdner Akad.

Burdeau, Clémence, franz. Landschafts- u. Blumenmalerin, * Paris, ansässig ebda.

Schülerin von J. Adler u. Montézin. Mitglied der Soc. d. Art. Franç. (Salon-Kat. z. T. m. Abbn). Silb. Med. auf d. Weltausst. Paris 1937.

Lit.: Bénézit, [2] II (1949).

Burdick, Doris, amer. Malerin u. Illustr., * 21. 5. 1898 Malden, Mass., ansässig ebda.

Tochter des Malers Horace Robbins B. (* 1844). Buchillustrationen, Bildnissilhouetten.

Lit.: Amer. Art Annual, 20 (1923) 461. — Who's Who in Amer. Art, I: 1936/37.

Burdy, Jeanne, franz. Miniaturmalerin u. Pastellzeichnerin, * Triel (Seine-et-Oise) † 1932 Paris.

Schülerin von Henri Lévy. Mitglied der Soc. d. Art. Franç., beschickte deren Salon seit 1897. Gold. Med. 1914. Stellte auch im Salon d'Automne aus. Im Luxembourg-Mus. ein Miniatur-Triptychon: Die Bretonin.

Lit.: Bénézit, [1] II. — Joseph, I.

Burdy, Marguerite Valentine, frz. Genremalerin u. Pastellzeichnerin, * Triel (Seine-et-Oise), ansässig in Paris.

Schülerin von Saubès. Mitglied der Soc. d. Art. Franç., beschickt deren Salon seit 1907 (Kat. z. T. m. Abbn). Marie-Bashkirtseff-Preis 1922; Gold. Med. 1925.

Lit.: Joseph, I. — Bénézit, [1] II.

Bureau, Camille, franz. Landschaftsmaler, * Brétigny-sur-Orge, ansässig in Les Aydes (Loiret).

Stellt seit 1924 im Salon der Soc. d. Art. Indépendants in Paris aus.

Lit.: Joseph, I.

Burel, Henry, franz. Marine- u. Landschaftsmaler, * 8. 6. 1883 Fécamp (Seine-Infér.), ansässig in Rouen.

Stellt seit 1927 bei den Indépendants, im Salon d'Automne u. im Salon des Tuileries in Paris aus.

Lit.: Joseph, I. — Bénézit, [2] II.

Burel, Suzanne, franz. Malerin u. Kupferstecherin, * Noyant-Aconin (Aisne), ansässig in Paris.

Schülerin von Jeanne Burdy u. Gauguet. Seit 1930 Mitglied der Soc. d. Art. Franç. Silb. Med. 1933.

Lit.: Joseph, I. — Bénézit, [2] II.

Burford, Roger d'Este, engl. Maler u. Schriftst., ansässig in London.

Gatte der Malerin, Illustr., Glaskstlerin u. Schriftst. Stella Andria, geb. *Wilkinson.*

Lit.: Who's Who in Art, [3] 1934. — Beaux-Arts, 75e Année, Nr 251 v. 22. 10. 1937, p. 4 (Stella B.).

Burg, Hendrik van der, holl. Stillebenmaler, * 4. 6. 1880, ansässig in Haarlem.

Schüler von A. Allebé.

Lit.: Waay.

Burgauner, Eduard, tirol. Maler, * 14. 2. 1873 Kastelruth, † 22. 11. 1913 Bozen.

Hausmalereien, Landschaften, Fahnenbilder.

Lit.: Tir. Anz., 1913 Nr 273. *J. R.*

Burgdorfer, René H., amer. Maler, * 14. 5. 1908 Paris, ansässig in Kansas City, Mo.

Schüler von Bross E. Braught u. John D. Patrick.

Lit.: Who's Who in Amer. Art, I: 1936/37. — Amer. Art Annual, 30 (1933).

Burgdorff, Ferdinand, amer. Maler, * 7. 11. 1881 Cleveland, Ohio, ansässig in San Francisco, Calif.

Stud. an der Kstschule in Cleveland. Bild: Alte Werft im Memorial Mus. in San Francisco.

Lit.: Fielding. — Amer. Art Annual, 30 (1933). — Who's Who in Amer. Art, I: 1936/37.

Burger, Carl, dtsch. Stein- u. Holzbildhauer (Prof.), * 26.11.1875 Tännesberg, Oberpfalz, ansässig in Mayen, Rhld.

Schüler von S. Eberle an der Münchner Akad. (1896/1900). Seit 1904 Lehrer an der Kstgewerbesch. in Aachen. Hauptsächl. auf relig. Gebiet tätig. Brunnendenkm. d. Schmieds von Aachen vor der Kirche des Armen Kindes Jesu; der „Wolf von Aachen" auf dem Bahnhofsplatz in Aachen; Kolossalfiguren: Äskulap u. Neptun, für die Schwimmhalle ebda; Kriegerdenkm. für Eupen/Rhld. Relief: Vor der Teutoburger Schlacht, Kais.-Wilhelm-Gymnasium Aachen; Kruzifix (Holz) u. Relief mit der Büßenden Magdalena für die Pfarrkirche St. Lucia in Stolberg/Rh.-Prov.; Portalfiguren ebda; Pietà für die St. Antoniuskirche in Düsseldorf; Memorienleuchter (Bronze, 2,30 m hoch) für die Pfarrk. St. Adalbert in Aachen; Portalschmuck für die Baugewerkschule ebda; Kreuzweg für Malmedy u. für den Camposanto in Aachen; Kriegerdenkm. in Kreuzau, Lucherberg u. Immendorf; Grabdenkmäler in Aachen, Neuwied u. a. O.; Gaudeamusbrunnen in Bonn; Hochkreuz in Kreuzau.

Lit.: Th.-B., 5 (1911). — Dreßler. — Dtsche Bauzeitung, 1912, p. 680. — Gottesehr, 1 (1919/20) 2ff. (Abbn), 10. — Die Kunst, 71 (1934/35) 313/16, m. Abbn. — D. Christl. Kst, 9 (1912/13) 65/78, m. Abbn bis p. 95; 14 (1917/18) 98 (Abb.); 20 (1923/24) Beibl. p. 6; 22 (1925/26) 72/83, m. 15 Abbn; 29 (1932/33) 27f. — Aachener Kstblätter, 2/3 (1908) 79; 11 (1915/23) 22. — D. Plastik, 10 (1920) 20f., Taf. 23/29. — Moselland, 1942 p. 27/32. — Die Oberpfalz, 19 (1925) 207f., m. Abb., 215/16 (Abbn).

Burger, Ferdinand Albert, dtsch. Maler, Graphiker u. Karikaturist, * 13.8.1879 Hildburghausen, ansässig in Berlin.

Stud. an der Kstgewerbesch. u. Akad. in München. — Sein Bruder Fritz (Burger-Mühlfeld), Maler u. Graph., ist in Hannover ansässig.

Lit.: Dreßler. — Velhagen & Klasings Monatsh., 45/II (1930/31) 347 (ganzseit. Abb.), 348. — D. Cicerone, 9 (1917) 289, 290. — D. Kunst, 33 (1915/16) 361, 363 (Abb.); 36 (1917) Beil. zu Heft 11, p. III; 63 (1930–31) 259 (Abb.). — Kstwanderer, 1926/27, p. 168.

Burger, Franz, tirol. Genremaler u. Restaurator (Prof.), * 30. 5. 1857 Matrei, † 27. 7. 1940 Innsbruck.

Lit.: Th.-B., 5 (1911). — Karl, 2 (1929), m. 3 Abbn. — Innsbr. Nachr., 1912 Nr 203; 1916 Nr 385: 1934 Nr 212, 242. — Tir. Anz., 1927 Nr 122. — Tir. Heimatblätter, 5 (1927) 129; 14 (1936) 154; 18 (1940) 164; 19 (1941) 105. — Neueste Ztg, 1936 Nr 123. — Innsbr. Ztg, 1936 Nr 123. *J. R.*

Burger, Josef, dtsch. Landsch.- u. Blumenmaler, * 26. 9. 1887 München, ansässig ebda.

Schüler von Leo Putz Auch Restaurator.

Lit.: Dreßler.

Burger, Lajos, ungar. Bildnismaler, ansässig in Budapest.

Stud. in München, 1883 an der Meistersch. Benczur's in Budapest, 1900 in Florenz. Im Ernst-Mus. in Budapest: Tod Petőfi's.

Lit.: Szendrei-Szentiványi.

Burger, Willy (Wilh. Friedr.), schweiz. Maler, Graphiker u. Illustr., * 1. 9. 1882 Zürich, ansässig in Rüschlikon.

Stud. 1901/03 bei Schmid-Reutte an d. Akad. in Karlsruhe, 1903/05 in London. Arbeitete 1906/08 als Graphiker u. Illustr. in New York, Philadelphia u. Boston. 1909 in Italien (Rom). Ließ sich dann in Rüschlikon nieder. Hauptsächl. Landschafter. Illustrat. zu: Howald, Unser Volk in Waffen, Emmishofen 1915; Fehl, Die Meistersinger in Zürich, Zürich 1916; Scheidegger, Cornelia. Hist. Roman aus den Tagen der alten Augusta Rauracorum, Weinfelden 1919. Mappenwerke: Tessiner Landschaften, I: Airolo u. Umgebung. 12 Kstblätter, Rüschlikon-Zürich 1918; 35 Federzeichngn zu: Farner, Huldrych Zwingli, der schweiz. Reformator, Emmishofen 1917.

Lit.: Brun, IV. — Rhaue, p. 33. — Die Schweiz, 1904, p. 456; 1910, p. 312; 1911, p. 181; 1916, p. 24, m. Abb.; 1920, p. 211/14, Abbn bis p. 217, Taf. geg. p. 186, Abbn p. 286, 287, 289, Taf. geg. p. 292.

Burger-Gsies, Alois, tirol. Illustrator, * 5. 6. 1888 St. Martin in Gsies, † 8. 7. 1942 Innsbruck.

Lit.: Bergland (Innsbr.), 1927 Nr 8. — Tir. Heimatbl., 20 (1942) 105. *J. R.*

Burger-Mühlfeld, Fritz, s. *Burger,* Ferd. Alb.

Burger-Willing, W. H., dtsch. Maler, * 28. 10. 1882 Köln-Kalk, ansässig in Untermaubach b. Düren.

Stud. an d. Akad. in Düsseldorf. Realist.

Burgess, Alice Lingow, verehel. *Warner,* amer. Malerin u. Kstgewerblerin, * 7. 1. 1880 St. Louis, Mo., ansässig in New Haven, Conn.

Schülerin von Anton Fabrés, W. M. Chase u. W. L. Lathrop.

Lit.: Fielding. — Amer. Art Annual, 30 (1933). — Who's Who in Amer. Art, I: 1936/37.

Burgess, Arthur James, austral. Marinemaler, * 6. 1. 1879 Bombala, New South Wales, ansässig in London.

Stud. in Sydney. In d. Nat. Art Gall. of New South Wales ebda: Die erste austral. Flotte.

Lit.: Who's Who in Art, [3] 1934. — Graves, I. — The Studio, 63 (1915) 134, m. Abb.; 65 (1915) 204; 67 (1916) 57; 134 (1947) 169 (Abb.). — Brit. Marine Painting. Studio Spec.-Nr 1919, p. 116, 117.

Burgess, Eliza Mary, engl. Kinder-, Blumen- u. Stillebenmalerin, * 2. 3. 1878 Walthamstow, Essex, ansässig in London.

Lit.: Who's Who in Art, [3] 1934. — Graves, I.

Burgess, Ida Josephine, amer. Malerin u. Kstgewerblerin, * Chicago, Ill., † 1934 New York.

Schülerin von W. M. Chase u. Shirlaw in New York u. von Merson in Paris. Hauptsächlich Wandbilder (u. a. in der Borington Lunt Library der Northwestern University in Evanston, Ill.) u. Entwürfe für Glasmalerei.

Lit.: Th.-B., 5 (1911) — Fielding. — Amer. Art Annual, 20 (1923) 461; 30 (1933).

Burgess, Ruth, geb. *Payne,* amer. Bildnismalerin u. Rad., * Montpelier, Vt., † 11. 3. 1934 New York.

Stud. unter Brush, Cox, Beckwith u. Melchers an d. Student's League in New York, deren Präsidentin sie später war. Bildnisse u. a. im Treasury Building in Washington, D. C., in der Public Library in Holyoke, Mass., u. im Amherst College.

Lit.: Fielding. — Amer. Art Annual, 30 (1933). — The Art News, 25, Nr 14 v. 8. 1. 1927, p. 9. — Who's Who in Amer. Art, I: 1936/37, p. 493. — Monro.

Burghardt, József u. Rezső, siehe *Zsombolya-Burghardt.*

Burghardt, Paul, dtsch. Maler, Graphiker, Schriftst. u. Kstkritiker, * 24. 9. 1898 Döbeln i. Sa., ansässig in Weimar.

Literarhist. u. philosoph. Studien an d. Univers. Leipzig. Als Maler u. Graphiker (seit 1929) Autodidakt. Pflegt den Holzschnitt, die Lithogr. u. den von ihm erfundenen Schieferstich; Einblattdrucke, auch mehrfarbig, von Glas u. Schiefer. Dtsche Städte u. Dörfer, pflanzl., figürl. u. Architektur-Darstellgn. Holzschnittfolgen: Jesus der Mensch, Geburt, Leben, Tod (1936); Aus dem Schieferbergbau (1948). Schieferstichfolgen: Brücken u. andere Bauten aus Beton (1941); Riemenschneider u. s. Werk (1944). Kollektiv-Ausstellgn: Otto Richter-Halle, Würzburg 1944 (80 Schieferstiche); Graphik-Verlag, Weimar 1950.

Lit.: Mitteilgn des Künstlers. — Neudtsche Bauzeitg, 9 (1913). — Neue Zeit (Berlin), 12. 3. 1943.

Burghauserová, Zdenka, tschech. Malerin, * 30. 3. 1894 Chrudim.

Stud. an der Prager Kstgewerbesch.; Studienreisen in Italien u. Frankreich. Zuerst vom Expressionismus beeinflußt, später bes. auf dekorat. Wirkungen in Form- u. Farbengebung ausgehend. Stillleben, Figürliches, Bildnisse, Entwürfe für Plakate u. Bühnendekorationen. Beteiligt an ausländ. Ausstell. (Salon d. Indépendants in Paris 1933 u. 1934). Sonderausst. in Prag 1927 (Kstverein), 1934, 1941, in Brno (Brünn) 1935 („Aleš"). Mitbegründerin des Prager Künstlerinnenvereins in Prag (Kruh výtv. umělkyň).

Lit.: J. Mašek, Z. B., Pilsen 1948. — Salon (Prag), VI. — Veraikon (Prag), 9 (1923) 102f. m. Abbn. — Topičův sborník (Prag), 13 (1925/26) 302, m. Abbn. — La Revue mod., 1932. — Toman, I 118. *Blž.*

Burght, André van der, holl. Figurenmaler, * 4. 7. 1910 Den Haag, ansässig ebda.

Schüler der Haager Akad.

Lit.: Waay.

Burgmeier, Max, schweiz. Maler u. Holzschneider, * 31. 1. 1881 Aarau, ansässig ebda.

Bilder u. a. in den öff. Smlgn in Aarau (Selbstbildnis; Berglandschaft) u. Olten (Landsch.). Kollektiv-Ausstellgn: Ksthaus Zürich 1910 u. 1940.

Lit.: Die Schweiz, 1908 p. 473; 1916 p. 592; 1921 p. 455 (Abb.), 456, 458, 463, Taf.-Abb. vor p. 501. — Schweizerland, 1916, p. 528, m. ganzseit. Abb. — Schweizer Kst, 1929/30 p. 13; 1930/31 p. 98f. (Zum 50. Geb.-Tag); 1932/33 p. 62, m. Abb. (Selbstbildn.); 1942 Heft 5 p. 37, m. Abb. — Pro Helvetia (Genf), 1920 p. 191ff., m. Abbn. — N. Zürcher Ztg, 1910 Nr 328. — D. Graph. Kabinett (Winterthur), 3 (1918) 88.

Burgun, Georges Marcel, franz. Landschafts-, Stilleben- u. Figurenmaler, * Paris, ansässig in Issy-les-Moulineaux (Seine).

Stellt seit 1894 bei den Indépendants u. im Salon d'Automne aus.

Lit.: Bénézit, [2] 2 (1949). — Joseph. — Beaux-Arts, 76 année, Nr 324 v. 17. 3. 1939 p. 2 (Abb.).

Burhoven Jaspers, Nico Ernst, holl. Archit., * 22. 1. 1901 Soerabaja, lebt in Batavia.

Stud. an der Techn. Hochsch. in Delft (1918/26). Seitdem in Batavia. Baute dort: Station Batavia Stadt, Hôtel des Indes, Brauerei Archipel; in Soerabaja: Geb. des Internat. Kredit- u. Handelsvereins Rotterdam; in Djocjakarta: Krankenhaus.

Lit.: Wie is dat?, 1935.

Buri, Max, schweiz. Maler, * 24. 7. 1868 Burgdorf, † 21. 5. 1915 Interlaken.

Außer den bei Th.-B. gen. Museen bewahren Arbeiten B.s folg. öff. Smlgn: Basel, Bern, Genf, Lausanne, Luzern, München, St. Gallen, Solothurn, Winterthur, Zürich.

Lit.: Th.-B., 5 (1911). — Brun, IV 82, 490. — H. Graber, M. B. Sein Leben u. Werk. 50 Taf. (Stud. z. Schweiz. Kst d. Neuzeit, II), Basel 1916. — Joh. Widmer, M. B., Werk u. Wesen, Zürich 1919. — Weese u. Born, Jahrh.-Festschr. d. bern. Kstges., 1913, p. 79, m. Abb. — Reinhart-Fink, p. 83. — Schäfer, p. 10/13, 52ff., m. Abbn. — Blätter f. bern. Gesch., XII 161ff., m. Abbn. — Die Schweiz, 1910, p. 20 (ganzseit. Abb.), 226 u. 536 (ganzseit. Abbn), 538; 1911, p. 9 (Abb.), 11; 1915, Taf.-Abb. vor p. 523, 579/81, Taf.-Abbn n. p. 602, n. p. 610, desgl. vor p. 651, desgl. n. p. 666 u. n. p. 762; 1916, p. 25 (ganzs. Abb.), 538 (Abb.). — Schweizerland, 1 (1914–15) 36, 296, m. Abb., 544, m. Abb., 668f.; 2 (1915/16) 55, 574, Abb. n. p. 576. — Dtsche Kst u. Dekor., 35 (1914/15) 399/406, 414; 37 (1915/16) 115/22, m. Abbn; 57 (1925/26) 154f., m. Abb. — D. Kunst, 31 (1915) 400; 33 (1915/16) 111/20; 53 (1925/26) 27 (Abb.), 34. — D. Cicerone, 7 (1915) 372ff.; 20 (1928) 544f. — Pages d'Art, 1915, Nr 3, p. 3ff., m. Abbn. — Velhagen & Klasings Monatsh., Aug. 1915, p. 437ff., m. Abbn. — D. Werk (Zürich), 2 (1915) 1 (Abb.), 100ff., m. Abbn, 153 (Abb.). — Dtsche Monatshefte, 15 (1915) 249ff., m. Abbn. — Blätter f. bern. Gesch., 12 (1916) 161/68. — Die Kst in d. Schweiz, 1928, p. 130, m. 6 Abbn. — Kat. Ausst. 450 J. bern. Kst, Kstmus. Bern 1941, p. 10, 81f. — Kat. 50 J. Gottfr.-Keller-Stiftg, Kstmus. Bern 1942, p. 91. — Kat. Ged.-Ausst. M. B. Ksth. Zürich 19. 8.–29. 9. 1915, mit Vorw. v. H. Trog. — Kat. Ged.-Ausst. M. B., Ksthalle Bern, 20. 5.–1. 7. 1928, Bern 1928.

Burk, Jacob, amer. Wandmaler, Kartonzeichner u. Lithogr., * 10. 1. 1907 Visoky, Polen, ansässig in Brooklyn, N. Y.

Schüler von Albert Sterner in New York. Vertreten im Whitney Mus. of Amer. Art ebda.

Lit.: Who's Who in Amer. Art, I: 1936/37 (Burck). — Isskustwo (Moskau), 1936 p. 96/110 passim.

Burk, William Emmett, amer. Bildhauer u. Zeichner, * 9. 4. 1909 Louisville, Ky., ansässig in Santa Fé, N. Mex.

Schüler von Merrell Gage, Paul Sample, O. Brauner, W. E. Fisher u. A. A. Fisher.

Lit.: Who's Who in Amer. Art, I: 1936/37.

Burka, Antonín, tschech. Graphiker (Holzschneider), * 6. 3. 1886 Prag.

Stud. an der Techn. Hochsch. Prag Architektur. Buchkünstler (Exlibris, Buchausstattungen usw.). 1. Preis auf d. internat. Ausst. Lissabon 1927.

Lit.: Toman, I 119. *Blž.*

Burkart, Albert, dtsch. Maler (Öl u. Fresko), Radierer u. Entwurfzeichner für Glasmalerei u. Wandteppiche, * 15. 4. 1898 Riedlingen, Württ., ansässig in München-Gern.

Als Radierer Schüler von Schinnerer u. P. Halm an d. Münchner Akad. Als Maler Schüler von Landenberger an der Stuttgarter Akad., im übrigen Autodidakt. Hauptsächlich relig. Stoffe u. Bildnisse. Bereiste Sizilien u. Südfrankreich. Freskenschmuck der Stadtpfarrk. in Leutkirch (Wandflächen über den beiden Altären der Seitenschiffe): Szenen aus dem Leben des hl. Martin u. der hl. Elisabeth. Wandfresko (Christus am Kreuz zwischen den Hll. Franziskus v. Assisi u. Antonius v. Padua) über dem Altar der St. Antoniuskirche in Stuttgart-Kaltental. Altarwerk (Triptychon) in d. Kath. Pfarrk. in München-Giesing. Weitere Malereien für die Antoniuskapelle in Augsburg, die Kirche in Langensendelbach, Mittelfranken, u. die Pfarrk. in Eisenberg, Pfalz. Sammelausst. (35 Zeichnungen) in d. Gal. Alex Vömel, Düsseldorf, Jan. 1938. Sammelausst., veranst. von d. Dtsch. Ges. f. Christl. Kst, München: Dez. 1950; 1. 1. – Mitte Febr. 1951; Nov. 1951.

Lit.: Dreßler. — Breuer, m. 2 Abbn u. Bildnis B.s, gez. von Carl Weinmeier. — Schnell, 1 (1934) H. 55 p. 4, 6. — D. Kunst, 75 (1936/37) 274, 275 (Abb.); 81 (1939/40) 97/102, m. Abbn; 83 (1940/41) 70 (Abb.); 85 (1941/42) 15/24, m. Abbn. — D. Christl. Kst, 27 (1930/31) 161/68, m. Abbn; 28 (1931/32) 266 (Abb.), 267 (Taf.), 268 (Abb.), 269 (Abb.), 270 (Abb.), 271 (Abb.); 29 (1932/33) 78. — Die Kst u. das schöne Heim, 49 (1950) H. 3, p. 50. — D. Münster, 1 (1947–48) 287/92, m. 2 Abbn; 2 (1948) 95 (Abb.), 107f., 171, m. Abb.; 5 (1952) 54. — Velhagen & Klasings Monatsh., 44/I (1929/30) 704 (Abb.). — Kst u. Kirche, 18 (1941) 91 (Abb.: Altarwerk in München-Giesing).

Burke, Josef Franz, dtsch. Maler u. Buchillustr., * 10. 9. 1889 München, ansässig ebda.

Stud. an d. Münchner Kstgewerbesch. bei Robert Engels, dann an d. Akad. bei Habermann u. Caspar. Studienaufenthalte in Schleswig-Holstein u. Italien. 1930 Reisestipendium d. Stadt München; 1931 Albr.-Dürer-Preis. Seit 1934 künstler. Leiter der Münchner Lehrwerkstätten (vordem Debitzschule). Bild in d. Städt. Gal. München. Als Illustr. tätig für den Drei-Masken-Verlag, München.

Lit.: Kst- u. Antiquit.-Rundschau, 44 (1936) 177, m. Abb.; 45 (1937) 98, m. Abb.

Burkert, Eugen, dtsch. Landschaftsmaler, * 30. 6. 1866 Schweidnitz, † 11. 10. 1922 Warmbrunn, Schles.

Stud. an der Kstschule in Breslau. Im Schles. Mus. ebda: Schnepfenstrich. Gedächtnis-Ausst. ebda Febr./März 1939 (Kat., m. Abbn).

Lit.: Th.-B., 5 (1911). — Schles. Jahrbuch, 1913 p. 16. — Der Oberschlesier, 21 (1939) Abb. vor p. 149, 150f. u. 156 (Abb.). — Schlesische Heimat, 5 (1940) 43/51.

Burkhalter, Jean, franz. Maler u. Kunstgewerbler, * 17. 10. 1895 Auxerre (Yonne), ansässig in Paris, seit 1927 in Saint-Ouen.

Stellt seit 1921 bei den Indépendants u. im Salon d'Automne aus. Figürliches, Landschaften. Entwürfe für Vorsatzpapiere, Denkmäleranlagen usw.

Lit.: Joseph, I. — Bénézit, [2] II. — La Renaiss. de l'Art franç. etc., 9 (1926) 515ff. passim. — Art et Décor., 57 (1930) 65/72; 63 (1934) 57/64, m. 10 Abbn. — L'Amour de l'Art, 11 (1930) 314 (Abb.). — Beaux-Arts, Nr 233 v. 18. 6. 1937, p. 3 (Abb.).

Burkhard, Ernst, schweiz. Landschaftsmaler, * 21. 2. 1887 Richterswil, Kt. Zürich, ansässig ebda.

Stud. an der Kstgewerbesch. Zürich bei Freytag, 1905/06 an der Münchner Akad. Reisen durch Deutschland. Wanderung durch Böhmen bis Prag. Aufenthalte in Graubünden 1925, 26 u. 27. Sammelausstellgn im Kstsalon Bollag, Zürich 1919, im Kunstmus. St. Gallen, Okt. 1923, bei Orell Füßli in Zürich 1927 u. 1928, im Salon Kunst u. Spiegel in Zürich Nov. 1931. Farbige Reprodukt. nach s. Gemälden erschienen im Verlag Rascher & Co., Zürich, u. bei Gebr. Stehli, ebda. Bilder im Bes. d. Stadt Zürich u. der Regierung des Kantons Zürich.

Lit.: Mitteilgn des Künstlers.

Burkhard, Henri, amer. Maler, * 17. 2. 1892 New York, ansässig in Leonia, N. J.

Stud. an der Art Student's League in New York u. an den Akad. Colarossi u. Grande Chaumière in Paris. Figürliches, Landschaften. Beeinflußt von Cézanne. Kollektiv-Ausst. in den Anderson Gall. in New York, März 1928, u. in d. Brownell-Lambertson Gall. ebda, Febr. 1932. Vertreten im Whitney Mus. of Amer. Art in New York u. im Pal. d. Ehrenlegion in San Francisco, Calif.

Lit.: Who's Who in Amer. Art, I: 1936/37. — Amer. Art Annual, 30 (1933). — The Art News, 23, Nr 23 v. 14. 3. 1925, p. 3. — The New York Times, 6. 2. 1932. — Monro.

Burkhard, Karl, schweiz. Architekt * 16. 10. 1879 Basel, ansässig ebda.

Stud. am Eidg. Polytechn. Zürich u. an der Techn. Hochsch. München. Kaufhaus Jul. Brann & Co., St. Gallen.

Lit.: Schweiz. Zeitgen.-Lex., 1932.

Burkhard, Paul, schweiz. Bildhauer, Münzstempelschneider u. Illustrator, * 14. 10. 1888 Richterswil, ansässig in Lugano.

Schüler von J. Regl in Zürich. Bis Ausgang der 20er Jahre in München, dann in Lugano ansässig. Illustrat. zu: Aus dem Tornister von Karl Stamm, Zürich 1915.

Lit.: Schweiz. Zeitgen.-Lex., 1932. — Schweiz. Bauzeitg, 71 (1918) 169, m. Abb.

Burkhardt, Arthur, dtsch. Holzschneider, * 4. 1. 1872 Stuttgart, ansässig ebda.

Holzstiche, meist großen Formats u. techn. recht bedeutend: Zarathustra, Christus in der Wüste, Waldesstille usw.

Lit.: Briefl. Mitteilg C. Dodgson (†).

Burkhardt, Fritz, dtsch. Maler u. Zeichner, * 1900 Arnstein, ansässig in München.

Lit.: Zweijahrbuch 1929/30 dtsch. Kstlerverb. Die Juryfreien-München, p. [38] Abb. — Kat. Kst-Ausst. i. Palais Schaezler in Augsburg, Dez. 1945.

Burkhardt, Heinrich, dtsch. Maler u. Lithogr. (Prof.), * 16. 11. 1904 Altenburg, Thür., ansässig in Berlin.

Lithographenlehrling; Lindenau-Museumsschule in Altenburg, Akad. Dresden (Schüler von Gußmann u. Lührig). Studienreisen in Österreich u. Holland. Ab 1950 Dozent an der Meistersch. für Graphik in Berlin. Behandelt in s. großformatigen Aquarellen Landschaft, Tiere u. Figürliches in betont starker Farbigkeit. 2 Bilder: Erlebnis der Katastrophentage von Dresden u. Brennende Stadt, im Bes. der Staatl. Kstsmlgen Dresden. Weitere Arbeiten in Berlin, Leipzig, Glauchau, Altenburg, Gera, Erfurt, Weimar. Sammelausst. Sept. 1948 in d. Gal. Henning, Halle (Kat. m. 16 Taf.).

Lit.: H. C. v. d. Gabelentz, Malerei aus Freude—Malerei als Anklage, Gera 1948, p. 5, 23/30 (Abbn). — bild. kunst, 3 (1949), 64 (farb. Taf.), 65. — Für Dich (Berlin), Nr v. 8. 12. 1946 u. 9. 11. 1947, m. Abbn u. Fotobildn. — Kat. Ausst. Schles. Kstler usw., Breslau, Jan./Febr. 1939, m. Abb. *J.*

Burkhardt, Martha, schweiz. Malerin u. Reiseschriftst., * 1875 Rapperswil.

Stud. in München (1900/03) bei A. Jank u. R. Feldbauer. Bereiste Holland, Italien, Spanien, Skandinavien u. China. Landschaften, Stilleben. — Buchwerke: Chines. Kultstätten u. Kultgebräuche (m. 53 Bildern), Erlenbach 1920; Rapperswil, die Rosenstadt (m. 100 Zeichngn), Erlenbach 1921.

Lit.: Brun, IV. — D. Schweiz, 1915, p. 756ff., m. Abbn; 1917, p. 112ff., m. Abbn. — Pages d'Art, 1919, p. 298, 303, (Abb.).

Burkhardt, Oskar, dtsch. Aquarellmaler, Zeichner u. Rad., * 12. 11. 1882 Meißen, ansässig ebda.

Stud. an d. Zeichen- u. Modelliersch. der Stadt Meißen. Im übrigen Autodidakt. Mitglied der Staatl. Porzellanmanufaktur. Architektur- u. Städtebilder. Arbeiten im Mus. der Stadt Meißen u. im Stadtmus. Dresden. Sammelausst. Meißen Juni/Juli 1948 (ill. Kat.).

Lit.: Dreßler. *J.*

Burkhardt-Untermhaus, Richard, dtsch. Landschaftsmaler (Öl u. Aquar.) u. Graph., * 26. 12. 1883 Gera-Untermhaus, ansässig in Dresden-Blasewitz.

Nach Lehrzeit als Lithograph Schüler der Kstgewerbesch., dann der Akad. in Dresden bei Rich. Müller, O. Zwintscher u. E. Bracht. 2 Italienreisen. Impressionist. Arbeiten im Kupferstichkab. Dresden u. in den Stadtmus. Dresden u. Gera.

Lit.: Dreßler. — Dresdner Ztg, 23. 12. 1943 u. 29. 3. 1944. — Freiheitskampf, 24. 12. 1943 u. 8. 3. 1944. — Chemnitzer Ztg, 10. 3. 1944. — Freiberger Anz., 10. 3. 1944. *J.*

Burkheimer, Lena W., amer. Malerin, * 18. 2. 1877 Pleasantville, Ia., ansässig in Seattle, Wash.

Lit.: Amer. Art Annual, 20 (1923) 461.

Burkiewicz, Franciszek, poln. Holzschneider.

Lit.: Poln. Graphik, Ed. Stichnote, Potsdam 1948.

Burlage, Theo, dtsch. Architekt, * 17. 7. 1894 Oberstein a. d. Nahe.

Stud. 1919/23 an d. Techn. Hochsch. Stuttgart bei Schmitthenner u. Bonatz. Büropraktikant bei d. Kirchenarchit. Hans Herkommer in Stuttgart, 1924 bei Ernst Wagner ebda. Seit 1925 selbständig in Osnabrück. — Bauten: Landkapelle in Bieste, Oldenbg (1926); Kapelle in der Hauswirtschafts-Frauenschule auf Gut Hange (1927/28); Kirche in Schöningsdorf an der holl. Grenze, mit hochgestellter spitzbogiger Lamellendecke u. eindrucksvoller farbiger Wirkung (unverputzte rohe Klinkerziegelwände); St. Bonifatius-Kirche in Leipzig-Connewitz (1928/30), gleichzeitig als Gedächtnismal für die gefall. Mitglieder der „Katholischen kaufmänn. Vereine Deutschlands", in vorbildl. Zusammenarbeit von Architekt u. den raumausstattenden Künstlern (Plastik, Glasgemälde, Wandmalerei, Wandteppich); Elisabethkirche in Bremen-Hastedt; Erweiterungsbau der Kirche in Neuarenberg; Stadthalle in Osnabrück (1934), zus. mit Bruno Bichler; Krankenhäuser in Löningen u. Lathem a. d. Ems. Ländl. Höfe; Einzelwohnhäuser.

Lit.: D. Baumeister, 1934, p. 192/94. — Th. Lill, T. B. (Dtsche Architekturbücherei), Berlin 1931. — D. Christl. Kst, 25 (1928/29) 365 (Abb.), 367 (Abb.), 368; 26 (1929/30) 157, 348/59, m. Abbn. — D. Münster, 6 (1953) 128, m. Abb.

Burleigh, Averil M., engl. Figurenzeichnerin u. Aquarellmalerin, ansässig in London.

Stud. an d. Kstschule in Brighton. Ließ sich in Hove, Sussex, nieder. Mitgl. des Sussex Women's Art Club. Beschickt seit 1912 die Ausst. der Lond. Roy. Acad. Beeinflußt von den engl. Präraffaeliten. Illustrationen zu den Gedichten von John Keats.

Lit.: Mallett. — The Studio, 58 (1913) 213/19, m. 4 Abbn u. 2 farb. Taf.; 60 (1914) 326; 65 (1915) 114 (Abb.); 123 (1942) 147 (Abb.). — Velhagen & Klasings Monatshefte, 44/II (1929/30) farb. Taf. geg. p. 456; 45/II (1930/31) Taf. geg. p. 128, 228.

Burlet, Léon, franz. Landschaftsmaler, * Paris, ansässig in Pantin (Seine).

Stellt seit 1927 bei den Indépendants aus.

Lit.: Joseph, I.

Burley, David William, engl. Landsch.- u. Marinemaler, * 28. 4. 1901 Greenwich, ansässig ebda.

Lit.: Who's Who in Art, [3] 1934.

Burlin, Paul, amer. Maler, * 10. 9. 1886 New York, ansässig ebda.

Stud. in New York u. London. Landschaften, Bildnisse, Figürliches u. Stilleben. Folgt einem gemäßigten Expressionismus. Vertreten im Whitney Mus. of Amer. Art in New York. — Seine Gattin Natalie, geb. *Curtis*, Schwester der Bildnismalerin Constance Curtis, † 23. 10. 1921 Paris, war gleichfalls Malerin.

Lit.: Fielding. — Amer. Art Annual, 18 (1921) 225; 20 (1923) 461; 30 (1933). — Who's Who in Amer. Art, I: 1936/37. — Artwork, 2 (1925/26) H. 7, p. 202 (Abb.), 204. — The Art News, 24, Nr 27 v. 10. 4. 1926, p. 7; 25, Nr 18 v. 5. 2. 1927, p. 10. — Das Kstblatt, (1927) 329/32, m. 4 Abbn. — Art Index, 1928ff. passim. — Monro.

Burlingame, Charles Albert, amer. Maler u. Illustr., * 29. 3. 1860 Bridgeport, Conn., † 1930 Nanuet, N. Y.

Schüler von Edward Moran, William H. Lippincott u. J. B. Whittaker.

Lit.: Fielding. — Amer. Art Annual, 20 (1923) 461; 28 (1931).

Burlingame, Sheila, amer. Bildhauerin, Malerin u. Holzschneiderin, * 15. 4. 1894 Kansas, ansässig in Clayton, Mo.

Schülerin des Art Inst. in Chicago, Ill., u. der Art Student's League in New York.

Lit.: Amer. Art Annual, 30 (1933). — Who's Who in Amer. Art, I: 1936/37. — Art Index, Okt. 1945 –Sept. 46; Okt. 48/Okt. 49.

Burlison, Frances, engl. Bildhauerin u. Kstgewerblerin, * London, ansässig ebda.

Stud. an d. Slade School. Dekoration für die Kirche in Walthamstow, Nottingham; Figuren für das Beaumont Coll. in Liverpool; Bronzegruppe im Mus. in Preston. Kriegsmedaillen.

Lit.: Who's Who in Art, [3] 1934. — Graves, I. — The Studio, 42 (1918) 231.

Burljuk, David, russisch-amer. Maler, * 22. 7. 1882 in Rußland, ansässig in New York.

Stud. bei Cormon in Paris u. bei W. Diez u. Archipoff in München. Gehört zu den „Wilden" Rußlands, über die er im „Blauen Reiter" geschrieben hat (hier auch ein W. Burljuk erwähnt). Mitgl. der Petersburger Akad. u. der Nikakay Soc. in Tokio. Landschaften, Figürliches, Bildnisse. Hielt sich längere Zeit in Japan auf. Koll.-Ausst. 1923 im Art Center in New York.

Lit.: Who's Who in Amer. Art, I: 1936/37. — Kandinsky u. Marc, Der Blaue Reiter, [2] 1914, p. 13f., 15 (Abb.), 18 (Abb.), nach p. 60 (Abb.). — Amer. Artist, 9, März 1945, p. 9. — Umanskij, p. 18ff. — The Art News, 15. 9. 1923, p. 3; 1. 1. 42, p. 22; 1. 1. 43, p. 29; 15. 12. 44, p. 19; 15. 12. 45, p. 23; 45, Dez. 1946, p. 45; 46, Dez. 1947, p. 46, m. Abb.; 47, Dez. 1948, p. 54. — Art Digest, 1. 1. 43, p. 6, m. Abb.; 15. 12. 44, p. 8; 15. 12. 45, p. 7; 1. 1. 47, p. 14; 15. 12. 47, p. 25, m. Abb.; 15. 12. 48, p. 20 (Abb.), 21. — D. Cicerone, 16 (1924) 906. — Jahrb. d. jungen Kst, 5 (1924) 396. — Kst u. Ksthandwerk (Wien), 16 (1913) 599. — Ssredi Kollekzioneroff, 1923, Heft 5 p. 41; 1924, H. 3/4, p. 44; H. 9/12, p. 55. — The Studio, 130 (1945) 128. — Monro.

Burman-Morrall, William, engl. Modelleur u. Wanddekorator, * 9. 6. 1880 York, ansässig in Exeter.

Schüler des Roy. Coll. of Art in London. Hauptlehrer an der Kunstschule in Exeter.

Lit.: Who's Who in Art, [3] 1934.

Burmann, Fritz, dtsch. Maler u. Entwurfzeichner f. Glasmal. (Prof.), * 11. 8. 1892 Wiedenbrück i. W., † Sept. 1945 Berlin.

Stud. 1909/12 an den Akad. Düsseldorf u. München (H. Knirr). Nach Studienaufenthalten in Italien, Belgien, Holland, Frankreich u. Dalmatien Meisterschüler bei August Deusser in Düsseldorf. 1926/36 Prof. an der Akad. Königsberg. Seit 1936 Prof. an d. Hochsch. f. bild. Kste in Charlottenburg. Summarisch stilisierender, breitflächiger malerischer Vortrag. Bildnisse, Figürliches, Landschaften, Stilleben. 14 Kreuzwegstationen in der Kirche der Landesirrenanstalt Eickelborn i. W. Wandgemälde in der kath. Kirche in Königsberg u. im Städt. Planetarium in Düsseldorf. Bilder in den Städt. Kunstsammlgn in Düsseldorf (Blonde Familie) u. Königsberg (Alte Frau am Fenster [Führer 1934 p. 83, m. Taf.]), in d. Ksthalle in Hamburg u. im Mus. in Trier. Glasmalereien in der Kirche in Königswinter, in der Auferstehungskapelle in Brauweiler b. Köln u. im Reg.-Geb. in Allenstein.

Lit.: Dreßler. — Das Bild, 6 (1936) 361 (Abb.), 365, 368 (Abb.); 11 (1941) 193, 194 (Abb.), 196 (Abb.), 198 (Abb.). — Heimatblätter der Roten Erde, 2 (1922) 426. — Die Kunst, 41 (1919/20) 391 (Abb.); 71 (1934/35) 348/52, m. Abbn; 81 (1939/40) 36/40, m. Abbn. — Die Christl. Kst, 22 (1925/26) 356/60, m. Abbn. — Dtsche Kst u. Dekor., 56 (1925) 17/20, m. 5 Abbn. — Kst u. Kstler, 25 (1926/27) 110. — Daheimkalender 1927, m. farb. Abb. — Ostdtsche Monatsh., 15 (1934/35) 22, 23 (Abb.). — Velhagen & Klasings Monatsh., 49/II (1934/35) farb. Taf.-Abb. geg. p. 225. — Westermanns Monatsh., 162 (1937) 348, m. Abb. am Schluß d. Bandes; 163 (1937/38) 1/8 (Abbn); 166 (1939) 242, Abb. am Schluß d. Bdes, 485, Abb. do. — Münsterland, 8 (1921) 199. — The Studio, 90 (1925) 321, 389 — Die Weltkst, 7 Nr 50 v. 10. 12. 1933 p. 1; 8 Nr 26 v. 1. 7. 1934 p. 1f.; 13 Nr 12 v. 26. 3. 1939 p. 2; 16 Nr 35/36 v. 30. 8. 1942 p. 6; 22 (1952), Nr 15 p. 7, m. Abb. — Zeitschr. f. bild. Kst, 62 (1928–29), Kstchronik p. 52.

Burmans, Pauls, estnischer Maler, * 1888 Kameņec-Podoļeskâ.

Stud. 1907 an der Akad. in Petersburg (Leningrad) bei Rubo, 1908/09 an der Stroganoff-Schule in Moskau.

Lit.: Latviešu Konvers. Vārdnīca, 2 (Riga 1928–29). — Kat. Kstausst. aus Revaler Priv.-Besitz, Reval 1918, p. 29, 35.

Burmeister, Gabriel, schwed. Maler, Graphiker, Keramiker u. Textilkünstler, * 9. 7. 1886 Karlshamn, † 1946 Timmernabben.

Stud. an der Akad. Colarossi in Paris (1907), bei A. Hölzel in Stuttgart u. an der Akad. in Stockholm (1908/12). Hauptsächlich Landschafter. Pflegte ein kombiniertes Aquatint- u. Tonätz-Verfahren (sog. Gabriel-Methode). Seit 1925 Leiter der Gabriel-Fayencewerke in Timmernabben, vordem ansässig in Råsunda. — Vertreten im Nat.-Mus. in Stockholm u. in den Museen in Göteborg u. Malmö.

Lit.: Vem är det?, 1935. — Thomœus. — Konst och Konstnärer, 1912 p. 17, m. 2 Abbn. — Dtsche Kst u. Dekor., 33 (1913/14) 189 (Abb.). — Vem är Vem i Norden, 1941 p. 1012.

Burmester, Ernst, dtsch. Figuren- u. Bildnismaler, * 12. 7. 1877 Ratzeburg (Lauenburg), seit 1917 im Felde vermißt.

Schüler von C. Bantzer u. G. Kuehl an d. Dresdner Akad. Mitgl. der Münchner Sezession. Nachlaß-Ausst. in der Münchner Sezession August 1920.

Lit.: Th.-B., 5 (1911). — Bantzer, Hessen i. d. dtsch. Malerei (Beitr. z. hess. Volks- u. Landeskde, H. 4), Marburg 1939. — Hessenland, 45 (1934) 168f. — Dtsche Kst u. Dekor., 36 (1915) 384, 394 (Abb.).

Burn, Rodney Joseph, engl. Landschaftsmaler u. Illustr., * 11. 7. 1899 Palmer's Green, ansässig in London.

Stud. an der Slade School in London u. an der Brit. Akad. in Rom.

Lit.: Who's Who in Art, [3] 1934. — The Burlington Magaz., 40 (1922) 84ff., m. 2 Abbn. — The Studio, 95 (1928) 82, 83 (ganzseit. Abb.).

Burn Murdoch, W. G., schott. Lithogr., Maler u. Reiseschriftst., ansässig in Edinburgh.

Schüler von Ch. Verlat an d. Antwerpener Akad. u. von Carolus-Duran in Paris. Studienaufenthalte in Florenz, Neapel u. Madrid.

Lit.: Who's Who in Art, [3] 1934.

Burnand, Daniel, schweiz. Maler u. Illustr., * 2. 12. 1888 Paris, † 8. 12. 1918 ebda. Sohn des Eugène, Zwillingsbruder des Folg.

Schüler s. Vaters u. L. O. Merson's. Figürliches, Bildnisse, dekor. Gemälde u. Landschaften. 6 Landschaften reproduz. in d. Smlg farb. Volkskstblätter, R. Keutel, Stuttgart 1915, Nrn 134/39. Illustrat. zu: Les deux plus beaux-contes de fées: Cendrillon et Le petit Chaperon-Rouge, Lausanne 1921.

Lit.: Brun, IV. — Lonchamp, II Nr 501. — D. Schweiz, 1912, p. 326 (Abb.). — Jahrb. f. Kst u. Kstpflege in d. Schweiz, 1915–21, Basel 1923, p. 431.

Burnand, David, schweiz. Maler u. Illustr., * 2. 12. 1888 Paris, ansässig ebda. Sohn des Eugène († 1921), Zwillingsbruder des Vor.

Schüler der Pariser Ec. d. B.-Arts u. s. Vaters. Bildnisse, Landschaften, Fresken (bes. relig. Stoffe). Bild: Geburt Christi in d. Kirche St. Michael in Zug. Wandbilder in der Kinderklinik in Lausanne u. im Palais der Heilsarmee in Paris. Illustr. zu: Les deux plus beaux contes de fées: Cendrillon et Le petit Chaperon Roge, Lausanne 1921, u. zu dem Buch s. Bruders René: Terre où j'ai vécu, Neuchâtel 1931.

Lit.: Brun, IV. — Lonchamp, II, Nr 501. — D. Schweiz, 1912, p. 327, m. Abb.

Burnand, Victor Wyatt, engl. Bildnis- u. Landschaftsmaler u. Illustr., * 14. 4. 1868 Poole Dorset, zuletzt ansässig in Guildford, Surrey.

Stud. am Roy. Coll. of Art in London u. in Paris. Folgte der Richtung des David Cox. Illustr. zu Bunyan's „Pilgrim's Progress" u. zu Hawthorne's „Tanglewood Tales".

Lit.: Who's Who in Art, [3] 1934. — The Studio, 65 (1915) 205; 89 (1925) 317f., m. 2 Abbn u. farb. Taf.

Burnay, Luiz Eduardo de Ortigão, portug. Genre- u. Bildnismaler, Restaurator u. Rad., * 15. 4. 1884 Lissabon, ansässig ebda.

Stud. in Paris bei M. Baschet, Désiré Lucas u. in London. Debütierte im Pariser Salon 1913. Mitgl. der Soc. Nat. d. B.-Arts.

Lit.: Gr. Encicl. Portug. e Brasileira, V.

Burne, Winifred, engl. Malerin u. Lithogr., * 13. 10. 1877 Birkenhead, ansässig in St. Ives, Cornwall.

Schülerin von Herm. Groeber in München.

Lit.: Who's Who in Art, [3] 1934.

Burnett, Cecil Ross, engl. Maler (Öl, Aquar., Pastell), * 27. 4. 1872 Old Charlton, Kent, ansässig in Amberley, Sussex.

Stud. an den Roy. Acad. Schools. Bildnisse, Landschaften mit Figuren.

Lit.: Who's Who in Art, [3] 1934.

Burnham, Anita, geb. *Willets,* amer. Malerin u. Rad., * 22. 8. 1880 Brooklyn, N. Y., ansässig in Winnetka, Ill.

Malschülerin von W. M. Chase, Freer Du Mond, Cecilia Beaux, John Johansen u. Castelucho, lernte radieren bei Ralph Pearson.

Lit.: Fielding. — Amer. Art Annual, 20 (1923) 461; 30 (1933).

Burnham, Roger Noble, amer. Bildhauer u. Medailleur, * 10. 8. 1876 Boston, Mass., ansässig in Los Angeles, Calif.

Schüler von Caroline Hunt Rimmer. Lehrer an der Architekturschule der Harvard University (1912 –17). Hauptwerke: 4 Kolossalfiguren: Justitia, Caritas, Erziehung u. Industrie, auf der Attika des Anbaus der City Hall in Boston; Kentaur, Athenakopf u. Tritonen am Germany Art Mus. in Harvard; Joh. Ernest Perabo im Mus. in Boston; Carrington Mason Memorial in Memphis; Bronzestatue: Der Trojaner, auf dem Hof der University of Southern California in Los Angeles; Symbol. Statue zum Gedächtnis an Rud. Valentino im De-Longpre Park in Hollywood, Calif.

Lit.: Fielding. — Amer. Art Annual, 20 (1923) 461; 27 (1930) 16; 30 (1933). — Forrer, 7. — Who's Who in Amer. Art, I: 1936/37.

Burnham, Wilbur Herbert, amer. Glasmaler, * 4. 2. 1887 Boston, Mass., ansässig ebda.

Stud. an der Mass. School of Arts. Fenster u. a. in der Riverside Church in New York, in der Princeton University Chapel in der Kirche des Hl. Vinzenz von Paula in Los Angeles, in der Trinity Church in Springfield, Mass., in St. Mary's of Redford Church in Detroit, Mich., in der St. John's Kathedrale in Denver, Colo., in der Westminster Pfarrkirche in Albany, N. Y., u. in der Pfarrk. in Weston, Mass.

Lit.: Amer. Art Annual, 27 (1930) 513f. — Who's Who in Amer. Art, I: 1936/37. — Design (Columbus, O.), 48, Dez. 1946, p. 12f.

Burnitz, Hans, dtsch. Landschaftsmaler, * 8. 9. 1875 Frankfurt a. M., ansässig ebda.

Sohn des Peter B. Schüler von Hasselhorst, E. Hausmann u. C. v. Marr.

Lit.: Th.-B., 5 (1911).

Burnot, Philippe, franz. Zeichner u. Holzschneider, * 15. 3. 1877 Lantignie (Rhône), ansässig in Lyon.

Stellt 1922ff. im Salon d. Art. Décorat. u. im Salon d'Automne aus. Illustr. zu: Ch. Porot, „Hyménée", „Lettres de Mallarmé à Aubanel", M. Audin, „Le Beaujolais", J. M. Carré, „Images d'Amérique", La Fontaine, „Elégies".

Lit.: Joseph, I. — Bénézit, [2] II. — L'Art et les Artistes, N. S. 20 (1930) 323.

Burns, Jean Douglas, schott. Maler, Radierer, Holz- u. Metallschneider, * 15. 6. 1903 Cumbernauld, ansässig ebda.

Stud. an d. Kunstsch. in Glasgow.

Lit.: Who's Who in Art, [3] 1934.

Burns, Margaret Delisle, geb. *Hanray,* engl. Architekturmalerin u. Radiererin, * 9. 7. 1888 London, ansässig ebda.

Stud. an der Slade School (1910 Preis für Figurenzeichnen). Arbeitete anschließend in Frankreich (Dieppe), in den USA (Philadelphia) u. in Italien (Rapallo, Siena, Arezzo, Perugia, Assisi u. a. O.). Spezialisierte sich dann auf die Darstellung von Architekturen in Aquarell u. Federzeichnung. Auch Bildnisse in Öl, Pastell u. Federzeichng.

Lit.: Who's Who in Art, [3] 1934. — The Studio, 63 (1915) 215; 89 (1925) 81/85, m. Abbn u. farb. Taf.

Burns, Paul, amer. Maler, * 28. 4. 1910 Pittsburgh, Pa., ansässig in Philadelphia.

Stud. an d. Pennsylv. Acad. of F. Arts in Philadelphia. Aquarelle in der Public Library in Collingswood, N. J.

Lit.: Who's Who in Amer. Art, I: 1936/37. — Monro.

Burns, Pearl Robinson, amer. Bildnismalerin, * 3. 3. 1903 Shoals, Ind., ansässig in Taos, N. Mex.

Schülerin von Frank Benson u. Edmund Tarbel. Bildnisse u. a. im Courthouse in Dalhart, Tex., u. im Oklahoma Hist. Building in Oklahoma City.

Lit.: Who's Who in Amer. Art, I: 1936/37.

Burns, Robert Clayton, amer. Maler, * 1916.

Lit.: Design (Columbus, Ohio), 48 (1946) Dez.-H. p. 18 (Abb.). — Art Index (New York), Okt. 1941 –Sept. 1942; Okt. 1942/Sept. 1943.

Burns, Thomas James, schott. Bildhauer, * 14. 10. 1888 Edinburgh, ansässig ebda.

Stud. in Edinburgh u. London und bei Joseph Hayes.

Lit.: Who's Who in Art, [3] 1934.

Burnside, Cameron, engl.-amer. Maler, * 23. 7. 1887 London, von amer. Eltern, ansässig in Paris.

Schüler von R. Ménard, Rupert Bunny u. L. Simon in Paris. 1918/19 offizieller Maler des Amerik. Roten Kreuzes in Frankreich. Im Luxembourg-Mus. in Paris: Ehrung des franz. Volkes durch das Amer. Rote Kreuz.

Lit.: Fielding. — Amer. Art Annual, 20 (1923)

462; 30 (1933). — Who's Who in Amer. Art, I: 1936/37. — Bénézit, [2] II. — Revue de l'Art anc. et mod., 36 (1914/19) 198 (Abb.).

Buron, Henri Lucien, franz. Landschafts-, Bildnis- u. Aktmaler, * 5. 8. 1880 Rouen, ansässig in Paris.

Schüler von Alb. Lebourg u. Biloul. Mitglied der Soc. d. Art. Franç., beschickt deren Salon seit 1924 (Kat. z. T. m. Abbn). Bild im Mus. in Honfleur.

Lit.: Joseph, I. — Bénézit, [2] II. — Beaux-Arts, Nr 331 v. 5. 5. 1939, p. 2 (Abb.).

Burr, Frances, verehel. *Reynolds*, amer. Malerin, * 24. 11. 1890 Boston, Mass., ansässig in New York.

Wandmalereien u. Bildnisse.

Lit.: Who's Who in Amer. Art, I: 1936/37. — Amer. Art Annual, 30 (1933).

Burr, George Brainerd, amer. Maler, * Middletown, Conn., ansässig in Old Lyme.

Stud. an d. Berliner u. Münchner Akad., dann an d. Art Student's League in New York u. an d. Acad. Colarossi in Paris.

Lit.: Fielding. — Amer. Art Annual, 20 (1923) 462; 30 (1933).

Burr, George Elbert, amer. Landschaftsradierer u. Aquarellmaler, * 14. 4. 1859 Cleveland, Ohio, † 17. 11. 1939 Phoenix, Arizona.

Stud. am Art Instit. in Chicago, Ill., dann 5 Jahre in Europa. Verwendet bei seinen Graphiken mit Vorliebe kleine Formate u. arbeitet in den verschiedensten Techniken (Trockennadel, Radierung, Aquatinta). In allen öff. Kabinetten der USA vertreten.

Lit.: Fielding. — Amer. Art Annual, 30 (1933). — Who's Who in Amer. Art, I: 1936/37. — The Studio, 83 (1922) 136/144, m. Abb. 95 (1928) 168/71, m. Abbn. — Print Coll.'s Quarterly, 15 (1928) 360ff., m. 9 Abbn, 27 (1940) 111. — Year Book of Amer. Etching 1914. Mit Einleitg von F. Watson, London, New York. — Art Index, Okt. 1945/Sept. 46.

Burra, Edward, engl. Figuren- u. Stilllebenmaler (Öl u. Aquar.), * 1905, ansässig meist in Rye, Sussex.

Stud. 1921/22 am Chelsea Polytechnic u. am Roy. Coll. of Art in London. Beeinflußt von George Grosz, den ital. Futuristen u. der Vorticisten-Gruppe. Lebte längere Zeit in Haarlem, Marseille u. Paris. Auf Sensation berechnete Figurenkompositionen (Nacktkultur; John Det). Bild im Mus. f. Mod. Kst in New York.

Lit.: J. Rothenstein, E. B., Harmondsworth 1945. — Bénézit, [2] 2 (1949). — Apollo (London), 9 (1929) 320f. — The Studio, 113 (1937) 313 (Abb.); 125 (1943) 61, 62 (Abb.). — Wort u. Tat, 2, H. 9, p. 115. — bild. kunst, 1 (1947) H. 8, p. 9f., m. Abb. — D. Sonntag (Berlin), 25. 1. 1948, m. Abb. — Art Index (New York), Okt. 1942/Okt. 1952 passim.

Burrage, Mildred Giddings, amer. Malerin, * 18. 5. 1890 Portland, Maine, ansässig in Kennebunkport, Maine.

Schüler von Rich. Miller.

Lit.: Fielding. — Amer. Art Annual, 20 (1923) 462; 28 (1931).

Burras, Caroline Agnes, engl. Bildnis- u. Landschaftsmalerin, * 2. 8. 1890 Leeds, ansässig in Southampton.

Malt hauptsächlich in Miniatur (Öl u. Aquar.) Illuminierte Adressen u. Buchillustrationen.

Lit.: Who's Who in Art, [3] 1934

Burrell, Alfred, amer. Aquarellmaler u. Radierer, * 4. 3. 1877 Oakeland, Calif., ansässig in San Francisco.

Schüler von Frank V. Du Mond. Wm. Chase u. der Mark Hopkins-Kstschule in San Francisco.

Lit.: Who's Who in Amer. Art, I: 1936/37.

Burroughs, Bryson, amer. Maler, * 8. 9. 1869 Hyde Park, Mass., † 16. 11. 1934 New York. Gatte der Edith.

Stud. an der Art Student's League in New York, dann in Paris bei L. O. Merson u. in Florenz. Malte hauptsächlich bibl. u. mytholog. Szenen, die er mit amüsanten Anachronismen spickt. 1909/34 Kurator der Gemäldegalerie am Metropol. Mus. in New York. Bilder ebda (Eurydike, von der Schlange gebissen) u. im Luxembourg-Mus. in Paris (Die drei heil. Frauen am Grabe), im Mus. in Brooklyn (Danae im Turm) u. im Art Instit. in Chicago, Ill. (Die Fischer).

Lit.: Th.-B., 5 (1911). — Fielding. — Monro. — Amer. Art Annual, 30 (1933). — Revue de l'Art anc. et mod., 36 (1914/19) 200 (Abb.). — The Art News, 22, Nr 27 v. 12. 4. 1924, p. 5; 25, Nr 24 v. 19. 3. 1927, p. 9; 30, Nr 24 v. 12. 3. 1932, p. 13, m. Abb. — Bull. of the Metrop. Mus. of Art (New York), 29 (1934) 202f.; 30 (1935) 27, 50/53, m. Abbn. — Parnassus, vol. 6, Nr 8, Jan. 1935. — Guide Paint. Perm. Coll., Art Inst. Chicago 1925, p. 108, m. Abbn., 128.

Burroughs, Dorothy, engl. Buchillustratorin, Linolschneiderin u. Reklamekstlerin, * London, ansässig ebda.

Stud. an der Slade School in London.

Lit.: Who's Who in Art, [3] 1934. — Mallett.

Burroughs, Edith W., amer. Bildhauerin, * 20. 10. 1871 Riverdale, N. Y., † 6. 1. 1916 Flushing, L. I., N. Y. Gattin des Bryson.

Stud. an der Art Student's League in New York unter Saint Gaudens und in Paris unter Inglebert u. L. O. Merson. Im Metropol. Mus. in New York Büste John La Farge. Auf der Panama-Pacific Expos. San Francisco 1915 vertreten mit: Der Jungbrunnen.

Lit.: Fielding. — Amer. Art News, 14, Nr 14 v. 8. 1. 1916, p. 4. — Amer. Art Annual, 13 (1916). — Earle. — S. La Follette, Art in America, New York 1934.

Bourroughs, Edward Robbins, amer. Radierer u. Lithogr., * 17. 8. 1902 Portsmouth, Va., ansässig in Dayton, Ohio.

Schüler von Ch. H. Walther u. Henry A. Roben.

Lit.: Who's Who in Amer. Art, I: 1936/37. — Art Digest, 21, 15. 11. 1946, p. 15. — Mallett.

Burrows, Harold L., amer. Maler u. Rad., * 28. 11. 1889 Salt Lake City, ansässig in New York.

Schüler von Yong u. Robert Henri.

Lit.: Fielding. — Amer. Art Annual, 20 (1923) 462. — Art Index, Okt. 1944/Sept. 45.

Bursalı, Sefik, türk. Landschafts-, Figuren- u. Bildnismaler, * 1907 Bursa, ansässig in Istanbul (Konstantinopel).

Stud. an d. Akad. d. Sch. Künste zu Istanbul, 1930 daselbst diplomiert. Zeichenlehrer an verschiedenen Schulen ebda, seit 1937 an d. Akad. d. Sch. Künste. Nahm an Ausstellgn in der Türkei, London, Moskau u. Paris teil. Einige Werke im Bilder- u. Statuenmus. zu Istanbul. Gehört der türk. modernen Schule an.

Lit.: Berk, p. 24, Abb. 42.

Bursche, Ernst, dtsch. Figurenmaler, * 1907 Carlsberg, Schles., ansässig in Dresden.

Burt, Beatrice Milliken, amer. Miniaturmalerin, * 17. 12. 1893 New Bedford, Mass., ansässig ebda.

Schülerin von Delécluse u. Mme Laforge in Paris,

dann von Lucia F. Fuller, Elsie Dodge Pattee u. Miss Welch in New York.
Lit.: Fielding. — Amer. Art Annual, 20 (1923) 462.

Burt, Louis, amer. Maler, * 20. 7. 1900 New York, ansässig ebda.
Schüler von Robert Henri, George Bellows u. John Sloan.
Lit.: Fielding. — Amer. Art Annual, 20 (1923) 462; 30 (1933).

Burt, Mary Theodora, amer. Malerin, * Philadelphia, Pa., ansässig ebda.
Stud. an der Acad. Julian in Paris.
Lit.: Fielding. — Amer. Art Annual, 20 (1923) 462; 30 (1933).

Burte, Hermann, Federname des Hermann B. *Strübe.*
Lit.: Th. Roffler, Schweizer Maler, Frauenfeld -Lpzg 1937, p. 158f.

Burtis, Mary Elizabeth, amer. Malerin, * 8. 6. 1878 Orange, N. J., ansässig ebda.
Schülerin von Christine Lumsden.
Lit.: Fielding. — Amer. Art Annual, 20 (1923) 462.

Burton, Alice Mary, engl. Bildnis- u. Figurenmalerin, * 21. 9. 1893 Nogent-sur-Oise, ansässig in London.
Lit.: Who's Who in Art, [3] 1934.

Burton, Beryl Hope, geb. *Bartlett,* engl. Bildnismalerin (auch Miniaturistin), * Fransham, Norfolk, ansässig ebda.
Stud. an d. Herkomer-Schule in Bushey.
Lit.: Who's Who in Art, [3] 1934.

Burton, Ernest St. John, engl. Landschaftsmaler, * Parkstone, Dorset, ansässig in Bournemouth, Hampshire.
Lit.: Who's Who in Art, [3] 1934.

Burton, Harriet B., amer. Bildhauerin, * 29. 3. 1893 Cincinnati, Ohio, ansässig in New York.
Schülerin von Mario Karbel, Abastina Eberle, Cecil Howard u. A. Archipenko.
Lit.: Who's Who in Amer. Art, I: 1936/37. — Amer. Art Annual, 30 (1933).

Burton, Nancy Jane, schott. Tiermalerin, * Inverness, ansässig in Glasgow.
Stud. an der Kunstsch. in Glasgow.
Lit.: Who's Who in Art, [3] 1934.

Burton, Samuel Chatwood, engl.-amer. Maler, Bildhauer, Illustr. u. Rad., * 18. 2. 1881 Manchester, Engl., ansässig in Minneapolis, Minn.
Schüler von J. P. Laurens in Paris u. von Lanteri in London. Prof. für Malerei an der Univers. Minnesota.
Lit.: Fielding. — Amer. Art Annual, 30 (1933). — Who's Who in Amer. Art, I: 1936/37.

Bury, Adrian, engl. Aquarellmaler (Landschaft u. Architektur), Dichter u. Kunstschriftst., * 6. 12. 1893 Sussex, ansässig in London.
Neffe des Bildh. Alfred Gilbert. Stud. in London, Paris u. Rom. Stellte in d. Roy. Acad. u. in d. Roy. Soc. of Portrait Painters aus. Wiederholt Kollektiv-Ausstellgn in der Leger Gall. in London, u. a. 1932, 1933 u. 1936. Arbeiten im Brit. Mus., im Vict. a. Albert Mus. in London, in den Museen in Birmingham, Edinburgh u. a. O. Buchwerk: Water Colour-Painting of To-Day, 1937.
Lit.: Bénézit, [2] 2. — Mallett. — Apollo (London), 15 (1932) 190/91, m. Abbn; 16 (1932) 259, m. Abb.; 17 (1933) 220f., m. Abbn. — The Connoisseur, 91 (1933) 415; 98 (1936) 235; 100 (1937) 45 (Abb.); 102 (1938) 275f., m. Abb. — The Studio, 103 (1932) 297 (Abb.); 112 (1936) 286 (Abb.); 116 (1938) 242f., m. 3 Abbn.

Bury, Gaynor Elizabeth, engl. Landschafts- u. Interieurmalerin, * 13. 11. 1890 London, ansässig ebda.
Stud. an den Roy. Acad. Schools.
Lit.: Who's Who in Art, [3] 1934.

Burzi, Ettore, Tessiner Landschafts- u. Architekturmaler, * 1872 Budrio, Prov. Bologna, ansässig in Lugano.
Stud. 1894/95 an d. Akad. Bologna, autodidaktisch weitergebildet bis 1904 in Venedig. Seitdem in Lugano ansässig. 1910 in Rom. Venez. Lagunenbilder (Öl u. Aquar.). Arbeiten u. a. in den Museen Venedig, Bologna u. Rom.
Lit.: Th.-B., 5 (1911) 277 (Burzi). — Brun, IV. — Schweiz. Zeitgen.-Lex., 1921. — D. Ksthaus (Zürich), 1916, Heft 2 p. 2. — Kat. Ausst. Ksthaus Zürich 7. 1. -31. 1. 1917, p. 5, 12.

Bus, Dirk, holl. Bildhauer, * 5. 12. 1907 Den Haag, ansässig ebda.
Schüler von Ingen-Housz an der Haager u. von Bronner an der Amsterd. Akad. Menschliche Figuren, Tiere. Selbstbildnis im Gem.-Mus. im Haag.
Lit.: Waay. — Maandbl. v. beeld. Kunsten, 10 (1933) 251f., m. Abb. — Mededeel. v. d. Dienst v. Ksten en Wetensch. d. Gem. 's-Gravenhage, 4 (1937) 51; 5 (1938) 18.

Busbee, Jacque, amer. Porträtmaler u. Keramiker, * 1870 Raleigh, N. C.
Stud. an der Nat. Acad. of Design in New York.
Lit.: Fielding. — Who's Who in Amer., 18 (1934/35).

Buscaroli, Rezio, ital. Maler, Holzschneider u. Kstschriftst., * 15. 9. 1895 Imola (Bologna), ansässig in Bologna.
Buchwerke (Auswahl): La pittura di Paesaggio in Italia, Bol. 1925; Melozzo da Forlì, Rom 1938.
Lit.: Chi è?, 1940.

Busch, Arnold, dtsch. Bildnis-, Figuren- u. Landschaftsmaler (Prof.), * 5. 5. 1876 Grünenplan (Braunschweig), ansässig in Cismar.
Stud. bei Bantzer an der Dresdner Akad. 1901/33 Prof. an der Akad. Breslau.
Lit.: Th.-B., 5 (1911). — Dreßler. — Schles. Jahrbuch, 1913, p. 16. — Kst u. Kstler, 14 (1916) 365. — Velhagen & Klasings Monatsh., 49/II (1934 -35) 672, farb. Taf.-Abb. geg. p. 648. — Die Weltkst, 14 Nr 40/41 v. 29. 9. 1940 p. 3; 21 (1951) Nr 11 p. 9.

Busch, Carl, dtsch. Glasmaler, * 1871 Hanau, † November 1948 Berlin.
Glasfenster u. a. in d. Marienkirche, der Corpus-Christi-Kirche u. in d. Michaelskirche in Berlin; ferner im Rathaus in Zehlendorf u. in zahlreichen Kirchen in der Umgebung von Berlin, im Brandenburgischen u. in Pommern.
Lit.: Neue Zeit (Berlin), 14. 11. 1948.

Busch, Carl, dtsch. Maler, * 27. 6. 1905 Münster i. W., ansässig ebda.
Autodidakt, 3 Jahre Malerlehre, 5 Jahre Bühnenbildner am Theater der Stadt Münster. Seit 1929 freier Maler. Studienreisen in Holland, Frankreich, Italien. Figürliches (hauptsächl. Akte) u. Landschaften. 1931 Dürerpreis, 1933 Erster westfäl. Kunstpreis, 1937 Corneliuspreis d. Düsseld. Akad. 1939 Preis d.

Stadt Düsseldorf. Bedeutender Kolorist, auf das Expressive, bald Verinnerlichte („Zwei Menschen"), bald Dramatisch-Bewegte („Grauen des Krieges") ausgehend. Wandgemälde: Bändigung der Rosse des Diomedes durch Herakles, im Neuen Saal der „Halle Münsterland" in Münster i. W. Zyklus: Die Zeit ordnete. Kollektiv-Ausst. in Clasings Kunststuben in München, August 1946.

Lit.: Das 20. Jahrhundert, 4 (1942) 269/71. — Velhagen & Klasings Monatsh., 50/I (1935/36), farb. Taf. geg. p. 568, 576 (Text); 51/I (1936/37) Taf. geg. p. 668, 678f. (Text). — Westermanns Monatsh., 160 (1936) 278f., m. Abb. am Schluß d. Bdes. — Zeitschr. für Kst, 2 (1948) 44/45 (Abbn), 53/55. — Ausst.-Kat. Kst d. Ruhrmark, Mauritshuis, Haag 1942, m. Abb.; Junge Kst im Dtsch. Reich, Wien 1943. — Kat. Ausst. Dtsche Malerei u. Plastik d. Gegenwart im Staatenhaus d. Messe in Köln v. 14. 5.–3. 7. 1949. — Westfäl. Nachr. (Münster i. W.), 20. 9. 1949, m. Abb.

Busch, Clarence Francis, amer. Maler, * 29. 8. 1887 Philadelphia, Pa., ansässig in New York.

Schüler der Art Student's League in New York u. der Akad. Julian, Grande Chaumière u. Colarossi in Paris. Bildnisse, Figürliches.

Lit.: Who's Who in Amer. Art, I: 1936/37. — Amer. Art Annual, 30 (1933).

Busch, Georg, dtsch. Stein- u. Holzbildhauer (Prof.), * 11.3.1862 Hanau, † 8.10. 1943 München.

Schüler von Syrius Eberle an der Münchner Akad. Hauptsächl. auf dem Gebiet der relig. Kunst tätig. Zu den bei Th.-B. gen. Arbeiten kommen u. a. hinzu: Herz-Jesu-Statue (Holz, polychr.) für die Pfarrk. in Weilheim; Schutzmantelbild (Holz, polychr.) für dies. Kirche; Gruppe: Heinrich II. mit s. Gemahlin Kunigunde, für die St. Ottokirche in Bamberg; Hl. Aloysius, am Betpult kniend (Holz), für die St. Josephkirche in Speyer; Tympanon mit dem Jüngsten Gericht für das Portal der Pfarrk. in Gerolshofen, Franken; Betendes Mädchen (Marmor) für das Kinderasyl in München (Wiederholung in Holz in der Berl. Nat.-Gal. u. im Städt. Mus. in Barcelona); Opferstock-Relief („Arme Witwe") für die Kirche in Homburg v. d. H.; Brunnenfigur mit dem Herkulesknaben für das Gymnasium in St. Stephan in Augsburg; Gruppe der hll. Monika u. Augustinus (Holz) für die Augustinerk. in Würzburg (2. Exempl in der Berl. Nat.-Gal.); Hl. Martin (Marmor) in der Pfarrk. in Böttingen; Pietà (Holz, polychr.) in der Kapuzinerk. in Frankfurt a. M.; Herz-Jesu-Altar für die Elisabethk. in Bonn; Hroznata-Altar für die Kirche in Tepl; Kreuzwegstationen für die Pfarrk. in Aichach b. Augsburg u. für St. Paul in München; Friedensdenkmal in Groß-Steinheim b. Hanau; Franziskusstatue für Gutstadt, Ostpr. Grabdenkmäler (Bischof Konrad Martin im Dom zu Paderborn), Porträtbüsten, Genrefiguren. — Herausgeber der von ihm begründeten Monogr.-Folge: Die Kunst dem Volke. Mitbegründer des Albr.-Dürer-Vereins u. d. Dtsch. Gesellsch. f. Christl. Kst.

Lit.: Th.-B., 5 (1911). — O. Doering, G. B. (Mod. Meister christl. Kst, Bd I), Münch. 1916, m. 88 Textabbn u. 6 Taf. (Besprechg in: D. Christl. Kst, XII, Beil p. 11f.). — W. Rothes, G. B., München 1923. — Dreßler. — Karl, I (1928). — Schnell, I (1934) H. 19, p. 3, 6, H. 64, p. 7; VII (1940) H. 426–27) p. 14. — Arte cristiana, 2 (1914) 225/36, m. Abbn, 237/46, 282. — Jahrb. d. Ver. f. Christl. Kst, 6 (1925/26) 331, m. Abb. — Kirchenkunst, 4 (1932) 8/10. — D. Christl. Kst, 8 (1911/12) 145/61, m. Abbn bis p. 180; 9 (1912/13) 96 u. Beil. p. 26f.; 10 (1913/14) Abb. geg. p. 16, 28 u. Beil. p. 26; 12 (1915/16) Beil. p. 29; 13 (1916/17) Beil. p. 15, 45; 14 (1917/18) Abb. geg. p. 108; 15 (1918/19) 71ff. u. Beil. p. 22; 16 (1919–20) Beil. p. 12f.; 17 (1920/21) 122 (Abb.), 124 u. Beil. p. 12f., 29; 18 (1921/22) 69ff., m. Abbn u. Beil. p. 48, 51f.; 19 (1922/23) 50f., 53 (Abb.), 152f., m. Abb.; 20 (1923/24) Beil. p. 45ff.; 28 (1931/32) 188. — Kstrundschau, 50 (1942) 33. — D. Münster, 2 (1948) 120, m. Abb. — D. Weltkst, 11 Nr 12 v. 21. 3. 1937 p. 4.

Busch, Kurt, dtsch. Zeichner u. Gebrauchsgraphiker, * 31. 7. 1902 Kulmbach, ansässig in Nürnberg.

Schüler von Gradl, Schiestl u. Körner an der Staatsschule für angewandte Kunst in Nürnberg.

Lit.: Kat. Ausst. 150 J. Nürnb. Kunst, Nürnberg 1942, p. 45.

Busch, Peter, dtsch. Bildhauer, * 9.12. 1891, Groß-Steinheim b. Hanau, ansässig ebda.

Stud. an der Zeichenakad. in Hanau u. an der Kstgewerbesch. in München. Relief über dem St. Josephsaltar der kath. Kirche in Hanau; Kreuzigungsgruppe (Holz) für den Kreuzaltar der Kirche in Horchheim bei Worms; Hl. Familie (Holz) für einen Seitenaltar der Kirche in Gaulsheim b. Bingen.

Lit.: Dreßler.

Busch, Walter, dtsch. Bildnis- u. Landschaftsmaler u. Radierer, * 19.11.1898 Leipzig, ansässig in München-Pasing.

Stud. an den Akad. in Leipzig u. München.

Lit.: Dreßler.

Busch, Wilhelm Martin, dtsch. Zeichner u. Maler, * 2.9.1908 Breslau, ansässig in Berlin.

Schüler von Spiegel u. Hans Meid in Berlin. Kollekt.-Ausst. April 1951 in Lübeck.

Lit.: Kat. Ausst. Illustr. u. polit. Zeichngn, Graph. Kab. beim Ver. Berl. Kstler, 22. 7./15. 9. 1940, m. Abb. — Kstchronik, 4 (1951) 94.

Busch-Alsen, Hans, dtsch. Maler, * 20.12. 1900 Augustenburg (Dänemark), ansässig in Flensburg.

Stud. an d. Kstgewerbesch. in Köln u. Akad. in Düsseldorf. Klasse für Glasmalerei unter Thorn-Prikker. Studienreisen durch Deutschland, Dänemark, Holland, Belgien, Frankreich, Spanien, Nordafrika, Italien, Jugoslavien. Bildnisse u. Figurenbilder, Menschen der West- und Ostküste. Fischer, Seeleute, Bauern. Gegenständlich-expressive Auffassung. Auch in kleinen Formaten Streben nach Monumentalität. Arbeiten im Bes. d. Kupferstichkab. Düsseldorf, d. Städt. Smlgn in Düsseldorf, Kiel u. München-Gladbach u. im Wallraf-Richartz-Mus. in Köln.

Lit.: Kat. Kstverein Flensburg, 1948. — Südschleswigsche Heimatztg (Flensburg), 26. 10. 1949. — Südtonderner Tagebl. 25. 10. 1949. *J.*

Buschbaum, Albrecht, dtsch. Vedutenmaler u. Graph., * 5.4.1885 Berlin, ansässig ebda.

Lit.: Dreßler.

Buscher, Clemens, dtsch. Bildhauer, * 1855 Gamburg, Baden, † 8.12.1916 Düsseldorf.

Lit.: Th.-B., 5 (1911). — Kstchronik, N. F. 28 (1916/17) 101. — D. Kunst, 27 (1912/13) 545 (Abb.); 35 (1917), Beil. zu H. 5 p. X.

Buscher, Thomas, dtsch. Bildhauer u. Altarbauer (Prof.), * 7.3.1860 Gamburg, Baden, ansässig in München.

Lernte an der handwerkl. Schnitzschule in München. Pflegte ausschließlich die christl. Kst. Arbeitete in Stein u. Holz. Altäre in der kath. Stadtpfarrk. in Mannheim u. in d. Stadtpfarrk. in Tauberbischofsheim;

Hl. Martin zu Pferde (Holz) in dem alten Barockaltar der Martinskap. (jetzt Kriegergedächtniskap.) in Berchtesgaden; Statuen Kaiser Heinrichs II. u. s. Gemahlin Kunigunde (Sandstein) am Nordportal der St. Paulskirche in München; Statuen der Kurfürsten Karl Philipp u. Karl Theodor in den Nischen der Vorhalle der Jesuitenk. in Mannheim; Madonnenstatue im Hochaltar der St. Johannisk. in Freising; Engelpaar am Sakramentsaltar ebda; Kreuzigungsgruppe im Vorplatz des westl. Friedhofes in München.

Lit.: D. Christl. Kst, 10 (1913/14) 246 (Abb.), 247 (Abb.), 249 (Abb.); 12 (1915/16) 128 u. Beil. p. 21f., 44; 13 (1916/17) 188; 14 (1917/18) 94 (Abb.); 19 (1922–23) 52; 21 (1924/25) Beil. p. 24; 23 (1926/27) 16f. (Abbn), 18f. (Abbn), 21 (Abb.), 30; 26 (1929/30) 189. — Kst u. Handwerk, 1913 p. 332 (Abb.).

Buschle, Erich, dtsch. Maler u. Kleinplastiker, * 16.7.1901 Karlsruhe, ansässig in Brebach-Saarbrücken.

Schüler von Fr. Fehr in Karlsruhe u. von Robert Sterl in Dresden.

Lit.: Dreßler. — Die Westmark, 1933/34, Abb. geg. p. 663.

Buschler, Walter, dtsch. Holzschnitzer u. Werkkünstler, * 26.6.1888 Stuttgart, ansässig ebda.

Lernte an der Kstgewerbeschule in Stuttgart. Möbel, Spielsachen.

Lit.: Dreßler. — Die Kunst, 58 (1927/28) 101 (Abb.).

Buschmann, Artur, dtsch. Maler, * 1.10. 1895 Wesel, ansässig ebda.

Stud. an d. Akad. in Karlsruhe. 1951 Corneliuspreis d. Stadt Düsseldorf. Reisen in Deutschland, Österreich, Holland. Interieur-Bilder im Folkwangmus. in Essen, in den Städt. Kstsmlgn in Düsseldorf, Trier, Ludwigshafen, Bundeshaus Bonn. Kollektiv-Ausstellgn 1951 im Leopold-Hoesch-Mus. in Düren u. in d. Städt. Gal. in Oberhausen.

Lit.: D. Kst u. d. schöne Heim, 49 (1950/51) 166, Beil. p. 148. — Kat. Ausst. Dtsche Malerei u Plastik d. Gegenwart, im Staatenhaus d. Messe in Köln v. 14. 5.–3. 7. 1949. — Mitteil. des Künstlers.

Buschmann, Hedwig, dtsche Kunstgewerblerin u. Bildhauerin, * 7.12.1872 Köln, ansässig in Marburg a. d. L.

Stud. zuerst Musik (bis 1904 Konzertpianistin), dann Schülerin von Otto Neitzel. Begründete 1905 eine Werkstatt für künstler. Frauenkleidung in Berlin („Hedwig Buschmanns Neue Frauentracht"). Seit 1922 autodidaktische Ausbildung als Porträtbildhauerin (bes. Masken). Gipsmaske des jungen Lessing in den Lessing-Museen in Berlin u. Wolfenbüttel.

Lit.: Witiko. Zeitschr. d. liter. Adalb.-Stifter-Gesellschaft, Eger, 2 (1929) Taf.-Abb. geg. p. 49; vgl. auch p. 53 ebda. — Mitteil. d. Kstlerin.

Buschmann, Hermann, dtsch. Maler, * 3.12.1875 Scharmbeck, ansässig in Nürnberg.

Stud. an der Kstschule in Nürnberg, dann bei Weinhold u. Groeber in München. In der Auferstehungskirche in Fürth i. B.: Bergpredigt.

Lit.: Dreßler.

Buschmann, Mechthild, s. *Czapek-Buschmann,* M.

Buschmeyer, Franz, dtsch. Maler, Exlibriszeichner, Entwurfzeichner für Gobelins u. Buchschmuckkünstler, * Erfurt, ansässig in Balve i. W.

Schüler von Stummel in Kevelaer, im übrigen Autodidakt. Ausmalung der Kapelle in Wamel, Kr. Soest (1922). Entwürfe für relig. Gedenkblätter, Monstranzen, Buchschmuck, Titel, Urkunden, Widmungsblätter usw.

Lit.: D. Christl. Kst, 18 (1921/22) 59 (Abb.), 60ff., m. Abbn; 19 (1922/23) Beil. p. 72.

Busé, Joh. Cornelis, holl. Maler u. Graph., * 18. 9. 1891 Haarlem, ansässig in Hillegom.

Schüler von H. Kruyder. Bildnisse, figürl. Kompositionen, Blumen, Stilleben, Landschaften.

Lit.: Plasschaert. — Waller. — Waay. — Maandbl. voor Beeld. Kunsten, 1 (1924) 377; 2 (1925) 349f., m. Abb.

Busenbenz-Scoville, Virginia, amer. Malerin u. Radiererin, * 26. 4. 1896 Chicago, Ill., ansässig in New York.

Schülerin von W. J. Reynolds in Chicago.

Lit.: Who's Who in Amer. Art, I: 1936/37. — Amer. Art Annual, 30 (1933).

Bush, Agnes Selene, amer. Malerin, * Seattle, Wash., ansässig ebda.

Schülerin von Ella S. Bush u. Paul Morgan Gustin.

Lit.: Fielding. — Amer. Art Annual, 20 (1923) 463.

Bush, Ella Shepard, amer. Miniaturmalerin, * Galesburg, Ill., ansässig in Sierra Madre, Calif.

Schülerin von J. Alden Weir, Kenyon Cox, Robert Henri u. Theod. W. Thayer.

Lit.: Fielding. — Amer. Art Annual, 20 (1923) 463; 30 (1933). — Who's Who in Amer. Art, I: 1936/37.

Bush, Flora, geb. *Hyland,* engl. Aquarellmalerin (bes. Blumen), * Bettesden, Kent, ansässig in Bristol. Gattin des Reginald.

Lit.: Who's Who in Art, [3] 1934.

Bush, Harry, engl. Maler, * 20. 12. 1883 Brighton, lebt in Wimbledon. Gatte d. Noël.

Lit.: Who's Who in Art, [3] 1934.

Bush, Noël Laura, geb. *Nisbet,* engl. Malerin u. Schriftst., * 30. 12. 1887 Harrow, ansässig in Wimbledon. Gattin des Harry.

Lit.: Who's Who in Art, [3] 1934.

Bush, Phyllis, Madeleine Hylie, engl. Architekturmalerin u. Rad., * 19. 6. 1896 Bristol, ansässig in London.

Stud. an d. Architekturschule der Roy. West of England Acad. in London.

Lit.: Who's Who in Art, [3] 1934.

Bush, Reginald Edgar James, engl. Maler u. Radierer, * 2. 6. 1869 Cardiff, ansässig in Bristol. Gatte der Flora.

Stud. am Roy. Coll. of Art in London, weitergebildet in Paris u. Italien.

Lit.: Who's Who in Art, [3] 1934.

Bush-Brown, Henry Kirke, amer. Bildhauer, * 21. 4. 1857 Ogdensburg, N. Y., † 28. 2. 1935 Washington, D. C.

Stud. an der Nat. Acad. of Design in New York, in Paris u. Italien. Seit 1893 Mitglied der Nat. Sculpture Soc. — Hauptwerke: Reiterstatuen der Generäle G. G. Meade, John Sedgwich u. John F. Reynolds in Gettysburg, Pa.; Denkm. des Generals Anth. Wayne in Valley Forge, Pa.; Kriegerdenkm. in der Union League in Philadelphia u. in Charleston, W. Va. Weitere Arbeiten im Metrop. Mus. New York, im High Mus. in Atlanta, Ga., u. im Nat. Mus. in Washington D. C.

Lit.: Th.-B., 5 (1911). — Amer. Art Annual, 1 (1898) 285 (Abb.); 20 (1923) 463; 27 (1930) 16; 30 (1933). — Fielding. — The Amer. Architect, 55 (1897/I) 95, Tafelabb. zu Nr 1108. — Who's Who in Amer. Art, I: 1936/37, p. 494.

Bush-Brown, Marjorie, s. *Conant,* M.

Busianis, Yorgo, griech. Maler, * 8. 11. 1885 Athen, ansässig in München-Eichenau.

Schüler von O. Seitz an der Münchner Akad. Hauptsächl. Bildnismaler. Im Städt. Mus. in Chemnitz ein Kinderbild. Kollektiv-Ausstellgn April 1927 u. Sept. 1928 im Kstsalon Barchfeld in Leipzig.

Lit.: Dreßler. — D. Cicerone, 17 (1925) 269. — Leipz. N. Nachr., 19. 9. 1928.

Busiello, Salvatore, ital. Landschafts- u. Tiermaler, * 6. 3. 1883 Barra (Neapel), ansässig ebda.

Schüler von Michele Cammarano, Fed. Rossano u. Ed. Dalbono. Malt besonders Federvieh.

Lit.: Giannelli. — Comanducci.

Busière, Louis, franz. Mezzotintostecher u. Lithogr., * 19. 9. 1880 Denain (Nord).

Schüler von Jacquet u. Bonnat. Rompreis 1904. Stach hauptsächl. nach engl. Meistern (Henry Thomson, Wm. Owen, Reynolds usw.).

Lit.: Joseph, 1. — Bénézit, [2] 2 (1949). — The Connoisseur, 70 (1924) 254. — Apollo (London), 5 (1927) 261 f., m. Abb.

Buskens, Petrus Gerardus, holl. Architekt, * 9. 10. 1872 Rotterdam, tätig ebda.

Stud. in Rotterdam. Hauptbauten: St. Elisabethkirche, St. Willebrorduskirche, St. Theresienk., St. Franciscus-Gasthuis, sämtlich in Rotterdam; St. Franziscuskirche in Heerlen; St. Aloysius-Kolleg im Haag.

Lit.: Wie is dat?, 1935.

Buskirk, Carl van, amer. Porträtmaler, * 1887 Cincinnati, Ohio, † 3. 1. 1930 New York.

Schüler von Buveneck. Bildnis des Präsidenten Wilson im Treasury Building in Washington, D. C.

Lit.: Amer. Art Annual, 27 (1930) 420.

Busnel, Robert, franz. Bildhauer, * 23. 7. 1881 Rouen, ansässig in Paris.

Schüler von Guilloux, Peter u. Injalbert. Mitglied der Soc. d. Art. Franç., beschickt deren Salon seit 1911. Gold. Med. 1923. Bildnisbüsten, Figürliches. In d. Kirche St-François in Le Havre: Ruhender Soldat.

Lit.: Joseph, I. — Bénézit, [2] II.

Busoni, Rafaello, ital. Figurenmaler u. Radierer, ansässig in Berlin.

Sohn des berühmten Pianisten Ferruccio B. Beschickte wiederholt (u. a. 1927 u. 1928) die Ausstellgn der Berl. Akad. (In der Loge, Toskanischer Abend u. a.). Einband u. Buchschmuck zu: Robert von Ehrhart, Das Erlebnis des Onkels Ladislaus, Berlin, Volksverband der Bücherfreunde 1926. Illustr. zu: Erika Müller-Hennig, Wolgakinder, Geschichte einer Flucht, Berlin, Junge Generation 1944. Mappenwerk: Amerika, 12 Rad., Berlin, Graph. Kstanstalt A. Rogall, 1924.

Lit.: Die Kunst, 55 (1926/27) 332, Abb. geg. p. 336; 57 (1927/28) 305 (Abb.). — Kst der Zeit, I/II (1927 –28) 66 (Abb.). — D. Kstblatt, 11 (1927) 144.

Busquet, Chouchette, franz. Bildnis- u. Figuren- (bes. Akt-) Malerin, * 15. 2. 1904 Bordeaux.

Schülerin von L. Roger u. L. Simon. Naivistin, malt in der Art Henri Rousseau's.

Lit.: Joseph, I. — Bénézit, [2] II.

Buss, Hugh Stanley, engl. Maler, * 31. 5. 1894 Lincoln, ansässig in Cambridge.

Landschaften, Stilleben, Interieurs.

Lit.: Who's Who in Art, [3] 1934.

Bussa, Giovanni, ital. Landschafts-, Bildnis- u. Genremaler, * 19. 9. 1883 Turin, ansässig ebda.

Schüler von Vitt. Cavalleri u. Luigi Boffa Tarlatta.

Lit.: Comanducci, m. Abb.

Bussart, Georges Henri, franz. Radierer, * Paris, † 1912 ebda.

Schüler von Bonnat, Berland, Dubouchet u. E. Sulpis. Seit 1903 Mitgl. d. Soc. d. Art. Franç.

Lit.: Bénézit, [2] 2 (1949). — Annuaire de la Grav. franç., 1911, p. 168.

Busschere, Constant de, belg. Tiermaler, Rad. u. Lithogr., * 1876 Blankenberghe.

Schüler von Edm. van Hove an der Brügger u. von Stallaert an der Brüsseler Akad.

Lit.: Seyn, I 217.

Busse, Fritz, öst. Zeichner u. Buchschmuckkünstler.

Zeichnungen u. a. zu: Herbert Günther, Glückliche Reise! Heiteres Wissen von den Reisegenossen (Die Bücher der Rose), Ebenhausen 1944; Hans Franck, Das letzte Lied (Wiener Bücherei, Bd 16), Wien, Verlag Frick 1944; Käthe Lambert, Maientage. Ein buntes Buch vom fröhlichen Schaffen, Stuttgart, Verlag Dtsche Volksbücher 1945.

Lit.: D. getreue Eckart (Wien), 10 (1932/33) 117 –23 (Abbn), 271/79 (Abbn).

Busse, Hans, dtsch. Landschafts- u. Architekturmaler, * 21. 5. 1867 Berlin, † 30. 4. 1914 Taormina, Sizilien.

Autodidakt. Lebte lange in Sizilien u. Kalabrien, dann in München, zuletzt in Berlin. Mitgl. der Münchner Sezession u. der Luitpold-Gruppe.

Lit.: Th.-B., 5 (1911). — Bettelheim, Überleitungsbd I, Totenliste 1914. — Zentralbl. f. bild. Kst, 1914 p. 26.

Busse, Lilia, dtsche Malerin, ansässig in Berlin.

Während des Nazi-Regimes Ausstellungsverbot. Aufenthalte in Spanien u. auf den Kanarischen Inseln. Seit 1945 wieder in Berlin. Kollekt.-Ausst. Aug. –Sept. 1951 im Rathaus in Steglitz (Bilder aus Spanien).

Lit.: Kstchronik, 4 (1950/51) 230. — Nacht-Expreß (Berlin), Nr 127 v. 4. 6. 1946.

Busse, Roman, Landschaftsmaler u. Gebrauchsgraph., * 22. 8. 1876 Schitin, Wolhynien, ansässig in Berlin.

Lit.: Dreßler.

Busse-Dölau, Wilhelm, dtsch. Landschafts-, Architektur- u. Bildnismaler, * 25. 7. 1886 Magdeburg, ansässig in Halle.

Stud. an der Kstgewerbesch. in Magdeburg, an der Kstschule in Berlin u. an der Akad. in Königsberg. Wandbilder in der Aula der Oberrealschule der Franckestiftung in Halle.

Lit.: Dreßler.

Busse-Lütgendorf, Hermann, dtsch. Marine- u. Bildnismaler, * 25. 2. 1883 Lütgendorf, Mecklenburg, ansässig in Jagstfeld.

Schüler von Jernberg, Böse u. Vorgang in Berlin.

Lit.: Dreßler.

Busset, Maurice, franz. Maler, Holzschneider u. Buchillustr., * 16. 12. 1880 Clermont-Ferrand, ansässig in Paris.

Hauptsächlich Landschafter (Ansichten aus der Auvergne). Auch Militär-, Tanz- u. Bauernszenen. Stellt seit 1911 bei den Indépendants, im Salon d'Automne u. im Salon der Soc. Nat. d. B.-Arts aus.

Lit.: Joseph, I. — Bénézit, [2] II. — G. Desdevises du Dézert, Les Monts d'Auvergne et le peintre M. B., Paris 1933. — Salaman, p. 88. — The Studio, 79 (1920) 80. — Bull. de l'Art anc. et mod., 1923 p. 68f.; 1926 p. 194 (Abb.), 195. — Art et Décor., 62 (1933), Les Echos d'Art, März, p. XII.

Bussewitz, Erwin, dtsch. Bildnis-, Landschafts- u. Bühnenmaler, * 6.5.1901 Berlin, ansässig ebda.

Schüler von Moritz Melzer.

Lit.: Dreßler.

Bussière, Gaston, franz. Figurenmaler, Rad. u. Illustr., * 24. 4. 1862 Cuisery (Saône-et-Loire), † 1929 Paris.

Schüler von Cabanel u. Puvis de Chavannes. 1922 Gold. Med. Mitglied der Soc. d. Art. Franç., beschickte deren Salon bis in s. Todesjahr (Kat. häufig m. Abbn). — Im Mus. in Châlons-sur-Marne: Ophelia. — Illustr. für die Zeitschr. „Monde Moderne". — Buchillustr.: „Travaux d'Hercule" (12 Rad.), „Dernière Nuit de Judas" (8 farb. Rad.), „La Rose Enchantée" (15 Rad.).

Lit.: Th.-B., 5 (1911). — Joseph, 1. — Bénézit, [2] 2 (1949). — La Vie et l'Œuvre de G. B., peintre, illustr., graveur, Paris 1932, m. 62 Abbn.

Bussière, Lucien Jean Alexandre, franz. Landschaftsmaler, * Paris, ansässig in Saint-Maurice (Seine).

Stellt seit 1923 bei den Indépendants aus.

Lit.: Joseph, I. — Bénézit, [2] II.

Bussmann, Otto, dtsch. Figurenbildhauer, * 1877, ansässig in Düsseldorf.

Lit.: Kat. Herbstausst. Düsseld. Kstler, Ksthalle Düsseldorf Okt./Dez. 1941, m. Abb.

Busson, Georges, franz. Tier-, Jagd- u. Landschaftsmaler, * 28. 2. 1859 Paris, † 1933 Versailles.

Schüler s. Vaters Charles B. († 1908) u. Luminais'. Mitglied der Soc. d. Art. Franç., deren Salon er bis 1929 beschickte (Kat. z. T. m. Abbn). Vorsitzender der Soc. d. Peintres de chasse et vénerie. Bild im Mus. in Périgueux.

Lit.: Th.-B., 5 (1911). — Joseph, 1, m. Abb. u. Fotobildnis. — Bénézit, [2] 2 (1949).

Bussy, Charles de, franz. humorist. Zeichner u. Schriftst., * Paris, ansässig ebda.

Mitglied der Soc. d. Dessinateurs Humoristes. Zeichnete u. a. für: Le Rire, Le Journal, La Liberté, Le Dimanche Illustré u. Le Petit Journal.

Lit.: Joseph, I.

Butcher, Enid, engl. Kupferstecherin u. Illustr., * London, anssäsig in Kingswood, Surrey.

Stud. an der Chelsea School of Art u. am Roy. Coll. of Art in London.

Lit.: Who's Who in Art, [3] 1934.

Butensky, Jules Léon, russ.-amer. Bildhauer, * 13. 12. 1871 Stolowitschi, ansässig in Romona Rockland County, N. Y.

Schüler von Hellmer u. Zumbusch an d. Wiener Akad., dann von Mercié u. Alfred Boucher in Paris. Bronzestatue: Weltfriede im Metropol. Mus. in New York; Verbannung im Weißen Haus in Washington, D. C.; Goliath-Gruppe im Jüd. Instit. in Chicago, Ill.

Lit.: Fielding.—Amer.Art Annual, 20 (1923) 463.

Butera, Remigio, sizil. Landsch. u. Stillebenmaler, * 14. 7. 1903 Arigent (Girgenti), ansässig in Venedig.

Lit.: Kat. d. 6. Quadriennale, Rom 1951/52, m. Abb.

Buthaud, René, franz. Maler, Keramiker u. Kupferstecher, * 14. 12. 1886 Saintes (Charente-Infér.), ansässig in Bordeaux.

Schüler von Waltner, G. Ferrier u. Humbert. Mitglied der Pariser Soc. des Art. Décorateurs. Arbeitete zuerst in Talence in der Gironde, später in Bordeaux. Als Maler hauptsächl. Porträtist u. Landschafter. Feingeformte, meist mit Akten dekorierte, emaillierte Krüge, Schalen usw.

Lit.: Joseph, 1. — Bénézit, [2] 2 (1949). — Art et Décor. 1927/I p. 56/58, 170 (Abb.); 1936 p. 108/10, m. 6 Abbn — Die Kunst, 56 (1926/27) 184, 196 (Abb.). — L'Art vivant, 1928 p. 679f., m. Abb. — Chron. d. Arts, 1914 p. 212.

Butler, Alice Caroline, engl. Miniaturmalerin u. Schwarz-Weiß-Kstlerin, * 3. 9. 1909 Bromley, ansässig in Malmesbury, Wiltshire.

Hauptsächl. Architekturansichten.

Lit.: Who's Who in Art, [3] 1934.

Butler, Andrew R., amer. Maler u. Radierer, * 15. 5. 1896 Yonkers, N. Y., ansässig in New York.

Schüler von Frank Du Mond, E. Speicher u. Jos. Pennell.

Lit.: Who's Who in Amer. Art, I: 1936/37.

Butler, Berenice, engl. Illustratorin, * 25. 9. 1902 Neu-Seeland, ansässig in Ipswich, Suffolk. Tochter des George Edm.

Illustr. zu Kinderbüchern.

Lit.: Who's Who in Art, [3] 1934.

Butler, Edward Burgess, amer. Landschaftsmaler, * 16. 12. 1853 Lewiston, Maine, † 1928 Chicago, Ill.

Schüler von F. C. Peyraud. Bilder u. a. im Art Instit. in Chicago, im Mus. in Cleveland u. im Mus. in Los Angeles.

Lit.: Fielding. — Amer. Art Annual, 20 (1923) 463; 24 (1927).

Butler, Elizabeth, s. *Thompson.*

Butler, George Edmund, engl. Maler u. Rad., * 15. 1. 1872 Southampton, ansässig in Trimley St. Mary, Suffolk. Vater der Berenice.

Stud. an d. Lambeth School of Art, an d. Acad. Julian in Paris u. an d. Antwerpener Akad. Bildnisse, Figürliches (Öl u. Aquar.). Bild in der Art Gall. in Bristol.

Lit.: Who's Who in Art, [3] 1934. — Athenæum, 1919/II p. 562.

Butler, Guillermo, argent. Maler, Dominikanermönch, ansässig in Buenos Aires.

Einige Zeit in Paris. Beeinflußt von Seurat u. Signac. Figürliches (religiöse Stoffe) u. Landschaften. 2mal Laureat des Salon in Buenos Aires. Präsid. der Expos. d'Art argentin im Musée du Jeu de Paume, Paris 1926.

Lit.: Francés, 1917 p. 124, 127 (Abb.), 130; 1925–26, Taf. 58. — Michel, VIII/3 p. 1091 (Abb.). — L'Art et les Artistes, N. S. 13 (1926) 250. — Revue de l'Art, 49 (1926) 260, m. Abb.

Butler, Henry, engl. Maler, Holzschneider u. Rad., lebt in Manningham, Bradford.

Stud. an der Kunstsch. in Liverpool.
Lit.: Who's Who in Art, [3] 1934.

Butler, Horacio, argent. Maler u. Buchillustr., * 1897 Buenos Aires, ansässig ebda.
Stud. an der Nat.-Akad. in Buenos Aires u. bei A. Lhote u. O. Friesz in Paris. Bereiste Mitteleuropa. Seit 1937 in Buenos Aires. Koll.-Ausst. in der dort. Gal. „Los Amigos del Arte“ 1941. Bühnenbildner für das Colón-Theater. Im Mus. f. Mod. Kst in New York eine Folge von 27 aquar. Zeichngn für das Ballett u. 1 Ölbild (Landsch.). Illustr. zu: María Rosa Oliver, Geografía argentina, Buenos Aires 1939.
Lit.: Kirstein, p. 88, Abb. p. 26. — E. González Lanuza, H. B., Buenos Aires 1941. — The Studio, 128 (1944) 108 (Abb.).

Butler, Howard Russell, amer. Maler, * 3. 3. 1856 New York, † 22. 5. 1934 Princeton, N. J.
Stud. bei Fred E. Church, an der Art Student's League in New York u. in Paris. Seit 1899 Akademiker. 1916 Carnegie-Preis der Nat. Acad. of Design. Mitbegründer u. 1889/1906 Präsident der Amer. F. Arts Soc. Malereien im Amer. Museum of Natural History.
Lit.: Th.-B., 5 (1911). — Fielding. — Monro. — Amer. Art Annual, 14 (1917) 443, Abb. geg. p. 201; 20 (1923) 463, Taf. zw. p. 414/15; 30 (1933). — F. Newlin Price, H. R. B., Princeton 1936. — Natural History, 19 (1919) 264ff., m. Abbn. — Amer. Art News, 15, Nr 13 v. 6. 1. 1917, p. 1 (Abb.). — Who's Who in Amer. Art, I: 1936/37, p. 494.

Butler, Margaret, verehel. *Meade*, neuseeländ. Bildhauerin u. Malerin, * 30. 4. 1890 Hellington, N. Z., ansässig in Paris.
Schülerin von Bourdelle. Stellt seit 1927 in Paris im Salon der Soc. Nat. d. B.-Arts u. im Salon des Tuileries aus. Bildnisbüsten, Studienköpfe.
Lit.: Bénézit, [2] 2. — Joseph, 1, m. Fotobildnis. — The Studio, 135 (1948) 119 (Abb.). — Monro, p. 420.

Butler, Mary, amer. Landschaftsmalerin, * 1865 Philadelphia, Pa., † 1946 ebda.
Schülerin von W. M. Chase, Robert Henri u. Redfield u. der Pennsylvania Acad. of Fine Arts in Philadelphia, dann von Courtois, Prinet u. Girardot in Paris. Bilder u. a. in der Pennsylvania Acad. of Fine Arts u. in der West Chester State Normal School in Philadelphia.
Lit.: Fielding. — Monro. — Amer. Art Annual, 30 (1933). — Who's Who in Amer. Art, I: 1936/37. — The Studio, 65 (1915) 214. — Monro.

Butler, Ollie Scott, amer. Pressezeichnerin, * 4. 4. 1882 Paris, Ky., ansässig ebda.
Schülerin von F. V. Du Mond.
Lit.: Amer. Art Annual, 27 (1930) 514.

Butler, Theodore, amer. Landschaftsmaler, * 1876, ansässig in New York.
Schüler von C. Monet in Paris, lebte lange Zeit in Giverney bei Vernon, Dep. Eure.
Lit.: Th.-B., 5 (1911). — Fielding.

Butler, Violet Victoria, engl. Miniaturmalerin, * London, ansässig in South Letchworth, Hertfordshire.
Lit.: Who's Who in Art, [3] 1934.

Butner, Kathryn Elizabeth (Kitty), amer. Wand- u. Porträtmalerin, * 20. 12. 1914 Philadelphia, ansässig in Atlanta, Ga.
Schülerin von Maur. Siegler u. Fritz Zimmer.
Lit.: Who's Who in Amer. Art, I: 1936/37. — Mallett.

Butorin, Dmitrij Nikolajewitsch, sowjet. Illustrator u. Lackmaler, * 1891.
Illustr. zu Puschkins „Märchen vom Zaren Saltan“ (zus. mit G. Burejeff).
Lit.: Sowjet-Literatur, 1949 Heft 9, Taf. zw. p. 138/39. — Kat. d. Staatl. Tretjakoff-Gal. Moskau, 1947.

Butowitsch, Lola, poln. Porträtmalerin, * 1900 Warschau, ansässig in Stockholm.
Stud. an der Akad. Stockholm.
Lit.: Thomœus. — Konstrevy, 1936, p. 168, m. Abb.

Butt, Cecily Vivien, engl. Malerin, * 16. 6. 1886 Oxshott, Surrey, ansässig in London.
Schülerin von Byam Shaw.
Lit.: Who's Who in Art, [3] 1934.

Buttar, Edward James, engl. Landsch.- u. Interieurmaler, * 1873 London, zuletzt ansässig in Cricklade, Wiltshire.
Stud. am Pembroke Coll. in Cambridge. Bilder in d. Art Gall. in Glasgow u. in d. Atkinson Art Gall. in Southport.
Lit.: Who's Who in Art, [3] 1934. — The Studio, 65 (1915) 113; 66 (1916) 204.

Butter, Benno, dtsch. Maler u. Graph., * 30. 8. 1914 Pawlowsk (Rußland), ansässig in Dessau-Haideburg.
Stud. an d. Kstgewerbesch. in Erfurt u. an der Staatl. Akad. in Leipzig. Studienreise nach Jugoslawien. Hauptsächlich Illustrator.

Butter, Meindert, holl. Maler, * 23. 3. 1877 Den Helder, † 29. 4. 1940.
Stud. an den Akad. in Brüssel u. Amsterdam (unter P. Verhaert). Figürliche Kompositionen: biblische, mytholog. u. histor. Sujets.
Lit.: Plasschaert. — Waay. — Onze Kunst, 15 (1909) 238.

Butterhof, Franz Xaver, dtsch. Maler, * 7. 12. 1914 Nürnberg, ansässig ebda.
Stud. an der Nürnb. Kstgewerbesch., dann an der Münchner Akad. bei Graf, Heinlein u. Ad. Schinnerer.
Lit.: Kat. Ausst.: 150 J. Nürnb. Kst, Nürnberg 1942, p. 46.

Buttersack, Bernhard, dtsch. Landschaftsmaler (Prof.), * 16. 3. 1858 Liebenzell Württbg., † 6. 5. 1925 Icking im Isartal.
Ehrenmitgl. der Münchner Akad. d. bild. Künste. Seit 1914 eines zunehmenden Nervenleidens wegen in Icking ansässig. Ging aus Furcht vor geistiger Umnachtung freiwillig aus dem Leben. Umfassende Kollektiv-Ausstellgn Jan./Febr. 1914 in der Gal. Heinemann in München (ill. Kat.), 1920 im Münchner Glaspalast. Zu den bei Th.-B. gen. Bildern in öff. Besitz kommen hinzu: Abend bei Polling, in der N. Staatsgal. München; Landschaft mit Bauernhäusern, in der N. Pinak. ebda; Dorf mit See, im Mus. der Stadt Ulm.
Lit.: Th.-B., 5 (1911). — Baum. — O. Fischer, Schwäb. Kst d. 19. Jh., Stuttgart 1925, p. 174 (Abb.). — D. Cicerone, 6 (1914) 180. — Die Kunst, 37 (1917–18) 430 (Abb.); 45 (1921/22) 247ff., m. Abbn. — Velhagen & Klasings Monatsh., 37 (1922/23 II) 257ff., m. Abbn. — Rechensch.-Bericht d. Kstver. München, 1925 p. 16f. — Schwäb. Merkur, 1925 Nr 216 p. 2, Nr 230 p. 10. — Münchner N. Nachr., Nr 65 v. 6. 3. 1928.

Butterworth, Grace Marie, geb. *Croxford*, engl. Miniaturmalerin, * Hastings, ansässig in Newquay, Cornwall.
Tochter des Malers W. E. Croxford. Schülerin von Lionel Heath.
Lit.: Who's Who in Art, [3] 1934.

Butti, Enrico, ital. Bildhauer u. Maler, * 4. 4. 1847 Viggiù, † 21. 1. 1932 ebda.

Stud. an der Mailänder Akad. Folgte der veristischen Richtung. In d. Gall. d'Arte in Mailand: Figur eines auf seiner Schubkarre ausruhenden Bergarbeiters. Mehrere Grabmäler im Cimitero Monumentale ebda, darunter der figurenreiche Monumento Besenzanica. In den Giardini Pubblici ebda: Standbild des Freiheitskämpfers Gius. Sirtori. Als Maler hauptsächl. Landschafter u. Figurist. Mehrere Bilder in d. öff. Smlg in Viggiù.

Lit.: Th.-B., 5 (1911). — C. E. Accetti, E. B. fra i suoi allievi, Varese 1938. — Comanducci. — Costantini, m. 2 Abbn u. p. 463f. m. Bibliogr. — Arte Cristiana, 1 (1913) 329, m. Abb. — Arte e Storia, 1914, p. 272. — Emporium, 75 (1932) 113, m. Fotobildn.

Button, Albert Prentice, amer. Maler u. Illustr., * 18. 11. 1872 Lowell, Mass., ansässig in Boston, Mass.

Stud. in Boston. Bild im dort. Art Club.

Lit.: Fielding. — Amer. Art Annual, 20 (1923) 464; 28 (1931).

Button, Joseph Preistley, amer. Marinemaler, * 1864 Germantown, Pa., † 22.12. 1931 Philadelphia, Pa.

Stud. in London. Hauptsächl. Aquarellist.

Lit.: The Art News, 30, Nr 15 v. 9. 1. 1932 p. 12.

Buty, Louis de, franz. Landschaftsmaler, * Paris, ansässig ebda.

Stellt seit 1924 bei den Indépendants aus.

Lit.: Joseph, I.

Butz, Theodor, dtsch. Bildnis- u. Landschaftsmaler (Dr. phil.), * 27.11.1880 Karlsruhe, ansässig ebda.

Stud. in München u. an der Akad. Julian in Paris.

Lit.: Dreßler.

Butze, Friedrich, dtsch. Bildnis- u. Genremaler u. Graph., * 27. 9. 1885 Leipzig, ansässig in Dresden.

Schüler von C. Bantzer an der Dresdner Akad.

Lit.: Dreßler.

Butzke, Bernhard Joh. Karl, dtsch. Bildhauer, * 20. 5. 1876 Berlin, ansässig ebda.

Stud. an der Berl. Porzellanmanuf. u. an der Unterrichtsanstalt des Berl. Kunstgewerbemus. 1893–1900 an der Porzellanmanuf. tätig. Dekorative Plastik für die Rathäuser in Charlottenburg u. Berlin-Friedenau. Kriegerehrenmal u. Gänsemädelbrunnen in Plön, Holst.; Kriegerehrenmal in Schmolsin i. P.

Lit.: Dreßler. — Der Morgen (Berlin) v. 18. 5. 1946 (z. 70. Geb.-Tag). — D. Kstwelt, 2 (1912/13) 587/89 (Abbn).

Buxbaum-Pennecke, Ida, steiermärk. Malerin u. Graphikerin, * 16. 2. 1896 Liebenau b. Graz, ansässig in Graz.

Lernte an der Graph. Lehr- u. Versuchsanstalt in Wien.

Lit.: Dreßler.

Buxton, Alfred, engl. Bildhauer, * 25. 8. 1883 London, ansässig ebda.

Stud. an den Roy. Acad. Schools. Gold. Med. der Roy. Acad. 1909. Skulpturen für die Kongregationskirche in Westcliff b. Southend.

Lit.: Who's Who in Art, [3] 1934. — The Studio, 67 (1916) 26f., Abb. p. 24.

Buxton, Robert Hugh, engl. Landschafts- u. Sportmaler u. Holzschneider, * 1. 7. 1871 Harrow, ansässig in London.

Stud. an der Herkomer-Schule in Bushey u. der Slade School in London.

Lit.: Who's Who in Art, [3] 1934. — M. C. Salaman, Modern Woodcuts a. Lithogr. Studio Spec.-Nr 1919, p. 34.

Buyko, Bolesław, poln. Landschaftsmaler, * Wilna, ansässig in Paris.

Stellte zwischen 1908 u. 1922 in Paris (Salon d'Automne, Soc. Art. franç.) aus.

Lit.: Bénézit, [2] 2 (1949). — Kst u. Ksthandwerk (Wien), 16 (1913) 606. — The Studio, 65 (1915) 209. — Kat. d. Expos. d'Art Polonais, Paris, Soc. Nat. d. B.-Arts, 1921 p. 25.

Buyle, Robert, belg. Maler, * 26. 8. 1895 Saint-Nicolas, Ostflandern.

Figürliches (Akte, Bäuerinnen), Landschaften, Interieurs, Stilleben. Stellt seit 1924 im Salon d'Automne u. bei den Indépendants in Paris aus. Bilder im Mus. in Namur u. i. Mus. Kröller-Müller im Haag.

Lit.: Seyn, I. — Bénézit, [2] II (1949). — Beaux-Arts, 76 année Nr 310 v. 9. 12. 1939, p. 5, m. Abb.; 14. 5. 1948, p. 3 (Abb.).

Buys, Bob, holl. Maler, * 24. 3. 1912 Amsterdam, ansässig ebda.

Mitglied der „Onafhankelijken". Stadtansichten, Interieurs, Landschaften, Bildnisse.

Lit.: Waay. — D. Constghesellen, 1 (1946) 53/55.

Buys, Jan, holl. Architekt, * 26. 8. 1889 Soerakarta, ansässig im Haag.

Stud. an der Techn. Hochsch. in Delft. Rudolf-Steiner-Klinik und Cooperation „de Volharding" im Haag (1928). Baute zus. mit J. H. Plantenga die Neue Akad. der bild. Künste ebda, zus. mit Joan B. Lursen Druckerei u. Verlagsgeb. der Tageszeitg „Het Volk" in Amsterdam.

Lit.: Wie is dat?, 1935. — Waller. — Emporium, 82 (1935) 255. — Monatsh. f. Baukst u. Städtebau, 16 (1932) 420/26, 447. — Dtsche Bauztg, 67 (1933) 491 ff.

Buys, Jan, holl. Landschaftsmaler, * 5. 9. 1909 Rotterdam, ansässig in Reeuwijk b. R'dam.

Schüler der Rotterd. Akad.

Lit.: Waay.

Buys Roessingh, Henry de, holl.-französ. Bildnis- u. Stillebenmaler, * 1889 ansässig in Paris.

Stellte im Salon des Tuileries aus.

Lit.: Bénézit, [2] 2 (1949). — Beaux-Arts, 75 année, Nr 216 v. 19. 2. 1937 p. 8, m. Abb.; Nr 234 v. 25. 6. 1937 p. 7, m. Abb. — The Studio, 138 (1949) 27 (Abb.).

Bužan, Jozo, kroat. Maler, * 1873, † 1936 Zagreb (Agram).

Malte hauptsächlich Szenen aus dem heimischen Bauern- u. Zigeunerleben.

Lit.: The Art News, 24 (1925/26) Nr 19 p. 8. — Revue de l'Art anc. et mod., 70 (1936) 184. — Kat. d. Ausst. Kroat. Kst, Berlin, Pr. Akad. d. Kste, Jan.–Febr. 1943, p. 10.

Buzi, Barnabás, ung. Bildhauer, * 1910.

Lit.: Kat. „Ausst. Ung. Kst", Dtsche Akad. d. Kste, Berlin Okt./Nov. 1951.

Buzon, Camille Albert, franz. Bildnis- u. Landschaftsmaler, * Bordeaux, ansässig ebda.

Schüler von G. Ferrier. Mitgl. der Pariser Soc. d. Art. Français.

Lit.: Bénézit, [2] 2 (1949).

Buzon, Fernand, franz. Bildhauer, * Paris, ansässig ebda.

Stellt seit 1907 im Salon (Soc. Nat. d. B.-Arts, Soc. d. Art. Franç.) aus. Büsten, Kinderfiguren, Basreliefs, Medaillen.
Lit.: Bénézit, [2] 2 (1949).

Buzon, Marius de, franz. Orientmaler, * 18. 9. 1879 Bayon (Gironde), ansässig in Algier.
Schüler von Maignan u. Cormon. Mitglied der Pariser Soc. d. Art. Franç. (Salon-Kat. z. T. m. Abbn). Stellte 1926ff. auch im Salon des Tuileries, 1927ff. bei den Indépendants aus. 1922 Gold. Med., 1923 Preis Rosa Bonheur. Hauptsächl. Landschafter.
Lit.: Joseph, 1. — Bénézit, [2] 2. — Gaz. d. B.-Arts, 1911/I p. 463 (Abb.). — La Renaiss. de l'Art franç., 8 (1925) 338, m. Abb., 344.

Buzzacchi, Mimì Quilici, ital. Malerin u. Holzschneiderin.
Hauptsächlich Landschafterin (Ansichten aus Tripolis). Graph. Folge: Italia antica e nuova, Ferrara 1939.
Lit.: L'Arte, N. S. 10 (1939): Notiziario, fasc. II, p. V, m. Abb. — The Studio, 116 (1938) 247 (Abb.).

Buzzo, Raffaello, piemont. Maler, * 1898 Turin, † 1926 in Piemont.
Lit.: Emporium, 85 (1937) 107; 89 (1939) 336.

Byard, Dorothy Randolph, amer. Porträtmalerin, * Germantown, Pa., ansässig in Norwalk, Conn.
Schülerin von Hawthorne.
Lit.: Amer. Art Annual, 30 (1933). — Who's Who in Amer. Art, I: 1936/37. — Amer. Art News, 21, Nr 15 v. 20. 1. 1923, p. 1 (Sp. 5), Nr 16 v. 27. 1. 1923, p. 3, m. Abb.

Byck-Wepper, Mina, rumän. Blumenmalerin.
Bild im Mus. Toma Stelian in Bukarest (Kat. 1939).

Bye, Arthur Edwin, amer. Maler u. Schriftsteller, * 18. 12. 1885 Philadelphia, Pa., zuletzt ansässig in Holicong, Pa.
Schüler von John Carlson, Charles Rosen u. der Acad. de la Grande Chaumière in Paris. Kurator an der Gemälde- u. Kupferstichabteilung des Pennsylvania Mus. in Philadelphia.
Lit.: Fielding. — Amer. Art Annual, 30 (1933).

Bye, Roar Matheson, norweg. Maler u. Graph., * 26. 4. 1895 Trondheim, ansässig ebda.
Stud. bei Eiv. Nielsen, an der Handwerks- u. Kstindustriesch. in Oslo, dann bei Chr. Krohg u. Strøm an der dort. Akad. Weitergebildet 1917/18 in Kopenhagen, 1919/26 bei Pedro Araujo in Paris. 1927/28 in Berlin. Seit 1930 in Trondheim ansässig. Figürliches, Bildnisse. Damenbildnis in der Nat.-Gal. in Trondheim; Bischof Gleditsch in der dortigen Domkirche. Koll.-Ausstell. im Kstver. in Trondheim 1918.
Lit.: Hvem er Hvem?, [4] 1938. — Vem är Vem i Norden, Stockh. 1941, p. 639. — Dagsposten, v. 17. 11. 1918.

Byer, Samuel, poln.-amer. Maler, * 22. 2. 1885 Warschau, ansässig in Chicago, Ill.
Stud. am Art Instit. in Chicago.
Lit.: Fielding. — Amer. Art Annual, 30 (1933). — Who's Who in Amer. Art, I: 1936/37.

Byland, Inez, schwed. Landschaftsmalerin, * 1890 Dals Ed, ansässig in Lerum.
Stud. an Valands Malschule in Göteborg.
Lit.: Thomæus.

Bylandt-Rheydt, Bernhard, Graf von, dtsch. Bildhauer, * 1905 Magdeburg, ansässig in Chieming über Traunstein, Oberbay. 1920/24 Malschüler an d. Akad. in Breslau. Als Bildh. Autodidakt. 1940/45 Kriegsteilnehmer. Bis 1947 Schmiedearbeiten, seitdem vorwiegend Steinbildhauer.
Lit.: D. Kstwerk, 5 (1952) H. 2, p. 39. — Kat. d. Ausst.: Dtsche Bildh. d. Gegenw., Kestner-Ges. Hannover, 26. 4./17. 6. 1951, m. Abb.

Bylina, Michał, poln. Schlachtenmaler u. Graphiker, * 1. 2. 1904 Worsów, ansässig in Warschau.
Schüler der Warschauer Akad. Illustr. u. a. zu: Porazinska, „Kicus", u. zu Zarembina, „Goldenes Fischlein".
Lit.: Czy wiesz kto to jest?, 1938, m. Bildnis. — Kryszowski. — The Studio, 107 (1934) 190, m. ganzs. Abb., 197.

Byram, Ralph Shaw, amer. Maler, * März 1881 Germantown, Philadelphia, Pa., ansässig ebda.
Schüler von C. P. Weber in Philadelphia.
Lit.: Fielding. — Amer. Art Annual, 30 (1933).

Byrne, Robert Bernard, amer. Raumkünstler, * 10. 12. 1901 Washington, D. C., ansässig ebda.
Lit.: Amer. Art Annual, 27 (1930) 514.

Byrum, Ruthven Holmes, amer. Maler, * 10. 7. 1896 Grand Junction, Mich., ansässig in Anderson, Ind.
Stud. am Art Inst. in Chicago, an den Acad. Julian u. Grande Chaumière in Paris u. bei A. Lhote ebda. Figürliches, Landschaften, Stilleben. — 3 Bilder im John Herron Art Instit. in Indianapolis, Ind., 1 Bild im Bes. der Richmond Art Assoc. in Richmond, Ind.
Lit.: Who's Who in Amer. Art, I: 1936/37. — Amer. Art Annual, 30 (1933). — Bull. Art Assoc. of Indianapolis, 14 (1927) 14.

Bijsterveld, Johann, holl. Bildhauer, * 21. 2. 1901 Delft, ansässig ebda.
Schüler von Odé in Delft. Naturalist. Bildnisbüsten, Tiere, Bauplastik (u. a. für Nieuwe Kerk in Delft.
Lit.: Waay.

Bijsterveld, Leonore Johanna van, holl. Stilleben- u. Blumenmalerin, * 1. 2. 1888 im Haag, ansässig in Nymwegen.
Schülerin von Bern. Schregel. Mitglied der „Onafhankelijken".
Lit.: Plasschaert. — Waay.

Byström, Erik, schwed. Landsch.-, Akt- u. Interieurmaler, * 1902 Brunflo, ansässig in Sorø, Dänemark.
Schüler von Wilhelmson in Stockholm. Bilder im dort. Nat.-Mus. u. in den Museen in Malmö u. Östersund.
Lit.: Thomæus. — Konstrevy, 1937, p. 32, m. Abb.; 1938, H. 3 p. VI, m. Abb.; 1939, p. 232, m. Abb. — Nat.-Mus. Stockh. [Bilderbuch], 1948 p. 153.

Bytebier, Edgar, belg. Figuren- u. Landschaftsmaler, * 1875 Gent.
Schüler der Genter u. Brüsseler Akad.
Lit.: Seyn, I, m. Fotobildnis.

Bijvoet, B., s. im Art. *Duiker*, Joh.

Bijvoet, Henricus Alphonsus, holl. Wand- u. Glasmaler u. Holzschneider, * 14. 2. 1897 Amsterdam, ansässig in Haarlem.
Schüler von Derkinderen u. Roland Holst an der Reichsakad. A'dam. Figürliches (Bibel u. Legende), Landschaften, Bildnisse. Arbeiten in St. Bavo in Haarlem (Glasmalereien u. Kreuzwegstationsbilder),

in der St. Jansbasilika in Laren u. in der Bedevaartskap. in Oesdam bei Heilo.
Lit.: Waay. — Waller.

Bywater, Marjorie, engl. Buchillustr. u. Temperamalerin, * 14. 2. 1905 Ealing (London), ansässig ebda.
Lit.: Who's Who in Art, [3] 1934.

Bywaters, Jerry, amer. Maler, Illustr. u. Schriftst., * 21. 5. 1906 Paris, Texas, ansässig in Dallas, Texas.
Stud. an d. Art Student's League in New York. Bild: David, im Mus. in Dallas.
Lit.: Who's Who in Amer. Art, I: 1936/37. — Monro.

Bžoch, František, tschech. Bildhauer, * 31. 3. 1896 Prag.
Stud. 1912/18 an der Kstgewerbesch. u. Akad. in Prag (J. V. Myslbek, J. Štursa). In Myslbeks Werkstatt tätig. Bildnisse, Figürliches, Grabplastiken.
Lit.: Toman, I 121. *Blž.*

C

Caballero, José, span. Maler, * 11. 6. 1913 Huelva, ansässig in Madrid.
Schüler von Daniel Vázquez Díaz (1928/33).
Lit.: Si (Madrid), Ano II Nr 80 v. 11. 7. 1943, p. 7, m. Fotobildnis. — The Studio, 139 (1950) 149 (Abb.).

Caballero, Maximo, span. Genremaler, * Zaragoza, ansässig in La Roche-Villebon (Seine-et-Oise).
Schüler der Kstschule in Madrid u. von Bouguereau in Paris. Stellt seit 1900 im Salon der Soc. d. Art. franç. aus.
Lit.: Bénézit, [2] II (1949).

Cabanas, Juan, span. Maler, * 22. 6. 1907 San Sebastián. Sohn des Angel.
Schüler s. Vaters Angel C. Oteiza. u. der Pariser Ec. d. B.-Arts. Anfänglich Impressionist. Ging später zum Kubismus u. Surrealismus über. Romaufenthalt.
Lit.: Si (Madrid), II Nr 80 v. 11. 7. 1943, p. 6.

Cabanyes, Alejandro de, span. Landschafts- u. Marinemaler, * 17. 3. 1877 Villanueva y Geltrú, ansässig in Barcelona.
Impressionist. Bilder im städt. Mus. in Barcelona u. im Museo Balaguer in Villanueva.
Lit.: Th.-B., 5 (1911). — Museum (Barcelona), 3 (1913) 72 (Abb.). — Kat. d. Ausst. Span. Kst d. Gegenw., Berlin, Pr. Akad. d. Kste, 1942, m. Abb.

Cabiati, Ottavio, ital. Architekt, * 1889 Florenz, lombard. Herkunft.
Stud. am Polytechnikum in Mailand (1913 preisgekrönt). Hauptbauten: Pfarrkirche in Giussano, Brianza (1927/32); Residenz des Gouverneurs in Bengasi (1929), zus. mit Alpago Novello; Kathedrale in Bengasi, zus. mit Guido Ferrazza; Kino Reale in Mailand (1924); Pavillon auf der Mail. Mustermesse 1928, zus. mit Alpago Novello.
Lit.: Dedalo, 11 (1930/31) 1082ff., 1109, 1342ff., 1355ff., m. Abbn. — Emporium, 75 (1932) 156/73, m. Abbn; 82 (1935) 115 (Abb.), 117. — Kst- u. Antiquität.-Rundschau, 41 (1933) 301, 304, m. Abb.

Cabot, Channing, amer. Maler, * 1868, † 1932 New Haven, Conn.
Lit.: Amer. Art Annual, 29 (1932): Obituary.

Cabral, Madalena, portug. Aquarellmalerin, * 29. 11. 1922 Porto.
Schülerin von Heitor Cramez. Mitglied des Instit. para a Alta Cultura. Stellte 1947 in Porto, 1947/49 u. 1951 in Lissabon aus. Erhielt 1948 den Preis Henrique Pousão. Vertreten im Mus. Nac. de Arte Contemp. in Lissabon u. in d. Smlg des Secretariado Nac. de Informação ebda.
Lit.: Panorama, 1949, Nr 38. — Flama, Febr. 1952. — Kat. d. Ausst.: Aquarel. Portug. e Esp., Madrid 1948, u. S. N. I. 1951.

Cabras, Cesare, sard. Maler, * 13. 2. 1886 Monserrato (Cagliari), ansässig ebda.
In der Gall. Naz. d'Arte Mod. in Rom: Aias.
Lit.: Chi è?, 1940.

Cabrera, Rosario, mexik. Malerin u. Radiererin, ansässig in Paris.
Landschaften, Bildnisse, mexik. Typen.
Lit.: La Renaiss. de l'Art franç., 9 (1926) 122f., 475, m. Abb., 476 (Abb.).

Cabutti, Camillo Filippo, ital. Landschaftsmaler, * 18. 12. 1860 Bossolasco (Cuneo), † 16. 11. 1921 Turin.
Schüler von M. Calderini.
Lit.: Th.-B., 5 (1911). — Comanducci.

Cabuzel, Auguste Maurice, franz. Landschaftsmaler, * 24. 7. 1878 Paris, ansässig ebda.
Mitgl. der Soc. d. Art. Franç., beschickte deren Salon bis 1939.
Lit.: Joseph, I. — Bénézit, [2] II.

Cacace, Celeste, ital. Genre- u. Bildnismalerin, * 21. 10. 1872 Neapel, ansässig ebda.
Schülerin von Dom. Morelli. Impressionistin.
Lit.: Th.-B., 5 (1911). — Giannelli, m. Fotobildn. — Comanducci.

Cacace, Salvatore, ital. Figuren- u. Landschaftsmaler, ansässig in Neapel.
Lit.: Emporium, 77 (1933) 183, 184 (Abbn).

Cacan, Félicien, franz. Maler, Graphiker u. Illustr., * 1880 Paris, ansässig ebda.
Schüler der Ec. d. B.-Arts, von Jacques Blanche u. Ach. Sirouy. Rokokoszenen, Tierbilder, Allegorien im Stil Boucher's, Kinderköpfe. Illustr. zu H. de Régnier, Les Rencontres de M. de Bréhot.
Lit.: Bénézit, [2] 2 (1949). — Chron. d. Arts, 1914 –19, p. 68. — Pagine d'Arte, 5 (1917) 60f., m. 2 Abbn.

Cacciapuoti, Gennaro, ital. Bildhauer, * 9. 11. 1872 Neapel, ansässig ebda.
Schüler von Toma u. D'Orsi. Hauptsächl. Kleinplastiker (Bronze).
Lit.: Giannelli.

Cachet, Lion, holl. Graphiker, Holzschneider, Plakat- u. Exlibriskünstler, * 24. (28.?) 11. 1864 Amsterdam, † 20. 5. 1945 ebda.

Schüler von B. W. Wierink. Hauptsächlich Gebrauchsgraphik (Bucheinbände, Banknoten usw.).

Lit.: Th.-B., 5 (1911). — Vorsterman van Oyen, Les Dessinat. d'Exlibris, 1910. — Zur Westen, p. 53. — Waller. — Art et Décor., 1924/I (Abb.). — Elsevier's geill. Maandschr., 43 (1912) 193–211, m. 18 Abbn u. 1 Taf. — Maandbl. v. beeld. Kunsten, 1 (1924) 16ff., m. Abbn, 22, 108ff., m. Abbn, 328; 3 (1926) 206f., m. Abbn; 6 (1929) 78, 79ff. — Boekcier Tweede reeks, 1 (1946) 32, 39.

Cacheux, Louis Emile, franz. Bildhauer, * 26. 1. 1874 Paris, ansässig ebda.

Schüler von Verlet, Barthélemy u. Jacquesson de la Chevreuse. Mitgl. der Soc. d. Art. Franç. Medaillonbildnis Ambroise Rendu im Musée Carnavalet in Paris.

Lit.: Joseph, I. — Bénézit, ² II.

Cachoud, François, franz. Landschaftsmaler, * 23. 10. 1866 Chambéry, † Paris.

Schüler von E. Delaunay u. G. Moreau. Mitglied der Soc. d. Art. Franç. (Kat. z. T. m. Abbn). Lyrisch veranlagte Begabung. Staffiert seine zart empfundenen, bisweilen mit kleinen, die Naturstimmung unterstreichenden Figuren. Liebt bes. Mondscheinstimmungen (Der „Corot der Nacht").

Lit.: Th.-B., 5 (1911). — Joseph, 1, m. 2 Abbn. — Bénézit, ² 2. — Velhagen & Klasings Monatsh., 44/I (1929/30) 239, Taf. geg. p. 168, 239.

Cadel, Eugène, franz. Genremaler, * Paris, † nach 1940 ebda.

Schüler von L. O. Merson, Bonnat u. Puvis de Chavannes. Mitglied der Soc. Nat. u. der Soc. d. Art. Franç. Bevorzugt humorist. Szenen aus dem Bauernleben. Dekor. Gemälde in der Kirche in Cannes.

Lit.: Th.-B., 5 (1911). — Joseph, 1. — Bénézit, ² 2. — Em. Langlade, Artistes de mon tempes, I, Arras 1916.

Cadell, Francis Campbell Boileau, schott. Bildnis-, Landsch.-, Stilleben- u. Interieurmaler, * 12. 4. 1883 Edinburgh, † 1937 ebda.

Stud. an d. Akad. in Edinburgh. Stellte in Paris (1903, 05/07), München (1907) u. a. O. aus. Kollektiv-Ausstllgn 1931 in der Paris Gall., 1932 im Barbizon House in London. Bilder in der Modern Arts Assoc. in Edinburgh u. in der Kelvingrove Art Gall. in Glasgow. Zeichnungen-Folge: Jack and Tommy (20 Bll.), London (Grant Richards, Ltd).

Lit.: Bénézit, ² 2. — Who's Who in Art, ³ 1934. — The Connoisseur, 36 (1913) 271f. — The Studio, 64 (1915) 59, m. Abb.; 65 (1915) 100, 110; 66 (1916) 204; 67 (1916) 59; 69 (1917) 97, m. Abb.; 72 (1918) 114, m. Abb.; 73 (1918) 74; 83 (1922) 33; 101 (1931) 375, m. Abb.; 104 (1932) farb. Taf. geg. p. 56. — Nation a. Athenæum, 32 (1923) 590. — Apollo (London), 29 (1939) 98f.

Caden, Gert, dtsch. Maler, * 10. 6. 1891 Berlin, ansässig in Dresden.

Stud. in Dresden, München, Wien u. Berlin. Bildnisse, Landschaften, Stilleben, Blumenstücke, Tiere. Seit Ausgang de 1920er Jahre als Bühnenbildner tätig für das Große Schauspielhaus u. den Admiralspalast in Berlin. Während des Krieges (seit 1942) in Havana auf Kuba. Seit 1948 wieder in Deutschland. Atelier-Ausst. Sept. 1948.

Lit.: bild. kunst, 1 (1947) H. 8, p. 20f., m. 3 Abbn; 2 (1948) H. 3, p. 24, H. 6, p. 24; 3 (1949) 211, 326 (Abb.), 353. — Zeit im Bild (Dresden), v. 15. 9. 1949, m. Fotobildn. u. 3 Abbn. — Vorwärts (Berlin), 6. 1. 1948, m. Abb.; 31. 5. 1948, m. Abb. — Start (Berlin), 3. 10. 1947.

Cadenasso, Giuseppe, ital. Maler, * 2. 1. 1858 Genua, † 1918 San Francisco, Calif.

Schüler von Arthur F. Mathews. Im Golden Gate Park Mus. in San Francisco: Abend.

Lit.: Amer. Art Annual, 14 (1917) 444; 15 (1918).

Cadet, Marie, franz. Interieurmalerin (Öl u. Pastell), * Paris, ansässig ebda.

Schülerin von Math. Moreau, Chaillery u. Gossin. Stellte 1900/39 im Salon der Soc. d. Art. Franç. aus.

Lit.: Bénézit, ² 2 (1949).

Cadmus, Egbert, amer. Maler, * 26. 5. 1868 Bloomfield, N. J., † 1939 Old Lyme, Conn.

Schüler von Ch. E. Moss, C. Y. Turner, E. M. Ward u. Rob. Henri. Bild im Roerich-Mus. in New York.

Lit.: Who's Who in Amer. Art, I: 1936/37. — Amer. Art Annual, 30 (1933).

Cadmus, Paul, amer. Maler, Kostümzeichner u. Radierer, * 17. 12. 1904 New York, ansässig ebda.

Schüler von Jos. Pennell, Wm. Auerbach-Levy, Charles Locke u. Jared French. Federzeichng mit Ansicht aus Majorka in der Addison Gall. of Amer. Art in Andover, Mass.

Lit.: Fielding. — Who's Who in Amer. Art, I: 1936/37. — Mallett. — Monro. — Bull. Addison Gall. of Amer. Art (Andover, Mass.), 1941, p. 27; 1942, p. 27. — The Brooklyn Mus. Quarterly, 23 (1936) 81 (Abb.). — Bull. of the Art Inst. Chicago, Ill., 1935, p. 50ff. passim. — The Print Coll.'s Quarterly, 25 (1938) 245 (Abb.); 27 (1940) 117 (Abb.). — Amer. Art Annual, 29 (1932). — The Art Index (New York), Okt. 1941/Okt. 1952, passim. — The Studio, 117 (1939) 151 (Abb.).

Cadorin, Ettore, ital. Bildhauer u. Medailleur, * 1. 3. 1876 Venedig, ansässig in San Francisco, Kalif. Bruder des Folg.

Schüler s. Vaters Vincenzo C., weitergebildet in Rom u. Paris. Anfängl. Kleinplastiker (Elfenbeinplaketten). Hauptwerke: Denkmal des Komponisten Benedetto Marcello für das Konservatorium in Venedig; 2 dekor. Statuen auf der Attika der Markusbibl. ebda; Gedenktafel für Rich. Wagner am Pal. Vendramin-Calerghi ebda; Kriegerdenkm. in Edgewater, New Jersey, USA; Bronzestatuen des Junipero Serra, des Stifters d. span. Mission in Kalifornien, für d. Kapitol in Washington, D. C., u. das Civic Center in Los Angeles; Kolossalstatuen der 3 hll. Patrone in d. Kathedr. in Washington; gr. Gruppe u. 2 Statuen für das Courthouse in Santa Barbara, Kalif.

Lit.: Th.-B., 5 (1911). — Forrer, VIII 321f. — Amer. Art Annual, 20 (1923) 464; 27 (1930) 15. — Rass. d'Arte, 21 (1921) 357. — Pro Arte (Genf), 1 (1942) Nr 7, p. 26. — Who's Who in Amer. Art, I: 1936/37.

Cadorin, Guido, ital. Maler (bes. Freskant), * 6. 6. 1892 Venedig, ansässig ebda. Bruder des Vor.

Sohn des Bildh. Vinc. C. Schüler von Ces. Laurenti, weitergebildet durch das Studium der alten Meister, bes. Giotto's, Masaccio's u. Mantegna's. Landschaften, Bildnisse, Figürliches, Wandmalereien, Entwürfe für Mosaiken u. farb. Glasfenster. Dekorationen u. a. in der Kirche Maria Dopole in Vittorio Veneto, in den Kirchen in Colsammartino bei Treviso u. in Vigo, im Teatro Costanzi in Rom, in der Villa Papador ebda, in d. Krypta des Siegesdenkm. in Bozen (1928), im Treppenhaus des Pal. della Montecatini in Mailand u. in d. Akad. in Venedig. Großes Apsismosaik mit Krönung Mariä in der Kathedrale (S. Giusto) in Triest. In einer Nische der Brentabrücke in Bassano ein Fresko: Mad. m. d. Kind u. d. Hl. Antonius.

Lit.: Comanducci, m. Abb. — A. Carpi, G. C. Mail. 1928. — Chi è?, 1940. — Bénézit, [2] 2 (1949). — L'Arte, 14 (1911) 231 Abb. — Emporium, 40 (1914) 153, 155 (Abb.); 61 (1925) 142, m. Abb.; 77 (1933) 125 (Abb.), 126; 78 (1933) 314 (Abb.), 315, m. Abb., 316, m. Abb.; 79 (1934) 371 (Abb.); 94 (1941) 74/81, m. 14 Abbn. — Rass. d'Arte, 20 (1920), Cronaca Nr 11/12, p. IV (Abb.), V. — The Studio, 84 (1922) 72. — Cronache d'Arte, 3 (1926) 331, 333 (Abb.). — Boll. d'Arte, 2. Serie, 9 (1929/30) 381 ff. passim, m. 4 Abbn. — Vie d'Italia, 1936 p. 179/84 passim. — Kat. d. VI Quadriennale, Rom 1951/52, m. Abb. 25.

Cadot, Louis Barthél, franz. Maler, * Levallois-Perret, fiel am 3. 9. 1914.

Lit.: Le Livre d'Or d. peintres expos., 1921 p. XII.

Cadot, Maurice, franz. Aquatintastecher, * 1884 Honfleur, † 1934 Marseille.

Lit.: Bull. de l'Art, 66 (1934/II) 238.

Cady, Harrison, amer. Radierer, Illustr., Maler u. Jugendschriftst., * 17. 6. 1877 Gardner, Mass., ansässig in Rockport, Mass.

Mitgl. d. Amer. Water Colour Soc., New York. Illustrat. u. a. zu: Rackety Packety House; Queen Silver Bell; The Spring Cleaning; The Cosy Lion, von Francis Hodgson Burnett. Mitarbeiter von Blättern wie Life, Saturday Evening Post, Country Gentleman u. Ladies Home Journal.

Lit.: Th.-B., 5 (1911). — Monro. — Fielding, Amer. Art Annual, 30 (1933). — Who's Who in Amer. Art, I: 1936/37. — Art Digest, 16, Nr v. 1. 3. 1942, p. 11 (Abb.); 19, Nr v. 15. 3. 1945, p. 7 (Abb.). — Amer. Artist, 9 (1945) April-H., p. 3, 11/15. — The Art News, 43, Nr v. 15. 11. 1944, p. 25 (Abb.)

Cadzow, James, schott. Radierer u. Maler, * 30. 10 1881 Carluke, ansässig in Dundee.

Stud. am Coll. of Art in Edinburgh.

Lit.: Who's Who in Art, [3] 1934.

Caesar, Doris, amer. Bildhauerin, * 8. 11. 1893 Brooklyn, N. Y., ansässig in New York.

Schülerin von Al. Archipenko u. Rud. Belling. Wiederholt Kollektiv-Ausst. in der Weyhe Gall. in New York. Bronze: Mutter mit Kind, Skizze für eine überlebensgr. Gruppe, in der Addison Gall. of Amer. Art in Andover, Mass. (Abb. im Bull. d. Galerie, 1942 p. 36). Eine weitere Arbeit im Connecticut College in New London.

Lit.: Who's Who in Amer. Art, I: 1936/37. — Mallett. — Art Digest, 21, Nr v. 1. 3. 1947, p. 16; 22, Nr v. 15. 5. 1948, p. 8 (Abb.: Selbstbildn.). — The Art News, 46, März 1947, p. 51; 47, Juni 1948, p. 48 (Abb.).

Caesar, Karl, dtsch. Architekt (Prof. Dr. e. h.), * 24. 12. 1874 Münster a. L., ansässig in Berlin.

Stud. an der Techn. Hochsch. Charlottenburg, dann Assistent bei Hugo Hartung. 1909/16 Prof. für Landbau an der Techn. Hochsch. Charlottenburg, seit 1918 in gleicher Stellung an der Techn. Hochsch. Karlsruhe. Seit 1935 wieder in Berlin. Hauptwerk: Orthopäd. Klinik in Heidelberg.

Lit.: Dreßler. — Dtsche Bauztg, 70 (1936) 435, m. Fotobildn.

Caffassi, Alberto, ital. Figuren-, Bildnis- u. Landschaftsmaler, * 1894 Alessandria, ansässig in Turin.

Schüler von Giac. Grosso u. Ces. Tallone. Bilder in d. Pinak. in Alessandria.

Lit.: Comanducci.

Caffè, Nino, ital. Maler, * 24. 1. 1909 Alfedena (Aquila), ansässig in Pesaro.

Lit.: Kat. d. Ausst. Ital. Kst d. Gegenw., München u. a. O., 1950/51 (irrig: Caffee) u. d. VI Quadriennale, Rom 1951/52, m. Abb.

Caggiano, Aurelio, ital. Bildhauer u. Maler, * 18. 9. 1869 Neapel, ansässig ebda.

Sohn des Bildh. Emanuele C. (1837–1905). Schüler von Toma, Lista, Solari, Fr. Autoriello, Pisanti u. s. Vater. Bronzedekorationen in d. Kirche d. Mad. delle Grazie in Benevent u. in d. Kirche in Manfredonia. Neapolitan. Volkstypen u. Studienköpfe.

Lit.: Giannelli.

Cagle, Charles, amer. Maler, * 21. 7. 1907 Beersheba Springs, Tenn., ansässig in New York.

Schüler von Ch. Grafly, Hugh H. Breckenridge, Dan. Garber, J. T. Pearson u. Fr. Speight.

Lit.: Who's Who in Amer. Art, I: 1936/37. — Amer. Art Annual, 30 (1933). — Art Digest, 19, Nr v. 15. 12. 1944, p. 14; 22, Nr v. 15. 4. 1948, p. 10, Nr v. 1. 5. 1948, p. 18 (Abb.).

Cagli, Corrado, ital.-amer. Maler u. Zeichner für Mosaik, * 23. 2. 1910 Ancona, ansässig in Rom.

Gründete in Rom 1932 mit Gius. Capogrossi u. Eman. Cavalli die später als „2. Römische Schule" bezeichnete Bewegung, so gen. im Unterschied zu der von Mafai u. Scipione begründeten Römischen Schule. Diese Bewegung setzte sich in Gegensatz zu der herrschenden offiziellen Strömung des „Novecento", nahm aber Elemente des ital. Quattrocento (Uccello, Piero della Francesca) auf. In diesem Stil schuf C. u. a. die Mosaik-Ausschmückung der Fontana di Terni (1931/35), ein großes Bild für die Triennale in Mailand 1933, ein Temperabild mit Darstellung des Wettrennens der Barberi im Castello dei Cesari in Rom und ein Gemälde in enkaust. Farben: Schlacht von San Martino, für die Triennale Mailand 1936. Eröffnete im gen. Jahr die Gal. „Cometa" in Rom, die zwar nur ein kurzes Leben hatte, aber viele der besten zeitgenöss. Künstler Italiens zuerst bekannt machte. 1939 aus politischen Gründen gezwungen, zu emigrieren, ging er zuerst nach Frankreich, dann nach den USA. Nahm als amerik. Staatsbürger 1944 an der Landung der Armee an der normannischen Küste teil. Besuchte auch die Schweiz, Belgien u. Deutschland; zeichnete eine Folge von Darstellungen aus den Konzentrationslagern (Buchenwald). Nach neuerlicher Niederlassung in Italien entstand eine Folge von surrealistischen Werken, die sich durch zauberische Technik u. Fülle der Phantasie auszeichnen. Arbeiten u. a. in d. Gall. Naz. di Arte Mod. in Rom. Vieles in amerik. Privatbesitz. Kollektiv-Ausstellgn in d. Gall. „Palma", Rom 1947 (Kat.), u. in d. Gal. del Secolo, Rom 1949.

Lit.: U. Apollonio, Pittura mod. ital., Venedig 1950. — Carrieri. — A. Fornari, Quarant' anni di Cubismo, Rom 1948, p. 66ff. — Ghiringhelli. — Venturoli. — Trenta disegni di C., a cura dello Studio „Palma" di Roma, Mailand o. J. [1946]. — Apollo (London), 40 (1944) Nr 2. — Art et Vie, 1935, p. 327–47 passim, m. Abb. — Art Digest, 20 (1946) 12; 21 (1947) 17. — The Art News, 44 (1946) Febr. p. 90; 46 (1947) April, p. 26, 58 (Abb.); 47 (1948) April, p. 52. — Beaux-Arts, 1936 Nr 172 p. 8 (2 Abbn). — Cahiers d'Art, 25 (1950) 248 (Abb.). — Emporium, 78 (1933) 352 (Abb.); 81 (1935) 331, 335 (Abb.); 84 (1936) 72, 89 (Abb.), 125, 138 (Abb.), 166 (Abb.), 167; 107 (1948) 80, 206. — L'Immagine, 1 (1948) 147f.; 2 (1949) 192. — Paragone, 1 (1950) Nr 3, p. 62f. — Quadrivio, 1936 Nr 17. — Palma Bucarelli, La Gall. Naz. d'Arte Mod., Guida breve, Rom 1949; dies., ~, Itinerario, 1951. — D. Werk (Zürich), 36 (1949), Juni-H., Beil. p. 76.

C. Maltese.

Cagnaccio di San Pietro, eigentl. *Natalino Bentivoglio Scarpa*, ital. Figuren- u. Bildnismaler, * 14. 1. 1897 Desenzano, ansässig in Venedig.

Schüler von Ettore Tito. Folgte anfängl. der futurist. Richtung, dann der Neuen Sachlichkeit. Beschickt regelmäßig die Biennale in Venedig. Bild in d. Gall. d'Arte Mod. in Rom.

Lit.: Comanducci, m. Abb. — D. Christl. Kst, 28 (1931/32) 18, 19 (Abb.); 33 (1936) 99f., m. Abb.

Cahen, Michel Lucien, franz. Landschafts- u. Bildnismaler, * 21. 6. 1888 Paris, ansässig ebda.

Schüler von Gabr. Ferrier, Jules Adler u. L. Flameng. Mitglied der Soc. des Art. Franç. (Kat. z. T. m. Abbn).

Lit.: Joseph, I. — Bénézit, [2] II.

Cahill, Arthur, amer. Maler u. Illustr., * 1879 (1878?) San Francisco, Calif., ansässig in San Anselmo, Calif.

Stud. an der California Art School in San Francisco. Vertreten u. a. im State Capitol California u. in der Crocker Art Gall. in Sacramento.

Lit.: Fielding. — Mallett. — California Pal. Legion Honor Bull., 3, Jan. 1946, p. 78 (Abb.).

Cahill, William Vincent, amer. Maler, * Syracuse, † 1924 Chicago, Ill.

Schüler von Howard Pyle u. Birge Harrison. Mitglied der Art Student's League in New York. 1918/19 Prof. f. Zeichnen u. Malen an der Univers. of Kansas. Wiederholt durch Preise ausgezeichnet. Vertreten u. a. im Mus. of Hist., Science and Art in Los Angeles u. in der Städt. Smlg in Phoenix, Arizona.

Lit.: Fielding. — Amer. Art Annual, 20 (1923) 464; 21 (1924).

Cahours, Henry, franz. Landschaftsmaler, * 2. 7. 1889 Paris, ansässig ebda.

Mitglied der Soc. d. Art. Franç. (Kat. z. T. m. Abbn) u. der Soc. d. Art. Indépendants. Silb. Med. 1928.

Lit.: Joseph, I. — Bénézit, [2] II.

Caillard, Christian, franz. Maler, * 1899 Clichy, ansässig in Paris.

Beschickte seit 1925 den Salon d. Tuileries, später auch den Salon d'Automne. Figürliches, Landschaften, Interieurs. Bereiste 1937 Spanien u. Marokko.

Lit.: Joseph, I. — Bénézit, [2] II. — L'Art et les Artistes, 30 (1935) 234/39, m. 6 Abbn; 31 (1936) 176f. — Beaux-Arts, 75e année, Nr 229 v. 21. 5. 1937, p. 8, m. Abb.; Nr 251 v. 22. 10. 37, p. 4; Nr 252 v. 29. 10. 37, p. 1 (Abb.); Nr 270 v. 4. 3. 38, p. 7 (Abb.); Nr 306 v. 11. 11. 38, p. 1 (Abb.); 76e a., Nr 324 v. 17. 3. 39, p. 1 (Abb.); Nr 336 v. 9. 6. 39, p. 5, m. Abb. — Revue de l'Art anc. et mod., 70 (1936) 191 (Abb.). — Art Index (New York), Okt. 1947/Okt. 1952.

Caillaud, Alfred, franz. Maler, * La Rochelle, † 11. 2. 1940 Paris.

Beschickte 1879–1937 den Salon der Soc. d. Art. Franç., seit 1889 auch den Salon des Indépendants. Stilleben, Früchte- u. Blumenstücke, Landschaften, Marinen, Intérieurs.

Lit.: Joseph, I. — Bénézit, [2] II.

Caille, Fernand, schweiz. Maler u. Graph., * 21. 7. 1889 Damvant, ansässig in Freiburg/Schw.

Stud. in Porrentruy bei P. Bannwart u. A. Hoffmann, dann am Technikum in Freiburg/Schw. bei Henri Robert, Eug. Weck u. Conrad Schlaepfer. Weitergebildet bei P. Renouard, Bruneau u. Paul Richer in Paris, zuletzt bei Eug. Grasset an der Grande Chaumière ebda. 1912/16 in Rußland (1914 in Kiew). Seit 1920 in Freiburg/Schw. Hauptsächlich Aquarellmaler, Pastellist, Holzschneider u. Lithogr. Illustr. zum „Almanach cathol. de la Suisse Franç.", 1922. Aquarelle im Kantonal-Mus. in Freiburg.

Lit.: Amweg, I, m. Bildnis, 2 Abbn u. farb. Tafel.

Cain, Charles William, engl. Kaltnadelstecher, Rad. u. Aquarellmaler, * 22. 8. 1893 London, ansässig in Beckenham, Kent.

Stud. an der Camberwell-Kstschule. Ging 18jährig als polit. Pressezeichner nach Johannesburg, Südafrika. Kriegsdienste 1915 in England, 1916 in Indien. Besuchte von dort Mesopotamien u. Persien. 1919 Schüler von Frank Short am Roy. Coll. of Art in London. Landschaften, Marinen, Figürliches. Vertreten im Imperial War Mus. in London.

Lit.: Who's Who in Art, [3] 1934. — The Connoisseur, 60 (1921) 243. — Apollo (London), 8 (1928) Taf.-Abb. geg. p. 29. — Artwork, 4 (1928) 19. — The Art News, 25, Nr 21 v. 26. 2. 1927, p. 6 (Abb.). — Ch. W. C. Cat. of Drypoints, mit Vorw. von James Greig, London 1927 (Arthur Greatorex, Ltd), m. 12 Abbn.

Cain, Jo, amer. Maler, Bildh. u. Lithogr., * 16. 4. 1904 New Orleans, La., ansässig in New York.

Schüler der Art Student's League in New York, von Kenneth Hayes Miller u. Kimon Nicolaides. Wandgem. in der New York State Training School in Warwick, N. Y.

Lit.: Who's Who in Amer. Art, I: 1936/37. — Monro.

Cain, Robert Sterling, amer. Raumkünstler u. Zeichner, * 14. 12. 1907 Santa Cruz, Calif., ansässig in Oakland, Calif.

Stud. an der Rud.-Schaeffer-Schule.

Lit.: Who's Who in Amer. Art, I: 1936/37.

Cainelli, Carlo, ital. Maler u. Rad., * 23. 5. 1896 Rovereto, † 7. 2. 1925 Florenz.

Stud. an d. Akad. in Florenz.

Lit.: Comanducci. — The Studio, 91 (1926) 367, m. Abbn.

Cains, Florence Blanche, engl. Malerin, Zeichnerin u. Kststickerin, * 21. 11. 1905 Bristol, ansässig ebda.

Stud. an der Kunstsch. in Bristol.

Lit.: Who's Who in Art, [3] 1934.

Cairati, Gerolamo, ital. Landschafts- u. Architekturmaler, * 23. 3. 1860 Triest, † 1943 (?) München.

Anfänglich Architekturstudien am Polytechnikum in Mailand. Malschüler von L. Conconi u. G. Previtali. Seit 1893 in München ansässig. Bilder in den Gall. d'Arte Mod. in Venedig, Rom u. Littoria, in d. Pinak. in Parma u. in der N. Pinak. in München.

Lit.: Th.-B., 5 (1911). — Comanducci, m. Abb. — Bénézit, [2] 2 (1949). — D. Christl. Kst, 4 (1907/08), Beibl. p. 45. — D. Kst, 25 (1912) 575 (Abb.). — Kst-Rundschau, 43 (1935) 160, m. Abb. — D. Weltkst, 17, Nr 31/34 v. 20. 8. 1943, p. 3.

Calabi, Augusto, ital. Bildnis- u. Landschaftsmaler, Radierer, Graphiksammler u. Kstgelehrter, * 23. 5. 1890 Mailand, teilt seinen Wohnsitz zwischen London u. Mailand.

Lit.: Who's Who in Art, [3] 1934.

Calandín y Calandín, Emilio, span. Bildhauer, * 10. 1. 1870 Valencia, † 14. 1. 1919 Barcelona.

Schüler der Akad. in Valencia. Zeigte auf d. Expos. Nac. Madrid 1910 eine Gipsstatue: Mariita.

Lit.: Archivo de arte valenc., 5 (1919) 106 (Abb.), 108.

Calapai, Letterio, amer. Maler u. Lithogr., * 29. 3. 1902 Roxbury, Mass., ansässig in New York.

Schüler von Ch. Hopkinson, H. Giles u. Rob. Laurent.

Lit.: Who's Who in Amer. Art, I: 1936/37. — Amer. Art Annual, 30 (1933). — Art Index (New York), Okt. 1944/Okt. 1949.

Calbet, Antoine, franz. Genre- u. Bildnismaler u. Illustr., * 16. 8. 1860 Engayrac (Lot-et-Garonne), † 1944 Paris.

Schüler von Cabanel, E. Marsal u. E. Michel. Mitglied der Soc. d. Art. Franç., deren Salon er bis 1930 beschickte (Kat. z. T. m. Abbn). — Illustr. u. a. zu: „Aphrodite" von P. Louÿs; „Léda", von dems.; „Loreley" von J. Lorrain; „L'écran" von P. Bourget.

Lit.: Th.-B., 5 (1911). — Qui Êtes-Vous?, 1924. — Joseph, 1, m. Abb. — Bénézit, [2] 2 (1949).

Calca, Gerolamo, ital. Bildnismaler, * 3. 2. 1878 Rovato, ansässig in Mailand.

Schüler der Brera-Akad. Bilder im Municipio u. in d. Pfarrk. in Rovato.

Lit.: Comanducci.

Calcagnadoro, Antonino, ital. Landschafts- u. Genremaler u. Rad., * 13. 2. 1876 Rieti, ansässig in Rom.

Schüler von Bergamini in Rom. Silb. Med. 1898 im Concorso Donizettiano (die letzten Augenblicke Donizetti's). Wandmalereien in d. Sala Maggiore des Pal. Civico in Rieti. In d. Gall. d'Arte Mod. in Rom: Siesta; in d. Gall. Naz. in Palermo: Das Leid geht vorüber; im Mus. in Lausanne: Mönche von Chianciano. Entwürfe für Theatervorhänge u. Innendekorationen.

Lit.: Comanducci, m. Abb. (Selbstbildn.). — Vita artistica, 1 (1926) 16.

Caldana, Giovanni, ital. Genre- u. Bildnismaler u. Restaurator, * 16. 4. 1869 Vicenza.

Schüler von Molmenti u. Dal Zotto in Venedig.

Lit.: Comanducci.

Calder, Alexander, amer. Bildhauer, Maler u. Graph., * 22. 8. 1898 Philadelphia, Pa., ansässig in Roxbury, Conn. Sohn des Stirling.

Stud. 1915/19 an d. Techn. Hochsch. u. d. Zeichenschule in New York. 5 Jahre Ingenieur. 1923 in New York, brachte dort 1926 das Büchlein: Tier-Skizzen, heraus. Siedelte 1927 nach Paris über, stellte dort im Salon der Humoristen aus. Faßte 1928 seine Arbeiten unter dem Titel „Stabiles" zusammen; übernahm 1932 dafür die Bezeichnung „Mobiles", bewegliche plast. Gestaltungen aus Draht u. Metallteilen. 1933 Atelier in Connecticut. Seit 1942 „Konstellationen", kompliziertere bewegliche Gebilde aus verschiedenen Materialien. 1937 Brunnen f. eine Abt. d. Pariser Weltausstellung; 1938 Wasserkünste f. d. Weltausst. in New York. Erfand, von der analytischen Plastik des Kubismus ausgehend, eine technologische Methode plast. Aufbaus, der durch vorbedachte oder eigengesetzliche Bewegung das Moment der Zeit einbezieht und die Gesetze der Schwere aufhebt. — Koll.-Ausst.: Gal. Naumann u. Nierendorf, Berlin 1928 (Holzplastiken u. Karikaturen); Kstmus., Luzern, 1935 (These Antithese Synthese); Ksthalle, Basel 1937 (Konstruktivisten); Mus. of Mod. Art, New York 1943; L. Carré, Paris 1946; Städt. Mus., Amsterdam 1947; Buchholz Gall. (C. Valentin), New York 1949 u. 1952; Gal. Maeght, Paris 1950; Gal. Rud. Hoffmann, Homburg 1952 (Plastiken). — Vertreten in: Detroit Inst. of Arts; Mus. of Mod. Art, New York; Smith Coll. Mus. of Art Northampton; Mus. of Art Portland, Or.; California Palace of the Legion of Honor, San Francisco; Mus. St. Louis.

Lit.: Bénézit, [2] 2 (1949). — The Mus. of Mod. Art: A. C., New York o. J., m. 66 Abbn. — A. C., Mobiles, Stabiles, Constellations, Paris 1946 (Texte v. J. P. Sartre u. Sweeney). — Giedion-Welcker. — Architectur. Review (London), 106 (1949) 117/20. — Arts and Architecture (Los Angeles), 1946, Jan., p. 28/30, m. Abb.; 1947 Okt., p. 39/40 (Abbn); 1949 April, p. 26/28. — The Art News (New York), Dez. 1947, p. 22f.; Sept. 1948, p. 42f., m. Abb. — Bull. of the Detroit Inst. of Arts, 26 (1947/48) 6/8, 40. — Bull. of the Smith Coll. Mus. of Art (Northampton), 17 (1936) 16/17, m. Abbn. — The Burlington Magaz., 87 (1945) 234. — Cahiers d'Art, 8 (1933) 244/46; 20–21 (1946) 325/33; 24 (1949) 274/80. — Emporium, 106 (1947) 121/23. — D. Kstblatt, 13 (1929) 185f., m. Abb.; 15 (1931) 246/48, m. Abb. — D. Kstwerk, 4 (1950) Heft 8/9, p. 76/80, m. 13 Abbn u. 1 Taf., 87. — Magaz. of Art, 38 (1945) 242/44, 283 (Abb.). — New Yorker, 4. 10. 1941, p. 25/30, m. Abb. — Prisma (München), 1 (1946/47) H. 6, p. 14f. m. Abbn, 16 (Abb.) u. Taf. III. — The Art Index (New York), 1928ff. passim.

Calder, Mildred Bussing, amer. Maler, * 9. 6. 1907 Brooklyn, N. Y., ansässig ebda.

Schüler der Art Students League in New York, von Gordon Stevenson, Paul Moschowitz u. Ernst Watson.

Lit.: Who's Who in Amer. Art, I: 1936/37.

Calder, Stirling (Alex. St.), amer. Bildhauer, * 11. 1. 1870 Philadelphia, Pa., † 1945 New York. Schott. Abkunft. Sohn des Bildh. Alex. Milne (* 1846, † 1923). Vater des Alexander.

Stud. an der Pennsylvania Acad. of F. Arts u. bei Chapu u. Falguière in Paris. Hauptwerke: Statuen von Witherspoon, Marcus Whitman u. Davies im Priestergeb. in Philadelphia; Sonnenuhr im Fairmount Part ebda; Lea-Denkmal, im Laurel Hill-Friedhof ebda; Washington-Gruppe, auf dem Washingtonbogen in New York; Swann-Gedächtnis-Brunnen u. Shakespeare-Denkmal in Philadelphia; Fries im Staatskapitol in Jefferson City, Mo.; Madonnenstatue in St. Mary's Church in Detroit. Weitere Werke u. a. im Throop Instit. in Pasadena, Calif., in der Acad. of F. Arts in Philadelphia, im City Mus. of Art in St. Louis, im Mus. of Art in New York, in der Ryan Art Gall. ebda u. im Mus. in Reading.

Lit.: Th.-B., 5 (1911). — Fielding. — Who's Who in Amer. Art, I: 1936/37. — Earle. — Mellquist. — Amer. Art Annual, 20 (1923) 464. — Apollo (London), 15 (1932) 109/13, m. 7 Abbn. — Art Digest, 19, Nr v. 15. 1. 1945, p. 12. — The Art News, 22, Nr 9 v. 8. 12. 1923, p. 5; 25, Nr 21 v. 26. 2. 1927, p. 11, m. Abb.; 43, Nr v. 15. 1. 1945, p. 6. — Cat. of the Works of Art of City of New York, 2 (1920) 87. — The New York Times, 13. 5. 1932.

Calderini, Giuseppe, ital. Landschafts- u. Stillebenmaler, * 7. 12. 1893 Camerani d'Asti.

Autodidakt.

Lit.: Comanducci.

Calderini, Luigi, piemont. Bildhauer u. Maler, * 22. 2. 1880 Turin, ansässig ebda. Sohn des Folg.

Schüler s. Vaters, im übrigen Autodidakt. Plast. Hauptwerke: Denkmal der Metallurgie u. des Landlebens in Lüdenscheid, Westfalen; Hl. Maximus u. Sel. Valfrè in der Vorhalle der Consolata in Turin; Die Engel vom Grabmal des Sel. Cafasso in ders. Kirche. Bilder u. a. in d. Kirche S. Genesio über Chivasso, im Mus. Civ. in Turin u. in der Gall. d'Arte Mod. in Rom.

Lit.: Th.-B., 5 (1911), m. falschem Geburtsjahr: 1890. — Comanducci. — Chi è?, 1940. — Bénézit, [2] 2 (1949).

Calderini, Marco, piemont. Landschaftsmaler u. Kstschriftst., * 22. 7. 1850 Turin, † 26. 2. 1941 ebda. Vater des Vor.

Schüler von A. Fontanesi u. E. Gamba. Bilder in der Gall. d'Arte Mod. in Rom (Abb. im Kat. 1932), im Mus. Civ. in Turin u. in den Gall. d'Arte Mod. in Mailand, Florenz u. Venedig.

Lit.: Th.-B., 5 (1911). — Comanducci, m. 2 Abbn u. Taf. 13. — Chi è?, 1940. — Costantini. — Bénézit, [2] 2 (1949). — Vita d'Arte, 13 (1914) 74f. — Emporium, 93 (1941) 251ff., m. Abbn. — M. C. Quadri, studi e schizzi diversi, Turin o. J.

Calderon, Leandro João, portug. Maler u. Bühnenbildner (Prof.), * 10. 12. 1885 Lissabon, ansässig ebda.

Stud. an d. Kstschule in Lissabon u. Bühnenmalerei an d. Akad. in Mailand. Bühnenbilder für das Theater in Lissabon.

Lit.: Gr. Enc. Portug. e Brasil., V 486. — Quem é Alguém, 1947, p. 160.

Caler, Ralph Mline, amer. Maler, * 17. 4. 1884 Philadelphia, Pa., ansässig in New York.

Stud. an der Pennsylvania Acad. of F. Arts.

Lit.: Fielding. — Amer. Art Annual, 20 (1923).

Calewaert, Louis, amer. Maler, Radierer u. Bildhauer, * 18. 8. 1894 Detroit, Mich., ansässig in Chicago, Ill.

Stud. an d. Kstschule in Detroit bei Wicker, weitergebildet in Italien, Sizilien, Frankreich u. Belgien. Vertreten im Mus. in Toledo, Ohio.

Lit.: Fielding. — Amer. Art Annual, 20 (1923).

Califano, Eugen, amer. Maler u. Radierer, * 31. 10. 1893 New York, ansässig in Chicago, Ill.

Schüler von Capuano, Celentano, Borgoni u. Giardiello. Im Dom zu Salerno: H. Johannes.

Lit.: Amer. Art Annual, 20 (1923) 465.

Califano-Mundo, Raffaele Armando, ital. Architektur- u. Genremaler u. Kstschriftst., * 23. 12. 1857 Neapel, † 30. 10. 1930 ebda.

Schüler von G. G. Lanza u. Stan. Lista. Seit 1902 Lehrer am Ist. di B. Arti Neapel. Bilder in d. Gall. d'Arte Mod. ebda.

Lit.: Giannelli, m. Fotobildn. — Comanducci.

Caligiani, Alberto, ital. Landschafts- u. Bildnismaler, * 6. 1. 1894 Grosseto, ansässig in Montemurlo (Florenz).

Kurze Zeit Schüler der Akad. Florenz, im übrigen Autodidakt. Bilder in den Gall. d'Arte Mod. Florenz u. Mailand u. in d. Pinak. in Pistoia.

Lit.: Comanducci. — Chi è?, 1940. — Bénézit, [2] 2 (1949). — Dedalo, 10 (1929/30) 690 (Abb.). — Emporium, 79 (1934) 367 (Abb.); 91 (1940) 96, 98 (Abb.). — Kat. Ausst. zeitgenöss. toskan. Kstler, Ksth. Düsseldorf 1942, m. Taf.-Abb.

Călinescu, Alexandru, rumän. Bildhauer, * 1906 Balcic, ansässig in Bukarest.

Stud. an der Kunstsch. in Bukarest u. bei Mercié in Paris. Im Mus. Toma Stelian in Bukarest 2 Arbeiten: Studienkopf (Marmor) u. Maske (Terrakotta). Ehrenvolle Erwähnung im Pariser Salon (Soc. d. Art. Franç.) 1927.

Lit.: Bénézit, [2] II (1949). — Kat. Mus. Toma Stelian, 1939, p. 126. — Kat. Ausst.: Rumän. Kst d. Gegenw., Zürich, Ksthaus, 1943, p. 17.

Calini, Richard, schweiz. Architekt, * 9. 2. 1882 Zürich, ansässig in Basel.

Schüler des Technikums in Winterthur. Studienreise in Italien. Weitergebildet an der Techn. Hochschule Karlsruhe unter K. Schäfer, Ratzel u. Max Läuger. 1906/10 Bürochef bei A. Romang in Basel. Seit 1910 in der Firma Widmer & Erlacher in Basel u. Bern, deren Mitteilhaber er 1907 wurde. Über die Bauten der Firma s. Artikel Alfred Widmer.

Lit. s. Art. *Widmer*, Alfred.

Calker, Jord van, holl. Maler, * 5. 7. 1919 Hilversum, ansässig ebda.

Schüler von Jacob Ritsema u. P. L. Versteeg. Landschaften, Stadtansichten, Stilleben, Blumenstücke.

Lit.: Waay.

Calkins, Loring Gary, amer. Radierer, * 11. 6. 1887 Chicago, Ill., ansässig in Hingham, Mass.

Schüler von Vanderpoel, Ch. Francis Brown u. Freer. Illustr. zu: Land and Sea Mammals of Middle America and West Indies.

Lit.: Who's Who in Amer. Art, I: 1936/37.

Calkoen, Hendrik Joan, holl. Maler u. Rad., * 25. 2. 1894 Haarlem, ansässig in Velzen.

Schüler von Conr. Kickert. Landschaften, Blumenstücke, Pilze, Stilleben.

Lit.: Waay.

Callahan, Kenneth L., amer. Maler, Rad. u. Schriftst., * 30. 10. 1907 Boston, Mass., ansässig in Seattle, Wash.

20 Ölbilder, Aquar. u. Zeichngn im Art Mus. in Seattle, dessen Direktorialassistent C. ist.

Lit.: Who's Who in Amer. Art, I: 1936/37. — Amer. Art Annual, 30 (1933). — Art Index (New York)., Okt. 1945/Okt. 1952. — Painting in the Un. States. Carnegie Inst. Pittsburgh, Ausst. Okt./Dez. 1949, Kat. Taf. 60.

Callé, Lucien, franz. Landschaftsmaler, * Nanterre (Seine), ansässig in Courbevoie.

Schüler von Gagey. Stellt im Salon der Soc. d. Art. Franç. aus (Kat. z. T. m. Abbn).

Lit.: Bénézit, [2] II (1949).

Callenfels-Carsten, M. P., holl. Landschaftsmaler u. Rad., * 3. 9. 1893 Roermond.

Schüler der Haager Akad. u. von Alb. Roelofs. Bereiste Niederl. Indien.

Lit.: Waay.

Callery, Mary, amer. Bildhauerin, * 1903.

Arbeitete hauptsächl. für Bronze. Bildnisse, Tiere, Akte in stark stilisierten, das Kstgewerbliche berührenden spiralartigen Formen. Kollektiv-Ausst. in d. Gal. Buchholz, New York, März/April 1950 (ill. Kat.), u. in d. Valentin Gall. ebda Okt./Nov. 1952 (ill. Kat.).

Lit.: Bull. of the Detroit Inst. of Arts, 26 (1947–48) 27. — Zeitschr. f. Kst, 4 (1950) 75. — D. Kstwerk, 4 (1950) Heft 8/9, p. 87, m. Abb. — The Art News, 46, Mai 1947, p. 24. — Design, 47, April 1946, p. 6 (Abb.). — Yale Associates Bull., 17, Jan. 1949, p. [18] (Abb.). — Interiors and Industr. Design, 108, Mai 1949, p. 18 (Abb.). — Art Index (New York), Okt. 1947/Okt. 52.

Callet-Carcano, Marguerite, ital.-belg. Holzschneiderin u. Buchillustr., * 1878 Mailand, ansässig in Brüssel.

Illustr. zu Chateaubriand's „René" u. zu Benj. Constant's „Adolphe".

Lit.: Seyn, I. — The Studio, 87 (1924) 110, m. Abb.

Callewaert, Charles-René, belg. Maler u. Lithogr., * 1893 Gent.

Schüler von G. Minne u. Jean Delvin an der Genter Akad. Einige Zeit beeinflußt von van Gogh. Bildnisse, Landschaften, Blumenstücke, Interieurs. Im Mus. Gent: Verschneiter Platz.

Lit.: Seyn, I. — Gand artist., 1927 p. 48/55, m. 6 Abbn. — Kunst (Gent), 1930 p. 57/74, m. zahlr. Abbn.

Çalli, İbrahim, türk. Maler, * 1884 Çal, ansässig in Istanbul (Konstantinopel).

Stud. an d. Akad. d. Sch. Künste zu Istanbul, weitergebildet bei Cormon in Paris. 1914 Rückkehr nach Istanbul. Bis 1947 Lehrer an der Malabteilung der Akad. d. Sch. Künste ebda. Einige Werke im Bilder- u. Statuenmus. zu Istanbul. Gehört der türk. impressionst. Schule an.

Callico, Fernando, katal. Maler u. Zeichner.

Knüpft an die Tradition Ingres' an. Vortrefflicher Bildniszeichner.

Lit.: Francés, 1925/26, p. 273/77, Taf. 59. — F. C., Cien retratos dibujados, Barcelona 1934.

Callie, Bernard, belg. Bildhauer, * 1880 Brüssel.

Schüler der Brüsseler Akad. Prof. für Bildhauerei an der Zeichensch. in Saint-Josse-ten-Oode.

Lit.: Seyn, I.

Callis, Mary Eleanor, engl. Landsch.- u. Blumenmalerin (Aquar.), * 25. 12. 1877 South Hylton, Co. Durham, ansässig in Gerrard's Cross, Buckinghamshire.

Stud. an der Kunstsch. in Farnham.

Lit.: Who's Who in Art, [3] 1934.

Callmander, Ivar, schwed. Architekt, * 19. 7. 1880 Göteborg, ansässig in Stockholm. Sohn des Malers Reinhold C. († 1922).

Stud. 1901/03 bei Chalmers, 1903/05 an der Techn. Hochsch. Stockholm, 1906/16 Lehrer f. Wohnbaukunst an derselben. Wohnbauten; Stadtbaupläne. — Buchwerk: Flandrisk konst i fred och ofred, bilder fr. Belgien, 1915.

Lit.: Vem är det?, 1935. — Thomœus. — Arkitektur, 49 (1920) 135/39. — Vem är Vem i Norden, 1941, p. 1016.

Callmer, Werna, schwed. Landschafts- u. Blumenmalerin, * 1887 Malmö, ansässig ebda.

Stud. an der Kstindustrieschule in Stockholm. Weitergebildet auf Auslandsreisen. Malt in Aquarell u. Tempera.

Lit.: Thomœus.

Callot, Henri Eugène, franz. Landschafts- u. Genremaler, * 20. 12. 1875 La Rochelle, ansässig in Paris.

Schüler von J. Lefebvre u. T. Robert-Fleury. Mitglied der Soc. d. Art. Franç. (Salon-Kat. z. T. m. Abbn).

Lit.: Th.-B., 5 (1911). — Joseph, 1. — Bénézit, [1] 2.

Calma, Monico C., amer. Maler, Radierer, Illustr. u. Schriftst., * 4. 5. 1907 Anda, Pangasinan, P. I., ansässig ebda.

Schüler von Daniel Garber, Jos. T. Pearson, George Harding, Roy Nuse u. Francis Speight. Landschaften, Stilleben. Illustr. zu „Life in the Philippines" u. „Observations of an Art Student".

Lit.: Who's Who in Amer. Art, I: 1936/37. — Amer. Art Annual, 30 (1933).

Calmeyn, Charles, belg. Bildnis-, Stilllebenzeichner (Pastell) u. Rad., * 1873 Brügge.

Stud. an den Akad. in Brügge u. Antwerpen u. bei G. Biot. Ansichten malerischer Winkel aus Brügge, Ypern, Audenaarde, Mecheln u. a. O.

Lit.: Seyn, I.

Calori, Guido, ital. Bildhauer, * Mai 1885 Rom, ansässig ebda.

Stud. 14jährig am Istit. di B. Arti und am Museo Artist. industr. in Rom. Gewann 17jährig den Skulpturenpreis in dem von der Accad. di S. Luca ausgeschriebenen Nat.-Wettbewerb Albacini mit der Gruppe: Hero u. Leander, 1907 dens. Preis mit der Gruppe: Virgil u. Sordello. 1908 Preisträger des Pensionato artist. naz. mit der Gruppe: Die Mutter. 1917 als Lehrer an die Akad. in Florenz, dann an die Akad. Bologna, Neapel u. Rom berufen. Teilnehmer an der 12., 17. u. 23. Biennale in Venedig, an den röm. Biennali 1921 u. 1923, an der Quadriennale Turin 1923 u. an den röm. Quadriennali 1931, 1939 u. 1948. Mitglied der Akad. San Luca.

Lit.: Th.-B., 5 (1911). — P. A. Corna, Diz. d. Storia dell'Arte in Italia, 1 (Piacenza 1930). — A. Lancelotti, La prima Biennale Romana, 1921; ders., La seconda Biennale Rom, 1923; ders., La prima Quadriennale d'Arte naz., 1931. — V. Pica, L'Arte mondiale a Roma, 1911. — A. Riccoboni, Roma nell'Arte, 1942. — F. Sapori, L'Arte mond. alla XII Espos. di Venezia, Bergamo 1920. — Annuario Accad. di S. Luca, Rom 1909/11, p. 31 (Abb.). — Dedalo, 10 (1929/30) 697 (Abb.). — Emporium, 39 (1914) 149. — Illustraz. Ital. (Mailand), 1921/I, p. 683; 1937, p. 1335 (Abb.). — Meridiano di Roma, 11. 6. 1923. — Rass. Ital. (Rom), 1921 fasc. 38/39. — The Studio, 87 (1924) 226 (Abb.). — Kat. d. 1. Ausst. d. „Secessione", Rom 1913, m. Abb. *A. Gabrielli.*

Calvès, Marie Didière, franz. Malerin u. Graphikerin, * 1883 Paris, ansässig in Vignory (Haute-Marne).

Schülerin ihres Vaters Léon Georges C. Mitgl. d. Soc. d. Art. Franç., deren Salon sie seit 1898 beschickt. Genrebilder, Tiere, Landschaften. Vertreten in den Museen in Cannes u. Gray.

Lit.: Th.-B., 5 (1911). — Bénézit, [2] 2 (1949).

Calvet, Henri, franz. Bildhauer u. Medailleur, * 21. 6. 1877 Mèze (Hérault), ansässig in Paris.

Schüler von Falguière u. Mercié. Mitglied der Soc. d. Art. Franç. (Salon-Kat. z. T. m. Abbn). Bildnisbüsten, Genrefiguren.

Lit.: Th.-B., 5 (1911). — Joseph, 1. — Forrer, 7. — Bénézit, [2] 2 (1949).

Calvi di Bergolo, Gregorio, piemont. Landschafts- u. Figurenmaler, * 18. 7. 1904 Turin, ansässig ebda.

Schüler von Beltran-Massès. Bilder in den Galerien in Asti, Mailand u. Turin.

Lit.: Chi è?, 1940. — Bénézit, [2] 2 (1949). — Emporium, 73 (1931) 51 (Abb.), 52; 75 (1932) 254; 83 (1936) 156 (Abb.), 157.

Calvo Gonzalez, German, span. Maler, * 1910 Valencia.

Stud. an der Kstschule in Madrid u. in Paris.

Lit.: The Studio, 112 (1936) 193 (Abb.), 194.

Calvo i Verdonces, Josep, katal. Maler.

Landschaften u. Kircheninterieurs. Koll.-Ausstellg 1936 in Barcelona.

Lit.: Museus d'Art, 6 (1936) 50/56, m. 8 Abbn.

Calwer, Karl, dtsch. Kleinplastiker u. Maler, † 1951 Weil im Dorf.

Lit.: D. Weltkst, 21 (1951) H. 1, p. 13.

Calza-Bini, Alberto, ital. Architekt, Maler u. Radierer, * 7. 12. 1881 Rom, lebt ebda.

Hauptsächlich Restaurator antiker Bauten (Teatro Marcello in Rom; Denkm. der Malatesta in Fano). Präsident des Istituto Naz. d'Urbanistica.

Lit.: Chi è?, 1940. — Comanducci.

Camarda, Francesco, sizil. Maler, * 31.10. 1886 Palermo, ansässig ebda.

Stud. an der Akad. in Florenz. Gr. Gold. Med. Palermo 1913. Genre- (bes. Akt-), Tier- u. Bildnismaler. Bilder in den Gall. d'Arte Mod. in Rom u. Palermo.

Lit.: Comanducci, m. Abb. — Chi è?, 1940. — Emporium, 37 (1913) 317; 50 (1919) 51, m. Abb.; 74 (1931) 156/62, m. 9 Abbn, 1 Taf. u. Fotobildn.; 80 (1934) 319/21, m. 3 Abbn. — Pagine d'Arte, 7 (1919) 57, m. Abb.

Camarinha, Guilherme Duarte, portug. Maler, * 13. 4. 1913 Vila Nova de Gaia, ansässig in Porto.

Stud. an der Kstschule in Porto, Schüler von Joaquim Lopes. Prof. an den Escolas Técnicas. 1947 Sousa-Cardoso-Preis.

Lit.: Gr. Enc. Port. e Brasil., V 571.

Camaro, Alexander, dtsch. Maler (bes. Tempera) u. Graph., * 27. 9. 1901 Breslau, ansässig in Berlin.

Stud. anfangs Musik, dann Artist in Kabaretts u. Varietés. 1920/25 Schüler von Otto Müller in Breslau. 1928/30 Tänzer (Partner der Mary Wigman) in München. Dann wieder Maler. Reisen in Frankreich, Griechenland, Holland, Norwegen. 1950 Kstpreis der Stadt Berlin. Seit 1951 lehrtätig an d. Berl. Hochsch. f. bild. Kste. Kollektiv-Ausstellgn: Juni 1946 in d. Gal. Gerd Rosen in Berlin, August 1947 in d. Gal. W. Schüler ebda, Mai 1948 im Kstkabinett Hertmann & Co., Hamburg, 1951 im Haus a. Waldsee, Berlin, in d. Gal. Grabe-Stevenson, Hamburg, u. in d. Kestner-Gesellsch., Hannover, 1952 im Kstverein Braunschweig.

Lit.: bild. kunst, 1 (1947) H. 6, p. 24; 2 (1948), p. 28. — D. Kst u. das schöne Heim, 49 (1950/51) Beilage p. 163, 195, 235. — D. Kstwerk, 1 (1946/47) H. 12, p. 55, 57 (Abb.); 4 (1950) H. 5, p. 39 (2 Abbn); 5 (1951) H. 6, p. 51 (Abb.). — Weltkst, 22 (1952) H. 8 p. 4, m. Abb. — Zeitschr. f. Kst, 3 (1949) 196, 200 (Abb.). — Berliner Zeitung (Berlin), 12. 3. 1948. — Montags-Echo (Berlin), 6. 12. 1948, m. Abb. — Almanach 1947 Gal. Gerd Rosen, Berlin, m. Abbn (Selbstbildn.). — Kat. Ausst. Dtsche Malerei u. Plastik d. Gegenw. im Staatenhaus d. Messe in Köln, 14. 5.–3. 7. 1949, m. Abb. — Kat. Dtsch. Kstlerbund 1950, 1. Ausst. Berlin 1951, m. Abb.

Camaur, Antonio, ital. Bildhauer u. Maler, * 1875 Cormons, † 1921 Triest.

Schüler d. Wiener Akad. Ging 1896 nach Mailand. Teilnehmer an d. 6., 7., 9., 11. u. 12. Biennale in Venedig. Seit 1910 Lehrer f. Skulptur a. d. Industrieschule in Triest. Als Maler Impressionist. Arbeiten im Civ. Museo Revoltella in Triest (Kat. 1932).

Lit.: Boll. d'Arte, 1909 p. 158. — Emporium, 30 (1909) 275; 32 (1910) 335. — Vita d'Arte, 5 (1910) 234, m. 2 Abbn. *P. Bucarelli.*

Camax-Zoegger, Marie Anne, franz. Malerin, * Paris, ansässig ebda.

Tochter des Bildh. Antoine Zoegger (1829–1885). Schülerin von Henner, Mitglied der Soc. d. Art. Indépendants, Präsidentin der Soc. des Art. femmes peintres et sculpteurs. Figürliches (bes. Kinderbilder), Landschaften.

Lit.: Joseph, I. — Bénézit,[2] II. — La Renaiss. de l'Art franç., 14 (1931) 218, m. Abb. — Beaux-Arts, 1935 Nr 137 p. 6, m. 2 Abbn; Nr v. 1. 3. 46 p. 6 (Abb.); v. 5. 3. 48 p. 3 (Abb.). — L'Art et les Artistes, 32 (1936) 345/49, m. 5 Abbn.

Cambellotti, Duilio, ital. Maler, Bühnenbildner, Illustr. u. Kleinplastiker, * 14. 5. 1876 Rom, ansässig ebda.

Stud. bei Raff. Ojetti u. Al. Morani an der Lehranstalt des Museo artist. industr. in Rom. Seit 1903 Zeichenlehrer an d. Akad. in Rom. Figürliches; Illustr. (u. a. zu Dante, ed. Alinari, u. zu den „Fioretti" des hl. Franziskus); Entwürfe zu farb. Glasfenstern (u. a. in der Capp. della Flagellazione an der Stelle des antiken Pretorio, Palästina). Pan-Statuette in d. Gall. d'Arte Mod. in Rom.

Lit.: Th.-B., 5 (1911). — Chi è?, 1940. — Comanducci. — Emporium, 70 (1929) 226, m. Abb. — Boll. d'Arte, Serie 2, Anno 9 (1929/30) p. 433/37, m. Taf. u. Abbn. — D. Christl. Kst, 28 (1931/32) 8f., m. Abb. — D. Graph. Kste (Wien), 56 (1933) 56, 65 (Abb.).

Cambier, Juliette, belg. Bildnis-, Blumen- u. Landschaftsmalerin, * 1879 Saint-Gilles (Brüssel). Gattin des Louis Gust.

Stud. in Paris. Hauptsächl. Kinderbildnisse.

Lit.: Seyn, I. — The Studio, 63 (1915) 194. — Art et Décor., 28 (1924), Chron., Febr., p. 5f. — Beaux-Arts, Nr 322 v. 3. 3. 1939, p. 5.

Cambier, Louis Gustave, belg. Maler u. Graph., * 13. 6. 1874 Brüssel. Gatte der Juliette.

Schüler von J. Portaels an der Brüsseler Akad., weitergebildet bei Signac in Paris. Bereiste die Bretagne, Palästina, die Türkei u. Kleinasien. Bildnisse, Landschaften, Stilleben, Interieurs. Im Mus. Brügge: Das Goldene Horn, Konstantinopel; im Mus. Brüssel: Russ. Pilgerzug nach Jerusalem; im Mus. Gent: Die Millenarier; im Mus. Lüttich: Hl. Grab zu Jerusalem. Hat gelegentlich auch gebildhauert.

Lit.: Th.-B., 5 (1911). — Seyn, I. — Bénézit,[2] 2. — F. Hellens, L. G. C., Brüssel 1929. — Le Home (Brüssel), Mai 1912, m. 5 Abbn; Febr. 1914, p. 82ff. — Über Land u. Meer (Stuttg.), 1913, Nr 25 p. 672f., m. 6 Abbn u. Fotobildn. — L'Art moderne, 1. 2. 1914, p. 34f. — The Studio, 63 (1915) 194. — Beaux-Arts, 2 (1924) 45, m. Abb. — Gand artist., 1925, p. 27/31, m. 3 Abbn. — Apollo (Brüssel), Nr 23, Juni/Juli 1943, p. 10, m. Abb.

Cambier, Nestor, belg. Bildnis-, Figuren-, Landsch.- u. Stillebenmaler, * 1879 Couillet.

Stud. an der Brüsseler Akad. u. bei Gust. Vanaise. 1906/09 in England, 1914/22 in Amerika, wo sich viele seiner Arbeiten befinden. Als Porträtist von van Dyck u. Velázquez beeinflußt.

Lit.: G. M. Rodrigue, N. C., Brüssel 1934. — Seyn, I, m. Fotobildnis.

Cambier van Nooten, Wilhelmina Cornelia Johanna, holl. Malerin u. Lithogr., * 20. 10. 1881 Soest, ansässig in Arnheim.

Schülerin von Hart Nibbrig u. S. Moulijn. Landschaften, Pflanzen, Bäume, später auch Figürliches, Ansichten von Märkten, Gärten. Mitglied der „Onafhankelijken".

Lit.: Waay. — Waller, p. 241.

Cambon, Glauco, ital. Bildnis- u. Genremaler, * 1875 Triest, † 7. 3. 1930 Biella.

Stud. an d. Münchner Akad. (1891/94). Seit 1900 in Triest ansässig. Ging noch in dems. Jahre mit Stipendium nach Rom, wo er 2 Jahre blieb. In dieser Zeit beeinflußt von Böcklin u. der Antike. Ließ sich während des 1. Weltkrieges in Mailand nieder. Im Mus. Revoltella in Triest: Bildn. d. Schauspielers Ferruccio Benini in der Rolle des Don Marzio (Abb. im Kat. 1933); 2. Exempl. in d. Casa Goldoni in Venedig.

Lit.: Comanducci. — Vita d'Arte, 3 (1909) 253

(Abb.); 5 (1910) 230 (3 Abbn). — Emporium, 32 (1910) 334 (Abb.). — Roma letteraria, 1913, p. 11/30, m. 3 Abbn. — The Studio, 65 (1915) 211f., m. Abb.

Camden, Harry Poole, amer. Bildhauer, * 1900 Parkersburg, W. Va., ansässig in Ithaca, N. Y.

Lit.: Amer. Art Annual, 30 (1933).

Camelli, Illemo, ital. Maler, Illustr., Priester u. Schriftst., * 1. 5. 1876 Cremona, ansässig ebda.

Schüler der Brera-Akad. in Mailand. Illustr. zu Erzählungen von Edgar Poe. 30jährig als Priester ordiniert, trat seitdem als Maler nur wenig hervor. Direktor des Mus. Civ. in Cremona.

Lit.: Comanducci, m. Abb. — Cat. Espos. di pitt. di I. C., Okt. 1935, Cremona (m. 12 Abbn).

Camenisch, Paul, schweiz. Maler, ansässig in Basel.

Stud. zuerst Architektur (1920 preisgekrönter Entwurf für ein Volkshaus in Basel), ging dann zur Malerei über. Schüler von Hermann Scherer, dessen Bildnis er 1926 malte (Folkwangmus. Essen/Ruhr). Landschaften aus dem Tessin u. aus der Gegend von Frauenkirch. Landsch. in der Öff. Kstsmlg Basel.

Lit.: Bénézit, [2] 2 (1949). — Beaux-Arts, 75 année, Nr 316 v. 20. 1. 1939 p. 4. — Pro Arte (Genf), 2 (1943) 273, m. Abb. — D. Kstblatt, 1926 p. 326 (Taf.-Abb.), 328, m. Abb. — D. Werk (Zürich), 14 (1927) 40f. (Abbn), 54f. — Schweiz. Bauzeitg, 75 (1920) 73. — Jahresber. Öff. Kstsmlg Basel, N. F. 22/23 (1927) 26, 33. — Ill. Kat. Ged.-Ausst. Herm. Scherer u. P. C., Ksthalle Basel, Febr. 1928. — Ausst. Ksthaus Zürich: 6 Basler Maler, 17. 5.–8. 6. 1941, Kat. p. 3.

Camerini, Augusto, ital. Zeichner, * 21. 1. 1894 Rom, ansässig ebda.

Zeichnet für „Numero" u. „Due Soldi". Karikaturen u. a. für: „Messagero", „Serenissimo", „Nostra gente", „Rire".

Lit.: Chi è ?, 1940. — C. Ratta, Gli adornatori del libro in Italia.

Cameron, Sir David Young, schott. Landsch.- u. Architekturmaler (bes. Aquar.), Radierer u. Kaltnadelst., * 28. 6. 1865 Glasgow, † 1945 London.

Stud. in Glasgow u. Edinburgh. Beschickte als Maler seit 1903 gelegentlich die Ausstellgn der Lond. Roy. Acad. Mehrere Ölbilder u. Aquarelle, dar. eine Ansicht von Stirling Castle, in d. Tate Gall. in London. Im Mus. in Durham e. Ansicht aus der Provence. In d. Art Gall. in Glasgow e. Mädchenbildnis (Fairy Lilian). Hat s. Hauptbedeutung als Radierer; als solcher im Brit. Mus. reich vertreten. Einen Katalog s. graph. Arbeiten, die Produktion der Jahre 1887–1911 umfassend, veröffentlichte Fr. Rinder 1912, zu dem ders. Forscher 1924 Nachträge u. Ergänzungen bis zum Jahr 1917 gab. In der Zeit von 1917/23 hat C. weder radiert noch gestochen. Diese beiden Verzeichnisse samt den bis 1932 dazugekommenen Platten hat Rinder zusammengefaßt in seinem 1932 ersch. Gesamtkatalog, der über 500 Bll. beschreibt, darunter die bedeutendsten sind: The Baths of Caracalla; Dear Aunt Dorothy; The Admiralty; The Cairngorms; The Tay; Loch-en-Dorb; Lake of Menteith; Isles of Loch Maree.

Lit.: Th.-B., 5 (1911). — Fr. Rinder, D. Y. C., an ill. Cat. of his etched Work, Glasgow 1912; ders., D. Y. C., an ill. Cat. of his Etchings a. Dry-points 1887–1932, Glasgow 1932. — A. M. Hind, The Etchings of D. Y. C., Lo. 1924. Bespr. in: The Connoisseur, 70 (1924) 185. — Sir J. Duveen, 30 Years of Brit. Art, New York 1930. — J. H. Slater, Engrav. a. their Value, New York 1929. — M. C. Salamane, Modern Masters of Etching, Bd 7: Sir D. Y. C., Berl. 1925, m. 12 Taf.; ders., Etchings, Lo. 1931. — Who's Who in Art, [3] 1934. — The Print Coll.'s Quarterly, 1 (1911) 74, 77; 11 (1924) 45/68, m. 10 Abbn (Fr. Rinder); 20 (1933) 4. — The Studio, 23 (1901) 17 (Abb.); 61 (1914) 54, m. 4 Abbn, 279 (Abb.); 63 (1915) 216, 65 (1915) 100, 110; 66 (1916) 106, 214, m. Abb., 237 (Abb.), 281; 67 (1916) 251, 256, m. Abb.; 68 (1916) 44, m. Abb.; 79 (1920) 114; 81 (1921) 217; 82 (1921) 88/89, 93 (Abb.); 84 (1922), 73; 87 (1924) 74, 75 (Abb.), 77f.; 102 (1931) 240 (Abb.); 116 (1938) 2 (farb. Abb.). — Magazine of Art, 1903, p. 268ff., m. Abbn. — The Connoisseur, 43 (1915) 250; 55 (1919) 97 (Abb.), 99; 66 (1923) 112, 113 (Abb.); 70 (1924) 185; 72 (1925) 113 (Abb.), 116; 87 (1931) 48, 61. — Athenæum, 1920/II, p. 152. — Apollo (London), 1 (1925) 292f., m. Abb.; 10 (1929) 220ff., m. Abbn. — Maandbl. v. beeld. Kunsten, 13 (1936) 214 (Abb.). — The Burlington Magaz., 69 (1936) 88. — The Art Index (New York), 1928ff. passim.

Cameron, Edgar Spier, amer. Wandmaler u. Schriftst., * 26. 5. 1862 Ottawa, Ill., † 1934 (?) Chicago. Gatte der Marie.

Wandgemälde u. a. im Haus der Chicago Hist. Soc., im Chicago Union League Club, in der Supreme Court Library in Springfield, Ill., in der Public Library in Riverside, Ill., u. in der First Nat. Bank in Oklahoma.

Lit.: Th.-B., 5 (1911). — Who's Who in Amer. Art, I: 1936/37. — Amer. Art Annual, 30 (1933). — The Art Inst. of Chicago. Guide Paint. Perm. Coll., 1925, p. 129.

Cameron, Marie, geb. *Gélon,* franz.-amer. Bildnismalerin, * Paris, ansässig in Chicago, Ill. Gattin des Edgar.

Schülerin von Moreau de Tours, Cabanel, Laurens u. B. Constant u. des Art Inst. in Chicago. Bilder im Bes. der Hist. Soc. ebda, der Northwestern Univ. ebda u. der Univ. of Notre Dame in South Bend, Ind.

Lit.: Who's Who in Amer. Art, I: 1936/37. — Fielding. — Amer. Art Annual, 30 (1933).

Cameron, William Ross, amer. Radierer u. Lithogr., * 14. 6. 1893 New York, ansässig in Alameda, Calif.

Schüler von F. L. Meyer, Xavier Martinez, Nahl, E. Spencer Mackey u. Martin Griffin in London u. Paris.

Lit.: Who's Who in Amer. Art, I: 1936/37. — Amer. Art Annual, 30 (1933).

Cameron, William Spottiswoode, engl. Aquarellmaler, Radierer u. Federzeichner, im Hauptberuf Zivilingenieur, * 27. 5. 1884 Huddersfield, ansässig in Headingley, Leeds.

Hauptsächlich Landschaften u. Tiere.

Lit.: Who's Who in Art, [3] 1934.

Cameron-Menk, Hazel, amer. Malerin, * 3. 11. 1888 St. Paul, Minn., ansässig in Clarendon, Va.

Stud. an der Corcoran School of Art in Washington.

Lit.: Who's Who in Amer. Art, I: 1936/37. — Amer. Art Annual, 30 (1933).

Camfferman, Margaret, amer. Malerin, * Rochester, Minn., ansässig in Langley, Wash. Gattin des Folg.

Schülerin von A. Lhote u. Rob. Henri. Bild im Seattle Art Mus.

Lit.: Who's Who in Amer. Art, I: 1936/37. — Amer. Art Annual, 30 (1933).

Camfferman, Peter, holl.-amer. Maler, Radierer u. Lithogr., * 6. 2. 1890 Den Haag, ansässig in Langley, Wash. Gatte der Vor.

Schüler von Yorg Slegal, Macdonald-Wright u. A. Lhote.

Lit.: Who's Who in Amer. Art, I: 1936/37. — Amer. Art Annual, 30 (1933). — Monro.

Cami, Robert, franz. Radierer, Illustr. u. Metallgraveur, * 1. 1. 1900 Bordeaux, ansässig in Paris.

Schüler von Waltner u. L. Simon. Gr. Rompreis 1928. Lehrtätig an d. Ec. d. B.-Arts in Bordeaux 1932/42, seitdem in gleicher Stellung in Paris. Medaillons an den Bronzetüren des Großen Saales in der Neuen Französ. Botschaft in Ottawa, Canada. Graph. Hauptblatt: Phryne. Auch Landschaften u. Stadtansichten, Illustr. u. a. zu Montherlant, „Encore un instant de bonheur" (21 Stiche), u. zu Shakespeares „Othello" (15 Stiche). Stellt seit 1933 im Salon des Tuileries aus.

Lit.: Bénézit, [2] 2 (1949). — D. Kstwerk, 1 (1946–47) H. 6, p. 27 (Abb.). — Bull. of the Art Inst. Chicago, 1935 p. 50/52 passim, m. Abb. — Beaux-Arts, Nr 317 v. 27. 1. 1939, p. 1.

Camille, Sister, amer. Malerin, * 19. 1. 1901 Vincennes, Ind., ansässig in Indianapolis, Ind.

Stud. an der Corcoran School of Art in Washington, am Art Inst. in Chicago, bei Oscar Gross u. Gordon Mess.

Lit.: Who's Who in Amer. Art, I: 1936/37.

Camm, Florence, engl. Kunstgewerblerin, Glas- u. Dekorationsmalerin, * 7. 8. 1874 Smethwick, ansässig in Birmingham.

Stud. an d. Kunstsch. in Birmingham. — Ihre Brüder Robert, * 1878, und Walter Herbert, * 19. 4. 1881 Smethwick, sind in Smethwick als Entwurfzeichner für Glasmalerei tätig. Von W. H. C. u. a. farb. Fenster in d. Gedächtnishalle für Lady Burrel in d. Kirche in Shipley, Sussex, u. in d. Trauerkap. in St. Paul's Church in Smethwick.

Lit.: Who's Who in Art, [3] 1934. — The Studio, 23 (1901) 237 (Abb.).

Cammilli, Edoardo, ital. Bildhauer (Prof.), * Florenz, ansässig in New York.

Kam jung nach den USA. Mehrfach ausgezeichnet (u. a. Gold. Med. auf d. Ausst. in Rom 1911 u. in Neapel 1912), Ehrenmitgl. der Akad. in Urbino. Hauptwerke: Standbild des 1327 auf d. Scheiterhaufen verbrannten Astronomen Cecco d'Ascoli (Franc. Stabili) in Florenz; Gewissenbisse; Kriegswaise; Die Verlassenen; Der Kuß; Mutterliebe.

Lit.: Arte e Storia, 38 (1919) 25f., 65/68.

Cammissar, August, elsäss. Maler u. Graph., * 10. 7. 1873 Straßburg, ansässig in Tübingen.

Stud. an den Kstgewerbeschulen Karlsruhe u. Straßburg, an der Akad. in Stuttgart u. an der Debschitzschule in München. Lehrer an der Kstgewerbeschule in Straßburg. Silb. Med. Weltausstellg St. Louis 1904, Gold. Med. Dresden 1906. Radiergn, Aquarelle (Landschaften), Glasmalereien.

Lit.: Th.-B., 5 (1911). — Dreßler. — Elsaß-Lothr. Jahrb., 12 (1933) 287. — La vie en Alsace, 10 (1932) 103/07. — Das Bild, 4 (1934) 122, 127. — Die Kst, 75 (1936/37) 156/60, m. 6 Abbn. — D. christl. Kst, 25 (1928/29) 155. — Tübinger Blätter, N.F. 32 (1941) 8/9.

Cammissar, Rudolf, elsäss. Maler u. Radierer, franz. Herkunft, * Straßburg.

Bis Ende des 1. Weltkrieges in Straßburg ansässig, dann in Tübingen. Hauptsächl. Landschafter (Motive aus dem Neckartal u. der Schwäb. Alb).

Lit.: Tübinger Blätter, N. F. 32 (1941) 8f., m. 2 ganzseit. Abbn.

Camoin, Charles, franz. Maler, * 1879 Marseille, ansässig in Paris.

Seit 1913 Mitglied der Soc. Nat. d. B.-Arts. Stellte auch bei den Indépendants (1905ff.) u. im Salon des Tuileries aus. Gehört mit Matisse, Alb. Marquet u. Henri Manguin zu den Hauptvertretern der „Fauves", deren große Ausstell. 1927 er mit dem Bilde: Frau mit Sonnenschirm, beschickte. Arbeitete häufig in der Provence, bes. in Aix, wo er mit Cézanne bekannt wurde, mit dem er einen regen Briefwechsel führte. Landschaften, Marinen, Bildnisse, Figürliches, Stilleben, Blumenstücke. Seine Art hat wenig Revolutionäres, seine Palette ist reich u. gemäßigt. Mehrere Bilder im Petit Palais in Paris, darunter ein Liegender Akt u. Frau mit Fächer. Neuerdings als Maler des bislang P. Gauguin zugeschrieb. Bildes: La belle Cabaretière d'Arles (seit 1939 in der Nat. Gall. in Sydney) festgestellt.

Lit.: Th.-B., 5 (1911). — Joseph, 1, m. Abb. — Bénézit, [2] 2 (1949). — Grautoff, m. Tafelabb. — Salmon, 1912, p. 74f. — L'Amour de l'Art, 10 (1929) 464 (Abb.). — Art et Décor., 61 (1932) 381 (Abb.); 62 (1933), Les Echos d'Art (April-H.), p. VI, IX (Abb.). — The Art News, 21 (1922/23) Nr 20 p. 7; 25 (1926–27) Nr 11 p. 3. — Art News Annual, 22 (1952) farb. Taf. (Akt), p. 99. — Les Arts, 1920, Nr 184, p. 10 (Abb.), 11, Nr 188 p. 7 (Abb.), 14. — Beaux-Arts, 1 (1923) 30, m. Abb.; 3 (1925) 94, m. Abb.; 7 (1929) 19, m. Abb., Heft 5; 75 année, Nr 227 v. 7. 5. 1937, p. 6, Nr 235 v. 2. 7. 1937, p. 2; 26. 12. 1947, p. 4; 9. 1. 1948, p. 4, m. Abb.; 30. 1. 1948, p. 1; 6. 2. 1948, p. 1. — Chron. d. Arts, 1914, p. 74f. — Konstrevy, 12 (1936) H. 5, p. 162 (Abb.). — Kst u. Kstler, 17 (1918/19) 240, m. Abb. — D. Kstwanderer, 1925/26, p. 280. — Revue de l'Art anc. et mod., 51 (1927/I), Suppl. p. 156 (Abb.); 55 (1929) 150 (Abb.). — The Studio, 112 (1936) 70 (Abb.), 71; 126 (1943) 25 (Abb.); 132 (1946) 176 (Abb.). — D. Umschau, 3 (1948) 506.

Camoletti, Alexandre, schweiz. Architekt, * 3. 4. 1873 Genf, † 10. 7. 1923 ebda.

Stud. in Genf u. bei Deglane an d. Pariser Ec. d. B.-Arts. Baute mit H. Baudin das Collège in Nyon, mit A. Olivet das Hygiene-Institut in Genf, selbständig die Maison du Faubourg ebda.

Lit.: D. Werk (Zürich), 10 (1923) 209; 11 (1924) 110f., m. Abbn.

Camona, Giuseppe, ital. Landschaftsmaler, * 9. 5. 1886 Mailand, † 15. 8. 1917.

Schüler von Vittore Grubicy.

Lit.: Comanducci. — Costantini, m. Abb. — Bénézit, [2] 2 (1949). — Emporium, 40 (1914) 370 (Abb.), 371; 41 (1915) 181 (Abb.), 371. — Vita d'Arte, 13 (1914) 224 (Abb.); 14 (1915) 28, 30 (Abb.). — Pagine d'Arte, 5 (1917) 152, m. Fotobildn., 155f., m. Abbn, 168f., m. Abb. — Rass. d'Arte, 20 (1920) 31, 32 (Abb.).

Camoreyt, Jacques, franz. Maler u. Illustr., * Lectoure (Gers), ansässig in Paris.

Mitglied der Soc. d. Art. Franç. Figürliches. Illustr. zu P. Loti, „Ramuntcho" u. A. France, „Les Dieux ont soif".

Lit.: Joseph, I. — Bénézit, [2] II.

Campajola, Alfredo, ital. Landschafts- u. Genremaler, * 23. 1. 1873 Neapel, ansässig ebda.

Schüler von Dalbono u. Caprile. 1912/14 u. 1919/23 in Ägypten. In d. Gall. d'Arte Mod. in Neapel: Verschwunden im Dunkel.

Lit.: Comanducci.

Campão, José Margues, brasil. Maler, * 18. 4. 1891 São Paulo, ansässig in Paris.

Schüler von J. P. Laurens u. P. A. Laurens. Figürliches (bes. Akte), Landschaften. Stellte 1928/33 im Salon der Soc. d. Art. Franç. aus (Kat. z. T. m. Abbn).

Lit.: Joseph, I. — Bénézit, [2] II.

Campas (Campas de Sousa Ferreira), José, portug. Maler (Bildnis, Landschaft, Dekoration) u. Restaurator, * 14. 6. 1888 Lissabon, ansässig ebda.

Stud. an d. Kunstschule in Lissabon, der École Nat. d. B.-Arts in Paris u. der Acad. Julian ebda, wo er als Pensionär des portug. Staates 1910/12 u. 1922–23 lebte. Schüler von Carlos Reis, J. P. Laurens, L. Bonnat, R. Collin u. J. J. Duval. Stellte im Salon 1922 aus. Anunciação-Preis 1905/6. 2. Med. der S. N. B. A.; Silb. Med. d. Ausst. in Rio de Janeiro 1923; Bronzene Med. Panama-Pacific Expos. 1918; Gold. Med. u. „Außer Wettbewerb" in Portalegre u. Coimbra. Mitarbeiter der Zeitschrift „A Voz". Von der portug. Regierung 1930 zur Pariser Ausst. geschickt. Prof. an den Techn. Schulen in Lissabon. Bilder im Nat.-Mus. zeitgen. Kst, Rathaus u. Palais Galveias in Lissabon, im kgl. Palast in Cintra, im Rathaus u. Städt. Mus. in Porto, im Mus. Grão-Vasco in Vizeu, im Mus. José Malhôa in Caldas da Rainha, im Mus. in Évora u. im Palais der portug. Gesandtschaft in London.

Lit.: Gr. Enc. Port. e Brasil., V 639. — Pamplona, p. 299. — Bénézit, [2] 2 (1949). — Quem é Alguém, 1947 p. 165.

Campbell, Anne Bannard, amer. Miniaturmalerin, * 13. 8. 1879 Nelson County, Va., † 1927 New York.

Schülerin von Alice Beckington u. der Art Student's League in New York.

Lit.: Fielding. — Amer. Art Annual, 20 (1923) 465; 24 (1927).

Campbell, Blendon Reed, amer. Maler, * 28. 7. 1872 St. Louis, Mo., ansässig in New York, sommers in Athol, Mass.

Schüler von B. Constant, Laurens u. Whistler in Paris. Bilder u. a. im Art Inst. in Chicago, im Whitney Mus. of Amer. Art in New York u. im Mus. in Bath, England.

Lit.: Th.-B., 5 (1911). — Who's Who in Amer. Art, I: 1936/37. — Monro. — Amer. Art Annual, 30 (1933).

Campbell, Charles M., amer. Maler, * 1905 Dayton, O., ansässig in Cleveland, O.

Lit.: Amer. Art Annual, 30 (1933). — Art Digest, 16, Nr v. 15. 1. 1942, p. 23. — The Art News, 40, Nr v. 1. 1. 1942, p. 22.

Campbell, Christopher, irischer Genremaler (Öl u. Aquar.), Rad. u. Glasmaler, * 9. 12. 1908 Dublin, ansässig ebda.

Stud. an der Metrop.-Kunstsch. in Dublin.

Lit.: Who's Who in Art, [3] 1934.

Campbell, Classe, schwed. Genre- u. Landschaftsmaler u. Graphiker, * 1910 Göteborg, ansässig in Gustav-Adolfs, Skaraborgslän.

Stud. an Valand's Malsch. in Göteborg u. an der Malsch. Otte Skölds in Stockholm.

Lit.: Thomœus.

Campbell, Colin, engl. Bildnis- u. Blumenmaler, * 3. 12. 1894 London, ansässig ebda.

Stud. an den Byam Shaw u. Slade Schools.

Lit.: Who's Who in Art, [3] 1934.

Campbell, Edmund, amer. Maler, * 28. 10. 1884 Freehold, N. J., † 8.5.1950 Washington.

Prof. f. Kunst u. Architektur an der Univ. of Virginia in Charlottesville, Va.

Lit.: Fielding. — Who's Who in Amer. Art, I: 1936/37. — Amer. Art Annual, 30 (1933). — college art journal, 9 (1950) 420. — Museum News, 28, Nr v. 1. 6. 1950, p. 8 (Nachruf).

Campbell, Egron, schwed. Landschafts- u. Stillebenmaler (Öl, Tempera, Pastell), * 1883 Linköping, ansässig in Borgholm.

Stud. an Valands Malsch. in Göteborg, weitergebildet auf Studienreisen nach Kopenhagen, Deutschland, Italien u. Paris.

Lit.: Thomœus.

Campbell, Floy, amer. Maler u. Illustr., * 30. 9. 1875 Kansas City, Mo., ansässig ebda.

Stud. an der Art Student's League in New York, an der Acad. Colarossi in Paris u. bei Cottet ebda. Bild im Jefferson Coll. in Philadelphia.

Lit.: Fielding. — Who's Who in Amer. Art I: 1936/37. — Amer. Art Annual, 20 (1923) 466;, 30 (1933).

Campbell, Helena, amer. Bildnismalerin, * 1879 Eastman, Ga., ansässig in New York.

Stud. an der Chase School in New York u. der Grande Chaumière in Paris. Bilder u. a. in der Horace Mann School der Columbia Univ. in New York u. im Wesleyan Coll. in Macon, Ga.

Lit.: Who's Who in Amer. Art, I: 1936/37. — Fielding. — Amer. Art Annual, 30 (1933). — Art Digest, 23 (1949) Juni-H., p. 33.

Campbell, Ino A., engl. Architekt, ansässig in München.

Hat sich hauptsächlich als Raum- u. Gartenkünstler einen Namen gemacht. Vornehme Landhäuser (Schickendanz in Berlin-Zehlendorf; Oberhummer auf der Prinz-Ludwigshöhe b. München; Bauer in Feldafing a. Starnberger See [zus. mit Rich. Drach]), Stadtwohnungen. Räume im Hotel Atlantic in Hamburg, Hotel Kontinental München, Odeon-Kasino ebda.

Lit.: Innendekoration, XVII 1ff., m. Abb.; XIX 183ff., m. Abb.; XX 16ff., m. Abb.; XXI 46ff. (Abb.); XXII 1ff., m. Abb.; XXIII 28 (Abb.), 29 (Abb.), 43ff., m. Abb.; XXV 3/18, m. Abbn; XXVI (1915) 365ff., m. Abbn bis p. 371. — Dtsche Kst u. Dekor., 29 (1911/12) 60/65, m. Abbn, 312/33, m. Abbn; 31 (1912) 31f. — The Studio, 89 (1925) 25ff., 86ff., m. Abbn.

Campbell, Isabella, amer. Malerin, * 11. 11. 1874 Rockford, Ill., ansässig in Hollywood, Calif.

Stud. an der Art Student's League in New York, bei Joseph de Camp, George D. Otis, John H. Vanderpoel u. Nik. Fechin.

Lit.: Who's Who in Amer. Art, I: 1936/37. — Amer. Art Annual, 30 (1933).

Campbell, Laurence, schott. Bildhauer, Aquarellmaler u. Schwarzweißkünstler, * 22. 11. 1911 Dublin, ansässig ebda.

Stud. an d. Metrop.-Kunstsch. in Dublin.

Lit.: Who's Who in Art, [3] 1934.

Campbell, Orland, amer. Bildnismaler, * 28. 11. 1890 Chicago, Ill., ans. in New York.

Schüler von Henry McCarter u. der Pennsylv. Acad. of the F. Arts in Philadelphia. Bilder u. a. in der Walker Memorial Hall in Cambridge, Mass., u. in der Univ. Chicago.

Lit.: Who's Who in Amer. Art, I: 1936/37. — Amer. Art Annual, 30 (1933). — Monro.

Campbell, Reginald Henry, schott. Bildnismaler, * 2.12.1877 Edinburgh, ansässig in London.

Stud. an der Roy. Scott. Acad. Edinburgh.

Lit.: Who's Who in Art, [3] 1934.

Campendonk, Heinrich, dtsch. Maler, Entwurfzeichner für Glasmalerei u. Textilien u. Holzschneider (Prof.), * 3. 11. 1889 Krefeld, ansässig in Amsterdam.

Schüler von Thorn-Prikker an der Kstgewerbesch. in Krefeld, von diesem auf van Gogh u. Cézanne hingewiesen. Auf einer 1. Italienreise tiefe Eindrücke durch Giotto u. Fra Angelico. Trat 1911 in Sindelsdorf (Oberbay.) dem Kreis des „Blauen Reiter" (Marc, Kandinsky, Macke) bei. Erste Ausst. mit diesen 1912 im „Blauen Reiter". Seit 1916 in Seeshaupt am Starnberger See. 1920 in Italien. 1926 als Prof. an die Düsseldorfer Akad. berufen. 1933 von den Nazis abgesetzt. Ging nach Holland, wirkt dort z. Zt. als Prof. an der Reichsakad. in Amsterdam. — Setzte sich einige Zeit mit den Problemen des Futurismus u. Kubismus auseinander, ging dann zu einem ganz persönlich gefärbten Expressionismus über. Phantastische figürl. Kompositionen, in denen Mensch mit Tier u. Pflanze in einer traumhaft unwirklichen Umgebung zusammengruppiert sind. Komponiert seine Bilder nach Analogie eines aus den verschiedensten bunten Flicken zusammengesetzten Teppichs. 3 gr. ornamentale Fenster für die Aula der Düsseldorfer Akad.; Kreuzigungsfenster für den Kreuzgang des Klosters Marienthal b. Wesel; 5 Fenster im Chor der kleinen Rundkirche „Maria im Grün" in Hamburg-Blankenese; Fenster in der Krypta unter d. Ostchor des Münsters in Bonn u. in d. Taufkapelle in Vochen. 2 Hinterglasmalereien in der Berl. Nat.-Gal. 2 größere Bilder im Reichsmus. Amsterdam. 1 Bild („Liebe im Walde") im Mus. in Philadelphia, USA. Der lyrisch-phantastische Charakter seiner Bilder lebt auch in seinen Holzschnitten, die in einem sehr wirkungsvollen Kontrast von Helligkeiten u. Dunkelheiten geschnitten sind: Der Fischer; Liegender Akt mit Tieren; Nixe auf dem Grund des Sees usw. Sammel-Ausstellungen in der Gal. Flechtheim in Düsseldorf, zuerst Mai/Juni 1920 (ill. Katal.), bei Hans Goltz in München, im Kronprinzenpalais in Berlin (Okt. 1920), im Clemens-Sels-Mus. in Neuß (Febr./März 1952) u. im Kais.-Wilhelm-Mus. in Krefeld, Okt. 1952.

Lit.: G. Biermann, H. C. (Junge Kst, 17), Leipzig 1921. — W. Schürmeyer, H. C., Frankf. a. M. 1920. — R. Hamann, D. dtsche Malerei vom Rokoko bis z. Expressionismus, Lpzg 1926. — Hartlaub. — Schmidt. — Walden. — Wedderkop, p. 9, 28f., m. Abb., 93 (Abb.). — Der Blaue Reiter. Ausst. im Haus d. Kst, München, Sept./Okt. 1949. — Bull. of the Associates of F. Arts at Yale University, 16 (1948) 1, m. Abb. — Le Centaure (Brüssel), 3 (1929) 269f., m. Abb. — D. Cicerone, 12 (1920) 338, 382, 663ff., 762; 13 (1921) 365, 502, 691; 14 (1922) 908; 16 (1923) 830, 978; 17 (1925) 498ff., 791, 796, 815; 18 (1926) 265, 684, 743; 19 (1927) 441; 22 (1930), Beibl. Sept.-H., p. XXVII. — Feuer, II/1 (1920/21) 470ff., 557. — Dtsche Grenzlande, 11 (1932) 336/38. — Hellweg (Essen), 4 (1924) 2. Halbj.-Bd, p. 668. — Jahrb. d. Jungen Kst, 1921. — D. Christl. Kst, 27 (1930/31) 226, 230; 29 (1932/33) 126; 31 (1934/35) 4/9. — Kst u. Kstler, 23 (1924/25) 73ff.; 25 (1926/27) 110. — Kst der Zeit, 3 (1928/29) 28. — D. Kstblatt, 1 (1917); 5 (1921); 8 (1924); 10 (1926); 11 (1927). — Kstchronik, N. F. 32 (1920/21) 32f., 475, 495, 600, 647; 33 (1921) 82; 35 (1925/26) 512. — D. Kstwerk, 1 (1946/47), H. 8/9 p. 53; 2 (1948/49) H. 1/2, p. 60, 65. — Maandbl. v. beeld. Kunsten, 15 (1938) 277/80. — Dtsche Monatshefte, 18 (1918) 53ff. — D. Querschnitt, 1 (1921) 186f., 246. — Zeitschr. f. bild. Kst, 58 (1924/25), Beibl. p. 11, 55, 74f. — Zeitschr. f. Kst, (1950) 272.

Campenhausen, Bodo von, livländ.-schwed. Maler u. Keramiker, * 1898 Wesselshof, Livland, ansässig in Lund. Seit 1926 schwed. Bürger.

Stud. an der Akad. in Berlin, in Riga, Reval u. Wien. Hauptsächlich Aquarelle mit Motiven aus dem Baltikum u. der Umgegend von Lund.

Lit.: Thomœus. — Kat. Kstausst. Maler im Wartheland, Posen 1943, m. Abb.

Campestrini, Ernesto Alcide, ital. Genremaler, * 3. 11. 1897 Mailand, ansässig ebda.

Schüler s. Vaters Alcide Davide C. (* 1863).

Lit.: Comanducci.

Campestrini, Gianfranco, ital. Maler, * 15. 2. 1901 Mailand, ansässig ebda.

Schüler der Mailänder Brera-Akad. Szenen aus dem Leben der Bergbewohner u. religiöse Themen (bes. Fresken). Dekor. Malereien u. a. in d. Kirche in Ponte Vecchio di Magenta u. in d. Chiesa Palozchi in Alpe di Veglia (Domodossola).

Lit.: Chi è?, 1940.

Campi, Angelo, piemont. Bildnismaler, * 1868 Alessandria.

Stud. in Florenz.

Lit.: Comanducci, m. Abb. (Selbstbildn.).

Campi, Giacomo, ital. Genremaler (Öl u. Aquar.), * 20. 10. 1846 Mailand, † 18. 12. 1921 ebda.

Schüler von Podesti u. Coghetti.

Lit.: Th.-B., 5 (1911). — Comanducci. — Marangoni, Taf. 25. — Rass. d'Arte, 21 (1921) 432. — Corriere della Sera, v. 20. 12. 1921 (Nekrolog).

Campigli, Massimo, ital. Maler u. Illustr., * 4. 7. 1895 Florenz, ansässig in Paris.

Als Autodidakt in Paris gebildet, wohin er 1921 als Journalist kam. Mitglied der Gruppe „Novecento Italiano". Beeinflußt von der archaischen Antike, der etruskischen u. indischen Kunst, von Picasso u. F. Léger. Pflegt seine Leinwand so zu präparieren, daß sie wie poröser Stein die Farbe aufsaugt, wodurch das Bild freskenartig wirkt. Sucht wie in der Farbe so auch in der Komposition das primitive Schema der Neben- u. Übereinanderordnung der Figuren in der Art Hodlers. Bilder u. a. in den Galerien in Rom, Mailand, im Ksthaus in Zürich, im Mus. Jeu de Paume in Paris, in den öff. Smlgn in Amsterdam, Stockholm u. im Mus. westeurop. Malerei in Moskau. Fresken u. a. im Vorhof der Facoltà di Lettere der Universität Padua, im Haus der Nationen in Genf u. im Justizpalast in Mailand. — Illustr. zu Verlaine, Poèmes saturniens, u. zu Marco Polo, Il Milione. — Kollekt.-Ausst. in d. Gal. de France, Paris 1951.

Lit.: C. A. Zelenine, M. C., Moskau 1931. — P. Courthion, M. C., Mail. 1938. — R. Carrieri, M. C. (Arte Mod. Ital., Nr 20), Mail. 1941. — C. e i busti, Ediz. del Cavallino, Venedig 1941. — R. Franchi, C., Mailand 1944. — M. Raynal, C., Paris 1949. — Costantini, m. Abb. — Bénézit, [2] 2 (1949). — L'Amour de l'Art, 1928, p. 66, m. Abb. — Emporium, 68 (1928) 145 (Abb.), 147; 74 (1931) 50, m. Abb.; 79 (1934) 375 (Abb.); 81 (1935) 74 (Abb.), 75; 83 (1936) 268, 269; 84 (1936) 125, 137 (Abb.), 158 (Abb.), 159, m. Abb.; 86 (1937) 385; 87 (1938) 219 (Abb.); 92 (1940) 150 (Abb.), 151; 93 (1941) 42, 110, 113 (Abb.), 287 (Abb.), 291; 94 (1941) 199 (Abb.), 203 (Abb.); 95 (1942) 89f., 99/106, m. Abbn, 269 (Abb.), 271; 96 (1942) 285 (Abb.), 286, 452f., m. Abb. — Le Centaure (Brüssel), 3 (1929) 265/68, m. 3 Abbn. — Cahiers d'Art, 1931, p. 373/75, m. 3 Abbn. — Le Arti, 2 (1939 –40) 346/50, 350f. (Abbn); 4 (1941/42) 144/46. — D. Kstwerk, 1 (1946/47) H. 8/9, p. 53, m. Abb.; 2 (1948), H. 8, Taf. p. 40; H. 10, p. 43. — bild. kst, 2 (1948) H. 11/12, p. 21 m. Abb. — Kst u. Antiquit.-Rundsch., 41 (1933) 304, 305, m. Abb. — The Studio, 109 (1935) 162, m. Abb. — Kst u. Volk (Zürich), 1953, H. 3, p. 55/62 u. Umschlagbild. — Thema (München/Gauting), 1949/50, Heft 2, p. 3, 8, 31, 36 (Taf.-Abb.) u. Umschlagbild. — Art News, 51, Nov. 1952, p. 46, m. Abb.

Campini, Archimede, sizil. Bildhauer.

Über der Attika der Eingangshalle des „Kursaales Biondo" in Palermo 2 reizvoll bewegte nackte Tänzerinnen in Hochrelief. 4 Reliefs für das Bersaglieri-Denkmal in Palermo.

Lit.: Emporium, 41 (1915) 313, m. 2 Abbn; 50 (1919) 280, m. Abb.

Campisi, Raffaele, sizil. Mosaizist, * 1872, ansässig in Palermo.

Restaurierte die Mosaiken der Capp. Palatina; Entwurf für den Taufbrunnen (Marmor u. Mosaik) ebda.

Lit.: Mazzara, p. 16.

Campo, Cupertino del, argent. Arzt, Maler u. Schriftst., * 1. 11. 1873 Buenos Aires, ansässig ebda.

Begründer u. Generaldirektor der Acad. de B. Artes in Buenos Aires. Bilder im dort. Nat.-Mus. u. im Prov.-Mus. in Santa Fé.

Lit.: Who's Who in Latin America, 1935.

Campriani, Giovanni, ital. Landschafts- u. Marinemaler, * 6. 3. 1878 Neapel, ansässig in Paris. Bruder des Tullio.

Schüler s. Vaters Alceste C. (* 1848). Mehrjähr. Studienaufenthalt in Paris.

Lit.: Th.-B., 5 (1911). — Giannelli, m. Fotobildn. — Comanducci. — Bénézit, [2] 2 (1949).

Campriani, Tullio, ital. Landschafts- u. Marinemaler, * 26. 9. 1876 Neapel, ansässig in Paris. Bruder des Giovanni.

Schüler s. Vaters Alceste C. (* 1848), weitergebildet in Paris.

Lit.: Giannelli, m. Fotobildn. — Comanducci. — V. Pica, L'Arte Mondiale alla V Espos. di Venezia, 1903, p. 196 (Abb.), 200.

Camus, Blanche, franz. Landschafts- u. Figurenmalerin, * Paris, ansässig ebda.

Schülerin von T. Robert-Fleury u. Déchenaud. Mitglied der Soc. d. Art. Franç. (Salon-Kat. z. T. m. Abbn). Silb. Med. 1914, Gold. Med. 1920. Pleinairistin. Staffiert ihre lichten Garten- u. Parkveduten gern mit Figuren. 2 Bilder vom Staat angekauft. Weitere Bilder in den Museen in Pau u. Nizza u. im Conseil général de la Seine.

Lit.: Joseph, I. — Bénézit, [2] II. — Gaz. d. B.-Arts, 1921/I, p. 347 (Abb.).

Camus, Jacques, franz. Maler, Dekorationskünstler, Lithogr. u. Rad., * 15. 10. 1893 Angers, ansässig in Paris.

Schüler von C. Castelucho u. L. Simon. 1919 in Palermo. Seit 1921 Mitgl. des Salon d'Automne. Seit 1924 Prof. an der Ec. d. Arts Appliqués in Paris. Mappenwerk: Idées (Zeichngn), ersch. bei Calaves, Paris, 1921. Illustr. u. a. zu D. Aubriot, „A mi-voix", u. zu Balzac, „La Duchesse de Langeais".

Lit.: Joseph, I. — Bénézit, [2] II.

Camus, Jean Marie, franz. Bildhauer, * 12. 11. 1877 Clermont-Ferrand (Puy-de-Dôme), ansässig in Paris.

Schüler von Barrias u. Coutan. Mitglied der Soc. d. Art. Franç. (Salon-Kat. z. T. m. Abbn). 1931 Gold. Med. Figürliches, Büsten.

Lit.: Joseph, I. — Bénézit, [2] II. — La Renaiss. de l'Art franç., 14 (1931) 217, m. Abb.

Canadé, Vincent, ital.-amer. Bildnis- u. Landschaftsmaler, * 1879 (1881?) Albanese, ansässig in New York.

Kam zu Beginn der 1890er Jahre nach Amerika. Arbeitete bis zu s. 35. Jahr in allen möglichen Berufen. Als Maler Autodidakt. Kollekt.-Ausst. in den L'Elan Gall. in New York, Jan. 1932. Bilder in der Phillips Memorial Gall. in Washington, D. C., u. im Whitney Mus. of Amer. Art in New York.

Lit.: Who's Who in Amer. Art, I: 1936/37. — Amer. Art Annual, 30 (1933). — Monro. — Mellquist. — Art News, 32 (1933/34) Nr 16 p. 5 (Abb.). — New York Times, 14. 1. 1932. — Art Digest, 16 (1942) Juni-H., p. 16.

Canali, Giuseppe, Pseudonym: *Enrico Alia,* ital. Radierer, * 1885 Venedig.

Schüler von Milesi in Mailand.

Lit.: Comanducci.

Canals y Llambí, Ricardo, katal. Porträt- u. Genremaler u. Holzschneider, * 11. 12. 1876 Barcelona, ansässig ebda.

Stud. in Barcelona u. in Paris, wo er sich 1897–1906 aufhielt. Malt hauptsächl. Tänzerinnen u. vornehme Damen, gelegentlich auch Figuren aus dem Volke, doch ohne tiefere psycholog. Durchdringung. Koll.-Ausst. Nov. 1923 bei Durand-Ruel in Paris.

Lit.: Th.-B., 5 (1911). — Bénézit, [2] 2 (1949). — Raf. Marquina, R. C., sus cuadros, Madrid o. J. — Revista Nova (Barcelona), v. 13. 6. 1914, p. 4/6, 7, m. 2 Taf., u. p. 10f. — Francés, 1918, p. 233 (Abb.); 1919, p. 163, m. Abb., 205 (Abb.). — Vell i Nou (Barcelona), Epoca II, Vol. I (1920), p. 181/86, m. Taf. — Athenæum, 30. 1. 1920, p. 154. — The Art News (New York), 10. 11. 1923, p. 2.

Canarius, Rudolf, dtsch. Landschaftsmaler, * 16. 11. 1874 Apolda/Thür., ansässig in Naumburg/Saale.

Stud. an d. Kstschule in Berlin.

Cancalon, Charles Annet, franz. Aquarellmaler (Marinen, Figürliches), * 17. 10. 1892 Mably (Loire), ansässig in Saint-Chamond (Loire).

Schüler von Laurent u. Mattio.

Lit.: Joseph, I.

Candau-Maupin, Suzanne, franz. Bildnismalerin (Pastell u. Aquar.), * Angoulême, ansässig in Paris.

Schülerin von Malo-Renault u. H. Delpech.

Lit.: Joseph, I. — Bénézit, [2] II.

Candia, Domenico, ital. Genre- u. Bildnismaler, * 1897 Rosario di Santa Fé (Argentinien); kalabrischer Herkunft.

Schüler von Giov. Costetti.

Lit.: Comanducci.

Cândido, Alfredo, portug. Zeichner u. Illustr., * 27. 1. 1879 Ponte de Lima.

Stud. an d. Gewerbesch. in Viana do Castelo. Ausstellungen in Rio de Janeiro, São Paulo, Porto u. Lissabon (Soc. Nac. de B. Artes). Illustr. zu: A Cathedral, von Manuel Ribeiro; Três Túmulos, von Vergilio Correia.

Lit.: Gr. Enc. Port. e Brasil., V 713. — Quem é Alguém, 1947, p. 172. — Pamplona, p. 312.

Candurro, Antonio, ital. Maler, Rad. u. Kunstschriftst., * 8. 12. 1912 Torre del Greco (Neapel).

Anfänglich Autodidakt, dann (1934/38) Malschüler von P. Gaudenzi u. L. Bianchi Barriviera an der Akad. Neapel. Gewann den 1. Preis im concorso Clementino der St. Lukas-Akad. 1938 mit d. Bilde: Benedicite. Nahm nach dem 2. Weltkrieg, an dem er als Mitkämpfer teilnahm, und in dem sein Atelier zerstört u. geplündert wurde, s. künstler. Tätigkeit wieder auf. Schrieb für die Turiner „A.B.C. Rivista d'Arte" (1938/40).

Lit.: L. Servolini, Diz. d. Incisori ital. mod. e contemp., 1952. *L. Servolini.*

Cane, Carlo, piemont. Bildnis- u. Landschaftsmaler, * 28. 1. 1874 Turin, ansässig ebda.

Schüler von Gaidano u. Vitt. Cavalleri. Landschaft im Mus. Civ. in Turin.

Lit.: Comanducci.

Canedo, Alejandro de, mexik. Maler, * 1902, ansässig in New York.

Kollektiv-Ausstellgn in der Cheshire Gall. in New York, Dez. 1932, u. in der Schneider Gabriel Gall. ebda, Dez. 1943.

Lit.: Mallett. — Art Digest, 17, Nr v. 1. 12. 1942, p. 19. — The Studio, 125 (1943) 93 (Abb.). — New York Times, 2. 12. 1932.

Canegallo, Sexto, ital. Figurenmaler, * 2. 1. 1892 Sestri, ansässig in Genua.

Stud. an d. Akad. in Genua. Bevorzugt abstrakte Themen wie: Die Wünsche, Vision, Flamme des Lebens, Melancholie usw.

Lit.: Comanducci, m. Abb. — Avanti! (Genua), v. 30. 6. 1920.

Canepa, Antonio, ital. Holz- u. Steinbildhauer, * 1850 S. M. Del Campo-Rapallo, † 1931 Genua.

Stud. an d. Akad. in Genua bei Santo Varni. Beteiligt bei der bildner. Ausschmückung von S. M. Immacolata in Genua: Musizier. Engel an d. Fassade; Gruppe der Madonna della Guardia mit anbetendem Landmann; Figürchen am Chorgestühl; Basreliefs mit dem sel. Simon Stock u. den Propheten; Hl. Joseph mit dem Christuskind (Holz) für Castel Bianco-Albenga; Statue d. hl. Augustinus für Savignone-Busella (Holz); Statue d. hl. Anna mit d. kleinen Maria für Sopralacroce bei Chiavari.

Lit.: Angelo Stoppiglia, Lo scultore A. C. (1850–1931), Genua 1931 (72 Ss. u. Abbn). — D. Christl. Kst, 3 (1906/07) 258, 260; 4 (1907/08) 232 f.

Canepa, Antonio Mario, ital. Bildnis- u. Landschaftsmaler, * 22. 8. 1895 Sampierdarena (Genua).

Schüler von Marcucci am Ist. di B. Arti in Lucca, weitergebildet bei Alceste Campriani.

Lit.: Comanducci.

Canestri, Giuseppe, piemont. Maler, * 5. 5. 1884 Alessandria, ansässig in Turin.

Autodidakt.

Lit.: Comanducci.

Canet, Marcel, franz. Bildnis-, Genre- u. Orientmaler, * 15. 3. 1875 Paris, ansässig ebda.

Schüler von Bouguereau, G. Ferrier u. H. Royer. Stellte 1903/35 im Salon der Soc. d. Art. Franç. aus. Bild im Mus. in Morlaix.

Lit.: Joseph, 1. — Bénézit, ² 2·(1949).

Canevari, Angelo, ital. Maler, Bühnenbildner u. Illustr., * 7. 6. 1901 Viterbo, ansässig in Rom.

Dekor. Wandmalereien. Illustr. für Zeitschr. wie: Brillante, Impero, Oggi e Domani.

Lit.: Chi è?, 1940.

Canevari, Silvio, ital. Bildhauer, * 1893 Viterbo, † August 1931 Rom.

1914 Preisträger d. Pensionato naz. di Scultura mit der Gruppe „Scioperanti". Erhielt nach dem Kriege 1915/18 den Preis im Wettbewerb um die Kriegserinnerungs-Medaille. Teilnehmer an der 1. röm. Quadriennale 1931. 3 Werke: Madonna, Hl. Matthäus, Hl. Johannes, waren ausgestellt auf der 3. Mostra internaz. d'Arte Sacra 1934. Seine bekanntesten Arbeiten sind die für den Foro Italico ausgeführten Statuen: Der Ruderer u. Der Faustkämpfer.

Lit.: A. Lancelotti, La prima Quadriennale d'Arte Naz., 1931. — A. Ricoboni, Roma nell'Arte, 1942. — Gu.da di Roma, Touring Club Ital., Mailand 1938, p. 305, 417. — Emporium, 47 (1918) 216 (Abb.); 74 (1931) 239 (Abb.). — Giornale d'Italia (Mailand), 14. 12. 1933. — Ausst.-Kat.: 3. Mostra sindacato B. Arti del Lazio, Rom 1932 (Abb.); 2. Mostra internaz. d'Arte Sacra, Rom 1934 (Abb.); Art contemp., New York 1939 (Abb.). *A. Gabrielli.*

Canier, Alain, franz. Maler u. Plakatzeichner, * 14. 10. 1924 Sarlat (Dordogne).

Stellt seit 1947 bei den Indépendants u. im Salon d'Automne in Paris aus. Bildnisse, Figürliches, Landschaften.

Lit.: Bénézit, ² II (1949).

Canioni, Georges, franz. Maler u. reprod. Lithogr., * 25. 3. 1885 Longjumeau, † 1915.

Schüler der Pariser Ec. d. B.-Arts u. von Firmin Bouisset. Lithogr. nach J. F. Millet, Prud'hon, Rembrandt.

Lit.: Joseph, I. — Ginisty, 1916, p. 12/14.

Canisius, Richard, rumän. Radierer u. Holzschneider, ansässig in Bukarest.

Verwendet alle Radierverfahren (Kaltnadel, Vernis mou, Aquatinta). Hauptblätter: Friedhof bei Konstantinopel; Straße in Stambul; Kloster Tismana, Rumänien; Grabkreuze in Novari; Kleine Müggel bei Rahnsdorf; Rumän. Bauer; Rumän. Bäuerin mit Heubündel; Spinnerin aus Lübbeke, Westfalen; Rumän. Bauernhaus.

Lit.: Neuigkeiten des dtsch. Ksthandels, 1917, p. 113/15. — Kat. d. Expos. internat. de grav. orig. sur bois, Warschau 1933, p. 74.

Cannata, Antonio, ital. Landschaftsmaler, * 3. 2. 1895 Polistena (Reggio di Calabria), ansässig in Rom.

Autodidakt. Bilder u. a. in der Gall. d'Arte Mod. in Rom u. in den Mus. in Alessandria, Catanzaro u. Cosenza.

Lit.: Chi è?, 1940. — Comanducci. — Emporium, 72 (1930) 310, 311 (Abb.); 82 (1935) 110.

Canneel, Eugène, belg. Bildhauer, * 18. 8. 1882 Saint-Gilles (Brüssel), ansässig ebda. Enkel d. Malers Théodore C., Bruder d. 3 Folg.

Schüler von Cluysenaar, Tombay u. Jul. Dillens. Bildnisse, Kinderdarstellgn. Statuen u. Statuetten für die Egl. du Sablon u. das Rathaus in Brüssel. Kriegerdenkmäler für Woluwe-Saint-Lambert, Erneghem, Chapelle-à-Wattines u. a. O.

Lit.: Seyn, I, m. Fotobildn. — Joseph, I. — Bénézit, ² II.

Canneel, Jean, belg. Bildhauer, * 1889 Saint-Josse-ten-Oode. Bruder des Vor. u. der beiden Folg.

Schüler V. Rousseaus u. der Brüsseler Akad. Bildnisbüsten. Denkmal der Ulanen in Spa; Denkmal der Zivilisten in Tintigny; Denkmal der Ärzte im Hospital St-Pierre in Jette.

Lit.: Seyn, I. — Bénézit, ² II.

Canneel, Jules, belg. Figuren- u. Landschaftsmaler, Illustr., Karikaturenzeichner u. Schriftst., * 21. 4. 1881 Brüssel. Bruder der beiden Vor. u. des Folg.

Schüler von Blanc-Garin u. Montald. Bilder im Armee-Mus. in Brüssel, im Bes. des Belg. Staates u. der Provinzialregierung der Gemeinde Uccle. Illustr. zu Maeterlinck: L'Intelligence des Fleurs, u. zu Léger Belair: Les Lys Noirs

Lit.: Seyn, I, m. Fotobildnis. — Joseph, I. — Bénézit, ², II.

Canneel, Marcel, belg. Maler, * 1894 Saint-Josse-ten-Oode, Bruder der 3 Vorigen.

Schüler von Firmin Baes. Landschaften, Figürliches.

Lit.: Seyn, I.

Canniccioni, Léon, kors. Maler, * 29. 4. 1879 Ajaccio, ansässig in Paris.

Schüler von Gérôme u. G. Ferrier. Mitglied der Soc. d. Art. Franç. (Kat. z. T. m. Abbn). Oriental. Marktszenen u. ähnl.

Cannilla, Franco, sizil. Bildhauer, * 1911 Caltagirone.

Erlernte zuerst die Kunsttöpferei, dann kurze Zeit Schüler von L. Bartolini. Januar 1941 Sammelausst. (Töpfereien u. Bildnisbüsten) in der Gall. del Tevere in Rom. Jan. 1944 Sammelausst. in d. Gall. S. Marco ebda (Skulpt. u. Zeichngn). Beschickte 1948 die 4. röm. Quadriennale, 1950 die 25. Biennale in Venedig. In dems. Jahr (April) Sammelausst. in d. Gall. dello Zodiaco Rom (ill. Kat.).

Lit.: Erc. Maselli, Einleitg z. Kat. d. Mostra Avenali, C., Scordia alla Gall. del Secolo, Rom, Juni 1945. — Giornale del Isola (Catania), 30. 1. 1951, m. Abb. — Il Messaggero (Rom), 20. 1. 1941, m. Abbn. — La Tribuna (Rom), 20. 1. 1941, m. Abb. — Il Risveglio (Rom), 27. 6. 1945. — Palma Bucarelli, La Gall. Naz. d'Arte Mod., Guida breve, Rom 1949; dies., ~, Itinerario, 1951. *P. Bucarelli.*

Cannon, Beatrice, amer. Malerin u. Schriftstellerin, * 6. 7. 1875 Louisville, Ky., ansässig in Chicago, Ill.

Stud. am Art Instit. in Chicago.

Lit.: Amer. Art Annual, 20 (1923) 466.

Cano de Castro, Manoel, amer. Maler u. Graphiker, * 12. 6. 1891 in Costa Rica, ansässig ebda.

Schüler von Fr. Galli in Barcelona (1911/13), weitergebildet in Madrid, Italien u. 1916 in Paris. Begründete mit Torres Gaıcia die Zeitschrift „Arte y Decoracion". Stellte 1918 in New York zus. mit J. Pascin aus. 1919/20 auf den Balearen. Ließ sich nach seiner Rückkehr in Paris nieder. 1942 von den Deutschen in Compiègne interniert. Nach seiner Befreiung Rückkehr nach Costa Rica. Thematisch vielfach von Edgar Poe inspiriert. Mappenwerke: Front Stalag 122 (Compiègne); Costa Rica; Kreuzweg.

Lit.: Bénézit, [2] 2 (1949). — Revista Nova (Barcelona) 1914, Juni, p. 7, m. 3 Abbn. — Dial, 73 (1922) Nr 3, p. 302f.

Canon, Hans, öst. Maler, * 1883 Wien.

Relig. Bilder, Stilleben, Bildnisse, Landschaften.

Lit.: Dtsche Heimat (Plan b. Marienbad), 4 (1948) farb. Taf. geg. p. 65, 112f., m. Abb.; 7 (1931) Taf. geg. p. 318, 323 ; 10 (1934) Taf. geg. p. 112, 114/16, m. 5 Abbn (dar. Selbstbildn.), 117 (Abb.).

Canonica, Pietro, piemont. Bildhauer u. Opernkomponist, * 1. 3. 1869 Turin, ansässig in Rom.

Schüler von Tabacchi. Prof. an d. Akad. in Venedig, dann am Ist. di B. Arti in Rom, zuletzt dessen Leiter. — Grabmal Papst Benedikts XV. in St. Peter in Rom (1929). Reiterdenkmäler Kemal Pascha in Istanbul u. Angora u. des Königs Faysal in Bagdad. Denkmal der ital. Kavallerie in Turin. Triumphdenkmal zur Erinnerung an den russ.-türk. Krieg in Leningrad. Bildnisbüsten. — 3 Stücke (Bildnisse der Herzogin v. Genua u. der Prinzessin Doria; Lachender Kinderkopf) in der Gall. d'Arte Mod. in Rom (Abb. im Kat. 1932). Weitere Arbeiten u. a. in den öff. Smlgn in Turin (Nach dem Gelübde), Berlin (Frühlingstraum) u. Amsterdam (Mai).

Lit.: Th.-B., 5 (1911). — Ojetti, La X Espos. d'Arte, Ven. 1912, p. 41, 322/29 (Abbn). — Michel, VIII 660, 661 (Abb.). — Costantini, m. Abb. (irrig Luigi C.). — Bénézit, [2] 2 (1949). — Pagine d'Arte, 4 (1916) 111f. — Emporium, 44 (1916) 475f., m. Abb. — D. Christl. Kst, 25 (1928/29) 313f., 315 (Taf.). — D. Kst, 25 (1912) 539f., m. 2 Abbn. — Arte Christiana, 1 (1913) 16f., m. Abb., 322, m. Abb. — Vita d'Arte, 10 (1912) 146f. — Pro Arte (Genf), 1942 Nr 7, p. 24, 26 (Abb.).

Canta, Agnes, holl. Stilleben- u. Landsch.-Malerin u. Lithogr., * 14. 11. 1888 Rotterdam, ansässig ebda.

Schülerin von Nachtweh, Maasdijk u. Oldewelt.

Lit.: Plasschaert. — Waay. — Waller. — Maandbl. v. beeld. Ksten, 3 (1926) 318.

Cantalamessa, Giulio, ital. Genre- u. Bildnismaler u. Kstschriftst., * 1. 4. 1846 Ascoli Piceno, † 12. 9. 1924 Rom.

Schüler von A. Puccinelli in Bologna u. von A. Ciseri in Florenz. Weitergebildet 1870ff. in Rom. In San Tommaso in Ascoli: Hl. Joseph. In Sant' Agostino ebda: Hl. Joachim mit d. kleinen Maria. In d. Pinak. in Ascoli: Bildnis d. Bildh. Nicola Cantalamessa-Papotti († 1910).

Lit.: Th.-B., 5 (1911). — Comanducci. — Bénézit, [2] 2 (1949).

Cantatore, Domenico, ital. Maler (Öl u. Aquar.) u. Kstkritiker, * 16. 3. 1906 Ruvo di Puglia, ansässig in Mailand.

Autodidakt. Ging 14jährig nach Rom, 1929 nach Mailand, 1932 nach Paris, wo er sich ca. 1 Jahr aufhielt, dann zurück nach Mailand. 1941 Premio Principe Umberto. Beschickte seitdem regelmäßig die Biennali in Venedig u. die Quadriennali in Rom. Gewann 1947 das Reisestipendium der Nationalausstellgn in Tortona u. Modena und der „Colomba" in Venedig. Lehrer für Figurenzeichnen am Liceo Artist. der Brera in Mailand. 3 Jahre Kunstkritiker am „Avanti" (Mailand). Beeinflußt von Cézanne, Carrà u. Modigliani. Vertreten in d. Gall. Naz. d'Arte Mod. in Rom u. Mailand u. im Mus. Revoltella in Triest. Sammelausstellgn: Mailand, 1930, Florenz u. Genua 1941, Parma 1945, Mailand 1950.

Lit.: S. Solmi, D. C., Rom 1942. — M. Martini, Pittura di C. (ed. „All'Insegna del Pesce d'Oro"), Mailand 1945. — Emporium, 73 (1934) 180; 94 (1941) 12, 46; 95 (1942) 93, 267; 96 (1942) 326, 336, 392; 97 (1943) 248; 102 (1945) 77; 103 (1945) 96, 197, 305, 310, 311; 105 (1947) 38, 41, 57, 224. — Kultur-Archiv, 3 (1948) Mai-Heft. — Avanti (Mailand), 20. 4. 1929. — Il Battistero (Parma), 1945. — Domus (Mailand), Aug. 1940. — Festa (Rom), 11./18. 7. 1943. — Giornale della Sera (Rom), 29. 7. 1948. — Il Primato (Rom), 2. 12. 1942. — Via Consolare, Juli/Aug. 1941. — Il Milione (Mailand), 1934. — Il Tesoretto (Almanacco dello Specchio), Mailand, 1942, p 298, 411. — Galleria Cairola, Mailand, 1950. — Palma Bucarelli, La Gall. Naz. d'Arte Mod., Guida breve, Rom 1949; dies., ~, Itinerario 1951; dies., Esp. d'Arte contemp., Gall. Naz. d'Arte Mod., 1944/45. *P. B.*

Cantens, Maurice, belg. Figurenmaler * 21. 5. 1891 Brüssel.

Anhänger der symbolistischen Richtung.

Lit.: Joseph, I. — Bénézit, [2] II.

Canter, Albert, amer. Maler u. Rad., * 1. 6. 1892 Norma, Salem Co., N. J., ansässig in New York.

Schüler von Jos. T. Pearson. Mappenwerke: „Virginia Road" u. „Landscape".

Lit.: Who's Who in Amer. Art, I: 1936/37. — Fielding. — Amer. Art Annual, 30 (1933).

Cantery, Arthur, schwed. Landschafts- u. Genremaler, * 1897 Piteå, ansässig ebda.
Stud. an der Akad. in Stockholm. Studienreisen in Europa.
Lit.: Thomœus.

Cantey, Maurine, amer. Maler u. Graph., * 30. 4. 1901 Fort Worth, Texas, ansässig in Austin, Tex.
Schüler von George Luks. Wandmalereien im Mus. of F. Arts in Dallas, Texas.
Lit.: Who's Who in Amer. Art, I: 1936/37.

Cantinotti, Innocente, ital. Bildnis- u. Genremaler, * 24.1.1877 Mailand, ans. ebda.
Schüler von Bignami, G. Bertini, Rapetti u. Mentessi. Gründete mit Beltrami, Buffa u. Zuccaro 1900 eine Glasfabrik, die bis nach Amerika lieferte. Gold. Med. Ausst. Brüssel 1910. Bild: 2 Gefangene, im Castello Sforzesco in Mailand; Glasmalerei: 2 Hähne, in d. Gall. d'Arte Mod. in Venedig.
Lit.: Comanducci.

Canto da Maya, Ernesto, portug. Bildhauer, * 15. 6. 1890 Ponta Delgada, Azoren, ansässig in Paris.
Stud. an d. Kunstsch. in Lissabon, 1913 bei Bourdelle u. Ant. Mercier in Paris, 1914 bei James Vibert in Genf, u. 1916/20 bei Júlio António in Madrid. Beschickt den Salon des Indépendants, den Salon d'Automne (seit 1933 Mitglied) u. den Salon d. Art. Décorat. in Paris. Umfassende Kollektivausst. im Salon d. Indépendants 1934. Gold. Med. auf d. Expos. d. Arts Décor., Paris 1925. Grand Prix auf d. Pariser Expos. Internat. 1937. — Im Nat.-Mus. f. zeitgenöss. Kst in Lissabon: Jugend. Im Musée du Jeu de Paume in Paris: Frühling.
Lit.: Gr. Encicl. Port. e Brasil., V 773. — Francés, 1916, p. 166. — Pamplona. — A. Heilmeyer-R. Benet, La Escult. Mod. y Contemp., 1949, p. 249. — Bénézit,[2] 2 (1949). — L'Art et les Artistes, N. S. 12 (1925/26) 122/27, m. 7 Abbn. — Beaux-Arts, 75e Année, Nr 315 v. 13. 1. 1939, p. 4 (Abb.).

Canton, Emile, gen. *Donnat,* franz. Maler u. Rad., * 25. 5. 1881 Beaujeu (Rhône).
Lit.: Joseph, I. — Bénézit,[2] II.

Cantoni, Giulio, ital. Landschafts- u. Tiermaler, * Brescia, ansässig in Bergamo.
Schüler von Ces. Tallone.
Lit.: Emporium, 79 (1934) 49/50, m. 2 Abbn.

Cantré, Jan Frans, belg. Maler, Zeichner u. Holzschneider, * 1886 Gent, † 1931 ebda. Bruder des Folg.
Schüler der Genter Akad. (1897/1905). Gründermitglied der Association des Xylographes belges (1926). Gehört zu den bedeutendsten mod. Originalgraphikern Belgiens. Als Maler anfänglich Impressionist, dann Expressionist. Zahlr. Buchillustrationen, u. a. zu: „Pot de Fleurs" von André Baillon (éd. „Lumière"), „Chansons Païennes" von Pierre Louys (1921), „Eroïnes" von Maur. Wullens (1925), „Saisons" von A. Perroteau u. „Gouden Distel" von Pol de Mont. In seinen breitflächig behandelten Bildern schildert er mit Vorliebe das Leben der Armen auf Straße u. Markt.
Lit.: Seyn, I, m. Fotobildnis. — Bastelaer, Taf. V. — R. Avermaete, O. Roelands u. F. v. d. Wijngaert, J. F. C., Gent 1931. — G. Walschap, J. F. C., Mecheln o. J. — Gand artist., 1929, p. 81–100, m. 21 Abbn. — Kunst (Gent), 1930, p. 201/14, m. zahlr. Abbn; 1932, p. 407/40. — L'Art et la Vie (Gent), 1936, p. 122ff. — J. Philippen, J. F. C., Antwerpen 1934. — La Revue d'Art (Antw.), 27 (1926) 14ff., m. Abbn. — De Gulden Passer, 21 (1943) 261ff. passim, m. Abb.

Cantré, Jozef, belg. Bildhauer u. Holzschneider, * 26. 12. 1890 Gent, ansässig in Holland. Bruder des Vor.
Bildnisbüsten (Holz, Bronze) im Stil der Wildenkunst u. Akte. Denkmal Peter Benoit in Harelbeke. Holzschnittmappe: Graine jaune (20 Bll.). Expressionist. Illustr. u. a. zu: Don Quichote (éd. „De Sikkel"), G. Eekhoud: Les Sorciers de Borght, H. Marsman: De Vliegende Hollander, Karel v. d. Woestijne: Christophorus, De nieuwe Esopet und De Boer die sterft.
Lit.: J. Greshof, J. C. Houtsnijder, Mecheln 1932. — Seyn, I, m. Fotobildn. — Waller. — La Revue d'Art (Antw.), 27 (1926) 14, Abb. p. 11. — Le Centaure (Brüssel), 1 (1926/27) 157, m. Abb., 169, 176 (Abb.), 187. — Dtsche Kst u. Dekor., 61 (1927–28) 167 (Abb.). — Maandblad voor beeld. Kunsten, 2 (1925) 252f., m. 2 Abbn. — Das Kstblatt, 13 (1929) 335 (Abb.). — Beaux-Arts, Nr 329 v. 21. 4. 1939, p. 5 (Abb.).

Cantù, Angelo, ital. Bildnismaler, * 3. 8. 1881 Mailand, ansässig ebda.
Schüler von Ces. Tallone.
Lit.: Comanducci.

Cantú, Federico, mexik. Maler (Öl, Aquar., Tempera u. Fresko) u. Zeichner, * 1908 Cadereyta de Jiménez, Nuevo León.
Half Diego Rivera bei dessen Fresken im Erziehungsministerium in Mexico City. Bereiste 10 Jahre Europa u. die USA. Zeichenunterricht bei de Creeft. Beeinflußt von El Greco. Aquarell (Mädchenkopf) im Cleveland Mus. of Art.
Lit.: Kirstein, p. 96. — The Art News, 15. 12. 1941, p. 22 (Abb.). — Liturgical Arts (New York), 11, Mai 1943, p. 62 (Abb.). — The Bull of the Cleveland Mus. of Art, Cleveland, Ohio, 34 (1947) 14f.

Canuti, Davide, ital. Bildnis-, Genre- u. Landschaftsmaler, * 28. 10. 1896 Codigoro (Ferrara).
Schüler von Quinzio an d. Akad. in Genua, im übrigen Autodidakt.
Lit.: Comanducci.

Canziani, Estella, engl. Malerin u. Illustratorin, * 12. 1. 1887 London, ansässig ebda.
Tochter der Malerin Louise Starr, verehel. Canziani. Stud. an den Roy. Acad. Schools. Bildnisse, Genre. Landschaften; auch Wandmalereien. Illustr. Buchwerke: Costumes, Traditions and Songs of Songs; Through the Appenines and the Lands of the Abruzzi.
Lit.: Who's Who in Art,[3] 1934. — Medici-Drucke, Lo. 1917: 3 farb. Reprod.

Cao, Adolfo, sard. Genre- u. Bildnismaler, * 1870 Oristano, † 16. 7. 1916 Cagliari.
Schüler von Ciaranfi an d. Akad. in Florenz. Wandmalereien in einem Saal des Pal. Municipale in Cagliari.
Lit.: Comanducci.

Caparn, Rhys, verehel. *Steel,* amer. Tierbildhauerin, * 1909.
Kollektiv-Ausst. in d. Gal. Wildenstein in New York, Okt. 1947.
Lit.: Mallett. — Art Digest, 19, Nr v. 1. 5. 1945, p. 10 (Abb.); 22, Nr v. 15. 10. 1947, p. 14; Juni-H., p. 20 (Abb.). — The Art News, 46 (1947) Okt.-H., p. 42; 48 (1949) Mai-H., p. 19 (Abb.). — Beaux-Arts, Nr v. 21. 11. 1947, p. 8. — Art Index, Nov. 1951/April 1953.

Capdevielle, Lucienne, franz. Malerin (Öl u. Pastell), * Algier, ansässig in Paris.
Schülerin von J. P. Laurens, P. A. Laurens u.

Rochegrosse. Figürliches (span. Bauerntypen), Stilleben. Mitglied der Soc. d. Art. Franç. (Kat. z. T. m. Abbn).

Lit.: Joseph, 1. — Bénézit, [2] 2 (1949).

Čapek, Josef, tschech. Maler u. Kstschriftst., * 23. 3. 1887 Hronov, † April 1945 im Konzentrationslager Belsen. Bruder des Karel.

Stud. 1906/10 an der Prager Kstgewerbesch. bei E. Dítě 1910/11 u. 1914 Studienreisen in Paris, 1911 in Spanien u. Deutschland. Zuerst Kubist, dann Expressionist. Figürliches, Stilleben, Illustrationen, Karikaturen, Bucheinbände, Theaterdekoratioenn. 1911/12 Redakteur der Kstzeitschr. „Umělecký měsíčník", später der Zeitschr. „Volné směry", seit 1930 von „Světozor". Kstkritiker 1919/23 an „Národní listy", seit 1923 an „Lidové noviny". Ausstellgn in Prag 1924 (Künstlerhaus), 1935 (Gal. Feigl), 1945 (Gesamtausst. in „Umělecká beseda"). Bilderzyklen: Die Sehnsucht, Das Feuer. Illustrat. (61 Zeichngn) zu dem Buch s. Bruders Karel: Das Jahr des Gärtners (Verlag Br. Cassirer, Berlin 1932). Vgl. dazu: Kst u. Kstler, 31 (1932) 376/80.

Lit.: Karel Čapek u. V. Špála, J. Č. (Coll. „Musaion"), Prag 1935. — J. Pečírka, J. Č., Coll. Prameny, Bd 16, Prag 1937. — Nebeský. — Zeitschr. f. bild. Kst, 58 (1924/25) 117. — Beaux-Arts, 1935 Nr 145, p. 4, m. Abb.; 1937 Nr 232, p. 3, m. Abb. — D. Cicerone, 12 (1920) 384; 16 (1924) 420, 1207. — Kst u. Kstler, 31 (1932) 470. — D. Kstblatt, 4 (1920) 33/38, 42/44. — Neue Blätter f. Kst u. Dichtung, 2 (1919/20) 231, m. Abbn. — Kat. d. Ausst. Sto let českého umění 1830–1930, S. V. U. Mánes, Prag 1930. — Život (Prag), 20 (1946). — Toman, I 137. — La Peint. mod. tchécosl., Préf. de Madeleine Collard, Brüssel 1948, m. 2 Abbn.

Čapek, Karel, tschech. Schriftsteller u. Zeichner, * 1890, † 25. 12. 1938 Prag. Bruder des Josef.

Illustrationen u. a. zu seinem Buch: Seltsames England. Erlebnisse einer Reise, Verlag Br. Cassirer, Berlin, u. zu: Masaryk erzählt sein Leben. Gespräche mit Karl Čapek, im gleichen Verlag, 1936.

Lit.: Berlingske Tidende, 26. 12. 1938. — Beaux-Arts, 75 année, 13. 1. 1939, p. 4.

Capellani, Paul, franz. Bildhauer, * 9. 9. 1877 Paris, ansässig ebda.

Schüler von M. Blondat u. Raph. Peyne. Mitglied der Soc. d. Art. Français. Im Mus. in Mont-Saint-Michel: L'Enlizé (Im Triebsand versunken).

Lit.: Th.-B., 5 (1911). — Joseph, 1.

Capellani, Simone Marcelle, franz. Blumen- u. Früchtemalerin, * Vincennes, ansässig in Paris.

Schülerin von P. A. Laurens. Stellt im Salon der Soc. d. Art. Franç. aus (Kat. z. T. m. Abbn).

Lit.: Bénézit, [2] II (1949).

Capet, Lucien, franz. Maler u. Zeichner, * 1873, † 1928.

Gedächtn.-Ausst. bei G. Petit, Paris, Juni 1929.

Lit.: Joseph, I. — Bénézit, [2] 2 (1949).

Capitain, Edmund, dtsch. Architekt, * 23. 9. 1876 Miltenberg a. M., ansässig in Steingaden, Bayr. Schwaben.

Stud. an d. Techn. Hochsch. in München. 1908/11 in Frankfurt, dann in Stuttgart ansässig. Zu den bei Th.-B. angeführten Bauten hinzuzufügen: Kirche u. Haus der Gesellschaft in Graz, Steierm.; Kirche in Münster bei Cannstatt; Erweiterung der Pfarrk. in Rottum b. Ochsenhausen; Herz-Jesu-Kirche in Gorheim b. Sigmaringen.

Lit.: Th.-B., 5 (1911). — Mitteil. d. Künstlers.

Capliez, Achille, franz. Landsch.- u. Architekturmaler, * Cambrai, ansässig in Lille.

Schüler von Ph. de Winter u. Fern. Sabatté. Mitglied der Soc. d. Art. Franç. 2. Med. 1932.

Lit.: Joseph, I. — Bénézit, [2] II.

Capocchini, Ugo, ital. Maler, * 1901 Barberino (Val d'Elsa), ansässig in Florenz.

Stud. an d. Akad. in Florenz. Beeinflußt von Picasso u. Felice Casorati. Breitflächige figürl. Kompositionen. 1928 Preis im Wettbewerb Ruggero Panerai, 1931 Premio del Podestà, 1941 Gr. Silb. Med. der Nat. Ausst. in Florenz u. „Premio Bergamo". Beschickte häufig die Biennali in Venedig; Sammelausst. auf der 22. Ausst. ebda, in Livorno (Bottega d'Arte), Mai 1932, u. in Florenz (Gall. Firenze) 1941 u. 1947 (Kat.); seit 1931 auch die Quadriennali in Rom. 1931 zum Ehrenmitglied der Akad. in Florenz ernannt. Vertreten in der Gall. Naz. d'Arte Mod. in Rom.

Lit.: A. Parronchi, U. C., Florenz 1942, m. Lit. — Le Arti, 2 (1939/40) 369. — Emporium, 79 (1934) 376 (Abb.); 85 (1937) 218ff., m. Abbn; 91 (1940) 91, 92 (Abb.); 94 (1941) 173 (Abb.), 180; 97 (1943) 279. — Augustea (Rom), 16./31. 1. 1943, m. Abb. — Domani (Florenz), 12. 6. 1941. — La Nuova Scuola Ital. (Florenz), 12. 6. 1938, p. 257, m. Abbn. — Stile fascista, fasc. 19, März 1943, p. 50, m. Abbn. — Kat. d. Ausst. Ital. Kst d. Gegenw., München u. a. O. 1950/51, m. Abb. — Palma Bucarelli, La Gall. Naz. d'Arte Mod., Guida breve, Rom 1949; dies., ~ Itinerario, 1951. *P. B.*

Capogrossi, Guarna Giuseppe, ital. Maler, * 7. 3. 1900 Rom, ansässig ebda.

Schüler von Felice Carena, weitergebildet 1927/33 in Paris; Lehrer am Liceo artist. in Rom. Beschickte seit 1930 die Biennali in Venedig; Sammelausst. auf der 20. u. 24. Biennale ebda. Beschickte auch die Quadriennali in Rom. Zahlreiche Kollektiv-Ausst. im In- u. Ausland. — Die Entwicklung C.s ist ziemlich typisch für die röm. Künstler seiner Generation. Von einer engen Anlehnung an die um 1930 innerhalb der röm. Schule in Florenz stehenden „pittura tonale" ausgehend, entfernt er sich allmählich u. seit 1932 immer stärker von dieser. Einflüsse von Carrà, Cézanne, Picasso u. Modigliani mischen sich mit naturalist. Tendenzen in Richtung eines Strebens nach Klassizismus u. Monumentalität, das ihn die menschliche Figur zum Hauptgegenstand seiner Malerei machen und eine dem Fresko u. der antiken Enkaustik verwandte Technik bevorzugen ließ. Der Pariser Aufenthalt vertiefte sein Interesse für plastische u. kompositor. Probleme und vor allem für die Farbe der „Fauves", worüber er sich auch theoretisch ausgelassen hat. Die Bemühungen, die röm. Tendenzen u. die Strömungen der internat., bes. französ. Kunst miteinander in Einklang zu bringen, sind noch 1946 kennzeichnend für seine Kunst. Einige Zeit beschäftigen ihn neben der Landschaft u. dem Stilleben bes. Einzelfiguren oder Gruppen von Tänzerinnen. 1947–48 werden seine Farben lichter u. kälter, seine Umrißlinien gespannter. In einer unerwarteten Wandlung gibt er sich um 1950 als einer der radikalsten Abstrakten zu erkennen. Allein auf der rhythmischen Folge von Strichen u. Spatien beruhend, die symbolische Bedeutung u. surrealist. Absichten verraten. spricht aus dieser neuen Manier die schöpferische Phantasie seines Wesens. — Sammelausstellgn in d. Gall. „Il Cortile" in Rom 1947 (Kat.) u. in der Gall. del Secolo ebda (Kat.). Vertreten in der Gall. Naz. d'Arte Mod. in Rom.

Lit.: L. Venturi, Exhib. of Contemp. Ital. Painting, London 1946. — Art et Décoration, 1935 p. 171ff. passim. — Cahiers d'Art (Paris), 25 (1950) 250 (Abbn). — Emporium, 79 (1934) 362 (Abbn); 81 (1935) 79 (Abb.), 82; 84 (1936) 125, 139 (Abb.); 89 (1936) 201

(Abb.); 96 (1942) 305; 103 (1946) 125, 198. 250, 308; 104 (1946) 57; 105 (1947) 125. — La Fiera Letteraria (Rom), 1. 12. 1933 u. 22. 5. 1949. — Gall. dell'Art Club (Rom), Nr 70 v. 23. 1. 1946. — Maestrale, Dez. 1942. — L'Indipendente (Rom), 21. 2. 1946. — Quadrivio (Rom), Jan. 1934. — La Ruota, April/Mai 1937. — Stile 1942 Nr 22. — Palma Bucarelli, La Gall. Naz. d'Arte Mod. Guida breve, Rom 1949; dies., ~, Itinerario, 1950. — Kat. d. Ausst.: Ital. Kst der Gegenw., München u. a. O. 1950/51.

P. Bucarelli.

Capolino, Gertrude, amer. Landschaftsmalerin, * 23. 7. 1899 Philadelphia, Pa., ansässig ebda. Gattin des Folg.

Schülerin von Leopold Seyfert, Henry B. Snell u. R. Sloan Bredin Bilder u. a. in d. Pennsylv. Acad. of F. Arts in Philadelphia, im Spring Garden Inst. ebda u. in der Beach Haven Library in Beach Haven, N. J.

Lit.: Who's Who in Amer. Art, I: 1936/37. — Amer. Art Annual, 30 (1933).

Capolino, John Joseph, amer. Wandmaler u. Rad., * 22. 2. 1896 Philadelphia, Pa., ansässig ebda. Gatte der Vor.

Schüler von Henry McCarter. Direktor des F. Arts Spring Garden Inst. in Philadelphia. Wandbilder mit Szenen aus der Gesch. der US-Marine im U. S. Marine Corps Building in Philad.; Wandbild: Columbus entdeckt Amerika, im Circolo Italiano ebda. Weitere Wandbilder u. a. in den U. S. Marine Corps Headquarters in Washington u. im Amer. Inst. of Architects in Philadelphia.

Lit.: Who's Who in Amer. Art, I: 1936/37. — Amer. Art Annual, 30 (1933).

Capon, Georges, franz. Figuren- (bes. Akt-), Landsch.- u. Stillebenmaler, * 1890, ansässig in Paris.

Beschickt seit 1923 den Salon des Tuileries. Beeinflußt von Cézanne, Gauguin u. van Gogh, anfängl. auch von den Impressionisten. 1930 längere Zeit in Andalusien, 1933 in Chicago, Ill.

Lit.: Joseph, I. — Bénézit, [2] II. — L'Amour de l'Art, 11 (1930) 154 (Abb.), 293/98, m. 9 Abbn. — Art et Décor., 1937/II, p. 29, 32 (Abb.); 1928/II, p. 58 (Abb.). — Les Arts, 1920, Nr 189, p. 21, 22 (Abb.). — La Renaiss. de l'Art franç., 9 (1926) 368.

Cappa, Legora Cesare, piemont. Illustrator u. Aquarellmaler, * 1895 Turin.

Autodidakt. Figürliches.

Lit.: Comanducci.

Cappa, Legora Giovanni, piemont. Genre-, Bildnis- u. Landschaftsmaler, * 22.11. 1887 Turin, ansässig ebda.

Schüler von Giac. Grosso u. Ces. Ferro. Bild im Municipio in Stresa.

Lit.: Comanducci, m. Abb.

Cappeller, Ettore de Zoro dei, ital.-amer. Figurenbildhauer, * 27. 1. 1900 in Italien, ansässig in Santa Barbara, Calif.

Werke in der F. Arts Gall. in San Diego.

Lit.: Who's Who in Amer. Art, I: 1936/37.

Cappelli, Evaristo, ital. Bildnis-, Genre- u. Landschaftsmaler, * 1869 Modena.

Schüler von Ant. Simonazzi. Wandbilder in d. Kirche Castelnuovo Mangone u. im Treppenhaus der Volksbank in Modena.

Lit.: Comanducci. — Cronache d'Arte, 1 (1924) 309, m. Abb.

Cappello, Carmelo, ital. Bildhauer, * 21. 5. 1912 Ragusa, ansässig in Mailand.

Stud. in Rom u. Mailand, dann bei Marino Marini am Ist. di B. Arti in Monza. Seit 1937 selbständig in Mailand. Beschickte die 22., 23., 24. u. 25. Biennale in Venedig und die 3., 4. u. 5. Quadriennale in Rom. Gewann 1947 den Nationalpreis des Partito Socialista italiano in Genua, 1949 den Premio Natale dell'Arte in Mailand, 1951 den Skulpturenpreis Città di Terni u. den Premio Cardazzo. Das erste Werk, das ihn bekannt machte, ist die Marmorstatue „Il freddoloso" (1938). Arbeiten in der Civ. Gall. d'Arte Mod. in Mailand (Narr [Bronze]), in d. Gall. Naz. d'Arte Mod. in Rom („Betrachtung" [Bronze]; „Die Tochter des Mondes" [Marmor]), in der Civ. Gall. d'Arte Mod. in Turin („Der Himmel" [Bronze]) u. in der Civ. Gall. d'Arte Mod. in Palermo („Allegorie der Zeichnung").

Lit.: R. Giolli, C. C., Turin 1944. — L. Ridenti, C., Turin 1944. — E. Padovano, Diz. d. artisti contemp., Mailand 1951. — S. Cairola, Arte italiana del nostro tempo, Bergamo 1946. — Arte mediterranea 1941, Nr 1/2 p. 48; Nr 6 p. 42. — Emporium, 93 (1943) 131, 132; 96 (1942) 407; 103 (1946) 95; 104 (1946) 19; 105 (1947) 79. — Domus, 1935, Juni p. 15; 1949, Nr 235 p. 32 (Abb.). — Primato, 2 (1940) Juni Nr 12, p. 19 (Abb.). — Stile, 1943 Nr 25 p. 52f.; 30. 6. 1943 p. XI (Abb.); Febr. 1947. — Vernice, 1947 Nr 24/25, p. 16 (Abb.). — Kat.: Ital. Kst der Gegenwart, München u. a. O. 1950/51, m. Abb.; Mostra Gall. di Roma con opere di artisti Milanesi, Rom 1941, m. Abb.

A. Gabrielli.

Cappiello, Leonetto, ital.-franz. Karikaturist, Plakat- u. Reklamezeichner, Illustr., Figuren- u. Bildnismaler, * 9. 4. 1875 Livorno, † 1942 Nizza. Naturalisierter Franzose.

Seit 1898 in Paris ansässig. Hervorragender Plakatkünstler. Illustr. u. a. für „Figaro", „Gaulois", „Rire", „Assiette au beurre", „Froufrou", „Cri de Paris" usw. Buchillustr.: Voltaire, La Princesse de Babylone; J. Boulenger, De la Valse au Tango. Album: Nos Actrices, mit 18 Karikaturen der gefeiertsten Pariser Bühnenkünstlerinnen. Kartons zu Wandgemälden u. Bildteppichen für die Pariser Gobelins u. die Teppichfabrik in Beauvais. Bilder im Luxembourg-Mus. in Paris. — Gedächtnis-Ausst. im Musée d. Arts Décor. in Paris, Jan. 1947. — Seine Gattin Suzanne, begabte Figuren-, Bildnis-, Tier- u. Blumenmalerin, Impressionistin, stellte 1930/38 im Salon der Soc. Nat. d. B.-Arts aus.

Lit.: Th.-B., 5 (1911). — Comanducci. — Joseph, m. 2 Abbn u. Fotobildn. — Bénézit, [2] 2 (1949). — Zur Westen, p. 42, m. Abb. — L'Art décor., 23 (1910) 212/13, m. Abb. — L'Art moderne; 1913 p. 33f. — Pagine d'arte, 5 (1917) 176 (Abb.). — La Renaiss. de l'Art franç., 3 (1920) 378f., m. 2 Abbn, 478ff., m. 4 Abbn; 5 (1922) 100f., m. Abb. — Bull. de l'Art anc. et mod., 1923, p. 42. — Arts et Métiers graph., 1934 Nr 39, p. 9/15, m. 15 Abbn. — Beaux-Arts, Nr 341 v. 14. 7. 1939, p. 1, m. Abb. — Emporium, 105 (1947) 245f., m. Abb. — Suzanne betreffend: L'Amour de l'Art, 11 (1930) 311 (Abb.). — La Renaiss. de l'Art fr., 15 (1932) 122, m. Abb. — Art et Décor., 61 (1932) Juni-H. p. V.

Capponi, Giuseppe, sard. Architekt u. Maler, * 13. 2. 1893 Cagliari, † 1936 auf Capri.

Begabter Vertreter der fortschrittlichen Baugesinnung in Italien in der Zeit nach dem 1. Weltkrieg. Hauptbauten: Palazzo des Consiglio Provinc. dell' Economia in Sassari; Chem.-botan. Instit. d. Universitätsstadt Rom (1932/35).

Lit.: Chi è?, 1936. — Monatsh. f. Baukst u. Städtebau, 20 (1936) 232 (Abbn). — Dedalo, 12 (1932) 134f. (Abbn), 148f. — Le Arti, 2 (1939/40) Taf.-Abb. LXXVII, 195f. — Dtsche Bauzeitg, 67 (1933) 907.

Capps, Charles Merrick, amer. Radierer u. Lithogr., * 14. 9. 1898 Jacksonville, Ill., ansässig in Wichita, Kansas.

Schüler der Akad. in Chicago u. der Pennsylvania Acad. of the F. Arts in Philadelphia.

Lit.: Who's Who in Amer. Art, I: 1936/37. — Mallett. — Art Index (New York), Okt. 1941/Okt. 1950. — Print Coll.'s Quarterly, 24 (1937) 451 (Abb.); 26 (1939) 113 (Abb.).

Caprile, Vincenzo, ital. Genre-, Bildnis- u. Landschaftsmaler (Öl u. Pastell), * 24. 6. 1856 Neapel, † 1936 ebda.

Schüler von G. Smargiassi, Fil. Carrillo u. Dom. Morelli. Szenen aus d. neapol. Volksleben. Bilder in den Gall. d'Arte Mod. in Mailand u. Rom.

Lit.: Th.-B., 5 (1911). — Giannelli, m. Fotobildn. — Comanducci, m. Abb. — Bénézit, [2] 2.

Caprotti, Guido, ital. Maler, * 5. 10. 1887 Monza, ansässig in Avila (Spanien).

Schüler von Ces. Tallone an der Brera-Akad. in Mailand, seit 1912 Ehrenmitglied derselben. Seit 1913 in Avila ansässig. — Bildnisse, Figürliches, Landschaften. Bilder in der Brera-Gal. in Mailand u. im Mus. de Arte Mod. in Madrid.

Lit : Chi è?, 1940. — Francés, 1917 p. 273/78, m. 3 Abbn u. Fotobildnis; 1918, p. 123f. (Abbn), 125/31, m. 2 Abbn, 142. — Bénézit, [2] 2 (1949). — Emporium, 72 (1930) 224 (Abb.).

Caputi, Domenico, ital. Maler.

Kollektivausst. in d. Gall. Genova in Genua Frühjahr 1939 (Akte, Bildnisse, Landschaften). Beeinflußt von Scipione u. Mafai.

Lit.: Emporium, 89 (1939) 338f., m. 2 Abbn.

Caputo, Ulisse, ital. Bildnis-, Genre- u. Landschaftsmaler, * 5. 11. 1872 Salerno, ansässig in Paris.

Schüler von Dom. Morelli u. Gaet. Esposito am Ist. d. B. Arti in Neapel. Seit 1900 in Paris. Mitgl. d. Soc. d. Art. Franç. (Salon-Kat. z. T. m. Abbn). Maler der eleganten Dame. Delikater Kolorist. — Vertreten im Luxembourg-Mus. in Paris (La Sinfonia), in d. Gal. der Villa Torlonia in Rom u. in den Museen in Santiago de Chile u. Lima, Peru.

Lit.: Th.-B., 5 (1911). — Giannelli. — Comanducci. — Joseph, I. — Chi è?, 1940. — Emporium, 42 (1915) 25/42, m. 20 Abbn, Taf. u. Fotobildn. — Revue de l'Art anc. et mod., 44 (1923) 67 (Abb.). — The Studio, 93 (1927) 438/41, m. Abbn.

Capuz, José, span. Bildhauer, * Valencia.

Schüler von Rodin in Paris. 1909 Pensionär der Span. Akad. in Rom, bes. durch Michelangelo beeindruckt. Zeigte auf d. Expos. Nac. Madrid 1910 die Marmorfig.: Der Kuß, u.: Das Gelübde (Kat. m. Abb.). Entwurf zu einem Cortez-Denkmal für Cádiz, zus. mit dem Archit. Teodoro Anasagasti.

Lit.: Kstchronik, N. F. 20 (1909) 314; 22 (1911) 187. — Museum (Barcelona), 7 (1927) 215/26, m. 15 Abbn. — Por el Arte, Jan. 1913 p. 22. — Francés, 1915 p. 145; 1919 p. 313; 1923/24 p. 207/09, 382, Taf. 13. — Archivo de Arte valenc., 5 (1919) 112. — Vell i Nou (Barcelona), 5 (1919) 404, Abb. p. 397. — La Renaiss. de l'Art franç., 4 (1921) 657, 659 (Abb.). — L'Art et les Artistes, nouv. sér., 9 (1924) 254. — Arte esp., 10 (1930/31) 174, Taf.-Abb. zw. p. 202/03.

Carà, Ugo, ital. Bildhauer, * 26. 11. 1908 Muggia (Triest), ansässig in Triest.

Figürliches (bes. Akte) u. Bildnisbüsten.

Lit.: Umbro Apollonio, U. C., Fiume 1938. — Emporium, 78 (1933) 199 (Abb.); 82 (1935) 335; 86 (1937) 617; 88 (1938) 232, m. Abb.; 89 (1939) 203 (Abb.); 90 (1939) 256, m. Abb.; 92 (1940) 10, 32 (Abb.); 94 (1941) 34 (Abb.), 35. — Kat. d. VI Quadriennale, Rom 1951/52, m. Abb.

Carabin, Rupert, elsäss. Holzbildhauer, Medailleur, Plakettenkünstler, Gemmenschneider u. Kunstgewerbler, * 27. 3. 1862 Zabern (Saverne), † 1932 Straßburg.

Schüler von Lequein u. Perrin. Begründete 1884 mit Seurat, Signac u. and. die Soc. d. Artistes Indépendants. Beschickte seit 1891 den Salon der Soc. Nat. d. B.-Arts. Seit 1920 Direktor der Ec. d. Arts Décor. in Straßburg. Entwürfe für Möbel, Holzskulpturen, Schmuck, Kleinplastik (Keramik, Bronze, Silber). Im Mus. in Straßburg: Tänzerinnen.

Lit.: Th.-B., 5 (1911). — Joseph, 1. — Bénézit, [2] 2 (1949), m. falsch. Todesjahr. — Revue d. Arts décor., 11 (1891) 42/49; 19 (1899) 255. — L'Art et les Artistes, N. S., 2 (1921) 48. — Archives alsac. d'Hist. de l'Art, 1 (1922) 141f. — Illustr. Elsäss. Rundschau, 3 (1901) 141/49, m. zahlr. Abbn. — Revue de l'Art, 67 (1935), Bull. p. 25f., m. Abb.

Caradek, Lucie, franz. Figurenmalerin, * Brest, † Jan. 1936 Paris.

Beschickte 1925ff. den Salon des Tuileries. 2 Bilder im Bes. des franz. Staates.

Lit.: Joseph, I. — Bénézit, [2] II. — Revue de l'Art, 69 (1936) 48.

Caragea, Boris, rumän. Bildhauer.

Weibl. Bronzebüste im Mus. Toma Stelian in Bukarest (Kat. 1939, p. 126).

Lit.: Kat. d. Ausst. Rumän. Kst d. Gegenw., Zürich, Ksthaus, 1943, p. 17.

Caramel, Giacomo, ital. Landschafts- u. Stillebenmaler, * 24. 6. 1890 Fagarè, ansässig in Mailand.

Schüler von E. Tito. Einige Zeit in Rom, dann in Mailand ansässig. In d. Pfarrk. in Fagarè 2 Bilder. Altartafel in San Vito e San Modesto in Görz.

Lit.: Comanducci.

Carapinha, Raul, portug. Porträt- u. Genremaler, * 11. 2. 1876 Alcochete.

Stud. Historienmalerei an d. Kstschule in Lissabon. Schüler von José Simões de Almeida, José Luiz Monteiro u. Veloso Salgado. Silb. Med. auf d. Intern. Jahrh.-Ausst. der Unabhängigkeit Brasiliens in Rio de Janeiro, 2. Med. f. Öl-, 1. Med. f. Pastell-, 2. Med. f. Aquarellmalerei der Soc. Nac. de B. Artes; 1. Med. auf der Ausst. von Estoril. Vertreten im Nat.-Mus. zeitgen. Kst in Lissabon, im Mus. in Évora u. im Mus. Grão-Vasco in Vizeu.

Lit.: Pamplona, p. 303. — Quem é Alguém, 1947 p. 174.

Carasso, Frederico, ital. Bildhauer, * 2.6. 1899 Carignano, lebt in Amsterdam.

Autodidakt. Arbeiten im Mus. f. Mod. Kst in Moskau.

Lit.: Waay. — Die Constghesellen, 3 (1948) 430f. m. Abb.

Caratti, Caro, piemont. Holzschneider, Radierer u. Maler, * 16. 5. 1895 Visone (Alessandria), ansässig in Asti.

Autodidakt. Hauptsächlich Landschafter.

Lit.: Comanducci. — Emporium, 94 (1941) 183, 184 (Abb.).

Carbee, Scott Clifton, amer. Maler, * 26. 4. 1860 East Concord, Vt., † 1946 Boston.

Schüler von Hugo Breul in Providence, von Bouguereau u. G. Ferrier in Paris u. von Max Bohm in Florenz.

Lit.: Amer. Art Annual, 30 (1933). — Art Digest, 20 (1946) Aug.-H. p. 6.

Carbin, Wilhelmine, geb. *Gips*, holl. Malerin, * 28. 8. 1897 Vrijenban, lebt in Mentone, franz. Riviera.

Stud. an d. Akad. im Haag, bei D. Bautz u. G. A.

H. van der Stok. Figürliches, Landschaften, Stillleben. Mitglied der „Brug".
Lit.: Wie is dat?, 1935. — Waay. — Elseviers' geïll. Maandschr., 62 (1921) 429f.

Carbonaro, Raffaele, ital. Landschafts- u. Bildnismaler, * 5. 6. 1871 Modica, † 1914.
Schüler der Brera-Akad. in Mailand.
Lit.: Comanducci.

Carbonati, Antonio, ital. Veduten- u. Architekturradierer u. Lithogr., * 3. 6. 1893 Mantua, ansässig in Rom.
Zuerst Malschüler von E. Tito u. A. Sartorio. Ging 1918 zur Radierung über, veröff. in diesem Jahr eine Folge: Serie di Roma. Ging 1919 nach Paris, rad. dort 27 Ansichten der Stadt. Begann 1922 für Alinari, Florenz, die „Serie italiane", die ihm auf der Pariser Expos. d. Arts décor. 1925 eine Gold. Med. eintrug; dargestellt sind Ansichten aus Florenz, Venedig, Neapel, Mailand, Mantua, Orvieto, Terni, Siena u. Bari. 1930 entstanden für Ed. Mondadori die „Serie di Torino", danach die „Serie di Messina", „di Reggio Cal." u. „di Mantova". Arbeitete anfänglich im Canaletto-Stil (Straßen- u. Platzansichten mit reicher, amüsanter Staffage), beschränkte sich später meist auf im Rahmen der Landschaft erfaßte reine Architekturen. Hauptblätter seiner späteren Zeit: Die Felsen von San Grovenale in Orvieto; San Lorenzo in Terni; Abteikirche San Pietro in Ferentillo; Ansicht von Terni; Ponte Vittorio Emanuele I in Turin.
Lit.: V. Pica, A. C. (L'Odierna Arte del Bianco e Nero, Nr 1), Mailand 1923. — Comanducci. — Chi è?, 1940, m. Lit. — Bénézit, [2] 2 (1949). — Pagine d'Arte, 5 (1917) 124. — Emporium, 47 (1918) 155/64, m. 11 Abbn u. Selbstbildn., 270; 54 (1921) 349/63, m. 16 Abbn u. 2 Taf.; 77 (1933) 24/35, m. 14 Abbn u. Taf. — Rass. d'Arte ant. e mod., 20 (1920) 158 (Abb.). — Dedalo, 11 (1930/31) 225/41, m. 10 Abbn. — The Studio, 88 (1924) 310f., m. 3 Abbn; 100 (1930) 414 (Abb.).

Carbonell, Guidette, franz. Emailmalerin u. Keramikerin, * Meudon (Seine-et-Oise), ansässig in Paris.
Seit 1928 Mitglied des Salon d'Automne. Vasen, Schmuckteller, keram. Panneaus.
Lit.: Joseph, I. — La Renaiss. de l'Art franç., 1935 Nr 7 p. 1ff. passim. — Art et Décoration, 1936 p. 185/91, m. 13 Abbn; 1937/II 347ff. passim.

Card, Judson, amer. Maler, † 1933 New York.
Lit.: Amer. Art Annual, 30 (1933): Obituary.

Cardamonte, Cecilia, ital.-amer. Bildnismalerin u. Illustr., * 5. 4. 1906 Soveria Manelli, ansässig in Grand Junction, Colo.
Schülerin von John Thompson, Fr. Hoar u. Gius. Aprea.
Lit.: Who's Who in Amer. Art, I: 1936/37.

Cardell, Helge, schwed. Landschaftsmaler, * 1902 Malmö, ansässig ebda.
Stud. an der Schonenmalschule in Malmö. Bereiste Deutschland, Holland, Belgien u. Frankreich.
Lit.: Thomœus.

Cárdenas Albarracín, peruan. Karikaturist, Bildnis- u. Figurenmaler, ansässig in Paris.
Lit.: La Renaiss. de l'Art franç., 9 (1926) 476, 477.

Cardet, Marcel Ferdinand, franz. Aquarellmaler u. Graph., * 29. 5. 1876 Paris, fiel am 25. 4. 1915 bei Les Eparges.
Fand die Motive zu seinen Landschaften bes. in Belgien (Brügge) u. in Alt-Paris. Stellte im Salon der Soc. Nat. d. B.-Arts aus. Im Salon des Humoristes zeigte er Holzschnitte (Tiersilhouetten).
Lit.: Joseph, 1. — Ginisty, 1919. — Le Livre d'Or d. peintres exposants, 1921, p. XII.

Cardew, Michael, engl. Keramiker, * 26. 5. 1901 Wimbledon (London), ansässig in Winchcombe, Glos.
Lit.: Who's Who in Art, [3] 1934.

Cardinaals, Louis, holl. Maler u. Graph., * 27. 4. 1895 Beek en Donk, ansässig in Putten, Gelderland.
Schüler von D. B. Nanninga, im übrigen Autodidakt. Figürliches, Landschaften, Stilleben u. Genre.
Lit.: Waay. — Waller.

Cardinaux, Emil, schweiz. Landschaftsmaler, Plakat- u. Exlibriszeichner, Lithograph u. Illustr., * 11. 11. 1877 Bern (nach and.: Palézieux), † 2. 10. 1936 ebda.
Schüler von Schmid-Reutte u. F. Stuck an d. Münchner Akad. Studienaufenthalte in Paris (1903–04), Holland u. Italien. Seitdem in Bern ansässig. — Bilder in den Museen Aarau, Bern, Genf, St. Gallen u. Zürich. Dekor. Malereien in den Giebelfeldern des Eidg. Unfallversicherungsgeb. in Luzern. Illustrat. zu: Ludw. Meyer, Im Schatten des Ganterisch, Bern 1917; H. Bloesch, Am Kachelofen.
Lit.: Th.-B., 5 (1911). — Brun, IV 88, 492. — Schweiz. Zeitgen.-Lex., 1932. — C. A. Loosli, E. C., Eine Kstlermonogr., Zürich 1928. — Zur Westen, p. 107f., m. Abb. — Rhaue, p. 3. — Schäfer, p. 64, m. Abb. Nr 21. — Graber. — Müller-Schürch, p. 5, 6, 27, m. 4 Taf.-Abbn p. V u. VI. — D. Schweiz, 1908, p. 474; 1909, p. 393; 1910, p. 434; 1912, p. 146; 1913, p. 200ff., m. Abbn; 1914, p. 133; 1916, p. 592; 1918, p. 119 (Abb.), 410, 688 (Abb.). — Schweiz. Bauztg, 1912, p. 55, 68. — Dtsche Kst u. Dekor., 32 (1913) 389 (Abb.), 396, m. Abb., 403 (Abb.). — D. Werk, 1 (1914) H. 3, p. 1 (Abb.), 4 (Abb.); H. 7, p. 6/7 (Abb.), 8; H. 8 p. 8; H. 9, p. 2f., m. Abbn; 2 (1915) 1 (Abb.), 12f. (Abbn), 54 (Abb.), farb. Taf. zw. p. 172–73; 3 (1916) 155f. (Abbn), 204 (Abb.); 4 (1917) 40 (Abb.); 6 (1919) 116 (Abb.); 7 (1920) 230 (Abb.); 16 (1929) Beibl. zu H. 2, p. XXV; 23 (1936) Beibl. zu H. 11, p. XVIII. — D. Ksthaus (Zürich), 1915, H. 9, p 1. — O mein Heimatland, 1916, p. 118ff., m. 6 Abbn. — Schweizerland, 1916, p. 409 (Abb.), 419; 1917, p. 522 (Abb.). — D. Plakat, 11 (1928) 349 (Abb.), 351 (Abb.), 353, 355, 356 (Abb.), 359 (Abb.), 495ff., m. Abbn, 500 (Abbn). — Schweizer Kst, 1929/30, p. 122, 127 (Abbn), 128 (Abb.); 1936/37, p. 43/45, m. Abbn. — D. Kunst, 1936/37 Beibl. zu H. 9, p. 3.

Cardona, Juan, katal. Maler u. Illustr., * Barcelona, ansässig in Paris, zuletzt in Nizza.
Stud. in Paris. Zeichnete für die Münchner „Jugend" u. die Pariser Zeitschr. „Rire". Malt Bildnisse u. figürl. Kompositionen.
Lit.: Francés, 1923/24 p. 115/17.

Cardoso, Abel de Vasconcelos, portug. Porträt- u. Landschaftsmaler, * 10. 2. 1877 Guimarães.
Stud. a. d. Kstschule in Porto, Schüler von Marques de Oliveira, João Correia, Marques Guimarães u. Ant. Sardinha an d. Schule in Porto u. von J. P. Laurens u. B. Constant in Paris. Mehrere Preise u. ehrenvolle Erwähnungen. Dekorationen u. Gemälde u. a. im Bes. der Soc. Martins Sarmento im Nat.-Mus. zeitgen. Kst in Lissabon, im Mus. José Malhôa in Caldas da Rainha, im Mus. Alberto Sampaio in Guimarães u. im Rathaus ebda.
Lit.: Gr. Enc. Port. e Brasil., V 186. — Quem é Alguém, 1947 p. 175.

Cardoso (Assunção Ribeiro Card.), Alberto da, portug. Zeichner, * 27. 9. 1918 Elvas.

Stud. an d. Gewerbesch. Antonio Arroio in Lissabon; Schüler von Lino Antonio u. Paula Campos.

Lit.: Pamplona, p. 303.

Cardronnet, Antoinette, franz. Figuren- u. Porträtbildhauerin, * Douai (Nord), ansässig in Paris.

Schülerin von Ségoffin u. Fr. Sicard. Seit 1927 Mitglied der Soc. d. Art. Franç. (Salon-Kat. z. T. m. Abbn).

Lit.: Joseph, I.

Cardunets, Alejandro, katal. Landschaftsmaler, * Barcelona, ansässig ebda.

Malt in Öl u. Aquarell. Sammelausstellung im Ateneo in Madrid 1917 u. im Circulo Artistico in Barcelona 1917. Längerer Studienaufenthalt auf Majorca.

Lit.: Francés, 1917 p. 67, 384/87, m. Fotobildn. — Kat. d. Expos. Nac. de Pint. etc., Madrid 1910.

Carebul, Béatrice, franz. Landschaftsmalerin, ansässig in Paris.

Stellte 1920/31 bei den Indépendants, 1930/39 im Salon des Tuileries aus. Motive aus der Provence (Arles, Saint-Tropez), der Schweiz, Italien, Spanien.

Lit.: Joseph, I. — Bénézit, [2] II. — La Renaiss. de l'Art franç., 10 (1927) 152. — Beaux-Arts, 75e année, Nr 236 v. 9. 7. 1937, p. 8, m. Abb.

Carell, Gösta, schwed. Medailleur u. Bildhauer, * 1888 Stockholm, ansässig in Ängby.

Stud. in Kopenhagen u. New York. Dort 4 Jahre Assistent bei Vict. David Brenner. Kehrte 1920 nach Schweden zurück. Statuen Gustafs III. u. C. L. J. Almquists im Börsensaal in Stockholm.

Lit.: Thomœus. — Konstrevy, 1937, p. 55, m. Abb., 1938, Spez.-Nr: Skulptur, p. 53/54, m. Abbn, 55, m. Text u. Fotobildn. — Nyt Tidsskr. f. Kunst, 1937, p. 130ff., passim, m. Abb.

Carell, Lars, schwed. Bildnis-, Landschafts- u. Stillebenmaler, * 1893 Stockholm, ansässig in Skövde.

Schüler von Helmer Osslund. Studienaufenthalte in Deutschland.

Lit.: Thomœus.

Carelli, Augusto, ital. Figuren-, Bildnis- u. Landschaftsmaler, Bühnenbildner u. Kunstkritiker, * 7. 7. 1873 Neapel, ansässig in Rom.

Schüler von Toma, Lista u. Dom. Morelli. Lebte 1895–1917 in St. Petersburg (Leningrad). 5 Jahre als Bühnenbildner für das Teatro Costanzi in Rom tätig. Bedeutender Kolorist. Breiter malerischer Vortrag. — Bild: Auf dem Balkon, in der Gall. d'Arte Mod. in Rom.

Lit.: Comanducci. — Chi è?, 1940. — Rass. d'Arte, 22 (1922) 58/65, m. 7 Abbn.

Carena, Felice, piemont. Figuren-, Bildnis-, Landschafts- u. Blumenmaler, * 13. 8. 1879 (Costantini: 1880) Cumiana (Turin), ansässig in Venedig.

Schüler von Giac. Grosso. Tätig in Rom. Seit 1925 Prof. an der Florent. Akad. Anfängl. schwankend zwischen ganz verschiedenen Richtungen (Carrière, Whistler, Cézanne, Bellini, Tizian, Rubens), hat dieser bedeutende Kolorist später seinen eigenen Stil gefunden, wovon Bilder wie das große, von einem kraftvollen Verismus erfüllte Atelierstück von 1927 in Pittsburgh, USA, das Bildnis der Donatella von 1932, Die Frau in der Hängematte u. Das Volkstheater, beide von 1933, Zeugnis ablegen. — 3 Bilder in d. Gall. d'Arte Mod. in Rom. Weitere Bilder u. a. in den Gall. d'Arte Mod. in Florenz, Turin u. Venedig, im Mus. Revoltella in Triest, im Kunsthaus in Zürich, im Musée du Jeu de Paume in Paris u. im Mus. westeurop. Malerei in Moskau.

Lit.: Th.-B., 5 (1911). — A. Maraini, F. C., pittore (Arte Mod. Ital., Nr 16), 1930, m. Bibliogr. — Comanducci, m. Abb. u. Taf. 17. — Costantini, p. 303/10, m. 4 Abbn u. 480. — Chi è?, 1940. — A. M. Brizio, Ottocento, Novecento, Turin 1939. — Bénézit, [2] 2 (1949). — D. Kst, 25 (1911/12) 536 (Abb.), 537 (Abb.), 538; 67 (1932/33) 156 (Abb.), 157 (Abb.), 158/59 (Abbn); 69 (1933/34) 353 (Abb.); 81 (1939/40) 249 (Abb.), 251 (Abb.). — Emporium, 39 (1914) 403/16, m. 20 Abbn u. Taf.; 73 (1931) 331f., m. 2 Abbn, 334; 79 (1934) 291 (Abb.), 293; 365 (Abb.), 366 (Abb.); 81 (1935) 251 (Abb.); 83 (1936) 69/78, m. 10 Abbn; 84 (1936) 126, 143 (Abb.); 87 (1938) 322; 90 (1939) 257, m. Abb.; 92 (1940) 23 (Abb.), 288 (Abb.). — Pagine d'Arte, 5 (1917) 6f., m. Abb.; 6 (1918) 16 (Abb.). — Dedalo, anno 3, vol. 3 (1923) 649ff., m. Abbn; a. 5, vol. 2 (1925) 530/34, m. 3 Abbn; a. 7 (1926/27) 186ff., m. 15 Abbn; a. 10 (1929) 394, m. Abb.; a. 11 (1930/31) 691 (Abb.), 692. — L'Arte, N. S. 10 (1939) 200f. — L'Art et les Art., 30 (1935) Nr 161, p. 5ff. passim, m. Abb.; 32 (1936) 230ff., passim, m. Abb. — L'Art Vivant, 1935, p. 156, m. Abb. — L'Amour de l'Art, 1935, p. 279ff., passim, m. Abb. — Critica d'Arte, 1936 p. 148. — L'Immagine, 1 (1947) 176. — Revue de l'Art anc. et mod., 1936/II 57ff. passim, m. Abb. — The Studio, 112 (1936) 297 (Abb.). — Kat. Ausst. zeitgenöss. toskan. Kstler, Ksth. Düsseldorf 1942, m. Taf.-Abb.

Carendi, Curt, schwed. Figuren-, Bildnis- u. Blumenmaler, * 1905 Vara, Skaraborgslän, ansässig in Sundbyberg.

Autodidakt. Arbeiten im Nat.-Mus. in Stockholm u. in den Museen in Norrköping u. Gävle.

Lit.: Thomœus. — Konstrevy, 1938, p. 78, m. Abb.

Carestiato, Antonio, ital. Bildhauer u. Medailleur, * 17. 11. 1900 Venedig, ansässig in Vigo di Fassa.

Debütierte 1927 in der Mostra dell'Opera Cardinal Ferrari in Venedig mit einem Hl. Franz. Beschickte 1938 die 9., 1939 die 10. Mostra sindacati interprov. di B. Arti in Venedig, 1931 die 1. Quadriennale, 1935 die 2. Quadriennale in Rom, ferner die 16., 17., 22., 23. u. 25. Biennale in Venedig.

Lit.: Emporium, 71 (1930) 339 (Abb.), 340; 72 (1930) 188; 87 (1938) 278. — E. Padovano, Diz. d. art. contemp., Mailand 1951. — Ausst.-Kat.: Mostra dell'opera Bevilacqua La Masa, Venedig 1932/35, m. Abbn; 17 Espos. internaz. d'arte, Venedig 1930, m. Abb.; 23 Esp. etc., Ven. 1942, m. Abb.; 1. Quadriennale d'Arte naz., Rom 1931, m. Abb.; 2. Quadriennale, Rom 1935, m. Abb. *A. Gabrielli.*

Caretta, Rocco, ital. Landschaftsmaler, * 1888 Noventa Vicentina, ansässig in Florenz.

Ging jung nach Argentinien, bildete sich dort autodidaktisch durch Studium nach der Natur. Weitergebildet 1920ff. in Florenz. 1923 in Belgien, Frankreich u. Spanien. 1928ff. wieder einige Zeit in Argentinien.

Lit.: Comanducci.

Carew, Berta, amer. Miniaturmalerin, * 12. 3. 1878 Springfield, Mass., ansässig in Los Angeles, Calif.

Schülerin von Blashfield, Mowbray u. Wm. Chase in New York u. von Carlandi in Rom. Bild im Mus. of Hist., Science and Art in Los Angeles.

Lit.: Who's Who in Amer. Art, I: 1936/37. — Amer. Art Annual, 30 (1933).

Carey, Alice, verehel. *Blakeslee*, amer. Malerin, * 8. 1. 1908 Philadelphia, Pa., ansässig ebda.
Stud. an der Pennsylv. Acad. of the F. Arts.
Lit.: Who's Who in Amer. Art, I: 1936/37.

Carey, Rosalie, amer. Maler, * 8. 6. 1898 Baltimore, Md., ansässig in Riderwood, Baltimore Co., Md.
Schülerin von C. Y. Turner, H. McCarter, H. Breckenridge, Leon Kroll, O. Friesz, F. Léger, Ozenfant u. Lhote.
Lit.: Who's Who in Amer. Art, I: 1936/37.

Cargnel, Vittore, ital. Genre- u. Landschaftsmaler, * 1872 Venedig, † 14. 6. 1931 Mailand.
Schüler von Ces. Laurenti. Bilder u. a. in d. Gall. d'Arte Mod. in Venedig u. in den städt. Gal. in Novara, Piacenza u. Udine.
Lit.: Th.-B., 5 (1911). — Comanducci, m. Abb. — Bénézit, [2] 2 (1949).

Cariani, Varaldo, ital. Maler, * 8. 2. 1891 Renazzo, ansässig in Nashville, Ind.
Schüler der Nat. Acad. of Design in New York u. der dort. Art Student's League.
Lit.: Who's Who in Amer. Art, I: 1936/37. — Amer. Art Annual, 30 (1933). — Art Digest, 17, Nr v. 1. 10. 1942, p. 17 (Abb.).

Cario, Marcel Louis, franz. Landschaftsmaler, * 22. 6. 1889 Le Havre, † 4. 2. 1941 Asnières (Seine).
Schüler von G. Ferrier u. Cl. Monet. Stellt in den Salons des Art. Indépendants u. der Soc. Nat. d. B.-Arts aus.
Lit.: Joseph, I. — Bénézit, [2] II.

Carion, Marius, belg. Maler, Pastellzeichner u. Rad., * 1898 Blaugies.
Album: Visages du Pays noir, 1931 (10 Rad.).
Lit.: Seyn, I. — Kat. d. Ausst. Wallonische Kst, Düsseldorf 1942, m. Abb.

Cariot, Gustave Gaston, franz. Landschaftsmaler, * 28. 6. 1872 Paris, † 1940 (?) Mandres (Seine-et-Oise).
Autodidakt. Beschickte bis 1939 den Salon d'Automne, den Salon der Soc. Nat. d. B.-Arts (seit 1912 deren Associé) u. den Salon des Indépendants.
Lit.: Th.-B., 5 (1911). — Joseph, 1. — Bénézit, [2] 2. — Beaux-Arts, 12. 4. 1946, p. 2.

Carius, Otto, dtsch. Landsch.-Maler u. Lithogr., * 29. 10. 1914 Jena, ansässig in Lobeda.
Lit.: Kat. d. Ausst.: Jenaer Landsch. in Malerei u. Graphik, Stadtmus. Jena 29. 5./22. 6. 1952.

Carl, Katharina Augusta, amer. Malerin u. Lithogr., * New Orleans, La., † 1938 New York.
Schülerin von J. P. Laurens u. G. Courtois in Paris. Mitgl. d. Soc. Nat. d. B.-Arts. Bereiste China, wo sie Bildnisse des Kaisers u. der Kaiserin malte (Nat.-Mus. Washington).
Lit.: Th.-B., 5 (1911). — Fielding. — Amer. Art Annual, 30 (1933). — Bénézit, [2] 2 (1949).

Carl-Nielsen, Anne Marie, s. *Nielsen*.

Carlberg, Bengt, schwed. Landschaftsmaler u. Presse-Zeichner, * 1897 Nordmaling (Ångermanland), ansässig in Stockholm.
Stud. in Stockholm. Bereiste Holland u. Frankreich. Pleinairist. Hauptsächl. Motive aus Frankreich.
Lit.: Thomœus.

Carlberg, Hugo, schwed. Maler (Öl u. Aquar.), * 25. 6. 1880 Nässjö, ansässig in Lund.
Schüler von Aug. Malmström (1899/1900) u. der Akad. Stockh. (1900/05). Studienaufenthalte in Deutschland, Holland, Belgien, Paris (1905/07). 1922/23 in Kopenhagen. Bilder u. a. im Nat.-Mus. in Stockholm (Begräbnis in Vrigstad), in d. Univ.-Smlg in Lund, im Mus. in Malmö (Frühlingsabend; Wintertag) u. im Palace of F. Arts in San Francisco (Holzfuhrwerke auf d. Eise).
Lit.: Vem är det?, 1935. — N. F., 4. — Thomœus. — Vem är Vem i Norden, 1941, p. 1017. — Konstrevy, 1932, p. 161; 1938, H. 1, p. IX.

Carlberg, John, schwed. Landschaftsmaler (Gouache u. Aquar.), * 1904 Dingtuna, Västmanland, ansässig in Sundbyberg.
Stud. an der Kstindustrieschule in Stockholm u. im Ausland.
Lit.: Thomœus.

Carlberg, Louise, geb. *Peyron*, schwed. Landschaftsmalerin, * 1911 Stockholm, ansässig ebda.
Stud. bei Otte Sköld u. an der Akad. in Stockholm, weitergebildet in Paris.
Lit.: Thomœus.

Carlborg, Hugo, amer. Metallkünstler u. Bronzebildner, * 11. 10. 1892 Minneapolis, Minn., ansässig in Providence, R. I.
Schüler von Alb. Atkins u. Henry Hunt Clark. Lehrer für Modellieren an der Zeichensch. in Rhode Island.
Lit.: Who's Who in Amer. Art, I: 1936/37. — Amer. Art Annual, 27 (1930) 515.

Carle-Dupont s. *Dupont*, Carle.

Carlègle, Emile Charles, eigentl. *Charles Egli*, schweiz. Holzschneider u. Maler, * 30. 5. 1877 Aigle (Kt. Waadt), † 9. 11. 1936 Paris.
Stud. an der Ec. d. B.-Arts in Genf u. bei Alfred Martin, Paris. Gehört zu den Erneuerern der Buchillustration. Mitarbeiter humorist. Zeitschriften wie: „Rire", „Sourire", „Vie Parisienne", usw. Illustr. u. a. zu: P. Loüys, Les Aventures du Roi Pausole; H. Duvernois, Crapotte; Th. Botrel, Chansons de route u. Les chants du bivouac; Ch. Fegdal, Petites âmes d'amour; P. J. Toulet, Mon amie Nane; Longus, Daphnis et Chloé; Pascal, Discours sur les passions de l'amour; P. Verlaine, Odes en son honneur; A. France, Thaïs; P. Fort, Florilège des Ballades; Ronsard, Elégie à Marie; J. Plattard, La Muse de Ronsard; Courteline, Le Train de 8 h 47; Sappho, Ode à la bienaimée. Exlibris, Katalogumschläge usw.
Lit.: Salaman, p. 78. — Joseph, I. — Bénézit, [2] II (falsch. Todesjahr). — M. Valotaire, E. C. C. Etude crit. (Les Arts du Livre), Paris 1928, m. 30 Taf. — Art et Décor., 31 (1912) 1/11. — The Studio, 95 (1928) 438/43, m. 3 Abbn; 97 (1929) 349 (ganzseit. Abb.). — La Renaiss. de l'Art franç., 3 (1920) 35/37, 203 (Abb.), 210; 12 (1929) 27f. (Abbn). — L'Amour de l'Art, 12 (1931) 461. — Revue de l'Art anc. et mod., 51 (1927) 80; 71 (1937) 343f., m. Abb.

Carles, Arthur, amer. Maler, * 1882 Philadelphia, Pa., ansässig ebda.
Schüler von Th. B. Anshutz u. Wm. Chase. Weitergebildet in Paris, wo er sich den Fauves u. den Kubisten anschloß. Figürliches, Bildnisse, Stilleben. Feurige, aufregende Farben. Lehrtätig an der Pennsylvania Acad. Ebda Bildnis e. Schauspielerin in der Rolle der Kleopatra u. die Marseillaise. Kol-

lektiv-Ausst. März 1946 im Mus. in Philadelphia (ill. Kat.).

Lit.: Fielding. — Amer. Art Annual, 30,(1933). — Who's Who in Amer. Art, I: 1936/37. — Monro. — Amer. Art News, 21, Nr 8 v. 2. 12. 1922, p. 1, m. Abb. — Philadelphia Mus. Bull., 37 (1942) Mai-H. p. 9 (Abb.); 41 (1946) März-H. p. 33/64. — Art Digest, 20, Nr v. 1. 3. 1946, p. 8. — Pennsylv. Mus. Journal, 1930 Nr 136, p. 25f., m. Abb.

Carles, Domingo, katal. Maler, * Mai 1888 Barcelona.

Stellt seit 1913 bei den Indépendants in Paris aus.

Lit.: Bénézit,[2] 2 (1949). — Athenæum, 30. 1. 1920, p. 154. — Vell i Nou (Barcelona), Epoca II, vol. I (1920), p. 33/35.

Carlesi, Mario, ital. Bildhauer, * 27. 10. 1890 Livorno, ansässig in Lucca.

Schüler von A. Campreani (Zeichnen) u. A. Fazzi (Modellieren). Hauptsächl. Porträtist. Gefallenen-Denkmal in Livorno (1924).

Lit.: Chi è?, 1940.

Carletti, Mario, ital. Maler u. Zeichner, * 5. 2. 1912 Turin, ansässig in Mailand.

Autodidakt. Bildnisse u. Stilleben.

Lit.: Disegni di M. C. Prefaz, dell'Artista (Arte Mod. Ital. Nr 44), Mail. 1945. — M. C. Aforismi dell'Artista, Mail. 1946, m. 10 farb. Taf.

Carli, Auguste, franz. Bildhauer, * 2. 7. 1868 Marseille, † 1930 Paris.

Schüler von Cavelier, Barrias u. Lombard. Seit 1898 Mitglied der Soc. d. Art. Franç., deren Salon er bis 1929 beschickte. Bildnisbüsten, Figürliches, Gruppen (Das Recht unterdrückt die Kraft).

Lit.: Joseph, I. — Bénézit,[2] II. — Beaux-Arts, 8 (1930), Heft 2 p. 24. — Bull. de l'Art, 1930/I p. 145.

Carlier, Maurice, belg. Maler u. Bildhauer, * 1894 Saint-Josse-ten-Oode.

Lit.: Seyn, I. — Beaux-Arts, 17. 4. 48 p. 3 bis u. 6 bis, m. 2 Abbn.

Carline, Richard, engl. Maler (Öl u. Aquar.) u. Kstschriftst., * 9. 2. 1896 Oxford, ansässig in London. Bruder des Folg.

Stud. bei P. Tudor-Hart u. an d. Slade School. Vertreten im Imperial War Mus. in London.

Lit.: Who's Who in Art, [3] 1934.

Carline, Sydney William, engl. Medailleur, Landsch.-, Figuren- u. Bildnismaler, * 14. 8. 1888 London, † Febr. 1929 Oxford. Bruder des Vor.

Stud. an der Slade School u. in Paris. Zeichenlehrer an der Univ. Oxford. Luftaufnahmen von Italien u. Palästina im Kriegsmus. in London. Med. auf die Schlacht bei Jütland.

Lit.: Forrer, 7, m. Abb. — Who's Who in Art, [2] 1929; [3] 1934; Obituary, p. 447. — The Burlington Magaz., 30 (1917) 239. — Athenæum, 19. 3. 1920, p. 375. — The Studio, 95 (1925) 147 (Abbn), 248f. — Artwork, 2 (1925/26) 133 (Abb.). — Apollo (London), 9 (1929) 133, m. Abbn, 195.

Carling, Henry, amer. Porträtmaler (bes. Pastellist), † Dez. 1932 St. Paul.

Anfängl. tätig in England. Kam als Cabin-Boy 9jährig nach Südafrika. Arbeitete dann als Porträtist in Australien u. Neuseeland, später in Europa u. den USA. Seit 1888 in St. Paul ansässig.

Lit.: The Art News, 31, Nr 13 v. 24. 12. 1932, p. 8.

Carlisle, Cecilia, geb. *Sacret*, engl. Bildnismalerin (bes. Miniaturistin), * 20. 6. 1882 Hounslow, Middlesex, ansässig in Birkenhead.

Stud. in Glasgow u. Liverpool.

Lit.: Who's Who in Art, [3] 1934.

Carlisle, Mary Helen, engl. Malerin, * Grahamstown, Südafrika, † 1925 New York.

Stellte seit 1891 in der Londoner Roy. Acad. aus.

Lit.: Th.-B., 6 (1912). — Bénézit, [2] 2 (1949). — Amer. Art Annual, 22 (1925).

Carlman, Conrad, schwed. Bildhauer, * 16. 1. 1891 Karlskrona, † 1945 Stockholm.

Stud. 1911/17 an der Akad. Stockholm. 1919 in Italien. 1920/23 mit Jenny-Lind-Stipendium in Deutschland, Italien u. Frankreich. - Denkmal G. Quiding in Karlskrona; Brunnen im Univ.-Krankenhaus in Uppsala; Standbild des Grafen Hans Wachtmeister in Karlskrona; Seefahrerdenkmale in Älvsnabben u. Karlshamn; Statue des hl. Stephanus in der Stephanskirche in Gävle.

Lit.: Vem är det?, 1925. — N. F., 21 (Suppl.). — Thomœus. — Ord och Bild, 46 (1937) Taf.-Abb. geg. p. 417. — Vem är Vem i Norden, 1941, p. 1019.

Carlsen, Dines, amer. Stillebenmaler, * 28. 3. 1901 New York, ansässig in Falls Village, Conn. Dän. Abkunft.

Schüler s. Vaters, des dän. Malers Emil C. (* 1853, † 1932). Bilder in d. Corcoran Gall. of Art in Washington, im John Herron Art Inst. in Indianapolis, Ind., u. im Sweat Mus. in Portland, Me.

Lit.: Fielding. — Amer. Art Annual, 30 (1933). — Who's Who in Amer. Art, I: 1936/37. — Art Digest, 21, Nr v. 1. 11. 1946, p. 21; 25, Nr v. 15. 10. 1950, p. 22. — The Studio, 73 (1918) 144. — Monro.

Carlsen, Flora Belle, amer. Malerin u. Bildhauerin, * 7. 3. 1878 Cleveland, Ohio, ansässig in New York.

Schülerin von F. C. Jones u. Matzen.

Lit.: Amer. Art Annual, 30 (1933). — Who's Who in Amer. Art, I: 1936/37.

Carlsen, John H., norweg. Maler u. Radierer, * 16. 12. 1875 Arendal, ansässig in Chicago, Ill., USA.

Lit.: Fielding. — Amer. Art Annual, 20 (1923) 467.

Carlson, Harry, amer. Maler, * 1895 Brooklyn, N. Y., ansässig ebda.

Lit.: Fielding. — Amer. Art Annual, 30 (1933).

Carlson, John Fabian, schwed. Landschaftsmaler, * 1875 Ukna, Småland, † 1945 Woodstock, N. Y.

Kam 1886 nach den USA. Stud. an der Nat. Acad. in New York. Bilder u. a. in Baltimore, in d. Public Art Gall. in Dallas, Texas, in d. Brooks Memorial Gall. in Memphis, Tenn., im Oberlin Coll. in Oberlin, Ohio, im Mus. in Toledo, O., in d. Corcoran Gall. in Washington, D. C., u. im Butler Art Inst. in Youngstown, Ohio. Kollektiv-Ausst. in den Katz Gall. New York, März 1911. Gedächtnis-Ausst. in den Grand Central Gall., New York, Januar 1947.

Lit.: Fielding. — Thomœus. — Amer. Art Annual, 30 (1933). — Who's Who in Amer. Art, I: 1936/37. — Earle. — Monro. — Amer. Artist, 6 (1942) Dez.-H., p. 12/18, 31; 9 (1945) Mai-H. p. 3. — Art Digest, 19, Nr v. 1. 4. 1945 p. 55; 21, Nr v. 1. 1. 1947 p. 15. — Amer. Art News, 9, Nr 21 v. 4. 3. 1911 p. 6; The Art News, 22, Nr 4 v. 3. 11. 1923, p. 1, m. Abb. — Fine Arts Journal, 31 (1914) 593, 594 (Abb.). — Museum News, Toledo Mus. of Art, 1917, Nr 29, m. Abb. — The Studio, 111 (1936) 356 (Abb.).

Carlson, Laurentz, schwed. Maler, * 1900 Linköping, ansässig in Malmslätt.

Schüler von Filip Månson in Stockholm. Figür-

liches, Landschaften. Arbeitet auch in Fresko. Vertreten im Mus. in Linköping.
Lit.: Thomœus, p. 163.

Carlson, Vilhelmina (Mina), geb. *Bredberg*, schwed. Malerin, * 1857 Stockholm, † 1943 ebda.
Stud. 1883/86 bei Amanda Sidvall, Boulanger u. Lefebvre an der Acad. Julian in Paris u. bei Carolus-Duran. 1889 in Deutschland u. Italien. 1890 in London. 1923/24 in Paris u. London. Bild im Nat.-Mus. in Stockholm.
Lit.: Th.-B., 6 (1912). — Thomœus, p. 163. — Vem är det?, 1935. — Kst u. Ksthandwerk (Wien), 16 (1913) 593.

Carlsson-Percy, Arthur, s. *Percy*, Arth.

Carlstedt, Mikko, finn. Maler, * 14. 4. 1892 Lundo, ansässig in Sääksmäki, Haaparinne.
Stud. in Helsinki. Studienreisen in Rußland, Frankreich (Paris), Dänemark. Mitgl. der Novembergruppe. Im Ateneum Helsinki: Toter Hase. Auch vertreten im Mus. in Turku.
Lit.: Vem och Vad?, Helsingf. 1936.

Carlström, Gustaf, schwed. Figuren- (bes. Akt-), Bildnis- u. Landschaftsmaler, * 1896 Göteborg, ansässig in Stockholm.
Stud. an Althins Malschule in Stockholm u. an der Akad. in Paris. Bilder in den Museen in Göteborg, Gävle u. Eskilstuna.
Lit.: Thomœus. — Konstrevy, 1929, p. 143 (Abb.); 1933, p. 41; 1935, p. 63 (Abb.); 1936, H. 2, p. V (Abb.); 1939, p. 37, u. Spez.-Nr: Göteborg, p. 56 (Abb.). — Art a. Industry, 46 (1949) 5 (Abb.).

Carlsund, Otto, schwed. Maler, Graphiker u. Kunstschriftst., * 11. 12. 1897 St. Petersburg (Leningrad), ansässig in Stockholm.
Stud. 1921/22 auf einer Privatschule in Dresden, 1922/23 bei Chr. Krohg an der Akad. in Oslo, 1924 ff. bei Fernand Léger u. A. Ozenfant in Paris. Folgt der surrealist. Richtung. Suchte dem Wesen der Malerei und besonders dem Farbenproblem von der wissenschaftlichen Seite beizukommen. Gründermitglied der Gruppe „Art Concret" (1929). Bilder im Nat.-Mus. in Stockholm u. im Mus. in Malmö.
Lit.: Vem är det?, 1935. — Thomœus. — Konstrevy, 1928, p. 131 (Abb.); 1930, p. 152 (Abb.); 1937, Spezial-Nr, p. 19 (Abb.). — Vem är Vem i Norden, 1941, p. 1021.

Carlu, Jacques, franz. Architekt, * 1890 Bonnières, ansässig in Paris. Bruder des Folg.
Schüler von Laloux u. Duquesne an der Pariser Ec. d. B.-Arts. 1919 Erster Rompreis (Entwurf für e. Palast der Liga der Nationen in Genf). Entwurf für einen Umbau des Pariser Trocadéro.
Lit.: Art et Décor., 61 (1932) 109/16, m. Abbn. — L'Art et les Art., 30 (1935) Nr 160 p. 30/31, m. Abb. — Beaux-Arts, Nr 134 v. 26. 7. 1935 p. 1 passim; Nr 159 v. 17. 1. 1936 p. 3, m. Abb. — L'Amour de l'Art, 1936, p. 209/16 passim, m. Abb. — Illustration, 1936/I, m. Abb.; 1937/I 359/60, m. Abbn. — Architecture, 1936, p. 109/11 passim, m. Abb.; 1937, p. 69–78, m. Abbn. — D. Kst u. d. schöne Heim, 49 (1951) Beil. p. 185, 245 (irrig Jean).

Carlu, Jean, franz. Werbekünstler (Plakate, Buchdeckel usw.), Gebrauchsgraphiker u. Dekorationsmaler, * 3. 5. 1900 Paris, ansässig ebda. Bruder des Vor.
Stud. zuerst Architektur. 18jährig durch Amputation Verlust des rechten Armes. Ging dann zur Werbekunst über. Schüler der Pariser Ec. d. B.-Arts. Künstler. Direktor der Seifengesellsch. „Monsayon".
Lit.: Bénézit,[2] 2 (1949). — Who's Who in Art,[3] 1934. — Die Kunst, 61 (1929/30) 75 (Abb.). — Art et Décor., 62 (1933) 345/52, m. Abbn; 63 (1934) 277f., m. Abb. — Beaux-Arts, Nr 142 v. 20. 9. 1935, p. 3, m. Abbn. — Illustration, 1936/I p. 153, m. Abb. — L'Amour de l'Art, 1936 p. 209/16 passim, m. Abbn. — The Art Index, New York 1928ff. passim.

Carmichael, Herbert, eigentlich *Schmalz*, engl. Bildnis-, Figuren-, Landsch.- u. Blumenmaler, * 1. 6. 1856 Ryton-on-Tyne, † Nov. 1935 London.
Vater: Deutscher (Gustav Schmalz, Dtsch. Konsul in Newcastle-on-Tyne), Mutter: Engländerin. Nahm nach dem 1. Weltkrieg den Namen s. Mutter an. Stud. an der Lond. Roy. Acad. u. der Akad. in Antwerpen. Bevorzugte religiöse u. mytholog. Sujets. Bilder u. a. in d. Nat. Gall. in Adelaide (Zenobias letzter Blick auf Palmyra), in d. Kirche in Chester (Maria Magdalena) u. in d. Gedächtniskap. in Stockport (Rabbuni).
Lit.: Th.-B., 30 (1936), s. v. Schmalz. — T. Blakemore, The Art of Herbert Schmalz, Lo. 1911. — Who's Who in Art,[3] 1934. — Mallett.

Carmichael, Warree, amer. Malerin, * 23. 1. 1910 Elba, Alaska, ansässig in Montgomery, Ala.
Schülerin von J. Kelly Fitzpatrick u. der Ec. d. B.-Arts in Fontainebleau. Seine-Landschaft bei Fontainebleau im Mus. in Montgomery, Ala.
Lit.: Who's Who in Amer. Art, I: 1936/37. — Amer. Art Annual, 30 (1933).

Carnegie, Rachel, engl. Bildnismalerin u. Rad., * 8. 10. 1901 London, ansässig ebda.
Stud. an der Slade School in London.
Lit.: Who's Who in Art,[3] 1934.

Carneiro (Teixeira Carn. junior), Antonio, portug. Porträtmaler, * 16. 9. 1872 (16. 11.?) Amarante, † 31. 3. 1930 Porto. Vater des Carlos.
Stud. a. d. Kstschule in Porto, Schüler von João Ant. Correia, von J. P. Laurens u. B. Constant a. d. Acad. Julian in Paris. Bronz. Med. auf der Ausst. in Paris 1900, St. Louis 1904 und Barcelona 1907. Prof. der Zeichenkst u. Direktor der Kstschule in Porto. Werke im Nat.-Mus. zeitgen. Kst in Lissabon, im Nat.-Mus. Soares dos Reis in Porto, in der Börse ebda (Wandgem. im Lesesaal), in S. Paulo (Camões liest die Lusiaden den Dominikanern vor), im Pal. Barahona in Évora (Ecce Homo; Abendmahl; Taufe Christi) u. im Mus. Grão-Vasco in Vizeu.
Lit.: Th.-B., 6 (1912). — Bénézit,[2] 2 (1949). — Gr. Enc. Portug. e Brasil., V 970. — Pamplona, p. 172. — The Studio, 114 (1937) 118 (Abb.), 119f.

Carneiro, Carlos, portug. Porträtmaler (Öl u. Aquar.) u. Zeichner, * 20. 9. 1900 Porto. Sohn des Antonio C. senior (* 1872, † 1930).
Stud. a. d. Kstschule i. Porto, Schüler s. Vaters u. des Marques de Oliveira. 2. Med. der Soc. Nac. de B. Artes (für Zeichnung). Stellte in Lissabon u. Porto seit 1925 aus. Ehrenmitgl. des Aquarellisten-Vereins in Antwerpen. Werke im Nat.-Mus. f. zeitgen. Kst in Lissabon, im Mus. Nac. de Soares dos Reis in Porto, im Mus. Nac. de Machado de Castro in Coimbra u. im Mus. Grão-Vasco in Vizeu.
Lit.: Pamplona, p. 372. — Gr. Enc. Portug. e Brasil., V 971. — Quem é Alguém, 1947 p. 178. — Bénézit,[2] 2 (1949).

Carneiro de Moura, Clementina, portug. Malerin, * 25. 9. 1898 Lissabon.
Stud. an der Kstsch. in Lissabon, Schülerin von Columbano Bordallo Pinheiro. Stellte 1920/22 in der

Soc. Nac. de B. Artes aus. 1948 Silva Porto-Preis. Vertreten im Mus. Nac. de Arte Contemp. in Lissabon u. im Mus. Grão-Vasco in Vizeu.

Lit.: Gr. Enc. Port. e Brasil., V 974. — Pamplona, p. 367.

Carnevali, Francesco, ital. Buchillustrator, Pressezeichner u. Aquarellmaler, * 8. 10. 1892 Pesaro, ansässig in Urbino.

Illustr. u. a. zu M. Ferrigni's „Ginevra degli Almieri", zu G. Fanciulli's „Sole di Occhiverdi" u. zu D. Valeri's „Il Campanellino". Mitarbeiter von „Giornalino della Domenica", „Secolo XX", „Le Vie d'Italia" u. and. Zeitschr.

Lit.: Comanducci. — Chi è?, 1940. — M. Tinti. F. C. illustratore, in: Risorgimento grafico, März 1924.

Caro-Delvaille, Henry, franz. Maler, * 6. 7. 1876 Bayonne, † Juli 1928 Paris.

Schüler von L. Bonnat u. Maignan. Seit 1904 Mitglied der Soc. Nat. d. B.-Arts. Gold. Med. auf d. Internat. Ausst. München 1905. Geschmackvoller Damenporträtist u. Aktmaler. Wiederholt in den USA. Im Luxembourg-Mus.: Meine Frau u. ihre Schwestern.

Lit.: Th.-B., 6 (1912). — Joseph, 1. — Bénézit, [2] 2. — L'Art et les Artistes, 15 (1912) 82/86, m. 4 Abbn; N. S. 7 (1923) 287, 352 (Abb.). — Beaux-Arts, 1 (1923) 111f.; 6 (1928) 211. — Bull. de l'Art, 1928 p. 299.

Caroggio, Rita, ital. Bildnismalerin, * 21. 3. 1887 Sampierdarena, ansässig ebda.

Schülerin von Ter. Monti u. Luigi De Servi in Genua.

Lit.: Comanducci.

Caroli, Arnaldo, ital. Buchillustrator, Bildnis- u. Genremaler, * 17. 9. 1892 Verona.

Schüler von Giac. Grosso u. Ces. Ferro.

Lit.: Comanducci.

Carolis (Karolis), Adolfo De, ital. Maler, Holzschneider, Buchillustrator u. Exlibriskünstler, * 6. 1. 1874 Montefiore (Ascoli Piceno), † 7. 2. 1928 Rom. Bruder des Folg.

Stud. zuerst in Bologna, dann in Rom, wo er der 1897 begründeten Gruppe „In Arte Libertas" angehörte. Dann Schüler von Nino Costa am Ist. di B. Arti in Florenz, an der er später als Lehrer wirkte. Beeinflußt von den engl. Präraffaeliten, bes. von D.G. Rossetti, als Graphiker von W. Crane u. Wm. Morris. Hat seine Hauptbedeutung als Freskant u. Illustrator. Wandmalereien u. a. im großen Saal des Palazzo del Podestà in Bologna, in der gr. Aula der Univ. Pisa u. in den Palazzi della Provincia in Arezzo u. Ascoli Piceno. Illustrationen u. a. zu den „Poemi latini" von Giov. Pascoli (ed. Zanichelli), zu den Tragödien des Äschylos (I Poeti greci tradotti da Ett. Romagnoli), 2 Bde, Bologna 1922, u. zu den Dichtungen des mit ihm befreundeten Gabriele D'Annunzio: Francesca da Rimini, La Figlia di Jorio, Fiaccola sotto il moggio, elegie romane, Fedra, Laudi u. Notturno. Einzelblätter (Holzschnitte): Die Nacht, Landschaft, Der Stapellauf, Das Steuerruder, Die Mütter, Die Danaïden, Die Ernte, Eros, Büste Dante's, usw. Gedächtnis-Ausst. in der Gal. Scopimich, Mailand 1929 (Kat. von M. Biancale, m. 19 Abbn).

Lit.: Th.-B., 19 (1926). — Comanducci, p. 182, m. Taf. 26. — Costantini, p. 98/100, 117, 330, m. 2 Abbn. — Byblis. Miroir des arts du livre et de l'est., 1927, p. 122/26, m. 2 Abbn. — Cronache d'Arte, 2 (1925) 77ff., m. Abbn; 3 (1926) 48; 5 (1928) 86. — Dedalo, 5 (1921) 332ff., m. Abbn; 8 (1927/28) 652. — Emporium, 28 (1908) 161f.; 29 (1909) 155/57; 48 (1918) 58/72; 68 (1928) 391f. — Die Graph. Künste (Wien), 56 (1933) 67. — Illustraz. Ital., 1908, sem. II, p. 225; 1909, sem. I, p. 242; 1918, sem. II, p. 35. — Picenum, Jan. 1913, p. 21/23, m. Abb. — Rass. d'Arte antica e mod., 21 (1921) 296, m. Taf. u. Abb. — Riv. Marchigiana Illustr., 1906, p. 9/15; 1908, p. 143. — Vie d'Italia, 1934, p. 153/59, m. 9 Abbn. — Vita d'Arte, 1908, vol. II, p. 151/56; 13 (1914) 249/59, m. Abbn; 14 (1915) 33; 15 (1916) Abb. geg. p. 49, 50, Abbn geg. p. 73 u. p. 75. — Il Nuovo Giornale (Florenz), 31. 1. 1925, m. Abbn (Fresken in Arezzo).

Carolis, Dante De, ital. Maler, Dekorator, Holzschneider u. Gemälderestaurator, * 16. 11. 1890 Acquaviva Picena (Ascoli), ansässig in Bologna. Bruder des Vor.

Stud. an der Akad. Florenz. Mitarbeiter s. Bruders Adolfo bis zu dessen Tode (1928). Pflegt bes. das Fresko.

Lit.: La Biennale di Venezia, 1933 p. 155. — L. Servolini, Tecnica d. Xilogr., Mail. 1935; ders., Diz. d. Incisori ital. mod. e contemp., 1952. — E. Toth, Az uj Olas z Fametszömüv., Debrecen 1938. — R. Avermaete, La Grav. sur bois mod. de l'Occident, Paris 1928, p. 295. — C. Ratta, L'Ex-libris mod., 1933. *L. Servolini.*

Caron, Marcel, belg. Maler u. Bildhauer * Enghien-les-Bains (Seine-et-Oise).

Ging nach anfänglicher Maltätigkeit zur Bildhauerei über. Stellte bei den Indépendants in Paris, 1948 im Salon in Lüttich aus.

Lit.: Bénézit, [2] 2. — Le Centaure, 2 (1927/28) 143 (Abb.). — La Revue d'Art (Antwerpen), 27 (1926) 4 (Abb.).

Carosi, Alberto, ital. Landschafts-, Genre- u. Tiermaler, * 15. 1. 1891 Rom, ansässig ebda. Bruder des Folg.

Schüler von P. de Tommasi, A. Bompianti u. s. Bruder Giuseppe. Mitgl. der Gruppe: 25 della Campagna Romana. Malt mit Vorliebe in Anticoli Corrado.

Lit.: Comanducci. — Vita artistica, 1 (1926) 35f. — Emporium, 92 (1940) 46, m. Abb.

Carosi, Giuseppe, ital. Bildnis-, Genre- u. Landschaftsmaler, * 13. 4. 1883 Rom, ansässig ebda. Bruder des Vor.

Schüler von D. Querci, A. u. Rob. Bompiani u. Paolo Bartolini. Mitglied der Gruppe „25 della Campagna Romana". Anfänglich Dekorationsmaler (Malereien im Pal. Vitale-Rosati in Fermo), später hauptsächlich Porträtist. Bild (Rückkehr aus dem Laufgraben) in d. Gall. d'Arte Mod. in Rom.

Lit.: Comanducci, m. Abb. — Emporium, 39 (1914) 237/40, m. 4 Abbn u. 1 Taf. — Boll. d'Arte, 11 (1917): Cronaca p. 49.

Carozzi, Giuseppe, ital. Landschaftsmaler, * 29. 6. 1864 Mailand, † 17. 2. 1938 Montecarlo.

Ging nach medizin. u. jurist. Studien 22jährig zur Malerei über. Schüler von Fontanesi, Fil. Carcano u. Leon. Bazzaro. Malte in s. Frühzeit mit Vorliebe Veduten von Chioggia mit mehr oder weniger anspruchsvoll auftretender Figurenstaffage. 1887 Fumagalli-Preis (Straßenszene aus Chioggia). In den Bildern seiner späteren Zeit, die den Einfluß Segantini's zeigen und von stärkster Intensität des Naturausdrucks erfüllt sind, fehlt meist eine Staffage; sie geben Ansichten aus der Valle della Fede, den Graubündener Alpen, dem Rhonetal, dem Schwarzsee bei Zermatt u. dem Engadin wieder. Im Luxembourg-Mus. in Paris eine Ansicht des von ihm öfter gemalten Monte Cervino. Weitere Arbeiten u. a. in d. Gall. d'Arte Mod. in Rom (Herbstdämmerung), im Kapitol. Mus. ebda (Die Mischabelkette) u. im Mus. in Brüssel (Sonnenuntergang).

Lit.: Th.-B., 6 (1912). — E. Zorzi, G. C., Venedig 1942. — Colombo, p. 23/28. — Comanducci, m. Abb. — Bénézit, [2] 2 (1949). — Natura ed Arte 19,

(1900/01) 837/48, m. Abbn. — Emporium, 35 (1912) 323/38, m. 22 Abbn, 1 Taf. u. Fotobildn. — Vita d'Arte, 10 (1912) 121f., 136/38. — La Cultura mod., 43 (1912/13) 227/33, m. 8 Abbn, 1 Taf. u. Fotobildn. — The Connoisseur, 61 (1921) 31 (Taf.), 57. — Pro Arte (Genf), 2 (1943) März, Beih. p. VI.

Carp, Hans, dtsch. Bildnismaler, * 20. 7. 1882 Düsseldorf, † 10. 2. 1936 ebda.

Stud. an den Akad. in Düsseldorf u. Amsterdam. Lehrer an der Malschule Düsseld. Künstlerinnen.

Lit.: Dreßler.

Carpanetti, Arnaldo, ital. Figuren- (bes. Akt-) Maler, * 15. 1. 1898 Ancona, ansässig in Mailand.

Schüler von Alciati an d. Brera-Akad. in Mailand. Principe-Umberto-Preis 1930 (Raub der Sabinerinnen). Preis der Biennale Venedig 1930 („Incipit novus ordo").

Lit.: Comanducci. — Emporium, 70 (1929) 370, m. Abb.; 74 (1931) 114 (Abb.); 79 (1934) 362 (Abb.); 81 (1935) 87, 103 (Abb.).

Carpanetto, Giovanni, piemont. Genre-, Bildnis- u. Landschaftsmaler, Illustrator, Plakat- u. Reklamezeichner, * 30. 9. 1863 Turin, † 26. 7. 1928 ebda.

Schüler von Gamba u. Gastaldi an d. Turiner Akad. 3 Bilder im Museo Civ. in Turin.

Lit.: Th.-B., 6 (1912). — Comanducci. — Bénézit, [2] 2 (1949). — Vita d'Arte, 12 (1913) 171, 175 (Abb.); 13 (1914) 23f., m. Abb. — Pagine d'Arte, 2 (1914) 155. — The Studio, 112 (1936) 308 (Abb.).

Carpeggiani, Evandro, ital. Bildhauer u. Holzschneider, * 22. 9. 1914 Quistello di Mantova.

Stud. an Liceo artist. in Bologna.

Lit.: Kat. d. Ausst. „Bianco e Nero", Modena 1941. — L. Servolini, Diz. d. Incisori ital. mod. e contemp., 1952. *L. Servolini.*

Carpenter, A. M., amer. Malerin, Zeichnerin, Rad. u. Lithogr., * 4. 1. 1887 Prairie Home, Mo., ansässig in Abilene, Texas.

Schülerin von D. C. Smith, C. A. Harbert u. E. E. Cherry. Bild: Auf der Viehweide, im Mansfield Coll. in Mansfield, La.

Lit.: Who's Who in Amer. Art, I: 1936/37. — Amer. Art Annual, 30 (1933).

Carpenter, Bernard, amer. Maler, * Foxboro, Mass., † 1936 Buffalo, N. Y.

Stud. in Europa. Direktor der Zeichenabteilg der Kunstsch. u. der Akad. in Buffalo u. der Albright Art Gall.

Lit.: Who's Who in Amer. Art, I: 1936/37. — Amer. Art Annual, 30 (1933).

Carpenter, Dudley Saltonstall, amer. Maler u. Illustr., * 26. 2. 1870 (1880?) Nashville, Tenn., ansässig in La Jolla, Calif.

Stud. an der Art Student's League in New York u. bei J. Laurens, B. Constant u. Aman-Jean in Paris. Hauptsächlich Landschafter.

Lit.: Th.-B., 6 (1912). — Fielding.

Carpenter, Fletcher, amer. Landschaftsmaler, * 27. 6. 1879 Providence, R. I., ansässig in Rochester, N. Y.

Schüler von Ernest Major. Gold. Med. Rochester-Exp. 1925.

Lit.: Fielding. — Who's Who in Amer. Art, I: 1936/37. — Amer. Art Annual, 30 (1933).

Carpenter, Fred Green, amer. Maler u. Zeichner, * 1. 6. 1882 Nashville, Tenn., ansässig in Webster Groves, Mo., sommers in Wyalusing, Wis. Gatte der Mildred.

Schüler von Laurens, Baschet, L. Simon u. Miller in Paris. Bilder u. a. im Herron Art Inst. in Indianapolis, Ind., in der Pennsylvania Acad. of the F. Arts in Philadelphia u. im Missouri State Capitol (Schlacht bei Sacramento, Einmarsch in Havana).

Lit.: Fielding. — Monro. — Who's Who in Amer. Art, I: 1936/37. — Amer. Art Annual, 30 (1933).

Carpenter, George Mulford, amer. Maler, * 1875 Brooklyn, N. Y., ansässig ebda.

Stud. an der Art Student's League in New York, bei H. Siddons Mowbray u. F. V. Du Mond.

Lit.: Th.-B., 6 (1912). — Bénézit, [2] (1949).

Carpenter, Mildred, geb. *Bailey,* amer. Malerin u. Illustr., * 19. 6. 1894 St. Louis, Mo. Gattin des Fred.

Schülerin von Richard E. Miller. Bild in der Hosmer Hall in St. Louis.

Lit.: Who's Who in Amer. Art, I: 1936/37. — Amer. Art Annual, 30 (1933). — The Art News, 44, Nr v. 15. 2. 1945, p. 13f.

Carpi, Aldo, ital. Figuren-, Bildnis- u. Landschaftsmaler, Illustr., Radierer, Lithogr. u. Entwurfzeichner für Glasmalerei u. Mosaik, * 6. 10. 1886 Mailand, ansässig ebda.

Schüler von Stef. Bersani u. Ces. Tallone. Lehrer an d. Schule der Brera-Akad. Erfindungsreicher Künstler, anfänglich einem mystischen Hange (zarte Koloristik) nachgehend, seit Mitte der 1920er Jahre in engerer Fühlung mit der Natur. Pflegt als Figurenmaler bes. das biblische Genre. Kreuzwegbilder in d. Pfarrk. Santa Maria del Suffragio in Mailand. Altarbild (Hl. Herz Jesu) in d. Kirche in Casoretto. Kirchenfresken. Bilder u. a. in den Gall. d'Arte Mod. in Florenz, Mailand, Venedig, in d. Gall. Ricci-Oddi in Piacenza u. in den Museen in Lima u. Budapest. Kartons für d. gr. Fenster im Mittelschiff von S. Simpliciano in Mailand mit Szenen aus d. Gesch. des Carroccio, für Fenster der Pfarrk. in Arcisate mit dem hl. Viktor, der Pfarrk. in Cernusco sul Naviglio, der Kirche SS. Biagio e Stefano in Belluno, der Kathedr. in Bengasi, für Mosaiken der capp. Marelli im Cimitero Monum. in Mailand. — Mappenwerk: Serbia Eroica (Zeichngn), Mailand 1918; Sull'Adriatico (20 Lith. mit Kriegsszenen), ebda 1919.

Lit.: Comanducci, m. Abb. — Costantini, m. 3 Abbn. — A. Portaluppi, A. C.: Via Crucis, Mail. 1933, m. 19 Taf. — Vita d'Arte, 13 (1914) 218, 219 (Abb.); 14 (1915) 27 (Abb.), 33, 36; 15 (1916) 2, 184. — Emporium, 40 (1914) 19 (2 Abbn); 48 (1918) 271f., m. 3 Abbn; 51 (1920) 104 (2 Abbn), 110; 64 (1926) 330f., m. 3 Abbn; 68 (1928) 148 (Abb.); 79 (1934) 347 (Abb.); 82 (1935) 239/48, m. 11 Abbn u. Selbstbildn.; 93 (1941) 112, 114 (Abb.). — Pagine d'Arte, 6 (1918) 57 (Abb.), 62, 92 (Abb.) u. Titelbl.-Abb. zu H. 11; 7 (1919) 2, 28, 29/31, m. 4 Abbn, 78 u. Titelbl.-Abbn zu Heft 4, 9 u. 12. — Rass. d'Arte ant. e mod., 20 (1920), Cronaca Nr 3 p. Vf., Nr 11/12, p. II, VI. — The Studio, 90 (1925) 62f., m. Abb.; 93 (1927) 140–43, m. 3 Abbn, dar. Selbstbildn.; 96 (1928) 41 (Abb.). — Vita artistica, 1 (1926) 75, m. Abb.

Carr, Alice Robertson, verehel. *de Creeft,* amer. Bildhauerin, * 3. 10. 1899 Roanoke, Va., ansässig in New York.

Schülerin von Stirling Calder, Albin Polaseck, A. Bourdelle u. José de Creeft. Im Woodland Park in Seattle, Wash.: Rose Garden-Brunnen u. Denkmal für Elk Harding.

Lit.: Fielding. — Who's Who in Amer. Art, I: 1936/37. — Amer. Art Annual, 20 (1923) 468. — Mallett.

Carr, Edith, engl. Bildnis- (Öl, Aquar., Miniatur) u. Historienmalerin, * 24. 2. 1875 Croydon, ansässig ebda.

Stud. an der Acad. Delécluse in Paris. Himmelfahrt Christi für die Kathedr. in Lebombo.

Lit.: Who's Who in Art, [3] 1934.

Carr, Emily, kanad. Landschafts- u. Marinemalerin, * 1871, † 1945.

Mehrere Arbeiten in der Nat. Gall. of Canada in Ottawa.

Lit.: The Nat. Gall. of Canada, Annual Report 1947/48, Ottawa 1949, p. 16, m. Abb. — The Studio, 129 (1945) 98 (farb. Abb.), 101 (Abb.). — Art Index (New York), Okt. 1944/April 1953.

Carr, Hamzeh, ägypt. Figuren- u. Bildnismaler, ansässig in den USA.

Kollekt.-Ausst. in der Wertheim Gall. New York 1933.

Lit.: Apollo (London), 18 (1933) 39. — The Bodleian, 18 (1926) H. 7, p. 108, Abb. nach p. 108. — Art a. Industry, 42 (1947) März-H. p. 79 (Abb.).

Carr, Henry Marvell, engl. Porträt- u. Landschaftsmaler, * 16. 8. 1894 London, ansässig ebda.

Mitgl. des Roy. Coll. of Art. Stellt in der Roy. Acad. aus. 1942/44 offizieller Maler der Brit. Armee.

Lit.: Bénézit, [2] II (1949). — The Connoisseur, 108 (1941) 219 (Abb.). — Artist, 31 (1946) Nr 6/8, m. Abb. — The Studio, 102 (1931) farb. Taf. p. 181; 135 (1948) 51 (Abb.); 145 (1953) 64 (Abb.).

Carr, Homer Denison, amer. Zeichner u. Maler, * 16. 8. 1885 Middletown, N. Y., ansässig in Worcester, Mass.

Schüler von Henry Hunt Clark.

Lit.: Amer. Art Annual, 27 (1930) 515.

Carr, Michael Carmichael, amer. Maler, Kupferstecher, Lithogr. u. Schriftst., * 25. 6. 1881 San Francisco, Calif., † 1929 Columbia, Mo.

Schüler von Wilson Steer, Fred. Brown u. Gordon Craig. Bild in der Öffentl. Bibliothek in Bordighera.

Lit.: Fielding. — Amer. Art Annual, 20 (1923) 468; 26 (1929): Obituary.

Carrà, Carlo, ital. Maler, Rad., Lithogr. u. Kunstschriftst., * 11. 2. 1881 Quargnento (Alessandria), ansässig in Mailand.

Bis zu s. 23. Jahr Dekorationsmaler, dann Schüler von Ces. Tallone an d. Brera-Akad. in Mailand. Später Prof. an derselben. Mit Boccioni u. Severini Begründer des Futurismus (1909), der in Opposition zu dem damals herrschenden Impressionismus trat. Hauptbilder dieser futurist. Periode: Rüttelnde Droschke u. Die Mailänder Galerie, beide von 1912. Ging um 1917 zur „metaphysischen" Malerei über, als deren Hauptvertreter er neben De Chirico u. Morandi gilt. Konstruktion seiner Bilder aus geometrischen Teilflächen. Hauptbilder dieser Zeit: Penelope, u.: Einsamkeit, beide von 1917. Tauscht um 1920 diesen abstrakten Frühstil gegen eine naturalist. Wiedergabe der Erscheinungen der sichtbaren Welt. Hauptbilder dieses von den frühen Florentinern, bes. Masaccio, mitbestimmten, der „Neuen Sachlichkeit" sich nähernden Stils der 1920er Jahre: Pinie am Meer (1921), Bildnis der Ginevra Pavoni (1922). Dieser harte, linear orientierte Stil weicht um Mitte der 1920er Jahre einer weichen malerischen Form unter Wahrung engster Fühlung mit der Natur. Hauptbilder: S. Giorgio Maggiore (1926), Mittag (1927), Stute mit Fohlen (1927), Wäscherei (1930), Rotes Gittertor (1930). Seit Anfang der 1930er Jahre wieder stärkere Betonung der plastischen Form u. kubische Stilisierung der stark vereinfachten Naturformen: Sommer (1931), Weibl. Halbakt (1932), Stilleben (1933), Athleten (1935). — Bilder in den Gall. d'Arte Mod. in Rom, Mailand, Turin u. Venedig, im Mus. du Jeu de Paume in Paris, im Mus. Revoltella in Triest (Frau, am Meeresstrande liegend; Abb. im Kat. 1933), in d. Gall. Ricci-Oddi in Piacenza, in der Gall. Cardazzo in Venedig u. in mehreren öff. Smlgn des Auslandes (Berlin, Budapest, Prag, Sofia, Zürich, Buenos Aires, Los Angeles). — Sonderausst. auf der Biennale Venedig 1950.

Als Schriftsteller Mitarbeiter an „Voce", „Popolo d'Italia", „Valori Plastici", „L'Italie Nouvelle", „L'Esprit nouveau" u. and. Zeitschriften. — Buchwerke (Auswahl): Guerrapittura, Mail. 1915; Pittura metafisica, Florenz 1919; L'Arte decorat. contemp., Mail. 1923; Giotto, Rom 1924; Schrimpf, Rom 1924; Pittori Romantici Lombardi, Bergamo 1932. Monographien über Boccioni, Derain u. Soffici. Selbstbiogr.: La mia Vita, Mail. 1945.

Lit.: A. Soffici, C. C., pittore (Arte Mod. Ital., Nr 11), 1928. — P. M. Bardi, C. e Soffici, Mail. 1930. — R. Longhi, C. C. (Arte Mod. Ital., Nr 11), Mail. 1937 (m. ausf. Lit.). — G. Raimondi, Disegni di C. C. (Arte Mod. Ital. Nr 38), Mail. 1942. — P. Torriani, C., Mail. 1942. — G. Pacchioni, C., Mail. 1945. — L. Vitali, L'Incisione ital. mod., Mail. 1934. — Walden. — Roh. — Einstein. — Comanducci, m. Abb. — Costantini, m. 2 Abbn. — Emporium, 68 (1928) 140f. (Abbn); 69 (1929) 174 (Abb.), 175; 71 (1930) 183, 184f., m. Abb.; 73 (1931) 328/30, m. Abbn; 75 (1932) 109, m. Abb.; 78 (1933) 351 (Abb.); 79 (1934) 357 (Abb.); 81 (1935) 68 (Abb.), 70, 203/16, m. Abbn; 83 (1936) 42, m. Abb., 44; 84 (1936) 72, 88 (Abb.), 124 l. u. r. Sp., 136 (Abb.); 87 (1938) 47 (Abb.), 48; 87 (1938) 273 (Abb.), 275; 88 (1938) 257ff.; 89 (1939) 190, 191 (Abb.); 92 (1940) 9, 25 (Abb.), 39; 93 (1941) 106, 108 (Abb.), 254, 286, 289 (Abbn), 314, m. Abb.; 94 (1941) 9, m. Abb., 196 (Abb.), 198 (Abb.), 200; 95 (1942) 93, 217ff., m. Abbn; 96 (1942) 281f., m. Abb., 446f., m. Abb., 494 (Abb.), 495, 496 (Abb.), 550, m. Abb. — Critica d'arte, 1 (1936) 251/58, m. 15 Abbn. — Le Arti, 1 (1938/39) 283/87, m. 6 Taf.-Abbn; 2 (1939—40) 367f., Taf. 151; 3 (1940/41) 279, Taf. 92. — bild. kst, 2 (1948) H. 11/12, p. 16, 17 (Abb.). — Boll. d'Arte, 1950 p. 287. — Die Kunst, 48 (1950) 362/65, m. 5 Abbn. — D. Kunst i. d. Schweiz, 1929, Taf. p. 163. — D. Kstwerk, 5 (1951) H. 3 p. 5 (Abb.), 6 (Abb.) — Thema (München/Gauting), 1949/50, H. 2 p. 31 m. Abb., 34 (Taf.-Abb.), — The Studio, 104 (1932) 188 (Abb.); 112 (1936) 299 (Abb.), 305 (Abb.) — Kat. der Ausst.: Ital. Kst d. Gegenw., München u. a. O. 1950/51; VI Quadriennale, Rom 1951/52, m. Abb.

Carraresi, Eugenio, ital. Figuren- u. Landschaftsmaler, * 1893 Livorno, ansässig ebda.

Schüler von A. Tommasi in Florenz.

Lit.: Comanducci.

Carrasco Espinosa, Gonzalo, mexik. Maler, * 18. 1. 1859 Otumba, Mex., † 19. 1. 1936 Puebla.

Stud. 1876/83 an der Akad. in Mexiko. 1884 in Spanien, kopierte im Prado. Trat 1884 bei den Jesuiten ein. Malereien in der Kirche des hl. Johann Nepomuk in Saltillo (1920) u. in der Pfarrkirche der Hl. Familie in Mexiko City (1924). Arbeitete gegen Ende seines Lebens in der Jesuitenkirche in Puebla. In der Gal. S. Carlo in Mexiko 2 Bilder, darunter: Hl. Ludwig u. die Pest in Rom.

Lit.: A. Carrillo y Gariel, Las Galerias de San Carlo, Mexico, D. F., 1950. *Benisovich.*

Carré, Georges Henri, franz. Porträt- u. Landschaftsmaler, * 31. 5. 1878 Marchais-Breton (Yonne), † 25. 12. 1945 Paris.

Schüler von F. Cormon, Gérôme u. J. P. Laurens. Mitglied der Soc. d. Art. Franç.

Lit.: Th.-B., 6 (1912). — Joseph, I. — Bénézit,[2] 2 (1949). — Beaux-Arts, 1934 Nr 53 p. 3, Sp. 3, m. Abb.; 1939, Nr 344 v. 4. 8., p. 3 (Abb.); v. 15. 2. 46 p. 2.

Carré, Gerda, dtsche Bildhauerin u. Malerin, * 11. 4. 1872 Schwandorf, ansässig in München.

Schülerin von Henri Waderé u. W. Dürr. Weitergebildet an der Acad. Colarossi in Paris (1902/03). Bildnisreliefs u. -büsten (Prof. Bauschinger, Techn. Hochsch. München; Fürst Fugger von Glött, Schloß Kirchheim), Blumenstücke, Bildnisse.

Lit.: Th.-B., 6 (1912). — Dreßler. — Vita d'Arte, 12 (1913) 159 (Abb.). — Die dtsche Frau, 3 (1913) Nr 49, p. 6, m. Abb.

Carré, Léon Georges, franz. Maler, Zeichner u. Radierer, * 1878 Granville (Manche), ansässig in Paris.

Seit 1899 Schüler von L. Bonnat u. L. O. Merson an der Pariser Ec. d. B.-Arts. Tierbilder, Landschaften, Pariser Straßenszenen. Malte seit seinem 1. Aufenthalt in Algier mit Vorliebe Orientszenen. 1909 Pensionär der Villa Abd-el-Tif. Spezialisierte sich nach längerem Spanienaufenthalt auf Darstellgn von Stierkämpfen. Im Bes. des Präsidiums des Senats in Paris ein Pastell: Dame mit Foxterrier Kollektiv-Ausst. März 1913 im Grand Palais.

Lit.: Th.-B., 6 (1912). — Bénézit,[2] 2 (1949). — L'Art et les Art., 18 (1913/14) 261/68, m. 11 Abbn, farb. Taf. u. Fotobildn.

Carré, Raoul, franz. Landschaftsmaler (Öl u. Aquar.), * Montmorillon (Vienne), † 1934 Paris.

Schüler von Gérôme u. L. O. Merson. Mitglied der Soc. d. Art. Franç., deren Salon er seit 1898 beschickte. Hauptsächlich Motive aus der Provence, Vaucluse u. Poitou.

Lit.: Th.-B., 6 (1912). — Joseph, 1. — Bénézit,[2] 2. — G.Kahn u. G.Turpin, R. C., Paris 1930.

Carreño, Mario, kuban. Landschaftsmaler, * 1913 Habana, ansässig ebda.

Stud. in Habana, Madrid, Mexiko, Paris u. New York. Beeinflußt von Picasso u. Guerrero Galván. Bilder u. a. im Mus. f. Mod. Kst in New York u. im Musée du Jeu de Paume in Paris. Koll.-Ausst. Paris (Bernheim jeune) 1939, New York (Perls) 1941, 47 u. 51, Habana (Lyceum) 1942.

Lit.: Kirstein, p. 47, 93f., Abb. p. 51. — M. C., Habana, Galería Lyceum, 1942, m. 10 Abbn (Ausst.-Kat.). — The Art News, 40, Sept. 1941, p. 10 (Abb.). — Art Digest, v. 15. 1. 43, p. 13 (Abb.); 1. 5. 45 p. 6 (Abb.); 15. 11. 45, p. 37, m. Abb.; 1. 12. 47, p. 21; 15. 11. 50, p. 30; 15. 1. 51, p. 21, m. Abb. — Bull. of Art Portland, Oregon, 6, Jan. 1945, p. [1]. — The Studio, 128 (1944) 157 (Abb.). — The Art News, v. 15. 11. 1945, p. 27; 45, Juli 46, p. 42 (Abb.); 46 Nov. 47, p. 41. — Bull. of the Pan.-Amer. Union, 81, März 1947, p. 129 (Abb.). — Design (Columbus, Ohio), 49, Febr. 48, p. 15 (Abb.). — Art Index (New York), Okt. 1941/April 1953.

Carrera, Augustin, franz. Figuren (bes. Akt-), Landsch.- u. Stillebenmaler, * 3.4.1878 Madrid, von franz. Eltern, ansässig in Paris.

Schüler von Bonnat u. Martin. Mitglied der Soc. d. Art. Franç., deren Salon er seit 1904 beschickte. Impressionist. Im Luxembourg-Mus. in Paris: Die Frau mit den blauen Strümpfen.

Lit.: Joseph, 1. — Bénézit,[2] 2 (1949). — L'Art décor., 23 (1910) 227. — Salmon, 1912 p. 67f. — Gaz. d. B.-Arts, 1926/I p. 329, 330 (Abb.).

Carrère, René, franz. Bildnis- u. Figurenmaler, * Paris, ansässig ebda.

Schüler von G. Ferrier u. T. Robert-Fleury. Seit 1913 Mitgl. der Soc. Nat. d. B.-Arts.

Lit.: Bénézit,[2] II. — Velhagen & Klasings Monatsh., 41/I (1926/27) farb. Taf. geg. p. 585.

Carrere, Robert Maxwell, amer. Wandmaler u. Architekt, * 30. 1. 1893 New York, ansässig ebda, sommers in Millbrook, N. Y.

Stud. an der Univ. des Pennsylvania Coll. of Archit. a. F. Arts in Philadelphia. Amer. Kirche in Florenz.

Lit.: Who's Who in Amer. Art, I: 1936/37.

Carreres Fernández, Vicente, span. Figurenmaler u. Illustr., * Valencia, jung † 1918 ebda.

Schüler der Akad. in Valencia. Malte hauptsächl. Valencianer Volksszenen u. Zigeunertypen. Zeichner. Mitarbeiter der „Esfera".

Lit.: Francés, 1918 p. 324/26, m. 2 Abbn. — Kat. d. Expos. Nac. de Pint. etc., Madrid 1910.

Carret, Jaime E., amer. Maler, † 1942 New York.

Lit.: Amer. Art Annual, 20 (1923) 468. — Art Digest, 17, Nr v. 15. 11. 1942, p. 15. — The Art News, 41, Nr v. 1. 12. 1942, p. 28 (Abb.).

Carrick, Edward, Pseudonym des *Craig,* Edw.

Carrick, William Arthur, schott. Architekt u. Landschaftsmaler, * 6. 6. 1879 Glasgow, ansässig in Symington, Lanarkshire.

Stud. in Glasgow.

Lit.: Who's Who in Art,[3] 1934.

Carrier-Belleuse, Pierre, franz. Maler, * 29. 1. 1851 Paris, † 1. 1. 1933 ebda.

Schüler s. Vaters Albert Ernest, Cabanel's u. Galland's. Landschaften, Genre, Bildnisse (bes. Pastell). Bilder u. a. im Musée de la Ville in Paris u. in den Mus. in Dünkirchen, La Rochelle, Le Puy, Reims, Versailles u. im Mus. f. Mod. Kst in Moskau.

Lit.: Th.-B., 6 (1912). — Bénézit,[2] 2. — Joseph, 1, m. 2 Abbn. — Bull. de la Soc. de l'Hist. de l'Art Franç., 1928 p. 258. — Revue de l'Art, 63 (1933 -I), Bull. p. 70 (Nachruf). — Art et Décoration, 62 (1933), Échos d'Art, Januar-Nr p. XI (desgl.). — The Art News, 31 (1932/33), Nr 15 p. 8 (desgl.).

Carrière, Jean René, franz. Bildhauer u. Maler, ansässig in Paris. Bruder der Lisbeth.

Sohn des Malers Eugène C. Beeinflußt von Rodin. Beschickte seit 1904 den Salon der Soc. Nat. d. B.-Arts mit weich modellierten Bildnisbüsten u. Statuetten. Zeigte im Salon d'Automne 1934 den Entwurf zu einem Denkmal für seinen Vater.

Lit.: Th.-B., 6 (1912). — Joseph, 1. — Bénézit,[2] 2. — Gaz. d. B.-Arts, 1919 p. 166, 167 (Abb.). — Les Arts, 1920 Nr 188 p. 19, 22 (Abb.). — L'Art et les Artistes, N. S. 14 (1926/27) 67f.; 24 (1932) 213. — Die christl. Kst, 23 (1926/27) 127. — Revue de l'Art, 66 (1934/II), Bull. p. 394 (Abb.).

Carrière, Lisbeth, verehel. *Delvolvé,* franz. Landschafts- u. Blumenmalerin, * Paris, † 1934 ebda. Schwester des J. René.

Tochter u. Schülerin des Eugène C. Stellte seit 1899 im Salon der Soc. Nat. d. B.-Arts aus. Kollektiv-Ausst. März 1912 in d. Gal. Marcel Bernheim.

Lit.: Th.-B., 6 (1912). — Bénézit,[2] 3 (1950) 166. — Salmon, 1912, p. 121. — Chron. d. Arts, 1902, p. 12; 1903, p. 19; 1912, p. 107. — L'Art et les Art., 15 (1912) p. 88/89, m. 2 Abbn.

Carrigan, William, amer. Maler, * 21. 9. 1868 San Francisco, Calif., † 1939 New York.

Schüler von Emil Carlsen.
Lit.: Who's Who in Amer. Art, I: 1936/37. — Amer. Art Annual, 30 (1933).

Carrington, Omar Raymond, amer. Maler u. Rad., * 15. 10. 1904 Philadelphia, Pa., ansässig in Washington.

Schüler der Pennsylvania Acad. of the F. Arts, von Garnet W. Jex, Benson B. Moore u. Eliot O'Hara.
Lit.: Who's Who in Amer. Art, I: 1936/37.

Carro, Yvonne, franz. Genre- u. Interieurmalerin, * Meaux (Seine-et-Marne), ansässig in Paris.

Schülerin von Noury Roger u. Jean Patricot. Mitglied der Soc. d. Art. Franç. (Salon-Kat. z. T. m. Abbn). Ehrenvolle Erwähnung 1928.
Lit.: Joseph, I. — Bénézit, [3] II.

Carroll, John, amer. Maler u. Lithogr., * 14. 8. 1892 Kansas City (nach and. Angabe Wichita), ansässig in New York.

Schüler von Frank Duveneck. Nach dem 1. Weltkrieg einige Zeit in New York u. Woodstock (Mitgl. d. Woodstock Connaunity). Erhielt 1926 das Guggenheim-Stipendium für weiteres Studium in Europa. Figürliches, Bildnisse, Landschaften. Kollektiv-Ausst. April 1932 in d. Rehn Gall. in New York (Zeichngn u. Aquarelle), Jan. 1946 im Detroit Inst. of Arts. Bilder in der Pennsylv. Acad. of the F. Arts in Philadelphia, im Mus. in Los Angeles, Calif., im Art Inst. in Detroit (hier auch einige Fresken), im Whitney Mus. of Amer. Art in New York, im John Herron Art Inst. in Indianapolis, Ind., u. im Mus. Toledo, O.
Lit.: Who's Who in Amer. Art, I: 1936/37. — The Internat. Who's Who [16] 1952. — Mellquist. — Monro. — Amer. Art Annual, 30 (1933). — The Art News, 32 Nr 7 v. 18. 11. 1933, p. 8; Nr 12 v. 23. 12. 1933, p. 13, m. Abb. — Bull. Addison Gall. of Amer. Art, Andover, Mass., 1941, p. 27. — Bull. of the Detroit Inst. of Arts, 13 (1931/32) 20, m. 2 Abbn; 15 (1935/36) 115/19, m. 3 Abbn; 17 (1937/38) 55; 26 (1947/48) 27. — Museum News, Toledo Mus. of Art, Nr 76 v. Sept. 1936, p. [6], [8] (Abb.). — The Studio, 107 (1934) 118, 119 (Abb.); 112 (1936) 290f.; 114 (1937) 217f., m. Abb.; 115 (1938) 229 (Abb.). — Art Index (New York), Okt. 1941/Okt. 1951. — The New York Times, 20. 4. 1932. — Painting in the Un. States 1949. Ausst. Carnegie Inst. Pittsburgh, Kat. m. Abb. Taf. 16. — Art Index (New York), Okt. 1947/Okt. 1951 passim.

Carrothers, Grace, amer. Malerin, Rad. u. Lithogr., * 15. 8. 1882 Abington, Ind., ansässig in Tulsa, Okla.

Schülerin von John F. Carlson u. Anthony Thieme.
Lit.: Who's Who in Amer. Art, I: 1936/37. — Amer. Art Annual, 30 (1933).

Carruth, Margaret Ann, s. *Scruggs.*

Carry, Marion Katherine, amer. Malerin, * 31. 1. 1905 Newport, R. I., ansässig ebda.

Schülerin von John R. Frazier. Bild im Mus. der Rhode Island-Zeichenschule in Providence.
Lit.: Who's Who in Amer. Art, I: 1936/37. — Amer. Art Annual, 30 (1933).

Carslake, Mary, engl. Holzschneiderin u. Illuminatorin, * 22. 6. 1904 Birmingham, ansässig in Alvechurch, Worcestershire.

Stud. an der Kunstsch. in Birmingham.
Lit.: Who's Who in Art, [3] 1934.

Carson, E. Francis (Frank), amer. Maler, * 8. 9. 1881 Waltham, Mass., ansässig in Boston, Mass.

Schüler der Art Student's League in New York. Bilder u. a. im Bes. der John Vanderpoel Art Assoc. in Chicago.
Lit.: Who's Who in Amer. Art, I: 1936/37. — Amer. Art Annual, 30 (1933).

Carspecken, George Louis, amer. Maler, * 27. 7. 1884 Pittsburgh, Pa., † 15. 7. 1905 Burlington, Iowa.

Stud. am Carnegie Inst. in Pittsburgh, wo sich sein Selbstbildnis befindet. Kurze Zeit in Paris. Erhielt 1902 den 1. Preis auf der Jahresausst. des Worcester Art Mus.
Lit.: Fielding. — Amer. Art Annual, 5 (1905/06) 119.

Carstairs, Stewart (James St.), amer. Landschaftsmaler, * 1892, † 18. 9. 1932 New York.

Stud. an der Harvard Univers. in Cambridge, Mass., in Oxford u. Paris. Lebte längere Zeit in Ostasien. Kollektiv-Ausst. in den Knoedler Gall. in London, Aug. 1925 u. 1929.
Lit.: The Art News, 31, Nr 1 v. 1. 10. 1932, p. 8. — The Connoisseur, 72 (1925) 181; 84 (1929) 125; 90 (1932) 346.

Carsten, Maria Petronella, holl. Malerin u. Rad., * 3. 9. 1893 Roermond.

Schülerin der Haager Akad. (1913/17) u. von Alb. Roelofs (1919/21).
Lit.: Plasschaert. — Waller.

Carstensen, Ebba, dän. Malerin * 23. 8. 1885 Eriksholm b. Helsingør (nach and. Nachricht bei Malmö), lebt. in Kopenhagen.

1905/10 Schülerin der Akad. Kopenhagen. Stellt seit 1908 auf Charlottenborg aus. Wiederholte Aufenthalte in Paris. 1929 in Italien u. Nordafrika, 1935 in Spanien. Figürliches, Interieurs, Stilleben.
Lit.: Krak's Blaa Bog, 1936. — Vem är Vem i Norden, Stockh. 1941, p. 65. — Konstrevy, 1935, p. 18f., m. 5 Abbn.

Carta, Sebastiano, sizil. Schriftst. u. Maler, * 4. 3. 1913 Priolo (Siracusa).

Beschickte u. a. folg. Ausstellgn: Associazione italo-sudamericana, Mai 1946; Quadriennale naz. d'arti figurative, Rom 1947; Amer. Federation of Arts, Washington 1950; Ital. Kst der Gegenwart, Wien 1950. Kollektiv-Ausst. in d. Gall. dell'Obelisco, Rom, Mai 1950. Vertreten in d. Gall. Naz. d'Arte Mod. Rom. Illustr. (Zeichngn) zu Ces. Zavattini, „I poveri non sono matti".
Lit.: Emporium, 104 (1946) 125. — Gazzetta Padana, 2. 5. 1950. — Paese Sera, 24. 5. 1950. — Vivere, 15. 2. 1947. *Palma Bucarelli.*

Carte, Anto, belg. Figuren- u. Landschaftsmaler, Lithogr. u. Rad., * 8. 12. 1886 Mons.

Schüler der Brüsseler Akad. (Lehrer: Montald, Fabry u. Delville). Hauptsächl. relig. Szenen. Auch Kartons für Teppiche u. Glasgemälde. Illustr. zu Dichtungen Verhaerens. Im Mus. Brüssel: Gründonnerstag; im Mus. Lüttich: Marter des hl. Sebastian. Kollektiv-Ausst. Febr. 1925 im Carnegie Inst. in Pittsburgh.
Lit.: Seyn, I. — Die Kunst, 57 (1927/28), 137, m. Abb.; 69 (1933/34) 358 (Abb.); 75 (1936/37) 209/12, 216, m. 3 Abbn. — Revue de l'Art anc. et mod., 44 (1923) 353 (Abb.). — Bull. de l'Art, 1927, p. 338 (Abb.). — Velhagen & Klasings Monatsh., 44/I (1929/30), Taf. nach p. 48, Text p. 126. — Art a. Archæology, 24 (1927) 185 (Abb.), 186. — The Connoisseur, 66 (1923) 121f. — Artwork, 2 (1926) 176. — The Art News, Vol. 23 Nr 18 v. 7. 2. 1925 p. 10; Nr 23 v. 14. 3. 25 p. 13, m. Fotobildn.

Carte, Ghislain, belg. Marine- u. Landschaftsmaler (bes. Aquar.), * 1891 Namur.
Schüler von C. Montald an der Brüsseler Akad. 1919/30 in Südfrankreich (Provence).
Lit.: Seyn, I.

Cartel, Octave, belg. Landsch.-, Figuren- u. Stillebenmaler, * 1884 Verviers.
Schüler der Brüsseler Akad.
Lit.: Seyn, I.

Carter, Albert Clarence, engl. Kleinplastiker u. Goldschmied, * 19. 6. 1894 London, ansässig in Bexley, Kent.
Stud. an den Lambeth Schools.
Lit.: Who's Who in Art, [3] 1934.

Carter, Clarence Holbrook, amer. Maler u. Rad. (Prof.), * 26. 3. 1904 Portsmouth, ansässig in Cleveland, Ohio.
Schüler von Henry G. Keller, Wm. J. Eastman, P. B. Travis u. Hans Hofmann. Arbeitete längere Zeit in Italien u. auf Sizilien. Landschaften, Figürliches, Stilleben, Tiere (Öl u. Aquar.). Wiederholt ausgezeichnet auf den Ausstellgn im Cleveland Mus. of Art. Arbeiten u. a. im Cleveland Mus. of Art, im Brooklyn Inst. of Arts, im Whitney Mus. of Amer. Art in New York. Wandgem. im Postgeb. in Ravenna, Ohio.
Lit.: Who's Who in Amer. Art, I: 1936/37. — Amer. Art Annual, 30 (1933). — Monro. — Brooklyn Mus. Quart., 20 (1933) Nr 2, p. 32 (Abb.). — Bull. of the Cleveland Mus. of Art, Clevel., Ohio, 15 (1928) 105, 108 (Abb.); 17 (1930) Abb. vor p. 87, 96 (Abb.), 123; 18 (1931) Abbn nach p. 90, 94 (Abb.); 20 (1933) 66 (Abb.), 69, 79 (Abb.), 100; 22 (1935) Abb. geg. p. 71, 73, 74, Abb. nach p. 80; 25 (1938) Abbn geg. p. 75. — The Studio, 110 (1935) 111 (Abb.). — College Art Journal, 10 (1951) 369, 413/17 (Aufsatz von C.: The Devil loves the Artist). — The Art Index (New York), Okt. 1941/Okt. 1952.

Carter, Dudley, amer. Bildhauer, * 6. 5. 1892 New Westminster, Canada, ansässig in Seattle, Wash.
Holzplastik: Wetteifer der Winde, im Seattle Art Mus. in Seattle (Kolossalgruppe. Nach einer alten ind. Sage von der Tochter des Bergbibers u. ihren 2 Freiern Seewind u. Nordwind).
Lit.: Who's Who in Amer. Art, I: 1936/37. — Amer. Annual, 30 (1933). — D. Weltkst, 6, Nr 39 v. 25. 9. 1932, p. 6.

Carter, Francis William, engl. Maler, * 18. 12. 1870 London, † April 1933 ebda.
Schüler von Legros an der Slade School. Bildnisse, Landschaften u. Interieurs.
Lit.: Who's Who in Art, [3] 1934, p. 75 u. 447.

Carter, Frederick, engl. Radierer, Kaltnadelst., Zeichner für den Holzschnitt u. Essayist, * 20. 5. 1885 Bradford, ansässig in Liverpool.
Stud. bei Fr. Short am Roy. Coll. of Art in London, dann an d. Acad. Julian in Paris u. an d. Ec. d. B.-Arts in Antwerpen. Associate der Roy. Soc. of Painter Etchers. Wurde zuerst bekannt durch eine in London 1916 veranstaltete Ausstellg s. Graphiken, zu deren Katalog er selbst das Vorwort schrieb. Sein Hang zum Symbolismus kommt zum Ausdruck in Blättern, wie: The Embankment (auch gen. The Sphinx), La Fin d'Harlekin, Moondshine usw. In späteren Jahren kommen hauptsächlich mit figürl. Staffage belebte Interieurs (Old Café Royal), Straßenansichten (Piccadilly Zircus Arcade) u. Landschaften (Rochemaurt, Alcantara Bridge, Toledo Blind Man's Holiday) vor. Zu seinen besten Bildnissen gehört das seines Freundes D. H. Lawrence. Illustr. zu Joseph Pennell's Buch: Pen Drawing, zu Byron: Manfred, zu D'Annunzio, Città Morte. — Buchwerk: The Dragon of the Alchemists, 1926.
Lit.: Who's Who in Art, [3] 1934. — Artwork, 1 (1924/25) 96 (Abb.); 4 (1928) 152. — Apollo (London), 9 (1929) 375, m. Abb.; 15 (1932) 293, m. Abbn. — The Print Coll.'s Quarterly, 20 (1933) 346/61, m. 9 Abbn.

Carter, Gordon Knowles, amer. Maler u. Rad., * 7. 3. 1902 St. Louis, Mo., ansässig in Webster Groves, Mo.
Schüler von F. Tolles Chamberlain, Clarence Hinkle u. Laurence Murphy. Stilleben im Arizona Mus. in Phoenix, Arizona.
Lit.: Who's Who in Amer. Art, I: 1936/37. — Amer. Art Annual, 30 (1933).

Carter, Norman St. Clair, austral. Porträt- u. Glasmaler, * 1875, ansässig in Sydney.
Stud. an der Kstsch. der Nat. Gall. in Melbourne. Bilder in den Nat. Gall. Melbourne u. Sydney. Farbige Glasfenster in zahlr. Landkirchen.
Lit.: The Internat. Who's Who, [16] 1952. — Mallett. — The Studio, 62 (1914) 202.

Carter, Reginald Arthur Lay, engl. humorist. Zeichner, * 4. 12. 1886 Southwold, ansässig in Haywards Heath, Sussex.
Lit.: Who's Who in Art, [3] 1934.

Carter, Robert, amer. Karikaturist, * 1873, † 1918 Philadelphia, Pa.
Lit.: Amer. Art Annual, 15 (1918): Obituary. — Gaz. d. B.-Arts, 1921/II, p. 167.

Cartier, Eugène, franz. Maler, Bildh. u. Graph., * Arles, ansässig in Clamart (Seine).
Schüler von Jean Carlus u. Jobbé-Duval. Mitglied der Soc. d. Art. Franç. (Kat. z. T. m. Abbn). Ehrenvolle Erwähnung 1926. Hauptsächl. Bildnisse u. Tiere. Sein Sohn u. Schüler Jacques ist Tiermaler.
Lit.: Joseph, I. — Bénézit, [2] II.

Cartier, Thomas, franz. Tierbildhauer u. Maler, * 21. 2. 1879 Marseille, ansässig in Paris.
Schüler von G. Gardet u. Victor Péter. Mitglied der Soc. d. Art. Franç. (Salon-Kat. z. T. m. Abbn). Gold. Med. 1927.
Lit.: Joseph, I. — Bénézit, [2] II.

Cartier-Bresson, Louis, franz. Genre- u. Bildnismaler, * 5. 10. 1882 Pantin, † 11. 5. 1915 (an Kriegsverwundung).
Schüler von Cormon. Prix Troyon 1907.
Lit.: Th.-B., 6 (1912). — Joseph, 1. — Bénézit, [2] 2. — Livre d'Or d. Peintres expos., 1921 p. XIII. — Ginisty, 1916 p. 14/16. — Bull. de l'Art anc. et mod., 1924 p. 72, 100, m. Abb.

Cartledge, William, engl. Bildnis-, Landschafts- u. Blumenmaler, * 30. 1. 1891 Manchester, ansässig in Pudsey, Yorkshire.
Stud. an der Kunstsch. in Manchester u. an der Slade School in London.
Lit.: Who's Who in Art, [3] 1934. — The Studio, 88 (1924) 159, m. Abb.

Carton, Viscardo, ital. Bildnis- u. Architekturmaler u. Freskant, * 5. 11. 1867 Verona, † 1928 ebda.
Schüler von Nap. Nani in Verona u. von L. Cavenaghi in Mailand. Fresken u. a. in d. SS. Immacolata bei Le Stimate. In d. Pinak. in Verona: Kanzel in San Fermo (Kat. 1910 p. 94).
Lit.: Th.-B., 6 (1912). — Comanducci. — Bénézit, [2] 2 (1949).

Cartotto, Ercole, ital. Bildnismaler u. -zeichner, * 26. 1. 1889 Valle Mosso, Piemont, † 1946 New York.

Schüler von Bosley, Paxton, Benson, Tarbell u. Hale. Sehr gewissenhafter, ins Minuziöse gehender Zeichner. Bilder in der Johns Hopkins Univ. in Baltimore, Md., im Metrop. Mus. in New York, in der Art Gall. in San Diego, im Cleveland Mus. of Art, im Pratt Inst. in Brooklyn, N. Y., in der Columbia Univ. in New York, im Smith Coll. Mus. of Art in Northampton, Mass., im Springfield Coll. in Springfield, Mass., in der Harvard Univ. in Cambridge, Mass., u. a. O. Kollektiv-Ausstellgn in den Milch Gall. in New York, April 1923 u. Dez. 1926.

Lit.: Who's Who in Amer. Art, I: 1936/37. — Fielding. — Monro. — Amer. Art Annual, 30 (1933). — Art Digest, 21, Nr v. 1. 11. 1946, p. 23. — The Art News (Amer. Art News), 21, Nr 26 v. 7. 3. 1923, p. 2; 25, Nr 9 v. 4. 12. 1926, p. 12; Nr 10 v. 11. 12. 1926, p. 11; Nr 34 v. 28. 5. 1927, p. 3 (Abb.).

Cartwright, Isabel Branson, amer. Bildnis- u. Blumenmalerin, * 4. 9. 1885 Coatesville, Pa., ansässig in Philadelphia, Pa.

Schülerin von Daingerfield, Henry B. Snell u. Frank Brangwyn.

Lit.: Who's Who in Amer. Art, I: 1936/37. — Amer. Art Annual, 20 (1923), Taf. geg. p. 414 (Bildn. H. B. Snell); 30 (1933). — Monro.

Carugati, Angelo, ital. Genre- u. Bildnismalerin, * 26. 3. 1881 Florenz, ansässig in Neapel.

Schülerin der Akad. in Neapel.

Lit.: Giannelli, m. Fotobildn. — Comanducci.

Carutti, Augusto, ital. Maler u. Radierer, * 16. 11. 1875 Pinerolo.

Schüler von Giacinto Tesio u. Clem. Pugliese-Levi. Bilder u. a. in d. Gall. d'Arte Mod. in Turin u. im Mus. Naz. in Buenos Aires.

Lit.: Comanducci.

Carvalheira, Maria Amélia, portug. Bildhauerin, * 5. 9. 1904 Gondarem.

Schülerin von Salv. Barata Feyo. 1948 Prämie Manuel Pereira. — Im Instituto de Assistencia a Familia in Lissabon: Der Kuß; Relief: Hl. Familie. Im Centro de Inquérito Assistencial ebda: Hl. Vincenz v. Paula. In Comissáriado da Mocidade Feminina ebda: N. Senhôra de Fátima.

Lit.: Neueste Jahrgänge d. Zeitschr. „Brotéria", „Flama" u. „Século Illustrado".

Carvallo, Terese, peruan. Malerin, * 1903 Lima, ansässig ebda.

Lehrtätig an der Nat. Kstschule in Lima.

Lit.: Kirstein, p. 102.

Carvallo-Schülein, Susanne, franz.-dtsche Malerin u. Radiererin, * 1. 7. 1883 Paris, ansässig in München. Gattin des Wolfgang Schülein.

Hauptsächlich Porträtistin (Damen u. Kinder). Mitgl. der Neuen Sezession. Sehr kultivierte, wohl an franz. Vorbildern erzogene Malerin.

Lit.: Dreßler. — D. Cicerone, 17 (1925) 148; 18 (1926) 235. — Dtsche Kunst u. Dekor., 65 (1929) 165/67, m. 5 Abbn u. 1 Taf.

Carvin, Louis Albert, franz. Tierbildhauer, * Paris, ansässig in Clamart (Seine).

Schüler von Frémiet u. Gardet. Mitglied der Soc. d. Art. Franç., beschickte deren Salon bis 1933.

Lit.: Joseph, I. — Bénézit, [2] II.

Casadei, Marco, ital. Landschafts- u. Stillebenmaler.

Kollektiv-Ausstellg 1941 u. 1942 in den „Terme" in Rom.

Lit.: Emporium, 94 (1941) 89, m. Abbn; 96 (1942) 359, 360 (Abb.)

Casadio, Luigi, ital. Bildhauer u. Medailleur, ansässig in Quito.

Prof. an der Kunstsch. in Quito. Statue einer kranzwerfenden Viktoria für den Fonte Vittorio Emmanuele in Rom. Medaille zur Erinnerung an den Sieg bei Pichincha mit dem Reiterbildnis des Generals Antonio José de Sucre, Marschalls von Ayacucho.

Lit.: Emporium, 32 (1910) 236, m. Abb. — La Renaiss. de l'Art franç., 7 (1924) 617, m. 2 Abbn.

Casadio, Pietro, ital. Bildnis-, Figuren- u Stillebenmaler, ansässig in Forlì.

Lit.: Emporium, 94 (1941) 285, m. Abb.

Casalini Baldelli, Robaldo, ital. Landschaftsmaler, * 11. 1. 1866 Mailand, † 1932 ebda.

Schüler von Silvio Poma.

Lit.: Comanducci.

Casamor de Espona, Antonio, katal. Figurenbildhauer, * Barcelona, ansässig ebda.

Schüler von José Dunyach.

Lit.: Kat. d. Ausst. Span. Kunst d. Gegenw., Berlin, Pr. Akad. d. Kste, 1942.

Casanova, Carlo, ital. Landschaftsmaler, Lithogr. u. Rad., * 21. 6. 1871 Crema, ansässig in Mailand.

Schüler von Bedeschi in Turin u. von Bersani in Mailand. Hauptblätter: Aless. Farnese; Piazza delle Erbe; Adigetto; Prozession.

Lit.: Comanducci, m. Abb. — Chi è?, 1940. — Emporium, 41 (1915) 183 (Abb.). — Arte Cristiana, 3 (1915) 113 (Abb.), 115 (Abb.). — Vita d'Arte, 15 (1916) 67f. (Abbn). — The Studio, 68 (1916) 66ff., m. 4 Abbn. — La Cultura Mod., 24 (1914/15) 514 u. 515 (Abbn), 516.

Casanovas, Enrique (Enric), katal. Bildhauer, * 1882 Barcelona.

Arbeitete in Frankreich, Belgien u. England. Folgte anfangs dem Impressionismus Medardo Rosso's u. Rodin's, ging dann unter dem Einfluß von Meunier u. Maillol zum Realismus über. Marmorgruppe: Alte Kunst, im Nat.-Pal. in Barcelona; Bronzefigur: Stehende Nackte, im Montjuich-Park ebda.

Lit.: J. Plá, E. C., Barcelona 1921 (Art. catalans contemp.), m. 27 Taf. — Francés, 1918, p. 234, 235 (Abb.). — Kinston Parkes, The Art of Carved Sculpture, Lo. 1932. — Museum (Barcelona), 3 (1913) 69f., m. 2 Abbn. — Le Veu de Catalunya, 12. 2. 1914, m. 2 Abb. — Vell i Nou (Barcelona), a. 4 (1918), Nr 58 p. 6ff.; Epoca 2, vol. 1 (1920) p. 37/40. — The Studio, 89 (1925) 314f., m. Abb. — Apollo (London), 16 (1932) 15/21, m. 6 Abbn.

Casanuova, Fabio, ital. Wandmaler u. Restaurator von Fresken, * 1877 Dolo (Venedig), ansässig in Pistoia.

Schüler der Akad. Florenz u. Venedig.

Lit.: Comanducci.

Casares, José, span. Landschaftsmaler u. Illustrator, * in Galicien.

Beeinflußt von japan. Kunst. Illustr. zu einer Gedichtsammlung von Rosalía de Castro.

Lit.: Arte Español, 6 (1922/23) 317/24, m. 5 Abbn u. Fotobildnis.

Casarini, Pino, ital. Figuren-, Bildnis- u. Landschaftsmaler (bes. Freskant), * 7. 6. 1897 Verona, ansässig ebda.

Kurze Zeit Schüler der Akad. Verona, in der

Hauptsache Autodidakt. Fresken im Sparkassengeb. in Verona (1929), im Dom zu Capodistria (1935), in der Kirche in Aniedo, im Ehrensaal des Municipio in Trento (Trient), 1936, u. im Pal. Reale in Bolzano (Bozen). Plast. Bühnenbilder für das Arena-Theater in Verona. Mosaiken für den Pal. Reale in Bozen.

Lit.: Comanducci, m. Abb. — Chi è?, 1940. — Emporium, 71 (1930) 48ff., m. 6 Abbn, 327 (Abb.); 78 (1933) 317, m. Abb.; 79 (1934) 349 (Abb.); 92 (1940) 9, 16 (Abb.).

Casas Abarca, Agapito, katal. Landschaftsmaler, * 28. 2. 1874 Barcelona, ansässig in Sarriá.

Autodidakt. Stellte auch häufig im Ausland (Dresden, Brüssel, London, Rom) aus.

Lit.: Th.-B., 6 (1912).

Casas Abarca, Pedro, katal. Figuren-, bes. Frauenmaler.

Kollekt.-Ausst. 1926 in der Gal. Layetanas in Barcelona.

Lit.: Francés, 1925/26 p. 418f.

Casas, Ramón, katal. Genre- u. Bildnismaler, Illustr. u. Plakatzeichner, * 5. 1. 1866 Barcelona, † 1932 Paris.

Schüler von Carolus-Duran in Paris. Tätig abwechselnd in Barcelona, Granada u. Paris. Bilder im Mus. Municip. in Barcelona u. im Mus. de Arte Mod. in Madrid. Ein Interieur im Mus. in Leipzig.

Lit.: Th.-B., 6 (1912). — Francés, 1915 p. 33/35; 1916 p. 80/86, m. 3 Abbn, 92; 1917 p. 232 (Abb.). — Bénézit, [2] 2 (1949). — Vell i Nou (Barcelona), Epoca II, Vol. I (1920) p. 136/41. — Butlleti dels Museus d'Art de Barcelona, 4 (1934) 29f., m. 1 Abb. (Selbstbildn.); 6 (1936) 318/20 passim, m. Abb. (Bildn. des Malers A. Mestres).

Cascella, Michele, ital. Landschaftsmaler u. Majolikakünstler, * 7. 9. 1892 Ortona a Mare (Chieti), ansässig in Mailand. Bruder des Tommaso.

Schüler s. Vaters, des Malers u. Majolikakstlers Basilio C. (* 1860). Von den franz. Impressionisten beeinflußt. Lyrisch gestimmte Begabung, feiner Farbensymphoniker. Hauptsächlich Ansichten aus den Abruzzen. Malte auch in Pastell u. Aquarell. Bilder u. a. in d. Gall. d'Arte Mod. in Mailand, im Mus. du Jeu de Paume in Paris., im Vict. a. Alb. Mus. in London, im Mus. Brüssel u. im Mus. in Grenoble.

Lit.: Giannelli, m. Fotobildn. — Comanducci. — Vincenzo Costantini, M. C., Mailand 1929. — C. E. Basile, Mostra di paesaggi ital. di M. C., Arona 1930. — Chi è?, 1940. — Costantini, m. Abb. — Bénézit, [2] 2 (1949). — Zeitschr. f. bild. Kst, 23 (1911–12) 121ff., m. 6 Abbn. — Rass. d'Arte degli Abruzzi etc., 1913, p. 101. — Emporium, 63 (1926) 61/64, m. 6 Abbn u. Fotobildnis; 69 (1929) 304, m. Abb.; 72 (1930) 370 (Abb.), 372; 79 (1934) 377 (Abb.); 83 (1936) 161, m. Abb.; 87 (1938) 164, 165 (Abb.); 91 (1940) 306. — Cronache d'Arte, 4 (1927) 43ff., m. Abbn. — Beaux-Arts, 9 (1931), Febr.-Heft p. 13 (Abb.); 10 (1932), Julih. p. 12 (Abb.). — D. Kunst, 69 (1933/34) 366 (Abb.).

Cascella, Tommaso, ital. Landschaftsmaler (Öl u. Pastell) u. Majolikakünstler, * 24. 3. 1890 Ortona a Mare (Chieti), ansässig in Pescara. Bruder des Michele.

Schüler s. Vaters, mit dem zus. er den Pal. Reale in Bozen (Bolzano) ausmalte. Stud. kurze Zeit a. d. Akad. in Rom, weitergebildet in Paris. Wandmalereien in d. Banca di Napoli in Pescara. Schilderungen aus dem Bauernleben in den Abruzzen u. aus dem 1. Weltkrieg. Seine häufig mit figürl. oder Tierstaffage ausgestatteten Landschaften sind oft von schwerer, düsterer Stimmung erfüllt, zu der die dumpfen Farben stimmen. Wandmalereien im Consiglio Provinc. in Aquila.

Lit.: Giannelli, m. Fotobildnis. — Comanducci. — Chi è?, 1940. — Bénézit, [2] 2 (1949). — Zeitschr. f. bild. Kst, N. F. 23 (1911/12) 121ff., m. 17 Abbn. — Vita d'Arte, 13 (1914) 88 (Abb.), 89. — Emporium, 79 (1939) 359 (Abb.); 94 (1941) 276 (Abb.), 277.

Casciaro, Guido, ital. Figuren- u. Landschaftsmaler, * 25. 7. 1900 Neapel, ansässig ebda.

Schüler seines Vaters, des Landschaftsmalers Giuseppe C. (* 1863). Begründete mit Nicola Fabricatore u. a. die Gruppe „Flegreo" in Neapel (1927).

Lit.: Chi è?, 1940. — Emporium, 68 (1928) 126f., m. Abb.

Caseau, Charles Henry, amer. Maler u. Gebrauchsgraph., * 2. 5. 1880 Boston, Mass., ansässig in New York.

Stud. an der Schule des Boston Mus. u. bei Denman Ross.

Lit.: Fielding. — Amer. Art Annual, 20 (1923) 468; 27 (1930) 515.

Casella, Alfredo, ital. Maler, * 1883, † 1947 San Francisco, Calif.

Lit.: Amer. Art Annual, 20 (1923) 469. — Emporium, 100 (1944) 50/55; 103 (1946) 86; 105 (1947) 253/55.

Casellato, Antonio, ital. Maler (Prof.), † 21. 1. 1909 Venedig, 30jährig.

Prof. an der Akad. in Venedig. Auf der Internat. Ausst. Venedig 1908 prämiert für sein Bild: Maria Magdalena.

Caser, Ettore, ital.-amer. Maler u. Radierer, * 1880 Venedig, † 1944 New York.

Schüler von de Maria in Venedig. Kam 1908 nach Boston, Mass. Silb. Med. auf der Panama-Pacif. Expos., San Francisco 1915. Gedächtn.-Ausst. Febr. 1945 in den Grand Central Gall. in New York.

Lit.: Fielding. — Amer. Art Annual, 30 (1933). — The Art News, 22, Nr 9 v. 8. 12. 1923, p. 7, m. Abb. — Art Digest, 19, Nr v. 1. 2. 1945 p. 13.

Casetti, Vittorio, ital. Figuren- u. Bildnismaler, * 25.5.1891 Rovereto, ansässig in Rom.

Malte während seiner russ. Kriegsgefangenschaft 1916 die Kirche in Pskoff aus, für die er auch einige Altarbilder malte. Anschließend entstanden in Kirsanoff einige Bildnisarbeiten. Seit Herbst 1916 wieder in Italien.

Lit.: Gerola, m. Abb. (Selbstbildn.).

Casey, John Joseph, amer. Maler u. Illustrator, * 1878 San Francisco, Calif., ansässig in New York.

Schüler von Tarbel u. Benson in Boston, dann von Laurens an der Acad. Julian in Paris.

Lit.: Fielding. — Amer. Art Annual, 20 (1923) 469; 27 (1930) 407.

Cash, Harold Cheney, amer. Bildhauer, * 20. 9. 1895 Chattanooga, Tenn., ansässig in Paris.

Figürliches u. Bildnisbüsten. Beschickt seit 1929 den Salon d'Automne, den Salon des Tuileries u. den Salon des Indépendants. Kollektiv-Ausst. Jan. 1930 in der Gal. La Renaissance in Paris.

Lit.: Joseph, 1. — Bénézit, [2] 2 (1949). — Amer. Art Annual, 30 (1933). — La Renaiss de l'Art franç., 13 (1930) 128 (3 Abbn); 14 (1931) 191, m. Abb.

Cashwan, Samuel, russ.-amer. Bildhauer, * 1900 in Rußland, ansässig in Detroit Mich.

Kam 6jährig mit s. Eltern nach den USA, lebte zuerst in New York, wo er seinen 1. Unterricht genoß, weitergebildet auf den Kstschulen in Paris u. New York. Im Inst. of Arts in Detroit eine Marmorstatue: Zwischenspiel (weibl. Akt).

Lit.: Bull. of the Detroit Inst. of Arts, 7 (1925/26) 42f., m. Abb.; 22 (1942/43) 41. — The Art News, 40, Nr v. 1. 2. 1942, p. 22 (Abb.). — Columbus Gall. of F. Arts Bull., 17 (1947) Febr.-H. — Amer. Artist, 11, Okt. 1947, p. 37 (Abb.).

Casorati, Felice, piemont. Maler. * 4. 12. 1885 (1886?) Novara, ansässig in Turin. Gatte der Folg.

Stud. anfangs die Rechte (Dr. jur.) und trieb musikal. Studien. 1907 Schüler von Giov. Viannello in Padua. 1908/1911 in Neapel, wo das Bild d. Gall. d'Arte Mod. in Rom: Le Vecchie, entstand. 1911/15 in Verona. Hauptbild dieser Periode: Le Signorine (Gall. d'Arte Mod. in Venedig). Seit 1919 in Turin. Mit diesem Zeitpunkt tritt eine durchgreifende Stilwandlung ein. Waren die Jugendwerke in dem damals allgemein herrschenden sezessionistischen Jugendstil unter besonderem Einfluß von München (Kandinsky) u. Wien (Klimt) gemalt, so setzt um 1920 unter dem Eindruck der Werke Cézanne's, die C. damals kennen lernte, eine ganz neue, plastisch orientierte Formgebung ein, deren erstes Zeugnis das in diesem Jahr entstandene Bild im Besitz der Gattin des Künstlers: Eier auf dem Tische, ist. Diese neue, streng gesetzmäßige, dem Neoklassizismus sich nähernde Form, die in Verbindung mit einer kühlen, bisweilen fast glasigen Farbe auftritt, überträgt C. in den darauffolgenden Jahren auf das Figurenbild u. das Porträt. Thematisch steht im Mittelpunkt seiner Kunst der weibl. Akt. In der Darstellung desselben geht er jeder Bewegung aus dem Wege, gibt ihn vielmehr stillebenartig in ruhender oder sitzender Pose oder in ruhiger statuarischer Haltung wieder. Gewisse Beeinflussung durch die ital. Quattrocentisten (Mantegna) verrät sich in der Bildung der Hintergründe, die er gern mit in perspektivischer Verkleinerung wiedergegebenen Figuren füllt. Dieser harte, linear gestimmte und im wesentlichen auf die Wirkung des Umrisses abgestellte Stil der 1920er Jahre macht gegen Ausgang derselben einer mehr malerisch orientierten und weicheren Formgebung Platz. Das dekorative Element, das die gesamte Malerei C.s beherrscht, behält dabei seine Geltung. Hauptbilder der 20er Jahre: Der mantegnesk in direkter Frontansicht perspektivisch verkürzt dargestellte Akt eines schlafenden Mädchens, ehemals in der Gall. d'Arte Mod. in Mailand, 1931 in München verbrannt, die Doppelakt-Komposition: Meriggio (1922), im Mus. Revoltella in Triest, Das Atelier, in Genueser Privatbesitz, die große, 6 Akte enthaltende Komposition: Concerto (1924), in Mailänder Privatbes. u. das Bildnis der Gattin von 1928 bei Ugo Ojetti in Florenz. Charakteristische Beispiele des Stils der 30er Jahre sind die Halbfigur eines Mädchens mit übereinandergeschlagenen Unterarmen im Musée du Jeu de Paume in Paris (1932), ein liegender Mädchenakt ebda (1934), die Familie des Künstlers in d. Gall. d'Arte Mod. in Rom (1933) u. das sitzende Mädchen in d. Gall. d'Arte Mod. in Turin (1937). Der ausgesprochen malerische Charakter dieser Bilder erfuhr eine weitere Intensivierung in der Produktion der 40er Jahre. — Außer den genannten Sammlungen befinden sich Werke C.s in den Gall. d'Arte Mod. in Florenz u. Genua, im Ksthaus in Zürich, im Mus. in Brüssel, in d. Albertina in Wien, im Mus. in Budapest, im Mus. westeurop. Malerei in Moskau u. in einigen Galerien der USA (Boston, New York, Detroit, Pittsburgh).

Lit.: Th.-B., 6 (1912). — R. Giolli, F. C. (Arte mod. ital., Nr 5), Mailand 1925. — Alb. Galvano, F. C. (Arte Mod. Ital., Nr 5), Mail. 1940. — Italo Cremona, F. C. (Art. Ital. contemp., Nr 1), Turin 1942. — Giannelli, m. Fotobildn. — Comanducci, m. Abb. — Costantini, p. 245/50 u. 480f. — Vita d'Arte, 14 (1915) 27 (Abb.), 35. — The Studio, 65 (1916) 140f.; 88 (1924) 136, m. Abb.; 95 (1928) 136 (Abb.); 99 (1930) 363 (Abb.); 112 (1936) 300 (Abb.), 305 (Abb.). — Dedalo, 4/I (1923/24) 238ff., m. Abbn; 10 (1929/30) 701 (Abb.). — Cronache d'Arte, 2 (1925) 3ff., m. Abbn. — Dtsche Kst u. Dekor., 56 (1925) 71/76, m. 1 Abb. u. 3 Taf. — D. Kunst, 55 (1926/27) 11 (Abb.); 59 (1928/29) 30, 32 (Abb.); 61 (1929/30) 188–93, m. 1 Taf. u. 5 Abbn; 69 (1933/34) 349 (Abb.); 81 (1939/40) 252 (Abb.). — Kst u. Kstler, 26 (1927/28) 396, 397 (Abbn), 398 (Abb.). — Die Kst in d. Schweiz, 1927 p. 70 (Abb.); 1929 Taf. p. 164. — Emporium, 68 (1928) 134 (Abb.); 70 (1929) 299 (Abb.), 300f.; 71 (1930) 279f., 281 (Abb.), 374 (Abb.); 73 (1931) 334f., m. Abb.; 74 (1931) 115 (Abb.), 118; 76 (1932) 2 (Abb.), geg. p. 44 (Abb.); 79 (1934) 360 (Abb.), 361 (Abb.); 81 (1935) 77 (Abb.), 85, 88; 84 (1936) 72, 88 (Abb.); 85 (1937) 212, 213; 87 (1938) 218 (Abb.), Abb. zw. p. 296 u. 319; 91 (1940) 46, 47 (Abb.); 92 (1940) 24 (Abb.), 153, m. Abb.; 93 (1941) 93, 95 (Abb.), 254; 94 (1941) 198 (Abb.); 95 (1942) 53/60, m. Abbn, 178f., m. Abb.; 96 (1942) 283 (Abb.), 286, 311, 312 (Abb.), 322 (Abb.), 323f., farb. Taf. zw. p. 330/31, 331 (Abbn), 411, 448, 449; 97 (1943) 248 (Abb.); 98 (1943) 34 (Abb.), 129f.; 102 (1945) 55/63; 103 (1946) 86 (Abb.), 250 (Abb.); 104 (1946) 53 (Abb.); 105 (1947) 254 (Abb.); 107 (1948) 202 (Abb.), 265 (Abb.). — The Arts (New York), 16 (1929/30) 601/04, m. 4 Abbn. — L'Arte, N. S. 1 (1930) 379/83. — Le Arti, 3 (1940–41) 204/05, u. Taf.-Abb. — D. Kstblatt, 13 (1929) 275/77. — D. Weltkst. 20 (1950) Nr 23, p. 10 (Abb.). — D. Werk, 28 (1941) 35 (Abb.). — Zeitschr. f. Kst, 2 (1948) 106ff. (Abbn), 114/19. — Kat. d. Ausst. Ital. Kst d. Gegenw., München u. a. O. 1950/51, m. Abb.

Casorati Maugham, Daphne, geb. *Hardy*, engl.-ital. Figurenmalerin, * 18. 12. ? London, ansässig in Turin. Gattin des Vor.

Schülerin ihres Gatten. Stilleben in d. Gall. d'Arte Mod. in Rom.

Lit.: Chi è?, 1940. — Emporium, 81 (1935) 54f., m. Abb.; 92 (1940) 23 (Abb.). — The Studio, 112 (1936) 304 (Abb.).

Caspar, Felicitas, s. *Köster-Caspar*.

Caspar, Karl, dtsch. Maler u. Lithograph (Prof.), * 13. 3. 1879 Friedrichshafen am Bodensee, ansässig in Brannenburg a. Inn. Gatte der Maria Caspar-Filser, Vater der Felicitas.

Stud. 1896/98 an der Stuttgarter Akad. bei J. Grünenwald u. L. Herterich, dem er 1898 nach München folgte. 1903 zurück nach Stuttgart, bis 1905 Studium bei R. v. Haug ebda. Seit 1907 in München selbständig; Mitglied der Sezession. 1922/37 Prof. an der Münchner Akad. Seitdem in Brannenburg ansässig. 1946 erneut an die Münchner Akad. berufen. Mitgl. der Neuen Sezession München (lange Zeit Vorsitzender). Anfänglich von der Beuroner Schule beeinflußt (Wandbilder f. d. Kirche in Heudorf, 1905), dann durch eine Italienreise 1906 von Fra Angelico angeregt. Um 1910 Stilwandlung: Zurücktreten des Zeichnerischen zugunsten des Malerischen; die Farbe wird tiefer u. satter. 1911 wieder in Italien. Kurze Zeit Einwirkung Greco's, an dessen Stelle dann Cézanne u. H. v. Marées treten. 1913 Gold. Medaille auf der Internat. Ausst. München 1913; Villa Romana-Preis 1913; Oberschwäb. Kstpreis 1952. Bis Ausbruch des 1. Weltkrieges in Florenz. — Seine Bildthemen meist dem biblischen Stoffkreis, bes. der Passion, entnommen, deren seelischen Ausdrucksgehalt er eindringlich wiedergibt. Daneben Genrethemen (Mutter u. Kind), Akte (Badende) u. Bildnisse. Hauptwerke: Wandgemälde in d. Stadtpfarrk. in Binsdorf (1908);

Noli me tangere, Wallraf-Rich.-Mus. Köln (1910); Petrus u. Paulus, Kirche in Maselheim (1911); Noli me tangere, Mus. Magdeburg (1912); Ölberg, Mus. Folkwang, Essen (1913); Bildnis der Schwägerin des Künstlers, Ksthalle Hamburg (1916); Der Prophet, Gem.-Gal. Dresden (1918); Johannes auf Patmos, ebda; Jakob ringt mit dem Engel, N. Staatsgal. München; Noli me tangere, Mus. Ulm (Abb. in: 1. Bericht d. Mus. d. Stadt Ulm, 1925, Abb. 13); Badende Frauen, ebda. Fresko: Thron. Weltenrichter zw. den Hll. Petrus u. Georg, im Georgenchor des Domes zu Bamberg (1925/28). Graph. Hauptblätter (Lith.): Passion (10 Bl.), München, Delphin-Verlag; Kameraden (1914); Heimsuchung (1917). Illustr. (Zeichngn) zu Konr. Weiß, Die kleine Schöpfung (Insel-Bücherei, Nr 521). — Letzte Kollekt.-Ausst. Febr./März 1951 in d. Staatsgal. Stuttgart.

Lit.: Th.-B., 6 (1912). — Dreßler. — K. Weiß, K. C. Augsburg [1929]. — Baum, m. Taf. — A. Kuhn, Bedeutende Biberacher, 1929, p. 113f. — H. Eckstein, Maler u. Bildhauer in München, Münch. 1946, p. 28/33, m. 5 Taf.-Abbn. — Hochland, 1912, März-Heft; 1914, p. 759/62. — D. Graph. Künste (Wien), 43 (1920) 88f. (irrig Johann C.). — D. Kunst, 25 (1911/12) 383; 27 (1912/13) 488, 493 (Abb.), 506 (Abb.), 512; 29 (1913/14) 52, 66 (Abb.), 211, 523 (Abb.); 35 (1916/17) 426ff.; 37 (1917/18) 438 (Abb.); 39 (1918/19) 149/64, 402 (Abb.); 43 (1920/21) 348 (Abb.), 350; 51 (1924/25) 211 (Abb.); 57 (1927/28) 32/33, 256, 260 (Abb.), 353; 63 (1930/31) 49/57, m. Abbn, 262 (Abb.); 80 (1938/39) Beil. z. Mai-H. p. 22. — Kunst- u. Antiquitäten-Rundsch., 41 (1933) 205 –09, m. 2 Abbn. — Die Christl. Kst, 9 (1912/13) 259; 10 (1913/14) 16, 221; 21 (1924/25) 82 (Abb.); 24 (1927/28) 90; 26 (1929/30) 224ff., m. Abbn. — Dtsche Kst u. Dekor., 30 (1912) 92 (Abb.); 32 (1913) 224 (Abb.), 228; 33 (1913/14) 12 (Abb.), 116, 122 (Abb.); 34 (1914) 36, 341 (Abb.); 36 (1915) 78, Abb. nach p. 80; 38 (1916) 294 (Abb.), 312 (Abb.); 41 (1917/18) geg. p. 267 (Abb.), 272, 293, 300 (Abb.); 44 (1918/19) 187, 192 (Abb.); 45 (1919/20) 2 (Abb.), 5; 46 (1919/20) 217, 219 (Abb.); 51 (1922/23) 3, m. Abbn; 52 (1923) 310, m. Abb., 314 (Abb.); 55 (1924/25) 2 (farb. Taf.), 3, 10 (Abb.); 57 (1925/26) 14 (Abb.); 59 (1926/27) 7 (Abb.), 17; 61 (1927/28) 8 (Abb.); 63 (1928/29) 3, m. Abb.; 67 (1930/31) 12 (Abb.); 70 (1932) 280 (Abb.). — Kst u. Kstler, 20 (1921/22) 197f., m. Abbn; 23 (1924/25) 376, 379 (Abb.). — Kstchronik, 3 (1950) 97; 4 (1951) 48, 72, 132. — D. Kstwerk (München), 1 (1946/47) H. 5, p. 39, 40 (Abb.). — D. Münster, 1 (1947/48) 96f., m. Abb.; 2 (1948/49) 106, 113 (Abb.), 171 (Abb.), 172, 202; 4 (1950/51) 181. — Velhagen & Klasings Monatsh., 37/II (1923) 49ff., m. Abbn; 46/I (1932) 102 (farb. Abb.). — D. Schanze, 1 (1951) H. 3, p. 3 (ganzs. Abb.). — D. Weltkst, 19 (1949) H. 5, p. 12; 22 (1952) H. 14, Umschlagbild; H. 21, p. 13. — Stuttg. Nachr., 17. 1. 1948. — Kat. d. Ausst.: K. C. u. Maria Caspar-Filser, Museum d. Stadt Ulm, März-April 1929, Augsburg, Filser, m. Abbn; Meister des Impressionismus ... u. Maler d. Gegenw., Schaezler-Palais, Augsburg, Aug. 1946, m. Abb.

Caspar, Reinhard, dtsch. Maler u. Graph., ∗ 12. 8. 1873 Berlin, ansässig in Dachau b. München.

Stud. an den Akad. Berlin (bei Hahnke) u. Karlsruhe, weitergebildet in Paris, Rom, München (Schmid-Reutte) u. in Dachau bei L. Dill u. A. Hölzel. Im Städt. Mus. in Wuppertal: Aprilschnee.

Lit.: Dreßler.

Caspar-Filser, Maria, dtsche Malerin (Prof.), ∗ 7. 8. 1878 Riedlingen, ansässig in Brannenburg a. Inn. Gattin des Karl.

Stud. an der Stuttgarter Akad. bei Fr. v. Keller, G. Igler u. L. Herterich. 1905 in Paris Berührung mit Cézanne u. van Gogh. Heirat 1907. Italienaufenthalte 1911 u. 1913/14. Hauptsächlich Landschaften, Blumenstücke u. Stilleben, in d. Frühzeit u. in späteren Jahren auch Figürliches. Kollekt.-Ausstellgn Febr. 1929 in d. Gal. Caspari in München, Frühjahr 1929 im Mus. der Stadt Ulm, 1951 in d. Staatsgal. Stuttgart. Anfängl. Impressionistin, seit ihrem Pariser Aufenthalt Festigung der Form und Weiterentwicklung in dieser Richtung seit ihrer Verheiratung. Die Italienaufenthalte bringen eine Bereicherung ihrer Palette, Monumentalisierung der Form u. Kräftigung des malerischen Vortrages, der einen leidenschaftlich stürmischen Charakter bekommt. Oberschwäb. Kstpreis 1952. Großes dreiteil. Wandgemälde: Apfelernte auf der Alb, im Bezirksratsgeb. in Balingen (1909). Im Wallraf-Rich.-Mus. in Köln: Osterlandschaft. Im Mus. der Stadt Ulm: Florentiner Landschaft u. Überlinger See. In der N. Staatsgal. München: Sommer. Im Folkwang-Mus. in Essen: Ponte degli Scopeti. Im Mus. in Wiesbaden: Am Starnberger See. In d. Mod. Gal. Nürnberg: Felicitas.

Lit.: Th.-B., 6 (1912). — A. Kuhn, Bedeutende Biberacher, 1929, p. 111f. — Dreßler. — Baum, m. farb. Taf. — Hochland, 20/I (1922/23) 664/67. — D. Graph. Künste (Wien), 43 (1920) 90, m. Abb. (Ernestine C.!). — D. Kst, 29 (1913/14) 211; 35 (1916/17) 430 (Abb.), 431; 37 (1917/18) 391/99, m. Abbn; 51 (1924/25) 210 (Abb.); 57 (1927/28) 256, 261 (Abb.), 353, 357 (Abb.); 59 (1928/29) 297/304, m. 1 farb. u. 6 Abbn; 61 (1929/30) Abb. geg. p. 329; 71 (1934/35) 206, 214 (Abb.); 78 (1937/38), Beil. z. Sept.-H. — Dtsche Kst u. Dekor., 30 (1912) 96 (Abb.), 155 –60, 352; 32 (1913) 225 (Abb.), 228; 33 (1913/14) 18, 29 (Abb.); 34 (1914) 88, 91 (Abb.), 328 (Abb.); 36 (1915) 78, 84, 85 (Abb.); 38 (1916) 295 (Abb.), 299 (Abb.); 41 (1917/18) 149 (Abb.), 267 (Abb.), 293, 301 (Abb.); 45 (1919/20) 5, m. Abb.; 49 (1921/22) geg. p. 3 farb. Taf. u. Abb., 241/50, m. 2 Taf. u. 9 Abbn; 51 (1922/23) 3; 52 (1923) 311 (Abb.), 315; 55 (1924/25) 20 (Abb.); 57 (1925/26) 9 (Abb.); 59 (1926/27) 17; 63 (1928/29) 3, 20 (Abb.); 65 (1929) 18 (Abb.); 67 (1930 –31) 7 (Abb.); 68 (1931) 330 (Abb.); 70 (1932) 280 (Abb.). — D. Kst u. d. schöne Heim, 49 (1951) Beil. p. 205. — Kstchronik, 3 (1950) 97; 4 (1951) 48, 72, 132. — D. Kstwerk (München), 1 (1946/47) H. 5 p. 39, 41 (Abb.), H. 10/11 p. 72; 2 (1948/49) H. 1/2 p. 61 (Abb.), 65. — Münchner N. Nachr., Nr 42 v. 12. 2. 1929. — Kat. d. Ausst. Meister des Impressionismus ... u. Maler d. Gegenw., Schaezler-Palais, Augsburg, Aug. 1946, m. Abb.

Caspari, Gertrud, dtsche Bilderbuchkünstlerin, ∗ 22. 3. 1873 Chemnitz, ansässig in Klotzsche b. Dresden.

Bilderbücher: Volker fliegt um die Welt; Punschi u. Aali. Eine selbstverfaßte Elefantengesch.; Pipifax; Das lebende Spielzeug; Kinderhumor für Auge u. Ohr, Tierbilderbuch (fast sämtl. im Verlag Alfred Hahn, Leipzig). Ferner Märchenbücher, Fibeln u. Kinderkalender. 6 Kinderfriese (farb. Orig.-Lithos), R. Voigtländer-Verlag, Leipzig. Illustr. zu Ad. Holst, Das lustige Einmaleins u. Eine ganz fidele Rechnerei.

Lit.: D. Weltkst, 17, Nr 13/14 v. 28. 3. 1943, p. 6. — D. Freiheitskampf (Dresden), 21. 3. 1943. — Leipz. N. Nachr., 22. 3. 1943.

Casparsson, Marja, schwed. Bildnis-, Landschafts- u. Interieurmalerin, ∗ 1901 Saltsjöbaden, ansässig ebda.

Stud. an der Akad. Stockholm.

Lit.: Thomœus. — Konstrevy, 1936, p. 98 (Abb.).

Caspel, Johann van, holl. Plakat- u. Möbelzeichner, Lithogr. u. Maler, ∗ 24. 3. 1870 Amsterdam, ansässig in Laren.

Schüler von M. W. van der Valk. Genre, Figürliches, Bildnisse.

Lit.: Plasschaert. — Onze Kunst, 25 (1914) 184.

Casprzig, Hedwig, dtsche Tier- u. Porträtmalerin, * 21. 3. 1886 Darkehmen, Ostpr., ansässig in Berlin.

Stud. an der Schule des Vereins der Kstlerinnen, Berlin.

Lit.: Dreßler. — Daheim, 63. Jg, Nr 25 v. 19. 3. 1927 (farb. Umschlagbild). — Westermanns Monatsh., 141 (1926/27) 537ff. (6 farb. Abbn); 143 (1927/28) 343.

Cass, Caroline, amer. Bildhauerin, * 9. 11. 1902 Euclid, Ohio, ansässig ebda.

Stud. an der Cleveland-Kunstsch. u. am Mus. of F. Arts in Boston bei H. N. Matzen, Alex. Blazys u. Ch. Grafly.

Lit.: Who's Who in Amer. Art, I: 1936/37. — Amer. Art Annual, 30 (1933).

Cassady, Edithe Jane, amer. Malerin, * 22. 8. 1906 Chicago, Ill., ansässig ebda.

Schülerin von Fred. M. Grant, Ruth van Sickle Ford u. Guy Wiggins.

Lit.: Who's Who in Amer. Art, I: 1936/37. — Amer. Art Annual, 30 (1933). — The Art News, 42. Nr v. 15. 3. 1943, p. 17 (Abb.).

Cassar, Hanns, dtsch. Bildhauer u. Maler, * 31. 3. 1885 Mannheim, † 3. 8. 1924 ebda (Freitod).

Stud. am Städel-Institut in Frankfurt a. M. u. bei s. Vater Karl C., dann Meisterschüler von H. Volz u. Charles Elsässer in Karlsruhe. Seit 1908 selbständig in Mannheim. Bildnisbüsten, Grabmäler, Bauplastik (u. a. an der Höheren Töchterschule in Mannheim u. der Christuskirche ebda, für deren Inneres er 3 Apostelstatuen schuf). Widmete sich später ausschließlich der Malerei: Landschaften, Blumen- u. Früchtestücke. Eine Landschaft in der Ksthalle Mannheim.

Lit.: Th.-B., 6 (1912). — Hellweg, 3 (1923) 322. — D. Kstwanderer, 1920/21, p. 410. — N. Badische Landesztg, 14. 8. 1924, Abendausg.

Casse, Germaine, franz. Landschafts- u. Figurenmalerin, Kreolin, * auf Guadeloupe (Kleine Antillen), ansässig in Paris.

Kam nach einer auf ihrer Heimatinsel verbrachten Jugend nach Paris, wo sie ihre Ausbildung erfuhr. Arbeitete mit Vorliebe in der Provence. 1920/22 auf Guadeloupe, von wo sie eine Folge von 60 Bildern (Landschaften, Figürliches, Bildnisse, Stilleben) nach Paris mitbrachte.

Lit.: Joseph, 1. — Bénézit, [2] 2. — La Renaiss. de l'Art franç., 5 (1922) 269f., m. 14 Abbn p. 261/70; 8 (1925) 380, m. Abb.

Casse, Raymond, franz. Landschaftsmaler, † 22. 10. 1918 Paris.

Lit.: Chron. d. Arts, 1917/19 p. 143.

Casse, Roger, franz. Bildnis- u. Landschaftsmaler, * 1880 Paris, ansässig ebda.

Seit 1924 Mitglied der Soc. Nat. d. B.-Arts (Salon-Kat. z. T. m. Abbn).

Lit.: Joseph, 1. — Beaux-Arts, 8 (1930) Heft 7 p. 18 (Abb.). — L'Art et les Artistes, N. S. 24 (1932) 211, m. Abb.

Cassebeer, Walter Henry, amer. Lithograph (Architektur), * 20. 11. 1884 Rochester, ansässig ebda.

Stud. an der Ec. d. B.-Arts in Paris.

Lit.: Who's Who in Amer. Art, I: 1936/37.

Cassedy, Edwin G., amer. Maler, Illustr. u. Radierer, * 11. 1. 1885 Canon City, Colo., ansässig in New York.

Schüler von Henry Read, Gge. Bridgman u. Luis Mora. Hauptsächl. Landschafter.

Lit.: Amer. Art Annual, 20 (1923) 469.

Cassel, Arne, schwed. Bildnis- u. Landschaftsmaler, * 1898 Djursholm, ansässig in Stockholm.

Stud. an der Akad. Stockholm u. in Paris. Bilder im Nat.-Mus. Stockholm, im Mus. in Malmö u. in der Smlg des Prinzen Eugen v. Schweden (†).

Lit.: Thomæus. — Konstrevy, 1927, Heft 3, p. 20, m. Abb.; 1932 p. 221, m. Abb.; 1934, p. 194 (Abb.); 1937, H. 3, p. V (Abb.); 1937 Spez.-Nr, p. 14 (Abb.); 1938, p. 142, m. Abb., 167f., 169 (2 Abbn). — Ord och Bild, 49 (1940) Taf.-Abb. geg. p. 481.

Cassel, Léon, franz. Landschaftsmaler, * 1873 Lille, † nach 1937 Paris.

Schüler von L. Bonnat u. Ph. de Winter. Mitglied der Soc. d. Art. Franç. (Salon-Kat. z. T. m. Abbn). Hauptsächlich Ansichten aus belg. Städten (Dixmuiden, Brügge).

Lit.: Joseph, I. — Bénézit, [2] II. — Durandal (Brüssel), 1914 p. 132/41, m. 2 Tafeln.

Cassel, Pol (Paul), dtsch. Landsch.-, Figuren- u. Porträtmaler, * 17. 3. 1892 München, ansässig in Wehlen (Sächs. Schweiz).

Stud. an der Kstgewerbesch. in Dresden. Sonderausstellgn: Sommer 1925 in Dresden, 1927 u. 1929 in d. Gal. Fides, Dresden, 1928 in Erfurt.

Lit.: Dreßler. — D. Cicerone, 18 (1926) 33, 140, 413 (Abb.), 682; 20 (1928) 176, 665 (Abb.), 666; 21 (1929) 113, 139 (Abb.). — D. Kunst, 59 (1928/29) 380. — Dtsche Kst u. Dekor., 59 (1926/27) 112 (Abb.). — D. Kstblatt, 12 (1928) 92.

Cassidy, Gerald (Ira D. G.), amer. Maler u. Illustrator, * 10. 11. 1879 Cincinnati, Ohio, † 12. 2. 1934 Santa Fé, N. M.

Stud. an der Akad. in Cincinnati (Lehrer: Duveneck) u. an der Art Students' League in New York. Gold. Med. auf der Panama-Pacific Expos., 1915. Wandbilder im Indian Arts Building in San Diego u. im Hotel Gramatan in Bronxville, N. Y. Vertreten im Mus. of New Mexico in Santa Fé.

Lit.: Fielding. — Who's Who in Amer. Art, I: 1936/37, p. 494. — Amer. Art Annual, 27 (1930) 191; 30 (1933). — The Art News, 32 (1933/34) Nr 20 p. 10. — New York Papers, 13. 2. 1934. — Revue de l'Art anc. et mod., 51 (1927/I) Suppl. p. 122 (Abb.).

Cassien, Paul, franz. Tiermaler u. Rad., * 23. 2. 1902 Brest (Finistère).

Schüler von Pierre Gatier.

Lit.: Bénézit, [2] II.

Cassina, Angelo, schweiz. Maler, * 12. 7. 1875 Biasca, ansässig in Bellinzona-Daro.

Autodidakt Hauptsächl. Landschafter. Mappenwerk: Bilder aus der Gesch. des Tessin, 20 Taf., mit einleit. Text von Eligio Pometta, Bellinzona 1925.

Lit.: Schweiz. Zeitgen.-Lex., 1932.

Cassinari, Bruno, ital. Maler u. Lithogr., * 1912 Piacenza, ansässig in Mailand.

Stud. an der Brera-Akad. in Mailand. Seit ca. 1940 Mitglied der Gruppe „Corrente", zu der auch Sassu, Birolli, Badodi u. Mignesco gehörten. Beeinflußt von Modigliani und expressionist., dann von kubist. Tendenzen, denen er nachging, ohne doch die geometrische Abkürzung der Formen zu übertreiben. Stellte während des 2. Weltkrieges wiederholt kollektiv in Mailand aus. Gewann 1945 den Premio Bergamo, 1948 die Preise Alessandria, Forte de Marmi u. Saint-Vincent. Kollektiv-Ausst. in d. Gall. Milione in Mailand 1949. Längere Aufenthalte in Paris u. in Antibes, wo er im Lokalmuseum eine vielbeachtete Kollektivschau zeigte. Beschickte 1948 u. 1950 die Biennali in Venedig.

Lit.: Dor de la Sanchère, B. C., Antibes 1950. — M. Ramous, Contributo per C., Modena 1951. —

Art News (New York) 47, Sept. 1948, p. 23 (Abb.).— Avanti (Mailand), 4. 5. 1949. — Il Castello (Mailand), Juli/Aug. 1950. — Corriere Prealpino (Varese), 4. 7. 1946. — La Fiera Letteraria (Rom), 26. 2. 1950. — Emporium, 102 (1945) 75, 127; 103 (1946) 96, 311; 104 (1946) 38, 125, 224; 105 (1947) 81; 106 (1947) 84. — L'Immagine, Nr 2, Juni 1947, p. 116/20, Taf. 4. — Loggione (Florenz), Jan./Febr. 1951. — Il Popolo (Mailand), 24. 3. 1949. — Popolo Nuovo (Turin), 14. 3. 1948. — Il Progresso d'Italia (Bologna), 4. 1. 1948. — Sempre Avanti (Turin), 10. 4. 1947. — Il Tempo (Mailand), 18./25. 1. 1947, 2./9. 4. 1949. — Unità (Mailand), 29. 10. 1945. — Kat. d. Ausst. Ital. Kst d. Gegenw., München u. a. O. 1950/51. *P. Bucarelli.*

Cassius-Vignau, Marcel, franz. Maler, * Philippeville (Algerien), ansässig in Lyon.

Schüler von Raynaud u. Randavel. Stellte 1929/39 im Salon der Soc. d. Art. Franç. in Paris aus.

Lit.: Joseph, I. — Bénézit, [2] II.

Casson, Alfred Joseph, kanad. Landschaftsmaler, * 1898 Toronto, Canada, ansässig ebda.

Präsident der Roy. Acad. Canad. Mitgl. d. Canad. Soc. of Painters in Water-Color. Vertreten in d. Nat. Gall. of Canada.

Lit.: Bénézit, [2] 2 (1949): irrig Albert Jos. C. — Mallett. — Newsweek, 34, Nr v. 25. 7. 1949, p. 75 (Abb.). — The Studio, 103 (1932) 314, m. Abb.; 112 (1936) 208 (Abb.); 114 (1937) 59 (Abb.), 61, 70. — Art Index (New York), Okt. 1947/Okt. 1952 passim.

Cassou, Charles Georges, franz. Bildhauer, * 24. 11. 1887 Paris, ansässig ebda.

Schüler von Coutan. 1920 Grand Prix de Rome. Mitglied der Soc. d. Art. Franç. (Salon-Kat. z. T. m. Abbn). Gold. Med. 1926. Figurenreiche Gruppenkompositionen (Geburt der Venus [Salon 1939], Abb. im Kat.). Genrestatuen, Bildnisbüsten.

Lit.: Joseph, I. — Bénézit, [2] II (1949).

Castagna, Rodolfo, argent. Kaltnadelstecher, * 1910 Buenos Aires, ansässig ebda.

Stud. an der Nat.-Schule f. Dekor. Künste in Buenos Aires, seit 1933 Prof. an ders.

Lit.: Kirstein, p. 88, m. Abb. — Bull. of the Pan Amer. Union, 81, März 1947, p. 144f. (Abbn). — The Print Coll.'s Quarterly, 27 (1940) 307/09, m. Abb.

Castagneto, Vittorio, ital. Genre- u. Landschaftsmaler, * 5. 4. 1875 Rapallo.

Autodidakt.

Lit.: Comanducci, m. Abb.

Castagnetti, Gianna, ital. Radiererin, * 1. 5. 1925 Verona.

Schülerin von Dante Broglio. Stellt seit 1945 aus. Mappenwerk: Castelli veronesi incisi da G. C., m. Einleitung von L. Servolini (23 Rad. u. Trockennadelbl.), Verona 1950.

Lit.: L'Italia che scrive (Rom), 33 (1950) Nr 5/6 p. 80. — L. Servolini, Diz. d. Incisori ital. mod. e contemp., 1952. *L. Servolini.*

Castagnino, Rodolfo, ital. Bildhauer u. Maler, * 1893 Genua, ansässig ebda.

Einer Kunsthandwerker- u. Holzschnitzerfamilie entstammend. Beeinflußt von der Bewegung des „Novecento" strebt plastische Wirkung an. Nahm teil an den Nat. Ausstellgn in Rom 1924 u. 26, an der Mailänder Ausst. der Brera 1927 und an der Biennale Venedig 1926.

Lit.: Emporium, 62 (1925) 128, m. Abb.; 73 (1931) 177, m. Abb.; 79 (1934) 56, m. Abb.; 85 (1937) 159, m. Abb.; 89 (1939) 164ff., m. Abb. — Eco Internaz., 28. 4. 1949. — Corriere Mercantile, 28. 3. 1950. — Corriere del Popolo (Genua), 30. 3. 1950. — Illustr. Ital., 1927/III p. 470, m. Abb. — Il Nuovo Cittadino (Rom), 30. 3. 1950. — Il Secolo XIX (Genua), 5. 5. 1947; 31. 3. 1950, m. Abb. — Kat. Kollektiv-Ausst. der Maler L. Calderini, V. Zolla u. des Bildh. R. C. (Gall. Micheli, Mailand, 26. 3.–10. 4. 1929), hg. v. Gio Orsini, p. 17/23, m. Abb. *Palma Bucarelli.*

Castaing, René Marie, franz. Bildnis-, Figuren- u. Architekturmaler, * 16. 12. 1896 Pau (Basses-Pyrénées), ansässig ebda.

Schüler s. Vaters Joseph C., Laparra's u. P. A. Laurens', weitergebildet an der Acad. de France in Rom (1924 Gr. Rompreis). Mitglied der Soc. d. Art. Franç. Gold. Med. 1936.

Lit.: Joseph, I. — Bénézit, [2] II. — Bull. de l'Art anc. et mod., 1924 p. 219, 223, m. Abb.

Castano, Giovanni, ital. Maler u. Bildhauer, * 2. 10. 1896, ansässig in Boston, Mass.

Stud. an der Kunstsch. in Boston bei Th. L. Hale, Lesley P. Thompson, Huger Elliot, F. M. Lamb u. Henry James. Landschaft in der Public Library in Brockton, Mass.; Figurenbild im Opernhaus in Boston.

Lit.: Who's Who in Amer. Art, I: 1936/37. — Amer. Art Annual, 30 (1933).

Castaños Agañez, Manuel, span. Bildh., * 16. 5. 1875 Sevilla, ansässig in Madrid.

Schüler von Ant. Peña. Im Mus. de Arte Mod. in Madrid die Marmorgruppe: Glaube – Hoffnung (Abb. im Kat. d. Expos. Nac. de Pint. etc., 1910 p. [26]). Im Mus. in Córdova: Bacchantin. — Seine Söhne Francisco u. Rodrigo sind auch Bildh.

Lit.: Th.-B., 6 (1912).

Castegnaro, Felice, ital. Genre- u. Bildnismaler, * 27. (Comanducci: 17.) 5. 1872 Montebello (Vicenza), ansässig in Venedig.

Stud. an d. Akad. in Vicenza u. bei Ettore Tito in Venedig. Virtuoser Impressionist.

Lit.: Th.-B., 6 (1912). — Comanducci, m. Abb. — Bénézit, [2] 2 (1949).

Castelao, Alfonso R., span. humorist. Zeichner u. Aquarellmaler, * Rianjo, Prov. Coruña (Galicia).

Zeichnete u. a. für „El Sol".

Lit.: Francés, 1915, p. 137f., 294; 1917, p. 352 (Abb.), 358f.; 1923/24 p. 135, 139; 1918, p. 367/71, m. 3 Abbn u. Fotobildn.; 1923/24 p. 139. — La Revue de l'Art anc. et mod., 46 (1924) 266.

Castelein, Ernest, belg. Bildnismaler, * 3. 12. 1881 Antwerpen, ansässig in London.

Stud. an der Akad. in Antwerpen.

Lit.: Who's Who in Art, [2] 1934.

Castella, Jean de, schweiz. Maler, Glasmaler u. Illustr., * 21. 1. 1881 Melbourne, Austral., ansässig in Freiburg, Schweiz.

Sohn des Architekten, Malers u. Schriftst. Hubert de C. (* 1825 Neuchâtel, wanderte 1853 nach Australien aus).

Lit.: Hist.-biogr. Lex. der Schweiz, Suppl. 1934 p. 197. — O mein Heimatland, 1922 p. 170ff. — D. Werk, 2 (1915) 117 (Abbn).

Castella, Joseph de, schweiz. Maler, * 4. 9. 1881 Florenz, ansässig in Bern.

Hauptsächl. Porzellan- u. Glasmalereien. Mit solchen vertreten im Mus. Ariana in Genf u. im Kstgew.-Mus. St. Gallen. Im Friedensmus. Luzern: Unterseeboot.

Lit.: Schweiz. Zeitgen.-Lex., 1932. — D. Werk, 2 (1915) 117 (Abb.).

Castellani, Beppe, ital. Landschafts- u. Genremaler (Öl u. Pastell), * 27. 8. 1887 Padua.

Schüler von Luigi Nono in Venedig.

Lit.: Comanducci.

Castellani, Leonardo, ital. Keramiker, Maler u. Rad., * Okt. 1896 Faenza, ansässig in Fano.

Stud. an d. Akad. in Florenz, gründete eine keram. Werkstatt in Cesena, ging aber nach 3 Jahren ganz zur Malerei über.

Lit.: Comanducci.

Castellani, Luigi, ital. Holzschneider u. Buchillustr., * 19. 5. 1904 Rom, ansässig ebda.

Anfänglich Autodidakt, dann Schüler von Attilio Giuliani. Tätig für die Statthalterei von Rom.

Lit.: C. Ratta, Adornatori d. Libro in Italia; ders., L'Ex-libris mod. in Italia, 1933. — Quaderni Ratta, 5 (1935) 10f. — L. Servolini, Diz. d. Incisori ital. mod. e contemp., 1952. *L. Servolini.*

Castellanos, Carlos Alberto, uruguayischer Maler, Keramiker u. Entwurfzeichner für figürl. Tapisserien, * 28. 1. 1881 Montevideo, ansässig ebda.

Schüler von Carlos de Herrera in Montevideo, 1908ff. von Sorolla in Madrid. Lebte 1916ff. längere Zeit in Paris, bereiste Frankreich, die Schweiz u. Italien. Kehrte später nach Montevideo zurück. Knüpfte an die heimische dekor. Tradition an. Beeinflußt vom Kubismus. Bevorzugt als Thema die antike Mythologie. Bilderfolge: Tropisches Amerika. Seine Entwürfe für Tapisserien, ausgeführt von dem Belgier H. Van de Velde, von der Firma Laurent Geets in Brüssel oder von Braquenié in Paris, zeichnen sich durch materialgerechten Stil aus. Bilder u. a. im Luxembourg-Mus. in Paris (Vogelhändlerin) u. in den Museen in Buenos Aires u. Montevideo. Kollekt.-Ausst. bei Durand-Ruel, Paris, Frühjahr 1927.

Lit.: Joseph, I. — Francés, 1917 p. 199/202, m. 3 Abbn u. Fotobildnis; 1918 p. 67, 70 (Abb.), 100/02, m. 2 Abbn. — The Studio, 94 (1927) 215/17 m. 3 Abbn. — La Renaiss. de l'Art franç., 9 (1926) 477; 10 (1927) 246f., m. 4 Abbn.

Castellanos, Julio, mexik. Maler, Zeichner, Bühnenbildner u. Lithogr., * 1905 Mexico City, † 1947 ebda.

Schüler von Rodríguez Lozano an der Akad. San Carlos. Bereiste 1925/28 Europa, Südamerika u. die USA. Leiter der Theater-Unternehmungen des Ministeriums f. Sch. Künste. Direktor der Abteilung für plast. Künste des Erziehungsministeriums. 2 Bilder: Die Tanten (3 Akte), u.: Johannistag (Freiluftbad mit zahlr. Akten), im Mus. f. Mod. Kst in New York.

Lit.: Kirstein, p. 75, 96, m. 2 Abbn. — The Print Coll.'s Quarterly, 23 (1936) 82. — Magaz. of Art (Washington), 36, Mai 1943, p. 171 (Abb.). — Art Digest, v. 15. 4. 43, p. 17 (Abb.). — The Art News, v. 15. 4. 43, p. 16 (Abb.); 48, Mai 49, p. 48 (Abb.). — Bull. of Museum of Mod. Art, 16 (1948) Nr 4, p. 18 (Abb.).

Castellanos, Marin, span. Maler.

Malt Kaffeehaus- u. Ballhausszenen. Koll.-Ausst. im Salon Artist. in Madrid.

Lit.: Francés, 1920 p. 159f., 167 (Abb.).

Castelli, Alfio, ital. Bildhauer, * 20. 9. 1917 Senigallia.

Arbeitete zuerst in d. Werkstatt eines Marmorario. Sieger in einem von d. Akad. in Florenz ausgeschrieb. Wettbewerb, ging darauf nach Rom, dort bis 1941 Schüler von Zanelli an d. Akad. Erhielt 1941 einen Lehrruf an dieselbe. 1948 Skulptur-Preis vom Ministerium des Öffentl. Unterrichts. Beschickte u. a. die Biennale in Venedig 1940, die 3. u. 4. Quadriennale naz. in Rom und die Mostra intersindacale in Mailand. Kollektiv-Ausst. Rom 1948 (Kat. v. C. Claudi, m. 6 Taf.). Vertreten in d. Gall. Naz. in Rom.

Lit.: Emporium, 92 (1940) 46ff.; 95 (1942) 86 (Abb.), 87. — La Fiera letteraria (Rom), 15. 5. 1947, m. Abb.; 23. 5. 1948, m. Abb. — Gazz. delle Arti (Rom), 8. 7. 1946. — Illustraz. Ital. (Mailand), 18. 4. 1948. — Il Messaggero di Roma, 1. 7. 1937. — Pesci Rossi, Jan. 1949, m. Abb. — Il Popolo (Mailand), 14. 4. 1948. — Quadrivio (Rom), 10. 3. 1940, m. Abb. — Il Tevere (Rom), 4. 3. 1940, m. Abb. — Palma Bucarelli, La Gall. Naz. d'Arte Mod., Itinerario, Rom 1951. *Palma Bucarelli.*

Castelli, Arturo, ital. Maler u. Lithogr., * 1870 Brescia, † 15. 11. 1919 ebda.

Schüler der Brera-Akad. in Mailand, im übrigen Autodidakt. Bevorzugte symbolistische Themen. Fresken im Credito Agrario u. in der Banca Cooperativa in Brescia u. in d. Kirche in Padenghe. Lith.: L'Ora Nera.

Lit.: Th.-B., 6 (1912). — Comanducci. — Emporium, 42 (1915) 318, m. Abb.

Castelli, Cesare, ital. Maler, * 1890 Ascoli Piceno, † 11. 1. 1922 Rom (Unfall).

Lit.: Corriere d. Sera, 12. 1. 1922.

Castelli, Filippo, ital. Bildnis- u. Genremaler, * 29. 7. 1859 Monza, † 23. 10. 1932 ebda.

Schüler von R. Casnedi u. Bart. Giuliano an d. Brera-Akad. in Mailand. 2 Herrenbildnisse im Ospedale in Monza.

Lit.: Comanducci.

Castelliz, Alfred, steiermärk. Architekt (Prof.), * 20. 6. 1870 Cilli, ansässig in Wien.

Stud. an der Wiener Akad. bei Fr. v. Schmidt, V. Luntz u. Otto Wagner. Buchwerk: Einfache Bauwerke, Wien 1912.

Lit.: Th.-B., 6 (1912). — Dreßler.

Castello, Raffaele, ital. Tiermaler, * 5. 9. 1905 Capri, ansässig ebda.

Lit.: Kat. d. 6. Quadriennale, Rom 1951/52, m. Abb. (Hahnenkampf).

Castellon, Federico, amer. Maler u. Radierer, * 1914.

Lit.: The Print Coll.'s Quarterly, 26 (1939) 248 (Abb.); 28 (1941) 389 (Abb.). — Mallett. — Art Index (New York), Okt. 1941/Okt. 1951. — Monro.

Castelucho, Claudio, katal. Maler, * 5. 7. 1870 Barcelona, † 31. 10. 1927 Plessis-Robinson.

Sohn des Illustr. u. Malers Antonio C. Kam jung nach Paris, erwarb s. Unterhalt zunächst als Werbe- u. Plakatzeichner. Bildete sich autodidaktisch zum Maler, beeinflußt von Whistler. Impressionist. Landschaften, Architekturbilder, Figürliches (span. Volksszenen, Akte, Tänzerinnen), Bildnisse.

Lit.: Th.-B., 6 (1912). — The Studio, 65 (1915) 133/35, m. 3 Abbn. — Die Kunst, 29 (1914) 410.

Casterton, Eda Nemoede, amer. Bildnisminiaturmalerin, * 14. 4. 1877 Brillion, Wis., ansässig in Chicago, Ill.

Schülerin von Virginia Reynolds, Lawton S. Parker, der Chicago Acad. of F. Arts u. von Leopold Seiffert. Bilder im Mus. in Brooklyn, im Illinois State Mus. u. in der Nat. Gall. of Art in Washington, D. C.

Lit.: Who's Who in Amer. Art, I: 1936/37. — Fielding. — Amer. Art Annual, 30 (1933).

Castiglioni, Giannino, ital. Bildhauer, Plakettenkünstler, Medailleur u. Maler, * 4. 5. 1884 Mailand, ansässig ebda.

Schüler von Butti an der Brera-Akad. Als Maler Autodidakt. Gefallenendenkm. in Lecco u. Magenta; Fontana di S. Francesco in Mailand; Standbild Pius' XI. im Seminario in Venegono; Kreuzweg in Caporetto; Abendmahl im Cimitero Monum. in Mailand; zahlr. Grabdenkmäler ebda. Med. zur Erinnerung an die Befreiung der Lombardei. Mitbeteiligt bei Ausschmückung des Parlamentspalastes in Montevideo.

Lit.: Comanducci. — Chi è?, 1940. — Cultura Moderna, 42 (1911/12) 132ff., m. Abbn. — Emporium, 56 (1922) 378/81, m. 5 Abbn; 61 (1925) 201f., 204 (Abb.); 66 (1927) 379f. (Abb). — Rass. d'Arte, 9 (1922) 51f., m. Abb.

Castillo López, Eduardo, uruguayisch. Landschaftsmaler, * Montevideo.

Schüler von Eduardo Chicharro.

Lit.: Cat. Expos. Nac. de Pint., Madrid 1910.

Castillo, Fernando, mexik. Maler u. Graph., * 1882 Temamatla, † 1941.

Arbeitete in allen möglichen Berufen, ehe er sich 1928 der Malerei zuwandte. Schüler von G. Fernández Ledesma am Centro Popular de Pintura in San Antonio Abad.

Lit.: Kirstein, p. 96.

Castro (Silva Castro), Baltazar de, portug. Architekt, Bildhauer u. Ingenieur, * 1. 5. 1890 Cabeceiras de Basto.

Stud. an d. Kunstsch. in Porto. Mitglied der Nat.-Akad. der Sch. Künste. Ritter des St. Jago- u. des Christusordens. Studienreisen in Europa, Afrika u. Indien. Leiter der Wiederherstellungsarbeiten an den Nationalen Denkmälern.

Lit.: Gr. Encicl. Port. e Brasil., VI 232. — Quem é Alguém, 1947 p. 592.

Castro, Fabián de, span. Maler, gen. *Le Gitane,* * in Andalusien, ansässig in Paris.

Kam nach abenteuerl. Jugendjahren, die ihn in der ganzen Welt herumbrachten, nach Paris, wo er seinen Unterhalt als Guitarrespieler in der span. Kstlerkolonie erwarb und bald selbst zu malen begann. Knüpfte an die heimische Maltradition (bes. an Zurbarán u. El Greco) an. Figürl. Kompositionen u. Bildnisse in einem sehr eindrucksvollen, primitiven Stil. Benutzt als Modelle für seine Apostel u. Heiligen, seine Bischöfe u. Kardinäle u. für s. Mariengestalten Zigeuner u. Zigeunerinnen. Kollekt.-Ausst. im Salon Lepautre in Paris 1920. Stellt bei den Indépendants u. im Salon d'Automne in Paris aus.

Lit.: Francés, 1920 p. 283/86, m. 1 Abb. u. Fotobildn. — L'Art et les Art., N. S. 12 (1925/26) 165/69, m. 7 Abbn u. Fotobildn.

Castro, Leo, sizil. Figuren- u. Bildnismaler, ansässig in Palermo.

Beschickt die Ausst. in Venedig u. Palermo.

Lit.: Emporium, 79 (1934) 31f. m. Abb.; 94 (1941) 286, m. Abb. — Die Christl. Kst. 28 (1931/32) 6 (Abb.).

Castro, Mary Beatrice de, engl. Landschafts- u. Bildnismalerin (Aquar. u. Pastell), * 31. 8. 1870 Mortlake, Surrey, ansässig in Winton, Bournemouth.

Stud. an d. Slade School in London, an d. Acad. Colarossi in Paris u. bei Mme Chardon-Debillemont.

Lit.: Who's Who in Art, [3] 1934, p. 112.

Castro, Paul de, franz. Landschaftsmaler, * 5. 7. 1882 Livorno, † 1939 Paris.

Schüler von Cormon, Humbert u. Thirion. Impressionist. Mitglied des Salon d'Automne. Bilder im Petit Palais u. in der Bibl. Nat. in Paris.

Lit.: Th.-B., 6 (1912). — Joseph, 1. — Bénézit, [2] 2 (1949). — Gaz. d. B.-Arts, 1925/II p. 26, 27 (Abb.). — Revue de l'Art anc. et mod., 51 (1927/I), Suppl. p. 92 (Abb.); 52 (1927/II) p. 310 (Abb.); 56 (1929/II) p. 30 (Abb.). — Beaux-Arts, 76e année, Nr 326 v. 31. 3. 1939, p. 4 (Abb.).

Castro, Rodrigo de, portug. Bildhauer, * 12. 4. 1874 Marco de Canavezes.

Schüler von Marques de Oliveira u. Teixeira Lopes an d. Akad. in Porto. Lehrtätig an ders.; Prof. an d. Escola Infante D. Henrique. Gold. Med. auf den Internat. Ausst. in Panama u. Rio de Janeiro. — Denkmäler in Lissabon, Santarém u. Parede.

Lit.: Gr. Enc. Port. e Brasil., VI 252. — Pamplona, p. 266. — Quem é Alguém, 1947 p. 200.

Castro Gil, Manuel, span. Radierer, * 20. 1. 1890 Lugo, ansässig in Madrid.

Stud. an der Kunstsch. in Madrid. 1930 Gold. Med. der Nat. Ausst. 1930.

Lit.: Francés, 1923/24 p. 285; 1925/26 p. 226, 249f., Taf. 48. — Kat. d. Ausst. Span. Kst d. Gegenw., Berlin, Pr. Akad. d. Kste, 1942.

Casucci, Giuseppe, ital. Genremaler (Öl u. Aquar.) u. Freskant, * 21. 12. 1877 Roccastrada (Grosseto), ansässig in Siena.

Schüler von Franchi, Marinelli u. Badini am Ist. di B. Arti in Siena. Lünettenbilder im San Francesco in Grosseto u. in der Kirche in Sassofortino (Christus als Erlöser); ebda 2 Fresken in d. Kapelle der hl. Katharina.

Lit.: Comanducci.

Caswell, Edward C., amer. Illustrator u. Lithogr., * 12. 9. 1879 New York, ansässig ebda.

Schüler von Francis C. Jones. Illustr. u. a. zu: „Old New York" von Edith Wharton, „Coasting Down East" von Ethel Hueston u. E. C. C., „Viola Gwyn" von G. Barr McCutcheon, „Spanish Towns and People", „Towns and People of Modern Germany", „Romantic Czechoslovakia" von Robert M. McBride, „Old New Orleans" von Edw. u. Francis Tinker, „Old Philadelphia" von George Gibbs, „Old Chicago" von Mary Hastings Bradley, „Star of the West" von Ethel Hueston.

Lit.: Who's Who in Amer. Art, I: 1936/37. — Mallett. — Amer. Art Annual, 28 (1931).

Catalano, Eustachio, sizil. Maler u. Rad., * 8. 8. 1893 Palermo, ansässig ebda.

Pflegt bes. die Monotypie. Buchillustrationen. Prof. für Figurenmalerei an der Akad. Palermo.

Lit.: Giornale di Sicilia, v. 10. 2. 1939 u. v. 16. 2. 1941. — Emporium, 81 (1935) 328, 329 (Abb.). — L'Illustrazione Ital. (Mailand), v. 31. 5. 1936. — C. Ratta, Adornatori d. Libro in Italia. — L. Servolini, Diz. d. Incisori ital. mod. e contemp., 1952.

L. Servolini.

Catalano, Giuseppe, sizil. Maler, Rad. u. Holzschneider, * 4. 12. 1907 Castellaneta (Tarent), ansässig ebda.

Erhielt 1934 das Diplom als Lehrer für Graph. Künste am Istituto di B. Arti in Florenz. Mitgl. der Chicago Soc. of Etchers.

Lit.: Amer. Art Annual, 20 (1923) 469. — La Tribuna (Rom), v. 11. u. 22. 6. 1935. — Gazz. del Mezzogiorno (Bari), v. 5. u. 15. 6. 1938. — La Revue mod. d. arts et de la vie, v. 29. 6. 1938. — L. Servolini, Diz. d. Incisori ital. mod. e contemp., 1952.

L. Servolini.

Cataldi, Amleto, ital. Bildhauer, * 2. 11. 1884 (1886?) Neapel, † Sommer 1930 Rom.

Autodidakt. Begabter Verist neoklassizist. Richtung. Rom-Medaille 1907 für die Statue: Ultimo gesto di Socrate, 1912 für „Amphora" (nackte Wasserschöpfende), von der Stadt Rom erworben, als Mittelfigur eines Brunnens auf dem Pincio dienend. Lehrer am Ist. di S. Michele in Rom. — Hauptwerke: Viktoria auf dem ponte Vittorio Emanuele in Rom; Carducci-Denkmal in Campidoglio; Denkmal für die Gefallenen der Sapienza in Rom; Bogenspanner, Banca d'Italia ebda; Gefallenen-Denkmäler in Lanciano, S. Benedetto del Tronto, Crespi d'Adda u. Sansevero. Liegender weibl. Akt, Gall. d'Arte Mod. Rom (Abb. im Kat. 1932; dort 4 weitere Arbeiten); Schlafende, Gall. d'Arte Mod. Venedig; Schleiertänzerin, Gall. d'Arte Mod. Palermo; Mädchen, sich kämmend, Luxembourg-Mus. Paris; Bogenspanner, Petit Palais ebda; Statue d. Medusa im Jardin Galliera ebda.

Lit.: Th.-B., 6 (1912). — Joseph, I. — Chi è?, 1931; 1940, Anhang: Chi fu? — Bénézit, [2] 2 (1949). — Emporium, 36 (1912) 78/79; 37 (1913) 429/30 m. Abb.; 45 (1917) 163/75, m. 15 Abbn, 1 Taf. u. Fotobildn.; 50 (1919) 47 (Abb.), 48; 51 (1920) 257, m. Abb., 259f., m. Abb., 270, 274 (Abbn); 54 (1921) 64, m. Abb.; 58 (1923) 22/36, m. 23 Abbn u. 1 Taf.; 67 (1928) 122 (Abb.), 124; 71 (1930) 334 (Abb.). — Rass. d'Arte ant. e mod., 22 (1922) 257, m. Abb. — La Renaiss. de l'Art franç., 6 (1923) 530f., m. 2 Abbn. — The Studio, 90 (1925) 132, 134f., Abbn. — Vita artistica, 1 (1926) 81 (Abb.). — Die Christl. Kunst, 28 (1931/32) 4, m. Abb.

Catargi, Henri, rumän. Landschafts-, Figuren- u. Bildnismaler, * 1894 Bukarest, ansässig in Paris.

Stud. zuerst Architektur an der Bauschule in Bukarest. Ging dann zur Malerei über und wurde Schüler von Déchenaud, P. A. Laurens u. Prinet an der Acad. Julian in Paris, dann von Maur. Denis, Vuillard, Sérusier, Valloton u. Bissière an der Acad. Ranson ebda, schließlich von André Lhote. Beeinflußt von H. Matisse u. Th. Pallady.

Lit.: Beaux-Arts, 75e année, Spezial-Nr: L'Art Roumain à l'Expos. de 1937, Sept. 1937, p. 15 (Abb.), 16. — Kat. d. Ausst. Rumän. Kst d. Gegenw., Zürich, Ksthaus, 1943 p. 13, 19, m. Abb.

Catinat, Maurice, franz. Landschaftsmaler, * Quiers (Loiret), ansässig in Chatou (Seine-et-Oise).

Schüler von T. Robert-Fleury u. J. Lefebvre. Mitglied der Soc. d. Art. Franç. (1928 ehrenvolle Erwähn.).

Lit.: Joseph, I. — Bénézit, [2] II.

Caton Woodville, William, engl. Stilllebenmaler u. Illustr., * 14. 4. 1884 London, ansässig ebda.

Stud. an d. Herkomer-Schule in Bushey. — Seine Gattin Dorothy, geb. *Ward,* * Chislehurst, ist Bildnismalerin (Miniatur u. Aquar.).

Lit.: Who's Who in Art, [3] 1934.

Cattaneo, Achille, ital. Landschafts-, Veduten- u. Interieurmaler, * 30. 11. 1872 Limbiate, † 7. 1. 1931 Mailand.

Schüler der Brera-Akad., weitergebildet bei Gola. Flotter, impressionist. Vortrag, Farbentöne grau in grau. Bild in d. Gall. d'Arte Mod. in Mailand.

Lit.: Comanducci, m. Abb. — Costantini, m. Abb. — Emporium, 61 (1925) 259f., m. 3 Abbn; 89 (1939) 335.

Cattani, Oscar, schweiz. Maler u. Holzschneider (Prof.), * 30. 6. 1887 Stans, ansässig in Freiburg/Schw.

Stud. an der Münchner Akad. Seit 1915 Prof. für graph. Kste, Dekorationsmalerei u. Kstgeschichte am Techn. Freiburg. Relig. Gemälde. Wandmalereien in den Kirchen in Emmetten, Kt. Unterw., Göschenenalp, Kt. Uri, Magnedens, Kt. Freibg, Posieux, Kt. Freibg, Sankt Antoni, Kt. Freibg, Steinen, Kt. Schwyz, u. in der Waisenkap. in Stans. Glasgem. in Gletterens, Kt. Freibg, u. Schmitten, Kt. Freibg. Farb. Holzschnitte (relig. Stoffe).

Lit.: Schweiz. Zeitgen.-Lex., 1932. — D. Christl. Kst, 24 (1927/28) 150, 151 (Abb.). — D. Kst i. d. Schweiz, 1930, Dez.-Heft, m. 3 Taf.-Abbn.

Catteau, Charles, franz. Landschaftsmaler, * Douai (Nord), ansässig in La Louvière (Belgien).

Mitglied der Soc. d. Art. Franç. (Salon-Kat. z. T. m. Abbn).

Lit.: Joseph, I. — Bénézit, [2] II.

Cattermole, Lance, engl. Maler u. Graph., * 19. 7. 1898 in Sussex, ansässig in Brighton.

Enkel des Malers u. Illustr. George C. Stud. an der Slade School in London. Seit 1938 Mitgl. des Roy. Inst. of Oilpainters. Seit 1946 Prof. an der Kstschule in Brighton. Stellte in d. Roy. Acad. aus. Mappenwerk: A modern Series of Military Prints. The scots Guard's Uniform (Farbstiche).

Lit.: Bénézit, [2] 2. — The Studio, 109 (1935) 144–49, m. 5 Abbn u. 1 farb. Taf.

Caubet-Mehler, Loty, dtsche Miniaturmalerin, * in Aachen, ansässig ebda.

Kollektiv-Ausstellungen im Aachener Museumsverein Januar 1923 u. Frühjahr 1926.

Lit.: Aachener Kstblätter, H. 11 (1924) 25; H. 14 (1928) 31. — Hellweg, 3 (1922) 52.

Cauchie, Paul, belg. Landsch.- u. Figurenmaler, * 1875 Ath (Hennegau).

Schüler der Brüsseler Akad.

Lit.: Seyn, I. — Kat. d. Ausst. Wallon. Kst, Düsseld. 1942, — Die Kst. 85 (1941/42) 169 (Abb.).

Caud, Marcel Henri Léonce, franz. Bildnis- u. Genremaler, * 10. 5. 1883 Paris, ansässig ebda.

Schüler von J. P. Laurens u. J. Adler. Mitglied der Soc. d. Art. Franç. (Salon-Kat. z. T. m. Abbn). — Ausmalung der Totenkapelle in der Kathedr. zu Noyon.

Lit.: Joseph, I. — Bénézit, [2] II.

Cauer, Fritz, dtsch. Bildhauer u. Maler, * 19. 1. 1874 Kreuznach, ansässig in Kassel.

Schüler s. Vaters Robert C. Weitergebildet an den Akad. in München (Höcker), Karlsruhe u. Stuttgart (L. v. Kalckreuth). 1901/03 in Rom, 1903/11 in Oberkassel b. Düsseldorf, seitdem in Kassel. Anfängl. Maler. Seit 1901 hauptsächl. Bildhauer. Motz-Denkmal in Witzenhausen a. d. Werra (1913); Grabdenkmäler in Wehlheiden u. Bettenhausen b. Kassel.

Lit.: Th.-B., 6 (1912). — Dreßler.

Cauer, Ludwig, dtsch. Bildhauer (Prof.), * 28. 5. 1866 Bad Kreuznach, † 27. 12. 1947 ebda. Bruder des Robert C. d. J. (* 1863).

Schüler s. Vaters Karl C. u. Reinh. Begas'. 1881 in Rom. 1891/93 in London. Seitdem in Berlin. Das Verzeichnis der bei Th.-B. gen. Werke zu ergänzen durch das Hutten-Sickingen-Denkmal auf der Ebernburg b. Kreuznach, die Figur Kaiser Konrads I. für den Bodenstein bei Vilmar a. d. L. u. 4 Gruppen der Salischen Kaiser für Speyer. In der Berl. Nat.-Gal. eine Terrakottabüste des Sohnes des Kstlers.

Lit.: Th.-B., 6 (1912). — Dreßler. — Kstchronik, 3 (1950) 203. — Die Westmark, 1933/34 Abb. geg. p. 262, 275f. — Ill. Kat. der Ausst. der 4 Gruppen „Die Salischen Kaiser" von Prof. L. C. Preuß. Akad. d. Kste, Berlin 1941.

Cauer, Stanislaus, dtsch. Bildhauer (Prof.), * 18. 10. 1867 Kreuznach, † Anf. März 1943 Königsberg. Bruder des Fritz.

1882ff. Schüler s. Vaters Robert C. (1831/93) in Rom. 1905/07 in Berlin, seitdem in Königsberg als Lehrer an der Akad. Anfänglich beeinflußt vom Klassizismus u. von Tuaillon. 1942 Goethe-Med. für Kst u. Wiss. Hauptsächl. Akte u. Porträtbüsten. Im Mus. in Königsberg: Stirnbinder. Reiterdenkmal für Insterburg; Schillerbrunnen in Königsberg; Justitia für das dort. Oberlandesgericht; Maler-Müller-Denkmal in Kreuznach. Weibl. Figur im Albertinum Dresden. Kriegerdenkmal d. Steindammer Kriegergemeinde in Königsberg.

Lit.: Th.-B., 6 (1912). — Dreßler. — Sperling. — Neudtsche Bauztg, 12 (1916) Abb.-Reg. u. p. 31/37. — D. Bild, 1936, p. 363 (Abb.), 366f. — D. Cicerone, 17 (1925) 524; 19 (1927) 646f., m. Abb.; 21 (1929) 388 (Abb.), 389 (Abb.). — D. Kunst, 65 (1931/32) 242/45, m. 4 Abbn; 77 (1937/38) Beibl. z. Dez.-H. p. 16. — Kstrundschau, 50 (1942) 188; 51 (1943) 44. — Neue Kst in Altpreußen, 1 (1912/13) 33, 76/80, m. Abb. — D. Kstwelt, 2. Jg (1913) 497/99, m. Abbn bis p. 504. — Westermanns Monatshefte, 134 (1923) 269/75, m. 12 Abbn. — Die Plastik, 1914 Beil. zu Heft 8, p. VIII. — Die Weltkst, 11, Nr 42/43 v. 24. 10. 1937, p. 6; 16, Nr 45/46 v. 8. 11. 1942 p. 6; 17, Nr 13/14 v. 28. 3. 1943, p. 6.

Caujan, François, franz. Bildhauer, * Landernau (Finistère), † 20. 2. 1945.

Akte u. Büsten. Stellte bei den Indépendants, im Salon d'Automne u. im Salon d. Tuileries aus. 1936 Pensionär der Villa Abd-el-Tif.

Lit.: Bénézit, ² II. — Beaux-Arts, 1936 Nr 187, p. 1; 76 année, Nr 328 v. 14. 4. 1939, p. 4, m. Abb.

Caulkin, Ferdinand Edward Harley, engl. Landsch.- u. Figurenmaler, * 8. 3. 1888 Birmingham, ansässig ebda.

Lit.: Who's Who in Art, ³ 1934.

Caullet, Albert, belg. Tier- u. Landschaftsmaler, * 1875 Courtrai, ansässig ebda.

Schüler von Fr. v. Leemputten. Im Mus. Courtrai 2 Bilder: Heimkehr zum Stall, u.: Kühe unter Apfelbäumen.

Lit.: Seyn, I, m. Fotobildnis.

Caumont, Martial Denis, franz. Bildhauer, * Tarbes (Hautes-Pyrénées), ansässig in Paris.

Mitgl. der Soc. d. Art. franç., beschickte deren Salon seit 1902. Ehrenvolle Erwähnung 1908.

Lit.: Bénézit, ² II (1949).

Causin, Oswald, dtsch. Bildhauer, * 29. 5. 1893 Düsseldorf, ansässig in Neuß a. Rh.

Schüler von Rud. Bosselt u. Hub. Netzer an der Düsseld. Akad. Kriegerdenkmäler in Grefrath (1923), Kaarst (1926), Weckhoven (1927); Relief am Geschäftshaus Gebr. Alsberg in Neuß (1928).

Lit.: Dreßler.

Caussé, Julien, franz. Bildhauer, * Bourges (Cher), ansässig in Paris.

Schüler von A. Léonard u. Falguière. Stellte im Salon der Soc. d. Art. Franç. seit den 1890er Jahren aus. Ehrenvolle Erwähnung auf der Pariser Weltausst. 1900. Im Mus. in Toulouse eine Gipsstatue: Euterpe.

Lit.: Bénézit, ² II (1949).

Cauterman, Cécile, belg. Porträt- u. Figurenmalerin u. Zeichnerin, * 1882 Gent.

Schülerin der Genter Akad.

Lit.: Seyn, I. — S. Bergmans, Les Peintres de la vie profonde. C. C. et Rainer Maria Rilke, Brüssel/Paris 1943, m. 41 Abbn. — Apollo (Brüssel), Nr 18 (Jan. 1943) p. 1/6. — Gand artist., 1925 p. 60/67, m. 7 Abbn; 1929 p. 230/48, m. 17 Abbn.

Cautley, Ivo Ernest, irischer Maler, * 14. 6. 1893 Dublin, ansässig in Sandycove.

Figürliches, Bildnisse, Landschaften, Stilleben.

Lit.: Who's Who in Art, ³ 1934.

Cauvin, Edouard Charles, franz. Landschaftsmaler, * Le Havre, ansässig ebda.

Stellte in Paris im Salon der Soc. d. Art. franç. 1910/1928 aus.

Lit.: Bénézit, ² II (1949).

Cauvy, Léon, franz. Orientmaler, Rad. u. Kunstgewerbler, * 12. 1. 1874 Montpellier, † 1933.

Schüler von Maignan u. E. Mickel. Mitglied der Soc. d. Art. Franç. Direktor der Ec. d. B.-Arts in Algier. Gr. Triptychon: Suite algérienne, im Luxembourg-Mus. in Paris. Weitere Bilder in den Museen in Algier u. Mont-de-Marsan. Dekor. Wandmalereien im Palais d'Eté in Algier.

Lit.: Th.-B., 6 (1912). — Joseph, I. — Gaz. d. B.-Arts, 1923/I p. 277 (Abb.), 281 f. — Beaux-Arts, 4 (1926) 211/13, m. 3 Abbn. — L'Art et les Artistes, N. S. 22 (1931) 289 (Abb.). —Revue de l'Art, 63 (1933/I), Bull. p. 72, 116 (Nachruf).

Cavaciocchi-Giunta, Ersilia, ital. Malerin, * 5. 7. ? Florenz, ansässig in Rom.

Stud. an den Akad. Florenz u. Rom. Lebte einige Zeit in Caracas (Venezuela), dann in Chisimaio u. Eritrea. Hauptsächl. Porträtistin.

Lit.: Chi è?, 1940.

Cavacos, Emmanuel André, griech. Bildhauer u. Maler, * 10. 2. 1885 Potamos auf Kythera, ansässig in Paris.

Stud. an der Kunstsch. in Baltimore, an der Ec. d. B.-Arts in Paris und bei Coutan u. Peter ebda. 1911–15 in Rom u. den USA. Silb. Med. Internat. Ausst. Paris 1925. — Hauptsächl. Genrestatuetten u. Bildnisbüsten. Plast. Hauptwerke: Streben, Enoch Pratt Free Library; Denker, Peabody Inst. in Baltimore; Gram, Smlg der Königin v. Rumänien. Weitere Arbeiten im Mus. in Baltimore.

Lit.: Fielding. — Joseph, I. — Bénézit, ² 2 (1949). — Amer. Art Annual, 30 (1933). — Who's Who in Amer. Art, I: 1936/37. — Kat. Expos. d'un groupe d'Art. hellènes de Paris, Gal. Ch. Brunner, Paris 1926.

Cavael, Rolf, dtsch. Maler u. Graph., * 27. 2. 1898 Königsberg i. Pr., ansässig in Garmisch.

Stud. an d. Kstschule in Frankfurt a. M., dort Lehrer für angewandte Graphik u. Schrift. 1931 Begegnung mit Kandinsky u. Übergang zur gegenstandslosen Malerei. Reisen nach Norditalien u. Dalmatien. 1933/45 verfemt. Mitglied der Gruppe „Zen 49", München. Ausst. von Aquarellen Mai 1951 im Städt. Mus. in Flensburg. Kollektiv-Ausst. 1951 in Kopenhagen u. in d. Gal. Commeter in Hamburg, 1952 in d. Gal. Otto Ralfs in Braunschweig.

Lit.: D. Kst u. das schöne Heim, 48 (1949/50) 459 (Abb.); 49 (1950/51), Beilage p. 45, 196. — Kstchronik, 2 (1949) 259; 4 (1951) 132. — D. Kstwerk, 4 (1950) H. 8/9 p. 86 (Abb.), 88, m. Abb. — D. Weltkst, 21 (1951) H. 12, p. 10. — Kat.: Dtsche Malerei u. Plastik d. Gegenwart, Staatenhaus d. Messe, Köln, 14. 5./3. 7. 1949, m. Abb.; Coll. Point, München 1950; Gegenstandslose Malerei, Freiburg i. Br., 1950; Dtsch. Kstlerbund 1950, 1. Ausst. Berlin 1951 (Abb.).

Cavaglieri, Mario, ital. Figuren- u. Stilllebenmaler, * 10. 7. 1887 Rovigo, ansässig in Peylouber b. Auch (Gers).

Impressionist. Stellte seit 1926 im Pariser Salon d'Automne u. bei den Indépendants aus.
Lit.: Joseph, I. — Bénézit, [2] 2 (1949). — Vita d'Arte, 13 (1914) 127, 223 (Abb.), 224. — Rass. d'Arte ant. e mod., 20 (1920) 32. — Die Christl. Kst, 23 (1926/27) 128.

Cavaillès, Jean, franz. Maler, * 20. 6. 1901 Carmaux (Tarn), ansässig in Paris.
Figürliches, Stilleben. Stellt bei den Indépendants u. in den Salons des Tuileries u. d'Automne aus.
Lit.: Joseph, I. — L'Art vivant, 1934 p. 307, m. 2 Abbn. — Art et Décoration, 1937 p. 117/23, m. 14 Abbn. — Revue de l'Art anc. et mod., 70 (1936) 189 (Abb.). — Beaux-Arts, 75e Année, Nr 252 v. 29. 10. 1937, p. 7 (Abb.); Nr 283 v. 3. 6. 38, p. 2 (Abb.); Nr 306 v. 11. 11. 38, p. 1 (Abb.); 76e Année, Nr 335 v. 2. 6. 39, p. 1 (Abb.); Nr v. 7. 6. 46 p. 5; v. 28. 6. 46 p. 8 (Abb.); v. 23. 8. 46 p. 6 (Abb.). — Bénézit, [2] 2.

Cavaillon, Elisée, franz. Figurenmaler u. Bildh., * 8. 3. 1873 Nîmes (Gard), ansässig in Paris.
Seit 1913 Mitglied des Salon d'Automne. Beschickte seit 1923 auch den Salon des Tuileries. Impressionist. Vertreten in den Museen in Nîmes, Carpentras u. Tarbes. Eine Statue im Stadtpark in Quimper.
Lit.: Joseph, 1. — Bénézit, [2] 2 (1949).

Cavalleri, Giuseppe, ital. Landschaftsmaler, * 24. 11. 1893 Mailand, ansässig ebda.
Malte nach Verlust s. rechten Armes im 1. Weltkrieg mit der Linken.
Lit.: Comanducci.

Cavalli, Emanuele, ital. Maler, * 19. 11. 1904 Lucera (Foggia), ansässig in Florenz.
Erste Lehre in Rom, dann ansässig in Florenz. Bereiste Italien u. das Ausland. 1930/35 in Rom, 1935 bis ca. 1945 in Anticoli Corrado, dann wieder in Florenz, dort Lehrer an der Akad. u. am Collegio di perfezionamento artist. per studenti americani in der Villa Schifanoia. Bildete mit Cagli, Capogrossi u. Melli die sog. „Scuola romana". Verfechter des Tonalismus. Aus dieser Phase Bilder in der Gall. Naz. d'Arte Mod. in Rom. Nahm seit 1935 an allen röm. Quadriennali, 1926, 34, 36, 38 (Kollektiv-Ausst.), 48 u. 1950 an den Biennali in Venedig teil. 1948 Premio Solvay, 1949 erster Premio Michetto mit dem Bildnis der Signora Derna Guerin. Kollektiv-Ausstellgn: Soc. Leonardo da Vinci, Florenz, April 1939; Gall. Michelangelo, Florenz, Febr. 1947; Gall. „Il Sottano", Bari, Jan. 1951.
Lit.: Art et Décor., 1935 p. 171. — Emporium, 89 (1939) 407, 409; 90 (1939) 203; 105 (1947) 224. — Illustraz. Ital. (Mailand), 1935/II p. 243. — Maestrale. 3 Nr 8, August 1942, p. 15f. (Abb.). — Stile, Nr 23, Nov. 1942, p. 43. — Palma Bucarelli, La Gall. Naz. d'Arte Mod., Itinerario, Rom 1951. *A. Gabrielli.*

Cavalli, Giovanni, piemont. Landschaftsmaler, * 1865 Turin, † 6. 9. 1932 Mailand.
Schüler von Carcano.
Lit.: Comanducci.

Cavalli, Giuseppe, ital. Maler, * 5. 12. 1889 Giulianova (Teramo).
Schüler von Pietro Gaudenzi.
Lit.: Comanducci.

Cavallito, Albino, amer. Bildhauer, * 1905 Cocconato, It., ansässig in Woodbridge, N. J.
In der Addison Gall. of Amer. Art in Andover, Mass., eine Steinplastik: Katze (Abb. im Bull. 1944, Taf. 27).
Lit.: Amer. Art Annual, 30 (1933). — Art News, 41, Nr v. 1. 1. 1943, p. 16 (Abb.).

Cavaroc, Honoré, franz. Stilleben-, Landschafts- u. Bildnismaler (Öl u. Pastell), * 18. 12. 1846 Lyon, † 1930 ebda.
Schüler der Ec. d. B.-Arts in Lyon. Mitglied der Soc. d. Art. Franç., deren Salon er bis 1930 beschickte.
Lit.: Th.-B., 6 (1912). — Joseph, I. — Bénézit, [2] II.

Cavasanti, Giuseppe, ital. Bildnismaler u. Freskant, * 7. 1. 1895 Valmadonna (Alessandria).
Schüler der Akad. in Turin.
Lit.: Comanducci.

Cave, Aylwin Osborn, engl. Architekt, * 17. 10. 1895 Witham, Essex, ansässig in Leighton Buzzard.
Lit.: Who's Who in Art, [3] 1934.

Cavedon, Alvise, ital. Bildnis-, Genre- u. Landschaftsmaler, * 2. 9. 1890 Schio.
Schüler von Pasquotti u. der Akad. Venedig.
Lit.: Comanducci.

Cavicchini, Arturo, ital. Bildnismaler u. Rad., * 18. 9. 1907 Ostiglia (Mantua), ansässig in Mantua.
Schüler von Brugnoli in Venedig.
Lit.: Chi è?, 1940. — Emporium, 79 (1934) 371 (Abb.).

Cawén, Alvar, finn. Maler, * 1886, † 3. 3. 1935.
Stud. 1908ff. in Paris. Bereiste Spanien u. Italien. Mitglied der Novembergruppe. Anfängl. der kubistischen Richtung folgend, ging später zu einem mystischen, aber das Gegenständliche immer respektierenden Expressionismus über, der bisweilen die Erinnerung an Munch wachruft. Figurenbilder, Interieurs, Bildnisse, Stilleben. Im Ateneum Helsinki 7 Arbeiten, darunter: Wiegenlied, Atelierinterieur (Abb. im Kat. 1930), Stilleben u. Selbstbildnis (1923); im Mus. Malmö: Singende Chorknaben (Abb.: Konstrevy, 1934, p. 117). Weitere Bilder im Nat.-Mus. Stockholm u. in der Smlg des Kunstvereins in Åbo (Turku). Altarbild in der Kirche in Mänttä.
Lit.: Thiis, p. 61f. — N. F., 21 (Suppl.). — Hahm, p. 30, Abb. 82. — Öhquist, m. 5 Abbn. — Okkonen, p. 41, m. 8 Abbn. — Vem och Vad?, Helsingf. 1936. — Konstrevy, 1937, Heft 1, p. I, m. Abbn, II, m. Abbn; 1938, p. 98/101, m. Abbn. — Kunst og Kultur, 13 (1926) 156/58, m. Abbn. — Die Völkische Kunst, 1 (1935) 133 (Abb.). — Ord och Bild, 47 (1938) Taf.-Abb. vor p. 241.

Cawood, Herbert Harry, engl. Bildhauer * 21. 7. 1890 Sheffield, ansässig in London.
Stud. an den Roy. Acad. Schools. 1924/25 Modelleur für Wembley. Bildnisbüsten u. -statuetten. Modelle im Imperial War Mus. u. im Imperial Inst., London.
Lit.: Who's Who in Art, [3] 1934.

Cawsey, Henry Bernard, engl. Bildnismaler, * 30. 7. 1907 Chalford, † Nov. 1928 in Gloucestershire.
Lit.: Who's Who in Art, [3] 1934, p. 77 u. 447.

Cayman, Richard, belg. Interieur-, Landschafts-, Bildnis- u. Figurenmaler, * 1883 Antwerpen, † 1923 ebda.
Schüler von J. de Vriendt in Antwerpen.
Lit.: Seyn, I.

Cayon, Henri Félix, franz. Genre-, Landschafts- u. Architekturmaler, * 31. 7. 1878 Paris, ansässig ebda.

Schüler von Deglane, R. Collin u. Humbert. Mitglied der Soc. d. Art. Franç. Bild: Ansicht aus d. Park von Dampierre, im Bes. des Staates.
Lit.: Joseph, 1. — Bénézit, ² 2 (1949). — La Renaiss. de l'Art franç., 9 (1926) 66 (Abb.).

Cayron, Jules, franz. Bildnismaler, * 28. 9. 1868 (1871?) Paris, † 1940 ebda.
Schüler von Alfr. Stevens u. J. Lefebvre. Mitglied der Soc. d. Art. Franç., deren Salon er noch 1930 beschickte (Kat. häufig m. Abbn). Damenbildnis im Luxembourg-Mus. in Paris.
Lit.: Th.-B., 6 (1912). — Joseph, I. — Revue de l'Art anc. et mod., 52 (1927/II) 31 (Abb.); 66 (1934) 37, 47 (Abb.). — Beaux-Arts, 10 (1932), Märzheft p. 24 (Abb.); 75e année, Nr 226 v. 30. 4. 1937, p. 1 (Abb.); Nr 280 v. 13. 5. 38, p. 2 (Abb.); 76e a., Nr 331 v. 5. 5. 39, p. 1 (Abb.). — Bénézit, ² II.

Cazals, F. A., franz. Zeichner u. Aquarellmaler, * 31. 7. 1865 Paris, † 1941 ebda.
Zeichnete u. a. für „La Plume", „La Vie Franco-Russe" u. für die Münchner „Jugend". Befreundet mit Verlaine, dessen Bildnis er zeichnete.
Lit.: Th.-B., 6 (1912). — Beaux-Arts, Nr 232 v. 11. 6. 1937, p. 8, m. Abb. — Bénézit, ² 2.

Cazanave, Antoine Charles Alain, franz. Pastellzeichner, * 17. 2. 1883 Carcassonne, ansässig ebda.
Schüler von A. Delzers. Stellte im Salon der Soc. d. Art. Franç. in Paris seit 1922ff. aus.
Lit.: Joseph, I.

Cazaubon, Pierre Louis, franz. Marine- u. Landschaftsmaler, * 28. 6. 1873 (1872 ?) Bordeaux, ansässig ebda.
Schüler von Louis Cabié. Mitgl. d. Soc. d. Art. Franç. in Paris (Salon-Kat. z. T. mit Abbn). Bilder u. a. im Mus. Saumur, in der Börse in Bordeaux u. in der Marine-Börse ebda.
Lit.: Joseph, I. — Bénézit, ² II.

Cazaux, Edouard, franz. Keramiker, * Canneille (Landes), ansässig in La Barenne-Saint-Hilaire.
Gehört mit Aug. Delaherche zu den bedeutendsten franz. Kunsttöpfern der Gegenwart. Mitgl. der Soc. du Salon d'Automne in Paris, beschickte den Salon seit 1925. Geflammtes Steinzeug u. Fayencen mit ornamentalem oder figürlichem Dekor.
Lit.: Joseph, I. — Art et Décor., 1922/I: Chron. p. 3f.; 1922/II Aug.-H., p. 6, m. Abbn; 1923/II, Chron., Juli-H., p. 5, m. Abb. — L'Art et les Art., N. S. 5 (1922) 314, 318 (Abb.); 14 (1926) 142. — La Renaiss. de l'Art franç., 13 (1930) 80 (Abbn).

Cazeneuve, Fernande, franz. Blumen- u. Stillebenmalerin, * Lyon, ansässig in Paris.
Schülerin von Simone Meunier. Beschickt seit 1929 den Salon der Soc. d. Art. Franç.
Lit.: Joseph, I. — Bénézit, ² II.

Cazenove, Jean, franz. Tiermaler, ansässig in Paris.
Beschickte 1929ff. den Salon des Humoristes.
Lit.: Joseph, I. — Bénézit, ² II.

Cazes, Clovis, franz. Figuren- u. Bildnismaler, * 28. 10. 1883 Lannepax (Gers), † 5. 10. 1918 San Sebastian (Spanien).
Schüler von Cormon, Mitgl. d. Soc. d. Art. Franç. in Paris (Salon-Kat. z. T. m. Abbn). Lebte ebda.
Lit.: Th.-B., 6 (1912). — Chron. d. Arts, 1913, p. 211; 1917–19 p. 143. — Les Arts, 1913 Nr 139 p. 27 (Abb.). — Bénézit, ² 2.

Cazzaniga, Carlo, ital. Bildnis-, Figuren- u. Landschaftsmaler, * 24. 2. 1883 Mailand, ansässig ebda.
Schüler von Bignami, in der Hauptsache Autodidakt. Bild (Alter lombard. Landsitz) in d. Gall. d'Arte Mod. in Mailand.
Lit.: Comanducci, m. Abb. — Emporium, 33 (1911) 486, 488, m. Abb.

Céas, Giambattista, ital. Architekt u. Architekturmaler, * Rom, ansässig ebda.
Lit.: Emporium, 68 (1928) 117/21, m. 8 Abbn.

Ceccarelli, Pietro, ital. Bildhauer, ansässig in Caracas, Venezuela.
Kollektiv-Ausst. in Caracas 1931.
Lit.: Vie d'Italia America Latina, 1931, p. 29/32, m. 7 Abbn.

Cecchi, Carlo, ital. Bildnis-, Genre- u. Landschaftsmaler, * 5. 1. 1890 Florenz, ansässig ebda.
Schüler s. Vaters Adriano (* 1850 Prato, † Florenz) u. d. Roy. Acad. in London.
Lit.: Th.-B., 6 (1912). — Comanducci. — La Nazione, 16. 1. 1921.

Cecchi-Pieraccini, Leonetta, ital. Bildnis-, Figuren- u. Landschaftsmalerin, * 31.10. 1883 Poggibonsi (Siena), ansässig in Rom.
Schülerin von A. Burchi u. G. Fattori. Mitglied der Gruppe „Novecento". Bild: Via Appia, in der Mod. Gal. in Amsterdam. Auch in öff. Smlgn Italiens vertreten.
Lit.: Costantini. — Bénézit, ² 2 (1949). — Dedalo, 10 (1929/30) 681 (Abb.), 692. — Bull. senese di Storia patria, N. S. 3 (1932) 227. — Emporium, 81 (1935) 89, 106 (Abb.); 94 (1941) 38f., m. Abb.

Cecconi, Alberto, ital. Landschaftsmaler, * 21. 2. 1897 Florenz, ansässig ebda.
Stud. an d. Akad. in Florenz u. an d. Aktschule in Rom. Hielt sich zw. 1921 u. 1929 in Südamerika auf Im Mus. in Rio de Janeiro: Markt San Gallo in Florenz.
Lit.: Comanducci, m. Abb.

Cecere, Gaetano, amer. Bildhauer u. Medailleur, * 26. 11. 1894 New York, ansässig ebda.
Schüler von H. A. MacNeil u. der Amer. Acad. in Rom. — Hauptwerke: Denkmal für John F. Stevens in Montana; Giebelgruppe am Stanbaugh Auditorium in Youngstown, O.; Kriegsdenkmäler in Plainfield, N. J., Princeton, N. J., Clifton, N. J., u. Astoria, L. I., N. Y. Erinnerungsmed. der Princeton Univ.; Militärmed. der US-Armee.
Lit.: Fielding. — Amer. Art Annual, 14 (1917) 448, Abbn geg. p. 211; 30 (1933). — Who's Who in Amer. Art, I: 1936/37.

Cederberg, Eric, schwed. Landschafts- u. Stillebenmaler, * 1897 Välluv, Schonen, ansässig in Hälsingborg. Autodidakt.
Lit.: Thomœus.

Cederberg, Helga, geb. *Lindén*, schwed. Malerin u. Bildhauerin, * 1895 Nora, ansässig in Trelleborg.
Stud. bei Zadig in Malmö, weitergebildet in Dänemark, Deutschland u. Paris. Landschaften, Blumenstücke, Porträtbüsten.
Lit.: Thomœus.

Cedercrantz, Mary, schwed. Malerin, * 1915 Stockholm, ansässig ebda.
Schülerin von Otte Sköld in Stockholm u. von Gromaire in Paris. Bildnisse, Interieurs, Landschaften. Bild in der Smlg des Prinzen Eugen v. Schweden (†).
Lit.: Thomœus.

Cedercreutz, Emil, Freih., finn. Bildhauer, Illustr., Silhouettenschneider u. Schriftst., * 16. 5. 1879 auf dem väterl. Gute Kjuloholm, ansässig in Helsinki.

Stud. in Helsinki, bei Verlet an der Acad. Julian in Paris u. bei van der Stappen in Brüssel. Bereiste die europäischen Länder u. Afrika. Hauptsächlich Grabmalplastiker u. Tier- (bes. Pferde u. Kühe) Bildhauer. Vertreten in allen Museen Finnlands. Im Ateneum Helsinki Selbstbildnis (Bronzerelief, 1915); Pferd (Bronzestatuette); Pflüger (desgl.). Im Park von Kajsaniemi in Helsinki: Mutterliebe (Stute mit Fohlen).

Lit.: Th.-B., 6 (1912). — Joseph, I. — N. F., 4. — Vem är Vem i Norden, Stockh. 1941, p. 424. — Hahm, p. 32. — Öhquist, m. 2 Abbn. — Vem och Vad?, Helsingf. 1936.

Cederquist, Arthur, amer. Maler, * 3. 4. 1884 Titusville, Pa., ansässig ebda.

Schüler von Wm. M. Chase, Rob. Henri u. Kenneth Hayes Miller. Bild (D. Apfelbaum) im Whitney Mus. of Amer. Art in New York.

Lit.: Amer. Art Annual, 30 (1933). — Who's Who in Amer. Art, I: 1936/37.

Cederschiöld, Gunnar, schwed. Zeichner, Illustrator u. Schriftst., * 30. 7. 1887 Västerstad, Schonen, ansässig in Jönköping.

Stud. an der Valand-Malschule in Göteborg, in Kopenhagen u. Paris. Illustr. zu eigenen Buchwerken.

Lit.: Thomœus. — Vem är Vem i Norden, 1941 p. 1023.

Cederström, Hjalmar, schwed. Architekt, * 1880 Stockholm, ansässig ebda.

Stud. an der Techn. Schule Stockholm. Studienreisen im Ausland. Spezialist für den Bau von Krankenhäusern, darunter das mustergültige, 1200 Betten fassende Südkrankenhaus in Stockholm.

Lit.: Thomœus. — Architect. Review, 99 (1946) 135/40. — Progressive Architect. Pencil Points, 28 (1947) 63/69. — Das Werk (Zürich), 31 (1944), Heft 10, Chronik p. XXIX.

Cederström, Minna, geb. *Poppius*, schwed. Porträt-Miniaturmalerin u. Zeichnerin, *1883, ansässig in Stockholm.

Stud. in Paris u. Italien.

Lit.: Thomœus. — Bénézit, [2] II.

Ceia, Benvindo Ant., portug. Landschafts- u. Dekorationsmaler, * 22. 11. 1870 Portalegre, † 1941.

Stud. am Lyzeum in Portalegre u. an d. Kstschule in Lissabon. Schüler von Ferreira Chaves, Silva Porto, Veloso Salgado u. Simões de Almeida. Gold. Med. auf der Ausst. in Sevilla. Studienaufenthalte in Spanien, Frankreich, Belgien u. Holland. Werke im Mus. Nac. Machado de Castro in Coimbra. Dekorationen im Zirkustheater in Braga, im Theater Bernardim Ribeiro in Extremoz, im Theater Politeama in Lissabon (in Zusammenarbeit mit Veloso Salgado) in den Caffés Chave de Ouro u. Martinho in Lissabon, in den Restaurants Garrett u. Versailles u. in d. Hauptkapelle von S. João do Lumiar ebda. Gemälde im dort. Rathaus. Azulejos in d. Kirche in Vila Franca do Campo. Gedächtn.-Ausst. in Lissabon 1943 (Kat.).

Lit.: Pamplona, p. 186. — Gr. Enc. Portug. e Brasil., VI 399.

Čejka, Josef, tschech. Graphiker u. Kstgewerbler, * 28. 7. 1886 Klatovy, † 25. 3. 1932 Prag.

Stud. an den Kstgewerbesch. in Prag u. Wien. Studienaufenthalt in München. Hauptsächlich Zeichner von Illustrationen, Karikaturen, Plakaten, Bucheinbänden. Entwürfe für Marionetten u. Spielzeug.

Lit.: A. Birnbaumová u. V. Černá, Opuštěná paleta, Prag 1942, p. 62. — Toman, I 139. *Blž.*

Celada, Ugo, ital. Figurenmaler, * 25. 5. 1895 Virgilio (Mantua), ansässig in Mailand.

Schüler von Ces. Tallone.

Lit.: Comanducci. — Chi è?, 1940.

Çelebi, Ali Avni, türk. Maler, * 1904 Istanbul (Konstantinopel), ansässig ebda.

Stud. an d. Akad. d. Sch. Künste zu Istanbul, 1922 diplomiert. Weitergebildet 10 Jahre lang in verschiedenen Ateliers in Deutschland. Nach Rückkehr nach Istanbul Zeichenlehrer an verschiedenen Schulen bis 1938. Seit 1939 Lehrer an d. Akad. d. Sch. Künste. Bilder im Bilder- u. Statuenmus. zu Istanbul. Gehört der türk. modernen Schule an.

Lit.: Berk, p. 24ff., Abb. 36.

Čelebonovič, Marko, jugoslav. Stilleben-, Interieur- u. Bildnismaler, * Belgrad.

Stellte seit 1927 wiederholt im Salon d'Automne in Paris aus. Im Mus. Prinz Paul in Belgrad: 4 Figuren in Interieur (Kat. 1939, Abb. 40).

Lit.: Bénézit, [2] II (1949).

Celesia di Vegliasco, Baronessa Carla, ital. Genre- u. Landschaftsmalerin, * 9. 10. 1868 Florenz, ansässig in Lavelli De Capitani.

Schülerin von Filippo Carcano.

Lit.: Comanducci.

Celestini, Celestino, ital. Maler (Aquar.), Bühnenbildner u. Rad., * 25. 12. 1882 Città di Castello (Perugia), ansässig in Florenz.

Schüler von Giov. Fattori. 1908/12 in Perugia. Gründete 1912 eine Radierschule an d. Akad. Florenz, die er selbst leitet. Hauptsächl. Landschaften u. Stadtansichten (Perugia, Assisi, Orvieto, San Gimignano usw.).

Lit.: Vita d'Arte, 11 (1913) 157/58 (Abbn), 160; 13 (1914) 146 (Abb.), 260, 261 (Abb.). — Gaz. d. B.-Arts, 1922/I, 309/17, m. 5 Abbn. — Cronache d'Arte, 4 (1927) 423 (Abb.), 425. — Byblis, 1927, p. 109/12, m. Taf. — Bull. d. Musées de France, 1930, p. 277f., m. Abb. — The Studio, 94 (1927) 292 (Abb.). — D. Graph. Kste (Wien), 56 (1933) 72, 73 (Abb.).

Celle, Edmond de, amer. Maler u. Illustr., * 26. 9. 1889 New York, ansässig in Mobile, Alabama.

Schüler von A. S. Hartrick u. Reginald Savage in England und von M. Des Loovre in Belgien. Hauptsächl. Wandmaler.

Lit.: Who's Who in Amer. Art, I: 1936/37, p. 115.

Celli, Elmiro, franz. Landschaftsmaler, * Voghera (Piemont), ansässig in Paris.

Sein Versuch der Begründung einer Schule, die er „Sensationnisme" nannte, und die darauf ausging, Gehirn- u. Gefühlseindrücke wie Schmerz, Begeisterung, Vogelsang, Abenddämmerung usw. in sichtbare Form zu bringen, mißglückte, worauf er zu einer traditionellen Landschaftsmalerei zurückkehrte. Kollektiv-Ausst. in der Gal. Druet in Paris April 1920.

Lit.: Bénézit, [2] II (1949). — Chron. d. Arts, 1920, p. 51f.

Cellier, Alphonse, franz. Bildnis- u. Landschaftsmaler, * 1875 Gardanne (Bouches-du-Rhône), † 1936 Neuilly-sur-Seine.

Schüler von Bonnat u. J. P. Laurens. Mitgl. der Soc. d. Art. Franç. in Paris. Beschickte den Salon seit 1910 (Kat. z. T. m. Abbn).

Lit.: Joseph, 1. — Bénézit, [2] 2 (1949).

Cellier, Charles Robert Camille, franz. Bildhauer, * Bègles (Gironde), ans. in Paris.
Schüler von Larche u. Coutan. Mitgl. der Soc. d. Art. franç., beschickt deren Salon seit 1909.
Lit.: Bénézit, [2] II (1949).

Cellini, Gaetano, ital. Bildhauer, * 1875 Ravenna, ansässig in Turin.
Schüler der Brera-Akad. in Mailand. In d. Gall. d'Arte Mod. in Rom die Gruppe: Die Menschlichkeit im Kampf mit dem Bösen (Abb. im Kat. 1932). In Turin das Denkmal des Kinderfreundes Don Bosco.
Lit.: Th.-B., 6 (1912). — Arte Cristiana, 2 (1914) 321 (Abb.), 354/56, m. 4 Abbn.

Cellini, Giovanna, ital. Genremalerin, * 15. 12. 1894 Treviso.
Schülerin von A. Milesi u. A. Pomi.
Lit.: Comanducci.

Celommi, Raffaello, ital. Landschafts- u. Genremaler, * 1883 Roseto degli Abruzzi.
Schüler s. Vaters, des Malers Pasquale C. (* 1851, † 1928), weitergeb. in Rom.
Lit.: Comanducci.

Célos, Julien, belg. Landschaftsmaler u. Rad., * 30. 9. 1884 Antwerpen.
Schüler von Fr. Courtens. Bereiste Holland, England, Frankreich u. Tunesien.
Lit.: Th.-B., 6 (1912). — Bénézit, [2] 2. — Seyn, I. — The Studio, 64 (1915) 269.

Cels, Albert, belg. Bildnismaler u. -zeichner, * 29. 11. 1883 Brüssel.
Schüler der Akad. in Brüssel u. Glasgow (J. Deville), weitergebildet bei J. E. Blanche in Paris.
Lit.: Th.-B., 6 (1912). — Joseph, I. — Le Home (Brüssel) Dez. 1912, m. Abbn.

Celsing, Elsa, s. *Backlund-Celsing.*

Celso Lagar, span. Maler, * 14. 2. 1891 Ciudad Rodrigo (Salamanca).
Stud. an der Kstschule in Madrid u. bei dem Bildh. Blay. Ging 1911 in Paris unter dem Eindruck der Werke Cézanne's zur Malerei über. Mitbegründer des Salon d. Surindépendants in Paris. Stellte dort seit 1919 im Salon d'Automne u. bei den Indépendants aus. Malt hauptsächl. Volksfeste, Jahrmärkte usw. Bilder in den Museen Le Havre, La Rochelle, Rouen u. Philadelphia. Kollektiv-Ausst. 1916 in den Gal. Layetanas in Barcelona.
Lit.: Bénézit, [2] II. — Francés, 1916, p. 275. — Revista Nova (Barcelona), 1916 Nr 37.

Cena, Gabriele, ital. Maler.
Hauptsächl. Porträtist. Kollektiv-Ausstellg in der „Bragaglia fuori Commercio" in Rom Frühj. 1937. — Seine Gattin Anna stellte an gleicher Stelle einige Zeichnungen aus.
Lit.: Emporium, 85 (1937) 111f., 112, 113 (Abb.).

Čenský, Alois Jan, tschech. Architekt, Dr. Ing., * 22. 6. 1868 Beroun, ansässig in Prag.
Stud. an der Prager Techn. Hochsch., später Professor an ders. Entwürfe für das Städt. Theater in Prag-Weinberge (1905/07), Gemeindehaus u. Markthalle in Prag-Smíchov (1907/08), Städt. Theater in Náchod, Sokol-Haus in Dvůr Králové usw. Redakteur d. Zeitschr. „Architektonický Obzor" (Arch. Rundschau) in Prag.
Lit.: Harlas, Sochařství, stavitelství, Prag 1911, p. 181f. — Toman, I 139. *Blž.*

Center, Edward, schott. Maler, * 24. 7. 1903 Aberdeen, ansässig ebda.
Stud. an Grey's Kunstsch. in Aberdeen. Landschaften, Bildnisse, figürl. Kompositionen.
Lit.: Who's Who in Art, [3] 1934.

Ceracchini, Gisberto, ital. Figuren-, Bildnis- u. Landschaftsmaler, * 5. 1. 1899 Foiano della Chiana (Arezzo), ansässig in Rom.
Autodidakt. Mitglied der Gruppe „Novecento". In mehr zeichnerisch-illustrativem als malerischem Stil behandelte, bewußt primitiv komponierte Figurenkompositionen: Szenen aus dem Landleben u. der Bibel. Hat sich auch bildhauerisch betätigt. Bilder in den Gall. d'Arte Mod. in Rom u. Venedig.
Lit.: Liber o de Libero, G. C. (Arte Mod. Ital., Nr 26), Mail. 1935, m. Bibliogr. — Costantini, m. Abb. — L'Amour de l'Art, 11 (1930) 109 (Abb.); 15 (1934), 483ff. passim, m. Abb. — Emporium, 81 (1935) 80 (Abb.), 81, 116 (Abb.); 93 (1941) 114, 116 (Abb.). — Le Arti, 1 (1938/39) Taf. 66. — Art et Décor., 1935, p. 171ff. passim, m. Abb. — L'Art vivant, 1935, p. 57f., m. Abb. — The Studio, 109 (1935) 222 (Abb.); 112 (1936) 304 (Abb.). — Kat. d. VI Quadriennale, Rom 1951/52, m. Abb.

Cerf, Ivan, belg. Figuren-, Bildnis- u. Landsch.-Maler u. Zeichner, * 4. 2. 1883 Verviers.
Schüler von J. Lefebvre u. T. Robert-Fleury in Paris. Im Mus. Lüttich: Bildnisse der Mutter des Künstlers u. des Komponisten J. Jongen.
Lit.: Seyn, I. — Joseph, I. — Bénézit, [2] II. — La Fédération artist., 30. 11. 1913, p. 57ff. — La Renaiss. de l'Art, 12 (1929) 313, m. Abb. — Revue de l'Art anc. et mod., 55 (1929) 145 (Abb.). — Bull. de l'Art, 1929 p. 157 (Abb.). — Beaux-Arts, 9 (1931), April, p. 24 (Abb.); Nr v. 12. 9. 1947, p. 4, m. Abb.; v. 5. 12. 47, p. 1.

Céria, Edmond, franz. Maler u. Lithogr., * 26. 1. 1884 Evian (Haute-Savoie), ansässig in Paris.
Stud. in Paris, wohin er 16jährig kam. Landschaften, Marinen (bes. aus Südfrankreich), Stilleben, Akte, Bildnisse. Nähert sich in seiner Malweise der Neuen Sachlichkeit, hat sich im übrigen wenig gewandelt. Bilder im Luxembourg-Mus. in Paris (Die Odaliske u. Stilleben) u. im Mus. in Algier.
Lit.: J. Alazard, C. (Les Art. Nouv.), Paris 1931, m. 32 Taf. — Joseph, I, m. Abb. — Bénézit, [2] II (mit zahlr. Versteigerungsergebnissen). — Gaz. d. B.-Arts, 1926/II 328 (Abb.). — La Renaiss. de l'Art franç., 9 (1926) 611 (Abb.); 13 (1930) 47 (Abb.). — Art et Décor., 1928/I, p. 122/28, m. 7 Abbn. — L'Amour de l'Art, 1929, p. 121/26, m. 1 Taf. u. 6 Abbn; 1930, p. 391 (Abb.). — Dtsche Kst u. Dekor., 69 (1931/32) 204/08 m. 5 Abbn. — Beaux-Arts, 10 (1932) Märzh. p. 23 (Abb.), 24; 1935 Nr 111, p. 8, m. Abb.; Nr 283 v. 3. 6. 1938, p. 1 (Abb.); Nr 302 v. 14. 10. 1938, p. 3 (Abb.); Nr 320 v. 17. 2. 1939, p. 4, m. Abb.; Nr 335 v. 2. 6. 1939, p. 1 (Abb.). — Revue de l'Art anc. et mod., 65 (1934/I), Bulletin p. 57 (Abb.); 69 (1936) p. 280 (Abb.). — L'Art vivant, 1934, p. 86, m. 2 Abbn; 1937, p. 372/74, passim, m. Abb. — The Studio, 109 (1935) 281f.; 112 (1936) 70 (Abb.); 117 (1939) 5 (Abb.), 226 (Abb.). — Maandbl. voor beeld. Ksten, 13 (1937) 56f., 58 (Abb.). — Kat. Ausst. Franz. Kunst d. Gegenw., Pr. Akad. d. Kste, Berlin 1937, m. Abb.

Cerisier, Simonne, franz. Figuren- u. Bildnismalerin, * 29. 4. 1903 Ancenis (Loire-Infér.), ansässig in Arbois (Jura).
Schülerin von Felix Polak u. Emile Simon. Mitgl. d. Soc. d. Art. Franç. in Paris.
Lit.: Joseph, I, m. Fotobildn. — Bénézit, [2] II.

Čermák, Jaroslav, tschech. Architekt, Ing., * 12. 5. 1901 Pilsen (Plzeň).
Stud. 1921/29 an d. Techn. Hochsch. in Prag. Nepomuk-Kirche in Prag-Košíře (1938).
Lit.: Toman, I 144. — D. Werk (Zürich), 16 (1929) 244 (Abb.). *Blž.*

Cermignani, Armando, ital. Graphiker, * 22. 2. 1888 Castellammare Adr. (Pescara), ansässig in Pescara.

Als Holzschneider mittätig an der Illustrierung der „Eroica di Spezia" u. der „Grande Illustrazione di Pescara". Als Buchillustrator tätig für die Verlagshäuser Formiggini, Cozzani, Gino Carabba u. a.

Lit.: Chi è?, 1940. — E. Cozzani, Gli artisti ital. del libro.

Cernigoi, Augusto, ital. Maler, Holzschneider, Kaltnadelstecher u. Lithogr., * 24. 8. 1898 Triest.

Stud. an d. Akad. in Bologna u. an der Akad. u. Kunstgewerbesch. in München. Anhänger der abstrakten Richtung. Illustr. u. a. zu den Novellen v. Verga u. zu den Abenteuern des Barons Münchhausen.

Lit.: Il Gazzettino (Venedig), v. 9. 7. 1941. — Emporium, 81 (1935) 330; 82 (1935) 335; 86 (1937) 617; 93 (1941) 43, 44 (Abb.). — L. Servolini, Diz. d. Incisori ital. mod. e contemp., 1952. *L. Servolini.*

Cernivez, Franco, ital. Bildnismaler u. Karikaturenzeichner, * 1876 Triest, † 1923 ebda.

Lit.: Comanducci.

Černý, Antonín, tschech. Architekt, Dr. Ing., * 15. 4. 1896 Vitkovice, ansässig in Prag.

Stud. 1914/22 an der Techn. Hochsch. Prag. Paläste der Moldavia-Generali und Assicurazioni-Generali in Prag (zus. mit B. Kozák) u. einige Kleinmiethäuser in Prag XIII u. XVIII-Břevnov.

Lit.: J. E. Koula, Nová česká architekt., Prag 1940. — Toman, I 145. *Blž.*

Cerny (Černý) Charles, tschech. Landschaftsmaler u. Pastellzeichner, * 12. 8. 1892 Prag, ansässig in Lagny (Seine-et-Marne).

Stud. in Prag, Wien, München u. Paris. Bildnisse, Figürliches, Stadtansichten (Panorama von Fez). Stellt seit 1910 bei den Indépendants aus.

Lit.: Joseph, I. — Bénézit, ² II (1949). — Toman, I 146. *Blž.*

Černý, Karel, tschech. Maler u. Graph., * 19. 2. 1912 Brünn (Brno).

1933/38 Schüler v. J. Obrovský an d. Prager Akad. Zuerst vom Expressionismus beeinflußt, wendet sich später zum Realismus. Stilleben, Figürliches. Ausstell. in Prag 1942 u. 1944 („Mánes"), 1948 (Gal. Topič).

Lit.: J. Drda, Malíř K. Č., Coll. Výtvarný dnešek, Bd 2, Prag 1943. — Toman, I 146. *Blž.*

Černý, Věnceslav, tschech. Aquarellmaler u. Zeichner, * 27. 1. 1865 Staré Benátky, † 15. 4. 1936 Mladá Boleslav.

Schüler von F. Čermák u. A. Lhota an der Akad. in Prag, von Ch. Griepenkerl in Wien. Aquarell-Landschaften. Hauptsächlich Buch- u. Zeitschriftenillustrator (Illustr. zu Jirásek's u. Sienkiewicz' Schriften).

Lit.: Toman, I 148. — Apollo (London), 15 (1932) 247, farb. Taf. geg. p. 193. *Blž.*

Cerpi, Ezio, ital. Architekt, * 4. 4. 1872 Siena, ansässig in Florenz.

Hauptsächl. Restaurator. Leiter der Soprintendenza dei Monumenti di Firenze u. Bauleiter an S. Croce. Baute u. a. das Mus. Civ. in Fiesole u. die Börse in Florenz.

Lit.: Chi è?, 1940. — Arte Cristiana, 2 (1914) 281 (Abb.). — Pagine d'Arte, 2 (1914) 122, m. Abb.

Cerrachi, Enrico Filiberto, ital. Bildhauer, * 1880, ansässig in Houston, Tex.

Seit 1900 in den USA. Hauptwerk: Denkmal für John A. Wharton im Staatskapitol in Austin, Texas.

Lit.: Fielding.

Cerrina, Giuseppe, ital. Landschaftsmaler, * 6. 10. 1882 Murazzano Langhe (Cuneo).

Autodidakt.

Lit.: Comanducci.

Cerutti-Simmons, Teresa, ital. Lithogr., Aquarellmalerin, Radiererin u. Schriftst., * Piemont, ansässig in Roxbury, Conn. Gattin des Will Simmons.

Schülerin von Whistler u. Will Simmons. Folge: Alte Tänze (20 Rad. u. 3 Aquatintabl.). Kollekt.-Ausst. in den Milch Gall. in New York, Jan. 1927.

Lit.: Amer. Art Annual, 30 (1933). — Who's Who in Amer. Art, I: 1936/37. — The Art News, 25, Nr 17 v. 29. 1. 1927, p. 9.

Cervellati, Alessandro, ital. Maler (Öl u. Aquar.), * 8. 3. 1892 Bertinoro, ansässig in Bologna.

Stellte auf der Mostra di Artisti bolognesi in Cesena Herbst 1936 einige aquar. Zeichnungen aus.

Lit.: Nino Bertocchi, 60 disegni di A. C., Bologna 1935 (52 Taf.). — Emporium, 84 (1936) 291 r. Sp., 292 (Abb.).

Cervin, Anna, schwed. Bildnis-, Landschafts-, Blumen- u. Stillebenmalerin, * 1878 Holmedal, Värmland, ansässig in Stockholm.

Stud. an den Akad. in Paris u. Oslo. Bild im Mus. in Karlstad.

Lit.: Thomœus.

Cesanelli, Lorenzo, ital. Architekt, * 16.8. 1899 Ancona, ansässig in Rom.

Hauptsächlich Restaurator (u. a. Wiederherstellung der Kirchen SS. Trinità in Manduria u. S. Lucia in Brindisi). Baute das Haus der Società Romana della Caccia alla Volpe.

Lit.: Chi è?, 1940.

Cesar-Bru, Jean, franz. Porträtbildhauer, * 7. 8. 1870 Senlis (Oise), ansässig in Paris.

Schüler von Falguière u. Ch. Barrau. Stellt seit 1898 im Salon der Soc. d. Art. Franç. aus.

Lit.: Joseph, I.

Cesare, Enrico de, ital. Genremaler, * 8.1. 1864 Genua, ansässig in Neapel.

Lit.: Comanducci, p. 183. — Giannelli, p. 187.

Cesetti, Giuseppe, alias *Tortorella,* ital. Maler, Schriftst. u. Dichter, * 10. 3. 1902 Tuscania (Viterbo), ansässig in Venedig.

Autodidakt. Tätig in Florenz, Venedig, Paris, Mailand, neuerdings wieder in Venedig, 1931/33 Lehr-Assistent für Malerei an der dort. Akad., dann Lehrer für Figurenzeichnen am Liceo artistico, seit 1940 Lehrer f. Malerei an der Akad. Erste Kollektiv-Ausst. in Como 1926. Weitere Kollektiv-Ausstell. in d. Gall. S. Trinità, Florenz 1930, u. in d. „Gall. Roma" in Rom 1931. Teilnehmer an den röm. Quadriennali und seit 1934 an den Biennali in Venedig. Zeichnerisch u. journalistisch tätig für Zeitschr. wie „Il Bargello" u. L'Universale". Die Themen zu seinen Einflüsse von Gauguin, den Fauves u. Henri Rousseau verratenden Bildern entlehnt C. fast stets der Maremma u. den von Pferden, Weidevieh u. Hirten bevölkerten Feldern Latiums. Vertreten u. a. in der Gall. Naz. d'Arte Mod. in Rom u. in d. Gall. Gian Ferrari in Mailand.

Lit.: C. Cardazzo, G. C. pittore, Venedig 1934; ders., Disegni di G. C., Venedig 1938. — Carrieri. — R. Carrieri, C., Mailand 1937, m. Fotobildn. — G. Gorgerino, Opere e studi, quattro artisti, Mailand 1937. — Gio Ponti, G. C. 14 Cavalcature,

Mailand o. J. — D. Valeri, C., Trient 1944, m. Lit. — G. Ungaretti, Pittori ital. contemp., Bologna 1945. — Arte Ital. del nostro tempo, Bergamo 1946, Taf. 55f. — Le Arti, Dez. 1940/Jan. 1941. — Domus (Mailand), Dez. 1937. — Quadrivio, 28. 11. 1937. — Thema (Gauting b. München), 1949/50 H. 2, p. 17 (Abb.). — Illustraz. Ital. (Mailand), 30. 11. 1941. — Emporium, 80 (1934) 368ff.; 87 (1938) 51f.; 93 (1941) 288 (Abb.), 291. — Kultur-Archiv, 3 (1948) Heft 5. — C. e i Cavalli, m. Einleitg von Cesetti, Venedig 1941. — Palma Bucarelli, LaGall. Naz. d'Arte Mod., Guida breve, Rom 1949; dies., ~ Itinerario, 1951. *P.B.*

Cevat, Nicolas Frederick Heinrich, holl. Maler u. Bilderrestaurator, * 15. 5. 1884 Burtscheid b. Aken, ansässig in Amsterdam.

Schüler von Simon Maris u. Fr. Vos. Einige Zeit in Amerika lebend.

Lit.: Waay.

Chà, Luigi della, piemont. Bildnis- u. Landschaftsmaler, * 16. 1. 1894 Turin, ansässig ebda.

Schüler von Luigi Serralunga, Rava u. Follini. Einige Zeit in München u. Düsseldorf.

Lit.: Comanducci, p. 188.

Chabada, Béla, ungar. Landschafts- u. Bildnismaler u. Graph.

Stud. 1896/98 an der Musterzeichensch. in Budapest, weitergebildet in München. Seit 1906 in Berlin.

Lit.: Szendrei-Szentiványi. — Müvészet, 3 (1904) 130, Taf.-Abb. geg. p. 144; 7 (1908) 305 (Abb.).

Chabas, Maurice, franz. Genre- u. Landschaftsmaler (Öl u. Aquar.), * 21. 9. 1863 Nantes, † 11.12.1947 Paris. Bruder des Paul.

Schüler von Bouguereau u, Robert-Fleury. Mitgl. d. Soc. d. Art. Franç. Ehrenmitgl. des Salon d'Automne. Im Mus. in Nantes 18 Aquarelle, Entwürfe zu den Wandgemälden im Bahnhof von Lyon-Perrache.

Lit.: Th.-B., 6 (1912). — Bénézit, [2] 2 (1949). — Joseph, I, m. 2 Abbn. — L'Art et les Art., N. S. 7 (1923) 384/88, m. 8 Abbn. — Renaiss. de l'Art fr., 9 (1926) 244 (Abb.). — Beaux-Arts, Nr v. 12. 3. 48 p. 3.

Chabas, Paul, franz. Maler u. Illustr., * 7. 3. 1869 Nantes, † 1937 Paris. Bruder des Maurice.

Schüler von A. Maignan u. T. Robert-Fleury. Figürliches u. Bildnisse. Gold. Med. Internat. München 1905. Mitgl. der Soc. d. Art. Franç. u. des Institut. Beschickte den Salon bis 1930 (Kat. häufig m. Abbn). — Bilder u. a. in den Mus. Nantes, Tourcoing, Mülhausen u. im Luxembourg-Mus. in Paris.

Lit.: Th.-B., 6 (1912). — Bénézit, [2] II. — Joseph, I, m. 4 Abbn u. Fotob. — Les Arts, 1913 Nr 139, p. 10 (Abb.). — L'Art et les Art., N. S. 7 (1923) 352 (Abb.). — Beaux-Arts, 8 (1930) H. 5, p. 21 (Abb.). — Revue de l'Art anc. et mod., 44 (1923) 52 (Abb.), 60; 52 (1927/I) 31 (Abb.); 55 (1929) 146 (Abb.); 66 (1934) 37, m. Abb.; 71 (1937/I) 180.

Chabaud, Auguste, franz. Landschafts- u. Figurenmaler, * 3. 10. 1882 Nîmes (Gard), ansässig in Graveson (Bouches-du-Rhône).

Schüler von P. Grivolas. Mitgl. des Salon d'Automne, beschickt denselben seit 1913. Stellt auch bei den Indépendants u. im Salon des Tuileries aus. Bilder u. a. im Luxembourg-Mus. in Paris u. im Mus. in Nantes.

Lit.: Joseph, I. — Malpel, I 175/77. — Bénézit, [2] II (1949), mit Versteigerungsergebnissen. — Beaux-Arts, 1936 Nr v. 7. 2., p. 4, m. Abb.; 1937, Nr v. 26. 2., p. 1, m. Abb.; 1938, Nr 268 v. 18. 2., p. 4, m. Abb.; 1939, Nr 320 v. 17. 2. p. 4, mit Abb.; 1947 Nr v. 25. 7. p. 6, m. Abb. — Kat. Ausst. Franz. Kunst d. Gegenw., Berlin, Pr. Akad. d. Kste, 1937, m. Abb.

Chabaud La Tour, Raymond de, franz. Genre-, Landschafts-, Blumen- u. Früchtemaler, * 28. 3. 1865 Paris, † 1930 ebda.

Mitgl. des Salon d'Automne. Stellt auch im Salon des Tuileries aus.

Lit.: Joseph, I. — Bénézit, [2] II. — Beaux-Arts, 1938, Nr 305 v. 4. 11., p. 4, m. Abb.; Nr 307 v. 18. 11., p. 8.

Chabod, Jeanne, franz. Figuren- u. Bildnismalerin, * Paris, ansässig ebda.

Beschickte 1930 den Salon der Soc. d. Art. Franç. (Kat. m. Abb.).

Chabot, Hendrik, holl. Maler, Bildh. u. Graph., * 2. 8. 1894 Sprang (N.-B.), ansässig in Rotterdam.

Stud. in Rotterdam u. Wien. Landschafter u. Figurenmaler. Zwingt seine antinaturalistischen Figurenkompositionen in ein strenges kubistisches Liniensystem unter besonderer Betonung der Horizontalen u. Vertikalen. In seinen stärker den Natureindruck ausschöpfenden Landschaften entwickelt er eine gewaltige Kraft der Farbe und arbeitet den typischen Charakter der holl. Landschaft mit dramatischer Verlebendigung von Land u. Wolkenhimmel heraus. Auch für den Bildhauer u. Schnitzer — er bevorzugt das Holz — ist der Kubus die Grundform, von der er ausgeht, was vor seinen herben Akten und bewegten Gestalten (Fußballspieler für das neue Stadion in R'dam) die Erinnerung an altägyptische oder assyrische Vorbilder weckt.

Lit.: J. G. van Gelder, H. Ch., A'dam 1940. — Wie is dat?, 1935. — Waay. — Niehaus, m. Abb. p. 218. — Waller. — Elseviers' geïll. Maandschr., 67 (1924) 366f., m. Abb.; 83 (1932) 297/305, m. Abbn. — Maandbl. v beeld. Kunsten, 2 (1925) 25, m. 2 Abbn; 6 (1929) 223f., m. Abbn; 14 (1937) 118ff., m. Abbn; 16 (1939) 242/47, m. Abbn; 17 (1940) 153f., 156; 22 (1946) 23f., 48; 23 (1947) 140/41, m. 2 Abbn. — Semaphore, Nr 2 (1946) vol. A, p. 65/66 passim, m. Abb. — The Studio, 114 (1937) 243, m. Abb.; 139 (1950) 10 (Abb.),

Chabot, Willem, holl. Maler, * 13. 5. 1907 Rotterdam, ansässig ebda.

Schüler von Heyberg, H. Mees u. D. Bautz. Figürliches. Stilleben, Landschaften.

Lit.: Waay.

Chabrier, Paul Marcel, franz. Landschaftsmaler, * Paris, ansässig ebda.

Stellt seit 1927 im Salon der Soc. Nat. u. im Salon der Soc. d. Art. franç. aus.

Lit.: Bénézit, [2] 2 (1949). — Revue des B.-Arts de France, 1942/43, p. 65ff.

Chabrillan, Roselyne, Marquise de, franz. Malerin, * Neuville-sur-Oise.

Akte, Landschaften, Stilleben, Blumenstücke. Stellte zwischen 1922 u. 1945 im Salon d'Automne, im Salon des Tuileries u. bei den Indépendants aus.

Lit.: Bénézit, [2] II (1949). — Beaux-Arts, 75e année Nr 255 [recte 256] v. 26. 11. 1937, p. 5, m. Abb.

Chace, Dorothea, amer. Malerin, * 3. 2. 1894 Buffalo, N. Y., ansässig in New York.

Schülerin der Art Student's League in New York.

Lit.: Who's Who in Amer. Art, I: 1936/37. — Amer. Art Annual, 30 (1933).

Chadeayne, Robert, amer. Maler, * 13. 12. 1897 Cornwell, N. Y., ansässig ebda.

Schüler von C. K. Chatterton, George Luks, John Sloan u. George Bridgman. Bild in der Pennsylv. Acad. of the F. Arts in Philadelphia, Pa.

Lit.: Who's Who in Amer. Art, I: 1936/37. — Amer. Art Annual, 30 (1933). — Columbus Gall. Bull.,

12 (1941) Dez.-H. p. 2 (Abb.); 13 (1943) Mai-H. p. 2 (Abb.). — The Art News, 40, Nr v. 15. 11. 1941, p. 13 (Abb.).

Chadel, Jules, franz. Zeichner, Aquarellmaler, Holzschneider u. Illustr., * 1870 Clermont-Ferrand, † 1942 Paris.

Stud. bei Hector Lemaire u. Genuys u. an der Ec. Nat. d. Arts Décor. Trat 1905 als Zeichner bei Henri Vever ein. Schuf im Auftrag der Vereinig. „Cent Bibliophiles" Holzschnitte für eine Ausgabe der Fabeln von Lafontaine, 1927. Mitglied der Soc. Nat. d. B.-Arts in Paris. Einige Aquarelle im Mus. in Limoges.

Lit.: Joseph, 1. — Bénézit, [2] 2 (1949). — Salaman, p. 117. — Beaux-Arts, 5 (1927) 84, m. Abb. — The Studio, 93 (1927) 355, Abb. p. 356. — Byblis, 1931 p. 121/24, m. Abb. — Kat. d. Ausst: Quelques Fables de La Fontaine, Paris, Louvre (März/April) 1927.

Chadima, Jaro, Landsch.- u. Porträtmaler, * 1877 Leipzig, seiner Abkunft nach Tscheche, ansässig in Schwanden, Kt. Glarus.

Schüler von Ludw. Nieper an d. Akad. in Leipzig, dann von Gysis, Löfftz u. P. Halm an d. Akad. in München. Bereiste Bosnien. Einige Jahre bis Ausbruch des 1. Weltkrieges in Rom. Ließ sich 1915 in Schwanden nieder.

Lit.: D. Schweiz, 24 (1920) 93/98, 99 (Abb.), Taf.-Abbn vor p. 61 u. geg. p. 92.

Chadwick, Archelaus D., amer. Maler u. Bühnenbildner, * 18. 5. 1871 Ovid, N. Y., ansässig in Ithaca, N. Y.

Lit.: Fielding. — Amer. Art Annual, 27 (1930) 515; 30 (1933). — Who's Who in Amer. Art, I: 1936/37.

Chadwick, Ernest Albert, engl. Landschaftsmaler (Aquar.) u. Holzschneider, * 29. 2. 1876 Marston Green, Warwickshire, ansässig in Birmingham.

Sohn des Holzschn. William Ch. Stud. an d. Kunstsch. in Birmingham. Bereiste Italien (Neapel). Arbeiten in der Corp. Art Gall. in Birmingham.

Lit.: Th.-B., 6 (1912). — Who's Who in Art, [3] 1934. — The Connoisseur, 69 (1924) 184.

Chafanel, Jacques, franz. Porträtmaler, * Sancé (Saône-et-Loire).

Stellte 1932/39 im Salon der Soc. d. Art. franç. aus.

Lit.: Bénézit, [2] II (1949). — Beaux-Arts, 76e année Nr 331 v. 5. 5. 1939, p. 2 (Abb.).

Chaffanel, Eugène, franz. Porträt-, Landschafts- u. Genremaler, * Nancy, ansässig in Paris.

Stellte 1897/1934 im Salon der Soc. Nat. d. B.-Arts aus.

Lit.: Th.-B., 6 (1912). — Bénézit, [2] II (1949).

Chaffee, Oliver Newberry, amer. Landschaftsmaler (Öl u. Aquar.), * 23. 1. 1881 Detroit, Mich., † 1944 (New York?).

Schüler von W. M. Chase. Rob. Henri, Hawthorne u. Miller. Kollektiv-Ausst. in d. Montross Gall., New York, Okt/Nov. 1923, u. bei Bertha Schaefer, ebda, März 1949.

Lit.: Fielding. — Mallett. — Monro. — Amer. Art Annual, 20 (1923) 470. — The Art News, 22, Nr 4 v. 3. 11. 1923, p. 2; 48, März 1949, p. 46. — Art Digest, 23, Nr v. 1. 3. 1949, p. 29.

Chagall (Schagall), Marc, russ. Maler, Illustr., Radierer, Lithogr., Bildh. u. Keramiker, * 7.7.1889 (Bénézit: 1887) Liosno, Gouv. Witebsk, ansässig in Vence, Alpes-Maritimes.

Bis 1910 in Rußland (Liosno, St. Petersburg [Leningrad]). Damals derber Realist. 1910/14 erster Aufenthalt in Paris. Seit 1912 Aussteller bei den Indépendants. Erlebt in dieser Pariser Frühzeit durch Berührung mit F. Léger eine kurze kubistische Periode, doch ohne dabei ins Abstrakte abzugleiten. Kommt dann zu einem mystischen Symbolismus, der das Gepräge s. Kunst wird. 1914 zurück in Liosno, dann in Witebsk. Seit 1918 wieder in Paris. Siedelte 1923 nach dem nahen Dorf Montrouge über. Wich nach der Besetzung von Paris durch die Deutschen 1941 den nazistischen Judenprogromen durch Flucht nach den USA aus, von wo er erst 1948 in seine Wahlheimat zurückkehrte. Trotz Aufnahme mannigfaltiger Einflüsse (Picasso, Cézanne, Bonnard, Matisse, H. Rousseau) eine höchst originale Begabung. Das Dichterische seiner Weltauffassung gern ins Visionär-Träumerische sich auflösend, dabei fast immer eine Form von überzeugender Eindringlichkeit findend. In der Produktion der Frühzeit gelegentlich etwas Leer-Dekoratives vorherrschend, in den späteren, das rein Zuständliche schildernden Bildern (Landschaften, Blumenstücke) ein oft vehement sich entladendes Naturgefühl lebend. Sprudelnd von Einfällen, ist Ch. der geborene Illustrator, den er auch als Maler nicht verleugnet, dabei bisweilen sich in das Plakatmäßige verlierend, wozu die gern von ihm gewählten übergroßen Bildformate verführen. Die Kreuzung von kindhafter, fast barbarisch anmutender Ursprünglichkeit mit rassisch ererbtem Hang zur Mystik auf der einen und pariserischer Überkultur auf der anderen Seite hat bei ihm zu einer Bildauffassung geführt, die das traumhaft-Irreale seiner Vorstellungen zu ebenso zarten wie eindringlichen magischen Fiktionen verdichtet. Die Wirkung seiner transzendental gerichteten Kunst allerdings z. T. auf dem Stofflichen, dem Sensationell-Literarischen beruhend. Der seine Kunst bestimmende Hang nach einer weniger wirklichkeitsfremden als wirklichkeitsvertiefenden Bildauffassung auf psychischer Grundlage hat Ch. zum eigentlichen Pionier des Surrealismus gemacht, der die gegebenen Dinge der sichtbaren Welt unbekümmert um äußere Logik ganz eigenwillig allein nach den Forderungen seiner inneren Gesichte umdeutet. — Im Mus. in Pskoff ca. 12 Bilder, die für s. 1. Periode bezeichnend sind. Bilder in öff. Besitz sonst selten: Im Staatl. Mus. für Mod. Kst in Leningrad: Über der Stadt; im Kstmus. in Basel: Bildn. d. Braut, Die Viehhändler; im Kstmus. in Bern: Feiertag (Jude auf dem Weg zum Laubhüttenfest). Für die Bildungsanstalt in Hellerau bei Dresden wurde 1917 das Bild: Meiner Braut gewidmet (Abb. in: D. Kstblatt, 1 [1917] 287), erworben. Wandmalereien im Jüd. Kammertheater in Moskau. — In seinen Buchillustrationen (Bibel; Gogol, Die Toten Seelen, Verlag Ambr. Vollard, 100 Radiergn; Arlaud, Maternité; Die sieben Todsünden, Verlag Simon Kra; Fabeln Lafontaine's, 100 Gouaschen; The One Thousend and One Nights) müht sich Ch. nicht, die Schilderung dieser oder jener Situation in eine dem Text sich mehr oder weniger eng anschließende Bildform zu bringen, sondern er sucht den geistigen Gehalt, das besondere Fluidum der dichterischen Vorlage zu fassen und dieses adäquat in die Sprache des Zeichners zu übersetzen. — Letzte umfassende Kollekt.-Ausst.: Febr./März 1951 im Reiff-Mus. in Aachen, Sommer 1951 in Jerusalem, Nov./Dez. 1952 in d. Curt Valentin Gall., New York.

Lit.: B. Aronson, M. Ch., Berl. 1923, m. 10 Taf. — Th. Däubler, M. Ch. („Valori Plastici"), Rom 1922. — A. Efroß u. J. Tugendhold, Die Kunst M. Ch.s. Übersetzg aus d. Russ., m. 63 Abbn, Potsdam 1921. — P. Fierens, M. Ch., Paris [1929]. — W. George, M. Ch., Paris 1928, m. 29 Abbn. — A. Salmon, Ch., Paris 1928, m. 45 Taf. — R. Schwab, M. Ch. et l'âme juive, Paris 1931. — Al. Soldenhoff, Ch., Zürich 1933. — J. J. Sweeney, M. Ch., New York 1946. — L. Venturi, M. Ch., New York 1945.

— K. With, M. Ch. (Junge Kst, Bd 35), Lpzg 1923. — M. Ch., Peintures 1942–45. Poème de P. Eluard, Paris 1947. — M. Jardot u. K. Martin, Die Meister franz. Malerei d. Gegenw., Baden-Baden 1948. — Doris Wild, Mod. Malerei 1880–1950, Zürich 1951, p. 163/73. — Schmidt. — Einstein. — Joseph, 1. — Bénézit, [2] 2 (1949). — Umanskij, p. 18, 21, 27. — Vanderpyl. — Walden. — L'Amour de l'Art, 9 (1928) 305/09; 10 (1929) 446; 12 (1931) 337. — Art et Décoration, 58 (1930) 65/76, m. 14 Abbn. — Art Digest, 16 (1941/42) Dez., p. 9, Aug. p. 10; 19 (1944 –45) April p. 9 (Abb.), Nov. p. 17; 21 (1946) Dez. p. 26; 22 (1948) Febr. p. 12; 23 (1948) Nov. p. 17. — L'Art vivant, 3 (1927) 999/1010, m. 10 Abbn; 6 (1930) 198f., 399, 425; 7 (1931) 519f. — Philadelphia Mus. Bull., 37/I (1941) Nov. p. [13]. — St. Louis Mus. Bull., 27 (1942) Dez., p. 29. — San Francisco Mus. Bull., 1 (1939) Nr 2, p. 27 (Abb.); 2 (1940/41) Nr 1, p. 5. — Cleveland Mus. Bull., 1950 p. 57f., m. Abb. — Cahiers d'Art, 1928, p. 167; 1929 p. 215f.; 1931, p. 349. — Le Centaure (Brüssel), 1 (1926/27) 54 (Abb.), 78 (Abb.); 3 (1928/29) 18f., 73 (Abb.), 113, 279; 4 (1929/30) 110. — Der Cicerone, 12 (1920) 139/44 Abbn bis p. 149; 14 (1922) 8 (Abb.), 11; 15 (1923) 727/38; 18 (1926) 174, 406 (Abb.), 411; 22 (1930) 228f. — glanz (München), 1 (1949) Nr 6 p. 23f., m. Fotobildn. — Graphis (Zürich), 4 (1948) 206/15, 370. — Jahrb. d. Jungen Kst, 1923 p. 161ff. — Jar Ptitza, Nr 8 (1922) p. 23; Nr 11 (1923) p. 13, 15/19 (Abbn), 21, 23f. (Abbn). — Der Jude, 5 (1920 –21) 354f.; 8 (1924) 332. — Die Bild. Künste (Wien), 4 (1921) 183ff. — Die Kst u. das schöne Heim, 49 (1951) Beil. p. 239; 50 (1951) 48/51, m. 4 Abbn. — Dtsche Kst u. Dekor., 59 (1926/27) 293/99; 67 (1930/31) 357f., Abbn bis p. 370. — Kst u. Kstler, 21 (1923) 39/46; 27 (1929) 151f.; 28 (1930) 297, 348; 31 (1932) 316, 322 (Abbn), 323/29. — Das Kstblatt, 1 (1917) 287 (Abb.), 360f.; 3 (1919) 165f., 174/81 (Abbn); 4 (1920) 68f. (Abbn), 175; 5 (1921) 1/9, 206f., 349; 6 (1922) 507/18, 523f. (Abbn); 9 (1925) 60/62; 11 (1927) 30, 228/35; 14 (1930) 124. — Kstchronik u. Kstmarkt, N. F. 32 (1920/21) 846. — Das Kstwerk, 1 (1946/47), Heft 5 p. 17/22, 46; H. 8/9 p. 53; 2 (1948/49), H. 1/2 p. 66 (Abb.); H. 8 p. 35, m. Taf.-Abb.; H. 9 p. 33ff., m. Fotobildn. u. 2 Taf.-Abbn; 3 (1949/50), H. 6, Taf. p. 11; 4 (1950/51), H. 3 p. 49, m. Taf.-Abb.; 5 (1951 –52) H. 1 p. 43 (Abb.). — Magaz. of Art (Washington), 35 (1942) 213 (Abb.). — La Renaiss. de l'Art franç., 10 (1927) 133/41. — La Revue d'Art (Antwerpen), 30 (1929) 81/92, m. 16 Abbn. — Ssredi Kollekzioneroff, 1922, Heft 10 p. 64; 1923 H. 1, p. 31; H. 5 p. 42; 1924 H. 3/4, p. 48. — The Studio, 112 (1936) 62 (Abb.); 123 (1942) 117; 125 (1943) 94; 130 (1945) 188 (Abb.); 132 (1946) 24 (Abb.); 135 (1948) 159 (Abb.); 137 (1949) 60 (Abb.). — Sturm-Bilderbücher, Bd I: M. Ch., m. 16 ganzseit. Abbn, Berl. 1917. — Weltbild (Mainz), 30. 6. 1948, m. 6 Abbn. — Die Weltkunst, 19 (1949), Heft 6 p. 4; 22 (1952) H. 4 p. 9, m. Abb. — Painting in the United States. Ausst. Carnegie Inst. Pittsburgh, 1949, Kat. Taf. 46. — Art Index (New York), 1928ff. passim.

Chahine, Edgar, armen.-franz. Maler u. Graph., * 1874 Konstantinopel, von armen. Eltern, † 1947, naturalisierter Franzose.

Schüler von Paoletti in Venedig, weitergebildet 1895ff. bei J. P. Laurens u. B. Constant an der Acad. Julian in Paris. Seit 1895 hauptsächlich als Graphiker tätig. Gold. Med. Pariser Weltausst. 1900. Graph. Folgen: Impressions d'Italie (1907); Types et Vues de Venise. Illustr. u. a. zu: France, Histoire Comique, O. Mirbeau, Dans l'Antichambre, Mort de Venise, usw. — Graph. Einzelblätter: Bildnisse (A. France), Szenen aus dem Leben der Halbwelt.

Lit.: Th.-B., 6 (1912). — Bénézit, [2] 2 (1949). — Joseph, 1. — Die Kunst, 25 (1912) 477/80, m. Abbn bis p. 483. — Vita d'Arte, 12 (1913) 74/83, m. 10 Abbn; 14 (1915) 169/80 passim. — L'Art et les Art., 16 (1912 –13) 161/71, m. 18 Abbn. — Kst u. Ksthandwerk, 17 (1914) 104. — La Renaiss. de l'Art franç. etc., 2 (1919) 119. — The Connoisseur, 65 (1923) 244. — Bull. de l'Art anc. et mod., 1924 p. 246 (Abb.). — Beaux-Arts, 5 (1927) 30, m. Abb.; Nr v. 28. 3. 47 p. 5. — Rass. d'arte antica e mod., 1915 p. 169/80. — E. Ch. Douze grav. en trois états pour „Sœur Philomène", Rouen 1934.

Chahnazar, Kouyoumdjian, armen. Architektur- u. Interieurmaler, * Chabin-Kara-Hissar (Kleinasien), ansässig in Paris.

Schüler von David u. J.P. Laurens. Mitgl. des Salon d'Automne, den er 1928 mit einer Ansicht der Pariser Kirche Saint-Etienne-du-Mont beschickte. Stellte 1927ff. auch im Salon der Soc. d. Art. Franç. aus (Kat. z. T. m. Abbn).

Lit.: Joseph, I. — Bénézit, [2] II.

Chaillet, Robert Edouard Edmond, belg. Landschafts-, Blumen- u. Stillebenmaler, * Lüttich, von franz. Eltern, ansässig in Paris.

Stellte seit 1929 im Salon der Soc. d. Art. Franç. aus (Kat. z. T. m. Abbn).

Lit.: Joseph, I.

Chakravarti, Ramendranath, ind. Maler, Graph. u. Kstschriftst., * 1902 Kalkutta, ansässig ebda.

Stud. an d. Gov. School of Art in Kalkutta u. an d. Santiniketan Kalabhavan als Schüler von Nandalal Bose. 1926/28 Direktor des Art Department der Andhra Jatiya Kalasala in Masulipatam. 1928 –29 Lehrer in Kalabhavan, Santiniketan, seit 1929 Mitglied d. Gov. School of Art als Hauptlehrer u. zeitweilig deren Direktor. Leiter d. Art Department, Gov. of India Delhi Polytechnic u. später führender Kstler in der Abt. f. Publikationen am Amt f. Information u. Rundfunk in Delhi. Dann Direktor am Gov. College of Art & Crafts in Kalkutta, Direktor der Gov. Art Gall. u. Leiter der Kst-Abt. am Ind. Mus. ebda. Malt u. zeichnet in ind. u. westl. Stil in Aquarell u. Öl, bes. Bildnisse, fertigt Holzschnitte u. Kupferstiche. Von Japan beeinflußt (Farbenholzschnitt), reiche Empfindung, anmutige Komposition. Organisierte Ausstellungen, hielt Lichtbildervorträge u. schrieb zahlr. Aufsätze über Kunst. 1937 nach Europa, besuchte versch. Kunstzentren, veranstaltete 1937/38 Sonderausst. in London, Paris u. Holland. Machte Bekanntschaft mit bedeutenden Kstlern wie Sir Muirhead Bone, Stanley Spencer, Henry Moore, Eric Gill, André Lhote. 1946/47 abermals nach Europa als Abgeordneter der Ind. Reg., Abt. Unterrichtswesen, um die ind. Abt. auf d. Internat. Ausst. f. mod. Kst in Paris während der 1. Unesco-Tagung einzurichten. Veranstaltete 1947 eine mod. ind. Kstausst. in London. Mitgl. d. Kuratoriums am Ind. Museum; ehrenhalber Schriftführer an d. Acad. of F. Arts, Kalkutta; Mitgl. d. Roy. Asiatic Soc., Bengalen, d. Royal India & Pakistan Soc., London, d. Indian Soc. of Oriental Art, Kalkutta, d. Vereinigung d. Leiter techn. Institute (Indien), Gov. of India, u. der All India F. Arts & Crafts Soc., New Delhi. — 16 Wandbilder f. d. Palast d. Maharadscha v. Tripura. Weitere Arbeiten von d. Ind. Reg. erworben. Holzschnitte, veröff. von Susil Gupta. — Buchwerke: Sketches of Europe before the War (Longmans); The Call of the Himalayas (S. Saha).

Lit.: The International Who's Who, [16] 1952. — Jahrb. d. jungen Kst, 1924 p. 241, Abb. geg. p. 239. — D. Cicerone, 16 (1924/II) 961, m. Abb.

Chalandre, Fernand, franz. Holzschneider u. Zeichner, * 1879, † 21. 3. 1924 Nevers.

Hauptsächlich Ansichten aus Nevers, wo er ansässig war. Im dort. Mus. sein vollständiges graph.

Werk. Stellte seit 1908 in der Soc. Nat. d. B.-Arts in Paris aus.
Lit.: Salaman, p. 100, 101. — Beaux-Arts, 2 (1924) 136, m. Abb. — Bull. de l'Art anc. et mod., 1924, p. 123 (irrig: François).

Chaleyé, Joannès, franz. Blumen- u. Landschaftsmaler u. Entwurfzeichner für Spitzenmuster, * 22. 4. 1878 Saint-Etienne (Loire), ansässig in Le Puy (Haute-Loire).
Schüler der Ec. d. B.-Arts u. der Ec. d. Arts décor. in Paris. Impressionist. Stellt b. den Indépendants aus.
Lit.: Joseph, I. — L'Art décor., 29 (1913) 51/60, m. 11 Abbn.

Challié, Jean, franz. Maler, * Echenoz-la-Melline (Haute-Saône), ansässig in Paris.
Schüler von G. Bertrand. Blumenstücke, Landschaften, Akte, Interieurs mit Figuren. Impressionist u. Pleinairist. Stellt seit 1911 bei den Indépendants aus.
Lit.: Les Arts, 1920 Nr 182, p. 21/24, m. 4 Abbn. — Bénézit, [2] II (1949).

Challulau, Marcel, franz. Landschafts- u. Stillebenmaler, * Montpellier, ansässig in Paris.
Schüler von Boisson u. Eyssautier. Mitgl. d. Soc. d. Art. franç., beschickt deren Salon seit 1928 (Kat. z. T. mit Abbn). Stellt seit 1925 auch bei den Indépendants aus.
Lit.: Joseph, I. — La Renaissance, 15 (1932) 21.

Chalmers, Helen Augusta, amer. Malerin, * 29. 3. 1880 New York, ansässig in Laguna Beach, Calif.
Schülerin von Henry A. Loop, Wm. J. Whittemore u. Irving Wiles.
Lit.: Who's Who in Amer. Art, I: 1936/37. — Amer. Art Annual, 30 (1933).

Chalmers, Isabel Maclagan, geb. *Scott*, schott. Radiererin u. Zeichnerin, * 9. 10. 1900 Glasgow.
Stud. an der Kunstsch. in Glasgow.
Lit.: Who's Who in Art, [3] 1934.

Chalon, Georges Abel, franz. Landschaftsmaler, * Paris, ansässig ebda.
Schüler von Rochegrosse u. J. P. u. P. A. Laurens. Mitgl. der Soc. d. Art. franç., beschickte deren Salon seit 1928.
Lit.: Joseph, I.

Chamaillard, Ernest de, franz. Landschaftsmaler, * Quimper, † 1930 Paris.
Schüler von Maur. Denis, der indes ohne Einfluß auf ihn geblieben ist. Gefördert von Gauguin. Maler der Bretagne. Mitgl. des Salon d'Automne, den er seit 1905 beschickt. Ansässig in Mesquéon bei Quimper, seit 1920 in Paris. Auch Möbelschnitzer.
Lit.: Th.-B., 6 (1912). — Benezit, [2] 2 (1949).

Chamard, Albert Louis, franz. Figurenbildhauer, * 28. 9. 1879 Paris, ansässig ebda.
Schüler von J. Perrin. Stellt seit 1912 im Salon der Soc. d. Art. Franç. aus. — Bénézit, [2] 2 (1949).
Lit.: Joseph, I.

Chamard, Emile, franz. Bildhauer u. Medailleur, * Paris, ansässig ebda.
Mitgl. der Soc. d. Art. franç., beschickt deren Salon seit 1900.
Lit.: Bénézit, [2] 2 (1949). — Forrer, 1. — Beaux-Arts, 75e Année Nr 270 v. 4. 3. 1939, p. 7 (Abb.).

Chambellan, Rene Paul, amer. Bildhauer u. Architekt, * 15. 9. 1893 West Hoboken, N. Y., ansässig in New York.
Schüler von Solon Borglum. Hauptbauten: State Office Building in Albany; City Hall in Buffalo, N. Y.; Schottische Ritualkirche in Scranton, Pa.; Deering Library der Northwestern Univ.; Kriegsdenkmal in Worcester, Mass.; Carew Tower in Cincinnati, O.; Tolerance Tower in Royal Oak, Mich.; Bushnell Memorial in Hartford, Conn.
Lit.: Amer. Art Annual, 30 (1933). — Who's Who in Amer. Art, I: 1936/37.

Chamberlain, Judith, amer. Malerin, * 1893 San Francisco, Calif., ansässig ebda.
Schülerin von Max Weber.
Lit. Fielding.

Chamberlain, Norman Stiles, amer. Maler, * 1887 Grand Rapids, Mich., ansässig in Los Angeles, Calif.
Lit.: Amer. Art Annual, 30 (1933).

Chamberlain, Samuel, amer. Kaltnadelstecher, Radierer u. Lithogr., * 28. 10. 1895 Cresco, Ia., ansässig in Chestnut Hill, Mass.
Schüler von Edward Léon in Paris u. von Malcolm Osborne in London. Beeinflußt von Louis C. Rosenberg, dem er an Sorgfalt der Zeichnung architekton. Einzelformen gleichkommt. Mitgl. d. Soc. d. Art. Franç., beschickt deren Salon seit 1925. Landschaften, Straßenansichten aus Italien (Siena, Perugia), Frankreich (Angers, Beauvais, Chartres, Colmar, Villefranche), England (Canterbury) u. Spanien (Segovia). — Mappenwerke: Vingts lithogr. de Vieux Paris, 1924; Sketches of Northern Spanish Architecture, 1925; Domestic Architecture in Rural France, 1928; Tudor Homes of England, 1929; Through France with a Sketch Book, 1929; French Provincial Houses 1932. Auch kunstschriftstellerisch tätig.
Lit.: Amer. Art Annual, 28 (1931). — Who's Who in Amer. Art, I: 1936/37. — Mallett. — Mellquist. — Apollo (London), 8 (1928) 30f., m. Abb.; 11 (1930) 383f. (Abbn); 12 (1930) 239 (Abb.). — The Print Coll.'s Quarterly, 25 (1938): Prints of to-day (Abb.); 26 (1939), desgl.; 27 (1940), desgl. — The Studio, 100 (1930) 42, 49 (ganzseit. Abb.). — The Art Index (New York), Okt. 1942/April 1953.

Chamberlin, Frank Tolles, amer. Wandmaler, Bildhauer u. Rad., * 10. 3. 1873 San Francisco, Calif., ansässig in Pasadena, Calif.
Schüler von D. W. Tryon in Hartford, von George de Forest Brush u. G. Bridgman in New York. Arbeiten im Peabody Inst. in Baltimore, in der Public Library in New Rochelle, N. Y., u. im Art Inst. in Detroit.
Lit.: Fielding. — Who's Who in Amer. Art, I: 1936/37. — Amer. Art Annual, 30 (1933). — Art Digest, 16, Nr v. 1. 5. 1942, p. 16. — Kst u. Ksthandwerk (Wien), 17 (1914) 144.

Chambers, C. Bosseron, amer. Maler u. Illustr., * 13. 5. 1883 St. Louis, Mo., ansässig in New York.
Schüler von Ludw. Schultze an der Berliner Akad. u. von Alois Hrdliezka an der Wiener Akad. Wand- u. Altarbilder in der St. Ignatiuskirche in Chicago; Bildnisse im Bes. der Missouri Hist. Soc. in St. Louis. Illustr. zu W. Scott's Quentin Durward (Scribner's). Kollektiv-Ausst. in den John Levy Gall. in New York, Dez. 1933.
Lit.: Fielding. — Amer. Art Annual, 30 (1933). — Who's Who in Amer. Art, I: 1936/37. — The Art News, 25, Nr 15 v. 15. 1. 1927, p. 15 (Abb.); 32, Nr 10 v. 9. 12. 1933, p. 126.

Chambers, Charles Edward, amer. Maler, Illustrator u. Plakatzeichner, * 1883 Ottumwa, Ia., † 1941 New York.

Stud. an der Art Student's League in New York.
Lit.: Amer. Art Annual, 30 (1933). — Baldry, Contemp. Figure Painters, 1925/26, Taf. 3, p. 10. — The Studio, 91 (1926) 138/41, m. 2 Abbn u. 1 farb. Taf. — Art Digest, 16, Nr v. 15. 11. 1941, p. 10.

Chambers, Frank Pentland, engl. Architekt, Bildh. u. Kstschriftst., * Nov. 1900, ansässig in Dulwich (London).
Lit.: Who's Who in Art, [3] 1934.

Chambers, Hallie Worthington, amer. Malerin, * 27. 10. 1881 Louisville, Ky., ansässig ebda.
Schülerin von Marg. Archambault u. Hugh Breckenridge. Landschaften, Marinen, Blumenstücke.
Lit.: Amer. Art Annual, 30 (1933). — Fielding. — Who's Who in Amer. Art, I: 1936/37.

Chambert, Erik, schwed. Maler u. Möbelarchitekt, * 1902 Norrköping, ansässig ebda.
Stud. an der Kstindustriesch. in Stockholm. Hauptsächlich Figuren in Interieurs (Tempera).
Lit.: Thomœus.

Chambon, Emile, schweiz. Bildnis- u. Figurenmaler, ansässig in Genf.
Kollektivausst. Jan. 1944 im Musée Rath.
Lit.: Schweizer Kst, 1934 Nr 6 (Umschlagbild); 1935 Nr 6 (Jan.), Umschlagb.; 1936 Nr 6 (Jan.), Umschlagb.; 1941, Nr 5 (Dez.) p. 59 (Abb.); 1943, Nr 3 (März) p. 21 (Abb.). — Pro Arte (Genf), 3 (1944), Nr 21 p. 59.

Chambon, Geneviève du, franz. Blumen- u. Stillebenmalerin, * Paris, ansässig ebda.
Schülerin von F. Sabatté. Mitgl. d. Soc. d. Art. Franç., beschickt deren Salon seit 1927 (Kat. z. T. m. Abbn).
Lit.: Joseph, I. — Bénézit, [2] II.

Chambret, Alfred, franz. Landschaftsmaler, * Chalonnes-sur-Loire.
Stellte 1938/43 bei den Indépendants aus.
Lit.: Bénézit, [2] II (1949). — Beaux-Arts, 75e année Nr 315 v. 13. 1. 1939, p. 3, m. Abb.; 76e année Nr 337 v. 16. 6. 1939, p. 4 (Abb.).

Chamecin, Adèle, franz. Bildnis-, Genre- u. Blumenmalerin (Öl, Pastell, Gouache), * Lyon, ansässig ebda.
Schülerin von Guichard, Carolus-Duran, Henner u. L. O. Merson.
Lit.: Th.-B., 6 (1912). — Bénézit, [2] 2.

Chameron, Andrée, franz. Malerin (Öl u. Aquar.), * St-Maur (Seine), ansässig ebda.
Schülerin von Madeleine Carpentier. Mitgl. d. Soc. des Art. Indépendants, beschickt deren Salon seit 1924.
Lit.: Joseph, I. — Bénézit, [2] II.

Chamier, Barbara, engl. Figuren- u. Bildnismalerin (Öl, Miniatur), * 14. 4. 1885 Faizazad, Indien, ansässig in Ahurst Wood, East Grinstead.
Stud. am King's College in London.
Lit.: Who's Who in Art, [3] 1934.

Chamizer, Raphael, dtsch. Bildhauer-Dilettant, im Hauptberuf Mediziner, * 1882 Leipzig, ansässig ebda.
Begann sich erst mit 42 Jahren künstlerisch zu betätigen. Zeigte im Leipz. Kstverein 1927 einige größere u. kleinere Plastiken, die ein sicheres Formgefühl u. virtuose Technik verrieten, darunter die Bronzen Salome u. Savonarola, die lebensgr. Figur einer Trauernden u. Kolossalfigur des Propheten Elias.
Lit.: Jüd. Lex., I.

Chamouillet, Simone, franz. Malerin, * 10. 6. 1899 Tours.
Schülerin von Guillaumin. Impressionistin. Landschaften, Stilleben, Interieurs.
Lit.: Joseph, I.

Champ-Ricord, Anne Marie, franz. Radiererin, * 29. 10. 1891 Aurillac (Cantal), ansässig in Toulouse.
Schülerin von P. A. Laurens u. A. Delzers. Mitgl. der Soc. d. Art. Franç., beschickt deren Salon seit 1928.
Lit.: Joseph, I.

Champcommunal, Jean Joseph, franz. Maler u. Radierer, * 29. 6. 1880 Paris, fiel am 5. 11. 1914 Andéchy bei Roye.
Lebte einige Zeit in Majorka auf den Balearen. Stellte im Salon d'Automne u. im Salon der Soc. Nat. d. B.-Arts aus. Hauptsächlich Landschafter. Radierungen mit Ansichten aus Paris, Chartres u. London.
Lit.: Bénézit, [2] II (1949). — Ginisty, 1916, p. 66 ff. — Le Livre d'Or des Peintres expos., 1921, p. XV. — The Studio, 65 (1915) 136.

Champeil, Odile, s. *Philippart,* O.

Champenois-Scharff, Gustave Charles, franz. Landschafts- u. Blumenmaler, * Chatou (Seine-et-Oise), ansässig ebda.
Stellt seit 1925 bei den Indépendants aus.
Lit.: Joseph, I.

Champier, Louise, franz. Bildhauerin, * Paris, ansässig in Croix bei Roubaix (Nord).
Hauptsächlich Bildnisbüsten. Mitgl. der Soc. d. Art. Franç. in Paris, beschickt deren Salon seit 1928.

Champion, Theo, dtsch. Landschaftsmaler (Prof.), * 5. 2. 1887 Düsseldorf, † 1952 Düsseldorf-Oberkassel. Französ. Abkunft.
Stud. an den Akad. in Düsseldorf u. Weimar (Th. Hagen, L. v. Hofmann, Sascha Schneider). Unterbrechung seiner Studien durch Teilnahme am Weltkrieg. Reisen nach Italien, Frankreich, Holland. Seit 1947 lehrtätig an d. Düsseld. Akad. Beeinflußt von Henri Rousseau. Malte in der Düsseld. Umgebung u. in der Niederrheinlandschaft. Romantisch gestimmt. Belebt seine Landschaften gern mit kleinen Figürchen. Bilder in der Nat.-Gal. Berlin (Landschaft am Niederrhein; Winterlandschaft), im Kstmus. in Düsseldorf (Vorstadt; Liebesgespräch), in d. N. Pinak. München (Hohlweg), im Folkwang-Mus. in Essen u. im Wallraf-Rich.-Mus. in Köln. Stellte häufig in der Gal. Flechtheim, Düsseldorf, aus. Kollekt.-Ausst. Okt./Nov. 1937 in d. Gal. Alex Vömel, Düsseldorf, u. i. d. Städt. Gal. Oberhausen, 1951.
Lit.: Dreßler. — D. Bild, 4 (1934) 294 (Abb.), 297; 10 (1940) 199 (Abb.), 200/03, m. 4 Abbn. — D. Cicerone, 17 (1925) 793 (Abb.), 812, 1183. — Hellweg, 1 (1921) 446/48, m. Abb. — Westdtsch. Jahrb., 9 (1936) 273. — D. Kst, 55 (1926/27) 35 (Abb.), 124/30, 132 (Abb.); 57 (1927/28) 256, m. Abb., 356; 59 (1928–29) 377 (Taf.-Abb.), 380; 65 (1931/32) 193 (Abb.), 197; 69 (1933/34) 111 (Abb.), 345 (Abb.); 73 (1935/36) 265/69, m. 5 Abbn; 88 (1940/41) 52, m. Abb.; Jg 48 (1950) H. 4, p. 132, m. Abb. — Kunst f. Alle, 51 (1936) 209/12; 58 (1942) 25/28. — Kst- u. Antiquit.-Rundschau, 43 (1935) 69 (Abb.), 70; 45 (1937) 53, m. Abb. — bild. kunst, 3 (1949) H. 1 p. 20 (Abb.). — Dtsche Kst u. Dekor., 59 (1926/27) 286/90; 64 (1929), Beibl. H. 9; 70 (1932) Taf.-Abb. geg. p. 173, 173/75, m. Abbn bis p. 182. — Kst u. Kstler, 31 (1932) 54f., m. Abbn. — Die Völkische Kst, 1 (1935) farb. Abb. zw. p. 156 u. 157. — Kst der Zeit, 3 (1928/29) 166 (Abbn). — D. Kstwerk, 2 (1948/49) H. 3/4, p. 28 (Abb.), 74. — Velhagen & Klasings Monatsh., 43/II (1928/29), Taf. geg. p. 128, 237f.; 44/I (1929/30), farb. Taf. geg. p. 1,

125f.; 43/II (1933/34) 388/89, 448; 46/II (1931/32) 481/88, m. 8 farb. Abbn; 53/II (1938/39) farb. Taf. geg. p. 176, 186. — Westermanns Monatsh., 157 (1934/35) 217/24. — Die Weltkst, 14 Nr 9/10 v. 3. 3. 1940 p. 3; 18 (1944) Nr 8 p. 4 (Abb.). — Zeitschr. f. Kst, 1949, p. 285 (Abb.). — Kat. Ausst.: Junge Kst im Dtsch. Reich, Wien 1943, m. Abb. 22.

Champlain, Duane, amer. Bildhauer, * 20. 4. 1889 Black Mountain, N. C., ansässig in New York.

Schüler von A. A. Weinman, A. Stirling Calder, Herm. A. MacNeil u. Ch. H. Neihaus. Gedenktafeln für George Washington-Cunningham in Peekstill, N. Y., für Andrew Carnegie in der Public Library in Jamaica, N. Y.

Lit.: Amer. Art Annual, 30 (1933). — Who's Who in Amer. Art, I: 1936/37.

Champon, Edmond, franz. Landschafts- u. Stillebenmaler u. Illustr., * 21. 5. 1879 Paris, ansässig ebda.

Schüler von A. Bonnat, Ponscarme u. Pelez. Stellt bei den Indépendants, im Salon d'Automne u. im Salon der Soc. Nat. d. B.-Arts aus. Illustr. u. a. zu Henri Papin, „Impressions de Guerre".

Lit.: Joseph, 1. — Bénézit, [2] 2 (1949).

Champy, Clotaire, franz. Genrebildhauer, * 7. 4. 1887 Varzy (Nièvre), ansässig in Paris.

Schüler von Peter u. Injalbert. Mitgl. der Soc. d. Art. franç. (Salon-Kat. z. T. m. Abbn). Stellte seit 1927 auch bei den Indépendants aus.

Lit.: Joseph, I.

Chanase, Dane, amer. Wandmaler u. Zeichner, * 21. 10. 1896 in Italien, ansässig in New York.

Schüler von George Bridgman, Paul Baudouin u. Maur. Denis. Bilder im Petit Palais in Paris.

Lit : Who's Who in Amer. Art, I: 1936/37.

Chandler, George Walter, amer. Radierer, * Milwaukee, Wis., ansässig in Paris.

Stud. an der Acad. Julian in Paris unter Laurens.

Lit.: Fielding. — Earle. — Amer. Art Annual, 20 (1923) 470. — Year Book of Amer. Etching, 1914. — Gaz. d. B.-Arts, 1908/II p. 120f., m. Abb.

Chandler, Helen Clark, amer. Malerin, * 20. 1. 1881 Wellington, Kan., ansässig in Los Angeles, Calif.

Schülerin von MacMonnies, Birge Harrison u. Arthur W. Dow.

Lit.: Amer. Art Annual, 30 (1933). — Fielding.

Chanet, Gustave, franz. Bildnis- u. Figurenmaler, * Paris, ansässig ebda.

Schüler von Cormon. Mitglied der Soc. d. Art. franç. (Salon-Kat. z. T. m. Abbn).

Lit.: Bénézit, [2] II (1949).

Chaney, Lester Joseph, ungar. Maler u. Illustr., * 19. 4. 1907 Nagy Kanisza, ansässig in Chicago, Ill.

Schüler von Leon Lundmark u. C. H. Woodbury. Bild in der Munic. Art Gall. in Davenport, Ia. Illustr. für Chicago Evening American u. and. Zeitungen.

Lit.: Who's Who in Amer. Art, I: 1936/37.

Chang, Ludwig, korean. Maler u. Linolschneider, * 1902 Chemulpo.

Stud. an der Akad. in Tōkyō, 1923/25 in Washington u. New York, dann in Paris u. Rom, 1925 zurück nach Korea. Gehört zu den Hauptvertretern der christl. Kunst Koreas. Apostelbilder in den 14 Nischen um den Hochaltar d. Kathedr. zu Sŏul (1927).

Lit.: D. christl. Kst, 25 (1928/29) 180ff., m. Abbn, 187 (Abbn).

Chang Hsü-ming, chines. Maler.

Vertreter der literar. Richtung, d. h. einer literar. Tendenzen verfolgenden Malerei, die von dem Naturbild zugunsten eines freien dichterischen Ausdrucks weitgehend abstrahiert.

Lit.: Ausst. Chines. Malerei d. Gegenw. Preuß. Akad. d. Kste, Berlin Jan./März 1934.

Chang-Hung-wei, chines. Blumen- u. Vogelmaler, ansässig in Hang-chou.

Vertreterin der akadem. Richtung, d. h. einer auf strenge Form achtenden Malerei, die auf der Tradition der von Kaiser Hui-Tsung (1082–1135) gegründeten Kstakad. fußt.

Lit.: Ausst. Chines. Malerei d. Gegenw. Preuß. Akad. d. Kste, Berlin Jan./März 1934.

Chang K'ai-chi, chines. Blumen- u. Vogelmaler, ansässig in Peiping.

Vertreter der literar. Schule (vgl. Art. Chang Hsü-ming). Schüler von Wu Ch'in-mu.

Lit.: Ausst. Chines. Malerei d. Gegenw. Preuß. Akad. d. Kste, Berlin Jan./März 1934.

Chang Ku-chu, chines. Blumenmaler, ansässig in Kanton.

Vertreter der literar. Richtung (vgl. Art. Chang Hsü-ming).

Lit.: Ausst. Chines. Kst d. Gegenw. Preuß. Akad. d. Kste, Berlin Jan./März 1934.

Chang K'un-i, chines. Landsch.-, Blumen- u. Vogelmalerin, ansässig in Kanton.

Vertreterin der naturalist. Richtung, d. h. einer chines. u. europäische Elemente zu vereinigen suchenden Richtung. Schülerin von Kao Ch'i-fêng.

Lit.: Kat. Ausst. Chines. Malerei d. Gegenw. Preuß. Akad. d. Kste, Berlin Jan./März 1934.

Chang Shu-ch'i, chines. Tier- u. Blumenmaler, * 1900, ansässig in Nanking.

Vertreter der literar. Richtung (vgl. Art. Chang Hsü-ming).

Lit.: The Studio, 113 (1937) 182, m. Abb.; 128 (1944) 52 (Abb.). — Kst- u. Antiquit.-Rundschau, 42 (1934) 69 (Abb.). — Westermanns Monatsh., 163 (1937/38) 91, Abb. am Schluß d. Bdes.

Chang Ta-ch'ien, chines. Maler, ansässig in Shanghai.

Vertreter der literar. Richtung (vgl. Art. Chang Hsü-ming). Landschaften, Blumen, weibl. Figuren.

Lit.: Mallett. — The Studio, 113 (1937) 188, m. Abb.; 132 (1946) 73 (Abb.), 77 (Abb.). — Metrop. Mus. of Art Bull., Juli 1946, Nr 5 p. 32 (Abb.). — Chines. Malerei d. Gegenwart. Ausst. Preuß. Akad. d. Kste, Berlin, Jan./März 1934.

Chang T'ien-ch'i, chines. Vogel- u. Blumenmaler, ansässig in Shanghai.

Vertreter der literar. Schule (vgl. Art. Chang Hsü-ming).

Lit.: Kat. Ausst. Chines. Malerei d. Gegenw. Preuß. Akad. d. Kste, Berlin Jan./März 1934.

Chang-Tsê, chines. Figuren- u. Landschaftsmaler, ansässig in Anhui.

Vertreter der literar. Schule (vgl. Art. Chang Hsü-ming).

Lit.: Kat. Ausst. Chines. Malerei d. Gegenw. Preuß. Akad. d. Kste, Berlin Jan./März 1934.

Chang Tzu-hsiang, chines. Vogel- u. Blumenmaler, † Su-chou.

Lit.: Kat. Ausst. Chines. Malerei d. Gegenw. Preuß. Akad. d. Kste, Berlin Jan./März 1934.

Chang Yü-kuang, chines. Figuren- u. Blumenmaler, ansässig in Shanghai.

Lit.: Kat. Ausst. Chines. Malerei d. Gegenw. Preuß. Akad. d. Kste, Berlin Jan./März 1934.

Chanlaire, Richard, franz. Porträt-, Landschafts- u. Blumenmaler, * Paris, ansässig ebda.

Stellte seit 1928 im Salon der Soc. Nat. d. B.-Arts, im Salon des Tuileries u. bei den Indépendants aus.

Lit.: Bénézit,[2] II (1949). — L'Amour de l'Art, 11 (1930) 355 (Abb.).

Chanler, Albert, schott. Architekturmaler u. Rad., * 13. 5. 1880 Glasgow, ansässig in London.

Stud. in Glasgow u. Edinburgh.

Lit.: Who's Who in Amer. Art,[3] 1934. — The Studio, 88 (1924) 19/21, m. 3 Abbn.

Chanler, Minnie, geb. *Ashley,* amer. Schauspielerin u. Bildhauerin, ansässig in New York.

Schülerin von Vict. Salvatore; schuf zus. mit diesem die Modelle für einen Fries im Hotel van der Bilt, Park Avenue u. 34th Straße. Beschickte die Exhib. der Nat. Acad. of Design 1910 mit einer sitzenden weibl. Aktfigur.

Lit.: The New York Herald, 18. 12. 1910, m. Abb.; 16. 7. 1911, m. Abb.

Chanler, Robert Winthrop, amer. Maler, * 2. 2. 1872 New York, † 24. 10. 1930 Woodstock, N. Y.

Stud. an der Ec. d. B.-Arts in Paris. Kollektiv-Ausstellgn in den Kingore Gall. in New York 1921 u. im Hôtel Jean Charpentier in Paris 1924. Vertreten u. a. im Metropol. Mus. in New York u. im Luxembourg-Mus. in Paris.

Lit.: Amer. Art Annual, 27 (1930) 408. — Earle. — Monro. — Amer. Art News, 20, Nr 24 v. 25. 3. 1922, p. 4; 22, Nr 3 v. 27. 10. 1923, p. 1 u. 5. — Bull. de l'Art anc. et mod., 1924, p. 160, 161 (Abb.); 1931, p. 11.

Chanot, Albert, franz. Maler u. Bildhauer, * Paris, ansässig ebda.

Schüler von Pinta. Stellt seit 1925 bei den Indépendants u. im Salon der Soc. d. Art. Franç. aus (Kat. z. T. m. Abbn). Landschaften, Akte, Bildnisse.

Lit.: Joseph, I.

Chanteau, Alphonse, franz. Landschaftsmaler u. Illustr., * 13. 5. 1874 Nantes, ansässig in Paris. Zwillingsbruder des Folg.

Schüler von L. O. Merson u. A. Besnard. Impressionist. Stellt im Salon der Soc. Nat. d. B.-Arts u. im Salon der Soc. de Graveurs à l'Eau-forte aus. Illustrat., u. a. für den „Courrier Français", „Pearson's Magazine" u. „New York World".

Lit.: Th.-B., 6 (1912). — Joseph, I.

Chanteau, Gabriel, franz. Maler u. Illustr., * 13. 5. 1874 Nantes, ansässig in Paris. Zwillingsbruder des Vor.

Schüler von L. O. Merson u. A. Besnard. Bildnisse, Marinen, dekor. Wandbilder. Stellt im Salon der Soc. Nat. d. B.-Arts aus. Pleinairist. Bilder u. a. im Mus. in Nantes u. im Hôtel Croix de la Guerre in Angers.

Lit.: Joseph, I. — Bénézit,[2] II.

Chanteranne, Roger Joseph, franz. Figurenmaler, * 24. 2. 1900 Paris, ansässig ebda.

Stellt seit 1927 bei den Indépendants aus.

Lit.: Joseph, I.

Chantrier, Marcellin, gen. *Cram,* franz. Keramiker, * 24. 4. 1886 Paris, ansässig ebda.

Schüler von Em. Diffloth.

Lit.: Joseph, I. — Bénézit,[2] II 714.

Chao An-chih, chines. Blumenmaler, ansässig in Ch'ang chou.

Vertreter der akadem. Richtung (s. Art. Chang Hung-wei).

Lit.: Kat. Ausst. Chines. Malerei d. Gegenw. Preuß. Akad. d. Kste, Berlin Jan./März 1934.

Chao Shao-ang, chines. Figuren- u. Fischmaler, ansässig in Kanton.

Vertreter der naturalist. Richtung (s. Art. Chang K'un-i).

Lit.: Kat. Ausst. Chines. Malerei d. Gegenw. Preuß. Akad. d. Kste, Berlin Jan./März 1934.

Chao Sheng (Shen Chao), chines. Architekt, * Wusih, Kiangsu, ansässig in Shanghai.

Absolvierte 1919 das Tsinghua College in Peiping, weitergeb. an d. Univ. of Pennsylv. in Philadelphia. Seit 1923 in den USA (Philad., New York). 1926 Europareise. Seit 1927 in Shanghai ansässig. Hauptbauten: Theater in Nanking; Metropol-Theater; National-Commerz-Bank in Shanghai; Eisenbahnministerium; Minist. d. Auswärtigen Angelegenheiten in Nanking; Stadion, Museum u. Bibliothek für das Zentrum von Neu-Shanghai.

Lit.: Who's Who in China,[5] Shanghai 1932, p. 21, m. Fotobildnis.

Chao Shu-ju, chines. Tier- (bes. Pferde-) Maler, ansässig in Shanghai.

Vertreter der akadem. Richtung (s. Art. Chang Hung-wei).

Lit.: Kat. Ausst. Chines. Malerei d. Gegenw. Preuß. Akad. d. Kste, Berlin Jan./März 1934.

Chao Tzu-yün, chines. Landschafts- u. Blumenmaler, ansässig in Su-chou.

Vertreter der antikisierenden Schule, d. h. einer auf oft täuschende Nachahmung der bekannten älteren Meister — in unserem Falle des Pa-ta Shanjên (Mitte 17. Jh.) — basierenden Richtung.

Lit.: Kat. Ausst. Chines. Malerei d. Gegenw. Preuß. Akad. d. Kste, Berlin Jan./März 1934.

Chapchal, Jacques, russ.-holl. Landschafts- u. Stillebenmaler, * 28. 1. 1880 St. Petersburg, lebt im Haag.

Stud. in Petersburg u. Paris. Mitglied der „Onafhankelijken".

Lit.: Waay. — Maandbl. v. beeld. Kunsten, 4 (1927) 153. — The Studio, 65 (1915) 141, m. Abb.; 68 (1916) 183.

Chapel, Guy M., amer. Maler, * 1871 Detroit, Mich., ansässig in Chicago, Ill.

Schüler von G. G. Hopkins, R. S. Robbins u. des Art Inst. in Chicago.

Lit.: Th.-B., 6 (1912). — Fielding. — Amer. Art Annual, 30 (1933).

Chapelain-Midy, Roger, franz. Figuren- u. Stillebenmaler, * 24. 8. 1904 Paris, ansässig ebda.

Autodidakt. Stellt bei den Indépendants (1928 ff.) u. im Salon d'Automne aus. Dekorat. Wandbilder für das neue Trocadero-Theater in Paris; Landschaften mit Figuren. Im Luxembourg-Mus.: Vor dem Ball. Weitere Bilder im Mus. d'Art Mod. u. im Mus. des Beaux-Arts de la Ville de Paris, in den Museen Bordeaux, Boulogne-sur-Mer, Cambrai, Dijon, Lyon, St-Etienne und in mehreren öff. Sammlgn des Auslandes (Amsterdam, Brüssel, Venedig, Buenos Aires u. a. O.). Reiste viel in Europa u. in den USA. Beschickte häufig Ausstellgn im Ausland. Erhielt 1938 den Carnegie-Preis in Pittsburgh.

Lit.: Joseph, I. — Bénézit,[2] 2 (1949). — L'Amour de l'Art, 10 (1929) 454 (Abb.); 12 (1931) 490 ff., m. Abbn, 510; 13 (1932) 213, m. Abb.; 15 (1935) 63/66, m. 5 Abbn, 373 ff., m. Abb.; 17 (1937) 297 ff.

passim, m. Abb. — Art et Décor., 1934, p. 25f., m. Abb., 354ff. passim, m. Abb.; 1949, Nr 13 p. 52 (Abb.). — Revue de l'Art anc. et mod., 65 (1934/I), Bull. p. 57 (Abbn); 66 (1934/II) Bull. p. 396, 399 (Abb.); 67 (1935/II) 183, 185 (Abb.); 70 (1936) 189 (Abb.). — Beaux-Arts, 1935, Nr 119 v. 12. 4. 1935, p. 8; Nr 120 v. 19. 4. 1935, p. 8, m. Abb.; 1938 Nr 273 v. 25. 3. 38, p. 3 (Abb.); Nr 302 v. 14. 10. 38, p. 1 (Abb.) 3; Nr 306 v. 2. 11. 38, p. 1 (Abb.); Nr v. 1. 3. 1946, p. 1 (Abb.).; 1. 11. 1946, p. 4 (Abb.); 8. 8. 1947, p. 6 (Abb.); 12. 12. 1947, p. 4, m. Abb. — Bull. des Mus. de France, 1936, p. 40 (Abb.). — D. Kunst, 75 (1936/37) Taf.-Abb. geg. p. 333, 339. — The Studio, 112 (1936) 67 (Abb.); 115 (1938) 39 (Abb.); 117 (1939) 83 (Abb.); 132 (1946) 168 (Abb.); 142 (1951) 30 (Abb.). — Velhagen & Klasings Monatsh., 52/I (1937/38) farb. Taf. geg. p. 193, Text p. 281. — Westermanns Monatsh., 163/I u. II (1937/38) 426, m. Abb. am Schluß d. Bandes. — Kat. d. Ausst. Franz. Kunst d. Gegenw., Berlin, Pr. Akad. d. Kste, 1937, m. Abb.

Chapin, Archibald, amer. Illustrator u. Karikaturist, * 1875 Vernon, Ohio, ansässig in Kirkwood, Mo.

Stud. am Art Inst. in Chicago.

Lit.: Fielding. — Amer. Art Annual, 20 (1923) 471.

Chapin, Francis, amer. Landsch.- u. Architekturmaler (Öl u. Aquar.) u. Lithogr., * 14. 2. 1899 Bristolville, O., ansässig in Chicago, Ill.

Arbeiten u. a. im Art Inst. in Chicago und in d. Städt. Smlgn in Davenport, Ia., u. Chicago. 1 Landschafts-Aquarell in d. Addison Gall. of Amer. Art in Andover, Mass. (Abb. im Bull., 1943, p. 24).

Lit.: Amer. Art Annual, 30 (1933). — Who's Who in Amer. Art, I: 1936/37. — The Brooklyn Mus. Quart., 19 (1932) 145 (Abb.). — Art Index (New York), Okt. 1942/April 1953. — Painting in the Un. States 1949. Ausst. Carnegie Inst. Pittsburgh, Kat. Taf. 30. — Monro.

Chapin, James Ormsbee, amer. Maler, * 9. 7. 1887 West Orange, N. J., ansässig in New York, sommers in Annandale, N. J.

Stud. bei Jul. de Vriendt an der Akad. in Antwerpen u. an der Soc. of Independent Painters of America. Gold. Med. der Pennsylvania Acad. of the F. Arts, 1928. Kollektiv-Ausstellgn in den New Gall. in New York, Dez. 1925, u. in der Macbeth Gall. ebda, Febr. 1932. Figürliches, bes. Szenen aus dem Landleben, Bildnisse. Arbeiten u. a. in den Phillips Memorial Gall. in Washington, D. C., im Art Inst. in Chicago u. im John Herron Art Inst. in Indianapolis, Ind.

Lit.: Fielding. — Amer. Art Annual, 30 (1933). — Who's Who in Amer. Art, I: 1936/37. — Art in America, 16 (1928) 277/80, m. Abbn. — The Art News, 24, Nr 10 v. 12. 12. 1925. — Bull. of the Cleveland Mus., 14 (1927) 104, 107 (Abb.); 15 (1928) 130, 132, 134 (Abb.); 17 (1930) Abb. geg. p. 115, 123; 18 (1931) 109 (Abb.). — The Studio, 95 (1928) 435 (Abb.) 436; 107 (1934) 116 (Abb.); 113 (1937) 19 (Abb.). — The New York Times, 18. 2. 1932. — Art Index (New York), Okt. 1942/Sept. 1946. — Monro.

Chapin, Jean, franz. Maler (Öl u. Aquar.), * Paris, ansässig ebda.

Mitgl. der Soc. du Salon d'Automne u. der Soc. des Art. Indépendants. Blumenstücke, Stilleben, Landschaften, Volksszenen aus der Bretagne u. Vendée.

Lit.: Joseph, I.

Chapin, Lucy Grosvenor, amer. Bildnismalerin, * 1873 Syracuse, N. Y., † 1939 ebda.

Schülerin von Baschet, Merson, Collin u. Prinet in Paris. Bildnisse u. a. in d. Staatsgal. des Kapitols in Augusta, Me., u. im Dickinson-Seminar in Williamsport, Pa.

Lit.: Fielding. — Amer. Art Annual, 30 (1933). — Who's Who in Amer. Art, I: 1936/37.

Chapiro (Tschapiro), Jacques (Jakoff), russ.-franz. Maler, * 13. 6. 1887 Dwinsk, ansässig in Paris.

Stud. an der Kstschule in Charkow (1915), dann an der Akad. in Kiew (1918). Leitete 1919 eine Malschule in Dnjepropetrowsk, setzte 1920 seine Studien an der Akad. in Leningrad fort. 1921 mit Ausschmükkung des Theaters Meyerhold in Moskau beschäftigt. Seit 1925 in Paris ansässig, beschickt dort seit 1926 den Salon d'Automne, den Salon des Tuileries und die Salons der Indépendants u. Surindépendants. Im Art Inst. in Chicago: Frau am Tisch u. Interieur. Im Mus. du Jeu de Paume in Paris: Die Eisvögel.

Lit.: Bénézit, [2] II (1949). — Beaux-Arts, 75° année Nr 283 v. 3. 6. 1938, p. 11 (Abb.).

Chaplin, Arthur, franz. Bildnis- u. Blumenmaler, * 8. 8. 1869 Jouy-en-Josas (Seine-et-Oise), ansässig in Paris.

Sohn des Charles Ch. Schüler von Bonnat u. Bernier. Beschickte bis 1930 den Salon der Soc. d. Art. franç.

Lit.: Th.-B., 6 (1912).—Bénézit, [2] II.—Joseph, I.

Chaplin, Elisabeth, franz. Figuren- u. Bildnismalerin, * Fontainebleau, ansässig in Paris u. Florenz.

Mitgl. der Soc. d. Art. Franç. 1923 Reisestipendium. Stellt auch im Salon der Soc. Nat. d. B.-Arts 1921 ff. aus (Salon-Kat. z. T. m. Abbn). Ihre figürl. Kompositionen zeigen einen stark dekor. Charakter. In der Kapelle Notre-Dame-de-Salut in Paris: Geburt Christi (1927).

Lit.: Joseph, I. — Vita d'Arte, 12 (1913) 53 (Abb.). — L'Art et les Art., N. S., 7 (1923) 351 (Abb.). — D. Kunst, 51 (1924/25) 48 (Abb.). — La Renaiss. de l'Art fr., 8 (1925) 348 (Abb.); 12 (1929) 4, 7 (Abb.). — Beaux-Arts, 3 (1925) 163, m. Abb. — Gaz. d. B.-Arts, 1921/I, p. 286f., m. Abb.; 1927/I, p. 292f., m. Abb. — Revue de l'Art anc. et mod., 52 (1927/II) 39 (Abb.); 55 (1929) 147 (Abb.).

Chaplin, Prescott, amer. Radierer, Lithograph, Holzschneider, Maler u. Kunstschriftst., * 10. 10. 1897 Boston, Mass., ansässig in Los Angeles, Calif.

Schüler von George Bellows u. Wm. M. Chase. Mappenwerk: 25 Woodcuts (Murray & Harris).

Lit.: Who's Who in Amer. Art, I: 1936/37.

Chapman, Alfred, kanad. Archit., * 1878, ansässig in Toronto.

Stud. an d. Ec. d. B.-Arts in Paris. Seit 1918 assoziiert mit Oxley (Firma: Ch. & Oxley). Hauptbauten: Öff. Bibliothek in Toronto; Royal Ontario Museum; Sterling Tower Building u. Bank of Montreal Building, beide in Toronto.

Lit.: The Internat. Who's Who, [8] 1943/44.

Chapman, Charles, amer. Maler u. Illustr., * 1879 Morristown, N.Y., ans. in Leonia, N.J.

Schüler von Wm. M. Chase u. W. Appleton Clark. Bilder u. a. im Metrop. Mus. in New York u. im Cleveland Mus. of Art.

Lit.: Who's Who in Amer. Art, I: 1936/37. — Amer. Art Annual, 30 (1933). — Fielding. — Monro.

Chapman, Frederick Trench, amer. Holzschneider, * 1887.

Lit.: Mallett. — Amer. Artist, 5, April 1941, p. 17/20; 10, Dez. 1946, p. 11, 27/30; 11, März 1947, p. 6; Nov. 1947, p. 37 (Abb.).

Chapman, Kenneth Milton, amer. Malerin u. Illustr., * 13. 7. 1875 Ligonier, Ind., ansässig in Santa Fé, N. M.

Stud. an der Art Student's League in New York u. im Art Inst. in Chicago, Ill. 3 Wandmalereien im Mus. von New Mexico.

Lit.: Fielding. — Amer. Art Annual, 24 (1927); 27 (1930) 192. — Who's Who in Amer. Art, I: 1936/37.

Chapon, Auguste Louis, franz. Holzschneider, * Les Salles-du-Gardon (Gard), ansässig in Paris.

Schüler von Barbant. Mitgl. der Soc. d. Art. Franç.; beschickt deren Salon seit 1927. Farbenholzschnitte nach eigenen u. fremden Vorlagen.

Lit.: Joseph, I.

Chapoval, russ.-franz. Maler, * 3. 11. 1919 Kiew, ansässig in Frankreich. Als Franzose naturalisiert.

Kam jung nach Frankreich. Stud. an den Ec. d. B.-Arts in Marseille u. Toulouse. Erhielt 1947 den 2. Preis der Jeune Peinture. Abstrakter Künstler. Bild im Mus. d'Art Mod. in Paris.

Lit.: Bénézit, [2] 2 (1949). — D. Kstwerk, 4 (1950) H. 8/9 p. 93.

Chappée, Julien, franz. Landschafts-, Stilleben- u. Bildnismaler, * Le Mans, ansässig ebda.

Stellt seit 1925 bei den Indépendants in Paris aus. Glasgemälde in der Kapelle Ste-Jeanne-d'Arc in der Kathedr. zu Le Mans.

Lit.: Joseph, I. — La Provence du Maine, 1927, p. 64.

Chapuis, Pierre Marie Alfred, franz. Genre- u. Landschaftsmaler, * Paris, † 23. 9. 1942 ebda.

Beschickte seit 1906 den Salon der Soc. Nat. d. B.-Arts, den Salon d'Automne u. den Salon des Indépendants.

Lit.: Bénézit, [2] II (1949).

Chapuy, André, franz. Genre-, Bildnis- u. Landschaftsmaler, * Paris, † 9. 7. 1941 ebda.

Seit 1914 Mitgl. der Soc. d. Art. Franç. u. der Soc. Nat. d. B.-Arts. Stellte auch bei den Indépendants aus. Impressionist. Szenen aus dem Leben der Halbwelt, Kabarettszenen usw. Winterlandsch. im Luxembourg-Mus., Paris.

Lit.: Joseph, I. — Bénézit, [2] 2 (1949). — Salmon, 1912, p. 96f. — Gaz. d. B.-Arts, 1913/I, p. 355 (Abb.).

Charavel, Paul, franz. Bildnis-, Genre- u. Landschaftsmaler, * 2. 4. 1877 Marseille, ansässig in Brüssel.

Schüler von Bonnat u. Maignan. Mitgl. der Soc. d. Art. Franç. (Salon-Kat. z. T. mit Abbn).

Lit.: Th.-B., 6 (1912). — Joseph, I. — Bénézit, [2] 2.

Charbonneaux, Pierre, franz. Bildhauer, * Reims, ansässig in Paris.

Stellt seit 1908 im Salon der Soc. d. Art. franç. aus.

Lit.: Bénézit, [2] 2 (1949).

Charbonnier, Louise, franz. Porträt- u. Genremalerin, * Nizza.

Stellt seit 1933 im Salon des Tuileries, im Salon d'Automne u. bei den Indépendants in Paris aus.

Lit.: Bénézit, [2] 2 (1949). — L'Amour de l'Art, 12 (1931) 337f. (Abb.). — Beaux-Arts, 9 (1931) Juni-Heft p. 21 (Abb.).

Charbonnier, Pierre, franz. Bildnis- u. Figurenmaler, * 24. 8. 1897 Vienne (Isère), ansässig in Paris.

Stellte 1921ff. bei den Indépendants aus.

Lit.: Joseph, I. — D. Cicerone, 15 (1923) 338, 341 (Abb.). — Beaux-Arts, 1938 Nr 273 v. 25. 3. 38, p. 4; Nr 312 v. 23. 12. 38, p. 3. — Bénézit, [2] II.

Charchoune (Tscharschun), Ssergeij, russ.-franz. Maler u. Dichter, * Bugursulan (Ukraine), ansässig in Paris.

Begann in Berlin auf eigene Faust zu malen. Dann einige Zeit auf Korsika. Kam um 1912 nach Paris, wo er in gen. Jahr im Salon des Indépendants debütierte. Kubist. Phantast in der Art Odilon Redon's. Sonderausst. in d. Gal. Creuze, Paris, März 1948.

Lit.: Bénézit, [2] 2 (1949). — Apollo (London), 5 (1927) 87. — Konstrevy, 1930, p. 154 (Abb.). — Beaux-Arts, 26. 3. 1948, p. 5.

Chard, Walter Goodman, amer. Bildhauer, * 20. 4. 1880 Buffalo, N. Y., ansässig in Boston.

Schüler von Ch. Grafly u. der Schule des Mus. in Boston.

Lit.: Fielding. — Amer. Art Annual, 20 (1923) 471.

Chardel, Jean Marie, franz. Bildhauer, * Lille, ansässig in Boisguillaume (Seine-Infér.).

Schüler von A. Guilloux u. Rob. Busnel. Mitgl. der Soc. d. Art. Franç., beschickt deren Salon seit 1928.

Lit.: Joseph, I.

Chareau, Pierre, franz. Raumkünstler, Möbelzeichner u. Architekt, † 1950 Paris.

Mitgl. der Soc. d. Art. Décorat. Gehört zu den geschätztesten Innenarchitekten der Gegenwart in Paris, der in seinen Raumkonstruktionen u. Ausstattungen in vorbildlicher Weise das Schöne mit dem Praktischen zu verbinden weiß. Zu seinen bekanntesten Schöpfungen gehört die Ausstattung des Grand Hôtel in Tours.

Lit.: L'Amour de l'Art, 1928, p. 59/62, m. 5 Abbn. — L'Architecture d'aujourd 'hui, 20, Juli 1950, p. 51. — L'Art et les Art., N. S. 9 (1924) 281/86, m. 6 Abbn; 15 [recte 16] (1927/28) 130/34, m. 6 Abbn. — Art et Décor., année 30 (1926) 8ff. (Abbn), 17; 1927/I 137f. (Abbn); 1928/I 33/39, m. 7 Abbn; 61 (1932) 129/32, m. Abbn bis p. 141; 62 (1933) 123/28, m. 6 Abbn; 1934, p. 49/56, m. 14 Abbn. — Beaux-Arts, 3 (1925) 190f., m. Abbn. — Gaz. d. B.-Arts, 1925/II 226. — La Renaiss. de l'Art franç., 6 (1923) 203, 208 (Abb.); 8 (1925) 353 (Abbn); 9 (1926) 633, 635 (Abb.); 12 (1929) 194f., m. Abb.

Chareun, Raoul de, sard. Maler, Plakatzeichner u. Buchillustrator, * 16. 12. 1889 Cagliari, ansässig in Mailand.

Stud. an der Univ. Padua. Zeichnete für die satir. Zeitschr. „Lo studente di Padova".

Lit.: Chi è?, 1940. — Emporium, 46 (1917) 9f., 12/15, m. 9 Abbn u. Selbstbildn.

Charigny, André, franz. Figuren-, Bildnis- und Landschaftsmaler, * Paris, ansässig ebda.

Schüler von P. Laurens. Beschickte 1927ff. den Salon der Soc. d. Art. Franç. (Kat. z. T. m. Abbn).

Lit.: Joseph, I. — Beaux-Arts, 1935 Nr 117 v. 16. 8., p. 6, m. Abb. — Bénézit, [2] II.

Charisius-Linde, Ruth, dtsche Malerin, * 2. 12. 1907 Berlin, ansässig in Freiburg/Br.

Schülerin von Plontke an den Vereinigten Staatsschulen Berlin.

Charlemagne, Paul, franz. Figuren-, Bildnis- u. Landschaftsmaler (Öl u. Aquar.), * August 1892 Paris, ansässig ebda.

Erlernte zuerst die Bühnenmalerei. Nach 3jähr. Lehrzeit ein Jahrzehnt als Dekorationsmaler tätig. Mitgl. der Soc. des Salon d'Automne. Stellt seit 1925 auch bei den Indépendants aus. Wandbild in der Vorhalle des Neuen Trocadero-Theaters in Paris. Im Luxembourg-Mus.: Pont de Layoul. Eine Landschaft im Mus. Toma Stelian in Bukarest.

Lit.: Joseph, I. — Bull. de l'Art anc. et mod., 1927, p. 327 (Abbn); 1929, p. 65 (Abb.). — Beaux-Arts, 8 (1930) Nr 11, p. 18 (Abb.); Nr 208 v. 25. 12. 1936 p. 8; Nr 252 v. 29. 10. 1937, p. 7 (Abb.); Nr 307 v. 18. 11. 1938, p. 4; Nr 324 v. 17. 3. 1939 p. 1 (Abb.); Nr v. 6. 12. 46 p. 5 (Abb.). — L'Art et les Art., N. S. 24 (1932) 189/94, m. 7 Abbn. — Art et Décor., 61 (1932) 373 (Abb.). — Revue de l'Art anc. et mod., 67 (1935/I) Bull. p. 22, 25 (Abb.). — Apollo (London), 27 (1938) 95.

Charlemont, Hugo, öst. Maler (Öl, Guasch, Aquar.) u. Graph. (Prof.), * 18. 3. 1850 Jamnitz, Mähren, † 18. 4. 1939 Wien. Franz. Abkunft. Bruder des 1906 † Eduard u. des Theodor. Vater der Lilly.

Sohn des Miniaturmalers Matthias Adolf Ch. 1872 Schüler von E. v. Lichtenfels an der Wiener Akad. Arbeitete daneben bei Makart. Als Radierer Schüler von W. Unger. Landschaften, Stilleben, Interieurs, Architektur, Bildnisse. 400 Zeichngn für d. Werk: Die Öst.-Ungar. Monarchie in Wort u. Bild. Zahlr. Zeichngn für das Jubil.-Werk: Die Großindustrie Österreichs. Je 1 Stilleben in d. Staatsgal. in Prag u. im Franzensmus. in Brünn. Interieur im Art Inst. in Chicago. Wandgem. u. Sopraporten im Palais Lanckorónski in Wien. Wand- u. Deckengem. im Jagdschloß i. Lainz. Bilder in d. Gal. d. 19. Jh.s in Wien u. in der Mod. Gal. in Budapest (Hans-Makart-Atelier).

Lit.: Th.-B., 6 (1912). — Dreßler. — Bénézit, [2] 2. — Wer ist Wer? (Wien), 1937. — Klang. — The Studio, 59 (1913) 322 (Abb.). — [Frimmel's] Stud. u. Skizzen z. Gemäldekde, 5 (1920) 10. — Der getreue Eckart (Wien), 2 (1924/25) farb. Abb. geg. p. 241; 4 (1926/27) 213/21, m. 9 (dar. 8 farb.) Abbn u. Bildn. d. Künstlers. — Öst. Kst, 1 (1929/30) H. 5, p. 20/22, m. 2 Abbn; 6 (1935) H. 4 p. 5/8, m. Abbn u. Bildn. des Kstlers, gem. von s. Tochter Lilly. — D. Weltkst, 12, Nr 50 v. 11. 12. 1938, p. 2 (Abb.). — D. Kst, 80 (1938–39) Beil. z. Maih. p. 23 (Nachruf).

Charlemont, Lilly, öst. Malerin, * 2. 4. 1890 Wien. Tochter des Hugo.

Schülerin von Hohenberger u. Kruis.

Lit.: Klang. — Öst. Kst, 4 (1933) H. 5, p. 22f., m. Abbn.

Charlemont, Theodor, öst. Bildhauer, * 1. 1. 1859 Znaim, † 13. 10. 1938 Wien. Bruder des Hugo.

Schüler von Zumbusch u. E. Hellmer. Bildnisbüsten, Grabdenkmäler, Genre. Relief in der Kaiserin Elisabeth-Gedächtniskap. der Kaiserjubiläumskirche in Wien, darstellend die Kaiserin vor ihrer Namenspatronin, der Hl. Elisabeth von Ungarn.

Lit.: Th.-B., 6 (1912). — Missong, p. 114.

Charles, André, franz. Landschaftsmaler u. Zeichner, * 4. 7. 1899 Suresnes, ansässig ebda.

Stellt seit 1924 bei den Indépendants aus.

Lit.: Joseph, I.

Charles, Laurent, franz. Bildhauer, * 12. 6. 1875 Paris, ansässig ebda.

Schüler von Louis Moreau u. Thomas. Mitgl. der Soc. d. Art. Franç.

Lit.: Th.-B., 6 (1912). — Joseph, I.

Charles, Madeleine, franz. Landschaftsmalerin (Öl u. Aquar.), * Verdun, ansässig in Paris.

Stellt seit 1921 im Salon d'Automne, seit 1924 bei den Indépendants aus.

Lit.: Joseph, I. — Bénézit, [2] II (1949).

Charles, Samuel, amer. Maler, * 1887 Agawan, Mass., ansässig in Wellesley, Mass.

Lit.: Amer. Art Annual, 30 (1933).

Charles, Sheila, engl. Figurenmalerin u. Mezzotintost., * 23. 9. 1918 Guilden-Morden, ansässig in London.

Lit.: Who's Who in Art, [3] 1934.

Charles, Yvonne, franz. Landschafts- u. Genremalerin, * Bourg-la-Reine (Seine), ansässig in Sceaux (Seine).

Mitgl. der Soc. du Salon d'Automne, den sie seit 1921 beschickt.

Lit.: Joseph, I. — Bénézit, [2] II (1949).

Charleson, Malcolm Daniel, kanad. Maler u. Illustr., * 4. 8. 1880 Manitoba, Can., ansässig in Chicago, Ill.

Lit.: Amer. Art Annual, 20 (1923) 471.

Charlet, Albert, franz. Landschafts- u. Figurenmaler, * Xermaménil (Meurthe-et-Moselle), ansässig in Paris.

Stellt seit 1923 bei den Indépendants aus.

Lit.: Joseph, I.

Charlet, Georges, franz. Graphiker u. Maler, * Paris, ansässig ebda.

Mitgl. der Soc. d. Art. Franç. Farbige Radierungen.

Lit.: Joseph, I. — Bénézit, [2] II (1949).

Charlier, Henri, franz. Bildhauer, * 1883 Paris, ansässig in Mesnil-Saint-Loup.

Schüler von J. P. Laurens. Mitgl. der Soc. du Salon d'Automne, den er seit 1922 beschickt. Mitbegründer der Künstlergruppe „L'Arche". Oblat des Benediktinerordens. Hauptsächlich religiöses Genre, unter formaler Anknüpfung an die Gotik. Strenger hieratischer Stil. Hl. Jeanne d'Arc (Hochrelieftafel) in der Kirche in Souain; Kalvarienberg in der Egl. du Bon Pasteur in Grenoble; Kolossalengel für das Totendenkmal in Acy; Totendenkm. in der Kirche in Les Aubiers; Statue des hl. Ludwig als Knabe am Denkmal in Uza; Madonnenstatuen in Solesmes u. in der Abtei La Pierre-Qui-Vire; Klagende vom Totendenkm. in Onesse. Seine Hauptwerke reproduziert in einem von der Benediktinerinnen-Abtei in Wépion herausgeg. Tafelwerk.

Lit.: Joseph, I. — Les Tailles directes d'H. Ch., Wépion 1927. — Gaz. d. B.-Arts, 1922/II p. 326, 327 (Abb.); 1924/II p. 98 (Abb.), 102; 1933/II p. 38 (Abbn). — La Renaiss. de l'Art franç., 12 (1929) 13 (Abb.), 17 (Abb.), 19. — L'Amour de l'Art, 11 (1930) 447/56, m. Abbn. — Die christl. Kst, 27 (1930/31) 26. — Liturgical Arts (New York), 18, Mai 1950, p. 63 (Abbn).

Charlon, Léon Paul, franz. Landschaftsmaler, * Paris, ansässig ebda.

Stellt seit 1927 bei den Indépendants aus.

Lit.: Joseph, I.

Charlopeau, Gabriel, franz. Bildnis-, Landschafts- u. Stillebenmaler, * Fontenay-le-Comte (Vendée), ansässig in Nieul-sur-Mer bei La Rochelle.

Stellte im Salon der Soc. Nat. d. B.-Arts 1921 u. im Salon d'Automne 1928 aus.

Lit.: Joseph, I. — Beaux-Arts, 1937 Nr 254 v. 12. 11., p. 5 (Abb.), Nr 255 v. 19. 11., p. 4; 1938, Nr 306 v. 2. 11., p. 1 (Abb.).

Charlot, Jean, franz. Maler, Graph. u. Kunstschriftst., * 7. 2. 1898 Paris, ansässig auf Hawai.

Ging 1921 nach Mexiko, dort beteiligt an den frühen Fresken der Preparatoria. Von da nach Yukatan, um im Auftrag der Carnegie-Stiftung Ausgrabungen der Maya-Ruinen in Chichen-Itza vorzunehmen. Stark beeinflußt von der Maya-Kunst. 32 farbige Lithogr. sind vereinigt in Mappenform unter dem Titel: Picture Book. Lithogr. Einzelblätter: Mestizas Yucatan; Great Builders; Leopard Hunter; Mutter u. Kind I u. II; Indisches Bad; Nana. Holzschnitt: Bildnis d. Bildhauers Manuel Martínez Pintao. Illustr. zu Paul Claudel: Book of Christophore Columbus. Bild: Leopardenjäger, in der Phillips Mem. Art Gall. in Washington. — Koll.-Ausst. in den Bonestell Gall. in New York, Mai 1945, u. in der Associated Amer. Gall. ebda, Febr. 1951.

Lit.: P. Claudel, J. Ch., Paris 1933. — La Renaiss. de l'Art franç., 11 (1928) 65, 66 (Abb.), 67 (Abb.). — The Studio, 110 (1935) 186, 187 (Abb.). — Parnassus (New York), 7 (1935) Nr 2 p. 4f., m. 2 Abbn. — The Print Coll. 's Quarterly, 23 (1936) 67, 79 (Abb.), 80; 29 (1949) 20 (Abb.). — The Art News, 40, Nr v. 1. 1. 1942, p. 22; 44, Nr v. 1. 4. 1945, p. 11; 46, Dez. 1947, p. 10 (Abb.); 49, Okt. 1950, p. 7. — Art Digest, 16, Nr v. 1. 10. 1941, p. 31, Nr v. 15. 12. 1941, p. 25 (Abb.); 19, Nr v. 1. 5. 1945, p. 18; 25, Nr v. 1. 2. 1951, p. 29. — Liturg. Arts, 13, Aug. 1945, p. 81 (Abb.), 86f.; 19, Febr. 1951, p. 46, Aug. 1951, p. 90 (Abb.). — Minneapolis Inst. of Arts Bull., 30, Nr v. 6. 12. 1941, p. 164 (Abb.). — Magaz. of Art (New York), 36 (1943) 190; 38 (1945) 16/21, 198 (Abb.), 244; 39 (1946) 58/62, 79 (Abb.); 40 (1947) 258/63; 42 (1949) 139/42; 43 (1950) 230. — Architect a. Engineer, 151, Nov. 1942, p. 4 (Abb.); Dez. 1942, p. 4, m. Abb. — College Art Journal, 10 (1950/51) 10/17 (Aufsatz C. s über Rivera), 49; 355/69 (desgl. über Orozco u. Siqueiros).

Charlot, Louis, franz. Maler, * 26. 4. 1878 Cussy-en-Morvan, ansässig in Paris.

Schüler der Pariser Ec. d. B.-Arts. Beeinflußt von Cézanne. Stellte anfängl. bei den Indépendants, seit 1908 im Salon d'Automne aus. Mitgl. der Soc. Nat. d. B.-Arts. Malt die Landschaft des Morvan u. seine Bewohner: Hirten u. Hirtinnen, Jäger, herbe, an Lenain erinnernde Bauerngestalten; auch Bildnisse u. Stilleben. Besonders geschätzt seine Schneelandschaften. Bilder u. a. im Luxembourg-Mus. in Paris, im Petit Palais ebda, im Mus. in Nantes u. im Mus. westeurop. Kunst in Moskau.

Lit.: Th.-B., 6 (1912). — G. Lecomte, L. Ch., Paris 1926. — Salmon, 1912, p. 105/07. — Joseph, I, m. 2 Abbn u. Fotobildn. — L'Occident, April 1913. — Gaz. d. B.-Arts, 1913/II, p. 187 (Abb.); 1926/II, p. 331 (Abb.). — L'Art décor., 28 (1912) 290 (Abb.). — Les Arts, 1913 Nr 137, p. 27 (Abb.); 1920 Nr 184, p. 6 (Abb.), 11. — Art et Décor., 1914/II p. 65ff. passim.; 23 (1920), Chron. Dez.-Heft, p. 10. — L'Art et les Art., N. S. 1 (1919/20) 372/80, m. 10 Abbn, 1 Taf. u. Selbstbildn.; 4 (1921) 203, m. Abb.; 9 (1924) 288. — Chron. d. Arts, 1920 p. 160. — L'Amour de l'Art, 1921, p. 360f., m. 2 Abbn; 1934, p. 289f. passim, m. Abb., 304 passim, m. Abb. — Revue de l'Art anc. et mod., 44 (1923) 77 (Abb.), 363 (Abb.); 45 (1924) 289/91, m. Abb. (Selbstbildn.); 51 (1927/I), Suppl. p. 57 (Abb.); 56 (1929) 235 (Abb.); 66 (1934) 42. — B.-Arts, 2 (1924) 110, m. Abb. — Bull. de l'Art anc. et mod., 1924, p. 97 (Abbn), 99. — La Renaiss. de l'Art fr., 7 (1924) 221; 9 (1926) 235/37, m. 3 Abbn.

Charlot, Paul, franz. Porträt-, Akt- u. Landschaftsmaler, * Paris, ansässig ebda.

Stellt seit 1931 bei den Indépendants, im Salon d'Automne u. im Salon der Soc. Nat. d. B.-Arts aus.

Lit.: Bénézit, [2] 2 (1949). — Beaux-Arts, 76e année Nr 324 v. 17. 3. 1939 p. 7 (Abb.); Nr 329 v. 21. 4. 1939, p. 1, m. Abb.

Charlton, Evan, engl. Bildnismaler, * 30. 9. 1904 London, ansässig ebda.

Stud. an der Slade School.

Lit.: Who's Who in Art, [3] 1934.

Charman, Montague, engl. Maler u. Lithogr., * 6. 4. 1894 London, ansässig in Syracuse, N. Y. Gatte der Malerin Jessie C. (* 13. 11. 1895 Newark, N. J., USA).

Schüler von Sidney Haward in London.

Lit.: Who's Who in Amer. Art, I: 1936/37. — Amer. Art Annual, 30 (1933). — Monro. — Mallett.

Charmoy, José de, franz. Bildhauer, * 1879 auf der Insel Mauritius, † 11. 11. 1914 Paris.

Schüler von Rodin. Beschickte 1899ff. den Salon der Soc. Nat. d. B.-Arts, (Kat. z. T. m. Abbn), 1907ff. den Salon d'Automne. Grabmal Beaudelaire's auf dem Montparnasse; Denkmal desselben in Paris; Standbild Alfred de Vigny's ebda; Beethoven-Denkm. ebda. Bildnisbüsten Em. Zola's in Médan (Seine-et-Oise), Sainte-Beuve's im Jardin du Luxembourg, Paris.

Lit.: Th.-B., 6 (1912). — Salmon, 1919 p. 61/64. — Bénézit, [2] 2 (1949). — La Revue Scandinave, 1911, p. 607/13, m. 4 Abbn. — Art et Décor., 1914/II, p. 1/14 passim, m. Abbn.

Charmy, Emilie, franz. Bildnis-, Blumen- u. Früchtemalerin, * 1880 Saint-Etienne (Loire), wohnhaft in Paris u. St-Cloud.

Stellte 1904ff. bei den Indépendants, 1908 im Salon d'Automne aus.

Lit.: Th.-B., 6 (1912). — Joseph, I. — Mercure de France, 134 (1919) 721. — La Vie, 1920 v. 15. 6., p. 189f. — Beaux-Arts, 1939 Nr 321 v. 24. 2., p. 4; 1946 Nr v. 22. 3. p. 3, v. 29. 3. p. 2. — Bénézit, [2] II.

Charnaux, Madeleine, franz. Figurenbildhauerin u. Zeichnerin, * Vichy, † 1936.

Lit.: Joseph, I. — Beaux-Arts, 9 (1931) Mai-H. p. 24, m. Abb.; 10 (1932) Juli-H. p. 12, m. Abb.

Charnay, Armand, franz. Landschaftsmaler u. Radierer, * 6. 1. 1844 Charlieu (Loire), † 6. 12. 1915 (Joseph irrig: 1916) Marlotte (Seine-et-Marne).

Lit.: Th.-B., 6 (1912). — Joseph, I. — Bénézit, [2] 2 (1949). — Chron. d. Arts, 1914/16, p. 237.

Charol, Dorothea, dtsche Bildhauerin, * 22. 3. 1895 Odessa, ansässig in Berlin.

Stud. an der Kstschule Richter in Dresden. Modelle für die Porzellanmanuf. Volkstedt/Thür.

Lit.: Dreßler. — Art et Décor., 61 (1932), Les Echos d'Art, Aug.-H. p. V.

Charon, Luc, franz. Landschafts- u. Früchtemaler, * 26. 4. 1861 Paris, † 15. 12. 1923 ebda.

Lit.: Joseph, I.

Charoux, Siegfried, öst. Bildhauer u. Karikaturist, * 15. 10. (11. ?) 1896 Wien, ansässig in London.

Schüler von Hanak an d. Kstgewerbesch., von Bitterlich an der Wiener Akad. Seit 1935 in London. Stellt in der Roy. Acad. in London, im Kstlerhaus in Wien, in New York u. Chicago aus. Lessing-, R. Blum- u. Matteotti-Denkmäler in Wien; Denkmal Amy Johnson in Hull; Terrak.-Statue: Jugend, in d. Tate Gall. in London.

Lit.: Teichl. — Bénézit, [2] II. — Apollo (London), 47 (1948) 128/30, m. 7 Abbn. — Aufbau, 1946, p. 233. — The Studio, 136 (1948) 93 (Abb.).

Charpaux, Marcel Louis, franz. Landschafts- u. Stillebenmaler, * 7. 10. 1890 Paris, ansässig ebda.
Stellte 1922/35 im Salon d'Automne aus.
Lit.: Joseph, I. — Bénézit, [2] II (1949).

Charpenne, Louis Emile, franz. Landschaftsmaler, * Crest (Drôme), ansässig in Montélimar (Drôme).
Schüler von Julian u. Romanet. Stellt seit 1928 im Salon der Soc. d. Art. franç. aus (Kat. z. T. m. Abbn).
Lit.: Joseph, I. — Bénézit, [2] 2 (1949).

Charpentier, Albert, franz. Genre- u. Bildnismaler, * 18. 12. 1878 Paris, im 1. Weltkrieg vermißt.
Lit.: Th.-B., 6 (1912). — Bénézit, [2] 2 (1949).

Charpentier, Georges, franz. Landschafts- u. Marinemaler, * Paris, ansässig ebda.
Schüler von Cormon. Mitglied der Soc. d. Art. Franç., beschickte deren Salon seit 1898.
Lit.: Th.-B., 6 (1912). — Joseph, 1.

Charpentier, Holger, schwed. Maler u. Zeichner, * 1910 Växjö, ansässig in Lund.
Autodidakt. Bildnisse, Figürliches, Landschaften.
Lit.: Thomœus.

Charpentier, Paul Alfred Marius, franz. Maler u. Rad., * Saint-Gervais (Isère), ansässig in Valframbert (Orne).
Mitgl. d. Soc. d. Art. Franç. Architektur, Landschaft, Stilleben. Graph. Hauptblätter: Die Ruinen des Schlosses Bellon; Vorhalle von Notre-Dame in Alençon.
Lit.: Joseph, I. — Bénézit, [2] II (1949).

Charpy, Jeanne, franz. Bildnismalerin, * Moulins (Allier), ansässig in Paris.
Schülerin von Louis Roger u. P. Laurens. Mitgl. der Soc. d. Art. Franç. (Salon-Kat. z. T. mit Abbn).
Lit.: Joseph, I.

Charreton, Victor, franz. Landschaftsmaler, * 2. 3. 1864 Bourgoin (Isère), † 1937 Paris.
Schüler von E. V. Hareux u. L. Japy. Mitgl. der Soc. d. Art. Franç. (Salon-Kat. z. T. mit Abbn) u. des Salon d'Automne. Gold. Med. 1913. Impressionist. Bilder im Luxembourg-Mus. in Paris (2), in vielen franz. Provinzmuseen, bes. in dem von ihm gestifteten Mus. Victor Charreton in Bourgoin, u. in mehreren öff. Sammlgn der USA (Brooklyn, Cleveland Charleston, New York) u. des übrigen Auslandes.
Lit.: Th.-B., 6 (1912). — Bénézit, [2] 2. — Joseph, 1, m. 3 Abbn u. Fotobildn. — The Art News, 21 Nr 27 v. 14. 4. 1923, p. 1; 24 Nr 8 v. 28. 11. 1925, p. 2. — Revue de l'Art, 50 (1926) 54 (Abb.); 52 (1927 –II) 23 (Abb.); 66 (1934) 39 (Abb.). — Beaux-Arts, 1937 Nr 226 v. 30. 4., p. 8 (Abb.).

Charrière, Marcel, franz. Maler, * 1892 Evreux, fiel am 3. 10. 1918.
Lit.: Joseph, I. — Ginisty, 1919, p. 51. — Chron. d. Arts, 1917–19, p. 158.

Charrondière, Georges, franz. Landschaftsmaler, * Paris, ansässig ebda.
Schüler von Lavallée. Mitglied der Soc. d. Art. Franç., beschickt deren Salon seit 1932. Stellt seit 1937 auch bei den Indépendants aus.
Lit.: Bénézit, [2] II (1949).

Chartier, Albert, franz. Genrebildhauer, * 7. 5. 1898 Coutres (Loir-et-Cher), ansässig in Paris.
Schüler von Coutan. Mitgl. der Soc. d. Art. Franç. in Paris, beschickt deren Salon seit 1924 (Kat. z. T. m. Abbn).
Lit.: Joseph, I.

Chartier, Alex Charles, franz. Porträt-, Genre- u. Landschaftsmaler, * 5. 8. 1894 Paris, ansässig in Avignon.
Stud. an der Ec. Germain Pilon in Paris u. an der Ec. Nat. d'Horticulture in Versailles, nach Beendigung des 1. Weltkrieges an der Ec. d. B.-Arts in Avignon, wo er sich niederließ. Anfängl. Impressionist, ging dann zum Expressionismus, schließlich zur abstrakten Kunst über. Beschickte 1928/37 den Salon d'Automne in Paris, später den Salon des Indépendants in Avignon. Vertreten u. a. in den Museen in Arles, Avignon u. Gordes.
Lit.: Bénézit, [2] II (1949).

Chartier, Henri Georges, franz. Militärmaler, * 25. 2. 1859 Château-Chinon, † 8. 9. 1924 Paris.
Schüler von Cabanel u. Lavoignat. Mitgl. der Soc. d. Art. Franç. (Salon-Kat. z. T. mit Abbn).
Lit.: Th.-B., 6 (1912). — Joseph, 1. — Bénézit, [2] 2 (1949).

Chartier, Paul Louis, franz. Maler, * Neuilly-Saint-Front (Aisne), ansässig in Paris.
Stellt seit 1924 bei den Indépendants aus.
Lit.: Joseph, I.

Chartres, Antoine, franz. Landschafts- u. Figurenmaler, * 2. 1. 1903 Lyon, ansässig ebda.
Stellt in den Herbst-Salons in Lyon u. Paris u. bei den Indépendants aus. Bild im Mus. in Lyon.
Lit.: Joseph, I. — Beaux-Arts, 1938 Nr 313 v. 30. 12., p. 4, m. Abb.; 1939 Nr 324 v. 17. 3., p. 7; 1946 Nr v. 1. 3. p. 6 (Abb.), v. 7. 6. p. 4 (Abb.); 1947 Nr v. 21. 3. p. 7 (Abb.), v. 26. 9. p. 4 (Abb.), v. 5. 12. p. 3, m. Abb.

Charve, Louis, franz. Landschaftsmaler, * Rueil (Seine-et-Oise), ansässig in Briare (Loiret).
Schüler von J. Lefebvre u. B. Constant. Seit 1913 Mitgl. der Soc. d. Art. Franç. (Salon-Kat. z. T. m. Abbn).
Lit.: Joseph, I (irrig: Louise). — Bénézit, [2] II.

Chas-Laborde, s. *Laborde*, Charles (Chas).

Chase, Adelaide, geb. *Cole*, amer. Bildnismalerin, * 1869 Boston, † 1944 ebda.
Stud. in Boston u. bei Carolus Duran in Paris. Im Mus. of F. Arts in Boston: Der Violinspieler.
Lit.: Th.-B., 6 (1912). — Fielding. — C. E. Clement, Women in the Fine Arts, Boston 1904. — Amer. Art Annual, 30 (1933). — Who's Who in Amer. Art, I: 1936/37. — Bull. F. Arts Mus. Boston, 14 (1916) 24, m. Abb. — Monro.

Chase, Clarence Melville, amer. Maler, * 1871 Auburn, Me., ansässig in Boston, Mass.
Lit.: Amer. Art Annual, 30 (1933).

Chase, Edward Leigh, amer. Illustrator, * 1884, ansässig in New York.
Lit.: Mallett. — Art Digest, 20, Nr v. 15. 11. 1945 p. 38; Juni-Nr 1946 p. 25. — The Art News, 44, Nr v. 15. 11. 1945 p. 30. — Amer. Artist, 10 (1946) Nov.-H. p. 47.

Chase, Frank Swift, amer. Landschaftsmaler, * 12. 3. 1886 St. Louis, Mo., ansässig in Woodstock, N. Y.

Schüler der Art Student's League in New York. Bilder im Bes. der South Carolina Art Assoc. in Charleston, S. C., u. des Mechanic's Inst. in Rochester, N. Y.

Lit.: Who's Who in Amer. Art, I: 1936/37. — Amer. Art Annual, 30 (1933). — Monro.

Chase, Jessie, geb. *Kalmbach*, amer. Landschaftsmalerin, * 22. 11. 1879 Bailey's Harbor, Wis., ansässig in Madison, Wis.

Schülerin des Art Inst. in Chicago u. von Fred. Fursman. Wandmalereien in der West High School in Madison u. in der Library of High School in Sturgeon Bay, Wis.

Lit.: Who's Who in Amer. Art, I: 1936/37. — Amer. Art Annual, 30 (1933).

Chase, Joseph Cummings, amer. Bildnismaler, Lithogr. u. Schriftst., * 5. 5. 1878 Kents Hill, Me., ansässig in New York.

Schüler von J. P. Laurens. 50 Bildnisse in der Nat. Gall. in Washington, D. C.

Lit.: Fielding. — Who's Who in Amer. Art, I: 1936/37. — Amer. Art Annual, 30 (1933). — J. C. Ch., The Romance of an Art Career, New York 1928. — Art Digest, 17 Nr v. 1. 4. 1943, p. 31. — Amer. Artist, 8, Sept. 1944, p. 23. — Monro.

Chase, Marion, geb. *Monks*, amer. Malerin (bes. Aquar.), * 1874 Boston, Mass., ansässig in Wellesley Hills, Mass.

Schülerin von G. L. Noyes u. der Museumschule in Boston. Kollektiv-Ausst. Nov. 1923 in den Kingore Gall. in New York.

Lit.: Fielding. — Mallett. — Amer. Art Annual, 20 (1923) 472. — Art Digest, 20, Nr v. 15. 11. 1945, p. 34. — The Art News, 22, Nr 4 v. 3. 11. 1923, p. 1, m. Abb.; Nr 5 v. 10. 11. 1923, p. 1f.

Chase, Sidney Marsh, amer. Maler (Öl u. Aquar.) u. Illustr., * 19. 6. 1877 Haverhill, Mass., ansässig ebda.

Schüler von Woodbury, Tarbell, Pyle u. Pape. Arbeiten im Bes. der Soc. of F. Arts in Wilmington, Del.

Lit.: Amer. Art Annual, 30 (1933). — Fielding. — Who's Who in Amer. Art, I: 1936/37.

Chase, Wendell W., amer. Maler u. Radierer, * 4. 3. 1875 Foxcroft, Me., ansässig in Newburgh, N. Y.

Schüler von G. L. Noyes u. Hawthorne.

Lit.: Fielding.—Amer. Art Annual, 20 (1923) 472.

Chase, William Arthur, engl. Bildnis- u. Blumenmaler, * 17. 5. 1878 Bristol, ansässig in Dideot, Berkshire.

Stud. in London. Studienaufenthalte in Norditalien u. Südamerika.

Lit.: Who's Who in Art, [3] 1934.

Chasteauneuf, Jean de, franz. Landschaftsmaler, * 24. 8. 1877 Labatisse (Puy-de-Dôme), ansässig in Paris.

Mitgl. der Soc. d. Art. Franç. (Salon-Kat. z. T. mit Abbn).

Lit.: Joseph, I.

Chastel, Roger, franz. Maler, * 1897 Paris, ansässig ebda.

Stellt seit 1927 im Salon d'Automne u. im Salon des Tuileries aus. 1932 Grand Prix. Bilder u. a. im Mus. d'Art Mod. in Paris, im Mus. in Baltimore u. im Besitz der Carnegie-Stiftung in Pittsburgh.

Lit.: Bénézit, [2] 2 (1949). — L'Amour de l'Art, 10 (1929) 463 (Abb.); 13 (1932) 67; 1934, p. 365ff. passim.

Chastenet, André de, franz. Bildhauer, * 18. 3. 1879 Bayonne (Basses-Pyrénées), ansässig in Paris.

Mitgl. der Soc. Nat. d. B.-Arts, deren Salon er seit 1905 beschickt.

Lit.: Th.-B., 6 (1912).—Joseph, 1.—Bénézit, [2] 2.

Chastinet, Ludwig, dtsch. Maler, * Münster i. W., seit 1944 in Rußland vermißt.

Kollektiv-Ausst. Sept. 1927 in der Ksthandlung William in Bielefeld. Hauptsächl. Landschaften (Öl u. Aquar.).

Lit.: Westdtsch. Tageblatt (Dortmund), 6. 9. 1947.

Château, Georges, franz. Landschaftsmaler, * Bordeaux, ansässig ebda.

Schüler von P. Quinsac, H. M. Magne u. Didier-Pouget. Stellt seit 1929 im Salon der Soc. d. Art. franç. in Paris aus (Kat. z. T. m. Abbn).

Lit.: Joseph, I.

Châtelain, Roger, schweiz. Landsch.-, Bildnis- u. Figurenmaler, * 8. 8. 1910 Tramelan-Dessus, ansässig ebda.

Autodidakt. Album: Inscriptions et pièces d'Architect. et d'Ornementation des anc. maisons de Tramelan, 46 Taf. mit 95 Abbn (Zeichngn).

Lit.: Amweg, I.

Chatelet, Pierre, franz. Blumen- u. Tier-, bes. Katzenmaler (Öl u. Aquar.), * 1875 Avignon, † Sept. 1936 ebda.

Beeinflußt von Bonnard u. Vuillard.

Lit.: Beaux-Arts, 1936 Nr 196 v. 2. 10., p. 4, m. Abb. (Selbstbildn.).

Chatenet, Emile, franz. Bühnenkostümzeichner, * 25. 1. 1891 Paris, † 29. 2. 1932 London (Freitod).

Lit.: The Evening News, Nr v. 27. 2. 1932. — Sunday Pictorial, Nr v. 28. 2. 1932. — The News of the World, Nr v. 28. 2. 1932.

Chatham, Gösta, schwed. humorist. Zeichner (bes. polit. Karikaturen), * 22. 5. 1886 Örebro, ansässig in Ålsten.

Polit. Karikaturen für Tageszeitungen, seit 1924 für Svenska Dagbladet, seit 1930 für Göteborgs Handelstidningen, seit 1944 für Dagsposten. Buchwerke: Levande modell. Teckningar, Stockholm 1931; Magra och tjocka släkten. Teckn., Stockh. 1930; Perparkakor. Teckn., Stockh. 1932; Vängliga nyp. Teckn., Stockh. 1933.

Lit.: Vem är det?, 1935. — N. F., 21 (Suppl.). — Thomœus. — Vem är Vem i Norden, 1941 p. 1025.

Chatrousse, Louisa, geb. *Léchelle*, franz. Malerin, * Madrid von franz. Eltern.

Schülerin von Jean Geoffroy. Mitgl. der Soc. d. Art. Franç., beschickte deren Salon seit 1897 (Kat. z. T. mit Abbn). Bildnisse, Figürliches (bes. Akte).

Lit.: Th.-B., 6 (1912). — Joseph, 1. — Bénézit, [2] 2.

Chatry, Paul Maurice Gustave, franz. Landschaftsmaler u. Pastellzeichner, * Les Clouzeaux (Vendée), † 1930 Paris.

Schüler von Cormon. Mitgl. der Soc. d. Art. Français (1924 ehrenvolle Erwähnung).

Lit.: Bénézit, [2] II (1949).

Chatterjee, Promode Kumar, ind. Maler u. Schriftst.

Stud. an d. Gov. School of Art in Kalkutta. Malte anfänglich realist. Porträts ähnlich Jamini Roy, hatte damit aber wenig Erfolg. Ein häusliches Erlebnis führte einen Umschwung in s. Leben herbei. Ergriffen von religiöser Inbrunst, pilgerte er nach vielen heiligen Plätzen im Himalaya u. hielt die großartige Schönheit der Gebirgswelt auf der Leinwand fest. Kunst u. Leben der Tibetaner beeindruckten ihn tief u. veranlaßten ihn zu Yoga-Übungen u. Meditation. Vor diesem Erlebnis ein Bekämpfer der Neu-Bengal. Kstschule, wurde er nach s. Heimkehr einer ihrer leidenschaftlichsten Verfechter. Alte Mythen, Legenden u. Symbole gewannen hohe Bedeutung für ihn; begann in reich abgestuften, dunklen Tönen u. temperamentvoll bewegten Linien die vielfachen Gestalten der Götter u. Göttinnen aus dem Hindu-Pantheon darzustellen. Sein berühmtes Bild „Chnadrasekhara" im Blavatsky Mus. of Adyar in Madras ist das Ergebnis dieser intensiven Bemühungen. Sein „Purush & Prakriti" in d. Cochin Art Gall. ist bezeichnend für die Übertragung einer tiefgründigen philos. Lehre der Sankhya-Schule der Hindu-Philosophie in das Bildmäßige. Zu Beginn der 1920er Jahre Leiter der Andhra Jatiya Kalasala, lehrte er eine Generation von Andhra-Künstlern seinen besonderen Stil. Anschließend war er Beamter der Kstabt. d. Gov. Technical School in Baroda. Nach Rückkehr in das Land der Andhras eröffnete er eine Schule in der Nähe der alten buddhist. Gegend von Amaravati. — Buchwerke: Chatterjee's Picture Albums and Rupam, „Tantrabhilashir Sadhusanga" (2 Bde über seine packenden Erlebnisse als Pilger).

Lit.: G. Venkatachalam, Contemp. Indian Painters, p. 95/100. — Jahrb. d. jungen Kst, 1924 p. 241, Taf. geg. p. 237.

Chatterton, Clarence, amer. Maler, * 19. 9. 1880 Newburgh, N. Y., ansässig in Poughkeepsie, N. Y.

Schüler von Wm. Chase, Rob. Henri, Miller, Mora u. Du Mond in New York. Bilder u. a. im Mus. in Brooklyn, N. Y., u. in der Art Gall. in Canajoharie. Kollektiv-Ausst. März 1927 in der Wildenstein Gall. in New York.

Lit.: Fielding. — Monro. — Who's Who in Amer. Art, I: 1936/37. — Amer. Art Annual, 30 (1933). — The Art News, 23, Nr 20 v. 21. 2. 1925, p. 5; 25, Nr 24 v. 19. 3. 1927, p. 9.

Chattin, Lou-Ellen, amer. Malerin, * 16. 11. 1891 Temple, Texas, † 1937 Towson, Md.

Schülerin von John F. Carlson, F. V. Du Mond, George Bridgman, Ossip Linde, Kathryn C. Cherry u. Hugh Breckenridge.

Lit.: Amer. Art Annual, 30 (1933). — Who's Who in Amer. Art, I: 1936/37.

Chattopadhyay, Chaitanya Deb, ind. Aquarell-, Wand- u. Dekorationsmaler u. Schriftst., * 1. 1. 1906 Uttarpara, Hughli, Westbengalen, ansässig in Gauhati.

Einer der begabtesten Schüler von A. Tagore, unter dem er 1920/22 indische Kst an d. Indian Soc. of Oriental Art in Kalkutta studierte. Verwandte als einer der ersten jungen Kstler ind. Technik u. Material in seinen Wandgemälden für Privathäuser, z. B. in s. Mahabharata-Friesen in „Geeta Bhavan" in Kalkutta. Als Spezialist in typisch bengal. Genre- u. Flußszenen verbrachte er sein Leben am Ufer des Ganges. Spät wandte er sich der Bildniskunst in Aquarell zu. 1941/44 Vorsitzender d. Ind. Soc. of Oriental Art. Erhielt mehrere Auszeichnungen auf Ausstgn der Soc. u. d. Indian Acad. of Fine Arts. Vorsteher d. Kst-Sektion der Prabasi Bangiya Sahitya Sammelan zu Gauhati. Schrieb zahlr. Aufsätze für engl. u. bengal. Zeitschr., z. B. f. das Journal of the India Soc. of Oriental Art.

Chauchet-Guilleré, Charlotte, franz. Bildnis-, Interieur-, Blumen- u. Wandmalerin, * 1878 Charleville (Ardennes), ansässig in Vincennes.

Schülerin von B. Constant u. J. P. Laurens. Beeinflußt von den Impressionisten u. Neoimpressionisten. Mitgl. der Soc. d. Art. Franç. Stellte 1911 ff. auch bei den Indépendants aus. Bilder u. a. in den Museen in Besançon u. Gray.

Lit.: Th.-B., 6 (1912). — Joseph, 1. — Bénézit, ² 2 (1949).

Chaudé, Emile Paul, franz. Landschaftsmaler (Aquar.), * Magny-en-Vexin (Seine-et-Oise), † 1. 4. 1937 Fontainebleau.

Stellte 1927 ff. bei den Indépendants aus.

Lit.: Joseph, I. — Bénézit, ² II.

Chauleur-Ozeel, Jane, franz. Genre- u. Stillebenmalerin, * Lille, ansässig ebda. Gattin des Genremalers Joseph C. (* Lille).

Schülerin von Ph. de Winter. Mitgl. der Soc. d. Art. Franç. (Salon-Kat. z. T. m. Abbn). Gold Med. 1936.

Lit.: Joseph, I. — Bénézit, ² II (1949).

Chaumard, Henri, franz. Genremaler, * Vichy (Allier), ansässig in Paris.

Schüler von Gérôme. Mitgl. der Soc. d. Art. Franç., beschickt deren Salon seit 1924 (Kat. z. T. mit Abbn).

Lit.: Joseph, I. — Bénézit, ² II (1949).

Chaumat, Odette, franz. Blumen- u. Landschaftsmalerin u. Zeichnerin, * Paris, ansässig ebda.

Stellt seit 1926 bei den Indépendants aus.

Lit.: Joseph, I.

Chaumet-Sousselier, Marie Louise, franz. Bildnis- u. Stillebenmalerin (Öl u. Pastell), * Paris, ansässig ebda.

Schülerin von Lefebvre, Saintpierre u. G. Bienvêtu. Seit 1891 Mitgl. der Soc. d. Art. Franç.

Lit.: Joseph, I. — Bénézit, ² II.

Chaurand-Naurac, Jean Raoul, franz. Pferde- u. Landschaftsmaler (Öl u. Pastell), * Lyon, † 1932 Paris.

Stellte bei den Indépendants, seit 1920 auch im Salon d'Automne aus. Szenen vom Rennplatz, auch Bildnisse u. Blumenstücke.

Lit.: Bénézit, ² 2 (1949). — Apollo, 8 (1928) 91 (Abb.), 92.

Chautard-Carrau, Marie Amélie, franz. Blumenmalerin (Aquar.), * Pau.

Schülerin der Ec. d. B.-Arts in Bordeaux.

Lit.: Joseph, I.

Chauvaux, Oscar, belg.-franz. Bildnis-, Genre- u. Landschaftsmaler, * 19. 3. 1874 Brüssel, ansässig in Paris. Naturalisierter Franzose.

Schüler von Gabr. Guay. Mitgl. der Soc. d. Art. Franç. (Salon-Kat. z. T. mit Abbn). Gold. Med. 1927; Silb. Med. Weltausst. Paris 1937. Bilder u. a. in den Museen Brest u. Roubaix.

Lit.: Joseph, 1. — Bénézit, ² 2 (1949).

Chauveau, Pierre André, franz. Landschaftsmaler, * Paris, ansässig ebda.

Schüler von Baschet u. H. Royer. Stellt seit 1927 im Salon der Soc. d. Art. Franç. aus.

Lit.: Joseph, I.

Chauvel, Georges, franz. Figurenbildhauer, * 7. 9. 1886 Elbeuf (Seine-Infér.), ansässig in Paris.

Schüler von Alph. Guilloux in Rouen. Kam 25jährig nach Paris. Im 1. Weltkrieg verwundet. Stellt seit 1923 bei den Indépendants u. im Salon d'Automne aus. Im Salon der Soc. Nat. d. B.-Arts 1927 prämiiert für seine Ledastatue (Bronze). Im Mus. in Saint-Etienne: Nackte stehende Frau mit Halsband; Wiederholung derselben in Lebensgröße (Granit) im Luxembourg-Mus. in Paris. Im Mus. in Saint-Quentin: Schlafende.

Lit.: Joseph, I. — La Renaiss. de l'Art franç., 9 (1926) 65, m. Abb., 250 (Abb.), 251. — Bull. de l'Art, 1926, p. 152 (Abb.); 1928, p. 89 (Abb.). — Gaz. d. B.-Arts, 1927/I, p. 297f., m. Abb. — Revue de l'Art anc. et mod., 65 (1929) 92 (Abb.). — L'Art et les Art., N. S. 18 (1929) 307/13, m. 9 Abbn u. Bildnis Ch.s, gem. von Marcel Gaillard. — Velhagen & Klasings Monatsh., 44/II (1929/30) 556, 558 (Abb.). — Beaux-Arts, 1939 Nr 326 v. 31. 3., p. 3 (Abb.).

Chauvel, Marie, franz. Edelstein- u. Kristallschneiderin (stilisierte Blumen), * 27. 3. 1895 Paris, ansässig ebda.

Mitgl. der Soc. d. Art. décor. Gold. Med. 1925.

Lit.: Joseph, I.

Chauvelon, Gabriel, franz. Landschaftsmaler, * 2. 7. 1875 Nantes, ansässig in Paris.

Schüler von Gosselin u. Renaudin. Mitgl. der Soc. d. Art. Franç. (Salon-Kat. z. T. m. Abbn) u. der Soc. d. Art. Indépendants.

Lit.: Joseph, I. — Beaux-Arts, 1927 Nr 226 v. 30. 4., p. 8 (Abb.).

Chauvenet-Delclos, Marcel, franz. Bildhauer, * Perpignan, ansässig in Paris.

Schüler von Jean Boucher. Beschickt seit 1929 den Salon der Soc. d. Art. Franç. Hauptsächl. Bildnisbüsten.

Lit.: Joseph, I. — Beaux-Arts, 1929 Nr 336 v. 9. 6., p. 4 (Abb.).

Chauvet, Edmond, franz. Figuren- u. Stillebenmaler, * Reims, ansässig in Neuilly-sur-Seine.

Schüler von F. Flameng u. L. Simon. Beschickt seit 1929 den Salon der Soc. d. Art. Franç. (Kat. z. T. m. Abbn).

Lit.: Joseph, I. — Bénézit, [2] II (1949).

Chauvet, Florentin, franz. Bildhauer u. Maler, * 4. 3. 1878 Béziers (Hérault), ansässig in Paris.

Schüler von Thomas. Mitgl. der Soc. d. Art. Franç. Stellt auch in der Soc. Nat. d. B.-Arts, im Salon d'Automne u. im Salon des Tuileries aus. Genre- u. Bildnisbüsten.

Lit.: Th.-B., 6 (1912).— Joseph, I.

Chauvigny, Chantal de, franz. Figurenmalerin, * Bessé-sur-Braye (Sarthe), ansässig in Paris.

Schülerin von Claire Chevalier u. Mlle R. M. Guillaume. Stellt seit 1927 im Salon der Soc. d. Art. Franç. aus (Kat. z. T. m. Abbn).

Lit.: Bénézit, [2] II (1949).

Chauvin, Gabriel, franz. Porträt- u. Figurenbildhauer, * 28. 9. 1895 Paris, ansässig ebda.

Schüler von Injalbert u. Desvergnes. Seit 1920 Mitgl. der Soc. d. Art. franç. (Salon-Kat. z. T. m. Abbn).

Lit.: Joseph, I. — L'Amour de l'Art, 1927, p. 424, m. Abb. — Bénézit, [2] II (1949).

Chauvin, Jeanne Marie Marguerite, franz. Malerin u. Lithogr., * Jargeau (Loiret).

Schülerin von Guillemet, Cagniart u. Renard. Seit 1904 Mitgl. der Soc. d. Art. franç.

Lit.: Bénézit, [2] II (1949).

Chavagnat, Antoinette, franz. Blumenmalerin (Öl u. Aquar.), * Rouen, ansässig in Nanterre.

Schülerin von Mlle Cliquot u. Rivoire. Mitgl. der Soc. du Salon d'Hiver. 3 Aquarelle im Mus. in Rouen, 1 Blumenstück im Mus. in Bergues.

Lit.: Th.-B., 6 (1912). — Joseph, I.

Chavda, Shivax Dhanjibhoy, ind. Maler (Öl, Aquar., Tempera), * 18. 6. 1911 Novsari, Baroda, ansässig in Bombay.

Stud. 1930/36 an der Sri J. J. Kstschule in Bombay. 1936 Stipendium vom Sir Ratan Tata Charity Trust für Europa-Aufenthalt. Stud. an der Slade-Kstschule in London bei Randolf Schwabe, erwarb dort das Diplom in 2 statt 3 Jahren. Weitergebildet an d. Akad. der Grande Chaumière in Paris und bei Vladimir Paluniu (Dekorations- u. Bühnenmalerei). Malte bis 1939 in realistischem, seitdem in einem freien Stil. Überzeugt, daß eine Erneuerung der ind. Kst nicht die Aufgabe ihres traditionellen Charakters erfordere, strebt er Verbindung an zwischen dem mehr formalist. Stil der westl. Kst u. der heimischen Überlieferung. Bildnisse, Entwürfe für Wandgemälde, Bühnenbilder u. Kostüme für Filme u. Plakate. Wandgemälde für Innenräume einiger öff. Gebäude in Bombay; Entwürfe für die kolossalen Flachreliefs an d. Fassade des Volkshauses in Sir Phirozshah Mehta Road ebda. Präsident der Gujerat Kala Mandal u. aktives Mitgl. einer Anzahl von Kstinstituten. Einige Zeit künstler. Direktor einer Filmgruppe. Veranstaltete 1945/51 sieben Sonderausst., meist in Bombay. Beschickte auch die Unesco-Ausst. in Paris 1947 u. London 1947, die Ausst. der Ind. Kst d. Royal Acad., London 1947/48, u. den Salon de Mai, Paris 1951. Bilder im Staatsmus. in Baroda u. im Bes. der Chines. Regierung.

Lit.: Krishna Hutheesing, Story of Gandhiji. — Indian Art through the Ages, p. 93. — Manu Thacker, Present Painters of India. — Illustr. Weekly of India, 9. 11. 1947. — Marg (Bombay), Vol. 1, Nr 4; Vol. 5, Nr 1.

Chavenon, Roland, franz. Landschafts-, Blumen- u. Stillebenmaler, * 19. 12. 1895 Paris, ansässig ebda.

Mitgl. der Soc. du Salon d'Automne. Stellt auch bei den Indépendants (1923ff.) u. im Salon des Tuileries aus.

Lit.: Joseph, I. — P. Sentenach, R. Ch. (L'Art d'aujourd'hui, Nr I), Paris o. J. — La Renaiss. de l'Art franç., 9 (1926) 240; 14 (1931) 79 (Abb.). — Bénézit, [2] II.

Chaves (Berger), Alexandrina, portug. Malerin, * 3. 1. 1892 Faro.

Schülerin von Veloso Salgado, Ezequiel Pereira u. Conceição Silva. Vertreten im Mus. Nac. de Arte Contemp. in Lissabon.

Lit.: Pamplona, p. 305.

Chávez García, Gilberto, mexik. Maler (Prof.), * 4. 2. 1875 Cotija de la Paz, Michoacán, Mexico, ansässig ebda.

Stud. an der Nat. Kstschule in Mexico. 1917/30 Prof. an derselben. Hauptsächl. Landschafter.

Lit.: Who's Who in Latin America, 1935. — Velhagen & Klasings Monatsh., 41/II (1926/27) 378/81, m. farb. Abbn.

Chávez Morado, José, mexik. Maler, Holzschneider u. Lithogr., * 1909 Silao, Guanajuato, ansässig in Mexico City. Gatte der Olga Costa.

Schüler von Díaz de León an d. Akad. San Carlos in Mexico City. 1925/31 in den USA. Leiter der Gal.

„Espiral" in Mexico City. Fresken in Jalapa, Veracruz u. in d. Kstschule in San Miguel de Allende. Ölbild: Prozession, im Mus. f. Mod. Kst in New York.
Lit.: Kirstein, p. 96f., Abb. p. 77. — The Art News, v. 15. 4. 1943 p. 14 (Abb.); 15. 11. 45 p. 23 (Abb.); 47, Juni 48 p. 43 (Abb.). — Art Digest, v. 15. 11. 45 p. 36 (Abb.). — Canadian Art, 6 (1948) Nr 1 p. 14 (Abb.). — Graphis, 6 (1950) 158 (Abb.).

Chavicchioli, William, ital. Bildhauer, * 25. 7. 1909 Venedig, ansässig in New York.
Schüler von Chester Beach u. W. Hancock.
Lit.: Amer. Art Annual, 30 (1933). — Who's Who in Amer. Art, I: 1936/37.

Chazalviel, Albert Edouard, franz. Landschafts-, Genre- u. Stillebenmaler, * Paris, ansässig ebda.
Stellt seit 1912 bei den Indépendants aus.
Lit.: Joseph, I. — Bénézit, ² II.

Checchi, Arturo, ital. Maler, Zeichner, Rad. u. Modelleur, * 29. 9. 1886 Fucecchio (Florenz), ansässig in Florenz.
Stud. an der Akad. in Florenz. Lehrer für Figurenzeichnen an der Brera-Akad. in Mailand, vordem in gleicher Stellung an der Akad. in Perugia. Hauptsächlich Landschafter. Bilder in den Gall. d'Arte Mod. in Florenz u. Rom.
Lit.: Comanducci. — Chi è?, 1940. — Emporium, 91 (1940) 141, m. Abbn. — Kat. d. VI. Quadriennale, Rom 1951/52, m. Abb. 34.

Cheese, Ralph, amer. Maler, * 6. 1. 1900 New Orleans, ansässig in San Francisco.
Fresken im Coit Tower in San Francisco.
Lit.: Who's Who in Amer. Art, I: 1936/37.

Cheever, Walter, amer. Maler, * 11. 8. 1880, ansässig in Santa Barbara, Calif.
Schüler von Phil. Hale, Anson K. Cross, Fr. W. Benson, u. Edm. C. Tarbell.
Lit.: Who's Who in Amer. Art, I: 1936/37.

Cheffer, Henry, franz. Radierer, Holzschneider u. Aquarellmaler, * 30. 12. 1880 Paris, ansässig ebda.
Mitgl. d. Soc. d. Art. Franç. Schüler von Patricot u. Bonnat. Begann mit Reproduktionsstichen für Pariser u. Londoner Verleger. Ging frühzeitig zur Originalradierung über, ohne doch den Reproduktionsstich ganz zu vernachlässigen. Hauptsächl. Landschaften u. Stadtansichten mit figürl. Staffage. Hauptblätter: Mrs. Sheridan u. Mrs. Tickell nach Gainsborough (Rad.); Die Pariser Börse (Orig.-Rad.); Buttermarkt in Lisieux (Orig.-Rad.); Artillerie-Stellung im Hohlweg von Bouchavesnes (Orig.-Holzschn.). Aquarelle mit Ansichten aus Krakau u. dessen Umgebung. Zeichnete für die „Illustration".
Lit.: Joseph, I. — Revue de l'Art anc et mod., 24 (1908) 256, m. Taf.-Abb.; 31 (1912) 108 (Taf.-Abb.); 45 (1924) 57/68, m. 15 Abbn u. 2 Taf. — L'Art et les Art., N. S. 5 (1922) 222 (Abb.), 227, 228 (Abb.); 12 (1925/26) 13/17, m. 8 Abbn, 138. — Bénézit, ² II.

Cheffetz, Asa, amer. Holzschneider, Rad., Kupferst. u. Illustr., * 16. 8. 1897 Buffalo, N. Y., ansässig in Springfield, Mass.
Schüler von Phil. Hale, Ivan Olinsky u. Wm. Auerbach-Levy.
Lit.: Amer. Art Annual, 30 (1933). — Who's Who in Amer. Art, I: 1936/37. — Mellquist. — The Print Coll.'s Quart., 24 (1937) 103 (Abb.); 25 (1938) 112 (Abb.), 275 (Abb.); 26 (1939) 273 (Abb.); 27 (1940) 390 (Abb.). — Art Index (New York), Okt. 1941 –Okt. 1951.

Chemnitz, Hellmuth, Tierbildhauer, * 30. 11. 1903 Leipzig, ansässig ebda.
Lit.: Kat.: Kstausst. „Künstler schaffen für den Frieden", Berlin 1. 12. 1951–31. 1. 1952, Abb. p. 73; 3. Dtsche Kstausst. Dresden 1953.

Ch'ên Shao-lu, chines. Vogelmaler.
Vertreter der akadem. Richtung (s. Art. Chang Hung-wei).
Lit.: Kat. Ausst. Chines. Malerei d. Gegenw. Preuß. Akad. d. Kste, Berlin Jan./März 1934.

Ch'ên Shih-tsêng, chines. Landsch.- u. Blumenmaler.
Anhänger der literar. Richtung (s. Art. Chang Hsü-ming).
Lit.: Kat. Ausst. Chines. Malerei d. Gegenw. Preuß. Akad. d. Kste, Berlin Jan./März 1934.

Ch'ên Shu-jên, chines. Landsch.-, Insekten- u. Vogelmaler, ansässig in Nanking.
Vertreter der naturalist. Richtung (s. Art. Chang K'un-i).

Ch'ên Ssu-hsüan, chines. Landschaftsmaler.
Vertreter der antikisierenden Richtung (s. Art. Chao Tzu-yün). Nachahmer des Yang Wên-Ts'ung (um 1590–1640).
Lit.: Kat. Ausst. Chines. Malerei d. Gegenw. Preuß. Akad. d. Kste, Berlin Jan./März 1934.

Ch'ên Ts'êng-shou, chines. Maler.
Vertreter der sog. Südschule, einer von dem Dichter-Maler Wang Wei (698–759) begründeten, rhythmischen Wohlklang u. freie, von der Form losgelöste Pinselführung anstrebenden Malweise, die bis zur Ch'ing-Dynastie die herrschende Richtung war.
Lit.: Kat. Ausst. Chines. Malerei d. Gegenw. Preuß. Akad. d. Kste, Berlin Jan./März 1934.

Ch'ên Tzu-ch'ing, chines. Landschaftsmaler.
Vertreter der akadem. Richtung (s. Art. Chang Hung-wei).
Lit.: Kat. Ausst. Chines. Malerei d. Gegenw. Preuß. Akad. d. Kste, Berlin Jan./März 1934.

Ch'ên Wei-hua, chines. Landsch.- u. Figurenmalerin, ansässig in Shanghai.
Lit.: Vertreterin der akadem. Richtung (s. Art. Chang Hung-wei).

Chénard-Huché, Georges, franz. Landschafts- u. Marinemaler, * 14. 6. 1864 Nantes, † 5. 9. 1937 Sanary (Var).
Schüler von A. Verwée. Ansässig in Paris, seit ca. 1910 in Sanary. Mitgl. der Soc. du Salon d'Automne; stellte auch bei den Indépendants, im Salon des Tuileries u. im Salon der Soc. d. Art. Franç. aus. Mitgründer der Soc. des peintres et grav. de Paris. Studienaufenthalt in Holland (Rotterdam). Hauptsächl. Ansichten aus der Provence u. Bretagne. Gelegentlich auch Bildnisse, Typen von Bauern u. Bäuerinnen Südfrankreichs, weibl. Akte u. Blumenstücke. — Bilder u. a. im Luxembourg-Mus. u. im Mus. Carnavalet in Paris u. in d. Smlg Thorsten Laurin in Stockholm.
Lit.: Th.-B., 6 (1912). — Joseph, I, m. Fotobildn. — L'Art et les Art., N. S. 15 (recte 16), 1927 –28 p. 125/29, m. 6 Abbn. — Bull. de l'Art, 1929, p. 129 (Abb.) 131 (Abb.); 1928, p. 19 (Abbn). — Beaux-Arts, 1937 Nr 246 v. 17. 9., p. 6. — Bénézit, ² 2.

Cheney, Philip, amer. Lithograph, Illustr. u. Maler, * 29. 12. 1897 Brookline, Mass., ansässig in Bayside, L. I., N. Y.
Schüler von Despujol u. Balande. Illustr. zu: „The Singing Sword", „Pearls of Fortune".

Lit.: Who's Who in Amer. Art, I: 1936/37. — Mallett. — The Print. Coll.'s Quarterly, 25 (1938) 113 (Abb.); 27 (1940) 507 (Abb.). — Monro.

Cheney, Russell, amer. Landschaftsmaler, * 16. 10. 1881 South Manchester, Conn., † 1945 Kittery, Maine.

Schüler von Kenyon Cox, Wm. Chase, Woodbury, der Art Student's League in New York u. von Laurens in Paris. Bilder im Morgan Memorial Mus. in Hartford, Conn., im Mus. in San Francisco, im Bes. der Newark Mus. Association u. in den Museen in Boston, New Mexico, Newark u. Portland, Me. Koll.-Ausst. in den Babcock Gall. in New York, Nov. 1922 u. März 1927. Gedächtnis-Ausst. in der Ferargil Gall. New York, April 1947.

Lit.: Who's Who in Amer. Art, I: 1936/37. — The Internat. Who's Who, [8] 1943/44. — Fielding. — Monro. — Art Digest, 21, Nr v. 15. 4. 1947, p. 18. — The Art News, 46, April 1947, p. 45, m. Abb. — Wadsworth Atheneum, Conn., Hartford News Bull., April 1947, p. 2 (Abb.).— Amer. Art News, 21, Nr 6 v. 18. 11. 1922, p. 4; Nr 33 v. 26. 5. 1923, p. 8; 23, Nr 29 v. 25. 4. 1925, p. 1, m. Abb.; 24, Nr 7 v. 21. 11. 1925, p. 1, m. Abb.; 25, Nr 24 v. 19. 3. 1927, p. 9.

Cheney, Warren, amer. Bildhauer u. Lithogr., * 19. 9. 1907 Paris, ansässig in Berkeley, Calif.

Stud. an der Univ. of Calif. in San Francisco u. an der Ec. d. B.-Arts in Paris. Nähert sich formal dem Kubismus. Illustr. für Zeitschriften („Art Digest"-„Architect and Engineer", „Calif. Arts and Archi, tecture").

Lit.: Amer. Art Annual, 30 (1933). — Who's Who in Amer. Art, I: 1936/37. — The Studio, 111 (1936) 236 (ganzseit. Abb.); 116 (1938) 36 (Abb.).

Ch'êng Ch'êng, chines. Blumenmalerin. Gattin des Malers Liu Hai-su.

Vertreterin der literar. Richtung (s. Art. Chang Hsü-ming).

Chêng Lei-ch'üan, chines. Figurenmaler.

Anhänger der literar. Richtung (s. Art. Chang Hsü-ming).

Lit.: Kat. Ausst. Chines. Malerei d. Gegenw. Preuß. Akad. d. Kste, Berlin Jan./März 1934.

Chêng Man-ch'ing, chines. Blumen- u. Tiermaler, ansässig in Shanghai.

Vertreter der literar. Richtung (s. Art. Chang Hsü-ming).

Lit.: Kat. Ausst. Chines. Malerei d. Gegenw. Preuß. Akad. d. Kste, Berlin Jan./März 1934.

Ch'êng Nan-Ping, chines. Landsch.- u. Tiermaler.

Lit.: The Studio, 113 (1937) 189, m. ganzs. farb. Abb.

Chêng Shu-wên, chines. Tier- (bes. Pferde-) u. Landschaftsmaler.

Anhänger der literar. Richtung (s. Art. Chang Hsü-ming).

Lit.: Kat. Ausst. Chines. Malerei d. Gegenw. Preuß. Akad. d. Kste, Berlin Jan./März 1934.

Chêng-Wen-Hsi, chines. Tiermaler.

Lit.: The Studio, 113 (1937) 178, m. Abb.

Chêng Wu-ch'ang, chines. Figuren- u. Landschaftsmaler, ansässig in Shanghai.

Vertreter der literar. Richtung (s. Art. Chang Hsü-ming).

Lit.: Kat. Ausst. Chines. Malerei d. Gegenw. Preuß. Akad. d. Kste, Berlin Jan./März 1934.

Chenot-Arbenz, Denise, franz.-schweiz. Figurenbildhauerin u. Medailleurin, * 1898 Nantes, ansässig in Bienne.

Stud. an d. Ec. d. B.-Arts in Toulouse, seit 1922 an d. Ec. d. B.-Arts in Paris bei Carli, weitergebildet bei Ségoffin u. Sicard. 1926 Rompreis. 1927 ehrenvolle Erwähnung im Salon der Soc. d. Art. Franç. Arbeitete ein halbes Jahr auf Madagaskar. Hauptsächl. Bildnisbüsten.

Lit.: Amweg, I 158. — Bénézit, [2] II. — Joseph, I. — Art et Décor., August-Heft 1926, Chron., p. 1.

Chentoff (Tschentoff), Pauline (Polja), russ. Figuren- u. Stillebenmalerin u. Illustr., * Witebsk, ansässig in Paris.

Stud. in Paris. Bildete sich autodidaktisch durch das Studium Renoir's, Manet's, Degas' u. Carrière's, Mitgl. der Soc. du Salon d'Automne. Illustr. u. a. zu Lawrence Sterne's „Empfindsame Reise" u. für Arthur Schnitzler's „Reigen".

Lit.: Joseph, I. — Apollo (London), 12 (1930) 77 (Abbn). — Bénézit, [2] II.

Cheppy, Henri Julien, franz. Blumenmaler (Aquar.), * Paris, ansässig ebda.

Stellte seit 1923 bei den Indépendants aus.

Lit.: Joseph, I.

Cherchi, Sandro, ital. Bildhauer, * 24. 12. 1911 Genua, ansässig ebda.

Schloß sich anfänglich der von Persico gegründeten Gruppe „Corrente" an. Schon seine frühsten Arbeiten (Äneas, 1932; Narziß, 1937; Akt, 1938) zeigen einen Hang zur Aufhebung der Kontinuität der Linie zwecks Erreichung dramatischer Bewegung. Beeinflußt von Medardo Rosso u. Broggini, der gleichfalls der Corrente-Gruppe angehörte. Sein bekanntestes Werk ist „La pazza" (1939). Sein 1937 in Genua ausgestellter „Giovinetto" zeigt zwar noch Verbindung mit der Tradition, aber in gewissen Einzelheiten (Gewand, Haare) impressionistische Formgebung. Beschickte 1948 die 5. röm. Quadriennale, 1948 u. 1950 die 24. u. 25. Biennale in Venedig. Eine Bronze in d. Gall. Naz. d'Arte Mod. in Rom.

Lit.: Carrieri. — Le Arti, 3 (1940/41) 463, Taf. 81. — S. Cairola, Arte Italiana del nostro tempo, Bergamo 1946. — Emporium, 86 (1937) 400; 104 (1946) 16 (Abb.), 19; 105 (1947) 77; 107 (1948) 124; 108 (1948) 101 (Abb.), 103, 159, 308; 110 (1949) 233, 270.

A. Gabrielli.

Chéreau, Claude, franz. Maler, Radierer u. Lithogr., * 31. 12. 1883 Villejuif (Seine), ansässig in Paris.

Schüler von Dunoyer de Segonzac u. L. A. Moreau. Stellt bei den Indépendants aus. Akte, Bildnisse, Landschaften. Bild im Mus. Narbonne. Graph. Folge: Suite de Nus (15 Lithos).

Lit.: A. Salmon, Quelques Dessins de C. Ch., Paris 1912. — Joseph, I. — Bull. de l'Art, 1926, p. 150 (Abb.). — Bénézit, [2] II (1949).

Cherfils, Christian, franz. Landschafts-, Blumen- u. Figurenmaler, * Martigny (Manche), † Febr. 1926 Paris.

Stellte seit 1902 bei den Indépendants aus.

Lit.: Joseph, I.

Chériane, Mme, geb. *Charles*, franz. Malerin, * 16. 6. 1900 Paris, ansässig meist in Sanary (Provence), sonst in Paris. Gattin des Dichters u. Malerdilettanten Léon Paul Fargue.

Schülerin von Marie Laurencin. Beeindruckt hauptsächlich durch Per Krohg, Renoir u. Cézanne. Stillleben, Landschaften, Bildnisse, Figürliches. Stellt regelmäßig im Salon des Tuileries u. im Salon d'Automne aus.

Lit.: Joseph, I. — L'Amour de l'Art, 1928, p. 349–52, m. Abbn. — La Renaiss. de l'Art franç., 11 (1928) 218, m. Abb. — L'Art vivant, 6 (1930) 506f., m.

3 Abbn. — Beaux-Arts, Nr 252 v. 29. 10. 1937, p. 7 (Abb.); Nr 278 v. 29. 4. 1938, p. 5, m. Abb.; Nr 311 v. 16. 12. 38, p. 3 (Abb.). — Bénézit, [2] II.

Chéron, Olivier, franz. Landschaftsmaler, * Saint-Loup-Soulangy (Calvados), † um 1930 Paris.

Schüler von Guillemet u. Jean Desbrosses. Mitgl. der Soc. d. Art. Franç., beschickte deren Salon 1881 bis 1929 (Kat. z. T. m. Abbn).

Lit.: Th.-B., 6 (1912). — Joseph, 1.

Cherry, Kathryn, amer. Landschaftsmalerin, * 1880 Quincy, Ill., ansässig in St. Louis, Mo., † 1931 ebda.

Schülerin von Hugh Breckenridge u. d. Kstsch. in St. Louis.

Lit.: Fielding. — Amer. Art Annual, 28 (1931). — Monro.

Cherubini, Angelo, ital. Landschaftsmaler, * 1. 4. 1903 Ferrara, ansässig in Rom.

Lit.: Kat. d. 6. Quadriennale, Rom 1951/52.

Cherubini, Carlo, ital. Bildnis- u. Figurenmaler, * 27. 7. 1897 Ancona, ansässig in Paris.

Stellte im Salon der Soc. d. Art. Franç. in Paris 1930 zwei span. Tanzszenen aus (Abb. im Kat.). Malte den „Lido Champs-Elysées" in Paris u. den „Lido" von Long Beach in New York aus. Bilder in der Pinak. in Ascoli Piceno u. in der Gall. Marangoni in Udine.

Lit.: Comanducci. — Joseph, 1. — Chi è?, 1940. — Bénézit, [2] 2 (1949). — Cat. Espos. di Estate, Opera Bevilacqua La Masa, Venedig 1920, p. 15, m. Abb., 17, 34.

Chesnay, Léon, franz. Architekt u. Landschaftsstecher, * 1869 Moisy (Loir-et-Cher), ansässig in Paris.

Als Stecher Schüler von Odilon Redon. Mitgl. der Soc. d. Art. Franç., beschickte deren Salon bis 1928.

Lit.: Th.-B., 6 (1912). — Joseph, 1. — Art et Décor., 1922/I: Chron., Febr.-Heft, p. 2f., m. Abb. — L'Architecture, 1930, p. 283/88, m. 5 Abbn.

Chesnay, Louis, franz. Landschaftsmaler, * Paris, ansässig ebda.

Stellte seit 1910 im Salon der Soc. d. Art. Franç., seit 1937 auch im Salon d'Automne u. bei den Indépendants aus.

Lit.: Bénézit, [2] II (1949).

Chesneau, Georges, franz. Figurenbildhauer, * 5. 5. 1883 Angers, ansässig ebda.

Schüler von Barrias u. Coutan. Mitgl. der Soc. d. Art. Franç., beschickte deren Salon seit 1905.

Lit.: Joseph, I.

Chesney, Letitia, amer. Malerin, * 14. 2. 1875 Louisville, Ky., ansässig in Bainbridge Island, Washington.

Schülerin von Natilia Sawyer Bentz u. Paul Sawyer. Im Bes. der Histor. Soc., Kentucky State House in Louisville: Daniel Boone.

Lit.: Who's Who in Amer. Art, I: 1936/37. — Amer. Art Annual, 30 (1933).

Chessa, Gigi, piemont. Figuren- (bes. Akt-) Maler u. Bühnenbildner, * 15. 5. 1898 Turin, † 1935 ebda. Sohn des Malers u. Illustr. Carlo C. (* 1855, † 1912).

Schüler von Casorati, Bosia u. Carena. Mitgründer der Gruppe „Sei", Mitgl. d. Gruppe „Novecento". Bilder u. a. im Mus. Civ. in Turin u. in d. Gall. d'Arte Mod. in Florenz.

Lit.: Comanducci. — Costantini, m. Abb. — Bénézit, [2] 2 (1949). — L'Art en Suisse, 1927, p. 70, Taf. 73. — L'Amour de l'Art, 11 (1930) 338 (Abb.). — Emporium, 70 (1930) 176; 84 (1936) 128, 140 (Abb.).

Chesse, Ralph, amer. Maler, * 1900 New Orleans, La., ansässig in San Francisco.

Lit.: Amer. Art Annual, 30 (1933).

Cheston, Charles Sidney, engl. Radierer u. Aquarellmaler (bes. Landschaft u. Architektur), * 2. 4. 1882 London, ansässig in Musbury b. Axminster, Devon. Gatte der Folg.

Stud. zuerst Architektur; seit 1900 Malschüler der Slade School. Als Radierer von Rembrandt beeinflußt. Bis zum Ausbruch des 1. Weltkrieges in Studland, Dorset, ansässig, seit 1920 in Musbury. Hauptblätter: The Tunnel; Windrush Farm; Barn in Ruins; Aller Moor; The Storm; Clifton Spa. Schrieb eine Biographie seiner Gattin. Beschickt die Ausst. d. Roy. Acad. u. d. Roy. Soc. of Paint. in Water-Colour.

Lit.: The Print Coll.'s Quarterly, 16 (1929) 287–302, m. 9 Abbn. — The Studio, 70 (1917) 68, m. Abb.; 97 (1929) 210f. (Abbn). — The Burl. Magaz., 32 (1918) 21. — Artwork, 5 (1929) 68 (Abbn). — Apollo (London), 9 (1929) 193f., m. Abb. — Bénézit, [2] 2.

Cheston, Evelyn, geb. *Davy,* engl. Landschaftsmalerin (Öl u. Aquar.), * 1875, † Nov. 1929 Musbury b. Axminster. Gattin d. Vor.

Stud. an der Slade School. Mitgl. des New Engl. Art Club. Bilder in der Tate Gall. in London u. in der City Art Gall. in Manchester. Impressionistin. Beeinflußt von Wilson Speer. Ihre Landschaften zeichnen sich durch kraftvollen Stil u. Weiträumigkeit aus.

Lit.: Ch. Cheston, E. Ch., Member of the New Engl. Art Club, 1908–1929, Lo. 1931. — Who's Who in Art, [2] 1929; [3] 1934, Obituary, p. 447. — Apollo, 13 (1931) 388f., m. Abb.; 14 (1931) 125, 176 (Abb.), 184. — The Art Journal, 1908 p. 32 (Abb.). — Artwork, 5 (1929) 241 (Nekrol.), Abb. p. 239; 7 (1931) 84, m. Abb., 87. — The Studio, 39 (1907) 346; 44 (1908) 141; 95 (1928) 85 (farb. Taf.); 102 (1931) 141 (Abb.).

Chestret, Paul de, belg. Interieur- u. Marinemaler, * 1875 (?) Brüssel.

Schüler von J. Coosemans, gefördert von Farasyn. Malte viel in der Bretagne.

Lit.: Seyn, I 221.

Chettle, James Patchell, engl. Landschaftsmaler (Öl u. Aquar.), * 9. 10. 1871 Sale, Cheshire, ansässig in Stockport.

Stud. an der Akad. in Manchester, im übrigen Autodidakt. Vertreten in den Art Gall. in Manchester, Southport u. Blackburn.

Lit.: Who's Who in Art, [3] 1934.

Cheval, Henri, franz. Bildnis- u. Figurenmaler, * 2. 12. 1897 Paris, ansässig ebda.

Mitgl. der Soc. du Salon d'Automne; stellt auch bei den Indépendants u. im Salon des Tuileries (1925 ff.) aus.

Lit.: Joseph, I. — Gaz. d. B.-Arts, 1928/II, p. 90, 91 (Abb.). — La Renaiss. de l'Art franç., 13 (1930) 126 (Abb.). — L'Amour de l'Art, 11 (1930) 195 (Abb.). — Beaux-Arts, 1939 Nr 324 v. 17. 3., p. 2 (Abb.). — Bénézit, [2] II (1949).

Chevalier (-Milo), Emile Louis Auguste, franz. Landschaftsmaler, * Briare (Loiret), ansässig in Paris.

Schüler von Romanet. Stellt seit 1925 bei den Indépendants aus. Mitgl. der Soc. d. Art. Franç. (Salon-Kat. z. T. m. Abbn).

Lit.: Joseph, I.

Chevalier, Etienne, franz. Landschafts- u. Stillebenmaler, * Paris, ansässig ebda.

Mitgl. der Soc. du Salon d'Automne. Stellt auch bei den Indépendants aus.
Lit.: Joseph, I. — Beaux-Arts, 1937 Nr 255 (recte 256) v. 26. 11., p. 4, m. Abb.

Chevalier (-Kapandy), Roberte Jeanne, franz. Landschafts-Radiererin, * 23. 1. 1907 Paris, ansässig in Issy-les-Moulineaux (Seine).
Schülerin von Laguillermie u. Delzers. Mitgl. der Soc. d. Art. franç.
Lit.: Joseph, I (irrig: Robert). — Bénézit, [2]II.

Chevallier-Kerven, Marie Renée, franz. Holzschneiderin, * Landerneau (Finistère), ansässig in Paris.
Stellt im Salon der Soc. d. Art. Franç. aus.
Lit.: Joseph, I.

Cheymol, Yvonne, franz. Landschafts- u. Stillebenmalerin, * Excideuil (Dordogne), ansässig in Limoges.
Schülerin von Jules Adler u. A. Aridas. Mitgl. der Soc. d. Art. Franç. (Salon-Kat. z. T. mit Abbn).
Lit.: Joseph, I. — Bénézit, [2] II.

Cheyne, Ian Alec Johnson, schott. Holzschneider, * 10. 5. 1895 Broughty Ferry, ansässig in Glasgow.
Stud. an d. Kunstschule in Glasgow.
Lit.: Who's Who in Art, [3] 1934.

Cheyssial, Georges, franz. Genremaler, * 9. 12. 1907 Paris, ansässig ebda.
Schüler von P. Laurens. 1929 2. Rompreis.
Lit.: Joseph, I.

Ch'i Ching-hsi, chines. Landschaftsmaler.
Vertreter der antikisierenden Richtung (s. Art. Chao Tzu-yün).
Lit.: Kat. Ausst. Chines. Malerei d. Gegenw. Preuß. Akad. d. Kste, Berlin Jan./März 1934.

Ch'i Liang-kun, chines. Blumen- u. Insektenmaler, ansässig in Peiping.
Lit.: Kat. Ausst. Chines. Malerei d. Gegenw. Preuß. Akad. d. Kste, Berlin Jan./März 1934.

Chiang Hsiao-Chien, chines. Bildhauer.
Denkmal des Generals Cheng in Shanghai.
Lit.: The Studio, 113 (1937) 195, m. Abb.

Chiang Ling-chien, chines. Maler.
Vertreter der sog. Südschule (s. Art. Ch'ên Ts'êng-shou). Nachahmer des Wang Hui (1632–1717). Figürliches, Landschaften.
Lit.: Kat. Ausst. Chines. Malerei d. Gegenw. Preuß. Akad. d. Kste, Berlin Jan./März 1934.

Chiang Yee, chines. Maler u. Kstschriftst.
Lebte längere Zeit in England. Vögel, Landschaften (u. a. aus d. engl. Seendistrikt).
Lit.: The Studio, 113 (1937) 175/95 (Aufsatz von Ch. Y.: Modern Chinese Art), 180 (Abb.), farb. Taf. geg. p. 175.

Chiang Ying-shêng, chines. Figurenmaler.
Vertreter der sog. Südschule (s. Art. Ch'ên Ts'êng-shou).
Lit.: Kat. Ausst. Chines. Malerei d. Gegenw. Preuß. Akad. d. Kste, Berlin Jan./März 1934.

Chiappa, Beppe del, ital. Genre-, Bildnis- u. Landschaftsmaler, * 1883 Florenz, ansässig ebda.
Stud. an d. Akad. in Florenz.
Lit.: Comanducci, p. 187.

Chiappelli, Aldo, ital. Figurenmaler, * 6. 4. 1907 Cento, ansässig in Rom.
Lit.: Kat. d. 6. Quadriennale, Rom 1951/52, m. Abb.

Chiappelli, Francesco, ital. Maler (Öl u. Aquar.) u. Rad., * 4. 3. 1890 Pistoia, ansässig in Florenz.
Schüler von R. Sorbi u. der Florent. Akad. Als Rad. Schüler von Cel. Celestini u. Lud. Tommasi. Prof. für graph. Künste am R. Istit. d'Arte in Florenz. — Hauptblätter: Certosa; Dom zu Florenz; Eisenbahnstation; Das Herz der Stadt. Folgen: Le Sguerguenza, Buratti, Turin o. J.; Via Crucis, 1920.
Lit.: Comanducci. — Emporium, 40 (1914) 272, 275; 41 (1915) 184 (Taf.); 62 (1925) 131 (Abb.), 132; 80 (1934) 378f.; 84 (1936) 128; 85 (1937) 214. — Vita d'Arte, 13 (1914) 263 (Abb.). — Beaux-Arts, 1937, Nr 247, p. 4 (Abb.). — Die Graph. Kste (Wien), 56 (1933) 72, m. Abb. — Kat. Ausst. zeitgenöss. toskan. Kstler, Ksth. Düsseldorf 1942, m. Taf.-Abb.

Chiarelli, Luigi, ital. Schriftst., Lustspieldichter u. Malerdilettant, * 1886 Trani (Bari), † 20. 12. 1947 Rom.
Übte in s. Spätzeit als Dilettant die Malerei, unter Hinneigung zum Fauvismus und zur metaphysischen Richtung, ging in der Folge zum Naturalismus über. Hauptsächlich kleinformatige Stilleben. Stellte 1930 in d. Gall. Scopinic in Mailand aus.
Lit.: V. Costantini, L. C. pittore, Mailand 1930. — Emporium, 72 (1930) 304ff., m. Abb. *P. B.*

Chiaromonte, Gaetano, ital. Bildhauer, * 19. 3. 1872 Salerno, ansässig in Neapel.
Schüler von Stanislao Lista u. Tommaso Solari. Prof. am Istit. di B. Arti in Neapel. Figürliches, Bildnisse. Madonnenstatue im Santuario in Valle di Pompei; 2 Gipsstatuen: Genovesi u. Pontano, in d. gr. Aula der neuen Universität Neapel. Kolossalgruppen für die Universität in Panama. Gefallenendenkmal in Salernitano. Unabhängigkeitsdenkmal in Caracas, Venezuela.
Lit.: Giannelli, m. Fotobildnis.

Chicharro y Agüera, Eduardo, span. Maler (Prof.), * 17. 6. 1873 Madrid, ansässig ebda.
Schüler von Manuel Dominguez y Sanchez u. Joaquín Sorolla, weitergebildet an der Span. Akad. in Rom, deren Direktor er später wurde. Wiederholt prämiiert auf inländ. u. ausländ. Ausstellgn (München 1905 u. 1909, Berlin 1910, Madrid 1922). Mitgl. der Akad. S. Fernando. Prof. für Aktzeichnen an der Kunstsch. Madrid. Empfing stärkste Anregungen durch einen Besuch in Avila u. entlieh in der Folge seine Motive dem kastil. Bauernleben. Anfängl. Naturalist (Landschaften, Bildnisse, Genre), ging dann zu einer symbolisch-dekorativen Phantasiekunst über (Die 3 Bräute, Versuchung des Buddha [Ehrenmed. 1923]. Legende des Pygmalion). — Bilder im Museo de Arte Mod. in Madrid (Triptychon: Rinaldo u. Armida) und in den Museen Barcelona (Kirchenszene) u. Saint Louis, USA (El tio Carromato).
Lit.: Th.-B., 6 (1912). — Bénézit, [2] 2 (1949). — Por el Arte, Febr. 1913, p. 21 (Abb.). — L'Art et les Artistes, 18 (1913/14) 171/77, m. 9 Abbn u. Bildnis. — Über Land u. Meer, 1912 Nr 15 p. 410f., m. Abb. — Dtsche Kst u. Dekor., 33 (1913/14) 206 (Abb.). — Die Kunst, 27 (1913) 573 (Abb.); 29 (1914) 418 (Abb.). — Museum (Barcelona), 4 (1915) 151/77, m. 25 Abbn. — Francés, 1920 p. 215 (Abb.), 219/22; 1922 Taf. 7f. — Revue de l'Art anc. et mod., 42 (1922) 238, m. Abb.; 47 (1925) 35ff. — La Renaiss. de l'Art franç., 5 (1922) 593f., m. Abbn. — The Studio, 112 (1936) 178f., 196 (Abb.). — Velhagen & Klasings Monatsh., 51/II (1927) 295f., Taf.-Abb. geg. p. 292. — Kat.: Expos. gen. de B. Artes, Madrid 1897ff. (z. T. m. Abbn); Ausst. Span. Kst d. Gegenw., Berlin, Pr. Akad. d. Kste, 1942.

Chichester, Cecil, amer. Landschaftsmaler, * 8. 4. 1891 New York, ansässig in Woodstock, Ulster Co., N. Y.

Schüler von Maratta u. Birge Harrison. Bilder im Weißen Haus in Washington, D. C.

Lit.: Who's Who in Amer. Art, I: 1936/37. — Amer. Art Annual, 30 (1933).

Chichmanian, Raphaël, armen. Landschafts- u. Bildnismaler u. Buchillustr., * 15. 6. 1885 Lidjk, ansässig in Paris.

Schüler der Pariser Ec. d. B.-Arts. Seit 1919 Mitgl. der Soc. d. Art. Indépendants. Mitbegründer der Soc. „Ami" (Gruppe der in Paris ansässigen armen. Künstler). Bilder im Mus. in Erivan (Armenien). Illustr. u. a. zu den Arabischen Erzählungen u. Legenden von Wacyf Boutros Ghali.

Lit.: Joseph, I. — Bénézit, [2] II.

Chicotot-Stinus, Rose, franz. Landschafts- u. Stillebenmalerin, * Paris, ansässig ebda.

Stellt seit 1927 bei den Indépendants aus.

Lit.: Joseph, I.

Ch'ien Lung, chines. Tierbildhauer.

Lit.: The Studio, 111 (1936) 10 (Abb.), 12 (Abb.).

Chiesa, Pietro, Tessiner Maler u. Illustr., * 29. 7. 1878 (1876?) Sagno b. Mendrisio, ansässig in Lugano.

Stud. an der Brera-Akad. in Mailand. Impressionist. Fresken in d. Kirche in Riva San Vitale, im Bahnhof in Chiasso u. im Civ. Palazzo in Lugano. Triptychon im Museo Naz. in Buenos Aires. Zahlr. Kinderbildnisse. Illustr. zu Dante's „Divina Comedia" (Florenz, ed. Alinari) u. zu dem Gedichtband „Calliope" s. Bruders Francesco C. Bilder in zahlr. Museen der Schweiz (Genf, Lausanne, Lugano, Neuchâtel, Vevey) u. Italiens (Rom, Mailand) u. im Bundespalast in Bern.

Lit.: Th.-B., 6 (1912). — Brun, IV 98, 492. — Schweiz. Zeitgen.-Lex., 1932. — Chi è?, 1940. — L. Bindschedler, P. C., Basel 1936. — P. C. Immagini infantile e materne (16 Taf., m. Einleitg), Lugano 1927. — Jenny. — Marangoni, Acquerellisti lombardi (Profili d'arte contemp. Nr 4), Mailand o. J., p. 9, Taf. 10. — D. Schweiz, 1904 p. 454; 1911, p. 229ff., m. zahlr. Abbn, 243; 1914, p. 13, m. Abb.; 1915, p. 638, m. Abb.; 1917, p. 625 (Abb.). — Arte cristiana, 2 (1914) 312. — Emporium, 40 (1914) 28/29 (Abb.); 53 (1921) 147ff., m. Abbn. — Schweizerland, 3 (1916/17) 522 (Abb.); 4 (1917/18) 357f., m. Abb.; 5 (1918/19) 548 (Abb.). — Pages d'Art, 1919, p. 201ff., 315 (Abb.); 1920, p. 335ff., m. Abbn. — Rass. d'arte ant. e mod., 8 (1921) 179f. — O mein Heimatland, 1922 p. 27ff., m. Abbn. — The Studio, 66 (1916) 67; 84 (1922) 72; 88 (1924) 115, m. Abb. — The Connoisseur, 68 (1924) 241. — La Renaiss. de l'Art, 10 (1927) 495f. — D. Kst in d. Schweiz, 1927, p. 149/55, m. 5 Abbn. — D. Werk (Zürich), 15 (1928) 152f., m. Abb.; 26 (1939) 203 (Abb.), 248f., m. Abbn; 27 (1940) 118f., m. Abbn; 29 (1942) 184/85 (Abbn), 194 (Abbn), 195; 31 (1944) Heft 1, Chronik p. XIV. — Das schöne Heim (Winterthur), 1933, p. 211/15. — Schweizer Kst, 1934/35, p. 60 (Abb.); 1945, H. 3 p. 22 (Abb.). — D. Kunst, 1936/37 Beibl. zu H. 2, p. 7; 81 (1939/40) 30/31, 32. — Zeitschr. f. schweiz. Arch. & Kstgesch., 3 (1941) 135. — Pro Arte (Genf), 2 (1943) Nr 20, p. 373f., m. Abb.; 3 (1944) Nr 21 p. 26.

Chiesa, Pietro, ital. Glaskünstler, * 26. 4. 1892 Mailand, ansässig ebda.

Arbeitete u. a. für Gabr. d'Annunzio. Arbeiten im Vittorale in Cargnacco.

Lit.: Chi è?, 1940.

Chièze, Jean, franz. Holzschneider u. Buchillustrator, * Valence (Drôme).

Stellt im Salon der Soc. d. Art. franç. u. im Salon d'Automne aus. Illustrat. zu Cervantes, Illustre servante, u. zu M. Varille, Les Fontaines de Provence, Lourmarin (Vaucluse) 1929.

Lit.: Bénézit, [2] 2 (1949). — L'Art et les Art., N. S. 20 (1930) 311/15, m. Abbn. — Art et Décor., 62 (1933): Les Echos d'Art, Juni-H., p. VIII. — Beaux-Arts, 75 année Nr 310 v. 9. 12. 1938, p. 4.

Chikuha, Kstlername des *Odake* (s. d.).

Chikuho, Kstlername des *Mizuta* (s. d.).

Chikukyō, Kstlername des *Ōno* (s. d.).

Chikusai, Kstlername des *Yamashita* (s. d.).

Chilcot, Thomas Charles, engl. humorist. Zeichner u. Illustr., * 26. 12. 1883 London, ansässig ebda. Autodidakt.

Lit.: Who's Who in Art, [3] 1934.

Child, Charles Jesse, amer. Maler, * 1902 Montclair, N. J., ansässig Lumberville, Pa.

Lit.: Mallett. — D. Kst u. das schöne Heim, 49 (1951) Beil. p. 181.

Childrey, Merrie Pender, amer. Malerin, * 4. 10. 1904 Richmond, Va., ansässig in Washington, D. C.

Stud. an der Corcoran Kstschule in Washington.

Lit.: Who's Who in Amer. Art, I: 1936/37. — Amer. Art Annual, 30 (1933).

Chillman, James, amer. Aquarellmaler, Lithogr. u. Kstschriftst., * 24. 12. 1891 Philadelphia, ansässig in Houston, Texas.

Schüler von P. P. Cret u. George Walter Dawson. Aquar. im Mus. of F. Arts in Houston. Buchwerk: Memoirs of Amer. Acad. in Rome.

Lit.: Who's Who in Amer. Art, I: 1936/37. — Amer. Art Annual, 30 (1933). — Pencil Points, 23, Jan. 1942, p. 15/26.

Chiltian, Grigor, armen. Figuren- u. Landschaftsmaler, * in einem Kaukasusdorf, ansässig in Paris.

Mitgl. der Soc. du Salon d'Automne. Stellt auch bei den Indépendants u. im Salon des Tuileries aus. Breite, kraftvolle, an Le Nain erinnernde Malweise.

Lit.: Joseph, I. — Bull. de l'Art, 1928, p. 350 (Abb.); 1929, p. 295 (Abb.). — La Renaiss. de l'Art franç., 12 (1929) 351f., m. 3 Abbn. — Bénézit, [2] II.

Chimot, Edouard, franz. Aquarellmaler, Zeichner u. Buchillustr., * Lille.

Stud. an den Ec. d. B.-Arts in Roubaix u. Tourcoing. Illustr. u. a. zu Maur. Magré „Montée aux Enfers"; René Baudu, „Les Après-Midi de Montmartre"; A. Patorni, „Le Fou"; H. Barbusse, „L'Enfer"; P. Louys, „Les Chansons de Bilitis" (12 Rad.).

Lit.: Joseph, I. — Bénézit, [2] II.

Ch'in Ch'ing-ts'êng, chines. Tier- u. Landschaftsmaler, ansässig in Wu-hsi.

Vertreter der antikisierenden Richtung (s. Art. Chao Tzu-yün). Nachahmer des Li Ch'êng (um 940 –990).

Lit.: Kat. Ausst. Chines. Malerei d. Gegenw. Preuß. Akad. d. Kste, Berlin Jan./März 1934.

Ch'in Chung-wên, chines. Landschaftsmaler, ansässig in Shanghai.

Vertreter der sog. Südschule (s. Art. Ch'en Ts'êng-shou).

Lit.: Kat. Ausst. Chines. Malerei d. Gegenw. Preuß. Akad. d. Kste, Berlin Jan./März 1934.

Chinet, Charles, schweiz. Maler u. Zeichner, ansässig in Rolle.

Bild (Le Sapeur) im Mus. in Lausanne.
Lit.: Magnat, Causerie sur Th. Bosshard, G. Buchet, Ch. Ch. etc. à l'occasion du vernissage de l'expos. de peintres romands 1919 à Berne, Bern 1919. — Schweizer Kst, 1931/32 p. 90, 95 (Abb.); 1942 Heft 4, p. 29 (Abb.). — D. Werk (Zürich), 23 (1936) 232 (Abb.). — Kat. d. Ausst. Schweizer Bildh. u. Maler, Ksthaus Zürich, 7. 12. 41–1. 2. 42, p. 16.

Ching J-yüan, chines. Blumen- u. Landschaftsmaler, ansässig in Nanking.
Vertreter der literar. Richtung (s. Art. Chang Hsüming).
Lit.: Kat. Ausst. Chines. Malerei d. Gegenw. Preuß. Akad. d. Kste, Berlin Jan./März 1934.

Chini, Galileo, ital. Maler, Keramiker u. Glaskünstler, * 2. 12. 1873 Florenz, ansässig ebda.
Schüler s. Vaters Dario Chini († 1897), im übrigen Autodidakt. Bildete sich durch das Studium der alten Meister. Gründete 1897 mit d. Bildh. Dom. Trentacoste eine Keramik-, Mosaik- u. Glasmalerei-Werkstatt („Fornaci S. Lorenzo") in Borgo S. Lorenzo (Florenz). Auf allen Gebieten der Malerei tätig. Hauptsächl. Dekorationsmaler (Wandbilder in den Sparkassengeb. in Pistoia, Arezzo u. Florenz u. im Thronpalast in Bangkok, Siam) u. Bühnenbildner. Auch Figürliches, Landschaften, Blumenstücke, Stillleben. Selbstbildnis in den Uffizien in Florenz.
Lit.: Th.-B., 6 (1921). — Comanducci, m. Abb. — Chi è?, 1940. — Bénézit, [2] 2 (1949). — The Connoisseur, 57 (1920) 247.

Chiodo Grandi, Mario, ital. Dekorationsmaler, * 11. 2. 1872 Crema.
Stud. an d. Brera-Akad. in Mailand u. bei Cavenaghi ebda. Einige Zeit Lehrer an d. Brera. Vielfach im Ausland tätig (Madrid [1922], Lissabon, Lugano).
Lit.: Comanducci.

Chipperfield, Phyllis, engl. Aquarell- u. Miniaturmalerin, * 21. 4. 1887 Bloxham, Oxon.
Schülerin von Ethel Mary Willis.
Lit.: Who's Who in Art, [3] 1934.

Chirico, Giorgio de, ital. Maler, Graphiker u. Schriftst., * 10. 7. 1888 Volo (Griechenland), von genues. Eltern, ansässig in Rom.
Stud. zuerst an d. Akad. in Athen, 1905/07 in Florenz, dann an der Akad. in München, wo ihn bes. Böcklin, Stuck u. Marées beeindruckten. 1911/15 in Paris, Berührung mit Picasso. 1915/24 in Rom u. Florenz. Seit 1919 Mitglied der Gruppe „Valori Plastici". 1935/38 nochmals in Paris, seitdem wechselnd in Mailand, Florenz, Rom u. Paris. Begründer der „Pittura Metafisica", einer surrealistischen, irrealen Richtung, die ohne unmittelbares Verhältnis zur Wirklichkeit die phantastischsten Bildkompositionen zaubert: Am Meeresstrand stehende Möbel, versteinerte Götter auf menschenleeren Plätzen, Gladiatorenkämpfe in möblierten Zimmern, usw. Hauptbilder dieser Frühperiode: Rätsel eines Herbstabends (1910), Morgendliche Betrachtungen (1912), Erinnerungen an Italien (1913), Liebessang (1914). Um Mitte des 2. Jahrzehnts Übergang zu einem konstruktivist. Stil, womit er sich Carlo Carrà nähert: Der Wahrsager (1915), Die besorgten Musen (1916), Hektor u. Andromache (1917). Um 1918 Übergang zu einer immer stärker das Naturobjekt respektierenden Richtung, die schließlich in einem gegenständlichen Realismus mündet, der fast einem ausgesprochenen Naturalismus zuneigt: 2. Fassung von Hektor u. Andromache (1918), Selbstbildnis mit der Mutter (1919), Rückkehr des verlorenen Sohnes (1920), Die Tempeljungfrau (1921), Abschied des irrenden Ritters (1922), Selbstbildnis (1923). Gegen Mitte der 20er Jahre vorübergehende Rückkehr zu der metaphysischen Richtung der Frühzeit: Erinnerung an die Ilias (1924), Sitzender Mannequin (1926), Pferde am Meeresstrand (1926), 3 antike Akte (1927), Interieur in einem Tal (1927), Krieger (1928), Der Tröster (1929), Möbel (1929). Um 1930 Wiederaufnahme der realistischen Richtung: Liegender weibl. Akt am Meer (1932), Selbstbildnis in Ganzfigur vor der Staffelei (1934), Halbfigurbild eines jungen Mädchens (1936). Gegen Ausgang der 30er Jahre erlebte der wandelbare Künstler eine nochmalige Rückkehr zu seinem Frühstil, und zwar in extremer Zuspitzung seiner früheren Ziele: Stilleben von 1937. — Bilder u. a. in den öff. Smlgn in Basel, Wien, Stockholm, Moskau, Chicago, Detroit, New York, im Mus. Barnes in Philadelphia, Pa., u. im Mus. in Toledo, Ohio. In d. Tate Gall. in London: Die Familie des Malers (1951 erworben). Beispiele seiner über ein halbes Hundert zählenden Selbstbildnisse in d. Gall. d'Arte Mod. in Rom, im Oberlin Coll. in Oberlin, Ohio, u. im Mus. in Toledo, Ohio. — Folge von 6 farb. Orig.-Lithogr., Paris 1929. — Buchwerk: Hebdomeros (Roman), Paris 1929; ital. Ausg. Mailand 1942. Aufsätze über Raffael, A. Böcklin, M. Klinger in: Convegno (Mailand), „Valori Plastici" (Rom) u. and. Zeitschriften. Autobiogr: 1918/25 Ricordi di Roma, 1944; De Ch. Memorie della mia vita, Rom 1945.
Lit.: R. Vitrae, G. de Ch., Paris 1928. — W. George, G. de Ch., Paris 1928. — B. Ternovetz, G. de Ch. (Arte Mod. Ital., Nr 10), Mailand 1928. — A. Bardi, La Vie de G. de Ch. (Sélection, Nr 8), Antwerpen 1929. — J. Cocteau, Le Mystère laïc. G. de Ch., Paris 1929. — Lo Duca, G. de Ch. (Arte Mod. Ital. Nr 10), Mailand 1936, m. ausführl. Bibliogr.— R. Carrieri, G. de Ch., Mailand 1942. — J. Thrall, The Early Ch., New York 1941. — Roh. — Einstein, p. 350ff. — Joseph, I, m. 4 Abbn. — Costantini, Reg. u. p. 481, m. 4 Abbn. — Chi è?, 1940. — Bénézit, [2] 2 (1949), Taf. 21. — A. Forneri, Quarant' anni di Cubismo. Rom 1948 p. 93ff. — Schmidt. — D. Kstblatt, 5 (1921) 50, m. Abb., 51; 9 (1925) 355 (Abb.); 14 (1930), Abb. geg. p. 224, 227 (Abb.). — D. Cicerone, 12 (1920) 350ff.; 16 (1924) 455f. (Abbn), 459/63; 19 (1927) 418, 419 (Abb.); 21 (1929) 641/46, m. 6 Abbn. — Apollo, 8 (1928) 206/68, m. 3 Abbn. — D. Kstwanderer, 1928/29, p. 261f. — The Art Bull., 24 (1942) 408f. — The Arts, 1929/I, p. 5/10, m. 6 Abbn. — Cahiers de Belgique, 1929, p. 130/37, m. 6 Abbn. — Formes, 1930, p. 12/14, 32, m. 10 Abbn. — Documents, 1930, p. 337/45, m. 12 Abbn. — The Toledo Mus. of Art, Accessions, 1930/31, p. 22f., m. Abb. — D. Kunst, 63 (1930/31) 160/63, m. Abbn. — D. Kunst u. d. schöne Heim, 48 (1949), Okt.-H. p. 1, Nachr. p. 12, m. Abb.; 49 (1950), H. 2 p. 54/57, m. 4 Abbn. — Thema (Gauting b. Münch.), H. 2 (1949), farb. Taf. geg. p. 1, 30f. 33 (Abb.). — D. Weltkst, 21 (1951) Nr 8 p. 10. — Emporium, 74 (1931) 49f., m. Abb., 308 (Abb.), 309; 76 (1932) 310, m. 3 Abbn; 85 (1937) 162 (Abb.), 164; 86 (1937) 385, 435, 437 (Abb.), 529; 87 (1938) 47f., m. Abb., 102, 105, m. Abb.; 88 (1938) 257ff., m. Abbn; 89 (1939) 190, 191 (Abb.), 337, 402, 403 (Abb.); 90 (1939) 207, m. Abb.; 93 (1941) 40f., m. Abb., 97, m. Abb., 106, 108 (Abb.), 253, m. Abb., 286, 293 (Abb.), 313, m. Abb.; 94 (1941) 94, m. Abb.; 95 (1942) 92 (Abb.), 93, 177, 217, 218 (Abb.); 96 (1942) 282 (Abb.), 283, 325, 495, m. Abb., 538, 552. — L'Amour de l'Art, 13 (1932) 129/134, m. 12 Abbn. — Magyar Müvészet, 10 (1934) 68/74, m. 8 Abbn. — La Critica d'arte, 1 (1935) 52/60, m. 9 Abbn. — The Studio, 112 (1936) 59 (Abb.); 116 (1938) 220, m. Abb., 248/49, m. 2 farb. Abbn. — Le Arti, 2 (1939/40) 118/21, m. Taf. 53f.; 3 (1940/41) 202 u. Taf. — bild. kst, 2 (1948) H. 11/12, p. 20, m. Abb. — D. Kstwerk, 4 (1950) H. 3 p. 53, m. Abb.; H. 4 p. 16 (Taf.). — The Art Index, New York 1928ff. passim.

Chirico, Pasquale de, ital. Bildhauer, * 17. 5. 1874 Venosa (Potenza).
Stud. am Ist. d. B. Arti in Neapel bei Ach. D'Orsi. Wanderte später nach Brasilien aus.
Lit.: Giannelli.

Chirm, Hilda Mary, engl. Illuminatorin u. Linolschneiderin, * 26. 9. 1904 Birmingham, ansässig ebda.
Stud. an der Kunstsch. in Birmingham.
Lit.: Who's Who in Art, [3] 1934.

Chishinskij, L., sowjet. Buchkünstler u. Holzschneider, * 1895.
Holzschn.-Folge: Lermontoff-Stätten.
Lit.: Encykl. d. Union d. Sozial. Sowjetrepubl., 2 (1950).

Chisholm, Marie Margaret, amer. Malerin, * 25. 7. 1900 Garnett, S. C., ansässig in Greenwood, S. C.
Schüler der Pennsylvania Acad. of the F. Arts in Philadelphia, von Walter W. Thompson u. Mary Hope Cabaniss.
Lit.: Who's Who in Amer. Art, I: 1936/37.

Chitty, Lily, engl. Aquarellmalerin u. Zeichnerin für wissensch. prähist. Zeitschr. u. Bücher, * 20. 3. 1893 Lewdown, Devon, ansässig in Shrewsbury.
Lit.: Who's Who in Art, [3] 1934.

Chiu-Teng Hick, chines. Landsch.- u. Bildnismaler, * 27. 4. 1903 Amoy, ansässig in London.
Stud. in Boston, Mass., u. an den Roy. Acad. Schools in London. 1925/27 Landseer-Preis.
Lit.: Who's Who in Art, [3] 1934. — The Studio, 113 (1937) 104f.

Chladek, Anton Stephan, mähr. Bauplastiker, * 4. 5. 1883 Brünn, ansässig in Berlin.
Stud. an der Unterrichtsanstalt des Berliner Kunstgewerbemus.
Lit.: Dreßler.

Chlebowski, Stanislaus, dtsch. Bildnis-, Landschafts- u. Stillebenmaler, * 30. 7. 1890 Braunsberg, Ostpr., zuletzt in Danzig.
Stud. zuerst Architektur in Danzig (Dipl.-Ing.), dann Malerei in München u. Paris; Schüler von Pfuhl. Seit 1918 in Danzig. Im Stadtmus. ebda: Landschaft u. Stilleben mit Ente.
Lit.: Dreßler. — D. Cicerone, 15 (1923) 562, m. Abb. — Ostdtsche Monatsh., 12 (1931) 283/89; 15 (1934/35) 20, m. Abb., 21. — Kat. d. Ausst. Junge Kst i. Dtsch. Reich, Wien 1943.

Chmelko, M., ukrain. Maler.
Stud. an der Kunstsch. in Kijeff. Erhielt den Stalin-Preis 1947 mit s. Gemälde: Auf das Wohl des großen russ. Volkes! (Trinkspruch Stalin's am 24. 5. 1945 beim Empfang der Befehlshaber der Sowjetarmee im Kreml). Beteiligt an der Ausst. Ukrain. Kstler im Staatl. Tretjakoff-Mus. in Moskau 1951.
Lit.: Sowjet-Literatur (Moskau), 1948, Heft 7, p. 145; 1951, H. 10, p. 194.

Chmiełinski, Jan, poln. Landsch.- u. Stilllebenmaler, * Lemberg (Lwów), ansässig in Paris.
Stellte 1926/29 im Salon d'Automne aus.
Lit.: Bénézit, [2] II. — Sztuki Piękne, 1933, p 281ff.

Choate, Nathaniel, amer. Bildhauer, * 26. 12. 1899 Southboro, Mass., ansässig in New York.
Stud. an der Harvard Univers. in Cambridge.
Lit.: Who's Who in Amer. Art, I: 1936/37. — Mallett. — Art Digest, 23, Nr v. 15. 12. 1948, p. 30.

Chocarne-Moreau, Charles Paul, franz. Genremaler, * 1855 Dijon, † 1930 (Bénézit: 1931) Neuilly-sur-Seine.
Schüler von Bouguereau u. T. Robert-Fleury. Mitgl. der Soc. d. Art. Franç. (Salon-Kat. z. T. m. Abbn).
Lit.: Th.-B., 6 (1912). — Joseph, I, m. 2 Abbn. — Bénézit, [2] II (1949).

Chochrjakoff, Nikolaj Nikolajewitsch, sowjet. Landschaftsmaler u. Illustrator, * 1857, † 1928.
Vertreten in d. Staatl. Tretjakoff-Gal. in Moskau u. im Russ. Mus. in Leningrad.
Lit.: Th.-B., 6 (1912). — 50 Monogr. von Meistern der Sowjet. Bild. Kst (russ.), Heft [41], Moskau 1948.

Chôfû, Kstlername des *Takehara* (s. d.).

Cholnoky, Jenő, ungar. Buchillustrator u. Geograph (Prof.), * 23. 7. 1870 Veszprém, ansässig in Klausenburg (Kolozsvár).
Illustr. zu eigenen Reisebeschreibungen (Ostasien).
Lit.: Szendrei-Szentiványi. — Krücken-Parlagi.

Chomton, Werner, dtsch. Bildnismaler, Illustr. u. Raumkünstler, * 20. 6. 1895 Bernburg, Anhalt, ansässig in München-Laim.
Stud. Kunstgesch. an der Universität München. Gleichzeitig Malschüler von Fritz Rainer an der Akad. Weitergebildet bei Itten u. Feininger am Staatl. Bauhaus in Weimar. Illustr. u. a. zu: Robinson Crusoe, Stuttgt 1944, u. Julius Moshage, Mit Zirkel u. Hammer durch die Welt, Reutlingen 1943.
Lit.: Dreßler.

Chopard, Gaston, franz. Tiermaler, * 1886 (?) Paris, † 19. 12. 1942 ebda.
Stellt seit 1927 bei den Indépendants aus.
Lit.: Joseph, I. — Beaux-Arts, Nr v. 10. 5. 1946 p. 2. — Bénézit, [2] II.

Choquet, Jules Charles, franz. Landschafts- u. Stillebenmaler, * Paris, ansässig ebda.
Schüler von Harpignies u. Bergeret. Mitglied der Soc. d. Art. Franç., beschickte deren Salon 1887–1930 (Kat. z. T. m. Abbn).
Lit.: Th.-B., 6 (1912).

Choquet, René, franz. Landschafts- u. Genremaler, * Douai, ansässig in Cibour (Basses-Pyrénées).
Schüler von J. Lefebvre, T. Robert-Fleury u. Hermann Léon. Mitgl. der Soc. d. Art. Franç. (Salon-Kat. z. T. mit Abbn).
Lit.: Th.-B., 6 (1912). — Joseph, 1. — Bénézit, [2] 2 (1949).

Chorel, Jean, franz. Bildhauer u. Maler, * 28. 1. 1875 Lyon, ansässig ebda.
Schüler von Barrias u. Coutan. Bildnisbüsten u. Genrestatuen. Im Mus. Lyon eine Büste Puvis de Chavanne's. In der Kirche Saint-Augustin in Lacroix-Rousse: Hl. Therese von Avila, hl. Joseph u. Christus.
Lit.: Th.-B., 6 (1912). — Joseph, 1.

Chorley, Adrian, engl. Landschaftsmaler u. Rad., * 25. 4. 1906 East Bergholl, Suffolk, ansässig in London.
Schüler des Roy. Coll. of Art, London.
Lit.: Who's Who in Art, [3] 1934.

Chôshû, Kstlername des *Isoda* (s. d.).

Chotel, Claire, franz. Bildnis-, Genre- u. Landschaftsmalerin (Öl u. Pastell), * Neuilly (Seine), ansässig in Paris.

Schülerin von Baschet, David, Humbert u. Renard. Mitgl. der Soc. d. Art. Franç., beschickt deren Salon seit 1911.

Lit.: Joseph, I.

Chotiau, Max, belg. Maler u. Kartonzeichner für Tapisserien, * Tongres, ansässig in Paris.

Stellt seit 1925 bei den Indépendants aus: Akte, Landschaften, Stilleben.

Lit.: Joseph, 1. — La Renaiss. de l'Art franç., 8 (1925) 498f., m. Abb. — Bénézit, [2] II.

Chotin, Marcel, franz. Bildnis- u. Landschaftsmaler, * 24. 4. 1897 Paris, ansässig in Neuilly (Seine).

Stellt 1921 ff. bei den Indépendants aus.

Lit.: Joseph, I. — Bénézit, [2] II.

Chou J-fêng, chines. Landschaftsmaler, ansässig in Kanton.

Vertreter der naturalist. Richtung (s. Art. Chang K'un-i).

Lit.: Kat. Ausst. Chines. Malerei d. Gegenw. Preuß. Akad. d. Kste, Berlin Jan./ März 1934.

Chou Lêng-wu, chines. Landschaftsmaler.

Vertreter der akadem. Richtung (s. Art. Chang Hung-wei).

Lit.: Kat. Ausst. Chines. Malerei d. Gegenw. Preuß. Akad. d. Kste, Berlin Jan./März 1934.

Chou Ting-hsu (Teng-hiok Chiu), chines. Maler, * 1903 Amoy, Fukien, ansässig in Shanghai.

Stud. 1916/19 am Anglo-chines. College in Tientsin, 1920/23 an der Schule des Mus. in Boston, Mass., USA., 1924/25 am Univ. College in London, 1925/29 an den Roy. Acad. Schools ebda. Seit 1926 Mitgl. der Roy. Soc. of Brit. Artists. Häufig ausgezeichnet, u. a. Landseer-Preis 1925, Creswick-Preis (Landschaft) 1926, Turner-Preis u. Gold. Med. 1929. 1931 Europareise. Lebte meist in London, seit 1932 in Shanghai.

Lit.: Who's Who in China, [5] 1932, p. 59, m. Fotobildnis.

Chou Ts'un-po, chines. Maler, † Su-chou.

Landschafter.

Lit.: Kat. Ausst. Chines. Malerei d. Gegenw. Preuß. Akad. d. Kste, Berlin Jan./März 1934.

Chouanard, Josèphe Andrée, franz. Blumen- u. Landschaftsmalerin, * Nogent-le-Rotrou (Eure-et-Loir), † 1932 Paris.

Schülerin von Charreton, Bompard, Sabatté u. Benner. Mitgl. der Soc. d. Art. Franç.

Lit.: Joseph, I. — Bénézit, [2] II.

Chouinard, Nelbert Murphy, amer. Maler u. Zeichner, * 9. 2. 1880 Montevideo, Minn., ansässig in Los Angeles u. South Pasadena, Calif.

Schüler von Arthur Dow, Ern. Batchelder, Ralph Johannot u. von Hans Hofmann in München.

Lit.: Fielding. — Amer. Art Annual, 30 (1933). — Who's Who in Amer. Art, I: 1936/37.

Choultsé (Schultze), Iwan, russ. Landschaftsmaler, dtsch. Abkunft, * St. Petersburg (Leningrad), ansässig in Paris.

Schüler von Krighitskij. Stellte im Salon der Soc. d. Art. Franç. 1923/24 aus. Kollektiv-Ausst. 1922 in der Gal. Gérard in Paris.

Lit.: Bénézit, [2] 2 (1949). — Chron d. Arts, 1922, p. 157. — The Studio, 93 (1927) 355.

Chowdhury, Sudhansu, ind. Maler, * August 1909 Salkea, Distrikt Howrah, Westbengalen, ansässig in Kalkutta.

Stud. an der Indian Soc. of Oriental Art, Kalkutta, bei Abanindranath Tagore selbst und bei dessen Assistenten Kshitindranath Mazumdar, Sailendra Nath Dey, Bireswar Sen u. Devi Prasad Roy Chowdhury. Als aktives Mitglied der Nat. Revolution 1925/26 in brit. Gefangenschaft. Bereiste zwecks Studiums der orient. Kunst in den darauffolg. 3 Jahren Burma, Siam u. Kambodja. Nach Erhalt eines Stipendiums der Ind. Regierung für weitere Ausbildung am Roy. College of Art, South Kensington, ging er 1929 nach London, wo er Wandmalerei unter Leitung von Sir William Rothenstein studierte. Später Studienreisen in Frankreich, Italien, Deutschland, Österreich, Holland u. Belgien. Erhielt zw. 1931 u. 1933 zus. mit 3 weiteren bengal. Fachkollegen einen Auftrag auf Wandmalereien im India House in London. Kehrte nach Veranstaltung einer Ausst. in der Fine Art Soc. in London 1933 in seine Heimat zurück. Sein erstes größeres Werk hier waren die Wandbilder im neuen Metro Kinema in Kalkutta. 1937/40 von der Tänzerin Sadhona Bose mit der künstler. Leitung der Filmstücke „Abhinaya" u. „Rajnartaki" betraut. Eröffnete 1940 in Kalkutta ein eigenes Atelier für Innenausstattung u. Architekturentwürfe. 2 Miniaturen in d. Art Gall. des Indian Mus. ebda.

Chowne, Gerard, engl. Bildnis-, Genre- u. Blumenmaler, * 1. 8. 1875 London, † 1917.

Mitgl. des New Engl. Art Club in London, dessen Ausstellgn er regelmäßig beschickte. Kollektiv-Ausst. im Salon Carfax in London, Nov. 1911.

Lit.: Th.-B., 6 (1912). — Bénézit, [2] 2. — The Art Journal, 1911, p. 29 (Abb.). — The Burlington Magaz., 30 (1917) 243. — The Studio, 65 (1915) 182.

Chrétien, Joseph, franz. Landschaftsmaler (Öl u. Pastell), * Graçay (Cher), ansässig in Ciré-d'Aunis (Charente-Infér.).

Stellt seit 1927 bei den Indépendants aus.

Lit.: Joseph, I.

Chrétien, Paul, franz. Landschaftsmaler, * Paris, ansässig ebda.

Stellt seit 1923 bei den Indépendants aus.

Lit.: Joseph, I.

Chrisby, Gustav, schwed. Landschaftsmaler u. Modelleur, * 1884 Karlskrona, ansässig in Bromsten.

Stud. an der Techn. Schule in Stockholm u. in Paris.

Lit.: Thomœus.

Christ, Martin, schweiz. Maler u. Zeichner, * 1900 Langenbruck, ansässig in Basel.

Beeinflußt von Nolde. Figürliches, Landschaften, Blumenstücke, Bildnisse. Selbstbildnis (1943) im Berner Kstmus.

Lit.: D. Kstblatt, 12 (1928) 8, 9 (Abb.). — Kst u. Kstler, 29 (1930/31) 247 (Abb.), 248. — Das Werk (Zürich), 28 (1941) 106 (Abb.), 107 u. Beil. H. 8, p. XXIII f.; 29 (1942) 101, m. Abb.; 30 (1943), H. 12: Chronik p. X. — Schweizer Kst, 1940/41, H. 8, März 41 (Umschlagbild); 1941/42, H. 5, Mai 42 p. 38 (Abbn). — Kat. Ausst. Ksth. Zürich: 6 Basler Maler, v. 17. 5. –8. 6. 1941.

Christ, Rudolf, schweiz. Architekt, ansässig in Basel.

Reformiertes Gemeindehaus in Reinach, Kt. Basel; Kstmuseum in Basel (zus. mit P. Bonatz), 1936.

Lit.: C. H. Baer, Bauten u. Entwürfe des Archit. R. C., Basel, Stuttgart 1931. — D. Werk (Zürich), 23 (1936) 316/23, m. Abbn. — D. Baumeister, 35 (1937) 237/63, m. zahlr. Abbn.

Christaller, Frida, dtsch-schweiz. Bildhauerin, * 21. 8. 1898 Stuttgart, ansässig ebda.

Tochter des schweiz. Modelleurs u. Ziseleurs Paul C. (* 1860 Basel). Stud. an der Akad. in Stuttgart. Reliefs am Illerkraftstandbild (Oberschwäb. Elektrizitätswerke) ebda.

Lit.: Dreßler. — Schwäb. Heimatbuch, 1935, p. 65, m. Abb.

Christauflour, Solange, franz. Landschafts- u. Stillebenmalerin, * Issoudun (Indre), ansässig in Paris.

Schülerin von F. Maillart, E. Renard, Benner u. Zo. Mitgl. des Salon d'Hiver.

Lit.: Joseph, I.

Christen, Gottfried, schweiz. Maler, * 12. 6. 1890 Bern, ansässig ebda

Stud. an der Kstgewerbesch. Bern. Studienreise nach Italien. Weitergebildet an d. Akad. in Florenz, 1910/12 an d. Acad. Delécluse in Paris, 1913 an der Scuola libera d. kgl. Akad. in Rom. Hauptsächlich Porträtist.

Lit.: Brun, IV.

Christen, Jeanne, franz. Fresko- u. Aktmalerin, * 1894 Paris, ansässig ebda.

Stud. an der Ec. Nat. d. B.-Arts u. bei Désiré Lucas. Mitglied der Soc. d. Art. Franç. (Salon-Kat. z. T. m. Abbn).

Lit.: Bénézit, ² II (1949.

Christensen, Arnt, norweg. Maler, Radierer u. Aquatintastecher, * 30. 4. 1898 Aarhus, ansässig in Oslo.

Stud. in Oslo, Florenz, Paris u. London. Landschaften, Figürliches (Szenen aus Homers Ilias, Jagd des Pharao auf dem Nil u. a.). Bilder im Brit. Mus. u. im Vict. and Albert Mus. in London.

Lit.: Who's Who in Art, ³ 1934. — Kat. Jubil.-Udstill. Norges Kunst 1814–1914, Kristiania 1914, p. 131 (Abb.), 195. — The Studio, 88 (1924) 110f., m. Abb.

Christensen, Carl, schwed. Bildhauer, * 1878 Jönköping, ansässig ebda.

Stud. in Paris. Bildnisbüsten, Grabdenkmäler, Brunnenfiguren, dekor. Stukkaturen. Büste J. E. Lundströms im Tändsticks-Palast in Stockholm.

Lit.: Thomœus.

Christensen, Charles, dän. Architekt u. Fachschriftst., * 5. 8. 1886 Helsingør, ansässig in Kopenhagen.

Altersheim in Frederiksberg (zus. mit O. Gundlach-Pedersen). Hauptsächl. Restaurator.

Lit.: Krak's Blaa Bog, 1936. — Vem är Vem i Norden, Stockh. 1941, p. 67.

Christensen, Estrid, schweiz. Figurenbildhauerin, ansässig in Zürich.

Bildnisbüsten, Akte (bes. Zweiergruppen) in einem an Negerplastik erinnernden primitiven Stil. Im Kunsthaus Zürich: Stehende.

Lit.: Das Werk, 21 (1934) 372/74, m. 10 Abbn.

Christensen, John, dän. Maler (Öl u. Aquar.) u. Zeichner.

Koll.-Ausst. im Kstsalon Arnbak in Kopenhagen 1938. Hauptsächl. Landschaften u. Blumenstücke.

Lit.: Konstrevy, 1936, p. 163, m. Abb.; 1938, p. 240; 1939, p. 75, m. Abb. — Kunstmus. Aarsskrift, 1933/34. — Preben Wilmann, Ung Tegnekunst, Kopenh. 1936.

Christensen, Kay, dän. Maler u. Lithogr.

Vertreten im Kunstmus. in Kopenhagen. Mappe mit 6 Lithos (3 farbige) gab der Verlag Fischer, Kopenh., 1938 heraus.

Lit.: Konstrevy, 1938, p. 117, m. Abb. — Kunstmus. Aarsskrift, 1929/31; 1933/34; 1936.

Christensen, Niels Christian, dän. Architekt, * 7. 2. 1867 Sødinge, † 13. 4. 1939 Gjentofte.

Ausgebildet als Schnitzer. Abgang von der Kopenhag. Akad. 1897. Schüler von Hans Holm, H. B. Storck u. M. Nyrop. Bereiste Deutschland, Italien, England u. Frankreich. Bebauungspläne, Schulen.

Lit.: Krak's Blaa Bog, 1936; 1950, Totenliste. — Weilbach, ³ I.

Christensen, Otto, dän. Zeichner u. Maler, * 17. 3. 1898 Kopenhagen, ansässig ebda.

Zeichnete u. a. für „Dagens Nyheder", „Ekstrabladet" u. „Berlingske Tidende". Als Maler hauptsächlich Porträtist.

Lit.: Krak's Blaa Bog, 1936. — Kunstmus. Aarsskrift, 1933/34; 1941.

Christensen, Povl, dän. Radierer u. Maler.

Lit.: Preben Wilmann, Ung Tegnekunst, Kopenh. 1936. — Kunstmus. Aarsskrift, 1933/34; 1936; 1938. — Art Digest, 23, Nr v. 1. 2. 1949, p. 20.

Christenson, Gunnar, schwed. Maler (Öl u. Aquarell) u. Zeichner, * 1895 Landskrona, ansässig in Halmstad.

Stud. an der Techn. Schule u. an der Akad. in Stockholm. Studienaufenthalte in England, Deutschland, Holland u. Italien. Landschaften, Stilleben, Figürliches.

Lit.: Thomœus.

Christian-Adam, Raoul Raymond, franz. Figuren- (bes. Akt), Landschafts- u. Stillebenmaler, * Le Havre, ansässig in Paris.

Stellt seit 1926 bei den Indépendants aus.

Lit.: Joseph, I. — Bénézit, ² II (1949).

Christiansen, Hans, Maler, Graph. u. Entwurfzeichner für Kunstgewerbe, * 6. 3. 1866 Flensburg, † Anf. Febr. 1945 Wiesbaden. Vater des in Wiesbaden ansässigen Bildnismalers u. Zeichners Olaf Ch.

Kollekt.-Ausst. Nov. 1911 im Salon Banger, Wiesbaden.

Lit.: Th.-B., 6 (1912). — Zur Westen, p. 66, m. Abb., 151, m. Abb., 154. — D. Cicerone, 12 (1918) 829 (betr. Olaf). — Wiesbad. Ztg, 24. 11. 1911.

Christiansen, Poul Simon, dän. Maler u. Radierer, * 20. 10. 1855 Hudevad, † 14. 11. 1933 Kopenhagen.

Schüler von Zahrtmann. Seit 1895 Mitgl. der Freien Ausstellung. Figürliches, Bildnisse, Landschaften. Bilder im Staatl. Kunstmus in Kopenhagen (dar. Bildnis des Malers Larsen-Stevens, Aquar., Abb. in: Kunstmus. Aarsskrift, 1936, p. 146) u. in den Museen Faaborg u. Göteborg. Selbstbildnis von 1899 in der Smlg Thorsten Laurin in Stockholm (Taf. im Kat. Hoppe). Ein Selbstbildnis aus späterer Zeit in der Smlg Herm. Hotthard ebda (Abb. in: Konstrevy, 1932, p. 164). Hinterließ 23 Radierungen, z. T. nach eigenen Gemälden.

Lit.: Th.-B., 6 (1912). — S. Danneskjold-Samsøe, Fortegnelse over Maleren P. Ch. Arbejder i Aarene 1874/1931 Lidt om hans Liv og Virksamhed, Kopenh. 1918; ders., P. S. Ch., Kopenh. 1935. — Dahl-Engelstoft, I. — Krak's Blaa Bog, 1929ff. — N. F., 4. — Illustr. Tidende, Jg 57 (1916) 38/40; 58 (1917) 297f. — Konstrevy, 1927, H. 3, p. 14 (Abb.); 1936, p. 164; 1937, p. 207, m. Abb.; 1939, p. 222 (Abb.), 223, m. Abb. — Die graph. Künste (Wien), 53 (1930) 12/14. — Kunstmus. Aarsskrift, 1926/28; 1929

–31; 1935; 1936; 1938; 1940. — Ord och Bild, 25 (1916) 470, 472f. Abbn,; 29 (1920) Abb. vor p. 1, 6; 50 (1941) 502. — The Studio, 138 (1949) 146 (Abb.). — Weilbach, [3] I.

Christiansen, Rasmus, dän. Figuren-, Tier- u. Landschaftsmaler u. Karikaturenzeichner, * 13. 2. 1863 Bjertrup b. Aarhus, † 11. 11. 1940 Kopenhagen.

Stud. an der Techn. Schule in Aarhus u. an der Akad. in Kopenhagen, dann bei Tuxen u. Krøyer.

Lit.: Th.-B., 6 (1912). — Dahl-Engelstoft, I. — Krak's Blaa Bog, 1936; 1950, Totenliste. — Kunstmus. Aarsskrift, 1941. — Weilbach, [3] I.

Christiansson, Einar, schwed. Maler, * 1901 Göteborg, ansässig ebda.

Stud. an der Valand-Malsch. in Göteborg, weitergebildet in Kopenhagen, Oslo, Paris u. Südfrankreich. Bildnisse, Figürliches, Interieurs, Landschaften, Stilleben.

Lit.: Thomæus.

Christiansson, Rosi, geb. *Müngersdorf*, schwed. Figuren- u. Blumenmalerin, * 1911 Rom, ansässig in Ängelholm.

Stud. in Kopenhagen u. Stockholm.

Lit.: Thomœus.

Christie, Alexander, schott. Bildnismaler, * 28. 2. 1901 Aberdeen, ansässig ebda.

Stud. an den Roy. Acad. Schools in London. Mitgl. der Roy. Soc. of Portrait Painters.

Lit.: Who's Who in Art, [3] 1934. — Apollo (London), 26 (1937) 358, m. Abb.

Christie, MacAllyn, amer. Maler u. Graph., * 13. 5. 1895 Moberly, Mo., ansässig in Tulsa, Okla.

Schüler von John F. Carlson, Grant Wood u. Birger Sandzen.

Lit.: Who's Who in Amer. Art, I: 1936/37.

Christlieb, Hermann (Harry), dtsch-amer. Tierbildhauer, * 26. 5. 1886 Cincinnati, Ohio, ansässig in Klein-Machnow, Kr. Teltow.

Stud. 1910/14 an d. Kstgewerbesch. in Hamburg, 1910/15 an d. Akad. in München. Im Bes. der Stadt Berlin: Drei Menschenaffen (Bronze).

Lit.: Dreßler. — Lauenburg. Heimat, 2 (1926) 83/86. — Dtsche Kst u. Dekor., 30 (1912) 177 (Abb.); 33 (1913/14) 406 (Abb.). — Velhagen & Klasings Monatsh., 38/I (1923/24. p. 119, 120 (Abb.); 48/II (1933/34) 16/17 (Taf.-Abb.), 112. — Westermanns Monatsh., 160 (1936) 165/68 m. Abbn. — D. Weltkst, 14 Nr 40/41 v. 29. 9. 1940, p. 3. — Kat. Juryfreie Kstschau Berlin. 1927 Nrn 117/22 u. 1 Abb.; 1929 Nr 189/93.

Christodule, Georges, griech. Holzschneider, * auf Ägina, ansässig in Paris.

Stud. an d. Kstschule in Athen. Stellt im Salon der Soc. d. Art. Franç. aus (Mention honorable 1923; 3. Med. 1924). Schnitt nach eigenen u. fremden Vorlagen.

Lit.: Bénézit, [2] 2 (1949). — Joseph, I. — Kat. Expos. d'un groupe d'Art. hellènes de Paris, Gal. Ch. Brunner, Paris 1926.

Christoffel, Anton, schweiz. Maler u. Plakatzeichner, * 7. 10. 1869 Scanfs, Oberengadin, ansässig in Zürich.

Stud. an der Ec. d. Arts Décor. u. an d. Acad. Colarossi in Paris, 1891/92 an d. Techn. Hochsch. München, 1895/1900 im Engadin, seitdem in Zürich ansässig. 1904 in der Bretagne. Figürliches, Landschaften. Bilder im Rhätischen Mus. in Chur u. im Bes. des Churvereins St. Moritz.

Lit.: Th.-B., 6 (1912). — Schweiz. Zeitgen.-Lex., 1932. — Zur Westen, p. 110, m. Abb. — D. Schweiz, 1903, p. 189/90, 318/19; 1904, p. 513ff., 520; 1908, p. 51ff., 474; 1911, p. 336, 490; 1912, p. 18; 1913, p. 229. — Schweizer Kst, 1943 Heft 2, p. 15 (Abb.). — Pro Helvetia, 1919, p. 182ff., m. Abbn. — Kat. Ausst. Ksthaus Zürich 1.–28. 6. 1916, p. 8, 14.

Christoph, Hans, dtsch. Maler (Öl u. Aquar.), * 7. 9. 1901 Dresden, ansässig ebda.

Autodidakt. Studienaufenthalte in Holland u. Polen. Expressionist. Bilder in den Museen Breslau, Dresden, Görlitz u. Zwickau. Kollektiv-Ausst. 1928 im Zwickauer Museum.

Lit.: Das Kstblatt, 12 (1928) 141, m. Abbn. — Die Horen, 3 (1926/27) 611. — bild. kunst, 3 (1949) 334. — Kat. d. Kstausst. „Kstler schaffen f. d. Frieden", Berlin 1. 12. 51–31. 1. 52, Abb. p. 37.

Christoph, Max, dtsch. Figurenmaler u. Graph., * 22. 2. 1918 Pockau i. Flöhatal, ansässig in Dörnthal/Erzgeb.

Dekorationsmalerlehrling. Autodidakt. Naturalist. Ausstellgn: 3. Ausst. Erzgeb. Kstler, Freiberg/Sa. 1948. „Die Kaue", Freiberger Kstlerkreis. Triptychon: Neue Heimat — neues Leben; Kartoffelstoppler; Frau im Sturm. *J.*

Christophe, Franz, öst. Illustrator u. Rad., * 23. 9. 1875 Wien, ansässig in Berlin.

Entstammt einer franz. Refugié-Familie. Autodidakt. Zeichnete für: „Jugend", „Simplizissimus", „Narrenschiff" usw. Illustr. u. a. zu: Herm. Bang, Exzentrische Novellen; Fr. Blei, Blühende Gärten des Orients u. Die Puderquaste.

Lit.: Th.-B., 6 (1912). — Die Kunst, 30 (1913/14) 37, m. 3 Abbn. — Licht u. Schatten, 1913/14, Nr 12, m. Abb. — Zeitschr. f. Bücherfreunde, 6/I (1914/15) 149 (Abb.). — Velhagen & Klasings Monatsh., 55 (1940/41) 583/90.

Christophe, Pierre, franz. Tierbildhauer, * 16. 7. 1880 St-Denis (Seine), ansässig in Paris.

Schüler von Bérard, Thomas u. Gardet. Mitgl. der Soc. d. Art. franç. (Kat. z. T. mit Abbn). Eine Rehgruppe im Mus. in Nizza.

Lit.: Th.-B., 6 (1912). — Joseph, I. — L'Art décor. 1904/I, p. 153/58. — L'Art et les Art., N. S. 5 (1922) 264f., 268 (Abb.). — Bénézit, [2] II (1949).

Christophe, Suzanne, franz. Blumen- u. Landschaftsmalerin (Aquar.), * Yerres (Seine-et-Oise), ansässig in Paris.

Schülerin von Stella Samson.

Lit.: Joseph. I.

Christophersen, Alejandro, norweg. Architekt u. Figurenmaler, * 30. 8. 1866 Cadiz (Spanien), von norweg. Eltern, ansässig in Buenos Aires.

Schüler von Pascal an der Pariser Ec. d. B.-Arts (1885/87). Malschüler von T. Robert Fleury ebda (1906/10). Stellte 1908 u. 1909 im Salon der Soc. d. Art. Franç. aus (Kat. 1909 m. Abb.). Vorsitzender des Argentin. Architektenvereins. Erhielt die 1. Prämie für Architektur Buenos Aires 1924, für Malerei 1929. Grand prix Ausstell. Rio de Janeiro 1923. — Bauten in Buenos Aires: Norweg. Seemannskirche; Rus sische Kirche; mehrere kath. Kirchen; Skandinav Bank; Börse. Als Maler vertreten im Stadtmus. in Oslo u. im dort. Nat.-Mus.

Lit.: Hvem er Hvem?, [4] 1938.

Christov, Iwan, bulgar. Landschaftsmaler, * 1900 Sofia, ansässig ebda.

Stud. in Sofia, weitergebildet auf Studienreisen in Deutschland, Italien u. Südslawien. Stellte wiederholt auch im Ausland (Berlin, München, Rom, Warschau, Belgrad) aus. Kollektiv-Ausst. Januar 1938 in der Gal. v. d. Heyde in Berlin.

Lit.: The Studio, 115 (1938) 118 (Abb.). — Die Weltkst, 12, Nr 4 v. 23. 1. 1938, p. 2. — Kat. d. Ausst. Bulgar. Kstler in Deutschland, Leipzig, Kstver., 1941/42.

Christy, Earl, amer. Pressezeichner, * 13. 11. 1883 Philadelphia, ansässig in New York.

Mitarbeiter von Saturday Evening Post, Pictorial Review, Ladies' Home Journal usw.

Lit.: Who's Who in America, 27: 1952/53.

Christy, Howard Chandler, amer. Bildnismaler u. Illustr., * 10. 1. 1873 Morgan Co., O., ansässig in New York.

Schüler der Art Students' League in New York u. von Wm. Chase. Zeichnete anfänglich für New Yorker Magazine. Bildnis der Mrs. Calvin Coolidge im Weißen Haus in Washington, D. C. Weitere Bilder im State Department u. in Post Office ebda. Kollekt.-Ausst. Okt. 1922 in den Ainslie Gall. New York.

Lit.: Th.-B., 6 (1912). — Fielding. — Earle. — Mellquist. — Amer. Art Annual, 30 (1933). — Who's Who in Amer. Art, I: 1936/37. — Who's Who in America, 27: 1952/53. — Amer. Art News, 20, Nr 25 v. 1. 4. 1922 p. 4, m. Abb.; 21, Nr 2 v. 21. 10. 1922, p. 3; Nr 3 v. 28. 10. 1922, p. 1; Nr 20 v. 24. 2. 1923, p. 1; Nr 29 v. 28. 4. 1923, p. 2; Nr 33 v. 26. 5. 1923, p. 2; Nr 35 v. 9. 6. 1923, p. 1, m. Abb.

Chritz, Christian, dän. Landschaftsmaler, * Kopenhagen, ansässig in Söborg.

Stellte 1930 im Salon der Soc. d. Art. Franç. in Paris eine Straßenszene aus Kopenhagen aus (Abb. im Kat.).

Chrostowski, Stanisław, s. *Ostoja-Chrostowski.*

Chu Chien-ch'iu, chines. Maler.

Vertreter der sog. Südschule (s. Art. Ch'ên Ts'êng-shou). Figürliches, Landschaften.

Lit.: Kat. Ausst. Chines. Malerei d. Gegenw. Preuß. Akad. d. Kste, Berlin Jan./März 1934.

Chu Li-o, chines. Landschaftsmaler.

Vertreter der antikisierenden Richtung (s. Art. Chao Tzu-yün). Malt im Sung-Stil.

Lit.: Kat. Ausst. Chines. Malerei d. Gegenw. Preuß. Akad. d. Kste, Berlin Jan./März 1934.

Chu-Lo-san, chines. Landschaftsmaler, ansässig in Shanghai.

Vertreter der literar. Richtung (s. Art. Chang Hsü-ming).

Lit.: Kat. Ausst. Chines. Malerei d. Gegenw. Preuß. Akad. d. Kste, Berlin Jan./März 1934.

Chu Wên-yün, chines. Landschaftsmaler, ansässig in Shanghai.

Vertreter der literar. Richtung (s. Art. Chang Hsü-ming).

Lit.: Kat. Ausst. Chines. Malerei d. Gegenw. Preuß. Akad. d. Kste, Berlin Jan./März 1934. — The Studio, 113 (1937) 178, m. Abb.

Chu Yun-gee (Chu Yuan-chi), chines. Figurenmaler, * 22. 2. 1905 Kanton, Kwangtung, ansässig in San Francisco, Calif.

Stud. zunächst die klass. chines. Literatur, schrieb 13jährig den Essay: Die Moral in China in der Zeit der 3 Königreiche. Fing damals an, sich mit Malerei zu beschäftigen; 1. Bild: Kwan Yu (berühmter chines. Kriegerheiliger zur Zeit der 3 Königreiche). Ging 14jährig nach den USA, bezog die California Art School. Malte damals ca. 200 Bilder, die er aber verbrannte, weil sie ihm als zu akademisch nicht genügten. Organisierte auf Anregung des Malers Otis Oldfield eine Ausst. in d. Modern Artists Gall. in San Francisco. Gründete dort den „Chinese Revolutionary Painters' Club". Ging 20jährig nach Paris. Dez. 1927 Koll.-Ausst. in der Carmine Gall., bald darauf Ausst. im Salon des Indépendants, wo s. Bild „Confucius" Aufsehen erregte. Blieb 3 Jahre, mit halbjähr. Unterbrechung durch einen Aufenthalt in Spanien, in Paris, kehrte 1930 nach den USA zurück: Ausst. in den Balzac Gall. in San Francisco.

Lit.: Who's Who in China, [6] 1932 p. 68, m. Fotobildn.

Chubb, Ralph Nicholas, engl. Figuren- u. Landschaftsmaler, * 8. 2. 1892 Harpenden, ansässig in Asford Hill bei Newbury.

Romantiker unter präraffael. Einfluß.

Lit.: Who's Who in Art, [3] 1934. — The Studio, 92 (1926) 197 (Abb.), 198, m. Abb.

Chü Ku-ch'üan, chines. Blumenmaler.

Vertreter der sog. Südschule (s. Art. Ch'ên Ts'êng-shou).

Lit.: Kat. Ausst. Chines. Malerei d. Gegenw. Preuß. Akad. d. Kste, Berlin Jan./März 1934.

Chughtai, M. Abdur Rahman, ind. Maler u. Radierer, * Lahore, Punjab, West-Pakistan.

Perser der Abstammung nach, vermochte er etwas einzufangen von dem Zauber Indiens, den die Maler an den Höfen der Mogul, Rajput u. der Pahari-Fürsten so glänzend schilderten. Die Interpretation d. Omar Khayyam rivalisiert mit der solcher Themen, die dem Leben der Hindu-Tradition u. -Mythologie entnommen sind. Krisna Radha, Tanz des Siva, Buddha u. Heldinnen beanspruchen sein Hauptinteresse. Ch. hat einen ausgeprägten eigenen Stil entwickelt. Seine Gemälde sind von Rhythmus u. Vitalität erfüllt; kalligraph. Zartheit der Linien, dekorat. Schwung des Faltenwurfs u. feinste Abstufung der Farbtöne zeichnen sie aus. Außerhalb Indiens hat Ch. ausgestellt in d. Roy. Acad. u. im Brit. Mus. in London u. in Paris. Unternahm 2 Europareisen, die ihn für die Technik der Rad. u. das Aquatintaverfahren begeisterten. In s. Rad. interpretiert er überzeugend den östl. Geist mit Hilfe westl. Technik. Er ist im Westen einer der volkstümlichsten ind. Kstler dank dem strengen „oriental." Charakter s. Kunst.

Lit.: Murraqa-i-Chughtai. — Nagshi-i-Chughtai. — Chughtai's Paintings, Lahore. — Chughtai's Indian Paintings, New Delhi. — G. Venkatachalam, Contemp. Indian Painters. — Illustr. Weekly of India. Sept. 1951.

Chung Shan-yin, chines. Landschaftsmaler, ansässig in Nanking.

Vertreter der sog. Südschule (s. Art. Ch'ên Ts'êng-shou).

Lit.: Kat. Ausst. Chines. Malerei d. Gegenw. Preuß. Akad. d. Kste, Berlin Jan./März 1934.

Churbuck, Leander, amer. Maler, * 13. 2. 1861 Wareham, Mass., ansässig in Marblehead, Mass.

Stud. in Boston. Bilder u. a. in der Munic. Gall. in Washington. Gedächtnistafel Hall in der Schwed.-Luth. Kirche in Brockton, Mass.

Lit.: Fielding. — Amer. Art Annual, 30 (1933). — Who's Who in Amer. Art, I: 1936/37.

Church, Angelica Schuyler, amer. Bildhauerin, * 11. 4. 1878 Scarborough-on-Hudson, N. Y., ansässig in Ossining-on-Hudson, N. Y.

Schülerin von Alph. Mucha. Christusstatue in der Calvary Church, New York; Erinnerungstafel für Mark Twain an einem Haus in Hannibal; 4 Medaillons im State Mus. in New Orleans; Reitergruppe im New York City Police Department.

Lit.: Fielding. — Amer. Art Annual, 30 (1933). — Who's Who in Amer. Art, I: 1936/37.

Church, Frederic Edwin, amer. Maler, * 25. 10. 1876 Brooklyn, N. Y., ansässig in New York u. Millneck, L. I., N. Y.

Schüler von F. V. Du Mond u. J. H. Twachtman.

Lit.: Amer. Art Annual, 30 (1933). — Who's Who in Amer. Art, I: 1936/37.

Church, Katharina, engl. Bildnis- u. Landschaftsmalerin, * 4. 7. 1910 London, wohnhaft ebda u. in Rottingdean, Sussex.

Stud. an d. Kstsch. in Brighton u. an den Roy. Acad. Schools in London. Kollektiv-Ausst. 1928 in d. Gal. Alex. Reid & Lefevre in London, 1933 in d. Gal. Wertheim ebda.

Lit.: Who's Who in Art, ³ 1934. — Apollo (London), 18 (1933) 336; 28 (1938) 98.

Churchill, Francis Gorten, amer. Maler, Radierer u. Illustr., * 12. 2. 1876 New Orleans, La., ansässig ebda.

Schüler der Akad. in Cincinnati. Mappenwerk: Drawings of Old New Orleans.

Lit.: Fielding. — Amer. Art Annual, 20 (1923).

Churchill, Winston, engl. Staatsmann (z. Zt. Premierminister), Schriftst. u. Malerdilettant, * 30. 11. 1874, wohnhaft in London u. auf s. Landsitz Chartwell Manor in Westerham, Kent.

Malt in seinen Mußestunden Landschaften, Interieurs u. Stilleben, die er *Charles Marin* signiert; mehrere derselben wurden von der Roy. Acad. of Arts erworben, deren Mitgl. er ist. Stellte unter dem Pseudonym *Mr. Winter* 2 Landschaftsgemälde in der Roy. Acad. 1947 aus.

Lit.: Revue (Berlin), 27. 5. 1948, m. Abb. — Die Welt (Hamburg), 5. 6. 1948. — Frankfurter Illustrierte (Das Ill. Blatt), 29. Jg, Nr 37 v. 13. 9. 1941 p. 958, m. Abb. — The Studio, 111 (1936) 75 (Abb.). — The Artist, 37, August 1949, p. 137 (Abb.). — Welt (Hamburg), 10. 7. 1949 (W. Ch., Meine Erlebnisse mit d. Malpinsel). — Who's Who 1953.

Ciacelli, Elsa, schwed. Malerin, * 1876 Stockholm, ansässig ebda.

Stud. an der Akad. in Stockholm, in Paris, Deutschland, England u. Südeuropa. Straßenansichten. Stilleben. Eine Ansicht vom Montmartre im Institut Tessin in Paris. Weitere Bilder im Nat.-Mus. in Stockholm, im Staatl. Mus. in Kopenhagen u. im Mus. in Malmö.

Lit.: Thomœus.

Ciampaglia, Carlo, ital. Dekorationsmaler u. Mosaizist, * 8. 3. 1891, ansässig in New York.

Stud. an der Amer. Acad. in Rom. Mosaiken für das Fairmount Memorial in Newark, N. J.; Ziegeldekoration im Green Hill Farms Swimming Pool in Philadelphia, Pa.; Dekoration im Pi Kappa Alpha-Bruderschafthaus ebda.

Lit.: Fielding. — Who's Who in Amer. Art, I: 1936/37. — Architect. Record, 102 (1947) 114, 118. — Architectural Forum, 87 (1947) 97.

Ciampi, Alimondo, ital. Figurenbildhauer, * 1. 12. 1876 S. Mauro (Signa-Firenze), ansässig in Florenz.

Autodidakt. Arbeiten in den Gall. d'Arte Mod. in Rom (Die Ameise [Bronze]) u. Florenz (Männl. Kopf [Marmor]) u. in d. Gall. d'Arte Ital. in Lima, Peru (Graziella). Gefallenendenkmäler in Scandicci u. Rufina. Denkmäler im Cimitero delle Porte Sante in Florenz.

Lit.: Th.-B., 6 (1912). — Chi è?, 1940. — The Studio, 84 (1922) 73. — Emporium, 73 (1931) 56f., m. Abb.

Cian (eigentlich Ciancianaini), Fernando, ital. Bildhauer, * Carrara, ansässig in Paris.

Schüler von Laporte-Blairsy. Stellte 1907/28 im Salon der Soc. d. Art. Franç. aus (Katal. z. T. mit Abbn). Ehrenvolle Erwähnung 1921. Denkmal zur Erinnerung an die für Frankreich gefallenen ital. Soldaten auf dem ital. Friedhof in Soupir (1921).

Lit.: Bénézit, ² 2 (1949). — Chron. d. Arts, 1921, p. 130.

Cianfarani, Aristide Berto, ital. Maler, * 3. 8. 1895 Agnone, ansässig in Providence, R. I.

Schüler von Heintzelman, Tonnini u. Selva. Kriegsdenkmäler in Meriden, Conn., u. in Northborough, Mass.; Büste Edgar Allen Poe's in der John Hay Library, Brown Univ., Providence.

Lit.: Who's Who in Amer. Art, I: 1936/37. — Amer. Art Annual, 30 (1933).

Ciardi, Beppe, ital. Landschafts- u. Tiermaler, * 18. 3. 1875 Venedig, † 14. 6. 1932 Quinto di Treviso. Bruder der Emma.

Schüler s. Vaters, des Landschaftsmalers Guglielmo C. (1842–1917), u. — seit 1899 — E. Tito's an d. Akad. in Venedig. Impressionist u. Pleinairist. Einer der letzten bedeutenderen Vertreter der „Macchiaiuoli" in Venedig. Szenen mit Figuren- u. Tierstaffage aus Venedig u. der Terraferma, gemalt in einer geistvollen Fleckenmanier. — Bilder u. a. in den Gall. d'Arte Mod. in Venedig u. Rom (Abb. i. Kat. 1932), in d. Akad. S. Luca in Rom, in d. Gall. Marangoni in Udine, im Mus. Ricci-Oddi in Piacenza u. im Luxembourg-Mus. in Paris. Mitgl. d. Kstlergruppe „La Probitas". Gold. Med. auf d. Internat. München 1901, Silb. Med. auf d. Ausst. San Francisco, Calif., 1904.

Lit.: Th.-B., 6 (1912). — Comanducci, m. Abb. — Costantini, m. Abb. — „La Leonardo". Collano di volumetti sugli art. viv. ital., scritta ed ordinata da Momus, 2 (Ferrara 1922). — Annuario, Accad. di S. Luca Rom, 1909/11, p. 35, m. Abb. — D. Kunst, 25 (1912) 534 (Abb.), 538. — The Studio, 60 (1914) 183–92, m. Abbn; 66 (1916) 67. — Vita d'Arte, 13 (1914) 124 (Abb.), 125, 228 (2 Abbn). — Emporium, 39 (1914), Taf. geg. p. 256; 40 (1914) 368 (Abb.), 369; 68 (1928) 136, 149 (Abb.); 77 (1933) 54, m. Abb.; 93 (1941) 41 (Abb.), 42. — Dedalo, 12 (1932) 574. — Kst- u. Antiquit.-Rundsch., 41 (1933) 30 (Abb.). — Dipinti di B. C. esp. a Torino n. Gall. d'Arte P. Martina, Nov. 1936. Kat. m. Vorw. von G. Nicodemi, Mail. 1936. — Mostra postuma del pitt. B. C., ordinata nelle sale d. Bottega d'Arte Salvetti in Milano, Dez. 1938. Kat. m. Vorw. von G. Nicodemi, Mail. 1938.

Ciardi, Emma, ital. Landschaftsmalerin, * 13. 1. 1879 Venedig, ansässig ebda. Tochter des Guglielmo, Schwester des Beppe.

Schülerin ihres Vaters u. ihres Bruders, häufige Begleiterin des Letzteren auf seinen Studienfahrten. Mitgl. d. Kstlergruppe „La Probitas". — Ansichten aus dem Venedig des 18. Jh.s u. Parkansichten, staffiert mit galanter Gesellschaft in Rokokokostümierung. — Bilder u. a. in den Gall. d'Arte Mod. in Rom (Abb. im Kat. 1932) u. Venedig, in d. Gall. Marangoni in Udine, im Luxembourg-Mus. in Paris u. im Mus. in Toledo, Ohio, USA.

Lit.: Th.-B., 6 (1912). — Comanducci. — Bénézit, ² 2 (1949). — The Studio, 43 (1908) 127 (Abb.); 64 (1915) 236; 66 (1916) 67; 84 (1922) 72, 76; 97 (1929) 282 (Abb.). — Emporium, 37 (1913) 230/33, m. 5 Abbn; 38 (1913) 163/81, m. zahlr. Abbn u. Fotobildn. — Chron. d. Arts, 1914/19, p. 188. — Vita d'Arte, 13

(1914) 88, 89 (Abb.) 91. — Pagine d'Arte, 3 (1915) 53. — D. Kstwanderer, 1919/20, p. 339, m. Abb. — The Brooklyn Mus. Quarterly, 1922, April, p. 91/94, m. Abb. — The Art News, 23, Nr 2 v. 18. 10. 1924, p. 1; Nr 5 v. 8. 11. 1924, p. 3; Nr 31 v. 9. 5. 1925 p. 1; 24, Nr 3 v. 24. 10. 1925, p. 1, m. Abb.

Ciardiello, Carmine, ital. Landschafts- u. Marinemaler, * 31. 5. 1871 Neapel, ansässig ebda.

Schüler von Luigi Scorrano. 1903 in Paris.

Lit.: Giannelli. — Comanducci.

Ciardo, Vincenzo, ital. Maler, * 25. 10. 1894 Cagliano del Capo (Lecce), ansässig in Neapel.

Stud. zuerst in Urbino, folgte anfänglich naturalistischen Tendenzen, nahm später im Zuge einer tektonischen Erhärtung Einflüsse von Cézanne auf. Hauptsächl. Landschafter. Geht neuerdings Problemen der Perspektive u. atmosphär. Erscheinungen in einer feinen Tonmalerei nach. Silb. Med. auf der „Mostra marinara" Rom 1929. Koll.-Ausstellgn: röm. Quadriennali 1931, 35, 39, 43 u. 51/52; Gall. del Secolo, ebda 1946; 1. u. 3. Premio Bergamo 1939 u. 1941; Gall. Gianferrari, Mailand, Okt. 1941, Jan. 1942, Dez. 1950. Erhielt einen Preis auf der „Mostra del Paesaggio Albanese". Zeichenprofessor an der Berufsschule in Pozzuoli, dann am Liceo Artist. in Neapel. Mitglied des Direttorio Naz. del Sindacato B. Arti. Vertreten in der Gall. Naz. d'Arte Mod. in Rom.

Lit.: A. M. Comanducci, Diz. ill. dei pittori e incis. ital. Moderni, Mail. 1945, I. — Corriere di Napoli, 14. 4. 1950, m. Abb. — Domenica (Rom), 21. 10. 1945. — Dedalo, 10 (1929/30) 698 (Abb.). — Emporium 73 (1931) 125, m. Abb.; 95 (1942) 90. — Gazz. del Mezzogiorno, 26. 11. 1941, m. Abb. — Il Giornale (Neapel), 9. 12. 1950. — Libera Voce (Lecce), 16./31. 12. 1945. — Il Tempo (Mailand), 12./19. 4. 1947; 18. 9. 1949, m. Abb. — Roma della Domenica (Neapel), 29. 5. 1938, m. Abb. — Il Giornale d'Italia, 19. 2. 1939, m. Abb. — Il Mattino (Neapel), 9. 10. 1941, m. Abb.; 4. 1. 1942. — P. Bucarelli, La Gall. Naz. d'Arte Mod., Guida breve, Rom 1949; dies., ~, Itinerario, 1951. *P. B.*

Ciarrocchi, Arnoldo, ital. Radierer u. Maler, * 9. 12. 1916 Civitanova (Marken), ansässig in Rom.

Stud. am Ist. del Libro in Urbino, dann an der Calcografia dello Stato in Rom. Erhielt d. 3. Preis der Littoriali 1936 mit 3 Rad. f. d. 22. Gesang des „Inferno" der Göttlichen Komödie Dantes. Zeichnerischer Mitarbeiter des „Quadrivio" und „Primato". Kollektiv-Ausstellgn: Rom 1940 (Gall. del Tevere); Venedig (Gall. Cavallino), 1946 (Graphiken); Bologna (Gall. Cupola), 1946 (Gemälde); Calcografia Naz., Rom 1950. Illustrationen u. a. zu A. France, „La rosticceria della regina Piedoca"; Marino Moretti, „Novelle". Bilderfolge „Pesci" und Ansichten von Rom. Anfängl. beeinflußt von Bartolini und Morandi, auch beeindruckt durch die „Römische Schule" Scipione's und Mafai's und den Neo-Expressionismus. Lyrische Begabung. Hauptsächl. Landschaften und Figuren in Landschaft. Vertreten in d. Gall. Naz. d'Arte Mod. in Rom.

Lit.: Le Arti (Rom), Juni 1940. — Cronache Bolognesi, 30. 11. 1938, m. Abbn. — Domus, August 1940, Nr 3, m. Abb. — Emporium, 86 (1937) 447, m. Abb.; 92 (1940) 46; 93 (1941) 96; 103 (1946) 147, 198, 249, 305, 307, 308; 104 (1946) 90. — La Fiera Letteraria 3. 11. 1946; 25. 11. 1949. — Il Momento (Rom), 1. 4. 1950; 23. 11. 1950. — Pantheon, April –Mai 1950, m. Abb. — Ausstellgs-Kat.: Mostra personale di A. C. alla „Cupola" di Bologna, 1946; Mostra alla Gall. del Secolo, März 1947; Mostra d'inauguraz. d. Gall. d'Arte il Tevere, Rom 1940; Quadriennale, Rom 1951/52. — Palma Bucarelli, Espos. d'Arte contemp., Rom, Gall. Naz. d'Arte Mod., 1944 -45; dies., La Gall. Naz. d'Arte Mod., Guida breve, 1949; dies., ~ Itinerario, 1951.

Ciavarra, Pietro, amer. Bildhauer, * 29. 6. 1891 Philadelphia, Pa., ansässig ebda. Ital. Abkunft.

Schüler von Ch. Grafly, Gius. Donato u. Ch. T. Scott an der Pennsylv. Acad. of the F. Arts; weitergebildet bei Alfr. Bottiau in Paris.

Lit.: Fielding. — Who's Who in Amer. Art, I: 1936/37. — Amer. Art Annual, 30 (1933).

Ciboit, Germaine, franz. Figuren-, Bildnis-, Blumen- und Landschaftsmalerin, * Auxerre, ansässig in Paris.

Stellt seit 1932 bei den Indépendants u. im Salon d'Automne aus.

Lit.: Bénézit, [2] II (1949). — Beaux-Arts, 75e année Nr 227 v. 7. 5. 1937, p. 6.

Cibrario, Alberto, piemont. Genre- u. Interieurmaler, * 1877 Turin, ansässig ebda.

Stud. zuerst Medizin. Als Maler Autodidakt. Lehrer für Kunstanatomie an d. Accad. Albertina.

Lit.: Comanducci, m. Abb.

Cicurenco, rumän. Maler, * 1907 (?).

Lit.: Beaux-Arts, 75e année, Spezial-Nr Sept. 1937: L'Art Roumain à l'Expos. de 1937, p. 16.

Cielavs, Jānis, lett. Maler, * 1890 Riga, ansässig ebda.

Stud. an der Kstschule in Riga. Stellt seit 1920 aus. Bildnisse, Figürliches, Landschaften, Stilleben. Kollektiv-Ausst. Nov. 1930 in Riga. Beschickte 1939 die Ausst. Lett. Kunst in Paris. Ein Bild im Mus. in Riga. Lockere, an der zeitgenöss. Pariser Schule erzogene Malweise.

Lit.: Bénézit, [2] II (irrig: Cielava). — Tidskr. f. Konstvetenskap, 14 (1930) 105. — The Studio, 118 (1939) 33 (Abb.).

Ciesielski, Franz, dtsch. Maler u. Graph., * 8. 11. 1888 Hohendorf (Pommern), ansässig in Düsseldorf.

Stud. 1914/19 bei Ziegler in Posen, 1921/25 bei Spatz, Kiederich u. Nauen an der Düsseld. Akad.

Lit.: Dreßler.

Cieślewski, Tadeusz, *d. Ä.*, poln. Genre- u. Architekturmaler, * 20. 10. 1870 Warschau, ansässig ebda.

Schüler von Ad. Gerson in Warschau, dann von Aman-Jean u. Collin in Paris. 1900 in Rom. Aquarell (Warschauer Altstadt) im Bes. der Gesellsch. d. Bild. Kste in Warschau. — Sein gleichnam. Sohn, T. C. *d. J.*, * 17. 4. 1895 Warschau, ansässig ebda, ist Radierer u. Holzschneider (hauptsächl. Architekturansichten der Altstadt Warschau).

Lit.: Th.-B., 6 (1912). — Czy wiesz kto to jest?, 1938, m. Fotobildnis. — Aufbau, 6 (1950) 846 (Abb.). — The Studio, 107 (1934) 188 (Abb.); 112 (1936) 101 (ganzs. Abb.), 168 (Abb.). — The Print Coll.'s Quarterly, 22 (1935) 335. — Poln. Graphik, Ed. Stichnote, Potsdam 1948. — Kat.: Expos. internat. de grav. orig. sur bois, Warschau 1933, p. 62, m. Abb.; Ausst. Poln. Kst, Berlin, Pr. Akad. d. Kste, 1935, p. 45, 72f., m. Abb. — *Kopera.*

Cifariello, Filippo, ital. Bildhauer, * 3. 7. 1864 Molfetta (Bari), † 1936 Neapel.

Stud. in Rom, Paris, München, Berlin u. Wien. Prof. am Ist. di B. Arti in Neapel. Ehrenmitgl. der Akad. Wien, München, Neapel, Urbino u. Mailand. Naturalist. — Werke in öff. Besitz: Büste Arn. Böcklins (Gall. d'Arte mod. Rom); Büste Enrico Caruso's (Luxembourg-Mus. Paris); Dopo l'Orgia (Gal. Palermo); Ritorno da Piedigrotta (Pinak. Capodimonte); Ad majorem Dei gloriam (Mus. Barcelona); Ultimi fiori (Mus. Budapest); Dolore è vita (Gal. Düsseldorf); Primi palpiti (Gall. del Banco, Neapel). Denkmäler Gius. Mazzini u. Vito Fornari in Molfetta, Aurelio Saffi in Forlì, Gabriele Rossetti in Vasto. Denkm. für die Gefallenen von 1799 in Gioia del Colle.

Lit.: Th.-B., 6 (1912) (falsches Geburtsjahr). — Giannelli, m. Fotobildn. — Chi è?, 1936; 1940 Anh.: Chi fu?. — Costantini, m. Abb. — Bénézit, [2] 2 (1949). — Nuovo Giornale (Florenz) v. 27. 12. 1908; 5. 9. 1921.

Cigarini, Gaetano, ital. Bildhauer u. Maler, * 1883 Lecce, † 1947 Venedig.

Zuerst Holzschnitzer, dann in Venedig Schüler von De Lotto, u. Dal Zotto an der Akad., die er 1910 mit einer Pension absolvierte. Bekleidete ein Lehramt für figürliches Modellieren am Liceo artist. in Venedig. Beschickte die 11., 12., 13., 14. u. 17. Biennale in Venedig, 1927 die 93. Ausstellg der Soc. Amatori e Cultori di Belle Arti di Roma (Nachtfaltertanz). Stellte unter dem Pseudonym *Gianni Antonio* auch einige Gemälde aus, so 1928 ein Bildnis in der Biennale Venedig. Später bediente er sich des Pseudonyms *Irmo Nogari.* Seine Bilder wurden gezeigt in der retrospekt. Ausst. der Opera Bevilacqua La Masa in Venedig, 1950. — Bildhauerwerke: Kandelaber des Hochaltars in S. M. della Salute in Venedig; Markus-Löwe für den Hafen in Derna; „Der Verwundete" für die Casa Madre dei Mutilati in Rom.

Lit.: Gazzettino Sera (Venedig), 12. 4. 1950. — Gazz. di Venezia, 20. u. 21. 4. 1950. — C. Lotti, Presentaz. Mostra retrosp. Opera Bev. La Masa, Venedig 1950. — Kat. der Ausst.: Arte venez. promossa dall'Op. Card. Ferrari, Venedig, Dez. 1927/Januar 1928, m. Abb. *A. Gabrielli.*

Cihelka, Oldřich, tschech. Maler, * 29. 1. 1881 Prag, ansässig ebda.

Stud. 1897/1903 an der Prager Akad. (M. Pirner). Vorwiegend Aquarellist u. Illustrationszeichner.

Lit.: Dílo (Prag), 31 (1940/41) 141, m. Abbn. — Toman, I 128. *Blž.*

Cikovskij, Nikolai, russ. Maler u. Lithogr., * 10. 12. 1894 Pinsk, ansässig in New York.

Schüler von Faworski u. I. Maschkoff in Moskau. Anfänglich hauptsächl. Landschaften, Blumenstücke u. Stilleben (Öl u. Aquar.), später Figürliches, bes. sozial gefärbte Szenen aus dem Leben der Dockarbeiter. Im Art Mus. in Worcester, Mass.: Mädchen vor dem Spiegel; im Mus. in Toledo, Ohio: Stilleben (Aquar.). Weitere Bilder im Art Inst. in Chicago u. in d. Pennsylv. Acad. of the F. Arts in Philadelphia.

Lit.: Mellquist. — Who's Who in Amer. Art, I: 1936/37. — Amer. Art Annual, 30 (1933). — The Studio, 113 (1937) 83 (Abb.). — Bull. of the Cleveland Mus. of Art, 18 (1931) 118 (Abb.). — Museum News. The Toledo Mus. of Art, Nr 84, Dez. 1938, m. Abb. — Bull. of the Worcester Art Mus., 24, Nr 3, Herbst 1933, p. 56 (Abb.), 58. — Art Index (New York), Okt. 1941/Okt. 1952. — Monro.

Číla, Bohumír, tschech. Maler, * 16. 5. 1885 Nová Paka, ansässig in Prag. Bruder des Folg.

Stud. an d. Kstgewerbesch. u. Akad. in Prag. Hauptsächlich Restaurator alter Gem. u. Fresken.

Lit.: Toman, I 149. *Blž.*

Číla, Otakar, tschech. Maler, * 10. 3. 1894 Nová Paka, Bruder des Vor.

Stud. an d. Prager Akad., während des 1. Weltkrieges in Rußland (Sibirien) auch als Maler tätig. Figürliches, Bildnisse.

Lit.: P. Dějev, Výtvarníci-legionáři, Prag 1937, p. 90f. — Toman, I 149. *Blž.*

Ciletti, Nicola, ital. Genre- u. Landschaftsmaler, * 9. 3. 1885 S. Giorgio la Molara (Benevent), ansässig in Neapel.

Autodidakt. Bilder im Pal. Prov. in Benevent, in der Reggia in Capodimonte u. in d. Städt. Smlg in Neapel.

Lit.: Comanducci. — Chi è?, 1940.

Cilio-Jensen, Anton, dtsch. Porträtmaler, ansässig in Dresden.

Stellte seit 1911 in Leipzig (Jahresausst.), Berlin (Gr. Kstausst.) u. Dresden (Kstlervereinig.) aus.

Lit.: D. Kst, 33 (1915/16) 481 (Abb.); 41 (1919/20) 50, 54 (Abb.).

Cim, Géo, franz. Bildnis-, Genre- u. Sportmaler, * 16. 10. 1885 Saint-Germain-les-Lure (Haute-Saône), ansässig in Paris.

Schüler von Cléo Wanesco u. der Acad. Julian.

Lit.: Joseph, I.

Cimière, Reine, franz. Malerin u. Graphikerin, * Lyon.

Stellt seit 1932 bei den Indépendants, im Salon des Tuileries u. im Salon d'Automne in Paris aus. Akte, Landschaften, Stilleben.

Lit.: Bénézit, [2] II (1949). — Beaux-Arts, 75e année Nr 270 v. 4. 3. 1938, p. 8 (Abb.); Nr 283 v. 3. 6. 1938, p. 11 (Abb.).

Cimino, Harry, amer. Holzschneider, * 24. 1. 1898 Marion, Ind., ansässig in Falls Village, Conn.

Stud. am Art Inst. in Chicago u. an der Art Student's League in New York. Illustr. u. a. zu: „Gifts of Fortune" von Tomlinson; „Sutter's Gold" von Cendrars; „The King's Henchman" von Millay; „The Temptation of Saint Anthony" von Gust. Flaubert (Harper).

Lit.: Who's Who in Amer. Art, I: 1936/37. — Mallett.

Cimiotti, Emil, dtsch. Bildhauer, * 1927 Göttingen, ansässig in Stuttgart.

Stud. an der Stuttg. Akad. Abstrakter Kstler.

Lit.: D. Kstwerk, 4 (1950) H. 8/9 p. 88, m. Abb.

Cimiotti, Gustave, amer. Landschaftsmaler, * 10. 11. 1875 New York, ansässig ebda.

Schüler von Mowbray, Cox, J. Alden Weir u. Rob. Blum in New York, dann von B. Constant in Paris. Bild im Mus. in Newark, N. J.

Lit.: Fielding. — Amer. Art Annual, 30 (1933). — Who's Who in Amer. Art, I: 1936/37. — The Studio, 93 (1927) 68, m. Abb. — Monro.

Cingolani, Giovanni, ital. Maler u. Freskant, * 22. 1. 1859 Montecassiano (Macerata), † 23. 4. 1932 Santa Fé (Argentinien).

Schüler von A. Jachini, dann von Morelli u. Baldini an d. Akad. in Perugia. Machte sich in Rom ansässig, wanderte 1909 nach Argentinien aus. 3 Heiligenbilder für eine Kirche in Maenza. Weitere Bilder für Santa Maria in Carpineto in Rom; Kuppelmalereien in einer Kapelle in den vatikan. Gärten. In einer Kapelle des Friedhofes in Montecassiano: Almosenverteilung des hl. Laurentius; in d. Kirche San Biagio in Pollenza: Fresken.

Lit.: Comanducci, m. Abb. (Selbstbildn.).

Cingria, Alexandre, schweiz. Maler, Entwurfzeichner für Glasmalerei u. Mosaik, Illustr. u. Kstschriftst., * 22. 3. 1879 Genf, ansässig ebda.

Väterlicherseits Dalmatiner, mütterlicherseits Pole (Sohn d. Malerin Caroline C, geb. Stryienska [1846–1913]). Stud. in Genf bei M. Baud, H. Bovy, P.

Bignolat, dann in München bei H. Neumann. Studienaufenthalte in Paris u. Konstantinopel. 6 Jahre in Italien. Ansässig in Rolle, Kt. Waadt, dann in Locarno u. Genf. Pflegt hauptsächl. das religiöse Fach. Leidenschaftlich bewegter, barockisierender Stil. — Im Mus. Rath in Genf: Toskan. Landschaft; im Mus. d'Art et d'Hist. ebda: Giulia d'Arezzo. Farbige Glasfenster u. a. in d. kath. Hauptkirche Notre-Dame in Genf, in St-François in Lausanne, in Rolle, in d. Kapuzinerklosterk. in Saint-Maurice, in Rennes u. in Carouge. Mosaik-Altarbild in d. kath. Kirche St-Pierre in Freiburg/Schw. Wandmalereien in dem kath. Kirchlein in Paudex, Kt. Waadt, und in der Kirche in Finhaut, Kt. Wallis. — Entwürfe zu Figurinen für das Théâtre du Jovat in Mézières. — Buchwerk: La Décadence de l'Art sacré, Lausanne 1917 (Dtsche Übersetzg: Der Verfall d. kirchl. Kst, Augsbg 1927). Autobiogr.: Souvenirs d'un peintre ambulant, Lausanne 1933. — Illustr. zu: Baud-Bovy, Ste-Chagrin Mystère pour Marionettes, Lausanne 1918; Bouvier, S. B.: L'Apologie des Jeunes, Lausanne 1915.

Lit.: Th.-B., 6 (1912). — Brun, 4. — Schweiz. Zeitgen.-Lex., 1932. — Jenny. — L'Amour de l'Art, 1928, p. 121/31, m. Abbn; 1930, p. 355 (Abb.), 405/07 (Abbn). — L'Art vivant, 1937, p. 171, m. Abb. — Pages d'Art, 1926, p. 25/30. — D. Schweiz, 1909, p. 393. — D. Werk (Zürich), 2 (1915) 112, 117 (Abb.); 22 (1935) 140, m. Abb.; 28 (1941) 28 (Abb.); 31 (1944) 74f., H. 6, Chronik p. XIV, XXI, H. 7, p. IX. — D. Ksthaus, 1916, p. 2. — Jahresber. 1916 Mus. Genf, p. 12. — Heimatschutz, 1917, p. 151, m. Abb. — Das Graph. Kabinett (Winterthur), 8 (1923) 44. — D. Kstwanderer, 1925/26 p. 461f. — Jahrb. f. Kst u. Kstpflege in d. Schweiz, IV: 1925/27, 1928, p. 240f. — Maandbl. v. beeld. Kunsten, 4 (1927) 316. — D. Christl. Kst, 24 (1927/28) 131 (Abb.), 133, 138f. (Abb.), 140, 144, 150, 152. — D. Kst in d. Schweiz, 1930, Beil.: Umschau, Okt.-H. — D. Werk (Zürich), 28 (1941) 28 (Abb.). — Kat. Expos. A. C. Œuvres, Genf 1934.

Cini, Guglielmo, ital.-amer. Zeichner, * 3. 2. 1903 Florenz, ansässig in Boston (Mass.).

Lit.: Amer. Art Annual, 27 (1930) 516.

Cinotti, Guido, ital. Landschafts-, Tier- u. Blumenmaler, * 29. 12. 1870 Siena, † 17. 1. 1932 Mailand.

Stud. an d. Akad. in Mailand.

Lit.: Th.-B., 6 (1912). — Comanducci. — Emporium, 80 (1934) 322f., m. Abb.

Cinti, Italo, ital. Maler, Zeichner u. Kunstschriftst., * 3. 5. 1898 Copparo (Ferrara), ansässig in Bologna.

Stud. zuerst Architektur an der Akad. in Bologna, dann Malerei u. Bühnenbildnerei bei D. Ferri u. G. Pontoni ebda. Leiter der Kunstzeitschr. „Sodalizio" (Bologna). Folgt als Maler einer mystisch-surrealist. Richtung. Erhielt 2 Prämien Bevilacqua der Akad. Bologna für Zeichnung. Kollektiv-Ausst. 1949 in Rom, Mailand, Florenz, Bologna, 1950 in Triest. Bilder in den Gall. d'arte mod. in Bologna (Der schwarze Felsen; Schäferin) u. Piacenza (Triptychon: Pfad des Lichtes).

Lit.: Il Messaggero (Rom), v. 5. 5. 1931. — L'Araldo dell'Arte (Mail.), v. 20. 10. 1947. — Il Giornale d. Artisti (Mail.), 1949. — La Nazione Ital. (Florenz), v. 3. 5. 1949. — Il Progresso (Bologna), v 27. 5. 1949. — Giornale dell'Emilia (Bologna), v. 30. 5. 1949. — Giorn. di Trieste, v. 1. 7. 1950. *L. Servolini.*

Ciolina, Giov. Batt., ital. Landschafts- u. Genremaler, * 1870 Toceno, Val Vigezzo.

Schüler von Enrico Cavalli.

Lit.: Comanducci.

Ciolina, Tonio, schweiz. Maler, * 1898 Bern, ansässig ebda.

Stellte 1922/26 im Salon d'Automne u. bei den Indépendants in Paris aus. Auf der Ausst.: 450 Jahre bern. Kunst, im Kstmus. Bern. 1941 zeigte er ein Interieur mit Paar (Katal. p. 82).

Lit.: Bénézit, [2] II (1949).

Ciolkowski, H. S., franz. Figuren- (bes. Akt-) Maler u. Illustr., * Paris, ansässig ebda.

Stellt seit 1907 bei den Indépendants, seit 1910 im Salon d'Automne aus.

Lit.: Joseph, 1. — Bénézit, [2] 2 (1949). — Chron. d. Arts, 1914–17, p. 75.

Cipollini, Benedict, ital. Bildhauer u. Medailleur, * 12. 1. 1889 Carrara, ansässig in Sommerville, Mass.

Schüler von Leio Gangeri u. Aless. Pollina in Carrara. Bildnisbüsten, Allegorisches.

Lit.: Who's Who in Amer. Art, I: 1936/37. — Amer. Art Annual, 30 (1933).

Cipra, Jean Camille, Maler tschech. Herkunft, * 16. 4. 1893 Pilsen, ansässig in Paris.

Stud. in Prag. Bildnisse, Landschaften, Marinen, Tierbilder. Stellte seit 1925 bei den Indépendants, 1928 in den Gal. Berri u. La Boëtie in Paris aus.

Lit.: Joseph, I. — Toman, I 128. *Blž.*

Cirino, Antonio, ital. Zeichner, Kstgewerbler u. Maler, * 23. 3. 1889 Serino, ansässig in Providence, R. I., USA.

Schüler von Arthur Dow.

Lit.: Who's Who in Amer. Art, I: 1936/37. — Amer. Art Annual, 30 (1933).

Cirulis, Aleksandr, lett. Landschaftsmaler, * 5. 5. 1886 Bērzmuiža.

Schüler von Valter. Schloß 1914 seine Ausbildung am Polytechnik. in Riga ab. 1914/21 in Omsk. Stellte dort 1919 mit K. Baltgaili u. and. lett. Malern kollektiv aus.

Lit.: Latviešu Konvers. Vārdnīca, 2 (Riga 1928 –29).

Cirulis, Ansis, lett. Maler (Öl u. Aquar.), Graph., Entwurfzeichner für Möbel u. Textilien u. Keramiker, * 25. 2. 1883 Majorenhof, ansässig in Mitau.

Stud. an der Malschule Blum u. im Atelier Maderniek in Riga, dann an der Stieglitz-Malschule in Petersburg (Leningrad). Weitergebildet an der Acad. Julian in Paris u. an der Ec. d. B.-Arts ebda. Figürl. Wandmalereien (Fresken) für das Kinderkrankenhaus in Oger u. die Techn. Schule u. Kommerzbank in Mitau (1922). Stand zuerst unter deutsch. Einfluß, später Anknüpfung an die lett. Volkskunst.

Lit.: Latviešu Konvers. Vārdnīca, 2 (Riga 1928 –29), m. farb. Tafel (weibl. Akt) u. Fotobildn. — Tidskrift f. Kstvetenskap. 14 (1930) 107, Taf. 43.

Cisari, Giulio, ital. Maler, Rad., Holzschneider u. Buchillustr., * 7. 5. 1892 Como, ansässig in Mailand.

Schüler von Tallone u. Ad. De Carolis. Bild (Szenen aus dem ital.-öst. Krieg) in d. Gall. d'Arte Mod. in Mailand. In seinen Graphiken hauptsächlich Industriewerke, Schiffswerfte usw. behandelnd. Graph. Hauptblätter: Schiffstransporte (Rad.); Lombard. Mädchen (Holzschn.). Buchwerk: La Xilografia, Mail. 1926. — Seine Gattin Nella, geb. *Massione*, * 29. 6.? Bergamo, Malerin, vertreten in d. Gall d'Arte Mod. in Mailand.

Lit.: Comanducci, m. Abb. — Chi è?, 1940. — The Connoisseur, 76 (1926) 264. — The Studio, 92

(1926) 216, m. Abb.; 107 (1934) 55 (Abb.). — Emporium, 79 (1934) 379 (Abb.). — Kunst og Kultur, 1937, p. 206 (Abb.).

Cissarz, Johann Vinzenz, dtsch. Maler, Graph., Entwurfzeichner für Glasmalerei u. Kstgewerbe, Innenarchitekt u. Buchkünstler (Prof.), * 22. 1. 1873 Danzig, † 23. 12. 1942 Frankfurt a. M.

Schüler von Pohle u. Freye an der Dresdner Akad., dann Meisterschüler von Pauwels. 1903 nach Darmstadt, 1906 nach Stuttgart berufen mit Lehrauftrag für Buchausstattung an den Lehr- u. Versuchswerkstätten. Seit 1916 Leiter der Meisterklasse für Malerei an d. Kstgewerbesch. in Frankfurt. Als Maler hauptsächlich Wanddekorator: Malereien in der Ratsherrentrinkstube des Stuttgarter Rathauses, im dort. Hoftheater, auf Gut Dippelshof b. Darmstadt, in d. Nassauischen Landesbank in Wiesbaden, in d. Erlöserkirche in Offenbach u. in St. Marien in Königstein i. T. Glasgemälde u. a. im Georg-Speyer-Haus in Frankfurt, in d. Kirche in Großzimmern im Odenwald u. in d. Jakobskirche in Stralsund. Illustr. u. a. zur Odyssee. Gebrauchsgraphik: Ehrenurkunden, Plakate, Bucheinbände u. -illustrationen. Entwürfe für Möbel u. Inneneinrichtungen (Haus Klingspor in Offenbach). Wiederholt ausgezeichnet, u. a. Gr. Preis auf d. Bugra Leipzig 1914, Gold. Med. auf d. Weltausst. St. Louis 1914. Koll.-Ausst. im Frankf. Kstverein 1939.

Lit.: Th.-B., 7 (1912). — Dreßler. — Loubier, 1921, p. 20, 29f. — Zur Westen, p. 70f., m. Abbn, 151. — Antiquitäten-Rundschau, 21 (1923) 41. — D. Bild, 9 (1939) p. 88/90, m. Abb., 286/87, m. Abbn. — Gebrauchsgraphik, 1 (1924/25) H. 2, p. 54f. (Abbn); 2 (1925/26) H. 6, p. 24f. — D. Kunst, 28 (1912/13) 513–28, m. Abbn); 33 (1915/16) 445/60, m. Abbn u. farb. Taf. — Kstgewerbeblatt, N. F. 25 (1914) 163, 178 (Abb.). — Kstrundschau, 51 (1943) 15. — Westermanns Monatsh., 153 (1932/33) 429/36; 164 (1938) 514, 515 (Abb.). — Velhagen & Klasings Monatsh., 31/II (1917) 347/60, m. Abb. — Niederdtsche Welt, 8 (1933) Abb. geg. p. 107. — D. Plakat, 8 (1917) 165ff. (Abbn), 171ff., m. Abbn. — D. Weltkst, 17 Nr 7/8 v. 14. 2. 1943, p. 6. — Architekt. Rundschau, 29 (1913) 192 (farb. Taf.).

Cisterna, Eugenio, ital. Maler, † Herbst 1933 Rom.

Pflegte ausschließlich die relig. Kunst.

Lit.: Th.-B., 6 (1912). — Beaux-Arts, année 72 (1933) Nr 40 p. 6 (3. Spalte).

Citroen, Paul, holl. Maler u. Graph., * 15. 12. 1896 Berlin (von holl. Eltern), ansässig in Amsterdam.

Stud. an der Ksthochsch. Berlin u. am Bauhaus in Weimar unter Klee u. Kandinsky. Hauptsächlich Porträtist (bes. Zeichner).

Lit.: Waay. — Waller. — P. C. Schetsboek voor vrienden, 's-Gravenh. 1947 (m. 47 Abbn). Bespr. in: die Constghesellen, 2 (1947) 91f., m. Abb.; 3 (1948) 470f., m. 3 Abbn. — Kstblatt, 7 (1923) 331 (Abb.); 11 (1927) 279ff., m. Abbn. — Maandbl. v. beeld. Kunsten, 11 (1934) 188, m. Abb.; 23 (1947) 142, 144, m. Abb. — Phoenix (Basel), 2 (1947) 50, m. Abb. — De Vrijdagavond (A'dam), 8/I (1930/31) 134/37, m. Abbn.

Citron, Minna, amer. Malerin, * 15. 10. 1896 Newark, N. J., ansässig in Brooklyn, N. Y.

Schülerin von Kenneth Hayes Miller, John Sloan u. K. Nicolaides. Bild im Mus. in Newark, N. J. Kollektiv-Ausst. April 1943 in der Midtown Gall. in New York.

Lit.: Who's Who in Amer. Art, I: 1936/37. — Amer. Art Annual, 30 (1933). — Brooklyn Mus. Quarterly, 23 (1936) 85 (Abb.). — The Print Coll.'s Quarterly, 25 (1938) 114 (Abb.). — Art Digest, 17 Nr v. 1. 4. 1943, p. 19; Juli 1943, p. 16; 22, Nr v. 1. 10. 1947, p. 19; 24, Nr v. 1. 5. 1950, p. 18. — Art News, 42, Nr v. 15. 4. 1943, p. 27; 46, Sept. 47 p. 39 (Abb.); Okt. 47, p. 45; 49, Mai 50, p. 51. — Monro.

Cittadini, Tito, argent. Landschaftsmaler, ansässig in Puerto de Pollensa auf Majorka.

Lit.: Kat. d. Internat. Exhib. of Paint. Carnegie Inst. Pittsburgh, 1924ff.

Ciucurencu, Alexandru, rumän. Maler, * 1903 Tulcea, ansässig in Bukarest.

Stud. an der Kstschule in Bukarest. Ein Jahr in Paris. Im Mus. Toma Stelian in Bukarest: Frauenakt u. Stilleben (Kat. 1939).

Ciupe, Aurel, rumän. Maler, * 1900.

Lit.: Petranu, p. 54, 55.

Čiurlionis, Mykolas Konstantas, litauischer Maler u. Musiker, * 10. 9. 1875 Varena, † 28. 11. 1911 Czerwony Dwor bei Warschau.

Anfängl. in der Musik ausgebildet; ging 30jährig zur Malerei über, in der er Autodidakt ist. Sein Ziel ist eine Kombinierung von Malerei u. Musik, wobei er aber nicht Musikalität der Farbe, sondern solche der Konstruktion anstrebt. Vorliebe für kühle, bes. silbergraue Töne. Seine nach Analogie einer Symphonischen Komposition aufgebauten Bilder („Meeressonate", „Frühlingssonate", „Pyramidensonate", „Schöpfung der Welt", usw.) tragen rein abstrakten Charakter u. zielen hauptsächl. auf eine Übermittlung symbolischer Bewegungs- u. Ausdruckswerte.

Lit.: W. Iwanoff, Č. u. das Problem der Synthese der Kste, Moskau 1916 (russ.). — Nik. Worobiow, M. K. Č., der litauische Maler u. Musiker, Kaunas [Kowno] u. Leipzig 1938. Bespr. in: The Art Bull. (Chicago), 21 (1939) 206f. — D. Kunstwerk, 1 (1946–47), H. 8/9 p. 46/48, m. 3 Abbn; 4 (1949/50) H. 8/9 p. 34f., m. Abbn bis p. 37 u. Fotobildn., 97.

Ciusa, Francesco, sard. Bildhauer, * 2. 7. 1884 Nuoro, ansässig ebda.

In d. Gall. d'Arte Mod. in Rom eine durch ihren extremen Realismus auf der Internationale in Venedig 1907 Aufsehen erregende Gipsfigur: Die Mutter des Ermordeten (Abb. im Kat. 1932).

Lit.: Michel, VIII 665. — Boll. d'Arte, I (1907) H. 10, p. 23 (Abb.), 25. — Kstchronik, N. F. 19 (1908) 67.

Civis, Sergejs (Pseudonym), lett. Karikaturenzeichner, * 22. 6. 1895 Dāngavpilī.

Lit.: Latviešu Konvers. Vārdnīca, 2 (Riga 1928–29), m. Abb. u. Fotobildn.

Civkin, Victor, amer. Architekt u. Raumkünstler, * 1898, ansässig in Fairfield, Conn.

Lit.: Architect. Forum, 75 (1941) 314/16; 76 (1942) 187; 77 (1942) 122f.; 83 (1945) 106. — Architect. Record, 98 (1945) 131f. — D. Kst u. d. schöne Heim, 49 (1951) 342f., m. 5 Abbn; 50 (1952) 180ff., m. Abbn.

Cizaletti, Emilie, s. *Gosselin-Cizaletti,* E.

Cižek, Franz, tschech. Maler u. Entwurfzeichner für Kunstgewerbe, * 12. 6. 1865 Leitmeritz, † 30. 12. 1946 Wien.

Schüler von Rumpler u. Trenkwald an der Wiener Akad. Eröffnete 1897 eine Jugend-Kunstschule in Wien für Kinder im Alter von 3–14 Jahren. Seit 1906 Prof. an der Kunststickereischule in Wien, seit 1908 Inspektor für den Zeichenunterricht an den staatl. gewerbl. Lehranstalten Österreichs.

Lit.: Th.-B., 6 (1912). — Dreßler. — Kst u. (Ksthandwerk (Wien), 15 (1912) 331, 397. — „sie" Berlin), 3. 4. 1947.

Cladders, Johannes, dtsch. Maler u. Glasmaler, * 1. 12. 1881 Krefeld, ansässig ebda.
Koll.-Ausst. (Hinterglasbilder) 1951 in Krefeld.
Lit.: Die Heimat (Krefeld), 19 (1940) 292/96, m. 11 Abbn.

Cladel, Marius, franz. Bildhauer, * 15. 4. 1883 Sèvres, † Jan. 1948 Paris.
Schüler von Raoul Verlet u. Bourdelle. Mitgl. der Soc. Nat. d. B.-Arts u. des Salon des Tuileries. Hauptsächlich Bildnisbüsten. Denkmal Sully Prudhomme in Lyon; Denkm. Berthou in Jonchery (Marne). Im Pariser Luxembourg-Garten ein Denkmal s. Vaters, des Romanciers Léon C.
Lit.: Th.-B., 7 (1912). — Joseph, 1. — Bull. de l'Art, 1926, p. 148. — La Renaiss. de l'Art franç., 10 (1927) 299, m. 2 Abbn; 12 (1929) 314, m. Abb. — Bénézit, [2] 2 (1949).

Claes-Thobois, A., belg. Stillebenmaler, * 1883 Brüssel.
Lit.: Seyn, I.

Claessens, Frans, belg. Bildhauer, ansässig in Antwerpen.
Beschickte die Ausst. der Vereinig. „L'Art Contemporain", so 1928 mit einem schönen Frauentorso.
Lit.: La Revue d'Art (Antwerp.), 29 (1928) Abb. geg. p. 21, 23.

Claessens, Jan, belg. Landschaftsmaler, Holzschneider u. Rad., * 14. 11. 1879 Antwerpen, ansässig ebda.
Lit.: Th.-B., 7 (1912). — Seyn, I. — Bénézit, [2] II.

Claësson, Clara, schwed. Bildnis- u. Landschaftsmalerin, * 1875 Norrköping, ansässig in Åsvittinge.
Stud. bei Wilhelmson u. in Paris.
Lit.: Thomœus.

Claësson, Ralph, schwed. Figuren- u. Landschaftsmaler, * 1905 Göteborg, ansässig ebda.
Stud. an der Akad. in Stockholm u. an der Malsch. Valand in Göteborg. Bereiste Frankreich u. Österr.-Ungarn. Bilder im Mus. in Norrköping u. in der Smlg des Prinzen Eugen von Schweden (†).
Lit.: Thomœus.

Claeys, Albert, belg. Landsch.- u. Bildnismaler, * 1889 Eeke (Ostflandern).
Schüler der Genter Akad.
Lit.: Seyn, I. — Kunst (Gent), 1930, p. 48/50, m. 4 Abbn. — Gand Artist., 1927 p. 131/38, m. 3 Abbn.

Claire, Auguste Jean, franz. Landschaftsmaler, * Paris, ansässig ebda.
Mitgl. der Soc. d. Art. Franç., beschickt deren Salon seit 1911. Gold. Med. 1935.
Lit.: Bénézit, [2] II (1949).

Clairefont, Michèle, franz. Landschaftsmalerin, * Niort (Deux-Sèvres), lebt in Paris.
Stellt seit 1938 im Salon d'Automne aus.
Lit.: Bénézit, [2] II (1949). — Beaux-Arts, 75e année Nr 306 v. 11. 11. 1938, p. 3 (Abb.).

Clairet, Félix, franz. Lithogr. u. Maler, * 5. 7. 1875 Mérinchal (Creuse), ansässig in Paris.
Schüler von Voisin, Truphème u. Roll. Mitgl. der Soc. d. Art. Franç. Stellte auch im Salon d'Automne aus.
Lit.: Th.-B., 7 (1912). — Joseph, 1. — Bénézit, [2] 2 (1949).

Clairet-Mouillac, Claire, franz. Akt-, Blumen- u. Landschaftsmalerin, * 5. 6. 1905 Charols (Drôme).
Stellte 1928/39 im Salon d'Automne u. im Salon des Tuileries aus.
Lit.: Bénézit, [2] II (1949).

Clairin, Pierre Eugène, franz. Maler u. Lithogr., * 14. 3. 1897 Cambrai (Nord), ansässig in Paris.
Schüler von P. Séruzier. Stellt im Salon d'Automne, im Salon des Tuileries u. bei den Indépendants aus. Bildnisse, Figürliches (bes. Akte), Landschaften, Stilleben. Illustr. zu der Gedichtsammlung von Philipp Chabaneix „A l'Amour et à l'Amitié" (Edit. Mourtot).
Lit.: Joseph, 1. — Beaux-Arts, 2 (1924) 335; Nr 252 v. 29. 10. 1937 p. 8 (Abb.); Nr 273 v. 25. 3. 1938, p. 3 (Abb.); Nr 306 v. 11. 11. 1938 p. 3 (Abb.); Nr 321 v. 24. 2. 1939, p. 4 (Abb.); Nr 337 v. 16. 6. 1939, p. 3, m. Abb.; Nr v. 21. 5. 1948 p. 5. — L'Art et les Art., N. S. 16, recte 17 (1928) 249. — Art et Décor., 1928/II 59 (Abb.). — Maandbl. v. Beeld. Kunsten, 5 (1928) 223. — L'Amour de l'Art, 1928, p. 97/101, m. Abb.; 11 (1930) 62 (Abb.), 117 (Abb.), 514 (Abb.); 12 (1931) 509; 1935, p. 373ff. passim, m. Abb. — Formes et Couleurs (Lausanne), 10 (1948) Nr 5/6, p. [47], Abb.

Clamens, Henri, franz. Landschafts-, Figuren- u. Bildnismaler, * 2. 2. 1905 Nîmes (Gard), † 2. 11. 1937 im Sanatorium Les Escaldes, Ostpyrenäen.
Schüler von Ern. Laurent. Mitgl. der Soc. d. Art. Franç. Bereiste Algier u. Marokko.
Lit.: Joseph, 1. — Beaux-Arts, Nr 329 v. 21. 4. 1939, p. 1f., m. 3 Abbn.

Clamorgan, Pierre, franz. Maler u. Kunstgelehrter, * 1882, † 1923 Paris.
Conservateur-Adjoint des Musée Jacquemart-André in Paris. Bildete sich bes. durch das Studium der alten Meister. Gedächtn.-Ausst. März 1924 bei Allard.
Lit.: Bull. de l'Art anc. et mod., 1924, p. 71f., m. Fotobildn. — Beaux-Arts, 2 (1924) 63.

Clapp, Elizabeth Anna, engl. Bildhauerin, * 1885 Reading, ansässig in Shepherds Bush (London).
Stud. am Polytechnikum in Brighton.
Lit.: Who's Who in Art, [3] 1934.

Clapp, William Henry, kanad. Maler u. Rad., * Montreal, Can., lebt in Oakland, Calif.
Schüler von J. P. Laurens an d. Acad. Julian in Paris. Direktor der Oakland Munic. Art Gall. Vertreten u. a. in der Canadian Nat. Gall. in Montreal u. in d. Art Gall. in Oakland.
Lit.: Amer. Art Annual, 30 (1933). — Fielding. — Who's Who in Amer. Art, I: 1936/37. — The Studio, 70 (1917) 36.

Clapperton, Thomas John, schott. Bildhauer, * 14. 9. 1879 Galashiels, Selkirkshire, ansässig in London.
Stud. an d. Kunstsch. in Glasgow u. an den Roy. Acad. Schools in London. 1905 Gold. Med. — Statue des Bischofs Morgan, City Hall in Cardiff; Reiterstatue (Kriegerdenkmal) in Galashiels; Grabender, Nat.-Mus. in Wales; Sklavenmädchen, Mungo-Park in Selkirk. Eine Herrenbüste in d. Scott. Nat. Portr. Gall in Edinburgh.
Lit.: Who's Who in Art, [3] 1934. — The Studio, 30 (1904) 116 (Abb.); 67 (1916) 22 (Abb.), 24f., m. Abb.; 68 (1916) 178; 93 (1927) 194, 196 (Abb.).

Clar, Johann (Hans), dtsch. Maler, * 6. 4. 1893 Herrnskretschen, ansässig in Dresden.
Schüler von Schindler, Zwintscher u. Rob. Sterl an der Dresdner Akad. Bildnisse, Tierbilder, Landschaften, Stilleben.

Clará Ayats, José, katal. Bildhauer, * 16. 12. 1878 Olot, Prov. Gerona, ansässig in Barcelona. Bruder des Folg.
Schüler von A. Rodin u. M. Blay y Fábregas in Paris, dann von E. Barrias an der Ec. d. B.-Arts ebda. 1905 in London u. Italien. Bis 1910 in Paris. Erhielt 1911 in Barcelona den grand prix. Seit 1925 Mitgl. der Acad. de B. Artes. — Figürliches (bes. Akte), Bildnisbüsten, Ausdrucks- u. Studienköpfe. Arbeiten im Mus. in Gerona (Gruppe: Simon de Montfort an der Leiche Don Pedro's II. v. Aragonien; Weibl. Akt „Ekstasis" u. Jesuitenstatue), im Mus. in Barcelona (weibl. Akt „Tormento"), im Mus. in Santiago de Chile (weibl. Akt „Crépuscule"), im Musée du Jeu de Paume in Paris (weibl. Torso) u. im Luxembourg-Mus. ebda (Tänzerin). Steinstatue der „Fruchtbarkeit" auf der Plaza Grande in Barcelona. Folge von Zeichngn mit Tanzfiguren der Isidora Duncan: 72 planches par J. C., avec une présentation de G. A. Denis, Paris 1929.
Lit.: Th.-B., 7 (1912). — R. Jori, J. C. (Art. catalans contemp.), Barcelona 1922, m. 29 Taf. — Francés, 1918 p. 277/81, m. 2 Abbn; 1919 p. 143 (Abb.), 171, 187 (Abb.); 1920 p. 232 (Abb.), 234f. (Abbn), 239/45; 1921 p. 27f., Taf. 8; 1925/26 p. 207f., Taf. 42/44. — Joseph, I, m. 3 Abbn. — Bénézit, [2] 2 (1949). — Museum (Barcelona), 6 (1918/25) 151 (Abb.). — L'Amour de l'Art, 1927 p. 295/99, m. 7 Abbn. — Revue de l'Art anc. et mod., 52 (1927/II) 317 (Abb.). — D. Kreis, 5 (1928) Abb. geg. p. 81. — Bull. de l'Art, 1929 p. 215 (Abb.). — Apollo (London), 9 (1929) 380; 14 (1931) 287/90, m. 5 Abbn. — Beaux-Arts, 8 (1931) Nr 25 v. 25. 12., p. 4 (Abb.); 1936 Nr 164 v. 21. 2., p. 3 (Abb.). — Emporium, 92 (1940) 37 (Abb.). — The Studio, 97 (1929) 301, 302 (ganzseit. Abb.). — Kat.: Expos. Nac. de Pint. etc., Madrid 1910; Ausst. Span. Kst d. Gegenw., Berlin, Pr. Akad. d. Kste, 1942, m. Taf.-Abb.

Clará, Juan, katal. Bildhauer, * 6. 12. 1875 Olot, Prov. Gerona, ansässig in Paris. Bruder des Vor.
Stud. in Paris. Ansässig ebda seit 1901. Genrestatuetten u. -gruppen (Bronze); Kinderstatuen.
Lit.: Th.-B., 7 (1912). — Bénézit, [2] 2.

Clarenbach, Max, dtsch. Landschafts-, Blumen- u. Stillebenmaler u. Rad. (Prof.), * 19. 5. 1880 Neuß, ansässig in Düsseldorf.
Schüler von Eug. Dücker u. G. Wendlings. Seit 1909 ansässig in Wittlaer b. Kaiserswerth, später in Düsseldorf. Wiederholt ausgezeichnet, u. a. Gr. Gold. Med. Wien 1903 u. Buenos Aires 1910, Gold. Staatsmed. Berlin 1907. Beeinflußt von den franz. Impressionisten. Bilder in den öff. Smlgn in Bonn, Düsseldorf, Straßburg u. Wuppertal-Elberfeld, im Ausland u. a. in der Art Gall. in Buffalo.
Lit.: Th.-B., 7 (1912). — Dreßler. — D. Cicerone, 19 (1927) 288, 290 (Abb.). — D. Kunst, 33 (1915/16) 399 (Abb.); 35 (1916/17) 466 (Abb.), 469; 57 (1927/28) 319; 65 (1931/32) 327 (Abb.); 81 (1939/40) 204/09, m. Abbn. — Dtsche Kst u. Dekor., 62 (1928) 207 (Abb.), 228. — Kst u. Kstler, 24 (1925/26) 251. — Kst der Zeit, 3 (1928/29) 169 (Abb.). — Velhagen & Klasings Monatsh., 42/II (1927/28) farb. Taf. geg. p. 40, 108. — D. Weltkst, 13 Nr 12 v. 26. 3. 1939, p. 2; 16 Nr 1/2 v. 4. 1. 1942 p. 3, Nr 35/36 v. 30. 8. 1942, p. 6 (Abb.). — Kst- u. Antiquit.-Rundschau, 50 (1942) 150 (Abb.).

Claret, Joaquín, katal. Bildhauer, * Camprodón, ansässig in Paris.
Stellte 1908 im Salon d'Automne 2 weibl. Büsten, 1909 im Salon der Soc. Nat. d. B.-Arts einen weibl. Torso, 1910 eine Frauenstatue, 1911 eine Susannastatue, 1927 im Salon d. Tuileries eine Evastatue aus.
Lit.: Bénézit, [2] 2 (1949).

Clark, Allan, amer. Bildhauer, * 8. 6. 1898 Missoula, Mont., ansässig in New York.
Schüler von Polasek. Stud. die Japaner u. Chinesen. Bildnisbüsten im Seattle Art Mus., im Mus. in Honolulu, Hawai, u. im Metrop. Mus. New York. Im Whitney Mus. of Amer. Art ebda ein Modell zur bildner. Auszierung eines Parkteiches. In d. Univ. New York: Büste James Russell Lowell. Kollektiv-Ausst. 1927 im Fogg Mus., Harvard University.
Lit.: Fielding. — J. Chillman, Sculpture of A. C., Houston 1946, m. Abb. — Amer. Art Annual, 27 (1930) 16, 64, 231; 30 (1933). — Who's Who in Amer. Art, I: 1936/37. — Art and Archaeology, 1927/II, p. 229/33, m. 7 Abbn. — Art Digest, 16, Juni 1942, p. 11; 17, Nr v. 1. 10. 1942, p. 12. — The Studio, 83 (1922) 346.

Clark, Alson Skinner, amer. Maler u. Lithogr., * 25. 3. 1876 Chicago, Ill., † 1949 Pasadena, Calif.
Schüler von Simon, Cottet, Whistler, Mucha u. L. O. Merson in Paris, u. von Wm. Chase in New York. Bereiste Mexiko. Im Art Inst. in Chicago: Das Kaffeehaus. Wandbilder u. a. im Carthay Circle-Theater u. im California Club in Los Angeles u. in der First Nat. Bank in Pasadena. Kollekt.-Ausst. Okt. 1925 in den Grand Central Gall. New York; Gedächtn.-Ausst. Mai 1951 im Pasadena Art Inst.
Lit.: Th.-B., 7 (1912). — Fielding. — Amer. Art Annual, 30 (1933). — The Art News, 24, Nr 3 v. 24. 10. 1925, p. 2, Sp. 3. — Magaz. of Art, 35, Jan. 1942, p. 39. — Art Digest, 25, Nr v. 15. 5. 1951, p. 13. — The Art News, 50, Mai 1951, p. 47, m. Abb. — Monro.

Clark, Charles Herbert, engl. Radierer, * 17. 3. 1890 Liverpool, ansässig in Great Crosby b. Liverpool.
Stud. an der Kunstsch. in Liverpool.
Lit.: Who's Who in Art, [3] 1934.

Clark, Christopher, engl. Genre- u. Bildnismaler u. Illustr., * 1. 3. 1875 London, ansässig ebda.
Militär. u. hist. Szenen. Impressionist.
Lit.: Th.-B., 7 (1912). — Who's Who in Art, [3] 1934.

Clark, Claude Clement, engl. Werbezeichner, * 4. 12. 1897 Portsmouth, ansässig in London.
Lit.: Who's Who in Art, [3] 1934.

Clark, Cosmo (John C.), engl. Maler (Öl u. Aquar.) u. Zeichner, * 24. 1. 1897 Chelsea (London), ansässig in Hammersmith (Lo.).
Sohn des Malers James C. (* 1858). Stud. an den Roy. Acad. Schools in London. Hauptsächlich Fabrik-, bes. Bergarbeiter-Szenen u. Industrielandschaften. Sehr sorgfältig mit Kreide gezeichnete Fabrikarbeitertypen. Kollektiv-Ausst. 1927 in der Twenty-One Gall. London.
Lit.: Who's Who in Art, [3] 1934. — The Studio, 93 (1927) 42, 111f., m. 4 Abbn (dar. 2 ganzseit.). — Ill. London News, 218, Nr v. 5. 5. 1951, p. 701 (Abb.).

Clark, Eliot, amer. Landschafts- u. Architekturmaler, Lithogr. u. Schriftst., * 27. 3. 1883 New York, ansässig ebda.
Schüler von John Twachtman u. s. Vater Walter Clark. Bilder u. a. im Maryland Inst. in Baltimore, im Bes. der Art Assoc. in Bloomington, Ind., im Dayton Art Inst. u. im Nat. Arts Club in New York. — Buch-

werke: Alexander Wyant; John Twachtman; J. Francis Murphy; Theodore Robinson.

Lit.: Amer. Art Annual, 10 (1913), Abb. geg. p. 103; 30 (1933). — Who's Who in Amer. Art, I: 1936/37. — Monro.

Clark, Emma, amer. Illustratorin, * 1883 New York, † 28.7.1930 Whitestone, L. I., N.Y.

Lit.: Amer. Art Annual, 27 (1930) 408.

Clark, Freeman, amer. Maler, * Holly Springs, Miss., ansässig ebda.

Schüler von Wm. Chase u. Wiles.

Lit.: Fielding. — Amer. Art Annual, 30 (1933). — Who's Who in Amer. Art, I: 1936/37.

Clark, Guy Gayler, amer. Zeichner u. Maler, * 26. 8. 1882 Brooklyn, N. Y., † 1945 New York.

Schüler von Fr. V. Du Mond, Wm. Chase, G. Bellows, Rob. Henri u. F. Luis Mora.

Lit.: Who's Who in Amer. Art, I: 1936/37. — Amer. Collector, 14, Mai 1945, p. 15. — Art Digest, 19, Nr v. 1. 5. 1945, p. 26.

Clark, H. Vincent, engl. Maler u. Lithogr., * Dez. 1886 London, ansässig in Saltaire, Yorkshire.

Stud. an der Kunstsch. in Reading.

Lit.: Who's Who in Art, ³ 1934.

Clark, Hariette A., amer. Miniaturmalerin, * 4. 3. 1876 Depere, Wis., ansässig in New York.

Schülerin von J. P. Laurens, Royer u. Mme Debillemont-Chardon, Paris.

Lit.: Fielding. — Amer. Art Annual, 12 (1915) 344.

Clark, Helen Caroline, amer. Zeichnerin, * 12. 7. 1884 Boston, Mass., ansässig in Philadelphia, Pa.

Stud. an der Schule des Mus. in Boston bei C. Howard Walker, Ernest Watson u. Kather. Child.

Lit.: Who's Who in Amer. Art, I: 1936/37.

Clark, Herbert Francis, amer. Maler, Illustr. u. Radierer, * 18. 9. 1876 Holyoke, Mass., ansässig in Washington, D. C.

Stud. an d. Zeichensch. in Providence, R. I., u. an der Corcoran Kstsch. in Washington. Hauptsächlich Landschafter.

Lit.: Amer. Art Annual, 20 (1923) 474. — Fielding.

Clark, James Lippitt, amer. Tierbildhauer, * 18. 11. 1883 Providence, R. I., ansässig in New York.

Stud. an der Rhode Island-Zeichensch.

Lit.: Fielding. — Amer. Art Annual, 30 (1933). — Who's Who in America, 27: 1952/53.

Clark, Paraskeva, kanad. Malerin, * 1898.

Lit.: The Studio, 114 (1937) 62 (Abb.); 117 (1939) 111 (farb. Taf.); 129 (1945) 105 (Abb.); 137 (1949) 12 (Abb.); 143 (1952) 109 (Abb.). — Canad. Art, 5 (1947) 65 (Abb.); 6 (1949) 124 (Abb.).

Clark, Philip Lindsey, engl. Bildhauer, * 10. 1. 1889 London, ansässig ebda.

Stud. an den Roy. Acad. Schools (Landseer-Preis). Kriegerdenkmäler in Glasgow u. in d. Pfarrk. von St. Saviour in Southwark.

Lit.: Who's Who in Art, ³ 1934.

Clark, Roland, amer. Maler u. Radierer, * 2. 4. 1874 New Rochelle, N. Y., ansässig in New York.

Lit.: Who's Who in Amer. Art, I: 1936/37. — Mallett.

Clark, Roy, amer. Landschaftsmaler, * 3. 4. 1889 Sheffield, Mass., ansässig in Pittsfield, Mass.

Schüler von Edgar Nye, Irving Wiles u. Wm. Judson.

Lit.: Who's Who in Amer. Art, I: 1936/37. — Amer. Art Annual, 30 (1933). — Fielding.

Clark, Sarah, amer. Malerin u. Illustr., * 1869 Philadelphia, Pa., † 1936 ebda.

Schülerin von Wm. Chase u. Carlsen.

Lit.: Fielding. — Amer. Art Annual, 30 (1933).

Clark, Virginia, geb. *Keep*, amer. Porträtmalerin, * 17. 2. 1878 New Orleans, La., ansässig in Oyster Bay, L. I., N. Y.

Lit.: Fielding. — Who's Who in Amer. Art, I: 1936/37. — Amer. Art Annual, 30 (1933).

Clarke, Allen, amer. Bildhauer.

Kopf eines Mongolenmädchens (Holz) im Metrop. Mus. in New York.

Lit.: The Studio, 108 (1934) 281 (Abb.).

Clarke, Harry, irisch. Entwurfzeichner für Glasmalerei u. Buchillustr., * 1890 Dublin.

Stud. 1910ff. an d. Metrop. School of Art in Dublin. Erhielt 1911, 12 u. 13 die Gold. Med. für Glasmalerei. Stud. dann die Glasfenster der gr. franz. Kathedralen. 1915 erster Auftrag auf Glasmalereien: 5 Fenster für die Honan-Kapelle im Univers. College in Cork, denen 4 weitere Fenster folgten, die um 1917 vollendet waren. Weitere Glasfenster in Costlehaven (Cork), mit Geburt Christi, in Wexford (Mad. mit Kind u. 2 Heil.), in Killiney (Dublin), mit Engel, u. in der Phibsboro Church in Dublin. Zeichngn für Pope's „The Rape of the Lock" (Laurence A. Waldron, P. C.); Folge von 9 Zeichngn für „The Ancient Mariner" (Holzstöcke im irisch. Aufstand 1916 vernichtet; Orig.-Zeichngn erhalten); 30 Federzeichngn für eine Auswahl aus E. A. Poe's „Tales of Mystery and Imagination"; Illustr. zu Fairy Tales von Hans Chr. Andersen (G. C. Harrap & Co.); Illustr. zu e. engl. Ausg. von Goethe's „Faust", 1925 (im gleichen Verlag).

Lit.: Who's Who in Art, ³ 1934. — The Studio, 72 (1918) 15 (Abb.), 21f.; 78 (1920) 45/50, m. 4 (3 farb.) Abbn; 89 (1925) 164f., m. Abb., 261, 263 (Abb.); 90 (1925) 218ff., m. Abbn. — Studio Year Book 1920, p. 116 (Abbn). — The Connoisseur, 55 (1919) 252. — L'Art et les Art., N. S. 5 (1922) 212f. (Abbn), 217. — Artwork, 2 (1925/26) 103, 181, 184 (Abb.). — The Bodleian, 20 (1928) Nr 7, p. 1 (Abb.).

Clarke, John L., gen. *Cutapius*, indian. Holzschnitzer, ansässig in Glazier Park, Montana.

Mutter: Tochter eines Schwarzfuß-Häuptlings, Vater: halb Indianer, halb Schotte. Hauptsächlich Tierbildner.

Lit.: The Studio, 102 (1931) 394, m. Abb.

Clarke, John Moulding, engl. Radierer u. Aquarellmaler, * 28. 7. 1889 Lancaster, ansässig in Welwyn Garden City.

Stud. am Roy. Coll. of Art in London.

Lit.: Who's Who in Art, ³ 1934.

Clarke, Thomas Flowerday, engl. Maler (Öl u. Aquar.) u. Rad., * 28. 2. 1877 Brixton, ansässig in South Croydon.

Stud. an der Heatherley-Kunstsch. u. an den Central School of Arts a. Crafts in London.

Lit.: Who's Who in Art, ³ 1934. — Artist, 42 (1952) 108 (Abb.).

Clarke, William Hanna, schott. Maler, * 1882 Glasgow, † 1924 Kirkcudbright.

Aquar. in d. Art Gall. Glasgow (Kat. 1935).

Clarke Hall, Edna, geb. *Waugh,* engl. Aquarellmalerin, Radiererin, Lithogr. u. Federzeichnerin, * 29. 6. 1881, ansässig in London.

Illustr. zu „Wuthering Heights". Bildnisse, Landschaften.

Lit.: Who's Who in Art, [3] 1934. — The Studio, 99 (1930) 211; 106 (1933) 212/15, m. Abbn. — L'Art et les Art., 7 (1908) 167 (Abb.), 173. — Artwork, 1 (1924 –25) 128; 2 (1925/26) 142. — Draughtsman (Contemp. Brit. Artists), London (Ernest Benn) 1924.

Clarkson, Ralph, amer. Bildnismaler, * 3. 8. 1861 Amesbury, Mass., † 1943 Chicago, Ill.

Stud. in Boston und bei Lefebvre u. Boulanger in Paris. Im Art Inst. in Chicago: Nouvart Dzeron, eine Tochter Armeniens.

Lit.: Th.-B., 7 (1912). — Fielding. — Amer. Art Annual, 5 (1905/06) geg. p. 170 (Abb.); 11 (1914) geg. p. 98 (Abb.), 30 (1933). — Who's Who in Amer. Art, I: 1936/37. — Chicago Art Inst. Bull., 37, Jan. 1943, p. 8, m. Abb. — Monro.

Clarot, René, belg. Marine- u. Landschaftsmaler, * 1882 Anderlecht.

Schüler von H. Richir u. C. Montald an der Brüsseler Akad.

Lit.: Seyn, I, m. Fotobildnis.

Clarus, Alice, s. *Greinwald-Clarus.*

Clary-Baroux, Adolphe, franz. Landschaftsmaler, * Paris, † 1933 ebda.

Beeinflußt von Sisley u. Pissarro. Stellte seit 1902 bei den Indépendants, später im Salon des Tuileries (1925ff.) u. im Salon d'Automne aus.

Lit.: Joseph, 1. — Bénézit, [2] 2 (1949).

Clasgens, Frédéric, amer. Bildhauer u. Maler, * New Richmond, Ohio, ansässig in Paris.

Stud. an der Akad. in Cincinnati, dann bei J. P. Laurens, Verlet u. Injalbert an der Acad. Julian u. der Ec. d. B.-Arts in Paris. Debütierte im dort. Salon der Soc. d. Art. franç. mit der Statue eines andalusischen Wasserträgers. Beschickte seitdem regelmäßig dens. Salon, meist mit Bildnisbüsten. Hauptwerk: Schmuckbrunnen in Madison, reich verziert mit Tritonen, Delphinen u. Sirenen.

Lit.: Joseph, I, m. Abb. — Bénézit, [2] II.

Clason, Isak Gustaf, *d. J.*, schwed. Architekt, * 28. 3. 1893 Stockholm, ansässig ebda. Bruder des Peder.

Sohn des gleichnam. Archit. u. Oberbaurats (1856 –1930). Stud. an der Techn. Hochsch. u. an d. Akad. in Stockholm. Kanzleigeb. ebda; Stadthaus in Katrineholm; Haus der Feuerversicherungsgesellsch. in Thule.

Lit.: N. F., 21 (Suppl.). — Thomœus. — Fataburen, 1933, p. 51ff., 105.

Clason, Märta, schwed. Figuren- u. Landschaftsmalerin, * 1902 auf Åkers bruk, Södermanland.

Stud. an der Akad. in Stockholm, weitergeb. in Paris. Hauptsächlich Kinderbilder.

Lit.: Thomœus.

Clason, Peder, schwed. Architekt, * 21. 8. 1894 Stockholm, ansässig ebda. Bruder des Isak Gust. C. d. J.

Stud. an d. Techn. Hochsch. u. d. Akad. in Stockholm. Bereiste 1920/25 mit dem Jenny-Lind-Stipendium Frankreich, Italien, England, Griechenland u. Brasilien. — Denkmal der Kronprinzessin Margareta in Hälsingborg; Gesellschaftshaus der Apotheker in Stockholm; Schwed. Pavillons auf den Ausstellgn in Barcelona 1929 u. Brüssel 1935; Schwed. Studiengeb. in Paris (1931).

Lit.: N. F., 4, m. Fotobildn. u. Abb.; 21 (Suppl.). — Vem är det?, 1935. — Thomœus. — Vem är Vem i Norden, 1941 p. 1026.

Claude-Lévy, franz. Figuren-, Bildnis- u. Stillebenmalerin, * 23. 9. 1895 Nantes, ansässig in Paris.

Stellt seit 1926 bei den Indépendants, seit 1927 auch im Salon des Tuileries aus.

Lit.: Joseph, I. — Bénézit, [2] II (1949).

Claude-Perraud, franz. Landschafts- u. Bildnismaler, * 8. 8. 1897 Lyon.

Stellte im Salon d'Automne, im Salon des Tuileries u. bei den Indépendants aus.

Lit.: Joseph, I.

Claudius, Wilhelm, dtsch. Porträt-, Genre- u. Landschaftsmaler u. Buchillustr. (Prof.), * 13. 4. 1854 Altona, † Okt. 1942 Dresden.

Die Angaben bei Th.-B. zu ergänzen durch Verzeichnis der öff. Smlgn: Mod. Gal. Dresden (Helles Stübchen), Stadtmus. ebda (Aquarell: Der Leidtragende), Stadtmus. Bautzen (Bauerngarten) u. Mus. Zwickau (Altes Landhaus). Illustr. u. a. zu: Heinr. Seidel, Wintermärchen, Glogau 1885. — Mappenwerk: W. C.; 6 farb. Bilder nach s. Originalen, hg. von W. Doenges, Dresd. 1925.

Lit.: Th.-B., 7 (1912). — D. Bild, 1934, Beibl. zu H. 5 p. 1f.; 1939, Beibl. zu H. 5 p. 5. — Hessenland, 30 (1916) 90. — Die Kunst, 25 (1911/12) 512, 513 (Abb.); 27 (1912/13) 554 (Abb.); 50 (1923/24), Beibl. z. Mai-Heft p. II; 59 (1928/29) Beibl. p. XLVIII. — Velhagen & Klasings Monatsh., 43/II (1928/29) p. 707f., m. Abb. — Westermanns Monatsh., 137 (1924/25) 329ff., m. 20 (z. T. farb.) Abbn u. Taf.; 141 (1926/27) Taf. geg. p. 372; 142 (1927) Taf. geg. p. 404; 144 (1928) Taf. geg. p. 124; 161 (1936/37) 581f. (Abb. am Schluß d. Bdes). — Der Türmer, 39/II (1936/37), farb. Abb. nach p. 280. — Die Weltkst, 16 Nr 41/42 v. 11. 10. 1942 p. 6. — Daheim, 60 Nr 28 v. 5. 4. 1924, p. 4 (Abb.).

Claudot, André, franz. Genre-, Bildnis- u. Landschaftsmaler, * Dijon, ansässig in Paris.

Stud. in Dijon. Nach dem 1. Weltkrieg in Paris. Beschickte 1921 den Salon d'Automne, seit 1923 den Salon des Indépendants. 1928 nach China an die Kunstsch. in Peking (Peiking) als Lehrer berufen, dann 2 weitere Jahre lehrtätig an der Kunstsch. in Hang-Tscheu. Seitdem in Paris ansässig.

Lit.: Joseph, I. — L'Art et les Art., 23 (1931/32) 69, 92/98, m. 8 Abbn u. Fotobildn. — Beaux-Arts, 9 (1931) Okt.-H. p. 23.

Claus, Fritz, dtsch. Bildhauer (Prof.), * 29. 6. 1885 Zweibrücken, Pfalz, ansässig in Seeon/Chiemgau.

Stud. an der Akad. in Karlsruhe (Voltz), München u. bei Bartholomé in Paris. 1929/36 Prof. an d. Staatl. Kstschule in Saarbrücken. Beeinflußt von Maillol u. Ad. Hildebrand, auch kubist. Anregungen folgend. Hauptsächl. Akte u. Bildnisbüsten. Weibl. Kopf (1920) in der Bay. Staatsgal. in München; Büste Max Halbes in der Städt. Kstsmlg ebda; Büste Karli Sohn-Rethel (1919) in der Städt. Kstsmlg Düsseldorf; Weibl. Büste (Bronze, 1921) in der Bad.Ksthalle Karlsruhe; Büste Prof. Edens (1924) in der Saarländ. Staatsgal. in Saarbrücken; Kriegerdenkmale ebda u. in St. Blasien. Kollektivausstellgn in der Gal. Caspari, München, Nov. 1919, u. in der Gal. Flechtheim, Düsseldorf, 1920 (Kat.).

Lit.: Dreßler. — D. Cicerone, 12 (1920) 178 (Abb.), 182ff. (Abbn), 186f., m. Abbn; 19 (1927) 490 (Abb.). — Feuer (Saarbrücken), 2 (1920/21) 87ff., m. zahlr. Abbn. — D. Kst, 39 (1918/19) 404; 43 (1920/21) 350;

49 (1923/24) 242/46, m. Abbn bis p. 250; 61 (1929/30) 263 (Abb.). — Dtsche Kst u. Dekor., 57 (1925/26) 393f., m. 4 Abbn. — Kstchronik, N. F. 31 (1919/20) 183f. — D. Kstwerk, 5 (1951) H. 2 p. 39. — Pfälz. Museum, 47 (1930) 213. — D. Plastik, 8 (1919) 42, Taf. 56. — D. Westmark, 1933/34, Abb. geg. p. 423. — Ekkhart. Kalender f. d. Badner Land, 4 (1922) 52.

Claus, Hanna, dtsche Malerin u. Graph., * 20. 11. 1915 Leipzig-Mölkau, ansässig in Leipzig.

Landschaften, Stilleben, Figürliches.

Claus, May Austin, dtsch-amer. Miniaturmalerin, * 18. 8. 1882 Berlin, ansässig in Boston, Mass.

Stud. an der Schule des Mus. in Boston u. bei ihrem späteren Gatten, dem Bildnismaler William C. (* 14. 6. 1862 Mainz).

Lit.: Amer. Art Annual, 20 (1923) 475. — Fielding.

Claus, Wilhelm, dtsch. Landsch.- u. Porträtmaler u. Lithograph, * 22. 9. 1882 Breslau, † 23. 6. 1914 Paris.

Schüler der Akad. in Königsberg, dann von L. v. Löfftz in München u. von Eug. Bracht in Dresden, wo er sich 1905 niederließ. Seit 1909 in der Lößnitz b. Dresden ansässig. Impressionist. Kollektivausstellg Nov. 1911 in der Gal. Arnold in Dresden. Im Schles. Mus. in Breslau: Baumblüte. Im Mus. Königsberg: Weibl. Bildnis.

Lit.: Th.-B., 7 (1912). — Ill. Zeitung (J. J. Weber, Leipzig), 143/I, p. 103, m. Abb. — D. Kst, 25 (1911–12) 512 (Abb.); 27 (1912/13) 556 (Abb.). — Kstchronik, N. F. 25 (1913/14) 591.

Clause, William Lionel, engl. Maler, * 7. 5. 1887 Middleton, Lancashire.

Stud. an der Slade School, London.

Lit.: Who's Who in Art, [3] 1934.

Clausel (Claussell), Joaquim, franz. Advokat u. Malerdilettant, * 16. 6. 1866 Campêche, † 28. 9. 1935 Lagunas de Zempoala, Mexiko.

12 Landschaften in den Gall. de San Carlos in Mexico City.

Lit.: A. Carrillo y Gariel, Las Galerias de San Carlo, Mexico, D. F., 1950. — Mallett.

Clausén, Anders, schwed. Figuren-, Landschafts- u. Blumenmaler, * 1904 Piteå, ansässig in Lilla Essingen.

Stud. an Althins Malschule in Stockholm u. in Paris. Straßenansichten, bes. aus franz. Kleinstädten.

Lit.: Thomœus.

Clausen, Sir George, engl. Maler (Öl u. Aquar.) u. Graphiker, * 18. 4. 1852 London, † 1944 ebda.

Die Angaben über das malerische Werk bei Th.-B. zu ergänzen durch die Wandmalerei (Engl. Volk liest im geheimen Wycliffe's engl. Bibel) in St. Stephen's Hall. Die nur beiläufig bei Th.-B. gestreifte graph. Tätigkeit C.s erstreckt sich auf Radierung, Lithographie u. Mezzotinto. Ein Katalog s. graph. Werkes ist von F. Gibson aufgestellt; er umfaßt 30 Rad. u. 19 Lithos. Hauptblätter: Einfüllen der Säcke auf dem Getreidespeicher; Heimkehr; Getreideschober im Mondenschein; Der Schmelzofen. Kollektiv-Ausstellgn 1928 u. 1932 im Barbazon House in London.

Lit.: Th.-B., 7 (1912). — Sir J. Duveen, 30 Years of Brit. Art; Introd. by Sir M. Conway, New York, 1930. — Who's Who in Art, [3] 1934. — Apollo (London), 6 (1927) 114 (Fotobildn.), 115; 7 (1928) 294; 19 (1934) 57. — The Art Journal, 1911, p. 98, farb. Abb., 99, 169, 279. — Artwork, 7 (1931) 12/24, m. Abbn (autobiogr. Aufs.). — The Connoisseur, 45 (1916) 118 f., m. Abbn, 125; 60 (1921) 116, 119 (Abb.); 100 (1937) 14, m. Abb.; 117 (1946) 24 (Abb.). — Nation a. Athenæum, 30 (1921) 124. — Print Coll.'s Quarterly, 8 (1921) 202/227 (F. Gibson), 433 (ders.); 18 (1931) 176 (Abb.). — The Studio, 58 (1913) 211 (Abb.); 61 (1914) 271 ff. passim; 65 (1915) 97, 204; 66 (1916) 204, 225/28, m. 1 farb. Taf. u. 4 Abbn; 69 (1917) 74, 112, m. farb. Abb.; 70 (1917) 72; 81 (1921) 215; 84 (1922) 73; 94 (1927) 157 (Abb.); 102 (1931) 257 (farb. Taf.); 105 (1933) 265 (Abb.); 108 (1934) 8 (Abb.); 111 (1936) 320 (Abb.); 113 (1937) 302 (Abb.); 124 (1942) 201 (Abb.). — Artist, 28 (1945) 138 (Nachruf). — Museums Journal, 44 (1945) 162 (desgl.). — Ill. London News, 214, Nr v. 9. 4. 1949, p. 491 (Abb.).

Clausen, Günther, dtsch. Maler, Graph., Plakat- u. Buchkünstler, * 20. 2. 1885 Berlin, ansässig in Braunschweig.

Stud. an der Berliner Kstgewerbesch. u. an der Akad. Kassel bei Kolitz. Leiter der Fachklasse für Buchgewerbe u. Plakate an der Städt. Kstgew.- u. Handwerkersch. in Braunschweig.

Lit.: Th.-B., 7 (1912). — Dreßler. — Archiv f. Buchgewerbe, 54 (1917) 202/09.

Clausen, Katharine Frances, s. *O'brien.*

Clauß, Berthold, dtsch. Genremaler u. Graph., * 8. 4. 1882 Altona (Elbe), ansässig in Quickborn, Holst.

Sohn des Landschaftsmalers Friedr. Aug. Herm. C. (* 1830 Kamenz, † Altona). Lernte zuerst Lithograph, dann Schüler von Kallmorgen in Berlin.

Lit.: Th.-B., 7 (1912). — Dreßler. — Schleswig-Holst. Kstkalender, 1912, p. 54 (Abb.).

Clauß, Irmgard, dtsche Bildnismalerin, * 2. 10. 1904 Neukirchen/Erzgeb., ansässig in Chemnitz.

Stud. an d. Hochsch. der bild. Künste in Berlin.

Clavé, Antoni, katal. Maler, Bühnenbildner u. Lithogr., * 5. 4. 1913 Barcelona, ansässig in Paris.

Stud. an der Kstschule in Barcelona. Teilnehmer am Bürgerkrieg in der republikan. Armee, flüchtete 1939 nach Frankreich, einige Zeit im Konzentrationslager in Perpignan. Seit 1942 in Paris. Entwürfe für Ballettausstattungen u. -kostüme. Illustrationen u. a. zu: Chansons du passé (20 Lithos); Lettres d'Espagne (27 farb. Lithos); Carmen von Mérimée (40 farb. Lithos); Les Frères Zemgano von E. de Goncourt.

Lit.: Bénézit, [2] II (1949). — D. Kunst, 48 (1949) H. 3, p. 89 (Abb.); D. Kst u. d. schöne Heim, 50 (1952) Beil. p. 207. — Beaux-Arts, 26. 9. 47, p. 4, m. Abb.; 23. 4. 48, p. 3, m. Abb.; 14. 5. 48, p. 3 (Abb.); 18. 6. 48, p. 5 (Abb.). — Graphis (Zürich), 4 (1948) 217, 221 (Abbn); 5 (1949) 223 (Abb.); 8 (1952) 152 (Abb.). 156/57 (Abb.).

Clavelin, Paul, franz. Tierbildhauer, * Rio de Janeiro, ansässig in Paris.

Stellte 1906 ff. im Salon der Soc. Nat. d. B.-Arts aus.

Lit.: Bénézit, [2] II (1949).

Claverie, Justin Jules, franz. Landschafts- u. Marinemaler, * 6. 6. 1859 Marseille, † 1932 ebda.

Schüler der Pariser Ec. d. B.-Arts. Mitgl. der Soc. d. Art. franç., beschickte deren Salon seit 1897 (Kat. z. T. mit Abbn). Bild im Mus. in Nizza.

Lit.: Th.-B., 7 (1912). — Joseph, 1 (irrig zweimal: s. v. Jules u. s. v. Pierre Justin C.).

Clavet, Jean, franz. Genremaler, * Périgueux, ansässig in Paris.

Stellte seit 1910 bei den Indépendants aus.

Lit.: Joseph, I.

Claxton, Virgie, amer. Malerin, * 20. 7. 1883 Gatesville, Tex., ansässig in Houston, Tex.

Schülerin von Emil Bistran u. A. Lhote.

Lit.: Amer. Art Annual, 30 (1933). — Who's Who in Amer. Art, I: 1936/37.

Claybrooke, Edouard de, franz. Landschaftsmaler, * Paris, ansässig in Le Plessiel bei Abbeville (Somme).

Stellt seit 1923 bei den Indépendants aus.

Lit.: Joseph, I. — Bénézit, [2] II.

Clayes, Alice Des, schott. Tier- u. Sportmalerin, * 22. 12. 1891 Aberdeen, ansässig in Montreal, Canada.

Hauptsächlich Pferdemalerin, Associate der Roy. Canadian Acad. Bilder in d. Nat. Gall. in Ottawa, Canada, u. in d. Art Gall. in Quebec.

Lit.: Who's Who in Art, [3] 1934, p. 115. — The Studio, 70 (1917) 36. — Mallett.

Clayter, Frederic Charles, amer. Goldschmied.u. Emailleur, * 8. 6. 1890 Muskegon, Mich., ansässig in Pittsburgh, Pa.

Lehrtätig am Coll. of Fine Arts des Carnegie Instit. Pittsburgh.

Lit.: Amer. Art Annual, 27 (1930) 517. — Carnegie Magaz., 16 (1943) 265 (Abb.).

Clayton, Alexander Benjamin, amer. Maler, * 16. 3. 1906 Chevy Chase, Md., ansässig ebda.

Schüler von R. S. Meryman u. Burtis Baker.

Lit.: Amer. Art Annual, 30 (1933). — Who's Who in Amer. Art, I: 1936/37.

Clayton, Ethel, geb. *Wyatt,* engl. Metallkünstlerin u. Kststickerin, * 29. 8. 1893 Lancaster, ansässig in Gizeh b. Kairo, Ägypten.

Stud. an der Kunstsch. in Manchester.

Lit.: Who's Who in Art, [3] 1934.

Clayton Jones, Marion, geb. *Clarke,* engl. Blumen- u. Landschaftsmalerin (Miniatur u. Aquar.), * 23. 11. 1872, ansässig in Silverton.

Lit.: Who's Who in Art, [3] 1934.

Clear, Charles Val., amer. Maler u. Bildhauer, * Albion, Ind., ansässig in Peru, Ind.

Malschüler der John Herron Art School, als Bildh. Schüler von Myra Richards, J. Maxwell, Miller u. Seth Velsey. Vertreten in der Phillips Mem. Gall. in Washington, D. C.

Lit.: Who's Who in Amer. Art, I: 1936/37. — Amer. Art Annual, 30 (1933).

Cleemput, Jean van, belg. Maler u. Holzschneider, * 1881 Brüssel, ansässig in Berchem-Sainte-Agathe.

Schüler von C. Montald an der Brüsseler Akad. Landschaften, Marinen, Stadtansichten, Interieurs.

Lit.: Seyn, II 997. — Les Xylographes suédois et belges. 3me Salon, Brüssel, Mai/Juni 1928, p. 12, m. Abb.

Cleff, Erich, dtsch. Bildhauer, * 1881 Rheydt, ansässig in Wuppertal. Vater des Folg.

Stud. an d. Kstgewerbesch. in Elberfeld, weitergebildet autodidaktisch. 1907/13 Lehrer an d. Staatl. Fachsch. für Metallindustrie in Iserlohn, seitdem Lehrer an d. Meistersch. f. d. deutsche Handwerk in Wuppertal (Kat. 1939).

Lit.: Bergische Heimat, 4 (1930) 299 (Abb.), 300. — Hellweg (Essen), 2 (1922) 382ff., m. 2 Abbn, 950.

Cleff, Erich, dtsch. Bildnis- u. Landschaftsmaler u. Bildhauer, * 31. 3. 1904 Mainz, ansässig in Bamberg. Sohn des Vor.

Kollektiv-Ausst. in d. Gal. W. Westfeld, Elberfeld, Okt. 1926.

Lit.: Dreßler. — D. Kstwanderer, 1926/27, p. 80. — Kat. d. 3. Dtsch. Kstausst. Dresden 1953.

Cleff, Walter, dtsch. Landschaftsmaler u. Rad., * 19. 8. 1870 Barmen, ansässig in Düsseldorf.

Schüler von B. Mannfeld u. B. A. Beer in Frankfurt a. M. Mappenwerk: W. C.-Mappe, Verlag R. Keutel, Lahr i. B. 1925.

Lit.: Th.-B., 7 (1912). — Dreßler. — Gottesehr, I (1919/20) 82, 90 (Abb.).

Clegg, Ernest, engl. Landkarten- u. Wappenmaler, Illuminator, * 26. 12. 1876 Birmingham, ansässig in New York.

Stud. in Birmingham u. am King's Coll. in Cambridge.

Lit.: Who's Who in Art, [2] 1929. — Amer. Art Annual, 27 (1930) 517. — Who's Who in Amer. Art, I: 1936/37.

Cleis, Ugo, schweiz. Maler u. Holzschneider, * 1903, ansässig in Ligornetto.

Lit.: Schweiz. Kst, 1942, H. 2 p. 11, m. Abb. — Kat. d. Ausst. Ksthaus Zürich, Juni/Juli 1944.

Cleland, Thomas Maitland, amer. Maler u. Schriftst., * 18. 8. 1880 New York, ansässig ebda.

Altargemälde in der Messiaskirche in Glens Falls, N. Y.

Lit.: Fielding. — Amer. Art Annual, 30 (1933). — A. W. Hamill, Decor. Work of T. M. C.; a Record a. Review, London 1929. — The Studio, 92 (1926) 452f., m. Taf. — Amer. Artist, 10, Nov. 1946, p. 35; 11, Sept. 1947, p. 25ff.

Clémencin, André François, franz. Genrebildhauer, * 7. 10. 1878 Lyon, ansässig in Paris.

Schüler von J. Coutan. Mitgl. der Soc. d. Art. Franç., beschickte deren Salon seit 1907 (Kat. z. T. m. Abbn). Erscheint dort noch 1930 als Aussteller.

Lit.: Joseph, 1. — Bénézit, [2] 2 (1949).

Clemens, Curt, schwed. Bildnis-, Figuren- u. Landschaftsmaler, * 1911 Stockholm, † 1947 ebda.

Stud. an Otte Skölds Malsch. u. in Paris. Bilder im Nat.-Mus. in Stockholm u. in den Museen Linköping, Göteborg u. Malmö.

Lit.: Thomœus. — R. Hoppe, C., Stockh. 1945. — Konstrevy, 1938, p. 191, m. Abb.; 1939 p. 218/19, m. 3 Abbn; Spez.-Nr: Göteborg, p. 41 (Abb.). — Nat.-Mus. Stockh. [Bilderbuch], 1948 p. 156.

Clémensac, Ferdinand, franz. Landschafts- u. Bildnismaler, * 1. 8. 1885 Issoire (Puy-de-Dôme), ansässig i. Clermont-Ferrand.

Schüler von L. O. Merson u. R. Collin. Mitgl. der Soc. d. Art. Franç., beschickt deren Salon seit 1910.

Lit.: Joseph, I.

Clement, Charles, schweiz. Maler, Rad. u. Zeichner für Glasmalerei u. Mosaik, * 1889 Rolle, ansässig im Kanton Waadt.

Stud. 1909ff. an der Düsseldorfer Akad. bei Ludw. Keller, W. Döringer u. E. v. Gebhardt. Weitergebildet 1911 an der Grande Chaumière in Paris. Arbeitete in Marseille, Lausanne, wieder in Marseille, dann im Waadt. Zeichner. Mitarbeiter an den Witzblättern „Rire", „Sourire" u. „Papillon". Karikaturen für die

Gaz. de Lausanne. Veröff. 1911 ein Album: Petite ville (Lausanne). Illustr. zu: Chardon, L'Arme au pied, Lausanne 1916. Radiergn mit Szenen aus der Franz. Revolution; Folge: Guerres Bourgogne. Seit 1912 auch Maler: Szenen aus d. Bauernleben u. Landschaften; Wandbilder u. Mosaiken für Kirchen; Glasgemälde in der Kathedr. in Lausanne; Wand- u. Glasgemälde in der Kirche in Colombier u. in den Kirchen in Arnex u. Agiez. Eine Winterlandschaft im Kstmus. in Luzern.

Lit.: Brun, IV. — Paul Budry, Ch. C., [3] Paris, o. J. — Lonchamp, II, Nr 661. — D. Ksthaus, 1916, H. 10, p. 1. — D. Schweiz, 1916, p. 590. — D. Werk (Zürich), 11 (1924) 137 (Abb.); 22 (1935) 137 (Abb.), 138f. — Das Graph. Kabinett, 12 (1927) 77. — D. Christl. Kst, 24 (1927/28) 144. — L'Art en Suisse, 1929, p. 177/83, m. 6 Abbn. — Schweizer Kst, 1932/33 p. 34, m. Abb., 80f.; 1945, H. 2 p. 13 (Abb.). — Pro Arte (Genf), 1942, Nr 3/4, p. 38, m. Selbstbildn.; 3 (1944) Nr 21, p. 26. — Kat. Ausst. Ksthaus Zürich, 1.–29. 10. 1916, p. 3, 13. — Jenny.

Clement, Gad Frederik, dän. Figuren- u. Bildnismaler, * 9. 7. 1867 Frederiksberg, † 7. 1. 1933 Kopenhagen.

Schüler v. Krøyer. Wiederholte Aufenthalte in Paris u. Italien. Im Mus. in Aalborg: Aus Cività d'Antino.

Lit.: Th.-B., 6 (1912). — Dahl-Engelstoft, I. — Krak's Blaa Bog, 1930; 1940, Totenliste p. 15. — Weilbach, [3] I.

Clément, Jean Jacques, franz. Radierer, * 15. 1. 1872 Neapel, von franz. Eltern, ansässig in Paris.

Mitgl. der Soc. d. Art. Franç. Genre, Landschaften, Architektur.

Lit.: Joseph, I.

Clément, Max (Maxime), franz. Genremaler (Öl u. Aquar.) u. Pastellzeichner, * Chasseneuil (Charente), ansässig in Lorient (Morbihan).

Erlernte zunächst die Porzellanmalerei. Kam 19jährig nach Paris. Lernte 3 Jahre bei Gérôme. Ging vorübergehend zur Musik über (Violoncellist). Stellte 1909 u. 1910 in der Soc. Nat. d. B.-Arts in Paris aus (seit 1923 Mitglied). Ließ sich in Lorient nieder. Mitgl. der Soc. d. Art. Franç. Vortrefflicher Kinderdarsteller. Landschaft: Abenddämmerung in Les Acacias (Nancy), im Mus. in Straßburg.

Lit.: Th.-B., 7 (1912). — Joseph, 1. — L'Art et les Art., N. S. 14 (1926/27) 22/24, m. 4 Abbn.

Clément, Thérèse, franz. Landschafts- u. Marinemalerin, * 11. 12. 1889 Paris, ansässig in Neuilly (Seine).

Schülerin von Montholon u. Pierre Vaillant. Mitgl. der Soc. d. Art. franç. (Salon-Kat. z. T. mit Abbn).

Lit.: Joseph, I.

Clément-Chassagne, Louis Henri Lucien, franz. Landschafts- u. Stillebenmaler, * Paris, ansässig ebda.

Stellte 1912/39 im Salon (Soc. Nat. d. B.-Arts) aus.

Lit.: Bénézit, [2] II (1949).

Clément-René, Paul Henri, franz. Tier- (bes. Vogel-) Maler, * Paris, ansässig ebda.

Stellt seit 1921 im Salon der Soc. Nat. d. B.-Arts u. bei den Indépendants aus.

Lit.: Joseph, I.

Clément-Serveau, siehe *Serveau,* C.

Clements, George Henry, amer. Landschafts-, Genre- u. Porträtmaler, * Louisiana, † 1935 New York.

Lit.: Fielding. — Amer. Art Annual, 30 (1933).

Clements, Grace, amer. Malerin, * 1905 Oakland, Calif., ansässig in Los Angeles.

Lit.: Amer. Art Annual, 30 (1933).

Clements, Maude, engl. Miniatur- u. Aquarellmalerin, * 10. 11. 1878 Canterbury.

Stud. an der Kunstsch. in Bath.

Lit.: Who's Who in Art, [3] 1934.

Clements, Rosalie Thomson, amer. Malerin, * 5. 1. 1878 Washington, D. C., ansässig in New York.

Schülerin von E. F. Andrews in Washington, von F. Luis Mora u. Thom. Fogarty in New York.

Lit.: Amer. Art Annual, 20 (1923) 475; 30 (1933).

Clementschitsch, Arnold, kärntner. Figurenmaler, * 1887, ansässig in Sattendorf b. Villach.

Beschickt die Ausstellgn der Wiener Sezession.

Lit.: Donauland, 4/I (1920/21) H. 2, p. 133. — D. bild. Kste (Wien), 3 (1920/21) 161, 163, m. Abbn. — Öst. Kst, 1 (1929/30) H. 7, p. 3/9, m. Abbn, H. 11, p. 28/29 (Abbn). — Kst in Öst. (Leoben), 1 (1934) 71 (Abb.), 72, 73 (Abb.). — Kstchronik, N. F., 32 (1920–21) 153.

Clemmensen, Mogens, dän. Architekt u. Fachschriftst., * 18. 6. 1885 Kopenhagen, † 30. 4. 1943 Frederiksberg (Kopenh.).

Sohn des Archit. Andreas C. (* 1852, † 1928). Schüler von M. Nyrop. 1910 Leiter e. archäol. Expedition nach Grönland. 1912/13 Ausgrabungen in Tegea, 1926 in Kalydon. Chefarchit. des Neuen Nat.-Mus. in Kopenhagen. Dombaumeister von Aarhus. Heiratete 1913 die Malerin Augusta Thejll (* 11. 11. 1884), Tochter des Architekten Andreas T. — Hauptwerk: Neues Nat.-Mus. in Kopenhagen. Hauptsächlich Restaurator. — Trieb auch bildhauerische Studien bei Bundgaard u. Malstudien an der Akad. — Buchwerk: Aeldre Nordisk Arkitektur.

Lit.: Dahl-Engelstoft, I. — Krak's Blaa Bog, 1936. — Vem är Vem i Norden, Stockh. 1941, p. 76. — The Internat. Who's Who, [8] 1943/44. — D. Kstwanderer, 1928/29, p. 317. — Weilbach, [3] I.

Clénin, Walter, schweiz. Maler u. Entwurfzeichner für Mosaik u. Glasmalerei, * 1897 Tschugg, Kt. Bern, ansässig in Ligerz.

2 Arbeiten (Entwurf zu e. Wandmal.: David u. Goliath u.: Lesende Frau) im Kstmus. in Bern (Abbn im Kat. 1946). Wandbilder für das Bundesbriefarchiv des Kantons Schwyz u. für den Audienzsaal des Bundesgerichtshauses in Lausanne.

Lit.: Müller-Schürch, p. 6, 7, Taf.-Abb. p. VII–X. — Hist.-Biogr. Lex. d. Schweiz, Suppl., 1934. — Schweizer Kst, 1929/30 p. 122, 129/31 (Abbn); 1934–35 p. 57 (Abb.); 1942, Titelbild zu Heft 3. — Dtsche Kst u. Dekor., 57 (1925/26) 104 (Abb.); 59 (1926/27) 32, 37 (ganzseit. Abb.). — D. Werk (Zürich), 20 (1933) 238f. (Abb.); 28 (1941) 45 (Abb.); 29 (1942) 170 (Abb.). — D. Kunst, 73 (1935/36) 322 (Abb.), 323. — D. Kst in d. Schweiz, 1929, Juli, Umschau p. IX, p. 264, m. 2 Taf.-Abbn, 275.

Cler, Mies de, geb. *van der Zwaal,* holl. Stillebenmalerin (bes. Aquar.), * 1. 12. 1916, ansässig in Amersfoort.

Schülerin der Haager Akad.

Lit.: Waay.

Clérambault, Charles, franz. Genre- u. Stillebenmaler, * 1885 Paris, ansässig ebda.

Schüler von Dawant, F. Bail, M. Baschet u. Henri Royer. Seit 1921 Mitgl. der Soc. d. Art. franç. Bild im Mus. Bourges.

Lit.: Joseph, 1. — Bénézit, [2] 2 (1949).

Clerc, Georges, franz. Figurenbildhauer, * Paris, ansässig ebda.

Schüler von Max Fromental. Stellt seit 1928 im Salon der Soc. d. Art. franç. aus.

Lit.: Joseph, I.

Clerc, Jean, schweiz. Bildhauer, * 1908 Lausanne, † 1933 ebda.

Lit.: J. C. (1908–1933), Lausanne [1934], m. 29 Taf. — Œuvres (Genf), 1934, Januar, p. 5/8, m. 8 Abbn. — Schweiz. Kst, 1933/34, p. 42. — D. Kst u. d. schöne Heim, 50 (1951/52) Beil. p. 185.

Clerc, Sylvestre, franz. Bildhauer, * 31. 12. 1892 Toulouse, ansässig in Paris.

Schüler von Coutan. Mitgl. der Soc. d. Art. franç. (Salon-Kat. z. T. m. Abbn). Genrestatuen, Bildnisbüsten.

Lit.: Joseph, I.

Clerck, Hippolyte de, belg. Figuren- u. Bildnismaler, * 1878 Brecht.

Schüler der Akad. Antwerpen u. von F. Baes in Brüssel. Kreuzwegstationsbilder in der Kirche zu Heultje-Westerloo.

Lit.: Seyn, I 223.

Clerck, Oscar de, belg. Bildhauer, * 11. 12. 1892 Ostende, ansässig in Löwen.

Schüler der Genter Akad. Prof. an der Akad. Löwen. Bauplastik, Figürliches, Bildnisbüsten. Anfänglich Anschluß an die Kubisten u. Impressionisten, dann Annäherung an die Expressionisten u. Surrealisten. Im Mus. Ixelles: Sonnenstrahl (Bronze).

Lit.: Seyn, I 223, m. Fotobildn. — Joseph, I. — Le Progrès (Brüssel), Okt. 1935, p. 42 (Abb.). — L'Art et la Vie (Gent), Jan. 1936, p. 26, 28, 31 (Abb.).

Clerens, Jaak, belg. Bildhauer, * 1885 Borgerhout, ansässig in Antwerpen.

Stud. an der Akad. Gent. Pflegt bes. die kirchl. Kunst. Denkmäler für die Gefallenen des 1. Weltkrieges (1914/18) in Beerse u. Wommelgem. Arbeiten in der Abtei Maredsous.

Lit.: Seyn, I. — Le Home (Brüssel), Mai 1914, p. 234/41, m. 6 Abbn.

Clerens, Jef, belg. Aquarellmaler, * 1875 Molenbeek-Saint-Jean (Brüssel).

Folge: Béguinages flamands: Alost, Brügge, Mecheln.

Lit.: Seyn, I.

Clergé, Auguste, franz. Figuren- u. Landschaftsmaler (Öl u. Aquar.), * 20. 1. 1891 Troyes, ansässig in Paris.

Stellt seit 1923 bei den Indépendants, seit 1925 auch im Salon des Tuileries aus. Ansichten aus Rom, Amsterdam, Bukarest, Cognac, Florenz, Turin.

Lit.: Joseph, 1. — Apollo (London), 7 (1928) 139f. — Bénézit, [2] II.

Clerici, Fabrizio, ital. Architekt, Maler, Bühnenbildner u. Graph., * 15. 5. 1913 Mailand, ansässig in Rom.

Phantasievoller, an die ital. Tradition anknüpfender Künstler, zu Unrecht gelegentlich als Surrealist bezeichnet. Stellt seit 1943 aus. Kollektiv-Ausstellgn in Rom, Mailand, Florenz, Venedig, New York. Entwürfe zu Kostümen u. Szenerien für den „Orpheus" von Strawinskij. Mappenwerke (Rad. u. Lithogr.): Conchiglie e cavoli, 1941; Mano con piume e conchiglie, 1941; Foglie di cavolo e piccola conchiglia, 1942; „Bestiario" von L. Leonardi (20 Lith.), Mailand 1941; 10 Lithogr., m. Einleitg von A. Savinio, Mail. 1942; „Capricci"; usw. — Aufsätze für die Mail. Zeitschr. „Stile".

Lit.: Tempo (Mail.), Nr 188 v. 31. 12. 42. — Stile (Mail.), Jan. 1941, p. 23/34, m. Abbn; Febr. 1941, p. 71/73, m. Abbn; März 1942, p. 34 (Abb.); Jan. 1943, p. 39. — Emporium, 97 (1943) 175. — Domus (Mail.), Nr 226 (1948) p. 34; 227 (1948) p. 28; 231 (1948) p. 27; 238 (1949) p. 34; 252/53 (1950) p. 30. — Forme (Mail.), 1949. — Graphis, 4 (1948) 180 ff. — R. Carrieri, Il Disegno ital. contemp., Mail. 1945. — L. Servolini, Diz. d. Incisori ital. mod. e contemp., 1952. — Kat. d. Ausst.: Ital. Kst d. Gegenw., München u. a. O. 1950/51, u. d. 6. Quadriennale, Rom 1951/52, m. Abb. 38. *L. Servolini.*

Clerico, Emile, belg. Stilleben- u. Blumenmaler, * 1902 Ledeberg (Gent).

Schüler der Genter Akad. u. Karel van Belle's.

Lit.: Seyn, I.

Clerico, Silvio, Trentiner Landschafts- u. Architekturmaler, * 12. 2. 1894 Arco, seit 1928 ansässig in Paris.

Lit.: Gerola, m. Abb.

Clermont, Louis, franz. Figuren- u. Landschaftsmaler, * Genf, ansässig in Moret-sur-Loing (Seine-et-Marne).

Stellt seit 1925 im Salon der Soc. Nat. d. B.-Arts in Paris aus.

Lit.: Joseph, I.

Clesse, Louis, belg. Landschaftsmaler u. Rad., * 15. 6. 1889 Ixelles (Brüssel).

Stud. an der Zeichensch. in Ixelles. Impressionist. Bilder in den Museen Antwerpen, Charleroi, Ixelles u. Schaarbeek.

Lit.: Seyn, I, m. Fotobildn. — C. Libotte, Quelques Art. belges contemp. — Joseph, I.

Cléty, Constant, franz. Figuren- u. Bildnismaler u. Graphiker, * Roubaix (Nord), ansässig ebda.

Schüler von Ph. de Winter u. Sabatté. Mitgl. der Soc. d. Art. franç., beschickt deren Salon seit 1921 (Kat. z. T. mit Abbn).

Lit.: Joseph, I.

Cleve, Franz, dtsch. Bildhauer, * 11. 3. 1879 Kevelaer, Niederrh., ansässig in München.

Schüler von S. Eberle u. Balth. Schmidt an der Münchner Akad. Kreuzigungsgruppen in Neuhaus (Oberpfalz) u. auf d. Friedhof zu Kevelaer; Christusstatue (Holz) in d. Spitalkirche in Wemding.

Lit.: Th.-B., 7 (1912). — Dreßler. — F. W. Bredt, Friedhof u. Grabmal (Rhein. Ver. f. Denkmalpflege u. Heimatschutz, Mitteil. H. 1), Düsseld. 1916, p. 180, 199 (Abb.). — Die Kunst, 33 (1914/15) 225. — Die Christl. Kst, 9 (1912/13) 133/36 (Abbn).

Cleve, Oscar, schwed. Karikaturenmaler u. Zeichner, * 1906 Göteborg, ansässig in Häverö, Stockholms län.

Stud. in Kopenhagen, im wesentlichen Autodidakt. Mitarbeiter an Söndagsnisse-Strix u. and. Blättern. Zeichngn (Tusche, Blei) u. a. im Mus. in Göteborg.

Lit.: Thomœus.

Cleve-Jon-And, Agnes, s. *Jon-And.*

Clewell, Charles Walter, amer. Bildhauer, * 2. 3. 1876 Canton, O., ansässig ebda.

Arbeiten im Mus. in Newark, N. J., u. im Art Inst. in Dayton, Ohio.

Lit.: Who's Who in Amer. Art, I: 1936/37. — Amer. Art Annual, 27 (1930) 517.

Clews, Henry, schweiz. Bildhauer, * 1879, † 1937 Napoule b. Cannes.

Ausgebildet in Paris. Knüpft an die primitive Kunst der Wilden an. In seinen Bildnisköpfen zur

Karikatur neigend (Charakterstudien: Der Kranke, Der Arzt usw.).

Lit.: Pro Arte (Genf), 1 (1942) Juli/Aug.-H., p. 11f., m. Taf.-Abb.

Cliff, Thomas James, engl. Bildhauer, * 19. 8. 1873 London, ansässig in Becontree, Essex.

Lit.: Who's Who in Art, [3] 1934.

Clilverd, Graham Barry, engl. Architekturmaler, Pastellzeichner u. Rad., * 6. 4. 1883 London, ansässig ebda.

Lit.: Who's Who in Art, [3] 1934. — Artwork, 4 (1928) 19. — Apollo (London), 10 (1929) 372 (Abb.). — The Studio, 100 (1930) 116, 122 (Abb.).

Clime, Winfield Scott, amer. Maler u. Rad., * 7. 11. 1881 Philadelphia, Pa., ansässig in Old Lyme, Conn.

Stud. an der Corcoran Art School in Washington u. an der Art Student's League in New York. Vertreten im Mus. in Los Angeles, Calif.

Lit.: Fielding. — Amer. Art Annual, 30 (1933). — Who's Who in Amer. Art, I: 1936/37.

Clivilles y Serrano, Francisco, span. Bildhauer, * 5. 3. 1873 Madrid, ansässig ebda.

Schüler von Juan Samsó. Ehrenvolle Erwähnungen auf den Madrider Ausstellgn 1895, 97 u. 1906. Dekor. Arbeiten u. a. im Sitzungssaal der Diputación Prov. in Madrid.

Lit.: Th.-B., 7 (1912).

Clochard, William, franz. Landschaftsmaler, * 1. 5. 1894 Bordeaux, ansässig in Rueil (Seine-et-Oise).

Stellt seit 1926 bei den Indépendants, seit 1928 auch im Salon des Tuileries aus.

Lit.: Joseph, I. — Bénézit, [2] II.

Clod-Svensson, Sophus, dän. Landschaftsmaler, Graph. u. Kstkritiker, * 10. 5. 1867 Kolding, † 27. 7. 1941 Kopenhagen.

Stud. an der Akad. in Kopenhagen. Reisen in Deutschland, Frankreich, Italien. Mitarbeit an d. Ausmalung des Kopenh. Rathauses.

Lit.: Krak's Blaa Bog, 1936; 1950, Totenliste. — Vem är Vem i Norden, Stockh. 1941, p. 76. — Weilbach, [3] I.

Clogston, Evelyn Belle, amer. Malerin, * 12. 6. 1906 Pomona, Calif., ansässig in Portland, Ore.

Schülerin von Steinhof, Douglas Donaldson, Roscoe Schrader u. Ed. Vysekal.

Lit.: Who's Who in Amer. Art, I: 1936/37. — Amer. Art Annual, 30 (1933).

Close, May Lewis, amer. Bildnismalerin, * 18. 1. 1886 Brooklyn, N. Y., ansässig ebda.

Schülerin von Jos. H. Boston.

Lit.: Amer. Art Annual, 12 (1915) 345. — Kst u. Ksthandwerk Wien), 12 (1909) 57.

Closets d'Errey, Louis Xavier Amédée Pierre de, engl. Bildnis- u. Figurenmaler, * 8. 11. 1894 Saifabad (Ostindien).

Stud. an den Akad. Colarossi, Grande Chaumière u. Julian in Paris. Stellte im Salon d'Automne u. bei den Indépendants aus.

Lit.: Joseph, I. — Bénézit, [2] II.

Clossmann, Hans von, dtsch. Maler (hauptsächl. Landschafter), * 19. 6. 1874 Freiburg i. Br., ansässig ebda.

Schüler von G. Schönleber in Karlsruhe.

Lit.: Dreßler. — Velhagen & Klasings Monatsh., 51/I (1936/37) farb. Taf.-Abb. geg. p. 264, 338f.

Clostre, Fernand, franz. Genre- u. Porträtbildhauer, † August 1915 Paris.

Lit.: Th.-B., 7 (1912). — Chron. d. Arts, 1914/16, p. 226.

Clot, René Jean, franz. Maler, Graphiker u. Dichter, * 19. 1. 1913 Ben Chicao (Algier).

Schüler von Grommaire u. C. Despiau in Paris. Stellt seit 1935 im Salon d'Automne aus (Mitgl. seit 1936). Figürliches, Blumenstücke, Landschaften. 2 Mappen mit Lithogr., Text von M. Fouchet, Vorw. v. J. Alizarg. Bilder im Mus. de l'Art mod. in Paris u. in den öff. Smlgn in Algier, Cambrai, Montpellier, Nantes, Orleans u. Oran.

Lit.: Bénézit, [2] II (1949). — Aesculape, 1937, p. 180, m. Abb. (Rad.). — L'Amour de l'Art, 1936. p. 353/55, m. 5 Abbn. — Beaux-Arts, 75e année Nr 252 v. 29. 10. 1937, p. 2 (Abb.), Nr 254 v. 12. 11. 1937 p. 5.

Clough, Stanley, amer. Maler, * 11. 5. 1905 Cleveland, Ohio, ansässig ebda.

Stud. an der Kunstsch. in Cleveland u. am John Huntington Polytechnic Inst. Industrielandschaft im Cleveland Mus. of Art.

Lit.: Who's Who in Amer. Art, I: 1936/37. — Amer. Art Annual, 30 (1933). — Bull. of the Cleveland Mus. of Art, 15 (1928) 104; 16 (1929) 83, 88 (Abb.); 17 (1930) 123.

Clouzot, Marianne, franz. Malerin, Graph. u. Illustr., * 1908 Le Vésinet (Seine-et-Oise), ansässig in Paris.

Pflegt hauptsächlich das biblische Fach u. das Kinderbildnis.

Lit.: Art et Décor., 1935, p. 335/40, m. 8 Abbn. — Beaux-Arts, Nr 282 v. 27. 5. 1938, p. 4; Nr 339 v. 6. 6. 1939, p. 2. — Bénézit, [2] II (1949).

Clozier, René Théophile, franz. Architekt, * 9. 10. 1886 L'Isle-Adam (Seine-et-Oise), ansässig in Paris.

Schüler von C. H. L. Lefranc. Architekt der Polizeipräfektur. Mitgl. der Soc. du Salon d'Automne. Hauptsächlich Villenbauten; Denkmal für d. Gefallenen des 1. Weltkrieges in L'Isle-Adam.

Lit.: Joseph, I.

Clubb, John Scott, amer. Pressezeichner u. Karikaturist, * 29. 4. 1875 Hall's Corners, N. Y., † 28. 1. 1934 Rochester, N. Y.

Stud. an der Cincinnati Art Acad. u. der Art Student's League in New York. Seit 1900 Zeichner des Rochester Herald, nach Eingehen desselben (1926) Mitgl. des Stabes der Rochester Times-Union.

Lit.: Mallett. — New York Papers, 29. 1. 1934: Obituary. — Who's Who in Amer. Art, I: 1936/37, p. 495.

Clüver, Bernt, norweg. Landschafts- u. Stillebenmaler, * 21. 5. 1897 Strinda, Trondheim, ansässig in Hadeland.

Schüler von Paul Gauguin, 1920/21 von A. Lhote, O. Friesz u. R. Dufy in Paris. Studienreisen in Frankreich u. (1932) in den USA. 3 Bilder in d. Nat.-Gal. in Oslo.

Lit.: Vem är Vem i Norden, Stockh. 1941, p. 647. — Kunst og Kultur, 19 (1933) 173 (Abb.), 174; 20 (1934) 180 (Abb.), 184ff., m. Abbn.

Cluseau-Lanauve, franz. Maler u. Graphiker, * 7. 3. 1914 Périgueux (Dordogne).

Schüler von Devambez in Paris. Stellt seit 1933 im Salon der Soc. d. Art. Franç., seit 1938 auch im Salon d'Automne u. im Salon des Tuileries aus. Figürliches, Landschaften. Illustr. u. a. zu: Visage du

Stalag. Bilder in französ. Staatsbesitz u. im Besitz der Stadt Paris.
Lit.: Bénézit, [2] II (1949). — Beaux-Arts, 70e année Nr 331 v. 5. 5. 1939, p. 7 (Abb.).

Clute, Beulah, geb. *Mitchell,* amer. Illustratorin, * 24. 3. 1873 Rushville, Ill., ansässig in Berkeley, Calif. Gattin des Walter M.
Schülerin der Art Student's League in New York u. des Art Inst. in Chicago.
Lit.: Fielding. — Amer. Art Annual, 30 (1933).

Clute, Carrie Elizabeth, amer. Malerin u. Radiererin, * 3. 7. 1890 Schenectady, N. Y., ansässig in New York.
Schülerin von Henry B. Snell.
Lit.: Amer. Art Annual, 30 (1933). — Who's Who in Amer. Art, I: 1936/37.

Clute, Walter Marshall, amer. Maler u. Illustrator, * 9. 1. 1870 Schenectady, N. Y., † 13. 2. 1915 North Cucanongy, Calif. Gatte der Beulah.
Stud. an der Art Student's League in New York u. bei B. Constant u. J. P. Laurens in Paris.
Lit.: Fielding. — Amer. Art Annual, 12 (1915) 257.

Clutterbuck, Julia Emily, verehel. *Alsopp,* engl. Mezzotintostecherin (Porträts), † Mai 1932 Chepstow.
Lit.: The Print Coll.'s Quarterly, 19 (1932) 187.

Clutton-Brock, Evelyn Alice, geb. *Harcourt,* engl. Landsch.- u. Bildnismalerin, * 30. 12. 1876 Westerham, ansässig in London.
Stud. an der Slade School in London.
Lit.: Who's Who in Art, [3] 1934.

Cluysenaar, John Gordon, belg. Bildhauer, * 27. 9. 1899 Uccle.
Sohn des Bildnis- u. Wandmalers André C. (* 1872). Schüler der Brüsseler Akad. Studienaufenthalte in Florenz u. Rom. Hauptsächl. Porträtist. Im Mus. Antwerpen: Büste d. Vaters des Kstlers. Im Mus. Ixelles: Der Kuß; im Mus. Lüttich: Frühling.
Lit.: Seyn, I, m. Fotobildn. — Bénézit, [2] II. — Une Famille d'Artistes: Les C., Brüssel 1928. — The Connoisseur, 68 (1924) 234f. — Beaux-Arts, 4 (1926) 125 (Abb.), 126. — La Revue d'Art (Antw.), 27 (1926) 37.

Cluzeau, Pierre Antoine, franz. Maler u. Radierer, * 1. 9. 1884 Saint-Mandé (Seine), ansässig in Le Parc-Saint-Maur (Seine).
Schüler von L. O. Merson. Landschaften, Stadtveduten, Architektur. Mitgl. der Soc. d. Art. Indépendants, der Soc. d. Peintres du Paris-Moderne, des Salon de la Gravure orig. en Noir u. der Soc. d. Art. Franç. (Kat. z. T. m. Abbn). — Graph. Mappen: En suivant la Seine à Paris (10 Radiergn); Alsace (6 farb. Rad.) u. a. Einzelblätter: Ansicht von Sainte-Cathérine in Honfleur (Trockennadel); Glockenturm in Harfleur (Rad.); Türme von Notre-Dame in Paris (Rad.), usw.
Lit.: Joseph, I, m. 2 Abbn u. Fotobildn. — Bénézit, [2] II (1949).

Cluzel, Boris, s. *Froedman-Cluzel.*

Clymer, Edwin Swift, amer. Maler, * 1871 Cincinnati, Ohio, ansässig in Gloucester, Mass.
Schüler der Pennsylvania Acad. of the F. Arts. Vertreten im Mus. in Reading, Pa.
Lit.: Amer. Art Annual, 30 (1933). — Who's Who in Amer. Art, I: 1936/37.

Clymer, James Floyd, amer. Maler, * 31. 3. 1893 Perkasie, Pa., ansässig in Provincetown, Mass.
Lit.: Fielding. — Who's Who in Amer. Art, I: 1936/37. — Amer. Art Annual, 30 (1933). — Monro.

Cneudt, Richard de, belg. Dichter u. Maler, * 1877 Gent, ansässig in Bergen-op-Zoom.
Lit.: Seyn, I 224, m. Fotobildn.

Coady, Robert J., amer. Maler, * 1881 New York, † 1921 Brooklyn, N. Y.
Lit.: Amer. Art Annual, 18 (1921) 225.

Coale, Donald Vincent, amer. Maler, * 27. 4. 1906 Baltimore, Md., ansässig ebda.
Schüler von John Sloan, Leon Kroll, Henry Boben u. der Kunstsch. in Fontainebleau. Abstrakter Kstler.
Lit.: Who's Who in Amer. Art, I: 1936/37. — Amer. Art Annual, 30 (1933). — Kst, Halbjahrb. (München), 1 (1948) 103. — D. Kstwerk, 4 (1950) H. 8/9 p. 87, m. Abb. (falsch. Geb.-Jahr). — Monro.

Coale, Griffith Baily, amer. Maler, * 21. 5. 1890 Baltimore, Md., ansässig in New York, sommers in Stonington, Conn.
Schüler von Heymann in München, von Rich. Miller u. Laparra in Paris. Studienaufenthalte in Italien u. Spanien. Bildnisse im Bes. der Maryland Histor. Soc. u. der John Hopkin's University in Baltimore. Wandmalereien u. a. in den Häusern der Dry Dock Savings Institution u. der Brooklyn Borough Gas Comp. in New York.

Coan, Frances C. Challenor, amer. Maler u. Illustrator, * 3. 7. 1872 East Orange, N. J., ansässig in Nyack, N. Y.
Schüler von Henri B. Snell u. E. M. Scott. Bruder des Schriftst. u. Malers Arthur C. C. (* 16. 12. 1867 Ottawa, Ill.).
Lit.: Amer. Art Annual, 30 (1933).

Coan, Helen E., amer. Malerin, Illustrat. u. Schriftst., * Byron, N. Y., ansässig in Los Angeles, Calif.
Schülerin der Art Student's League in New York, Fred. Freer's u. Wm. Chase's. Med. auf der Expos. in San Diego, 1915.
Lit.: Amer. Art Annual, 30 (1933). — Fielding. — Who's Who in Amer. Art, I: 1936/37.

Coats, Alice Margaret, engl. Aquarellmalerin, Holzschneiderin u. Rad., * 15. 6. 1905 Birmingham, ansässig ebda.
Stud. an der Slade School in London.
Lit.: Who's Who in Art, [3] 1934.

Coats, Claude, amer. Wandmaler, * 17. 1. 1913 San Franzisko, Kalif., ansässig in Los Angeles, Kalif.
Schüler von Millard Sheets u. Paul Sample.
Lit.: Who's Who in Amer. Art, I: 1936/37.

Coats, Randolph, amer. Maler, * 14. 9. 1891 Richmond, Ind., ansässig in Indianapolis, Ind.
Schüler von James R. Hopkins u. Fr. Duveneck. Bilder u. a. in der Univ. of Cincinnati u. im John Herron Art Inst. in Indianapolis.
Lit.: Amer. Art Annual, 30 (1933). — Who's Who in Amer. Art, I: 1936/37.

Cobb, Katherine M., amer. Malerin, * 5. 1. 1873 Syracuse, N. Y., ansässig ebda.
Schülerin von Ch. Hawthorne, Carlson u. Webster.
Lit.: Who's Who in Amer. Art, I: 1936/37.

Cobbett, Hilary Dulcie, engl. Aquarellmalerin, * 19. 2. 1885 Richmond, Surrey, ansässig ebda.
Lit.: Who's Who in Art, [3] 1934.

Cobet, Fritz, dtsch. Landsch.- u. Porträtmaler, * 27. 10. 1885 Lippstadt, Westf., ansässig in Bremen.
Stud. an den Akad. in Kassel u. München, dann in Dachau. Studienaufenthalte in Spanien, Italien, Korsika, Worpswede u. Fischerhude. Bild in d. Bremer Ksthalle.
Lit.: Niederdtsche Welt, 16 (1941) 137/38. — Niedersachsen, 17 (1911/12), farb. Taf. p. 476. — Mitteilgn d. Kstlers.

Coblence, Valentine, franz. Landschaftsmalerin, * Paris, ansässig ebda.
Stellt seit 1926 bei den Indépendants aus.
Lit.: Joseph, I.

Coblentz, Johanna, dtsche Bildhauerin, * 6. 4. 1908 Kaiserslautern, ansässig ebda.
Kurzes Studium bei H. Ziegler in Nürnberg, sonst Autodidaktin. Studienreisen nach Schweden, Finnland, Rußland, Polen, Schweiz und mehrjähriger Aufenthalt in Paris.
Lit.: Pfalz u. Pfälzer, 1951 H. 11 Umschlagbild. — Vorbereitung e. Kstmappe im Verlag Heinz Rohr.

Cobo Domínguez, Fernando, span. Genre-, Bildnis- (Öl u. Pastell) u. Wappenmaler, * 1886 Madrid, ansässig ebda.
Schüler von Cecilio Plá.
Lit.: Th.-B., 7 (1912).

Coccani, Antonio, ital. Landschaftsmaler (Öl u. Pastell), * 1894 Udine.
Schüler d. Akad. in Florenz.
Lit.: Comanducci.

Cocchi, Mario, ital. Genremaler, * 15. 1. 1898 Livorno. Autodidakt.
Lit.: Comanducci.

Coccia, Pompeo, ital. Figurenmaler, * Rom, ansässig in Paris.
Schüler von J. Adler u. J. Bergès. Stellte im Salon der Soc. d. Art. Franç. 1930 einen sitzenden weibl. Akt („Quiétude") aus (Abb. im Kat.).

Cocco, Franc. Alessandro di, ital. Maler, * 1. 7. 1900 Rom, lebt in New York.
Autodidakt. Bild in d. Gall. d'Arte Mod. Rom.
Lit.: Chi è?, 1940.

Cocever, Vittorio Antonio, serb.-kroat. Landschafts- u. Tiermaler, * Capodistria, ansässig in Venedig.
Schüler von E. Tito an der Akad. Venedig. Bis 1939 in Capodistria, seitdem in Venedig, wo er 1923 zuerst ausstellte. Beschickte 1928/29 die 19. u. 20. Ausst. der Opera Bevilacqua La Masa, 1939 die 8. Ausst. des Sindicato interprov. delle B. Arti della Venezia Giulia und die Mostra d'Arte Sacra in Rom.
Lit.: L'Arena di Pola, 2. 10. 1950. — La Diana, 30. 4. 1947. — Emporium, 80 (1934) 64, m. Abb.; 82 (1935) 335; 89 (1939) 48. — Il Momento della Cultura e dell'Arte, 2. 4. 1947.

Cocheret, Ch. A., holl. Karikaturist, * 4. 9. 1880 Rotterdam.
Schüler von J. A. Weyns u. C. J. Mension in Delft.
Lit.: Plasschaert. — Waay.

Cochet, Gérard, franz. Maler u. Illustr., * 13. 10. 1888 Avranches (Manche), ansässig in Paris.
Stud. an der Acad. Julian in Paris. Stellt seit 1921 bei den Indépendants, später auch im Salon d'Automne (seit 1925 Mitgl.) u. im Salon des Tuileries (1926 ff.) aus. Figürliches, Landschaften, Stilleben. Wandfresko im Lyzeum Junger Mädchen in Sceaux. Eine Landschaft im Luxembourg-Mus. in Paris. Breit u. kraftvoll gemalte Bauernbilder, Akte, Zuschauer in der Theaterloge bei künstlichem Licht. Illustr. u. a. zu einer Maupassant-Ausgabe (Librairie de France), Bd 13: „Fort comme la mort"; „L'âme étrangère"; „L'Angélus, 1935"; zu Barbey d'Aurevilly, „Ce qui ne meurt pas", u. zu Voltaire, „Candide".
Lit.: Joseph, I — The Arts, 1929, p. 217/20, m. 4 Abbn. — Beaux-Arts, 7 (1929) H. 3, p. 18, m. Abb.; 8 (1930) H. 3, p. 18, m. Abb., H. 5 p. 23 (Abb.), H. 7 p. 18 (Abb.); 1936 Nr 166, p. 1, 8, Nr 176 p. 6, m. Abb.; Nr 221 v. 26. 3. 1937, p. 1 (Abb.); Nr 266 v. 4. 2. 1938 p. 4, m. Abb.; Nr v. 28. 3. 1947 p. 8 (Abb.); Nr v. 20. 2. 48 p. 4 (Abb.); Nr v. 5. 3. 48 p. 4; Nr v. 12. 3. 48 p. 4 (Abb.). — L'Art et les Art., N. S. 24 (1932) 305/10, m. 6 Abbn. — Bénézit, [2] II (1949).

Cochran, Allen Dean, amer. Maler, * 23. 10. 1888 Cincinnati, Ohio, ansässig in Woodstock, N. Y.
Schüler von Kenyon Cox u. Birge Harrison.
Lit.: Amer. Art Annual, 30 (1933).

Cocito Buratti, Vittoria, piemont. Bildnismalerin, * 6. 9. 1891 Turin, ansässig ebda.
Schülerin von Cesare Ferro.
Lit.: Comanducci. — Emporium, 37 (1913) 394 (Abb.).

Cock, Aart, holl. Landschafts- u. Bildniszeichner, * 1905 Menado auf Celebes.
Lit.: Waay.

Cock-Clausen, Alf, dän. Architekt, * 2. 3. 1886 Kopenhagen, ansässig ebda.
Sohn des 1904 † Archit. Ludvig Clausen (Th.-B., VII 66). Schloß 1911 s. Studien an d. Kopenhag. Akad. ab. 1916 Theophil-Hansen-Reiselegat. Fabrikgebäude, Handelshäuser; Ferienkinderheim des Classenschen Fideikommiß bei Kortselitze.
Lit.: Krak's Blaa Bog, 1936. — Vem är Vem i Norden, Stockh. 1941, p. 77. — Architekten, 22 (1920) 317/21.

Cockcroft, Edith Varlan, amer. Malerin u. Entwurfzeichnerin für Textilien, * 1881 Brooklyn, N. Y., ansässig in Rockland Co., N. Y.
Lit.: Amer. Art Annual, 20 (1923). — Fielding. — Mallett. — Who's Who in Amer. Art, I: 1936/37.

Cockerell, Catherine Anne, engl. Juwelierin u. Silberschmiedin, * 28. 3. 1903 London, ansässig in Letchworth, Hertfordshire.
Tochter des Kstbuchbinders Douglas C. (* 1870, † 1945).
Lit.: Who's Who in Art, [3] 1934. — Artwork, 6 (1930) 54, 76 (Abb.). — Douglas betr.: Th.-B., 7 (1912). — Roy. Soc. of Arts, Journal, 94 (1945) 71/73. — The Studio, 136 (1948) 114 (Abb.).

Cockrell, Dura, geb. *Brokaw*, amer. Malerin, * 16. 2. 1877 Liscomb, Iowa, ansässig in Fulton, Mo.
Schülerin von Wm. Chase u. K. H. Miller.
Lit.: Amer. Art Annual, 30 (1933). — Who's Who in Amer. Art, I: 1936/37.

Cockx, Philibert, belg. Maler, Rad. u. Holzschneider, * 29. 4. 1879 Ixelles (Brüssel).
Schüler der Brüsseler Akad. 1947 Preis René Steens. Anfänglich hauptsächl. Landschaften u. Stillleben, später Figürliches, Bildnisse, Akte. Bedeutender Kolorist. Im Mus. Brüssel: Flämische Bäuerin.
Lit.: Seyn, I, m. Fotobildn. — Marlier, p. 85f.,

m. Abb. — La Revue d'Art (Antw.), 26 (1925) 92f., 101/15, m. 11 Abbn. — Beaux-Arts, 21. 3. 1947, p. 3, m. Abb.; 19. 12. 1947.

Cocq, Suzanne, belg. Malerin, Rad. u. Holzschneiderin, * 1894 Ixelles (Brüssel). Gattin des Maur. Brocas.

Lit.: Seyn, I. — Kstchronik, N. F. 27 (1915/16) 251. — La Belgique artist. et littér., 1. 1. 1914, p. 83ff.

Cocteau, Jean, franz. Romancier, Dramatiker, Kritiker u. Zeichner, * 5. 7. 1892 Maisons-Laffitte, ansässig in Paris.

Geistvoller, von Picasso beeinflußter Karikaturist, der auch einige eigene Dichtungen illustriert hat (Le Mystère de l'oiseleur; Le Secret professionnel; Chevaliers de la Fable Ronde). — Mappenwerke: Cocteau. Dessins, Paris, Stock, 1924 (130 Abbn); 25 Dessins d'un Dormeur, Lausanne, H. L. Mermod, 1928; Les Enfants terribles (60 Zeichngn), Paris, Grasset, 1934. — Koll.-Ausst. März/April 1952 im Landesmus. Hannover (Gemälde, Zeichngn, Textilien).

Lit.: Joseph, I. — Bénézit, [2] II. — J. C. (Les Art. nouv.), Paris 1924, m. 33 Abbn. — D. Kstblatt, 10 (1926) 137/41, m. Abbn. — Apollo (London), 23 (1926) 54; 27 (1938) 163. — D. Cicerone, 19 (1927) 547 (Abb.). — Dtsche Kst u. Dekor., 61 (1927/28) 162 (Abb.). — Bull. de la Soc. de l'Hist. de l'Art franç., 1928, p. 261. — The Studio, 111 (1936) 102. — Beaux-Arts, Nr 251 v. 22. 10. 1927, p. 1 (Abb.), 4; Nr v. 24. 10 1947 p. 5. — Das Kstwerk, 1 (1946/47) H. 6, p. 11 –14, m. Abbn. — bild. kunst, 2 (1948) H. 1, p. 16 (Abb.). — Prisma (München), 1 (1947) Heft 7 p. 42f., m. Abbn. — The Art News, 45 (1946), Dez. p. 40; 47 (1949), Jan. p. 47. — Emporium, 103 (1946) 123/29. — Art Digest, 23, Nr v. 15. 1. 1949 p. 13. — D. Kst u. d. schöne Heim, 50 (1952) 137/39, m. 4 Abbn. — Kstchronik, 5 (1952) 105. — The Connoisseur, 126 (1950) 74. — Graphis (Zürich), 4 (1948) Nr 21 p. 38 (Abb.).

Codesido, Julia, peruan. Figurenmalerin, * 1892 Lima, ansässig ebda.

Stud. an der Nat. Kstschule in Lima. Lehrerin an ders. Koll.-Ausstellgn: Lima 1929/1931, 1939, Mexico City 1935, New York u. San Francisco 1936. Bild im Musée du Jeu de Paume in Paris.

Lit.: Kirstein, p. 102. — Beaux-Arts, 75, Nr 322 v. 3. 3. 1939.

Codini, Lorenzo, franz. Maler, * 24. 11. 1904 Lyon, ansässig in Paris.

Schüler von Cormon u. J. P. Laurens. Mitgl. der Soc. d. Art. franç. (Salon-Kat. z. T. mit Abbn). Bäuerliche Szenen, Interieurs usw.

Lit.: Joseph, I. — Velhagen & Klasings Monatsh., 47/I (1932/33), Taf.-Abb. p. 136, Text p. 216.

Codognato, Plinio, ital. Maler u. Illustr., * Verona, † 30. 9. 1940 Mailand.

Mitarbeiter der Zeitung „La Tradotta".

Lit.: Corriere d. sera, 1. 10. 1940.

Codreanu (Codreano), Irina (Irène), rumän. Malerin, Zeichnerin u. Bildhauerin, * 18. 7. 1896 Bukarest, ansässig in Paris.

Stud. an der Kunstsch. in Bukarest, dann bildhauer. Studien in Paris bei Bourdelle u. Const. Brâncusi. Bronzebüste u. Zeichng (weibl. Akt) im Mus. Toma Stelian in Bukarest (Kat. 1939).

Lit.: Joseph, I.

Codrington, Isabel, verehel. *Mayer*, engl. Malerin, ansässig in Woldingham, Surrey.

Stud. an den Roy. Acad. Schools in London. Beeinflußt von Burne-Jones, Rossetti u. Millais. Figürliches, Interieurs, Stilleben, Blumenstücke. Bilder u. a. in der Städt. Gal. in Hull, der Gal. in Toronto, Kanada, im Imperial War Mus. in London, in d. Nat. Gall. in Melbourne (Austral.), im Mus. Municip. in Barcelona u. im Bes. der Stadt Oldham.

Lit.: Who's Who in Art, [3] 1934. — The Studio, 90 (1925) 212/18, m. 4 Abbn u. 1 farb. Taf.; 93 (1927) 271 (Abb.), 275; 99 (1930) 397 (ganzseit. Abb.). — D. Kstwanderer, 1927/28, p. 408. — Apollo (London), 9 (1929) 320 (Abb.), 334; 22 (1935) 304, m. Abb.

Codron, Jef, belg. Maler, Rad. u. Lithogr., * 1882 Brüssel.

Schüler von Verheyden, Stallaert u. Richir an der Brüsseler Akad.

Lit.: Seyn, I.

Coe, Charles, amer. Maler, * 10. 7. 1902 Massillon, Ohio, ansässig in Cleveland Heights, O.

Schüler von Henry G. Keller.

Lit.: Amer. Art Annual, 30 (1933). — Who's Who in Amer. Art, I: 1936/37.

Coe, Ethel Louise, amer. Malerin, * Chicago, Ill., † 1938 Evanston, Ill.

Schülerin von Hawthorne u. Sorolla. Bilder im City Art Mus. in Sioux u. in der Munic. Art Coll. in Chicago.

Lit.: Fielding. — Amer. Art Annual, 30 (1933). — Who's Who in Amer. Art, I: 1936/37. — Earle.

Coe, Lloyd, amer. Maler u. Illustr., * 23. 8. 1899 Edgartown, Mass., ansässig in New York.

Stud. an der Nat. Acad. of Design in New York u. bei G. P. Ennis.

Lit.: Amer. Art Annual, 20 (1923).

Coe, Richard Blauvelt, amer. Landschaftsmaler u. Rad., * 27. 2. 1904 Selma, Ala., ansässig in Birmingham, Ala.

Stud. an der Lehranstalt des Mus. of F. Arts in Boston.

Lit.: Mallett. — Who's Who in Amer. Art, I: 1936/37.

Coenders, Joh. Felix Emile, holl. Stillleben- u. Landschaftsmaler, * 17. 10. 1913 Tilburg, ansässig im Haag.

Schüler der Haager Akad.

Lit.: Waay.

Coene, Jozef de, belg. Stilleben-, Landschafts- u. Marinemaler, * 1875 Courtrai.

Schüler der Akad. Courtrai u. Brüssel. Beeinflußt von R. Savery. Bilder in den Museen Gent (Fischerboote) u. Lüttich (Garten; Die Ebene).

Lit.: Seyn, I 226. — Marlier, p. 59f. — Apollo (Brüssel), Febr.-H. 1943, Nr 19 p. 16.

Coenen, Petrus Hubertus, holl. Maler, * 18. 8. 1894 Maastricht, ansässig ebda.

Schüler von Rob. Graafland. Landschaften, Still leben, Bildnisse (Öl u. Aquar.).

Lit.: Waay.

Coenen-Bendixen, Marianne, dtsche Figuren-, Bildnis- u. Landschaftsmalerin, * 25. 8. 1916 Kiel, ansässig in Berlin.

Enkelin des Malers Siegfried Bendixen. Schülerin von Max Kaus an d. Berl. Akad. Kollektiv-Ausst. in der Gal. Cares, Berlin, Juni 1947.

Lit.: Aufbau 5 (1949) 142 (Abb.). — Praktische Mode, 1947, H. 3, p. 3, m. Abbn. — Die Weltkst, 17 Nr 35/38 v. 15. 9. 1943, p. 1 (Abb.). — Berlin am Mittag, 4. 2. 1948, m. Abb. — Telegraf (Berlin), Abendausg., 14. 9. 1949, m. Fotobildn. — „sie" (Berlin), 6. 7. 1947; 17. 4. 1949, m. Fotobildn. — Kat. Ausst. Junge Kst im Dtsch. Reich, Wien 1943, m. Abb. 34.

Coert, Anthonij, holl. Landschaftsmaler, * 14. 12. 1872 Goedereede (Zeeland), ansässig in Leiden.

Schüler von Lampe. 1892/1900 in Leiden, 1900/08 im Haag, seitdem wieder in Leiden ansässig (2. Direktor des Mus.), während der Sommer in Gelderland.

Lit.: Th.-B., 7 (1912). — Plasschaert. — Waay. — Waller.

Coester, Elisabeth, dtsche Malerin u. Entwurfzeichnerin für Glasmalerei u. Textilien, * 20. 2. 1900 Rödinghausen i. W., † 1941 Detmold. Schwester des Otto.

Chorfenster für die Deutschhauskirche in Würzburg; Ehrenmal-Fenster mit Auferstehung Christi u. Paramente für die Wiesenkirche in Soest; Fenster f. d. Nikolaik. in Hamburg; Klappaltar für St. Pauli in Soest.

Lit.: Handbuch d. Kstmarktes, 1926, p. 453f. — Hellweg (Essen), 2 (1922) 914/15. — D. Kstblatt, 11 (1927) 246, 344f. (Abbn). — Niedersachsen, 45/46 (1940/41) 348, 349.

Coester, Oskar, dtsch. Maler u. Lithogr., * 7. 11. 1886 Frankfurt a. M., ansässig in Dachau b. München.

Stud. an d. Städel-Kstsch. Frankf. u. an d. Akad. Karlsruhe, 1908ff. an d. Münchner Akad. Autodidaktisch weitergebildet. Reisen in Italien u. Frankreich. Beeinflußt anfängl. von Böcklin, später u. a. von Marées, Cézanne u. Kokoschka. 1949 Kstpreis f. Malerei d. Stadt München. Malt phantastische, in seltsamen metallisch-grünlichen Farben schillernde Traumlandschaften, zu denen ihm besonders das Dachauer Moos, die Mainufer, der Bodensee u. der Genfersee Anregung geben. 1927 in Paris. Ein Aufenthalt in Mexiko blieb ohne Einfluß. Stark lyrisch gefärbte Kunst. Außer Landschaften auch Bildnisse u. Stilleben. Das Malerische ist das bestimmende Element in seinen Bildern, deren reiche u. tonige Farbigkeit in einem temperamentvollen Gewoge hin und her flutet. Kollektiv-Ausst. in d. Gal. Thannhauser in München, Frühj. 1925, u. in d. Gal. Günther Franke in München Dez. 1952. Selbstbildnis in der Öff. Kstsmlg in Basel; Kauz beim Abendtrunk, Bay. Staatsgem.-Smlgn; Landschaft, Stadtmus. in Stettin.

Lit.: Eckstein, p. 34/38, m. 5 Abbn u. Fotobildn. — Breuer, m. 2 Abbn u. Bildnis, gez. von O. Gulbransson (1930). — D. Cicerone, 12 (1920) 356/63, m. 8 Abbn. — D. Kunst, 35 (1916/17) 431 (Abb.), 432; 52 (1924/25), Beibl. z. Aprilheft, p. XV; 47. Jg (1949) H. 2 u. Nachr. p. 7. — Kst- u. Antiquitäten-Rundschau, 42 (1934) 18/21, m. 3 ganzs. Abbn. — Dtsche Kst u. Dekor., 38 (1916) 308 (Abb.), 314/15 (Abbn); 41 (1917/18) 295, 302 (Abb.); 45 (1919/20) 283/86, m. Abbn; 50 (1921) 11 (Abb.); 55 (1924/25) p. 4, 23 (Abb.); 56 (1925) 304/09, m. 6 Abbn u. 2 farb. Taf.; 68 (1931) 331 (Abb.). — Kst u. Kirche, 18 (1941) 70 –71. — D. Kst u. d. schöne Heim, 49 (1951) 246/49, m. 5 Abbn; 50 (1951/52) Beil. p. 118; 51 (1952/53) 281f. (O.C., Die gegenständliche Malerei, m. 3 [1 farb.] Abbn). — Kstchronik, N. F. 35 (1925/26) 17f. — D. Kstwerk, 1 (1946/47) H. 5, p. 39; 2 (1948/49) H. 1/2, p. 65. — Heute, 15. 9. 1946.

Coester, Otto, dtsch. Bronzebildner, Maler u. Rad. (Prof.), * 3. 4. 1902 Rödinghausen, Kr. Herford, ansässig in Düsseldorf. Bruder der Elisabeth.

Stud. an d. Kstgewerbesch. in Barmen, dann an d. Staatl. Bausch. in Weimar (Keramische Werkstätten Dornburg), weitergebildet 1922/23 in München. Studienaufenthalte in Paris, Österreich u. der Tschechoslowakai. Anfänglich Bronzebildner, hauptsächl. für kirchl. Aufgaben: Taufbecken f. d. Wiesenkirche in Soest; Friedhofkreuz für Tönnigsen, Soester Börde. Als Graphiker Autodidakt. Seit 1934 lehrtätig für freie kstler. Graphik an d. Düsseld. Akad., seit 1939 Prof. — Mappenwerk (10 Rad.), mit Einleitg von W. Grohmann, Bremen 1948. Bild im Mus. Elberfeld. Kollektiv-Ausst. im Lohmannhaus in Elberfeld 1927, im Haus „Kamerad der Deutschen Künstler" 1940 u. im Graph. Kab. des Suermondt-Mus. in Aachen 1950.

Lit.: Bergische Heimat, 4 (1930) 299 (Abb.), 300. — Antiquit.-Rundschau, 25 (1927) 44. — D. Kst u. d. schöne Heim, 50 (1952) Beil. p. 135. — Kst u. Volk, 4 (1936) 80/81. — Kstchronik, 2 (1949) 102. — D. Kstwanderer, 1926/27, p. 251. — D. Weltkst, 15 Nr 1/2 v. 5. 1. 1941, p. 2. — Kat. Ausst.: Kst der Ruhrmark, Mauritshuis im Haag 1942, m. Abb.

Cœuret, Alfred Léon, franz. Genre- (bes. Kinder-) Maler u. Lithogr., * 18. 3. 1868 Paris, † 1943 (?) Châtillon-sous-Bagnieux.

Autodidakt. Stellte 1890ff. im Salon der Soc. d. Art. Franç., 1895/1943 bei den Indépendants aus.

Lit.: Joseph, I.

Coffin, Robert P. Tristram, amer. Graphiker, Illustr. u. Maler, * 18. 3. 1892 Brunswick, Me., ansässig ebda.

Schüler von J. J. Lankes. Illustr. für „The Forum", „The Bookman" u. „The American Girl".

Lit.: Who's Who in Amer. Art, I: 1936/37.

Coghuf, Ernst, eigentlich *Stocker*, schweiz. Bildnis-, Landsch.- u. Wandmaler, * 28. 10. 1905 Basel, ansässig in Saignelégier. Bruder des Hans Stocker.

Stud. an d. Gewerbesch. f. Malerei u. Plastik in Basel. In d. Öff. Kstsmlg Basel eine Landschaft (Motiv aus dem Doubstal) u. ein Herrenbildnis. Wandgem. im Hauptpostgeb. Basel. Koll.-Ausst. Nov. 1943 in d. Ksthalle in Basel, Mai/Juni 1944 im Mus. in Solothurn, Okt./Nov. 44 im Ksthaus in Zürich.

Lit.: Das Werk, 18 (1931) Beibl. p. XXVIf., m. Abb.; 24 (1937) 302 (Abb.); 28 (1941) 232 (Abb.); 29 (1942) 101 (Abb.), 102; 31 (1944) Beibl. zu H. 1 p. IXf., H. 7 p. XXIf., H. 12 p. XVII. — D. Kstwerk, 3 (1949), Heft 4 p. 40. — Pro Arte (Genf), 2 (1942) 306, m. Abb.

Cogné, François, franz. Bildhauer, * Aubin (Aveyron), ansässig in Paris.

Schüler von Barrias u. Denys Puech. Bildnisbüsten u. Denkmäler. Mitgl. der Soc. d. Art. franç., beschickt deren Salon seit 1907. Entwürfe zu einem Clémenceau-Denkmal in Paris u. zu einem Denkmal für Paul Arène in Antibes.

Lit.: Th.-B., 7 (1912). — Joseph, I. — Chron. d. Arts, 1921, p. 90. — L'Art et les Art., N. S. 6 (1922/23) 33, 40 (Abb.). — Bull. de l'Art, 1930/I, p. 106 Beaux-Arts, 10 (1932) Märzheft p. 12, m. Abb. — Revue de l'Art anc. et mod., 61 (1932/I), Bull. p. 125 (Abb.); 67 (1935/II), Bull. p. 247 (Abb.), 254.

Cogswell, Dorothy, amer. Malerin u. Lithogr., * 13. 11. 1909 Plymouth, Mass., ansässig in New Haven, Conn.

Tochter der amer. Zeichnerin Ruth C. (* 17. 8. 1885 Concord, N. H.). Schülerin von Eug. Savage, Rich. Miller, Edwin Taylor u. Grace Cornell.

Lit.: Who's Who in Amer. Art, I: 1936/37.

Cohen, Hy, engl.-amer. Maler u. Radierer, * 13. 6. 1901 London, ansässig in New York.

Schüler von William Starkweather.

Lit.: Amer. Art Annual, 30 (1933). — Who's Who in Amer. Art, I: 1936/37. — Art Digest, 20, Nr v. 15. 12. 1945, p. 35; 24, Nr v. 1. 1. 1950, p. 20; 26, Nr v. 1. 1. 1952, p. 21, m. Abb. — The Art News, 44 Nr v. 1. 1. 1946, p 27; 50, Jan. 1952, p. 67.

Cohen, Isaac, austral. Bildnis- u. Figurenmaler (Öl u. Pastell), * Ballarat, Victoria, ansässig in London.

Stud. an d. Kunstsch. in Melbourne u. bei Fred. McCubbin ebda, weitergebildet an d. Acad. Colarossi in Paris (1907). 4 Bilder in d. Nat. Gall. in Melbourne, dar. ein Akt u. Bildnis des Generals Monash. Silb. Med. im Salon der Soc. d. Art. Franç. Paris 1924. Mitgl. der Roy. Soc. of Portrait Painters, der Pastel Soc. u. des Roy. Inst. of Oil Painters.

Lit.: Who's Who in Art, [3]1934. — The Studio, 37 (1906) 271, m. Abb.; 62 (1914) 204, m. Abb.; 90 (1925) 96f., m. Abb.; 95 (1928) 432, 433 (Abb.); 98 (1929) 584/86, m. 3 Abbn. — Amer. Hebrew a. Jewish Tribune, 131, Nr 17 v. 9. 9. 1932, p. 308, m. Abb. — Kat. Salon Soc. d. Art. Franç. Paris 1930, m. Abb.

Cohen, Léon, serbischer Maler, * Belgrad, † 1934 ebda.

Stud. an der Münchner Akad. Beeinflußt von Delacroix u. Puvis de Chavannes. Der größte Teil seines Werkes wurde von der israel.-jugoslaw. Gemeinde erworben, zwecks Gründung einer Léon-Cohen-Galerie in Belgrad. Mehrere Arbeiten im Mus. Prinz Paul ebda Hauptwerke: Traum Josephs, Zyklus der Tragödie u. des Triumphes der Menschheit; Szene aus der nationalen Erhebung Serbiens; Apollo u. die Musen; Der irrende Jude; Richard III.; Hamlet. Retrosp. Ausstellung, 63 Bilder umfassend, im Kunstpavillon „Cvijeta Zouzoritch" in Belgrad.

Lit.: Beaux-Arts, Nr 115 v. 15. 3. 1935, p. 6, m. Abb. (Selbstbildnis). — Cat. gén. off. Expos. Internat. Univ. Paris 1900, T. II, Groupe II, p. 549.

Cohen, Mozes, holl. Maler u. Rad., * 4. 3. 1901 Tiel, ansässig in Amsterdam.

Schüler von Jurres, van der Waay, Wolter u. Roland Holst an der Akad. Amsterdam.

Lit.: Waay. — Waller.

Cohen, Nessa, amer. Bildhauerin, * New York, ansässig in Newark, N. J.

Schülerin von James E. Fraser. Indianergruppen im Naturhist. Mus. in New York. „Freude", in der School of Architect. and Allied Arts in Portland, Ore; „Moment Musical", in der Leland Stanford Junior University, California.

Lit.: Fielding. — Amer. Art Annual, 30 (1933). — Who's Who in Amer. Art, I: 1936/37.

Cohen Gosschalk, Franco, holl. Maler, * 10. 12. 1887 Zwolle.

Schüler von H. J. Haverman.

Lit.: Waay.

Cohn-Hendel, Meta, dtsche Landschaftsmalerin u. Rad., * 7.7.1883 Berlin, ans. ebda.

Schülerin von Hans Licht u. M. Brandenburg, als Radiererin von Heinr. Eickmann. Mappenwerk: Melodien (13 Rad.), Wohlgemuth & Lissner, Berlin 1920. 10 Radiergn zu Gedichten von Chr. Morgenstern, Georg Schneider, Berlin 1924. Kollekt.-Ausst. im Verein Berliner Kstlerinnen, Berlin 1918. Atelierausstell. Berl. 1923.

Lit.: Dreßler. — D. Cicerone, 10 (1918) 139; 13 (1921) 318; 15 (1923) 38. — Emporium, 85 (1937) 218. — Die Kst, 45 (1921/22), Beibl. z. Oktoberh. p. IX.

Coignard, Louis Jules Albert, franz. Landschaftsmaler, * Pacy (Eure), ansässig in Boulogne-sur-Seine.

Schüler von Guillemet u. Delaistre. Stellte zw. 1895 u. 1928 im Salon der Soc. d. Art. Franç. aus.

Lit.: Bénézit, [2]II (1949).

Coignet, Francis, franz. Landschafts- u. Bildnismaler, * Lyon, ansässig in Paris.

Stellt seit 1924 bei den Indépendants aus.

Lit.: Joseph, I.

Coin, Robert Fleury, franz. Bildhauer, * 17. 12. 1901 Saint-Quentin (Aisne), ansässig in Paris.

Schüler von Injalbert. Mitgl. der Soc. d. Art. franç. (Salon-Kat. z. T. mit Abbn). 1929 Rompreis.

Lit.: Joseph, I.

Coindre, Gaston, franz. Landschafts- u. Architekturmaler, Zeichner u. Rad., * Besançon, † 1914.

Lit.: Th.-B., 7 (1912). — La Grav. et la Lithogr. franç., 1914, p. 98.

Coke, Dorothy Josephine, engl. Aquarellmalerin u. Holzschneiderin, * 11. 4. 1897 London, ansässig ebda.

Bild im Imperial War Mus. London.

Lit.: Who's Who in Art, [3]1934. — The Studio, 88 (1924) 158, m. Abb.; 111 (1936), farb. Taf. geg. p. 214.

Colacicchi, Giovanni, ital. Figuren-, Landschafts- u. Stillebenmaler, * 19.1. 1900 Anagni (Frosinone), ansässig in Florenz.

Schüler von Fr. Franchetti, weitergeb. autodidaktisch, gefördert von Giorgio de Chirico, der ihn stark beeinflußt hat. 1935 in Afrika (Kapstadt). Pflegt hauptsächl. das bibl. Fach u. die Aktkomposition. In d. Gall. d'Arte Mod. in Florenz: Olivenhain bei Anagni.

Lit.: Comanducci. — R. Franchi, G. C., Florenz 1941. — Emporium, 79 (1934) 354 (Abb.); 81 (1935) 82, 99 (Abb.); 85 (1937) 217f., 219 (2 Abbn); 90 (1939) 279/86, m. 10 Abbn; 91 (1940) 91, 93 (Abb.). — D. Kstwerk, 2 (1948) Heft 10, p. 44. — Kat. Ausst. zeitgen. toskan. Kstler, Ksth. Düsseldorf 1942, m. Taf.-Abb.; Ausst.: Ital. Kst d. Gegenw., München u. a. O. 1950/51, m. Abb.

Colaço (de Conta Colaço), Ana, portug. Bildhauerin, * 7. 11. 1903 Lissabon, ansässig ebda.

Stud. an der Acad. Julian in Paris. Schülerin von Costa Mota (Sobrinho), José Izidoro Neto u. Landowski. Stellte 1934 im Salon der Soc. Nat. d. B.-Arts in Paris aus.

Lit.: Gr. Enc. Port. e Brasil., VII 103. — Pamplona, p. 378. — Quem é Alguém, 1947, p. 219.

Colaço, Jorge, portug. Azulejos-Maler, * 26. 2. 1868 Tanger, † 1942 Lissabon.

Schüler von Larrocha u. Alej. Ferrant in Madrid u. von F. Cormon in Paris. Ehrenmed. in Rio de Janeiro 1908. Vertreten in: Schloß Windsor (England); Hospital Modêlo da Maternidade in Buenos Aires; Pal. des Präsidenten in Monreal (Cuba); Palasthotel in Buçaco; Justizpalast in Coimbra; Medizinschule in Lissabon; Estação de S. Bento in Porto.

Lit.: Gr. Enc. Port. e Brasil., VII 103. — Pamplona, p. 301.

Colahan, Colin, austral. Maler, * 1897 Melbourne, ansässig in London.

Lit.: The Studio, 130 (1945) 184 (Abb.). — Roy. Soc. Art Journal, 96, Nr v. 2. 1. 1948, p. 87/97.

Colào, Domenico, ital. Landschafts-, Figuren- u. Tiermaler (Öl u. Pastell), * 21. 10. 1881 Vibo Valentia (Catanzaro), lt. Comanducci: Monteleone (Kalabr.), ansässig in Rom.

Schüler von Giov. Fattori an d. Akad. Florenz. Weitergeb. in Paris. 2 Landschaften in d. Gall. d'Arte Mod. in Rom.

Lit.: Comanducci. — Costantini. — Chi è?, 1940. — Vita artistica, 1 (1926) 61, m. Abb. — Emporium, 82 (1935) 108, 110, m. Abb.; 85 (1937) 217, m. Abb. — L'Arte, N. S. 10 (1939) 206.

Colardijn, Firmin, fläm. Maler, * 1896.
Pflegt hauptsächlich das religiöse Fach.
Lit.: F. C. Kunstalbum, Kortrijk 1947, m. 7 Abbn.

Colas, Paul, franz. Landschaftsmaler, * Frasnay-Châtillon (Nièvre), ansässig in Paris.
Stellt seit 1926 bei den Indépendants u. im Salon des Tuileries aus.
Lit.: Bénézit, ² II (1949).

Colato, Arduino, ital. Bildnis- u. Figurenmaler, * Verona, ansässig in Paris.
Lit.: Joseph, I.

Colberg, Willy, dtsch. Maler, * 31. 3. 1906 Hamburg, ansässig ebda.
Lit.: Kat. 3. Dtsche Kstausst. Dresden 1953, m. Abb. — Bild. Kst (Dresden), 1953, H. 2, p. 31 (Abb.).

Colbert, Overton, Indianer-Maler, * Riverside, Oklahoma, ansässig in Calera, Oklahoma.
Stud. in Paris, beeinflußt von ägyptischer Kunst. Stellte 1923 im Salon d'Automne, 1926 bei den Indépendants aus. Genannt die Rothaut vom Montparnasse. Kollektiv-Ausst. in der Montross Gall. in New York 1921.
Lit.: Bénézit, ² 2 (1949). — Amer. Art Annual, 20 (1923) 478. — D. Cicerone, 13 (1921) 159.

Colbertaldo, Vittorio di, ital. Tierbildhauer u. Aquarellmaler, * 14. 3. 1902 Forlì, ansässig in Rom.
Stud. in Verona. Beschickte u. a. die 6. Triennale in Mailand, die 23. Biennale in Venedig u. die 6. Quadriennale in Rom 1951/52. Kollektiv-Ausstellgn in Rom u. Dez. 1950 in Verona.
Lit.: Giornale d'Italia (Mailand), 25. 12. 1936. — L'Arena (Verona), 6. 12. 1950. — Emporium, 85 (1937) 156. — The Studio, 118 (1939) 86 (Abb.).
P. B.

Colburn, Lilian Victoria, geb. *Proctor*, engl. Malerin, * 10. 11. 1898 Epworth, Lincolnshire, ansässig in Radcliffe, Manchester.
Lit.: Who's Who in Art, ³ 1934.

Colby, Homer, amer. Zeichner u. Illustr., * 30. 4. 1874 North Berwick, Me., ansässig in Arlington, Mass.
Schüler von George H. Bartlett. Illustr. zu: „Classic Myths" (ed. Gavley), „Virgil's Æneid" (Kittredge), „English and American Litterature" (Long), „Ancient History" (Myers), „Civilization in Europe" (Schapiro a. Morris), „New Pocket Classics" (Macmillian Co.).
Lit.: Amer. Art Annual, 28 (1931). — Who's Who in Amer. Art, I: 1936/37.

Cole, Alphaeus Philemon, amer. Bildnismaler u. Schriftst., * 12. 7. 1876 Jersey City Heights, N. J., ansässig in New York. Sohn des Timothy.
Schüler von B. Constant u. J. P. Laurens in Paris. Präsid. des New York Water Color Club. Aquarellbildnis s. Vaters im Mus. in Brooklyn (Abb. in: Brooklyn Mus. Quarterly, 19 [1932] 7; an gleicher Stelle [p. 11] ein Aufsatz des Sohnes über s. Vater. Vertreten auch in d. Nat. Gall. in London u. in d. Univ. of Virginia in Charlottesville.
Lit.: Th.-B., 7 (1912). — Amer. Art Annual, 20 (1923) 478; 30 (1933). — Fielding. — The Brooklyn Mus. Quarterly, 19 (1932) 7 (Abb.). — The Studio, 106 (1933) 255 (Abb.). — Monro.

Cole, Annie Elizabeth, amer. Malerin, * 9. 12. 1880 Providence, R. I., † 1932 Washington, D. C.
Schülerin von Henry W. Moser, Edgar Nyve u. Bertha E. Perrie.
Lit.: Amer. Art Annual, 30 (1933): Obituary. — Fielding.

Cole, Elsie Vera, engl. Landschaftsmalerin u. Radiererin, * 27.7. 1885 Braintree, ansässig in Norwich.
Stud. an der Kunstsch. in Norwich.
Lit.: Who's Who in Art, ³ 1934.

Cole, Emily Beckwith, amer. Bildhauerin, * 2. 1. 1896 New London, Conn., ansässig in Hartford, Conn.
Schülerin von Louis Gudebrod.
Lit.: Amer. Art Annual, 20 (1923). — Fielding.

Cole, Ernest Alfred, engl. Zeichner, Radierer, Kaltnadelstecher u. Bildhauer, * 9. 7. 1890 Greenwich, ansässig in London.
Stud. an der Blackheath Art School in London u. am Goldsmiths's Inst. ebda. Prof. am Roy. Coll. of Art South Kensington. Mitgl. der Soc. of Twelve. Als Graphiker beeinflußt von Michelangelo u. Rodin, als Plastiker hauptsächl. Porträtist. Plast. Ausschmükkung der New County Hall in London. 1910 in Paris, 1911 in Rom. Einen Katalog s. Kaltnadelstiche hat Dodgson 1925 zusammengestellt, der 16 Platten umfaßt, dar. als Hauptblätter: 4 Köpfe (auf 1 Platte) des Bildh. Frederick Halnon; 3 Köpfe (auf 1 Platte); Nénette; Bildnis des Vaters des Künstlers; Liebespaar; Taufe Christi; Pygmalion. Sie stammen sämtlich aus 1909 u. 1910, nach welchem Jahre C. sich nicht mehr als Graph. betätigt hat.
Lit.: The Print Coll.'s Quarterly, 11 (1924) 485–500, m. 10 Abbn (Dodgson); 12 (1925) 7/13 (Katalog). — The Studio, 49 (1910) 139, 141 (Abb.). — The Burlington Magaz., 32 (1918) 205.

Cole, Ethel Kathleen, engl. Landschaftsmalerin, Lithogr. u. Illustr., * 11. 5. 1892 Beccles, Suffolk, ansässig in London.
Stud. an der Slade School in London.
Lit.: Who's Who in Art, ³ 1934.

Cole (eigentl. Kool), George Townsend, amer. Landschaftsmaler, * San Franzisko, ansässig in Los Angeles. Holländ. Abkunft
Stud. 3 Jahre (bis 1900) bei Eisenmenger u. Lallemand an der Wiener Akad., dann bei Bonnat in Paris
Lit.: Fielding. — Amer. Art Annual, 20 (1923).

Cole, John, engl. Landschaftsmaler u. Entwurfzeichner für Glasmalerei, * 2. 11. 1903 London, ansässig ebda. Sohn des Rex Vicat.
Bild in d. Gal. in Aberdeen.
Lit.: Who's Who in Art, ³ 1934. — The Studio, 117 (1939) 270 (Abb.).

Cole, Philip William, engl. Bildnis- u. Landschaftsmaler (Öl u. Aquar.) u. Glasmaler, * 3. 1. 1884 St. Leonard, ansässig in Fairlight, Sussex.
Stud. am Roy. College of Art in London. Glasfenster in St. Peters, Bexhill, in Silsden, Yorkshire, in Pett, Sussex, u. in St. Clement's and All Souls in Hastings.
Lit.: Who's Who in Art, ³ 1934.

Cole, Rex Vicat, engl. Landschafts- u. Blumenmaler, * 22. 2. 1870 London, † 1940 ebda. Vater des John.
Schüler von Samuel Evans u. der St. John's Wood School, weitergebildet bei s. Vater George Vicat C. Bild in d. City Art Gall. in Leeds.

Lit.: Th.-B., 7 (1912). — Joseph, 1 u. 3 (s. v. Vicat-Cole). — Who s Who in Art, [3] 1934 (desgl.). — The Studio, 68 (1916) 40.

Cole, Thomas Casilear, amer. Bildnismaler, * 23. 7. 1888 Staatsburgh-on-Hudson, ansässig in New York.

Schülerin von Tarbell, Benson u. Hale an der Kunstsch. in Boston und von Baschet u. Laurens in Paris. Bilder u. a. im Trinity Coll. in Hartford, Conn., im Staatskapitol in Vermont u. in der City Hall in Detroit, Mich.

Lit.: Amer. A t Annual, 30 (1933). — Fielding. — Who's Who in Amer. Art, I: 1936/37.

Cole, Timothy, amer. Holzschneider, * 6. 4. 1852 London, † 18. 5. 1931 auf s. Besitz Poughkeepsie, USA. Vater des Alph.

Schüler von Bond u. Chandler. Ließ sich in Chicago, später in New York nieder. Pflegte bes. den reproduz. Tonschnitt und veröff. mehrere Folgen nach Meisterwerken der europ. Museen, die er auf wiederholten Reisen — zuerst 1883 — studierte. Sie erschienen z. T. im Century Magazine seit 1888. Arbeitete für die Century Company bis 1909. Hauptblätter: Mad. mit dem Kinde u. d. Johannesknaben von Botticelli; Delphische Sibylle von Michelangelo; Wunder des hl. Markus von Tintoretto; Madonna, das Kind anbetend, von Filippo Lippi; Lady Cockburn von J. Reynolds; Lady Peel von Th. Lawrence. Folgen: Italian Masterpieces; Masterpieces in Amer. Galleries; Old English Masters. Seine Blätter sind bes. geschätzt wegen ihres dem Original vollkommen gerecht werdenden Reichtums der Tonabstufungen und kommen in ihrer Wirkung Mezzotintostichen gleich. Nach eigenen Vorlagen schnitt er u. a. Bildnisse von Woodrow Wilson, John D. Rockefeller u. Mary Baker Eddy. — Gedächtn.-Ausst. im Mus. in Brooklyn, N. Y., Okt. 1931 u. in d. New York Public Library Febr. 1932.

Lit.: Th.-B., 7 (1912). — R. C. Smith, The woodengr. Work of T. C., Washington 1925. — Alphaeus u. Margarete Cole, T. C., woodengraver, New York 1936. — Amer. Art Annual, 20 (1923) 478; 27 (1930) 118; 28 (1931), Obituary. — Isham. — The Print Coll.'s Quarterly, 1 (1917) 319, 344, 381; 18 (1931) 200. — The Burlington Magaz., 30 (1917) 32; 32 (1918) 81. — The Connoisseur, 50 (1918) 118. — The Art News, 25, Nr 12 v. 25. 12. 1926, p. 4; 30, Nr 2 v. 10. 10. 1931, p. 24. — Bull. of the Mus. of F. Arts (Boston), 28 (1930) 124. — The Brooklyn Mus. Quarterly, 19 (1932) 5/10, m. Abbn, 11, 30. — Milwaukee Inst. Bull., 16 Mai 1942, p. 4. — Amer. Artist, 13, April 1949, p. 40 (Abb.). — The Art News. Annual, 18 (1948) 95 (Abb.). — Apollo (London), 14 (1931) 70. — The New York Times, 11. 10. 1931; 1. 2. u. 15. 2. 1932.

Coleman, Glenn O., amer. Maler u. Lithograph, * 1884 Springfield, Ohio, † 8. 5. 1932 Long Beach.

Schüler von Robert Henri in New York. Hauptsächlich Straßenansichten aus New York. Kollektiv-Ausst. in der Downtown Gall. Gewann 1928 den 3. Preis auf der Carnegie Internat. Exhib., 1930 den Brewster-Preis auf der 2. Internat. Graph. Ausst. des Art Inst. in Chicago. Mitglied der Soc. of Independent Artists u. der New Soc. of Artists. Arbeiten u. a. im Mus. in Brooklyn, im Whitney Mus. of Amer. Art in New York, in d. Gall. of Living Art in der dort. Universität u. in d. Philips Mem. Gall. in Washington. — Gedächtnis-Ausst. Okt. 1932 im Whitney Mus. of Amer. Art in New York.

Lit.: Fielding. — Mellquist. — The Arts, 1928/II p. 261/65, m. 5 Abbn; 1930/31 p. 155/61, m. 5 Abbn. — The Art News, 14. 5. 1932, p. 12; 1. 1. 1942, p. 14 (Abb.). — Bull. of the Cleveland Mus. of Art, 17 (1930) 123; 19 (1932) 156. — The Brooklyn Mus. Quarterly, 24 (1937) 63 (Abb.), 74. — The Studio, 112 (1936) 290 (Abb.). — 34. Annual Report Carnegie Inst. Pittsburgh, 1930 p. 15. — The New York Times, 9. 5. u. 18. 10. 1932. — Monro.

Coleman, Ralph Pallen, amer. Illustrator, * 27. 6. 1892 Philadelphia, Pa., ansässig ebda.

Stud. an d. Pennsylv. Mus. School of Ind. Art. Illustr. zu: „The Man with three Names" u. „Drums of Jeopardy" von Harold McGrath, „The Loring Mystery" u. „Sir John Dering" von Jeffery Farnol, „Tales of the Tropics" von Achmed Abdullah, usw.; ferner Pressezeichngn, u. a. für „Saturday Evening Post" u. „Cosmopolitan".

Lit.: Fielding. — Amer. Art Annual, 30 (1933). — Who's Who in Amer. Art, I: 1936/37.

Coles, Ann, geb. *Cadwallader*, amer. Malerin, * 4. 8. 1882 Columbia, S. C., ansässig in New York.

Schülerin von Aug. Vinc. Tack, F. Luis Mora u. C. A. Whipple. Herrenbildnis im Confederate Mus. in Richmond, Va.

Lit.: Who's Who in Amer. Art, I: 1936/37. — Amer. Art Annual, 30 (1933).

Coles, Mary Drake, amer. Malerin (Öl u. Aquar.), * 1903.

Kollektiv-Ausstellungen in der Gal. Marquie, New York, Nov. 1946 u. July 1949.

Lit.: Mallett. — Art Digest, 21, Nr v. 1. 11. 1946, p. 20; 23, July 1949, p. 18. — The Art News, 47, Nov. 1946, p. 55.

Colette-Boette, Céline, franz. Malerin, * 4. 11. 1904 Paris, ansässig ebda.

Schülerin von G. Desvallières u. Ant. Bourdelle. Stellt im Salon des Tuileries aus.

Lit.: Joseph, I.

Coletti, Joseph, ital. Bildhauer u. Medailleur, * 5. 11. 1898 in Italien, ansässig in Boston, Mass.

Schüler von John Singer Sargent. Coolidge-Denkmal in der Widener Library der Harvard University in Cambridge. Bildnisbüsten; Schmuckbrunnen.

Lit.: Amer. Art Annual, 30 (1933). — Who's Who in Amer. Art, I: 1936/37.

Coley, Alice Maria, engl. Miniatur- u. Aquarellmalerin, * 10. 9. 1882 Birmingham, ansässig ebda.

Bildnisse u. Landschaften.

Lit.: Who's Who in Art, [3] 1934.

Colin, Alice, franz. Architekturmalerin, ansässig in Paris.

Hauptsächlich Kircheninterieurs. Kollektiv-Ausstellung in der Gal. Reitlinger in Paris 1929. Bilderfolge: Dans l'émotion des Sanctuaires.

Lit.: La Renaiss. de l'Art franç., 12 (1929) 54, m. Abb., 158, m. Abb.

Colin, Fernand Joseph, franz. Bildnis-, Blumen- u. Landschaftsmaler, * Rouvraix (Côte-d'Or), ansässig in Paris.

Schüler von Carolus-Duran u. Jeanniot. Mitgl. der Soc. d. Art. Franç. u. der Soc. des Art. Indépendants, beschickt deren Salon seit 1924.

Lit.: Joseph, I. — Bénézit, [2] II (1949).

Colin, Jean, belg. Blumen-, Bildnis- u. Figurenmaler, * 1881 Brüssel.

Schüler der Brüsseler Akad. 1910 Rompreis (Anbetung der Hirten).

Lit.: Seyn, I. — Bénézit, [2] II.

Colin, Paul, franz. Maler, Plakatkstler, Karikaturist u. Bühnenbildner, * 27. 6. 1892 Nancy, ansässig in Paris.
Stellt im Salon d'Automne in Paris aus. Leiter einer freien Akademie. Kollektiv-Ausst. 1949 im Mus. d. Arts Décor. im Pavillon Marsan in Paris. Vertreten im Mus. in Nancy.
Lit.: Bénézit, ² 2. — L'Amour de l'Art, 1935, p. 357/61 passim, m. Abb. — L'Art et les Art., N. S. 32 (1936) 32f. passim, m. Abb., 240/44 passim, m. Abb., 357, m. Abb. — Art et Décor., 1933, p. 128/38, m. Abbn; 1935, p. 93/98, m. 12 Abbn; 1948, Nr 9, p. 40f. (Abbn). — Beaux-Arts, Nr v. 11. 6. 1948, p. 8 (Abb.). — Mus. of Mod. Art Bull. (New York), 18 (1951) Nrn v. 2. u. 5. 6. (Abbn).

Colin, Roberto Augusto, brasil. Landschafts- u. Bildnismaler, * São Luiz do Maranhão, ansässig in Paris.
Stellt seit 1923 bei den Indépendants aus.
Lit.: Joseph, I.

Colin-Lefrancq, Hélène, franz. Genre- u. Landschaftsmalerin, * Paris, ansässig ebda.
Schülerin von Ferd. Humbert u. Biloul. Mitgl. der Soc. d. Art. franç., beschickt deren Salon seit 1910 Kat. z. T. mit Abbn. Silb. Med. 1923.
Lit.: Joseph, 1. — Bénézit, ² 2 (1949).

Colinet, Claire Jeanne Robertine, franz. Figurenbildhauerin, * Brüssel, ansässig in Asnières (Seine).
Schülerin von Jef Lambeaux. Seit 1929 Mitgl. der Soc. d. Art. Franç., beschickt deren Salon seit 1914 (Kat. z. T. mit Abbn).
Lit.: Joseph, I. — Bénézit, ² II (1949).

Colinus, Emile, franz. Landschaftsmaler u. Graph., * 17.11.1884 Paris, ansässig ebda.
Stellt seit 1925 bei den Indépendants aus.
Lit.: Joseph, I. — Bénézit, ² II (1949).

Colk, Willem August van der, holl. Stillebenmaler (Blumen, Pflanzen) u. Holzschneider, * 27. 4. 1889 Haarlem, lebt ebda.
Schüler von Jac. Ritsema u. A. Miolee, im übrigen Autodidakt. Malt bes. Blumenkästen im Treibhaus („Poesie unter Glas").
Lit.: Waay. — Waller.

Coll, Joseph Clement, amer. Illustrator, * 2. 7. 1881 Philadelphia, Pa., † 1921 ebda.
Lit.: Amer. Art Annual, 18 (1921) 225. — Fielding.

Collado y Fernández, Pedro, span. Bildnis- u. Genremaler, * 16. 4. 1874 San Miguel (Segovia), ansässig in Logroño.
Stud. an den Kunstsch. in Valladolid u. Madrid. Zeigte auf der Expos. Nac. 1910 zwei Bildnisarbeiten.
Lit.: Th.-B., 7 (1912). — Kat.: Exp. gen. d. B.-Artes Madrid; Exp. Nac. de Pint. etc.

Collalto, Orlando di, ital. Figurenmaler, * 15. 1. 1910 Padua, ansässig in Florenz.
Lit.: Kat. d. 6. Quadriennale, Rom 1951/52, m. Abb. 59. — Art Digest, 23, Nr v. 1. 5. 1949, p. 19; 24, Nr v. 1. 1. 50, p. 15.

Collamarini, Edoardo, ital. Architekt, * 18. 11. 1863 Bologna, † 1929 (1930?) ebda.
Autodidakt. Lehrer f. Architektur an der Akad. Parma, seit 1908 an d. Akad. Bologna. — Kirche S. Cuore in Bologna; Postgeb. in Pesaro; Hauskapelle der Fürstin Doria in der Villa Doria in Rom.
Lit.: Th.-B., 7 (1912). — Chi è?, 1928; 1940, Anhang: Chi fu? — Arte Cristiana, 1 (1913) 193 (Abb.). —Atti e Mem. d. Accad. Clementina di Bologna, 1933.— Palladio, 1 (1937) 181.

Colle, Alphonse, franz. Porträt- u. Genrebildhauer u. Plakettenkünstler, * 19. 5. 1857 Charleville (Ardennes), ansässig in Paris.
Schüler von Croisy. Seit 1920 Mitglied der Soc. d. Art. Franç., deren Salon er 1880–1930 beschickte (Kat. z. T. m. Abbn).
Lit.: Th.-B., 7 (1912). — Bénézit, ² 2 (1949).

Colle, Michel, franz. Landschaftsmaler, * 7. 1. 1872 Baccarat (Meurthe-et-Moselle), ansässig in Nancy.
Schüler von Ch. Peccatte, Friant u. Prouvé. 1905–09 in Nancy, dann in Champigneulles, seit 1920 in Paris ansässig. Mitgl. der Soc. d. Art. Franç. (Salon-Kat. z. T. mit Abbn). Stellt auch im Salon des Tuileries u. bei den Indépendants aus. Bilder u. a. in den Museen in Nancy, Nantes, Saint-Dié, Straßburg u. im Mus. de la Guerre in Vincennes.
Lit.: Th.-B., 7 (1912). — Joseph, I. — Bénézit, ² II (1949), m. falschem Geburtsdatum.

Collet, Claude Marguerite, franz. Aquarellmalerin (Landschaften, Blumenstücke), * 27. 2. 1891 Epernay (Marne), ansässig in Pavillon-sous-Bois (Seine).
Schülerin der Damen Delattre, Bougleux u. Minoggio. Dekor. Gemälde in der Kirche in Les Champs (Marne). Stellt seit 1924 im Salon d. Art. Franç. aus (in den Kat. irrig als Mann behandelt).
Lit.: Joseph, I. — Bénézit, ² II (1949).

Collette, Johan, holl. Maler, Lithogr. u. Rad., * 16. 5. 1889 Delft, ansässig in Nymwegen.
Schüler von J. Th. Toorop in Amsterdam. Bildnisse, Figürliches, Stadtansichten, Landschaften. Auch Wand- u. Glasmalereien, u. Mosaiken.
Lit.: Plasschaert. — Waay. — Hall, Nrn 8323–8330. — Waller.

Colleu, Aimé Marie Joseph, franz. Landschafts- u. Blumenmaler, * Saint-Jacut-du-Mené (Côtes-du-Nord), ansässig in Paris.
Stellt seit 1923 bei den Indépendants aus.
Lit.: Joseph, I.

Colleye, Marthe, franz. Blumen-, Landschafts- u. Bildnismalerin, * Fontoy (Moselle), ansässig in Paris.
Schülerin von Cormon, J.P. Laurens u. Roger. Seit 1930 Mitgl. der Soc. d. Art. franç.
Lit.: Joseph, I.

Colli, Andreas, tirol. Bildhauer, Kstsammler u. Antiquar, * 1858 Cortina d'Ampezzo, † 28. 12. 1945 Innsbruck. Bruder des Folg.
Schüler des Freskanten Heinrich Kluibenschedl. 1883–1904 Fachlehrer f. Ksttischlerei an d. Staatsgewerbesch. in Innsbruck. Mit s. Bruder Candidus Inhaber der bekannten Ksttischlerei Gebrüder Colli, in der bes. Möbel u. Getäfel in alten Stilen hergestellt wurden. Später hauptsächl. Porträtplastiker, in Anlehnung an florent. Vorbilder.
Lit.: Tir. Anz., 1916 Nr 172. — Innsbr. Nachr., 1916 Nr 174; 1928 Nr 193, 198; 1933 Nr 265; 1934 Nr 34, 275; 1942 Nr 292. — Tir. Tagesztg, 1945 Nr 160. *J. R.*

Colli, Anton, tirol. Porträtmaler, * 17. 7. 1870 Cortina d'Ampezzo, † 28. 12. 1950 Innsbruck. Bruder des Vor.
Lit.: Th.-B., 7 (1912). — D. Föhn, 2 (1910/11)

129ff. (fälschl. Andreas). — D. Christl. Kst, 22 (1925–26) 95 (Abb.). — Tir. Heimatbl., 8 (1930) 284. — Fischnaler, Innsbr. Chronik, V 58. — Innsbr. Nachr., 1911 Nr 210; 1913 Nr 263, 267; 1917 Nr 123; 1930 Nr 139; 1944 Nr 159. — Neueste Ztg, 1935 Nr 266. — Tir. Anz., 1930 Nr 141. — Tir. Tagesztg, 1950 Nr 162. *J. R.*

Colli, Pietro, piemont. Maler, * 1891 Lù Monferrato (Alessandria).

Schüler von Grosso an d. Turiner Akad.

Lit.: Comanducci.

Colli Savorini, Carlotta de, ital. Genre- u. Bildnismalerin (Öl u. Miniatur), * 20. 9. 1875 Notaresco (Teramo), ansässig ebda.

Schülerin von Gennaro Della Monica u. Giov. Fattori. Pflegte hauptsächl. das relig. Fach.

Lit.: Comanducci, p. 183.

Colliander, Tito, finn. Schriftst. u. Maler, * 10. 2. 1904 St. Petersburg (Leningrad), ansässig in Borgå.

Vem och Vad?, Helsingf. 1936.

Collier, Ada, franz. Interieur- u. Marinemalerin, * Etaples (Pas-de-Calais), ansässig ebda.

Stellte 1910/13 im Pariser Salon (Soc. d. Art. franç.) aus.

Lit.: Bénézit, [2] II (1949). — The Studio, 70 (1917) 109, m. Abb.

Collier, Estelle, amer. Malerin, * 1. 8. 1881 Chicago, Ill., ansässig in South Tacoma, Wash.

Schülerin von F. W. Southworth.

Lit.: Amer. Art Annual, 30 (1933). — Who's Who in Amer. Art, I: 1936/37.

Collier, Franklin Perry, amer. Karikaturist, * 1881 Beverly, Mass., † 1934 Brookline, Mass.

Lit.: Mallett.

Collier, Nate, amer. Pressezeichner, * 14. 11. 1883 Orangeville, Ill., ansässig in Leonia, N. J.

Schüler von J. H. Smith u. G. H. Lockwood. Zeichnete u. a. für: The Saturday Evening Post, London Opinion, London Humorist, Ladies' Home Journal u. The Country Gentleman.

Lit.: Amer. Art Annual, 30 (1933). — Who's Who in Amer. Art, I: 1936/37.

Collignon, Etienne, franz. Genre- u. Bildnismaler, * Paris, ansässig ebda.

Stellte im Salon d'Automne (1926), im Salon des Réalités Nouv. u. bei den Abstrakten aus. Kollektiv-Ausst. in d. Gal. Billiet-Worms in Paris Februar 1938.

Lit.: Bénézit, [2] II (1949). — Beaux-Arts, 75e année Nr 268 v. 18. 2. 1938, p. 4, m. Abb.

Collijn, Per, schwed. Landschafts- u. Blumenmaler, * 1878 Stockholm, ansässig ebda.

Stud. an der Akad. Stockholm, in Frankreich u. Italien. Motive aus Stockholm. Bild im dort. Stadthaus.

Lit.: Thomœus.

Collin, Albéric, belg. Tierbildhauer, * 1886 Antwerpen, ansässig ebda.

Schüler der Antwerp. Akad. Mitglied der Pariser Soc. d. Art. Franç.

Lit.: Seyn, I. — Joseph, I. — The Studio, 110 (1935) 62 (Abb.).

Collin, Alfred, schwed. Marine- u. Genremaler, * 1880 Falun, † 1944 Mälarhöjden.

Autodidakt. Ansichten aus dem nördl. Norwegen u. Island mit Fischerstaffage.

Lit.: Thomœus.

Collin, Johannes, schwed. Bildhauer, * 15. 12. 1873 Gödelöv, Malmöhus län, ansässig in Lund.

Stud. 1899/1901 an der Akad. Stockholm, 1903/05 in Paris. Bildnisbüsten u. Statuen. Arbeiten im Nat.-Mus. Stockh. (Neger) u. im Mus. in Malmö.

Lit.: Vem är det?, 1935. — N. F., 21 (Suppl.). — Thomœus. — Svensk Biogr. Kalender, I: Malmöhus län, 1919, p. 69. — Konstrevy, 1932, p. 160; 1936, p. 109 (Abb.); 1938, Spez.-Nr, p. 39 (Abbn), 56.

Collin, Marcus, finn. Maler, * 18. 11. 1882 Helsingfors (Helsinki), ansässig in Grankulla.

Stud. bei E. Järnefelt bis 1905, bereiste dann mit Staatsstipendium Frankreich, Italien u. Spanien, später auch Rußland, England, Holland, Belgien, Deutschland u. Algerien. Gründete mit Sallinen, Rissanen u. einigen Jüngeren 1916 die Novembergruppe. Seine schlichten Wirklichkeitsschilderungen (Straßenansichten, Szenen aus dem Leben der Bauern, Fischer u. Fabrikarbeiter) erhalten durch Beimischung von grotesk-humoristischen oder mystisch-tragischen Zügen einen gewissen überrealistischen Charakter. — Vertreten im Ateneum in Helsinki (Steinbruch; Das Trauerhaus; Knabe; Aus Paris; Winterabend; Erntearbeiter [Abb. im Kat. 1930], u. and.), im Mus. in Turku (Sonntag im Hafen), im Nat.-Mus. Stockholm (Sommerabend), in d. Smlg Thorsten Laurin, ebda (Markt), im Mus. in Malmö (Schneetreiben) u. im Staatsmus. in Kopenhagen (Landungsbrücke).

Lit.: L. Wennervirta, M. C., Helsingf. 1925. — N. F., 4. — Thiis, p. 60. — Tikkanen, p. 56f., m. 2 Abbn. — Hahm, p. 30, Abb. 83. — Öhquist, m. 9 Abbn. — Okkonen, p. 41, m. 2 Abbn. — Hoppe, p. 156, Abb. vor p. 157. — Vem och Vad?, 1936. — Vem är Vem i Norden, Stockh. 1941, p. 426. — Konstrevy, 1936, p. 100, m. Abb., 200. — Ord och Bild, 35 (1926) 94f., m. Abb.; 50 (1941), Taf. vor p. 289.

Collin, Raphaël, franz. Figuren- u. Bildnismaler, * 17. 6. 1850 Paris, † 21. 10. 1916 Brionne (Eure).

Bilder außer in den bei Th.-B. gen. Museen in den öff. Smlgn in Rouen u. Bukarest. Illustr. zu: P. Louys „Aphrodite" (43 Zeichngn), 1909.

Lit.: Th.-B., 7 (1912). — Bénézit, [1] 2. — Joseph, 1, m. 2 Abbn. — Revue d. Arts décor., 19 (1899) 14 (Abb.). — Magazine of Arts, 1901 p. 487ff., m. Abbn. — Arch. de l'Art franç., 1910 p. 190. — The Amer. Art News, 15 Nr 3 v. 28. 10. 1916, p. 4. — Chron. d. Arts, 1914/16, p. 250. — Konstrevy, 1926, H. 1, p. 7. — Göteborg Mus., Årstryck, 1926/37 (1927) p. 59. — Mus. of F. Arts Boston, Bull., 40 (1942) 90f.

Collina, Raffaele, ital. Bildnis-, Figuren- u. Landschaftsmaler, * 1899 Faenza, ansässig in Vado Ligure.

Lit.: Ant. Pinghelli, R. C., Savona 1935. — Emporium, 81 (1935) 242 (Abb.); 86 (1937) 399f.; 90 (1939) 302 1. Sp.

Collinder, Lisa, geb. *Walin*, schwed. Kinderbildnis- u. Landschaftsmalerin u. Zeichnerin, * 1895 Uppsala, ansässig in Djursholm.

Stud. an der Akad. Stockholm. Studienaufenthalte in Frankreich u. Italien.

Lit.: Thomœus.

Collins, Benjamin Franklin, amer. Illustrator u. kunstgew. Zeichner, * 4. 3. 1895 Philadelphia, Pa., ansässig ebda.

Stud. an der Pennsylv. Mus. School of Industr. Art. Illustr. zu: „Pioneers of Aviation", „Greek Symbols and other Myths.

Lit.: Amer. Art Annual, 28 (1931). — Who's Who in Amer. Art, I: 1936/37.

Collins, Eileen Henrietta, amer. Aquarellmalerin, * 4. 5. 1912 Fond du Lac, Wisc., ansässig in Columbus, Ohio.

Schülerin von R. O. Chadeayne, Mark Russell u. Chester Nicodemus.

Lit.: Who's Who in Amer. Art, I: 1936/37.

Collins, George Edward, engl. Vogelmaler (Aquar.), Rad. u. Illustr., * 25. 10. 1880 Dorking, ansässig in Gomshall b. Guildford, Surrey.

Sohn des Tiermalers Charles C. (* 1851, † 1921). Stud. an der Lambeth School of Art. Illustr. (Aquar.) zu der „Natural History and Antiquities of Selbourne" u. zu „The British Bird Book" von Gilbert White.

Lit.: Who's Who in Art, [3] 1934. — Graves, 2. — The Studio, 54 (1912) 255.

Collins, John Walter, amer. Maler u. Illustr., * 4. 9. 1897 Naperville, Ill., ansässig in New York.

Schüler von Ch. W. Hawthorne, Leop. Seyffert u. L. Simon.

Lit.: Amer. Art Annual, 30 (1933). — Who's Who in Amer. Art, I: 1936/37.

Collins, Mary Susan, amer. Landsch.- u. Blumenmalerin u. Batikkünstlerin, * Bay City, Mich., ansässig in East Cleveland, O.

Stud. an der Schule des Mus. in Boston, an der Art Student's League in New York u. bei Arthur W. Dow. Blumenstück im Cleveland Mus. of Art.

Lit.: Amer. Art Annual, 27 (1930) 517; 30 (1933). — Who's Who in Amer. Art, I: 1936/37.

Collins, Walter, amer. Maler, * 1870 Dayton, Ohio, † 1933 Tampa, Fla.

Lit.: Amer. Art Annual, 30 (1933): Obituary.

Collon, J.-R., belg. Figurenmaler, * 1894 Wavre.

Schüler von Omer Dierickx u. der Akad. Löwen. Pflegt bes. die relig. Kunst. Kreuzwegstationsbilder in der Kirche St-Henri in Woluwe-Saint-Lambert.

Lit.: Seyn, I.

Collot, André, franz. Maler u. Illustrator, * Montigny-le-Roi (Haute-Marne).

Stellt seit 1942 im Salon d'Automne u. bei den Indépendants in Paris aus.

Lit.: Bénézit, [2] II (1949). — Byblis, Winter 1931, p. 136/38, m. Tafeln.

Collver, Ethel Blanchard, amer. Malerin u. Radiererin, * Boston, Mass., ansässig in Greenwich, Conn.

Schülerin von Tarbell, Benson u. Hale, weitergebildet an der Akad. Colarossi in Paris, bei Naudin, Morisset, Guérin, Lhote u. Ozenfant. Hauptsächl. Porträtistin. Kollektiv-Ausstell. Nov. 1924 in den Ainslie Gall. in New York.

Lit.: Amer. Art Annual, 30 (1933). — Fielding. — Who's Who in Amer. Art, I: 1936/37. — The Art News, 23, Nr 5 v. 8. 11. 1924, p. 2.

Collyer, Kate Winifred, s. *Walker.*

Colmaire, Horace, franz. Genre- u. Interieurmaler, * 6. 6. 1875 Villers-Bretonneux (Somme), ansässig in Beauval (Somme).

Schüler von Bonnat, Jules Adler u. Allègre. Mitgl. der Soc. d. Art. Franç. (Salon-Kat. z. T. m. Abbn). Silb. Med. 1913, Gold. Med. 1921. Bild im Mus. in Amiens.

Lit.: Th.-B., 7 (1912). — Joseph, 1.

Colman, Blanche Emily, amer. Malerin u. Graph., * 4. 4. 1874 Somerville, Mass., ansässig in Boston.

Stud. an der Lehranstalt des Mus. in Boston u. an der Amer. Acad. in Rom. Malte einige Räume im Bostoner Mus. aus.

Lit.: Amer. Art Annual, 27 (1930) 517. — Who's Who in Amer. Art, I: 1936/37.

Colman, R. Clarkson, amer. Marinemaler, * 27. 1. 1884 Elgin, Ill., ansässig in La Jolla, Calif.

Stud. in Chicago u. bei Laurens in Paris. Vertreten in den Öff. Biblioth. in Ajo, Arizona, u. in Waco, Texas.

Lit.: Fielding. — Amer. Art Annual, 30 (1933). — Who's Who in Amer. Art, I: 1936/37.

Colmant, Pierre, franz. Emailkünstler, * Paris, ansässig ebda.

Stellt seit 1909 im Salon der Soc. d. Art. Franç. u. im Salon d'Automne aus. Mit Emails eingelegte Schmuck- u. kunstgewerbl. Gegenstände.

Lit.: Joseph, I.

Colmena Solis, Javier, span. Maler u. Kstschriftst., * 1902 Madrid, anässig ebda.

Stud. an der Esc. Super. de Pint. in Madrid, jetzt Prof. an ders. Schrieb u. a. über Mariano Andreu.

Lit.: The Studio, 112 (1936) 195, 200.

Colnort, Joseph, franz. Landschaftsmaler, ansässig in Paris.

Stellte 1907/14 im Salon (Soc. d. Art. franç.) aus (Katal. z. T. mit Abbn).

Lit.: Bénézit, [2] II (1949).

Colnot, Arnout, holl. Maler, Lithogr. u. Rad., * 26. 1. 1887 Amsterdam, lebt ebda.

Schüler von Jan Maandag (1901/07) u. Jan Visser. Im übrigen autodidaktisch gebildet. Ging 1911 nach Bergen, dort bis 1931 ansässig zusammen mit Charley Toorop, Gestel u. M. u. P. Wiegman. Seit 1931 in Amsterdam ansässig. Arbeitete hauptsächl. in Nordholland, zeitweilig auch in Frankreich, Brügge, Lüttich und Nordbrabant. Gehört zu den Hauptvertretern der Bergen-Schule. Beeinflußt von Fauconnier. Mitglied von „De Onafhankelijken". Bildnisse, Stillleben, Landschaften u. Interieurs.

Lit.: Plasschaert. — Waay. — Niehaus, m. Abb. p. 214. — Waller. — Huebner, p. 81 f., m. Abb. — Maandbl. v. beeld. Kunsten, 4 (1927) 8 (Abb.), 55, 124; 13 (1936) 92; 16 (1939) 370/75, m. 3 Abbn; 17 (1940) 233/39, m. zahlr. Abbn. — Mededeel. v. d. Dienst v. Ksten en Wetensch. d. Gem. 's-Gravenh., 2 (1926/32) 39. — Calker, p. 291 ff., m. 2 Abbn u. Fotobildn; Taf. X.

Colognesi, Gino, ital. Bildhauer, * 19. 6. 1899 Fiesso Umbertiano, ansässig in Florenz.

Schüler von Dom. Trentacoste. Kriegerdenkmäler (u. a. in Fiesso Umbertiano, Canaro Polesine u. Costa di Rovigo). Bildnisbüsten, Figürliches (Statue des Gesanges am Liceo Frescobaldi in Ferrara), Tierstudien.

Lit.: Briefl. Mitteil. des Künstlers.

Colom y Augusti, Juan, katal. Landschaftsmaler, Radierer u. Holzschneider, * 21. 1. 1879 Arenys de Mar b. Barcelona, ansässig in Barcelona.

Autodidakt. Studienaufenthalte in Madrid u. Paris. Impressionist. Arbeitete viel auf Majorka. Ehrenvolle Erwähnung auf d. Expos. gen. Madrid 1908. Bilder im

Mus. Barcelona. Mitarbeiter (Karikaturist) der Barceloneser humorist. Wochenschrift „Papitu".
Lit.: Th.-B., 7 (1912). — Francés, 1919 p. 206 (Abb.). — Museum (Barcelona), 3 (1913) 71 (2 Abbn). — Revista Nova (Barcelona), Nr 33 v. 20. 5. 1916. — Vell i Nou (Barcelona), Ep. II, Vol. I (1920) p. 88f. — Athenæum (London), 30. 1. 1920 p. 154. — Kat.: Expos. Nac. de Pint. etc., Madrid 1910; Internat. Exhib. of Paint. Carnegie Inst. Pittsburgh, 1925 Nr 200.

Colom-Delsuc, Antoine, franz. Figurenbildhauer, * Moussages (Cantal), ansässig in Paris.
Schüler von J.-B. Champeil u. Ch. Pourquet. Seit 1930 Mitgl. der Soc. d. Art. Franç.
Lit.: Joseph, I.

Colombarolli, Giuseppe, ital. Figuren- u. Landschaftsmaler, * 2. 9. 1891 San Massimo (Verona), ansässig in Verona.
Stud. bei Savini an d. Akad. in Verona u. am Castello Sforzesco in Mailand, im übrigen Autodidakt.
Lit.: Comanducci.

Colombi, Plinio, Tessiner Landschaftsmaler u. Graph., * 14. 2. 1873 Ravecchia, † 1951 Spiez.
Stud. an den Kstgewerbesch. in Winterthur u. Zürich. Studienaufenthalt in Paris. Beeinflußt von A. Bock. Ließ sich 1897 in Bern nieder. Bilder (meist Schneelandsch.) in den Museen Basel, Bern, Chur, Neuenburg, St. Gallen u. Solothurn. Farb. Holzschnitte, Lithogr., Rad., Plakate.
Lit.: Th.-B., 7 (1912). — Brun, IV 104, 493. — Reinhart-Fink. — Schweiz. Zeitgen.-Lex., 1932. — Lonchamp, II, Nr 216. — W. Schäfer, Abb. — D. Schweiz, 1908, p. 418, 473; 1910, p. 37, 434; 1911, p. 332; 1913, p. 221; 1915, p. 311, 418; 1916, p. 592. — D. Weltkst, 21 (1951) H. 23, p. 11. — Kat. Ausst. Ksthaus Zürich 7.–31. 1. 1917, p. 6, 12.

Colombini, Rolando, ital. Landschaftsmaler, * 6. 7. 1909 Gazzo Veronese, ansässig in Mailand.
Lit.: Kat. d. 6. Quadriennale, Rom 1951/52, m. Abb.

Colombo, Augusto, ital. Figurenmaler, ansässig in Mailand.
Lit.: Emporium, 72 (1930) 370, Taf. geg. p. 372.

Colomé, Fausto, Deckname des *Val y Colomé,* Julio del.

Colonna, Edmond, franz. Landschaftsmaler, * Hautmont (Nord), ansässig in Paris.
Stellt seit 1929 bei den Indépendants, seit 1930 im Salon der Soc. d. Art. Franç. aus (Kat. z. T. m. Abbn).
Lit.: Joseph, I.

Colorio, Bruno, ital. Maler u. Holzschneider, * 9. 9. 1911 Trient, ansässig in Vigo di Fassa.
Schüler von Lipinsky u. Giuliani in Rom. Illustr. u. a. zu L. Peravello, „È arrivato il cantastorie", u. zu A. Raffaelli, „Ericae misticae".
Lit.: Il Brennero, v. 9. 7. 1938; 17. 9. 39; 15. 6. 41. — Le Alpi, 58 (1938) Nr 8/9. — Il Gazzettino di Venezia, v. 22. 2. 39; 21. 4. 40. — Il Popolo del Friuli, v. 1. 3. 39. — Montagne e Uomini (Trient), I (1949) 7f. — Emporium, 95 (1942) 134. — L. Servolini, Diz. d. Incisori ital. mod. e contemp., 1952.

Colpaert, Béatrice, belg. Zeichnerin u. Malerin, * 1890 Gent.
Zeichenlehrerin an der Genter Akad. Interieurs u. Landschaften.
Lit.: Seyn, I.

Colpin, Jacques Jean, franz. Bildnis- u. Figurenmaler, * Lille, ansässig in Bailleul (Nord).
Schüler von Pharaon de Winter u. F. Sabatté. Seit 1930 Mitglied der Soc. d. Art. Franç. (Salon-Kat. z. T. m. Abbn).
Lit.: The Studio, 110 (1935) 21 (Abb.).

Colquhoun, Robert, schott. Maler, * 1914 in Ayrshire, ansässig in London.
Stud. an d. Kstsch. in Glasgow u. bei Jankel Adler. Beeinflußt von Picasso, Braque, Rouault u. Wyndham Lewis. Trübe, düstere Farben. Bildnisse alter Frauen in räumlicher Umgebung. Bild im Mus. f. Mod. Kst in New York. Auch Lithographien.
Lit.: Bénézit, [2] 2 (1949). — Wort u. Tat, 2, H. 9, p. 118f., m. Taf. — The Studio, 134 (1947) 22 (Abb.), 42f., m. 3 Abbn; 136 (1948) 68 (Abb.); 140 (1950) 71 (Abb.). — D. Kstwerk, 6 (1942) H. 6, p. 36 (Abb.), 48 — Art Index (New York), Okt. 1947 Okt. 1952 passim. — Kat. Ausst. Kestner-Ges. Hannover 5. 7/2. 8. 1953, m. Abb.

Colruyt, Camille, belg. Bildhauer, * 1908 Lembeek-lez-Hal.
Schüler der Brüsseler Akad. Pflegt bes. das relig. Fach. — Sein Bruder Joseph, * 1900 Lembeek-lez-Hal, Maler, Schüler der Brüsseler Akad.
Lit.: Seyn, I.

Colt, Martha, verehel. *Cox,* amer. Malerin u. Bildh., * Harrisburg, Pa., ansässig ebda.
Stud. an der Pennsylv. Acad. of the F. Arts in Philadelphia. Bildnisbüsten im York Collegiate Inst. in York, Pa., u. in der University of Pennsylvania in Philadelphia. Gruppe: Erklärung der Unabhängigkeit, im Pennsylv. State Mus. in Harrisburg.
Lit.: Amer. Art Annual, 30 (1933). — Who's Who in Amer. Art, I: 1936/37.

Colt, Morgan, amer. Maler, * 1876 Summit, N. J., † 1926 New Hope, Pa.
Lit.: Fielding. — Amer. Art Annual, 23 (1926). — Monro.

Colthurst, Francis Edward, engl. Landschafts-, Figuren- u. Bildnismaler, * 28. 7. 1874 Taunton, ansässig in London.
Stud. an den Roy. Acad. Schools in London. Silb. Med. 1901. Bereiste Spanien, Marokko, Italien u. Holland. Stellte bis 1916 in d. Roy. Acad. aus.
Lit.: Graves, 2. — Who's Who in Art, [3] 1934.

Colton, Gordon, amer. Maler, * 31. 5. 1877 Brooklyn, N. Y., ansässig ebda.
Schüler von George P. Ennis.
Lit.: Amer. Art Annual, 30 (1933). — Who's Who in Amer. Art, I: 1936/37.

Colton, Mary Russell Ferrell, amer. Malerin u. Schriftst., * 25. 3. 1889 Louisville, Ky., ansässig in Flagstaff, Ariz.
Schülerin von Eliott Daingerfield u. H. B. Snell.
Lit.: Amer. Art Annual, 30 (1933). — Fielding. — Who's Who in Amer. Art, I: 1936/37.

Colucci, Guido, ital. Maler u. Radierer, * 1877 Neapel, ansässig ebda.
Als Graphiker Schüler von Giov. Fattori, als Maler Autodidakt. Hauptsächl. Landschaftsradierer. Arbeitete vorzugsweise bei Bastia auf Korsika.
Lit.: Comanducci. — Vita d'Arte, 6 (1910) 13/25, m. 9 Text- u. 2 Taf.-Abbn; 10 (1912) 145 (Abb.).

Colucci, Vincenzo, ital. Maler, * 18. 7. 1898 Ischia, ansässig in Rom.
Schüler von Gius. Casciaro. Anhänger der veristischen neapolit. Schule. Lebte einige Zeit in Venedig, wo er den Einfluß von De Pisis erfuhr und zahlreiche

Landschaften malte. Reiste viel in Italien u. im Ausland. Gewann 1934 den 2. Preis auf der Ausstellg in Castellammare di Stabia. Stellte 1927, 28 u. 29 auf der Mostra d'Arte marinara im Palazzo d. Espos. in Rom aus. Beschickte auch die röm. Quadriennali und die 15., 20., 23. u. 24. Biennale in Venedig. Im 2. Weltkrieg Maler bei der ital. Marine. Vertreten u. a. in der Gall. Naz. d'Arte Mod. in Rom.

Lit.: Emporium, 69 (1929) 377; 70 (1929) 245; 75 (1932) 127; 85 (1937) 114 (Abb.), 115. — Gazzetta delle Arti (Neapel), 3./5. 6. 1947. — Illustraz. Ital. (Mailand), Nr 51 v. 2. 12. 1936, p. 1092. — D. Kunst, 81 (1939/40) 250. — Premio Puglia (Bari), 1939 (Abb.). — Kat. Quadriennale, Rom 1951/52. *A. Gabrielli.*

Comba, Pierre, franz. Militärmaler (Aquarell) u. Zeichner, † 1934 Nizza.

Illustrat. zu Roger de Beaudon, L'Armée Française. Zeichng: Manöver in den Alpen, im Mus. Sydney.

Lit.: Bénézit, [2] II (1949).

Combaluzier, Magdeleine, franz. Landschaftsmalerin, * Beaulieu-Berrias (Arbèche), ansässig in Paris.

Stellt seit 1924 bei den Indépendants aus.

Lit.: Joseph, I.

Combescot, Albert, franz. Genre- u. Porträtbildhauer, * Paris, ansässig ebda.

Schüler von Falguière u. Marqueste. Mitgl. der Soc. d. Art. Franç., beschickte deren Salon 1898–1921.

Lit.: Th.-B., 7 (1912). — Joseph, 1. — Bénézit, [2] 2.

Combet-Descombes, Pierre, franz. Figuren-, Landschafts- u. Interieurmaler, Illustr. u. Raumkünstler, * 24. 3. 1885 Lyon, ansässig ebda.

Schüler von A. Bonnardel. Bilder in den Museen Lyon u. Grenoble. Illustr. zu Baudelaire, „La Sirène-Paris" u. „Chute de la Maison Usher".

Lit.: Th.-B., 7 (1912). — Joseph, 1. — Bénézit, [2] 2.

Comboni, Adone, ital. Maler, * 14. 2. 1880 Riva di Trento, ansässig in Venedig.

Schüler von Butti an d. Brera-Akad. in Mailand. Landschaften, Blumenstücke, Stilleben, Bildnisse. Hat sich auch als Bildhauer betätigt. Herrenbildnis in d. Gal. des Ospedale Maggiore in Mailand.

Lit.: Comanducci, m. Abb. — Vita d'Arte, 15 (1916) 183, Abb. p. 184.

Comes, Albert, dtsch. Bildhauer u. Keramiker, * 14. 10. 1887 Neukirchen (Rheinprov.), ansässig in Bückeburg.

Stud. an der Kstgewerbesch. in Straßburg, an den Akad. München u. Berlin u. bei Rodin in Paris. Leiter der Fürst-Adolf-Werkstätte für Kstkeramik in Bückeburg. Bildnisbüsten, Figürliches, Tiere.

Lit.: Th.-B., 7 (1912). — Dreßler. — Illustr. Elsäss. Rundschau, 12 (1910) 144 (Abb.).

Comes, Carmelo, sizil. Figuren- u. Bildnismaler, ansässig in Catania.

Kollektiv-Ausstellg in d. Arbiter in Catania 1935.

Lit.: Emporium, 75 (1932) 238, m. Abb.; 81 (1935) 326.

Comes, Marcella Rodange, amer. Malerin, * 3. 9. 1905 Pittsburgh, Pa., lebt ebda.

Schülerin von Giov. Romagnoli.

Lit.: Amer. Art Annual, 30 (1933). — Who's Who in Amer. Art, I: 1936/37.

Comes, Peter, dtsch. Bildnis-, Genre- u. Landschaftsmaler, * 22. 3. 1893 Neunkirchen (Rheinprov.), ansässig in Nürnberg.

Stud. an der Akad. in München.

Lit.: Dreßler.

Comfort, Charles Fraser, schott. Maler, * 1900 Edinburgh, ansässig in Quebec, Canada, vordem in Toronto.

Mitgl. d. Canad. Soc. of Painters in Water Colour. Bildnisse, Figürliches. Kriegsdarstellgn.

Lit.: Mallett. — Bénézit, [2] 2 (1949). — The Studio, 112 (1936) 210 (Abb.); 129 (1945) 117 (Abb.). — Amer. Artist, 13, April 1949 p. 46/51, m. Abb. — Canad. Art, 5 (1947) Nr 1, p. 24/26; 6 (1949) Nr 3 p. 124 (Abb.). — Journal Roy. Architect. Inst. of Canada (Toronto), 26, Jan. 1949, p. 11 (Abb.).

Cominetti, Giuseppe, ital. Maler u. Bühnenbildner, * in Salasco (Vercelli), † 23. 4. 1930 Rom.

Lebte in Genua u. im Ausland, bes. in Paris. Beschickte zw. 1908 u. 1929 wiederholt den Salon des Indépendants (Trente ans d'Art Indépendant Rétrosp. 1884–1914, Paris 1926) u. den Salon des Tuileries.

Lit.: Comanducci. — Bénézit, [2] II (1949). — Joseph, I.

Comins, Eben, amer. Bildnismaler, * 1875 Boston, Mass., ansässig in Washington, D.C.

Stud. an der Ec. d. B.-Arts in Paris u. bei Denman Ross u. Tarbell in Boston. Kollektiv-Ausst. in den Ehrich Gall. New York, Jan. 1925.

Lit.: Th.-B., 7 (1912). — Fielding. — Amer. Art Annual, 30 (1933). — Who's Who in Amer. Art, I: 1936/37. — The Art News, 23 Nr 12 p. 1, m. Abb., 6 (Abb.). — Bull. of the Pan Amer. Union, 79 (1945) 446 (Abb.), 449f. (Abbn); 82 (1948) 317/21.

Commauche, Jean, franz. Maler, bes. Aquarellist, * 23. 6. 1892 Paris, ansässig ebda.

Seit 1912 Mitgl. d. Soc. d. Art. Indépendants. Orientalische Volks- u. Straßenszenen.

Lit.: Joseph, I. — Bénézit, [2] II.

Comment, Jean François, schweiz. Maler, * 3. 8. 1919 Porrentruy.

Stud. bei Aug. Hoffmann u. W. Nicolet. Zeigte 10 Bilder auf der Ausstellg in Porrentruy 1937.

Lit.: Amweg I.

Commichau, Armin, dtsch. Maler u. Graph., * 22. 9. 1889 Bialystock (Polen), ansässig in Starnberg.

Stud. bei M. Körte in Berlin u. bei A. Jank an der Akad. in München. Fresko am Starnberger Rathaus mit Wappen der Stadt u. Trachtenbildern.

Lit.: Dreßler.

Communal, Joseph, franz. Landschafts- u. Stillebenmaler, * Le Châtelard (Savoyen), ansässig in Chambéry (Savoyen).

Autodidakt. Mitgl. der Pariser Soc. d. Art. franç., beschickte deren Salon seit 1910. Stellte 1921 ff. auch im Salon der Soc. Nat. d. B.-Arts aus. Ansichten aus den Savoyer Alpen, in kühnem, allein den Spatel verwendendem impressionist. Farbenauftrag. Eine Orientreise 1921/22 brachte eine Erweiterung seines Stoffgebietes: Ansichten aus Marokko (Mogador, Fez).

Lit.: Chron. d. Arts, 1914, p. 155. — L'Art et les Art., 19 (1914) 120/25, m. 5 Abbn u. 1 farb. Taf., 260, m. Abb.; N. S. 4 (1921/22) 125 (Abb.); 6 (1922/23) 23 (2 Abbn), 34; 13 (1926) 320, m. Abb. — Beaux-Arts, Nr 274 v. 1. 4. 1938, p. 4. — Bénézit, [2] II.

Comolli, Angelo, ital. Freskomaler u. Restaurator, * 1863 Mailand, ansässig ebda.

Sohn des Freskomalers Ambrogio C. (1830–1913). Schüler von Bertini. Fresken u. a. im Vestibül der Börse in Mailand, in einigen Sälen des Pal. Chiesa ebda, im Justizpalast in Varese u. im Pal. Vaccari in Valenza.

Lit.: Comanducci, m. Abb. (Selbstbildn.). — E. Verga u. a., Guida di Milano, Mail. 1906, p. 338.

Comolli, Gigi, ital. Landschaftsmaler, * 19. 6. 1893 Mailand, ansässig ebda.

Schüler der Brera-Akad. Mailand.

Lit.: Comanducci, m. Abb. (Selbstbildn.). — Riproduz. di quadri di G. C. a cura di Alfio Coccia, Mail. 1937.

Compard, Emile, franz. Maler u. Bildhauer, * 13. 10. 1900 Paris, ansässig in Montmorency (Seine-et-Oise).

Schüler der Acad. Julian in Paris. Malt in einem gemäßigten kubistischen Stil: Akte, Tänzerinnen, Zirkusszenen usw. Stellt seit 1925 bei den Indépendants u. in den Salons d'Automne u. des Tuileries aus.

Lit.: Joseph, I. — La Renaiss. de l'Art franç., 13 (1930) 128 (Abbn); 14 (1931) 191, m. Abb. — Beaux-Arts, Nr 250 v. 15. 10. 1937 p. 4. — Bénézit, [a] II.

Comploj, Heinrich, tirol. Maler (Prof.), * 10. 1. 1879 Bludenz, ansässig in Innsbruck.

Stud. an den Kstgewerbesch. in München u. Wien. Prof. f. ornament. u. figürl. Zeichnen u. Malen an d. Staatsgewerbesch. in Innsbruck. Mitgl. des Hagenbundes u. d. Tiroler Kstlerbundes. Plakate, Diplome, Wandkalender, Textilentwürfe, Stilleben, Landschaften, Bildnisse. 1909 Ausmalung der Kapelle des Innsbr. Garnisonspitals.

Lit.: Fischnaler, Innsbr. Chronik, V 58. — Innsbr. Nachr., 1907 Nr 250; 1909 Nr 66; 1913 Nr 275; 1921 Nr 222, 281, 287; 1924 Nr 10. — Tir. Anz., 1921 Nr 289. — Tir. Hochland, 1921, Augustheft, mit Abb. — Berglandkalender, 1924 (Abb.). *J.R.*

Complojer, Rudolf, tirol. Maler, * 21. 5. 1905 Mühlbach, Pustertal, ansässig in Unterinn am Ritten (Südtirol).

Stud. 3 Jahre an d. Kstgewerbesch. in Bozen. Landschaften, Blumenstücke (Öl u. Aquar.).

Lit.: Volksbote, 1937 Nr 29. — Innsbr. Nachr., 1942 Nr 161, 167; 1944 Nr 156. — Tirol-Vorarlberg, 1944, H. 1, m. Abb. — Dolomiten, 1947 Nr 119, 290; 1949 Nr 219, 283. *J. R.*

Compris, Maurice, holl. Maler, * 19. 12. 1885 Amsterdam, † 1939 Rockport, Mass.

Schüler von Drake u. Allebé. Bildnisse, Wandmalereien.

Lit.: Amer. Art Annual, 30 (1933). — Who's Who in Amer. Art, I: 1936/37.

Compton, Caroline Russell, amer. Malerin, * 10. 1. 1907 Vicksburg, Miss., ansässig ebda.

Schülerin von Howard Hildebrandt, Edmund Greacen, Wayman Adams u. G. P. Ennis.

Lit.: Mallett. — Who's Who in Amer. Art, I: 1936/37.

Compton, Edward Harrison, deutsch-engl. Landsch.- u. Architekturmaler (Öl u. Aquar.), * 11. 10. 1881 Feldafing am Starnberger See, Oberbay., ansässig ebda.

Schüler s. Vaters Edward Theod. (* 1849, † 1921) u. der Kst- u. Gewerbesch. in London. Bilder in d. Art Gall. in Newcastle.

Lit.: Th.-B., 7 (1912). — Who's Who in Art, [3] 1934. — Kat. Ständige Kst-Ausst. d. Münchner Künstler-Genossensch.: Sammel-Ausst. E. H. C., 14. 4.–14. 5. 1918.

Comstock, Enos Benjamin, amer. Maler, Illustr. u. Schriftst., * 24. 12. 1879 Milwaukee, ansässig in Leonia, N. J. Gatte der Folg.

Schüler von J. H. Vanderpoel u. Fred. W. Freer. Illustr. eigene Bücher („When Mother lets us tell Stories", „Fairy Frolics").

Lit.: Fielding. — Amer. Art Annual, 30 (1933). — Who's Who in Amer. Art, I: 1936/37.

Comstock, Frances, geb. *Bassett*, amer. Malerin, Bildhauerin u. Illustr., * 1881 Elyria O., ansässig in Leonia, N. J. Gattin des Vor.

Schüler von Gari Melchers u. John Vanderpoel.

Lit.: Fielding. — Amer. Art Annual, 28 (1931).

Conant, Marjorie, verehel. ***Bush-Brown***, amer. Malerin, * 14. 9. 1885 Boston, Mass., ansässig in Atlanta, Ga.

Schülerin von Hale, Benson u. Tarbell. Hauptsächl. Porträtistin.

Lit.: Fielding. — Amer. Art Annual, 30 (1933). — Who's Who in Amer. Art, I: 1936/37. — Monro, p. 114.

Conceição Silva, Antonio Tomaz da, portug. Maler, * 19. 5. 1869 Lissabon. Gatte der Maria.

Stud. Historienmalerei a. d. Kstschule in Lissabon, Schüler von Ferreira Chaves, dann von J. P. Laurens in Paris mit Stipendium der Königin D. Amélia. Prof. an d. Kstschule u. (seit 1916) der Rodrigues-Sampaio-Schule in Lissabon. Werke im Nat.-Mus. zeitgen. Kst u. in d. Smlg der Kstschule in Lissabon.

Lit.: Gr. Enc. Portug. e Brasil., VII 344. — Pamplona, p. 185.

Conceição Silva, Maria de Jesus, portug. Miniaturmalerin u. Musikerin, * 1885 Vila de Frades, † 14. 7. 1939. Gattin des Ant.Tomaz.

Schülerin von Miguel Espírito Santo de Oliveira u. Artur Vieira de Melo. Mehrere Med. u. ehrenvolle Erwähnungen. Leiterin der Vereinigung der Gartenschulen João de Deus.

Lit.: Gr. Enc. Port. e Brasil., VII 344.

Condeixa, Ernesto Ferreira, portug. Landsch.-, Marine- u. Porträtmaler u. Illustrator, * 20. 2. 1858 Lissabon, † 2. 7. 1933 ebda.

Stud. an d. Kstschule in Lissabon. Schüler von Lupi, dann von A. Cabanel in Paris. Stipendiat in Paris 1880/85. Prof., dann Direktor der Kstschule in Lissabon. Mitglied des Rates für Kst u. Archäologie. Stellte auf der Industrie-Schau 1898 in der „Grupo do Leão" aus. Werke im Nat.-Mus. zeitgen. Kst in Lissabon, im Militär-Mus., in d. Fundation des Hauses Bragança u. im Obersten Gerichtshof in Lissabon (Bildnis König Karls).

Lit.: Th.-B., 7 (1912). — Pamplona, p. 151. — Gr. Enc. Port. e Brasil., VII 381.

Condeminas Soler, Teresa, span. Malerin, * Barcelona, ansässig ebda.

Stud. an der Kunstsch. Barcelona.

Lit.: Kat. d. Ausst. Span. Kunst d. Gegenw., Berlin, Pr. Akad. d. Kste, 1942.

Cone, Louise, amer. Bildnismalerin, * Birmingham, Ala., ansässig ebda.

Schülerin von G. Bridgman, Wayman, Adams, G. Elmer Browne, A. L. Bairnsfather u. R. D. Mackenzie. Bilder im Kapitol in Montgomery, Ala., u. in der City Hall in Birmingham, Ala.

Lit.: Who's Who in Amer. Art, I: 1936/37.

Cone, Marvin, amer. Maler, * 21. 10. 1891 Cedar Rapids, Iowa, ansässig ebda.

Stud. am Art Inst. in Chicago u. an der Ec. d. B.-Arts in Montpellier.

Lit.: Amer. Art Annual, 30 (1933). — Who's Who in Amer. Art, I: 1936/37.

Congdon, William, amer. Maler, * 1912.

Begann als Bildhauer. Ging nach dem 2. Weltkrieg zur Malerei über. Bildnisse, phantast. Ansichten von Mexiko, Venedig, Neapel, New York u. a. O. Kollektiv-Ausst. bei Parsons, New York, Mai 1949.

Lit.: Bull. Detroit Inst. of Arts, 30 (1950/51) 88f., m. Abb. — Art News, 48, Mai 1949, p. 46. — Rhode Island School of Design, Notes, 6, März 1948, p. [3] (Abb.). — Art Index (New York), Okt. 47/April 53.

Conkling, Mabel, amer. Malerin u. Bildhauerin, * 17. 11. 1871 Boothbay, Me., ansässig in New York. Gattin des Folg.

Schülerin von A. Saint-Gaudens, F. Mac Monnies, A. Injalbert, Collin u. Whistler. Bildnisbüsten, Statuetten, Gartenplastik.

Lit.: Fielding. — Amer. Art Annual, 30 (1933). — Forrer, 7; 8. — Who's Who in Amer. Art, I: 1936/37. — The Art News, 22, Nr 7 v. 24. 11. 1923, p. 12, m. Abb.

Conkling, Paul, amer. Maler u. Bildhauer, * 1871 New York, † 1926 ebda. Gatte der Vor.

Schüler von Mac Monnies.

Lit.: Fielding. — Amer. Art Annual, 23 (1926). — Forrer, 8.

Conlon, George, amer. Porträtbildhauer, * Maryland, USA, ansässig in Paris.

Schüler von Bartlett, Landowski, Bouchard u. Injalbert. Stellt seit 1927 im Salon der Soc. d. Art. Franç. aus (Kat. z. T. m. Abbn).

Lit.: Bénézit, [2] II (1949).

Connard, Phillip, engl. Maler, Buchillustr. u. Textilkünstler, * 1875 Southport, ansässig in Richmond, Surrey.

Stud. an den Roy. Acad. Schools u. der South Kensington School, weitergebildet 1898ff. an der Acad. Julian in Paris. 1916/18 als offiz. Maler bei der brit. Flotte. Anfänglich von Watts beeinflußt, später hauptsächlich Licht- u. Farbenproblemen nachgehend. Gartenszenen, Interieurs mit figürl. Staffage, Akte, Blumenstücke, Landschaften, Tiere. Bilder u. a. in d. Tate Gall. in London, in den Mus. in Aberdeen, Bradford, Cardiff, Dublin u. Wales, im Luxembourg-Mus. in Paris. Folge von Wandgemälden im Watteau-Stil in Windsor Castle (Doll's House) mit Ansichten von 5 Hauptschlössern der engl. Krone.

Lit.: Th.-B., 7 (1912). — The Internat. Who's Who, [16] 1952. — The Studio, 60 (1914) 97 (Abb.), 98; 63 (1915) 140, 214; 64 (1915) 138, 235, m. Abb.; 66 (1916) 204; 83 (1922) 302, 304; 85 (1923) 303/11, m. 7 Abbn u. 1 farb. Taf.; 92 (1926) 85 (farb. Abb.), 87, 348; 99 (1930) 392 (Abb.); 102 (1931) 7 (Abb.); 104 (1932) 66 (Abb.), 68 (Abb.); 116 (1938) 62f.; 111 (1936) 311 (Abb.); 129 (1945) 73. — The Burlington Magaz., 32 (1918) 206. — Athenæum, 21. 5. 1920, p. 677. — Bull. de l'Art, 1927, p. 199 (Abb.). — Die Kunst, 57 (1927/28) 98 (Abb.). — Artwork, 5 (1929) 195, Abb. geg. p. 189f. — The Connoisseur, 85 (1930) 395 (Abb.); 101 (1938) 266, m. Abb. — Beaux-Arts, 10 (1932) Juli p. 17 (Abb.). — Apollo (London), 27 (1938) 221, m. Abb. — Ill. London News, 214, Nr v. 8. 1. 1949, p. 54; v. 9. 4. 1949, p. 490 (Abbn).

Connaway, Jay Hall, amer. Landschaftsmaler, * 27. 11. 1893 Liberty, Ind., ansässig in New York.

Bilder u. a. im Herron Art Inst. in Indianapolis, Ind., u. in der Art Gall. in Canajoharie, N. Y. — Kollektiv-Ausst. in d. Macbeth Gall., New York, Dez. 1926, u. in den Milch Gall. in New York, Dez. 1941, Okt. 1944 u. März 1949.

Lit.: Amer. Art Annual, 30 (1933). — Who's Who in Amer. Art, I: 1936/37. — The Art News, 25, Nr 9 v. 4. 12. 1926, p. 9; 40, Nr v. 1. 12. 1941, p. 32; 43, Nr v. 15. 10. 1944, p. 26; 48, Nr v. März 1949, p. 54. — Art Digest, 19, Nr v. 1. 10. 1944, p. 9; 23, Nr v. 15. 12. 1948, p. 18 u. v. 15. 3. 1949, p. 13, m. Abb.

Conne, Louis, schweiz. Bildhauer, * Oerlikon b. Zürich, ansässig in Zürich.

Bildnisbüsten, Figürliches. Schutzengelpaar am Eingang zum „Kinderparadies Nestle" auf der Schweiz. Landesausstellg Zürich 1939.

Lit.: Bénézit, [2] 2. — Das Werk, 26 (1939) 142 (Abb.); 28 (1941) 141 (Abb.).

Conner (Connor), Jerome Stanley, irisch. Bildhauer, * 12. 10. 1875 in Irland, ansässig in Syracuse, N. Y.

Autodidakt. Hauptsächl. Darstellungen aus dem Leben des amer. Arbeitervolkes.

Lit.: Th.-B., 7 (1912). — Fielding. — Amer. Art Annual, 20 (1923) 480.

Conner, Paul, amer. Maler, * 5. 9. 1881 Richmond, Ind., ansässig in Long Beach, Calif.

Schüler von H. L. Richter u. A. Clinton Conner.

Lit.: Amer. Art Annual, 30 (1933). — Who's Who in Amer. Art, I: 1936/37.

Connick, Charles Jay, amer. Glasmaler u. Entwurfzeichner für Glasmalerei, * 27. 9. 1875 Springboro, Pa., † 1945 Boston, Mass.

Stud. in Amerika, Frankreich u. England. Farbige Glasfenster in zahlreichen Kirchen u. öff. Gebäuden der USA, darunter: Westfenster mit großer Rose in der St. Martinskapelle der Kathedrale in New York; 4 gr. Chorfenster (Darstellgn aus Dantes Göttlicher Komödie, Bunyan's Pilgerfahrt, Milton's Verlorenes Paradies, Malory's Tod König Arthurs) in der Kap. der Princeton-Universität in Princeton, N. J.; 10 gr. Fenster mit alt- u. neutestamentl. Szenen in der East Liberty Presbyterian Church in Pittsburgh, Pa.; Rosen im nördl. u. südl. Querschiff der 4. Presbyterianerkirche in Chicago. Weitere Fenster u. a. in Saint Paul's Cathedral in Detroit, Mich., in St. Patrick's Cathedral u. in St. Vincent Ferrer's Church in New York, in All' Saints' Church in Brookline, in Saint Chrysostom's Church in Chicago, in der Saint Dominic's Church, der Star of Sea Church u. der Grace-Kathedr. in San Franzisko, Kalif., u. in der Amer. Kirche in Paris. Verf. einer Reihe von Aufsätzen, betitelt: Windows of Old France, veröff. in The Internat. Studio, 1924.

Lit.: Mallett. — Amer. Art Annual, 27 (1930) 518. — Who's Who in Amer. Art, I: 1936/37. — The Internat. Who's Who, [8] 1943/44. — C. J. C., Adventures in Light and Colour, London. Bespr. in: Apollo (London), 28 (1938) 207. — Bull. of the Art Inst. Chicago, 1929, p. 105, m. Abb. — The Studio, 99 (1930) 125/27, m. Abbn. — Liturg. Arts, 14, Februar 1946, p. 25f. — Archit. and Engineer, 168, Febr. 1947, p. 16/27.

Connor, Joseph, austral. Landschaftsmaler, * 2. 3. 1874 Hobart, Tasmania, ansässig ebda. Autodidakt.

Lit.: Who's Who in Art, [3] 1934.

Conor, William, irischer Bildnis-, Landschafts- u. Genremaler, * Belfast, ansässig ebda.

Stud. in London u. Paris. Beeinflußt von Manet. Bilder in der Art Gall. in Belfast u. Manchester, im Mus. in Brooklyn u. im Parlamentsgeb. in Belfast.

Lit.: Who's Who in Art, [3] 1934. — The Studio, 90 (1925) 260, m. Abb. (Selbstbildn.); 114 (1937) 95 (Abb.). — The Art News, 25, Nr 1 v. 9. 10. 1926, p. 9.

Conrad, Gyula, ungar. Maler, Rad. u. Holzschneider, * 25. 6. 1877 Budapest, ansässig ebda.

Stud. an der Musterzeichensch. in Budapest, weitergebildet 1905/07 in München. 1909 in Italien. Pflegt bes. den Farbenholzschnitt unter Verwendung von 5 bis 6 Platten.

Lit.: Th.-B., 7 (1912). — Szendrei-Szentiványi. — Krücken-Parlagi.

Conrad-Kickert s. *Kikkert,* Conrad.

Conradi, Christian, schweiz. Landschaftsmaler u. Lithogr., * 7. 11. 1875 Chur, † 1917 (?) Pura, Tessin.

Stud. bei H. Gattiker in Rüschlikon, an der Stuttgarter Akad. u. an der Akad. Julian in Paris. Zeichnerisch minuziös durchgeführte, meist in Tempera gemalte Landsch. aus dem Engadin u. dem Prättigau.

Lit.: Th.-B., 7 (1912). — D. Werk, 4 (1917) 99 (Abb.); 7 (1920) 8 (Fotobildn.).

Conrady, Anna Babette, dtsche Malerin u. Graph., * 29. 4. 1894 Leipzig, ansässig ebda.

Autodidaktin. Studienreisen in China, Estland, Italien, Frankreich, England, Amerika. Realistin, unter expressionist. Einflüssen. Illustr. Werke: Kolor. Lithogr. aus Estland, Verlag Lindenbaum-München 1927; Ed. Erkes, China u. Europa, Humboldt-Bücherei 1948; Reinh. Trautmann, Altrussische Helden- u. Spielmannslieder, Humboldt-Bücherei 1949.

Lit.: Veröff. der Ortsgruppe Leipzig der Deutsch-Sowjet. Freundschaft zu Stalins 71. Geburtstag, 1950.

Conrat, Ilse, s. *Twartowska-Conrat,* Jesi.

Conrow, Wilford, amer. Bildnismaler, Lithogr. u. Schriftst., * 14. 6. 1880 South Orange, N. J., ansässig in New York.

Schüler von J. P. Laurens, Morisset, P. Tudor-Hart u. Hambridge. — Bildnisarbeiten u. a. in der Princeton University in Princeton, N. J., im Mus. in Brooklyn, im Polytechnic Inst. ebda u. in der Columbia University in New York

Lit.: Who's Who in Amer. Art, I: 1936/37. — Fielding. — Amer. Art Annual, 30 (1933). — Mellquist. — Art Digest, 16, Nr v. 1. 10. 1941, p. 33; 15. 10. 1941, p. 32f.; 15. 12. 1941, p. 13 (Abb.); 18, Nr v. Sept. 1944, p. 15 (Abb.); 19, Nr v. Aug. 1945, p. 32f.; 20, Nr v. 15. 11. 1945, p. 16, 20 (Abb.). — Monro.

Consadori, Silvio, ital. Maler, * 27. 12. 1909 Brescia, ansässig in Mailand.

Stud. an d. Accad. Carrara in Bergamo u. an der Akad. in Rom. Lebte 2 Jahre in Paris, wo er seine 1. Kollektiv-Ausst. veranstaltete. Seit 1934 in Mailand. Erhielt dort 1936 den Premio „Milyus" für Freskomalerei, 1943 den 2. Preis der Mostra „Premio Verona", 1946 den „Premio Burgo" auf der Ausst. in Saluzzo.

Lit.: E. Padovano, Diz. d. Art. contemp., Mail. 1951. — S. Cairola, Arte ital. del nostro tempo, Mail. 1946. — Emporium, 98 (1943) 132 (Abb.); 106 (1947) 89. — Scuola e vita (Brescia), 20. 6. 1950. — Ausst.-Kat.: 3. u. 4. Premio Bergamo, Bergamo 1941 u. 1942, m. Abbn; Mostra d'Arte sacra dell'angelicum, Mailand 1947/49, m. Abbn.

Consagra, Pietro, sizil. Bildhauer, * 6. 10. 1920 Trapani, ansässig in Rom.

Stud. kurze Zeit bei Renato Guttuso in Rom. Begründete 1947 mit d. Maler Giulio Turcato die Zeitschrift „Forma 1", mit der er sich von den realist. Tendenzen zugunsten einer abstrakten Richtung löste. Kollektiv-Ausst. in Venedig, Sandri, Juni 1948.

Lit.: Carrieri, p. 275. — Encicl. Ital., Append. II, vol. 2 (1948) 119f. — L. Sinisgalli, Furor mathematicus, Mailand 1950, p. 108. — Art d'aujourd'hui (Paris), Januar 1951, Ser. II Nr 3, p. 11. — Bellezza (Mailand), 4 (1948) Febr. p. 40/43. — Cahiers d'Art, 25 (1950) 249. — Domus (Mail.), April 1951, p. 47. — La Fiera Letteraria, 6. 3. 1917, p. 5. — Mediterranea (Palermo), 1950, p. 370/77. — Life, 8. 1. 1949, p. 50f. — Spazio (Rom), 2 (1951) Nr 4 p. 50, 51, 105. — Vie Nuove (Rom), 1949 Nr 18 p. 15; Nr 22 p. 15. — Realités Nouvelles (Paris), 1948 Nr 2, p. 9. — Traits (Paris), 1948 Nr 6, p. 8. *C. Maltese.*

Consentius, Elisabeth, dtsche Tier- u. Landschaftsmalerin u. Graph., * 20. 7. 1878 Berlin, † Dez. 1936 ebda.

Bild (Arbeitspferde) in d. Städt. Gal. Berlin.

Lit.: Dreßler.

Consolo, Paola, verehel. *Zanini,* ital. Malerin, * 1909, † 1933. Gattin des Archit. u. Malers Luigi Zanini.

Schülerin von Achille Funi.

Lit.: Emporium, 79 (1934) 52f. — Dtsche Kst u. Dekor., 66 (1930) 82 (Abb.).

Consorti, Vico, ital. Bildhauer.

Hauptsächl. Kleinplastik in Terrakotta. Kollektiv-Ausst. in der Casa del Fascio in Siena 1928.

Lit.: La Balzana (Siena), II (Rass. d'Arte senese, N. S. II), 1928 p. 51.

Constable, James Lawson, schott. Bildnis- u. Landschaftsmaler, * 28. 1. 1890 Hamilton, ansässig ebda.

Stud. an der Kunstsch. in Glasgow.

Lit.: Who's Who in Art, [3] 1934.

Constable, Roddice, engl. Malerin u. Lithogr., * 19. 6. 1881 Wandsworth, ansässig in Kew Gardens, Surrey.

Stud. bei Fr. Wm. Brangwyn in London. Hauptsächl. Miniaturbildnisse in Öl.

Lit.: Who's Who in Art, [3] 1934.

Constâncio, Gabriel da Silva, portug. Maler, * 10.12.1881 Lissabon, † 1.2.1949 ebda.

Stud. a. d. Kstschule in Lissabon, Schüler von Veloso Salgado u. Luciano Freire. Prof. an den Technischen Schulen u. Direktor der Soc. Nac. de B. Artes. — Werke im Nat.-Mus. in Lissabon, im Mus. in Ponta Delgada, Azoren, u. im Mus. José Malhôa in Caldas da Rainha. Gedächtn.-Ausst. 1949 in d. Soc. Nac. de B. Artes (Kat.).

Lit.: Pamplona, p. 299.

Constant, George Z., griech. Maler u. Rad., * 1892, ansässig in New York.

Seit 1915 in den USA, zuerst in Chicago, dann in New York. Ansichten (Aquarell) aus d. Umgebung von New York, Bildnisse, relig. Kompositionen. Kollektiv-Ausst. Februar 1932 in der New York Public Library.

Lit.: Amer. Art Annual, 30 (1933). — The New York Times, 19. 2. 1932. — Art Index (New York), Okt. 1941/Okt. 1952. — The Studio, 112 (1936) 349 (Abb.). — Monro.

Constante, Gabriel, portug. Maler (Dekoration u. Porträt), * 16. 5. 1875 Seixal, † 4. 4. 1950 Lissabon.

Stud. a. d. Kstschule u. d. Gewerbesch. Afonso Dominigues in Lissabon, Schüler von João Vaz. Vertreten i. Nat.-Mus. zeitgen. Kst in Lissabon.

Lit.: Pamplona, p. 301. — Gr. Enc. Port. e Brasil., VII 495.

Constantin, Raoul, franz. Landschaftsmaler, * Chambéry (Savoyen), ansässig in Orleans.

Stellt seit 1930 im Salon der Soc. d. Art. Franç. in Paris aus (Kat. z. T. m. Abbn).

Constantinescu, Mac, rumän. Stein- u. Holzbildhauer, Linol- u. Holzschneider, * 29. 6. 1900 Charlottenburg, ansässig in Paris.

Schüler von Pierre Vigoureux u. Jean Jaléa in Paris. Beschickt u. a. den Salon der Soc. d. Art. Franç. u. den Salon des Humoristes. Bildnisbüsten, Akte. Linolschnitte zu der von A. Marco besorgten rumän. Übersetzung von Dante's Diviña Comedia (Ausg. „Scrisul romanesc").

Lit.: Joseph, I, m. Abb. (Selbstbildnis). — Bénézit, [2] II (1949). — Emporium, 81 (1935) p. 332. — Beaux-Arts, 75e année, Spezial-Nr Sept. 1937: L'Art Roumain à l'Expos. de 1937, p. 18 (3×), 19, m. Abb., 21 (Abb.). — Kat. d. Ausst.: Rumän. Kst d. Gegenw., Zürich, Ksthaus, März/April 1943, p. 26, m. Abb.

Constantinescu, Stefan, rumän. Maler, * 1898 Târgul-Ocna.

Stud. bei D. Serafim in Bukarest. Bereiste 1919/23 Italien, Griechenland, Ägypten u. Syrien. Landschaften, Bildnisse, Wandbilder. Im Mus. Toma Stelian in Bukarest 4 Bilder, dar. ein Selbstbildnis.

Lit.: Oprescu, 1935 u. 1936 (p. 20). — Beaux-Arts, 75e année, Spezial-Nr Sept. 1937: L'Art Roumain à l'Expos. de 1937, p. 16, 18, 20, m. Abb. — Kat. Mus. Toma Stelian, Bukarest 1939, p. 60f., m. Abb. — Kat. d. Ausst. Rumän. Kst d. Gegenw., Zürich, Ksthaus, März/April 1943, p. 19.

Consuelo-Fould s. *Fould,* Consuelo.

Contat, Léoni, geb. *Mercanton,* schweiz. Landschaftsmalerin (hauptsächl. Aquar.), * 12. 9. 1878 Montreux, ansässig in Bern.

Schülerin von H. Bischoff u. Gaulis in Lausanne (1895/99), dann von Eug. Grasset in Paris.

Lit.: Brun, IV.

Conte, Carlo, ital. Bildhauer, * 1898 Moriago (Treviso).

Stud. an den Akad. in Mailand u. Venedig. Stellte zuerst 1928 in der 1. Mostra del Sindacato Lombardo di B. Arti aus. Beschickte seit 1931 die Biennali in Venedig, seit 1934 die Quadriennali in Rom. Erhielt den Premio Principe Umberto auf der Permanente in Mailand und 1950 den Preis der Fondazione Fila. Beeinflußt von Maillol u. Renoir. Arbeiten u. a. in der Gall. Naz. d'Arte Mod. in Rom.

Lit.: „L'Annunciata" (Mailand), Nr 8, 14./29. 6. 1947, m. Abb. — Le Arti, 1938/39, Tafel 67. — Domus (Mailand), Mai 1941, p. 50, m. Abbn. — Emporium, 70 (1929) 370, 372, m. Abb. — Signum (Treviso), 10. 11. 1942, m. Abb. — Kat. des Premio Fila, Mailand 1950, m. Abb. — Palma Bucarelli, La Gall. Naz. d'Arte Mod., Itinerario ,Rom 1951. *P. B.*

Contel (eigentl. Leconte), Jean Charles, franz. Architekturzeichner, Lithogr. u. Maler, * 5. 5. 1895 Glos-sur-Lisieux (Calvados), † 4. 9. 1928 Paris.

Stellte bei den Indépendants u. im Salon der Soc. du Salon d'Automne aus, die 1928 eine Retrospektive veranstaltete. Zeichner. Mitarbeiter der „Illustration" u. dei „Annales". — Graph. Mappenwerke: Du vieux Lisieux au vieil Honfleur; Celles qui s'en vont; Rouen; Dans la poussière des vieux murs; Pages du Vieux-Paris (mit Einleitung von P. Mac-Orlan); Avant la piorche; Les Cathédrales de France.

Lit.: O. L. Aubert, J. C. Leconte dit Contel, Paris o. J. — Joseph, I, m. Abb. — La Renaiss. de l'Art franç., 5 (1922) 104. — Bénézit, [2] II.

Contente, José de Campos, portug. Maler u. Kupferstecher, * 15. 1. 1907 Coimbra.

Stud. an d. Brotero-Schule u. d. Kstschule in Lissabon, Schüler von Ant. Augusto Gonçalves, João Machado u. Pereira Dias, Stipendiat des Instituto para Alta-Cultura in Paris 1938/40. 1. Med. der Soc. Nac. de B. Artes (Kupferstich), 2. Med. (Zeichnung), 2. Med. im Salon Estoril, Atelier-Preis a. d. Kunstschule in Paris. Studienaufenthalte in Spanien, Frankreich, Holland, Belgien, der Schweiz, Deutschland, Italien u. Dänemark. Werke im Nat.-Mus. zeitgenöss. Kst in Lissabon, in d. Gal. der Kstschule in Parma u. in d. Pinak. in Rio de Janeiro.

Lit.: Gr. Enc. Port. e Brasil., VII 548. — Pamplona, p. 400. — Quem é Alguém, 1947 p. 223.

Conterno, Arturo, piemont. Maler u. Zeichner, * 1871 Turin, ansässig ebda.

Schüler von Giac. Grosso. Hauptsächl. Marine- u. Landschaftszeichner.

Lit.: Comanducci.

Contesse, Gaston, franz. Bildhauer, * 28. 12. 1870 Toulouse, † 1946 Paris.

Schüler von Falguière u. Mercié, dann von Jos. Bernard. Vortrefflicher Figurenbildhauer (bes. Frauenakte u. Kinder). Auch Kleinplastik u. Bildnisbüsten. Mitgl. der Soc. d. Art. franç. (Kat. z. T. m. Abbn). Stellte auch bei den Indépendants, im Salon d'Automne (1905ff.) u. im Salon des Tuileries aus.

Lit.: Th.-B., 7 (1912). — Joseph, 1. — Les Arts, 1920 Nr 188, p. 23 (Abb.). — La Renaiss. de l'Art franç., 9 (1926) 610 (Abb.). — L'Art et les Art., N. S. 15 (1927) 196/99, m. 5 Abbn. — Revue de l'Art anc. et mod., 51 (1927/I) 200 (Abb.). — Art et Décor., 61 (1932) p. 233, 235 (Abb.), 236; 1934, p. 227/34, m 12 Abbn. — Beaux-Arts, Nr v. 17. 5. 1946 p. 1.

Conti, Aldo, ital. Maler, * 9. 11. 1889 Mailand, ansässig ebda.

Schüler von De Castro in Paris.

Lit.: Comanducci.

Conti, Gino Emilio, ital. Maler u. Bildhauer (Stein u. Holz), * 18. 7. 1900 Lucca, ansässig in Providence, R. I.

Schüler der Rhode Island School of Design u. der Ec. d. B.-Arts in Fontainebleau.

Lit.: Amer. Art Annual, 30 (1933). — Who's Who in Amer. Art, I: 1936/37. — Liturg. Arts, 16, Aug. 1948, p. 116 (Abb.).

Conti, Primo, ital. Maler, Zeichner u. Bühnenbildner, * 16. 10. 1900 Florenz, lebt abwechselnd in Florenz u. in Viareggio.

Frühreifer u. höchst wandlungsfähiger Künstler. Trat — erst 11 jährig — mit einem kraftvoll gemalten Selbstbildnis zuerst an die Öffentlichkeit. Bildete sich autodidaktisch. Nach Überwindung einer impressionist. (1915), dann einer futurist. Periode (1917/19) hatte er 1924 mit den Bildnissen dreier Chinesen, von denen eines ihm den Preis des „Concorso Ussi" brachte, seinen persönl. Stil gefunden, der durch eine tiefe, ebenso kontrastreiche wie fein abgestimmte Farbe, straffe Figurenkomposition, zeichnerische Exaktheit u. enge Fühlung mit der Natur gekennzeichnet ist. Bilder in der Gall. d'Arte Mod. in Florenz (Bildnisse Liung-Juk u. Dom. Trentacoste) u. im Pal. della Pace in Aja (Bildnis Dionisio Anzilotti).

Lit.: P. Torriano, P. C., Florenz 1941. — Comanducci. — Chi è?, 1940. — Costantini, m. Abb. — G. Papini, P. C., Florenz 1946. — D. Kstwanderer, 1924/25, p. 9/12, m. 3 Abbn, 318. — Dedalo, 5 (1925) 723/28, m. 5 Abbn; 12 (1932) 304/25, m. 20 Abbn. — Revue de l'Art anc. et mod., 50 (1926) 51, m. Abb. — Dtsche Kst u. Dekor., 60 (1927) 79ff., m. Abbn u. Taf. — Emporium, 68 (1928) 135 (Abb.), 137; 71 (1930) 319, m. Abb.; 75 (1932) 122f., m. 4 Abbn; 81 (1935) 84, 90 (Abb.); 84 (1936) 126, 142 (Abb.); 89 (1939) 100f., m. 3 Abbn; 90 (1939) 111f., m. Abb., 257, m. Abb.; 94 (1941) 93 (Abb.), 94, m. Abb. — Apollo, 18 (1933) 106/108, m. 5 Abbn u. Selbstbildn. — Archit. Review, 108 (1950) 271 (Abb.).

The Studio, 112 (1936) 303 (ganzs. Abb.), 306 (Abb.); 117 (1939) 87 (Abb.). — Kat. Ausst. zeitgen. toskan. Kstler. Ksth. Düsseldorf 1942, m. Taf.- Abb.

Conti, Regina, Tessiner Malerin, ansässig in Lugano.

Gemäßigte Impressionistin. Figürliches u. Bildnisse. Bevorzugt den Farbendreiklang Rot-Blau-Gelb. Kollektiv-Ausst. Nov./Dez. 1922 im Lyzeum in Florenz.

Lit.: Das ideale Heim (Winterthur), 9 (1935) 463f., m. Abbn bis p. 466.

Contratti, Luigi, ital. Bildhauer, * Brescia, † 27. 10. 1923 Turin.

Schüler von Belli u. Bistolfi. Lehrer an der Turiner Akad. Hauptsächl. Bildnisbüsten u. Denkmäler.

Lit.: Th.-B., 7 (1912). — Corriere d. sera, 28. 10. 1923. — Cronache d'Arte, 2 (1925) 194.

Contrault, Emile, franz. Landschafts-, Bildnis- u. Figurenmaler (Öl u. Aquar.), * Paris, † Mai 1945 Oucques (Loir-et-Cher).

Mitgl. der Soc. du Salon d'Automne. Stellte dort seit 1908 aus, damals in Vincennes ansässig.

Lit.: Joseph, I. — Bénézit, [2] II (1949).

Contreras, Carlos, mexik. Architekt (Prof.), * 16. 3. 1892 Aguacalientes, ansässig in Mexico City.

Hauptsächlich Stadtpläne.

Lit.: Who's Who in Latin America, 1935. — Roy. Inst. of Brit. Archit. Journal, ser. 3, vol. 53 (1946) 175ff. passim. — Architect. Forum (Chicago), 84, Juni 1946, p. 8; 86, April 1947 p. 13.

Convers, Louis, franz. Bildhauer, * 4. 9. 1860 Paris, † 7. 12. 1915 ebda.

Schüler von Aimé Millet, Cavellier u. Barrias. 1888 Gr. Rompreis. Mitgl. der Soc. d. Art. Franç. (Salon-Kat. z. T. m. Abbn). Figürliches (bes. Akte), Bildnisbüsten. Statue der Justitia im Justizpalast in Grenoble; Gruppe der Jahreszeiten in d. Eingangshalle des Petit Palais in Paris.

Lit.: Th.-B., 7 (1912). — Joseph, 1. — Revue d. Arts décor., 19 (1899) 28 (Abb.), 130 (Abb.). — Chron. d. Arts, 1914/16, p. 227 (irrig: Lucien). — Bénézit, [2] 2.

Converse, Lily, amer. Bildnis- u. Landschaftsmalerin, * St. Petersburg (Leningrad), ansässig in Paris.

Stud. in Philadelphia bei Mac Cartie, in New York bei Hayes Miller. 1919 in Italien, 1933 in Paris.

Lit.: Joseph, I. — The Studio, 115 (1938) 291 (Abb.).

Conway, Harold Edward, engl. Maler, * 27. 1. 1872 Wimbledon, ansässig in Burford, Oxford.

Stud. an d. Slade School u. in Paris.

Lit.: Who's Who in Art, [3] 1934.

Conway, James, irisch. Bildnis-, Landsch.- u. Stillebenmaler, * 2. 11. 1891 Dunlaoghrie, ansässig in Dublin.

Stud. an d. Metrop. School of Art, Dublin.

Lit.: Who's Who in Art, [3] 1934.

Conway, William John, amer. Maler u. Bildhauer, * 1872 St. Paul, Minn., ansässig ebda.

Schüler von Collin, Courtois u. Prinet an der Akad. Colarossi in Paris.

Lit.: Fielding. — Amer. Art Annual, 30 (1933).

Conz, Walter, dtsch. Maler, Rad. u. Lithogr. (Prof.), * 27. 7. 1872 Stuttgart, ansässig in Karlsruhe.

Schüler von J. Grünenwald an der Stuttg. Akad., von Schurth, Ritter, Schönleber u. Kalckreuth an der Karlsruher Akad. Beeinflußt von Thoma. Seit 1902 Prof. an der Radierklasse der Karlsruher Akad. Landschaften, Blumenstücke, Bildnisse, Figürliches. Am besten in seinen stimmungsvollen Landschaftsradierungen u. -lithogr.

Lit.: Th.-B., 7 (1912). — Oechelhaeuser, Gesch. d. Bad. Akad. d. bild. Kste, Karlsr. 1904, p. 94 (Abb.), 108, 153. — Dtsche Monatsh., 12 (1912) 325/28, m. 4 Taf. — Die Weltkst, 16 Nr 33/34 v. 16. 8. 1942 p. 6; 17 Nr 5/6 v. 31. 1. 1943 p. 3.

Cook, George Edward, amer. Landschaftsmaler, † 1930 Southern Plines, N. C.

Schüler von Arthur E. Pope in England. Lebte meist in Europa. Beschickte seit 1874 die Londoner Ausstellungen.

Lit.: Th.-B., 7 (1912). — Amer. Art Annual, 27 (1930): Obituary.

Cook, Hazelle Grace, amer. Malerin, * 19. 11. 1890 Minneapolis, Minn., ansässig in Milwaukee, Wis.

Schülerin von A. Angarola u. Cameron Booth.

Lit.: Amer. Art Annual, 30 (1933). — Who's Who in Amer. Art, I: 1936/37.

Cook, Howard Norton, amer. Graphiker u. Maler, * 16. 7. 1901 Springfield, Mass., ansässig in New York.

Stud. an der Art Student's League in New York. Holzschnitte, Radierungen. — Kollektiv-Ausst. in der Weyhe Gall. in New York, November 1931. Graph. Hauptblätter: Herring Fisherman, The Dictator, The Valley, Deer Island, The Station (sämtl. Radiergn), Halbfigur e. Knaben (Aquat.), The Old Timer (Holzschn.).

Lit.: Amer. Art Annual, 28 (1931). — Who's Who in Amer. Art, I: 1936/37. — Mallett. — The Art News, 30 Nr 9 v. 28. 11. 1931, p. 10. — The Print Coll.'s Quarterly, 16 (1929) p. 390f., m. Abb.; 24 (1937) 335 (Abb.); 27 (1940) 119 (Abb.). — The Studio, 107 (1934) 221 (Abb.); 110 (1935) 366 (Abb.); 113 (1937) 319 (Abb.). — Art Index (New York), Okt. 1942/April 1953. — Monro.

Cook, John A., amer. Maler, * 14. 3. 1870 Gloucester, Mass., ansässig ebda.

Schüler von De Camp, E. L. Major u. Douglas Volk.

Lit.: Fielding. — Amer. Art Annual, 30 (1933). — Who's Who in Amer. Art, I: 1936/37.

Cook, Kathleen, engl. Aquarellmalerin u. Linolschneiderin, * 26. 2. 1884 Bath, ansässig in Weston-super-Mare, Somerset.

Schülerin von W. H. V. Titcombe.

Lit.: Who's Who in Art, [3] 1934.

Cook, May Elizabeth, amer. Bildhauerin u. Lithogr., * Dez. 1881 Chillicothe, O., ansässig in Columbus, O.

Schülerin von Paul Bartlett, der Ec. d. B.-Arts u. der Acad. Colarossi in Paris. Gedenktafeln, Schmuckbrunnen (u. a. in Mack Hall, Ohio, Staatsuniv., u. in St. Louis, Mo.).

Lit.: Fielding. — Amer. Art Annual, 30 (1933). — Who's Who in Amer. Art, I: 1936/37.

Cook, Paul Rodda, amer. Maler, * 17. 8. 1897 Salina, Kans., ansässig in San Antonio, Tex.

Schüler von H. D. Pohl, Birge Harrison u. H. D. Murphy. Wandbilder in der Groos Nat. Bank u. in der Carnegie Library in San Antonio, Texas.

Lit.: Amer. Art Annual, 30 (1933). — Who's Who in Amer. Art, I: 1936/37.

Cooke, Charles Allan, engl. Bildnismaler, * 18. 11. 1878 Southsea, ansässig in Bath.
Schüler von F. de László in London.
Lit.: Who's Who in Art, [3] 1934.

Cooke, Dorothea, amer. Malerin, Illustratorin u. Radiererin, * 10. 10. 1908 Hollywood, Kalif., ansässig ebda.
Schülerin von Chamberlain, Miller u. Pruett Carter.
Lit.: Amer. Art Annual, 30 (1933). — Who's Who in Amer. Art, I: 1936/37.

Cooke, Jessie Day, amer. Malerin u. Illustrat., * 1872 Atchison, Kans., ansässig in Chicago, Ill.
Schülerin des Art Instit. in Chicago.
Lit.: Fielding. — Amer. Art Annual, 30 (1933).

Cooksey, May Louise Greville, engl. Malerin (Öl u. Aquar.) u. Rad., * 7. 11. 1878 Birmingham, ansässig in Freshfield, Lancs.
Stud. an der Kunstsch. in Liverpool. Studienaufenthalt in Italien. In der Art Gall. in Liverpool: Hl. Katharina v. Alexandrien.
Lit.: Th.-B., 7 (1912). — Who's Who in Art, [3] 1934. — The Studio, 66 (1916) 214.

Coolidge, Bertha, amer. Miniaturmalerin, * 1880 Lynn, Mass., ansässig in New York.
Schülerin von Tarbell u. Benson.
Lit.: Fielding. — Amer. Art Annual, 30 (1933).

Coolidge, Mountfort, amer. Landschaftsmaler, * 1888 Brooklyn, N. Y., ansässig ebda.
Schüler von Robert Henri. Kollektiv-Ausst. Okt. 1921 in den Kraushaar Gall. in New York.
Lit.: Art Digest, 17, Juli 1943, p. 10. — Amer. Art News, 20, Nr 3 v. 29. 10. 1921, p. 1; Art News, 40, Nr v. 1. 11. 1941, p. 31, m. Abb. — Pictures on Exhib., 5, Nov. 1941 p. 26 (Abb.).

Cooman, Jean de, belg. Maler u. Rad., * 1893 Zandbergen.
Schüler von Montald an der Brüsseler Akad. Figürliches, Landschaften, Interieurs, dekor. Wandbilder.
Lit.: Seyn, I 228.

Coomans, Joan, belg. Bildhauer, * 1896 Antwerpen, ansässig in Berlaar-lez-Lierre.
Schüler der Antwerp. Akad. Relig. Kunst.
Lit.: Seyn, I.

Coomans, Jules, belg. Architekt, * 17. 5. 1871 Moorseele (Ostflandern).
Schüler von Helleputte. Seit 1895 Stadtbaumeister von Ypern. Kirchen St-Jean-Bapt. in Courtrai u. St-Eloi in Antwerpen.
Lit.: Th.-B., 7 (1912).

Coop, Harold, engl. Radierer u. Zeichner, * 22. 10. 1890 York, † Juli 1930 Sheffield.
Stud. an der Kunstsch. in Sheffield.
Lit.: Who's Who in Art, [2] 1929; [3] 1934, Obituary, p. 447.

Coop, Hubert, engl. Landsch.- u. Marinemaler (Öl u. Aquar.), * 8. 3. 1872 Olney, Bucks., ansässig in Northam, N. Devon.
Lit.: Th.-B., 7 (1912). — Who's Who in Art, [3] 1934.

Cooper, Alfred Egerton, engl. Maler, * 5. 7. 1883 Tettenhall, ansässig in London.
Stud. am Roy. Coll. of Art in London. Bildnisse, Landschaften, Stilleben, Blumenstücke. Auf der Ausst. der R. Acad. 1934 erregte er Aufsehen mit einer Hunderte von Figürchen enthaltenden Darstellung des Derby Day.
Lit.: Who's Who in Art, [3] 1934. — The Studio, 67 (1916) 125; 113 (1937) 322, m. Abb.; 116 (1938) 78, m. Abb. — Apollo (London), 17 (1933) 40f., m. Abbn, 45 (Abb.); 20 (1934) 48, m. Abb.; 41 (1945) 152. — The Connoisseur, 64 (1922) 242f.; 93 (1934) 396 (Abb.). — Artist, 28, Sept. 1944, p. 10/12, m. Abb.

Cooper, Arthur Alfred, engl. Maler u. Kstgewerbler, * 20. 11. 1883 Great Yarmouth, Norfolk, ansässig in Wolverhampton.
Leiter der städt. Kst- u. Gewerbesch. in Wolverhampton u. Kurator der städt. Gemäldegal.
Lit.: Who's Who in Art, [3] 1934.

Cooper, Byron, engl. Bildnis- u. Landschaftsmaler, * Manchester, † Juli 1933 Bowden, Cheshire.
Stud. an der Akad. in Manchester. — Seine Tochter Enid ist Landschaftsmalerin.
Lit.: Th.-B., 7 (1912). — Who's Who in Art, [2] 1929; [3] 1934, Obituary, p. 447.

Cooper, Henry, amer. Maler, Lithogr. u. Rad., * 8. 9. 1906 in Rußland, ansässig in Philadelphia, Pa.
Stud. an der Pennsylv. Acad. of the F. Arts, bei Henry McCarter u. André Lhote in Paris.
Lit.: Amer. Art Annual, 30 (1933). — Who's Who in Amer. Art, I: 1936/37.

Cooper, Jessie, s. *Cooper-Bailey*.

Cooper, John Paul, engl. Metallkstler, Gold- u. Silberschmied, † Mai 1933 Westerham, Kent.
C.s Sohn Francis, * 18. 11. 1906 Castle Bromwich, ansässig in Westerham, Schüler von Ernest Jackson, ist auf dems. Gebiet tätig.
Lit.: Th.-B., 7 (1912), irrig: James P. — Who's Who in Art, [3] 1934, p. 96 u. Obituary, p. 447. — The Studio, 70 (1917) 20ff., m. Abbn. — Artwork, 1 (1924/25) 26, 83; 2 (1925/26) 57. — The Connoisseur, 91 (1933) 409.

Cooper, Margaret, geb. *Miller*, amer. Malerin, * 4. 3. 1874 Terryville, Conn., ansässig in New Britain, Conn.
Schülerin der Nat. Acad. of Design, der Pennsylv. Acad. of the F. Arts in Chester Springs, Pa., von Henry B. Snell, Guy Wiggins, Dwight Tryon u. Ch. Woodbury.
Lit.: Fielding. — Amer. Art Annual, 30 (1933). — Who's Who in Amer. Art, I: 1936/37.

Cooper, Mario Ruben, mexik. Illustrator, * 26. 11. 1905 Mexico City, ansässig in Bayside, L. I., N. Y.
Schüler von F. Tolles Chamberlain, Harvey Dunn, Pruett Carter, Louis Treviso. Mappenwerke: „Beggars All" u. „Wife for Sale" (Crowell Publ. Co.). Zeichnete für „Amer. Magazine", „Cosmopolitan", „Collier's Weekly", usw.
Lit.: Mallett. — Who's Who in Amer. Art, I: 1936/37. — Design, 51, Okt. 1949, p. 24 (Abb.); Jan. 50, p. 18 (Abb.). — Amer. Artist, 15, Mai 1951, p. 46f., m. 3 Abbn.

Cooper, Ophelia Gordon, geb. *Bell*, schott. Bildhauerin u. Aquarellmalerin, * 1. 7. 1915.
Schülerin von H. Brownsword, Charlotte E. Gibson u. G. H. Duley. Stellte in d. Roy. Acad. in London, im Glasgow Inst. of F. Arts u. in d. Roy. Scott. Acad. aus.
Lit.: Bénézit, [2] 2 (1949).

Cooper, William Heaton, engl. Landsch.- u. Figurenmaler (Öl u. Aquar.), * 6. 10. 1903 Coniston, Lancs., ansässig in Storrington, Sussex.

Sohn des Landschafters Alfred Heaton C. Stud. an den Roy. Acad. Schools in London (1924 Landseer-Preis). Altarbild für die Kirche in Storrington.

Lit.: Who's Who in Art, [3] 1934. — The Studio, 95 (1928) 239/43, m. 5 Abbn. — The Connoisseur, 61 (1921) 61.

Cooper-Bailey, Jessie McIntyre, geb. *Bailey*, engl. Miniaturmalerin, * 9. 6. 1901 Carlisle, ansässig in London.

Stud. an den Roy. Acad. Schools in London.

Lit.: Who's Who in Art, [3] 1934.

Coorde, Charles de, belg. Radierer, Landschafts- u. Bildnismaler, * 1890 Saint-Josse-ten-Oode.

Lit.: Seyn, I 228.

Cootes, F. Graham, amer. Maler u. Illustr., * 6. 4. 1879 Staunton, Va., ansässig in New York.

Schüler von Kenneth Hayes Miller, Robert Henri u. F. V. Du Mond. Umschläge für Zeitschriften, Illustr. u. a. zu: The Shepherd of the Hills.

Lit.: Amer. Art Annual, 30 (1933). — Who's Who in Amer. Art, I: 1936/37.

Cope, Sir Arthur Stockdale, engl. Bildnis- u. Landschaftsmaler, * 2. 11. 1857, † 1940 London.

Stud. bei Carey an den Roy. Acad. Schools in London. Gold. Med. u. Rosa-Bonheur-Preis in Paris. Gruppenbildnis von Marineoffizieren in der Lond. Nat. Portrait Gall. Ebda Bildn. des Chemikers Sir Wm. H. Perkin u. des Erfinders Sir Isaac Pitman. Im Trinity House Bildnis eines Duke of Connaught.

Lit.: Th.-B., 7 (1912). — Who's Who in Art, 1934. — The Connoisseur, 38 (1914) 196; 60 (1921) 111 (Abb.), 112; 72 (1925) 110. — The Studio, 109 (1935) 296 (Abb.).

Cope, Thomas Alfred, engl. Landschaftsmaler u. Werbezeichner, * 28. 7. 1899 Tottenham, ansässig ebda.

Lit.: Who's Who in Art, [3] 1934.

Copeland, Joseph Frank, amer. Wand- u. Glasmaler, * 21. 2. 1872 St. Louis, Mo., ansässig in Drexel Hill, Pa.

Stud. an der Kstsch. des Pennsylv. Mus. in Philadelphia. — Seine Gattin Eleanor, * 24. 2. 1875 London, Schülerin Henry Snell's u. ihres Gatten, ist Malerin.

Lit.: Amer. Art Annual, 27 (1930) 518; 30 (1933). — Fielding. — Who's Who in Amer. Art, I: 1936/37. — Amer. Artist, 11, Dez. 1947, p. 40f., m. farb. Abb.

Copeland, M. Baynon, amer. Bildnismalerin, * El Paso, Tex., ansässig in Paris.

Schülerin von Kenyon Cox in New York, dann von Ferd. Humbert u. R. Miller in Paris und von Shannon in London. Beschickte 1911/14 den Salon der Soc. d. Art. Franç.

Lit.: Fielding. — Amer. Art Annual, 12 (1915) 349.

Copier, Andries Dirk, holl. Glaskünstler, * 11. 1. 1901 Leerdam, künstler. Leiter der Glasfabrik „Leerdam".

Arbeiten im Gem.-Mus. im Haag, im Mus. Boymans in Rotterdam u. in den Kstgew.-Mus. Stuttgart u. Dresden.

Lit.: Wie is dat?, 1935. — H. Read, Art and Industry, Lo. o. J. — Die Kunst, 60 (1928/29) 264f., m. 2 Abbn.

Copin, Jules, franz. Bildhauer u. Medailleur, * Valenciennes, ansässig ebda.

Schüler von René Fache. Stellte im Pariser Salon der Soc. d. Art. Franç. 1912 u. 1920 aus.

Lit.: Forrer, 7 u. 8.

Copland, Patrick Forbes, engl. Tiermaler, * London, † 27. 1. 1933 Montreal, Kanada.

Schüler von Stacy Marks in London.

Lit.: The Art News, 31, Nr 20 v. 11. 2. 1933, p. 8.

Copley, Ethel, geb. *Gabain*, franz.-engl. Malerin, Lithographin u. Illustr., * 26. 3. 1883 Le Havre, † 1950 London. Französ. Herkunft. Gattin des John.

Stud. an der Central School of Arts and Crafts. Zeichnete ihre ersten Lithogr. (Virgin of the Column; Musée de Cluny) direkt auf den Stein (1906), ging 1908 zur Weiterausbildung nach Paris. Heiratete 1911, ließ sich mit ihrem Gatten in Longfield, Kent, später in London nieder. Ihr Stoffgebiet ist ziemlich unumschränkt (hauptsächlich Bildnisse u. Figürliches). Hauptblätter: The Muff; The Striped Petticoat; The Mirror; A Munition Worker; The Emerald Ring; A Summernight; La Chambre Déserte; Adèle Dancing. Einen Katalog ihrer Lithogr., die Produktion der Jahre 1906/1923 umfassend und 255 Bll. beschreibend, hat Harold J. L. Wright aufgestellt (wieder abgedruckt in dem 1924 von den Albert Ruillier Art Galleries, Chicago, veröff. Kat. der Graphik ihres Gatten). Illustr. zu Anthony Trollope, The Warden (Elkim Mathews & Marrot), London 1927.

Lit.: Who's Who in Art, [3] 1934. — Singer, m. Abb. — Salaman, 160f. — The Connoisseur, 42 (1915) 179 (Abb.), 180, 181; 77 (1927) 121. — The Studio, 73 (1918) 70; 79 (1920) 187; 85 (1923) 347 (Abb.); 87 (1924) 238f., m. Abb. — Athenæum, 1920 –II 88. — The Print Coll.'s Quarterly, 10 (1923) 254 –87, m. Abbn (J. L. Wright). — Bull. of the Mus. of F. Arts, Boston, 25 (1927) 28, m. Abb. — Apollo (London), 23 (1936) 341 (Abb.). — Art Index (New York), Okt. 1941/Okt. 1951.

Copley, John, engl. Lithograph, Kaltnadelstecher, Radierer u. Kstschriftst., * 25. 6. 1875 Manchester, † 16. 7. 1950 London. Gatte der Ethel.

Stud. an den Roy. Acad. Schools in London. Präsident der Roy. Soc. of Brit. Artists. Figürliches, Bildnisse, Theaterszenen, Architektur, Landschaften. Sein lithogr. Werk bis zum Jahr 1924, von Harold J. L. Wright katalogisiert, umfaßt etwa 200 Blätter, darunter als bedeutendste: The Sick King; The Ambulance; Footlights; Jesus and a Women of the City; The Horse Rake; Siena Cathedral; Carrara Mountains, Evening. Hat sich seit Ausgang der 1920er Jahre während eines Aufenthaltes in Alassio an der Riviera mit der Radierung beschäftigt: Hauptblätter: An Old Genoese; From an Alassian Balcony; Three Bathers; An Italian Icewomen; A Noble Lady of Genoa. Gab selbst einen Überblick über die Entwicklung der Lithogr. in einem Artikel in: The Print Coll.'s Quarterly, 12 (1925) 41/66.

Lit.: Who's Who in Art, [3] 1934. Œuvre-Kat., hg. von den Albert Roillier Art Galleries, Chicago, mit Vorwort von Harold J. L. Wright u. zahlr. Abbn, Chicago 1924. — Salaman, p. 158, 159. — The Burlington Magaz., 28 (1915/16) 165. — The Studio, 66 (1916) 281; 67 (1916) 182 (Abb.); 70 (1917) 74; 73 (1918) 70; 79 (1920) 187; 129 (1945) 88 (Abb.); 135 (1948) 86/89, m. Abbn. — Athenæum, 1920/II, p. 88. — The Connoisseur, 57 (1920) 243f. — Artwork, 1

(1924/25) 27 (Abb.); 5 (1929) 195, Abb. geg. p. 183. — Apollo (London), 1 (1925) 176 (Abb.), 177; 6 (1927) 180f., m. Abb. — The Print Coll.'s Quarterly, 13 (1926) 273/96, m. 12 Abbn. — D. Weltkst, 20 (1950) Nr 19 p. 12. — The Art Index (New York), Okt. 1944/Okt. 1951 passim.

Copnall, Bainbridge, engl. Bildhauer, Maler u. Illustr., * 29. 8. 1903 Kapstadt, ansässig in Horsham, Sussex.

Stud. an den Roy. Acad. Schools in London. Figürl. plast. Schmuck an der Fassade des Roy. Inst. of Brit. Archit. Building, London.

Lit.: Who's Who in Art, [3] 1934. — The Studio, 110 (1935) 217 (Abb.).

Copnall, Frank, engl. Bildnismaler, * 27. 4. 1870 Ryde, Insel Wight, ansässig in Liverpool.

Bilder in den Gal. Liverpool u. Birkenhead. — Seine Gattin Theresa Norah, geb. *Butchart,* * 24. 8. 1882 Haughton-le-Skern, ist Blumen- u. Bildnismalerin.

Lit.: Th.-B., 7 (1912). — Who's Who in Art, [3] 1934. — The Studio, 63 (1915) 218f.; 66 (1916) 214.

Coppedge, Fern, amer. Landschaftsmalerin, * Decatur, Ill., ansässig in Philadelphia.

Schülerin von Wm. M. Chase, John Carlson, der Art Student's League in New York u. der Pennsylv. Acad. of the F. Arts in Philadelphia. Bilder u. a. im Detroit Inst. of Art, im Staatskapitol in Philadelphia, in d. Pennsylv. Acad. of the F. A. ebda u. in der Amer. Botschaft in Rio de Janeiro.

Lit.: Fielding. — Amer. Art Annual, 30 (1933). — Who's Who in Amer. Art, I: 1936/37.

Coppenolle, Jacques van, franz. Landschaftsmaler, * Montigny-sur-Loing (Seine-et-Marne), im ersten Weltkrieg vermißt.

Stellte seit 1904 im Salon d'Automne u. bei den Indépendants aus. 2 Bilder im Mus. in Château-Thierry. 3 Bilder im Mus. in Clamecy.

Lit.: Th.-B., 7 (1912). — Joseph, I. — Bénézit, [2] 2. — Trente Ans d'Art Indépendant 1884–1914. Expos. Rétrosp., Paris 1926, Kat. p. 187.

Coppens, Frans, belg. Bildnis- u. Landschaftsmaler, * 1895 Haaltert (Ostflandern).

Lit.: Seyn, I. — Gand artist., 1929, p. 57/59, m. Abbn.

Copperman, Mildred Turner, amer. Malerin, * 14. 9. 1906 New York, ansässig in Gloucester, Mass.

Schülerin von Louis Franç. Biloul.

Lit.: Amer. Art Annual, 30 (1933). — Who's Who in Amer. Art, I: 1936/37.

Coppet, Yvonne de, franz. Bildnis- u. Landschaftsmalerin, * Paris, ansässig ebda.

Schülerin von Guillonnet, P. A. Laurens u. Baschet. Mitgl. der Soc. d. Art. Franç., beschickt deren Salon seit 1922 (Kat. z. T. mit Abbn).

Lit.: Joseph, I. — Beaux-Arts, 12. 3. 1948, p. 8 (Abb.).

Coppini, Oreste, ital. Maler u. Bildhauer, * 1871 Florenz, ansässig in Locarno.

Stud. an der Kstgewerbesch. in Zürich, bei Kißling ebda, dann an der Akad. in Florenz u. bei Fil. Marfori. Ließ sich 1901 in Locarno nieder. Bildnisbüsten, Basreliefs. Plastik im Städt. Mus. in St. Gallen.

Lit.: Brun, IV.

Coppini, Pompeo, ital.-amer. Bildhauer, * 15. 5. 1870 Moglia, ansässig in New York.

Schüler von Aug. Rivalta in Florenz. Seit 1896 in den USA, seit 1901 amer. Bürger. 38 öff. Denkmäler in den USA, darunter 3 Reiterstandbilder u. 16 Porträtstatuen. In Mexico City ein Standbild Washington's; in der Texas Univ. in Austin, Texas, ein Denkmal Littlefield's.

Lit.: Th.-B., 7 (1912). — Fielding. — Amer. Art Annual, 30 (1933). — Who's Who in Amer. Art, I: 1936/37.

Coquard, Louis, franz. Landschafts- u. Bildnismaler, * Ambrault (Indre), ansässig in Bellevue (Seine-et-Oise).

Stellt seit 1923, damals in Auxerre (Yonne) ansässig, bei den Indépendants in Paris aus.

Lit.: Joseph, I. — Bénézit, [2] II (1949).

Corado, Lauro, portug. Maler u. Restaurator, * 10. 1. 1908 Aveiro.

Stud. an d. Gewerbe- u. Handelssch. in Aveiro u. d. Kstschule in Porto, Schüler von Ant. Carneiro u. Joaquim Lopes in Porto. 1. Preis f. Malerei 1926, 27 u. 28. 1932/33 Studienreisen nach Spanien, Frankreich u. Italien mit Unterstützung der Junta da Educação Nac. Stellte aus im Salon Silva Porto u. in der Soc. Nac. de B. Artes. Vertreten im Mus. zeitgenöss. Kst in Lissabon u. im Mus. Regional in Aveiro.

Lit.: Gr. Enc. Port. e Brasil., VII 649. — Pamplona, p. 400.

Corazza, Corrado Nino, ital. Maler, * 22. 8. 1897 Bologna, ansässig ebda.

Lit.: Chi è?, 1940. — Kat. d. 6. Quadriennale, Rom 1951/52, m. Abb.

Corbellini, Luigi, ital. Figuren- u. Landschaftsmaler, * 1901 Piacenza, ansässig in Paris.

Stellte 1928ff. bei den Indépendants aus. 2 Bilder: Die Seiltänzer, Apollo, im Musée du Jeu de Paume in Paris. Koll.-Ausst. Juni 1932 in d. Gal. Bareiro, Paris.

Lit.: Joseph, I. — Bénézit, [2] 2 (1949). — Emporium, 87 (1938) 159f., m. Abb.; 88 (1938) 338. — Les Echos d'Art, Beibl. der Art et Décoration, 62 (1933), April-Heft, p. VII. — L'Art et les Artistes, 30 (1935) 269/72, m. 6 Abbn. — L'Amour de l'Art, 1935 p. 329/31, m. 5 Abbn. — B.-Arts, 25. 6. 1932, p. 13; Nr 329 v. 21. 4. 1939, p. 3 (Abb.); Nr 335 v. 2. 6. 1939, p. 1 (Abb.).

Corbett, Gail, geb. *Sherman,* amer. Bildhauerin, * Syracuse, N. Y., ansässig in New York.

Schülerin von Aug. Saint-Gaudens, der Art Student's League in New York, von Mowbray u. Brush. Denkmal Hamilton White u. Kirkpatrick-Brunnen in Syracuse, Bronzetüren im Auditorium u. Municipal Building in Springfield, Mass.; George Washington-Denkmal in Alexandria, Va.; Constance Witherby-Denkmal im Constance Witherby Memorial Park in Providence, R. I.

Lit.: Fielding. — Amer. Art Annual, 30 (1933). — Who's Who in Amer. Art, I: 1936/37. — Forrer, 7 u. 8.

Corbett, Harvey Wiley, amer. Architekt, * 8. 1. 1873 San Franzisko, Kalif., ansässig in New York.

Stud. in Paris. Herausgeber des Architekturabschnittes der „Encyclopædia Britannica". — Hauptbauten: Maryland Inst.; Bush House in London; Holy Innocents Church in Brooklyn; George Washington Memorial; Roerich-Museum in New York; Rockefeller Centre ebda.

Lit.: The Encyclop. Brit., [14] VI. — The Internat. Who's Who, [16] 1952. — Wasmuth's Monatsh. f. Baukst, 8 (1924) 297ff., m. Abbn. — The Studio, 92 (1926) 9ff., m. Abbn. — The Arts, 1928/I, p. 28/32, m. 4 Abbn. — Architect. Record, 90, Dez. 1941,

p. 26, 97, Juni 1945, p. 20 (Bildnis); 102, Nov. 1947, p. 86/88. — Architect. Forum, 76, April 1942, p. 253 –60; 79, Juli 1943, p. 48/51. — Architect a. Engineer, 151, Dez. 1942, p. 12/21.

Corbin, Raymond, franz. Bildhauer u. Medailleur, * 1907 Rochefort-sur-Mer (Charente-Maritime).

Schüler von Bropsy u. Matossy. Stellt seit 1932 im Pariser Salon (Soc. d. Art. franç.), seit 1938 auch im Salon des Tuileries u. im Salon d'Automne aus.

Lit.: Bénézit, [2] II (1949). — Art et Décorat., 1949 Nr 15 p. 56 (Abb.). — Beaux-Arts, 75e année Nr 311 v. 16. 12. 1938, p. 3. — Das Kstwerk, 1 (1946/47) H. 12, p. 47 (Abb.). — Kat. d. Ausst. „La Sculpt. Française de Rodin à nos jours", Zeugh. Berlin 1947, m. Abb.

Corbino, Jon, ital. Maler, Illustr. u. Bildhauer, * 3. 4. 1905 Vittoria, Ital., ansässig in Rockport, Mass.

Schüler von George Luks, Fr. V. Du Mond u. Dan. Garber. Erhielt 1938 den Lippincott-Preis der Pennsylv. Acad. of F. Arts.

Lit.: Who's Who in Amer. Art, I: 1936/37. — Mallett. — Monro. — Painting in the United States 1949. Ausst. Carnegie Inst. Pittsburgh, Kat. m. Abb. Taf. 13. — Museum News. Toledo Mus. of Art, 1937 Nr 80, p. 6ff., passim. — Art in America, 25 (1937) 130, m. 2 Abbn. — Worcester Art Mus. News Bull. and Calendar, III Nr 2 v. Nov. 1937. — The Studio, 113 (1937) 350 (Abb.); 115 (1938) 348 (Abb.). — Art Index (New York), Okt. 1941/Okt. 1952.

Corbould, Alfred Chantrey, engl. Tierzeichner, Illustr. u. Karikaturist, † Mai 1920 London.

Zeichnete u. a. für den „Punch".

Lit.: Th.-B., 7 (1912). — Bénézit, [2] 2. — The Year's Art, 1921, p. 343.

Corcos, Massimiliano, ital. Maler, * 1894, † 1916.

2 Zeichngn in d. Gall. d'Arte Mod. in Florenz; eine dritte im Kupferstichkab. der Uffizien.

Lit.: Bénézit, [2] 2 (1949). — Cronaca d. Belle Arti (Suppl. al Boll. d'Arte), 3 (1916) 94.

Corcos, Vittorio, ital. Bildnis- u. Genremaler, * 4. 10. 1859 Livorno, † Nov. 1933 Florenz.

Schüler von D. Morelli in Neapel u. von L. Bonnat in Paris, wo er sich 15 Jahre aufhielt, hauptsächl. als Genre- u. Sportzeichner für franz. u. engl. Blätter tätig. Ließ sich nach Rückkehr in die Heimat in Florenz nieder. Porträtierte 1904 in Potsdam das deutsche Kaiserpaar, später in Lissabon die Königin Amelia u. den Archit. Alfredo D'Andrade. In d. Gall. d'Arte Mod. in Rom: Träumerei. In d. Gall. d'Arte Mod. Florenz: Bildn. d. Violinisten Fed. Consolo. Im Pal. Comunale in Livorno ein Bildnis Garibaldi's.

Lit.: Th.-B., 7 (1912). — Comanducci, m. Abb. — Bénézit, [2] 2 (1949). — Boll. d'Arte, 9 (1915), Cronaca II, p. 85 (Abb.).

Cordati, Bruno, ital. Maler, * 9. 2. 1890 Barga (Lucca), ansässig ebda.

Selbstbildn. im Municipio in Lucca.

Lit.: Chi è?, 1940.

Corde, Walter, dtsch. Maler, * 6. 7. 1876 Köln, ansässig in Düsseldorf.

Schüler von Peter Janssen u. W. Spatz in Düsseldorf. Mitgl. der Künstlergruppe „Der Niederrhein". In der Kirche in Erkrath b. Düsseldorf: Toter Christus. Im Kaiser-Wilhelm-Mus. in Elberfeld: Sommertag. In der Aula der Töchterschule zu Mühlheim a. Rh.: Fresko (Frauenberuf). Geht in seinen nicht ausgeführten Kohlekartons monumentalen Zielen nach.

Lit.: Th.-B., 7 (1912). — Gottesehr, 1 (1919/20) 57 (Abb.), 80, 87 (Abb.). — Die Kunst, 25 (1911/12) 461 (Abb.), 464, 471 (Abb.); 27 (1912/13) 529 (Abb.); 41 (1919/20) 385 (Abb.). — Die christl. Kunst, 16 (1919 –20) 84ff., 95ff. (Abbn). — Westermanns Monatsh., 134 (1923) 200f., m. Abb. u. Taf. geg. p. 160.

Cordes, Walter, dtsch. Maler, * 6. 5. 1899 Berlin-Johannisthal, ansässig in Jüterbog.

Lit.: Bild. Kst (Dresden), 1953, H. 2, p. 37, 43 (Abb.). — Kat. 3. Dtsche Kstausst. Dresden 1953, m. Abb.

Cordier, Eugen Max, elsäss. Innenarchitekt, Freskomaler u. Gebrauchsgraph., * 12. 1. 1903 Straßburg, ansässig in München.

Stud. an der Kstgewerbesch. u. Akad. in München. Vestibül im Kurhaus von Bad Tölz. Ausmalung der Stadtpfarrk. in Marktredwitz. Entwürfe für Mosaik, Teppiche, Keramik. In der Ksthalle Hamburg ein Ölbild: Aus Hamburg.

Lit.: Dreßler. — Kat. d. Ausst. Dtsche Gebrauchsgraphik, Schaezler-Palais, Augsburg, Nov. 1947, Nr 4.

Cordier, Marie Louise, franz. Landschaftsmalerin, * Lyon, † 1927.

Beschickt seit 1921 den Salon der Soc. d. Art. Franç. u. den Salon d'Automne in Paris. Gedächtnis-Ausstellg 1928 im Salon des Indépendants.

Lit.: Bénézit, [2] II (1949).

Cordier, Max, dtsch. Plakatkünstler u. Maler, * 1902 München, ansässig ebda.

Stud. an d. Westenriederschule bei Hans Schmid, bei dem er die Enkaustiktechnik erlernte Dann Schüler von Jul. Diez an d. Akad. Ländl. Szenen. Bauerntypen, Plakate, Entwürfe für Urkunden usw.

Lit.: Breuer, m. 3 Abbn u. Bildnis C.s, gez. 1936 von Karl Weinmair.

Cordonnier, Paul, franz. Maler, Holzschneider u. Lithogr., * 28. 3. 1878 Orleans, ansässig ebda.

Schüler von Gérôme, G. Ferrier u. Jamet. Mitgl. der Soc. d. Art. Franç. Lehrtätig an der Ec. d. B.-Arts in Orleans. Landschaften, Genre u. Bildnisse. Herrenbildnis im Mus. in Gray.

Lit.: Th.-B., 7 (1912). — Joseph, 1.

Cordonnier, Raphaël, franz. Lithograph, * Saint-Amand-les-Eaux (Nord), ansässig in Paris.

Schüler von Alex. Leleu u. Lucien Jonas. Mitgl. der Soc. d. Art. Franç., beschickt deren Salon seit 1928 (Kat. z. T. m. Abbn).

Lit.: Joseph, I.

Coreth, Madeleine, verehel. Gräfin *Consolati*, tirol. Malerin, * 7. 7. 1918 Bozen, ansässig in Innsbruck.

Stud. 1941/44 bei Kitt u. Dachauer an d. Akad. in Wien. Bildnisse, Landschaften. Fresken in den Kapellen der Friedhöfe in Hötting u. Mühlau.

Lit.: Tir. Tagesztg, 1949 p. 238. *J. R.*

Corfu, Georges Félicien, franz. Landschafts- u. Genremaler, * Jonchery-sur-Vesle (Marne), ansässig in Paris.

Stellt seit 1908 bei den Indépendants aus.

Lit.: Joseph, I. — Bénézit, [2] II (1949).

Coria, Benjamin, mexik. Bildnis-, Stillleben- u. Figurenmaler, ansässig in Paris.

Lit.: La Renaiss. de l'Art franç., 9 (1925) 475f.

Corini, Margaret de, ungar. Malerin, Rad., Lithogr. u. Schriftst., * 27. 10. 1902 Clus, Ungarn, ansässig in New York.

Schülerin von Boardman, Robinson, Gordon Stevenson u. A. Derain. Mitglied des Pariser Salon des Indépendants. 2 Bilder im Städt. Mus. in Budapest.

Lit.: Who's Who in Amer. Art, I: 1936/37, p. 115. — Mallett. — Amer. Art Annual, 30 (1933).

Corini, Margit, ungar. Bildnis- u. Figurenmalerin, ansässig in Paris.

Stellt seit 1931 im Salon der Soc. d. Art. Franç. u. bei den Indépendants aus (Szenen aus d. Pariser Nachtleben).

Lit.: Bénézit, [2] 2 (1949). — Nouv. Revue de Hongrie, 47 (1932/II) 77.

Corinth, Charlotte, s. *Berend-Corinth,* Ch.

Corinth, Lovis, dtsch. Maler, Lithogr. u. Rad., * 21. 7. 1858 Tapiau (Ostpreuß.), † 17. 7. 1925 Zandvoort (Holl.).

Die im Th.-B. gegebene, mit d. J. 1910 abschließende Würdigung s. Schaffens ist zu ergänzen durch einen Hinweis auf Leben u. Werk der letzten 1½ Jahrzehnte. 1911 traf den 53jährigen ein Schlaganfall, der linke Seite u. rechte Hand lähmte. Große Willenskraft überwand teilweise die physischen Hemmungen, doch tritt in seinem Schaffen, das seitdem unter schweren Depressionen stand, ein Bruch mit wachsenden Folgen ein. Der sinnenfrohe Kraftmensch, der Maler blühenden Fleisches tritt langsam zurück, und ein Streben nach seelischer Vertiefung, das sich mit einem Hang zum Unwirklichen, Gespenstischen, Visionären verbindet, macht sich bemerkbar, besonders deutlich in den schonungslosen Selbstbildnissen, den Mappenwerken u. Buchillustrationen, den Stilleben und in den Walchensee- u. Inntallandschaften.

Hauptwerke: 1912/25 Selbstbildnisse; 1914 Bildn. d. Abg. L. Frank; 1917/25 Walchenseelandschaften; 1920 Blumenstilleben; 1923 Großes Blumenstilleben; 1924 Bildnis Präs. Ebert, Das Trojanische Pferd, Vierwaldstättersee; 1925 Ecce Homo. — *Graphik:* 1917 ABC (Lithos), Berlin, Gurlitt. 1919 Antike Legenden (Rad.), Marées-Ges.; Das Gastmahl d. Trimalchio (Rad.), München, Bruckmann. 1920 Anna Boleyn (Lithos), Gurlitt; Walchensee-Mappe (Rad.); Götz v. Berlichingen (Lithos); Reinecke Fuchs (Lithos), ebda; Wallensteins Lager (Rad.), Berlin, Tilgner. 1922 Gullivers Reisen (Lithos), Propyläen-Verlag; Balzac, Frau Konnetabel, Berlin, Cassirer. 1925 Der Sündenfall (farb. Lithos), Euphorion-Verlag. — *Buchwerke:* Gesammelte Schriften. Mit 60 Abbn u. 8 Lithos, Berlin 1920; Selbstbiographie. Mit über 20 gez. Selbstbildnissen, Leipzig 1926. — *Koll.-Ausstellgn:* Berlin, Sezession 1918, 1926; Kupferstichkab. 1922; Kronprinzenpal. 1923; Nat.-Gal.; Akad. d. Kste 1926. Königsbg 1927. Wien, Mod. Gal. 1929. Zürich 1933. New York, Gal. St. Etienne 1943 u. 1947. Düsseldorf, Kstver. 1950. Hannover, Landesmus. 1950. München, Gal. Gurlitt 1951. — Vertreten in folg. *öff. Sammlgn:* Aachen; Basel; Belgrad (Prinz-Paul-Mus.); Berlin (Nat.-Gal.); Bern; Bremen; Breslau; Danzig; Dresden; Essen (Folkwang-Mus.); Frankfurt a. M.; Hamburg; Karlsruhe; Königsberg; Köln; Leipzig; Mannheim; New York; Pittsburg (Carnegie-Inst.); Rostock; Stettin; Tapiau (Corinth-Mus.); Ulm; Wien; Zürich.

Lit.: Th.-B., 7 (1912). — W. Conradt, L. C. als religiöser Maler, Königsbg 1921 (Diss.). — H. W. Singer, Meister der Zeichnung, Lpzg 1921. — G. Biermann, L.C.,[2] Bielefeld 1922; ders., Der Zeichner L. C., Dresd. 1924. — K. Schwarz, Das graph. Werk v. L. C., Berl. 1922. — P. Steiner, L. C., Königsbg 1925. — A. Kuhn, L. C., Berl. 1926. — G. Stuhlfauth, Die relig. Kst im Werke L. C.s, Lahr 1926. — A. Soldenhoff, L. C., der Mann, der malen kann, beurteilt von einem Maler, Zürich 1933. — A. Rhode, Der junge C., Berl. 1941. — E. A. Seemann's Farb. Kstlermappen, Nr 42, Lpzg 1948. — Bie, 1930. — L. Justi, Von C. bis Klee, Berl. 1932. — M. Halbe, Jahrhundertwende, Danzig 1935. — Neue Deutsche Biographie, Berl. 1943, Bd 4. — Art News (New York), 42 (1943) 38 m. Abb.; 46 (1947) 49 m. Abb. — Aufbau, 4 (1948) 618/21; 6 (1950) 209/12. — D. Cicerone, 11 (1919) 273ff.; 14 (1922) 552ff., 359f.; 16 (1924) 612ff.; 17 (1925) 3ff.; 18 (1926) 147ff.; 18 (1926) 621ff. — Hellweg (Essen), 5 (1925) 643/45. — D. Graph. Kste (Wien), 54 (1931) 19f., m. Abb. — Die Christl. Kst, 22 (1925/26) 306f. — Dtsche Kst u. Dekor., 41 (1917/18) 3ff.; 50 (1922) 133ff. — Dtsche Rundschau, 61 (1935) 41ff. — Ganymed, 5 (1925) 82ff. — Gaz. d. B.-Arts, 86 (1944/I) 273/84 passim. — Die Kunst, 37 (1917/18) 362ff.; 51 (1924/25) 374ff. — Kunst ins Volk (Wien), 3 (1951) 344/49, m. 6 Abbn. — Kunst u. Kirche, 5 (1928/29) 134/39 (C. s Luther-Darstellgn). — Kst u. Kstler, 13 (1915) 408ff.; 15 (1917) 367; 16 (1918) 334ff.; 26 (1921/22) 229ff.; 21 (1922/23) 339ff.; 22 (1923/24) 199ff., 244ff.; 23 (1924-25) 268ff., 413f., m. Fotobildn.; 24 (1925/26) 10ff., 217ff. — D. Kstbl., 9 (1925) 234ff.; 15 (1931) 193/214. — Kstchronik, N. F. 34 (1922/23) 718ff., 722ff. — Kst-Rundschau (Hamburg), 1 (1924) 26, Taf. geg. p. 40. — D. Kstwanderer, 1924/25 p. 417ff., m. Abbn; 1927/28 p. 465ff. — D. Kstwerk, 4 (1950) H. 8/9, p. 109. — Mecklenb. Monatsh., 4 (1928) 535/41, m. 6 Abbn u. Taf. geg. p. 515. — Westermanns Monatsh., 139 (1925/26) 275. — D. Weltkst, 19 (1949) H. 8, p. 1 (Abb.), 6; 20 (1950) H. 10, p. 3 (Abb.); 21 (1951) H. 21, p. 2, m. Abb. — Ztschr. f. bild. Kst, 56 (1921) 153ff.; 59 (1925/26) 193ff.

Corlin, Gustave, franz. Stillebenmaler, * 10. 6. 1875 Rully (Saône-et-Loire), ansässig in Paris.

Schüler von Gérôme, G. Guay u. F. Humbert. Mitgl. der Soc. d. Art. Franç.

Lit.: Joseph, I. — Beaux-Arts, Nr v. 26. 4. 46 p. 1 (Abb.).

Cormier, Fernande, franz. Bildnis-, Figuren- u. Landschaftsmalerin, * 17. (8.?) 11. 1888 Toulon, ansässig in Paris.

Schülerin von F. Humbert u. Renard. Mitgl. der Soc. d. Art. Franç., beschickt deren Salon seit 1913. 1919 Rompreis. Bereiste Marokko.

Lit.: Joseph, I. — Chron. d. Arts, 1917–1919, p. 241. — Gaz. d. B.-Arts, 1921/I, 344 (Abb.). — L'Art et les Art., 6 (1922/23) 18 (Abbn), 37. — La Renaiss. de l'Art franç., 10 (1927) 53, 54 (Abb.). — Art et Décor., 1927/II, 25, 31 (Abb.).

Corneau, Eugène, franz. Landschafts-, Stilleben- u. Figurenmaler (Öl, Aquar., Gouache), * 1894 Vouzeron (Cher), ansässig in Paris.

Beeinflußt von Cézanne. Arbeitet hauptsächlich in der Provence. Stellt seit 1921 im Salon d'Automne, seit 1923 im Salon des Tuileries aus. Eine Landschaft im Luxembourg-Mus.; Weibl. Akt im Art Inst. in Chicago.

Lit.: Joseph, I. — L'Art et les Art., N. S. 5 (1922) 347/51, m. 5 Abbn. — Art et Décor., 1927/II p, 30 (Abb.). — La Renaiss. de l'Art franç., 10 (1927) 557; 14 (1931) 231. — Beaux-Arts, Nr 306 v. 11. 11. 1939 p. 2 (Abb.); Nr 329 v. 21. 4. 1939, p. 4, m. Abb. — Bénézit, [2] II (1949).

Cornel, Karel, belg. Figuren-, Landsch.- u. Stillebenmaler, * 1890 Gent.

Lit.: Seyn, I.

Cornescu, Traian, rumän. Maler.

2 Zeichngn im Mus. Toma Stelian in Bukarest (Kat. 1939, p. 61).

Cornet, Paul, franz. Bildhauer, * 18. 3. 1892 Paris, ansässig ebda.

Stud. an der Ec. d. Arts Décor. Näherte sich in seinen frühen Arbeiten dem Kubismus, später engere Fühlung mit der Natur und Beeinflussung durch die ägyptische Kunst. Debütierte im Salon des Tuileries 1926 mit einem lebensgr. liegenden weibl. Akt. Ging in der Folge zum Naturalismus über. 1933 Großer Rompreis mit einer nackten Sitzenden. Im Kunstmus. in Göteborg eine nackte Stehende (Bacchantin); Kolossalfigur für den Jardin Publique in Limoges.

Lit.: Art et Décor., 1928/II 26 (Abb.). — Dtsche Kst u. Dekor., 65 (1929) 405 f., m. 3 Abbn. — D. Kunst, 61 (1929/30) 322f., Abbn. — L'Amour de l'Art, 11 (1930) 489/95, m. 11 Abbn. — Les Echos d'Art, 1933 Aug.-Heft, p. IX. — Beaux-Arts, Nr 26 v. 30. 6. 1933, p. 1, m. Abb; Nr 157 v. 3. 1. 1936, p. 8; Nr 302 v. 14. 10. 1938, p. 3; Nr 336 v. 9. 6. 1939, p. 3 (Abb.). — L'Art vivant, 1933, p. 390, m. 2 Abbn. — Revue de l'Art anc. et mod., 64 (1933/II) 301, m. Abb., Bull. p. 310f., m. Abb.; 65 (1934/I), Bull. p. 147. — Konstrevy, 13 (1937) H. 2, p. 45, 46 (Abb.); 15 (1939), Spez.-Nr Göteborg, p. 50 (Abb.).

Cornil, Gaston, franz. Landschaftsmaler, * 15. 5. 1883 Saint-Mandé, ansässig in Paris.

Schüler von Dameron u. Petitjean. Mitgl. der Soc. d. Art. Franç., beschickt deren Salon seit 1908 (Kat. z. T. mit Abbn). Bilder im Mus. in Verdun u. in der Mairie in Saint-Mandé.

Lit.: Th.-B., 7 (1912). — Joseph, 1. — Beaux-Arts, Nr v. 25. 4. 1947 p. 1 (Abb.). — Bénézit, [2]2.

Cornill-Dechent, Lina, dtsche Bildhauerin, * 2. 7. 1883 Frankfurt a. M., ansässig ebda.

Stud. am Städelschen Institut in Frankfurt u. an der Debschitz-Schule in München. In der Katharinenkirche in Frankfurt: Pietà. Grabmäler auf dem dort. Hauptfriedhof.

Lit.: Dreßler. — Die Christl. Kst, 26 (1929/30) 36 (Abb.).

Cornillac de Tremines, Suzanne, franz. Aquarellmalerin u. Illustr., * 20. 12. 1904 Paris, ansässig ebda.

Schülerin von Pierre Vignal. Zeichner. Mitarbeiterin der Zeitschr. „Illustré de la Province et des Colonies".

Lit.: Joseph, I.

Cornilleau, Raymond, franz. Stilleben- u. Landschaftsmaler (Öl u. Aquar.), * Paris, ansässig ebda.

Stellt seit 1923 bei den Indépendants aus.

Lit.: Joseph, I. — Bénézit, [2] II.

Cornillon-Barnave, Joseph, franz. Landschaftsmaler u. Zeichner, * Marseille, ansässig in Saillans (Drôme).

Stellt seit 1923 bei den Indépendants aus.

Lit.: Joseph, I. — Bénézit, [2] II.

Cornu, Auguste, franz. Bildhauer, * 10. 10. 1876 Paris, ansässig in Cassis (Bouches-du-Rhône).

Schüler von Falguière u. Rodin. Arbeitet in Stein u. Holz. Mitgl. der Soc. Nat. d. B.-Arts, beschickt deren Salon seit 1907 (Kat. z. T. mit Abbn). Im Petit-Palais in Paris: Holzstatue: Das Nest. In der Kirche St-Léon in Paris: Christus. In Grosrouvre (Seine-et-Oise): Gefallenendenkmal.

Lit.: Th.-B., 7 (1912). — Joseph, 1. — La Revue de Bourgogne, 1913 Nr 2, p. 75/81, m. 7 Abbn. — Gaz. d. B.-Arts, 1913/II, p. 38, 39 (Abb.). — Art et Décor., 24 (1920), Chron., Januar-Heft p. 6, m. Abb.

Cornuel, Paul, franz. Blumen- u. Stillebenmaler, * Paris, † 7. 10. 1934 ebda.

Stellte seit 1927 bei den Indépendants aus.

Lit.: Joseph, I. — Bénézit, [2] II.

Cornuz, Désiré, franz. Landschaftsmaler, * 26. 5. 1883 Algier, fiel im 1. Weltkrieg 1917.

Schüler von Marius Raynaud. Beschickte 1910 von Algier aus den Salon der Soc. d. Art. Franç.

Lit.: Joseph, I.

Cornwell, Dean, amer. Maler u. Illustr., * 5. 3. 1892 Louisville, Ky., ansässig in New York.

Schüler von Harvey Dunn u. Ch. S. Chapman. Wandmalereien in der Public Library in Los Angeles u. im Lincoln Memorial in Redlands, Kalif. — Illustr. u. a. zu Warwick Deeping, „Seven Men came back", u. zu Sabatini, „Captain Blood Stories" (zus. mit Frank Brangwyn).

Lit.: Fielding. — Mellquist. — Amer. Art Annual, 30 (1933). — Who's Who in Amer. Art, I: 1936/37. — Amer. Art News (The Art News), 20, Nr 23 v. 18. 3. 1922, p. 1; 24, Nr 33 v. 22. 5. 1926, p. 5; 25, Nr 8 v. 27. 11. 1926, p. 3; 31, Nr 32 v. 6. 5. 1933 p. 9 u. Nr 33 v. 13. 5. 1933, p. 6. — Beaux-Arts, 10 (1932) Märzh. p. 12, m. Abb. — Art Index (New York), Okt. 1941/Okt. 1951. — New York Times, 16. 10. 1932.

Corombelle, Hippolyte, belg. Wappenschneider u. Maler, * 1871 Lüttich.

Schüler von Adr. de Witte u. Em. Delpérée.

Lit.: Seyn, I, m. Fotobildnis.

Corompai (Korompay), Duilio, ital. Genre- u. Bildnismaler, * 25. 9. 1876 Venedig, ansässig ebda.

Schüler von Mentessi, im übrigen Autodidakt. Malte einige Zeit in der divisionist. Technik. Pflegte hauptsächl. das relig. Fach. Viele Altarbilder u. Kirchenfresken im Ferraresischen u. im Trentino. In SS. Giovanni e Paolo in Venedig: Hl. Thomas von Aquin. Im Istit. Etnologico in Conegliano: Heimkehr von der Weinlese.

Lit.: Comanducci, m. Abb. (Selbstbildn.).

Corpet, Etienne, franz. Maler u. Lithogr., * 5. 12. 1877 Paris, ansässig ebda.

Schüler s. gleichnam. Vaters. Mitgl. der Soc. d. Art. Franç. Stellt seit 1923 auch bei den Indépendants u. im Salon der Soc. Nat. d. B.-Arts aus.

Lit.: Joseph, I.

Corpus, Paul, franz. Landschaftsmaler, * 18. 9. 1893 Cherbourg, ansässig in Versailles.

Lit.: Joseph, I. — Bénézit, [2] II.

Corradi, Alfonso, ital. Landschafts- u. Stillebenmaler, * 8. 2. 1889 Castelnovo di Sotto, ansässig in Mailand.

Stud. an der Brera-Akad. Bild in d. Gall. d'Arte Mod. in Mailand.

Lit.: Comanducci, m. Abb.

Corradini, Margherita (Mara), ital.-schweiz. Malerin, * 5. 12. 1880 Neapel, ansässig in Sent, Kt. Graubünden.

Schülerin von Celentano, dann kurze Zeit von Lenbach in München, von Fr. Skarbina in Berlin u. der Acad. Julian in Paris. 1902 bei Luyten in Brasschaet b. Antwerpen. Figürliches, Bildnisse, Landschaften. Bilder im Rhätischen Mus. in Chur u. im Kantonal-Mus. in Coira.

Lit.: Giannelli, m. Fotobildn. — Comanducci. — Die Schweiz, 23 (1919) 578, Taf. vor p. 649; 25 (1921) 613 (Abb.). — Emporium, 62 (1925) 400f., m. 5 Abbn. — The Studio, 91 (1926) 68, m. Abb. — The Connoisseur, 77 (1927) 63; 79 (1927) 264. — Bénézit, [2] 2 (1949).

Corral, Imeldo, span. Landschaftsmaler.
Kollekt.-Ausst. in der Casa de Galicia in Madrid 1916 (32 Bilder).
Lit.: Francés, 1916 p. 190f., m. 2 Abbn.

Correa, Rafael, chilen. Tier- u. Genremaler, * Santiago, ansässig in Paris.
Stellte 1898–1930 im Salon der Soc. d. Art. franç. aus (Kat. z. T. m. Abbn).
Lit.: Lira, Dicc. biogr. de pintores, Santiagó de Chile 1902, p. 546. — Bénézit, [1] II.

Corredoira, Jesús, span. Porträt- u. Genremaler, * 5. 4. 1889 Lugo, ansässig in Madrid.
Schüler von Cec. Plá u. J. Sorolla. Stellte seit 1908 in Madrid, Barcelona, Santiago de Chile, 1912 im Salon d'Automne in Paris aus.
Lit.: Th.-B., 7 (1912). — Bénézit, [2] 2 (1949). — Arte esp., 1 (1912) 76f. — Kat. d. Expos. Nac. de B. Artes, Madrid 1908ff.

Correggio, Joseph, dtsch. Historien-, Bildnis- u. Pferdemaler, * 3. 8. 1870 Frankfurt a. M., ansässig ebda. Gatte der Folg.
Schüler von Hasselhorst in Frankfurt, dann von J. Herterich u. W. v. Diez in München. Kollekt.-Ausst. 1940 im Frankf. Kstverein.
Lit.: Th.-B., 7 (1912).

Correggio-Neidlinger, Katharina, dtsche Landschaftsmalerin, * 9. 3. 1878 Frankfurt a. M., ansässig ebda. Gattin des Vor.
Stud. an der Zeichenakad. in Hanau u. an der Malschule Ažbè in München.
Lit.: Th.-B., 7 (1912).

Correia, Eugénio, portug. Architekt, * 23. 12. 1897 Lissabon, ansässig ebda.
Stud. an der Kunstsch. in Lissabon; Schüler von José Luiz Monteiro. Prof. an den Techn. Schulen; Archit. der Öff. Bauten u. Denkmäler. Gold. Med. auf der Ausst. in Caldas da Rainha 1927. Seit 1941 Präsid. der Soc. Nac. de B. Artes. — Mitarbeit am Ehrenpavillon der Ausst. in Rio de Janeiro 1922 (mit d. Archit. Paulino Montez); Palais des Landwirtschaftsministeriums; Denkmal für Ant. José de Almeida (zus. mit den Bildh. Maximiano Alves u. Raul Xavier u. d. Archit. Paulino Montez); Wirtschaftsquartiere „Guarda Republicana" in Lissabon; Seminar in Vila Real; Markthalle in Chaves; Belvedere des Pinácule in Funchal, Madeira.
Lit.: Gr. Encicl. Port. e Brasil., VII 747. — Quem é Alguém, 1947 p. 229.

Correia (Emídio de Oliveira Correia), Joaquim, portug. Bildhauer, * 26. 7. 1920 Marinha Grande, ansässig in Lissabon.
Schüler von Simões de Almeida (Sobrinho), Barata Feyo, Franc. Franco u. Ant. Duarte. Preise: Soares dos Reis; Rui Gameiro Maria Helena. — Basreliefs für das Theater in Covilhã. Bildnisbüsten der Schauspielerin Maria Lalande, des Dichters Afonso Lopes Vieira, des Archit. Manuel Raposo, usw.

Correira Dias, Fernando, portug. Maler, * Penajóia, † 19. 1. 1935 Rio de Janeiro.
Gründete 1915 mit d. Dichter Afonso Duarte die Zeitschrift „Rajada". Heiratete in Brasilien die Dichterin Cecilia Meireles, welche die von ihm illustr. Erzählungen aus Tausendundeiner Nacht übersetzt hat. 1934 in Portugal. Durch seinen 20jähr. Aufenthalt in Brasilien von bedeutendem Einfluß auf die heimische Malerschule; Neigung zu dekorat. Zeichnung. Mitarbeiter an mehreren brasil. Veröffentlichungen. Seinen Zeichnungen wurden dekorative Motive für Keramik u. Tapisserien entnommen.
Lit.: Gr. Enc. Port. e Brasil., VII 767.

Correlleau, Ernest, franz. Genre-, Tier- u. Stillebenmaler, * 1891 Pont-Aven (Finistère), † 1936 ebda.
Stellte seit 1924 im Salon des Tuileries in Paris u. bei den Indépendants aus.
Lit.: Joseph, I. — Revue de l'Art anc. et mod., 70 (1936) 117.

Corsetti, Attilio, ital. Maler u. Holzschneider, * 25. 6. 1907 Feltre.
Stud. an der Akad. in Turin. Illustr. u. a. zu: Il beato Giovenale Ancina (Pia Società S. Paolo, Alba).
Lit.: Il Gazzettino (Feltre), v. 5. 12. 1935; 22. 7. 36; 8. 11. 39; 1. 8. 41. — Quadrivio (Rom), v. 18. 7. 1936. — Gazz. del Popolo (Turin), v. 13. 1. 1938; 3. 5. 41. — La Stampa (Turin), v. 7. 1. 1938. — Eva (Mailand), v. 1. 6. 1940. — L. Servolini, Diz. d. Incisori ital. mod. e contemp., 1952. *L. Servolini.*

Corshammar, Åke, schwed. Maler u. Reklamezeichner, * 1904 Fredsberg, Skaraborgs län, ansässig in Båstad.
Stud. in Berlin u. Paris. Studienaufenthalte in Frankreich, Italien, Spanien u. Griechenland. Hauptsächlich Landschaften u. Hafenansichten, gelegentlich auch Bildnisse.
Lit.: Thomœus.

Corsi, Carlo, ital. Bildnis- u. Figurenmaler, * 8. 1. 1878 Nizza, ansässig in Bologna.
Schüler von Giac. Grosso an der Turiner Akad. In d. Gall. d'Arte Mod. in Rom: Nach Ablegung des Gelübdes; in d. Gall. civ. d'Arte in Bologna: Der Fächer.
Lit.: Comanducci. — The Studio, 66 (1916) 67. — Emporium, 94 (1941) 179 (Abb.), 181. — Kat d. 6. Quadriennale, Rom 1951/52, m. Abb.

Corsi, Nicolas de, ital. Landschaftsmaler, * 5. 8. 1882 Odessa, Rußland, span. Abkunft, ansässig in Neapel.
Autodidakt, beeinflußt von Giacinto Gigante. Hauptsächlich Aquarellist.
Lit.: Giannelli, p. 188. — Comanducci, p. 183.

Corsini, Fulvio, ital. Bildhauer, * Siena, ansässig ebda.
Stud. 1896ff. in Rom. Lieferte 1905 zwei Statuen (Hll. Bartholomäus u. Markus) für die Fassade des Domes zu Siena. Schuf mehrere Arbeiten als Straßen- u. Platzschmuck für Siena, darunter für die Brücke Fr. Martini's, die Fassade des Baptisteriums (1902), das Grabmal Mazzeschi im Cimitero della Misericordia (1913) u. die Büste König Humberts I. für die Loggia dell'Indipendenza. Stellte 1929 u. 1932 auf den „Mostra senese del Sindicato Fascista degli artisti Toscani" aus (Kat. m. Abbn).
Lit.: Th.-B., 7 (1912). — La Balzana (Rass. d'Arte senese), 2 (1928) 82, m. 2 Abbn. — Pagine d'Arte, 2 (1914) 140. — Vita d'Arte, 12 (1913) 174. *P.B.*

Corson, Katherine, geb. *Langton*, engl.-amer. Landschaftsmalerin u. Illustratorin, * Rochdale, Engl., † 1937 New York.
Schülerin von Em. Carlsen, H. Bolton Jones u. F. C. Jones in New York.
Lit.: Fielding. — Amer. Art Annual, 20 (1923) 483.

Corswant, Elsa von, dtsche Malerin, * 18. 1. 1875 Crummin, zuletzt ansässig in Wolgast, Pommern.
Schülerin von Wilh. Feldmann in Berlin, von L. v. König, Landenberger u. Weinhold in München.
Lit.: Dreßler.

Cortazzi, Giacomo, ital. Genre- u. Landschaftsmaler, * 8. 4. 1870 Odessa, Rußland, ansässig in Turin.

Schüler der Turiner Akad. u. Eug. Carrière's in Paris, stark beeinflußt von diesem.
Lit.: Comanducci.

Cortés, Ana, chilen. Bildnis- u. Landschaftsmalerin, * Santiago de Chile.
Stellte seit 1913 in Paris im Salon der Soc. Nat. d. B.-Arts u. im Salon d'Automne aus.
Lit.: Bénézit, ² 2. — The Studio, 139 (1950) 147 (Abb.).

Cortés, André, span. Tier- u. Genremaler, * Sevilla (?).
Schüler s. Vaters Antonio. Bilder in den Museen in Brest (Weidevieh) u. Cette (Hochzeitsmahl).
Lit.: Bénézit, ² 2 (1949).

Cortès, Edouard, franz. Landschafts- u. Interieurmaler, * Lagny (Seine-et-Marne), ansässig ebda.
Stellt seit 1923 bei den Indépendants aus.
Lit.: Joseph, I. — Bénézit, ² II.

Cortés y Echanove, Javier, span. Porträt- u. Genremaler, * 10. 4. 1890 Burgos, ansässig ebda.
Schüler von Manuel Benedito, weitergeb. 1912ff. im Ausland. Bildnis des Kardinal-Erzbisch. Aguirre für die Kathedr. zu Toledo.
Lit.: Th.-B., 7 (1912). — Bénézit, ² 2 (1949).

Cortiello, Mario, ital. Maler, * 1. 7. 1907 Neapel, ansässig ebda.
Autodidakt. Beschickte u. a. die Biennali in Venedig 1930, 34, 36, 38, die 2., 3., 4. u. 5. Quadriennale in Rom, die Mostre sindicati in Florenz u. Neapel 1933 u. 1937 und die Mostra dei sindicati nazion. in Mailand 1941. Erhielt Preise im Wettbewerb „Castellamare di Stabia" (1934) u. in den Nat. Wettbewerben Neapol. Landschaft 1937 u. Apulische Landschaft 1938.
Lit.: Emporium, 72 (1930) 310 (Abb.); 75 (1932) 126 (Abb.), 127; 76 (1932) 186; 77 (1933) 183 (Abb.); 80 (1934) 244 (Abb.); 92 (1940) 21 (Abb.). — Illustraz. Ital. (Mailand), 16. 1. 1949; 5. 3. 1950. — Il Mattino (Neapel), 18. 2. 1947. — Kat.: 20. u. 22. Esposiz. Internaz. d'Arte Venedig 1936 u. 1940, m. Abbn. *A.G.*

Cortot, Jean, franz. Maler u. Musiker, * 14. 2. 1925 Alexandria, Ägypten, ansässig in Paris.
Schüler von O. Friesz. Flötist an der Pariser Großen Oper. Stellt seit 1942 im Salon des Tuileries aus. Mitgründer der Vereinig. „L'Echelle". Illustrat. (Aquarelle u. Zeichngn) zu Balzac, La Peau de chagrin u. X. de Maistre, Le voyage autour de ma chambre. Ölbild: Sichtbar gewordene Musik – eine gemalte Huldigung an Beethoven – im Bes. Wilh. Furtwänglers.
Lit.: Bénézit, ² II (1949).

Corvaya, Salvatore, ital. Bildnismaler (Öl u. Miniatur), * 21. 4. 1872 Licata (Agrigento).
Autodidakt. Einige Arbeiten im Bes. der Soc. Artist. e Patriotica in Mailand.
Lit.: Comanducci. — Sonderausst. S. C., Dez. 1936. Kat. m. Vorw. von G. Nicodemi, Mailand 1936.

Cosăceanu-Lavrillier, Margareta, rumän. Bildhauerin, * Bukarest, ansässig in Paris.
Stud. bei Bourdelle in Paris, der sie stark beeinflußt hat. Stellte 1923ff. im Salon des Tuileries u. im Salon d'Automne aus. Im Mus. Toma Stelian in Bukarest eine Gruppe der Pietà (Kat. 1939, m. Abb.). Im Musée du Jeu de Paume in Paris eine Herrenbüste.
Lit.: Oprescu, 1935, m. Abb. (s. v. Lavrillier-Cosăceanu). — Joseph, I. — La Renaiss. de l'Art franç. etc., 9 (1926) 1047, recte 698, m. Abb. (Cossaceanu). — Beaux-Arts, 75ᵉ année, Spezial-Nr Sept. 1937: L'Art Roumain à l'Expos. de 1937, p. 16, Abbn p. 6 u. 17; Nr v. 3. 10. 1947, p. 4 (Abb.); 23. 1. 48, p. 6 (Abb.); 18. 6. 48, p. 3 (Abb.). — Kat. d. Ausst. Rumän. Kst d. Gegenw., Zürich, Ksthaus, 1943, p. 17.

Coschell, Moritz, öst. Maler u. Rad., * 18. 9. 1875 Wien, ansässig in Berlin.
Schüler von Rumpler u. Eisenmenger. Genre, Interieurs, Landschaften. Ausstellg (Schilderungen vom Kriegsschauplatz) in der Gal. Arnot in Wien 1916.
Lit.: Th.-B., 7 (1912). — Dreßler (irrig: Max, u. falsches Geb.-Jahr). — Kst u. Ksthandwerk (Wien), 19 (1916) 266.

Cosentino, Oronzo, ital. Bildhauer, * 13. 9. 1871 Lecce, ansässig in Rom.
Schüler von Solari u. Ach. D'Orsi am Istit. di B. Arti in Neapel. 1903ff. in New York. Hauptsächlich Porträtbildner. 4 Arbeiten im Mus. civ. in Lecce, eine Büste des amer. Präsid. Wilson im Albergo Reale in Rom.
Lit.: Giannelli, m. Fotobildn. — Pagine d'Arte, 6 (1918) 106f., m. Abb.

Cosimini, Roland, amer. Maler u. Illustr., * 1. 5. 1898 Paris, ansässig in Winthrop Highlands, Mass.
Schüler von Rich. Andrews u. E. L. Major.
Lit.: Amer. Art Annual, 30 (1933). — Who's Who in Amer. Art, I: 1936/37.

Cosmovici, Jean, rumän. Genre- u. Bildnismaler u. Radierer, * 6. 1. 1888 Jassy, ansässig ebda.
Schüler von J. P. Laurens in Paris. Prof. an der Kstschule in Jassy. In der dort. Pinak.: Adam u. Eva. Im Justizpalast ebda eine Ansicht der Festung Cetatzuca.
Lit.: Joseph, I. — Bénézit, ² II (1949).

Cosomati, Ettore, ital. Landschaftsmaler, Radierer u. Holzschneider, * 24. 12. 1873 Neapel, ansässig in London.
Ging nach mathemat. u. oriental. Sprachstudien (chinesisch, arabisch) an der Universität Neapel ins Ausland, zunächst nach Paris, dann nach Frankfurt a. M., wo er 1897/98 bei B. Manfeld das Radieren erlernte und mit Hans Thoma u. W. Trübner Freundschaft schloß. Lebte dort bis 1915. Als Maler Autodidakt. Seit 1915 in Zürich, dann in London ansässig. Scharfe, fast kantige Stilisierung kennzeichnet seine Malweise. Eine Landschaft (Öl): Golf von Pozzuoli, im Ksthaus in Zürich. Hat seine Hauptbedeutung als Radierer: Ansichten aus dem Engadin, den Berner Alpen, dem Wetterhorn-Gebiet, den Dolomiten, der Eifel usw., später aus London.
Lit.: Th.-B., 7 (1912). — Carlo Carrà, E. C., Mailand 1924. — Comanducci. — Bénézit, ² 2 (1949). — Die Schweiz, 23 (1919) 681f., m. 8 Abbn u. 1 Tafel. — Emporium, 57 (1923) 330/33, m. 7 Abbn u. 1 farb. Taf.; 62 (1925) 2/16, m. 20 Abbn u. 1 farb. Taf.; 73 (1931) 121f., m. 2 Abbn; 93 (1941) 44f., m. Abb. — The Connoisseur, 77 (1927) 127; 83 (1929) 127.

Cossaar, Jacobus, holl. Architekturmaler (bes. Kircheninterieurs), * 8. 8. 1874 Amsterdam, tätig im Haag.
Schüler von M. A. Bauer u. G. H. Breitner. 1901 in London, später in Paris.
Lit.: Th.-B., 7 (1912). — Plaschaert. — Wie is dat?, 1935. — Waay (andere Vornamen). — Hall, Nrn 8398/8406. — De Cicerone (Haag), 2 (1919) 37–43, m. Abbn.

Cossaceanu, Margareta, s. *Cosăceanu.*

Cossard, Adolphe, franz. Landschaftsmaler (Öl u. Pastell), * Verberie (Oise), ansässig in Paris.

Stellt seit 1926 bei den Indépendants aus. Bereiste wiederholt Korsika u. Marokko: Ansichten aus Raba, Tanger, Marrakech usw.

Lit.: L'Art et les Art., N. S. 19 (1929/30) 67f., m. Abbn; 23 (1931/32) 33 (Abb.), 34, 68. — L'Art vivant, 1931, p. 542 u. 593, m. 6 Abbn; 1934, p. 467f., m. Abbn. — La Renaiss. de l'Art franç., 10 (1927) 435ff. passim, m. 6 Abbn; 12 (1929) 509/12, m. 8 Abbn; 14 (1931) 298f., m. 4 Abbn. — Bénézit, ² II (1949).

Cossé, Alice Marie, franz. Landschaftsmalerin, * Saint-Lô (Manche), ansässig in Montrouge (Seine).

Schülerin von Dameron u. Raymond Winter. Mitgl. der Soc. d. Art. Franç.

Lit.: Joseph, I. — Bénézit, ² II.

Cossío, Gutiérrez, span. Landschafts- u. Bildnismaler, * in Kantabrien, ansässig in Paris.

Expressionist. Stellte wiederholt kollektiv im Ateneo in Madrid u. bei Georges Bernheim u. in der Gal. de France in Paris aus.

Lit.: Francés, 1923/24 p. 15. — La Renaissance, 13 (1930) 371, recte 415 (Abb.); 14 (1931) 137 (Abb.), 161, m. Abb. — Cahiers d'Art, 1927 p. 319/21, m. 3 Abbn; 1929 p. 313/18, m. 12 Abbn; 1931 p. 147/50, m. 10 Abbn. — D. Kstblatt, 15 (1931) 29 (Abb.), Taf. vor p. 161, 242f. (Abbn). — Beaux-Arts, 9 (1931), April-H. p. 24 (Abb.).

Cossio del Pomar, Felipe, peruan. Maler, Illustr. u. Kstkritiker, ansässig in Neuilly-sur-Seine.

Schüler von Stevens u. Jules Grün. Hauptsächlich Porträtist. Beschickt seit 1929 den Salon der Soc. d. Art. franç. (Kat. z. T. m. Abbn) u. den Salon d'Automne in Paris. Bilder u. a. im Mus. für Mod. Kst in Madrid, im Weißen Haus in Washington u. im Kapitol in Harrisburg, USA.

Lit.: Joseph, I, m. Fotobildn.

Cossmann, Alfred, steiermärk. Radierer u. Kupferst. (Prof.), * 2. 10. 1870 Graz, † 31. 3. 1951 Wien.

Stud. bei W. Unger an der Wiener Akad. (1895/99). Seit 1920 Prof. an der Graph. Lehr- u. Versuchsanstalt in Wien. Strenge Zeichnung u. exakte, minuziöse Detaillierung kennzeichnen seine überaus phantasiereiche Kunst. 1942 Kriehuber-Preis für Graphik u. angewandte Kunst. Goethe-Med. Pflegt neben der Radierung den reinen Linienstich. Exlibris, Buchschmuck, Einbände, Illustr. (u. a. für Gottfr. Keller, Die 3 gerechten Kammacher, Wien, Ges. f. vervielf. Kst, 1915, u. Der Landvogt v. Greifensee, München, F. Bruckmann A. G., 1919), Bildnisse, figürl. Kompositionen („Industrie", „Tod", „Agitator"); Folge: Viele Köpfe, viele Sinne (10 Bll., mit Erläuterungen vom Kstler selbst [Gesellsch. f. vervielf. Kst, Wien 1925]). Sonderschau anläßlich seines 70. Geb.-Tages 1940 in der Wiener Albertina.

Lit.: Th.-B., 7 (1912). — Wer ist Wer? (Wien), 1937. — H. Röttinger, A. C., Ein Meister des Kupferstichs, 1927. — Teichl. — Th. Alexander, A. C.'s Exlibris u. Gebrauchsgraphik. Ein krit. Kat., Wien 1930. — J. Reisinger, Die Kupferstecher der C.-Schule, 1950. — D. Graph. Kste (Wien), 35 (1912) 77/86, m. Abbn u. gez. Selbstbildn.; 37 (1914) 44, geg. p. 45 (Abb.); 48 (1925): Mitteil. d. Ges. f. vervielf. Kst, p. 14ff., m. Abbn, 17; 53 (1930): Mitt. usw. p. 80; 54 (1931): Mitt. p. 19. — D. Kst, 26 (1911/12) 297/302, m. Abbn; 41 (1919/20) 36ff., m. Abbn. — Exlibris, 22 (1917) 34; 37 (1927) 79, m. Taf., 80 (Abb.); 40 (1930) 13f. — D. getreue Eckart (Wien), 3 (1925/26) 404/10, m. Abbn. — Öst. Jahrb. f. Exlibris u. Gebrauchsgraphik, 25 (1930): A. Rogenhofer, Zu A. C.s 60. Geb.-Tag. — Öst. Kst, 4 (1933) H. 1, p. 4 m. Abbn, H. 6, p. 31f., m. Abb., Sonderheft Wipa, p. 15f., m. Abb.; 6 (1935) H. 6 p. 8, m. Abb.; 9 (1938) 18/23. — Kst in Öst. (Leoben), 1 (1934) 16 (Abb.), 56. — Die Kst dem Volk, 12 (1941) 31/35. — D. Weltkst, 21 (1951) Heft 8 p. 11. — Wiener Ztg, 1. 10. 1950.

Cosson, Hélier, franz. Bildnismaler, * Châteauroux (Indre), ansässig in Paris.

Schüler von Fern. Cormon. Mitgl. der Soc. d. Art. Franç., beschickt deren Salon seit 1929 (Kat. z. T. mit Abbn).

Lit.: Joseph, I. — Beaux-Arts, 9 (1931) Jan.-H. p. 8, m. Abb. — Velhagen & Klasings Monatsh., 40/I (1925/26) 355, m. Abb.

Cosson, Jeanne, franz. Bildnismalerin, * Périgueux (Dordogne), ansässig in Beauronne (Dordogne).

Schülerin von P. A. Laurens. Seit 1930 Mitgl. der Soc. d. Art. Franç.

Lit.: Joseph, I. — Benezit, ² II.

Cosson, Marcel, franz. Figurenmaler, * Bordeaux, ansässig in Paris.

Mitgl. der Soc. d. Art. Franç. Beeinflußt von Toulouse-Lautrec u. Ed. Vuillard. Szenen aus dem Theater-, Zirkus-, Bar- u. Konzerthausleben.

Lit.: Th.-B., 7 (1912). — Joseph, I. — Chron. d. Arts, 1913, p. 115. — Gaz. d. B.-Arts, 1917, p. 361. — Beaux-Arts, Nr 282 v. 27. 5. 1938, p. 4; Nr v. 7. 5. 1948, p. 4, m. Abb. — Benezit, ² II.

Costa, Achillopulos, griech. Maler u. Buchillustr., * 1910 Paris, ansässig in Griechenland.

Stud. in Paris bei P. Colin u. in Oxford; dann 3 Jahre an der Kstschule Paul Ranson in Paris. Mitgl. des Salon d'Automne u. der Soc. Nat. d. B.-Arts. Stellt auch bei den Indépendants aus. Hauptsächlich Architektur-, Platz- u. Straßenansichten. Illustr. u. a. zu Mary Webb: Precious Bane.

Lit.: Joseph, I. — Bénézit, ² II (1949). — Derek Patmore, I decorate my home. Drawings by A. C., London 1936. — The Studio, 108 (1934) 71/76, m. 3 Abbn u. 1 farb. Taf.

Costa, Adriano, portug. Landschaftsmaler, * 23. 10. 1890 Lissabon.

Stud. an d. Nat. Kstschule in Lissabon; Schüler von Carlos Reis; Mitglied der Gesellschaft „Silva Porto", stellte in dieser zuerst 1910 aus, später in d. Soc. Nac. de B. Artes in Lissabon. Sammelausst. ebda rua do Alecrim 24, März 1930. Werke im Nat.-Mus. zeitgenöss. Kst u. im Städt. Mus. in Lissabon und im Mus. Grão-Vasco in Vizeu.

Lit.: Pamplona, p. 296. — Gr. Enc. Port. e Brasil., VII 854. — Novidades (Lissabon), 9. 3. 1930, m. Fotobildn.

Costa, Angelo, ital. Landsch.- u. Marinemaler, * 1857 Genua, † 5. 12. 1911 ebda.

Lit.: Th.-B., 7 (1912). — Comanducci.

Costa, Antonio da, portug. Bildhauer, * 26. 9. 1899 Lissabon, ansässig ebda.

Schüler von Ern. Condeixa, Luciano Freire, Simões de Almeida in Lissabon u. von Bourdelle in Paris. Lehrtätig an d. Kunstsch. in Lissabon u. an d. Acad. Grande Chaumière in Paris. Seit 1923 Mitgl. (Membre Associé) der Pariser Soc. Nat. d. B.-Arts. Erhielt 1925 die 1. Med. der Soc. Nac. de B. Artes in Lissabon. — Denkmäler in Habana (Cuba) u. in Vila Chã de Ourique, Loanda (Port.-Afrika). Der Staat Brasilien erwarb seine Statue: Frau mit Weintraube. Brunnen an der Praça Afonso de Albuquerque in Lissabon; Basrelief in der Caixa Geral de Depósitos et Previdência. Büsten der Präsidenten der Republiken Portugal u. Brasilien. Vertreten im Mus. f. zeitgenöss. Kst in Lissabon.

Lit.: Gr. Enc. Port. e Brasil., VII 859. — Pamplona, p. 379.

Costa, Bruno, tirol. Bildhauer, * 6. 10. 1890 Brixen a. E., ansässig in Ampaß b. Hall i. T. Sohn des Peter.

Schüler s. Vaters u. d. Staatsgewerbesch. in Innsbruck (Hofer u. Stabinger). Längere Zeit Mitarbeiter von Stanislaus Hell in Berlin. 1924/33 Fachlehrer an d. Schnitzsch. in St. Jakob in Defreggen. — Krippen. Grabkreuze, Wegkreuze u. ä. In der Pfarrk. in Fritzens: Ölberggruppe (Kriegerdenkmal), in den Pfarrk. in Elbingenalp, Kematen u. Oberpullendorf: Weihnachtsreliefs.

Lit.: Hochenegg, Die Kirchen Tirols, 1935, p. 56. — Tir. Anz., 1911 Nr 177; 1933 Nr 296. — Innsbr. Nachr., 1913 Nr 13. — Neueste Ztg, 1937 Nr 70, m. Abb. — Stimme Tirols, 1949 Nr 49. — Tir. Tagesztg, 1949 Nr 270; 1950 Nr 156. *J. R.*

Costa, Domingos, portug. Landsch.- u. Dekorationsmaler, * 27. 8. 1867 Campo Maior.

Stud. an d. Kstschule in Lissabon, Schüler von Silva Porto, Simões de Almeida, Veloso Salgado u. Ferreira Chaves. 2. Med. von der Soc. Nac. de B. Artes, Lissabon 1906. 1. Med. 1909, Gold. Med. auf den Ausst. Rio de Janeiro 1908 u. 1922/23, Ehrenmed. d. S. N. B. A. 1943. Werke im Nat.-Mus. zeitgen. Kst in Lissabon; Wandmalereien im Armee-Mus. ebda; Azulejos in d. Kirche in Barcelos; Dekorationen im Pal. Sotto Mayor in Lissabon, im Theatro Gimnase ebda u. für das Goldschmiedehaus Reis in Porto.

Lit.: Pamplona, p. 302. — Gr. Enc. Port. e Brasil., VII 869, m. Fotobildn. — Ed. de Noronha, Dicion. Univ. Illustr.

Costa, Emanuele, ital. Genre- u. Bildnismaler, * 1875 Florenz, ansässig ebda.

Schüler s. Vaters Antonio C. (1847–1915) u. s. Onkels Oreste, dann kurze Zeit bei Giov. Fattori.

Lit.: Comanducci. — Bénézit, [2] 2 (1949).

Costa, Geo, dtsch. Maler, * 3. 1. 1897 Ruhstorf, ansässig in Wildenranna b. Passau.

Lit.: Dreßler.

Costa, Hector, ital. Maler u. Bildhauer, * 6. 3. 1903 Caltanassetta, lebt in New York.

Schüler von Prior, Hinton, Olinsky, Nicolaides u. Ellerhusen.

Lit.: Amer. Art Annual, 30 (1933). — Who's Who in Amer. Art, I: 1936/37.

Costa, Joachim, franz. Holz- u. Steinbildhauer, * 8. 1. 1888 Lézignan (Aude), ansässig in Paris.

Schüler von Maillol u. Injalbert. An ägyptischer Kunst inspiriert. Stellt im Salon d'Automne, bei den Indépendants u. im Salon des Tuileries aus. Wuchtige, summarisch stilisierende Formgebung. Hauptwerke: Denkmale für die Gefallenen des 1. Weltkrieges in La Rochelle u. Pézenas. Büste Molière's im Collège in Pézenas. Flachrelief (Holz): Tristan u. Isolde, für die Pergola der „Douce France" auf der Pariser Expos. d. Arts Décoratifs 1925. — Buchwerk: Modeleurs et tailleurs de pierre. Nos traditions, m. 11 Zeichngn d. Verfassers u. Vorw. v. Emm. de Thubert, Paris, Ed. de la „Douce France", Paris 1922.

Lit.: Joseph, I. — Bénézit, [2] II. — Kinston Parkes, The Art of Carved Sculpt., Lo. 1932. — Jean Girou, Sculpt. du Midi, Paris 1938. — Les Arts, 1920 Nr 188, p. 19, 22 (Abb.). — Chron. d. Arts, 1921, p. 130. — Revue de l'Art anc. et mod., 40 (1921) 337 (Abb.). — Gaz. d. B.-Arts, 1925/II, p. 297 (Abb.), 298, 299. — L'Art et les Artistes, N. S. 12 (1925/26) p. 34. — La Renaiss. de l'Art franç., 8 (1925) 446 f. (Abbn); 12 (1929) 503/08, m. 7 Abbn. — The Studio, 90 (1925) 263/66 m. 2 Abbn. — Art et Décor., 61 (1932) 233, 235. — Kat. Ausst. Franz. Kst d. Gegenw., Berlin, Akad. d. Kste, 1937, m. Taf.-Abb.

Costa, Margarida, portug. Blumen- u. Früchtemalerin, * 1885 Porto, † 22. 2. 1937 ebda.

Stud. a. d. Kstschule in Porto, Schülerin von Marques de Oliveira, Ant. José da Costa u. José de Brito.

Lit.: Gr. Enc. Port. e Brasil., VII 885. — Pamplona, p. 303.

Costa, Olga, russ.-mexik. Zeichnerin u. Lithogr., * 1913 Leipzig, von russ. Eltern, ansässig in Mexico City. Gattin des J. Chávez Morado.

Seit 1924 in Mexiko. 1933 ff. Schülerin von Carlos Mérida an der Kstschule in Mexico City. Entwürfe für Ballettkostüme.

Lit.: Kirstein, p. 97. — Art News, 48, Juni 1949, p. 39 (Abb.); 49, Juni 1950, p. 32 (Abb.).

Costa, Peter Paul, tirol. Holzbildhauer, * 10. 4. 1863 Buchenstein, † 9. 8. 1919 Ampaß b. Hall i. T. Vater des Bruno.

Besuchte die Fachsch. in St. Ulrich in Gröden. Trat nach mehrjähr. Tätigkeit in verschied. Bildhauerwerkstätten als Meister in die Kstanstalt Vogl in Hall ein, aus der zahlr. Kirchenausstattungen hervorgingen. Selbständige Arbeiten: 14 Stationen (Reliefs) in der Innsbr. Servitenk. nach Entwürfen von Alois Declara; Rosenkranzrelief in d. Pfarrk. in Schlanders. Krippen, Kruzifixe, Madonnenstatuetten, religiöse Hauskunst.

Lit.: Ill. Kat. Ausst. f. kirchl. Kst, Wien 1887, p. 115. — Der Krippenfreund, Innsbr. 1919, Nr 36. *J. R.*

Costa, Santiago, span. Bildhauer.

Schüler von Julio Antonio. Ging früh nach Südamerika, lebte mehrere Jahre in Brasilien, Argentinien u. Uruguay.

Lit.: Arte esp., 10 (1930/31) Taf. zw. p. 126/27.

Costa (Figueiredo de Araujo Costa), Tomaz, portug. Bildhauer u. Medailleur, * 25.2. 1861 Santiago de Riba Ul, † 1932 Lissabon.

Schüler von Soares dos Reis u. von Falguière in Paris. Stellte seit 1887 im Salon der Soc. d. Art. Franç. in Paris aus. Wiederholt durch Med. ausgezeichnet. Statue des Herzogs v. Saldanha in Lissabon; Statue des Infanten D. Henrique in Porto. Im Nat.-Mus. f. zeitgenöss. Kst in Lissabon: Tänzer; Eva; David.

Lit.: Th.-B., 7 (1912). — Gr. Encicl. Port. e Brasil., VII 889 f. — Pamplona, p. 233. — A. Heilmeyer-R. Benet, La Escult. Mod. y Contemp., 1949, p. 414. — Ed. de Barcelos, Hist. de Portugal, VI 760. — Dic. Lello Univ., I 665. — Arte (Porto), 2 (1906) Nr 19 p. 1/4 (m. Abb.), Nr 23 p. 1/3 (m. Abb.).

Costa Mota, Antonio Augusto da, portug. Bildhauer, * 12. 2. 1862 Coimbra, † 26. 2. 1930 ebda. Onkel des Folg.

Zeichenstudien an der Associacione d. Art. in Coimbra u. an d. Kunstsch. in Lissabon. Schüler von Ant. Aug. Gonçalves in Coimbra, dann von Victor Bastos u. Simões de Almeida an d. Kunstsch. in Lissabon. — Vertreten im Nat.-Mus. f. zeitgenöss. Kst in Lissabon (Kat. 1945 p. 21, 76) u. im dort. Armee-Mus. Grabmäler Vasco de Gama u. Luiz de Camões ebda. Denkmäler: Afonso de Albuquerque, Ramalho Ortigão, Dichter Chiado. Bildnisbüsten.

Lit.: Gr. Enc. Port. e Brasil., VII 905 f., m. Bildnis.

— Pamplona, p. 211. — A. Heilmeyer-R. Benet, La Escult. Mod. y Contemp., 1949 p. 413. — Ed. de Barcelos, Hist. de Portugal, VI 756. — Dic. Lello Univ., I 666.

Costa Mota, António Augusto da, portug. Bildhauer u. Keramiker, * 6. 2. 1877 Coimbra. Neffe des Vor.

Stud. an d. Kunstsch. in Lissabon u. an d. Zeichenschule in Coimbra; Schüler von Ant. Aug. Gonçalves, s. Onkel A. A. da Costa Mota u. Simões de Almeida. Preis im Pariser Salon 1904. Vertreten im Nat.-Mus. f. zeitgenöss. Kst in Lissabon; Statue des Krieges im Junqueiro in São Paulo, Brasilien; Kreuzweg für die Kapellen des Buçaco; Giebelfeld der Medizinschule in Lissabon; Ausschmückung der port. Pavillons auf den Ausst. in Panama u. in Rio de Janeiro 1922. Denkmäler für die Gefallenen des 1. Weltkrieges in Ceia, Chaves, Reguengos u. Timor. Denkmal des Generals Celestino da Silva in Angola.

Lit.: Gr. Encicl. Port. e Brasil., VII 906, m. Bildnis. — Pamplona, p. 247. — Ed. de Barcelos. Hist. de Portugal, VI 756.

Costa Pinto, Candido, portug. Maler, * 20. 5. 1911 Figueira da Foz.

Autodidakt. Stellte in den Salons für mod. Kst des Informationsamtes, auf der Intern. Ausst. des Surrealismus Paris 1947 u. auf der XXV. Biennale Venedig 1950 aus. Studien über die Technik der primitiven Maler. Amadeu de Sousa Candoso-Preis der Soc. Nac. de B. Artes 1950.

Lit.: Gr. Enc. Port. e Brasil., XXI 796. — Kat. der S. N. I. 1945. — Kat. der Partecip. Portoghese alla XXV Esp. Biennale Internaz. d'Arte, 1950.

Costantini, Giovanni, ital. Genre- u. Landschaftsmaler, * 7. 1. 1872 Rom, ansässig ebda.

Autodidakt. In d. Gall. d'Arte Mod. in Rom: Folla triste.

Lit.: Th.-B., 7 (1912). — Comanducci.

Costantini, Vincenzo, ital. Maler, Bildhauer u. Kstschriftst., * 24. 3. 1881 Rom, lebt in Mailand.

Buchwerke: La Pittura lombarda; Pittura in Milano; Guido Reni; La Pittura ital. del seicento; La Pittura contemp. ital. dalla fine dell'ottocento ad oggi; Scultura e pitt. ital. contemp. (Mail. 1940).

Lit.: Chi è?, 1940. — Vita d'Arte, 13 (1914) 108 (Abb.), 109 (Abb.). — The Studio, 90 (1925) 128, m. farb. Taf.

Costantini, Virgilio, sizil. Maler u. Bildhauer, * 1882 Cefalù, ansässig in Paris. Naturalisierter Franzose.

Stud. in Venedig. Mitgl. d. Soc. Nat. d. B.-Arts (Salon-Kat. z. T. m. Abbn). Figürliches, Bildnisse (Öl u. Aquar.). Seit 1906 in Paris. Beeinflußt von Besnard u. Simon. Bilder im Luxembourg-Mus. in Paris u. in d. Gall. Marangoni in Udine. Stellte auf der 9., 12. u. 13. Biennale in Venedig u. auf der Esposiz. Internaz. in Rom 1911 aus. (Kat. m. Abb.).

Lit.: M. Valotaire, V. C. peintre, Paris 1925. — Joseph, 1. — Bénézit, ² 2. — A. M. Comanducci, Diz. ill. dei pittori e incis. mod., Mailand 1945. — U. Ojetti, La decima Espos. d'Arte a Venezia, Bergamo 1912, m. Abb. — Who's Who in Art, ³ 1934. — L'Art et les Artistes, N. S. 12 (1925) 142. — Art et Décor., 30 (1926), Chron., Aprilheft, p. 4. — The Studio, 88 (1924) 106f., m. 3 Abbn; 90 (1925) 128, m. farb. Taf. *A. Gabrielli.*

Costanzo, Guido, ital. Bildhauer, * 1892 Ortona, ansässig in Rom.

Zeichenschüler von Noel u. der Accad. di Francia in Rom. Als Bildhauer an der Accad. di B. Arti in Rom ausgebildet. Figürliches (bes. Akte), Grab- u. Kriegsdenkmäler. Kollektiv-Ausst. in Castellammare Adriatico 1923.

Lit.: Emporium, 58 (1923) 309/12, m. 5 Abbn u. Fotobildn.

Coste, Waldemar, dtsch. Maler, * 26. 5. 1887 Kiel, ansässig in Frankfurt a. M.

Schüler von W. Trübner in Karlsruhe. Weitergebildet auf Reisen in Spanien, Italien u. Skandinavien. Kollektiv-Ausst. Januar/Febr. 1917 u. Januar 1921 im Kstsalon Schneider in Frankfurt. Bildnisse, Landschaften, Interieurs. Beeinflußt von Trübner. Im Schles. Mus. in Breslau: Bildnis des Generalfeldmarsch. v. Woyrsch.

Lit.: Kstchronik, N. F. 25 (1913/14) 513; 28 (1916/17) 261. — D. Kstwanderer, 1920/21, p. 209. — D. Rheinlande, 11 (1911) 38 (Abb.). — Velhagen & Klasings Monatsh., 53/I (1938/39), farb. Taf. geg. p. 400, 473; 54/II (1940), Taf. geg. p. 410, 446. — Westermanns Monatsh., 165 (1938/39) 86, Abb. am Schluß d. Bdes; 166 (1939) 159, m. Abb. u. Abb. am Schluß d. Bdes.

Coster, Jules de, belg. Landschafts- u. Figurenmaler, * 1883 Grammont.

Beeinflußt von Servaes. Motive aus dem Tal der Lys und religiöse Vorwürfe.

Lit.: Seyn, I 231. — Muls. — Apollo (Brüssel), 1943 Nr 19 p. 16.

Costetti, Giovanni, ital. Maler, Zeichner u. Kstschriftst., * 7. 6. 1878 Reggio Emilia, † 1949 Florenz. Bruder des Romeo.

Autodidakt. Arbeitete in Turin, dann in der Schweiz, hier bes. als Pressezeichner u. Kopist. Ging 1900 nach Florenz, wo er die Antike studierte. Bildnisse, Figürliches. Futurist, dann Postimpressionist. Vertreten in d. Gall. d'Arte Mod. in Florenz.

Lit.: Th.-B., 7 (1912): abweichendes Geburtsdatum: 13. 8. 1875. — Comanducci. — Chi è?, 1940. — Bénézit, ² 2 (1949). — The Studio, 100 (1930) 236. — Il Nuovo Giornale, 1. 11. 1921. — Pallas (Genf), 13 (1949) 192.

Costetti, Romeo, ital. Maler u. Radierer, * 25. 8. 1874 Reggio Emilia, ansässig in Rom. Bruder des Giov.

Autodidakt. Figürliches u. Landschaften. Bilder in den Gall. d'Arte Mod. in Mailand u. Rom u. in d. Pinak. in Reggio Emilia.

Lit.: Th.-B., 7 (1912). — Comanducci. — Chi è?, 1940. — Bénézit, ² 2 (1949).

Costigan, John, amer. Tier- u. Landsch.-Maler (Öl u. Aquar.) u. Rad., * 29. 2. 1888 Providence, R. I., ansässig in Orangeburg, N. Y.

Autodidakt. Bilder u. a. im Art Inst. Chicago, in der Phillips Memorial Gall. in Washington, im Mus. in Brooklyn, in d. Harrison Gall. in Los Angeles, Calif., im Delgado Mus. in New Orleans u. im Mus. in Nashville, Tenn. Kollektiv-Ausst. in den Babcock Gall. in New York, Nov. 1931.

Lit.: Fielding. — Monro. — Who's Who in Amer. Art, I: 1936/37. — Who's Who in Amer., 27: 1952/53. — The Art News (New York), 23, Nr 5 v. 8. 11. 1924. p. 1, m. Abb.; 30, Nr 7 v. 14. 11. 1931, p. 14 (Abb.). — Amer. Artist, 13, Okt. 1949, p. 26/31, m. 6 Abbn. — Brooklyn Mus. Quarterly, 14 (1927) 6 (Abb.). — Art Digest, 16, Nr v. 15. 3. 1942 p. 14 (Abb.); 20, Nr v. 15. 2. 1946, p. 9 (Abb.). — The Print Coll.'s Quarterly, 29 (1949) 21 (Abb.). — The Studio, 105 (1933) 160 (Abb.).

Costilhes, André Eugène, franz. Akt- u. Landschaftsmaler (Öl u. Aquarell), * Cunlhat (Puy-de-Dôme), ansässig in Paris.

Schüler von Bonnat. Beschickte seit 1911 den Salon der Soc. d. Art. Franç.
Lit.: Bénézit, [2] II (1949).

Cot, Etienne William, franz. Bildnis- u. Genremaler, * 19. 6. 1875 Paris, ansässig ebda.
Schüler s. Vaters Pierre Auguste C. Mitgl. der Soc. d. Art. Franç., beschickte deren Salon seit 1898.
Lit.: Th.-B., 7 (1912). — Joseph, I.

Cota, Frane, kroat. Bildhauer.
Zeigte auf d. Ausst. kroat. Kst in Berlin 1943 ein Selbstbildnis (Bronze) u. Bronzegruppe: 3 Mädchen.
Lit.: Kat. d. Ausst. Kroat. Kst, Berlin, Pr. Akad. d. Kste, Jan./Febr. 1943.

Cotsworth, Staats, amer. Illustrator, * 17. 2. 1908 Oak Park, Ill., ansässig in Florenz.
Schüler von Thornton Oakley. Illustr. zu Barnes, „The Mild Adventures of an Elderly Person", zu Macrae-Smith, „Deep Water Plays" u. zu Dorrance, „Beauty for Ashes".
Lit.: Amer. Art Annual, 30 (1933). — Who's Who in Amer. Art, I: 1936/37. — The Art News, 47, Nov. 1948, p. 58.

Cotta-(Zitzmann), Emma, dtsche Porträtbildhauerin, * 28. 9. 1880 Rudolstadt, ansässig in Berlin.
Büsten Strindbergs u. Wedekinds im Foyer des „Theaters in der Königgrätzerstraße" in Berlin; Bachbüste in der Akad. für Kirchenmusik ebda.
Lit.: Dreßler. — D. Kunst, 55 (1926/27), Beibl. Augusth. p. IXf.

Cotterill, Reginald Thomas, engl. Bildhauer u. Maler, * 16. 4. 1885 Hanley, Stoke-on-Trent, ansässig in York.
Stud. am Roy. Coll. of Art in London.
Lit.: Who's Who in Art, [3] 1934.

Cottet, Charles, franz. Maler u. Radierer, * 12. 7. 1863 Le Puy (Haute-Loire), † Anf. Sept. 1925 Paris.
Schüler von Maillard u. Roll. Seit 1890 Mitgl. der damals neu gegründeten Soc. Nat. d. B.-Arts. Gründermitgl. der Soc. des Orientalistes Franç., der Soc. des Peintres-grav. u. der Soc. des Peintres-lithogr. 1893 in Algier, 1894 in Ägypten. In dems. Jahr 1. Aufenthalt in der Bretagne, deren Land u. Leute thematisch bald in den Mittelpunkt seiner Kunst rückten. 1904 Reise nach Spanien, 1907 nach Island, 1910 nach Afrika. — Anfänglich unter dem Einfluß der Impressionisten, später schwere, düstere Farben, die sich dem meist tragischen Inhalt seiner bretonischen Bilder stimmungsgemäß anpassen. — Im Luxembourg-Mus. in Paris außer den schon vor 1921 dort bewahrten 6 Bildern, darunter dem gr. Triptychon: Im Lande des Meeres, 22 weitere Gemälde u. Skizzen (Schenkung des Künstlers 1921). Im Petit-Palais eine Skizze zu dem berühmten Bild: Das tote Kind. Außer den weiteren bei Th.-B. gen. Museen befinden sich Bilder bzw. Skizzen in folg. öff. franz. Sammlgn: Amiens (Breton. Wirtshaus), Grenoble (Ansicht von Pont-en-Royans), Marseille (Venedig bei Nacht), Montpellier (Altes Pferd), Quimper (Ausgebrannte Kirche), Rouen (Drei Kapitäne); in ausländ. Museen: Antwerpen (Frauen an der breton. Küste; Ausfahrende Kutter [Abb. in Kon. Mus. Antwerpen. Jaarboek 1939–41, p. 22, Taf. zw. p. 24 u. 25]), Buenos Aires (5 Bilder, darunter: Ansicht von Pont-en-Royans u. ein Damenbildnis), Chicago (Weibl. Bildnis u. Ansicht aus Venedig), Cincinnati (Breton. Landsch.), Helsinki (Fischerhafen bei Abend), Moskau, Museum westeurop. Kst, Wilstach-Coll. Philadelphia (Marine), Triest (Fischer auf der Flucht vor dem Sturm; Abb. im Kat. des Mus. Civ. Revoltella, Taf. 48).
Lit.: Th.-B., 7 (1912). — Bénézit, [2] 2 (1949). — Joseph, 1, m. 2 Abbn u. Fotobildn. — L. Aubert, Peintures de Ch. C. (Artistes contemp.). Paris 1928. — Peintures de Ch. C., m. Vorw von L. Faubret, 62 Heliograv., Paris (Libr. Arm. Collin) 1928. — Magazine of Art, 1902, p. 481 ff., m. Abbn. — La Revue Scandinave, Juli 1911, p. 501/05, m. 4 Abbn. — La Revue de Paris v. 16. 6. 1911, p. 761/79. — Museum (Barcelona), 3 (1913) 276, 278; 6 (1920) 99/114, m. 11 Abbn u. 4 Taf., dar. 1 farb. — The Studio, 59 (1913) 160f., m. Abb.; 82 (1921) 38. — Revue de l'Art anc. et mod., 37 (1920) 117 (Abb.), 121; 41 (1922) 32/33, m. Taf.; 50 (1926) 54. — Chron. d. Arts, 1921, p. 146. — Beaux-Arts, 3 (1925) 288; 4 (1926) 156f., m. Abb.; 8 (1930) Nr 6, p. 8; Nr 12, p. 16 (Abb.). — L'Art et les Art., N. S. 8 (1923/24) 145/49, m. 5 Abbn; 12 (1925/26) 35, 78/85, m. 8 Abbn u. 1 Taf.; 13 (1926) 283. — Bull. de l'Art, 1921, p. 126 ff., m. Taf., 1925, p. 287f., m. Abb.; 1926, p. 153 (Abbn), 156. — Art et Décor., 29 (1925) Chron., Oktoberh. p. 1. — La Renaiss. de l'Art franç., 9 (1926) 301 (Abbn). — Gaz. d. B.-Arts, 1926/I 321 (Abb.), 336. — Francés, 1925–26 p. 232.

Cottet, René, franz. Landschafts- u. Stilllebenmaler u. Radierer, * 1902 Paris, ansässig ebda.
Schüler von Laguillermie, Dézarrois u. Flameng. Stellt seit 1929 im Salon der Soc. d. Art. Franç. aus. Hauptsächlich Graphiker: Bildnisse, Figürliches, Landschaften (Córdoba).
Lit.: Joseph, I. — Beaux-Arts, Nr 264 v. 21. 1. 1938, p. 4; Nr 319 v. 10. 2. 1939, p. 4.

Cotti, Edoardo, piemont. Illustrator u. Exlibriszeichner, * 26. 6. 1871 Frassinello-Monferrato, ansässig in Turin.
Schüler der Turiner Akad.
Lit.: Th.-B., 7 (1912).

Cottinelli Telmo, José Angelo, portug. Architekt, * 13. 11. 1897 Lissabon, † 18. 9. 1948 Cascaes.
Stud. an d. Kunstsch. in Lissabon. Stud. im Auftrag des portug. Staates die Gefängnisbauten im Ausland. Chefarchitekt der Ausst. „Mundo Portug.", Lissabon 1940. 1941 beauftragt mit Ausarbeitung von Plänen für die Praça de Império in Lissabon, die Stadtrandzone von Bélem u. die Universitätsstadt von Coimbra. Preise auf den Ausstellgn in Rio de Janeiro 1922 u. Sevilla 1929. — Generalplan für d. Ausst. „Mundo Portug.", Lissab. 1940, Entw. f. die Pavillons „Portugueses no Mundo" u. „Caminhos de Ferro e Portos" auf derselben; Monumentalbrunnen auf der Praça de Império, Lissabon; Sanatorium in Covilhã; Quartier u. Schule in Entrocamiente; Gefängnisse in Alijó u. Castelo Branco; Lyzeum in Lamego; Lyzeum D. João de Castro in Lissabon.
Lit.: Gr. Encicl. Port. e Brasil., VII 927f., m. Bildnis. — Quem é Alguém, 1947 p. 251.

Cotton, Lillian, geb. *Impey*, amer. Malerin, * 17. 4. 1892 Boston, Mass., ansässig in Paris.
Schülerin von Rob. Henri, George Bellows u. A. Lhote. Mitglied der Soc. Nat. d. B.-Arts u. des Salon des Tuileries. Stellte 1926/39 im Salon d'Automne u. im Salon des Tuileries aus.
Lit.: Bénézit, [2] 2 (1949). — Amer. Art Annual, 30 (1933). — Who's Who in Amer. Art, I: 1936/37. — The Studio, 112 (1936) 66 (Abb.).

Cotton, William, amer. Maler, * 22. 7. 1880 Newport, R. I., ansässig in New York.
Stud. in Boston u. bei Laurens an der Acad. Julian in Paris: Wandmalereien u. a. im Apollo- u. im Capitol-Theater in New York u. im Hotel Gibson in Cincinnati.

Lit.: Amer. Art Annual, 30 (1933). — Fielding. — Who's Who in Amer. Art, I: 1936/37. — The Studio, 64 (1915) 71.

Cottone, Salvatore, sizil. Bildhauer, Maler u. Kupferstecher, * 1897 Palermo, ansässig ebda.

Beschickte die 16., 17. u. 19. Biennale in Venedig u. die 1. Quadriennale in Rom 1931.

Lit.: C. Ratta, L'Incisione orig. sul legno in Italia, Bologna 1928, m. Abbn, p. 248f. u. 274/76. — Emporium, 69 (1929) 384; 71 (1930) 128; 75 (1932) 239. — Ausst.-Kat.: Mostra sic. d. pitt., scult. e bianco e nero, Palermo 1928, m. Abb.; 5. u. 6. Mostra d'Arte sindicale interprov. di Sicilia, Palermo 1934 u. 1935, m. Abbn. *A. Gabrielli.*

Cotty, Madeleine, franz. Landschafts- u. Bildnismalerin, * Paris, ansässig ebda.

Schülerin von F. Sabatté. Mitgl. der Soc. d. Art. Franç., beschickt deren Salon seit 1912. Stellte 1921 ff. auch im Salon d'Automne aus.

Lit.: Joseph, I.

Couard, Alexander P., amer. Maler, * 1891 New York, ansässig in Norwalk, Conn.

Schüler von George Bridgman u. F. V. Du Mond.

Lit.: Fielding.

Coubine (Kubín), Othon (Otakar), tschech. Maler u. Graph., * 22. 10. 1883 Boskovice (Mähren), ansässig in Prag.

Stud. 1898/1900 an d. Bildhauersch. in Hořice, 1900/05 an d. Prager Akad. (Fr. Thiele), weitergebildet an d. Pariser Ec. d. B.-Arts. Studienaufenthalte in Belgien, Frankreich, Italien. Ließ sich 1913 in Paris nieder. Mitglied des Salon d. Tuileries. Kurze Zeit Kubist, ging dann zu einer feinen, lyrisch-empfindungsvollen Linienkunst im Sinne der ital. Frührenaiss. u. eines Ingres über, die am reinsten in seinen Zeichnungen (Graphit, Silberstift) zum Ausdruck kommt. Bildnisse, Figürliches (Akte, Spitzenklöpplerinnen, bukolische Schäfer- u. Bauernschilderungen aus der Provence), Landschaften, Blumenstücke, Stilleben, Architektur. Malte mit Vorliebe in Le Velay u. in Apt in d. Provence. Holzschnitte zu Em. Godefroy: La Lettre vers le malheur; Radierungen. Als Maler in d. Nat.-Gal. (Stilleben, Landschaft, Hirt u. a.) u. in d. Städt. Gal. in Prag vertreten. Hat gelegentlich auch gebildhauert: Kopf e. Mulattin auf d. Kolonial-Ausst. Rom 1931 (Abb. in Beaux-Arts, 9 [1931] Nov.-H. p. 18); Frau aus Marseille (Bronze 1927); Mädchen mit Spiegel (Terrakotta 1932). Ausstell. in Paris 1925, 1931 (La Boëtie) u. ö., in Aix-en-Provence 1946, in Prag 1923 („Mánes"), 1927 (Kstverein), 1931 (Gal. Feigl,) 1934 („Umělecká beseda"), 1937 (Gal. Topič), 1952 (Gal. Práce).

Lit.: M. Raynal, O. C. („Valori plastici"), Rom 1922. — G. Biermann, O. C. („Junge Kunst", Bd 33), Leipzig 1923. — Martini, O. C., Paris 1927. — Ch. Kunstler, O. C., Paris 1929. — Walden. — Grautoff. — Roh. — Joseph, I, m. 3 Abbn. — Volné směry (Prag), 22 (1923/24) 33f., 104f. — D. Kstblatt, 4 (1920), 298, 300, m. Abb.; 7 (1923) 344/50, m. Abbn; 9 (1925) 201 (Abbn), 205. — D. Cicerone, 13 (1921) 434 (Abb.); 14 (1922) 541/47, m. 8 Abbn, 846; 15 (1923) 146 (Abb.), 148, 470/74 (C. als Graph., m. 5 Abbn), 827/35, m. 9 Abbn; 17 (1925) 424 (Abb.); 18 (1926) 58 (Abb.), 65. — Dtsche Kst u. Dekor., 55 (1924/25) 279/86, m. 10 Abbn; 66 (1930) 3/5, m. 5 Abbn u. Tafel. — Die Graph. Künste (Wien), 47 (1924), Beibl. p. 51, 59, 61. — Hollar (Prag), 1 (1923 –24) 107f. — Zeitschr. f. bild. Kst, 58 (1924/25) 116. — Dedalo, 11 (1930/31) 1427/1441. — Apollo (London), 13 (1931) 137 (Abb.). — Hochland, 31 (1933/34) 383/84. — Beaux-Arts, 4 (1926) 334. — Die Kunst, 53 (1926) 292f., m. Abb.; 61 (1930) 105/08, Abbn bis p. 110. — L'Amour de l'Art, 1928, p. 97/101, m. 7 Abbn, 133/35, m. 4 Abbn; 7 (1929) H. 6 p. 19, m. Abb.; 8 (1930) H. 7 p. 20, m. Abb. — Kat. d. Ausst.: Sto let českého umění 1830–1930, Prag 1930. — Kat. d. Ausst.: Trente ans de peint. et sculpt. tchécosl., Paris 1946. *Blž.*

Couceiro, Francisco, portug. Bildhauer, * März 1863 Porto, † Juni 1940 ebda.

Stud. an d. Kunstsch. in Porto u. bei s. Vater Antonio C. — Denkmal des Manuel Ferreira da Costa in Villa do Conde; Herz-Jesu-Standbild in d. Kirche in Leça do Palmeiro. Weitere Arbeiten im Nat.-Mus. Soares dos Reis in Porto (Kat. 1947 p. 29).

Couch, Gordon Mac, Tessiner Landschaftsmaler u. Lithogr., ansässig in Porto Ronco.

Gehört der Schule von Ascona an.

Lit.: Schweizer Kunst, 1945 H. 12, p. 11, m. Abb. — Das Werk (Zürich), 20 (1933) 185, m. Abb.

Couchaux, Marcel, franz. Landschafts-, Marine- u. Tiermaler, * 1877 Rouen, ansässig ebda.

Schüler von Jos. Delattre, gefördert von Lebourg. Feiner Licht- u. Luftmaler. 3 Bilder im Mus. in Rouen. Bildnis e. alten Seemanns im Mus. in Dieppe.

Lit.: Beaux-Arts, Nr 33 v. 18. 8. 1933, p. 5, m. Abb.

Couderc, Gabriel, franz. Bildnis- u. Landschaftsmaler, * 26. 12. 1905 Cette (Hérault), ansässig in Saint-Ouen ebda.

Stud. an der Kstschule in Montpellier u. an der Ec. Nat. des Arts Décor. in Paris. Stellt im Salon des Indépendants (seit 1924), im Salon d'Automne u. im Salon des Tuileries aus. Hauptsächl. dekorat. Wandbilder. Arbeiten im Mus. Fabre in Montpellier u. im Mus. in Cette.

Lit.: Bénézit, [2] 2 (1949). — Joseph, 1. — Beaux-Arts, 76e année Nr 324 v. 17. 3. 1939, p. 2 (Abb.).

Coudert, Amalia, geb. *Küssner*, amer. Miniaturmalerin, * 26. 3. 1873 Terre Haute, Ind., † Januar 1933 New York.

Lit.: Th.-B., 7 (1912). — Fielding. — Earle. — Art Digest, 7. 1. 1933: Obituary.

Coudour, Henry, franz. Bildnis-, Landschafts-, Stilleben- u. Blumenmaler, * Montbrison (Loire).

Mitgl. der Soc. des Salon d'Automne.

Lit.: Bénézit, [2] II (1949).

Couez, Jules, franz. Maler, * Valenciennes, ansässig in Paris.

Stellt seit 1923 bei den Indépendants u. im Salon des Tuileries aus.

Lit.: Joseph, I.

Coulhon, Vital, franz. Bildhauer, * 26. 4. 1871 Montluçon (Allier), † an den Folgen einer 13. 9. 1914 erlittenen Kriegsverwundung in Villers-Cotteret.

Stud. an der Ec. d. B.-Arts in Lyon u. bei Barrias an der Ec. Nat. d. B.-Arts in Paris. Mitgl. der Soc. d. Art. Franç. (1901 ehrenvolle Erwähnung für das Hochrelief: Éternelle Tourmente. Seit 1908 Direktor der Kstgewerbesch. in Bourges.

Lit.: Ginisty, 1919, p. 58f. — Forrer, 7.

Coulin, Marie Eugénie, geb. *Moinot*, franz. Figurenmalerin, * Belfort, ansässig in Paris.

Schülerin von B. Constant, Baschet u. J.P. Laurens. Mitgl. des Salon des Tuileries, den sie seit 1923 beschickt.

Lit.: Joseph, I. — Bénézit, [2] II (1949).

Couling, Arthur Vivian, schott. Maler u.

Graph., * 13. 11. 1890 Shantung, China, ansässig in Edinburgh.
Stud. am Art Coll. in Edinburgh.
Lit.: Who's Who in Art, [3] 1934.

Coullaut Valera, Lorenzo, span. Bildhauer u. Medailleur, * April 1876 Marchena (Sevilla), † Sept. 1932 Madrid. Franz. Abkunft.
Schüler von Ant. Susillo. Wiederholt mit Medaillen ausgezeichnet. Denkmäler Manuel Curros Enriquez für Vigo (1911), Dichter G. A. Bécquer für Sevilla, Schriftst. Campoamor für Madrid; ein Standbild des Historikers Marcel Menéndez Pelayo in d. Bibl. Nac. in Madrid (1917). Denkmal der Conceptio Immaculata auf der Plaza del Triunfo in Sevilla.
Lit.: Th.-B., 7 (1912). — A. Vives, Medallas de la casa de Borbon, 1916, Nr 654/656. — Francés, 1916, p. 167ff., Abb. p. 171; 1918, p. 381. — Arte Español, 8 (1919) 363/66, m. Abb. — The Art News, 30, Nr 40 v. 17. 9. 1932, p. 8. — Bol. de la Soc. Esp. de Excurs., 18 (1910) 315. — Museum (Barcelona), 1 (1911) 445 (Abb.). — Kat. Exp. gen. de B. Artes, Madrid 1901ff.; Expos. Nac. Madrid 1910ff. (z. T. m. Abbn).

Coulon, Eric de, schweiz. Lithograph, Plakatkstler u. Illustr., ansässig in Neuchâtel.
Illustrat. u. a. zu: Audéoud, Notre Armée, Genf 1915. Mappenwerk: E. de C. u. Robert Alex. Convert, Die, welche wachen (ceux qui veillent), 12 farb. Orig.-Lithos in illustr. Umschlag, Paris–Neuchâtel 1915.
Lit.: M.-P. Verneuil, E. de C., affichiste, Neuchâtel 1933. — Lonchamp, 1922/II Nr 730.

Coulon, Jean, franz. Bildhauer, * 17. 4. 1853 Ebreuil (Allier), † 1923 Vichy.
Lit.: Th.-B., 7 (1912). — Bull. de l'Art anc. et mod., 1923, p. 26. — Bénézit, [2] 2 (1949).

Coulson, Henry Major, engl. Aquarellmaler, Aquatintast. u. Rad., * 10. 10. 1880 South Shields, ansässig in Southport.
Landschaften, Marinen, Figürliches.
Lit.: Who's Who in Art, [3] 1934. — The Studio, 93 (1927) 129, m. Abbn.

Coulson-Davis, F., engl. Aquarellmaler u. Zeichner, ansässig in Colchester.
Schüler von Frank Short. Architekturdarsteller.
Lit.: The Studio, 91 (1926) 56/59, m. 2 Abbn.

Coulter, Mary, amer. Malerin (Öl, Tempera, Pastell), Rad. u. Textilkstlerin, * Newport, Ky., ansässig in Santa Barbara, Kalif.
Stud. an der Akad. in Cincinnati bei Duveneck, Nowottny u. Meakin, bei Lionel Walden u. Ch. W. Hawthorne. Studienaufenthalt in Florenz. Bilder u. a. im Art Inst. in Chicago, im Metrop. Mus. New York u. im Mus. of F. Arts in Boston. Kollektiv-Ausst. Nov. 1931 im M. H. de Young Memorial Museum in San Franzisko, Kalif. (ill. Katal.).
Lit.: Amer. Art Annual, 30 (1933). — Who's Who in Amer. Art, I: 1936/37.

Counhaye, Charles, belg. Maler u. Rad. (Illustr.), * 1884 Verviers, ansässig in Brüssel.
Figürliches, Stilleben, Landschaften, Bildnisse. Im Mus. Brüssel: Bildnis der Gattin des Künstlers.
Lit.: Seyn, I. — Bénézit, [2] II. — La Renaiss. de l'Art franç., 4 (1921) 655f. — Apollo (Brüssel), Nr 17 v. 1. 12. 1942, p. 1/4, m. Abbn.

Coupe, Fred, engl. Landschaftsmaler u. Stoffmusterzeichner, * 4. 1. 1875 Burnley, Lancs., ansässig in Manchester.
Stud. an der Kunstsch. in Burnley.
Lit.: Who's Who in Art, [3] 1934. — The Studio, 93 (1927) 427/31, m. 2 Abbn u. 1 farb. Taf.

Coupe, Louise, belg. Stillebenmalerin, * 1877 Gent.
Schülerin von de Keghel u. Mortelmans an der Genter Akad. Im dort. Mus.: Fischstilleben.
Lit.: Seyn, I.

Courbier, Marcel Maurice, franz. Bildhauer, * Nîmes (Gard), ansässig in Paris.
Schüler von J. Coutan. Mitgl. der Soc. d. Art. Franç. (Salon-Kat. z. T. mit Abbn). Nationalpreis 1926. Figürliches, Tiere.
Lit.: Joseph, I. — Bénézit, [2] II.

Courlon, Annie (Annemarie) de, franz. Malerin u. Rad., * Paris, ansässig ebda.
Schülerin von L. Simon u. Em. Buland. Pensionärin der Casa Velázquez. 1935 in Cuenca in Neukastilien. Arbeitete dort bei dem Bildhauer Luis Marco Pérez. Mitgl. der Soc. d. Art. Franç., beschickt deren Salon seit 1929. Malt in allen Techniken (Öl, Pastell, Gouache, Aquarell). Hauptsächl. Landschaften u. Bildnisse.
Lit.: Joseph, I. — Beaux-Arts, Nr 141 v. 13. 9. 1935, p. 6, m. Abb. — Bénézit, [2] II.

Courmes, Alfred, franz. Figuren- u. Bildnismaler, * 1898 Bormes (Var), ansässig in Le Lavandou (Var).
Schüler von R. Lafresnay. Stellt seit 1926 bei den Indépendants, seit 1929 im Salon des Tuileries aus. Surrealist. 1936: Paul-Guillaume-Preis („Seemannsliebe"). Führte 1938/39 eine gr. Wanddekoration in Wachsmalerei im Speisesaal der Franz. Botschaft in Ottawa (Kanada) aus.
Lit.: Joseph, I. — Beaux-Arts, Nr 317 v. 27. 1. 1939, p. 1, m. Abb. — Konstrevy, 12 (1936) H. 6, p. IIIf., m. Abb. — La Renaissance, Okt./Dez. 1936 p. 51, m. Abb. — L'Amour de l'Art, 1937, p. 77ff. passim, m. Abb. — Bénézit, [2] II (1949).

Cournault, Etienne, franz. Freskomaler, Kupferst., Illustr. u. Glasätzer, * 15. 3. 1891 Malzéville (Meurthe-et-Moselle), † 1948 Paris.
Illustr. u. a. zu A. Gide, „La Porte Etroite" u. zu M. Maeterlinck, „En Égypte". Kollekt.-Ausst. im Mus. in Nancy 1951.
Lit.: Bénézit, [2] 2 (1949). — Art et Décor., 59 (1931) 121/28, m. Abb. — Beaux-Arts, Nr v. 28. 5. 1948, p. 3. — D. Kst u. das schöne Heim, 49 (1951) Beibl. p. 140.

Courot, Maurice, franz. Bildnis-, Figuren- u. Landschaftsmaler, * Paris, ansässig ebda.
Schüler von J. Lefebvre u. T. Robert-Fleury. Mitgl. der Soc. d. Art. Franç., beschickt deren Salon seit 1924 (Kat. z. T. mit Abbn).
Lit.: Joseph, I.

Courpon, Sophie Marie Charlotte de, franz. Stilleben- u. Landschaftsmalerin, * Meudon, ansässig in Paris.
Stellt seit 1924 bei den Indépendants aus.
Lit.: Joseph, I.

Courselles-Dumont, André, franz. Landschafts- u. Interieurmaler, * 11. 6. 1889 Paris, ansässig ebda.
Schüler von L. O. Merson u. R. Collin. Mitgl. der Soc. d. Art. Franç. u. der Soc. d. Art. de Paris.
Lit.: Joseph, I.

Courtens, Alfred, belg. Bildhauer, * 27. 6. 1889 Saint-Josse-ten-Oode. Bruder d. Folg.
Schüler von Ch. v. d. Stappen u. Th. Vinçotte

1914 Godecharle-Preis. Im Mus. Antwerpen: Aufstehen (Marmor); im Mus. Lüttich: Leda.
Lit.: Seyn, I.

Courtens, Herman, belg. Figuren- u. Stillebenmaler, * 23. 2. 1884 Brüssel. Bruder des Alfred.

Schüler s. Vaters Frans (* 1854, † 1943) u. Is. Verheyden's. Bereiste Holland u. Ägypten. Im Mus. Antwerpen: Bildnis Frans Courtens. Im Mus. Brügge: Die Überraschung. Im Mus. Courtrai: Kind mit Schale.
Lit.: Th.-B., 7 (1912). — Seyn, I. — Bénézit, [2]II.

Courtney, Leo, amer. Zeichner u. Rad., * 11. 8. 1890 Hutchinson, Kansas, ansässig in Wichita, Kansas.

Schüler von C. A. Seward.
Lit.: Amer. Art Annual, 27 (1930) 518f. — Who's Who in Amer. Art, I: 1936/37.

Courvoisier, Jules, schweiz. Porträt- u. Glasmaler, Plakatzeichner u. Illustr., * 23. 5. 1884 La Chaux-de-Fonds, Kt. Neuenburg, lebt in Genf.

Schüler von J. E. Blanche in Paris (1902/06). Studienaufenthalte in Italien, Frankreich u. England. Illustr. zu: G. de Reynold, Notre Histoire, Genf, 1919; J. Reinhart, Unsere Geschichte, Genf 1920. Glasgemälde in den Kirchen Auvernier, Kt. Neuenburg, u. Engollon, Kt. Neuenbg.
Lit.: Th.-B., 7 (1912). — Brun, IV. — Schweiz. Zeitgen.-Lex., 1932. — Jenny. — Schweiz. Bauzeitg, 59 (1912) 55. — D. Schweiz, 1913, p. 228. — D. Werk, 1 (1914) 6/7 (Abb.), 8. — D. Ksthaus, 1916, H. 10, p. 3. — Pages d'Art, 1916, H. 12, p. 1ff.

Courvoisier, Paul, schweiz. Uhrmacher u. Maler, * 19. 1. 1870 Renan (Sonvilier), † 21. 9. 1911 Les Bois.

Landschaften, Architekturbilder (u. a. Schloß Chillon), Stilleben, Bühnendekorationen u. -vorhänge.
Lit.: Amweg, I.

Cousin, Adrienne, franz. Malerin (Öl u. Miniatur), * Paris, † 21. 4. 1920 Saintes.

Mitgl. der Soc. d. Art. Français.
Lit.: Chron. d. Arts, 1920, p. 95.

Cousin, Charles, franz. Bildnis- u. Landschaftsmaler, * Paris, ansässig in Toulon-le-Mourillon (Var).

Schüler von Bonnat. Mitgl. der Soc. d. Art. Franç., beschickt deren Salon seit 1904 (Kat. z. T. m. Abbn).
Lit.: Joseph, 1. — Bénézit, [2] 2 (1949).

Cousinet, Marguerite, franz. Figuren- u. Porträtbildhauerin, ansässig in Paris.

Stellt im Salon des Tuileries aus.
Lit.: Joseph, I.

Cousins, Clara, verehel. *Douglass*, amer. Malerin, Bildhauerin u. Lithogr., * 6. 4. 1894 Halifax Co., Va., ansässig in Danville, Va.

Schülerin von Cl. J. Barnhorne, G. J. Lober, G. Pearse Ennis, H. B. Snell, B. Baker, Cec. Beaux u. M. Leisenring.
Lit.: Amer. Art Annual, 30 (1933). — Who's Who in Amer. Art, I: 1936/37.

Coussens, Armand, franz. Maler u. Graph., * 4. 12. 1881 Saint-Ambroix (Gard), † 1935 Nîmes.

Stud. an d. Ecole d. B.-Arts in Nîmes bei A. Lahaye, kam 1901 nach Paris, wo er von den Impressionisten, bes. Monet, Pissarro u. Sisley, beeindruckt wurde. Ließ sich 1907 in Nîmes nieder und begann sich der Radierung zuzuwenden. Hauptblätter: Ansicht von Avignon; Fischerboote in Cette; Zigeunerhalt; Katze u. Hahn; Alte Frau mit Ziegen; Ausstellung der Kämpfer; Die Szene mit dem Pont du Carrousel. — Seine Gattin Jeanne, ebenfalls Schülerin von Lahaye, ist Aquarellmalerin.
Lit.: A. C., peintre-grav., Paris 1936 (41 S., m. Taf. u. Abbn). — The Studio, 81 (1921) 220/24; 88 (1924) 44f., m. farb. Abb. — Revue de l'Art anc. et mod., 38 (1920) 144/50, m. Abbn u. farb. Orig.-Rad.; 1935/I, Bull., p. 110.

Coussolle y Astie, María Alice, franz.-span. Landschafts- u. Marinemalerin, * 1876 auf Schloß Beunon in Villenave d'Ormon bei Bordeaux, ansässig in Madrid.

Schülerin von Berthe in Bordeaux u. A. de Caula in Madrid. Ehrenvolle Erwähnung in d. Madrider Ausst. 1904.
Lit.: Th.-B., 7 (1912). — Kat. d. Expos. Nac. de B. Artes. Madrid 1910ff.

Cousturier, Lucie, franz. Landschafts-, Blumen- u. Bildnismalerin, * 19. 12. 1876 Paris, † 16. 6. 1925 ebda.

Schülerin von P. Signac. Neoimpressionistin. Malte mit Vorliebe in der Provence. Bereiste 1922 Afrika.
Lit.: Th.-B., 7 (1912). — Joseph, I. — Bénézit, [2] II. — Bull. de la Vie artist., 1. 9. 1922 p. 389–91, m. 3 Abbn. — Beaux-Arts, 10. 10. 1947 p. 1, m. Abb.

Coutaud, Lucien, franz. Maler, Bühnenbildner, Buchillustr., Rad. u. Entwurfzeichner für Wandteppiche u. Bühnenkostüme, * 13. 12. 1904 Meynes (Gard).

Stud. an der Kstschule in Nîmes u. an der Freien Akad. in Paris. Stellt seit 1941 im Salon d'Automne u. im Salon des Tuileries aus.
Lit.: Bénézit, [2] II (1949). — Art et Décor., 1937, p. 25ff. passim. — Beaux-Arts, 75e année Nr 273 v. 25. 3. 1938, p. 3 (Abb.); Nr v. 26. 9. 1947, p. 1 (Abb.); 13. 2. 48, p. 8 (Abb.). — Graphis (Zürich), 4 (1948) 219 (Abb.); 8 (1952) 147 (Abb.).

Coutil, Léon, franz. Radierer, * 13. 10. 1856 Villers-les-Andelys, † 1943.
Lit.: Th.-B., 8 (1913). — Revue archéolog., sér. 6, vol. 25 (1946) p. 63. — Bénézit, [2] 2.

Coutin, Robert Elie, franz. Bildhauer, * Reims, ansässig ebda.

Schüler von Aug. Coutin. Stellt seit 1912 im Salon der Soc. d. Art. Franç. in Paris aus. Mitgl. der Soc. du Salon d'Automne.
Lit.: Bénézit, [2] 2 (1949). — Beaux-Arts, 76e année Nr 336 v. 9. 6. 1939, p. 4 (Abb.).

Couto, Antonio do, portug. Architekt, * 8. 4. 1874 Barcarena, ansässig in Lissabon.

Stud. an d. Kunstsch. in Lissabon; Schüler von José Luiz Monteiro. Als Archit. des Ministeriums für Öff. Arbeiten entwarf er zus. mit Ventura Terra die Pläne für den „Palácio das Côrtes. Valmor-Preis 1907. Mitglied der S. N. B. A. u. des Roy. Inst. of Architects in London. — Portug. Pavillon auf der Weltausst. in San Francisco 1914; Denkmal für den port. Staatsmann Marquis de Pombal (zus. mit Adaës Bermudes u. Franc. Santos); Denkm. für Mousinho de Albuquerque (zus. mit Simões de Almeida d. Ä.) in Lourenço Marques, Portug. Afrika.
Lit.: Gr. Encicl. Port. e Brasil., VII 957.

Couto, Rodolfo Pinto do, portug. Bildhauer, * 6. 2. 1888 Porto, † 11. 7. 1946 ebda.

Stud. an d. Akad. in Porto u. an der Sorbonne in Paris, Schüler von Ant. Teixeira Lopes u. Ant. Alves Pinto. Als Stipendiat König Manuels v. Portugal in Paris, wo er bei Richet lernte u. im Salon (Soc. d. Art. Franç.) 1910 u. 1911 ausstellte. Nach Portugal zurückgekehrt, ging er später nach Brasilien, wo er bis 1936 weilte. Übernahm nach s. Rückkehr ein Lehramt an d. Kunstsch. in Porto. — Gold. Med. auf der Internat. Ausst. der Zentenarfeier Brasiliens; Silb. Med. 1913 u. Gr. Silb. Med. 1918 im Salon in Rio de Janeiro. Denkmal für Eça de Queiroz in Rio. Weitere Arbeiten im Nat.-Mus. f. zeitgenöss. Kst in Lissabon u. im Nat.-Mus. Soares dos Reis in Porto (Kat. 1947 p. 39).

Couto, Zeferino, portug. Bildhauer, * 13. 6. 1890 Vila Nova de Gaia, ansässig in Porto.

Stud. an d. Kunstsch. in Porto. Schüler von Teixeira Lopes, José de Brito u. Marques de Oliveira. Vertreten im Städt. Mus. in Porto.

Lit.: Pamplona, p. 261.

Couto Tavares, Joaquim, portug. Maler u. Illustr., * 30. 11. 1892 Tomar, ansässig in Cintra.

Stud. an d. Kstschule in Lissabon. Luciano-Freire-Preis 1939, Anunciação 1941, Ferreira Chaves 1938 –39, ehrenvolle Erwähnung u. 3. Med. der Soc. Nac. de B. Artes Lissabon 1943. Konservator am Pal. Nac. de Pena in Cintra. Illustr. (Zeichngn) u. a. zu dem Roman von Júlio Diniz „Uma Família Ingleza" u. zu Daniel Rops „Os Evangelhos".

Coutouly, Pierre de, franz. Tierbildhauer, * 1884 Saint-Pierre-le-Vieux, fiel am 8. 12. 1914 bei Vauquois, Argonnen.

Lit.: Ginisty, 1916, p. 65. — Joseph, I.

Coutty, Marcel Louis, franz. Aquarell- u. Pastellmaler (Landschafter), * Paris, ansässig ebda.

Stellt seit 1923 bei den Indépendants aus.

Lit.: Joseph, I.

Couturat, Jean Henri, franz. Landsch.-, Blumen- u. Stillebenmaler, * Paris, ansässig ebda.

Schüler von Cormon u. J. P. Laurens. Mitglied der Soc. d. Art. Franç. (1926 Mention honor.), beschickte 1930/37 auch den Salon d'Automne.

Lit.: Bénézit, [2] II (1949).

Couturaud, Alfred, franz. Landschaftsmaler, * Saint-Jean-d'Angely (Charente-Maritime).

Schüler von Harpignies u. Olive. Mitgl. der Soc. d. Art. Franç. (1. Med. 1920).

Lit.: Bénézit, [2] II (1949).

Couturier, Reverend Père, franz. Glasmaler, Dominikanermönch.

Hauptsächl. mit Renovierung alter Kirchenfenster beschäftigt. 1939/45 in Kanada u. den USA. Gründete mit F. Léger, A. Ozenfant u. Chagall das Institut Franç. d'Art Mod. in New York. Glasfenster (Erzengel Raphael) in der Kirche in Assy im Montblancgebiet. Mit Henri Matisse an der Ausstattung der Kapelle in Vence (franz. Riviera) tätig.

Lit.: Bénézit, [2] 2 (1949). — Beaux-Arts, 75 année Nr 309 v. 2. 12. 1938, p. 3, m. Abb.; 76a. Nr 335 v. 2. 6. 1939, p. 8, m. Abb. — D. Kstwerk, 5 (1951) H. 1 p. 35, 37 (Abb.). — D. Kst u. das schöne Heim, 49 (1951) Beilage p. 246.

Couturier, Robert, franz. Bildhauer, ansässig in Paris.

Hauptsächlich weibl. Akte (Stein u. Terrakotta). Stellt seit 1942 im Salon d'Automne u. im Salon des Tuileries aus.

Lit.: Bénézit, [2] 2 (1949). — L'Amour de l'Art, 1936, p. 285ff. passim, m. Abb. — Beaux-Arts, 1935 Nr 129, p. 2, m. 3 Abbn; 1936 Nr 168, p. 8, m. Abb. — D. Kstwerk, 1 (1946/47) H. 12, p. 46 (Abb.). — Kat. Ausst. „La Sculpt. Franç. de Rodin à nos jours, im Zeugh. Berlin 1947, m. Abb. — „sie" (Berlin), v. 27.7. 1947, Abb.

Couty, Jean, franz. Bildnis- u. Genremaler, * Saint-Rambert-l'Ile-Barbe (Rhône).

Stellte 1935/40 bei den Indépendants in Paris aus.

Lit.: Bénézit, [2] II (1949). — Beaux-Arts, 75e année Nr 316 v. 20. 1. 1939, p. 4, m. Abb.

Couvegnes, Raymond, franz. Figurenbildhauer, * 27. 2. 1893 Ermont (Seine-et-Oise), ansässig in Paris.

Schüler von Injalbert. Stellt seit 1925 im Salon der Soc. d. Art. Franç. aus. Bildner. Schmuck der Kirche in Saint-Pierre de Roye. 1927 Rompreis.

Lit.: Joseph, I. — Bull. de l'Art, 1927, p. 262 (Abb.). — Art et Décor., 1927/II, Chron. Aug.-H. p. 2. — Art Sacré, März 1936, p. 76/81, m. Abb.

Couwenberg, Line, holl. Bildniszeichnerin u. Malerin, * Oostburg.

Schülerin von Floris Arntzenius im Haag u. von Castelucho in Paris. Seit 1924 in Frankreich ansässig. Stellt seit 1930 im Salon des Tuileries aus. Kollektiv-Ausstellg im Salon Kleykamp im Haag 1927.

Lit.: Bénézit, [2] 2 (1949). — Maandbl. v. beeld. Kunsten, 4 (1927) 316f.

Couwenberg, Stefaan, holl. Figuren-, Porträt- u. Stillebenmaler.

Stud. in Paris. Kollektiv-Ausstellungen bei Kleykamp im Haag 1933, im Rotterdamsche Kunstkring 1937 u. bei Santee Landweer in Amsterdam 1938.

Lit.: Fierens. — Maandbl. v. beeld. Ksten, 10 (1933) 56; 12 (1935) 25f.; 13 (1937) 27f., m. Abbn; 15 (1938) 87f.

Covarrubias, Miguel, mexik. Karikaturenzeichner, Maler u. Illustr., * 1904 Mexico City, ansässig ebda.

Stud. 1923 in New York. Bereiste Europa, Afrika, die USA, Bali u. den Orient. Kollekt.-Ausst. Febr. 1932 in d. Gal. Valentine in New York.

Lit.: Kirstein, p. 97. — The Print Coll.'s Quarterly, 23 (1936) 82. — The Art News, 24 (1925/26), Nr 9 p. 3; 42, Aug. 1943, p. 13 (Abb.); 15. 5. 45 p. 13 (Abb.). — Brooklyn Mus. Bull., 9 (1948) Nr 3 p. 18. — The Studio, 114 (1937) 313, m. Abb.; 126 (1943) 30 (Abb.); 141 (1951) 72f. (Abb.). — Graphis, 6 (1950) 143 (Abb.). — Art a. Industry (New York), 38, März 1945, p. 84 (Abb.). — Amer. Artist, 11, April 1947, p. 44 (Abb.); 12, Jan. 48, p. 20/24, m. 3 Abbn. — New York Times, 21. 2. 1932. — Vogue (New York), 1. 1. 1937 p. 43; 1. 6. 37 p. 64f.

Covarsi Justas, Adelardo, span. Figuren-, Bildnis- u. Landschaftsmaler, * 24. 3. 1885 Badajoz, ansässig ebda.

Stud. an der Esc. Munic. de Artes y Oficios in Badajoz, bezog 18jährig die Esc. Espec. de Pintura, Escult. y Grabado in Madrid, wo Moreno Carbonero, Garnelo, Muñoz Degrain u. Alejo Vera seine Lehrer waren. Beschickte seit 1906 die nation. Ausstellgn. Häufig ausgezeichnet, u. a. mit der 2. Med. in der Expos. Hispano francesco in Zaragoza 1908.

Lit.: Th.-B., 8 (1913). — Francés, 1915 p. 139; 1916 p. 76/80, m. 4 Abbn; 1919 p. 217 (Abb.), 218f., 305; 1920 p. 233. — La Renaiss. de l'Art franç., 6 (1923) 62, m. Abb. — Kat. d. Exp. Nac. de B. Artes, Madrid 1906ff. (z. T. m. Abbn).

Covelli, Gaele, ital. Genre- u. Bildnismaler, * 28. 5. 1872 Cotrone (Kalabrien), † Florenz.

Schüler von D. Morelli in Neapel u. von St. Ussi in

Florenz. Gold. Med. Livorno 1909. In d. Gall. Civ. in Bologna: Flüchtiges Idyll.

Lit.: Th.-B., 8 (1913). — Comanducci. — Rass. d'Arte ant. e mod., 20 (1920), Beibl. zu H. 11/12, p. VIII f., m. Abb. — La Nazione, v. 25. 12. 1912.

Coventry, Gertrude Mary, s. *Robertson.*

Covey, Arthur Sinclair, amer. Maler u. Rad., * 13. 6. 1877 Bloomington, Ill., ansässig in Torrington, Conn. Gatte der Folg.

Schüler von Vanderpoel, C. v. Marr u. Fr. Brangwyn. — Wandmalereien in d. Public Libr. in Wichita (Kansas), im Post Office in Bridgeport (Conn.) u. in d. Gedenkhalle des Verwaltungsgeb. der Norton Co. in Worcester (Mass.).

Lit.: Fielding. — Amer. Art Annual, 14 (1917) 459, Abb. geg. p. 112. — Who's Who in Amer. Art, I: 1936/37. — The Studio, 66 (1916) 73ff., m. 3 Abbn; 114 (1937) 102. — Monro.

Covey, Lois, geb. *Lenski,* amer. Malerin u. Illustr., * 14. 10. 1893 Springfield, O., ansässig in Torrington, Conn. Gattin des Vor.

Schülerin von Kenneth H. Miller u. W. Bayes in London. — Wandmalereien in dem Orthopäd. Kinderhospital in Orange, N. J. Illustr. zu von ihr selbst verfaßten Kinderbüchern: Skipping Village, A Little Girl of 1900, Grandmother Tippytoe, u. and.

Lit.: Who's Who in Amer. Art, I: 1936/37, p. 257.

Covey, Margaret Sale, verehel. *Chisholm,* amer. Bildnismalerin, * 6. 7. 1909 Englewood, N. J., ansässig in Washington, D. C.

Schülerin von Anne Goldthwaite u. Leon Kroll.

Lit.: Who's Who in Amer. Art, I: 1936/37.

Covey, Molly, geb. *Sale,* amer. Malerin u. Illustr., * 26. 7. 1880 Dunedin, N. Z., ansässig in Englewood Cliffs, N. J.

Schülerin von Brangwyn in London u. von L. Simon in Paris. Bildnis in der Otago University in Dunedin.

Lit.: Amer. Art Annual, 12 (1915) 351.

Covi, Cesare, trient. Genre- u. Landschaftsmaler, * 30. 5. 1872 Trient, † 20. 7. 1923 ebda.

Schüler von Mentessi, Casnedi, Carcano u. Pogliaghi an der Brera-Akad. in Mailand, weitergeb. in Florenz u. Rom. Fresken am Gefallenendenkmal in Trofoiach, Steiermark, u. in der Kapelle der Opfer der Pulverexplosion in Wöllersdorf, Niederöst.

Lit.: Th.-B., 8 (1913). — Gerola. — Comanducci. — Bénézit, [3] 2 (1949).

Covington, Annette, amer. Bildnismalerin, * 14. 5. 1872 Cincinnati, O., ansässig ebda.

Schülerin des Art Student's League in New York, von Henry Mosler, W. M. Chase, A. W. Dow u. Ern. Fennellosa. Studienaufenthalt in Japan. Bilder u. a. in der Ohio State University u. in der Miami Univ. in Oxford, O.

Lit.: Who's Who in Amer. Art, I: 1936/37.

Cowan-Douglas, Lilian, schott. Landsch.- u. Blumenmalerin, * 13. 11. 1894 Calgary, ansässig in Kelso, Roxburghshire.

Stud. am College of Art in Edinburgh.

Lit.: Who's Who in Art, [3] 1934.

Cowell, Joseph, amer. Maler, Bildhauer u. Architekt, * 4. 12. 1886 Peoria, Ill., ansässig in Boston, Mass.

Schüler von Bridgman, Du Mond, Tarbell u. Benson, dann von Laurens in Paris. Wandmalereien in der Universalist Church, Fenster, Altarschreine u. Figuren in St. Mary's Cathedral in Peoria; Theater in Boston u. Holyoke, Mass., u. Tower-Theater in Philadelphia; St. James' Church in New York; St. Vincent's Church in Los Angeles; Public Library in Wrentham, Mass.

Lit.: Amer. Art Annual, 30 (1933). — Fielding. — Who's Who in Amer. Art, I: 1936/37.

Cowell, Lilian, engl. Landschaftsmalerin (Öl u. Aquar.), Modelleurin u. Bildstickerin, * 19. 1. 1901 Birkenhead, ansässig in Frankby, Cheshire.

Lit.: Who's Who in Art, [3] 1934.

Cowham, Hilda, siehe *Lander.*

Cowles, Edith V., amer. Malerin, Illustr. u. Entwurfzeichnerin für Glasmalerei, * 1874 Farmington, Conn., ansässig in New York. Schwester der beiden Folg.

Schülerin von J. T. Niemeyer, dann von Bruneau u. Mme Laforge in Paris. 5 Glasfenster in der St. Michaelkirche in Brooklyn, N. Y.

Lit.: Fielding. — Amer. Art Annual, 30 (1933).

Cowles, Genevieve, amer. Malerin, Illustratorin u. Schriftst., * 23. 2. 1871 Farmington, Conn. Schwester der Vor. u. der Folg.

Schülerin von Niemeyer u. Brandegee Wandmalerei im Connecticut Staatsgefängnis. Fenster mit den 7 Gleichnissen in der Grace Church in New York; Altarwerk in St. Peter's Church in Springfield, Mass.; Illustr. zu „The House of the Seven Gables" u. zu „Little Folk Lyrics".

Lit.: Th.-B., 8 (1913). — Fielding. — Amer. Art Annual, 30 (1933). — Earle. — Who's Who in Amer. Art, I: 1936/37.

Cowles, Mildred Lancaster, amer. Malerin, * 1876 Farmington, Conn., † 1929 New York. Schwester der beiden Vorigen.

Lit.: Fielding. — Amer. Art Annual, 26 (1929): Obituary.

Cowles, Russell, amer. Landschaftsmaler, * 7. 10. 1887 Algona, Ia., ansässig in New York.

Schüler der Nat. Acad. of Design u. der Art Student's League in New York u. der Amer. Acad. in Rom. Koll.-Ausst. in d. Kraushaar Gall., New York, März 1948 u. März 1950.

Lit.: Fielding. — Monro. — Amer. Art Annual, 30 (1933). — Who's Who in Amer. Art, I: 1936/37. — The Studio, 112 (1936) 225 (Abb.), 226f. — The Art Index (New York), Okt. 1941/Okt. 1950.

Cowper, Frank Cadogan, engl. Bildnis-, Figuren- u. Landschaftsmaler, * 16. 10. 1877 Wicken Rectory, Northamptonshire, ansässig in London.

Stud. an den Roy. Acad. Schools in London. In der dort. Tate Gall.: Lucrezia Borgia. Weitere Bilder in d. Art Gall. in Leeds u. d. Queensland Art Gall. in Brisbane. Fresken im Ostkorridor des Londoner Parlamentsgebäudes.

Lit.: Th.-B., 8 (1913). — Who's Who in Art, [3] 1934. — The Studio, 63 (1915) 218. — Athenæum, 7. 5. 1920, p. 611.

Cox, Allyn, amer. Wandmaler, * 5. 6. 1896 New York, ansässig ebda.

Schüler s. Vaters Kenyon C. (1856–1919) u. George Bridgman's. Wandgemälde in der Clark Library in Los Angeles, Calif., u. im Law Building der University of Virginia in Charlottesville.

Lit.: Amer. Art Annual, 30 (1933). — Who's Who in Amer. Art, I: 1936/37.

Cox, Dorothy, siehe *Lewis.*

Cox, E. Albert, engl. Marine- u. Wandmaler, * 16. 10. 1876 London, ansässig ebda.

Lit.: Who's Who in Art, [2] 1934. — The Studio, 67 (1916) 49, m. farb. Taf.; 102 (1931) 247 (Taf.). — Brit. Marine Painting, Studio Spec. Nr 1919, p. 134, 135.

Cox, Gardner, amer. Bildnismaler (bes. Kindermaler), * 1906.

Kollektiv-Ausst. in der Margaret Brown Gall. in Boston, Mai 1949.

Lit.: Art Digest, 23, Nr v. 1. 5. 1949, p. 33. — Monro. — Art News, 49, Juni 1950, p. 49 (Abb.). — Amer. Artist, 17, Febr. 1953, p. 36 (Abb.).

Cox, Gastin, engl. Landschaftsmaler, * 13. 3. 1892 Camborne, Cornwall, † März 1933 ebda.

Lit.: Who's Who in Art, [1] 1929; [2] 1934, Obituary, p. 447.

Cox, Jan, belg. Porträt- u. Figurenmaler, ansässig in Antwerpen.

Kollektiv-Ausstellgn im Palais des B.-Arts in Antwerpen Juli 1943 u. in Brüssel Nov. 1948.

Lit.: Apollo (Brüssel), Ephémérides, 1 (1943) Nr 19, p. 4. — De Faun, 1 (1945) 45, 284. — Beaux-Arts, 13 Nr v. 26. 11. 1948, p. 1 u. 5, m. 2 Abbn. — Artes (Kopenh.), 2 (1948) Nr 1/2, p. 30.

Cox, Walter B., amer. Wandmaler, * 25. 11. 1872 Passcagoula, Miss., ansässig in New York.

Schüler von Bruce Crane, Robert Blum, Beckwith u. Mowbray.

Lit.: Amer. Art Annual, 12 (1915) 351.

Cox, Warren, amer. Maler, Entwurfzeichner für Kunstgewerbe u. Kunstschriftst., * 27. 8. 1895 Oak Park, Ill., ansässig in New York.

Schüler von Emil Carlsen.

Lit.: Amer. Art Annual, 30 (1933). — Who's Who in Amer. Art, I: 1936/37.

Cox-McCormack, Nancy, amer. Bildhauerin u. Schriftst., * 15. 8. 1885 Nashville, Tenn., ansässig in New York.

Schülerin von Victor Holm in St. Louis u. von Ch. Mulligan in Chicago. Arbeiten im Mus. in Nashville („Harmonie") u. in der University of Notre Dame in South Bend, Ind.; Denkmäler: Carmack in Nashville und Perkins im Perkins Observatorium der Wesleyan University in Delaware, O.

Lit.: Fielding. — Amer. Art Annual, 30 (1933). — Who's Who in Amer. Art, I: 1936/37.

Coxon, Raymond, engl. Maler, * 18. 8. 1897 Hanley, Stoke-on-Trent, ansässig in London.

Stud. bei W. Rothenstein an d. Kunstsch. in Leeds, dann am Roy. Coll. of Art in London. Hauptsächl. Landschaften, Akte, Tierbilder u. Wandgemälde. Beeinflußt von Cézanne. Strenge Zeichnung u. Farbgebung. In der Art Gall. in Manchester: Bildnis des Bildhauers More. — C.s Gattin Edna, geb. *Ginesi*, * 15. 2. 1902 Leeds, Malerin, stud. am Roy. Coll. of Art in London.

Lit.: Who's Who in Art, [2] 1934. — Apollo (London), 8 (1928), 310; 23 (1936) 232. — Artwork, 5 (1929) 198/201, m. 4 Abbn. — The Studio, 99 (1930) 244 (2 Abbn); 105 (1933) 191 (Abb.).

Coy, C. Lynn, amer. Bildhauer, * 31. 10. 1889 Chicago, Ill., ansässig ebda.

Schüler des Art Inst. in Chicago, F. C. Hibbard's, Albin Polaseks u. Lorado Taft's. Denkmal George H. Munroe in Joliet, Ill.

Lit.: Amer. Art Annual, 30 (1933). — Who's Who in Amer. Art, I: 1936/37.

Coyne, Elizabeth, amer. Landschaftsmalerin, * Philadelphia, Pa., ansässig ebda.

Schülerin von Leopold Seyffert u. Cecilia Beaux. Bild in der Pennsylv. Acad. of the F. Arts in Philadelphia.

Lit.: Amer. Art Annual, 30 (1933). — Who's Who in Amer. Art, I: 1936/37.

Coyne, Joan Joseph, amer. Maler, * 1895 Chicago, Ill., † 1930 Philadelphia, Pa.

Lit.: Amer. Art Annual, 28 (1931): Obituary.

Coyne, William Valentine, amer. Maler, Illustr. u. Rad., * 14. 2. 1895 New York, ansässig ebda.

Schüler von Rob. Henri. Illustr. zu „New York Evening Post" u. „The Bookman".

Lit.: Amer. Art Annual, 30 (1933). — Who's Who in Amer. Art, I: 1936/37. — Fielding.

Cozza, Conte Lorenzo, ital. Bildhauer, ansässig in Rom.

Sohn des Archit., Bildh. u. Malers Conte Adolfo C. 1898 1. Preis im Wettbewerb um ein Leopardi-Denkmal in Rom. Büste des Physiologen Gerolamo Fabrizi auf dem Pincio in Rom.

Lit.: Th.-B., 8 (1913) 36, 1. Sp. — Bénézit, [2] 2 (1949). — Domenica del Corriere (Mailand), 28. 3. 1915, m. Abb.

Cozzoli, Giulio, ital. Bildhauer.

1. Preis in dem von der Accad. di S. Luca in Rom 1911 ausgeschrieb. Wettbewerb; Thema: Die Nackten bekleiden (Terrakottagruppe).

Lit.: Domenica del Corriere (Mailand), v. 15. 1. 1911, m. Abb. — Annuario, Accad. di S. Luca, Rom, 1909/11, p. 37, m. Abb.

Craecke, G. Frank de, belg. Stilleben-, Landsch.- u. Interieurmaler, * 1899 Saint-André-lez-Bruges.

Schüler der Akad. Brügge u. Gent. Arbeitete in München u. Paris. Hauptsächl. Interieurs von Klöstern u. Kapellen.

Lit.: Seyn, I 233.

Crämer, Hans, dtsch. Marinemaler u. Rad., * 14. 12. 1891 München, ansässig ebda.

Autodidakt. Mappenwerke: Versailles; Arzt u. Tod (beide im Holtz-Verlag, München); Der menschliche Körper. Mann u. Weib (Verlag Schreiber, Eßlingen).

Lit.: Dreßler. — D. Cicerone, 13 (1921) 632. — Kstchronik, N. F. 34 (1922/23) 505f.

Craffonara, Aurelio, ital. Aquarellmaler, Plakatzeichner u. Modelleur, * 1875 Gallarate, ansässig in Genua.

Schüler der Accad. Ligust. in Genua.

Lit.: Comanducci. — Pagine d'Arte, 2 (1914) 201, m. Abb.

Crahay, Albert, belg. Marine- u. Landschaftsmaler u. Rad., * 24. 4. 1881 Antwerpen, † 23. 6. 1914 ebda.

Schüler von Fr. Hens. Arbeitete meist in Nieuport a. Zee. Im Mus. Antwerpen: Krabbenfischer.

Lit.: Th.-B., 8 (1913). — Seyn, I.

Craig, Anna Belle, amer. Malerin u. Illustr., * 13. 3. 1878 Pittsburgh, Pa., ansässig ebda.

Schülerin von Wm. Chase, Shirlaw, Henry G. Keller, M. G. Borgord u. Howard Pyle. Illustr. zu „Harper's", „Metropolitan" u. zu Kinderbüchern.

Lit.: Fielding. — Amer. Art Annual, 30 (1933). — Who's Who in Amer. Art, I: 1936/37.

Craig, Edward, gen. *Carrick*, engl. Holzschneider, Rad., Kupferst. u. Maler, * 3. 1. 1904 London, ansässig ebda. Sohn des Folg.

Stud. 1917/26 in Italien. Gründer u. Präsident der „Grubb"-Vereinigung. Illustr. zu: „A Voyage to the Island of the Articoles", „The Loves of the Gods", Ovid (12 Holzschn., Ausg. Block). Exlibris.

Lit.: Who's Who in Art, [3] 1934. — The Studio, 100 (1930) 346 (Abb.), 347; 110 (1935) 314 (Abb.), irrig: Edmund, 315, 317 (Abb.); 140 (1950) 193 (Abb.); 142 (1951) 161/67. — Art Index (New York), Okt. 1941/Okt. 1952.

Craig, Edward Gordon, engl. Zeichner, Holzschneider, Radierer, Aquarellmaler, Bühnenbildner u. Kstschriftst., * 16. 1. 1872 London, ansässig in Newport, Mon. Sohn der Schauspielerin Ellen Terry. Vater des Vor.

Anfängl. Schauspieler, ging 1898 zur Graphik über. Angeleitet von James Pryde u. Wm. Nicholson. Reformator der modernen Bühnenkunst, über die er mehrere Schriften veröffentlicht hat. Siedelte 1904 von London nach Berlin über. 1906ff. in Florenz, 1912 in Moskau. Gründete 1913 in Florenz eine Schule für Bühnenmalerei. Als Holzschneider, besser Holzstecher, schuf C. Landschaften, Stadtansichten, Exlibris, Theaterfigurinen, Illustrat. (u. a. zu der Hamlet-Ausgabe der Cranach-Presse), Bühnenkostüme, Theaterprogramme usw. Als Bühnenbildner erklärter Feind jeder Wirklichkeitsvortäuschung, propagierte weitgehende Schmucklosigkeit der Bühne. Ging in der Vereinfachung des szenischen Apparats so weit, daß er die Mimik des Schauspielers durch die Maske des antiken Theaters ersetzte. Buchwerke: On the Art of the Theatre, 1911; Towards a New Theatre, 1913; The Theatre Advancing, 1921; Books and Theatres, 1925. — Aufsätze in der 1908 von ihm begründeten Vierteljahrszeitschr.: The Mask.

Lit.: Th.-B., 8 (1913). — The Encyclop. Brit., [14] 6. — Who's Who in Art, [3] 1934. — The Internat. Who's Who, [16] 1952. — Woodcuts and some Words, mit Vorwort von C. Dodgson, Lo. 1924. — Die Kunst, 30 (1914) 393ff. — The Print Coll.'s Quarterly, 9 (1922) 406/432, m. Abbn. — The Studio, 83 (1922) 313; 89 (1925) 119, m. Abb. — D. Cicerone, 16 (1924) 621f. — Artwork, 1 (1924/25) 157. — Maandbl. v. beeld. Kunsten, 3 (1926) 313/16, m. Abbn. — Brooklyn Mus. Quarterly, 1927, p. 29f. — Apollo (London), 8 (1928) 103f. — Revue de l'Art anc. et mod., 71 (1937) 110f. — Zeitschr. f. Kst, 1 (1947), H. 3, p. 44, 45. — J. Leeper, E. G. C., Designs for the Theatre, Lo. 1948. — Art Index (New York), 1928ff. passim.

Craig, Emmett, amer. Bildhauer, * 3. 3. 1878 De Witt, Mo., ansässig in Kansas City, Mo.

Schüler von Merrill Gage u. Wallace Rosenhomer. Bildnisbüsten in der Kansas City Public Library u. im Roosevelt Memorial Home in New York.

Lit.: Amer. Art Annual, 30 (1933). — Who's Who in Amer. Art, I: 1936/37.

Craig, Frank, engl. Maler u. Illustrator, * 27. 2. 1874 Abbey, Kent, † 1918 London.

Lit.: Th.-B., 8 (1913).

Craig, James Humbert, irisch. Landschaftsmaler, * 1878, † 1944 Caigalea, Bagnor, Grafsch. Down.

Lit.: Who's Who in Art, [3] 1934. — The Studio, 133 (1947) 21 (Abb.).

Craig, Robert C., amer. Maler, Lithogr. u. Rad., * Spencer, Ind., ansässig in Indianapolis, Ind.

Schüler von William Forsyth u. G. P. Ennis. Beschickt die Ausst. der Art Association of Indianapolis.

Lit.: Mallett. — Who's Who in Amer. Art, I: 1936/37.

Craig, Tom (Thomas), amer. Maler u. Illustr., * 16. 6. 1908, ansässig in Upland, Calif.

Schüler von Millard Sheets, F. Tolles Chamberlin, Clarence Hinkle, A. Dasburg, S. MacDonald-Wright. Illustr. zu: A Manual of So. California Botany. Kollekt.-Ausst. in den Rehn Gall. in New York, Nov. 1942.

Lit.: Mallett. — Who's Who in Amer. Art, I: 1936/37. — Art Digest, 17, Nr v. 1. 11. 1942, p. 17. — The Art News, 41, Nr v. 1. 11. 1942, p. 24. — Monro.

Craighill, Eleanor Rutherford, amer. Malerin, * 6. 10. 1896 Ft. Totten, N. Y., ansässig in Williamsburg, Va.

Schülerin von Robert Brackman u. Morris Kantor an der Columbia-Universität in New York und von André Strauss in Paris.

Lit.: Amer. Art Annual, 30 (1933). — Who's Who in Amer. Art, I: 1936/37.

Cram, Allen Gilbert, amer. Landschafts- u. Bildnismaler, Zeichner u. Illustr., * 1. 2. 1886 Washington, D. C., ansässig in Santa Barbara, Calif.

Schüler von Wm. Chase u. Ch. H. Woodbury. Illustr. zu „Old Seaports of the South", „Fifth Avenue", „Greenwich Village".

Lit.: Fielding. — Amer. Art Annual, 30 (1933). — Who's Who in Amer. Art, I: 1936/37.

Cram, siehe *Chantrier*, Marcellin.

Cramer, Florence, geb. *Ballin*, amer. Landschaftsmalerin, * Brooklyn, N. Y., ansässig in Woodstock, N. Y. Gattin des Folg.

Schülerin von Du Mond, Brush u. Harrison. Kollekt.-Ausst. in den Rudolph Gall. in Woodstock, Juli 1945.

Lit.: Fielding. — Amer. Art Annual, 30 (1933). — Who's Who in Amer. Art, I: 1936/37. — Art Digest, 19, Juli 1945, p. 6. — The Internat. Studio, Mai 1931, p. 82 (Abb.). — Monro.

Cramer, Konrad, amer. Maler u. Graph., * 9. 11. 1888, ansässig in Woodstock, N. Y. Gatte der Florence.

Stud. in Europa. Bild im Whitney Mus. of Amer. Art in New York.

Lit.: Fielding. — Amer. Art Annual, 30 (1933). — Who's Who in Amer. Art, I: 1936/37. — Monro.

Cramer, Marie (Rie), holl. Illustratorin u. Jugendschriftst., * 10. 10. 1887 Soekaboemi auf Java, ansässig im Haag.

Schülerin von Th. van Hoytema, W. v. Konijnenburg u. J. G. Veldheer. Pflegt Rad., Lithogr. u. Holzschnitt. Illustr. zu selbstverfaßten Kinderbüchern („Van meisjes en jongetjes", „Kindjesboek" u. a.) u. zu Märchenbüchern der Verlage W. de Haan, Utrecht, und A. Anton & Co., Leipzig.

Lit.: Plasschaert. — Wie is dat?, 1935. — Waay. — Waller. — Hall, Nrn 8444–8448. — De Cicerone (Haag), 1 (1918) 28/31, m. Abbn; 2 (1919) 13/18, m. 2 Abbn. — Elseviers' geïll. Maandschr., 1913, p. 313f., m. 1 Abb. — Morks' Magazijn, 1914, p. 401/408.

Cramer-Berke, Hubert, dtsch. Landschaftsmaler u. Rad., * 26. 9. 1886 Essen, ansässig ebda.

Schüler der Düsseldorfer Akad.

Lit.: Dreßler. — Die Kstwelt, Jg. II, Bd 3, Juni–Sept. 1913, p. 661 (Abb.).

Cramez, Heitor, portug. Maler, * 1889 Vila Real (Traz-os-Montes), ansässig in Porto.
Stud. an den Kstschulen in Porto u. Paris. Als Staatsstipendiat in Paris, Schüler von Marques de Oliveira u. Cormon. Prof. an d. Kstschule in Porto. Werke im Nat.-Mus. zeitgen. Kst in Lissabon u. im Mus. Nac. de Soares dos Reis in Porto.
Lit.: Pamplona, p. 305.

Crampton, Rollin McNeil, amer. Bildnismaler u. Illustr., * 9. 3. 1886 New Haven, Conn., ansässig in New York.
Schüler von Thomas Benton, der Yale School of Art u. der Art Student's League in New York. Illustr. zu „Century Magazine", „Harpers" u. „American".
Lit.: Amer. Art Annual, 30 (1933). — Who's Who in Amer. Art, I: 1936/37. — Fielding. — Art Digest, 19, Sept. 1945, p. 20 (Abb.); 20, Nr v. 15. 1. 1946, p. 15 (Abb.); 26, Nr v. 15. 12. 51, p. 18 (Abb.); 27, Nr v. 1. 1. 53, p. 19. — Art News, 50, Dez. 1951, p. 49 (Abb.); 51, Jan. 53, p. 67.

Cran, Jules, belg. Bildnis- u. Landschaftsmaler, * 10. 3. 1876 Thuin, † 1926.
Schüler der Brüsseler Akad. Im großen Saal des Rathauses in Thuin: Kain.
Lit.: Th.-B., 8 (1913). — Seyn, I.

Crane, Stanley William, amer. Maler, * 1905, ansässig in Woodstock, N. Y.
Lit.: Painting in the United States 1949. Ausst. Carnegie Inst. Pittsburgh, Kat. m. Taf. 58. — Art Digest, 23, Nr v. 15. 12. 1948, p. 13; 24, Nr v. 1. 5. 50, p. 33. — Art News, 49, Mai 1950, p. 61; 51, Dez. 52, p. 57.

Crane, Wilbur, amer. Maler, * 1875 New York, † Dez. 1934 New Rochelle, N. Y.
Lit.: Amer. Art Annual, 30 (1933). — Mallett. — New York Papers, 23. 12. 1934: Obituary.

Crantz, Bengt, schwed. Landschafts-, Stilleben- u. Figurenmaler, * 1916 Toarp, Västergötland, ansässig in Vänersborg.
Autodidakt.
Lit.: Thomæus.

Cranz, Erhard, dtsch. Maler, * 9. 7. 1901 Meißen, ansässig ebda.
Lernte 1916/21 an der Staatl. Porzellanmanuf. Meißen, 1923/24 an der Dresdner Akad. Bildnisse, Landschaften, Blumenstücke.

Cras, Monique, franz. Malerin u. Illustr., * Brest, ansässig in Paris.
Stellt seit 1925 bei den Indépendants aus.
Lit.: Joseph, I.

Craske, Leonard, engl. Genrebildhauer, * 1882 London, ansässig in Boston, USA.
Lit.: Fielding. — Who's Who in Amer. Art, I: 1936/37.

Cratz, Benjamin, amer. Maler, * 1. 5. 1886 Shanesville, Tuscarawas Co., O., ansässig in Toledo, O.
Schüler von George Elmer Browne, Ch. Woodbury u. der Akad. Julian in Paris. Bereiste Südfrankreich, Spanien u. Marokko. Kollektiv-Ausst. in den Babcock Gall. New York, April 1925.
Lit.: Amer. Art Annual, 30 (1933). — Who's Who in Amer. Art, I: 1936/37. — The Art News, 23, Nr 26 v. 4. 4. 1925, p. 1, m. Abb., 2.

Cravath, Ruth, amer. Bildhauerin, * 23. 1. 1902 Chicago, Ill., ansässig in San Francisco.
Schülerin von R. Stackpole, B. Bufano u. der California School of F. Arts. Relief (Barmädchen) in der Staatsbank in San Francisco.
Lit.: Amer. Art Annual, 30 (1933). — Who's Who in Amer. Art, I: 1936/37.

Craven, Jeanne, s. *Hargrove,* Ethel Cr.

Crawford, Arthur Ross, amer. Zeichner u. Maler, * 29. 7. 1885 Manistee, Mich., ansässig in Niles, Ill.
Schüler von W. P. Henderson u. W. J. Reynolds.
Lit.: Amer. Art Annual, 27 (1930) 519; 30 (1933).

Crawford, Brenetta, geb. *Hermann,* amer. Malerin, * 27. 10. 1875 Toledo, O., ansässig in Mentone, Frankr., Gattin des Folg.
Stud. an der Art Student's League in New York u. an der Acad. Colarossi in Paris.
Lit.: Amer. Art Annual, 30 (1933). — Who's Who in Amer. Art, I: 1936/37.

Crawford, Earl Stetson, amer. Maler u. Rad., * 6. 6. 1877 Philadelphia, Pa., ansässig in Mentone, Frankr., Gatte der Vor.
Stud. an der Pennsylv. Acad. of the F. Arts in Philadelphia, an den Akad. Delécluse u. Julian in Paris u. bei J. M. Whistler ebda. Associé der Pariser Soc. Nat. d. B.-Arts, Mitglied der Soc. Lyonnaise d. B.-Arts. — Wandmalereien im United States Court in San Francisco. Bilder im Reichsmus. Amsterdam, in Boymans Mus. Rotterdam, in der Art Gall. in Manchester u. im Christchurch Mus. in Neu-Seeland.
Lit.: Fielding. — Amer. Art Annual, 30 (1933). — Who's Who in Amer Art, I: 1936/37.

Crawford, Esther Mabel, amer. Malerin u. Graph., * 23. 4. 1872 Atlanta, Ga., ansässig in Los Angeles, Calif.
Schülerin von Whistler, Dow, Beck u. Alph. Mucha.
Lit.: Fielding. — Amer. Art Annual, 27 (1930) 519; 30 (1933). — Who's Who in Amer. Art, I: 1936/37.

Crawford, Ralston, kanad. Maler, * 25. 9. 1906 St. Catherines, Ont., Canada, ansässig in Exton, Pa.
Stud. an der Pennsylv. Acad. of the F. Arts in Philadelphia, bei Hugh Breckenridge u. an der Acad. Colarossi in Paris. Anhänger der abstrakten Richtung.
Lit.: Who's Who in Amer. Art, I: 1936/37. — Mallett. — Prisma (München), 1 (1947) H. 6, p. 37 (Abb.). — Museum News. Toledo Mus. of Art, 1950 Nr 120. — Thema (Gauting b. Münch.), 1949 50 H. 1, p. 19 (Abb.). — Art Index (New York), Okt. 1941 –Okt. 1952. — Monro.

Crawfurd-Jensen, Hans Fredrik, norweg. Architekt, * 8. 10. 1882 Kristiania (Oslo), ansässig ebda.
Stud. an der Zeichensch. in Oslo, 1904/06 an der Akad. f. Graph. Künste in Leipzig. Seit 1917 in Oslo ansässig, seit 1918 Staatl. Bauinspektor, seit 1937 Reichsarchitekt.
Lit.: Hvem er Hvem?, [4] 1938. — Vem är Vem i Norden, Stockh. 1941, p. 648.

Crawshaw, Lionel Townsend, engl. Maler (Öl u. Aquar.) u. Rad., * Warmsworth b. Doncaster, York, ansässig in Liverpool.
Stud. in Düsseldorf, Karlsruhe u. Paris. In der Gal. in Doncaster: Viehmarkt. Sein Bild: Prozession in der Kathedr. zu Amiens, wurde von der Königin Mary angekauft. Stellte 1907 in der Londoner Roy. Acad. aus. — Seine Gattin Frances, geb. *Fisher,* * 22. 9. 1876 Manchester, Malerin, Schülerin von Fulvia Bisi in Mailand, stellte in d. Londoner Roy. Acad. aus.
Lit.: Who's Who in Art, [3] 1934 — Bénézit, [2] 2.

Craxton, John, engl. Maler, * 1922 London.

Stud. am Goldsmiths' College u. an der Westminster School of Art. Reisen: Frankreich, Schweiz, Mittelmeer. Gehört zu den jüngeren Surrealisten in England. Stellte 1945 in der Leicester Gall. und der St. George Gall. in London, 1949 in d. London Gall. in New York aus.

Lit.: Architect. Review, 106 (1949) 129, m. Abb. — The Studio, 131 (1946) 66 (Abb.); 137 (1949) 48 (Abb.). — D. Werk (Zürich), 36 (1949), Sept.-H., Beil. p. 128 f., m. Abb.; 39 (1952) 200/04, m. 5 Abbn. — Kat. Expos. de la jeune peint. en Grande Bretagne, Gal. Drouin, Paris 1948 (mit Abbn).

Creal, James Pirtle, amer. Maler, * 5. 9. 1903 Franklin, Ky, † 27. 9. 1933 Denver, Colorado.

Schüler von John E. Thompson, weitergebildet in Europa. Vertreten in den Public Schools in Louisville, Ky.

Lit.: Who's Who in Amer. Art, I: 1936/37 p. 495.

Crealock, John, irischer Landschaftsmaler, * 12. 3. 1871 Dublin, ansässig in London.

Schüler von Anglada y Gandara in Paris. 2 Pariser Straßenveduten im Musée Carnavalet, Paris.

Lit.: Th.-B., 8 (1913). — Bénézit, ² 2.

Crecelius, Gustav, dtsch. Landsch.-, Blumen- u. Früchtemaler u. Holzschneider, * 1881 Karlsruhe, fiel 1914 am Donon.

Schüler von Schmid-Reutte u. Hans Thoma an der Karlsruher Akad. 2 Altarbilder in der Abteikirche St. Blasien im Schwarzwald.

Lit.: Beringer, Bad. Malerei i. 19. Jh., 1913, p. 148. — D. Cicerone, 7 (1915) 224. — Dtsche Kst u. Dekor., 37 (1915/16) 213f., m. 5 Abbn. — Die Kst, 31 (1914/15) 80.

Creeft, José de, span. Bildhauer, * 27. 11. 1884 Guadalajara (Neukastilien), ansässig in New York. Gatte der Alice Carr.

Schüler von Rodin u. Landowski; Mitgl. der Soc. du Salon d'Automne in Paris, des Salon des Tuileries u. des Salon des Indépendants ebda. Im Mus. in Brooklyn, N. Y.: Büste eines Seniten.

Lit.: Bénézit, ² 2. — The Art News, 32 (1933/34) Nr 5 p. 6, Sp. 5. — Brooklyn Mus. Quarterly, 26 (1939) 38, m. Abb. — Who's Who in Amer. Art, I: 1936/37, p. 115. — Art Index (New York), Okt.1942 –Okt. 1949.

Creekmore, Raymond, amer. Radierer u. Lithogr., * 5. 5. 1905 Portsmouth, Va., ansässig in Baltimore, Md.

Schüler von Ch. H. Walther, Henry Robey, J. Maxwell Miller u. Hans Schuler. Zeichner. Mitarbeiter des „Baltimore Sun" u. des „Evening Sun" (Baltimore).

Lit.: Who's Who in Amer. Art, I: 1936/37. — Mallett. — Amer. Artist, 8, Dez. 1944, p. 2 (Abb.).

Creixams, Pedro (Pierre), katal. Maler u. Illustr., * Barcelona, ansässig in Paris.

Stud. in Paris. Mitgl. der Soc. du Salon d'Automne. Stellt auch bei den Indépendants u. im Salon des Tuileries aus. Figürliches, Bildnisse, Landschaften. Illustr. zu: Baudelaire, A une Courtisane; A. Gaillard, Le Fond du Cœur; J. Paulhan, La guérison sévère; G. Pulings, Arrêts facultatifs.

Lit.: Bénézit, ² II. — L'Art vivant, 5 (1929) 899/901, m. 4 Abbn. — Beaux-Arts, 76 année Nr 325 v. 24. 3. 1939, p. 4.

Crema, Giov. Batt., ital. Genre-, Bildnis- u. Landschaftsmaler, * 13. 4. 1883 Florenz, ansässig in Rom.

Schüler von D. Ferri u. D. Morelli. Divisionist. Dekorat. Gem. in der Banca Popolare in Florenz. Gr. Altarbild (Hl. Franziskus) in d. Kirche in Predazzo.

Lit.: Th.-B., 8 (1913). — P. Scarpa, Cinquanta artisti ital. — Comanducci. — Chi è?, 1940. — Vita d'arte, 13 (1914) 75.

Cremer, Fritz, dtsch. Bildhauer (Prof.), * 22. 10. 1906 Arnsberg i. W., ansässig in Berlin.

4 Jahre Lehrzeit als Steinbildhauer, dann 4 Jahre in Essen praktisch als Gehilfe tätig. Seit 1929 in Berlin (bis 1933 Schüler von Gerstel), seit 1940 in Wien. Seit 1945 Prof. an d. Akad. Berlin; Mitgl. der Dtsch. Akad. d. Künste. Beeinflußt von Barlach u. Käthe Kollwitz. Figürliches, Bildnisbüsten (Tänzerin Marianne Vogelsang). Denkmäler für die Opfer des Faschismus in Auschwitz, Mauthausen u. Wien. Preis für Bildhauer in der Ausst. d. Akad. d. Kste, Berlin 1937.

Lit.: Werner, p. 195 (Abb.), 196, 206. — Aufbau, 6 (1950) 629/32, m. 3 Abbn. — D. Kunst, 75 (1936/37) 217 (Abb.). — bild. kst (Berlin), 3 (1949) 31, m. Abb., 339. — Bild. Kst (Dresden), 1953 H. 2, p. 37, 38 (Abb.). — D. Kstwerk, 5 (1951) H. 2, p. 39. — Westermanns Monatsh., 162 (1937) 257/59, m. Abbn. — Neues Deutschland (Berlin), 29. 7. u. 13. 8. 1949, m. Abbn. — Märkische Volksstimme (Potsdam), 21. 8. 1949, m. Abb. — Kat. d. Kstausst. „Künstler schaffen f. d. Frieden", Berlin 1. 12. 51–31. 1. 52, Abb. p. 50.

Cremer, Wilhelm, dtsch. Landschaftsmaler, * 9. 5. 1889 Unna, Westf., ansässig in Schweim, Westf.

Stud. an der Kstgewerbesch. in Kassel u. an d. Kstschule in Berlin. Bilder im Landesmus. in Münster i. W. u. im Rathaussaal in Unna.

Lit.: Dreßler.

Cremers, Maria, holl. Malerin u. Buchillustr., * 12. 1. 1874 Amsterdam, ansässig in Bussum.

Schülerin von A. Allebé, Georgine Schwartze u. Jan Veth.

Lit.: Wie is dat?, 1935. — Waay. — Waller. — De Vrouw en haar huis, 27 (1932/33) 296/99, m. Abbn.

Cremona, Italo, ital. Maler, * 18. 4. 1905 Cozzo Lomellina (Pavia), ansässig in Turin.

Schloß sich der surrealist. Richtung an.

Lit.: Emporium, 73 (1931) 51, m. Abb.; 94 (1941) 43 (Abb.). — Kat. d. Ausst.: Ital. Kst d. Gegenw., München u. a. O. 1950/51, u. d. 6. Quadriennale, Rom 1951/52, m. Abb.

Crenier, Camille, franz. Bildhauer, * 30. 4. 1880 Paris, fiel am 5. 3. 1915.

Schüler von Falguière u. Mercié. Stellte im Salon der Soc. d. Art. Franç. aus. 1908 Rompreis. Weitergebildet 3 Jahre an der Ec. de Rome. Machte sich nach s. Rückkehr in Boulogne-sur-Seine ansässig. Hauptsächlich Bildnisbüsten u. Genre.

Lit.: Th.-B., 8 (1913). — Ginisty, 1916, p. 67ff. — Joseph, I.

Crenier, Henri, franz. Bildhauer, * 17. 12. 1873 Paris, ansässig in Mamoraneck, N. Y.

Schüler von Falguière. Stellt seit 1892 im Salon der Soc. d. Art. Franç. aus. Bildnisbüsten, Genre. Im Metrop. Mus. in New York eine Bronzestatuette: Knabe mit Schildkröte. In der City Hall in San Francisco: Karyatiden. In Scarsdale, N. Y.: Denkmal f. Fenimore Cooper.

Lit.: Th.-B., 8 (1913). — Joseph, 1. — Who's Who in Amer. Art, I: 1936/37.

Crépaux, Raoul, franz. Marine-, Landschafts- u. Figurenmaler, * Villefranche-sur-Saône, ansässig in Neuilly-sur-Seine.

Schüler von J. Lefebvre u. T. Robert-Fleury. Mitgl. d. Soc. d. Art. Franç., beschickt deren Salon seit 1920 (Kat. z. T. m. Abbn).

Lit.: Joseph, I.

Crepaz, Alfred, öst. Bildhauer, * 1. 12. 1904 Linz a. D., ansässig in Wien. Sohn des Folg.

Schüler s. Vaters u. der Staatsgewerbesch. in Innsbruck. Absolvent der Akad. in Wien (Meisterklasse Müllner). — Längerer Aufenthalt in Rom, Reisen in Süditalien u. Dalmatien. Hauptsächlich Kirchenbildh. u. Porträtist. Altar in d. öst. Stiftungskap. in der Abteik. in Sion-Jerusalem (Stein); Denkmal für P. Heinrich Abel in Wien; Kriegerdenkmal in Häring i. Tirol; Rosa Mystica (Stein) im Petrinum in Schwaz; Herz-Jesu-Standbild (Ton) f. d. Park des Missionshauses in St. Gabriel b. Wien; Schutzmantelmad. (Kalkstein) f. d. Landeskrankenhaus in Mistelbach; Kreuzweg (Terrakotta) f. d. Salesianerk. in Wien; Kanzel (Eiche) mit Reliefdarstellg des Pfingstwunders f. d. Pfarrk. in Stadlau b. Wien.

Lit.: Tir. Anz., 1930 Nr 173; 1932 Nr 82; 1934 Nr 206; 1935 Nr 161, 215, 270; 1937 Nr 97, 193. — Innsbr. Ztg (I. Z.), 1934 Nr 79, 185, m. Abb. — Neueste Ztg, 135 Nr 29, m. Abb., 199, 205. — Kirchenkst, 7 (1935) 19. *J. R.*

Crepaz, Andreas, tirol. Bildhauer, * 10. 7. 1877 Crepaz-Buchenstein, ansässig in Hall i.T. Vater des Vor.

Stud. an d. Fachsch. in St. Ulrich in Gröden. Ließ sich nach mehrjähr. Tätigkeit in Bildhauerwerkstätten in Linz a. D., in Deutschland u. Frankreich 1910 in Hall i. T. nieder. Kruzifixus f. d. Dominikanerk. in Budapest; Altäre für New York (St. Josephs Institut), Chicago, Philadelphia, San Franzisko, Sarajewo, Velden a. Wörthersee (Hochaltar u. Seitenaltäre); Krippen, kirchliche Statuen.

Lit.: Hochenegg, Die Kirchen Tirols, 1935. — Christl. Kstblätter (Linz), 70 (1929) 111/14. — Tir. Heimatblätter, 1938, p. 348. — Tir. Anz., 1929 Nr 209; 1930 Nr 148, 173, 179; 1931 Nr 192; 1932 Nr 82; 1937 Nr 161; 1938 Nr 169. — Innsbr. Nachr., 1936 Nr 271. — Innsbr. Ztg, 1935 Nr 38; 1936 Nr 271, m. Abb. — Dolomiten, 1949 Nr 178, m. Abb. *J. R.*

Crepaz, Leo, tirol. Bildhauer, * 21. 3. 1908 St. Ulrich (Gröden), ansässig ebda.

Schüler s. Vaters Jakob C., Ludwig Moroders in St. Ulrich u. Arturo Martini's in Monza. Längere Zeit in Rom, Wien, Zürich u. Lugano. In d. St. Gertraudkirche in Wien-Währing: Gruppe der Caritas. Im Bes. der Stadt Bozen: Mad. mit Kind. — Koll.-Ausstellgn in der Gall. d'Arte Mod. in Mailand u. im Kstlerhaus in Wien.

Lit.: Atesia Augusta, 1941 Nr 4, m. Abb. — Dolomiten, 1934 Nr 62; 1938 Nr 38. — Öst. Kst, 8 (1937) 14f. *J. R.*

Crepet, Angelo Mario, ital. Landschaftsmaler, * Mestre, ansässig in Florenz.

Stellte zuerst 1906 in Mailand aus. Lehrtätig an der Akad. in Florenz. Bilder in den öff. Sammlungen in Venedig u. Rom.

Lit.: Emporium, 79 (1934) 308, m. 3 Abbn. — Kat. Ausst. zeitgen. toskan. Kstler, Ksth. Düsseldorf 1942, m. Taf.-Abb.

Crépin, Suzanne, franz. Landschaftsmalerin (Öl u. Aquarell), * Dünkirchen, ansässig in Paris.

Seit 1908 Mitgl. d. Soc. Nat. d. B.-Arts, beschickt deren Salon seit 1906. Bereiste Marokko.

Lit.: Bénézit, [2] 2 (1949). — L'Art et les Art., N. S. 6 (1922/23) 19f., m. 5 Abbn.

Crépy, Léon Gérard, franz. Bildnismaler (Öl u. Pastell), * 4. 7. 1872 Lille.

Schüler von L. Bonnat in Paris.

Lit.: Joseph, I.

Crespin, Louis-Charles, belg. Maler, * 2. 8. 1892 Saint-Josse-ten-Oode.

Schüler s. Vaters Adolphe (* 1859) u. der Brüsseler Akad. Kircheninterieurs, Bildnisse, Kartons für kirchl. Glasmalereien (N.-Dame de Victoire au Sablon in Brüssel, N.-Dame de l'Annonciation, ebda). — Bilder in den Museen in Saumur u. Bern u. im Städt. Mus. in Brüssel.

Lit.: Seyn, I, m. Fotobildn. — Joseph, I.

Cresseri, Gaetano, ital. Fresko-, Bildnis- u. Landschaftsmaler, * 30. 4. 1870 Brescia, † 17. 7. 1933 ebda.

Schüler von Bertini. Bilder im Pal. Comunale in Brescia u. in den Pfarrk. in Cologna u. Treviglio.

Lit.: Comanducci, m. Abb.

Cresson, Margaret, geb. *French,* amer. Bildhauerin, * 3. 8. 1889 Concord, Mass., ansässig in Glendale, Mass.

Schülerin ihres Vaters Daniel Chester French (1850–1931) u. des Abastenia St. L. Eberle. Hauptsächlich Bildnisbüsten u. -reliefs. In der Corcoran Gall. in Washington: Büste des Com. Richard E. Byrd.

Lit.: Fielding. — Amer. Art Annual, 30 (1933). — Who's Who in Amer. Art, I: 1936/37.

Creswell, Albert, franz. Bildnis-, Genre- u. Landschaftsmaler, * Paris, † 1936 ebda.

Schüler von Boulanger, J. Lefebvre u. L. O. Merson. Mitgl. der Soc. d. Art. Franç. (Salon-Kat. z. T. mit Abbn).

Lit.: Th.-B., 8 (1913). — Joseph, I.

Creswell, Emily Grace, engl. Miniatur- u. Pastellmalerin, * 1. 6. 1889 Ravenstone, Leicester, ansässig in Leamington.

Bildnisse u. Genreszenen.

Lit.: Who's Who in Art, [3] 1934.

Cret, Paul Philippe, amer. Architekt, * 1876, † 1945 Philadelphia, Pa.

Stud. an den Kstschulen in Paris u. Lyon. 1903/37 Zeichenprof. an d. Pennsylvania University. Bauten: Kunstschule des John Herron Art Inst. in Indianapolis, Ind.; Denkmäler für die im 1. Weltkrieg gefallenen Amerikaner in Varennes-en-Argonne, Fismes, Nantillois, Bellicourt (Aisne), Château-Thierry u. in Gibraltar; Pan-American-Union u. Shakespeare-Bibliothek in Washington, D. C.; Brücken in Philadelphia; Inst. of Art in Detroit; Federal Reserve Bank in Philadelphia. — Gedächtnis-Ausst. in der Philadelphia Art Alliance, Febr. 1946.

Lit.: Amer. Art Annual, 27 (1930) p. 9, 14 (4×). — The Internat. Who's Who, [8] 1943/44. — Architecture, 1929 p. 403/08; 1930 p. 33/38; 1933 p. 73/92. — Art et Décor., 25 (1921) 2f., m. Abb. — Amer. Inst. of Architects. Journal, 3 (1945) 28, 161/63, 199f.; 4 (1945) 178, 281/88. — Architect. Forum, 83 (1945) 178. — Architect. Record, 98 (1945) 172. — Museum News, 23, Nr v. 1. 10. 1945, p. 3. — Roy. Inst. of Brit. Architect. Journal, ser. 3, Bd 53, Nov. 1945, p. 26. — Art Digest, 20, Nr v. 1. 2. 1946, p. 27.

Creten, Georges, gen. *Creten-Georges,* belg. Maler (Öl, Pastell, Aquar.), * 1887 Saint-Gilles (Brüssel), † 1945.

Figürliches, Bildnisse, Interieurs, Landschaften, Stilleben. Zuerst Impressionist, ging später zum Expressionismus über. Im Mus. Gent ein Karton (Frauenkopf). Koll.-Ausst. Febr. 1930 in d. Gal. „Le Centaure", Brüssel.

Lit.: Seyn, I. — Kstchronik, N. F. 27 (1916) 252f. — Cahiers de Belgique, 1930 p. 75/84, m. 9 Abbn. — Le Centaure (Brüssel), 1 (1926) 62f.; 4 (1929/30) 81f., m. Taf. — Emporium, 84 (1936) 274 (Abb.), 275.

Cretté, Albert, franz. Bildhauer, * Vannes (Morbihan), ansässig in Paris.
Stellt seit 1925 bei den Indépendants aus. Figürliches, Bildnisse (Holz u. Stein).
Lit.: Joseph, I.

Cretté, Georges, franz. Bucheinbandkünstler, * 6. 6. 1893 Créteil (Seine), ansässig in Paris.
Gr. Preis auf der Expos. d. Arts Décorat., Paris 1925. Stellt seit 1924 im Salon des Art. Décorat. aus.
Lit.: Joseph, I. — Art et Décor., 1927/I p. 172 (Abb.). — Arts et Métiers graph., Nr 59 (1937) p. 55/63 passim, m. Abb.

Creutz, Curt, dtsch. Maler, * 19. 3. 1900 Radeburg, ansässig in Dresden.
Schüler von P. Rößler in Dresden. Tätig in d. verschiedensten Techniken (Fresko, Glas- u. Emailmalerei, Aquarell). Glasgemälde in der Lutherkirche in Crimmitschau, im Bahnhofsgeb. in Zwickau u. im Hauptstaatsarchiv in Dresden.

Creutz, Magnus, schwed. Maler u. Graphiker, * 1909 Borg, Östergötland, ansässig in Stockholm.
Stud. an der Akad. in Stockholm. Studienaufenthalte in Frankreich, Italien, Jugoslawien u. Norwegen. Figürliches, Landschaften, Hafenansichten. Bild im Institut Tessin in Paris.
Lit.: Thomœus.

Creuzevault, Louis Lazare, franz. Bucheinbandkünstler, * 3. 6. 1879 Saint-Emiland.
Mitgl. der Association Nat. du Livre d'Art franç. Medaillen auf der Ausst. im Mus. Galliera 1927 u. im Salon des Art. Décorat. 1929.
Lit.: Joseph, I.

Creuzinger, Erno, dtsch. Architektur- u. Landschaftsmaler, Architekt u. Gebrauchsgraph., * 3. 10. 1891 St. Avold, ansässig in Berlin.
Malschüler von Jos. Rummelspacher u. Wilh. Müller-Schönefeld, als Architekt Schüler von Bernh. Sehring.
Lit.: Dreßler.

Crevel, René, franz. Maler, Glasmaler, Raumkünstler u. Entwurfzeichner für Textilien, * Rouen, ansässig in Paris.
Mitgl. der Soc. des Art. décor. Stellt seit 1920 auch im Salon d'Automne aus: Bildnisse, Landschaften, Marinen. Glasmalerei (Pietà) in d. Kirche in Seul (Ardennes). Ausstattung des Théâtre de l'Avenue in Paris.
Lit.: Bénézit, [2] 2 (1949). — La Renaiss. de l'Art franç., 8 (1925) 6f., m. Abb.; 12 (1929) 42 (Abbn), 253 (Abb.), Abb. geg. p. 258. — L'Architecture, 1925, p. 165/74 passim, m. Abbn.

Creytens, Julien, belg. Maler (Prof.), * 28. 3. 1897 Wyngene (Westfland.), ansässig in Antwerpen.
Schüler von I. Opsomer. Bildnisse, Akte, Landschaften, Marinen, Stilleben. 1. Rompreis 1925. Gr. Westflandernpreis 1926. Prof. am Inst. Sup. d. B.-Arts in Antwerpen. Arbeiten in den Museen Antwerpen, Lüttich, Löwen, Lausanne.
Lit.: Bénézit, [2] II (1949).

Cribb, Preston, engl. Radierer u. Illustr., * 17. 7. 1876 Portsmouth, ansässig in Birmingham.
Stud. in Portsmouth u. London.
Lit.: Who's Who in Art, [3] 1934.

Crida, Paolo Giovanni, piemont. Genre-, Landschafts-, Stillebenmaler u. Freskant, * 30. 11. 1886 Graglia (Biella).
Schüler von Grosso u. Ferro in Turin.
Lit.: Comanducci.

Crimi, Alfredo De Giorgio, sizil.-amer. Maler (bes. Freskant), * 1. 12. 1900 Messina, ansässig in Bronx, N. Y.
Schüler der Nat. Acad. of Design in New York u. von Tito Venturini Paperi in Rom.
Lit.: Amer. Art Annual, 30 (1933). — Fielding. — Who's Who in Amer. Art, I: 1936/37. — Art Index (New York), Okt. 1941/Okt. 1949. — Monro.

Crisconio, Luigi, ital. Maler, * 1893 Neapel, † 1946 Portici di Napoli.
Stud. 7 Jahre am Ist. di B. Arti in Neapel; Lehrer: Mich. Cammarano u. Vinc. Volpe. Verist. Ging von einer heiteren Lichtmalerei zu einer dramatischen, gefühlsbetonten Malerei über. Knüpft an die Gruppe „Repubblica di Portici" an. Beschickte u. a. die Quadriennali in Rom, wo 1948 eine kleine Retrospektive stattfand; ferner die 17., 19., 20., 22. u. 23. Biennale in Venedig, in der letztgenannten mit einer Sammelschau. Weitere retrospektive Ausstellgn in d. Gall. Florida in Neapel Mai 1946 u. in der Gall. Giosi in Rom März 1947. Bild: Das rote Haus, in der Gall. Naz. d'Arte Mod. in Rom.
Lit.: Emporium, 70 (1929) 244; 72 (1930) 310, 311 (Abb.). — Florida (Neapel), Sommer 1946. — Il Giornale (Neapel), 6. 4. 1947. — Il Giornale d'Italia (Mailand), 28. 10. 1937. — Rinascita, 4 (Januar/Februar 1947) p. 34/37. — Roma (Neapel), 11. 3. 1943, — Roma d. Domenica (Neapel), 31. 7. 1938. — Sud (Neapel), 15. 5. 1946. — Tempo (Mailand), 14. 3. 1940. — La Voce (Neapel), 5. 5. 1946. *A. Gabrielli.*

Crismane, Georges Charles, franz. Landschaftsmaler, * Langres, ansässig in Paris.
Stellt seit 1926 bei den Indépendants aus.
Lit.: Joseph, I.

Crisp, Arthur, kanad. Wandmaler, * 26. 4. 1881 Hamilton, Can., ansässig in New York.
Schüler der Art Student's League in New York. Bilder mit Szenen aus Shakespeare'schen Dramen im dort. Belasco-Theater. Weitere Wandmalereien u. a. im Robert Treat Hotel in Newark, N. J., im Mark Twain Hotel in Elmira, N. Y., im Parlamentsgeb. in Ottawa, Can., im Auditorium des Greenwich House in New York u. in der Kanad. Bank in Toronto, Can.
Lit.: E. H. Blashfield, Muralpainting in Amer., 1914, m. Taf. geg. p. 82. — Fielding. — Amer. Art Annual, 30 (1933). — Who's Who in Amer. Art, I: 1936/37. — The Studio, 64 (1915) 212; 67 (1916) 270. — Monro.

Crisp, Francis Edward, engl. Maler u. Illustr., * 1880, fiel Januar 1915 in Frankr.
1907 Gold. Med. der Londoner Roy. Acad. für ein Historienbild. Kollektiv-Ausst. (Ölgem. u. Aquar.) in London 1913.
Lit.: Amer. Art News, 13, Nr 17 v. 30. 1. 1915, p. 4.

Crispolti (Crispoldi), Benvenuto, ital. Maler, * Spello bei Perugia, † 14. 8. 1923 ebda.
Deckenmalereien im Trauungssaal des Pal. Municip. in Foligno. Hat sich auch bildhauerisch betätigt.
Lit.: Pagine d'Arte, 7 (1919) 67f., m. Abb. — La Tribuna, v. 19. 10. 1910.

Criss, Francis, engl. Stilleben-, Landsch.- u. Bildnismaler, * 26. 4. 1901 London, ansässig in New York.
Schüler der Pennsylv. Acad. of the F. Arts in Philadelphia u. der Art Student's League in New York. Bilder im Whitney Mus. of Amer. Art in New York

u. im La France Art Inst. in Philadelphia. Vertreten im Detroit Inst. of Arts u. im Whitney Mus. of Amer. Art in New York.

Lit.: Who's Who in Amer. Art, I: 1936/37. — Amer. Artist, 5, Februar 1941, p. 12 (Abb.). — Magaz. of Art (Washington, D. C.), 35 (1942) 279 (Abb.). — The Studio, 117 (1939) 86, 237 (Abbn). — Monro.

Crissay, Marguerite, franz. Figurenmalerin, * Mirecourt (Vosges), † Juli 1945 Paris.

Stellte seit 1921 im Salon d'Automne, seit 1923 auch bei den Indépendants u. im Salon des Tuileries aus. Hauptsächlich Akte.

Lit.: Joseph, I. — P. Dermée, M. C. (Coll.: L'Art d'aujourd'hui), Paris 1923. — Revue de l'Art anc. et mod., 51 (1927/I), Suppl. p. 120 (Abb.). — Beaux-Arts, 1. 3. 1946 p. 6 (Abb.). — Bénézit, [2] 2.

Crist, Richard Harrison, amer. Wand- u. Bildnismaler u. Lithogr., * 1. 11. 1909 Cleveland, O., ansässig in Pittsburgh, Pa.

Schüler von Louis Ritman, Boris Anisfeld u. Dav. Siqueiros. 5 Industriebilder im Pennsylvania State College; Wandgemälde in öff. Schulen in Pittsburgh.

Lit.: Who's Who in Amer. Art, I: 1936/37. — Monro.

Cristescu-Delighioz, Ecaterina, rumän. Malerin, * 1902 Tulcea, lebt in Bukarest.

Stud. an der Kunstsch. in Bukarest, dann an der Grande Chaumière in Paris. Zeichng im Mus. Toma Stelian in Bukarest (Kat. 1939).

Cristiani, Giuseppina, ital. Malerin, † 4. 7. 1922 Lucca, 27jährig.

Schülerin von Marcucci u. Plinio Nomellini. Landschaften, Bildnisse, Figürliches. Gedächtnis-Ausst. April 1923 in Lucca.

Lit.: Giornale d'Italia, 7. 4. 1923, p. 3, m. 2 Abbn.

Cristiani, Mateo, dtsch. Maler u. Graphiker, * 5. 10. 1890 Frankfurt a. M., ansässig ebda.

Stud. am Städel-Instit. in Frankfurt u. an der Debschitz-Schule in München. Buchwerk: Das Kinder-Abc. 5 Federzeichnungen im Städt. Hist. Mus. in Frankfurt.

Lit.: Dreßler. — Die Kst u. das schöne Heim, 49 (1950/51) H. 3, Beibl. p. 46.

Cristino da Silva, Luiz, portug. Architekt, * 21. 5. 1896 Lissabon, ansässig ebda.

Sohn des Malers João Ribeiro C. da S. Stud. an d. Kunstsch. in Lissabon, an der Pariser Ec. d. B.-Arts u. im Atelier Laloux. Schüler von José Luiz Monteiro. Valmor-Preis (3 Jahre Auslandsstudium) 1920–23; Ehrenmed. der Soc. Nat. d. B.-Arts Paris; Bronzemed. der Soc. d. Art. Franç.; Valmor-Preis 1945. Seit 1933 Prof. f. Architektur an der Kunstsch. in Lissabon; seit 1945 Mitgl. des Conselho Sup. de Obras Públicas. — Hauptwerke: Lyzeum Fialho de Almeida in Beja; Kinotheater Capitólio in Lissabon; Lyzeum der Infantin D. Maria in Coimbra; Caixa Geral de Depósitos, Credito e Providência de Guarda in Leiria; Casino da Praia de Monte Gordo; Ehrenpavillon u. Lissaboner Pavillon auf der Ausst. „Mundo Portug.", Lissabon 1940; Bebauung der Praça Arieiro in Lissabon; Gartenanlagen im Pal. de Assembleia Nac. ebda; Plan zur Wiederherstellung des „Hauses der Livia" auf dem Monte Palatino in Rom.

Lit.: Gr. Encicl. Port. e Brasil., VIII 93. — Quem é Alguém, 1947 p. 256.

Crnčić, Menci Klement, kroat. Landschaftsmaler u. Radierer (Prof.), * 3. 4. 1865 Novagradiska, † Dez. 1930 Zagreb (Agram).

Stud. an den Akad. in Wien u. München, dann an der Spezialsch. Ungers in Wien. Prof. an d. Kstschule in Zagreb. Bilder in der Akad.-Gal. in Zagreb u. in den Gal. in Belgrad u. Sofia. Graph. Folge: Motive aus d. kroat. Küstenland (V. A. Heck, Wien).

Lit.: Th.-B., 8 (1913). — Kat. d. Ausst. Kroat. Kst, Berlin, Pr. Akad. d. Kste, Jan./Febr. 1943, p. 10, 18. — Beaux-Arts, 8 (1930) Nr 12 p. 27. — Szendrei-Szentiványi.

Crnobori, Josip, kroat. Maler.

Zeigte auf d. Ausst. Kroat. Kst in Berlin 1943: Dominikaner, Mädchen mit Buch u. 2 Landschaften.

Lit.: Kat. d. Ausst. Kroat. Kst. Berlin, Pr. Akad. d. Kste, Jan./Febr. 1943, p. 14, 18.

Croatto, Bruno, ital. Maler u. Rad., * 12. 4. 1875 Triest, ansässig in Rom.

Stud. an der Akad. in München. Stilleben, Landschaften, Bildnisse, Akte. Seit 1908 hauptsächl. Radierer. Bild: Meditation, im Mus. Revoltella in Triest. Stellte im Salon der Soc. d. Art. Franç. in Paris 1930 ein Selbstbildn. aus (Abb. im Kat.). Mappenwerk: Sicilia (10 Rad.).

Lit.: Th.-B., 8 (1913). — Comanducci, m. Abb. (Selbstbildn.). — Bénézit, [2] 2 (1949). — Emporium, 69 (1929) 245 (Abb.); 95 (1942) 127f., m. Abb.

Crocetti, Venanzo, ital. Bildhauer, * 3. 8. 1913 Giulianova (Teramo), lebt in Venedig.

Autodidakt.

Lit.: Emporium, 79 (1930) 382 (Abb.), 385 (Abb.); 81 (1935) 102, 114 (Abb.); 84 (1936) 129, 148 (Abb.); 85 (1937) 49; 94 (1941) 30, 91 (Abb.). — La Renaiss., 1935, p. 41ff. passim, m. Abb. — L'Arte, N. S. 10 (1939) 213f. — Kat. d. 6. Quadriennale, Rom 1951/52, m. Abb.

Crodel, Carl (Charles), dtsch. Maler, Graph., Entwurfzeichner für Glasmalerei, Mosaik u. Textilien (Prof.), * 16. 9. 1894 Marseille, von dtsch. Eltern, ansässig in München.

Kam 15jähr. nach Deutschland. Lernte Lithograph. Stud. 1918ff. Kstgesch. u. Archäologie an d. Univ. Jena. Als Maler Autodidakt. Beeindruckt durch die Werke Edw. Munch's u. E. L. Kirchners. Pflegte anfängl. den Holzschnitt, später hauptsächl. die farb. Lithographie. Tiere u. Figürliches. Märchenhaft-naiver Ton in seinen Graphiken. Studienaufenthalte in Schweden, Dänemark, Frankreich, Griechenland u. Spanien. Lehrtätig für Malerei u. Graphik 1927/33 u. wieder seit 1946 an der Kstschule Giebichenstein b. Halle; 1930 Dürer-Preis d. St. Nürnberg, 1951 an die Hochschule f. bild. Kste in München berufen. Während des Naziregimes verfemt. Phantasievoller Fabulierer von lyrisch-heiterem Naturell. Figürl. Dekorationen in blassen, gedämpften Gobelinfarben. Wandbild (in Kaseïnfarben) mit Szenen aus der Gesch. Griechenlands (Vertreibung der Türken aus Athen u. a.) im Archäolog. Mus. der Univers. Jena. Weitere Wandmalereien im Wartezimmer des Standesamtes Halle-Süd u. im Musikzimmer des Studentenheims der Univers. Halle. Malt in allen Techniken (bes. Aquarell u. Tempera). Farbige Lithogr. (Mädchen mit Ziegen; Maitag; Kamele; Puten vor einem Wald), farb. Holzschnitte (Kühe in schwed. Nacht; Kurve bei Probstzella), Radierungen (Fußgänger), sämtl. auf eigener Presse gedruckt. Entwürfe für Mosaiken (u. a. in d. kath. Kirche St. Martin in Berlin-Kaulsdorf, in d. Kapelle des St. Gertrauden-Krankenhauses in Berlin-Wilmersdorf, in d. Kirche in Berlin-Britz u. im Neuen Hospital in Erfurt), Glasbilder, Intarsien, Keramiken, Wandbehänge usw. Buchwerk: Erschreckliche Geschichte vom Hühnchen u. vom Hähnchen, geschr. u. gez. von C. C., Verlag E. A. Seemann, Leipzig 1949. Als Maler vertreten im Mus. in Erfurt. Umfassende Kollekt.-Ausstellgn: 1923 in der Gal. Ferd. Möller, Berlin; 1924 im Kupferstichkab. des Suermondt-Mus. in Aachen; 1943 bei Günther Franke, München; 1948 im Anger-Mus. in Erfurt (ill. Kat.) u.

in d. Gal. Henning in Halle; 1950 im Kstsalon Otto Fischer in Bielefeld.

Lit.: Dreßler. — G. Händler, C. C. Mosaiken, Glasmalereien, Wandbebänge usw. (Werkstattbericht d. Kstdienstes, 24), Berl. 1942. — bild. kunst, 3 (1949) 326 (Abb.). — D. Cicerone, 15 (1923) 429f., 446; 16 (1924) 728, 916ff., m. Abbn, 1148; 17 (1925) 1068; 18 (1926) 534. — glanz, 1949, H. 5, p. 10, m. Abb. — Jahrb. d. Jungen Kst, 5 (1924) 456/61, m. 7 Abbn. — Die Kst, 65 (1931/32) 62 (Abb.). — Kst u. Kstler, 21 (1922/23) 272; 24 (1925/26) 244f., m. Abb.; 28 (1929/30) 75 (Abb.); 29 (1930/31) 419/22, m. Abb.; 31 (1932) 418 (Abb.). — D. Kstblatt, 4 (1920) 181 (Abb.), 182; 7 (1923) 210f., m. Abb., 362; 8 (1924) 196f. (Abbn); 10 (1926) 174 (Abb.). — Kstchronik, N. F. 35 (1925/26) 690. — Zeitschr. f. Kst, 2 (1948) 46/48 (Abbn), 56/59; 4 (1950) 260/64, m. Abbn, 270, 274f. (Abbn), 277 (farb. Abb.), 279. — D. Weltkst, 21 (1951) Nr 11 p. 9. — Freiheit (Halle), 11. 3. 1948. — Kat. d. Ausst.: Kstler d. Ostzone, Augsburg, Schaezler-Palais, Aug./Sept. 1947, m. Abb.

Croft, Marjorie, geb. *Hall*, engl. Malerin (Öl u. Aquar.) u. Rad., * 28. 10. 1889 Hythe, Kent, ansässig in Penshurst, Kent.

Lit.: Who's Who in Art, [3] 1934.

Crofts, Stella Rebecca, engl. Tiermodelleurin u. Keramikerin, * 9. 1. 1898 Nottingham, ansässig in Billericay, Essex.

Stud. am Roy. Coll. of Art in London. Proben ihrer eigenhändig gebrannten u. glasierten Keramiken (Giraffen, Zebra, Elefant, Pferde, Jaguar, Pelikane) in der Art Gall. in Manchester u. im Hanley Mus. in Stoke-on-Trent.

Lit.: Who's Who in Art, [3] 1934. — The Studio, 84 (1922) 133, 134; 91 (1926) 34 (Abb.), 352, m. Abb. — Artwork, 1 (1924/25) p. 168 (Abb.). — Apollo (London), 8 (1928) 237, m. Abb.

Croin, Josephus, holl. Maler, * 1894, ansässig in Paris.

Kurze Zeit Schüler der Akad. in Amsterdam. Im übrigen Autodidakt. Stilleben, Straßenansichten, Akte.

Lit.: Waay. — Waller. — C. Veth, J. C., A'dam 1947. — Elsevier's geïll. Maandschr., 61 (1921) 355–58, m. Abbn; 83 (1932) 149/51, m. Abbn. — Maandbl. v. beeld. Kunsten, 2 (1925) 218; 15 (1938) 188, m. Abb.; 22 (1946) 38/40 passim; 23 (1947) 225. — Beaux-Arts, 10. 10. 1947, p. 4, m. Abb. — Kroniek v. Kst en Kultur, 8 (1947) 326 (Abb.); 9 (1948) 28.

Croin, Mauja Johanna Alexandra, geb. Baronesse *v. Engelhardt*, lettische Malerin, * 6. 6. 1895 Dorpat (Tartu), lebt im Haag.

Schülerin von Toon Dupin. Bild im Mus. in Hagen.

Lit.: Waay.

Croissant, August, dtsch. Landschaftsmaler (Öl u. Aquar.), * 6. 2. 1870 Landau (Pfalz), ansässig in Edenkoben. Vater des Folg.

Anfangs Stubenmaler. Stud. an d. Kstgewerbesch. in Nürnberg, dann an den Privat-Schulen Debschitz u. Leonhard in München, wo er mit Lenbach u. Stuck in Berührung kam. Studienreisen in Italien, Ägypten u. Palästina. Illustr. zu Pfälz. Volksliedern und den Schriften des Pfälz. Mus. u. des Pfälzer Waldvereins. Entwürfe für Möbel u. Innenausstattungen. Kollektiv-Ausst. anläßl. s. 60. Geburtstages Februar 1930 im Pfälz. Kstverein.

Lit.: Pfälz. Museum usw., 40 (1924) 178; 47 (1930) 38. — Münchner Ztg, Nr 30 v. 1. 2. 1930.

Croissant, Eugen, dtsch. Landschaftsmaler (bes. Aquar.), Illustr. u. Karikaturenzeichner, * 18. 10. 1898 Landau (Pfalz), ansässig in Breitbrunn a. Chiemsee. Sohn des Vor.

Stud. an der Kstgewerbesch. u. Akad. München. Zeichnet seit 1923 für die „Fliegenden Blätter". Signiert seine Zeichnungen mit dem Halbmond. Bereiste Albanien, Griechenland, die Türkei, Tunis, Italien u. Frankreich. Arbeiten in d. Nat.-Gal. Berlin, in d. Ksthalle Mannheim u. in d. Städt. Gal. München.

Lit.: Dreßler. — Breuer, m. 8 Abbn. — Velhagen & Klasings Monatsh., 45/II (1930/31) 672 (Abb.). — Pfälz. Mus., 40 (1923) 187. — Kat. Ausst. „Junge Künstler", Fränk. Gal. Nürnberg 1942, m. Abb. 11. — Der Türmer, Januar 1941, farb. Taf.-Abb. vor p. 189. — Kat. d. Ausst. Junge Kst im Dtsch. Reich, Wien 1943, m. Abb. 43.

Croissant, Hermann, dtsch. Landschaftsmaler u. Graph., * 17. 7. 1897 Landau (Pfalz), ansässig ebda. Neffe des August.

Stud. an den Akad. in Karlsruhe (Haueisen) u. München (Becker-Gundahl). In der Pfälz. Gal. in Kaiserslautern: Pferd im Schnee; im Bes. der Regierung Pfalz-Speyer: Pfälz. Landschaft; in der Städt. Smlg in Lesina, Dalmatien: Blick auf Lesina. Wandbilder im Kreisratsaal in Speyer (Landsch. m. Weidevieh) u. im Bezirkstagsaal in Kusel.

Lit.: Dreßler. — D. Bayerland, 45 (1934) 362, m. Abb. — Pfälz. Mus. usw., 40 (1923) 187; 48 (1931) 375, 380/83 (Abbn).

Croix, Jean Roger, franz. Landschaftsmaler, * Périgueux, ansässig in Paris.

Stellt seit 1925 bei den Indépendants aus.

Lit.: Joseph, I.

Croke, Lewis Edmund, engl. Pastellzeichner, Lithogr. u. Rad., * 21. 7. 1875 London, ansässig ebda.

Autodidakt. Hauptsächl. Landschafter.

Lit.: Who's Who in Art, [3] 1934.

Crol, Gerhard Cornelis, holl. Stilleben- u. Bildnismaler, * 1. 3. 1882 Rotterdam, lebt in Enschede.

Schüler von Maasdijk u. Oldewelt an der Rotterd. Akad. Bild im Mus. in Enschede.

Lit.: Waay.

Cromarty, Margaret, kanad. Malerin, * 7. 8. 1873, ansässig in Pensacola, Florida.

Stud. an der Scranton School of Design.

Lit.: Amer. Art Annual, 30 (1933). — Who's Who in Amer. Art, I: 1936/37.

Crommelinck, Gustave, belg. Landschaftsmaler, * 1883 Gent.

Schüler von L. Tytgadt u. Jean Delvin an der Genter Akad. Bild im Mus. Tournai.

Lit.: Seyn, I.

Crommelynck, Robert, belg. Maler u. Rad., * 17. 3. 1895 Lüttich, ansässig ebda.

Schüler der Akad. Lüttich. Bildnisse, Figürliches, Landschaften, Stilleben, bibl. Vorwürfe. 3 Bilder im Mus. Lüttich: Bildnis des Vaters des Künstlers; Breton. Landsch.; Mädchen mit Lilien.

Lit.: J. Bosmant, R. C., Verviers 1933. — Seyn, I. — Marlier, p. 105ff., m. Abb. 64 (Albert C.!). — Bull. de la Soc. Roy. „Le vieux Liège", 73 (1947) 205ff. passim. — Gand artist., 1931 p. 70/79, m. 7 Abbn. — Rétrospective R. C., Lüttich, Mus. d. B.-A., April/Mai 1947. Ill. Kat. mit Einführ. von J. Bosmant.

Crommie, Michael James, amer. Maler, * 1889 New York, ansässig ebda.

Lit.; Amer. Art Annual, 30 (1933).

Crompton, Gertrude, siehe *Hall*, G.

Crompton, Mabel Ann Elizabeth, engl. Bildnis-, Landsch.-, Marine-, Tier- u. Blumenmalerin, * Southport, ansässig in Mytholmroyd, W. Yorks.

Stud. am Roy. Coll. of Art in London.
Lit.: Who's Who in Art, [2] 1934.

Cromwell, Joane, amer. Malerin, * Lewistown, Ill., ansässig in Glendale, Calif.

Schülerin des Art Institute in Chicago. Bilder u. a. in der Laguna Beach Art Gall., in der Illinois Acad. of F. Arts u. in der Gal. des Staatskapitols in Springfield, Ill.
Lit.: Amer. Art Annual, 30 (1933). — Who's Who in Amer. Art, I: 1936/37.

Cron, Nina Nash, amer. Miniaturmalerin, * 28. 4. 1883 Spokane, Wash., ansässig in Philadelphia.

Schülerin von Elsie Dodge Pattee, Mabel Welch u. Amelia Puller.
Lit.: Fielding. — Who's Who in Amer. Art, I: 1936/37. — Amer. Art Annual, 30 (1933).

Crona, Georg, schwed. Aquarellmaler u. humorist. Zeichner, * 1901 Hälsingborg, ansässig ebda.

Lit.: Thomœus.

Cronbach, Robert, amer. Bildhauer, * 10. 2. 1908 St. Louis, Mo., ansässig in New York.

Schüler der Pennsylv. Acad. of the F. Arts u. der Washington Univ. School of F. Arts.
Lit.: Who's Who in Amer. Art, I: 1936/37. — Art Digest, 21, Nr v. 15. 12. 1946, p. 6 (Abb.). — Architect. Forum, 89 (1948) 101. — Amer. Artist, 15 (1951) Sept.-H., p. 57 (Abb.).

Crone, Ernst, dtsch. Landschafts- u. Porträtmaler (Öl u. Aquar.), * 1894 Neunkirchen (Saar).

Lit.: Das sind Wir. Heidelberger Bildner usw., 1934, p. 83 (Abb.), 84, 85 (Abb.).

Crone, Wilhelm von der, dtsch. Maler, * 15. 2. 1901 Lüdenscheid i. W., ansässig in Kurtatsch (Südtirol).

Stud. an den Akad. Nürnberg u. München. Seit 1931 in Südtirol. Landschaften, Blumenstücke, Bildnisse. Hauptsächl. Aquarellist u. Zeichner.
Lit.: Dolomiten, 1947 Nr 290. *J. R.*

Croner, Gustav, schwed. Maler u. Radierer, * 1889 Falun, ansässig in Stockholm.

Stud. an der Radiersch. der Akad. Stockholm. Hauptsächlich Landschaften (bes. Waldmotive), Marinen mit Schiffen. Bild im Hist. Mus. in Stockholm.
Lit.: Thomœus.

Cronk, Marian Truby, amer. Maler, * 18. 9. 1906 Coffeyville, Kans., ansässig in Denver, Colorado.

Lit.: Amer. Art Annual, 30 (1933). — Who's Who in Amer. Art, I: 1936/37.

Cronstedt, Olga, geb. *Eliena*, russ.-schwed. Landschafts-, Bildnis- u. Blumenmalerin, * 1908 auf der Krim, ansässig in Stockholm.

Stud. in London. Hafenansichten mit Schiffen, Alpenlandschaften.
Lit.: Thomœus.

Crook, Susan Lee, amer. Porträtmalerin, * 27 10. 1908 Columbus, Ga., ansässig in Philadelphia, Pa.

Schülerin der Pennsylv. Acad. of F. Arts.
Lit.: Who's Who in Amer. Art, I: 1936/37.

Crooke, Muriel Elise, engl. Tier- u. Landschaftsmalerin u. Rad., * 14. 6. 1901 Egremont, ansässig in Wallasey, Cheshire.

Stud. bei V. F. Delbos u. bei A. Brown in Paris. Bild im Bes. des franz. Staates.
Lit.: Who's Who in Art, [2] 1934. — Bénézit, [2] 2.

Crooks, Forrest C., amer. Illustrator, * 1. 10. 1893 Goshen, Ind., ansässig in Solebury, Pa.

Schüler von George Sotter u. Arthur Sparks.
Lit.: Mallett. — Who's Who in Amer. Art, I: 1936/37. — Liturg. Arts, 10, Nov. 1941, p. 15 (Abb.).

Croom-Johnson, Eugénie (Ena), geb. *Caluche*, engl. Miniaturmalerin (Öl u. Aquar.), * 15. 6. 1903 Westcliff, ansässig in Windsor.

Lit.: Who's Who in Art, [2] 1934.

Cros, Jean, franz. Glaskünstler, † 1932.

Revue de l'Art, 62 (1932/II) Bull. p. 219.

Cros, Louis, franz. Landschaftsmaler, * Carcassonne (Aude), ansässig in Soustons (Landes).

Stellt seit 1929 im Salon der Soc. d. Art. Franç. in Paris aus.
Lit.: Joseph, I.

Crosby, Caresse, amer. Bildhauerin u. Schriftst., * 20. 4. 1892 New York, ansässig in Paris.

Schüler von Landowski u. Bourdelle in Paris. Gattin des amer. Dichters Harry C. Hauptsächlich Porträtistin. Illustr. zu Dichtungen ihres Gatten: Chariot of the Sun; Mad Queen.
Lit.: Joseph, I, m. Fotobildnis. — Bénézit, [2] II.

Crosby, Frederick Gordon, engl. Illustrator, Presse- u. Werbezeichner, * 25. 7. 1885 Sunderland, ansässig in London.

Lit.: Who's Who in Art, [2] 1934.

Crosby, Katherine Van Rensellaer, amer. Bildhauerin, * 1. 9. 1897 Colorado Sürings Colo., ansässig in New York.

Schülerin von Jess M. Lawson.
Lit.: Fielding. — Amer. Art Annual, 20 (1923) 487.

Crosby, Percy, amer. Radierer, Lithogr., Öl- u. Aquarellmaler, ansässig in McLean, Va.

Aquarell im Musée Jeu de Paume in Paris.
Lit.: Amer. Art Annual, 28 (1931). — Who's Who in Amer. Art, I: 1936/37.

Crosby, Raymond Moreau, amer. Illustrator, * 1875 (1877?) Grand Rapids, Mich., ansässig in Boston.

Zeichnete für „Life" u. and. Zeitschriften. Bildnis (Zeichng) des Malers John Singer Sargent, dat. 1917, in der Addison Gall. of Amer. Art in Andover, Mass. (Abb. im Bull. 1942, p. 28).
Lit.: Th.-B., 8 (1913). — Mellquist. — Fielding. — Amer. Art Annual, 28 (1931).

Crosnier, Maurice, franz. Holzschneider, * Soisy-sous-Montmorency, ansässig ebda.

Stellt seit 1927 bei den Indépendants aus.
Lit.: Joseph, I.

Cross, Bernice, amer. Malerin, * 22. 8. 1912 Iowa City, Iowa, ansässig in Washington, D. C.

Schülerin der Wilmington Acad. of Art u. der Corcoran School of Art. Kollektiv-Ausst. Mai 1949 u. April 1951 bei Bertha Schaefer, New York.
Lit.: Who's Who in Amer. Art, I: 1936/37. — Art Digest, 23, Nr v. 1. 5. 1949, p. 19; 25, Nr v. 15. 4. 51,

p. 21. — The Art News, 48, Mai 1949, p. 44; 50, April 51, p. 46; Mai 51, p. 46.

Cross, Herbert Richard, amer. Maler, * 25. 8. 1877 Providence, R. I., ansässig in New York.

Lit.: Amer. Art Annual, 30 (1933). — Who's Who in Amer. Art, I: 1936/37.

Cross, Louise, amer. Bildhauerin, * 14.11. 1896 Rochester, Minn., ansässig in NewYork.

Schülerin der Minneapolis School of Art u. des Art Inst. in Chicago. — Werke: Ueland-Denkmal im Minnesota-Staatskapitol in St. Paul; Todd-Denkmal im Eye-Hospital, Univ. of Minnesota, Minneapolis.

Lit.: Amer. Art Annual, 30 (1933). — Who's Who in Amer. Art, I: 1936/37.

Crossley, Cuthbert, engl.Radierer. u. Maler (Öl u. Aquar.), * 22. 8. 1883 Halifax, ansässig ebda.

Bild in der City Art Gall. in Leeds.

Lit.: Who's Who in Art, [3] 1934.

Crossman, William Henry, amer. Landschaftsmaler u. Rad., * 7. 8. 1896 New York, ansässig ebda.

Schüler von Robert Henri, Lie, Bridgman u. Hawthorne. Kollektiv-Ausst. März 1923 in den Babcock Gall. in New York.

Lit.: Fielding. — Amer. Art Annual, 30 (1933). — Who's Who in Amer. Art, I: 1936/37. — The Art News (Amer. Art News), 21, Nr 23 v. 17. 3. 1923 p. 1 (Abb.), 9.

Crotti, Jean, schweiz. Maler u. Glasmaler, * 24. 4. 1878 Bulle, ansässig in Neuilly-sur-Seine. Gatte der Suzanne Duchamp.

Beeinflußt von Gromaire u. Rouault. Stellte im Salon d'Automne (1910ff.), bei den Indépendants (1923ff.) u. im Salon des Tuileries (1925ff.) in Paris aus. Kubist. Figürliches, Bildnisse, Landschaften.

Lit.: Joseph, 1. — D. Cicerone, 17 (1925) 753. — L'Art vivant, 1928 p. 938, m. Abb. — La Renaissance, 13 (1930) 143 [recte 185] (Abb.); 14 (1931) p. 350, m. Abb. — Beaux-Arts, Nr 306 v. 11. 11. 1938, p. 2 (Abb.). — Architect. Forum (New York), 86 (1947) 130. — Liturgical Arts (N. Y.), 15 (1947) 46.

Crouwel, Jan, holl. Architekt, * 15. 3. 1885 Utrecht, ansässig ebda.

Stud. an der Kstgewerbesch. in Utrecht u. an der Akad. in Amsterdam. Arbeitete dann bei de Bazel u. Berlage. Post- u. Telegraphengeb. in Utrecht (1918–24); Postgeb. in Groningen; Post- u. Telegraphengeb. in Haarlem (1920 beg.), Doetinchem u. Arnheim (1921 beg.); Geb. des Postscheck- u. Telegraphenamtes in Amsterdam.

Lit.: Mieras-Yerbury. — Brandes, Taf. 46, 47, 48. — Wie is dat?, 1935. — Der Baumeister, 23 (1925) 64ff. (Abbn), 66, Taf. 61/64. — Maandbl. v. beeld. Ksten, 3 (1926) 82ff., m. Abbn.

Crowell, Reid Kendrick, amer. Maler, * 1911 Alta, Ia., ansässig in Dallas, Tex.

Lit.: Amer. Art Annual, 30 (1933).

Crowle, Eileen Georgina Beatrice, irische Modelleurin, Buchillustr. u. Werbezeichnerin, * 3. 6. 1903 Queenstown, ansässig in Bath.

Stud. an den Kunstsch. in Bath u. Lausanne.

Lit.: Who's Who in Art, [3] 1934.

Crowther, Robert, amer. Pressezeichner, * 20. 12. 1902 Germantown, Pa., ansässig in Philadelphia, Pa.

Schüler der Pennsylv. Acad. of the F. Arts. Zeichnete u. a. für „Saturday Evening Post" u. „Country Gentleman".

Lit.: Who's Who in Amer. Art, I: 1936/37. — Mallett.

Croxford, Grace Marie, s. *Butterworth.*

Croy, Marie Thérèse, franz. Landschafts- u. Figurenmalerin, * Guise (Aisne), ansässig in Nanterre (Seine).

Schülerin von L. Cabanès. Mitgl. der Soc. d. Art. Franç., beschickt deren Salon seit 1914.

Lit.: Joseph, I.

Crozier, William, schott. Landschaftsmaler, * 1893 Edinburgh, † 1930 ebda.

Stud. am Coll. of Art. Bereiste Frankreich u. Italien. Bild: D. Brunnen, in d. Art Gall. in Glasgow (Kat. 1935).

Lit.: Apollo (London), 11 (1930) 69, m. Abb. — Artwork, 2 (1925) H. 7, p. 142. — The Studio, 87 (1924) 218, m. Abb:; 93 (1927) 362, m. Abb.

Cruchet, Raphaël, franz. Landschaftsmaler, * Arpajon, ansässig in Saint-Martin-de-la-Place (Maine-et-Loire).

Stellt seit 1926 bei den Indépendants in Paris aus.

Lit.: Joseph, I. — Benezit, [2] II (1949).

Crumb, Charles P., amer. Bildhauer, * 1874 Bloomfield, Mo., ansässig in Beechwood, Pa.

Schüler von Barnard, Taft u. Grafly. Kollektiv-Ausst. in der Pennsylvania Acad. of F. Arts, 1924.

Lit.: Fielding. — Amer. Art Annual, 30 (1933).

Crumière, Victor, franz. Landschaftsmaler, * Avignon, ansässig ebda.

Seit 1930 Mitglied der Pariser Soc. d. Art. Franç. (Salon-Kat. z. T. m. Abbn).

Crump, Kathleen, siehe *Wheeler,* K.

Crump, Leslie, amer. Maler u. Illustr., * 7. 1. 1894 Saugerties, N. Y., ansässig in Cranford, N. J.

Schüler von F. Luis Mora, Ch. S. Chapman u. der Acad. Julian in Paris.

Lit.: Amer. Art Annual, 30 (1933). — Who's Who in Amer. Art, I: 1936/37.

Crumpacker, Grace, geb. *Dauchy,* amer. Malerin, * 4. 10. 1881 Troy, N. Y., ansässig in So. Bend, Ind.

Schülerin des Art Inst. in Chicago.

Lit.: Amer. Art Annual, 30 (1933). — Who's Who in Amer. Art, I: 1936/37.

Crunelle, Leonard, franz. Bildhauer u. Medailleur, * 8. 7. 1872 Lens, Pas-de-Calais, ansässig in Chicago.

Schüler von Lorado Taft u. dem Art Inst. in Chicago. Ebda: Squirrel Boy. Im Lincoln Park eine Statue des Gouverneurs Richard Oglesby. In Freeport ein Denkmal Abraham Lincoln's, desgl. in Dixon, Ill. In Clinton, Iowa, ein Kriegerdenkmal.

Lit.: Th.-B., 8 (1913). — Fielding. — Who's Who in Amer. Art, I: 1936/37. — Bull. of the Metrop. Mus. of Art New York, 16 (1921) 241. — Amer. Art Annual, 27 (1930) 15; 30 (1933). — Taft. — Earle.

Cruppi, Alice, franz. Landschafts-, Stillleben- u. Bildnismalerin, * Paris, ansässig ebda.

Stellt seit 1925 bei den Indépendants aus.

Lit.: Joseph, I.

Cruz, Alberto Manuel Barbosa Pereira, portug. Architekt, * 12.11.1920 Porto.

Stud. an der Kstschule in Porto; Schüler von Marques de Silva u. Carlos de Oliveira Ramos. Baute u. a. die Städt. Markthalle in Cascais u. den Wohnsitz des Antonio Carvalho e Silva ebda.

Cruz Herrera, José, span. Maler u. Illustr., * 1. 10. 1890 La Línea de la Concepción bei Cádiz, ansässig in Paris.

Schüler von Cecilio Plá. Genre, Bildnisse, Landschaften. Zeichner. Mitarbeiter an Witzblättern („Madrid Cómico", „Grullo", „Pero").

Lit.: Th.-B., 8 (1913). — L'Art vivant, 1933 p. 474, m. 3 Abbn.

Cruz Yepes, Pablo de la, colombian. Architekt, * 1893 Medellín, ansässig in Bogotá.

Baute in Bogotá das Pädagog. Institut, das S. Juan de Díos-Hospital, den Bahnhof der Südbahn, das Psychiatrische Hospital, die Post- u. Telegraphengeb. in Bucamaranga, Quibdo u. a. O.

Lit.: Who's Who in Latin America, 1935.

Csabai-Uy, Géza, ungar. Offizier u. Maler, * 25. 3. 1889 Debreczen.

Schüler von J. Pentelei-Molnár u. A. Komáromi-Kacz in Budapest. Stilleben, Blumenstücke.

Lit.: Szendrei-Szentiványi. — Krücken-Parlagi.

Csáktornai, Zoltán, ungar. Maler, * 5. 12. 1886 Budapest, † 20. 3. 1921 ebda.

Stud. 1902/05 in Nagybánya bei B. Iványi-Grünwald u. Istv. Réti, 1905/09 in Paris bei J. P. Laurens an d. Acad. Julian. 1909/11 in Florenz, 1912 in Belgien u. Holland. Hauptsächl. Porträtist u. Landschafter. In der Neuen Ungar. Gal. in Budapest: Stilleben (Kat. 1930).

Lit.: Szendrei-Szentiványi. — Művészet, 12 (1913) 9 (Abb.), 26.

Csáky, József, ungar. Bildhauer, ansässig in Paris. Gatte der Grete C.-Copony.

Stud. 1909/12 mit kais. Stipendium in Paris, wo er sich niederließ. Strebte nach kubist. Anfängen u. Annäherung an die abstrakte Richtung wieder stärkere Fühlung mit der Natur an, behielt aber energische Vereinfachung der Form bei.

Lit.: Szendrei-Szentiványi. — W. George, C., Paris 1930. — Apollo (London), 12 (1930) 78 f., m. Abb. — Kst- u. Antiquit.-Rundsch., 41 (1933) 285. — Dtsche Kst u. Dekor., 56 (1925) 246, 248 (Abbn); 65 (1929) 246/50, m. Abbn. — D. Kst, 63 (1930/31), Abb. vor p. 41, 58/60, m. Abbn. — D. Kstblatt, 5 (1921) 360 (Abb.), 363; 6 (1922) 49/53, m. Abbn. — D. Kstwerk, 1 (1946/47) Heft 12 p. 46 (Abb.). — D. Weltkst, 6 (1932) Nr 16, p. 5, m. Abb. — Kat. Ausst. La Sculpt. franç. de Rodin à nos jours, Zeughaus Berlin 1947.

Csáky, László, ungar. Maler, * 14. 9. 1888 Isaszeg (Kom. Pest), † 31. 10. 1918 Abony.

Stud. an der Musterzeichensch. in Budapest, dann bei E. Balló u. K. Ferenczy in Budapest u. B. Iványi-Grünwald in Kecskemét. Figürliches, Bildnisse, Landschaften.

Lit.: Szendrei-Szentiványi. — Művészet, 17 (1918) 84 (Nachruf).

Csáky (Csáki)-Copony, Grete, siebenbürg.-ungar. Malerin, * 1893 Kronstadt (Brassó), ansässig in Paris. Gattin des József.

Bild: 2 sitzende Knaben, Mus. in Hermannstadt (Sibiu).

Lit.: Dtsche Arbeit, 33 (1933) 34/39. — Velhagen & Klasings Monatsh., 46/I (1931/32) 220, m. Abb. — Westermanns Monatsh., 161 (1936/37) 296, m. farb. Abb. am Schluß d. Bandes.

Csalány, Béla, ungar. Bildnis-, Figuren- u. Stillebenmaler, ansässig in Budapest.

Stellt seit 1909 aus.

Lit.: Szendrei-Szentiványi.

Csallóközi (Holczer), Ferencz, ungar. Figurenmaler, * 1885 Nemesócs.

Stud. 1902 ff. in München bei Raupp u. Löfftz.

Lit.: Szendrei-Szentiványi. — Kat. Ausst. Münchner Glaspalast 1907 p. 27.

Csánki, Dénes, ungar. Landschafts- u. Tiermaler, * 29. 4. 1885 Budapest, ansässig ebda.

1908/10 Schüler von H. Knirr in München. Studienaufenthalte in Berlin, im Haag, in Amsterdam u. Brüssel. Hauptsächl. Aquarellist. Chefdirektor des Ungar. Mus. der Bild. Kste in Budapest. In der N. Ungar. Gal. ebda 1 Ölbild (Dorfausgang; Abb. im Kat. 1930) u. 1 Aquarell (Felder).

Lit.: Szendrei-Szentiványi. — Krücken-Parlagi. — Balás-Piry, m. 1 Taf. — D. Wiener Kstwanderer, 1 (1933) Nr 5 p. 8 (Abb.). — Emporium, 83 (1936) 192, 196 (Abb.). — D. Weltkst, 17, Nr 1/2 v. 3. 1. 1943 p. 1 (Abb.). — Művészet, 15 (1916) 93 (Abb.). — Kat. Ausst. Ungar. Malerei d. Gegenw., Berlin u. a. O. 1942/43.

Csányi, Károly, ungar. Architekt u. Fachschriftst., * 7. 9. 1873 Győr (Raab), ansässig in Budapest.

Stud. bei I. Steindl u. A. Hauszmann an der Kunsthochsch. in Budapest (1896 Diplom). Bereiste ganz Europa. Reform. Kirche in Győr; Freiheitsdenkmal ebda; Griech.-kath. Kirche in Ignécz. Kirchenrestaurationen.

Lit.: Szendrei-Szentiványi. — Krücken-Parlagi. — Művészet, 3 (1904) 92 (Abb.), 212; 4 (1905) 352, 417; 10 (1911) 399.

Csapó, Jenő, ungar. Stilleben- u. Blumenmaler, * 1875 Kisczell.

Stud. bei Kreyder in Wien u. bei Bouguereau u. J. Lefebvre in Paris. Ließ sich dann in Budapest nieder.

Lit.: Szendrei-Szentiványi. — Krücken-Parlagi.

Csekei, Zoltán, ungar. Figurenmaler, * 1915.

Lit.: Kat. Ausst. Ungar. Kst, Dtsche Akad. d. Kste, Berlin Okt./Nov. 1951. — Sowjet-Literatur 1951, H. 9, p. 206.

Cser, Károly, ungar. Bildhauer, * 30. 12. 1880 Budapest.

Schüler von B. Radnai u. A. Strobl an der Budap. Akad. (1905/11). Bildnisbüsten, Figürliches.

Lit.: Szendrei-Szentiványi. — Krücken-Parlagi. — Művészet, 9 (1910) 223; 10 (1911) 132, 192.

Cserhalmi, Jenő, ungar. Bildhauer, * 6. 10. 1877 Gödöllő b. Budapest.

Stud. an der Gewerbezeichensch. in Budapest bei Mátrai u. Henr. Pap. 1910 nach München. Arbeitete dann bei J. L. Beszédes in Budapest. Figürliches, Grabdenkmäler.

Lit.: Szendrei-Szentiványi.

Csermely, János, ungar. Figurenmaler, * 24. 8. 1882 Budapest, ansässig ebda.

Schüler von T. Zemplényi u. K. Ferenczy in Budapest, weitergebildet in der Künstlerkolonie in Szolnok.

Lit.: Szendrei-Szentiványi. — Krücken-Parlagi.

Cserna, Rezső Sándor, ungar. Maler u. Pastellist, * 6. 3. 1882 Budapest, ansässig ebda.

Stud. in Budapest, in München bei Hollósy, Ažbè u. Herterich und in Paris bei J. P. Laurens u. G. Ferrier. 1901/07 meist auf Reisen in Westeuropa. Stilleben, Landschaften, Bildnisse.

Lit.: Szendrei-Szentiványi. — Krücken-

Parlagi. — Művészet, 2 (1903) 141; 3 (1904) 119 (Abb.); 4 (1905) 120 (Abb.), 150 (Abb.), 335, 338; 5 (1906) 92 (Abb.).

Csernek, Antal, ungar. Maler u. Illustr., * 27. 9. 1881 Szatmár Németi, † 1913 Budapest.

Stud. an der Akad. in Budapest u. bei Ažbè in München.

Lit.: Szendrei-Szentiványi. — Krücken-Parlagi. — Michel, VIII/2 p. 1008, m. Abb.

Csikász, Imre, ungar. Bildhauer, * 1884 Veszprém, † 22. 1. 1914 Budapest.

Stud. bei L. Mátrai in Budapest, dann in München u. bei Van der Stappen in Brüssel. Figürliches (bes. Akte). Gold. Med. i. München 1913 (Junges Mädchen).

Lit.: Szendrei-Szentiványi. — Krücken-Parlagi. — Éber. — D. Kunst, 27 (1913) 553. — Művészet, 8 (1909) 398.

Csikos, Antónia, ungar. Landschaftsmalerin, * Debreczen.

Lit.: Szendrei-Szentiványi. — Krücken-Parlagi.

Csikos-Sesia, Béla, kroat. Landschafts- u. Figurenmaler (Prof.), * 27. 1. 1864 Eszék, † 1931 Agram (Zágreb).

Stud. 1888/92 bei I. Berger in Wien, 1892/95 bei Lindenschmitt u. C. v. Marr in München. Dann in Italien. Ließ sich in Agram (Zagreb) nieder, dort Prof. an der Kstschule. Pietà in der Gal. in Agram.

Lit.: Th.-B., 8 (1913). — Szendrei-Szentiványi. — Krücken-Parlagi. — Kat. Ausst. kroat. Kst. Akad. Berlin, 1943, p. 10

Csillag, István, ungar. Bildhauer u. Plakettenkstler, * 12. 7. 1881 Budapest.

Stud. bei E. Kallós u. B. Radnai an der Kstgewerbesch. in Budapest. Studienaufenthalt in Deutschland.

Lit.: Szendrei-Szentiványi. — Krücken-Parlagi. — Forrer, 7 (1923). — Művészet, 1 (1902) 127; 7 (1908) 177, 176 (Abb.); 8 (1909) 269.

Csiszér, János, ungar. Bildhauer u. Plakettenkstler, * 28. 4. 1883 Héjjasfalva, ansässig in Budapest.

Stud. 1900/1904 an d. Gewerbesch. unter Mátrai, dann in Berlin, München, Wien. Zuletzt bei Rodin u. Em. Fontaine an der Pariser Akad. (1904/06), Assistent von G. Zala in Budapest. Seit 1908 selbständig.

Lit.: Szendrei-Szentiványi. — Krücken-Parlagi. — Művészet, 12 (1913) 22 (Abb.).

Csók, István, ungar. Maler, * 13. 2. 1865 Puszta-Egeres (Kom. Fejér), ansässig in Budapest.

Schüler von J. Greguss, B. Székely u. K. Lotz an d. Budapester Musterzeichensch., 1886/87 Schüler von Hackl u. Löfftz an der Münchner Akad., 1888/89 von Bouguereau u. T. Robert-Fleury in Paris. Ließ sich 1889 in München nieder. 1895/1903 in Budapest, anschließend bis 1910 in Paris, wo er unter dem Einfluß von Cézanne, Gauguin u. Matisse den Impressionismus überwand, unter dessen Zeichen s. Münchner Produktion steht. Seit 1920 Prof. an der Hochsch. f. Bild. Kste in Budapest. Erhielt 1933 den Greguss-Preis (nur alle 6 Jahre zur Verteilung kommend). Hat sein Bestes in der Darstellung des weibl. Aktes geleistet. In der N. Ungar. Gal. in Budapest 2 Blumenstücke (Abb. im Kat. 1930), Atelierecke mit Selbstbildnis u. Modell (desgl.), ein Herrenbildnis u. Ansicht aus dem Villenviertel im Budapester Stadtwäldchen im Schnee. Weitere Bilder im Mus. d. Bild. Künste ebda, im Städt. Mus. in Szeged (das sensationelle Kolossalgem.: Báthory Erzsébet) und in der Gall. d'Arte Mod. in Rom. Selbstbildnis in den Uffizien in Florenz.

Lit.: Th.-B., 8 (1913). — Szendrei-Szentiványi. — Krücken-Parlagi. — Joseph, I. — Pogány, p. 42, farb. Text-Abb. p. 17, farb. Taf. 109. — Bénézit, [2] II (1949). — Balás-Piry, mit 3 Schwarz-Weiß- u. 1 farb. Tafel. — Emporium, 40 (1914) 243/54; 57 (1923) 35 f., m. Abb.; 83 (1936) 190 (Abb.), 192. — Die Kst in d. Schweiz, 1929 p. 230, m. Taf.-Abb. — Jahrb. d. Mus. d. Bild. Kste in Budapest, 8 (1937) 174, 175; 9 (1940) 274, Taf. XLI. — Művészet, 15 (1916) 73; 17 (1918) 17. — The Studio, 113 (1937) 119, 125 (Abb.). — Nouv. Revue de Hongrie, 46 (1932/I) 414/16 passim, m. Abb.; 47 (1932/II) 60/64, m. 2 Abbn; 48 (1933/I) 297; 49 (1933/II) 610, m. Abb.; 65 (1941/II) 174; 69 (1943/II) 301, m. Abb. — bild. kunst, 3 (1949) 158. — D. Wiener Kstwanderer, 1 (1933) Nr 5 p. 7 (Abb.). — Kat. Ausst. Ungar. Malerei d. Gegenw., Berlin u. a. O. 1942/43, p. 29 u. 37, m. Abb.

Csóka, István (Stephen), ungar.-amer. Radierer u. Bildnismaler, * 2. 1. 1897 Budapest, ansässig in Brooklyn, N. Y.

Schüler der Akad. Budapest. 1. Balló-Preis 1933.

Lit.: Who's Who in Amer. Art, I: 1936/37. — Art Digest, 22, Nr v. 1. 8. 1948, p. 16 (Abb.); 23, Nr v. 1. 10. 48, p. 21 (Abb.). — Bull. Columbus, Ohio, Gall. of F. Arts, 19 (1948) Nr 1, p. 20 (Abb.).

Csoma, Ilona, ungar. Bildnismalerin, * 1868 Kalotaszentkirály.

Stud. bei Deák-Ebner, in München u. Paris. Ließ sich in Klausenburg (Kolozsvár) nieder, wo sie eine Malschule leitete.

Lit.: Szendrei-Szentiványi. — Krücken-Parlagi.

Csorba, Géza, ungar. Kleinplastiker, * 27. 7. 1892 Liptóujvár, ansässig in Budapest.

Schüler von B. Radnai, im übrigen Autodidakt. Arbeiten im Mus. d. Sch. Kste in Budapest.

Lit.: Szendrei-Szentiványi. — Krücken-Parlagi. — Hekler, p. 103, 104 (Abb.). — Jahrb. d. Mus. d. Bild. Kste in Budapest, 8 (1937) 176 (2×). — bild. kunst, 3 (1949) 162. — Kat. Ausst. „Ung. Kst". Dtsche Akad. d. Kste, Berlin Okt.-Nov. 1951.

Csordák (Čordák), Ludovít, slowak. Maler, * 9. 2. 1864 Kaschau (Košice), † 28. 6. 1937 ebda. Polnisch-slowak. Abkunft.

Schüler von J. Mařák an der Prager Akad. Hauptsächlich Landschafter, malte u. zeichnete mit Kohle mit Vorliebe Waldpatrien in Mařákscher Art. Sonderausstellungen in Plzeň (Pilsen) 1930, in Kaschau 1934 u. 1937, in Bratislava (Preßburg) 1938.

Lit.: V. Šuman, Julius Mařák a jeho škola, Prag 1929, p. 28. — Veraikon (Prag), 20 (1934) 41, m. Abbn. — Toman, I 134. — J. Alexy, Osudy slovenských výtvarníkov, Preßburg 1948. *Blž.*

Csordás, József, ungar. Bildhauer, * Rimaszombat, † – jung – 18. 5. 1909 Alcsut.

Stud. an d. Musterzeichensch. in Budapest.

Lit: Szendrei-Szentiványi. — Művészet, 7 (1908) 128.

Csosz, John, ungar.-amer. Maler, Rad. u. Illustr., * 2. 10. 1897 Budapest, ansässig in Cleveland, Ohio.

Schüler von Gottwald u. H. Keller an der Kunstsch. in Cleveland. Bildnisse, Figürliches (allegor. Kompositionen). Wandbilder in der Heiliggeistkirche in Cleveland; „Morgen" im Juvenile Court ebda. Illustr. zu: Gertrude Whittier, „The Good Ship Mayflower" (Judson Co.).

Lit.: Who's Who in Amer. Art, I: 1936/37.

Csuk, Jenő, ungar. Genre- u. Tiermaler,

* 31. 8. 1887 Zákány, ansässig in Csepreg, Kom. Sopron.
Stud. bei Ed. Balló u. K. Ferenczy in Budapest, weitergebildet in München.
Lit.: Szendrei-Szentiványi. — Krücken-Parlagi. — Művészet, 15 (1916) 53; 17 (1918) 57.

Csukássy, Elemér, ungar. Tiermaler, * 7. 4. 1876 Budapest.
Stud. an d. Musterzeichensch. in Budapest bei L. Hegedűs, T. Zemplényi u. K. Ferenczy.
Lit.: Szendrei-Szentiványi.

Csúzy, Károly, ungar. Maler, * 1. 4. 1843 Csúsz, Kom. Komárom, † 15. 2. 1911 Venedig.
Stud. bei Gysis in München, wo er sich ansässig machte. Stilleben, Blumen- u. Früchtestücke, Interieurs.
Lit.: Szendrei-Szentiványi. — Művészet, 2 (1903) 254; 10 (1911) 388, 395. — Ber. d. Kstver. München, 1911 p. XIVf. — Bettelheim, 16 p. 97f.

Cubells, Enrique Martínez, siehe *Martinez Cubells y Ruiz,* E.

Cucchiari, Domenico, ital. Landschafts- u. Tiermaler, * 1. 4. 1894 Rom, ansässig ebda.
Lit.: Comanducci. — Chi è?, 1940. — Dedalo, 10 (1929/30) 685 (Abb.). — Emporium, 91 (1940) 314, 315 (Abb.). — The Studio, 110 (1935) 42 (Abb.).

Cucuel, Edward, franz.-amer. Maler u. Illustr., * 6. 8. 1879 San Francisco, Calif., ansässig in New York. Gatte der Clara Lotte von Marcard-Cucuel.
Vater Franzose, Mutter Engländerin. Schüler von B. Constant, J. P. Laurens u. Gérôme in Paris, dann von Leo Putz in München; beeinflußt von der Münchner Scholle. Mitgl. der Pariser Soc. Nat. d. B.-Arts. Silb. Med. der Panama Pacific-Exhib. San Francisco 1915. Studienreisen in Spanien, Tunis, Algerien, Ceylon, Japan. Bildnisse, Figürliches, Landschaften. Maler der eleganten Dame. Vertreten u. a. im Art Inst. in Detroit, Mich., u. im Birkenhead Mus. in Liverpool. Kollektiv-Ausst. in d. Gal. Heinemann, München, April 1915.
Lit.: Th.-B., 8 (1913). — Amer. Art Annual, 30 (1933). — Who's Who in Amer. Art, I: 1936/37. — F. v. Ostini, Der Maler E. C., Wien 1924. — Color Plates of E. C. (E.W.Savory, Pub., Bristol, Engld).— D. Kunst, 33 (1915/16) 39, m. Abb. — E.A.Seemann's „Meister der Farbe", 15 (1918) 8029; 21 (1925) Taf. 12. — Westermanns Monatsh., 132 (1922) farb. Taf. geg. p. 413.

Cucuel- von Marcard, s. *Marcard-Cucuel.*

Cuda, Mahmut, türk. Maler, * 1904 Megri, ansässig in Istanbul (Konstantinopel).
Stud. 1918 an d. Akad. d. Sch. Künste in Istanbul, dann an der Acad. Julian in Paris. 1929 Rückkehr nach Istanbul. Zeichenlehrer an verschied. Schulen. Einige Bilder im Bilder- u. Statuenmus. in Istanbul. Gehört der türk. mod. Schule an.

Cueni, Auguste, schweiz. Maler u. Holzschneider, * 12.5.1883 Zwingen, ansässig ebda.
Stud. an der Kstgewerbesch. in München bei Diez, dann an der dort. Akad. bei Becker-Gundahl, A. Hengeler u. Herterich. Ließ sich in s. Heimatdorf nieder. Landschaften, Stilleben, Bildnisse. Als Holzschneider Autodidakt.
Lit.: Amweg, I 263 u. 446, m. 2 Abbn.

Cuénot, Charles Désiré, franz. Landschaftsmaler, * Paris, ansässig in Champigny.
Stellt seit 1929 im Salon der Soc. d. Art. Franç. aus (Kat. z. T. m. Abbn).
Lit.: Joseph, I.

Cürten, Ferdinand Carl, dtsch. Maler, * 15. 7. 1897 Düsseldorf, ansässig ebda.
Stud. an der Kstgewerbesch. u. Akad. Düsseldorf. Studienaufenthalte in Holland, Belgien, Frankreich, Italien, Spanien, Portugal u. Brasilien. In den Städt. Kstsmlgn Düsseldorf: Zigeunerknabe; in der Ruhmeshalle Barmen: Stilleben; im Mus. in Tokio: Landschaft am Positano. Wandbilder im Planetarium u. in d. Hauptkapelle der Kirche an der Degerstraße in Düsseldorf.
Lit.: Dreßler. — Der Querschnitt, I (1921) 107 (Abb.: Selbstbildn.).

Cueva y del Río, Roberto de la, mexik. Maler (Prof.), * 28. 4. 1908 Puebla, ansässig in Mexico City.
Dekor. Malereien (Fresken) im Mexikan. Gesandtschaftsgeb. in Washington, mit Szenen aus d. Leben u. der Gesch. Mexikos.
Lit.: Who's Who in Latin America, 1935.

Cuevas Pabón, Victor, bolivian. Maler, * 1911 La Paz, ansässig in Santiago de Chile.
Stud. an der Kstschule in Santiago. Einige Zeit in New York tätig. Wandmalereien im Hôtel Crillon in Santiago.
Lit.: Kirstein, p. 90.

Cuffaro, Silvestro, sizil. Bildhauer, ansässig in Palermo.
Statue: La Rivolta, am Eingang der Via Roma in Palermo. Zeigte auf der Mostra Sindacale d'Arte in Palermo 1939 ein lebendig komponiertes Relief: Hund, Wolf u. Lamm.
Lit.: Emporium, 90 (1939) 260, m. Abb.; 92 (1940) 159 (Abb.), 160.

Cugnenc, Jean Gaston, franz. Figurenmaler, * Béziers (Hérault), ansässig ebda.
Stellt seit 1926 bei den Indépendants in Paris aus.
Lit.: Joseph, I.

Cugnières, André Jacques de, franz. Landschafts- u. Bildnismaler, * Paris, ansässig ebda.
Stellt seit 1924 bei den Indépendants aus.
Lit.: Joseph, I.

Cuguen, Victor Louis, franz. Landschafts-, Blumen- u. Stillebenmaler, * 24. 8. 1882 Pontorson (Manche), ansässig in Toulon.
Stellt seit 1923 bei den Indépendants u. im Salon der Soc. d. Art. Franç. in Paris aus. Bilder im Mus. in Saint-Lô.
Lit.: Joseph, I. — Bénézit, [2] II (1949).

Culbertson, Linn, amer. Landschaftsmalerin, * 29. 9. 1890 Princeton, Ia., ansässig in Des Moines, Ia.
Schülerin von Ch. Atherton Cumming u. der Nat. Acad. of Design in New York. Gold. Med. 1922.
Lit.: Amer. Art Annual, 30 (1933). — Who's Who in Amer. Art, I: 1936/37.

Culin, Alice, geb. *Mumford,* amer. Malerin, * 1875 Philadelphia, Pa., ansässig in Brooklyn, N. Y.
Stud. 1897/1900 in Paris. 1901/02 in Spanien. Vertreten im Mus. in Brooklyn.
Lit.: Fielding. — Amer. Art Annual, 28 (1931). — The Brooklyn Mus. Quarterly, 14 (1927) 42 (Abb.). — Monro.

Cullen, Maurice Galbraith, kanad. Landschaftsmaler, * 1866 St. John's, Neufundland, † 1934 Montreal, Can.
Lit.: Th.-B., 8 (1913). — Canad. Art (Ottawa), 5 (1948), Nr 3, p. 112 (Abb.).

Culver, Byron, amer. Zeichner, * 26. 10. 1894 Barre, N. Y., ansässig in Rochester, N. Y.

Schüler von G. M. Ulp, Frank von der Lancken, Herm. Butler, Cecil Chichester u. Ch. W. Hawthorne.

Lit.: Who's Who in Amer. Art, I: 1936/37. — Amer. Art Annual, 27 (1930) 520.

Culver, Charles, amer. Landschaftsmaler (Öl u. Aquarell), * 1908.

Kollektiv-Ausst. in den Park Avenue Gall. in New York Okt. 1941, in d. Macbeth Gall. ebda Febr./März 1951. Vertreten im Inst. of Arts in Detroit, Mich.

Lit.: Amer. Artist, 13, Jan. 1949, p. 44f. — Art Digest, 16, Nr v. 1. 10. 1941, p. 21; 17, August 1943, p. 10 (Abb.); 23, Nr v. 1. 10. 1948, p. 15. — The Art News, 40, Nr v. 15. 10. 1941, p. 28; 49, Febr. 51, p. 56 (Abb.); 50, März 51, p. 47.

Cumberbatch, Edward, engl. Landschaftsmaler, * 21. 2. 1877 Bolton, Lancs., ansässig ebda.

Lit.: Who's Who in Art, ³ 1934.

Cuming, Beatrice Lavis, amer. Malerin u. Rad., * 25. 3. 1903 Brooklyn, N. Y., ansässig in New York.

Schülerin von Henry B. Snell.

Lit.: Amer. Art Annual, 30 (1933). — Who's Who in Amer. Art, I: 1936/37. — The Art News, 41, Nr v. 15. 2. 1942, p. 28 (Abb.); 45, März 1946, p. 57, Aug. 1946, p. 45 (Abb.). — Art Digest, 20, Nr v. 15. 3. 1946, p. 18; 24, Nr v. 1. 3. 50, p. 16 (Abb.). — Monro.

Cummings, Edward Estlin, amer. Schriftst. u. Maler, * 1894, ansässig in New York.

Stud. an der Harvard University. Stellt bei den Indépendants in Paris aus. Kollektiv-Ausst. im Amer.-Brit. Art Center, New York, Juni 1949.

Lit.: The Internat. Who's Who, ¹⁶ 1952. — Mallett. — The Dial, 72 (1922) Nr 1, p. 46; 74 (1923) Abb. zw. p. 30/31; 76 (1924/I) 32ff. (3 Abbn); 83 (1927) Abb. geg. p. 122. — Art Digest, 23, Juni 1949, p. 21. — The Art News, 48, Mai 1949, p. 15.

Cummings, Melvin Earle, amer. Bildhauer, * 13. 8. 1876 Salt Lake City, Utah, ansässig in San Francisco, Calif.

Schüler von Douglas Tilden in San Francisco, dann von Mercié u. Noël in Paris. Standbild des Robert Burns im Golden Gate Park in San Francisco. National-Denkmal für Commodore Sloat in Monterey, Calif.

Lit.: Th.-B., 8 (1913). — Fielding.

Cumpana, Schweitzer, rumän. Bauern-, Landschafts- u. Stillebenmaler.

Lit.: L'Art vivant, 1932, p. 58, m. 2 Abbn.

Čumpelík, Jan, tschech. Maler, * 28. 1. 1895 Dobrovice, ansässig in Prag.

Stud. an d. Prager Kstgewerbesch. (E. Dítě) u. an d. Akad. (V. Nechleba). Studienaufenthalt in Paris. Angeregt — bes. in kolorist. Hinsicht — durch die slowak. Volkskunst. Entnimmt der Slowakei auch gern die Stoffe zu seinen Bildern (Slowak. Mädchen, Nat.-Gal. Prag; Der Säemann, Staatl. Gal. ebda); ferner Stilleben, Bildnisse u. gr. figürl. Kompositionen (Die Schlacht bei Terron u. a. für das Befreiungsdenkmal in Prag). Ausst. in Prag 1936 u. 1947 („Jednota"). Aus letzter Zeit auch Plakat-Entwürfe. Laureat des Staatspreises 1951.

Lit.: Öst. Kunst, 3 (1932), H. 2, p. 12. — Dílo (Prag), 27 (1936) 76/80, m. 5 Abbn. — Výtvarné umění, Heft 5/6 April 1952, p. 254/57, m. 6 Abbn. — Toman, I 151. *Blž.*

Cundall, Charles, engl. Landsch.- u. Bildnismaler, * 6. 9. 1890 Stretford, Lancs., ansässig in London.

Stud. am Roy. Coll. of Art in London u. an d. Kunstsch. in Manchester. Malt mit Vorliebe Veduten, die mit einer Fülle von kl. Figuren staffiert sind, so eine Ansicht von Victoria Station mit den Reisenden am Zuge auf dem Bahnsteig, des Hafens von Marseille, einer unter den Hammer gekommenen Farm mit ihrem gesamten lebenden Inventar u. Scharen von Kauflustigen, Das Derby 1933, Besuch des engl. Königspaares in Paris 1938, Rückzug des brit. Landungskorps bei Dünnkirchen, Sept. 1940, usw. Vertreten in der Tate Gall. in London u. in den öff. Smlgn in Bristol, Liverpool u. Manchester.

Lit.: Who's Who in Art, ³ 1934. — Bénézit, ² 2 (1949). — The Internat. Who's Who, ¹⁶ 1952. — The Studio, 85 (1923) 231f., m. Abbn; 87 (1924) 35 (Abb.), 85 (Abb.); 91 (1926) 117 (Abb.), 123f.; 92 (1926) 84 (Abb.) 348; 93 (1927) 161/66, m. 3 Abbn u. farb. Taf.; 108 (1934) 6 (Abb.); 110 (1935) 15 (Abb.); 115 (1938) 28 (Abb.); 117 (1939) 35 (Abb.). — The Connoisseur, 65 (1923) 242, 243 (Abb.); 74 (1926) 189. — The Art News, 24, Nr 18 v. 6. 2. 1926, p. 5. — Apollo (London), 3 (1926) 184; 11 (1930) 137ff., m. Abbn. — Art Index (New York), Okt. 1941/Okt. 1951, passim.

Cundell, Helena, geb. *Scott*, engl. Bildhauerin, * 23. 7. 1893 Norwich, ansässig in London.

Stud. an der Slade School in London.

Lit.: Who's Who in Art, ³ 1934.

Cundell, Nora Lucy Mowbray, engl. Genre-, Landsch.- u. Blumenmalerin, * London, † 1948 ebda.

Stud. an der Slade School. Bild: Lächelnde Frau, in d. Tate Gall. in London. Sammelausst. in d. Redfern Gall. 1925. Ged.-Ausst. in den R. B. A. Gall. Okt. 1949.

Lit.: Who's Who in Art, ³ 1934. — The Studio, 90 (1925) 308f. — The Connoisseur, 73 (1925) 180. — Apollo (London), 50 (1949) 88.

Cuneo, Cyrus Cincinatto, amer. Maler u. Illustrator, * 1878 San Francisco, Calif., † 1916 London.

Lit.: Th.-B., 8 (1913). — Amer. Art Annual, 13 (1916): Obituary. — Art and Industry (New York), 33, Dez. 1942, p. 169 (Abb.).

Cuneo, Nell Marion, geb. *Tenison*, engl. Illustratorin u. Bildnismalerin, * London, ansässig in St. Ives, Cornwall.

Stud. an der Acad. Colarossi in Paris u. an der Whistler-Schule ebda.

Lit.: Who's Who in Art, ³ 1934.

Cuneo, Rinaldo, amer. Landschaftsmaler, * 2. 7. 1877 San Francisco, Calif., † 1939 ebda.

2 Bilder im Mus. in San Francisco.

Lit.: Fielding. — Amer. Art Annual, 30 (1933). — Who's Who in Amer. Art, I: 1936/37. — Monro.

Cuneo Perinetti, José, uruguayischer Maler, * 11. 9. 1882 Montevideo, ansässig ebda.

Schüler von Bistolfi u. Mucchi in Turin, von Kees van Dongen u. H. Anglada Camarasa in Paris. 1923–27 Prof. f. dekor. Zeichng an der Ind.-Schule in Montevideo. Im dort. Städt. Mus.: Wäscherinnen, im dort. Nat.-Mus.: Damenbildnis.

Lit.: Who's Who in Latin America, 1935.

Cunha (Moreira da C.), Albino, portug. Dekorationsmaler u. Restaurator, * 17. 9. 1897 Porto.

Stud. a. d. Kstschule in Porto, Schüler von Joa-

quim Lopes. Mehrere Med. der Câmara Municip. Lissabon; 1. Med. f. Zeichn., 2. Med. f. Aquarell der Soc. Nac. de B. Artes. — Werke im Pal. Nac. in Queluz, im Pal. Nac. de Ajuda in Lissabon, im Rathaus u. Nat.-Mus. zeitgen. Kst ebda u. in span. Museen.
Lit.: Pamplona, p. 366. — Gr. Enc. Port. e Brasil., VIII 249. — Quem é Alguém, 1947 p. 260.

Cunha, Antonio Cândido da, portug. Landschaftsmaler, * 2. 2. 1876 Barcellos, † 16. 10. 1926 Porto.
Stud. an d. Kstschule in Porto u. der Acad. Julian in Paris, Schüler von João Correia, dann von J. P. Laurens u. B. Constant in Paris. Zeigte im Pariser Salon 1898: Die heilige Wegzehrung, eine Szene aus d. Brandkatastrophe des Dampfers „Santo André". Studie dazu im Mus. de Soares dos Reis in Porto. Weitere Bilder im Nat.-Mus. zeitgen. Kst in Lissabon, im Mus. Nac. de Soares dos Reis in Porto u. im Mus. Grão-Vasco in Vizeu.
Lit.: Th.-B., 8 (1913). — Pamplona, p. 172. — Gr. Enc. Port. e Brasil., VIII 251 f. — Retratos de Artistas no Muséu de Soares dos Reis, Porto o. J., p. 74.

Cunning, John, amer. Landschaftsmaler, * 14. 5. 1889 Albany, N. Y., ansässig in Brooklyn, N. Y.
Schüler von Robert Henri. Bilder im Whitney Mus. of Amer. Art in New York u. im Albany Inst. of Hist. a. Art in Albany, N. Y.
Lit.: Amer. Art Annual, 30 (1933). — Who's Who in Amer. Art, I: 1936/37. — Monro.

Cunningham, Cornelia, amer. Malerin u. Illustr., * 2. 12. 1903 Savannah, Ga., ansässig in Atlanta, Ga.
Stud. an der Nat. Acad. of Design in New York.
Lit.: Amer. Art Annual, 30 (1933). — Who's Who in Amer. Art, I: 1936/37.

Cunningham, Fern Frances, amer. Malerin, * 4. 8. 1889 Defiance, O., ansässig ebda.
Schülerin von John F. Carlson, George E. Browne, Anth. Thieme, Eug. Fuche, G. Balande u. H. Walbert.
Lit.: Who's Who in Amer. Art, I: 1936/37. — Mallett.

Cunningham, Marion, amer. Malerin, * 1911, † 1948.
Kollektiv-Ausst. in den Serigraph Gall. in New York, April 1946. Gedächtnis-Ausst. ebda Okt. 1948.
Lit.: Art Digest, 20, Nr v. 1. 4. 1946, p. 10; 22, Juni 1948, p. 16; 23, Nr v. 1. 10. 1948, p. 31. — Art News, 47, Okt, 1948, p. 58.

Cunningham, Mildred, geb. *Colman*, amer. Malerin, * 23. 8. 1898 St. Paul, Minn., ansässig in Rockford, Ill.
Schülerin von Charles A. Cumming.
Lit.: Amer. Art Annual, 30 (1933). — Who's Who in Amer. Art, I: 1936/37.

Cunningham, Oswald Hamilton, irischer Maler (Öl u. Aquar.), Rad. u. Illustr., * 16. 6. 1883 Newry, ansässig in London.
Stud. an der Kunstsch. in Dublin u. der Slade School in London.
Lit.: Who's Who in Art, [3] 1934.

Cunow, Nelly, dtsche Malerin, * 20. 10. 1893 Posen, ansässig in Berlin.
Schülerin von Wilh. Müller-Schönefeld u. Willy Jaeckel in Berlin. Bildnisse, Städtebilder.
Lit.: Dreßler.

Cuny, Henri Pierrre, franz. Marinemaler, Violoncellist u. Komponist, * 5. 6. 1880 Concarneau (Finistère), ansässig in Paris.
Schüler von Herland, Quimper u. Fouques. Seit 1925 Mitgl. der Soc. d. Art. Franç. Hauptsächlich Ansichten von der Bretagneküste mit figürl. Staffage.
Lit.: Joseph, I, m. Abb.

Cunz, Martha, schweiz. Malerin u. Graph., * 24. 2. 1876 St. Gallen, ansässig ebda.
Schülerin von Huguenin, 1896ff. von Hölzl in Dachau u. von Schmid-Reutte in München, 1899–1900 von L. Simon u. L. O. Merson in Paris. 1900 bis gegen 1930 in München ansässig. Bereiste Holland. Im Mus. Genf: Holl. Näherin; im Mus. St. Gallen: Wildkirchli; in d. Gal. Henneberg in Zürich: Gebirgslandschaften. Farbenholzschnitte: Auf der Messe; Via Appia; Vorfrühling.
Lit.: Th.-B., 8 (1913). — Schweiz. Zeitgen.-Lex., 1932. — Dreßler. — Brun, IV 112, 494. — Lonchamp, II, Nr 3230. — Schweizerland, 5 (1919) 19 (Abb.), 54 (Abb.). — D. Schweiz, 1920, farb. Taf.-Abb. (farb. Holzschn.) geg. p. 241. — O mein Heimatland, 1922, p. 89ff., m. Abbn. — Die Kst in d. Schweiz, 1929, p. 237/47, m. 9 Taf.-Abbn.

Cupi, Aldo, ital. Bildnis-, Landschafts- u. Architekturmaler, * 4. 9. 1874 Rimini, ansässig ebda.
Autodidakt. Hauptsächl. Aquarellist.
Lit.: Comanducci.

Cuprien, Frank W., amer. Maler, * 1871 Brooklyn, N. Y., ansässig in Laguna Beach, Calif.
Stud. bei Carl Webber in Philadelphia, an der Art Student's League in New York, in München, Dresden, Leipzig, in Italien u. Paris.
Lit.: Fielding. — Amer. Art Annual, 30 (1933). — Who's Who in Amer. Art, I: 1936/37.

Curcio, Edgardo, ital. Genremaler, * 1884 Neapel, † 1923 ebda.
Schüler von Boschetto. Weitergeb. in Rom.
Lit.: Comanducci.

Curel-Sylvestre, Roger, franz. Landschafts- u. Figurenmaler, * 1884 Nizza.
Schüler von Alfred Stevens. Stellte im Salon der Soc. Nat. d. B.-Arts in Paris aus. Herbstlandschaft im Mus. in Milwaukee, Wisc., USA.
Lit.: Joseph, I. — Benezit, [2] II (1949).

Curjel, Ernst, dtsch. Landschaftsmaler u. Radierer, * 29. 3. 1874 Hamburg, ansässig in München.
Stud. an der Akad. in San Francisco (USA) u. bei Landenberger an der Stuttgarter Akad. Studienaufenthalte in England, Japan u. Kalifornien.
Lit.: Dreßler.

Curilla, Werner, dtsch. Graphiker, * 17. 1. 1915 Hamburg.
Lit.: Kat. Dtsche Gebrauchsgraphik. 10. Kst-Ausst. Augsburg, Schaezler-Palais, Nov. 1947, Nr 18.

Curillon, Francisque, franz. Genrebildhauer, * 1. 6. 1875 Tournus, ansässig in Paris. Bruder des Folg.
Stellte seit 1895 wiederholt im Salon der Soc. d. Art. Franç. aus.
Lit.: Réunion d. Soc. d. B.-Arts, 35 (1912) 95, 102.

Curillon, Pierre, franz. Bildhauer, * 16. (Joseph irrig: 6.) 3. 1866 Tournus, ansässig in Paris. Bruder des Vor.
Schüler von Dufraine u. der Ec. d. B.-Arts in Lyon. Mitgl. der Soc. d. Art. Franç., beschickte deren Salon seit 1893. 1. Med. im Salon 1908 für die Gruppe: Kindliche Liebe (Petit-Palais, Paris).
Lit.: Th.-B., 8 (1913). — Joseph, I. — Bénézit, [2] II.

Currier, Walter Barron, amer. Maler u. Bucheinbandkünstler, * 3. 5. 1879 Springfield, Mass., † 11. 1. 1934 Santa Monica, Calif.

Schüler von Arthur Wesley Dow, Eben Comins u. Kenyon Cox. Kam 1902 nach Kalifornien, wurde Lehrer an der Univ. of California in Berkeley. Gründete 1926 die Currier Creative Art School in Santa Monica, die er bis zu s. Tode leitete.

Lit.: Amer. Art Annual, 27 (1930) 520; 30 (1933). — Who's Who in Amer. Art, I: 1936/37 p. 495.

Curry, Adolf, öst. Maler, * 1. 1. 1879 Wien, † 19. 7. 1939 ebda.

Irischer Abkunft. Schüler von N. Gysis u. L. v. Löfftz an der Münchner Akad. u. von Rumpler an der Wiener Akad. Studienaufenthalte in Italien u. d. östl. Alpenländern. Rompreis. Akte, Landschaften mit u. ohne figürl. Staffage. Feinsinniger Naturromantiker. Gedächtnis-Ausst. im Haus der Sezession Wien Juni 1940.

Lit.: D. getreue Eckart (Wien), 10/II (1932/33) 623/27, m. 4 farb. Abb. — D. Kunst, 80 (1938/39) Beil. z. Sept.-H., p. 16.

Curry, John Steuart, amer. Maler u. Lithogr., * 14. 11. 1897 Dunavant, Kansas, † Okt. 1946 Madison, Wisc.

Schüler von Norton u. Reynolds am Art Inst. in Chicago, dann von W. Schuchajeff an d. Russ. Akad. in Paris. Kraftvoller realist. Stil. Hauptsächl. Tiere, Zirkusszenen u. bäuerliche Darstellgn. Bilder im Whitney Mus. of Amer. Art in New York, im Metrop. Mus. ebda u. in d. Addison Gall. of Amer. Art in Andover, Mass. (Abb. in Handbook of Paintings etc., 1939, Taf. 99). Wandgem. in der Hochschule in Westport, Conn. (Komödie u. Tragödie), u. im State Capitol of Kansas in Topeka. Kollekt.-Ausst. Okt. 1931 in den Ferargil Gall. in New York. Gedächtnis-Ausst. 1946 im Milwaukee Art Instit.

Lit.: Who's Who in Amer. Art, I: 1936/37. — The Internat. Who's Who, [8] 1943/44. — Mellquist. — Monro. — Amer. Art Annual, 30 (1933); 37 (1948) 375. — Who, 1, Nr 6, Okt. 1941, p. 30/35, m. Abbn. — The Art News, 31, Nr 3 v. 17. 10. 1931, p. 10, 14 (Abb.). — D. Kstwerk, 1 (1946/47) H. 3, p. 46. — D. Werk (Zürich), 29 (1942) 25, 27 (Abb.). — Beaux-Arts, Nr v. 18. 10. 1946, p. 3. — Art Digest, 20. Sept. 1946, p. 9, m. Abb. — The Studio, 104 (1932) 248 (Abb.), 252 (Abb.); 106 (1933) 234 (Abb.); 113 (1937) farb. Taf. geg. p. 24, 82 (Abb.), 326/30, m. 8 Abbn. — D. Weltkst, 21 (1951) Nr 22, p. 12. — Art Index (New York), Okt. 1941/Okt. 1952.

Curry, Robert F., amer. Landsch.-, Bildnis- u. Tiermaler, * 2. 11. 1872 Boston, Mass., zuletzt ansässig in Riederau am Ammersee.

Stellte häufig in Deutschland aus, dort seit 1891 ansässig. Kollektiv-Ausst. in der Münchner Kstlergenossensch. Dez. 1915/Jan. 1916 (Verz. m. Abbn) u. Mai 1926 (Verz. m. 14 Abbn). Vertreten u. a. im Heimatmus. in Oberstdorf, in d. Städt. Gal. in Nürnberg u. im Bes. des Rhein. Kstvereins in Düsseldorf u. der Stadt Fürth.

Lit.: Th.-B., 8 (1913). — Velhagen & Klasings Monatsh., 53/II (1938/39) farb. Taf. geg. p. 80, 92; 54/II (1940) 449f., m. 1 farb. Abb. — D. Weltkst, 16, Nr 47/48 v. 22. 11. 1942, p. 6.

Cursiter, Stanley, schott. Maler u. Kstschriftst., * 1887 Edinburgh, ansässig ebda.

Schüler von Blacklock am Coll. of Art in Edinburgh. Stellt in der Londoner Roy. Acad. u. in der Roy. Scott. Acad. aus. Seit 1930 Direktor der Nat. Gall. of Scotland in Edinburgh.

Lit.: Bénézit, [2] 2 (1949). — Mallett. — The Studio, 70 (1917) 44; 75 (1918) 74; 82 (1921) 21/24, m. 4 Abbn u. 1 farb. Taf.; 112 (1936) 21 (Abb.). — Scottish Art Review, 4 (1952) 23 (Abb.). — Amer. Artist, 16, Sept. 1952, p. 31.

Curtadella Manes, Pablo, argent. Bildhauer u. Mosaikkünstler.

Akte, Bildnisbüsten (Stein, Holz).

Lit.: Francés, 1917 p. 131 (Abb.), 132.

Curtat, Louis, schweiz. Maler (bes. Aquarell) u. Lithogr., * 15. 10. 1869 St-Germain b. Bussigny (Waadt).

Stud. in Lausanne u. an d. Graphikschule in Mülhausen/Els., 1888/1908 in Paris, weitergebildet an der Ec. des Arts décor. Ließ sich 1908 in Lausanne nieder. Ansichten aus dem alten Lausanne u. Bildnisse.

Lit.: Brun, IV. — Anz. f. schweiz. Gesch., 50 (1919) 226.

Curtis, Constance, amer. Bildnismalerin, * Washington, D. C., ansässig in New York.

Schülerin von Wm. Chase u. Reid. Präsidentin des Art Workers' Club for Women.

Lit.: Th.-B., 8 (1913). — Who's Who in Amer. Art, I: 1936/37. — Amer. Art Annual, 30 (1933). — Fielding. — The Art News, 22, Nr 8 v. 1. 12. 1923, p. 5, m. Abb.

Curtis, Dock, amer. Zeichner u. Maler, * 1. 10. 1906 Salt Lake City, Utah, ansässig in New York.

Schüler von John Koopman, George Pearse Ennis u. Frank H. Schwarz. Hauptsächl. Wandmalereien (u. a. in der Horace Mann School in New York).

Lit.: Who's Who in Amer. Art, I: 1936/37.

Curtis, Ida Maynard, amer. Landschaftsmalerin, * Lewisburg, Pa., ansässig in Carmel, Calif.

Schülerin von Hawthorne, Ross, Maynard u. Simon. Bilder u. a. in der Cornell University, Ithaca, N.Y., u. in der Brighton High School in Boston, Mass.

Lit.: Amer. Art Annual, 30 (1933). — Who's Who in Amer. Art, I: 1936/37.

Curtis, Leland, amer. Landschaftsmaler, * 7. 8. 1897 Denver, Colo., ansässig in Los Angeles, Calif.

Bilder im Artland Club u. im Bes. der Stadt Los Angeles.

Lit.: Who's Who in Amer. Art, I: 1936/37. — Amer. Art Annual, 30 (1933).

Curtis, Nathaniel Cortlandt, amer. Maler u. Lithogr., * 1881 Southport, M. C., ansässig in New Orleans, La.

Schüler von William R. Ware.

Lit.: Fielding. — Amer. Art Annual, 30 (1933).

Curtis, Nora, engl. Tierzeichnerin.

Lit.: The Studio, 108 (1934) 282/85 (Zeichngn aus dem Londoner Zoo).

Curtis, William Fuller, amer. Maler u. Illustr., * 25. 2. 1873 Staten Island, N. Y., ansässig in Brookline, Mass.

Schüler von J. Rolshoven, Lefebvre u. T. Robert-Fleury in Paris. Altartafeln für die Kirche St. Michael and All Angels in Geneseo, N. Y.

Lit.: Th.-B., 8 (1913). — Amer. Art Annual, 30 (1933). — Fielding. — Who's Who in Amer. Art, I: 1936/37.

Curtis-Huxley, Claire, amer. Bildhauerin, * 9. 5. 1879 Palmyra, N. Y., ansässig in Paris.

Schülerin von Denis Puech in Paris.

Lit.: Th.-B., 8 (1913). — Bénézit, [2] 2

Curtois, Mary Henrietta Dering, engl.

Figuren-, Bildnis- u. Landschaftsmalerin, * London, † 1929 Amersham.

Stud. an der Kunstsch. in Lincoln u. an der Acad. Julian in Paris.

Lit.: Who's Who in Art, [1] 1929; [3] 1934, Obituary, p. 447. — Bénézit, [2] 2.

Čus, Ferdo, kroat. Holzbildhauer.

Zeigte auf d. Ausst. Kroat. Kst in Berlin 1943 einen Kinderkopf.

Lit.: Kat. d. Ausst. Kroat. Kst, Berlin, Pr. Akad. d. Kste, Jan./Febr. 1943, m. Abb. Taf. 27.

Cusin, Federico, ital. Zeichner u. Buchillustr., * 8. 12. 1875 Venedig, ansässig ebda.

Lit.: Comanducci. — Chi è?, 1940.

Cussetti, Carlo, piemont. Dekorationsmaler, Lithogr. u. Plakatzeichner, * 26. 7. 1866 Turin, ansässig ebda.

Schüler von Enr. Gamba. Dekorationen u. a. im Pal. Reale in Turin, im Sitzungssaal der „Gazzetta del Popolo" ebda u. im Castello del Savoja in Gressoney.

Lit.: Th.-B., 8 (1913). — Comanducci, m. Abb.

Cussigh, Arturo, ital. Maler u. Rad., * 15. 3. 1911 Tolmezzo.

Stud. an d. Akad. in Bologna. Landschaften, Interieurs, Bildnisse, Figürliches.

Lit.: Il Gazzettino (Venedig), v. 16. 12. 1936; 7. 6. 39; 21. 2. 40; 3. 6. 41. — Il Popolo del Friuli, v. 8. 9. 1940; 6. 10. 41. — Cortina, v. 31. 8. 1941. — Emporium, 80 (1934) 61; 81 (1935) 124. — Gazz. di Venezia, v. 20. 8. 1941. — L. Servolini, Diz. d. Incisori ital. mod. e contemp., 1952. *L. Servolini.*

Custis, Eleanor Parke, amer. Malerin, Rad. u. Illustr., * 1897 Washington, D. C., ansässig ebda.

Schülerin von Henry B. Snell. Bilder in der Publ. Library in New Haven, Conn., u. in der John Quincy Adams School in Washington. Illustr. zu: National Traits and Fairy Lore (8 Bde, Scribner's); St. David Walks Again" (Harper's); ferner für Zeitschriften wie Country Life, Garden Magazine u. House Beautiful.

Lit.: Amer. Art Annual, 30 (1933). — Who's Who in Amer. Art, I: 1936/37.

Cutcheon, Frederica, geb. *Ritter*, amer. Malerin u. Plakatkünstlerin, * 30. 11. 1904 St. Paul, Minn., ansässig in Madison, Wis.

Stud. an der Schule des Museums in Boston, bei Arthur Colt u. an der Acad. de la Grande Chaumière in Paris.

Lit.: Who's Who in Amer. Art, I: 1936/37.

Cuthbert, Margot Lindsey, geb. *Spring*, engl. Bildnismalerin (bes. Miniatur), * 23. 12. 1893 Tiverton, Devon, ansässig in St. Thomas' Vicarage, Clapton Com.

Lit.: Who's Who in Art, [3] 1934.

Cuthbert, Virginia, verehel. *Elliott*, amer. Bildnismalerin, * 27. 8. 1908 West Newton, Pa., ansässig in Pittsburgh, Pa. Gattin des Philip Clarkson Elliott.

Schülerin von Ch. W. Hawthorne, George Luks, Colin Gill, Prinet u. Cacain. Knabenbildnis in der Syracuse Univ. in Syracuse, N. Y.; Wandmalereien im Mt. Lebanon Municip. Building in Pittsburgh.

Lit.: Amer. Art Annual, 30 (1933). — Who's Who in Amer. Art, I: 1936/37. — Monro. — Art Digest, 19, Nr v. 1. 10. 1944, p. 10; Nr v. 15. 3. 1945, p. 18; 24, Nr v. 1. 3. 50, p. 8 (Abb.); Nr v. 1. 11. 49, p. 21, m. Abb. — The Art News, 43, Nr v. 1. 10. 1944, p. 6; Nr v. 15. 10. 1944, p. 4; 44, Nr v. 15. 3. 1945, p. 27; 48, Nov. 1949, p. 47.

Cutler, Carl Gordon, amer. Maler, * 3. 1. 1873 Newtonville, Mass., ansässig ebda.

Schüler von B. Constant u. Laurens in Paris.

Lit.: Amer. Art Annual, 30 (1933). — Fielding. — Who's Who in Amer. Art, I: 1936/37. — Monro.

Cutler, Charles Gordon, amer. Bildhauer, * 1914 im Staat Massachusetts.

Stud. an der Schule des Mus. in Boston. Kollektiv-Ausst. in den Vose Gall. in Boston, Februar 1942, u. in der Buchholz Gall. in New York, Nov. 1946. Kreidezeichng (Mutter mit Kind) in der Addison Gall. of Amer. Art in Andover, Mass. (Abb. im Bull. 1943, p. 28).

Lit.: Art Digest, 16, 1. 2. 1942, p. 11, Juni 1942, p. 11; 21, Nr v. 15. 11. 1946, p. 12; 24, Aug. 1950, p. 11 (Abb.). — The Art News, 41, Juni 1942, p. 10 (Abb.); 45, Nov. 1946, p. 17 (Abb.). — Liturg. Arts, 17, Febr. 1949, p. 48, m. Abb. — Magaz. of Art, 40, Jan. 1947, p. 8f. — Cinncinati Art Mus. Newsnotes, 2, Okt. 1947, p. 3, m. Abb.; 4, Mai 1949, p. III. — Art News Annual, 18 (1948) 129 (Abb.).

Cutzescu-Storck, Cecilia, rumän. Figuren- u. Landschaftsmalerin, * 1879 Căineni (Oltenia), ansässig in Bukarest. Gattin des Fritz Storck.

Stud. in München bei Fehr u. Ludwig Schmidt, dann in Paris bei Humbert, J. P. Laurens u. B. Constant. Mitglied der Künstlervereinigung „Tinerimea Artistica". Seit 1916 Prof. an d. Akad. Bukarest. Hauptsächlich Landschafterin. Beeinflußt von Gauguin. Wandgem. (Der rumän. Handel) in der Aula der Handelshochsch. in Bukarest. Mehrere Zeichngn im Mus. Toma Stelian ebda (Kat. 1939, p. 61f.).

Lit.: Th.-B., 32 (1938) 122. — Oprescu, 1935, m. 2 Abbn u. 1936, p. 16. — L'Art et les Artistes, 2e sér. de guerre, Nr 4 (1917): Roumanie, p. 56. — The Studio, 110 (1935) 117 (Abb.), 123. — Kat. d. Ausst. Rumän. Kst d. Gegenw., Zürich, Ksthaus, 1943, p. 12, 20, m. Abb.

Cuvinot, Jeanne, franz. Landschafts- u. Bildnismalerin, * Formerie (Oise), ansässig in Paris.

Schülerin von Royer, Loys Prat u. Pagès. Mitgl. d. Soc. d. Art. Franç., beschickt deren Salon seit 1928.

Lit.: Joseph, I.

Cuyer, Ludovic, franz. Landschafts- u. Stillebenmaler, * Saint-Ursin (Manche), ansässig in Paris.

Stellt seit 1924 bei den Indépendants aus.

Lit.: Joseph, I.

Cuyper, Alfons de, belg. Bildhauer, * 1877 Saint-Nicolas (Ostflandern).

Schüler von Th. Vinçotte.

Lit.: Seyn, I 236.

Cuyper, Alfons de, belg. Landschaftsmaler (Prof.), * 1887 Heverlé-lez-Louvain, ansässig in Gent.

Schüler der Genter Akad. Prof. an ders.

Lit.: Seyn, I 236.

Cuyper, Floris de, belg. Bildhauer u. Medailleur (Prof.), * 1875 Antwerpen.

Schüler von Th. Vinçotte, Havermaet u. J. de Braekeleer. 1900 2. Rompreis. Prof. für anatomisches Zeichnen an der Akad. Antwerpen. Kriegerdenkmäler, Bildnisbüsten.

Lit.: Seyn, I 236, m. Fotobildn. — Forrer, 7.

Cwikliński, Zefiryn, poln. Landschaftsmaler, ansässig in Lemberg.

Stellte seit 1892 in Krakau aus.

Lit.: Bénézit, [2] 2. — Tygodnik ilustr., 1924 p. 279f., m. 3 Abbn.

Cybis, Bolesław, poln. Figurenmaler, * 1896 (1899?) Wilna, ansässig ebda.

Folgt der surrealist. Richtung. In der Staatl. Kstsmlg in Warschau: Junges Mädchen bei der Toilette.

Lit.: Kuhn, m. Abb. — Beaux-Arts, 75e année, Nr 254 v. 12. 11. 1937, p. 3, m. Abb. — Kat.: Ausst. Poln. Kst, Berlin, Pr. Akad. d. Kste, 1935, m. Abb. — The Studio, 107 (1934) 181 (Abb.).

Cybis, Jan, poln. Bildnis- u. Landschaftsmaler, * 16. 2. 1897 Wróblin (Schlesien), ansässig in Krakau. Gatte der Hanna Rudzką-Cybisowa.

Stud. an der Breslauer u. Warschauer Akad. Bild in d. Staatl. Kstsmlg Warschau.

Lit.: Czy wiesz kto to jest?, 1938. — Sztuki Piękne, 1933 p. 281ff., m. Abb. — Beaux-Arts, 25. 7. 1947, p. 3 (Abb.). — Kat.: Ausst. Poln. Kst, Berlin, Pr. Akad. d. Kste, 1935.

Cybisowa-Rudzką, Hanna, siehe *Rudzka-Cybisowa.*

Cyprien-Boulet, Eugène, franz. Bildnis- u. Genremaler, * Toulouse, ansässig in Paris.

Schüler von J. P. Laurens, R. Collin u. Cormon. Mitgl. der Soc. d. Art. Franç., beschickt deren Salon seit 1927 (Kat. z. T. m. Abbn).

Lit.: Joseph, I.

Cyr, Georges, franz. Landschafts- u. Stillebenmaler, * Montgeron (Seine-et-Oise), ansässig in Rouen.

Stellt seit 1923 bei den Indépendants in Paris aus.

Lit.: Joseph, I. — L'Art et les Art., 1934 Nr 149, p. 336/40, m. 5 Abbn. — Bénézit, [2] II (1949).

Cytrin, Felix, dtsch. Bildnismaler, * 5. 6. 1894 Leipzig, ansässig ebda.

Stud. an d. Leipz. Akad. f. Graph. Kste.

Czajkowska, Maria, poln. Malerin, * 10. 8. 1879 Bilczekrólewskie (Podolien).

Stud. bei L. Herterich u. Fehr in München, bei Stanislawski u. Mehoffer in Krakau, bei L. O. Merson, Anglada y Gandara u. Humbert in Paris. — Landschaften, Genre, Bildnisse.

Lit.: Th.-B., 8 (1913).

Czajkowski, Józef, poln. Architekt, Maler u. Kstgewerbler (Prof.), * 1872 Warschau, ansässig ebda.

Malschüler von Jos. u. Ludw. Herterich u. C. v. Marr in München (1891), dann von J. P. Laurens u. B. Constant an der Acad. Julian in Paris und von Whistler ebda. Architekturstudien am Polytechnikum in Wien, dann einige Zeit im Architekturatelier von Tadeusz Stryjenski in Krakau. Seit 1912 Prof. an der Warschauer Kstschule. Wurde im Ausland bekannt durch den von ihm entworfenen und auch im Innern nach seinen u. Wojriech Jastrzębowski's Entwürfen ausgestatteten Poln. Pavillon auf der Internat. Kunstgew.-Ausst. Paris 1925. Entwürfe für die 1922 begründete „Polnische Kilim-Manufaktur Kilim“ in Krakau u. für Glasmalerei. Richtete die poln. Ausstellgn in Berlin 1935 u. im Vict. a. Albert Mus. in London 1936 ein. Als Maler hauptsächl. Landschafter u. Porträtist (Pleinairist).

Lit.: Th.-B., 8 (1913). — Czy wiesz kto to jest?, 1938. — Kuhn. — The Internat. Who's Who, [16] 1952 — Gaz. d. B.-Arts, 1925/II p. 230. — Maandbl. voor Beeld. Kunsten, 3 (1926) 376ff., m. Abbn; 4 (1927) 18, m. Abb., 21, 24 (Abb.). — The Studio, 90 (1925) 239, 243 (Abb.). — Kat.: Expos. d'Art Polonais, Paris, Soc. Nat. d. B.-Arts, 1921. — Kopera.

Czajkowski, Stanisław, poln. Landsch.- u. Tiermaler, * 1878 Warschau, ansässig ebda.

Schüler von J. Malczewski u. L. Wyczółkowski in Krakau, dann von Jos. Herterich in München, von B. Constant u. J. P. Laurens in Paris. Mitglied der Kstlervereinig. „Sztuka“. Impressionist.

Lit.: Th.-B., 8 (1913). — Kuhn, m. 2 Abbn. — Sztuki Piękne, 1930 Nr 7/8, m. 19 Abbn u. 1 Taf. — Tygodnik ilustr., 1923 p. 163, m. 9 Abbn. — De Cicerone (Den Haag), 1 (1918) 38. — Beaux-Arts, 8 (1931) April-Heft p. 20, m. Abb. — The Studio, 107 (1934) 182 (Abb.). — Ausst.: Expos. d'Art Polonais, Paris, Soc. Nat. d. B.-Arts, 1921; Poln. Kunst, Berlin, Pr. Akad. d. Kste, 1935; Wien, Sezess., 1928. — Kopera.

Czapek, Brunó, ungar. Maler, * 6. 10. 1878 Bielitz, Öst. Schles., ansässig in Budapest.

Stud. bei E. Balló u. K. Lotz in Budapest, weitergebildet bei Hollósy in München u. Nagybánya. Hauptsächl. Porträtist.

Lit.: Szendrei-Szentiványi. — Krücken-Parlagi.

Czapek, Rudolph, tschech. Maler u. Kunsttheoretiker, * 2. 7. 1871 Prag, † 22. 8. 1935 München (Freitod). Gatte der Folg.

Bis 1899 aktiver Seeoffizier, dann Studium der Philosophie u. Kunstgesch. in Wien u. Zürich. Seit 1902 Malschüler von Knirr, Herterich, Groeber u. Alex. Jawlenskij in München. 1907/09 in Berlin, hauptsächlich mit dem Studium der mittelalterl. u. ostasiat. Malerei beschäftigt. Seit 1917 in Deggendorf, 1925 in Würzburg, 1926 in Hamburg, dann wieder in Berlin. Übersiedelte 1934 nach dem Tode s. Gattin in das Kloster Metten bei Deggendorf, Sommer 1935 desselben Jahres nach München. Kommt auf dem Umwege über Naturalismus u. Neoimpressionismus zu einer transzendentalen Malerei, die, durch ostasiat., bes. chines. Vorbilder angeregt, allein von farbigen Werten ausgeht. Entsprechend ist seine Graphik auf Licht- u. Schattenwerte abgestellt. Graph. Hauptfolgen: Heimsendung, Jagd, Gebet, Joh. Tauler, Dreikönige I, Weg zum Licht, Letzte Stunde (1920), Dreikönige II, Bergpredigt, Kreuzestod, Erlösung (1921). — Buchwerke: Zur geistigen Synthesis, 1916/17; Farbenwelt u. Bildaufbau, 1921; Umrisse u. Raumwerte, 1922. Beschäftigte sich auch mit Astrologie u. Horoskopdeutung.

Lit.: Dreßler. — D. Cicerone, 16 (1924) 739/51, m. 6 Abbn. — Kunstschule, 8 (1925) 517/20, m. 5 farb. Abbn. — Kst u. Kstler, 8 (1910) 236. — Sterne u. Mensch, 11 (1935/36) H. 7/8, m. Fotobildn.

Czapek-Buschmann, Mechthild, dtsche Malerin, Graph. u. Kstgewerblerin, * 17. 4. 1871 Köln, † 3. 10. 1931 Berlin (Freitod). Gattin des Vor.

Schülerin von W. Petersen u. A. Kampf in Düsseldorf. 1899/1900 bei Scott u. Humbert an der Akad. Colarossi in Paris. 1901/04 in München bei Knirr. Stud. Graphik bei Ernst Neumann. 1903 Heirat. Bildnisse, Landschaften, Figürliches. Holzschnitte (Holländerin, Bildnis ihrer Schwester, der Kstgewerblerin Hedwig Buschmann). Lithographien (Ruhepause, Exlibris), Entwürfe für Textilien, Malereien auf Seide für die Buschmann-Stilkleider, Plakate.

Lit.: Dreßler. — Gartenlaube, 1917, p. 121f. — Deggendorfer Donaubote, 24. 10. 1931. — D. Rheinlande, 2 (1901/02) März-H. p. 76 (fälschl. Mathilde).

Czarkowski, Bolesław, poln. Fayencemaler, * 1883 Warschau, ansässig ebda.

Schüler der Warschauer Akad., weitergebildet in Paris u. Italien.

Lit.: Czy wiesz kto to jest?, 1938.

Czarnecki, Józef Bronisław, poln. Bildnismaler, * 15. 11. 1871 Posen (Poznań), ansässig ebda.

Stud. an der Berliner Akad.

Lit.: Czy wiesz kto to jest?, 1938.

Czedekowski, Boleslaw Jan, poln. Bildnismaler, * 22. 2. 1885 Wojnilow (Öst. Schles.), ansässig in Paris.

Schüler von K. Pochwalski an der Wiener Akad. Machte sich in Wien ansässig, wurde bald beliebter Porträtist des Kais. Hofes u. des Hochadels. Ging 1918 nach den USA, hielt sich einige Zeit in Washington auf. Lebt seit 1921 abwechselnd in Paris u. in s. Heimat, meist in Warschau. Stellte seit 1924 im Salon der Soc. d. Art. Franç. (Kat. z. T. m. Abbn) u. bei den Indépendants in Paris aus. Porträtierte viele hohe poln. u. franz. Würdenträger. In der Poln. Gesandtschaft in Paris Bildnis des Marschalls Foch. In der Art Gall. in Glasgow Bildn. der Gattin u. Tochter des Künstlers. Im Art Mus. in Worcester, Mass., USA, Bildn. des Gründungsmitgl. desselben, Franç. Henshaw Deway. Zeigte im Pariser Salon d. Soc. d. Art. Franç. 1930 ein Bildnis des damal. Präsidenten der poln. Republik, Ignacy Moscicki (Abb. im Kat.).

Lit.: Joseph, I, m. 2 Abbn. — Bénézit,[2] II. — La Pologne, 1925 p. 38f. — The Studio, 89 (1925) 297, m. Abbn; 100 (1930) 55, 56 (Abb.). — Beaux-Arts, 72 (1933) Nr 44 p. 3, Sp. 1, m. Abb. — Bull. of the Worcester Art Mus., 24 (1933/34) Nr 1, Umschlagbild. — Velhagen & Klasings Monatsh., 51/I (1936/37) p. 340, Taf. geg. p. 256.

Czencz, János, ungar. Maler, * 2. 9. 1885 Ostffyasszony (Kom. Vas), ansässig in Budapest.

1907/11 Schüler von L. Hegedüs u. Th. Zemplényi an der Akad. Budapest. Figürliches (bes. Akte), Stillleben, Landschaften. In der N. Ungar. Gal. in Budapest 2 Bilder: Im Grünen u. Marcella; in der Städt. Gal. ebda: Halbakt.

Lit.: Szendrei-Szentiványi. — Krücken-Parlagi. — Művészet, 15 (1916) 66; 16 (1917) 12, 67; 17 (1918) 49. — The Studio, 61 (1914) 241, m. Abb. — Kat. Ausst. Ung. Mal. d. Gegenw., Berlin u. a. O. 1942/43, m. Abb.

Czene, Béla, ungar. Figurenmaler, * 1911.

Lit.: Kat. „Ausst. Ungar. Kst", Dtsche Akad. d. Kste, Berlin Okt./Nov. 1951.

Czermański, Zdzisław, poln. Maler u. Karikaturenzeichner, * 1896 Krakau, ansässig in London.

Mitarbeiter der führenden satir. Zeitschr. „Cyrulik Warszawski" (Der Barbier von Warschau). Pflegt die polit. Karikatur. Spottbilder auf den Völkerbund.

Lit.: Czy wiesz kto to jest?, 1938. — Osteuropa, 4 (1928/29) 631.

Czernichowski, Pol de, franz. Porträtmaler, * 1871 (Ginisty: 1876) Paris, fiel am 30. 3. 1916 bei Dugny (Marne).

Stellte seit 1900 im Salon der Soc. d. Art. Franç. aus.

Lit.: Ginisty, 1919, p. 50. — Livre d'Or d. peintres expos. etc., 1921, p. XVI.

Czerny, Siegfried, dtsch. Maler, Radierer u. Entwurfzeichner für Kstgew. (Prof.), * 15. 1. 1889 Heidelberg, ansässig in Karlsruhe.

Stud. an d. Kstsch. Karlsruhe (W. Conz, H. Thoma), dann an d. Akad. Kassel u. München (Becker-Gundahl, Doerner, R. Kaiser, H. Groeber). Beeinflußt von Thoma. Beschäftigt sich viel mit Maltechnik. Hauptsächlich Bildnisse u. Bauerntypen, in altmeisterlich-minuziöser, etwas trockener zeichner. Durchbildung. Entwürfe für Metallschnitt- u. Treibarbeiten. Seit 1933 Leiter einer Meisterklasse an d. Hochsch. d. bild. Kste in Karlsruhe.

Lit.: Breuer, m. 2 Abbn u. (gez.) Selbstbildn. — Dreßler. — Das Bild, 4 (1934) 88, 90, 96 (Abb.); 9 (1939) Taf. geg. p. 65, 78/82, m. 3 Abbn. — Dtsche Bildkst, 2 (1932) H. 4, Taf. geg. p. 3, 4f. — Ekkhart (Freiburg/Br.), 23 (1942) 66/76. — Velhagen & Klasings Monatsh., 44/I (1929/30), farb. Taf. geg. p. 608, 703; 45/I (1930/31), farb. Taf. geg. p. 360. — Westermanns Monatsh., 157, farb. Abb. am Schluß d. Bdes.

Czerper, Ernst, dtsch. Graphiker, * 1899 Mannheim, † Januar 1933 Berlin.

1922 als Bühnenmaler nach Posen berufen, später Presse- u. Reklamezeichner in Mannheim, zuletzt in Berlin. Ein Teil seiner Schützengraben-Erlebnisse wiedergebenden Blätter veröffentlicht in der Mannheimer Zeitschr. „Der Schrey".

Lit.: Mannh. Tagebl., Nr 19 v. 21./22. 1. 1933.

Czersch, Doris, dtsche Miniatur- u. Ornamentzeichnerin u. -malerin, * 23. 2. 1924 Reichenberg i. B., ansässig in Schwarzenberg.

Czerwiński, Edward, poln. Maler, Rad. u. Lithogr., * 1892 Warschau, ansässig ebda.

Landschaften, Figürliches.

Lit.: Bénézit,[2] II. — Kat.: Expos. internat. de grav. orig. sur bois, Warschau 1933, p. 63; Ausst. Poln. Kst, Berlin, Pr. Akad. d. Kste, 1935.

Czeschka, Carl Otto, öst. Entwurfzeichner für Kunstgewerbe, Holzschneider, Buchkünstler u. Illustr. (Prof.), * 22. 10. 1878 Wien, ansässig in Hamburg.

Schüler von Griepenkerl an der Wiener Akad., 1901/07 lehrtätig an der. dort. Kstgewerbesch. 1907–43 Prof. an d. Kstgewerbesch. in Hamburg. Entwürfe für Bühnenausstattungen u. -kostüme, Stickereien, Schmuck, Lackmalereien und dekor. Holzschnitzereien. Buchschmuck u. Illustrationen u. a. zu: Hebels „Schatzkästlein" u. Keims „Nibelungen" (Gerlachs Jugendbücherei, Gerlach & Wiedling, Wien).

Lit.: Th.-B., 8 (1913). — Die Kst, 30 (1913/14) 122f., m. Abbn. — Mitteilgn d. Kstgew.-Ver. Hamburg, 6 (1911/12) 36ff., m. Abb.; 7 (1912/13) 29ff. — Kat. Ausst. Dtsche Gebrauchsgraphik, Augsburg, Schaezler-Palais, Nov. 1947, Nr 10.

Czigány, Dezső, ungar. Maler, * 1. 6. 1883 Budapest.

Stud. in München bei Gysis, Hollósy u. K. Ferenczy, 1904/05 in Paris, dann in Berlin. Strenger Tektoniker, harte, trockene Farbgebung. Bildnisse, Figürliches (Akte).

Lit.: Szendrei-Szentiványi. — Krücken-Parlagi. — Kállai. — Művészet, 3 (1904) 187; 9 (1910) 144; 17 (1918) 75 (Abb.). — Pogány, p. 56.

Czillich, Anna, ungar. Malerin, * 25. 3. 1899 Eger, † 28. 8. 1923 Budapest.

Schülerin von O. Glatz an d. Hochsch. f. Bild. Kste in Budapest und von I. Réti in Nagybánya. Zartes, lyrisches Empfinden. Hinterließ ein Tagebuch (1925 posthum ersch.). In der N. Ungar. Gal. in Budapest ein Selbstbildnis (Kat. 1930).

Lit.: Kállai, m. 2 Abbn. — D. Cicerone, 17 (1925) 102.

Czóbel, Béla, ungar. Maler, * 4. 9. 1883 Budapest, ansässig ebda.

Stud. 1902ff. an der Malschule in Nagybánya, an der Münchner Akad. u. bei J. P. Laurens an der Acad. Julian in Paris. Beeinflußt von Matisse, Maur. Asselin, Dunoyer de Segonzac, Van Dongen, G. Braque u. Derain. Kühner Kolorist. Schloß sich den Fauves an, behielt aber immer engen Kontakt mit der Natur. Während des 1. Weltkrieges in Holland, 1919/25 in Berlin, dann wieder in Paris. Seit 1935 wiederholt längere Sommeraufenthalte in Ungarn, seit Ausbruch des 2. Weltkrieges wieder in Budapest. Figürliches, Bildnisse, Landschaften, Straßenansichten, Interieurs.

Lit.: Th.-B., 8 (1913). — Szendrei-Szentiványi. — Krücken-Parlagi. — E. Kállai, m. 4 Abbn; ders., C. B. (Ars Hungarica, Nr 7), Budapest 1934, m. 32 Abbn. — L'Amour de l'Art, 11 (1930) 134 (Abb.). — D. Cicerone, 12 (1920) 300; 16 (1924) 48, 145. — Hellweg, 3 (1923) 358. — Kst u. Kstler, 22 (1923/24) 112, m. Abb. — Öst. Kst, 3 (1932) Heft 7 p. 12f. — D. Kstblatt, 4 (1920) 111ff. (Abbn), 114ff., m. Abbn; 5 (1921) 295 (Abb.); 7 (1923) 11ff., m. Abbn; 10 (1926) 407 (Abb.); 11 (1927) 171; 13 (1929) 155; 14 (1930) 188 (Abb.). — D. Schaffenden, II, 3. M.; III, 3. M. — The Studio, 113 (1937) 122f., 130 (Abb.); 135 (1948) 21 (Abb.). — Style, 1930, Nr 1, p. 30f., m. Abb. — Nouv. Revue de Hongrie, 64 (1941/I) p. 247/50, m. 2 Abbn. — Kstchronik, 2 (1949) 84. — Beaux-Arts, Nr v. 16. 4. 1948, p. 8; 23. 4. 48, p. 4 (Abb.). — Pogány, p. 14, Taf. 102, farb. Taf. 103.

Czölder, Dezső, ungar. Maler, * 1875 Gőlniczbánya, ansässig in Budapest.

Stud. in Budapest. Ließ sich in Fiume nieder, von wo er das ganze Adriagebiet bereiste, 1907 in Amerika. Seit 1912 in Budapest.

Lit.: Krücken-Parlagi.

Czövek, István, ungar. Maler, * 1893. Stud. bei I. Réti in Nagybánya, dann an der Budapester Akad. bei K. Ferenczy.

Lit.: Szendrei-Szentiványi. — Krücken-Parlagi.

Czurles, Stanley Albert, amer. Maler, * 14. 9. 1908 Elizabethport, N. J., ansässig in Kenmore, N. Y.

Stud. am Coll. of Art der Univ. in Syracuse, N. Y. Mitarbeiter des „Syracuse Journal" u. „Syracuse America".

Lit.: Who's Who in Amer. Art, I: 1936/37.

Czyżewski, Tytus, poln. Maler u. Dichter, * 1885 Przybyszow (Podolien), † 1945 Warschau.

Stud. in Krakau u. Paris. Folgte anfangs der kubistischen, dann der abstrakten Richtung. Beeinflußt von Cézanne, geht auf feinste kolorist. Harmonien aus. Akte, Stilleben, Landschaften, Interieurs. Stellte zw. 1923 u. 1929 — damals in Paris wohnhaft — bei den Indépendants u. im Salon des Tuileries aus. Bilder im Nat.-Mus. Warschau.

Lit.: Czy wiesz kto to jest?, 1938. — Bénézit, [2] II. — Der Ararat (München), 2 (1921) 284f., m. 2 Abbn. — Beaux-Arts, 25. 7. 1947, p. 3 (Abb.); 6. 8. 48, p. 8 (Abb.). — Tygodnik ilustr., 1923, p. 708, m. 3 Abbn. — Kat. d. Ausst. Poln. Kst, Berlin, Pr. Akad. d. Kste, 1935; Wander-Ausst. Poln. Maler d. 19. u. 20. Jh.s, Berlin u. a. O. 1949, m. Abb. — Kopera.

D

Daamen, Kreel, holl. Maler, * 2. 2. 1916 Amsterdam, ansässig ebda.

Schüler von Cor de Wolff, im übrigen Autodidakt. Mitglied der „Onafhankelijken". Szenen aus dem Volksleben, bibl. Vorwürfe, Bildnisse. Im Reichsmus. A'dam ein Mädchenbildnis.

Lit.: Waay.

Dabit, Eugène, franz. Landsch.-, Stillleben-, Bildnismaler u. Schriftst., * Mers (Somme), † 1935 Odessa.

Ansässig in Paris. Beschickte seit 1923 den Salon des Tuileries, seit 1925 auch den Salon der Soc. d. Art. Indépendants. In s. letzten Jahren nur schriftst. tätig.

Lit.: Joseph, 1. — Bénézit, [2] 3 (1950). — Beaux-Arts, Nr 255 [recte 256] v. 26. 11. 1937 p. 5.

Dąbrowa-Dąbrowski, Eugeniusz, poln. Landsch.- u. Blumenmaler u. Entwurfzeichner für Glasmalerei, * 1870 Pryzwilow, ansässig in Paris.

Stellte seit 1925 bei den Indépendants aus.

Lit.: Bénézit, [2] III (1950).

Dąbrowska, Kazimiera (Casimira), poln. Bildnisminiaturmalerin, * 3. 3. 1890 Radom, ansässig in Rom.

Schülerin von Rotabinski. Stellte in den 20er Jahren in Paris im Salon der Soc. d. Art. Franç. aus.

Lit.: Czy wiesz kto to jest?, 1938. — Joseph, 1. — Bénézit, [2] 3.

Dąbrowska, Waleria, geb. *Kieszkowska,* poln. Bildhauerin, * bei Sanok (Galizien), ansässig in Krakau.

Stud. in Lemberg, dann bei König u. Dull in Wien, weitergebildet an der Akad. Julian in Paris. Ließ sich in Budapest nieder. Hauptsächlich Porträtistin.

Lit.: Th.-B., 8 (1913). — Bénézit, [2] 3.

Dąbrowska-Augustynowicz, Wladislawa, s. Augustynowicz-Dąbrowska.

Dąbrowska-Gerson, Maria Józefa, poln. Malerin u. Bildhauerin, * 24. 8. 1869 Warschau, ansässig ebda.

Schülerin von W. Gerson u. der Akad. Julian in Paris.

Lit.: Czy wiesz kto to jest?, 1938.

Dąbrowski, Adam, poln. Holzbildhauer u. Fachschriftst., * 10. 9. 1880, ansässig in New York.

Stud. an der Warschauer Kstschule. Direktor der Holzbildhauersch. in Brooklyn, N. Y. Hauptsächlich kirchl. Arbeiten, u. a. in St. Casimir's Church in Shenandoah, Pa. 14 Arbeiten im Newark Mus. in Newark, N. J.

Lit.: Amer. Art Annual, 27 (1930) 520. — Who's Who in Amer. Art, I: 1936/37.

Dąbrowski, Stanisław, poln. Maler, Dr. phil., * 16. 7. 1892 Krós, ansässig in Krakau.

Lit.: Czy wiesz kto to jest?, 1938. — Kopera.

Dachauer, Wilhelm, öst. Maler u. Illustr. (Prof.), * 5. 4. 1881 Ried im Innkreis, † 26. 2. 1951 Wien.

Schüler der Wiener Akad. unter Jul. Berger u. Griepenkerl u. der Malschule Al. Delugs. Rompreis. Studienaufenthalte in Holland, Italien u. Ägypten.

Mitglied der Wiener Sezession. 1917 als Maler im Kriegspressequartier. Seit 1918 in Ried Seit 1927 Prof. an der Wiener Akad. — Landschaften, Bildnisse, Figürliches (Bauernbilder, Allegorisches). Illustr. zu „Gullivers Reisen" (1925), zu „Meier Helmbrecht" (Dtsch. Verl. f. Jugend u. Volk, 1924) u. zu dem altdtsch. Schwank: „Der Wiener Meerfahrt" (1920). Bilder im Mus. in Ried („Im Holz") u. in der dort. Stadtpfarrk. (Madonna). Selbstbildn. im Mus. d. Stadt Wien.

Lit.: K. L. Schubert, Maler W. D. (Eckart-Kstbücher), Wien 1928. — Krackowizer-Berger. mit Taf.-Abb. (Selbstbildn.). — Teichl. — D. Kst, 29 (1913/14) 412, 417 (Abb.). — D. Christl. Kstblätter (Linz), 64 (1923) 54; 68 (1927) 119, 122 (Abb.). — D. getreue Eckart (Wien), 3 (1925/26) Abb. geg. p. 258, 265f., 269 (Abb.); 4 (1926/27) 453/64, m. Abbn. — Jahrb. der Innviertler Kstlergilde, 1927. — D. ostbair. Grenzmarken, 17 (1928) 21f. — Öst. Kst, 4 (1933) H. 4, p. 21f., m. 3 Abbn (dar. Selbstbildn.), H. 6 p. 25/27, m. Abbn; Sonderheft Wipa, p. 9/11. — Kst in Öst. (Leoben), 1 (1934) 76 (Abb.). — D. Bild, 9 (1939) 147 (Abb.); 10 (1940) 89, 92 (Abb.). — Westermanns Monatsh., 155 (1933/34) Taf. geg. p. 416.

Dacosta, Antonio, portug. Landschaftsmaler u. Illustr., * 1914 Angra-do-Heroismo (Azoren).

Stud. a. d. Techn. Schule in Angra-do-Heroismo, Schüler von Álvaro de Castro. Surrealist.

Lit.: Gr. Enc. Port. e Brasil., VIII 333. — Pamplona, p. 400.

Dadascheff, Saditsch, sowjet. Architekt, ansässig in Baku.

Stalinpreisträger. Entwurf für den Pavillon der Aserbaidschanischen SSR auf der landwirtschaftl. Ausst. in Moskau; Musikschule in Baku; Kino „Rodina" ebda; Arbeitersiedlung „Armenikend" ebda, letztere 3 gemeinsam mit Michail A. Useinoff.

Lit.: Encykl. d. Union d. Sozial. Sowjetrepubl., 2.

Dadie-Roberg, Dagmar, schwed. Bildhauerin, * 1. 10. 1897 Stockholm, ansässig in Hindås.

Schülerin von Akzap Gudjan. Stellte in Paris bei den Indépendants, im Salon der Soc. d. Art. franç., im Salon d'Automne u. im Salon des Tuileries aus. Figürliches, Bildnisbüsten (schwarzer Granit, Bronze).

Lit.: Joseph, I, m. 3 Abbn u. Fotobildn. — Thomæus, p. 268, s. v. Roberg.

Dadlez, Pawel, poln. Maler, * 1904 Rawa Ruska (Galizien), ansässig in Krakau.

Lehrer an der Krakauer Akad. Figürliches (Akte), Architektur. Bild im Mus. in Budapest.

Lit.: Jahrb. d. Mus. d. Bild. Kste Budapest, 9 (1940) 273, l. Sp. — Kat. d. Ausst. Poln. Kst, Berlin, Pr. Akad. d. Kste, 1935.

Daehmcke, John, dtsch. Maler, Radierer u. Lithogr., * 21. 11. 1887 Ottensen b. Hamburg, ansässig in Berlin.

Stud. an der Kstschule in Breslau, 1907/10 bei L. v. Kunowski in Düsseldorf. Hauptsächlich Porträtist.

Lit.: Dreßler. — Nordelbingen, 10, Teil I/II (1934) Taf. vor p. IX. — Zeitschr. f. Bücherfreunde, 19 (1927) Beibl. Sp. 114.

Dähn, Fritz, dtsch. Maler (Prof.), * 26. 1. 1908 Heilbronn, ansässig in Dresden.

Prof. an d. Hochsch. f. bild. Kste Dresden. Vorsitzender d. Verb. Bild. Kstler Deutschlands.

Lit.: Kat. d. 3. Dtsch. Kstausst. Dresden 1953. — Bild. Kst (Dresden), 1953, H. 2, p. 32 (Abb.).

Dämmich, Arthur, dtsch. Kunstschlosser, * 25. 4. 1883 Wurzen, ansässig ebda.

Beleuchtungskörper in Schmiedeeisen, Kamin- u. Rauchständer, Kacheltische usw.

Lit.: Kat. 7. (u. 8.) Kstausst. Wurzen, 1941 (1942).

Dämmig, Kurt, dtsch. Bildhauer, * 13. 12. 1884 Munzig, † Juni 1944 Dresden.

Stud. bei Karl Groß in Dresden u. bei Hub. Metzer in Düsseldorf. Architektur- u. Kleinplastik (Tiere).

Lit.: Dreßler. — Kstgewerbeblatt, N. F. 19 (1908) 109 (Abb.). — Kst u. Handwerk, 59 (1909/10) 208. — Neue Baukunst, 1 (1925) Heft 6 (Abb.).

Daenewald, Artur, dtsch. Maler u. Graph., * 1878 Altona, fiel im Mai 1917 im Westen.

Schüler von Woldemar Friedrich u. Scheurenberg an der Berliner Akad., dann Meisterschüler von A. Kampf. Wandgem. im Festsaal des Hotels Adlon in Berlin.

Lit.: Leipziger Tageblatt v. 30. 5. 1917. — Kstchronik, N. F. 28 (1916/17) 396.

Daerr, Joachim, dtsch. Landschaftsmaler u. Lithogr., * 8. 5. 1909 Groppendorf (Prov. Sachsen), ansässig in Putbus (Rügen).

Besuchte die Staatl. Kstschule in Plauen i. V. 4 Jahre beschäftigt mit Webkunst u. Entwürfen von Spitzen. 1932/34 Dekorationsmaler. Weitergebildet seit 1934 an der Hochsch. für Ksterziehung in Berlin. Auslandsreisen: Dänemark, Frankreich, Italien, Balkanländer. 1940/42 im Felde. Seitdem in Putbus. — Seine Gattin Hildegard, * 30. 10. 1913 Berlin, ist Holzschneiderin (Tiere).

Lit.: D. Weltkst, 13 Nr 22/23 v. 11. 6. 1939, p. 2 (Abb.). — Tägl. Rundschau (Berlin), Nr 258 v. 3. 11. 1946, m. Abb. — Kat.: Ausst. „Junge Kst im Deutsch. Reich", Wien 1943; 3. Dtsche Kstausst. Dresden 1953.

Daeye, Hippolyte, belg. Figuren- u. Bildnismaler, * 16. 3. 1873 Gent, † 1952 Antwerpen.

Schüler von Jean Delvin an der Genter Akad. Hauptsächl. Kinderdarstellgn. Zarter, empfindsamer Maler. Im Mus. Brüssel: Träumerei u. Der Glückselige.

Lit.: Th.-B., 8 (1913). — Marlier, p. 70f., Abb. 36. — Seyn, I. — Jozef Muls, H. D., Gent 1934; ders., H. D., Hasselt 1947. — Le Centaure (Brüssel), 1 (1926/27) 1, m. Bildn.; 3 (1929) 117/19, m. Abb.; 4 (1930) 138ff., m. 4 Abbn. — Cahiers de Belg., 1930 p. 119/24 u. 170, m. Abbn. — Gand artist., 1925 p. 37 –43, m. 3 Abbn. — La Revue d'Art (Antw.), 26 (1925), Abb. geg. p. 85, 94, 171. — Emporium, 84 (1936) 274, m. Abb. — D. Weltkst, 22 (1952) 14, 22.

Daffinger, Hanna, ungar. Figurenmalerin, ansässig in Budapest.

Stud. bei L. Deák-Ebner in Budapest.

Lit.: Szendrei-Szentiványi. — Krücken-Parlagi.

Dag, Sevket, türk. Architekturmaler, * 1875 Istanbul (Konstantinopel), † 1944 ebda.

Stud. bis 1897 an d. Akad. d. Sch. Künste zu Istanbul. Dann Zeichenlehrer an verschied. Schulen ebda. Stellte auch im Ausland (Athen, München, Paris, Wien) aus. Vertreten im Bilder- u. Statuenmus. zu Istanbul. Gehört der türk. impressionst. Schule an.

Lit.: Berk, p. 19.

Dagbert, Eugène, franz. Figurenmaler, * Bologne-sur-Mer (Pas-de-Calais), ansässig in Saint-Quentin (Aisne).

Stellt seit 1929 im Salon der Soc. d. Art. Franç. aus (Kat. z. T. m. Abbn).

Lit.: Joseph, 1. — Bénézit, [2] 3 (1950).

Dagget, Maud, amer. Bildhauerin, * 10. 2.

1883 Kansas City, Mo., ansässig in Pasadena, Calif.

Schülerin von Lorado Taft u. des Art Inst. in Chicago, weitergebildet in Paris u. Rom. Öff. Schmuckbrunnen in Pasadena u. Los Angeles.

Lit.: Amer. Art Annual, 30 (1933). — Fielding. — Who's Who in Amer. Art, I: 1936/37.

Daggy, Richard, amer. Maler, * 17. 2. 1892 Chatham, N. J., ansässig in Norwalk, Conn.

Schüler von Augustus S. Daggy.

Lit.: Amer. Art Annual, 30 (1933). — Who's Who in Amer. Art, I: 1936/37.

Dagit, Albert, amer. Architekt, * 29. 4. 1899 Philadelphia, Pa., ansässig ebda.

Stud. an der Univ. of Pennsylvania u. an der Schule des dort. Museums. Assoziiert mit s. Vater Henry u. s. Bruder Henry (* 1893). — Auferstehungskirche in Philadelphia; Heilig-Kreuzkirche in Germantown; Kirche der hl. Katharina v. Siena in Baltimore, Md.; Postgeb. in Chester, Pa.

Lit.: Who's Who in Amer.Art, I: 1936/37. — Pencil Points, 23 (1942) 207/09. — Architect. Record, 98 (1945) 111.

Daglish, Eric Fitch, engl. Holzschneider u. Naturwissenschaftler, * 29. 8. 1894 London, ansässig ebda.

Stud. Naturwissensch. an den Univ. London u. Bonn. 1924/26 Präsid. der Natural Hist. Soc., zog sich dann auf's Land nach Dymchurch in Romney March zurück. Illustr. für z. T. von ihm selbst verfaßte naturgesch. Werke wie: Animal Life in Field and Garden, von J. H. Fabre; The Complete Angler of the Contemplative Men's Recreation, von Walton-Cotton; British Birds; The Life Story of Birds; The Natural History of Selborne, von G. White.

Lit.: Who's Who in Art, [3] 1934. — Artwork, 2 (1925/26) p. 90, 107. — Die Graph. Kste (Wien), 49 (1926) 20. — Apollo (London), 5 (1927) 186. — The Burl. Magaz., 55 (1929) 326. — The Print Coll.'s Quarterly, 17 (1930) 279/298, m. 12 Abbn; 21 (1934) 256 (Abb.). — The Studio, 95 (1928) 75, m. Abb.; 107 (1934) 232 (Abb.); 138 (1949) 96.

Dagnac-Rivière, Charles, franz. Orientmaler, * 1. 5. 1864 Paris, † 14. 1. 1945 Moret-sur-Loing (Seine-et-Marne).

Schüler von Boulanger u. B. Constant. Mitgl. der Soc. Nat. d. B.-Arts, beschickte deren Salon seit 1901. Stellte vordem im Salon der Soc. d. Art. Franç. aus, zu deren Mitgliedern er gleichfalls gehört. Bilder im Luxembourg-Mus. in Paris u. in d. Museen in Algier, Carpentras, Draguignan, Dreux, Nizza, Oran u. Tunis.

Lit.: Th.-B., 8 (1913). — Joseph, 1. — Bénézit, [2] 3 (1950). — L'Art et les Art., N. S. 6 (1922/23) 22 (Abb.), 37.

Dagnas, Paul François Pierre, franz. Maler, * 11. 6. 1893 Chabanais (Charente), ansässig in Châteauroux (Indre).

Schüler von de Fougerat. Mitgl. der Soc. d. Art. Franç., beschickt deren Salon seit 1927 (Kat. z. T. mit Abbn). Bildnisse, Figürliches, Interieurs.

Lit.: Joseph, 1. — Bénézit, [2] 3 (1950).

Dagron, Maurice, franz. Landschaftsmaler, * Fontainebleau, ansässig in Paris.

Stellt seit 1924 bei den Indépendants aus.

Lit.: Joseph, I.

Dahl, Alwin, schwed. Maler, * 1889 Malmö, ansässig in Bollnäs.

Stud. an der Techn. Schule in Malmö, weitergebildet in Paris. Landschaften, bisweilen mit figürl. Staffage u. Pferden, Stilleben. Gedämpftes Kolorit.

Lit.: Thomœus.

Dahl, David, schwed. Architekt (Baurat), * 14. 12. 1895 Stockholm, ansässig ebda.

Schüler der Techn. Hochsch. (1914/18) u. der Akad. (1920/21) in Stockholm. 1921 in Italien, 1923/25 in Frankreich, England u. in den USA. — Altersheim, Katharinen-Realschule, Adelsversammlungs-Haus, sämtl. in Stockholm. Wiederherstellung der Universität in Uppsala.

Lit.: Vem är det?, 1935. — Thomœus. — Sveriges kyrkor, Gästrikland, H. 2 (1936) 339, 343.

Dahl, Erik, schwed. Maler, * 1918 Örkelljunga, ansässig in Påarp, Schonen.

Stud. in Malmö. Landschaften, Stilleben.

Lit.: Thomœus.

Dahl, Francis Wellington, amer. Zeichner, * 1907.

Federzeichng in der Addison Gall. of Amer. Art in Andover, Mass. Kollektiv-Ausst. ebda Febr. 1942 u. im Mus. in Boston August 1946.

Lit.: Art Digest, 20, Juni 1946, p. 19. — The Art News, 45, August 1946, p. 11.

Dahl, Frithjof, dtsch. Bildnis- u. Landschaftsmaler u. Graph. (Dr. phil.), * 29. 6. 1903 Frankfurt a. M., ansässig ebda.

Lit.: Dreßler.

Dahl, Gabriel, norweg. Landschaftsmaler, * 16. 2. 1889 Bergen, ansässig ebda.

Stud. an d. Malerschule in Oslo. Reisen in Dänemark, Deutschland u. Frankreich. Bild: Ansicht aus Cagnes, Nat.-Gal. in Oslo (Kat. 1933).

Lit.: Vem är Vem i Norden, Stockh. 1941, p. 649.

Dahl, Nils, norweg. Landschaftsmaler, * 19. 11. 1876 Kristiania (Oslo), ansässig ebda.

Schüler von Harriet Backer, weitergebildet an der Akad. Colarossi in Paris. 3 Landschaften in der Nat.-Gal. in Oslo (Kat. 1933). Koll.-Ausst. im Kstver. Stockholm 1936, in Oslo 1937.

Lit.: Th.-B., 8 (1913). — Konstrevy, 1936, p. 200, m. Abb. — Kunst og Kultur, 15 (1928) 55f., m. Abb.; 23 (1937) 61 (Abb.), 63. — Kat. Jubil.-Utstill. Norges Kunst 1814–1914, Kra. 1914, p. [56], [74] (Abb.).

Dahl, Theresia, siehe *Sandström.*

Dahl, Torsten, schwed. Maler (Öl u. Aquar.) u. Zeichner, * 1903 Mockfjärd, Kopparbergs län, ansässig ebda.

Stud. an der Techn. Schule in Stockholm. Landschaften, Blumenstücke. Zeichnungen für Zeitschriften u. Tageszeitungen.

Lit.: Thomœus.

Dahl-Jensen, Jens, dän. Bildhauer, * 23. 7. 1874 Nide, ansässig in Kopenhagen.

Schüler von Bissen (1893/96). Arbeitete 1897/1917 für die Porzellanfabrik Bing & Grøndahl. 1917/25 künstler. Leiter der Porzellanfabrik Norden.

Lit.: Th.-B., 8 (1913). — Krak's Blaa Bog, 1936.

Dahlander, Knut, schwed. Landschafts- u. Stillebenmaler, * 1883 Malmö, † 1933 ebda.

Stud. in Kopenhagen, Paris u. Italien.

Lit.: Thomœus.

Dahlberg, Gunnel, schwed. Landschafts- u. Blumenmalerin (Aquarell), * 1908, ansässig in Gislaved.

Lit.: Thomœus.

Dahlbom, Clara Eva, schwed. Kinderbildnis- u. Landschaftsmalerin, * 1886 Övra-

by, Schonen, ansässig in Stockholm. Tochter des Malers Wilhelm D. (* 1855, † 1928).
Lit.: Thomœus.

Dahle, Adolf, dtsch. Maler u. Entwurfzeichner für Glasmalerei, * 2. 10. 1890 Hannover, ansässig in Berlin.
Schüler von Georg Koch u. Schuster-Woldan an der Hochsch. in Berlin. Studienaufenthalte in Italien, Griechenland u. Afrika. Hauptsächl. Figürliches u. Pferde. Glasgemälde an d. Rückwand des Altarraumes in der ev. Lindenkirche in Berlin-Wilmersdorf.
Lit.: Kst- u. Antiquitäten-Rundschau, 43 (1935) 159 (Abb.). — Zentralbl. d. Bauverwaltg, 57/II (1937 -II) 705, 707 (Abb.). — Westermanns Monatsh., 144 (1928) 634f. (farb. Abbn), 639. — Kat. Ausst. Junge Kst i. Dtsch. Reich, Wien 1943, m. Abb. 31.

Dahlen, Paul, dtsch. Maler, Holzschneider u. Lithogr., * 12. 1. 1881 Karlsruhe, ansässig in Wiesbaden.
Schüler der Karlsr. Akad. bei Schmid-Reutte, dann Meisterschüler Trübners. Landschaften, Stillleben, Fruchtstücke. Bilder in d. Ksthalle in Karlsruhe, im Mus. in Dortmund, im Landesmus. in Darmstadt u. im Mus. in Wiesbaden. Exlibris-Mappe (10 Holzschn.), 1912.
Lit.: Th.-B., 8 (1913). — Dreßler. — Ex-Libris, 26 (1916) 26; 27 (1917) 31.

Dahler, Warren, amer. Maler, * 1887 Helena, Mont., ansässig in New York.
Stud. an d. Nat. Acad. of Design, New York.
Lit.: Amer. Art Annual, 30 (1933). — Who's Who in Amer. Art, I: 1936/37.

Dahlin, Sven, schwed. Bildnis- u. Landschaftsmaler u. Zeichner, * 1907 Östersund, ansässig in Stockholm.
Stud. an Berggrens Malschule. Studienaufenthalte in Dänemark u. Deutschland.
Lit.: Thomœus.

Dahlke, Arnold, dtsch. Maler, Radierer, Lithogr. u. Scherenschnittkstler, * 15. 6. 1881 Weimar, ansässig in Oberweimar.
Stud. an der Kstschule in Weimar u. in Florenz.
Lit.: Dreßler.

Dahlö, Ture, schwed. Maler, * 1895 im Kirchspiel Näs, Stockholm, lebt in Hässleby.
Stud. an Althin's Malsch., weitergebildet autodidaktisch. Studienaufenthalte in Algier, Marokko, Spanien u. in Estland. Figürliches, Interieurs mit Figuren, Landschaften. Bilder im Nat.-Mus. in Stockholm u. im Mus. in Malmö.
Lit.: Thomœus. — Konstrevy, 1928, p. 15 (Abb.); 1929 p. 143 (Abb.); 1936, p. 31 (Abb.); 1937, p. 69, m. Abb.

Dahlqvist, Karl Reinhold, schwed. Maler u. Bildh., * 1900 Stockholm, ansässig ebda.
Stud. an der Akad. in Stockholm, weitergebildet in Deutschland u. Italien. Bildnisse, Landschaften. Skulpturenfries für die Auferstehungskap. in Stockh.
Lit.: Thomœus.

Dahlskog, Ewald, schwed. Maler, Bühnenbildner u. Intarsiator, * 25. 4. 1894 Stockholm, ansässig ebda.
Stud. 1913/15 an der Akad. in Stockholm. Studienreisen 1916/17 in Norwegen u. Dänemark, 1919 -20 in England, Frankreich, Italien u. Deutschland, 1922/23 in Italien, Nordafrika, Frankreich, 1927 in Deutschland, Holland, Belgien, England, 1929 u. 1931 -32 in Spanien u. Afrika, 1932/34 in Norwegen. Hauptsächlich Landschaften u. Ausschmückung von Konzertsälen, Geschäfts- u. Bankhäusern. Tätig für Film u. Bühne. Intarsien in den Türfüllungen des von Ivar Tengbom erbauten Stockholmer Konzerthauses: 45 farbige Füllungen mit Motiven aus der Geschichte der Musik u. der Instrumente in den Türen zum 1. Rang. Bild (Stadtansicht) im Mus. in Göteborg.
Lit.: Vem är det? ,1935. — Roh. — Thomœus. — Joseph, I. — N. F., 21 (Suppl.). — Konstrevy, 1932, p. 184 (Abb.); 1933, p. 229; 1935, p. 96 (Abb.). — Die Kunst, 60 (1928/29) 54f., m. 3 Abbn; 61 (1929/30) Taf. geg. p. 204. — Magazine of Art (Washingt.), 36 (1943) 101 (Abb.). — Österr.'s Bau- u. Werkkst, 3 (1926/27) 137 (Abb.). — Ord och Bild, 33 (1924) 428. — Renaiss. de l'Art franç., 13 (1930) 370 [recte 414] (Abb.). — The Studio, 111 (1936) 217/19, m. 3 Abbn. — Vem är Vem i Norden, 1941 p. 1034.

Dahlström, Jessie, geb. *Taylor,* engl.-schwed. Bildnis-, Landschafts- u. Stillebenmalerin, * 1887 Chester, ansässig in Djursholm.
Lit.: Thomœus.

Dahlström, Sten, schwed. Figurenbildhauer, * 1899 in Värmland, ansässig in Norrköping.
Stud. an der Akad. in Paris u. in den USA.
Lit.: Thomœus. — Konstrevy, 10 (1934) 97.

Dahm, Helen, schweiz. Malerin u. Graph., * Mai 1878 Egelshofen (Kt. Thurgau), ansässig in Zürich.
Bilder in der Öff. Kstsmlg Basel u. in d. Smlg d. Zürcher Kstges. in Zürich. Kollekt.-Ausst. 1951 in d. Ksthandlg Haller in Zürich.
Lit.: Th.-B., 8 (1913). — Brun, IV 115, 495. — D. Schweiz, 1908, p. 432; 1914 p. 180, m. Abb. — Schweizerland, 1917, p. 498 (Abb.). — D. Werk (Zürich), 25 (1938) Beih. zu Nr 9, p. XXII. — Die Kst u. d. schöne Heim, 49 (1950/51) 120; 51 (1952 -53) Beil. p. 121.

Dahmen, Heinrich, dtsch. Landschaftsmaler (Öl, Aquar., Guasch) u. Graph., * 8. 12. 1878 Krefeld, ansässig in Berlin.
Schüler von E. Orlik u. Phil. Frank, dann Meisterschüler von Ulrich Hübner.
Lit.: Th.-B., 8 (1913). — Dreßler.

Dahmen, Karl Fred, dtsch. Maler (Öl u. Aquar.), * 1917 Stolberg b. Aachen, ansässässig ebda.
Stud. in Aachen bei Wendling. Studienaufenthalte in Paris u. Athen. Kollekt.-Ausst. Juni/Juli 1948 u. 1949 im Suermondt-Mus., Aachen.
Lit.: D. Kstwerk, 4 (1950) H. 8/9 p. 88. — Kat. d. Ausst. „30 junge dtsche maler", Kestner-Gesellsch. Hannover, 1950, m. Abb.

Daiber, Hans, dtsch. Architekt (Oberbaurat), * 1. 8. 1880 Stuttgart, ansässig ebda.
Stud. bei Theod. Fischer an der Techn. Hochsch. Stuttgart. Oberbaurat bei der Bauabteilung des Württemb. Finanzministeriums. Entwarf u. a. die Neubauten der Universität Tübingen.
Lit.: Dreßler. — Zentralblatt d. Bauverwaltg, 55 (1935) 485/91, m. Abb.; 56 (1936) 297/313, m. Abb.

Daimler, Elise, dtsche Malerin u. Gebrauchsgraph., * 1875 Stuttgart, ansässig ebda.
Lit.: Dreßler. — Die Kunst u. das schöne Heim, Jg 49 (1950) H. 2, p. 27.

Daintrey, Adrian Maurice, engl. Landsch.-, Bildnis- u. Aktmaler (Öl u. Aquar.), * 23. 6. 1902 London, ansässig ebda.
Stud. an der Slade School in London u. in Paris.

Beeinflußt von Manet u. Matisse. In der City Art Gall. in Leeds: Bildnis eines jungen Mädchens.

Lit.: Who's Who in Art, [3] 1934. — Artwork, 5 (1929) 64ff., m. 4 Abbn. — Apollo (London), 10 (1929) 381; 14 (1931) 180f. — The Studio, 102 (1931) 275 (ganzseit. Abb.); 111 (1936) 72 (Abb.); 116 (1938) farb. Taf. geg. p. 124.

Dakin, Rose Mabel, s. *Phipps,* R. M.

Dal, Harald, norweg. Porträt- u. Landschaftsmaler, * 26. 6. 1902 Trondheim, ansässig in Oslo.

Schüler von O. Friesz in Paris 1924 u. der Akad. in Oslo unter A. Revold 1927. Studienaufenthalte in Paris 1924 u. 1931, in Deutschland, Frankreich u. Italien 1931/32 u. 1936/37. In der Nat.-Gal. Oslo ein Bildnis der Gattin des Künstlers u. eine Landschaft (Kat. 1933, m. 1 Taf.). Im Mus. in Göteborg: Soria Moria. Im Ksthaus in Zürich: Begräbnis in Telemarken.

Lit.: Vem är Vem i Norden, Stockh. 1941, p. 651. — Konstrevy, 1931, p. 151 (Abb.). — Kunst og Kultur, 24 (1938) 287 (Abb.).

Dalberg, Åke, schwed. Figuren- u. Landschaftsmaler, * 1910 Göteborg, ansässig ebda.

Stud. an der Malschule Valand in Göteborg u. in Paris. Hauptsächlich Hafenansichten. Bilder in den Museen in Borås u. Gävle.

Lit.: Thomœus.

Dali y Domenech, Salvador, katal. Maler, Rad. u. Schriftst., * 1904 Figueras, ansässig in Cleveland, Ohio.

Stud. an der Escuela Catalana in Barcelona. Bis 1939 ansässig in Figueras, seitdem in den USA. Häufige Aufenthalte in Paris. Anhänger der kubist., dann der surrealist. Richtung. Beeinflußt von Giorgio de Chirico. — Bildnis der Gattin des Künstlers im Mus. of Mod. Art in New York; Christus am Kreuz in d. Art Gall. in Glasgow. Gr. Rad.: Drachenkampf des hl. Georg, wurde als 24. Veröff. des Print Club of Cleveland für 1946 ausgegeben. Illustr. zu der Selbstbiogr. Benv. Cellini's u. zu Shakespeare.

Lit.: J. Th. Soby, S. D. (The Museum of Mod. Art), New York o. J., m. 80 Abbn. — D. Cicerone, 18 (1926/I) 69. — Documents (Paris), 1929 p. 369/72, m. Abb. — Cahiers de Belgique, 1930 p. 126/30, m. 5 Abbn. — The Art News, 1. 10. 1941 p. 24 (Abb.); 1. 12. 41 p. 25 (Abb.); 1. 1. 42 p. 21; 1. 4. 42 p. 14 (Abb.); 15. 4. 43 p. 11; Aug. 43 p. 24 (farb. Abb.); Sept. 44 p. 11 (Abb.); 15. 11. 44 p. 16 (Abb.); Aug. 45 p. 19 (Abb.); 1. 12. 45 p. 24, m. Abb.; Nov. 46 p. 6, m. Abb.; Dez. 46 sect. II p. 128 (Abb.); Jan. 47 p. 63 (Abb.); Sept. 47 p. 16 (Abb.); Nov. 47, sect. II p. 80 (Abb.); Dez. 47 p. 45, m. Abb.; Juni 48 p. 45 (Abb.). — Art in America, 33 (1945) 110/26. — Art et Décor., 1934 p. 280, m. Abb. — Beaux-Arts, 1934 Nr 76 bis, v. 19. 6. p. 1; Nr 100 p. 1, m. Abb. — Cahiers d'Art, 1935 p. 122/24, m. 3 Abbn. — Parnassus (New York), 1936 Nr 7 p. 12ff. passim, m. Abb. — Gaz. d. B.-Arts, 1936/II p. 186 (Abb.). — The Studio, 112 (1936) 75 (Abb.), 156, m. Abb., 177, 198; 122 (1941) 20 (Abb.), 47 (Abb.), 87 (Abb.); 131 (1946) 145 (Abb.). — L'Amour de l'Art, 1937 p. 77/82 passim, m. Abb. — D. Kstwerk, 1 (1946/47), Heft 8/9 p. 53; 2 (1947/48) H. 9 p. 55; 4 (1949/50) H. 3 p. 51, 54, m. Abb.; H. 5 p. 13/20, m. 4 Abbn; Heft 6 p. 63, m. Abb. — Prisma, 1 (1946/47) H. 2 p. 49; H. 3 p. 13 (Abb.); H. 12/13 p. 22ff. — bild. kunst, 1 (1947) Heft 7 p. 13 (Abb.). — D. Münster, 5 (1952) 348f. — Art Digest, Nr v. 1. 10. 1941, p. 9; 1. 12. 1941, p. 5f.; 1. 2. 43 p. 21; 15. 4. 43 p. 7, m. Abb.; 1. 4. 45 p. 36 (Abb.), 47; 1. 12. 44, p. 7 (Abb.); 15. 3. 45, p. 6 (Abb.); 1. 12. 45, p. 7, m. Abb.; 1. 1. 46 p. 5 (Abb.); 15. 10. 47 p. 20; 1. 12. 47, p. 13; 15. 2. 49, p. 18 (Abb.). — The Bull. of the Cleveland Mus. of Art, Cleveland, Ohio, Okt. 1947, Nr 8 p. 195f., m. Abb. — Prisma (München), 1 (1947) Heft 4 p. 13 (Abb.), III (Abb.), 42 (Abb.). — D. Kst u. d. schöne Heim, 49 (1951) 331 (Abb.); 50 (1952) Beil. p. 126. — The Art Index (New York), Okt. 1941/April 1953 passim. — Kat. d. Internat. Exhib. of Paint. Carnegie Inst. Pittsburgh, 1928 Nrn 361/63; 1936 Nr 290 Taf. 74; 1937 Nrn 278, 288, Taf. 21; 1938 Nr 264, Taf. 41; 1949, Taf. 25.

Dallemagne, Aimé Edmond, franz. Architekturmaler u. Radierer, * 16. 3. 1882 Saint-Germain-en-Laye, ansässig in Paris.

Schüler von L. Gauthier u. J. Duval. Mitgl. d. Soc d. Art. Franç., beschickte deren Salon seit 1905. Graph. Hauptblätter: Kloster Saint-Trophime in Arles; Schloß Josselin; Kathedrale in Chartres; Notre-Dame in Paris.

Lit.: Joseph, I. — Bénézit, [2] III.

Daller, Eduard, öst. Bildhauer, * 13. 3. 1878 St. Marienkirche b. Schärding, ansässig in Wien.

Stud. an d. Gewerbesch. in Linz u. an der Wiener Akad. als Schüler E. v. Hellmers. Kinderbüsten. Kreuzwegstationsbilder.

Lit.: D. ostbayer. Grenzmarken, 17 (1928) 22.

Dallet, Jules, franz. Bildnismaler, * 4. 1. 1876 Paris, ansässig ebda.

Schüler von Cormon. Stellte 1903/08 im Salon der Soc. d. Art. Franç. aus (Kat. z. T. m. Abbn).

Lit.: Joseph, 1. — Bénézit, [2] 3.

Dallèves, Raphy, schweiz. Bauern- u. Landschaftsmaler, * 26. 1. 1878 Sitten (Kt. Wallis), ansässig im Wallis.

Schüler von Bonnat u. Cottet in Paris.

Lit.: Th.-B., 8 (1913). — Brun, 4. — L'Art décor., 1911/I p. 27/30, m. Abbn. — Schweizerland, 2 (1915/16) 577 (farb. Taf.), 630; 4 (1917/18) 570ff., m. Abbn. — D. Schweiz, 1909, p. 393; 1911, p. 417ff., m. Abbn u. farb. Taf.; 1916, p. 105ff., m. 4 Abbn. — Emporium, 54 (1921) 258ff., m. Abbn u. farb. Taf.

Dallinger, Karl Heinz, dtsch. Maler (bes. Fresko u. Aquar.) u. Entwurfzeichner für Textilien (Prof.), * 1907 München, ansässig ebda.

Sohn des Malers Sigmund D. Stud. bei Diez an der Münchner Akad. Seit 1937 Prof. für dekor. Malerei an der Kstschule in Nürnberg, seit 1938 Prof. an d. Akad. für angewandte Kst in München. Kriegszeichner in Frankreich, Rußland u. Sizilien. Wandbilder im Münchner Kstlerhaus u. in der Bar des Hauses der Dtsch. Kunst ebda.

Lit.: D. Bild, 9 (1939), 125 (Abb.), 128. — D. Kunst, 83 (1940/41) 171/76, m. Abbn; 86 (1941/42) 141 (Abb.). — Kst- u. Antiquitätenrundschau, 44 (1936) 200, m. Abb. — Zentralbl. d. Bauverwaltung, 60 (1940) 447 (Abb.).

Dallmann, Ernst, schweiz. Holz- u. Steinbildhauer, * Zürich, ansässig in Witikon.

Grabsteine mit figürl. Schmuck, Brunnen, Architekturplastik. Merkurkopf der Basler Mustermesse 1939. Beschickte die Ausst. Ksthaus Zürich 1942 mit: Liebespaar, Badende u. Jüngling.

Lit.: D. Schweiz, 1920, p. 635 (Abb.). — D. Werk, 5 (1918) 89 (Abb.); 6 (1919) 170 (Abb.); 9 (1922) 103 (Abb.); 24 (1937) Beibl. zu Heft 3, p. XVI; 26 (1939) 196 (Abb.).

Dalma, Bogumir, serb. Porträtbildhauer u. Landschaftsmaler, * 17. 3. 1899 Plevlje, ansässig in Paris.

Schüler von Carli, Injalbert u. Naoum Aronson. Stellt im Salon der Soc. d. Art. Franç., der Soc. Nat. d. B.-Arts, seit 1926 auch bei den Indépendants aus.

Ansichten von der Côte-d'Azur, aus der Umgebung von Toulon u. Marseille (Öl, Pastell, Sepia).
Lit.: Joseph, I 151, s. v. Bogumir-Dalma, u. p. 344. — Bénézit, ² III. — L'Art et les Art., N. S., 10 (1924/25) 110; 12 (1925/26) 179. — La Renaiss. de l'Art franç., 13 (1930) 144 [recte 186] (Abb.).

Dalrymple, Lucille Stevenson, amer. Bildnismalerin (Öl u. Miniatur), * 29. 10. 1882 Sandusky, O., ansässig in Chicago, Ill.
Schülerin des Art Inst. in Chicago u. von J. Francis Smith. Arbeiten u. a. im Staatsmus. in Springfield, Ill., u. im Direktorzimmer der Union Station in Chicago.
Lit.: Amer. Art Annual, 30 (1933). — Who's Who in Amer. Art, I: 1936/37.

Dals-Lefèvre, Albert Jean, franz. Figurenmaler, * Paris, ansässig in Asnières.
Stellte 1927ff. bei den Indépendants u. im Salon d. Humoristes aus.
Lit.: Joseph, I.

Dalström, Gustaf Oscar, schwed. Bildnismaler u. Radierer, * 18. 1. 1893 in Gotland, ansässig in Chicago, Ill. Gatte der Frances Foy.
Schüler von George Bellows u. Randall Davey. Wiederholt durch Preise ausgezeichnet.
Lit.: Amer. Art Annual, 30 (1933). — Who's Who in Amer. Art, I: 1936/37. — Monro. — Art Digest, 22, Juli 1948, p. 29 (Abb.).

Dalton, Peter, amer. Bildhauer, * 26. 12. 1894 Buffalo, N. Y., ansässig in New York.
Schüler von Robert I. Aitken. Gold. Med. Allied Art. of America, 1935.
Lit.: Who's Who in Amer. Art, I: 1936/37. — Amer. Art Annual, 30 (1933). — Art Digest, 21, Nr v. 15. 1. 1947, p. 9 (Abb.); 24, Juni 1950, p. 15 (Abb.); 25, Nr v. 1. 4. 51, p. 6 (Abb.).

Daltschev, Ljubomir, bulgar. Bildhauer (bes. Holz u. Terrakotta), * 1902, ansässig in Sofia.
Stud. in Sofia, Rom u. Paris. Studienaufenthalte in Deutschland, Italien, Frankreich, England, Jugoslawien u. der Türkei. Stellte wiederholt auch im Ausland (Rom, Athen) aus. Zeigte auf d. Ausst. Bulgar. Kstler in Deutschland, Leipzig, Kstver., 1941/42, 6 Arbeiten, dar. Stehende nackte Frau mit Kind (Abb. im Kat.), Schreitendes Mädchen, Kopf d. Schauspielerin Ruja Deltschewa (Abb. im Kat.) u. Jungmädchenbüste (desgl.).

Daly, Thomas, amer. Maler, * 5. 11. 1908 Chicago, Ill.
Stud. am Art Instit. in Chicago. Kollektiv-Ausst. in d. Gal. Drouaut-David in Paris 1951.
Lit.: Bénézit, ² 3 (1950). — D. Kst u. das schöne Heim, 49 (1951) Beibl. p. 182.

Dam, H. Chr. van, holl. Malerin, * 14. 8. 1884 Leiden, Tochter des Landschafters J. van D. (* 1857 Leiden).
Schülerin ihres Vaters. Stilleben, Bildnisse, Landschaften.
Lit.: Plasschaert. — Waay.

Dam, Han (Jean Paul Henri) van, holl. Maler, * 21. 3. 1901 Zalt-Bommel, lebt in Amsterdam.
Zeichenschüler von Jurres. Als Maler Autodidakt. Mitglied der „Onafhankelijken" u. der „Brug". Stillleben. Bildnisse. Vertreten im Städt. Mus. A'dam.
Lit.: Waay. — Bénézit, ² 3.

Dam, Max van, holl. Maler, * 19. 3. 1910 Winterswijk.
Schüler von Opzomer in Antwerpen. Tätig in Venedig u. Barcelona. Königl. Stipendium 1933/37. Rompreis in Amsterdam 1938. Bildnisse, Stilleben, Landschaften, bibl. Sujets; Entwürfe für Glasmalerei. Bild im Mus. Venedig.
Lit.: Waay.

Dam, Willem Jan van, holl. Maler u. Graph., * 21. 9. 1895 Montfoort, ansässig in Amersfoort.
Autodidakt. Stadtansichten, Landschaften, Bildnisse. Bild im Abbe-Mus. in Eindhoven. Mitglied der „Onafhankelijken".
Lit.: Waay.

Dam van Isselt, Lucie van, holl. Malerin, Rad. u. Lithogr., * 15. 6. 1871 Bergen op Zoom, ansässig im Haag.
Schülerin von J. D. Belmer, der Haager Akad. bei Fr. Jansen u. — als Rad. — von Aug. Morisot in Lyon. Stadtansichten, Blumenstücke, Landschaften, Figürliches, Bildnisse. Bilder im Sted. Mus. Amsterdam u. in den Museen in Eindhoven, Middelburg, Arnheim u. Kampen.
Lit.: Th.-B., 8 (1913). — Plasschaert. — Wie is dat?, 1935. — Waay. — Hall, Nrn 8501/03. — Waller. — Maandbl. v. beeld. Ksten, 7 (1930) 376f., m. 2 Abbn.

Damart, Henriette, franz. Blumen-, Marine- u. Bildnismalerin, * Saint-Mard (Seine-et-Marne), ansässig in Paris.
Schülerin von T. Robert-Fleury, O. Redon u. Déchenaud. Mitgl. der Soc. d. Art. Franç., beschickt deren Salon seit 1911 (Kat. z. T. m. Abbn). Bilder in den Museen Tarbes u. Washington. Illustr. zu Kinderbüchern.
Lit.: Joseph, 1. — Bénézit, ² 3 (1950).

Damaske, Erwin, dtsch. Maler, Karikaturenzeichner u. Reklamekstler, * 20. 4. 1900 Berlin, ansässig in Diepholz.
Stud. an der Unterrichtsanstalt des Berliner Kunstgewerbemus.
Lit.: Dreßler. — Kstchronik, 5 (1952) 258.

Damasse, Louise Denise, franz. Bildnismalerin, * 7. 10. 1901 Houdan (Seine-et-Oise), ansässig in Vernon (Eure).
Mitgl. der Soc. d. Art. Franç., beschickt deren Salon seit 1924 (Kat. z. T. m. Abbn).
Lit.: Joseph, I.

Damberger, Josef, dtsch. Maler u. Radierer, * 27. 12. 1867 München, † 1951 ebda.
Schüler von W. v. Diez u. Defregger an der Münchner Akad. Wiederholte Aufenthalte in Paris. Mitglied der Münchner Sezession. Ehrenmitgl. der Münchner Akad. Hauptsächl. Landschaften u. Bauernbilder. Kommt gelegentlich Leibl nahe. In d. N. Staatsgal. München: Bäuerin u. Mädchen. In der Städt. Gal. ebda: Mergelgrube. Kollektiv-Ausst. in der Gal. Heinemann, München, Febr. 1928.
Lit.: Th.-B., 8 (1913). — Dreßler. — D. Kunst, 35 (1916/17) 112/18, m. 7 Abbn u. 1 farb. Taf.; 57 (1927/28) Beil. z. Märzh., p. XXIII; 63 (1930/31) 324/28, m. 4 Abbn. — Dtsche Kst u. Dekor., 18 (1915) 383, 391 (Abb.). — D. Kstwanderer, 1927/28, p. 236ff., m. Abb. — D. Weltkst, 21 (1951) H. 5, p. 12.

Dambéza, Elisabeth, geb. *Arnold*, franz. Landschaftsmalerin, * 9. 3. 1875 Paris, ansässig ebda. Gattin des Léon D. (* 1865).
Stellte seit 1900 im Salon der Soc. d. Art. Franç. aus.
Lit.: Joseph, I.

Damblans, Eugène, franz. Radierer, Kupferstecher u. Aquarellmaler, * 14. 7. 1865 Montevideo (Uruguay), von franz. Eltern, ansässig in Bois Colombes (Seine).

Schüler von E. Buland u. Celez. Mitgl. der Soc. d. Art. Franç. (Salon-Kat. z. T. mit Abbn). Bildnisse, Genre, Volkstypen aus der Bretagne.

Lit.: Joseph, 1. — Bénézit, ² 3.

Damé, Ernest, franz. Bildhauer, *1.10.1845 Saint-Florentin (Yonne), † 22. 11. 1920 Paris.

Lit.: Th.-B., 8 (1913). — Joseph, I. — Bénézit, ² 3 (1950).

Damen, Anthoine, holl.-belg. Bildhauer, * 1902 Bergen-op-Zoom (Holland), ansässig in Antwerpen.

Schüler der Antwerp. u. Pariser Akad.

Lit.: Seyn, I.

Damerius, Walter, dtsch. Landschaftsmaler, * 6. 3. 1883 Lübzin b. Stettin, ansässig in München.

Autodidakt. Mitgl. der Münchner Kstlergemeinsch. „Die Zwölf". Malte in der Art Haiders.

Lit.: Dreßler. — E. A. Seemanns „Meister der Farbe", 21 (1925) Taf. 19, m. Text.

Dames, Hermann, dtsch. Maler u. Graph., * 1. 9. 1871 Germendorf, Kr. Nieder-Barnim, ansässig in Berlin.

Stud. an der Kstschule u. Akad. Berlin.

Lit.: Dreßler.

Damian, Horia, rumän. Landschafts- u. Stillebenmaler.

Lit.: Kat. d. Ausst. Rumän. Kst d. Gegenw., Zürich, Ksthaus, 1943, p. 13, 20, m. Abb.

Damianakes, Cleon, amer. Maler u. Rad., * Berkeley, Calif., ansässig in New York.

Stud. an der Univ. of California. Wandmalereien im Auditorium der Berkeley High School.

Lit.: Amer. Art Annual, 30 (1933). — Who's Who in Amer. Art, I: 1936/37.

Damien, Joseph, belg. Figuren- u. Bildnismaler, * 22. 2. 1879 Noville-les-Bois.

Stud. in Lüttich, Antwerpen u. Paris.

Lit.: Th.-B., 8 (1913). — Seyn, I, m. Fotobildn.

Damkó, József, ungar. Bildhauer, Plakettenkünstler u. Medailleur, * 16. 10. 1872 Németprόna, Kom. Nyitra, ansässig in Budapest.

Stud. an der Budap. Kunstgewerbesch. unter A. Loránfi, K. Herpka u. L. Mátrai d. Ä., dann bei A. Strobl, weitergebildet 1899 bei Bouguereau an der Acad. Julian in Paris. 1904/07 in Rom. Hauptwerke: Grabmal Papst Silvesters II. in S. Giovanni in Laterano in Rom (1910); Denkmal des Joh. Capistranus in der Ofener Festung. Dekorat. Statuen für die Budaer Hofburg, das Kurialpalais, das Landwirtsch. Museum usw., Genregruppen, Bildnisbüsten (Kleinplastik). 2 Arbeiten im Mus. d. Bild. Kste in Budapest.

Lit.: Th.-B., 8 (1913). — Szendrei-Szentiványi. — Krücken-Parlagi. — D. Christl. Kst, 24 (1927/28) 242/48, m. Abbn. — Művészet, 15 (1916) 94; 16 (1917) 92 (Abb.).

Damm, Bertil, schwed. Maler, Bühnenbildner u. Entwurfzeichner für Gobelins, * 28. 6. 1887 Tierp, Uppsala län, † 1942 oder Anf. 1943 Stockholm.

Stud. an der Akad. Stockholm, bereiste 1912/15 Frankreich u. Italien; 1917/21 in Spanien, 1921/22 wieder in Italien. Prof. an der Akad. Stockholm. Hauptsächlich dekor. Malereien (u. a. in der Hochsch. in Stockh.; Fresko im dort. Stadthaus), Ansichten aus ital. Städten u. Bildnisse. 1934 Koll.-Ausst. in der Stockh. Akad., 1943 umfassende Gedächtnis-Ausst. ebda. Im Nat.-Mus. Stockh.: Alte Frau aus Rågö (Abb. in: N.-M. Stockh. (Bilderbuch), 1948 p. 120.

Lit.: Vem är det?, 1935. — Thomœus. — Konstrevy, 1934, p. 180/83, m. 6 Abbn; 1935, H. 6, p. X (Abb.); 1937, Spezial-Nr, p. 39 (Abb.); 1938 p. 168f., m. 2 Abbn; 1939, Spez.-Nr: Göteborg, p. 60 (Abb.). — Ord och Bild, 33 (1924) 421. — Vem är Vem i Norden, 1941 p. 1034.

Damm, Ernesta von, dtsche Malerin u. Lithogr., * 17. 10. 1879 Tarnopol, ansässig in St. Georgen b. Diessen am Ammersee.

Schülerin von Kolitz, Knackfuß u. Wünnenberg an d. Akad. in Kassel, von A. Jank in München u. von Schmoll v. Eisenwerth in Stuttgart. Bildnisse, Genre, Landschaften.

Lit.: Dreßler.

Damm, Walter, dtsch. Maler, * 14. 11. 1889 Dresden, ansässig in Bad Elster.

Schüler von Rich. Müller u. O. Zwintscher an der Dresdner Akad., von H. Groeber in München u. von L. Corinth in Berlin.

Damm, Walter, dtsch. Maler u. Graph., * 1903 Heidelberg, ansässig ebda.

Lit.: Das sind Wir. Heidelb. Bildner usw., 1934, p. 143 (Abb.), 144, 145 (Selbstbildn. [Zchg]).

Damman, Camille, belg. Architekt, * 1880 Brüssel.

Lebte lange in San Salvador, Mittelamerika. Justizpalast ebda; Kathedr. in San Miguel, Salvador; Palais de la Cambre in Brüssel.

Lit.: Seyn, I.

Damman, Hans, dtsch. Bildhauer, * 16. 6. 1867 Proskau, Schles., † 1942 Berlin.

Hauptsächl. Grabmäler u. Bildnisbüsten.

Lit.: Th.-B., 8 (1913). — Kst-Rundschau, 50 (1942) 136. — Westermanns Monatsh., 132 (1922) Taf. geg. p. 172, 198; 137, (1924/25) Taf. geg. p. 552; 139, p. 356 (Abb.), 357.

Dammann, Marcel (Paul M.), franz. Medailleur u. Plakettenkünstler, * 13. 6. 1885 Montgeron (Seine-et-Oise), † 1939 Paris.

Schüler von Chaplain; 1908 Rompreis. Beeinflußt anfängl. von Roll, später von Mascaux. Mitgl. der Soc. d. Art. Franç., beschickte deren Salon seit 1907. Vizepräsident der Soc. Franç. des Amis de la Médaille. Gr. Rompreis 1908. Bildnisse u. Figürliches.

Lit.: Forrer, 7. — Canale. — Joseph, 1, m. 3 Abbn (dar. Selbstbildn.). — H. Classens, La Médaille franç. contemp., Paris 1930. — Aréthuse, 2 (1924/25) 35/39, Catal. p. [3], m. Abb.; 4 (1928) 36/40 passim, m. Abb.; 6 (1930), Chron. p. XIX (Abb.), XLVII (Abb.). — L'Art et les Art., N. S. 18 (1929) 272, m. Abb., 274. — Revue de l'Art anc. et mod., 55 (1929) 134 (Abb.); 69 (1936) 106 (Abb.). — Demareteion, 2 (1936) 48, m. 2 Abbn, 52ff. passim, m. Abb. — L'Illustration, Nr 5015 v. 15. 4. 1939, Suppl. p. XIV, XVIII.

Dammasch, Willy, dtsch. Marine- u. Landschaftsmaler, * 20. 5. 1887 Berlin, ansässig in Buxtehude-Altkloster, Kr. Stade.

Schüler von C. Saltzmann u. P. Vorgang in Berlin. Impressionist. Mappenwerke: „Stromland" u. „Volkstänze". Mitgl. der Amsterdamer Kstlergruppe: De Onafhankelijken.

Lit.: Th.-B., 8 (1913). — Dreßler.

Damme, Jacobus Johannes, holl. Maler, * 3. 12. 1877 Breda, ansässig in Voorburg.

Schüler von Allebé u. van der Waay an der Amsterdamer Reichsakad. Blumenstücke, Landschaften, Bildnisse.
Lit.: Waay.

Damme, Suzanne van, belg. Bildnis-, Landschafts-, Marine- u. Stillebenmalerin, * Brüssel.
Stud. in Paris. Impressionistin. Im Mus. Antwerpen: Ansicht der Tuilerien (Taf. 11 in: Koninklijk Mus. van Sch. Kunsten, Antwerpen 1936/38.
Lit.: Seyn, II 1000.

Damon, Louise, geb. *Wheelwright,* amer. Malerin, * 29. 10. 1889 Boston, Mass., ansässig in Providence, R. I.
Schülerin von Pauline MacKay, Philip Hale, Hawthorne u. Miller.
Lit.: Amer. Art Annual, 30 (1933). — Who's Who in Amer. Art, I: 1936/37. — Bénézit, ² III.

Dampt, Jean, franz. Bildhauer u. Kstgewerbler, * 2. 1. 1854 (Bénézit 6. 3. 1853) Vénarcy (Côte-d'Or), † Sept. 1946 Dijon.
Schüler von F. Dameron in Dijon, seit 1874 von Jouffroy u. P. Dubois in Paris. Arbeitete in Stein, Holz, Elfenbein u. Metall (Gold, Silber, Stahl, Bronze). Vielseitiger Kstgewerbler (Schmuck, Beleuchtungskörper, Buchdeckel, Ehrenwaffen usw.). Im Luxembourg-Mus. in Paris: Der Kuß der Großmutter (Marmorbüste); Johannes der T. als Knabe (Marmor); im Mus. in Semur: Betendes Kind (Gips); im Foyer der Pariser Opéra-Comique: Statue Bizet's. Widderkapitell (Stein). Seit 1919 Mitgl. der Pariser Acad. d. B.-Arts.
Lit.: Th.-B., 8 (1913). — Bénézit, ² 3 (1950). — Joseph, 1. — Maryon. — Revue de l'Art anc. et mod., 36 (1914/19) 161/76, m. zahlr. Abbn. — Art et Décor., 35 (1914) Suppl. Febr. p. 3 f. — Bull. de l'Art, 1928, p. 322 (Abb.). — Bull. d. Musées de France, 3 (1931) 223 (Abb.), 224. — Gaz. d. B.-Arts, sér. 6, vol. 34 (1948) p. 204 (Abb.).

Damroze (Damrošs), Arturs, lett. Graphiker, * 1910, ansässig in Eßlingen a. N.
Mitgl. d. lett. Kstlervereinig. Hauptsächl. Tiere.
Lit.: Kat. d. Ausst. Lett. Kst in d. Fremde, Schaezler-Palais, Augsburg, Juni 1948.

Dan (Pedersen-Dan), Hans Peder, dän. Bildhauer, * 1. 8. 1859 Itzehoe, † 21. 4. 1939 Hellerup. Gatte der Bildhauerin Johanne Pedersen-Dan, geb. *Betzonick* (* 13. 5. 1860 Kopenhagen, † 21. 5. 1934 Hvidovre).
Lit.: Th.-B., 8 (1913). — Krak's Blaa Bog, 1934; 1936; 1940 u. 1950, Totenlisten. — Weilbach, ³ I.

Dan, Ranshu, jap. Landschaftsmaler, ansässig in Tōkyō.
Vertreten auf der Panama-Pacific Expos. in San Francisco 1915 (Kat. I 139).
Lit.: The Studio, 66 (1916) 169 (Abb.); 71 (1917) Taf. geg. p. 76, 79.

Dance, Elizabeth, geb. *Jennings,* amer. Malerin u. Graph., * 5. 3. 1901 Richmond, Va., ansässig ebda.
Stud. an der Kunst-u. Gewerbesch. in New York, in Paris u. Italien, bei Anne Fletcher u. O. H. Gieberich.
Lit.: Amer. Art Annual, 30 (1933). — Who's Who in Amer. Art, I: 1936/37.

Danckwarth, Franz Wilh. Gustav, dtsch. Jagd- u. Tiermaler, * 26. 8. 1881 Danzig, † 29. 3. 1941 Rostock.
Stud. bei Müller-Kämpf u. Wachenhusen in Berlin, dann Meisterschüler bei H. v. Zügel in München. Ließ sich in Rostock nieder.
Lit.: Mitteil. von Herrn Ulrich Danckwarth (Bruder des Kstlers), Dresden.

Dancre, Emile, franz. Figuren- u. Landschaftsmaler, * 18.4.1901 Paris, ansässig ebda.
Schüler von F. Flameng u. L. Simon. Stellt seit 1923 bei den Indépendants aus.
Lit.: Joseph, 1. – Bénézit, ² 3.

Dandelot, Pierre, franz. Tierbildhauer, bes. Kleinplastiker, * Neuilly-sur-Seine, ansässig ebda.
Schüler von E. Guillaume, Cam. Lefèvre u. Niclausse. Stellt im Salon der Soc. d. Art. Franç. aus.
Lit.: Joseph, 1. — Bénézit, ² 3.

Dando, Susie, geb. *May,* amer. Malerin, * 6. 9. 1873 Odell, Ill., ansässig in Venice, Calif.
Schülerin von William L. Judson.
Lit.: Amer. Art Annual, 30 (1933). — Who's Who in Amer. Art, I: 1936/37.

Dandolo, Giovanni, ital. Maler, ansässig in Padua.
2 Bilder im Mus. Civ. in Padua: Tod des Hl. Antonius v. Padua; Morgenstimmung.
Lit.: Emporium, 82 (1935) 107. — Boll. dei Museo Civ. di Padova, 25 (N. S. 8), 1932, p. 213.

Daneo, Vittorio, ital. Landsch.-, Genre- u. Stillebenmaler, * 4. 5. 1893 San Damiano d'Asti.
Schüler von Vitt. Cavalleri, im übrigen Autodidakt.
Lit.: Comanducci.

Daneri, Luigi Carlo, ital. Architekt, * 20. 5. 1900 Borgofornari (Genua), lebt in Genua.
Lit.: Chi è?, 1940.

Danet, Marie, franz. Landschaftsmalerin, * 20. 7. 1877 Maisons-Laffitte, ansässig in Paris.
Schülerin von R. Fath.
Lit.: Th.-B., 8 (1913). — Joseph, 1. — Bénézit, ² 3.

Dangon, Jeanne, franz. Pastellmalerin, * 25. 2. 1873 Lyon, ansässig in Paris.
Schülerin von J. Lefebvre, B. Constant u. J. P. Laurens. Mitgl. der Soc. d. Art. Franç., beschickt deren Salon seit 1891. Hauptsächlich Akte.
Lit.: Joseph, 1. — Bénézit, ² 3.

Dani, Franco, ital. Maler, * 11. 8. 1895 Florenz, ansässig ebda.
Autodidakt. Vertreten in den Gall. d'Arte Mod. in Rom, Florenz, Mailand u. Modena.
Lit.: Comanducci. — Chi è?, 1940. — Boll. d'Arte, Ser. II Bd 3 (1924) 571, 574 (Abb.). — Emporium, 84 (1936) 127, 142 (Abb.); 89 (1939) 201 (Abb.); 91 (1940) 92.

Daniel, belg. Landschaftsmaler, * 1896 Schaarbeek.
Schüler der Akad. Saint-Josse-ten-Oode. Arbeitete hauptsächl. im Moseltal.
Lit.: Seyn, I, m. Fotobildnis.

Daniel, Henri, rumän. Maler, * 1891 Botoșani, ansässig in Bukarest.
Stud. bei Iser in Bukarest, weitergebildet in Berlin u. Paris. Herausgeber der Zeitschr. „Artă și Tehnică grafică". Kohlezeichng im Mus. Toma Stelian in Bukarest (Kat. 1939).

Daniel, Jean, franz. Landschaftsmaler, * Sorges (Dordogne), ansässig in Paris.
Schüler von L. A. Auguin. Beschickte 1908ff. den Salon der Soc. d. Art. Franç. (Kat. z. T. m. Abbn),

1925ff. den Salon des Indépendants. 4 Bilder im Mus. in Périgueux.
Lit.: Bénézit, [2] 3 (1950).

Daniel, Lewis, amer. Rad., Lithogr., Illustrator u. Maler, * 23. 10. 1901 New York, † 1952 ebda.
Schüler von Harry Wickey. Illustr. u. a. zum Evangelium Johannis, zu Walt Whitman, „Song of the Open Road" u. zu James Joyce, „Ulysses".
Lit.: Amer. Art Annual, 30 (1933). — Who's Who in Amer. Art, I: 1936/37. — Art Index (New York), Okt. 1941/Okt. 1952. — Monro.

Daniele-Hoffé, Jane, franz. Genre- u. Porträtmalerin (Öl, Pastell, Rötelzeichng), * 12. 7. 1885 Paris, ansässig ebda.
Schülerin von A. Maignan u. M. Baschet. Mitgl. der Soc. d. Art. Franç. (Salon-Kat. z. T. m. Abbn).
Lit.: Joseph, 1. — Bénézit, [2] 3.

Daniels, Elmer, amer. Porträtbildhauer, * 23. 10. 1905 Owosso, Mich., ansässig in Los Angeles, Calif.
Schüler von Edward McCarten, Wheeler Williams u. Edward Amateis. Werke im Bes. des Staates Indiana.
Lit.: Amer. Art Annual, 30 (1933). — Who's Who in Amer. Art, I: 1936/37.

Daniels, John, norw. Bildhauer, * 14. 5. 1875, ansässig in Minneapolis, Minn.
Schüler von Andrew O'Connor u. Knut Okerberg. Denkmal Knute Nelson in St. Paul, Minn.; Bildnisstatuen (Bronze) im Minnesota-Staatskapitol in St. Paul; Flaggenmast in Minneapolis; dekor. Skulpturen am Postgeb. u. am städt. Wasserturm ebda.
Lit.: Amer. Art Annual, 30 (1933). — Who's Who in Amer. Art, I: 1936/37.

Danielsen, Ingolf, norweg. Architekt, * 31. 8. 1876 Bergen, ansässig ebda.
Stud. an d. Techn. Hochsch. Hannover. Seit 1905 Privatarchit. in Bergen, baute dort mehrere Banken.
Lit.: Vem är Vem i Norden, Stockh. 1941, p. 652.

Danielsson, Emil, finn. Maler, * 7. 8. 1882 Tula (Rußland), lebt abwechselnd in Helsinki u. in Karkku.
Stud. in Åbo (Turku), an der Zeichensch. des Kstvereins in Helsinki u. an der Akad. in Florenz. Hauptsächl. Porträtist. Vertreten im Ateneum in Helsinki u. im Mus. in Tampere (Tammerfors).
Lit.: Vem och Vad?, Helsingf. 1936.

Danifer, Sigurd, norweg. Landschafts- u. Figurenmaler, * 1894 Mandal.
Stud. 1919/20 an der Akad. in Oslo, 1921 bei Paul Gauguin, 1923 bei A. Lhote in Paris. Anschließend Studienreisen in Frankreich u. Italien. Koll.-Ausst. im Künstlerhaus in Oslo 1938. 2 Landschaften in der Nat.-Gal. Oslo (Kat. 1933).
Lit.: Konstrevy, 1938, p. 114, m. Abb. — Kunst og Kultur, 17 (1930) 60, 63 (Abb.); 20 (1934) 181 (Abb.), 184ff., m. Abbn.

Danjko, Nat. Jak, russ. Porzellanmodelleur, ansässig in St. Petersburg (Leningrad).
Lieferte die Modelle für die meisten figürl. Arbeiten der Staatl. Porzellanmanuf. Petersburg: Genrefiguren (Näherin, Sitzende, Bäuerin, Tänzerin, Soldat der Roten Armee, usw.), Tassen in Form von Köpfen, Schachfiguren, in Köpfe endigende Tabakpfeifen, figürl. ausgebildete Tintenfässer, Dosen usw.
Lit.: E. Gollerbach, La Porcel. de la Manuf. d'Etat, Moskau 1922, p. 17, m. zahlr. Textabbn u. farb. Tafeln. — D. Kunst, 52 (1924/25) 204f., m. Abbn. — Ssredi Kollekzioneroff, 1922 H. 5, p. 84; H. 7, p. 7, 88.

Danilowatz, Josef, öst. Maler, Rad. Lithogr., Illustr. u. Karikaturenzeichner, * 22. 11. 1877 Wien, ansässig ebda.
Schüler der Wiener Akad. Bis 1914 Lehrer an der Kstschule in Belgrad.
Lit.: Th.-B., 8 (1913). — Klang (Druckfehler: Danilowitz). — D. Graph. Kste (Wien), 48 (1925), Mitteil. d. Ges. f. vervielf. Kst, p. 83, 84. — D. Weltkst, 11, Nr 36/37 v. 12. 9. 1937, p. 6.

Danioth, Heinrich, schweiz. Maler u. Graph., * 1. 5. 1896 Altdorf, ansässig in Flüelen, Kt. Uri.
Stud. an d. Malschule Rud. Löw in Basel u. bei Babberger in Karlsruhe. Mitarbeiter am „Nebelspalter". Wandbilder im Tellspielhaus in Altdorf, in der Tellskapelle in Flüelen, an der „Woba" in Basel u. am Pfarrhaus in Schöftland, Kt. Aargau. Mädchenbildnis im Mus. in Luzern.
Lit.: Schweiz. Zeitgen.-Lex., 1932. — Jenny. — Schweizer Kst, 1 (1929/30) 98f., m. Abb. — Emporium, 84 (1936) 161, 162 (Abb.). — D. Werk (Zürich), 25 (1938) Beih. zu Nr 11, p. XVI; 26 (1939) 242 (Abb.). — Pro Arte (Genf), 3 (1944) Nr 21, p. 26.

Danis, Georges Jean-Bapt., franz. Landschaftsmaler, * Bapaume, ansässig in Rosny-sous-Bois (Seine).
Stellt seit 1912 bei den Indépendants aus.
Lit.: Joseph, 1. — Bénézit, [2] 3.

Danis, Robert, franz. Architekt, * 15. 7. 1879 Belfort, ansässig in Paris.
Schüler von Deglane. 1910 Reisestipendium. Wohnhäuser, Schulen (u. a. Staatl. Berufsschule in Egletons [Corrèze]).
Lit.: Th.-B., 8 (1913). — Joseph, I. — La Renaiss. de l'Art franç., 3 (1920) 226 (Abb.). — Bull. d. Musées de France, 1936, p. 113/14. — Architecture, 1937, p. 113/18, m. 10 Abbn.

Danko, Kazimierz, poln. Graphiker.
Buchumschläge, u. a. zu: Warschauer Informationskalender, 1946, u. zu Tadeusz Rek, Volksbewegung in Polen.
Lit.: Kryszowski.

Danksin, Franz, dtsch. Maler, * 14. 10. 1894 Lörrach, Baden, ansässig in Karlsruhe.
Weltkriegsteilnehmer (1914–18), Schwerkriegsbeschädigter. Stud. in Karlsruhe u. Berlin. Längere Aufenthalte in Paris u. Mexiko. Studienreisen: USA, Holland, Spanien, England. Seit 1937 in Karlsruhe. Figürliches (bes. Akte) u. Landschaften.
Lit.: Ausstell.-Katal.: Herbst-A. Akad. Berlin 1942, p. 5 (Abb.), 6; Junge Kst i. Dtsch. Reich, Wien 1943, m. Abb. 8; Oberrh. Wandmalerei Dtsche Malerei d. Gegenw., Mülhausen i. E., Dez. 1941/Jan. 1942, p. [5], [12] Abbn, [33], [36] Abb., [55].

Danler, Anton, tirol. Bildhauerdilettant, * 9. 1. 1849 Schwaz i. T., † 30. 1. 1930 ebda.
Schnitzte zahlr. Kruzifixe in Anlehnung an alte Meister u. Holzreliefs nach Bildern von Defregger.
Lit.: Innsbr. Tagblatt, 1890 Nr. 56. — Tir. Bote 1891, p. 1305. *J. R.*

Dann, Johanna, dtsche Landschafts- u. Stillebenmalerin, * 22. 12. 1878 Fürfeld b. Heilbronn, ansässig in Stuttgart.
Stud. an der Kstschule in Stuttgart u. an der Akad. in Florenz. Mappenwerk: Das Bottwartal (12 Federzchgn), Stuttg. 1921.
Lit.: Dreßler.

Danneboom, Wilhelm, dtsch. Maler, * 12. 4. 1894 Hamburg, ansässig ebda.
Schüler von W. v. Beckerath. Figürliches (bes. relig. Stoffe), Entwürfe für Glasfenster, Monumental-

malerei. Wandbilder im Festsaal der Alsterdorfer Anstalten (christl. Erziehungsheim) bei Hamburg.
Lit.: Kreis, 1927. — Die Kunst, 57 (1928) Beil. p. LIV. — Kst u. Kirche, 5 (1928) 66/69, m. Abb. — Mitteil. d. Kstlers.

Dannemann, Amely, dtsche Bildhauerin, * 3. 11. 1890 Barmen, ansässig in Berlin.
Stud. an den Kstgewerbesch. in Barmen u. Köln. Hauptsächl. relig. Plastik (Stein u. Holz). In der ev. Kirche in Neckarzimmern: Engelgruppen u. Der 12jähr. Jesus mit s. Eltern; im Gemeindehaus ebda: Gedenkplatte. Krippenfiguren.
Lit.: Dreßler. — D. Kstblatt, 11 (1927) 248. — Kst u. Kirche, 13 (1936) 46 (Abb.).

Dannemann, Karl, dtsch. Maler, * 22. 3. 1896 Bremen, ansässig ebda.
Anfängl. Stubenmaler. Stud. an der Kstgewerbeschule in Bremen u. bei A. Jank an der Akad. in München, dann Meisterschüler bei M. Slevogt. Impressionist. Wandmalereien im graziösen Slevogt-Stil im Bacchuskeller des Bremer Ratskellers (1926–27). Im Bremer Rathaus ein gr. Gemälde: Das Hindenburg-Bankett in Bremen (zur Erinnerung an den Besuch des Reichspräsid. in Bremen am 21. 10. 1926). In der Bremer Ksthalle ein Herrenbildnis. Im Sitzungssaal der Bürgerschaft im Bremer Rathaus ein gr. Wandbild: Allegorie der Stadt Bremen.
Lit.: Antiquitäten-Rundschau, 25 (1927) 8. — D. Kunst, 55 (1926/27), Beil. z. Februarh. 1927, p. XVI. — Kst u. Kstler, 23 (1924/25) 325; 25 (1926/27) 188, m. Abb. — D. Kstwanderer, 1926/27, p. 150/53, m. Abbn; 1927/28, p. 380f., m. Abb.; 1929/30, p. 121/23, 237f. — Velhagen & Klasings Monatsh., 45/I (1930–31), Taf. nach p. 464, 570. — Niedersachsen, 25 (1920) 273. — Westermanns Monatsh., 143 p. 320/22.

Dannenberg, Antonie, dtsche Graphikerin u. Malerin, * 8. 6. 1880 München, ansässig in Nürnberg.
Stud. an der Kstschule in Nürnberg, dann bei Thor u. Groeber in München. Studienrätin an den Graph. u. Textil-Werkstätten in Nürnberg. Bildnisse, religiöse Stoffe.
Lit.: Dreßler.

Dannenberg, Friedrich, dtsch. Landschafts- u. Bildnismaler, * 15. 2. 1871 Sandhof, Ostpr., ansässig in Grimma b. Leipzig.
Stud. in Königsberg u. München.

Danneskjold-Samsøe, Sophus, dän. Landschaftsmaler, Graph. u. Schriftst., * 2. 10. 1874 Kopenhagen, ansässig in Hillerød.
Schüler von Zahrtmann, mit dem er Italien u. Korfu besuchte. Holzschnitte u. Lithogr. Stellt seit 1905 auf Charlottenborg aus.
Lit.: Th.-B., 8 (1913). — Krak's Blaa Bog, 1936. — Vem är Vem i Norden, Stockh. 1941, p. 83. — Kunstmus. Aarsskrift, 1933/34.

Dannet, Henry, franz. Landschaftsmaler (Öl u. Pastell), * 17. 3. 1886 Gassicourt (Seine-et-Oise), ansässig in Saint-Germain-Village (Eure).
Stellt seit 1923 bei den Indépendants in Paris aus, damals in Pont-Audener ansässig.
Lit.: Joseph, 1. — Bénézit, [2] 3.

Dannhorn, Hans, dtsch. Graphiker u. Bucheinbandkünstler, * 5. 8. 1871 Seussen, Oberfr., ansässig in Leipzig.
Lehrer an der Akad. f. Graph. Kste Leipzig.
Lit.: Dreßler.

Danning, Alf, finn. Maler u. Rad., * 6. 11. 1893 Kopenhagen, lebt in Helsinki.
Schüler von E. Järnefelt.
Lit.: Vem och Vad?, Helsingf. 1936.

Dannowski, Paul, dtsch. Bildnis- u. Landschaftsmaler (Öl u. Aquar.), * 10. 12. 1890 Danzig, ansässig ebda.
3 Aquarelle im Stadtmus. in Danzig.
Lit.: Dreßler. — Ostdtsche Monatsh., 15 (1934–35) 21, m. Abb. — D. Kst im Dtschen Reich, 4 (1940) 3 (Abb.), 7 (Abb.), 8 (farb. Abb.), 15, 18.

Danson, Elsa, schwed. Bildhauerin u. Malerin, * 13.1.1885 Stockholm, ansässig in Paris.
Schülerin von Bourdelle u. Zadkine. Hauptsächlich Kleinplastik. Stellt seit 1922 im Salon der Soc. Nat. d. B.-Arts, seit 1925 im Salon des Tuileries u. bei den Indépendants aus.
Lit.: Joseph, 1.

Dantino, Nicola, s. *Antino,* N. d'.

Dantzig, Maurits Michel van, holl. Maler u. Gemälderestaurator, * 4. 6. 1903 Rotterdam.
Schüler der Haager Akad. u. der Berliner Kstgewerbesch. 1929/30 im Restauratorenatelier des Berl. Kaiser-Friedr.-Mus. tätig.
Lit.: Waay.

Dantzig, Rachel van, holl. Bildhauerin u. Rad., * 12. 11. 1878 Rotterdam, zuletzt ansässig in Amsterdam.
Schülerin von Ch. v. d. Stappen in Brüssel u. von F. Colarossi in Paris. Bereiste Italien, Spanien u. Deutschland. Im Mus. Antwerpen: Frauenkopf.
Lit.: Th.-B., 8 (1913). — Waller. — Eigen Haard, 1914 p. 669f. — Kon. Mus. Antwerpen. Jaarboek 1939–41 p. 31, Taf.-Abb. geg. p. 32.

Danz, Wilhelm, dtsch. Maler, Lithogr., Rad. u. Holzschneider (Prof.), * 22. 3. 1873 Weimar, ansässig in Dessau.
Lit.: Th.-B., 8 (1913). — Dreßler.

Danzer, Peter, dtsch. Architekt u. Kstgewerbler (Prof.), * 8. 12. 1879 München, † 1930 ebda.
Schüler von Hocheder u. F. v. Thiersch an der Techn. Hochsch. München. Machte sich selbständig in München u. unterhielt ein Filialbüro in Bukarest. Hauptsächlich Ausstellungsbauten (Ceylontheehaus auf der Münchner Ausst. 1908).
Lit.: Dreßler. — D. Baumeister, 23 (1925) 75. — D. Kunst, 18 (1907/08) 474 (Abb.), 475 (Abb.), 476. — Kstgewerbeblatt, 20 (1909) 3 (Abb.). — Münchner Ztg, Nr 294 v. 25. 10. 1930.

Danziger, Ludwig, dtsch. Maler u. Lithograph, * 3. 4. 1874 Lauban, † 10. 12. 1924 Charlottenburg.
Gedächtnisausst. 1925 im K.-Friedr.-Mus. in Görlitz. Bild in der dort. Ruhmeshalle.
Lit.: Westermanns Monatsh., 131 (1921/22) 573/80, m. 6 Abbn u. Taf.; 134 (1923) Taf. geg. p. 552.

Daoust, Alex, belg. Bildhauer, * 1886, † 1947.
Lit.: J. Servais, Le sculpt. A. D., Lüttich 1947.

Dapoigny, Albert Louis, franz. Akt-, Bildnis- u. Tiermaler, * 2. 4. 1885 Montesson (Seine-et-Oise), ansässig in Paris.
Schüler von P. A. Laurens. Mitgl. der Soc. d. Art. Franç. (Kat. z. T. m. Abbn). Stellt auch bei den Indépendants aus. Seine Malerei geht auf stark dekorative Wirkungen aus. — Buchwerk: L'Art et Décoration mod.
Lit.: Joseph, 1, m. Fotobildn. — Bénézit, [2] 3.

Dapoz, Kassian, tirol. Maler u. Restaurator, * 13. 8. 1874 Kampill (Enneberg), † 16. 8. 1946 Obermais.

Besuchte 1905/08 die Münchner Kstgewerbesch., später einen Restauratorenkurs unter Gherig in Wien. Seit 1908 in Meran. Figürl. u. dekorat. Malereien in den Kirchen in Marchtrenk, Algund, Blumau, Gratsch, Kurtatsch. Kriegerdenkmäler in Jenesien, St. Pankratz-Ulten, Sarnthein. Fresken in d. Kapelle d. Militärfriedhofes v. Meran u. am Gutwenger Haus ebda.

Lit.: Tir. Anz., 1933 Nr 192. — Dolomiten, 1934 Nr 96. — Schlern, 20 (1946) 278. — D. Volksbote, 1946 Nr 29. *J. R.*

Dapsy, Klementina, ungar. Malerin, * Budapest.

Schülerin von Tardos, Bosznay u. Nadler.

Lit.: Szendrei-Szentiványi. — Krücken-Parlagi.

Daragnès, Jean Gabriel, franz. Landschafts- u. Stillebenmaler, Holzschneider, Rad. u. Buchillustr., * 2. 4. 1886 Guéthary (Passes-Pyrénées), † 1950 Paris.

Schüler von L. O. Merson. Ansichten aus den Pyrenäen, Spanien u. der Provence. Geschätzter Buchillustrator (meist Holzschnitte): Baudelaire, Les Pièces condamnées (12 Schnitte), 1917; Agide, Isabelle (16 Kupfer), 1924; R. de Gourmont, Le Livret de l'Imagier, 1920; J. Laforgue, Moralités légendaires (120 Schnitte), 1922; P. Loti, Pêcheurs d'Islande (9 Kupfer); Goethe, Faust (12 Kupfer, 34 Schnitte). 1924; P. Valéry, La jeune Parque; Huysmans, Le drageoir; Kipling, Chansons de la chambrée. Ein Katalog der von ihm illustr. Bücher wurde von MacOrlan herausgegeben, mit Bildnis des Künstlers von Dunoyer de Segonzac.

Lit.: Joseph, 1, 2 Abbn u. Fotobildn. — Bénézit, [2] 3 (1950). — Salaman, p. 83. — La Renaiss. de l'Art franç., 3 (1920) 207 (Abb.); 9 (1926) 621 (Abb.). — L'Amour de l'Art, 1922 p. 326/28, m. 9 Abbn; 1929, p. 66f., m. 2 Abbn; 11 (1930) 274, m. Abb., 347 (Abb.); 1936, p. 17/24 passim, m. Abb. — Revue de l'Art anc. et mod., 42 (1922) 311 (Abb.), 312; 65 (1934/I), Bull. p. 57 (Abbn); 67 (1935/I), Bull. p. 74, 75 (Abb.). — Beaux-Arts, 2 (1924) 336, m. Abb.; 3 (1925) 296; Nr 106 v. 11. 1. 1935 p. 1, 4, m. Abbn, Nr 139 v. 30. 8. 1935, p. 1, 6, m. Abbn; Nr 255 recte 256 v. 26. 11. 1937, p. 1, m. Foto; Nr v. 12. 12. 1947, p. 2 (Abb.). — The Studio, 94 (1927) 282/86, m. 2 Abbn; 109 (1935) 217, m. farb. Abb. — La Revue Rhénane (Rhein. Blätter), 1921, p. 896/903, m. 25 Abbn; 1924 p. 687f. — Art et Décor., 1934, p. 25/26 passim, m. Abb.; 1935, p. 104/12, m. 14 Abbn. — Bull. d. Musées de France, 7 (1935) 30f., m. Abb. — Arts graph., Nr 45 (1935) p. 25/30, m. 11 Abbn u. 1 Taf. — D. Kst u. d. schöne Heim, 49 (1950) Heft 1, Beil. p. 1. — Ill. Kat. Koll.-Ausst. Mus. d. Arts Décor., Louvre, Jan./Febr. 1935.

Dărăscu, Nicolae, rumän. Landschafts-, Blumen- u. Stillebenmaler (bes. Aquar.), * 1886 Giurgiu.

Stud. an der Kunstsch. in Bukarest u. bei J. P. Laurens u. L. O. Merson in Paris. Beeinflußt von J. A. Steriadi u. Cézanne. Malt mit Vorliebe Ansichten von Balcic u. Umgebung. 5 Bilder im Mus. Toma Stelian in Bukarest (Kat. 1939, p. 63, m. Abb.). Seine Büste von der Hand Const. Brâncusi's in d. Pinak. des Ateneums in Bukarest.

Lit.: Oprescu, 1935, m. 3 Abbn u. 1936, p. 14f. — L'Art et les Artistes, 2e sér. de guerre, Nr 4 (1917): Roumanie, p. 56. — The Studio, 110 (1935) 120, 124 (Abb.). — Beaux-Arts, 75e année, Spezial-Nr Sept. 1937: L'Art Roumain à l'Expos. de 1937, p. 14 (Abb.), 15. — Kat. d. Ausst. Rumän. Kst d. Gegenw., Zürich, Ksthaus, 1943, p. 10, 20, m. Abb.

Daraux, Lucien, franz. Landschaftsmaler, * Paris, ansässig ebda.

Stellt seit 1927 bei den Indépendants aus.

Lit.: Joseph, 1. — Bénézit, [2] 3.

Darázs (Grieszfelder), János, ungar. Bildhauer, * 1877 Budapest, † 21. 4. 1908 ebda.

Schüler von Zumbusch in Wien. Hauptsächl. Gedenktafeln, u. a. für F. Rákóczi in Istanbul u. für Imre Thököly ebda. — Seine Gattin, * 1877 Wien, † 4. 12. 1910 Budapest, Bildhauerin, stud. an der Wiener Akad.

Lit.: Th.-B., 15 (1922), s. v. Griessfelder. — Szendrei-Szentiványi — Krücken-Parlagi.

Darbefeuille, Paul, franz. Bildhauer u. Maler, * 1855 Toulouse, † 1933 Paris.

Lit.: Th.-B., 8 (1913). — Bénézit, [2] 3.

Darbour, Marguerite Mary, franz. Bildnis-, Figuren- u. Landschaftsmalerin, * Florenz, ansässig in Paris.

Stellt seit 1903 bei den Indépendants, seit 1925 auch im Salon der Soc. Nat. d. B.-Arts aus.

Lit.: Joseph, 1. — Bénézit, [2] 3.

Darby, Rev. John Henry, engl. Aquarellmaler, * 2. 2. 1880 Birmingham, ansässig in Tipton, Staffs.

Lit.: Who's Who in Art, [3] 1934.

Dárday-Szende, Olga, ungar. Schriftstellerin u. Bildhauerin, * 1880 Budapest.

Lit.: Krücken-Parlagi.

Dardé, Paul, franz. Bildhauer u. Graph., * 5. 7. 1888 Olmet bei Lodève (Hérault), ansässig in Paris.

Als Bildhauer Autodidakt, abgesehen von kurzem Besuch der Pariser Ec. Nat. d. B.-Arts. Bereist Italien. Als Radierer Schüler von Max Théron. Ausgesprochener „Tailleur de pierre", der die Ausführung in Stein von Grund auf selbst besorgt. Anreger sind ihm neben Michelangelo vor allem Dante u. Shakespeare. Durch ersteren ist der pathetische Ausdruckskopf: Der ewige Schmerz, im Luxembourg-Mus. in Paris, durch letzteren sind einige Büsten inspiriert. Weitere Hauptwerke: Kolossalstatue eines sitzenden Faun im Garten des Mus. Rodin in Paris; Statue der Jeanne d'Arc in Montpellier; Denkmal der Gefallenen des 1. Weltkrieges in Lodève (7-Figurengruppe: Toter Soldat, umstanden von 4 Leidtragenden u. 2 Kindern). Radierungen zu Shakespeares „King Lear". Beschickte seit 1920 den Salon der Soc. d. Art. Franç.

Lit.: Th.-B., 8 (1913). — Joseph, 1, m. Abb. u. Fotobildn. — Bénézit, [2] 3. — J. Girou, Sculpteurs du Midi: Bourdelle, Maillol, Despiau, D. etc., Paris 1938. — L'Art et les Art., N. S. 1 (1919/20) 249, 253 –58, m. 7 Abbn; 12 (1925/26) 27/30, m. 5 Abbn; 20 (1930) 308/310, m. 5 Abbn. — Gaz. d. B.-Arts, 1920 –II 17 (Abb.), 18. — Revue de l'Art anc. et mod., 38 (1920) 85ff., m. Abbn u. Taf. — La Renaiss. de l'Art franç., 8 (1925) 454 (Abbn), 456; 9 (1926) 249 (Abb.), 251. — Aesculape, 1937, p. 40/47 passim, m. Abb.

Dardel, Nils von, schwed. Maler (Öl, Aquarell, Fresko), Zeichner, Bühnenbildner u. Entwurfzeichner für Gobelins u. Ballettkostüme, * 25. 10. 1888 Bettna, Söderman län, † 1943 New York.

Stud. 1908/10 an der Akad. in Stockholm, ließ sich 1911 in Paris nieder, wo er dem Cézanne-Kreis nahetrat. Beeinflußt von Matisse, den Japanern, vorübergehend auch von den Naivisten (Rousseau) u. den Kubisten. Bereiste ganz Europa, Afrika (1914/16).

Amerika, den Orient, Japan u. Rußland. Figürliches, Bildnisse, Landschaften. Phantasievoller, in seinen späteren Jahren dem Expressionismus zuneigender Künstler. Oft bizarre Themen aufsuchend: Schwarze Diana, Nat.-Mus., Stockholm (auch als Gobelin verarbeitet); Tod des Dandy; „A ta santé, Nils!" (3 das Glas erhebende Leichenbitter, der Künstler im Hintergrund); Der Tod u. das Mädchen; Der mutige Knabe (einen Vogel mit der Schere köpfend) usw. Höchst empfindungsvoller Zeichner (Bildnisse [George Lewin; August Brunius; Elsa de Castro], oriental. Volksstudien [Abdul, Mohamed]). — Fresko in der Stadtbibl. in Stockholm. Als Maler u. Zeichner reich vertreten im dort. Nat.-Mus., in der Nat.-Gal. in Oslo u. in den Museen in Göteborg u. Malmö. In der Smlg Gotthardt in Malmö: Begräbnis der Königin Sofia. In der Smlg Pineus in Göteborg: Bildnis der Gräfin Ingeborg von Rosen. — Koll.-Ausstellgn: 1928 in der Svensk-Franska Konstgall. in Stockholm, 1938 in Göteborg.

Lit.: K. Asplund, N. D., Stockh. 1933; ders., N. v. D. Målningar och teckningar. Med inledningar av G. Hellström, Stockh. 1941. — N. F., 5. — Thomœus. — Göteborgs Museum, Årstryck, 1932, p. 83, 92 (Abb.). — L'Art et les Art., N. S. 18 (1929) 225 (Abb.), 226. — The Art News, Nr v. 15. 5. 1943, p. 23. — D. Cicerone, 6 (1914) 246 (Abb.); 18 (1926) 279, 281 (Abb.), 381 (Abb.), 396, 401. — Konstrevy, 1927, H. 1, p. 19 (Abb.); H. 5, p. 21 (Abb.); H. 6, p. 6/19, m. Abbn; 1928 H. 1, p. 17, 22, 122/26, m. Abbn, 158 (Abb.); 1929, p. 54 (Abb.), 126 (Abb.), 148 (Abb.); 1930, p. 110, m. Abbn, 170f. Abbn; 1931, p. 157 (Abb.); 1932, p. 157 (Abb.); 1934, p. 98, 138 (Abb.), 139 (Abbn); 1936, p. 134 (Abb.), Umschlagzeichnung zu H. 5, 169/73, m. 7 Abbn, 200; 1937, Spezial-Nr, p. 15 (Abb.), 32 (Abb.), 34 (Abb.); 1938, p. 211/14, m. Abbn; 1939, H. 5/6: Titelbild, p. 167/79, Spez.-Nr: Göteborg, p. 41 (Abb.). — D. Kunst, 55 (1926/27) Beil. Okt.-Heft. p. XII — Dtsche Kst u. Dekor., 34 (1914) 173 (Abb.); 66 (1930) 199 (Abb.). — Kunst og Kultur, 8 (1920) 31/33, m. Abbn; 23 (1937) 62 (Abb.). — Ord och Bild, 32 (1923) 118 (Abb.); 33 (1924) 177, 425; 35 (1926) Abb. geg. p. 321; 48 (1939) 2 Taf.-Abbn geg. p. 577, 577/86, m. Abbn; 50 (1941) 248 (Abb.). — Saisonen, 1918, p. 366/68. — Velhagen & Klasings Monatsh., 43/II (1928/29) 588, 590 (Abb.).

Dardel, Renée, franz. Miniaturmalerin, * 6. 7. 1891 Meung-sur-Loire, ansässig in Montmorency (Seine-et-Oise).

Schülerin von Mme Debillemont-Chardon. Mitgl. der Soc. d. Art. Franç., beschickt deren Salon seit 1922 (Kat. z. T. mit Abbn).

Lit.: Joseph, 1. — Bénézit, ² 3.

Dardel, Simone de, s. *Kihlman*.

Darel, Georges, schweiz. Landschafts-, Stilleben- u. Figurenmaler, * 18. 3. 1892 Genf, ansässig in Paris.

Mitgl. der Soc. du Salon d'Automne. Stellt auch im Salon des Tuileries (1924ff.) u. bei den Indépendants aus. Bilder im Mus. du Jeu de Paume in Paris u. im Mus. in Le Havre.

Lit.: Joseph, I. — Pages d'Art, 1918, p. 319ff. — L'Amour de l'Art, 11 (1930) 271 (Abb.). — L'Art et les Art., 1934, Nr 151, p. 42/47, m. 7 Abbn. — Revue de l'Art anc. et mod., 65 (1934/I), Bull. p. 117 (Abb.), 132. — Beaux-Arts, Nr 272 v. 29. 10. 1937 p. 1 (Abb.); Nr 278 v. 29. 4. 1938, p. 4, m. Abb.; Nr 238 v. 3. 6. 1938, p. 2 (Abb.); Nr 306 v. 11. 11. 1938, p. 1 (Abb.); Nr 335 v. 2. 6. 1939 p. 2 (Abb.). — Beaux-Arts, 4 (1926) 302.

Daret, Suzanne, franz. reproduz. Lithographin, * 14. 9. 1882 Champigny-sur-Marne, ansässig in Paris.

Schülerin von L. Compte u. F. Bouissec. Mitgl. der Soc. d. Art. Franç. Arbeitete u. a. nach Corot u. Daubigny.

Lit.: Joseph, I.

Dargis, Alfons, litauischer Figurenmaler, Bühnenbildner u. Graphiker, * 12. 5. 1909 Mazeikiai, Litauen, ansässig in Göttingen.

Stud. an d. Kstschulen in Litauen 1930/36 u. an der Wiener Akad. 1936/40. Bereiste Italien, die Schweiz, Frankreich, Ungarn u. die Tschechoslowakei (Prag). Anhänger der abstrakten (nicht gegenstandslosen) Malerei. — Buchwerk: Litauische Hochzeitsgebräuche, Göttingen 1946.

Lit.: Kat. d. Ausst. Litauische Kst, Augustiner-Mus. Freiburg i. Br., 1949. — Mitteilgn d. Kstlers.

Dargouge, Georges, franz. Landschafts-, Marine- u. Schiffsmaler, * 27. 3. 1897 Paris, ansässig ebda.

Schüler von Cormon u. Ch. Fouqueray. Mitgl. der Soc. d. Art. Franç., beschickt deren Salon seit 1920 (Kat. z. T. mit Abbn). 2. Rompreis 1924.

Lit.: Joseph, 1. — Bénézit, ² 3. — Bull. de l'Art anc. et mod., 1924, p. 219, 224.

Darimont, Marc, belg. Figurenmaler, * 23. 1. 1903 Lüttich, ansässig ebda. Expressionist.

Lit.: Joseph, I.

Daringer, Engelbert, öst. Maler (hauptsächl. Freskant) u. Illustr., * 16. 9. 1882 Wildenau b. Aspach, ansässig ebda.

Stud. an der Kstgewerbesch. München, tätig im Rheinland (Koblenz) u. in Westfalen, 1906/12 bei M. Feuerstein an der Münchner Akad., seitdem in Wildenau. — Jüngstes Gericht u. Kreuzweg in Mettmach; Deckenbilder in den Kirchen in Kopfing, Gurten, Mörschwang, Nondorf u. Alberndorf; Kreuzwege in Mönchdorf u. Walpersbach; Apostel u. Szenen aus d. Leben des hl. Stephanus in Offenhausen; Fresken in Schardenberg b. Passau (Abendmahl; Hl. Laurentius), Vöcklabruck, im Priesterkurhaus in Schallerbach u. am Gasthaus Hofmann in Aspach (Bauernhochzeit). Illustr. zu den Dichtungen von Georg Stibler. Mitarbeiter der Zeitschr. „Die Mappe" (München). — Buchwerk: Kreuzweg, Münch. 1914.

Lit.: Krackowizer-Berger. — Dreßler. — D. Christl. Kstblätter (Linz), 54 (1913) 127f., m. Abbn; 55 (1914) 9 (Abb.), 110; 56 (1915) 99ff., m. Abbn; 64 (1923) 54f.; 68 (1927) 119, 124 (Abb.); 70 (1929) 124-26; 73 (1932) 93; 78 (1937) 24; 79 (1938) 72; 80 (1939) 13f., 55. — D. Christl. Kst, 19 (1922/23) Beibl. p. 58. — D. getreue Eckart (Wien), 3 (1925/26) 267 (Abb.), 268f. — D. ostbair. Grenzmarken, 17 (1928) 22f.

Darling, Dorothy Anne, amer. Lithographin, * 26. 8. 1913 Kansas City, Mo., ansässig in Wichita, Kans.

Schülerin von Clayton Henri Staples, Eliz. Sprague, Wm. Dickerson, B. J. O. Nordfeldt u. Millard Sheets.

Lit.: Who's Who in Amer. Art, I: 1936/37.

Darmesteter, Héléna, franz. Bildnis- u. Genremalerin, * London, ansässig in Paris.

Schülerin von Collin, G. Courtois u. L. Glaise. Mitgl. der Soc. Nat. d. B.-Arts, beschickt deren Salon seit 1921.

Lit.: Joseph, 1. — Bénézit, ² 3.

Darnault, Florence Malcolm, amer. Porträtbildhauerin, * 1905 New York, ansässig ebda.

Bildnisbüsten u. a. in der New York Univ. in New York u. im Port Graduate Hospital ebda.

Lit.: Who's Who in Amer. Art, I: 1936/37. — Mallett.

Darnaut, Hugo, öst. Landschaftsmaler (Prof.), * 28. 11. 1850 Dessau, Anhalt, † 9. 1. 1937 Wien.

Seit 1876 in Wien ansässig. 1913/18 Präsid. d. Genossensch. d. bild. Kstler Wiens. Bilder in: Gal. des 19. Jh.s Wien, Mod. Gal. Dresden, Städt. Kstsmlg Dessau, Nat.-Gal. Berlin.

Lit.: Th.-B., 8 (1913): * 1851. — Degener, Wer ist's?, [9] 1928. — Klang. — Wer ist Wer? (Wien), 1937. —Öst. Kst, 1 (1929/30) H. 12 p. 10/15, m. Abbn bis p. 15; 3 (1932) H. 12, p. 3 (Abb.); 6 (1935) H. 12 p. 7, m. Abb. — D. Kunst, 1936/37, Beil. zu H. 6, p. 13 (Nachruf).

Daróczy, Sándor, ungar. Maler, * 12. 2. 1873 Berettyóujfalu.

Schüler von A. Krisztiani in Debreczen, dann von P. Horti u. H. Pap in Budapest.

Lit.: Szendrei-Szentiványi. — Krücken-Parlagi.

Daroux, Leonora, amer. Malerin, * 14. 6. 1886 Sacramento, Calif., ansässig ebda.

Schülerin von Hansen, dann von A. Lhote u. O. Friesz in Paris.

Lit.: Amer. Art Annual, 30 (1933). — Who's Who in Amer. Art, I: 1936/37.

Darpy, Lucien Gilbert, franz. Landschafts- u. Blumenmaler, * 26. 2. 1875 Paris, ansässig ebda.

Schüler von Géry-Bichard. Seit 1897 Mitgl. der Soc. d. Art. Franç.

Lit.: Joseph, 1. — Bénézit, [2] 3.

Darras, Achille, franz. Landschaftsmaler, * 15. 4. 1881 Annappes (Nord), ansässig in Saint-Denis-de-Méré (Calvados).

Schüler von Cormon, Baschet u. Schommer. Stellt seit 1897 im Salon der Soc. d. Art. Franç. aus.

Lit.: Joseph, 1. — Bénézit, [2] 3.

Darriet, Léontine, franz. Blumen-, Marine- u. Landschaftsmalerin, * 31. 10. 1872 Bordeaux, ansässig ebda.

Schülerin von Cabié, Carme u. Quercia. Mitglied der Soc. d. Art. Franç. in Paris.

Lit.: Joseph, 1. — Bénézit, [2] 3.

Darrieux, Charles René, franz. Landschaftsmaler, Illustr. u. Plakatzeichner, * 17. 7. 1879 Bordeaux, ansässig in Paris.

Schüler von Cormon, Baschet u. Schommer. Seit 1909 Mitgl. der Soc. d. Art. Franç. (Salon-Kat. z. T. mit Abbn).

Lit.: Th.-B., 8 (1913). — Joseph, 1. — Bénézit, [2] 3 (1950).

Darrow, Whitney, amer. Plakat- u. Pressezeichner u. Illustr., * 22. 8. 1909 Princeton, N. J., ansässig in New York.

Zeichngn u. a. für „Saturday Evening Post".

Lit.: Who's Who in Amer. Art, I: 1936/37. — Amer. Artist, 14, Febr. 1950, p. 32/36.

Darsow, Johannes, dtsch. Genrebildhauer, * 12. 8. 1877 Berlin, ansässig ebda.

Lit.: Th.-B., 8 (1913). — Dreßler. — Velhagen & Klasings Monatsh., 48/I (1933/34) 342 (Abb.). — D. Kst i. Dtsch. Reich, 4 (1940) 314, m. Abb.

Dart, Hester, geb. *Wilson,* amer. Porträtmalerin, * Peking, Ill., † 25. 7. 1913 Ossining, N. Y.

Nachkommin von B. West. Stud. in Paris.

Lit.: Amer. Art Annual, 11 (1914) 391.

Darvassy, István, ungar. Maler, * 20. 4. 1888 Hódmezővásárhely, lebt in Szeged.

Stud. 1908ff. bei L. Hegedűs u. I. Révész an der Akad. in Budapest. Kunstgewerbl. Studien bei R. Nadler. 1912 in Italien. Dann an der Künstlerkolonie Kecskemét bei B. Iványi-Grünwald. Bild (Zigeuner) im Mus. in Kecskemét.

Lit.: Szendrei-Szentiványi.

Darville, Alphonse, belg. Bildhauer, * 1910 Mont-sur-Marchienne.

Schüler von De Rudder u. P. Dubois an d. Brüsseler Akad. Hauptsächlich Porträtist.

Lit.: Seyn, I.

Darviot, Henriette, franz. Interieurmalerin, * 20. 5. 1901 Beaune, ansässig in Bussy-le-Grand (Côte-d'Or).

Schülerin ihres Vaters Edouard (1859–1921). Stellte 1920ff. im Salon der Soc. d. Art. Franç. aus.

Lit.: Joseph, 1. — Bénézit, [2] 3.

Darzins, Anna, lett. Figurenmalerin, * 1911, ansässig in Eßlingen a. N.

Stud. an d. Lett. Kstakad. in Riga.

Lit.: Kat. d. Ausst. Lett. Kst in d. Fremde, Schaezler-Palais, Augsburg, Juni 1948, m. Abb.

Das, Phanibhusan, ind. Maler u. Holzschneider.

Armut zwang ihn, seine Studien nach Besuch der 10. Klasse d. Hochschule aufzugeben; bildete sich seit 1930 autodidaktisch weiter. Die in der Umgebung von Kalighat heimische Töpferkunst hat bedeutenden Einfluß auf die Entwicklung seines Stils ausgeübt. Stud. 7 Monate in Santiniketan Kalabhavan, dank Unterstützung der Birla-Schule in Pilani, wo er im selben Jahre seine Lehrtätigkeit begann. Wirkte während der letzten Jahre als Kstlehrer an d. Hindu-Hochschule in Kalkutta. Verband erfolgreich die bengal. Volkskunst mit modernen Elementen; malt mit trockenem Pinsel u. trockener Farbe u. Tusche. Übt auch die Batik-Technik auf Papier. Der in Amerika verbreitete „Lumi printing" wurde 1949 von ihm zuerst in Indien gepflegt. Modelliert auch in Ton, fertigt Lederarbeiten, Holz- u. Linolschnitte, Holzstiche u. Schnitzereien. Stellte seit 1939 fast alljährlich in d. Acad. of F. Arts in Kalkutta aus. 1. Sonderschau Juni 1944 im Asutosh Mus. of Indian Art, 2. Ausst. Okt. 1948 in der Hindu-Hochschule, 3. Ausst. Febr. 1951 im Chowringhee-Terrace in Kalkutta. Beschickte auch die Ausst. ind. Kst in d. Roy. Acad. in London 1947/48 u. die von Mr. Stuart Nelson veranstaltete Ausst. in d. Howard Univ. in Washington.

Lit.: Bharatvarsha, Kalkutta 1939. — Illustr. Weekly of India, 1948 (Umschlagbilder). — Journal of the Indian Inst. of Art in Industry, 2 (1951) Nr 4. — Modern Review, April 1943, p. 270/81. — Prabasi, Baisakh, 1358 B. S. — Temple Designs of Orissa.

Das Gupta, Pradosh, ind. Bildhauer, * 1912 Dacca, Ost-Bengalen (Ost-Pakistan), ansässig in Kalkutta.

Promovierte 1932 an d. Univ. Kalkutta. Erlernte Modellieren u. Bildhauern in Lucknow an d. Gouv. Kst- u. Handwerksschule unter H. Roy Chowdhury u. D. P. Chowdhury. Erhielt das Diplom 1. Klasse u. die Cotton-Gedächtn.-Med. von Madras und das Guru Prasanna Ghose-Reisestipendium von d. Univ. Kalkutta für weitere Studien an d. Roy. Acad. in London, wo er 2 Jahre bei Sir Wm. Reid Dick u. W. Macmillian arbeitete. Einige Zeit auch an d. Akad. der Grande Chaumière. Paris. 1950 Lehrer f. Bildhauerei an d. Univ. Baroda. Seit 1951 Prof. f. Bildh. am Gov. College of Art & Crafts in Kalkutta. Gründermitglied u. Leiter d. Kalkuttagruppe. Zahlr. Gruppenschauen von ihm seit 1944 organisiert. Sonderschau im Services Arts Club, Kalkutta, 1945. Anfänglich Naturalist. entwickelte später einen kraftvollen, persönlichen Stil.

Lit.: F. H. Baines, Our Times, Art of India, Past and Future in the Light of the Roy. Acad. Exhib., London. — Indian Art through the Ages, p. 134. — Harry Milner, Art Lives in India (Wildersteen Gall., London). — Marg (Bombay), Vol. 5, Nr 1. — The Studio (London), Sept. 1950.

Dasburg, Andrew, amer. Maler, * 4. 5. 1887 Paris, ansässig in Santa Fé, N. M.

Schüler von Cox, Harrison u. R. Henri. Kubist. Vertreten im Whitney Mus. fo Amer. Art in New York. 2. Preis im Internat. Carnegie-Wettbewerb 1927. Hauptsächl. Landschafter.

Lit.: Fielding. — Amer. Art Annual, 30 (1933). — Who's Who in Amer. Art, I: 1936/37. — Monro. — Art and Archaeology, 24 (1927) 186 (Abb.). — The Arts, 6 (1924) 19/26, m. 8 Abbn. — The Art News, 30, Nr 3 v. 17. 10. 1931, p. 3. — Bull. de l'Art anc. et mod., 1927, p. 338 (Abb.). — The Studio, 113 (1937) 81 (Abb.); 114 (1937) 218 (Abb.).

Dasio, Ludwig, dtsch. Bildhauer (Prof.), * 23. 4. 1871 München, † Febr. 1932 ebda.

Schüler von S. Eberle. Hauptsächlich Bauplastik, Bildnisbüsten, Grab- u. Denkmäler u. Plaketten. Zu den bei Th.-B. gen. Arbeiten kommen hinzu eine Marmorbüste Ulrichs v. Hutten in der Dtsch. Bücherei in Leipzig; Gedenkstein am Südtirolerplatz in Harlaching; Kriegerdenkmal in Rudolstein b. Hirschberg. Gedächtnis-Ausst. 1932 im Dtsch. Mus. in München.

Lit.: Th.-B., 8 (1913). — Dreßler. — Alckens. — Blätter f. Münzfreunde, Bd 18 (Jg 65/68: 1930/33), 1934. — D. Kst, 29 (1913/14) 146 (Abb.); 57 (1927/28) 288 (Abb.); 65 (1931/32) 368 u. Beibl. p. LXI. — Dtsche Kst u. Dekor., 70 (1932), Taf.-Abb. nach p. 287. — Kst u. Handwerk, 1916, p. 39, 47 (Abb.). — Kstchronik, N. F. 33 (1920/21) 615.

Dasnoy, Albert, belg. Maler, * 1901 Lier.

Schloß sich der von P. Haesaerts u. a. gegründeten Vereinigung: L'Animisme, an, die eine Erneuerung der Kunst unter der Parole: Retour à l'humain, anstrebte. Landschaften mit Figuren, Straßenpartien, Interieurs, Bildnisse.

Lit.: Marlier, p. 104f. — P. Haesaerts, Retour à l'humain etc.: L'Animisme, Paris/Brüssel 1943. — Beaux-Arts, 75e année, Nr 310 v. 9. 12. 1938, p. 5. — Apollo (Brüssel), Nr 17 v. 1. 12. 1942, p. 21f.

Dass, Jshwar, ind. Aquarellmaler, * Lucknow, Uttar Pradesh, ansässig in Uttar Pradesh.

Einem fürstl. Geschlecht entstammend, das zur Zeit der Nabobs v. Oudh blühte. Die Umgebung v. Lucknow mit ihrem reichen Erbe an Mogul-Überlieferungen u. die von seinen Eltern betreute Sammlg von Rajput- u. Mogul-Gemälden beeindruckte tief den Knaben. Begann, kaum 7jährig, zu skizzieren u. fand als 15 Jähriger Beachtung mit s. Malereien im Naini Tal Art Club. Der Vater ermutigtte ihn u. verpflichtete P. R. Roy als Lehrer. Trat 1935 in die Kstschule in Lucknow ein; Lehrer: Asit Kumar Haldar. Ging nach Abschluß des Kursus nach Bombay. Seine Absicht, das Roy. College of Arts in London zu besuchen, wurde durch den Krieg vereitelt. Nach Beherrschung der üblichen Tusch- u. Aquarellmethoden der New-Bengal-Schule zeichnete er mit Vorliebe im Mogul- u. Rajput-Stil. Gelegentlich malte er Ölbildnisse u. Landschaften, aber seine Lieblingsmotive sind romant. Stoffe mit Szenen aus der Mogul-Zeit. Als Schriftführer d. Kstlervereins in Uttar Pradesh spielte er innerhalb desselben eine bedeutende Rolle. Prämiiert auf d. Ausstellgn d. Punjab Fine Arts Soc. in Mysore, d. Acad. of F. Arts in Kalkutta, d. Silpakala Parishad in Patna, d. Art Soc. in Bombay u. d. Nagpur Art Soc.

Lit.: Thacker-Venkatachalam.

Dasselborne, Lucien, franz. Architektur- u. Landschaftsradierer, * Louvroil (Nord), ansässig in Paris.

Stellte im Salon der Soc. d. Art. Franç. aus.

Lit.: Joseph, 1. — Bénézit, [2] 3.

Dassonville, Jeanne Marguerite Marie, franz. Landschaftsradiererin, * Paris, ansässig ebda.

Schülerin von Pierre Desbois. Stellte im Salon der Soc. d. Art. Franç. aus.

Lit.: Joseph, I.

Dastrac, Raoul, franz. Landschaftsmaler, * 9. 10. 1891 Aiguillon (Lot-et-Garonne), ansässig in Paris.

Schüler von J. P. u. P. A. Laurens und Déchenaud. Mitgl. der Soc. d. Art. Franç. (Salon-Kat. z. T. m. Abbn).

Lit.: Joseph, 1. — Bénézit, [2] 3.

Daszewski, Wladysław, poln. Karikaturist.

Mitarbeiter der satir. Zeitschr. „Cyrulik Warszawski" (Der Barbier von Warschau). Pflegt bes. die polit. Karikatur.

Lit.: Osteuropa, 4 (1928/29) 631.

Datan, Ernst, dtsch. Bildnis- u. Landschaftsmaler, * 29. 5. 1896 Blankenburg a. H., ansässig in Halberstadt.

Stud. an den Akad. in Kassel u. München.

Lit.: Dreßler.

Date, Kstlername *Yasuke*, jap. Tapissier, * 1878 Kyōto, ansässig ebda.

Lit.: Kat. d. Expos. d'Art jap., Paris, Grand Palais, 1922, Nrn 201f.

Datz, Abraham Mark, russ. Wandmaler u. Rad., * 14. 10. 1896, ansässig in New York.

Stud. an der Nat. Acad. of Design in New York. Vertreten im Whitney Mus. of Amer. Art ebda, in der Memorial Art Gall. in Rochester, N. Y., u. im Oshkosh Public Mus. in Oshkosh, Wis. Koll.-Ausst. in den Montross Gall. in New York, Okt. 1941.

Lit.: Who's Who in Amer. Art, I: 1936/37. — Mallett. — Art Digest, 16, Nr v. 1. 10. 1941, p. 13. — The Art News, 40, Nr v. 1. 10. 41, p. 21, m. Abb. — Pictures on Exhib. (New York), 5, Okt. 1941, p. 19, Abb. p. 24.

Dauchez, André, franz. Landschaftsmaler, Radierer u. Zeichner, * 17. 5. 1870 Paris. † 1948 ebda.

Anfängl. Radierer. Dann Malschüler s. späteren Schwagers L. Simon. Mitgl. u. Präsident der Soc. Nat. d. B.-Arts (Salon-Kat. häufig mit Abbn). Gehört zu den besten Vertretern der breton. Landschafterschule. Die herbe, höchst charaktervolle Landschaft der Bretagne hat in ihm einen klassischen Interpreten gefunden, was ebenso für den Maler wie für den Radierer gilt, als welcher er seit 1902 an die Öffentlichkeit trat. Die Radierungen der Frühzeit stellen Reproduktionen nach fremden Vorbildern, besonders Isabeau, dar. Mehr Zeichner als Maler, hat er doch auch den farbigen Stimmungszauber der breton. Landschaft in seine Bilder einzufangen gewußt. Graph. Hauptblätter: Au dessus du port de Douarnenez; La récolte du varech; Campagne derière la dune; Soleil sur la plaine usw.; ferner Buchillustrat. zu: Emile Souvestre, „Le foyer breton" (80 Orig.-Radiergn), A. Suarès, „Le Livre de l'Emeraude" u. zu A. Chevrillon, „La Mer dans les bois". — Bilder u. a. im Luxembourg-Mus. in Paris (Die Wäscherinnen) u.

in den Museen in Lille, Nantes, Saint-Nazaire, Straßburg u. Le Havre; ferner in den öff. Smlgn in Budapest, Bukarest (Mus. Toma Stelian), Buenos Aires, Chicago, Helsinki, Moskau, Philadelphia, Pittsburgh.
Lit.: Th.-B., 8 (1913). — Bénézit, [2] 3 (1950). — Joseph, 1, m. Abb. — Revue de l'Art anc. et. mod., 43 (1923) 27/38, m. 12 Abbn u. Orig.-Rad. — Gaz. d. B.-Arts, 1925/II p. 19 (Abb.); 1927/I p. 285 (Abb.), 287. — Bull. de la Soc. de l'Hist. de l'Art franç, 1928, p. 262. — Beaux-Arts, Nr 278 v. 29. 4. 1938, p. 4, m. Abb.; Nr 328 v. 14. 4. 1939, p. 1 (Abb.); Nr 331 v. 5. 5. 1939 p. 1 (Abb.); Nr v. 4. 6. 1948 p. 8. — Kat. Ausst. Franz. Kst d. Gegenw., Berlin, Pr. Akad. d. Kste, 1937, m. Abb.

Dauchot, Fernand, franz. Bildnis- u. Figurenmaler, * Paris, ansässig in Lozère (Seine-et-Oise).
Stellt seit 1927 bei den Indépendants aus.
Lit.: Joseph, I.

Daudert, Rudolf, dtsch. Figurenbildhauer, * 27. 12. 1903 Metz, ansässig in Stuttgart.
Nach Steinmetzlehre Studium an der Kst- u. Gewerksch. in Königsberg. Studienaufenthalt in Frankreich. Seit 1947 lehrtätig an der Akad. in Stuttgart. Architekturplastik am Universitätsgebäude in Königsberg.
Lit.: Dreßler. — Nemitz, p. 28 (Abb.). — D. Kst i. Dtsch. Reich, 4 (1940) 220f., m. Abb. — D. Kstwerk, 1 (1946/47) H. 4, p. 13 (Abb.); H. 10/11, p. 39 (Abb.); H. 12, p. 58.

Daugherty, James Henry, amer. Wandmaler, Rad. u. Illustr., * 1. 6. 1889 Asheville, N. C., ansässig in Westport, Conn.
Schüler der Pennsylvania Acad. of the F. Arts in Philadelphia u. von Frank Brangwyn. Wandgem. u. a. in der High School in Stamford, Conn., u. im Loews State Theatre in Cleveland, O. — Illustr. u. a. zu Carl Sandburgh, „Abe Lincoln Grown Up", u. zu Washington Irving, „Knickerbocker's History of New York".
Lit.: Who's Who in Amer. Art, I: 1936/37. — Monro. — Fielding (fälschl. * 1886). — Amer. Art Annual, 20 (1923) 492. — Amer. Artist, 9, März 1945, p. 3, 16/20. — Art and Industry, 32 (1942) 129 (Abb.). — Amer. Collector, 16, Okt. 1947, p. 39 (Abb.).

Daugherty, Nancy Lauriene, amer. Malerin, Illustr. u. Schriftst., * 21. 6. 1890 Kittanning, Pa., ansässig ebda.
Schülerin von Irving Wiles, Douglas Connah, Fr. A. Parsons, dann von Simon u. Billeau in Paris.
Lit.: Amer. Art Annual, 30 (1933). — Who's Who in Amer. Art, I: 1936/37.

Daum, Antonin, franz. Glaskünstler, * Nancy, ansässig ebda.
Beschickt seit 1921 den Pariser Salon d'Automne, seit 1928 auch den Salon der Soc. d. Art. Décor. Seine Mitarbeiter sind Eug. Gall u. Emile Wirz.
Lit.: Joseph, 1. — L'Art vivant, 1929, p. 844/45, m. Abbn. — Mobilier et Décoration, 1930/II p. 230 –36, m. 11 Abbn. — Revue lorraine ill., 3 (1908) 31/32, m. Abb.

Daumiller, Adolf, dtsch. Bildhauer, * 10. 11. 1878 Memmingen, ansässig in München.
Stud. an den Akad. in Hanau u. München, 1902/04 in London, 1904ff. an d. Acad. Julian u. der Ec. d. B.-Arts in Paris. Seit 1908 in München. Genrestatuen u. -statuetten (bes. weibl. Akte), Bildnisbüsten, Grabdenkmäler, Denkmünzen, Medaillen. Großplastiken u. a. in der Lutherkirche in München u. in Neuendettelsau.
Lit.: Th.-B., 8 (1913). — Blätter f. Münzfreunde, 50. Jg (1915) 5856; 53. Jg (1918) 394; 56. Jg (1921) 139. — D. Kunst, 32 (1914/15) 225. — Kst- u. Antiquitätenrundschau, 43 (1935) 96, m. Abb. — D. Christl. Kst, 27 (1930/31) 348. — Kst u. Handwerk, 1916, p. 47 (Abb.). — Die Plastik, 1915, Taf. 38. — Kat. Ständ. Kst-Ausst. d. Münchn. Kstlergenossenschaft, München, Weihn. 1932, p. 17 (Abb.), 18 (Abb.).

Dauphin, Louis Etienne, franz. Landschaftsmaler (Aquar.), * 15. 3. 1885 Paris, † 1926.
Sohn des Malers Eugène D. Schüler von T. Robert-Fleury u. J. Lefebvre. Bereiste Griechenland, Italien, Spanien u. den Orient.
Lit.: Th.-B., 8 (1913). — Bénézit, [2] 3 (1950).

Daur, Hermann, dtsch. Landschaftsmaler (Öl u. Aquar.), Lithogr. u. Rad., * 21. 2. 1870 Stetten b. Lörrach, ansässig in Karlsruhe.
Stud. an der Kstgewerbesch. in Karlsruhe, dann bei Pötzelberger, C. Grethe, Kalckreuth u. Thoma an der Akad. ebda. Längerer Aufenthalt bei Hölzel in Dachau. Ließ sich in Ötlingen nieder. Reise ins Engadin. Mitgl. des Karlsruher Künstlerbundes.
Lit.: Th.-B., 8 (1913). — H. E. Busse, H. D., [2] Karlsr. 1927. — Badische Heimat, 10 (1923), Tafelabb. 4 u. p. 89. — D. Rheinlande (Dtsche Monatsh.), 14 (1914) 39/49, m. 4 Textabbn u. 5 Taf.

Dautel, Pierre, franz. Medailleur u. Plakettenkünstler, * 19. 3. 1873 Valenciennes, ansässig in Paris.
Schüler von Maugendre-Villers, Barrias, Coutan u. Henri Dubois. Mitgl. der Soc. d. Art. Franç. 1902 Rompreis. 1913 Gold. Med.; 1927 Ehrenmed.
Lit.: Th.-B., 8 (1913). — Joseph, 1. — Forrer, 7. — Bénézit, [2] 3 (1950).

Dautert, Karl, dtsch. Medailleur, Plakettenkstler u. Porträtbildh., * 27. 11. 1875 Frankfurt a. M., zuletzt ansässig in Berlin.
Autodidakt. Med. Weltausst. Gent 1913.
Lit.: Th.-B., 8 (1913). — M. Bernhart, Med. u. Plaketten, 1920, p. 98, m. Abbn. — Blätter f. Münzfreunde, Bd 18 (Jg 65–68: 1930–1933), 1934; 75 (1940) H. 3/4, p. 36/41, m. Abb. — D. Kstwanderer, 1928/29, p. 541. — Velhagen & Klasings Monatsh., 45/II (1930/31) p. 349 (Abb.), 350.

Daveline, Georgette, franz. Bildhauerin, Bildnis- u. Figuren- (bes. Akt-) Malerin, * 26. 1. 1902 Nevers (Nièvre), ansässig in Paris.
Schülerin von E. Fernand-Dubois. Mitgl. der Soc. d. Art. Franç. (Salon-Kat. z. T. m. Abbn).
Lit.: Joseph, 1. — Bénézit, [2] 3.

Davenport, Carson, amer. Maler u. Rad., * 14. 2. 1908 Danville, Va., ansässig ebda.
Schüler von George Pearse Ennis u. Wayman Adams.
Lit.: Amer. Art Annual, 30 (1933). — Who's Who in Amer. Art, I: 1936/37.

Davenport, Edith Fairfax, amer. Bildnismalerin u. Rad., * Kansas City, Mo., ansässig in Zellwood, Orange Co., Fla.
Schülerin von Collin u. Laurens in Paris. Bilder u. a. in den Public Libraries in Kansas City u. Zellwood.
Lit.: Fielding. — Amer. Art Annual, 30 (1933). — Who's Who in Amer. Art, I: 1936/37. — I. M. Cline, Contemp. Art and Artists in New Orleans, N. Orleans, La., 1924.

Davenport, Frank William Leslie, engl. Landsch.- u. Bildnismaler, * 21. 4. 1905

Harrow, ansässig in Hillingdon Heath, Uxbridge.

Stud. am Roy. Coll. of Art in London.
Lit.: Who's Who in Art, [3] 1934.

Davenport, Henry, amer. Maler u. Lithograph, * 1. 4. 1882 Boston, Mass., ansässig in Paris.

Schüler von Déchenaud, Ch. Hawthorne u. George Elmer Browne. Gründer der Clouet-Schule in Paris.
Lit.: Amer. Art Annual, 30 (1933). — Who's Who in Amer. Art, I: 1936/37.

Davenport, Jane, verehel. *Harris,* amer. Bildhauerin, * 11. 9. 1897 Cambridge, Mass., ansässig in Cold Spring Harbor, L. I., N. Y.

Schülerin von Stirling Calder, Bourdelle u. J. Louchansky. Relieftafel in der Buckley School in New York; Statue im Carnegie Inst. in Washington.
Lit.: Amer. Art Annual, 30 (1933). — Who's Who in Amer. Art, I: 1936/37.

Davenport, McHaig, amer. Maler, * 1891, † 1941.

Lit.: The Art News, 40, Nr v. 1. 10. 1941, p. 7. — Brooklyn Mus. Quarterly, 23 (1936) 80 (Abb.).

Daventure, Henri, franz. Bildnis- u. Figurenmaler, * 16. 4. 1889 Libourne (Gironde), ansässig in Paris.

Stellt seit 1923 bei den Indépendants aus.
Lit.: Joseph, 1. — Bénézit, [2] 3.

Davey, Randall, amer. Bildnis- u. Figurenmaler (Öl u. Aquar.) u. Rad., * 1887, ansässig in Santa Fé, N. M.

Wiederholt durch Preise ausgezeichnet, u. a. auf d. Panama-Pacif. Exp. San Francisco 1915. Vertreten im Whitney Mus. of Amer. Art in New York, im Art Inst. Chicago, im City Art Inst. Kansas, in d. Corcoran Gall. in Washington, D. C., im Cleveland Mus., im Detroit Inst. of Arts u. im Mus. in Santa Fé. Kollektiv-Ausst. Febr. 1922 in den Montross Gall. in New York; März 1925 in der Gal. Jacques Seligmann, ebda; Febr. 1927 in den Ferargil Gall. ebda; Dez. 1944 in den Grand Central Gall. ebda.
Lit.: Who's Who in Amer. Art, I: 1936/37. — Painting in the Un. States 1949. Carnegie Inst. Pittsburgh, Kat. m. Abb. Taf. 38. — Fielding. — Amer. Art Annual, 13 (1916) Abb. nach p. 84; 27 (1930) 192; 30 (1933). — The Art News, 20, Nr 19 v. 18. 2. 1922, p. 1; 23, Nr 22 v. 7. 3. 1925, p. 3; 25, Nr 19 v. 12. 2. 1927, p. 9. — Bull. of the Cleveland Mus. of Art, Clevel. (Ohio), 15 (1928) 132; 17 (1930) 124; 27 (1948) 39. — The Studio, 64 (1915) 68; 70 (1917), 142; 104 (1932) 250 (Abb.); 117 (1939) 234, m. Taf.-Abb. — Carnegie Magaz., 16, April 1942, p. 20 (Abb.). — Art Digest, 18, Sept. 1944, p. 14 (Abb.); 19 Nr v. 1. 12. 1944, p. 15, m. Abb.; 22, Nr v. 1. 5. 1948, p. 12 (Abb.). — The Art News, 43, Nr v. 1. 12. 1944, p. 20, m. Abb. — St. Louis. City Art Mus. Bull., 29, Febr. 1945, p. 11 (Abb.). — Bull. of the Art Inst. Chicago, 1926 p. 128, m. Abb. — The Artist, 39, März 1950, p. 16 (Abb.).

Daviau, Mélina Eudoxie, franz. Bildnis- u. Landschaftszeichnerin, * 13. 12. 1874 Luçon (Vendée).

Schülerin von Merson, Gervais u. Delorme.
Lit.: Joseph, 1. — Bénézit, [2] 3.

David, Albert Eugène, franz. Bildhauer u. Keramiker, * 30. 11. 1896 Liernais (Côte-d'Or), ansässig in Paris.

Schüler von Jean Boucher. Stellt seit 1925 im Salon d'Automne, seit 1926 auch im Salon der Soc. d. Art. Décorat. aus. Gold. Med. Weltausst. Paris 1937. Gefallenen-Denkmäler u. a. in Précy-sur-Thil, Lux (Côte-d'Or) u. Belpech (Aude).
Lit.: Joseph, 1. — Bénézit, [2] 3.

Dávid, András, ungar. Bildh. u. Plakettenkstler, * 3. 9. 1883 Nagy-Kálló, Kom. Szabolcs, ansässig in Szeged.

Stud. 1904/05 an der Musterzeichensch. in Budapest bei A. Loránfi, E. Balló, I. Révész u. L. Hegedűs, 1905 in Paris an der Gr. Chaumière u. Ec. d. B.-Arts. 1908 weitergebildet in Budapest bei B. Radnai. 1910 in den USA (New York). 1911 in Debreczen, von dort nach Szeged. Hauptsächl. Porträtist.
Lit.: Szendrei-Szentiványi.

David, Anna, franz. Bildhauerin, * 4. 9. 1855 Paris, † nach 1929 ebda.

Schülerin von Alb. Séraphin. Mitgl. der Soc. d. Art. Franç., beschickte deren Salon bis 1929.
Lit.: Joseph, 1. — Bénézit, [2] 3.

David, Carmen Blanche, franz. Lithographin, * 8. 7. 1906 Champroud-en-Gâtine (Eure-et-Loir), ansässig in Paris.

Schülerin von Maurou u. Roger. Mitgl. d. Soc. d. Art. Franç.
Lit.: Joseph, 1. — Bénézit, [2] 3.

David, Emile, belg. Bildhauer, * 1871 Lüttich.

Stud. in Lüttich u. Paris. Hauptsächl. Porträtist. Denkmal des Elektrotechnikers Zénobe Gramme in Jehay-Bodegnée; Denkm. des Lütticher Theologen, Mathematikers u. Physikers Libert Froidmont in Hermalle-sous-Argenteau.
Lit.: Seyn, I.

David, Fernand, franz. Bildhauer, * 1872 Paris, † 1926 ebda.

Schüler von Barrias u. Fagel. Stellte seit 1901 im Salon der Soc. d. Art. Franç. aus. Hauptsächlich Statuetten u. Büsten. Im Luxembourg-Mus.: Kopf einer jungen Negerin (Bronze). Im Mus. in Algier: Bacchus.
Lit.: Th.-B., 8 (1913). — Art et Décor., Sept. 1920; 1927/I, p. 1, Chron., Januarh. (Nekrol.); 1927/II p. 11 (Abb.), 21. — L'Art et les Art., N. S. 14 (1926–27) 140. — Beaux-Arts, 5 (1927) 158. — Revue de l'Art anc. et mod., 51 (1927/I), Suppl. p. 14.

David, Gabrielle, franz. Akt- u. Landschaftsmalerin, * 16. 7. 1884 Vannes (Morbihan), ansässig in Paris.

Schülerin von Guillemet u. Jules Adler. Mitgl. der Soc. d. Art. Franç. (Salon-Kat. z. T. mit Abbn).
Lit.: Joseph, 1. — Bénézit, [2] 3.

David, Hermine, franz. Aquarellmalerin, Rad. u. Lithogr., * 1886 Paris, ansässig ebda.

Witwe des Malers Jules Pascin († 1930). Stud. an der Acad. Julian u. an d. Ec. Nat. d. B.-Arts. Ansichten von der Umgebung von Paris u. der Côte-d'Azur. Illustr. u. a. zu A. Maurois, „Ariel ou la vie de Shelley"; A. Suarès, „Cressida"; T. Derême, „Le Zodiaque ou les Toiles sur Paris"; Barbey D'Aurevilly, „The Anatomy of Dandyisme" (Lond. 1928). — Graph. Einzelblätter: La Gare Denice; Le Cirque.
Lit.: Joseph, 1, m. 2 Abbn. — Bénézit, [2] 3 (1950). — Beaux-Arts, 7 (1929) H. 3, p. 20, m. Abb.; Nr 8, p. 21, m. Abb.; Nr 338 v. 23. 6. 1939, p. 4. — Dtsche Kst u. Dekor., 66 (1930) 240 (Abb.). — Art et Décor., 58 (1930) 139/46, m. Abb.; 62 (1933) Les Echos d'Art [März-H.] p. III (Abb.), V. — L'Art vivant, 1932, p. 201f. passim, m. Abb. — Arts graph., 1933 Nr 33, p. 5/15, m. 1 Taf. u. 13 Abbn. — La Renaiss. de l'Art franç., 1934 p. 71ff. passim, m. Abb. — L'Amour de l'Art, 1936, p. 17/24 passim, m. Abb. — Vogue (Ausg. New York) v. 1. 12. 1938, p. 78 u. farb. Vollbild, p. 80. — Bull. of the Minneapolis Inst. of F. Arts, 1924, p. 28f.

David, Raoul, franz. Bildnis- u. Figurenmaler u. Rad., * 23. 7. 1876 Vitré (Ille-et-Vilaine), ansässig ebda.

Schüler von Cormon. Mitgl. der Soc. d. Art. Franç. (Salon-Kat. z. T. mit Abbn).

Lit.: Joseph, I.

David-Gell, Honor Mary Ryland, engl.-franz. Figuren-, Bildnis- u. Landschaftsmalerin, * 24. 1. 1903 Corsham, ansässig in Gisors (Eure). Durch Heirat Französin.

Mitgl. der Soc. d. Art. Franç., beschickt deren Salon seit 1925.

Lit : Joseph, I.

David-Nillet, Germain, franz. Genre- u. Interieurmaler, * 4. 12. 1861 Paris, † 1932 ebda.

Schüler von Lhermitte. Mitgl. der Soc. Nat. d. B.-Arts, deren Salon er seit 1890 beschickte. Bilder in den Museen in Amiens, Le Puy, Pau, Nantes, Carpentras, Roanne, Rouen u. Saint-Nazaire; im Ausland u. a. in der Mod. Gal. in Dresden u. in Santiago de Chile.

Lit.: Th.-B., 8 (1913). — Bénézit, ² 3 (1950). — Joseph, 1. — L'Art et les Art., N. S. 6 (1922/23) 161. — Revue de l'Art anc. et mod., 62 (1932/II) Bull. p. 375. — Bull. d. Musées de France, 6 (1934) 43.

Davids, André, franz. Maler (Öl u. Pastell), * Brüssel, von engl. Eltern, ansässig in Paris. Gatte der Folg. Naturalisierter Franzose.

Autodidakt. Ging erst 32jährig zur Malerei über. Gefördert von Carrière, bildete sich an den alten Meistern. Bildnisse, Figürliches (Akte), Interieurs, Landschaften, Blumenstücke. Mitgl. der Soc. Nat. d. B.-Arts (Kat. z. T. mit Abbn).

Lit.: Joseph, 1. — Bénézit, ² 3 (1950). — La Renaiss. de l'Art franç., 9 (1926) 168/70, m. 7 Abbn. — L'Art et les Art., N. S. 15 [recte 16], 1927/28 p. 56 –61, m. 3 Abbn.

Davids, Renée, geb. *Worms,* franz. Bildniszeichnerin (Bleistift u. Pastell), * 19. 1. 1877 Paris, ansässig ebda. Gattin des Vor.

Schülerin von Mme Thoret. Mitgl. der Soc. Nat. d. B.-Arts. Höchst subtil gezeichnete Bildnisse sehr kleinen Formats.

Lit.: Th.-B., 8 (1913). — Joseph, 1. — Bénézit, ² 3 (1950). — L'Art et les Art., 15 [recte 16] (1927/28) p. 56/61, m. 3 Abbn.

Davidson, Allan, engl. Genre- u. Bildnismaler, * 14. 5. 1873 London, † 19. 4. 1932 Nalberswick, Suffolk.

Sohn des Malers Thomas D. Stud. an den Roy. Acad. Schools u. an der Acad. Julian in Paris. Seit 1921 Mitglied der Roy. Inst. of Oil Painters.

Lit.: Th.-B., 8 (1913). — Who's Who in Art, ² 1929; ³ 1934, Obituary, p. 447. — The Art News, 30, Nr 33 v. 14. 5. 1932, p. 12.

Davidson, Bessie, schott. Stilleben-, Interieur- u. Bildnismalerin, * 22. 5. 1880 Adelaide (Austral.), ansässig in Paris.

Seit 1904 in Frankreich. Schülerin von R. X. Prinet. Mitgl. der Soc. Nat. d. B.-Arts, deren Salon sie seit 1911 beschickt (Kat. z. T. mit Abbn). Stellt seit 1923 auch im Salon d. Tuileries aus. Bilder u. a. im Petit Palais u. im Mus. du Jeu de Paume in Paris und in den Museen in Adelaide, Beaune, Edinburgh u. Den Haag.

Lit.: Joseph, 1. — Bénézit, ² 3 (1950). — Revue Univers., 1905 p. 323 (Abb.). — Bull. de l'Art, 1929 p. 23 (Abb.). — Apollo (London), 30 (1939) 24.

Davidson, Carl Hoth, amer. Maler, * 2. 6. 1881 Gresham, Neb., ansässig in Chicago.

Stud. am Art Inst. in Chicago, im übrigen Autodidakt. Bildnisse, Landschaften.

Lit.: Who's Who in Amer. Art, I: 1936/37.

Davidson, Charles Lamb, schott. Zeichner, * 4. 7. 1897 Brechin, Forfarshire, ansässig in Glasgow.

Sohn des Bildh. Charles D. Stud. an der Kunstsch. in Glasgow. Humorist. Zeichngn, Entwürfe für Glasgemälde u. Innenausstattungen. — Seine Gattin J. Nina, geb. *Miller,* * 7. 5. 1895 Hamilton, ist Aquarellmalerin u. Schwarzweißkstlerin.

Lit.: Who's Who in Art, ³ 1934.

Davidson, Clara, verehel. *Simpson,* amer. Malerin u. Zeichnerin, * 16. 1. 1874 St. Louis, Mo., ansässig in Norwalk, Conn.

Stud. an der Art Student's League in New York u. bei Em. Blanche u. Alph. Mucha in Paris. Bild im Art Mus. in Rockford, Ill.

Lit.: Who's Who in Amer. Art, I: 1936/37.

Davidson, Daniel Pender, schott. Bildnis-, Landsch.-, Figuren- u. Stillebenmaler, Bühnenbildner u. Dekorationsmaler, * 2. 10. 1885 Camelon, ansässig in London.

Stud. bei George Watson in Edinburgh, an der Kunstsch. in Glasgow und an den Akad. Brüssel u. München.

Lit.: Who's Who in Art, ³ 1934.

Davidson, George, amer. Maler, * 10. 5. 1889 Butka, Russ.-Polen, ansässig in New York.

Schüler von F. C. Jones u. Douglas Volk. Hauptsächl. Wandmaler. Dekor. Gemälde u. a. im Barnard College, im Palmensaal des Hotel Mt. Royal in Montreal u. in der Buffalo Savings Bank in Buffalo, N. Y.

Lit.: Amer. Art Annual, 30 (1933). — Who's Who in Amer. Art, I: 1936/37.

Davidson, Jo, amer. Porträtbildhauer, * 30. 3. 1883 New York, † Ausgang 1951 auf s. Landsitz bei Tours, Frankr.

Schüler von Brush u. MacNeil in New York. Arbeitete längere Zeit in Paris, später ansässig in Lahaska, Pa. Im Schloß Versailles Büste des Marschalls Foch; im Luxembourg-Mus. Büsten des Präsid. Woodrow Wilson u. des Dichters A. France; im Musée des Invalides in Paris Büsten des Marschalls Joffre u. des Generals John Pershing; im Palais der Ehrenlegion in S. Francisco, Calif., Büste Georges Clemenceau. Weitere Arbeiten im Kapitol in Washington, D. C., u. in der Univ. of Illinois in Urbana, Ill. Im Standard Oil Building in New York: Büste John D. Rockefeller.

Lit.: Fielding. — Amer. Art Annual, 30 (1933). — Who's Who in Amer. Art, I: 1936/37. — The Internat. Who's Who, ⁸ 1943/44. — Mellquist. — A. M. Rindge, Sculpture, New York 1929. — Earle. — The Studio, 79 (1920) 114ff., m. 5 Abbn; 94 (1927) 302f., m. Abb.; 102 (1931) 202 (Abb.); 105 (1933) 91 (Abb.); 116 (1938) 32 (2 Abbn); 143 (1952) 156. — D. Weltkst, 22 (1952) H. 2, p. 13. — The Art Index (New York), Okt. 1941/April 1953.

Davidson, Morris, amer. Maler u. Schriftst., * 16. 12. 1898 Rochester, N. Y., ansässig in New York.

Schüler von Harry Walcott u. des Art Instit. in Chicago. Buchwerke: Understanding modern Art.

Lit.: Who's Who in Amer. Art, I: 1936/37. — Art Index (New York), Okt. 1941/Okt. 1951.

Davidson, Oscar L., amer. Maler, * 1875 Fithian, Ill., † 1922 Indianapolis, Ind.
Lit.: Fielding. — Amer. Art Annual, 19 (1922): Obituary.

Davidson, Robert, amer. Bildhauer, * 13. 5. 1904 Indianapolis, Ind., ansässig in Saratoga Springs, N. Y.
Schüler von Myra R. Richards, Albin Polasek, A. Iannelli, Edm. R. Amateis u. von Jos. Wackerle an der Münchner Akad. — Arbeiten in der Memorial Library in Indianapolis, am Außenbau der Shortridge High School (Friede u. Krieg [Reliefs]) u. im Skidmore College in Saratoga Springs.
Lit.: Who's Who in Amer. Art, I: 1936/37. — Amer. Art Annual, 30 (1933).

Davidson, William, schott. Architekt, Raumkünstler u. Fachschriftst., * 7. 9. 1875 Edinburgh, ansässig ebda.
Stud. am Roy. Inst. of Brit. Archit. Dekor. Entwürfe im S. Kensington Mus. London u. im Mus. Dublin. — Grabdenkmäler; Wiederherstellung u. Ausschmückung der Kirche in Cockburnspath.
Lit.: Who's Who in Art, [3] 1934. — Acad. Architecture, 38 (1910) 3, 72.

Davidson, Willy, dtsch. Landsch.-, Figuren- u. Bildnismaler, ansässig in Hamburg.
Kollektiv-Ausst. April 1920 in der Gal. Commeter, Hamburg, 1924 im Hamb. Kstverein.
Lit.: D. Kunst, 53 (1925/26), Beil. z. Juli-H. p. X. — Hamburger Fremdenbl., Nr 217 v. 30. 4. 1920. — Kst-Rundschau (Hambg), 1 (1924) Nr 4/5, p. 29f.

Davie, James William, schott. Maler u. Rad., * 7. 9. 1889 Glasgow, ansässig in Grangemouth.
Stud. in Glasgow, London u. Paris.
Lit.: Who's Who in Art, [3] 1934.

Daviel, Léon, franz. Maler, Holzschneider u. Aquatintast., * 1865, † 24. 6. 1932 London.
Lernte als Holzschneider in Paris, kam 1891 nach London. Trat in den Stab der „Graphik" ein. Arbeitete später für die von M. H. Spielmann herausgeg. Zeitschr. „Black and White". Hauptsächl. Holzschnitte nach älteren Meistern (J. W. Waterhouse, Greuze). Als Maler Schüler der Acad. Colarossi u. Carolus-Duran's. Stellte in der Roy. Acad. in London 1893 ein Damenbildnis aus. Graph. Hauptblätter: Bildnis J. Pierpont Morgan (Holzschn.); Negerbüste (Aquatinta); Schlafender, nackter Knabe (Holzschn. nach Zeichng von Aug. John).
Lit.: Bénézit, [2] 3. — Graves, 2. — The Print Coll.'s Quarterly, 20 (1933) 56/64, m. Abbn. — Apollo (London), 12 (1930) Taf. vor p. 351.

Davies, David, amer. Maler, * 1876, † 20. 9. 1921 Chicago, Ill.
Lit.: Amer. Art Annual, 18 (1921) 226.

Davies, Stanley W., engl. Möbelzeichner, * 23. 1. 1894 Darwen, ansässig in Windermere.
Lit.: Who's Who in Art, [3] 1934.

Daviess, Maria, geb. *Thompson*, amer. Malerin, * 1872 Harrodsburg, Ka., † 1924 Nashville, Tenn.
Schülerin von Blanche, Mucha u. Delécluse.
Lit.: Fielding. — DAB.

Davige, John William, franz. Bildhauer u. Medailleur, * 1878 Saint-Etienne (Loire), † 1935 Paris.
Mitgl. der Soc. d. Art. Franç.
Lit.: Joseph, 1. — Forrer, 7. — Revue de l'Art anc. et mod., 67 (1935) Bull., p. 195.

Davin, Hélène, franz. Landschafts- u. Früchtemalerin, * Saint-Amand-de-Bonnieure (Charente), ansässig in Paris.
Stellt seit 1925 bei den Indépendants aus.
Lit.: Joseph, 1. — Bénézit, [2] 3.

Davis, Alice, amer. Malerin, * 1. 4. 1905 Iowa City, Ia., ansässig ebda.
Schülerin von Charles W. Hawthorne, Sidney E. Dickenson, Rich. Miller u. Charles A. Cumming.
Lit.: Who's Who in Amer. Art, I: 1936/37. — Amer. Art Annual, 30 (1933).

Davis, Arthur Joseph, engl. Architekt, * 21. 5. 1875 London, † 1951 ebda.
Stud. an d. Pariser Ec. d. B.-Arts. Teilhaber der Firma: Mewes & Davis. Hauptbau: Hotel Ritz, London.
Lit.: Who's Who in Art, [3] 1934. — The Internat. Who's Who, [8] 1943/44. — Roy. Inst. of Brit. Archit. Journal, ser. 3, vol. 59, Nov. 1951, p. 35f.

Davis, Cecil Clark, amer. Bildnismalerin, * 12. 7. 1877 Chicago, ansässig in Marion, Mass.
Lit.: Who's Who in Amer. Art, I: 1936/37. — Monro.

Davis, Cornelia Cassady, amer. Malerin, * 18. 12. 1870 Cleves, Ohio, † 23. 12. 1920 Cincinnati, Ohio.
Schülerin von Lutz, Noble u. Duveneck an der Akad. in Cincinnati. Hauptsächlich Porträtistin. In der Westminster Central Hall in London: Bildnis des Präsidenten William Mc Kinley.
Lit.: Fielding. — Amer. Art Annual, 18 (1921) 225.

Davis, Dorothy, geb. *Booth*, engl. Bildnismalerin (bes. Miniatur), * 29. 10. 1882 London, ansässig ebda.
Schülerin von E. Thornton Clarke.
Lit.: Who's Who in Art, [3] 1934.

Davis, Edith Florence, s. *Ridge*.

Davis, Emma, geb. *Earlenbaugh*, amer. Malerin u. Illustr., * 8. 9. 1891 Altoona, Pa., ansässig in Bala-Cynwyd, Pa.
Schülerin von W. Everett, J. Frank Copeland, Daniel Garber u. Wayman Adams. — Kinderbildnisse. — Illustr. zu „Ladies' Home Journal", „Saturday Evening Post", „Country Gentleman", usw.
Lit.: Amer. Art Annual, 30 (1933). — Who's Who in Amer. Art, I: 1936/37.

Davis, Frederick Coulson, engl. Holzschneider, Rad., Federzeichner u. Aquarellmaler, * 28. 12. 1891 Leyton, Essex, ansässig in Colchester.
Stud. am Roy. College of Art in London.
Lit.: Who's Who in Art, [3] 1934.

Davis, George Horace, engl. Maler u. Illustr., * 8. 5. 1881 Kensington (London), ansässig in Ewell, Surrey.
Zeichner. Mitarbeiter an „Graphic", „Sphere" u. „Illustr. London News".
Lit.: Who's Who in Art, [3] 1934.

Davis, Gladys, geb. *Rockmore*, amer. Pastellmalerin, * 1901.
Kollektiv-Ausst. in den Midtown Gall. in New York, Nov. 1941; im California Palace of the Legion of Honor, Juni 1946. — Ihr Gatte Floyd MacMillian ist Illustrator u. Maler. Ausstellung von Bildern mit Szenen aus dem befreiten Paris im Art Inst. in Minneapolis, Febr. 1946.

Lit.: The Art Index (New York), Okt. 1941/Okt. 1952. — Monro.

Davis, Helen, geb. *Cruikshank*, amer. Miniaturmalerin, * Elizabeth, N. J., ansässig in Houston, Tex.

Schülerin von Wm. Chase, La Farge, Ménard u. L. Simon in Paris.

Lit.: Amer. Art Annual, 30 (1933). — Who's Who in Amer. Art, I: 1936/37.

Davis, Hubert, amer. Maler u. Zeichner, * 1902.

Öftere Kollektiv-Ausstellgn in den Norlyst Gall. in New York.

Lit.: Mallett. — Art Index (New York), Okt. 1944/Okt. 1951 passim.

Davis, Jessie, amer. Genremalerin, * 22. 2. 1887 Williamson Co., Tex., ansässig in Dallas, Tex.

Schülerin von Martha Simkins, John Knott, Frank Reaugh u. George Bridgman. Bild (Fütterstunde) im Mus. of F. Arts in Dallas.

Lit.: Amer. Art Annual, 30 (1933). — Who's Who in Amer. Art, I: 1936/37.

Davis, Lucien, engl. Bildnis-, Landschafts- u. Figurenmaler (bes. Aquar.), * 7. 1. 1860 Liverpool, † 1951 London.

Sohn des Malers Willem D., Bruder des Malers Valentine D. Stud. an den Roy. Acad. Schools in London. 20 Jahre zeichner. Mitarbeiter der Illustrated London News. Illustr. für Sportbücher.

Lit.: Th.-B., 8 (1913). — Who's Who in Art, [3] 1934. — Ill. London News, Nr v. 20. 1. 1951, p. 100.

Davis, Marguerite, amer. Malerin u. Illustr., * 10. 2. 1889 Boston, Mass., ansässig ebda.

Stud. in Boston bei Wm. Paxton, Phil. Hale, Henry H. Clark u. Eliz. Shippen-Green Elliott. Illustr. zu „Sing-Song" von C. Rossetti, zu „Child's Garden of Verses" von Stevenson, zu „Sugar and Spice" von Alcott u. zu „Tirra Sirra" von Richards.

Lit.: Who's Who in Amer. Art, I: 1936/37.

Davis, Nicolaus, griech.-dtsch. Maler, * 1. 1. 1883 Athen, ansässig in München.

Stud. an d. Akad. in Athen, dann bei L. v. Löfftz u. C. v. Marr an d. Akad. in München.

Lit.: Dreßler.

Davis, Stark, amer. Maler, * 13. 5. 1885 Boston, Mass., ansässig in Chicago, Ill.

Lit.: Who's Who in Amer. Art, I: 1936/37.

Davis, Stuart, amer. Maler, Lithogr., Illustr. u. Kstgewerbler, * 7. 12. 1894 Philadelphia, Pa., ansässig in New York.

Schüler von Robert Henri. Abstrakter Kstler. Kollektiv-Ausst. in der Downtown Gall. in New York, Febr. 1943 u. Jan. 1946. Vertreten u. a. in der Addison Gall. of Amer. Art in Andover, Mass., in der Harrison Gall. des Mus. in Los Angeles, im Whitney Mus. of Amer. Art in New York, in der Pennsylvania Acad. of F. Arts in Philadelphia u. in der Phillips Memorial Gall. in Washington, D. C. Wandgemälde in der Radio City Music Hall in New York, im Radiogebäude u. in der Univ. Indiana in Indianapolis.

Lit.: Fielding. — Amer. Art Annual, 30 (1933). — Who's Who in Amer. Art, I: 1936/37. — Mellquist. — Monro. — James Johnson Sweeney, S. D., in: Museum of Modern Art, New York 1945, 48 S. u. 31 Taf. — The Dial, 74 (1923) 184/85. — Museum News. The Toledo Mus. of Art, Nr 120, Summer 1950. — Prisma (München), 1 (1946/47) H. 6, p. 16. — Kat. Ausst. Amer. Mal., Berlin 1951, Nr 24/25, m. Abb. — Kat. d. Ausst.: Amerika schildert, Amsterdam, Sted. Mus., 1950, m. 2 Abbn p. 23. — Art Index (New York), Okt. 1942/April 1953.

Davis, Warren, amer. Maler u. Radierer, ansässig in New York.

Sohn des Holzschneiders John Parker D. (1832–1910). Wiederholt durch Preise ausgezeichnet. Geht in seinen Trockennadelblättern vor allem auf schön bewegte Umrisse aus (virtuos gezeichnete weibl. Akte).

Lit.: Mallett. — The Studio, 94 (1927) 67/69, m. 2 Abbn.

Davis, Wayne Lambert, amer. Maler, Zeichner, Rad. u. Illustr., * 3. 1. 1904 Oak Park, Ill., ansässig in Pelham, N. Y.

Stud. an der Art Student's League in New York. Illustr. u. a. zu Thackeray, „Vanity Fair".

Lit.: Who's Who in Amer. Art, I: 1936/37. — Mallett.

Davis, William Steeple, amer. Marinemaler u. Rad., * 7. 5. 1884 Orient, L. I., N. Y., ansässig ebda.

Lit.: Who's Who in Amer. Art, I: 1936/37. — Fielding. — Amer. Art Annual, 30 (1933). — Monro.

Davison, William Henry, engl. Reklamezeichner, * 13. 4. 1904 London, ansässig ebda.

Lit.: Who's Who in Art, [3] 1934.

Davoine, René, franz. Holzbildhauer, * 14. 10. 1888 Charolles (Saône-et-Loire), ansässig ebda.

Stud. an der Kunstsch. in Buenos Aires. Seit 1925 Mitgl. der Soc. d. Art. Franç. (Salon-Kat. z. T. m. Abbn).

Lit.: Joseph, 1. — Bénézit, [2] 3.

Davringhausen, Heinrich, dtsch. Maler u. Lithogr., * 21. 10. 1894 Aachen, ansässig in Cagnes-sur-Mer.

Anfängl. Bildhauer. Als Maler Autodidakt. 1925/26 in Spanien. Kurze Zeit Expressionist. Näherte sich dann immer mehr der Neuen Sachlichkeit. Sucht im Figurenbild den Ausdruck im Stillgestellten, Erstarrten, den isolierten, maskenhaften Menschen, in der Landschaft u. im Stilleben das Vakuum. Anfängl. bibl. Motive bevorzugend (Christus als Kind; Kreuzigung; Ölberg). Pflegt neuerdings hauptsächlich das Porträt, dabei bemüht, im Individuum das Typische wiederzugeben (Junge mit Seifenblasen, 1920; Schieber, 1921; Zirkusarbeiter, 1923; Die Nonne). Wiederholt Kollektiv-Ausstellgn bei Hans Goltz, München, zuerst 1919 (ill. Kat.). Sammelausst. s. Graphiken im Aachener Museumsverein 1926. Letzte Koll.-Ausst. im Köln. Kstverein, Juni 1952. 2 Bilder im Suermondt-Mus. in Aachen: Selbstbildnis u. Landschaft mit dem Luftballon, beide 1933 ausgeschieden. Lithogr.: Armer Robinson (1919); Die Verbannten (1919); 9 Bll. zu Dostojewskij, Die Brüder Karamasoff, München, Goltz-Verl., 1920.

Lit.: Roh. — Wedderkop. — Aachener Kstblätter, 14 (1928) 31; 15 (1931) 24. — D. Ararat, 1 (1920) 49, 52 (Abb.), 54 (Abb.), 56 (Abb.), 66 (Abb.), 112 (Abbn), 174; 2 (1921) 265 (Abbn), 270, 297. — D. Cicerone, 11 (1919) 225; 13 (1921) 162, 163, 284, 499, 632; 15 (1923) 154, 156, 433, 642, 1105; 16 (1924) 59ff., m. 6 Abbn. — Hellweg (Essen), 3 (1923) 305. — D. Kunst, 53 (1925/26), Beil. z. Junih., p. X; 57 (1927/28) 50; 59 (1928/29) 382. — Dtsche Kst u. Dekor., 46 (1919/20) 212, 216 (Abb.); 49 (1921/22) 266, m. Abb.; 52 (1923) 179f., m. Abb.; 59 (1926/27) 102 (Abb.). — Kst der Zeit, 3 (1928/29) 168 (Abbn). — D. Kstblatt, 1 (1917) 258 (Abb.); 6 (1922) 346 (Abbn); 13 (1929) 75, m. Abb. — Jahrb. d. jungen Kst, 1924, p. 97f., m. 6 Abbn.

Dawbarn, Graham Richards, engl. Architekt, * 1893, ansässig in Woking, Surrey.

Stud. am Corpus Christi Coll. in Cambridge. Seit 1933 assoziiert mit Norman. Hauptbauten: Technical College u. Shipping Offices in Middlesbrough; Raffles Coll. in Singapore; Anbau des Corpus Christi Coll. in Cambridge.

Lit.: Internat. Who's Who, [16] 1952.

Dawes, Dexter, amer. Lithograph, * 15. 6. 1872 Englewood, N. J., ansässig ebda.

Stud. an der Art Student's League in New York.

Lit.: Who's Who in Amer. Art, I: 1936/37. — Amer. Art Annual, 30 (1933). — Fielding.

Dawes, Edwin, amer. Maler, * 21. 4. 1872 Boone, Ia., ansässig in Fallon, Nevada.

Autodidakt. Bilder im Bes. der State Art Soc. in St. Paul, Minn., in der Public Library in Owatonna, Minn., u. im Minneapolis Institute.

Lit.: Amer. Art Annual, 12 (1915) Abb. geg. p. 129; 30 (1933). — Fielding. — Who's Who in Amer. Art, I: 1936/37. — Monro.

Dawes, Pansy, amer. Maler, * 1885 Clay Center, Kan., ansässig in Colorado Springs.

Lit.: Amer. Art Annual, 30 (1933).

Dawley, Herbert M., amer. Maler u. Bildh., * 15. 3. 1880 Chillicothe, O., ansässig in Chatham, N. J.

Stud. an den Art Student's Leagues in Buffalo u. New York.

Lit.: Fielding. — Amer. Art Annual, 30 (1933). — Who's Who in Amer. Art, I: 1936/37.

Daws, Frederick Thomas, engl. Tiermaler u. Bildhauer, * 2. 10. 1878 London, ansässig in Beckenham, Kent.

Stud. an der Lambeth-Kunstsch. Malte u. modellierte bes. die großen Raubkatzen u. Rassehunde. Stellte außer in London gelegentlich (z. B. 1929f.) auch im Salon der Soc. d. Art. Franç. in Paris aus (Kat. m. Abbn).

Lit.: Who's Who in Art, [3] 1934. — Graves, 2.

Dawson, Elsie, siehe *Robson*.

Dawson, George Walter, amer. Landschafts- u. Blumenmaler, * 16. 3. 1870 Andover, Mass., † 1938 Philadelphia, Pa.

Stud. an der Pennsylv. Acad. of the F. Arts.

Lit.: Th.-B., 8 (1913). — Fielding. — Amer. Art Annual, 30 (1933). — Who's Who in Amer. Art, I: 1936/37.

Dawson, John Wilfred, amer. Maler, * 1885 Chicago, ansässig in Wickford, R. I.

Lit.: Amer. Art Annual, 30 (1933).

Dawson, Mabel, schott. Tier- (bes. Vogel-) Malerin, Illustr. u. Kunststickerin, * 13. 10. 1887 Edinburgh, ansässig ebda.

Schülerin von Robert Mc Gregor, Frank Calderin u. Wm. Walls. In der Bishop Hornby's Kathedr. in Edinburgh: Geburt Christi.

Lit.: Who's Who in Art, [3] 1934. — The Studio, 67 (1916) 58; 82 (1921) 36, m. Abb.; 93 (1927) 279 (ganzseit. Abb.), 283.

Dawson, Norman, engl. Wandmaler, Rad. u. Keramiker, * 30. 12. 1902 Chadderton, ansässig in London.

Stud. in Paris, Rom, Florenz u. am Roy. Coll. of Art in London. Als Rad. Schüler von Sir Frank Short.

Lit.: Who's Who in Art, [3] 1934.

Day, Horace Talmage, amer. Porträt-, Figuren- u. Stillebenmaler, * 3. 7. 1909 Amoy, China, ansässig in Staten Island, N. Y.

Stud. an d. Amer. School in Shanghai u. an d. Art Student's League in New York. Schuler von Kimon Nicolaides u. K. H. Miller. Kollektiv-Ausst. Dez. 1933 in d. Macbeth Gall. in New York.

Lit.: Who's Who in Amer. Art, I: 1936/37. — Amer. Art Annual, 30 (1933). — Art in America, 25 (1937) 129f., m. 2 Abbn. — The Art News, 32, Nr 9 v. 2. 12. 1933, p. 6. — Monro. — Art Digest, 24, Nr v. 15. 10. 1949, p. 26.

Day, Mabel K., kanad. Landschaftsmalerin, * 1884 Yarmouth, Neuschottland, ansässig in Schenectady, N. Y.

Stud. an der Pennsylv. Acad. in Philadelphia. Erhielt 1913 den 1. Preis auf der 4. Jahresausst. ebda.

Lit.: Amer. Art Annual, 11 (1914) 321, Abb. geg. p. 322; 30 (1933). — Monro.

Daynes, Victor, elsäss. Landschafts- u. Architekturmaler, * Colmar, ansässig ebda.

Lit.: Joseph, 1. — Bénézit, [2] 3.

Daynes-Grassot-Solin, Suzanne, franz. Malerin (Öl u. Aquar.), * 27. 4. 1884 Paris, ansässig ebda.

Autodidaktin. Mitgl. der Soc. Nat. d. B.-Arts u. des Salon des Indépendants, beschickte deren Salon seit 1904 (Kat. z. T. m. Abbn). Figürliches (bes. Akte), Damen- u. Kinderbildnisse.

Lit.: Th.-B., 8 (1913). — Joseph, 1. — Bénézit, [2] 3 (1950).

Dayot, Magdeleine, franz. Landschaftsmalerin u. Entwurfzeichnerin für Textilien, * Paris, ansässig ebda.

Tochter des Kstgelehrten Armand D. Seit 1928 Mitgl. des Salon d'Automne. Redigierte nach dem Tode ihres Vaters die Zeitschr. „Art et Décoration". Malte hauptsächl. in der Bretagne u. Provence. Kollektiv-Ausst. Okt. 1929 in der Gal. Chéron (Kat. mit Vorw. von A. Alexandre).

Lit.: Bénézit, [2] 3. — L'Amour de l'Art, 11 (1930) 61 (Abb.). — L'Art et les Artistes, N. S. 19 (1929/30) 68f., m. Abb.; 21 (1930/31) 107; 22 (1931) 296 (Abb.). — Bull. de l'Art anc. et mod., 1929, p. 445 (Abb.). — Beaux-Arts, 75 année, Nr 329 v. 21. 4. 1939, p. 3 (Abb.).

Dazzi, Arturo, ital. Bildhauer, Medailleur, Landschafts- u. Stillebenmaler, * 13. 1. 1881 Carrara, lebt in Forte dei Marmi (Lucca). Vater des Folg.

Schüler von Gangeri u. der Akad. in Carrara, weitergeb. in Rom. Staatspreis 1905. Anfänglich Impressionist, später strenge neoklassizistische Formgebung. — In d. Gall. d'Arte Mod. in Rom die Gruppe: I Costruttori (3 Arbeiter beim Aufrichten eines T-Trägers), Schlafender Knabe (Abb. im Kat. 1932) u. Bildnisbüste F. Martini's; Statue des Kardinals De Luca für den Justizpalast in Rom; Denkmal für Enrico Toti auf dem Monte Pincio; Viktoria auf d. Siegesdenkmal in Bozen; Gefallenendenkmäler in Crema, Codogno, Fabriano u. a. O.; 3 Statuen für das Mausoleum Cardona's in Pallanza; gr. Fries am Siegesdenkmal in Genua; Hochrelief: Urteil Salomos u. Vertreibung aus d. Paradiese, für den Justizpalast in Mailand. Bronzetüren der Kirche S. Edoardo in Sestriere. Auch Tiere (Pferde, Hunde) u. Akte.

Lit.: Th.-B., 8 (1913). — G. Guida, L'Altare della Patria e l'Arte di A. D., Rom 1911. — Comanducci. — Costantini, m. 3 Abbn u. p. 464, m. Bibliogr. — Chi è?, 1940. — Emporium, 37 (1913) 315 (Abb.); 68 (1928) 150, 152 (Abb.); 73 (1931) 159f., m. Abb.; 74 (1931) 44, m. Abb., 46ff., m. Abbn; 81 (1935) 84, 86 (Abb.), 118 (Abb.); 85 (1937) 110, 112 (Abb.). —

D. christl. Kst, 10 (1913/14) 37 (Abb.). — The Studio, 65 (1916) 138ff., m. Abbn; 66 (1916) 68; 112 (1936) 311 (Abb.),313 (Abb.); 115 (1938)300(Abb.); 117(1939) 279 (Taf.-Abb.). — Boll. d'Arte, Ser 2, Bd 1 (1922) 527 (Abb.); Ser. 3, Bd 1 (1931/32) 35ff., m. 9 Abbn. — Pagine d'Arte, 6 (1918) 32 (Abb.). — Dedalo, 5 (1925) 527 (Abbn); 7 (1926/27) 663. — Cronache d'Arte, 3 (1926) 333f., 336 (Abb.). — Vita artistica, 1 (1926) 73 (Abb.), 79 (Abb.), 83 (Abb.). — Kst u. Kstler, 26 (1927–28) 396 (Abb.), 397. — Vie d'Italia, 1931, p. 821/27, m. 9 Abbn. — Apollo (London), 14 (1931) 62 (Abb.). — D. Kst, 67 (1932/33) 1 (Abb.).

Dazzi, Romano, ital. Zeichner. * 1905 Rom, Sohn des Vor.

Starkes, frühreifes Talent. Kriegszeichnungen: 1. Weltkrieg u. Kolonialkrieg in Lybien. Ging von dort nach Sardinien. 1931 mit Ausmalung der Halle der Farnesina in Rom (Sport-Universität) beauftragt. — Tafelwerk: R. D., Disegni. Mit Vorw. v. Ugo Ojetti (52 Taf.), Mailand 1920.

Lit.: Pagine d'Arte, 7 (1919) 37/39, m. 6 Abbn. — The Connoisseur, 67 (1924) 241. — Dedalo, 4 (1924) 585ff., m. Abbn; 11 (1930/31) 249 (Abbn), 250. — Apollo (London), 13 (1931) 231f., m. Abbn. — Corriere della Sera, v. 14. 2. 1924.

Deabate, Teonesto, piemont. Landschaftsmaler, * 17. 6. 1898 Turin, ansässig ebda.

Lit.: Comanducci.

Deák, Ferdinand, ungar. Maler, * 1883 Budapest.

Stud. an der Budap. Akad. u. bei Hollósy in München.

Lit.: Krücken-Parlagi.

Dealy, Jane, siehe *Lewis.*

Dean, Eva, amer. Malerin, Illustrat., Rad. u. Schriftst., * Storm Lake, Ia., ansässig in Los Angeles, Calif.

Schülerin von A. T. van Lear u. Robert Rascovich.

Lit.: Who's Who in Amer. Art, I: 1936/37. — Amer. Art Annual, 30 (1933).

Dean, Grace, geb. *Rhoades,* amer Radiererin, Lithogr. u. Malerin, * 15. 1. 1878 Cleveland, O., ansässig in Toledo, O. Gattin des Folg.

Schülerin von Kenyon Cox u. Arthur W. Dow, weitergebildet in München. Hauptsächl. Landschafterin.

Lit.: Amer. Art Annual, 30 (1933). — Who's Who in Amer. Art, I: 1936/37.

Dean, James Ernest, amer. Radierer u. Lithogr., * 1871 East Smithfield, Pa., † 1933 Toledo, Ohio. Gatte der Grace.

Koll.-Ausst. 1933 im Mus. in Toledo.

Lit.: Fielding. — Amer. Art Annual, 30 (1933): Obituary. — The Toledo Museum of Art, Accessions of the Year 1933, p. [29], m. Abb.

Deane, Lillien, geb. *Reubena,* amer. Miniaturmalerin, * 1881 Chicago, ansässig in Los Angeles, Calif.

Stud. am Art Inst. in Chicago, bei J. Wellington Reynolds u. Virginia S. Reynolds.

Lit.: Fielding. — Amer. Art Annual, 30 (1933).

Deane, Percy, brasil. Maler u. Plakatkünstler, * 1918 Manáos, Staat Amazonas.

Stud. 1935ff. an der Nat. School of F. Arts in Rio de Janeiro. Beeinflußt von Cândido Portinari. Silb. Med., Salon, Rio de Janeiro 1940. Wandmalereien für den „Pampulha"-Pavillon in Belo Horizonte, 1942.

Lit.: Kirstein, p. 91. — The Studio, 128 (1944) 113 (Abb.).

Dearle, John Henry, engl. Entwurfzeichner für Glasmalerei u. Teppichwirkerei, * 22. 8. 1860 London, † 15. 1. 1932 ebda.

Nachfolger von Wm. Morris als künstler. Direktor der Firma Morris & Co. in Merton Abbey, Surrey. Schrifttafeln u. a. für St. Mildred's, die Christ Church in Westminster, Rugby u. Brighton College Chapels u. die Public Library in Plymouth. 2 Teppiche in der Kirche in Cranbrook, Detroit, USA.

Lit.: Th.-B., 8 (1913). — Who's Who in Art, ² 1929; ³ 1934, Obituary, p. 447. — The Art News, 30, Nr 19 v. 6. 2. 1932, p. 12.

Dearnley, Alexander, engl. Bildhauer, * 27. 6. 1904 York, ansässig in London.

Schüler von Richard Goulden. Hauptsächl. Bildnisbüsten.

Lit.: Who's Who in Art, ³ 1934.

Deas, William, schott. Landsch.- u. Interieurmaler (Aquar. u. Tempera), * 10. 8. 1876 Perth, ansässig in Forgandenny, Perthshire.

Who's Who in Art, ³ 1934.

Debacker, Marguerite, belg. Stilleben-, Marine- u. Landschaftsmalerin, * 9. 5. 1882 Brüssel, ansässig ebda.

Lit.: Joseph, I.

Debaene, Stéphane Georges, franz. Maler, * 24. 5. 1902 Lille, ansässig in Dünkirchen.

Schüler von Alph. Debaene u. P. A. Laurens. Prof. an der Ec. d. B.-A. in Dünkirchen. Mitgl. der Pariser Soc. d. Art. Franç., beschickt deren Salon seit 1926 (Kat. z. T. mit Abbn). Bildnisse, Figürliches.

Lit.: Joseph, 1. — Bénézit, ² 3.

Debains, Thérèse, franz. Figuren- u. Stillebenmalerin, * Versailles.

Lit.: Joseph, 1. — Bénézit, ² 3 (1950). — L'Amour de l'Art, 1928, p. 51/54, m. 5 Abbn; 1934, No 7, p. 7, m. Abb. — L'Art et les Art., 32 (1936) 259/62, m. 4 Abbn.

Debat, Roger Marius, franz. Figuren-, bes. Aktmaler, * Constantine (Algerien), ansässig ebda.

Schüler von Cormon u. P. Laurens in Paris. Stellt im Salon der Soc. d. Art. Franç. aus (Kat. z. T. m. Abbn). Seit 1932 Mitglied derselben.

Lit.: Bénézit, ² 3 (1950).

Debayser, Marguerite, geb. *Gratry,* franz. Bildhauerin, * Lille.

Stellte im Salon der Soc. d. Art. Franç. aus (1909 mention honorable, 1922 3. Medaille, 1933 2. Med.). Seit 1926 Mitgl. des Salon d'Automne.

Lit.: Bénézit, ² 3 (1950) 84. — Beaux-Arts, 6 (1928) 301, m. Abb.

Deb Barman, Dhirendranath, ind. Aquarell- u. Wandmaler, * Jan. 1902 Agartala, Tripura, ansässig in Kalabhavan.

Sproß d. Ujir Vamsa, eines Zweiges d. herrschenden Dynastie. Trat 1911 in Santiniketan Pathabhavan, 1922 in Kalabhavan ein, wo er 1926 als Schüler Nandalal Bose's die Prüfung ablegte. 1926/28 Lehrer in Kalabhavan, 1927 Studienreise nach Java. 1933 mit einem Wandbild für d. India-House in London beauftragt. Vollendete 1935 die Wandgemälde mit Szenen aus d. ind. Geschichte in d. Univ.-Bibl. in Kalkutta. Verbrachte mit Sri Ambalal Sarabhai 2 Jahre in Ahmedabad als Kstlehrer. 1942/45 mit

Wanddekorationen im Schloß Tripura Shillong beschäftigt. 1951 wieder ernannt zum Lehrer in Kalabhavan. Spezialisierte sich nach Studium der traditionellen ind. Aquarelltechnik auf die Wandmalerei. Mit Gemälden vertreten in d. Sammlgn von Mysore Chitrasala, Birla u. Sofia Wadia.

Lit.: News Chronicle, Evening Standard, Daily Mail, 1933, passim. — Bombay Chronicle, 1939, Spez.-Nr.

Deberitz, Per, norweg. Figurenmaler, * 27. 3. 1880 Drøbak, ansässig in Oslo.

Schüler von Gude, 1904/06 von Zahrtmann in Kopenhagen, 1907/09 von H. Matisse in Paris. Studienaufenthalte in Deutschland, Italien u. Frankreich. Beeinflußt von Edv. Munch. In d. Nat.-Gal. in Oslo 6 Bilder: 4 Landschaften u. 2 weibl. Akte (Kat. 1933, m. 1 Taf.). In der Smlg J. J. Langaard ebda: Sitzender weibl. Akt. In der Smlg Th. Laurin in Stockholm: Landschaft mit Figuren (Kat. Hoppe, 1936, p. 157f.).

Lit.: Hvem er Hvem?, [4] 1938. — Langaard-Leffler, p. 17, Taf. 45. — N. F., 5 u. 21 (Suppl.). — Vem är Vem i Norden, Stockh. 1941, p. 653. — Kunst og Kultur, 16 (1929) 249/52, m. 2 Abbn. — Norsk Ksthist., 2 (1927) 556ff., Abbn p. 551 u. 553.

Debernardi, Attilio, piemont. Bildnis-, Genre- u. Landschaftsmaler, * 3. 11. 1890 Turin, ansässig ebda.

Schüler von Grosso u. Ferro in Turin.

Lit.: Comanducci.

Debert, Camille, franz. Bildhauer, * Lille, † 1935 Paris.

Mitgl. der Soc. d. Art. Franç. In Sainte-Clothilde in Paris eine Statue der Jeanne d'Arc (1920).

Lit.: Joseph, I. — Chron. d. Arts, 1920, p. 82.

Debes, Juliette Emilie, franz. Landschafts- u. Porträtmalerin, * 20. 8. 1889 Paris, ansässig ebda. Schwester der Folg.

Schülerin von J. P. u. P. A. Laurens. Mitgl. der Soc. d. Art. Franç., beschickt deren Salon seit 1911 (Kat. z. T. mit Abbn).

Lit.: Joseph, 1. — Bénézit, [2] 3.

Debes, Marthe, franz. Figuren- (Akt-), Bildnis-, Landsch.- u. Stillebenmalerin, * 25. 11. 1893 Paris, ansässig ebda. Schwester der Vor.

Schülerin von J. P. u. P. A. Laurens. Mitgl. der oc. d. Art. Franç., beschickt deren Salon seit 1912 (Kat. z. T. mit Abbn).

Lit.: Joseph, 1. — Bénézit, [2] 3.

Debicki, Stanisław, poln. Landsch.- u. Genremaler, Illustr. u. Raumkünstler, * 1866, † 1924.

Stud. in München u. Paris. Ansässig in Lemberg, dann in Krakau. Seit 1909 Lehrer (seit 1911 Prof.) an der Krakauer Akad. Mitglied d. Wiener Sezession u. der Künstlervereinigung „Sztuka". Illustr. zu Kinderbüchern. Ausstattung des Foyers des Lemberger Stadttheaters.

Lit.: Th.-B., 8 (1913). — Kuhn, m. Abb. — Sztuki Piękne, 1924, Nr 2, p. 21/27, m. 8 Abbn u. 1 Taf.

Debienne, Noémi, franz. Bildhauerin, * Moulins (Allier), ansässig in Paris.

Schülerin von Vasselot u. P. Pallez. Seit 1898 Mitgl. der Soc. d. Art. Franç., beschickt deren Salon seit 1894.

Lit.: Th.-B., 8 (1913). — Joseph, 1.

Deblaize, Gaston Victor André, franz. Kleinplastiker u. Fayencier, * La Houssière (Vosges), ansässig in Paris.

Stellt seit 1926 bei den Indépendants aus.

Lit.: Joseph, 1. — Bénézit, [2] 3.

Debon, Edmond, franz. Landsch.-, Genre- u. Bildnismaler, * 18. 12. 1846 Condé-sur-Noireau, † 1922 Paris.

Bilder in den Mus. in Vire u. Gray.

Lit.: Th.-B., 8 (1913). — Joseph, 1. — Bénézit, [2] 3 (1950)

Debonnet, Maurice, franz. Maler u. Rad., * 24. 12. 1871 Paris, ansässig in Bayside, N. Y.

Lit.: Amer. Art Annual, 30 (1933). — Who's Who in Amer. Art, I: 1936/37. — Art Digest, 20, Nr v. 1. 10. 1945, p. 33 (Abb.).

Deborne, Robert, franz. Landschafts- u. Blumenmaler, * Viviers (Ardèche), ansässig in Meudon (Seine-et-Oise).

Mitgl. des Salon d'Automne, beschickt diesen seit 1908. Stellte vordem im Salon der Soc. Nat. d. B.-Arts aus (1903: Frauenakt vor d. Spiegel).

Lit.: Joseph, I.

Debourg, Edouard, franz. Landschaftsmaler (Öl u. Aquarell), * Versailles, ansässig in Gargilesse (Indre).

Stellt seit 1923 bei den Indépendants aus.

Lit.: Joseph, 1. — Bénézit, [2] 3.

Debouté, Maurice, franz. Landschaftsmaler, * Saint-Nazaire, ansässig in Paris.

Stellt seit 1925 bei den Indépendants aus.

Lit.: Joseph, 1. — Bénézit, [2] 3.

Debras-Quenelle, Madeleine, franz. Miniaturmalerin, * 23. 7. 1887 Paris, ansässig ebda.

Schülerin von Mlle Bougleux u. E. Cuyer. Mitgl. der Soc. d. Art. Franç., beschickte deren Salon bis 1929.

Lit.: Joseph, I.

Debré, Germain, franz. Architekt, ansässig in Paris.

Baute u. a. das Biologisch-Chemisch-Physikal. Institut der Universität Paris, die Synagoge in Belleville, Geschäftshaus in der rue Miguel Hidalgo in Paris u. die Freiluftschule in St-Quentin. — Buchwerk: Travaux d'Architecture, Straßburg 1936.

Lit.: L'Amour de l'Art, 12 (1931) 254f., m. Abbn. — Monatsh. f. Baukst u. Städtebau, 16 (1932) 464/66. — L'Art vivant, 1933, p. 13/14 passim, m. Abbn. — L'Architecture, 1931, p. 145/56, m. 21 Abbn; 1933 p. 93/95, m. Taf. u. 5 Abbn, 239/48 passim, m. Abb.

Debrie-Bulo, Delphine, franz. Landschaftsmalerin, * Lyon, ansässig in Paris.

Mitgl. der Soc. d. Art. Franç., beschickte deren Salon seit 1887, erscheint in den Mitgliedlisten noch 1930.

Lit.: Joseph, I.

Debry, Sophie, franz. Bildhauerin, * Charleville (Ardennes), ansässig in Paris.

Schülerin von Marqueste. Mitgl. der Soc. d. Art. Franç., beschickt deren Salon seit 1908. Hauptsächlich Tierstatuetten.

Lit.: Joseph, I. — Bénézit, [2] III.

Debschitz, Wilhelm von, dtsch. Maler, Illustr. u. Kstgewerbler (Prof.), * 21. 2. 1871 Görlitz, ansässig in Freiburg i. Br.

Autodidakt. Mit H. Obrist Begründer der Lehr- u. Versuchsateliers für angewandte u. freie Kst in München (1902), der eine Metallwerkstätte u. 1906 eine Werkstätte für Handtextiltechniken, 1907 eine solche für Keramik angegliedert wurden. Später Direktor der Städt. Handwerker- u. Kstgewerbesch. in Hannover.

Lit.: Th.-B., 8 (1913). — Dreßler. — D. Kunst, 30 (1913/14) 273/78.

Debuissy, Antoinette, franz. Landschaftsmalerin, * 28. 6. 1903 Guéret (Creuse), ansässig in Lens (Pas-de-Calais).

Schülerin von F. Sabatté. Stellt seit 1927 im Salon der Soc. d. Art. Franç. aus.

Lit.: Joseph, I.

Decamps, Maurice, franz. Landschaftsmaler, * 2. 10. 1892 Paris, ansässig in Ermont (Seine-et-Oise).

Schüler von P. Montézin. Mitgl. der Soc. d. Art. Franç., beschickt deren Salon seit 1913 (Kat. z. T. mit Abbn). Stellt seit 1927 bei den Indépendants aus.

Lit.: Joseph, 1. — Bénézit, [2] 3 (1950). — Illustration, 1937/II, p. 399/402, m. 6 Abbn.

Decani, Gustav, öst. Aquarellmaler u. Schauspieler, * 9. 9. 1894 Bad Hall b. Linz, Oberöst., ansässig in Kempfenhausen a. Starnberger See.

Stellte zw. 1928 u. 1932 bei den Münchner Aquarellisten in der Gal. Paulus, München, aus.

Decaris, Albert, franz. Zeichner, Radierer, Holzschneider u. Freskenmaler, * 1901 Sotteville-les-Rouen (Seine-Infér.), ansässig in Paris.

Schüler von Cormon, Dézarrois u. Laguillermie. 1919 Rompreis. 1925 Silb. Med. Mitgl. der Soc. d. Art. Franç. Folge von 80 Federzeichngn mit Ansichten franz. Städte. Buchillustr.: Châteaubriand, „Mémoires d'outretombe" u. „Combourd"; Léon Cathlin, „Mon voyage vers la Grèce" (12 Radiergn) u. „Sommeil d'Endymion"; franz. Übersetzungen von Shakespeare's Hamlet, Romeo u. Julia u. Macbeth; Ronsard, Discours sur les misères de ce temps. — Graph. Hauptblätter: Leda; Colleoni-Standbild in Venedig. Fresken in der Vorhalle der Mairie in Vesoul.

Lit.: Joseph, 1. — Bénézit, [2] 3 (1950). — Bull. de l'Art, 1929, p. 157 (Abb.). — Byblis, 1930, p. 25/29, m. Abb., 147/52, m. 4 Abbn. — Bull. d. Musées de France, 3 (1931) 54 (Abb.). — L'Art et les Art., N. S. 21 (1930/31) 107; 23 (1931/32) 139, 176. — Revue de l'Art anc. et mod., 61 (1932/I), Bull. p. 57 (Abb.); 65 (1934/I), Bull. p. 57 (Abb.). — Art et Décor., 1934, p. 25f. passim, m. Abb. — Beaux-Arts, Nr 111 v. 15. 2. 1935, p. 8, m. Abb.; Nr 284 v. 10.6.1938, p. 3, m. Abbn.

Dechant, Felix, dtsch. Architekt (Oberbaurat), * 8. 9. 1874 Krefeld, ansässig in Düsseldorf.

Stud. an den Techn. Hochsch. Aachen u. München. Kstwissensch. Studien an den Univers. Bonn u. München. Justizneubauten in Düsseldorf, Krefeld, Essen, Dortmund, Oberhausen u. Hörde i. W. Buchwerke: Das Jagdschloß Falkenlust, Aachen 1901; Das Schloß zu Brühl a. Rh., Diss. T. H. Aachen.

Lit.: Dreßler.

Déchelle, Elie Jean-Bapt., franz. Landschaftsmaler, * 10. 7. 1874 Arbois (Jura), ansässig in Chambéry (Savoie).

Mitgl. der Soc. d. Art. Franç., beschickte deren Salon bis 1920.

Lit.: Joseph, I.

Déchin, Géry, franz. Bildhauer, * 17. 3. 1882 Lille, † 26. 4. 1915 Metz.

Bruder des Bildh. Jules D. (* 1869). Stud. an d. Ec. d. B.-Arts in Lille u. an d. Franz. Akad. in Rom. Stellte 1911ff. im Salon der Soc. d. Art. Franç. aus. Starb an den Folgen einer Kriegsverwundung.

Lit.: Th.-B., 8 (1913) 517. — Ginisty, 1916, p. 69ff. — Chron. d. Arts, 1914/16. p. 225.

Déchorain, Rolande, franz. Landschafts-, Blumen-, Stilleben- u. Interieurmalerin, * Paris, ansässig ebda. Gattin des Malers Henri Vergé-Sarrat.

Schülerin ihres Gatten. Beschickte seit Anfang der 1930er Jahre den Salon d'Automne u. den Salon des Tuileries.

Lit.: Joseph, 1. — Bénézit, [2] 3 (1950). — L'Amour de l'Art, 10 (1929) 458 (Abb.); 11 (1930) 392 (Abb.). — Beaux-Arts, Nr 252 v. 29. 10. 1937, p. 2 (Abb.); Nr 283 v. 3. 6. 1938, p. 12; Nr 306 v. 11. 11. 1938, p. 2 (Abb.); Nr 319 v. 10. 2. 1939, p. 4; (Abb.); Nr 320 v. 17. 2. 1939, p. 4; Nr v. 3. 5. 1945 p. 2, m. Abb.; Nr v. 26. 9. 1947 p. 6 (Abb.); Nr v. 18. 6. 1948 p. 3 (Abb.).

Dechterjoff, Boris Alexandrowitsch, sowjet. Graphiker u. Märchenillustrator, * 1908.

Illustr. zu M. Gorkij (Malwa; Meine Kindheit).

Lit.: Kat. d. Staatl. Tretjakoff-Gal. Moskau, 1947, m. Abb. 192 (Dechtereff). — The Studio, 109 (1935) 131 (ganzseit. Abb.). — Aufbau, 6 (1950) 536 (Abb.).

Decisy, Eugène, franz. Maler, Rad. u. Illustr., * 5. 2. 1866 Metz, † nach 1936 Paris.

Schüler von Bouguereau u. T. Robert-Fleury, als Radierer von A. Gilbert, Courtry u. E. Boilvin. Seit 1898 Mitgl. der Soc. Nat. d. B.-Arts (Salonkat. z. T. m. Abbn). Figürliches, Akte, Interieurs mit Figuren u. Bildnisse. Radierungen nach eigenen u. fremden Vorlagen: Baudelaire, „Fleurs du Mal" (27 Blätter nach G. Rochegrosse); Th. de Banville, „Les Prinzesses" (nach dems.); Murger, „La vie de Bohème" (nach Léandre).

Lit.: Joseph, 1, m. Abb. — Bénézit, [2] 3.

Decker, Alice, s. *Ferguson.*

Decker, Hugo, dtsch. Landsch.- u. Architekturmaler, Dr. Ing., * 15. 7. 1899 Bernau, Ob.-Bay., ansässig ebda.

Stud. an d. Techn. Hochsch. u. d. Univers. München. Promovierte 1925 in München. Studienreisen durch ganz Europa.

Lit.: Kat. Kstschau Stadtmus. Bromberg 1943.

Deckers, Edward, belg. Bildhauer u. Medailleur (Prof.), * 24. 12. 1873 Antwerpen.

Schüler s. Vaters Frans D. (1835–1916) u. Th. Vinçotte's. Prof. an der Antwerp. Akad. Denkmal für die Kriegsgefallenen 1914–18 in Antwerpen. Im dort. Mus.: Das Goldene Zeitalter (Bronze); Nymphe mit dem Haupt des Orpheus (Marmor); Büste des Vaters d. Kstlers. Im Mus. Brüssel: Le Charmeur (Bronzegruppe).

Lit.: Th.-B., 8 (1913). — Seyn, I.

Deckers, Emile, belg. Bildnis- u. Figurenmaler, * Ensival, ansässig in Algier.

Schüler von Carolus-Duran u. Evar. Carpentier in Paris. Im Salon der Soc. d. Art. Franç. 1930 ein Ganzfigurbildn. s. Tochter (Abb. im Kat.).

Deckers, Herman, belg. Maler u. Schriftsteller, * 1888 Bouchout-lez-Anvers.

Beeinflußt von Joe English. Landschaften, Marinen, Bildnisse, in späterer Zeit hauptsächl. religiöse Vorwürfe.

Lit.: Seyn, I.

Declara, Alois, tirol. Zeichner u. Glasmaler, * 5. 12. 1868 Schönberg, Tirol, ansässig in Innsbruck.

Besuchte die Staatsgewerbesch. in Innsbruck. 1887/1928 im Verband der Tiroler Glasmalerei als figürl. Glasmaler. Seit 1935 gelegentlich Porträt- u. Diplommaler. Nach s. Entwürfen schnitzte P. P.

Costa die 14 Stationenreliefs in d. Servitenk. zu Innsbruck.

Lit.: Fischnaler, Innsbr. Chronik, V 63. — Mittlg d. Kstlers. *J. R.*

Declincourt, Alfred, franz. Figuren- u. Landschaftsmaler, * Seboncourt (Aisne), ansässig in Paris.

Stellt seit 1926 bei den Indépendants aus.

Lit.: Joseph, I.

Decœur, Elisabeth, franz. Landschaftsmalerin, * 24. 6. 1891 Le Theil (Ardèche), ansässig in Paris.

Schülerin von Leroux, Montagné u. Roger. Seit 1928 Mitglied der Soc. d. Art. Franç. Hauptsächlich Orientmotive (Tunis).

Lit.: Joseph, 1. — Bénézit, [2] 3.

Decœur, Emile, franz. Fayence- u. Porzellankstler, ansässig in Paris.

Einer der besten Vertreter seines Fachs im 1. Viertel des 20. Jh.s, geübt in allen Techniken der Töpferkunst. Schalen, Teller, Krüge, Vasen usw. mit feinem, farbigem, ornamentalem Dekor, teils in Fayence, teils in grès flammé mit metallischem Lüster. Stellte seit ca. 1907 blauschwarzes Porzellan her. Proben seiner Kunst u. a. im Luxembourg-Mus. u. im Mus. des Arts Décor. in Paris.

Lit.: Joseph, I. — G. Janneau, E. D., Paris 1923. — Art et Décor., 1907/II p. 151 (Abb.); 1910/I p. 127; 1911/I p. 95; 1911/II p. 343 (Abb.); 1912/II p. 93, 152, m. Abb.; 1923/II, Chron., Oktoberh. p. 7; 62 (1933) 339/44. — L'Art et les Art., 14 (1911) 221, 223 (Abb.). — L'Art Décor., 29 (1913) 223 (Abb.). — La Renaiss. de l'Art franç., 5 (1922) 405 (Abbn), 409, 609/12, m. Abbn; 6 (1923) 581f. — Beaux-Arts, 3 (1925) 218f., m. Abb., 222; Nr 142 v. 20. 9. 1935, p. 3, m. 4 Abbn; Nr 209 v. 1. 1. 1937, p. 6, m. Abb.; Nr v. 30. 4. 1948 p. 1. — Revue de l'Art anc. et mod., 48 (1925) 303 (Abb.). — L'Art vivant, 1928, p. 512ff. passim. — Bull. of the Metrop. Mus. of Art (New York), 24 (1929) 269, m. Abb. 270.

Decœur, Louis, belg. Figuren- u. Landschaftsmaler u. Holzschneider, * 1884 Namur.

Lit.: Seyn, I.

Decohorne, Gabrielle, franz. Landschaftsmalerin (Aquar.), * 23. 3. 1881 Avignon, ansässig ebda.

Stellte seit 1914 im Salon der Soc. d. Art. Franç. aus.

Lit.: Joseph, I.

Décorchemont, François, franz. Maler u. Keramiker, * 26. 5. 1880 Conches (Eure), wohnhaft ebda u. in Paris.

Arbeitete zuerst bei s. Vater, dem Bildh. Emile D. (* 1851). Stellte 1898ff. als Landschafter im Salon der Soc. d. Art. Franç. aus. Ging um 1907 zur Keramik über. Stellte hauptsächlich mit Glaspasten verzierte Schalen, Vasen usw. her, die er im Salon d. Art. décorat. u. im Salon d. Art. franç. zeigte, deren Mitglied er ist. Proben seiner Kunst u. a. im Luxembourg-Mus. in Paris, im dort. Mus. d. Arts Décor., im Mus. Galliera ebda u. in den Museen in Sèvres u. Genf.

Lit.: Th.-B., 8 (1913). — Joseph, 1. — Bénézit, [2] 3 (1950). — Mededeel. v. d. Diensten v. Kunsten en Wetensch., Deel II (1926/32) p. 95f., m. Abb. — Art et Décor., 1927/I p. 171 (Abb.). — L'Art vivant, 1929, p. 484/86 passim, m. Abbn. — Mobilier et Décor., 1930/I p. 112/20, m. 1 Taf. u. 10 Abbn. — Illustration, 1936/II p. 421f., m. Abb.

Decrept, Charles u. Louis, franz. Landschaftsmaler, * Bidart (Basses-Pyrénées), ansässig in Paris.

Stellen seit 1927 im Salon d. Art. Franç., seit 1932 bei den Indépendants aus.

Lit.: Joseph, 1. — Bénézit, [2] 3.

Decroix (-Dugué), Georgette, franz. Landschaftsmalerin, * Saint-Martin-les-Boulogne (Pas-de-Calais), ansässig in Paris.

Schülerin von Ferd. Humbert. Mitgl. der Soc. d. Art. Franç., beschickt deren Salon seit 1929.

Lit.: Joseph, 1. — Bénézit, [2] 3.

Decroix, Maurice, franz. Landschaftsmaler, * Lille, ansässig in Paris.

Stellt seit 1929 im Salon der Soc. d. Art. Franç. aus (Kat. z. T. mit Abbn).

Lit.: Joseph, I.

Decrouez, Max Albert, franz. Maler, * 9. 3. 1878 Vieux-Condé (Nord).

Schüler von Bonnat u. Layraud.

Lit.: Bénézit, [2] 3 (1950).

Decsényi, Lucie, ungar. Figuren- u. Bildnismalerin, * Budapest, ansässig in Paris.

Schülerin von F. Sabatté in Paris. Stellt seit 1930 im Salon der Soc. d. Art. Franç. aus (Kat. z. T. m. Abbn).

Lit.: Benézit, [2] 3 (1950).

Decurtins, Balthasar, schweiz. Architekt, † 1934 Chur.

Kathol. Pfarrk. St. Georg in Ruschein; kath. Kirche St. Peter in Meierhof, Obersaxen (1905); Umbau u. Erweiterung der Filialkirche St. Nikolaus in Curaglia (1903).

Lit.: Schweiz. Bauztg. 63 (1914) Nr 4, p. 58. — D. Kstdenkm. d. Schweiz, 13: Kt. Graubünden, 4 (1942) 91, 285, 444; 14: Kt. Graubünden, 5 (1943) 134.

Dědina, Jan, tschech. Maler u. Illustr., * 1. 9. 1870 Straky b. Nymburk, ansässig in Prag. Bruder des Václav.

Stud. an d. Prager Kstgewerbesch. (F. Ženíšek), dann an der Akad. (M. Pirner). Ließ sich in Paris nieder. Schüler von A. Besnard; dessen Gehilfe bei d. Malereien in der Comédie Française u. im Petit-Palais. Als Illustrator beeinflußt von L. Marold. Stellte seit 1902 in Pariser Salons aus (Zeichnungenfolge aus dem Leben des Jan Hus, vom franz. Staat erworben). Siedelte später nach Prag über. Bildnisse, Genre, Allegorisches, Religiöses. Ausstellgn in Prag 1930 (Gemeindehaus) u. 1940 („Svaz českosl. díla", zus. mit s. Sohn u. Schüler Jaroslav D.).

Lit.: Th.-B., 9 (1913). — Joseph, I (falsches Geburtsdatum), m. 2 Abbn u. Fotobildn. — Výbor obrazů J. Dědiny (mit Vorw. v. E. A. Bourdelle), Nymburk 1909. — V. Šuman, J. D. a jeho Paříž, in: Dílo (Prag), 20 (1927/28) 57, m. Abbn. — Toman, I 153. *Blž.*

Dědina, Václav (Venceslas), tschech. Graphiker, Maler u. Bildhauer, * 21. 8. 1872 Prag, ansässig in Paris, naturalisierter Franzose Bruder des Jan.

Schüler der Prager Kunstsch. Ließ sich nach Studienreisen in Paris nieder. Stellte seit 1923 bei den Indépendants, später im Salon der Soc. d. Art. Franç., deren Mitglied er ist, aus. Hauptsächlich Landschaften. Figürliches, Blumenstücke (Öl, Pastell, Wachsmalerei).

Lit.: Joseph, I, m. 4 Abbn, dar. Selbstbildn. — Bénézit, [2] III.

Deelsbo, Carl, schwed. Landschaftsmaler u. Graphiker, * 1892 Bollnäs, Gävleborgs län, ansässig in Stockholm.

Stud. an den Akad. Paris u. Dresden.

Lit.: Thomœus.

Deene, Joh. Franciscus van, holl. Landsch.- u. Stillebenmaler u. Kstkritiker, * 17. 2. 1886 Amsterdam, ansässig ebda.

Schüler der Amsterd. Reichsakad., 1911/13 in Paris. Mitglied der „Onafhankelijken" u. der „Brug", deren Vorsitzender er ist.

Lit.: Waay. — Maandbl. v. beeld. Kunsten, 5 (1928) 223.

Defert, Emmanuel, franz. Holzschneider, * 3. 9. 1898 Lys (Nièvre), ansässig in Hanoï (Indochina).

Schüler von Ed. Léon. Seit 1924 Mitgl. der Pariser Soc. d. Art. Franç. Farbige Holzschnitte: Landschaften, Tiere. Illustr. zu dem Roman: „Sao-Van-Di" von J. Ajalbert.

Lit.: Joseph, 1. — Bénézit, [2] 3.

Deffke, Wilhelm, dtsch. Gebrauchsgraphiker u. Werbekstler, † Ende August 1950 Woltersdorf b. Berlin.

Direktor der Kstgewerbesch. in Magdeburg. Zeichnete viele Handelsmarken (Ryckforth, Krupp, Kölner Werkbund-Ausst. usw.).

Lit.: Dreßler. — D. Kunst, 28 (1913) 374, m. Abb., 376; D. Kst u. d. schöne Heim, 48 (1950) H. 10 p. 370, m. Abb.

Defontaine, Louis Rodolphe, franz. Landschaftsmaler, * Arras, ansässig in Paris.

Seit 1920 Mitgl. der Soc. d. Art. Franç.

Lit.: Joseph, 1. — Bénézit, [2] 3.

Defosseux, Ernest Charles, franz. Holzschneider u. Lithogr., * Arras, ansässig in Courbevoie (Seine).

Schüler von Greux. Mitgl. der Pariser Soc. d. Art. Franç. Arbeitet nach eigenen u. fremden Vorlagen.

Lit.: Joseph, I.

Defrance, Paule, franz. Blumen- u. Stilllebenmalerin, * 6. 3. 1894 Dijon, ansässig in Paris.

Schülerin von F. Humbert u. Mlle Minier. Mitgl. der Soc. d. Art. Franç.

Lit.: Joseph, 1. — Bénézit, [2] 3.

Defrecheux, Léon, belg. Landschaftsmaler, * 1884 Lüttich.

Lit.: Seyn, I. — Gand artist., 1928, p. 195/200, m. 4 Abbn.

Defregger, Hans, dtsch. Bildhauer, * 22. 5. 1886 München, ansässig ebda. Sohn des Franz.

Schüler von A. Maillol in Marly-le-Roy. Büste Alois Wohlmuth in d. N. Pinak. München; Kriegerdenkm in Haimhausen b. München (1921).

Lit.: Dreßler. — Velhagen & Klasings Monatsh., 41/II (1926/27), Taf. geg. p. 360, Text p. 447f.

Degaine, Edouard, franz. Landschafts-, Stilleben-, Bildnis- u. Tiermaler, * Gintioux (Creuse).

Betrieb anfangs die Lackmalerei.

Lit.: Bénézit, [2] 3 (1950). — Beaux-Arts, 6 (1928) 142; 9 (1931), Mai-Heft p. 22, m. Abb. — L'Amour de l'Art, 11 (1930) 512 (Abb.). — L'Art et les Art., N. S. 22 (1931) 322 (Abb.). — L'Art vivant, 1931, p. 236, m. 3 Abbn.

Degano, Umberto, ital. Bildhauer u. Holzschneider, * 17. 2. 1893 S. Fior (Treviso), ansässig in Udine.

Stud. an der Accad. Passanisi in Mailand. Stellt seit 1920 aus. Wiederholt ausgezeichnet. Immaculata-Altar in S. Povo in Trient; Statue der Immaculata in S. Anna in Montepagano di Teramo. Kollektiv-Ausst. in Giulianova, Okt. 1944 (Kat. m. Einleitg von D. Montebello).

Lit.: Trentino, 1939 Nr 10. — L. Servolini, Diz. d. Incisori ital. mod. e contemp., 1952. *L. Servolini*

Degas, Edgar, franz. Maler, Radierer, Lithogr. u. Modelleur, * 19. 7. 1834 Paris, † 27. 9. 1917 ebda.

In Ergänzung der Würdigung im Th.-B. sind nachzutragen Nachrichten über den Graphiker u. den Bildhauer. Das Werk des Graphikers liegt katalogisiert vor im 9. Bande von L. Delteil, Peintre-graveur illustré (Paris 1919), wo 45 Stiche (Rad., Kaltnadel, Vernis-mou, Aquatinta) mit Beschreibung aller Zustände, dazu ein zweifelhaftes Blatt, u. 20 Lithogr. beschrieben werden. Die Tätigkeit als Radierer setzt 1857 (Selbstbildnis), die Tätigkeit als Lithograph 1875 ein. Zu seinen schönsten Radierungen gehören das Bildnis Manet's, das seiner Schwester, Mme Fèvre, u. das in nicht weniger als 20 Zuständen vorliegende Radierung u. Aquatinta kombinierende bekannte Bildnis der Mary Cassatt. Von den ziemlich seltenen Lithogr. ist das bekannteste Blatt das 1884 entstandene Programm zu der Abendgesellschaft der ehemal. Schüler des Lyzeums in Nantes. Jedes Blatt findet sich bei Delteil, u. zwar bisweilen in 2 bis 3 Zuständen reproduziert. — Der Bildhauer ist sozusagen erst nach s. Tode entdeckt worden. Zu Lebzeiten D.' ist nur die mit einem Gazeröckchen aus Stoff bekleidete Bronzefigur der Tänzerin bekanntgeworden, die er als die einzige seiner Plastiken von Hébrard in Bronze hatte formen lassen und 1884 im Salon des Indépendants zeigte. Er selbst scheint wenig Gewicht diesen in Wachs modellierten Statuetten, meist Frauenakte (z. T. Tänzerinnen) und Rennpferde darstellend, beigemessen zu haben, denn nur zwei wurden zu seinen Lebzeiten geformt und auch diese nur in Gips. Einen Katalog dieser nach seinem Tode in seinem Atelier, z. T. zerbrochen und mit Staub bedeckt aufgefundenen Statuetten hat J. Rewald aufgestellt (D., Works in Sculpture. A Complete Cat. [Pantheon Books], New York o. J., mit 74 Kstdrucktaf.). Es sind im ganzen 74 Statuetten, die 1918 von Hébrard in einer einmaligen Auflage von je 20 Exemplaren gegossen wurden. Diese ausgesprochenen Malerplastiken, die D. selbst völlig verborgen gehalten hat, scheinen in seiner Spätzeit entstanden zu sein, denn sie unterscheiden sich stilistisch wesentlich von der erwähnten frühen Tänzerinnenfigur. Gleichgültig, ob man diese entzückenden plast. Impressionen nur als keinem Selbstzweck dienende Skizzen oder als vollgültige Kunstwerke betrachtet, so runden sie in jedem Falle das Gesamtbild der künstler. Produktion D.' in einzigartiger Weise ab. — Das malerische Werk D.' ist heute über die ganze Alte u. Neue Welt verstreut. Eine reiche Sammlung besitzt das Metrop. Museum in New York, in das die kostbaren D.-Bestände der ehemal. Smlg Havemeyer gelangten, darunter berühmte Stücke, wie das Ballett „Robert der Teufel", die Modistin, Die Tanzstunde u. Ehelicher Zwist (Bouderie). Im Mus. of F. Arts in Boston das 1931 erworbene, wohl aus dem Ende der 1860er Jahre stammende Doppelbildnis des Herzogspaares Morbilli (Abb in: Bull. of the Mus. of F. Arts, Boston, 30 [1932] 43) u. das um 1888 entstandene Pastell zweier Tänzerinnen (Abb. ebda, 36 [1938] 75). Im Gardner Mus. ebda das 1867 entstand. Bildnis der Mme Gaujelin. Im Pennsylvania-Mus. of F. Arts in Philadelphia: Das Ballett (Taf. in: Art in America, 26 [1938] 91). In d. Wilstach-Coll. ebda: Berittener Jockey (Pastell). Im Art Inst. in Chicago: Im Putzwarengeschäft (Taf. in: The Burl. Magaz., 73 [1938] 297) u. Badende Frau (Abb. in: Pantheon, 11 [1933] 76). Im Mus. in Detroit das Halbfigurbildn. einer älteren Dame (Abb. in: Bull. Detroit Mus., 6 [1924/25] 92). Im Mus. in Toledo, Ohio, ein Pastell: 3 Tänzerinnen (Abb. in: Mus. News Toledo Mus. of Art, 1930 Nr 58,

p. 1). Im Mus. Cleveland, Ohio, ein Pastell: Tänzerinnenfries (Abb. in: Bull. of the Cleveland Mus. of Art, 33 [1946] 89/92). Im Mus. in Minneapolis ein gr. Bildnis der Mlle Hortense Valpinçon (Minneapolis Inst. of Arts Bull., 37 [1948] 45/51). Im Mus. in Pau das berühmte Frühbild: Kontor der Baumwollhändler in New Orleans. In d. Berliner Nat.-Gal. ein Pastell: Unterhaltung. In d. Gal. des 19. Jh.s in Wien: Harlekin u. Colombine (Pastell). In d. Tate Gall. in London das Halbfigurbild einer sitzenden Frau mit grünem Umhang (Taf. in: Apollo, 29 [1939] geg. p. 189). In d. Art Gall. in Glasgow ein Pastell: 3 Tänzerinnen („Les Jupes Rouges"; Abb. in: The Studio, 133 [1947] 75). Im Nat.-Mus. in Stockholm ein Damenbildnis (Öl) u. 2 Pastelle mit Tänzerinnen. In d. Smlg Thorsten Laurin ebda ein Pastell: Badende (Taf. 234 im Kat., 1936). Ein vollständ. Verz. der in öff. Besitz befindl. Ölbilder u. Pastelle sowie ein solches der graph. Arbeiten bei Bénézit.

Lit.: Th.-B., 8 (1913). — Bénézit, [2] 3 (1950). — Joseph, 1. — J. Meier-Graefe, D. Ein Beitrag z. Entwicklungsgesch. d. mod. Malerei. Mit 104 Doppelton-Lichtdr. d. Gem. u. Zeichngn v. D., Münch. 1920. — Henri Herz, D., hg. von P. Marcel, 1921. — Fr. Fosca, D., Paris 1921. — P. Jamot, D., Paris 1924; ders., D. (Trésors de la peint. franç.), Paris 1939. — A. Vollard, D., Paris 1924; ders., D.; an intimate portrait. Translated from the French by Randolph T. Weaver, New York 1937. — J. B. Manson, The Life and Work of E. D., New York 1927. — M. Guérin, Lettres de D., Paris 1931. — Gg. Rivière, Mr. D., bourgeois de Paris, Paris 1935. — G. Grappe, D., Paris 1936. — C. Mauclair, D., Paris 1937. — John Rewald, D., Mülhausen 1937. — P. Valéry, D., Danse, dessin, Paris 1937; ders., Erinnerungen an D. (D., Danse, dessin), dtsche Übersetzg v. W. Zemp, Zürich 1940. — Rand. Schwabe, D., the Draughtsman, Lo. 1948. — D., Introduct. and Notes by R. H. Wilenski, Lo. 1948. — Galerie d'Estampes D. Pastels et dessins. Préface de A. André, Paris 1934. — Das plast. Werk von E. D. Mit Beitr. von C. Glaser u. W. Hausenstein (Veröff. d. Kstarchivs, 1926 Nr 9), Berlin 1926. — K. Scheffler, Europ. Kst im 19. Jh., 2 (1927). — H. Tietze, Meisterw. europ. Malerei in Amerika, Wien 1925, Taf. 290/93. — The Burlington Magaz., 31 (1917) 183/91; 32 (1918) 22/29, 63/65. — La Renaiss. de l'Art franç., 1 (1918) 373/78 (als Bildh.); 12 (1929) 479/86 (Smlg Havemeyer, New York); 1936 p. 5/9 (Kopien). — Gaz. d. B.-Arts, 1918, p. 123/66; 1921/I, p. 219/31 (Skizzenbücher im Pariser Cab. d. Est.); 1938/I 371/79; 1933/II 173/85 (Beziehungen zu den Alten Meistern); 1937/II 175/89 (Die Tochter Jephta's im Smith Coll. Mus. Art, New York); sér. 6, Bd 26 p. 413/20 (D. u. Mantegna); Bd 30 (1946) p. 105/26 (D. u. s. Familie in New Orleans). — Les Arts, 1918 Nr 166, p. 1/24, Nr 171, p. 11/19 (als Graphiker). — The Studio, 73 (1918) 124ff.; 108 (1934) 127 (Abb.); 110 (1935) 9 (Abb.), 237 (Abb.); 112 (1936) 44, m. 3 Abbn.; 115 (1938) 97 (Abb.). — Kunstmuseets Aarsskrift 1919, Kopenhagen 1920, p. 63/82 (Bilder auf Ordrupgård). — Mercure de France, 131 (1919) 457/78, 623/39 (D. u. s. Modell). — Kst u. Kstler, 18 (1919/20) 520/28 (als Graphiker); 20 (1921/22) 123/28 (als Bildh.), 145 (Abb.); 28 (1929/30) 190, 191, 399/408 (Zeichngn a. d. Nachl.), 507; 31 (1932) 130/35 (Briefe); 32 (1933) 61, 63, 65, 67, 79, 85 (Abbn). — Kstchronik, 4 (1951) 2, m. Taf. (Tänzerinnen: Zeichng, Neuerwerbg d. Bremer Ksthalle). — L'Art et les Art., N. S. 3 (1921) 373f. (als Bildh.). — Revue de l'Art anc. et mod., 39 (1921) 300/02 (Familienportr. Bellelli im Louvre); 40 (1921) 316/22 (Damenbildn. d. Smlg Gardner, Boston, USA); 46 (1924) 17/28, 95/108, 150/52. — Wiener Jahrb. f. bild. Kst (Die bild. Kste), 5 (1922) 45/48 (als Bildh.). — Art in America, 11 (1922/23) 178/87. — D. Weltkst, 21 (1951) Nr 6 p. 2, m. Abb.; Nr 19 p. 10 (Abb.); 22 (1952) Nr 2 p. 9 (Neuerwerbg. Mus. Rotterdam). — Das Kstblatt, 8 (1924) 200/09; 14 (1930) 207/11 („Ein Abenteuer des Herrn D."). — Die Kunst, 51 (1924/25) 112/20 (als Bildh.). — Dtsche Kst u. Dekor., 60 (1927) 96/102 (als Bildh.). — The Bull. of the Cleveland Mus. of Art, Cleveland, Ohio, 34 (1947) 125 (farb. Abb.), 128, 180f. — Bull. of the Detroit Inst. of Arts, 28 (1948/49) 37/40, m. Abb. — Bull. d. Musées de France, 1929, p. 269/71, m. Abb.; 3 (1931) 41/44, 149ff.; 4 (1932) 106/08, m. 3 Abbn; 5 (1933) 33/35. — L'Art vivant, 10 (1930) 106/08, m. 3 Abbn; 154/56 (Bartholomé u. D.). — The Arts, 1930/31, p. 387/92. — Pantheon, 7 (1931) 161/66. — L'Amour de l'Art, 1931, p. 293/301. — Bull. of the Metrop. Mus. (New York), 27 (1932) 141/46 (Smlg Havemeyer). — La Nouv. Revue franç., Nrn v. 1. 3. u. 1. 4. 1938. — The Magaz. of Art (New York), 39 (1946) 13/17. — Aussaat, 1 (1946/47) H. 2 p. 12/17, m. Abbn.

Degasper, Dino, tirol. Maler u. Kupferst., * 17. 5. 1898 Cortina d'Ampezzo, ansässig ebda.

Schüler von Mazzetti in Venedig. Fachlehrer an d. Kstgewerbesch. in Cortina. Landschaften, Stillleben, Bildnisse. *J. R.*

Degebrodt, Max, dtsch. Landschaftsmaler, * 30. 5. 1885 Berlin, ansässig in Grünheide, Mark.

Lit.: Dreßler. — D. Mark, 32 (1936) 44.

Degen, Franz, dtsch. Landschaftsmaler, * 1873 Hannover, ansässig in München.

Sammelausst. Nov. 1909 in d. Ksthalle P. H. Beyer & Sohn, Leipzig.

Lit.: Leipz. Tagebl., Nr 316 v. 14. 11. 1909.

Degener, Walter, dtsch. Maler u. Werkstler, * 25. 5. 1884 Heiningen, Hannover, ansässig in Bad Harzburg.

Stud. in Leipzig, dann bei Knirr u. Hayeck in München.

Lit.: Dreßler.

Degenkolb, Kurt, dtsch. Maler u. Graph., * 9. 11. 1891 Leipzig, ansässig ebda.

Stud. an den Akad. Leipzig u. Dresden. Lehrer an d. Kstgewerbesch. Leipzig. Bildnisse, Landschaften, Tiere.

Lit.: Dreßler.

Degenkolbe, Richard, dtsch. Architekturmaler, * 18. 11. 1890 Halle, ansässig ebda.

Stud. an der Unterrichtsanstalt d. Kstgewerbemus. Berlin u. an der Akad. München. Bilder u. a. in der Aula der Oberrealschule in Köthen, Anh.

Lit.: Dreßler.

Deglesne (-Hemmerlé), Emilie, franz. Landschafts-, Marine- u. Architekturmalerin, * Paris, ansässig ebda.

Stellte 1923ff. bei den Indépendants aus.

Lit.: Joseph, I.

Degn, Ernst, öst. Maler (Öl u. Aquar.), * 27. 8. 1904 Schärding, O.-Ö., ansässig in Innsbruck.

Stud. an d. Akad. in Wien. Seit 1930 Zeichenlehrer in Innsbruck. Landschaften (Motive aus dem Inntal, dem Banat u. aus Serbien), Bauernhausstudien. Dekkenbilder u. Dekoration der Hl. Geistk. in Matrei a. Br.

Lit.: Innsbr. Nachr., 1937 Nr 257; 1940 Nr 94; 1942 Nr 161. — Bergland 1940, Mai/Juni. — Tir. Anz., 1937 Nr 257. — Neueste Ztg, 1937 Nr 128. *J. R.*

Degner, Artur, dtsch. Maler u. Graph. (Prof.), * 2. 3. 1887 Gumbinnen, Ostpr., ansässig in Berlin.

Stud. 1906/08 an d. Akad. in Königsberg bei L. Dettmann u. O. Heichert. Kam 1909 nach Berlin, wo er stark von Corinth beeindruckt wurde. Mitgl. der Freien Sezession. Lehrtätig seit 1920 an d. Akad.

Königsberg, seit 1925 an der Hochsch. f. bild. Kste in Berlin. Hauptsächlich Bildnisse, Figürliches (Akte), Landschaften u. Blumenstücke. Malt in Öl u. Aquarell. Anfänglich Impressionist, nähert sich später dem Expressionismus. Bilder u. a. in den Museen in Königsberg u. Stettin, im Univ.-Mus. in Marburg u. im Bes. der Stadt Elbing. Zeichnungen in der Ksthalle in Mannheim. Kollektiv-Ausst. bei I. B. Neumann, Berlin, 1919, in d. Gal. v. d. Heyde, Charlottenburg, März 1948, u. in d. Gal. Wasmuth, Berlin, Mai/Juni 1952.

Lit.: Dreßler. — Bie, m. 2 Abbn. — D. Cicerone, 11 (1919) 146; 12 (1920) 130, 518; 15 (1923) 195; 17 (1925) 478, 524; 19 (1927) 227. — Dtsche Kst u. Dekor., 18 (1915) 306, 310 (Abb.). — Kst u. Kstler, 17 (1918–19) 276f., 279ff. (3 Abbn), 285 (Abb.), 286 (Abbn); 18 (1919/20) 310/22; 19 (1920/21) 134 (Abb.); 21 (1922–23) 193f., 219ff.; 23 (1924/25) 148, 150 (Abb.), 321; 26 (1927/28) 376 (Abb.), 399; 27 (1928/29) 115, 116, 117 (Abb.); 28 (1929/30) 175 (Abb.); 31 (1932) 423 (Abb.). — Kst-Chronik, 5 (1952) 131. — Sozial. Monatsh., 52 (1914) H. 6 u. 7 p. 294. — Zeitschr. f. bild. Kst, N. F. 31 (1919/20) 220/224. — Königsb. Hartungsche Ztg, Nr 89 v. 22. 2. 1920. — Tribüne (Berlin), 23. 3. 1948.

Degner-Klemm, Elise, dtsche. Landsch.-Malerin, * 3. 2. 1879 Schneidemühl, ansässig in Berlin.

Lit.: Dreßler.

Degorge, Georges, franz. Figurenmaler u. Kupferstecher, * 25. 5. 1894 Quaregnon (Belgien), von franz. Eltern, ansässig in Paris.

Schüler von Flameng u. Waltner. Hauptsächlich Bildnisse, auch Akte u. Landschaften. Mitglied der Soc. d. Art. Franç., beschickt deren Salon seit 1912. Stellte 1928ff. auch bei den Indépendants aus.

Lit.: Joseph, 1. — Bénézit, [2] 3.

Degouy, Nelly, belg. Holzschneiderin, Buchillustr. u. Exlibriskstlerin, * 1910 Antwerpen, ansässig ebda.

Illustr. u. a. zu K. Ledeganck, Die Dreischwesternstädte, u. zu Jan Vercammen, Drei Suiten.

Lit.: Apollo (Brüssel), Nr 10 v. 1. 3. 1942, p. 14, 15 (Abb.). — Boek en Grafiek, 1 (1946) 25/30, m. 4 Abbn u. Cat. rais. — Kat. Ausst. Fläm. Graphik d. Gegenwart, Mannheim 1942, m. Abb.

Deguéret, Yvonne, franz. Figurenmalerin, * Paris, ansässig ebda.

Stellt seit 1923 bei den Indépendants aus.

Lit.: Joseph, I.

Dehérain, François, s. *Hérain,* Franç. de.

Dehn, Adolf Arthur, amer. Lithograph u. Aquarellmaler, * 22. 11. 1895 Waterville, Minn., ansässig in Brooklyn, N. Y.

Stud. an der Minnesota Art School in Minneapolis u. an der Art Student's League in New York. Landschaften; Karikaturen. In der Addison Gall. of Amer. Art in Andover, Mass., ein Aquarell: Johnstone Hasbrook and his Beasts (Abb. im Bull. 1942, Taf. p. 18), u. eine Tuschzeichng: Landschaft (Abb. im Handbook of Paintings etc., 1939, Taf. p. 133). Im Mus. in Brooklyn, N.Y., eine Mappe mit 30 Lithos. Kollektiv-Ausst. April 1932 u. Juni 1939 in der Weyhe Gall. New York.

Lit.: Who's Who in Amer. Art, I: 1936/37. — Amer. Art Annual, 28 (1931). — Mellquist. — Monro. — Bull. Minneapolis Inst. of Arts, 1929, p. 91f., m. Abb. — The Studio, 107 (1934) 59, m. Abb.; 112 (1936) 348 (Abb.); 113 (1937) 321 (Abb.); 117 (1939) 278, m. Abb. — Brooklyn Mus. Quarterly, 18 (1931) 114. — Dial, 71 Nr 5, November 1921, p. 560; 74 (1923) 350f. — The New York Times, Nr v. 22. 4. 1932. — Art Index (New York), Okt. 1941–April 1953.

Dehner, Walter Leonard, amer. Landschaftsmaler (Öl u. Aquarell), * 13. 8. 1898 Buffalo, N. Y., ansässig in Whitehouse, Ohio.

Stud. an der Art Student's League in New York u. an d. Pennsylvania Acad. of the F. Arts in Philadelphia. Kollektiv-Ausst. Juni 1945 in den Kraushaar Gall., New York.

Lit.: Amer. Art Annual, 30 (1933). — Who's Who in Amer. Art, I: 1936/37. — Monro. — Amer. Artist, 10, Febr. 1946, p. 22, m. Abb. — Magaz. of Art, 35, Jan. 1942, p. 16/21, m. Abbn. — The Art News, 44, Juni 1945, p. 30. — Art Digest, 19, Juni 1945, p. 14, m. Abb.

Dehoy, Charles, belg. Maler (bes. Aquar.) u. Rad., * 14. 4. 1872 Brüssel, † 1940 ebda.

Autodidakt. Einige Zeit in der Provence. Beeinflußt von Ferd. Schirren. Anfänglich Impressionist, dann Neoimpressionist. Figürliches, Bildnisse, Landschaft., Stilleben. Ölbild (Der Teetisch) im Mus. Brüssel.

Lit.: Seyn, I. — D. Cicerone, 17 (1925/I) 368, m. Taf.-Abb. — La Renaiss. de l'Art franç., 2 (1919) 270, m. Abb.; 4 (1921) 656. — Apollo (Brüssel), 1941. — Kstchronik, N. F. 30 (1918/19) 993.

Dejaco, Alexander, *sen.*, tirol. Maler u. Bildhauer, * 28. 5. 1877 Wengen (Tirol), † 18. 3. 1936 Brixen. Vater des Folg.

Stud. an d. Fachsch. in Gröden u. in München. Hauptsächlich Kirchenbildhauer u. -maler. Ausstattung der Kapelle in Bad Rumustlungs (Pfarre Wengen) mit Malereien u. Bildwerken.

Lit.: Kassianskalender Brixen, 1930 Nr 2; 1937. — Kath. Sonntagsbl. (Brixen), 1936 Nr 12; 1937 Nr 30, 31, 50. — Christl. Kstblätter (Linz), 69 (1928) 5/11, 53 (Abbn), 54 (Abbn), 96. — D. Krippenfreund, 22 (1930) 75. — Dolomiten, 1936 Nr 34. *J. R.*

Dejaco, Alexander, *jun.*, tirol. Bildhauer u. Maler, * 12. 10. 1913 Brixen, ansässig ebda. Sohn des Vor.

Stud. bei s. Vater u. an der Fachsch. für Bildhauerei in Bozen. Kleinplastiken (Krippen, Genrefig., Dekoratives). Heiligenstatuen in Innichen, Pfarrk. Hl. Florian, u. in Rein (Taufers), Pfarrk. Hl. Josef. Auch Landsch.- u. Kirchenmalerei (Krippe f. Stilves). Krippenfig. f. d. Pfarrk. in Mühlbach.

Lit.: Volksbote, 12. 1. 1933. — Dolomiten, 1937 Nr 146. *J. R.*

Deicher, Luise, dtsche Bildnismalerin, * 6. 4. 1891 Waiblingen, ansässig in Stuttgart.

Schülerin von Ad. Hölzel u. Altherr.

Lit.: Dreßler.

Dejean, Fernande, franz. Landschafts- u. Früchtemalerin, * Brest, wohnhaft in Paris und in Champlan (Seine-et-Oise).

Stellt seit 1911 bei den Indépendants aus.

Dejean, Louis, franz. Bildhauer, Medailleur u. Plakettenkstler, * 9. 6. 1872 Paris, ansässig ebda.

Schüler von Rodin. Mitgl. der Soc. Nat. d. B.-Arts (Salon-Kat. z. T. mit Abbn). Stellt seit 1923 auch im Salon des Tuileries aus. Weibl. Torso im Mus. in Algier; Herrenbüste im Mus. in Nantes.

Lit.: Th.-B., 8 (1913). — Joseph, 1. — Bénézit, [2] 3 (1950). — Les Arts, 1920, Nr 188, p. 23 (Abb.). — La Renaiss. de l'Art franç., 8 (1925) 444. — Revue de l'Art, 48 (1925) 249ff., m. Abbn; 69 (1936) 279 (Abb.). — Gaz. d. B.-Arts, 1926/II 317 (Abb.). — Art et Décor., 1928/II p. 178 (Abb.); 61 (1932) 233, 235. — Beaux-Arts, Nr 336 v. 9. 6. 1939, p. 3 (Abb.).

Deierling, Harry, dtsch-amer. Bildnis- u. Landschaftsmaler, Bühnenbildner u. Lithograph, * 6. 8. 1894 Philadelphia, ansässig in Berlin. Impressionist.

Lit.: Dreßler. — Kstchronik, N. F. 24 (1912/13) 642.

Deike, Clara, amer. Zeichnerin, * 1881 Detroit, Mich., ansässig in Lakewood, Ohio.

Schülerin von H. G. Keller, F. C. Gottwald, Hugh Breckenridge, Hans Hofmann in München u. Diego Rivera in Mexico.

Lit.: Amer. Art Annual, 30 (1933). — Fielding. — Who's Who in Amer. Art, I: 1936/37. — Bull. of the Cleveland Mus. of Art, Cleveland (Ohio), 15 (1928) 104, 107 (Abb.), 117, 131, 132.

Deiker, Karl, dtsch. Jagd- u. Landschaftsmaler, Illustr. u. Schriftst., * 8. 3. 1879 Düsseldorf, ansässig in Düsseld.-Mörsenbroich.

Sohn des Tiermalers Carl Friedr. D. Stud. an der Düsseld. Akad.

Lit.: Th.-B., 8 (1913). — Dreßler.

Dejneka, Alexander Alexandrowitsch, sowjet. Figurenmaler u. Graphiker, * 1899 Orel, ansässig in Moskau.

Gehörte mit P. Wiljams zu den Hauptvertretern der Gruppe „OST" (Bund der Staffeleimaler) in Moskau, aus der er 1928 ausschied. Verdienter Künstler der RSFSR. Wirkl. Mitglied der Kstakad. der UdSSR. Szenen aus d. Leben des russ. Fabrikarbeiters; Akte in Bewegung; Szenen aus dem vaterländ. Kriege 1942/45. Entwürfe zu Mosaiken auf den Stationen der Moskauer Untergrundbahn. In der Staatl. Tretjakoff-Gal. in Moskau: Staffette (Kat. 1947, m. Abb. 175).

Lit.: Encykl. d. Union d. Sozial. Sowjetrepubl., 2 (1950), m. Abb. — Mallett. — Ssredi Kollekzioneroff, 1924, Heft 3/4 p. 52. — Isskusstwo (Kijeff), 1933 p. 85/107, m. 1 Taf.; 1936 p. 85/100, m. 16 Abbn u. 2 Taf. — Emporium, 72 (1930) 219 (Abb.), 221 (Abb.). — D. Cicerone, 20 (1928) 794 f., m. Abb. — Konstrevy (Stockh.), 1933 p. 136 f. (Abbn), 142; 1936, Heft 3, Beil. p. VII (Abb.), IX (Abb.), XI. — The Studio, 97 (1929) 198 f., m. ganzseit. Abb., 201 f., m. Abb.; 109 (1935) 133 (Abb.). — Magazine of Art, 41 (1948) 61 (Abb.). — Sowjet-Literatur (Moskau), Heft 3 (1946) 157; Heft 7 (1948) Taf.-Abb. geg. p. 80. — Ill. Rundschau, 2. Jg, Febr. 1947, Nr 4 p. 1 (Abb.). — Kat. d. Ausst. Sowjet. Malerei im Haus d. Kultur d. Sowjetunion in Berlin, 1949.

Deines, Ernest Hubert, amer. Holzschneider, * 1894, ansässig in Kansas City, Mo.

Lit.: Mallett. — The Print Coll.'s Quarterly, 30, Juni 1949, p. 67 (Abb.); März 1950, p. 54 (Abb.).

Deininger, Johann, öst. Architekt, * 12. 12. 1849 Wien, † 31. 3. 1931 Innsbruck.

Lit.: Th.-B., 8 (1913). — Fischnaler, Innsbr. Chronik, V 63 f. — Innsbr. Nachr., 1929 Nr 256; 1931 Nr. 75, 78 (Nachruf). — Tir. Anz., 1931 Nr 77. — Tir. Nachr., 1949 Nr 286. *J. R.*

Deininger, Konrad, dtsch. Bildnis- u. Landschaftsmaler, * 15. 3. 1887 München, ansässig ebda.

Schüler von H. v. Habermann.

Lit.: Dreßler.

Deininger, Wunibald, öst. Architekt u. Kstgewerbler (Prof.), * 5. 3. 1879 Wien, ansässig in Salzburg.

Sohn des k. k. Oberbaurats Julius D. Schüler der Wiener Akad. bei Luntz u. Otto Wagner. Wohn- u. Geschäftshäuser in Mähr.-Ostrau; Hotel National ebda.

Lit.: Th.-B., 8 (1913). — Dreßler. — Österr.'s Bau- u. Werkkst, 4 (1926/27) 7/14, m. Abb. — Öst. Kst, 1 (1929/30) H. 9, p. 14 ff. (Abbn).

Deinum, Maria Elizabeth, holl. Malerin u. Illustrat., * 22. 5. 1907 Semarang, Niederl. Indien, lebt in Haarlem.

Schülerin von Lizzy Ansingh u. H. F. Boot in Haarlem. Illustr. für Kinderbücher u. Zeitschriften.

Lit.: Waay.

Deken, Marthe de, franz. Bildnis-, Landschafts- u. Früchtemalerin, * 3. 12. 1879 Paris, ansässig ebda.

Stellte seit 1912 bei den Indépendants aus. Mitgl. der Soc. d. Art. Franç.

Lit.: Joseph, 1. — Bénézit, [2] 3.

Delabarre, Eugène Louis, franz. Genre- u. Bildnismaler, * 9. 2. 1875 Rouen, † 1935 ebda.

Schüler von Gérôme in Paris, wo er sich niederließ. Später Lehrer an der Ec. d. B.-Arts in Rouen. Seit 1905 Mitgl. der Soc. d. Art. Franç.

Lit.: Th.-B., 8 (1913). — Joseph, 1 (mit falschem Geburtsjahr). — Bénézit, [2] 3 (1950).

Delabarre-Henry, Henriette, franz. Genre-, Landschafts- u. Interieurmalerin, * Paris, ansässig ebda.

Schülerin von Checa. Stellte seit 1904 im Salon der Soc. d. Art. Franç., seit 1923 auch bei den Indépendants aus.

Lit.: Joseph, I.

Delabassé, Jean Théodore, franz. Figurenbildhauer, * 13. 4. 1902 Lille, ansässig in Boulogne-sur-Seine.

Schüler von Injalbert u. Bouchard. Seit 1930 Mitgl. d. Soc. d. Art. Franç. (Salon-Kat. z. T. m. Abbn).

Lit.: Joseph, I.

Delachaux, Théodore, schweiz. Maler u. Glasmaler, * 21. 5. 1879 Interlaken, ansässig in Neuchâtel.

Schüler von L. O. Merson u. E. Carrière in Paris (1899/1901). Studienaufenthalt in Venedig. Hauptsächl. Landschaften u. Blumenstücke. Malereien im Speisesaal der Klinik s. Bruders in Château d'Oex. Glasgemälde in d. Kollegiatkirche Notre-Dame in Neuchâtel.

Lit.: Brun, IV 119, 495. — Jenny. — Lonchamp, II Nr 832. — Schweiz. Baukst, 1918, p. 58 f., m. Abbn. — D. Schweiz, 1904, p. 455.

Delacroix, Paul, franz. Genre- u. Landschaftsmaler, * 1876 Paris, ansässig in Villaines-sous-Bois b. Moisselles (Seine-et-Oise).

Stellt seit 1911 bei den Indépendants aus.

Lit.: Joseph, I. — Bénézit, [2] III.

Delafontaine, Gustave, belg. Bildhauer, * 1887 Dentergem (Westflandern).

Schüler der Akad. in Thielt (1901/05) u. Gent (1906/11). Studienaufenthalte in England, Frankreich u. Italien. Weitergebildet bei Aloïs de Beule in Gent. Kirchliche Kunst (auch Entwürfe für Kirchenmobiliar).

Lit.: Seyn, I.

Delaforgue, Franz, dtsch. Bildnis-, Tier- u. Landschaftsmaler, * 14. 3. 1887 Neuenahr, ansässig in Düsseldorf.

Meisterschüler von E. Dücker. In den Städt. Kstsmlgn in Düsseldorf: Pflügende Kühe.

Lit.: Dreßler. — Dtsche Monatsh., 16 (1916) 44 (Abb.). — Velhagen & Klasings Monatsh., 40/I (1925–26) 118, farb. Taf.-Abb. geg. p. 8.

Delago, Hans, tirol. Krippenschnitzer, * 1901, ansässig in Oberammergau.

Lit.: Sperling, m. Abb. — D. Münster, 3 (1950) 165, m. Abb. p. 164.

Delago, Maria, tirol. Bildhauerin, Keramikerin u Rad., * 11. 1. 1901 St. Leonhard im Passeier, ansässig in Bozen.

Stud. 1922/26 an d. Wiener Kstgewerbesch. bei Powolny, 1928 an d. Münchner Akad. bei Gulbransson. Keram. Arbeiten: 8 Propheten u. 36 Reliefs für

d. Apsis d. kath. Kirche in Schiedam b. Rotterdam; 14 Stationen ebda (Ton, farbig glasiert). 14 Stationen (Hochrelief) für d. neue Dominikanerk. in Bozen (Terrakotta). Adam u. Eva (Relief, Ton, glasiert). Hl. Urban, Freiplastik, f. Meran, Hotel Raffl. — Grabmäler: Fam. Lageder im neuen Bozner Friedhof (Kruzifixus mit 2 Heil. [Sandstein]); Anna Hölzl in Untermais b. Meran (Madonna [Sandstein]); Fam. Dr. v. Walther in Himmelfahrt b. Bozen (Auferstehung [Terrak.]); Mutter d. Kstlerin im Innsbr. Westfriedhof (Tod Mariä [Terrak.]). — Kruzifix i. d. Buchhandlung Athesia in Bozen (Terrak.); Mariä Verkündigg. (lebensgr. Freiplastik, Ton, glasiert) im Dom zu Mogadiscio (Somali); Kriegerdenkm. (Beweinung Christi, Terrak.) in Petersb. b. Bozen; Stationen (Terrak.) in d. Neuen Pfarrk. in Graun; Kuppelrelief mit Kreuzigung am Stubenofen in Fontana Santa (Trient); Ofen mit Reliefs (Erschaffung der Welt) im Haus Amonn in Himmelfahrt; desgl. mit Landschaften in Glasurmalerei im Haus Amonn am Gardasee; Ofen im Hause Pretz in Mittenwald; Ofen mit Reliefs (Kastelruther Hochzeitszug) im Gasthof Rosengarten in Bozen. Glockenreliefs für die neuen Geläute der St. Nikolaus Pfarrk. in Hall u. in Tux. Weihnachtskrippen; Trachtenfigurinen; Gefäßkeramik.

Lit.: D. Schlern, 17 (1936) 15; 20 (1946) 149; 21 (1947) 98; 27 (1953) 98. — Atesia Augusta, 1939 Nr 3; 1940 Nr 12; 1942 Nr 10. — Dolomiten, 1935 Nr 108; 1947 Nr 290, 296, 299; 1949 Nr 219; 1950 Nr 70, 125, 153, 295; 1951 Nr 41, 54; 1952 Nr 73, 211, 215; 282. — Bozner Tagblatt, 1944 Nr 174. — Innsbr. Nachr., 1944 Nr 165. — Tir. Tagesztg, 1946 Nr 165, m. Abb.; Nr 295, Beibl. m. Abb. — Alto Adige, 1.6.1950. — Il Pommeriggio, 12. 5. 1950. — Osservatore Romano, 1950 Nr 125. — D. Münster, 1 (1947/48) 105, m. Abb. — Tir. Nachr., 1951 Nr 52; 1952 Nr 222. *J. R.*

Delagrange, Léon, franz. Bildhauer, * 13. 3. 1872 Orleans, † 4. 1. 1910 Croix-d'Hains.

Schüler von Barrias u. Ch. Vital-Cornu.

Lit.: Th.-B., 8 (1913). — Bénézit, [2] 3 (1950). — L'Art décor., 1904/II p. 153/56, m. Abb.

Delahunt, Jennie, engl. Modelleurin, * 16. 4. 1877 Hanley, ansässig in Haverbreaks, Lancaster.

Stud. an der Kunstsch. in Manchester. Kriegerdenkmal für Westfield.

Lit.: Who's Who in Art, [3] 1934.

Delalain, Henriette, franz. Genre- u. Porträtmalerin, * 20. 4. 1885 Paris, ansässig ebda.

Schülerin von Baschet u. Royer. Stellt seit 1908 im Pariser Salon der Soc. d. Art. Franç. aus (Kat. z. T. m. Abbn).

Lit.: Joseph, 1. — Bénézit, [2] 3.

Delamain, Eugène, franz. Pastellmaler u. Lithograph, * 25. 1. 1874 Vert-le-Petit (Seine-et-Oise), fiel am 9. 10. 1914 bei Arras.

Schüler von L. Chevillard u. Bertrand. Stellte 1897 ff. im Salon der Soc. d. Art. Franç. aus.

Lit.: Joseph, 1. — Livre d'Or d. peintres expos. etc., Paris 1921, p. XVI. — Bénézit, [2] 3.

Delamarre, Raymond, franz. Figurenbildhauer, * 8. 6. 1890 Paris, ansässig ebda.

Schüler von Coutan. Erster Rompreis 1919. Gold. Med. auf der Expos. d. Arts décor., Paris 1925. Mitgl. der Soc. d. Art. Franç. Stellte auch im Salon des Tuileries u. im Salon d'Automne aus. — Marmorstatue: Susanna, im Petit Palais in Paris. Kolossalfiguren (Granit) für das Denkmal der Verteidigung des Suezkanals in Ismailie (Unterägypten).

Lit.: Joseph, 1. — Bénézit, [2] 3 (1950). — Art et Décor., 23 (1919), Chron., Nov.-Heft, p. 4; 1923/II, Chron., Febr.-H. p. 3, m. Abb.; 1928/II, Chron. Nov.-H. p. 1, m. Abb. — Gaz. d. B.-Arts, 1925/II 30 (Abb.) — Revue de l'Art anc. et mod., 52 (1927/II) 316 (Abb.); 60 (1931/II), Bull. p. 245 (Abb.); 66 (1934/II), Bull. p. 291 (Abb.), 292. — Bull. de l'Art, 1928, p. 429 (Abb.). — Beaux-Arts, 8 (1930) Nr 11, p. 20 (Abb.); 9 (1931) Juni-Heft, p. 14 (Abb.); Nr 332 v. 12. 5. 1939 p. 3 (Abb.). — L'Architecture, 1931, p. 69/71, m. 4 Abbn.

Delamarre de Monchaux, Marcel, franz. Landschaftsmaler, * 18. 4. 1876 Paris, ansässig in Issy-les-Moulineaux (Seine).

Lit.: Schüler von J. Triquet. Mitgl. der Soc. d. Art. Franç. (Salonkat. z. T. mit Abbn). Malte mit Vorliebe in Brügge.

Lit.: Joseph, I. — L'Expansion belge, 1912, p. 189/92, m. 2 Abbn. — Bénézit, [2] III.

Delamotte, Jean Paul, franz. Landschaftsmaler, * Marly-la-Ville (Seine-et-Oise), ansässig in Paris.

Schüler von E. Romanet. Stellt seit 1900 im Salon der Soc. d. Art. Franç. aus.

Lit.: Joseph, 1. — Bénézit, [2] 3.

Delandre, Robert, franz. Bildhauer, * 6. 10. 1879 Elbeuf (Seine-Inf.), ansässig in Paris.

Schüler von Falguière, Mercié u. Puech. Seit 1909 Mitgl. der Soc. d. Art. Franç. Hauptsächlich Denkmal- u. Porträtplastiker. Kriegerdenkmäler u. a. in La Fère-Champenoise, Berentin u. Saint-Etienne-du-Rouvray. Denkmal der Fremdenlegion in Algier. Büste des Erzbischofs von Rouen, Bois de la Ville rabel (Marmor), im Erzbisch. Palais in Rouen.

Lit.: Joseph, 1. — Bénézit, [2] 3.

Delanglade, Charles Henri, franz. Genrebildhauer, * 26. 5. 1870 Marseille, ansässig ebda.

Schüler von Barrias. Mitgl. der Pariser Soc. d. Art. Franç., beschickte deren Salon 1895 bis 1910.

Lit.: Joseph, 1. — Bénézit, [2] 3.

Delannoy, Maurice, franz. Bildhauer u. Medailleur, * 11. 3. 1885 Paris, ansässig ebda.

Schüler von Valton u. Roiné. Mitgl. der Soc. d. Art. Français.

Lit.: Forrer, 7 u. 8. — Canale. — Joseph, 1. — Demareteion, 2 (1936) 52/54 passim, m. Abb. — Revue de l'Art anc. et mod., 66 (1929) 130 (Abb.), 133 Abb.); 70 (1936) 183. — Aréthuse, 6 (1930), Chron. p. XXXI, Abb. — Bénézit, [2] 3.

Delannoy, Pierre François Fernand, franz. Bildhauer, * 6. 4. 1897 Paris, ansässig ebda.

Schüler von Injalbert. Hauptsächlich dekor. Bauplastik. Mitgl. der Soc. d. Art. Franç. Stellte gelegentlich auch im Salon d'Automne aus. Skulpturenschmuck des Rathauses in Cambrai; Gefallenendenkmal in Masnières (Nord).

Lit.: Joseph, 1. — Bénézit, [2] 3.

Delano, Annita, amer. Malerin, * 2. 10. 1894 Hueneme, Calif., ansässig in Los Angeles.

Stud. an der Univ. of Calif. in Los Angeles. Im dort. Mus.: Mädchen aus den Red Rocks.

Lit.: Amer. Art Annual, 30 (1933). — Who's Who in Amer. Art, I: 1936/37. — Art News, 51, Okt. 1952, p. 64.

Delano, William Adams, amer. Architekt, * 1874, ansässig in New York.

Stud. an der Yale Univ. u. an d. Ec. d. B.-Arts in Paris. 1903/10 Zeichenprof. an der Columbus Univ. — Hauptbauten: Haus der Amer. Gesandtschaft in Paris; Postgeb. u. Haus der Japan. Gesandtschaft in Washington.

Lit.: The Internat. Who's Who, [16] 1952. — Amer. Art Annual, 27 (1930) 19, Abb. geg. p. 312. — Art Index (New York), Okt. 1944/Okt. 1950.

Délano Frederick, Jorge, chilen. Karikaturist, * 4. 12. 1895 Santiago, ansässig ebda.
Künstler. Direktor der Tageszeitung „La Nación". Herausgeber d. satirisch. Zeitschr. „Topaze".
Lit.: Who's Who in Latin America, 1935.

Delapchier, Louis, franz. Genrebildhauer, bes. Kleinplastiker, * Saint-Denis, ansässig in Paris.
Schüler von Rolard u. Gauquié. Mitglied der Soc. Nat. d.B.-Arts, beschickt deren Salon seit 1921. Stellte vordem (1909 ff.) im Salon der Soc. d. Art. Franç. aus.
Lit.: Joseph, 1. — Bénézit, ² 3.

Delaporte, Eugène, franz. Landsch.- u. Interieurmaler, * Versailles, ansässig ebda.
Figürliches, Landschaften. Stellt seit 1921 im Salon der Soc. Nat. d. B.-Arts aus.
Lit.: Joseph, I.

Delaporte, Madeleine, franz. Bildnisminiatur-Malerin, * Angers, ansässig in Neuilly-sur-Seine.
Schülerin von Mlle Bougleux u. Mlle Fèvrier. Mitgl. d. Soc. d. Art. Franç., beschickt deren Salon seit 1926.
Lit.: Joseph, I. — Bénézit, ² III.

Delarbre, Léon, franz. Bildnis-, Stilleben- u. Landschaftsmaler, * 30. 10. 1889 Massevaux (Haut-Rhin), ansässig in Belfort.
Schüler von R. Collin. Mitgl. der Pariser Soc. d. Art. Franç. (Salonkat. z. T. mit Abbn). Konservator des Mus. in Belfort. Ein Stilleben ebda.
Lit.: Joseph, 1. — Bénézit, ² 3.

Delaroche, Hélène Marie Louise, franz. Genremalerin, * Etiolles (Seine-et-Oise), ansässig in Paris.
Schülerin von J. P. Laurens u. Roger. Mitgl. der Soc. d. Art. Franç., beschickt deren Salon seit 1928. Hauptsächlich biblische Motive (Passion).
Lit.: Joseph, I.

Delaroche, Marguerite, franz. Miniaturmalerin, * 1. 6. 1873 Brunoy (Seine-et-Oise), ansässig in Paris.
Schülerin von Mme Debillemont-Chardon, Baschet, Doucet u. G. Cain. Bildnisse u. Genre. Stellt seit 1892 im Salon der Soc. d. Art. Franç. aus.
Lit.: Joseph, I. — Chron. d. Arts, 1901, p. 35.

Delaroche, Paul Charles, franz. Zeichner, * 15. 8. 1886 Aubigné (Sartne), fiel in der Marneschlacht am 7. 9. 1914.
Zeichnete für die „Revue Théâtrale", die „Lectures pour Tous", den „Monde Illustré" u. „Théâtre à Paris".
Lit.: Livre d'Or d. peintres expos. etc., Paris 1921, p. XVI ff., m. Abbn.

Delarue-Maigret, Yvonne, franz. Landschafts- u. Blumenmalerin, * Paris, ansässig ebda.
Schülerin von Laurent Desrousseaux.
Lit.: Joseph, 1. — Bénézit, ² 3.

Delarue-Mardrus, Lucie, franz. Dichterin, Romanschriftst. u. Bildhauerin, * 3. 11. 1884 Honfleur (Calvados), † 1940.
Stellte in den 1930er Jahren im Salon der Soc. Nat. einige Figuren von Tänzerinnen aus.
Lit.: Bénézit, ² 3 (1950).

Delatousche, Germain, franz. Landsch.- u. Vedutenmaler u. Illustr., * 27. 8. 1898 Châtillon (Eure-et-Loir), ansässig in Paris.
Stellt seit 1920 bei den Indépendants, seit 1925 auch im Salon d'Automne aus. Begründer der Künstlergruppe: Les Compagnons.
Lit.: Joseph, I. — Beaux-Arts, 6 (1928) 60 f., m Abb.; Nr v. 15. 3. 1946 p. 2 (Abb.). — Revue de l'Art anc. et mod., 70 (1936) 188 (Abb.). — Bénézit, ² 3.

Delattre, Mathilde, franz. Genremalerin (Öl u. Aquar.), * 10. 4. 1871 Kairo, von franz. Eltern, ansässig in Paris.
Schülerin von Saintpierre, Humbert u. H. E. Delacroix. Seit 1902 Mitgl. der Soc. d. Art. Franç. Bild im Mus. Semur.
Lit.: Th.-B., 8 (1913). — Joseph, 1. — Bénézit, ² 3. — The Studio, 89 (1925) 324 (Abb.).

Delattre, Thérèse, franz. Bildhauerin u. Medailleurin, * Paris, † nach 1930 ebda.
Schülerin von Hegel, Mme Bertaux u. Vasselot. Mitgl. der Soc. d. Art. Franç., beschickte deren Salon seit 1879. Erscheint in deren Mitgliedlisten noch 1930. Hauptsächlich Bildnisbüsten u. Medaillons.
Lit.: Th.-B., 8 (1913). — Joseph, 1.

Delaunay, Claude, franz. Maler u. Illustr., * 16. 7. 1915 La Ferrière (Vendée), ansässig in Paris.
Stud. an d. Kunstsch. in Nantes, dann an d. Acad. Julian in Paris u. bei Brianchon, Legueult u. Oudot an d. Ec. Nat. d. Arts Décor. Seit 1939 Soldat, Kriegsgefangener, nach Freilassung Zeichenprof. an d. Militärsch. von Saint-Maixent. Stellt seit 1948 im Salon d. Indépendants aus. Illustr. zu F. Villon, Th. Gautier, Al. Dumas, Verlaine u. a.
Lit.: Bénézit, ² 3 (1950).

Delaunay, Louis, franz. Landschafts- u. Marinemaler, * Paris, ansässig ebda.
Stellt seit 1928 bei den Indépendants aus.
Lit.: Joseph, I. — D. Cicerone, 18 (1926) 365.

Delaunay, Paul, amer. Maler u. Bildhauer, * 19. 10. 1883 Paris, ansässig in Birmingham (Alabama).
Schüler von J. P. Laurens, B. Constant, Gérôme, Bonnat, Frémiet u. C. David. Direktor der Kstakad. in Birmingham.
Lit.: Bénézit, ² 3 (1950).

Delaunay, Pierre, franz. Bildnis- u. Landschaftsmaler, * 8. 4. (Joseph: 8.) 1870 Champtocé (Maine-et-Loire), fiel am 7. 6. 1915.
Schüler von Bonnat u. Harpignies. 2 Jahre in Rom.
Lit.: Joseph, I. — Ginisty, 1916, p. 19ff. — Livre d'Or d. Peintres expos. etc., 1921, p. XVIII. — Revue de l'Anjou, 1918, p. 349/58. — Art et Décor., 23 (1919) Nov./Dez.-Heft, p. 8f.

Delaunay, Robert, franz. Maler u. Lithogr. * 12. 4. 1885 Paris, † Dez. 1941 ebda. Gatte der Folg.
Ausbildung in einem Dekorations-Atelier. Beschickte seit 1910 den Salon der Soc. d. Art. Indépendants. Gewann Fühlung mit der 1911 von Kandinsky u. Franz Marc begründeten Münchener Künstlergruppe „Der Blaue Reiter". 1914/20 in Spanien u. Portugal, dann wieder in Paris. Malte die Landschaft von Paris u. Bildnisse. Konsequenter Kubist, der das mathematisch-abstrakte Prinzip so weit treibt, daß er die Farbfläche in gleichmäßig aufgeteilte kleine Quadrate zerlegt. — Bilder im Schloßmus. in Mannheim (Inneres von St. Severin in Köln, im Mus. in Göteborg (Eiffelturm in Paris), im Kstmus. in Basel (Eiffelturm) u. im Instit. in Minneapolis (St. Severin). — Graph. Folge: Allo! Paris! (20 Lith.), Paris 1926. — Gedächtn.-Ausst. Okt. 1951 in d.Ksthalle in Zürich.
Lit.: Der Blaue Reiter, ² 1914, p. 48/52, m. 2 Abbn. — Salmon, 1912, p. 15, 28, 52/54, 56, 58, 101. — Küppers. — Walden. — Roh. — Einstein. — Joseph, 1. — Raynal. — Bénézit, ² 3 (1950). —

Dtsche Kst u. Dekor., 31 (1912/13) 522f. — Dial, 73 (1922) Nr 5, Abb. vor p. 473. — Jahrb. d. Jungen Kst, 3 (1922) 254 (Abb.). — Zeitschr. f. bild. Kst, 60 (1926/27) 123. — Maandbl. v. beeld. Kunsten, 6 (1929) 279 (Abb.). — Art et Décor., 1935, p. 93/98, m. 12 Abbn. — Beaux-Arts, Nr 233 v. 18. 6. 1937, p. 3 (Abb.); Nr 235 v. 2. 7. 1937, p. 8; Nr v. 26. 7. 1946, p. 8, m. Abb.; Nr v. 20. 12. 1946, p. 1. — D. Kstwerk, 1 (1946–47) H. 8/9 p. 53, m. Abb. — D. Kst u. d. schöne Heim, 48 (1949) Heft 1 p. 5, m. Abb. — Kat. Ausst. Der Blaue Reiter: münchen und die kunst des 20. jhr's, München, Haus der Kst, 1949, m. 2 Abbn. — The Art Digest, 22, Nr v. 1. 11. 1947, p. 10; 23, Nr v. 1. 1. 1949, p. 10; 27, Nr v. 1. 11. 1952, p. 13. — The Art News, 45 (1947) Febr.-H. p. 36; 47 (1949) Jan.-H. p. 44; 50 (1951) Nov.-H. p. 18 (Abb.); 52 (1953) März-H. p. 27 (Abb.). — Aufbau, 6 (1950) 466 (Abb.). — D. Werk (Zürich), 38 (1951), Beibl. p. 129, m. Abb.

Delaunay-Terk, Sonia (Ssonja), russ.-franz. Malerin (Öl u. Aquar.) u. Entwurfzeichnerin für Kstgewerbe, bes. für Textilien, * Rußland, ansässig in Paris. Gattin des Vor.

Stellt seit 1914 bei den Indépendants aus. 1920 Sonderausst. im Salón Mateu in Madrid. Malte in der Art ihres Gatten.

Lit.: A. Lhote, S. D. Ses peintures, ses objets, ses tissus, Paris 1925, 12 SS., 20 Taf. — Joseph, I. — Françés, 1920 p. 392/94, m. Fotobildn. p. 391. — Kst u. Ksthandwerk (Wien), 16 (1913) 600. — D. Cicerone, 18 (1926) 365. — Art et Décor., 30 (1926), Nov.-H., p. 133 (Abb.), 139, 142ff., m. Abbn. — Beaux-Arts, Nr v. 23. 7. 1948, p. 6 (Abb.). — D. Weltkst, 23 (1953) Nr 12, p. 9, m. 4 Abbn.

Delaunois, Alfred, belg. Maler, Rad. u. Lithogr., * 9. 6. 1876 Saint-Josse-ten-Oode (Brüssel), † 1941 Löwen.

Schüler der Akad. Löwen u. C. Meunier's. Landschaften, Stadtansichten, Interieurs (bes. von Kirchen), Figürliches, Bildnisse. Malt in Öl, Pastell u. Aquarell und in einer sehr wirksamen, aus Ölmalerei, Aquarell u. Kohlezeichnung kombinierten Technik. Direktor der Akad. Löwen. Bilder in allen bedeutenderen öff. Museen Belgiens; im Ausland u. a. im Luxembourg-Mus. in Paris, im Mus. Revoltella in Triest u. im Mus. in Buenos Aires.

Lit.: Th.-B., 9 (1913). — Seyn, I, m. Fotobildn. — Pol de Mont. — Marlier, 87f. — Durendal, 1913 p. 741ff. — La Belgique artist. et littér., 1914 p. 83ff. — L'Expansion belge, 1914 p. 58f., 244/51, m. 8 Abbn. — Van onzen Tyd, 14 (1914) 357/63, m. 3 Abbn. — La Renaiss. de l'Art franç., 2 (1919) 268 (Abbn). — Gand artist., 1927 p. 97/100, m. 1 Taf. — Elsevier's geïll. Maandschr., 1914/I 452/58. — Revue de l'Art anc. et mod., 51 (1927), Suppl. p. 93 (Abb.). — Vita d'arte, 11 (1913) 188ff., 191/93.

Delauzières, André, franz. Landsch.-, Figuren- u. Bildnismaler, * 1904 Paris, † 1941 ebda.

Schüler von L. Simon. Stellte 1929ff. im Salon der Soc. d. Art. Franç. (Kat. z. T. mit Abbn), 1927ff. auch bei den Indépendants aus.

Lit.: Joseph, 1. — Bénézit, [2] 3.

Delavallée, Jean, franz. Tierbildhauer, * 22. 4. 1887 Marlotte (Seine-et-Marne), ansässig in Paris.

Schüler von V. Peter u. Injalbert. Stellt seit 1909 im Salon der Soc. d. Art. Franç. aus.

Lit.: Joseph, 1. — Bénézit, [2] 3.

Delavallée, Justin, franz. keram. Zeichner, * 1879 Le Grand-Lucé (Sarthe), † 12. 6. 1916 Montmédy.

Seit 1902 an der Manufaktur in Sèvres beschäftigt.

Lit.: Ginisty, 1919, p. 148f.

Delavaud, Germaine, franz. Bildnis- u. Genremalerin, * 23. 10. 1903 Paris, ansässig ebda.

Schülerin von J. P. Laurens, Roger u. Mlle Hurel. Stellt seit 1926 im Salon der Soc. d. Art. Franç. aus (Kat. z. T. mit Abbn).

Lit.: Joseph, I.

Delavier, Maurice, franz. Landsch.- u. Blumenmaler u. Illustr., * Paris, ansässig ebda.

Stellt seit 1925 im Salon der Soc. d. Art. Franç. aus. Illustr. zu: Andersen, La Reine des Neiges (Ed. P. Duval, Elbeuf).

Lit.: Joseph, 1. — Bénézit, [2] 3.

Delavilla, Franz K. (Prof.), öst. Maler, Bühnenbildner, Kstgewerbler u. Graph., * 6. 12. 1884 Wien, ansässig in Frankfurt a. M.

Stud. in Wien an der Fachsch. f. Textilindustrie u. an der dort. Kstgewerbesch. 1907 Lehrer an der Magdeburger Kstgewerbesch., 1909 Berufung nach Hamburg, 1913 nach Frankfurt als Lehrer der Graphikabteilung an der Städel-Kstschule. Entwürfe für Wandgemälde, Schmuck, Silbergerät, Wandteppiche usw. Lith.: Dame in Schwarz; Totentanz.

Lit.: Th.-B., 9 (1913). — Dreßler. — A. Soergel, Dichtung u. Dichter der Zeit. N. F. Im Banne des Expressionismus, Lpzg 1925, p. 168 (Abb.), 699 (Abb.), 701 (Abb.).

Delavoipierre, Philippe Alfred, franz. Blumen-, Früchte- u. Stillebenmaler, * Chartres, ansässig in Paris.

Schüler von Bergeret. Seit 1892 Mitgl. der Soc. d. Art. Franç.

Lit.: Th.-B., 9 (1913). — Joseph, 1.

Delavrancea-Dona, N., rumän. Landsch.- u. Blumenmalerin, * 1890 (Bukarest ?).

Stud. bei Ip. Strâmbulescu an der Kunstsch. in Bukarest, 1914 in Paris bei L. F. Biloul u. E. Stoenescu. Einige Bilder u. Zeichngn im Mus. Toma Stelian in Bukarest (Kat. 1939 p. 64).

Delaw, Georges, franz. humorist. Zeichner, Buchillustr., Bühnenbildner u. Schriftst., * 1874 Sedan, † 8. 12. 1929 Paris.

Mitarbeiter am „Matin", „Journal", „Rire", „Ecole de Paris" u. and. Blättern. Ausmalungen von Kinderzimmern, Speisesälen usw. Bühnenbilder für das Théâtre des Arts. — Buchillustr.: M. A. Fischer, Camembert-sur-Ourcq; A. France, La Comédie de celui qui épousa une femme muette; F. Jammes, Le Roman du Lièvre; Andersen, Contes, usw. — Kinderalben: Chansons de France; Till l'espiègle; Jean de la lune; Histoires de Brigands, usw.

Lit.: Joseph, 1, m. Abb. — Bénézit, [2] 3. — R. Druart, E. Faure u. P. Lièvre, G. D., l'imagier de la reine, Mézières 1936. — Flandre artiste, 1909, p. 133/37. — L'Art décor., 28 (1912) 202ff., Abbn. — Emporium, 39 (1914) 208 (Abb.).

Delaye, Alice, franz. Landschafts-, Genre-, Bildnismalerin u. Plakatzeichnerin, * 22. 6. 1884 Le Parc-Saint-Maur (Seine), ansässig in Paris.

Schülerin von J. P. Laurens, Royer u. Schommer. Mitgl. der Soc. d. Art. Franç. (Salon-Kat. z. T. mit Abbn).

Lit.: Joseph, 1. — Bénézit, [2] 3.

Delazzer, Peter, tirol. Bildhauer, Schnitzer, Graveur, Faßmaler, * Buchenstein, † 30. 8. 1929 Hall i. T.

Gravierte Pulverhörner, Geweihe, Griffe u. a. nach Motiven der Kleinmeister, fälschte oder verfälschte gotische Möbel durch Flachschnittdekorationen. Schnitzte Masken in Anlehnung an ostasiat. Vorbilder (Wien, Volkskundemus.; München, Bayer. Nat.-Mus.; Innsbruck, Tir. Volkskstmus.). *J. R*

Delbœuf, Lucie, franz. Lithographin, * 23. 6. 1878 Isle-Adam (Seine-et-Oise).

Schülerin von P. Maurou. Stellte 1897 ff. im Salon der Soc. d. Art. Franç. aus.

Lit.: Joseph, 1. — Bénézit, [2] 3.

Delbos, C. Edmund, engl. Landschaftsmaler (Öl u. Aquar.), * 1879 London, ansässig in Grosse Point, Mich.

Kollektiv-Ausst. Mai 1912 in London, Brook-Street 14. Im Instit. of Arts in Detroit, Mich., eine Mondscheinlandschaft.

Lit.: Amer. Art Annual, 30 (1933). — The Standard (London), 13. 5. 1912.

Delbos, Julius, engl. Landschaftsmaler, (Öl u. Aquar.), * 22. 7. 1879 London, ansässig in New York.

Kollektiv-Ausstellgn Nov. 1923 in der Macbeth Gall. in New York, Dez. 1944 in der Gal. Kleemann, ebda, April 1948 in den Ferargil Gall. ebda. Vertreten im Mus. in Toledo, Ohio.

Lit.: Amer. Art Annual, 30 (1933). — Who's Who in Amer. Art, I: 1936/37. — Monro. — The Art News, 22, Nr 7 v. 24.11.1923, p. 4; 43, Nr v. 15.12.1944, p. 20; 48, Dez. 1949, p. 58. — Museum News, Toledo Mus. of Art, 1938, Nr 84 p. [12]. — Art Digest, 17, Juni 1943, p.31; 19, Nr v. 15.12.1944, p.15, m.Abb.; 22, Nr v. 1. 4. 1948, p. 20 (Abb.); 24, Nr v. 1. 12. 49, p. 20 (Abb.). — Pictures on Exhib., 6, Dez. 1944, p. 25 (Abb.).

Delbridge, Thomas James, amer. Maler (Öl u. Aquar.), Rad. u. Kstgewerbler, * 16. 9. 1894 Atlanta, Ga., ansässig ebda.

Schüler von Ch. Hawthorne. Landschaften, Stilleben. Bilder im Mus. in Atlanta u. im Bes. der Tiffany Foundation.

Lit.: Amer. Art Annual, 27 (1930) 521; 30 (1933). — Who's Who in Amer. Art, I: 1936/37.

Delbrouck, Louis, franz. Landschaftsmaler u. Bildhauer, * Paris, ansässig ebda.

Schüler von J. Thomas. Seit 1891 Mitglied der Soc. d. Art. Franç., beschickte deren Salon bis 1912.

Lit.: Bénézit, [2] 3 (1950).

Delcour, Pierre, belg. Figuren- u. Landschaftsmaler, * 1884 Verviers.

Autodidakt. Hauptsächl. Motive aus den Ardennen, aus Brabant u. der Provence.

Lit.: Seyn, I, mit Fotobildn.

Delcour-Guignard, Marcelle, franz. Bildhauerin, * Cointrin (Kt. Genf), von franz. Eltern, ansässig in Paris.

Schülerin von Ségoffin. Mitgl. der Soc. d. Art. Franç. (Salon-Kat. z. T. mit Abbn). Hauptsächl. Porträtbüsten.

Lit.: Joseph, 1. — Bénézit, [2] 3.

Delcourt, Maurice, franz. Maler u. Illustr. fiel am 26. 12. 1916 am Toten Mann.

Stellte 1899 ff. im Salon der Soc. Nat. d. B.-Arts aus. Illustr. zu C. Mauclair, „Les Camelots de la Pensée" (1902) u. zu J. de Tinan, „Erythrée" (1902). Farbige Rad., Holzschnitte, Kaltnadelblätter.

Lit.: Joseph, 1. — Bénézit, [2] 3 (1950). — Ginisty, 1919, p. 51. — D. Graph. Kste (Wien), 24 (1901), Beibl.: Mitteil. d. Ges. f. vervielf. Kst, p. 50; 27 (1904) desgl. p. 22.

Delcroix, Reine, franz. Genre- u. Landschaftsmalerin, * Pont-de-Veyle (Ain), ansässig in Paris.

Stellte 1923 ff. bei den Indépendants aus.

Lit.: Joseph, 1. — Bénézit, [2] 3.

Delcus, Louis, franz. Landschaftsmaler (Öl u. Aquar.), * Lillers, ansässig in Paris.

Seit 1898 Mitgl. der Soc. d. Art. Franç.

Lit.: Bénézit, [2] 3 (1950).

Delden, Carl, schwed. Landschaftsmaler, * 1906 Söderköping, ansässig in Stockholm.

Lit.: Thomœus.

Delécluse, Eugène, franz. Maler u. Radierer, * 5. 8. 1882 Paris, ansässig ebda.

Schüler von Cormon, Delance, A. Delécluse, E. Renard u. Waltner. Stellte 1903/14 im Salon der Soc. d. Art. Franç. aus.

Lit.: Joseph, 1. — Bénézit, [2] 3. — Beaux-Arts, Nr v. 25. 4. 1947 p. 1 (Abb.).

Delecosse-Heyninx, Marguerite, belg. Aquarellmalerin, * 1871 Ypern.

Blumen, Interieurs, Landschaften.

Lit.: Seyn, I.

Delétang, Robert, franz. Maler (Öl u. Aquar.), * 24. 2. 1874 Preuilly-sur-Claise (Indre-et-Loire), ansässig in Saint-Cloud-Côteaux (Seine-et-Oise).

Schüler von Boulanger, J. Lefebvre u. T. Robert-Fleury. Hauptsächlich spanische u. baskische Volkstypen in kraftvoller realist. Auffassung. Stellte 1902 ff. im Salon der Soc. Nat. d. B.-Arts aus. Beschickte 1921 ff. den Salon d'Automne. Bilder u. a. im Petit-Palais in Paris, im Mus. Victor Hugo ebda u. in den Museen in Argentan, Lyon, Nantes, Pau u. Reims.

Lit.: Th.-B., 9 (1913). — Joseph, 1, m. 2 Abbn, dar. Selbstbildn. — Bénézit, [2] 3 (1950). — Beaux-Arts, Nr 94 v. 19. 10. 34, p. 4, m. 2 Abbn; Nr 252 v. 29. 10. 1937, p. 2 (Abb.); Nr 307 v. 18. 11. 1938, p. 8 (Abb.); Nr v. 19. 7. 1946, p. 5 (Abb.).

Delétang-Tardif, Yanette, franz. Malerin, Illustr. u. Dichterin, * 18. 6. 1908 Roubaix.

Schülerin von L. Simon. Stellte 1928/29 im Salon d'Automne aus. Illustr. zu zahlr. Aufsätzen über das Zirkusleben

Lit.: Bénézit, [2] 3 (1950).

Delettre, Louis Arthur Gustave, franz. Architekturmaler, * Saint-Loup-de-Fribois (Calvados), ansässig in Rennes.

Stellte 1927 ff. im Salon der Soc. d. Art. Franç. aus.

Lit.: Bénézit, [2] 3 (1950).

Deleuran, Thorvald, dän. Figurenmaler, * 18. 4. 1877 Fredericia.

Stellt seit 1913 auf Charlottenborg aus.

Lit.: Krak's Blaa Bog, 1936.

Delfosse, Georges, kanad. Maler, † 1939 Montreal, Can.

Lit.: Mallett. — N. Mac Tavish, Fine Arts in Canada, Toronto 1925.

Delfosse, Joseph, belg. Radierer, * 1888 Bellaire (Lüttich), ansässig in Reims.

Schüler von A. de Witte u. Maréchal. Stellte 1924 ff. bei den Indépendants in Paris aus.

Lit.: Seyn, I.

Delfs, Hans Christian, dtsch. Bildnis-, Genre- u. Landschaftsmaler, * 26. 3. 1882 Kellinghusen, Holst., ansässig ebda.

Stud. an den Kstgewerbesch. in Hamburg u. Karlsruhe u. an den Akad. Düsseldorf u. München. Herrenbildnis in der Städt. Smlg in Kellinghusen.

Lit.: Dreßler.

Delft, Jan (Joh. Petrus) van, holl. Maler, * 6. 9. 1879 Waalwijk, lebt in Tilburg.

Schüler von Molkenboer. Bildnisse, Blumenstücke, Landschaften, Stilleben.

Lit.: Waay. — Holl. Express, 9 (1916) 28/33.

Delft, Theo (Theodorus Maria) van, holl.

Maler u. Bildh., * 21. 8. 1883 Waalwijk, ansässig ebda.

Schüler von P. Slager in Herzogenbusch. Hochzeitsbild im Trauungszimmer des Rathauses in Waalwijk.

Lit.: Waay. — Opgang. geïll. Weekblad, 12 (1932) 273/79. — Kat. Tentoonst. van werken Th. v. D. georganiseerd door Waalwijks Belang. Met Voorwoord van Ger. van Imbeeck, Waalwijk 1946, m. 6 Abbn.

Delft, Theodorus Josephus van, holl. Maler, * 11. 12. 1914, ansässig in Waalwijk.

Schüler von Joh. van Delft in Tilburg u. von Cees Bolding an der Haager Akad.

Lit.: Waay.

Delgado Ramos, Guillermo, span. Genre- u. Marinemaler, * Málaga, ansässig in Madrid.

Schüler von E. Ocón an der Kunstsch. in Málaga.

Lit.: A. Canovas, Apuntes para un Dicc. de pint. malagueños del siglo XIX, 1908. — Cat. Expos. Nac. de Pint. etc., 1910.

Delgado y Brackeburi, Manuel, span. Porträtbildhauer, * Sevilla, ansässig ebda.

Ehrenvolle Erwähnung auf der Expos. Nac. Madrid 1904. Denkmal für die gefallenen Flieger in Madrid (1918).

Lit.: Cat. Expos. Nac. de Pint. etc., Madrid 1912, p. 82.

Delgado, Nicolás, ekuador. Maler u. Industrieller, * 2. 6. 1890 Quito, ansässig ebda.

Stud. in Rom. Prof. für Malerei an der Kstschule in Quito (1918/26) u. für Malerei u. Gesch. der Kolonialkst am dort. Nat.-Inst. (1926/34). Im Stadtpalast in Guayaquil: Simon Bolívar (Befreier Südamerikas von der span. Herrschaft); im Stadtpalast in Quito: Marschall Sucre (Sieger von Ayacucho 1824).

Lit.: Who's Who in Latin America, 1935.

Delgobe-Deniker, Marguerite, franz. Malerin, * Paris, ansässig ebda.

Stellt seit 1914 im Salon der Soc. Nat. d. B.-Arts, bei den Indépendants u. im Salon d'Automne aus. Im Musée Guimet in Paris: Begräbnis in China.

Lit.: Bénézit, [2] 3 (1950).

Delhez, Victor, belg. Graphiker der Gegenwart, ansässig in Buenos Aires, Argentinien.

Lit.: F. Díaz de Medina, El arte nocturno de V. D., Buenos Aires 1938, m. Abbn. — Gaz. d. B.-Arts, 1939/I 262.

Delhias, Ambroise, franz. Bildnis-, Genre- u. Landschaftsmaler, * Huismes (Indre-et-Loire), ansässig in Paris.

Stellt seit 1925 bei den Indépendants aus.

Lit.: Joseph, 1. — Bénézit, [2] 3.

Delhomme, Pierre Albert, franz. Landschaftsmaler, * Paris, ansässig in La Varenne.

Stellt seit 1923 bei den Indépendants in Paris aus.

Lit.: Joseph, 1. — Bénézit, [2] 3 (2 ×).

Delhommeau, Charles, franz. Tierbildhauer, * 21. 3. 1883 Paris.

Seit 1913 Associé, seit 1932 Mitglied der Soc. Nat. d. B.-Arts.

Lit.: Bénézit, [2] 3 (1950).

Deli, Antal, ungar. Maler.

Beeinflußt von Istvan Szőnyi.

Lit.: Szendrei-Szentiványi. — Kállai.

Delitala, Mario, sard. Maler u. Holzschneider, * 17. 9. 1887 Orani (Nuoro), lebt in Sassari.

Autodidakt. Dekorationen u. a. im Pal. comun. in Nuoro, in d. Kirche in Lanusei, in d. Aula der Univ. in Sassari u. im Dom in Alghero.

Lit.: Comanducci. — Chi è?, 1940. — Die Graph. Kste (Wien), 56 (1933) 69, 70 (Abb.). — Emporium, 84 (1936) 54. — The Studio, 95 (1928) 370, 371, m. Abb. u. 1 ganzs. Abb. — Kat. d. VI Quadriennale Rom 1951/52, m. Abb.

Delitsch, Hermann, dtsch. Maler u. Schriftkstler (Prof.), * 4. 2. 1869 Leipzig, † 24. 3. 1937 ebda.

Stud. bei C. Weichardt an der Leipz. Akad., an der er seit 1900 lange Zeit als Lehrer wirkte. Weitergebildet bei Rud. von Larisch in Wien. Handgeschriebene Bücher, Initialen, Wandsprüche, Titel, Bucheinbände usw. Schöpfer der Delitsch-Antiqua u. Schwabacher. Buchwerk: Umgang mit Buchstaben, 1931; Geschichte der abendländ. Schreibschriftform, 1928.

Lit.: Dreßler. — Kstgewerbebl., 22 (1910/11) 194 f. — Leipz. N. Nachr. v. 25. 3. 1937.

Delitz, Leo, öst. Maler u. Holzschneider, ansässig in Wien.

Mitglied d. Kstlerhauses. Hauptsächlich Porträtist. Feine, weiche, grausilbrige Farbtöne. In d. Mod.Gal. d. 20. Jahrh.s (Orangerie) in Wien: Singende Kinder.

Lit.: Hellweg, 2 (1922) 1006. — D. bild. Kste (Wien), 4 (1921) 165 (Abb.), 166. — Öst. Kst, 1 (1929–30) H. 6, p. 27 (Abb.); 3 (1932) H. 6, p. 6 (Abb.); 7 (1936) H. 5, p. 8 f., m. 4 Abbn. — Velhagen & Klasings Monatsh., 44/I (1929/30), farb. Abb. p. 66, 71 f. — Daheim, 66. Jg, Nr 14 v. 2. 1. 1930, Tafel-Abb.

Dell'Antonio, Cyrill, s. *Antonio,* C. Dell'.

Delling, Otto, dtsch. Maler, Zeichner u. Holzschneider, * 27. 2. 1884 Kohren, ansässig ebda.

Schüler von M. Seliger in Leipzig, dann der Kstgewerbesch. in Berlin. Studienaufenthalte in der Schweiz, Frankreich, Ungarn, Rumänien, Italien. Mappenwerk: Schauspiel des Lebens (Holzschnitte), Berlin 1927.

Lit.: Dreßler. — D. Cicerone, 5 (1913) 178.

Dellit, Rudolf, dtsch. Bildnis- u. Landschaftsmaler u. Graph., * 8. 7. 1894 Klein-Schmalkalden, ansässig in Weimar.

Schüler von W. Klemm an der Kstschule in Weimar.

Lit.: Dreßler.

Dellwig, Bergliot von, geb. *Bojesen,* dän.-schwed. Malerin, * 1886 Kopenhagen, ansässig ebda.

Stud. in Rom, München u. Dresden. Figürliches, Landschaften, Stilleben. Lebte einige Jahre in Schweden. Bild im Mus. in Lund.

Lit.: Thomœus.

Delmege, Violet Eustace, geb. *Leader,* irische Miniatur- u. Landschaftsmalerin, * Nov. 1903 Cork, ansässig in Bournemouth.

Lit.: Who's Who in Art, [3] 1934.

Delmonte, Koert, holl. Bildnis- u. Stilllebenmaler, * 15. 4. 1913, ansässig in Amsterdam.

Schüler von Harrie Koolen in Maastricht, der Brüsseler Akad. u. der Reichsakad. A'dam. Mitglied der „Onafhankelijken".

Lit.: Waay.

Delobel-Faralicq, Laurence, franz. Miniaturmalerin, * 24. 9. 1882 Châteauroux.

Schülerin von Laforge, Baschet, Schommer u. H. Royer. Stellte seit 1904 im Salon der Soc. d. Art. Franç. aus. 1943 Silb. Med.

Lit.: Joseph, 1. — Bénézit, [2] 3.

Delobre, Emile, franz. Genre- u. Aktmaler, * 20. 2. 1873 Paris, ansässig in Alfortville (Seine).

Schüler von G. Moreau u. Cormon. Mitgl. der Soc. d. Art. Franç. (Salon-Kat. z. T. m. Abbn).

Lit.: Joseph, 1. — Bénézit, [2] 3.

Deloras, Henriette, franz. Malerin (Öl u. Pastell), * Grenoble, ansässig ebda.

Stellt seit 1921 im Salon d'Automne in Paris aus. Blumenstücke, Landschaften, Figürliches.

Lit.: Joseph, 1. — Bénézit, [2] 3 (1950). — Beaux-Arts, 7 (1929) Nr 11 p. 23, m. Abb.

Delorme, Marguerite, franz. Genre- u. Bildnismalerin, * 10. 9. 1876 Lunéville, ansässig in Paris.

Schülerin von L. O. Merson, Collin u. P. Leroy. Mitgl. d. Soc. d. Art. Franç. (Salon-Kat. z. T. mit Abbn). Akte, Orientmotive, usw.

Lit.: Th.-B., 9 (1913). — Joseph, 1. — Bénézit, [2] 3 (1950).

Delorme, Raphaël, franz. Figurenmaler, * Bordeaux, ansässig in Paris.

Mitgl. der Soc. Nat. d. B.-Arts, beschickte deren Salon 1921 ff. (Kat. z. T. mit Abbn). Stellte 1923 ff. auch im Salon des Tuileries aus.

Lit.: Joseph, 1. — Bénézit, [2] 3 (1950). — La Renaiss. de l'Art franç., 3 (1920) 447 (Abb.).

Delorme-Cornet, Louise, franz. Blumenmalerin, * Lyon, ansässig in Paris.

Schülerin von Rob. Fleury, J. Lefebvre u. B. Constant. Mitgl. der Soc. d. Art. Franç., beschickt deren Salon 1908 ff., den Salon d'Automne 1920/30.

Lit.: Joseph, 1. — Bénézit, [2] 3.

Delpech, Eugène, franz. Bildhauer, * Clairac (Lot-et-Garonne), † 1934.

Zuerst Kavallerieoffizier, ging dann zur Bildhauerei über. Schüler von A. Carlès. Stellte im Salon der Soc. d. Art. Franç. aus (mention honorable 1912).

Lit.: Th.-B., 9 (1913). — Bénézit, [2] 3 (1950). — Revue de l'Art anc. et mod., 65 (1934/I), Bull. p. 147.

Delpech, Louis, franz. Bildnis- u. Figurenmaler, * La Guerche-de-Bretagne (Ille-et-Vilaine), ansässig in Paris.

Schüler von L. Simon. Seit 1930 Mitgl. der Soc. d. Art. Franç. (Salon-Kat. z. T. mit Abbn).

Lit.: Joseph, 1. — Bénézit, [2] 3.

Delpech, Pierre, franz. Genrebildhauer, * Clairac (Lot-et-Garonne), ansässig in Neuilly-sur-Seine.

Schüler von A. Carlès. Mitglied der Soc. d. Art. Franç., beschickt deren Salon seit 1911.

Lit.: Joseph, 1. — Bénézit, [2] 3.

Delpey, André, franz. Genre- u. Stillebenmaler, * 16. 9. 1880 Paris, ansässig ebda. Gatte der Folg.

Schüler von J. P. Laurens. Mitgl. der Soc. d. Art. Franç. (Salon-Kat. z. T. mit Abbn). Stellte auch im Salon d'Automne aus. Bild im Mus. in Nancy.

Lit.: Joseph 1. — Bénézit, [2] 3.

Delpey-Maisné, Marguerite, franz. Landschafts- u. Architekturmalerin, * Paris, ansässig ebda. Gattin des Vor.

Schülerin von Humbert, Adler u. Roger. Mitgl. der Soc. d. Art. Franç., beschickt deren Salon seit 1927 (Kat. z. T. m. Abbn).

Lit.: Joseph, 1. — Bénézit, [2] 3.

Delplanque, Georges Emile, franz. Maler, * Douai, ansässig in Malakoff (Seine).

Schüler von Biloul u. L. Simon. Mitgl. der Soc. d. Art. Franç. Reisestipendium 1930. Figürliches, Landschaften, Akte.

Lit.: Joseph, 1. — Bénézit, [2] 3.

Delpy, Jacques Henri, franz. Landschaftsmaler, * 28. 6. 1877 Bois-le-Roi (Seine-et-Marne), ansässig in Paris.

Schüler s. Vaters Hippolyte Camille D. Mitgl. der Soc. d. Art. Franç. (Salon-Kat. z. T. m. Abbn). Gründermitgl. der Gruppe „Montmartre aux Artistes".

Lit.: Joseph, 1. — Bénézit, [2] 3.

Delpy, Lucien Victor Félix, franz. Marinemaler, * 2. 11. 1898 Paris, ansässig ebda.

Schüler von Cormon, E. Renard u. P. Laurens. Mitgl. der Soc. d. Art. Franç., beschickt deren Salon seit 1922 (Kat. z. T. mit Abbn).

Lit.: Joseph, 1. — Bénézit, [2] 3 (1950). — Beaux-Arts, Nr v. 8. 11. 1946, p. 4.

Delsa, Edmond, belg. Maler, Holzschneider u. Rad., * 1875 Lüttich.

Schüler von A. de Witte in Lüttich u. von Cormon in Paris. Landschaften, Bildnisse, Genre, Buchillustr. Buchwerk: Initiation à l'œuvre d'art, 1924.

Lit.: Seyn, I, m. Fotobildn. — Beaux-Arts, 9 (1931), Juliheft p. 24, m. Abb.; Nr v. 25. 6. 1948, p. 3.

Delsaux, Madeleine, franz. Stillebenmalerin, * 29. 3. 1903 Villemomble (Seine), ansässig in Neuilly-sur-Seine.

Schülerin von Geoffroy, Zo u. Benner. Mitgl. der Soc. d. Art. Franç.

Lit.: Joseph, 1. — Bénézit, [2] 3.

Delson, Robert, amer. Maler u. Illustr., * 30. 12. 1909, ansässig in Chicago, Ill.

Schüler von William P. Welsh, Oskar Gross u. Hans v. Schroetter.

Lit.: Who's Who in Amer. Art, I: 1936/37. — Interiors a. Ind. Design, 109, Febr. 1950, p. 14.

Delstanche, Albert, belg. Holz- u. Linolschneider u. Rad., * 1870 Brüssel, ansässig ebda.

Figürliches, Landschaften, Architektur. Illustr. zu Ch. de Coster: Thyl Eulenspiegel, zu Eug. Demolder: La Légende d'Yperdamme, zu Em. Verhaeren: La Guirlande des Dunes. Mappenwerk: Petites Villes de Flandre, 1910 (engl. Ausg.: The little Towns of Flanders, 1915 (12 Holzschn.). — Retrosp. Ausst. Febr. 1943 im Palais d. B.-Arts in Brüssel.

Lit.: Seyn, I. — The Studio, 62 (1914) 183 ff.; 63 (1915) 209, m. 2 Abbn; 64 (1915) 269; 67 (1916) 55. — L'Expansion belge, 1914 p. 124 f., m. Abb. — Onze Kunst, 29 (1916) 183/92, m. 5 Abbn u. 1 Taf. — Chron. d. Arts, 1921 p. 6 f. — Apollo (Brüssel), 1. 2. 1943, p. 19.

Deltombe, Paul, franz. Figuren-, Bildnis-, Landsch.- u. Stillebenmaler, * 6. 4. 1878 Catillon (Nord), ansässig in Champtoceaux-sur-Loire.

In der Hauptsache Autodidakt. Beeinflußt von Cézanne. Ehemal. Vizepräsident der Soc. des Indépendants. Zog sich nach dem 1. Weltkrieg nach Nantes, dann nach Champtoceaux zurück. Im Luxembourg-Mus. ein Blumenstück. Im Petit-Palais eine Ansicht von Champtoceaux. Weitere Bilder in den Museen in Douai, Le Havre, Lille, Nantes u. Valenciennes.

Lit.: Th.-B., 9 (1913). — Joseph, 1, m. 3 Abbn u. Fotobildn. — Bénézit, [2] 3 (1950). — La Renaiss. de l'Art franç., 8 (1925) 246. — Art et Décor., 1927/II p. 26 (Abb.), 27. — Revue de l'Art anc. et mod., 65 (1929) 258 (Abb.). — Bull. de l'Art, 1930/II 243 (Abb.). — Beaux-Arts, Nr v. 16. 1. 1948 p. 4 (Abb.); Nr v. 18. 6. 48, p. 3 (Abb.).

Deluc, Gabriel, franz. Porträt- u. Landschaftsmaler, * 1. 10. 1883 Saint-Jean-de-Luz (Hautes-Pyrénées), fiel am 15. 9. 1916.

Schüler von Bonnat. Stellte seit 1906 im Salon der Soc. d. Art. Franç. aus.

Lit.: Joseph, 1. — Bénézit, [2] 3 (1950). — Ginisty, 1919, p. 18. — Livre d'Or d. Peintres expos. etc., 1921, p. XIX. — Chron. d. Arts, 1913, p. 131. — Revue de l'Art anc. et mod., 66 (1934), Bull. p. 351.

Deluermoz, Henri, franz. Tiermaler u. Illustr., * 9. 12. 1876 Paris, † 1943 ebda.

Schüler von G. Moreau u. A. P. Roll. Mitgl. d. Soc. Nat. d. B.-Arts, beschickte deren Salon seit 1909 (Kat. z. T. mit Abbn). Bilder im Luxembourg-Mus. in Paris (Löwe), im Metrop. Mus. in New York u. im Mus. in Oran, Algerien. Illustr. (Zeichngen, gest. von L. J. Soulas) zu den beiden Livres de la Jungle von Rudyard Kipling.

Lit.: Joseph, 1. — Bénézit, [2] 3 (1950). — The Studio, 89 (1925) 325 (Abb.). — L'Art et les Art., 16 (1913) 217 (Abb.); N. S. 15 (1927) 205/12ff., m. 10 Abbn. — Gaz. d. B.-Arts, 1927/I p. 290 (Abb.). — Revue de l'Art anc. et mod., 51 (1927), Suppl. p. 98 (Abb.); 66 (1934), p. 42. — Apollo (London), 18 (1933) 57, 58 (Abb.). — Beaux-Arts, Nr 319 v. 10. 2. 1939 p. 4; Nr 329 v. 21. 4. 1939, p. 3 (Abb.). — Illustration, 101e année, Nr 5240 v. 14. 8. 1943.

Delug, Alois, tirol. Maler, * 25. 5. 1859 Bozen, † 17 9. 1930 Wien.

Stud. 1880/83 an der Wiener Akad., dann — bis 1886 — bei Karl Leop. Müller ebda. Studienaufenthalte in Italien, Frankreich, Deutschland u. Holland. Ließ sich in München nieder. Seit 1896 in Wien. 1898/1928 Lehrer an der dort. Akad. Hauptsächlich Porträtist. 1922/24 in den USA, wo er eine Reihe bekannter Persönlichkeiten porträtierte (Botaniker Jon M. Coulter, Chicago; William Mayo, Rochester; Prof. Ochsner; Dr. Martin, Chicago; Kardinal Mundelein). Votivbild für die Schloßkap. der Freih. Familie Schorlemer. Pietà für die Sühnekap. für Kaiser Maximilian in Queretaro.

Lit.: Th.-B., 9 (1913). — Dreßler. — Tir. Tagblatt, 1891 Nr 293. — Kstbeil. z. Kstfreund (Schwaz), 1907 H. 3/4. — Schlern, 10 (1929) 210, 211/16, m. Abb.; 12 (1931) 211 (Abb.). — Tir. Anz., 1930 Nr 217, 218; 1931 Nr 61, 62. — Tir. Heimatbl., 9 (1931) 121 –23, m. Bildnis D.s, gem. von s. Schüler Tomasi. — Innsbr. Nachr., 1932 Nr 242. — Kat. Jubil.-Ausst. Nov. 41–Febr. 42, Wien, p. 15. *J. R.*

Delvaux, Paul, belg. Maler (Öl u. Aquar.) u. Zeichner, * 1897 Antheit, ansässig in Brüssel.

Landschaften, Marinen, Figürliches. Surrealist. Nahm 1938 an d. Internat. Surrealisten-Ausst. in Paris teil. Koll.-Ausst. in d. Gal. Drouin in Paris 1948 (Kat. m. 25 Abbn).

Lit.: Seyn, I. — Cahiers de Belg., 1931 p. 57/61, m. 4 Abbn. — Apollo (Brüssel), 28 (1938) 45. — The Studio, 116 (1938) 121 (Abb.). 169. — Les Carnets du Séminaire d. Arts, 1 (1945) 14/21, m. Abbn. — Art Digest, 21, Nr v. 15. 12. 1946 p. 13, m. Abb. — The Art News, 44 (1946) 8. — Les Arts plast., 1 (1947/I) 145/56; 2 (1948) 41/46, m. 6 Abbn, 175, 225/34, m. 9 Abbn. — Kroniek v. kunst en kultuur, 9 (1948) 186. — D. Cicerone, 1949 p. 106, m. Taf. p. 107. — D. Kstwerk, 4 (1950) Heft 5 p. 10 (Abb.). — Bild. Kst (Berlin), 1947 Nr 7 (Abb.).

Delvigne, Julien, franz. Stilleben-, Blumen- u. Landschaftsmaler, * Garches (Seine-et-Oise), ansässig ebda.

Stellt seit 1923 bei den Indépendants in Paris aus.

Lit.: Joseph, 1. — Bénézit, [2] 3.

Delville, Louis Alexandre, franz. Aquarellmaler (Landschafter), * 11. 12. 1883 Charolles (Saône-et-Loire), ansässig in Paris.

Mitgl. der Soc. d. Art. Franç., beschickt deren Salon seit 1924.

Lit.: Joseph, 1. — Bénézit, [2] 3.

Delvolvé, Laure, franz. Tiermalerin u. -zeichnerin.

Schülerin von Pompon. Bereiste Nordafrika. Stellt seit 1928 im Salon der Soc. Nat. d. B.-Arts in Paris aus.

Lit.: Bénézit, [2] 3. — Kurier (Berlin), Nr 106, m. Abb. (fälschl. Delvolé).

Delvolvé-Carrière, Lisbeth, s. *Carrière.*

Delzant, Andrée Marie, geb. *Belin,* franz. Pastellzeichnerin, * 7. 2. 1877 Paris, ansässig ebda.

Schülerin von J. Lefebvre u. T. Robert-Fleury. Stellt seit 1897 im Salon der Soc. d. Art. Franç. aus.

Lit.: Joseph, I.

Delzers, Antonin, franz. Radierer u. Kupferst., * 17. 8. 1873 Castelsarrasin (Tarn-et-Garonne), ansässig in Paris.

Schüler von J. Jacquet. Präsident der Association Franç. des Art. Grav. au burin. Mitgl. der Soc. d. Art. Franç. Ehrenmed. 1926. Stach nach eigenen u. fremden Vorlagen. Illustr. u. a. zu M. Prévost, „Manon Lescaut", u. zu Goethes „Werther".

Lit.: Th.-B., 9 (1913). — Joseph, 1. — Bénézit, [2] 3 (1950).

Demagnez, Marie Antoinette, franz. Bildhauerin, * Paris, ansässig ebda.

Schülerin von Mercié. Stellte 1892 ff. im Salon der Soc. d. Art. Fr. aus. Associée der Soc. Nat. d. B.-Arts, beschickte deren Salon 1910 ff. Bildnisbüsten, allegor. Gruppen.

Lit.: Th.-B., 9 (1913). — Joseph, 1. — Bénézit, [2] 3.

Demailly, Louis, franz. Genre-, Bildnis- u. Landschaftsmaler, * 10. 9. 1879 Maroeuil (Pas-de-Calais), † 1942 Paris.

Schüler von Ph. de Winter. Mitgl. der Soc. d. Art. Franç., beschickte deren Salon seit 1903 (Kat. z. T. m. Abbn).

Lit.: Joseph, 1. — Bénézit, [2] 3.

Demaine, George Frederick, engl. Bauplastiker u. Aquarellmaler, * 2. 2. 1892 Keighley, ansässig in London.

Lit.: Who's Who in Art, [3] 1934.

Deman, Théophile, franz. Bildhauer, * Stennvoorde (Nord), ansässig in Paris.

Zeigte im Salon der Soc. d. Art. Franç., in deren Mitgliedlisten er bis 1930 erscheint, 1898 eine Statue: Euterpe.

Lit.: Joseph, I.

Demanet, Victor, belg. Bildhauer u. Medailleur, * 1895 Givet (Ardennes), ansässig in Brüssel.

Schüler von C. Meunier. Beschickte 1925 ff. den Pariser Salon der Soc. d. Art. Franç. (Kat. z. T. m. Abbn). Standbild Leopolds II. in Namur (1931); Gefallenendenkmal in Charleroi (1934); Standbild König Alberts v. Belgien in Mézières (1935).

Lit.: Seyn, I, m. Fotobildn. — Bénézit, [2] 3. — Revue de l'Art anc. et mod., 67 (1935/II), Bull. p. 251, Abb. p. 252. — Jaarverslag v. d. Vereening. voor Penningkunst te Amsterd. 1947, p. 5, m. Abb. — Médailles, 11 (1948) Nr 1 p. 5; Nr 3, p. 5.

Demange, Marguerite, franz. Tierbild-

hauerin, * Boulogne-sur-Seine, ansässig in Paris.

Schülerin von J. G. Achard. Stellt seit 1929 im Salon der Soc. d. Art. Franç. u. im Salon d'Hiver aus.

Lit.: Joseph, 1. — Bénézit, ² 3.

Demangel, Andrée, franz. Pastellzeichnerin u. Holzbildhauerin, * 20. 5. 1889 Besançon, ansässig ebda.

Schülerin von Baillé, Laethier u. Franceschi. Mitgl. der Soc. d. Art. Franç., beschickt deren Salon seit 1921.

Lit.: Joseph, 1. — Bénézit, ² 3.

Demant-Hatt, Emilie, geb. *Hansen,* dän. Landschaftsmalerin (Öl u. Aquar.), * 24. 1. 1873 Selde, Salling, ansässig in Kopenhagen.

Schülerin der Kopenhag. Akad. Stellt seit 1902 auf Charlottenborg aus. Seit 1911 verheiratet mit dem Ethnographen Prof. Gudmund Hatt.

Lit.: Th.-B., 9 (1913). — Dahl-Engelstoft, I. — Krak's Blaa Bog, 1936. — Kunstmus. Aarsskrift, 1941, p. 134.

Demany, Hubert, belg. Landschaftszeichner u. Pastellist, * 1885 Lüttich, † 1926 ebda.

Lit.: Seyn, I.

Demaria, Pierre Jean, franz. Maler, Illustr. u. Kstgewerbler, * 24. 6. 1896 Paris, ansässig ebda.

Stellt seit 1926 bei den Indépendants, seit 1929 im Salon d'Automne aus. Hauptsächlich Landschaften, Boxer- u. Negerstudien. Zeigte bei den Indépendants 1926 einen in Holz u. Metall ausgeführten Wandschirm.

Lit.: Joseph, 1. — Bénézit, ² 3.

Demaris, Walter, amer. Maler, * 1877 Cedarville, N. J., ansässig in New Rochelle, N. Y.

Lit.: Amer. Art Annual, 30 (1933).

Demartini, Eduard, tschech. Figuren- u. Bildnismaler, * 13. 6. 1892 Prag.

Schüler d. Prager Akad. (V. Hynais).

Lit.: Toman, I 155. *Blž.*

Demary, Helmut, dtsch. Maler, * 15. 6. 1929 Düren, ansässig in Nideggen/Eifel.

Besuchte e. private Malschule in Düsseldorf u. die Werkschule in Köln. Abstrakte Kompositionen, hauptsächl. Landschaften.

Demazy, Gaston, franz. Radierer, * 14. 11. 1872 Paris, ansässig ebda.

Schüler von Dautrey u. H. Lefort. Seit 1903 Mitgl. der Soc. d. Art. Franç., beschickt deren Salon seit 1901. Beschäftigt für die Pariser Gobelin-Manufaktur.

Lit.: Joseph, 1. — Bénézit, ² 3.

Demeczky, Irma, geb. *Volf,* ungar. Malerin u. Illustr., * 7. 3. 1874 Budapest.

Schülerin von Székely, Greguss, Lotz, Deák-Ebner u. R. Nadler. Meist Blumenstücke in Aquarell. Illustr. zu dem Werk der Helene von Beniczky-Bajza: Nagy magyar nők élete (Leben großer ungar. Frauen).

Lit.: Szendrei-Szentiványi. — Krücken-Parlagi.

Demel, Max, öst. Landscbaftsmaler, * 19. 6. 1880 Linz a. d. D., † 11. 12. 1918 ebda.

Stud. bei Tarnoczy u. Scherer, 1909/14 an der Akad. in München. Motive aus der Umgebung von Linz, von Kirchlack u. vom Glockensteiner See.

Lit.: D. ostbaier. Grenzmarken, 17 (1928) 23.

Demeter, Róbert, ungar. Maler, * 31. 1. 1876 Magyaró, Kom. Maros-Torda.

Stud. an der Budapester Musterzeichensch. dann bei E. Balló, K. Lotz u. B. Székely. Ließ sich in Marosvásárhely nieder. Hauptsächlich Porträtist.

Lit.: Szendrei-Szentiványi. — Krücken-Parlagi.

Demeter, Wolf, dtsch-griech. Bildhauer, * 1906 Berlin (?), ansässig ebda. Griech. Abkunft.

Arbeitete anfängl. unter Hasemann (Pfeilerfiguren am Verwaltungsgeb. der Berl. Autobusgesellschaft in Treptow). Ging dann nach Griechenland und arbeitete einige Monate als Steinmetz in den Brüchen des Hymettos. Darauf Schüler von Maillol in Paris. Hauptsächlich Akte u. Bildnisbüsten, in einer von Maillol beeinflußten großzügigen Formgebung. Kollektiv-Ausstellg Juli 1932 in der Gal. Ferdin. Möller, Berlin.

Lit.: L'Amour de l'Art, 1936, p. 285ff., passim. — Konstrevy, 15 (1939) H. 5/6, p. 214 (Abb.). — D. Kunst, 65 (1931/32) 292/95, m. 5 Abbn. — D. Kstblatt, 16 (1932) Abb. vor p. 50, 54 (Abb.), 55, m. Abb. — Monatsh. f. Baukst u. Städtebau, 16 (1932) 402/04, 405 (Abb.).

Demetriade-Bălăcescu, Lucia, rumän. Blumen-, Bildnis- u. Figurenmalerin (Öl u. Aquar.), * Bukarest, ansässig in Paris.

Stud. bei Stoenescu in Bukarest u. bei P. A. Laurens in Paris. Mehrere Bilder u. Zeichngn im Mus. Toma Stelian in Bukarest (Kat. 1939).

Lit.: Oprescu, 1935, m. Abb. — Bénézit, ² II (1949). — The Studio, 110 (1935) 120 (Abb.).

Demetriades, Georg, griech. Maler u. Graph., * 12. 2. 1899 Wien, anässsig in Rahlstedt b. Hamburg.

Stud. in der Kstschule in Hamburg (1915/18), wo ihn bes. A. Illies förderte. Dann 1 Jahr bei H. Groeber in München, weitergebildet 1919/22 bei Illies in Hamburg. 1922/25 auf Reisen, seitdem in Hamburg ansässig. Hauptsächlich Landschaften u. Innenansichten frei erfundener Kirchen. Kollektiv-Ausst. Juni 1920 im Kstsalon Louis Bock & Sohn in Hamburg.

Lit.: Mitteilgn d. Künstlers. — Hamb. Correspondent, 16. 6. 1920.

Demetz, Hans, tirol. Bildhauer, * 1889 St. Christina, Gröden, † 19. 10. 1912 Absam.

Sohn des Bildschnitzers Ludwig D. (* 1846, † 1922). Stud. an d. Staatsgew.-Schule in Innsbruck. Ließ sich in Hall i. T. nieder. Krippenfiguren, Bauern, Sportfiguren.

Lit.: Tir. Anz., 1912 Nr 242; 1913 Nr 18. — D. Krippenfreund, 22 (1930) Nr 76, p. 8, m. Abb. *J. R.*

Demetz, Peter, Landsch.- u. Bauernmaler, * 28. 5. 1913 St. Ulrich, ansässig ebda.

Lit.: Tirol-Vorarlbg, 1944, H. 1, m. Abb. — Kst im Volke, 1942, Folge 11, p. 1. — Innsbr. Nachr., 1942 Nr 161. — Dolomiten, 1947 Nr 119, 195, 263, 290. — Der Volksbote, 1948 Nr 37. *J. R.*

Demeurisse, René, franz. Landschafts-, Stilleben- u. Bildnismaler, * 26. 8. 1894 Paris, ansässig ebda.

Schüler von L. Simon. In der Hauptsache Autodidakt. Beschickt seit 1921 den Salon der Soc. Nat. d. B.-Arts, und den Salon d'Automne. 1923 Gründermitgl. des Salon des Tuileries. Eine Waldlandsch. im Luxembourg-Mus.

Lit.: Joseph, 1. — Bénézit, ² 3 (1950). — Beaux-Arts, 3 (1925) 126, 296; Nr v. 6. 12. 1946 p. 4, m. Abb.; Nr v. 13. 12. 46 p. 5 (Abb.). — Revue de l'Art anc. et mod., 52 (1927) 310 (Abb.); 65 (1934) 200 (Abb.); 66 (1934) 368, 401 (Abb.). — L'Art et les Art., 19 (1929/30) 47/51, m. 7 Abbn. — Bull. de l'Art, 1929, p. 131 (Abb.), 443 (Abb.).

Demey, Henry, franz. Medailleur, * 16. 6. 1887 Paris, ansässig ebda.

Schüler von Brennos. Mitgl. der Soc. de la Méd. artistique et sportive. Stellt auch im Salon der Soc. d. Art. Franç. aus.

Lit.: Joseph, I 389 (irrig: Denney). — Bénézit, [2] III 184 (desgl.).

Demian, Athanase, rumän. Figurenmaler * 1899.

Lit.: Petranu, p. 54. — Beaux-Arts, 75e année, Spezial-Nr Sept. 1937: L'Art Roumain à l'Expos. de 1937, p. 18, 19 (Abb.).

Demjén, László, ungar. Figurenmaler, * 1864 Kolozsvár (Klausenburg), ansässig in München.

Sohn der Malerin Henriette D. geb. *Barabás* (* 10. 12. 1842 Budapest, † 1892). Stud. 1882/86 bei K. Lotz in Budapest, 1887/96 bei G. Hackl u. Al. Wagner in München. Arbeiten im Mus. d. Bild. Kste in Budapest.

Lit.: Szendrei-Szentiványi. — Krücken-Parlagi (irrig: Zoltán D.). — Jahrb. d.Mus. d. Bild. Kste in Budapest, 9 (1940) 274.

Demirdji, Ilhami, türk. Maler, * 1908 Istanbul (Konstantinopel).

Diplomiert an d. Akad. d. Sch. Künste zu Istanbul, weitergebildet bei Max Dungerten in Berlin. Gehört der mod. Schule an.

Demizel, Augustin Louis, franz. Porträtmaler u. Bildhauer, * 24. 2. 1878 Audincton (Pas-de-Calais), ansässig in Paris.

Schüler von Bonnat. Stellt seit 1900 im Salon der Soc. d. Art. Franç. aus.

Lit.: Joseph, I 388 (irrig: Denizel). — Bénézit, [2] III (1950) 176 u. 183.

Demmel, Georg, dtsch. Maler (Öl u. Aquar.), * Königsdorf b. Tölz, ansässig in München.

Schüler von Hillerbrandt u. W. Teutsch in München. Schilderungen aus dem Bauernleben. Kollektiv-Ausst. veranst. vom Münchner Bund, April 1930.

Lit.: Münchner Zeitg, Nr 110 v. 23. 4. 1930.

Demmler, Fred A., amer. Bildnismaler, † 1918 Pittsburgh, Pa.

Lit.: Amer. Art Annual, 14 (1917) 469, Abb. geg. p. 257; 16 (1919): Obituary. — Carnegie Magaz., 16, Nov. 1942, p. 161 (Abb.).

Demmler, Willy Hugo, dtsch. Bildnismaler, * 14. 3. 1887 Hamburg, ansässig in Düsseldorf.

Stud. an der Düsseld. Akad.

Lit.: Dreßler. — Velhagen & Klasings Monatsh., 41/II (1926/27) farb. Taf. geg. p. 296, 335; 47/I (1932–33) farb. Taf. geg. p. 313, 424. — Gottesehr, 1 (1919–20) 81, 92 (Abb.).

Demole, Henri, schweiz. Emailmaler u. Zeichner für Glasmalerei, * 3. 1. 1879 Genf, † 25. 1. 1930 ebda.

Schüler von Pignolat, B. Bodmer u. Léon Gaud an der Genfer Ec. d. B.-Arts, dann von Henri Le Grand-Roy an der dort. Ec. d. Arts Industr. Glasgem. in St-Gervais in Genf. Mehrere Emails im Genfer Mus. d. Arts décorat.

Lit.: Brun, IV. — L'Art en Suisse, 1929, p. 131f. u. p. 139, m. 8 Abbn. — Schweizer Kst, 1 (1929/30) 163; 2 (1930/31) 1/2.

Demont-Breton, Virginie, franz. Malerin, * 26. 7. 1859 Courrières (Pas-de-Calais), † 1935 Wissant (Pas-de-Calais). Gattin des Malers Adrien D. (* 1851, † 1928).

Schülerin ihres Vaters Jules Breton. Gold. Med. Weltausst. Paris 1889 u. 1900. Mitgl. der Soc. d. Art. Franç. (Salon-Kat. z. T. m. Abbn). — Bilder außer in den bei Th.-B. gen. Museen in den öff. Smlgn in Antwerpen, Boulogne-sur-Mer, Calais, Lille, im Petit-Palais in Paris u. im Mus. in Albany, New York.

Lit.: Th.-B., 9 (1913). — Qui Êtes-Vous, 1924. — Joseph, I. — Bénézit, [2] 3. — E. A. Seemans „Meister der Farbe", 1922, Taf. 19, m. Text. — Revue de l'Art anc. et mod., 67 (1935/I), Bull. p. 110.

Demoulin, Georges Charles, franz. Holzschneider, * Paris, ansässig ebda.

Schüler von Lagrange. Mitgl. der Soc. d. Art. Franç., beschickt deren Salon seit 1927.

Lit.: Joseph, 1. — Bénézit, [2] 3.

Demuth, Charles, amer. Maler (Öl u. Aquar.) u. Plakatzeichner, * 1883 Lancaster, Pa., † 23. 10. 1935 ebda.

Von Kind auf gelähmt. Schüler von Chase u. Anshutz an der Pennsylvania Acad. of F. Arts in Philadelphia, weitergebildet 1904/06 in Paris. Beeinflußt von Marin. Der „Neuen Sachlichkeit" zuneigend. Kabarett- u. Zirkusszenen. Stilleben, Blumenstücke. Aquarelle u. a. im Metrop. Mus. in New York, im Art Inst. in Chicago, im Fogg Art Mus. in Cambridge, Mass., u. in den Mus. in Andover, Brooklyn, Cleveland, Ohio, Detroit (Mich.) u. Philadelphia, Pa. — Kollektiv-Ausst. April 1926 in der Intimate Gall. New York. Gedächtnis-Ausst. 1938 im Whitney Mus. of Amer. Art in New York.

Lit.: Fielding. — Amer. Art Annual, 30 (1933). — S. La Follette, Art in America, N. York 1934. — Who's Who in Amer. Art, I: 1936/37. — Mellquist, m. Taf. geg. p. 224. — A. E. Gallatin, Amer. Water Colourists, 1922, p. IX, XIII, 3, 22f., m. Abbn; ders., C. D., N. York 1927, m. 28 Taf. — W. Murrell, C. D., N. York 1931. — A. C. Ritchie, C. D. (Mus. of Mod. Art Books). — Monro. — Living Art. Dial Publishing Co., New York 1924. — Apollo (London), 27 (1938) 96f., m. Abbn. — The Art News, 24, Nr 27 v. 10. 4. 1926, p. 7; 25, Nr 21 v. 26. 2. 1927, p. 8. — Artwork, 1 (1924/25) H. 2, p. 118, 119 (Abb.). — Brooklyn Mus. Quarterly, 14 (1927) 8 (Abb.); 15 (1928) 56. — Pennsylvania Mus. Bull., 37 (1942/43) Nr 198, Abb. p. [11]. — Burlington Magaz., 50 (1927) Beibl. p. LIV. — D. Cicerone, 18 (1926/II) 506. — Dial, 72 (1922) 553. — Parnassus, März 1936, p. 8f., m. 3 Abbn. — Prisma (München), 1 (1947) H. 6, Abb. zw. p. 16/17, 16 (Text). — The Studio, 98 (1929) 629/35, m. Abbn; 110 (1935) p. 246, 247 (Abb.); 115 (1938) 161. — Zeitschr. f. Kunst, 4 (1950) 68 (Abb.). — Addison Gall. of Amer. Art. Handbook of Paint. etc. in the Permanent Coll., Andover, Mass., 1939, p. 58, 91 (Abb.). — Art Index (New York), 1928ff. passim.

Denayer, Felix, belg. Genre- u. Landschaftsmaler, * 13. 1. 1875 (Joseph: 1873), ansässig in Paris.

Schüler von Portaels. Stellte seit 1912 in Paris bei den Indépendants, seit 1914 auch im Salon der Soc. Nat. d. B.-Arts aus. Vertreten im Mus. in Le Havre.

Lit.: Th.-B., 9 (1913). — Joseph, I.

Denby, Edwin Hooper, amer. Architekt, * 1873 Philadelphia, Pa., ansässig in New York.

Schüler von Guadet-Paulin an der Ec. d. B.-Arts in Paris. Kriegsdenkmal im Bedford Park in New York.

Lit.: Delaire, p. 237. — Mallett. — Art Digest, 16, Nr v. 1. 5. 1942, p. 11. — Cat. of the Works of Art of City of New York, vol. 2 (1920) 59.

Denecke, Walter, dtsch. Maler u. Graph.,

* 25. 2. 1906 Klein-Alsleben, Kr. Ballenstedt, ansässig in Berlin-Karlshorst.

Schüler von Fischer-Trachau in Leipzig. Studienreisen nach Italien, Frankreich, Spanien, Afrika. Wechselte v. Expressionismus zum Realismus. Veröffentlichungen von Zeichnungen u. Holzschnitten: Kstkalender des Aufbau-Verlags, Berlin 1951. Hauptsächlich Landschaften u. Darstellungen aus d. Leben des Handwerkers. Koll.-Ausst. März 1949 im Graph. Kabinett des Kulturbundes in Berlin (Zeichngn u. Aquarelle).

Lit.: Aufbau, 7 (1951) 32, 37 (2 Abbn). — Kstchronik, 2 (1949) 151, 261; 3 (1950) 62. — Der Sonntag, 3. 4. 1949; 1950, Nr 44. — Der Morgen, 26. 3. 1949. — Neues Deutschland, 30.3.1949. — Volksstimme (Magdeburg), 30.3.1949. — Der neue Weg, 9.8.1949. — Liberal-Demokr. Ztg, 16. 8. 1949. — Freiheit, 17. 8. 1949. — Sächs. Tageblatt, 4. 3. 1950. — Union, 15. 3. 1950. *J.*

Dénes, Valeria, s. *Galimberti.*

Denev, Boris, bulgar. Landschafts- u. Stadtbildmaler, * 1883 Tărnovo, ansässig in Sofia.

Bildete sich zunächst autodidaktisch in Sofia, dann — seit 1908 — Schüler von C. v. Marr in München. Studienaufenthalte in Deutschland, Italien, Frankreich u. Griechenland. Während des 1. Weltkrieges offiz. Kriegsmaler des bulgar. Generalstabs. Erhielt den Kunstpreis der Bulgar. Akad. d. Wissensch. u. Kste. Stellte wiederholt auch im Ausland (Berlin, München, Prag, Belgrad, Athen) aus. Bild im Nat.-Mus. in Sofia.

Lit.: Filov, m. Abb. — The Studio, 115 (1938) 114 (farb. Taf.), 121 (Abb.). — Kat. d. Ausst. Bulgar. Kstler in Deutschland, Leipzig, Kstver., 1941/42, m. Abb.

Denghausen, Franz H., amer. Bildhauer, * 1911 Boston, Mass., ansässig ebda.

Lit.: Amer. Art Annual, 30 (1933). — Liturg. Arts, 16 (1948) 117 (Abb.).

Deni, Pseudonym des *Denisoff,* V.

Denier, Jacques, franz. Bildnis-, Landsch.-, Blumen- u. Interieurmaler, * 1894 Paris, ansässig ebda.

Schüler von L. Simon u. R. Ménard. Stellt 1923 ff. im Salon des Tuileries u. bei den Indépendants aus, außerdem im Salon d'Automne u. im Salon der Soc. Nat. d. B.-Arts, deren Mitgl. er seit 1921 ist. 2 Jahre (1925/27) in der Villa Abd-el-Tif in Algier. 1929 Preis Dru. Malt mit Vorliebe in der Bretagne (ländl. Interieurs). Höchst kultivierter Kolorist. Im Luxembourg-Mus.: Der Kamin.

Lit.: Joseph, I. — Art et Décor., 1927/II 29. — Revue de l'Art anc. et mod., 52 (1927) 313 (Abb.); 54 (1928) 33 (Abb.); 56 (1929) 42 (Abb.), 250 (Abb.); 67 (1935), Bull. p. 117 (Abb.). — L'Art et les Art., N. S. 22 (1931) 236/41, m. 7 Abbn.

Dening, Charles Frederick William, engl. Architekt, * 21. 12. 1876 Chard, Somerset, ansässig in Bristol.

Bauten: St. Alban's Church in Bristol; Kriegerdenkmal in Guildford, Landsitze, Schulen.

Lit.: Who's Who in Art, [3] 1934.

Denis, Claude (Claudius), franz. Maler (Öl u. Aquar.) u. Graph., * 18. 4. 1878 Lyon, ansässig in Paris.

Schüler von L. O. Merson u. Gervex. Seit 1919 Mitgl. der Soc. Nat. d. B.-Arts, beschickt deren Salon seit 1904. Figürliches, Landschaften, Blumenstücke. Bilder in den Museen in Lyon u. Grenoble. Mappenwerk: Die Kriegsgefangenenlager in Deutschland (20 Rad.), 1914.

Lit.: Th.-B., 9 (1913). — Joseph, 1. — Bénézit, [3] 3. — Gaz. d. B.-Arts, 1917, p. 361 (Abb.), 366 f., m. Taf.; 1919 p. 416, m. Abb.

Denis, Jean, franz. Maler, * Champniers-Reillac (Dordogne), ansässig in Bures bei Orsay (Seine-et-Oise).

Stellt seit 1925 bei den Indépendants in Paris aus.

Lit.: Joseph, 1. — Bénézit, [3] 3.

Denis, Maurice, franz. Maler, Lithogr., Illustr., Entwurfzeichner für Kstgewerbe u. Kstschriftst., * 25. 11. 1870 Granville (Manche), † 1945 Saint-Germain-en-Laye.

Schüler von J. Lefebvre. Beeinflußt von Gauguin. Neben Puvis das bedeutendste dekorat. Talent der franz. Malerei um die Wende des 19. Jh.s. Gehörte mit Sérusier, Vuillard, Bonnard, Xavier Roussel u. a. der Gruppe der Symbolisten („Néotraditionisme") an. Ließ sich in den 1890er Jahren in Saint-Germain-en-Laye nieder. Zu den bei Th.-B. gen. dekorat. Malereien kommen u. a. noch hinzu die Fresken in Saint-Esprit in Paris, in d. Kapelle Saint-Croix in Le Vésinet, in der Chap. du Souvenir in d. Kirche in Gagny (Seine-et-Oise), im Chor von Saint-Paul in Genf, in Saint-Louis in Vincennes, in d. Kuppel des Petit-Palais in Paris u. in d. Kap. des Klosters in Saint-Germain-en-Laye — des ehem. Wohnsitzes des Künstlers —, die er vollständig ausgestattet hat. Für viele Zweige des Kstgewerbes tätig: Entwürfe für Glasgemälde (Notre-Dame in Le Raincy, Kirche in Le Vésinet, Kap. in Saint-Germain-en-Laye, Saint-Paul in Genf, Notre-Dame ebda), Wandteppiche, Mosaiken (Kathedr. in Quimper), Basreliefs, Statuen, Boiserien, usw. Illustrationen u. a. zu einer Prachtausgabe der „Fioretti" des Hl. Franz (1913; reprod. von Jacques Beltrand in Holzschnitt); „Eloa" von A. de Vigny (1917); „Sainte-Thérèse" von Claudel; „Vie de Saint-Dominique" u. „Vie de frère Genièvre" (Holzschnitte von Beltrand). Bilder in öff. Besitz: Luxembourg-Mus. (Künstlerzusammenkunft; Verkündigung; Das bessere Teil; Schimmernde Mütterlichkeit), im Mus. in Dijon (Petrarka), im Mus. in Nantes (Verkündigung; Septemberabend; Die Schaukel), im Metrop. Mus. in New York (Glaube u. Hoffnung leiten die Soldaten Frankreichs) u. im Mus. in Kairo (Die Pferde). Ein Selbstbildnis in den Uffizien in Florenz (Abb. in: Beaux-Arts, I [1923] 139. — Seine in „Art et Critique" u. in „Occident" veröff. Kunstaufsätze erschienen gesammelt u. d. T.: Théories. Du Symbolisme et de Gauguin vers un nouvel ordre classique. — Gedächtn.-Ausst. Herbst 1945 im Pariser Musée d'Art Moderne.

Lit.: Th.-B., 9 (1913). — Joseph, 1. — Bénézit, [3] 3. — A. Segard, Peintres d'aujourd'hui: Les Décorateurs. II (Henri Martin .... M. D. etc.), Paris 1917. — Fr. Fosca, M. D. (Peintres Franç. Nouv., Bd 17), Paris 1924; ders., La Chapelle de M. D. à Saint-Germain-en-Laye, Paris 1925. — M. Brillant, M. D. (Les Artistes Nouv.), Paris 1930. — Art et Décor., 1913/II, p. 178 f.; 1914/I, Suppl. Jan.-H. p. 7; 1934, p. 363/71. — Arte Cristiana, 2 (1914) 65/84; 3 (1915) 78 ff. — Gaz. d. B.-Arts, 1914/16, p. 137 (Abb.), 144 f.; 1921/I p. 42 ff., 284; 1922/II p. 249 ff. (Entwurf zu e. Basrelief f. e. Grabmal a. d. Montparnasse); 1923/II p. 209 f. (Glasfenster f. Notre-Dame in Le Raincy; 1924/II p. 197/212 (Sonderausst. im Mus. d. Arts Décor. Paris); 1925/II p. 226 ff.: 1926/I p. 263 f., 265 (Abb.). — Les Arts, 1916, Nr 154, p. 16 f.; 1917 Nr 159, p. 21 (Abb.); 1920, Nr 184, p. 15 (Abb.), 20; Nr 188, p. 1 (Abb.), 5 f. — L'Art et les Art., N. S. 2 (1920/21) 152, 153 (Abb.), 154 f., 156 (Abb.); 8 (1923–24) 41/80; 9 (1924) 323; 12 (1925/26) 101 f., 175 (Abb.). — Dedalo, 6 (1922) 722 ff. — Beaux-Arts, 1 (1923) 139; 2 (1924) 152 f. (Sonder-Ausst. Paris), 5 (1927) 160 (Abb.); 75e année Nr 233 v. 18. 6. 1937, p. 3 (Abb.); Nr 304 v. 28. 10. 1938, p. 4 (Abb.); Nr 329 v. 21. 4. 1939 p. 3 (Abb.); Nr 331 v. 5. 5. 1939

p. 1 (Abb.); Nr 333 v. 19. 5. 1939 p. 5; Nr 335 v. 2. 6. 1939 p. 8 (Abb.). — La Renaiss. de l'Art franç., 6 (1923) 244/48; 8 (1925) 408/13 (6 Abbn); 11 (1928) 211 (2 Abbn); 12 (1929) 9 (4 Abbn), 63 (Abb.); 13 (1930) 17 (3 Abbn), 18 (2 Abbn), 262 [recte 304] (Abb.). — Revue de l'Art anc. et mod., 45 (1924) 363f., m. Taf.-Abb. (Sonderausst. Paris); 51 (1927), Suppl. p. 55 (Abb.), 153 (Abb.); 53 (1928) 196/200; 56 (1929) 239 (Abb.). — Bull. de l'Art, 1928, p. 391 (Abb.); 1929 p. 133 (Abb.), 187 (Abb.), 241 (Abb.). — L'Amour de l'Art, 1924, p. 85/89; 1930, p. 402/04 (5 Abbn); 1936, p. 159/63 passim. — The Studio, 91 (1926) 156 (Abb.), 159f.; 94 (1927) 240/42. — L'Art vivant, 1927/I 57–58; 6 (1930) 399, 425 (Abb.). — Bull. de la Soc. de l'Hist. de l'Art franç., 1928, p. 262ff. — Cahiers de Belgique, 1928, p. 64/65. — Notes d'Art, 1928 p. 1/6. — Kst u. Kstler, 27 (1928/29) 439 (Abb.), 442. — Bull. d. Musées de France, 1929, p. 9f. — Bull. de l'Acad. d. B.-Arts, 1932, p. 58/63. — Art Sacré, Jan. 1936, p. 13/18; 1937, p. 92/96 passim. — Magaz. of Art (New York), 39 (1946) 366/70; 45 (1952) 273f., m. 2 Abbn; 46 (1953) 118 (Abb.). — D. Werk (Zürich), 35 (1948) 360/62. — Emporium, 102 (1945) 81. — Liturg. Arts, 17, Nov. 1948, p. 8 (Abb.). — The Print Coll.'s Quarterly, 30 (1949) 11 (Abb.). — M. D. 26 reprod. de peint. et dessins, préc. d'une étude crit. par Fr. Fosca, de not. biogr. et docum. et d'un portr. inédit de l'Art. etc., Paris 1924.

Denis-Valvérane, Louis, franz. Figurenmaler, * 20. 9. 1870 Manosque (Basses-Alpes), ansässig in Paris.

Schüler von J. P. Laurens. Seit 1904 Mitgl. der Soc. d. Art. Franç. (Salon-Kat. z. T. mit Abbn) u. der Soc. d. Art. Indépendants. Zeichner. Mitarbeiter mehrerer Zeitschriften, darunter: Lectures pour Tous.

Lit.: Th.-B., 9 (1913). — Joseph, 1. — Bénézit, [2] 3 (1950).

Denisoff, Viktor Nikolajewitsch, Pseudonym *Deni*, sowjet. Karikaturenzeichner u. Plakatkünstler, * 1892, † 1946.

Zeichnete während des 1. Weltkrieges für die russ. Zeitschr. „Bitsch" (Die Peitsche). Bolschewiki-Plakate, darunter die bekannte antireligiöse Folge. Gehörte seit 1922 als Zeichner dem Stabe der „Prawda" u. der „Iswestija" an.

Lit.: The Internat. Who's Who, [8] 1943/44. — Gaz. d. B.-Arts, 1921/II p. 172 (Abb.), 173. — Osteuropa, 4 (1928/29) 496. — Kat. d. Staatsverlages der RSFSR, „Russische Kst", Moskau-Leningrad 1926, p. 45, 49.

Denison, Harold, amer. Radierer, Illustr., Maler u. Schriftst., * 17. 9. 1887 Richmond, Mich., ansässig in Boston Corners, N. Y.

Schüler der Art Student's League in New York u. der Acad. of F. Arts in Chicago.

Lit.: Amer. Art Annual, 30 (1933). — Who's Who in Amer. Art, I: 1936/37.

Denman-Jones, Cladys, engl. Bildnis- u. Landschaftsmalerin (Öl u. Miniatur), * 6. 9. 1900 Hampstead, ansässig in Chagford, Devon.

Stud. an der Slade School in London.

Lit.: Who's Who in Art, [3] 1934.

Dennis, Charles, amer. Bildnismaler u. Illustr., * 25. 2. 1898 New Bedford, ansässig in Needham, Mass.

Schüler von Harold Brett, Howard E. Smith u. Fred. Bosley. Tätig für „Saturday Evening Post".

Lit.: Fielding. — Amer. Art Annual, 30 (1933). — Who's Who in Amer. Art, I: 1936/37.

Dennis, James Morgan, amer. Radierer, Illustr. u. Schriftst., * 27. 2. 1892 Boston, Mass., ansässig in New York.

Schüler von W. H. W. Bicknell.

Lit.: Amer. Art Annual, 28 (1931). — Who's Who in Amer. Art, I: 1936/37.

Dennison, George Austin, amer. Maler u. Bildhauer, * 1873 New Boston, Ill., ansässig in Alma, Calif.

Lit.: Fielding.

Denonne, Alexandre, belg. Zeichner u. Maler, * 1879 Saint-Josse-ten-Oode.

Schüler s. Onkels Victor Lagye, dann von C. Montald an der Brüsseler Akad. u. von Hendrik Luyten.

Lit.: Seyn, I. — B.-Arts, 75, Nr 322 v. 3. 3. 1939, p. 5.

Densaburô, Kstlername des *Yamamoto*.

Denslow, Dorothea Henriette, amer. Bildhauerin, * 1900 New York, ansässig in Brooklyn, N. Y.

Schülerin von H. C. Denslow.

Lit.: Fielding. — Amer. Art Annual, 30 (1933). — Amer. Artist, 6, März 1942, p. 19.

Dent, Dorothy, amer. Zeichnerin, Malerin u. Plakatkstlerin, * 7. 8. 1888 Washington, D. C., ansässig in New York.

Stud. an der Zeichensch. f. Frauen in Philadelphia, bei Leslie Miller u. Frank Alvah Parsons.

Lit.: Amer. Art Annual, 27 (1930) 521f. — Who's Who in Amer. Art, I: 1936/37.

Denvil, Angèle, franz. Genre- u. Bildnismalerin (Öl u. Miniatur), * 16. 9. 1879 (Th.-B.: 1887; Bénézit: 1874) Levallois-Perret (Seine), ansässig in Paris. Schwester der Folg.

Schülerin von Latruffe, Colomb, Cuyer u. Humbert. Seit 1906 Mitgl. der Soc. d. Art. Franç.

Lit.: Th.-B., 9 (1913). — Joseph, I.

Denvil-Lupin, Alice, franz. Genremalerin (Öl u. Aquar.), * 12. 9. 1881 Levallois-Perret (Seine), ansässig ebda. Schwester der Vor.

Schülerin von Quost. Mitgl. der Pariser Soc. d. Art. Franç., beschickte deren Salon seit 1910.

Lit.: Joseph, 1. — Bénézit, [2] 3.

Denzel, Anton, dtsch. Tiermaler, * 13. 6. 1888 Ehingen a. d. D. (Württbg), ansässig in Riedlingen.

Stud. an der Kstgewerbesch. in Stuttgart, 1909 an der Akad. in München, 1910 bei C. Grethe an der Stuttg. Akad. 1916/18 Kriegsmaler. Seit 1919 in Riedlingen ansässig. Weidevieh (bes. Kühe u. Schafe), Arbeitspferde (Öl, Aquar., Zeichng). Naturalist. Wiedergabe, sorgfältige Zeichnung. Kollektiv-Ausst. anläßlich s. 60. Geb.-Tages in Biberach a. R. (ill. Kat.).

Lit.: Schwarzwälder Post (Oberndorf a. N.), Nr v. 7. 11. 1947, m. Abb. — Schwäb. Zeitung (Riedlingen), Nr v. 23. 7. 1949.

Depaquit, Jules, franz. Landschaftsmaler (Öl u. Aquar.) u. humorist. Zeichner, * 1872 Sedan, † Juli 1924 Paris.

Illustr. u. a. zu: J. Fermey, „Chansons Immobiles" (1896); Vincent Hyspa, „L'Éponge en porcelaine".

Lit.: Joseph, 1. — Bénézit, [2] 3. — La Renaiss. de l'Art franç., 9 (1926) 177, m. Abb.

Depauw, Willem, belg. Maler, Zeichner u. Rad., * 1894 Brüssel.

Landschaften, Marinen, Interieurs, Stilleben.

Lit.: Seyn, I.

Dependorf, Albertine, dtsche Graphikerin, * 13. 12. 1900 Kairo, ansässig in Radolfzell a. B.

Schülerin der Akad. in München u. Karlsruhe. Bereiste Griechenland, Italien, Ägypten. Hauptsächlich Gebrauchsgraphik.
Lit.: Dreßler.

Depero, Fortunato, ital. Maler, Entwurfzeichner für Textilien u. Holzschnitzereien.
Futurist. Kollektiv-Ausst. Januar/Febr. 1921 in der Gall. Centrale d'Arte in Mailand.
Lit.: D. Futurista, Mailand 1927 (109 Ss., m. Abbn). — Emporium, 82 (1935) 221, r. Sp. — Pagine d'Arte, 6 (1918) 63. — Pennsylv. Mus. Bull., 37 (1941–42) Nr 191 (Abb.). — Corriere d. Sera, 30. 1. 1921.

Depetasse, Hippolyte Armand, franz. Landschaftsmaler, * 26. 11. 1877 Asnières (Seine), ansässig in Paris.
Stellte seit 1925 bei den Indépendants aus.
Lit.: Joseph, I.

Deplanche, Gabrielle, franz. Blumen- u. Landschaftsmalerin (Aquar.), * 21. 7. 1875 Rânes (Orne), ansässig in Rennes.
Schülerin von Blanche-Odin, D. Maillart u. Le Vasseur. Seit 1914 Mitgl. der Soc. d. Art. Franç.
Lit.: Joseph, I.

Deppe, Gustav, dtsch. Maler, * 1913 Essen, ansässig in Witten/Ruhr.
Schüler von Guggenberger u. Herricht in Dortmund. Seit 1936 in Witten, während des Krieges in Norwegen u. Finnland. Abstrakter Kstler. Mitbegründer der Gruppe: Junger Westen. Kollekt.-Ausst. Febr. 1948 im Landesmus. Münster i. W. Bild im Mus. in Düren.
Lit.: bild. kunst, 2 (1948) H. 8, p. 21, m. Abb. — D. Kstwerk, 4 (1950) H. 8/9 p. 88, m. Abb. — N. Westfäl. Kurier (Werl), 10. 2. 1948. — Kat. d. Ausst.: 30 junge dtsche maler, Kestner-Gesellsch. Hannover 1951, m. Abb.

Deppe, Paula, dtsche Malerin u. Rad., * 1887 Hamburg, † 4. 10. 1922 Seestetten a. d. Donau.
Verlebte ihre Kindheit in Rokycan, Böhmen. Kam 1908 an die Münchner Akad. zu H. Knirr, weitergebildet bei Jul. Seyler ebda. Übersiedelte 1919 nach Seestetten. Landschaften, Stilleben, Blumenstücke, Figürliches. Kraftvolle, wuchtige Stilisierung, schwere, düstere Farben. Mitgl. d. Münchner Neuen Sezession.
Lit.: Aus den Tagebüchern der P. D., Hamburg 1942, m. Selbstbildn. u. 9 Tafeln. — D. Cicerone, 17 (1925) 152; 18 (1926) 35. — Dtsche Kst u. Dekor., 52 (1923) 315, 321 (Abb.). — Casseler Tagebl. v. 19. 2. 1926.

Deppert, Karl, dtsch. Maler u. Rad., * 8. 12. 1897 Bensheim a. d. Bergstraße, ansässig in Darmstadt.
Lernte Dekorations- u. Theatermalerei, dann Schüler von Bühler an der Akad. Karlsruhe. Formstrenge, asketische Kunst. Bildnisse, Figürliches. Temperabild: Trichterfeld vor Cheluvelt, im Landesmus. in Darmstadt.
Lit.: Dreßler. — Dtsche Kst u. Dekor., 60 (1927) 332 (Abb.). — Volk u. Scholle, 7 (1929) 390/94, m. 7 Abbn.

Depré, Albert, franz. Landsch.-, Genre- u. Bildnismaler, * 11. 3. 1861 Paris, † 1937 Neuilly-sur-Seine.
Schüler von J. Lefebvre, F. Flameng, T. Robert-Fleury u. Février. Mitgl. der Soc. d. Art. Franç., beschickte deren Salon 1887ff. (Kat. z. T. m. Abbn).
Lit.: Th.-B., 9 (1913). — Joseph, 1. — Bénézit, ² 3 (1950).

Dequène, Albert Charles, franz. Genre- u. Landschaftsmaler, * 27. 12. 1897 Lille, ansässig ebda.
Schüler von Ph. de Winter, Cormon u. J. Adler. Mitgl. der Soc. d. Art. Franç., beschickt deren Salon seit 1920 (Kat. z. T. m. Abbn).
Lit.: Joseph, 1. — Bénézit, ² 3.

Dequène, Pierre, belg. Figuren-, Bildnis- u. Stillebenmaler, * 1905 Mons.
Schüler von Em. Motte an d. Akad. Mons.
Lit.: Seyn, I. — Kat. d. Ausst. Wallonische Kst, Düsseldorf 1942, m. Abb.

Derain, André, franz. Maler u. Graph., * 10. 6. 1880 Chatou (Seine-et-Oise), ansässig in Paris.
Schüler von Carrière. Wesentlich für s. Entwicklung wurden die Berührung mit Vlaminck, mit dem ihn jahrelange Freundschaft verband, u. der Einfluß von van Gogh (1904), Matisse (1906) u. von Cézanne (1908), dessen Stil er weiter entwickelt hat. Während des 1. Weltkrieges Soldat, konnte er sich erst seit März 1919 wieder künstler. Tätigkeit zuwenden. Gehört neben Vlaminck u. Matisse zu den Führern der Bewegung der „Fauves", zu denen später auch Braque, Othon Friesz, Raoul Dufy u. and. stießen. Um 1912 Annäherung an die Kubisten. Nach 1919 Abrücken von Cézanne und Annäherung an den Impressionismus u. an Renoir (Landschaften aus Castel Gandolfo). Um 1928 beginnende Festigung der Form und immer entschiedenere Plastizität des Stils. Rückt damit an die Spitze der Gruppe der Postimpressionisten. Sein Stoffgebiet ist unumschränkt und umfaßt bes. Figürliches, Akte, Bildnisse (zahlr. Selbstporträts), Landschaften u. Stilleben. Arbeitete in Öl, Aquarell, Pastell, Zeichn. 3 Bilder im Luxembourg-Mus. in Paris. Im Ausland vertreten u. a. im Folkwang-Mus. in Essen, in den öff. Smlgn in Mannheim u. Ulm, im Ksthaus in Zürich, im Mus. in Göteborg, im Mus. Prinz Paul in Belgrad (Taf. 73 im Kat. 1939), im Mus. Westeurop. Malerei in Moskau, in den Art Inst. in Chicago u. Detroit, im Cleveland Mus. in Cleveland, Ohio, u. in der Phillips Memorial Gall. in Washington. — Buchillustr.: G. Apollinaire, „L'Échanteur pourissant" (Holzschnitte), 1909; V. Muselli, „Les plaisirs et les jeux"; G. Gabory, „La cassette de plomb" (Stiche), 1920; „Le nez de Cléopâtre" (Kaltnadel); R. Dalize, „La ballade du pauvre macchabé mal enterre" (Holzschn.), 1919; M. de Vlaminck, „A la santé du Corps" (Lith.), 1919; M. Jacob, „Les œuvres burlesques et mystiques de Frère Matorel mort au couvent" (Holzschn.), 1912; André Salmon, „Le Calument" (Holzschn.), 1920; Pierre Reverdy, „Étoiles peintes" (Rad.), 1920. — Einzelblätter: Le Morin (Kaltnadel); Baigneuses (Kaltnadel); Hl. Abendmahl (Kaltnadel), 1914; Frauenbildnis (Rad.), 1913.
Lit.: Joseph, 1, m. 4 Abbn. — Bénézit, ² 3 (1950), m. Taf. geg. p. 240. — A. Basler, D. (Les Artistes nouv.), Paris 1931. — C. Carrà, D., Rom 1921. — Daniel, Henry, A. D. (Junge Kst, Bd 15), Leipzig 1920, mit 32 Abbn; ders., A. D. (Nieuwe Kst), A'dam 1923, m. 16 Taf. — Lod. Luzzatto, Matisse, Seurat, ..., D., ... (I grandi maestri del colore, Nr 26), Bergamo o. J. — F. Nemitz, Dtsche. Malerei d. Gegenwart, Münch. 1948. — A. Salmon, A. D., Paris 1924 u. 1928. — Schmidt. — Pour ou contre A. D., Enquête, Paris 1931, mit 20 Abbn. — Amer. Art Annual, 27 (1930) 88, 118. — Arp-Neitzel. — Einstein. — Coquiot. — Grautoff, p. 38f., m. Taf.-Abb. — Muls. — Roh. — Salmon, 1912, p. 10, 12, 14, 20f., 48, 56. — Vanderpyl. — L'Amour de l'Art, 1920, p. 196/99; 1930, p. 168f. (Abbn), 433 (2 Abbn); 1931, p. 234 (Abb.), 362; 1933, p. 156/64, m. 10 Abbn. — Apollo (London), 5 (1927) 32, Abb. geg. p. 42, 46, 267; 7 (1928) 169/74; 9 (1929) 41f.; 13 (1931) 238 (Abb.), 278 (Abb.), 311 (Abb.), Taf. geg. p. 323; 18 (1933) 384 (Abb.); 26 (1937), farb. Taf. geg. p. 352; 41

(1945) 129 (Abb.). — Göteborgs Museum, Årstryck 1931, p. 57, 58; 1936, p. 52/53. — L'Art et les Art., 1934, Nr 146, p. 221/26, m. Taf. u. 8 Abbn. — Art Digest, 1. 1. 1942, p. 23 (Abb.); 1. 3. 42, p. 8 (Abb.); 1. 5. 43, p. 8 (Abb.); Juli 43, p. 8 (Abb.); 1. 5. 46, p. 14 (Abb.); 1. 4. 47, p. 24 (Abb.); 15. 2. 49, p. 21. — Art News, 1. 11. 1941, p. 32 (Abb.); 15. 1. 42, p. 28 (Abb.); 1. 5. 43, p. 19 (Abb.); März 46, p. 71 (Abb.); Dez. 46, p. 149 (Abb.); Sept. 47, p. 29 (Abb.). — Art News Annual, 22 (1952) 101/03, 116/19, 123 (Abbn). — L'Art vivant, 1930, p. 393, 395f. (Abbn), 399, 425, m. Abb.; 1931, p. 204, m. 5 Abbn; 1932 p. 350, m. Abb; 1935, p. 161 (Abb.); 1936, p. 157 (2 Abbn). — Art et Décor., 1932, p. 253/55, m. Abbn. — Les Arts, 1920, Nr 186, p. 21, m. Abb. — Artwork, 1 (1924/25) 118; 4 (1928) 39/45, m. 8 Abbn; 6 (1930) 291 (ganzseit. Abb.), 293. — Beaux-Arts, 6 (1928) 112, m. Abb.; 8 (1930) Nr 2, p. 4; 9 (1931) Febr.-H., p. 11 (Abb.), April-H., p. 22, m. Abbn; 73e année, Nr 124 v. 17. 5. 1935, p. 3 (Abb.); 75e a. Nr 235 v. 2. 7. 1937, p. 2; 76e a. Nr 324 v. 17. 3. 1939, p. 8. — Bull. de l'Hist. de l'Art franç., 1928, p. 265f. — Bull. of the Art Inst. of Chicago, 33 (1939) 74f., m. Abb. — Bull. of the Mus. of Cincinnati (USA), 1931, p. 2/5, m. 2 Abbn. — Bull. of the Cleveland Mus. (Ohio), 16 (1929) 9 (Abb.), 164 (Abb.), 170. — Bull. of the Detroit Inst. of Arts, 10 (1928/29) 24/26, 65 (Abb.), 67. — Pennsylv. Mus. Bull., 24 (1928/29) Nr 122, p. 30, Nr 126, p. 30. — Cahiers d'Art, 1928, p. 265/67. — Cahiers de Belgique, 1931, p. 39/48, m. 8 Abbn. — Le Centaure (Brüssel), 1 (1926/27) 70, 72 (Abb.), 119, m. Abb.; 2 (1927/28) 137 (Abb.); 3 (1929) 49 (Abb.); 4 (1930) 1 (Abb.), 5 (Abb.), 49 (Abb.). — D. Cicerone, 12 (1920) 315ff., m. 12 Abbn, 748f., 882 (Abb.), 890; 13 (1921) 432 (Abb.); 15 (1923) 215/21, m. 8 Abbn; 16 (1924) 3 (Abb.), 7, 41, 825, 979; 17 (1925) 1116 (Abb.); 18 (1926) 116f. (Abb.), 124, 127, 261, 391 (Abb.), 399 (Abb.), 806; 19 (1927) 191 (Abb.), 491 (Abb.); 21 (1929) 230/35, 359, m. Abb., 620 (Abb.); 22 (1930) 128. — Formes (Paris), 1930, Nr. 2, p. 5/6, m. 13 Abbn; 1931, p. 20/21, m. 4 Abbn, 145f., m. 6 Abbn; 1933, Nr 31, p. 343/44, m. 1 Taf. u. 6 Abbn, Nr 33, p. 378ff., m. Abbn. — Galerie u. Sammler, 9 (1941) 63/67. — Jahrb. d. Jungen Kst, 1 (1920) 93ff.; 3 (1922) 280 (Abb.), 283 (Abb.); 4 (1923) 138ff. — Jahresber. d. Zürcher Kstgesellsch., 1935, p. 3. — Internat. Studio, 1931, Märzh. p. 26. — Das Graph. Kabinett (Winterthur), 10 (1925) 63f., 67ff., 110. — Konstrevy, 1926, p. 18 (Abb.); 1927 H. 2, p. 24 (Abb.); 1928, p. 109 (Abb.); 1929, p. 141 (Abb.); 1930, p. 23 (Abb.), 161, 163 (Abb.); 1931, p. 40 (Abb.); 1935 p. 29 (Abb.), 33/38, m. 10 Abbn, 94 (Abb.); 1937, p. 20, m. Abb., 43, 44 (Abb.). — D. Kreis (Hamburg), 6 (1929) 504/06, Abbn geg. p. 497, 512, 513, 528 (Maler Moïse Kisling), 529. — D. Kunst, 59 (1928–29) 177/84, m. 6 Abbn; 63 (1930/31) 226f.; 65 (1932) 12 (Abb.), 307/11, m. 5 Abbn; 75 (1936/37) 337 (Abb.), 338f. — D. Kst u. d. schöne Heim, 48 (1950) 241/44, m. 5 Abbn u. farb. Taf. — Dtsche Kst u. Dekor., 51 (1922/23) 71, 82 (Abb.), 249f., m. Abbn, 251/60 (10 Abbn); 59 (1926/27) 283 (Abb.); 61 (1927/28) 171 (Abb.), 178; 63 (1928/29) 303/10, m. 9 Abbn; 66 (1930) 202 (Abb.), 235 (Abb.); 68 (1931) 264 (Abb.). — Kunst u. Kstler, 17 (1918/19) 243; 19 (1920/21) 50 (Abb.), 51 (Abb.), 54, 58 (Abb.); 21 (1922/23) 143/46, m. 4 Abbn, 162 (Abb.); 24 (1925/26) 442 (Abb.); 26 (1927/28) 145 (Abb.), 437; 27 (1928/29) 358/62, 418, 444 (Abb.); 28 (1929/30) Taf. geg. p. 92 u. 94, 102, 126, 128 (Abb.), 251 (Abb.), 508 (Abb.); 29 (1930/31) 31 (Abb.), 33f. (Abbn). — Oberrhein. Kst, 2 (1928), Beibl. 28, 193 r. Sp. — D. Kstblatt, 3 (1919) 9, 11 (Abb.), 218, 289–304, m. 10 Abbn, 384; 4 (1920) 22 (Abb.), 235f. (Abbn), 299; 5 (1921) 356, m. Abb., 361; 6 (1922) Abb. geg. p. 1, 5, 6, 9f., m. Abb.; 10 (1926) 10 (Abb.); 11 (1927) 284; 13 (1929) 188; 14 (1930) 186 (Abb.), 249 (Abb.); 15 (1931) 146/48 (Abbn), 175. — D. Kstwerk, 4 (1950) Heft 3 p. 34f., m. Abb.; H. 4 p. 52 (Abb.) — Kunstmuseets Årsskrift, 1929/30; 1933/34, m. Abb.; 1938; 1940. — D. Kstwanderer, 1927/28, p. 477; 1928/29, p. 317 (Abb.), 414. — Maandbl. v. beeld. Kunsten, 2 (1925) 35/40, m. 8 Abbn. — Magaz. of Art (New York), 39 (1946) 85 (Abb.). — Ord och Bild, 40 (1931) 536, 537 (Abb.), 543 (Abb.). — Phoebus (Basel), 1 (1946) 89. — Pro Arte (Genf), 2 (1943) Nr 20 p. 367 (Abb.). — D. Querschnitt, 1 (1921) 16 (Abb.), 98, m. Abb., 127 (Abb.), 225, 233 (Abb.), 240; 2 (1922) 24f., m. Abbn, 61, 86 (Abb.), 174ff. (Abbn). — La Renaiss. de l'Art franç., 12 (1929) 90 (Abb.), 106, 173, 180, 185 (Abb.); 13 (1930) 105/07 (Abb.), 241 [recte 256] (Abb.); 14 (1931) 214 (Abbn). — Revue de l'Art anc. et mod., 55 (1929) 148 (Abb.), 151 (Abb.); 71 (1937) 332 (Abb.). — The Studio, 112 (1936) farb. Taf. geg. p. 56, 62 (Abb.), 76 (Abb.); 115 (1938) farb. Taf. geg. p. 284; 116 (1938) 313 (Abb.), farb. Taf. geg. p. 62; 117 (1939) 103 (Taf.), 277 (desgl.); 124 (1942) 183; 129 (1945) 164 (Abb.); 131 (1946) 148 (Abb.); 132 (1946) 110 (Abb.), 170 (Abb.), 173 (Abb.); 140 (1950) 123 (Abb.); 141 (1951) 97 (Abb.). — The Art Index (New York), 1928ff. passim.

Derchain, Philippe, belg. Landschafts- u. Interieurmaler (Dr. jur.), * 1873 Theux.

Autodidakt. Bilder in den Museen Gent, Lüttich u. Verviers.

Lit.: Seyn, I, m. Fotobildnis.

Deregus, M., ukrain. Buchillustr., * 1904.

Lit.: Encykl. d. Union d. Sozial. Sowjetrepubl., 2 (1950).

Dereli, Cevat, türk. Landschaftsmaler, * 1902 Rize, ansässig in Istanbul (Konstantinopel).

Stud. seit 1917 an d. Akad. d. Sch. Künste zu Istanbul. Arbeitete 7 Jahre bei Ibrahim Callí, ging dann auf 6 Jahre nach Paris. Seit 1930 Lehrer an d. Akad. d. Sch. Künste zu Istanbul. Einige Bilder im Bilder- u. Statuenmus. ebda. Gehört der türk. mod. Schule an.

Lit.: Berk, p. 23f., m. Abb. 8.

Dergans, Louis S., öst.-amer. Maler, * 4. 11. 1890 Laibach, Jugoslaw., † 27. 6. 1930 Washington. Naturalisierter Amerikaner.

Stud. an der Corcoran Gall. bei Rich. S. Meryman u. S. Burtis Baker.

Lit.: Amer. Art Annual, 27 (1930) 408.

Derieux, Ernest, franz. Stillebenmaler, * 7. 11. 1898 Orchies (Nord), ansässig in Cambrai.

Schüler von F. Sabatté u. L. Jonas. Mitgl. der Soc. d. Art. Franç., beschickt deren Salon seit 1927.

Lit.: Joseph, 1. — Bénézit, ² 3.

Dering, Josef, dtsch. Entwurfzeichner für Glasmalerei, Sgraffito u. Enkaustikmalerei, * 1910 München, ansässig ebda.

Lit.: D. Münster, 2 (1948) H. 5 u. 6, p. 186, m. 1 Abb.

Deringer, Fritz, schweiz. Landschaftsmaler u. Illustr., * 9. 4. 1903 Uetikon a. See, ansässig ebda.

Autodidakt. Studienaufenthalte in Frankreich u. Italien (Florenz, Assisi). Illustr. (Zeichngn) zu Gottfr. Keller, Romeo u. Julia auf dem Dorfe, Zürich (Boss) 1943, u. zu Traugott Vogel, Augentrost u. Ehrenpreis. Geschichten fürs junge Gemüt, Aarau (Sauerländer) 1944.

Lit.: Schweiz. Zeitgen.-Lex., 1932. — Schweizer Kst, 1944 p. 75 (Abb.); 1945 H. 1, p. 3 (Abb.), H. 2 p. 14 (Abb.). — D. Werk (Zürich), 23 (1936) 235 (Abb.). — Jahresber. d. Zürcher Kstgesellsch., 1940 p. 48. — Kat. d. Ausst. Schweizer Bildh. u. Maler, Ksthaus Zürich, 7. 12. 1941–1. 2. 42, p. 17.

Derix, Heinrich, dtsch. Glasmaler, * 18. 11. 1870 Goch, ansässig in Kevelaer.
Leiter der päpstl. Hofglasmalerei Wilhelm Derix [Vater des Künstlers]. Fenster der Sixtinischen Kapelle in Rom u. weitere Glasfenster im Vatikan. Leiter d. Kevelaerer Werkstatt ist z. Zt. sein Sohn Hein (auch Mosaikkstler), der, zus. mit s. Bruder (?) Wilhelm, auch eine Glasmalereiwerkstatt in Rottweil unterhält. Sammelausst. veranstaltet von d. Dtsch. Ges. f. christl. Kst in München: Mai/Juni 1951.
Lit.: D. Münster, 2 (1949) 204; 3 (1950) 126; 5 (1952) 55.

Derkert, Siri, schwed. Malerin, Pastellzeichnerin u. Graphikerin, * 1888 Stockholm, ansässig in Lidingö.
Stud. in Frankreich, Italien u. Spanien. Figürliches, Landschaften, Interieurs u. Kinderbildnisse. Koll.-Ausst. 1939 in der Svensk-Franska Konstgall. in Stockholm. Im Nat.-Mus. ebda: Kinder.
Lit.: Thomæus. — Konstrevy, 1932, p. 107; 1939, p. 110f., m. Abbn; Spez.-Nr: Göteborg, p. 67 (Abb.). — Nat.-Mus. Stockh. [Bilderbuch], 1948, p. 125.

Derkovits, Gyula, ungar. Maler u. Holzschneider, * 13. 4. 1894 Szombathely, † Sommer 1934 Budapest.
Nach autodidaktischen Studien Schüler von K. Kernstok in Budapest. Zuerst von Marées beeindruckt, wandte sich dann dem deutschen Expressionismus zu. Ging um 1928 unter dem Einfluß von Rób. Berény u. Aur. Bernath zu einem ausgesprochen malerischen Stil über. Soziale Mißstände berührende Themen. Holzschnittfolge: Bauernaufstand von 1514. In der Neuen Ungar. Gal. in Budapest 2 Temperagem.: Leben u. Tod, und: Kühe.
Lit.: Kállai, m. Abb. — I. Artinger, D. G. (Ars hungarica, Nr 6), Budapest 1934. — Pogány, p. 22, 66ff., farb. Taf. (Selbstbildn.) gegen Titelbl., farb. Abb. p. 57, Taf. 118, 119 (farbig), 121. — Nouv. Revue de Hongrie (Budapest), 51 (1934/II) p. 288/90, m. 2 Abbn. — The Studio, 113 (1937) 129, 130 (Abb.); 135 (1948) 17 (farb. Abb.). — Die Weltkst, 8, Nr 28 v. 15. 7. 1934, p. 4. — Kat. d. Neuen Ungar. Gal. Budapest, 1930. — bild. kunst, 3 (1949) 158 (Abb.), 159f., m. Abb.

Derksen, Gijsbert, holl. Maler, * 25. 11. 1870 Doesburg, † 24. 4. 1920 Arnheim.
Schüler von H. W. Jansen u. Baukema. Einige Zeit in Rom u. Paris. Hauptsächlich Porträtist. Im Reichsmus. Amsterdam ein Kniebildnis des Malers Joh. Gijsbert Vogel, vor der Staffelei stehend.
Lit.: Plasschaert. — Waay. — Op de Hoogte, 5 (1908) 709/12, m. Abbn. — Elsevier's geïll. Maandschr., 54 (1917) 476f., m. Abb.

Derkzen van Angeren, Antoon, holl. Maler u. Rad., * 21. 4. 1878 Delft, ansässig in Rotterdam.
Autodidakt. Arbeitete ca. 10 Jahre, bis 1901, in d. Keram. Fabrik von 't Hooft & Labouchère in Delft. Seit 1911 in Rotterdam ansässig. Garten-, Stadt- u. Hafenansichten, Figürliches, Bildnisse, Landschaften. Hauptsächl. Rad. Auch Entwürfe für Glasmalerei.
Lit.: Th.-B., 9 (1913). — Waay. — Hall, Nrn 8585/92. — Waller. — Beeld. Kunst (hg v. H. P. Bremmer), 6 (1918/19) Taf. 39, p. 58.

Derrey, Jacques Charles, franz. Bildnis- u. Landschaftsmaler, * Toulouse, ansässig in Paris.
Schüler von Lucien Jonas, L. Roger, Dezarrois u. Laguillermie. Stellt seit 1929 im Salon der Soc. d. Art. Franç. aus (Kat. z. T. m. Abbn).
Lit.: Bénézit, [2] 3 (1950).

Derrick, Thomas, engl. Maler u. Buchillustr., * Bristol, ansässig in Hungerford, Berkshire.
Im Mus. in Brooklyn, USA: Urteil des Paris. Wandmalereien im Gebäude des Council of Social Service for Lectures, Meetings etc. in London. Holzschnitt-Illustr. zu Boccaccio's „Decamerone" u. zu „Everyman" (J. M. Dent & Sons, London).
Lit.: Who's Who in Art, [3] 1934. — The Studio, 49 (1909) 35 (Abb.); 92 (1926) 192f., m. Abbn; 102 (1931) 280. — Brooklyn Mus. Quarterly, 15 (1928) 1, 2f. — Apollo (London), 13 (1931) 52f. — The Print Coll.'s Quarterly, 18 (1931) 202.

Dersch, Heinrich, dtsch. Bildnis- u. Landschaftsmaler, Lithogr. u. Werkkstler, * 28. 12. 1890 Mohnhausen, Kr. Frankenburg, ansässig zuletzt in Riemannsfelde, Kr. Posen.
Stud. an der Kstgewerbesch. u. an der Akad. Kassel, dann an der Akad. München. Studienaufenthalte in Paris u. Südfrankreich. Landschaft im Bes. der Stadt Kassel. Blumenstück im dort. Museum. Schwarzwaldlandsch. in der Smlg der Universität Marburg.
Lit.: Dreßler. — Hellweg (Essen), 2 (1922) 897. — Dtsche Kst u. Dekor., 64 (1929) 335 (Abb.). — Kat. Kstausst. Maler i. Wartheland, Kaiser-Friedr.-Mus. Posen, 1943.

Derujinskij, Gljeb W., russ.-amer. Bildhauer, * 13. 8. 1888 Smolensk, ansässig in Bronxville, N. Y., USA.
Stud. die Rechte an d. Univ. St. Petersburg, besuchte zugleich die Kstschule, weitergebildet dann bei Verlet u. Injalbert an den Akad. Julian u. Colarossi in Paris. Flüchtete 1917 nach der Krim, von dort nach New York. Arbeitet in Marmor, Holz, Alabaster, für Bronze u. Terrakotta. Bildnis Th. Roosevelt's im Roosevelt Memorial House in New York. Kopf e. Künstlers (Bronze) i. Metrop. Mus. ebda (Abb. in: Bull. of the Metrop. Mus. [New York], 30 [1935], p. 19f.).
Lit.: Fielding. — Who's Who in Amer. Art, I: 1936/37. — Who's Who in Art, [3] 1934. — Kinston Parkes, The Art of Carved Sculpt., Lo. 1932. — Apollo (London), 8 (1928) 107, m. Abb. — The Art News, 20. 2. 1926, p. 7; 25. 11. 1933, p. 8; 15. 5. 1942, p. 23. — The Connoisseur, 82 (1928) 63f. — The Dial, vol. 71 Nr 6, Dez. 1921, Abb. vor p. 625. — Liturgical Arts (New York), 10, Nov. 1941, p. 6 (Abb.); 11, Febr. 1943, p. 36 (Abb.); 15, Febr. 1947 p. 45 (Abb.); 17, Mai 1949, p. 84, m. Abb.; 18, August 1950, p. 96 (Abb.). — The Studio, 83 (1922) 346, 347; 94 (1927) 223, m. 2 Abbn.

Derulle, Marcel, franz. Landschafts- u. Stillebenmaler, * Nancy, ansässig in Levallois.
Stellt seit 1926 bei den Indépendants u. im Salon der Soc. d. Art. Franç. aus.
Lit.: Joseph, 1. — Bénézit, [2] 3.

Dervaux, Georges, franz. Genre-, Bildnis- u. Interieurmaler, * 25. 7. 1888 Tourcoing (Nord), ansässig in Paris.
Schüler von Cormon. Mitgl. der Soc. d. Art. Franç., beschickt deren Salon seit 1912 (Kat. z. T. mit Abbn). Silb. Med. 1921, Gold. Med. 1923.
Lit.: Joseph, 1. — Bénézit, [2] 3.

Déry, Béla, ungar. Landschafts- u. Bildnismaler, Plakat- u. Werbezeichner u. Kstschriftst., * 16. 5. 1870 Budapest.
Schüler von M. Szemlér, B. Székely u. G. Keleti. Weitergebildet autodidaktisch in München. Dann in Berlin. Seit 1896 in Budapest. Gehört zu den bedeutendsten ungar. Vertretern des Naturalismus. Auslandsreisen: Paris, London, Belgien, Holland, Italien,

München. Seit 1910 Direktor des Nemzeti-Salon, zu dessen Gründern er gehört. Bild: Winterlandsch. aus Åbo, im Mus. in Göteborg. Bildnis Ferencz Deák in Lugos, Kom. Krasso-Szőrény.
Lit.: Th.-B., 9 (1913), mit falschem Geburtsjahr. — Szendrei-Szentiványi. — Krücken-Parlagi. — Die Kst in d. Schweiz, 1929 p. 230, m. Taf.

Desbois, Jules, franz. Holz- u. Steinbildhauer, u. Pastellzeichner, * 20. 12. 1851 Parçay b. Saumur (Maine-et-Loire), † 1935 Paris.
Schüler von Cavelier. Im Luxembourg-Mus. außer der schon bei Th.-B. gen. Ledagruppe (Marmor) die Halbfigur eines Sisyphus (Holz) u. Die Quelle (Stein). Im Mus. in Angers die Holzstatue Misère (halbverhungerte sitzende Alte) u. die Gipsstatue eines halbliegenden nackten Othryades. Im Mus. in Lyon: Der Holzfäller u. der Tod (Bronze). Vor dem Musée de Cluny in Paris ein Denkmal für Puvis de Chavannes. Im Tuileriengarten eine Kolossalstatue: Der Winter (Stein). In Angers ein Denkmal für die Gefallenen der Stadt. — Als Pastellist hauptsächlich Akt- u. Stilllebenzeichner. Im Petit-Palais in Paris als solcher vertreten mit einer weibl. Halbfigur.
Lit.: Th.-B., 9 (1913). — Bénézit, ² 3 (1950). — Joseph, 1. — Les Arts, 1916 Nr 155, p. 1 (Abb.), 22, m. Abb.; 1920 Nr 184, p. 5 (Abb.), Nr 191, p. 20/24, m. 10 Abbn u. Fotobildn. — Gaz. d. B.-Arts, 1919, p. 163f., m. Abb. — La Renaiss. de l'Art franç., 4 (1921) 424 (Abb.); 5 (1922) 382/89, m. 12 Abbn; 7 (1924) 459, m. Abb.; 8 (1925) 1/3, m. 3 Abbn. — Revue de l'Art anc. et mod., 46 (1924) 44, 50 (Abb.); 67 (1925), Bull. p. 346. — L'Art et les Art., N. S. 23 (1931/32) 42/48, m. Abbn. — Bull. d. Musées de France, 9 (1937) 96.

Desbois, Louis, franz. Landschafts- u. Marinemaler, * 5. 12. 1878 Orleans, ansässig in Paris.
Schüler von Collin. Mitgl. der Soc. d. Art. Franç., beschickt deren Salon seit 1907.
Lit.: Joseph, 1. — Bénézit, ² 3.

Desbois, Pierre, franz. Landsch.- u. Architekturradierer, * 29. 4. 1873 Paris, ansässig ebda.
Schüler von V. Focillon u. J. Deturck. Mitgl. der Soc. d. Art. Franç., beschickt deren Salon seit 1901 (Kat. z. T. mit Abbn). Folgen: Les environs de Grenoble (9 Bll.); Aspects du vieux Paris, 1. Folge, Paris 1923; 2. Folge (50 Bll.), mit Text von Rob. Hénard, Paris 1933; Aspects de nos vieilles provinces: Limousin, Quercy; Aspects de nos vieilles provinces: Limousin, Collogne, Quercy, Rocamadour, Auvergne, Royat, 1929; Aspects de nos vieilles provinces: Collogne, Bordeaux, Aubazine, Beaulieu, Aubusson, Martel, 1930.
Lit.: Joseph, 1. — Estampes, 1934 p. 96f., m. Abb.

Desbuissons, Léon, franz. Maler, Radierer u. Aquatintastecher, * Paris, ansässig ebda.
Schüler von Saint-Pierre, L. O. Merson, Humbert u. Delâtre. Mitgl. der Soc. d. Aquafort. Franç., der Soc. d. Art. Franç. u. der Soc. d. Art. Indépendants. Hauptsächlich Landschafter. Illustr. zu: Trois Villes du Vignoble alsacien (25 Rad.).
Lit.: Joseph, 1. — Bénézit, ² 3.

Desca, Alice, franz. Lithographin, * Paris, † 1933 ebda.
Gattin des Bildhauers Edmond D. (* 1855, † 1918). Schülerin von Firmin Bouisset. Mitgl. der Soc. d. Art. Franç. Hauptsächl. Landschaften u. Genre. Hauptblätter: Die Mission der Jeanne d'Arc; Das wiedergefundene Schaf.
Lit.: Joseph, 1. — Bénézit, ² 3.

Descamps, Gaston Alfred, belg. Figuren- u. Bildnismaler, * Mouscron, ansässig ebda.
Schüler von H. Léty u. Ern. Cracco. Beschickte 1930 den Pariser Salon der Soc. d. Art. Franç. (Abb. im Kat.).

Descatoire, Alexandre, franz. Bildhauer, * 22. 8. 1874 Douai (Nord), ansässig in Paris.
Schülerin von G. J. Thomas u. Injalbert. Prof. an der Ec. d. B.-Arts. Mitgl. der Soc. d. Art. Franç., bebeschickte deren Salon seit 1904 (Kat. z. T. m. Abbn). Denkmal für Giovanni da Bologna in Douai (1914); Denkm. für d. Dichterin Marceline Desbordes-Valmore ebda. Bildnisbüsten.
Lit.: Joseph, 1. — Bénézit, ² 3 (1950). — Gaz. d. B.-Arts, 1927/I p. 339 (Abb.), 348. — Art et Décor., 1927/II p. 12. — Chr. Rauch, Douai (Aus Städten u. Schlössern Nordfrankr., Bd 2), 1917 p. 50, Taf. 44.

Desch, Frank H., amer. Maler u. Illustr., * 19. 2. 1873 Philadelphia, Pa., † 10. 1. 1934 Provincetown, Mass.
Schüler von Wm. Chase u. Hawthorne, dann von Biloul in Paris. Bilder im Butler Art Inst. in Youngstown, Ohio (Der blaue Chinesenrock), im Salmagundi Club in New York (Das Boudoir-Kostüm) u. im Bes. der Art Association in Blomington, Illinois (Alice im Wunderland).
Lit.: Fielding. — The Art News, 22, Nr 1 v. 13. 10. 1923, p. 8, m. Abb. — Amer. Art Annual, 30 (1933). — Who's Who in Amer. Art, I: 1936/37, p. 496.

Deschamps, Marguerite, franz. Bildhauerin, * Paris, ansässig in Châtillon-sous-Bagneux (Seine).
Schülerin von Marqueste u. Jean Boucher. Genre, Bildnisbüsten. Mitgl. der Soc. d. Art. Franç. (Kat. z. T. m. Abbn).
Lit.: Bénézit, ² 3 (1950).

Deschamps-Cornic, Marie Louise, franz. Pastellzeichnerin, * 16. 6. 1898 Rennes, ansässig in Asnières (Seine).
Schülerin von Humbert u. Biloul. Stellt seit 1926 im Salon der Soc. d. Art. Franç. aus. Hauptsächlich Bildnisse.
Lit.: Joseph, 1. — Bénézit, ² 3.

Desclabissac, Felice, geb. *Kurzbauer*, dtsche Malerin, * 19. 11. 1876 Wien, ansässig in München.
Stud. an der Kstschule für Damen in Krakau, an der Damenakad. des Künstlerinnenvereins in München u. bei ihrem späteren Gatten Alex. D. (* 1868). Genre, Blumen (Tempera, Aquar., farb. Zeichng): Kollektiv-Ausst. bei Neuner, Berlin, Herbst 1920.
Lit.: Th.-B., 9 (1913). — Dreßler. — D. Kstwanderer, 1920/21, p. 41.

Desclabissac, Wilhelm, dtsch. Maler u. Graph., * 27. 7. 1870 Aachen, ansässig in München. Gatte der Folg.
Stud. an der Akad. in Antwerpen u. bei Stummel in Kevelaer. Bildnisse, Landschaften, Wandmalereien, politische Karikaturen.
Lit.: Dreßler.

Desclabissac-Bartels, Elsbeth, dtsche Malerin, * 5. 6. 1876 Domersleben b. Magdeburg, ansässig in München. Gattin des Vor.
Stud. an der Kstschule in Berlin u. bei Else Oppler-Legband ebda.
Lit.: Dreßler.

Desclozeaux, Guy, franz. Landschaftsmaler, * Paris, ansässig ebda.
Schüler von Bergier u. Alb. Laurens. Beschickt

seit 1930 den Salon der Soc. d. Art. Franç. (Kat. z. T. m. Abbn).
Lit.: Bénézit, [2] 3 (Descluzeaux).

Descomps, Jean Bernard, franz. Bildhauer u. Maler, * 14. 5. 1872 Agen (Lot-et-Garonne), ansässig in Paris.
Schüler von Falguière. Mitgl. der Soc. d. Art. Franç. (Kat. z. T. m. Abbn). Genrefig., Grabmäler, Bildnisbüsten u. -medaillons. Im Petit-Palais in Paris die Bronzegruppe: Kindheit des Bacchus. In der Bibl. Nat.: Büste des Grafen Delaborde.
Lit.: Th.-B., 9 (1913). — Joseph, 1.

Descossy, Camille, franz. Landsch.- u. Figurenmaler u. Graph., * 24. 5. 1904 Céret (Pyrénées-Orientales), ansässig in Malakoff.
Schüler von Cormon. Mitgl. der Soc. d. Art. Indépendants, beschickt deren Salon seit 1924. Stellt auch im Salon d'Automne u. im Salon der Soc. Nat. d. B.-Arts aus (Kat. z. T. m. Abbn).
Lit.: Joseph, 1. — Bénézit, [2] 3. — Bull. de l'Art, 1928, p. 409 (Abb.). — Beaux-Arts, 75e année Nr 306 v. 11. 11. 1938 p. 2 (Abb.).

Descoust, Charles Eugène, franz. Landschafts-, Figuren- u. Bildnismaler, * 24. 4. 1882 La Rochelle, ansässig in Paris.
Schüler von Humbert u. Bonnat. Mitgl. der Soc. d. Art. Franç., beschickt deren Salon seit 1921 (Kat. z. T. mit Abbn).
Lit.: Joseph, I.

Descudé, Cyprien, franz. Maler, * 30. 1. 1881 Bordeaux, † 1920 Paris.
Schüler von G. Ferrier. Mitgl. der Soc. d. Art. Franç., beschickte deren Salon seit 1909. Bildnisse, Figürliches (bes. Akte), Tierbilder, Landschaften.
Lit.: Th.-B., 9 (1913). — Les Arts, 1920, Nr 184 p. 10 (Abb.); Nr 189 p. 18f., m. 2 Abbn.

Desèvre, Maurice, franz. Bildnis-, Landschafts- u. Figurenmaler, * 26. 4. 1887 Bouconville (Aisne), † 25. 1. 1937 Paris.
Schüler von J. P. u. A. Laurens. Beschickte seit 1929 den Salon der Soc. d. Art. Franç., seit 1927 auch den Salon des Indépendants.
Lit.: Joseph, 1. — Bénézit, [2] 3.

Desgranges, Félix Léopold, franz. Landschafts- u. Architekturmaler, ansässig in Saint-Bresson (Haute-Saône).
Stellt seit 1924 im Salon des Tuileries aus.
Lit.: Joseph, 1. — Bénézit, [2] 3.

Desgranges, Guillaume, franz. Maler u. Lithogr., * 10. 2. 1886 Avranches (Manche), ansässig in Coutances (Manche).
Schüler von Cormon, Waltner u. Léandre. Mitgl. der Soc. d. Art. Franç., beschickt deren Salon seit 1911 (Kat. z. T. m. Abbn). Gold. Med. 1925. Bilder im Petit-Palais in Paris u. in den Museen in Avranches, Coutances u. Nantes.
Lit.: Joseph, 1. — Bénézit, [2] 3.

Desgrey, Georges Ernest, franz. Bildhauer u. Medailleur, * Paris, ansässig ebda.
Schüler von Mercié. Mitgl. der Soc. d. Art. Franç., beschickt deren Salon seit 1913. Silb. Med. 1937.
Lit.: Forrer, 7. — Joseph, 1. — Bénézit, [2] 3.

Deshayes, Eugène, franz. Landsch.- u. Vedutenmaler, * Algier, ansässig in Paris.
Beschickte seit 1894 den Salon der Soc. d. Art. Franç.
Lit.: Joseph, I.

Deshayes, Frédéric Léon, franz. Landschaftsmaler (Öl u. Aquar.), * 30. 12. 1883 Paris, ansässig ebda.
Schüler von Edm. Valton. Beschickt seit 1913 den Salon d'Automne. seit 1924 auch den Salon des Indépendants u. den Salon des Tuileries. Malte viel auf Korsika. Außer Landschaften auch Stilleben, Blumenstücke, Interieurs u. Figürliches, bes. Akte. Bilder in den Museen in Le Havre, Algier, Constantine, Tunis, New York, Boston u. Chicago. Kartons für d. Staatl. Gobelinmanufaktur.
Lit.: Joseph, 1. — Bénézit, [2] 3. — L'Art et les Art., N. S. 15 (1927) 297/301, m. 7 Abbn. — L'Amour de l'Art, 1927, p. 60/62, m. 2 Abbn, 1934, p. 299ff. passim. — Beaux-Arts, 75e année Nr 273 v. 25. 3. 1938, p. 3 (Abb.); Nr 311 v. 16. 12. 1938 p. 3. — Maandbl. voor beeld. Kunsten, 17 (1940) 259ff., m. Abbn.

Dési-Huber, István, ungar. Maler, * 1895 (1891 ?), † 1944.
Autodidakt, dem Arbeitermilieu entstammend. Industrie- u. Feldarbeiter, Fabriken, Landschaften, Dorfansichten, Blumenstücke.
Lit.: Pogány, p. 68ff., farb. Abb. p. 61; Taf.-Abbn p. 136f. — bild. kunst, 3 (1949) 160, m. Abb. — Nouv. Revue de Hongrie, 64 (1941/I) 144ff., m. Abb.

Desiderius, Dr., s. *Boettinger,* Hugo.

Desilvestro, Franz, tirol. Landsch.-, Stillleben- u. Bildnismaler, * 25. 9. 1877 Perra (Fassatal), † 12. 3. 1918 Innsbruck.
Besuchte die Staatsgewerbesch. in Innsbruck, bildete sich in Zürich u. München als Dekorationsmaler weiter.
Lit.: Gerola, Art. Trentini all'Estero, 1930, m. Abb. — Fischnaler, Innsbr. Chronik, V 66. — Tir. Stimmen, 1918, Nr 85. — Tir. Anz., 1918 Nr 103. *J.R.*

Deskey, Donald, amer. Zeichner für Kstgewerbe, * 23. 11. 1894, ansässig in New York.
Entwürfe für Interieurs, u. a. für die Radio City Music Hall in N. York.
Lit.: Who's Who in Amer. Art, I: 1936/37. — Beaux-Arts, 1935, Nr 119, p. 6, m. Abb. — Vogue (New York), 1. 2. 1939, p. 72 (Abb.), 137, m. Fotobildn. — Art Index (New York), Okt. 1944/Okt. 1951.

Dešković, Branislav, dalmat. Bildhauer, * 1883 Brac b. Pučišćeb in Dalmatien, ansässig in Spalato (Split).
Stud. an der Akad. Venedig bei Dal Zotto. Ging später nach Paris. Hauptsächl. Porträtist.
Lit.: Szendrei-Szentiványi. — Kat. d. Ausst. Kroat. Kst, Berlin, Pr. Akad. d. Kste, Jan./Febr. 1943, p. 11.

Desliens, Cécile u. Marie, franz. Bildnis-, Blumen- u. Genremalerinnen, Schwestern, * Chavenon (Allier), ansässig in Paris.
Beschickten 1883/1929 den Salon der Soc. Nat. d. Beaux-Arts. Tätig als Kollektiv signierten: C.-M. Desliens.
Lit.: Th.-B., 9 (1913). — Joseph, I. — Revue d'Auvergne, 57 (1937) 97/102.

Deslignières, André, franz. Maler u. Holzschneider, * 25. 9. 1880 Nevers, ansässig in Paris.
Stellte seit 1910 bei den Indépendants aus. Landschaften, Akte, Marktszenen, usw. Illustr. u. a. zu: Maeterlinck, „Le Miracle de Saint-Antoine"; Ch. L. Philippe, „Le Père Perdrix"; C. Tillier, „Belle Plante et Cornélius", R. Rolland, „Colas Breugnon", usw.
Lit.: Joseph, 1. — Bénézit, [2] 3 (1950). — Salaman, p. 97. — La Renaiss. de l'Art franç., 3 (1920)

207 (Abb.), 210. — Chron. d. Arts, 1921, p. 156 (Koll.-Ausst.). — Byblis, 1927, p. 11/16, m. Abb.

Desmaré, Mathieu, belg. Bildh., * 1. 4. 1877 Laeken b. Brüssel.

Schüler von Ch. v. d. Stappen u. C. Meunier. Bildnisbüsten, Grabmäler, Bauplastik (u. a. für das Rathaus in Laeken). Gefallenendenkmal 1914/1918 der Gemeinde Schaarbeek.

Lit.: Seyn, I.

Desmedt, Jozef, belg. Maler u. Bildhauer, * 1894 Antwerpen.

Stud. an den Akad. Antwerpen, Mecheln u. Brüssel, Schüler von V. Rousseau, weitergebildet bei L. O. Merson in Paris.

Lit.: Seyn, I.

Desmet siehe *Smet,* De.

Desmond, Creswell Hartley, engl. Maler u. Bildhauer, * 6. 7. 1877 Streatham, ansässig in Symington, Hampshire.

Lit.: Who's Who in Art, [3] 1934. — Graves, 2. — The Studio, 110 (1935) 181 (Abbn), 182.

Desnoyer, François, franz. Maler, Bildh. u. Graph., * 30. 9. 1894 Montauban, ansässig in Paris.

Stud. an d. Ec. d. Arts Décor. in Montauban. Gefördert von Bourdelle. Stellt seit 1923 bei den Indépendants, seit 1924 auch im Salon des Tuileries, seit 1925 im Salon d'Automne aus. Figürliches (bes. Akte), Bildnisse, Landschaften. Illustr. (Lith.) u. a. zu La Fontaine, Dies Irae. — Kollektiv-Ausst. 1951 im Kst-Mus. in Luzern.

Lit.: Joseph, 1. — Bénézit, [2] 3 (1950). — Bull. de l'Art, 1926, p. 150 (Abb.). — La Renaiss. de l'Art franç., 9 (1926) 365, m. Abb. — Revue de l'Art anc. et mod., 51 (1927) 201 (Abb.). — Beaux-Arts, 6 (1928) 61; 75e année Nr 62 v. 9. 3. 1934, p. 6; Nr 273 v. 25. 3. 1938, p. 4; Nr 324 v. 17. 3. 1939, p. 1 (Abb.); Nr v. 7. 6. 46, p. 5 (Abb.); Nr v. 21. 6. 46, p. 4 (Abb.); Nr v. 3. 10. 47, p. 5 (Abb.); Nr v. 2. 4. 48, p. 2. — Magazine of Art (New York), 38 (1945) 273 (Abb.). — The Studio, 133 (1947) 13 (Abb.). — Kat. Ausst.: La Sculpt. franç. de Rodin à nos jours, Berlin 1947, m. Abb.

Despiau, Charles, franz. Bildhauer, Zeichner u. Illustr., * 4. 11. 1874 Mont-de-Marsan (Landes), † 28. 10. 1946 Paris.

Gehört mit Maillol u. Joseph Bernard zu den bedeutendsten Plastikern der 1. Hä. des 20. Jh.s in Frankreich. Kam 17jährig nach Paris, wurde Schüler von Hector Lemaire an der Ec. d. Arts Décor., dann von Barrias an der Ec. d. B.-Arts. Beide Lehrer ohne Einfluß. Um 1903 Begegnung mit der Kunst Rodin's, der das Genie in D. zur Auslösung brachte, ohne ihn doch von seinem eingeschlagenen Wege auch nur ganz vorübergehend ablenken zu können. Um 1907 mit einigen Marmor-Ausführungen für Rodin betraut, darunter dem Genius der ewigen Ruhe für das Grabmal Puvis' de Chavannes; lieferte aber dabei weniger eine genaue Übertragung des Rodin'schen Entwurfes als eine freie Transskription desselben. Trat trotz aller Bewunderung für den Schöpfer des Balzac sehr bald in Opposition zu der impressionist. Formbehandlung Rodin's, der er eine an der Antike inspirierte Plastizität entgegenstellte. Bedeutende Anregungen erfuhr er durch Lucien Schnegg, mit dem er bei Rodin zusammentraf. — Begann als Porträtist. Seine Büsten ebenso faszinierend durch die Vitalität des Ausdrucks wie durch die Schlichtheit u. Festigkeit ihrer groß gesehenen plast. Form: La petite fille des Landes (1903), die von Rodin bewunderte Paulette im Luxembourg-Mus. (1907), Mme Schiff (1911), Doctoresse Fabre (1912), Maler Lucien Lièvre (1918), Antoinette (1920), Mme Henraux (1927), Mme Pomaret (1932), Odette (1933), Mme Chester Dale (1934), Paul Em. Janson (1935), Jan Thiis (1936), Jacques Rouché (1938), usw. Gleichwertig neben dem Porträtisten steht der Figurenbildner, d. h. der Aktbildner, denn die Kunst D.s kennt nur den nackten Menschen. Den Anfang macht die den Kopf u. Arm auf ein Felsstück lehnende Bacchantin von 1909; die Reihe setzt sich fort in Figuren wie dem sitzenden Athleten von 1923, der stehenden Eva von 1925, den für das Grabmal Emile Mayrish in Luxemburg bestimmten sitzenden Jüngling von 1930 u. in dem den Geist archaisch-griech. Kunst atmenden Apollo von 1939. Der einzige größere Auftrag, der D. erreichte, ist das 1920/22 ausgeführte Denkmal für die Toten von Mont-de-Marsan. Arbeiten u. a. im Luxembourg-Mus. in Paris, in d. Tate Gall. in London, im Mus. in Göteborg, in d. Gemäldegal. in Basel, im Mus. Boymans in Rotterdam, im Inst. of Art in Detroit, USA, im Mus. f. Mod. Kst in New York, im Mus. in Philadelphia, Pa., u. im Mus. in San Francisco, Calif. — Seine Zeichnungen, spontan erfaßte Momentaufnahmen von Akten in den verschiedensten Attitüden, meist in Bister oder Rötel, seltener in Blei ausgeführt, fesseln durch ihre wunderbar treffsichere, mit energischen Konturen arbeitende Manier.

Lit.: Th.-B., 9 (1913). — Bénézit, [2] 3 (1950), m. Taf. geg. p. 256. — Cl. Roger-Marx, Ch. D. (Les Sculpt. franç. nouv., I), Paris 1922. — L. Deshairs, Ch. D., Paris 1930. Bespr. in: Apollo (London), 11 (1930) 465. — Salmon, 1919 p. 50ff. — J. Girou, Sculpteurs du Midi: Bourdelle, Maillol, D., etc., Paris 1938. — L'Amour de l'Art, 1929 p. 377/88, m. 12 Abbn. — L'Art et les Artistes, N. S. 14 (1926/27) 7/12 (Les dessins de D.); 19 (1929/30) 179; 23 (1932) 145/72. — Artwork, 7 (1931) 129/33. — Art et Décor., 1923 p. 97/108; 1927/II p. 12ff.; 1937/II p. 137/42. — Art in America, 16 (1928) 258/63. — D. Cicerone, 14 (1922) 972f.; 17 (1925) 1121/25. — Deutsche Kst u. Dekor., 56 (1925) 371f., m. Abbn bis p. 383; 66 (1930) 30 (Abb.), 233 (Abb.); 69 (1931/32) 161/66. — Formes, 32 (1933) 362f. — Gaz. d. B.-Arts, 1939/I 103/17. — Die Kunst, 59 (1929) 34; 61 (1930) 375 (Abb.). — Kst u. Kstler, 25 (1927) 23/28; 28 (1930) 212 (Abb.), 237 (Abb.). — D. Kstblatt, 11 (1927) Taf. geg. p. 97, 105–08, m. Abbn bis p. 113. — Maandblad v. Beeld. Kunsten, 9 (1932) 195/203, m. 10 Abbn. — La Renaiss. de l'Art franç., 11 (1928) 52/59; 14 (1931) 286/91 (Les dessins de D.). — Philobiblon, 9 (1936) 49. — The Print Coll. 's Quarterly, 16 (1929) 162, 163 (Tafel). — The Studio, 90 (1925) 318f. (Abbn); 100 (1930) 416–22, m. 8 Abbn; 102 (1931) 64 (Abb.); 115 (1938) 298 (Abb.). — Die Weltkst, VII, Nr 6 v. 5. 2. 1933, p. 3. — The Art Index (New York), Okt. 1949/April 1953.

Despierre, Jacques, franz. Maler u. Graph., * 7. 3. 1912 Saint-Etienne (Loire), ansässig in Paris.

Schüler von L. Simon u. Ch. Dufresne. Stellt seit 1941 im Salon des Tuileries, im Salon d'Automne u. bei den Indépendants aus. Hauptsächl. Fassadenmalereien u. Kartons für Tapisserien.

Lit.: Bénézit, [2] 3 (1950). — Beaux-Arts, Nr 325 v. 24. 3. 1939, p. 3 (Abb.); Nr 334 v. 26. 5. 39, p. 1 (Abb.), 5 Sp. 7; Nr v. 1. 3. 46, p. 6; Nr v. 2. 8. 46, p. 5; Nr v. 8. 8. 47, p. 6 (Abb.); Nr v. 24. 10. 47, p. 8, m. Abb.; Nr v. 28. 11. 47, p. 5, m. Abb.; Nr v. 16. 4. 48, p. 5; Nr v. 28. 5. 48, p. 4 (Abb.). — The Studio, 117 (1939) 274 (Abb.); 130 (1945) 166, m. Abb.

Desportes, Henriette, franz. Genre- u. Interieurmalerin, * 18. 4. 1877 Paris, ansässig in Dinan (Côtes-du-Nord).

Schülerin von Massé, M. Baschet u. Schommer. Mitgl. der Soc. des Art. Franç., beschickte deren Salon 1899–1930 (Kat. z. T. mit Abbn). Vielfach Orientmotive (aus Tanger).

Lit.: Th.-B., 9 (1913). — Joseph, 1. — Bénézit, ² 3 (1950).

Desportes, Yvonne, franz. Figurenmalerin, * Paris, ansässig ebda.

Stellt seit 1924 bei den Indépendants aus.

Lit.: Joseph, 1. — Bénézit, ² 3. — Velhagen & Klasings Monatsh., 44/II (1929/30) 112, m. Abb.

Desprez-Bourdon, Jeanne, franz. Genre- u. Bildnismalerin, * 24. 6. 1876 Toulon, ansässig in Paris.

Schülerin von J. Lefebvre, T. Robert-Fleury u. Baschet. Stellt seit 1898 im Salon der Soc. d. Art. Franç. aus.

Lit.: Joseph, 1. — Bénézit, ² 3.

Despujols, Jean, franz. Figuren- u. Bildnismaler u. Schriftst., * 19. 3. 1886 Salles (Gironde), ansässig in Paris.

Stud. in Bordeaux u. Paris, 1919/23 in Rom. Zurückgekehrt nach Paris, stellt er seit 1924 bei den Indépendants, seit 1926 auch im Salon des Tuileries aus. Hauptsächlich Akte u. umfangreiche dekorat. Wandmalereien. Im Luxembourg-Mus. in Paris: La Pensée. — Buchwerke: L'Epitinicaire ou Introduction à la jouissance intégrale (2 Bde); Les bases réorganisatrices de l'enseignement de la peinture.

Lit.: Joseph, I. — Bénézit, ² 3. — Chron. des Arts, 1914, p. 211. — La Renaiss. de l'Art franç., 8 (1925) 344f. — Beaux-Arts, 5 (1927) 44; 9 (1931) Febr. p. 4, 5 (Abb.). — Dtsche Kst u. Dekor., 61 (1927/28) 174 (ganzseit. Abb.), 178. — Revue de l'Art anc. et mod., 51 (1927/I) 199 (Abb.). — Bull. de l'Art, 1929, p. 129 (Abb.).

Desruelles, Rémine, franz. Landschafts- u. Stillebenmalerin, * 16. 8. 1904 Paris, ansässig ebda. Tochter des Félix (* 1865).

Schülerin von Le Sidaner. Mitgl. der Soc. d. Art. Franç., beschickt deren Salon seit 1926 (Kat. z. T. mit Abbn).

Lit.: Joseph, 1. — Bénézit, ² 3.

Desrumaux, Pierre Paul, franz. Maler u. Lithogr., * 23. 3. 1889 Lille, ansässig in Paris.

Schüler von Ph. de Winter, J. Adler u. F. Sabatté. Mitgl. der Soc. d. Art. Franç. (Salon-Kat. z. T. mit Abbn). Figürliches (ländl. Szenen, Typen), Bildnisse.

Lit.: Joseph, I.

Dessales-Quentin, Robert, franz. Landschaftsmaler, * 25. 8. 1885 Brantôme (Dordogne), ansässig in Périgueux.

Schüler von J. P. Laurens. Mitgl. der Soc. d. Art. Franç. (Salon-Kat. z. T. mit Abbn).

Lit.: Joseph, 1. — Bénézit, ² 3.

Dessau-Goitein, Emma, dtsche Malerin u. Holzschneiderin, * 20. 9. 1877 Karlsruhe, ansässig in Perugia.

Stud. an der Malerinnensch. in Karlsruhe u. bei Hub. Herkomer in Bushey. Hauptsächl. Farbenholzschnitte. Bronzemed. Mailand 1906.

Lit.: Dreßler.

Dessenis, Alfons, belg. Landsch.-, Figuren- u. Bildnismaler, * Gent, ansässig in La Hulpe (Brabant).

Schüler der Genter Akad.

Lit.: Seyn, I.

Dessy, Stanislao, sard. Genremaler u. Holzschneider, * 24. 8. 1900 Arzana (Nuoro), ansässig ebda.

Schüler der Akad. in Rom, weitergeb. bei dem Bildh. Ciusa in Cagliari. Bilder u. a. im Mus. Civ. in Turin u. in den Städt. Gal. in Cagliari u. Nuoro.

Lit.: Comanducci. — Emporium, 84 (1936) 54. — D. Graph. Kste (Wien), 56 (1933) 69, 71 (Abb.). — Kat. d. VI. Quadriennale, Rom 1951/52, m. Abb.

Destouches, Johanna von, dtsche Blumenmalerin u. Dichterin, * 3. 6. 1869 München, ansässig ebda.

Schülerin von Olga Weiß an der Kstgewerbesch. in München u. von Else Gürleth-Hey. Kollektiv-Ausst. in d. Gal. Heinemann, München, April 1912. Ehrenausst. in den Städt. Kstsmlgn München, Sept. 1950.

Lit.: W. Zils, Geistiges u. kstler. München in Selbstbiogr., Münch. 1913. — Dreßler. — München-Augsbg. Abendzeitg, 2. 6. 1919. — E. A. Seemanns „Meister der Farbe", 1917, Taf. 969.

Destouesse, André, franz. Bildhauer u. Maler, * 18. 1. 1894 Bordeaux, ansässig in Paris.

Stellt seit 1926 bei den Indépendants aus. Bildnisbüsten, Landschaften, Figürliches.

Lit.: Joseph, I. — Bénézit, ² III.

Desurmont, Ernest, franz. Genre- u. Landschaftsmaler, * 15. 11. 1870 Tourcoing (Nord), ansässig ebda.

Schüler von E. Carpentier u. P. Dupuy. Mitglied der Soc. d. Art. Franç., beschickte deren Salon seit 1897 (Kat. meist mit Abbn). Stellte später auch im Salon der Soc. Nat. d. B.-Arts aus.

Lit.: Joseph, I. — Revue de l'Art anc. et mod., 46 (1924) 33, 35 (Abb.). — La Renaiss. de l'Art franç., 9 (1926) 240. — Bénézit, ² 3.

Desvallières, George Olivier, franz. Maler u. Entwurfzeichner für Glasmalerei, * 14. 3. 1861 Paris, † 1950 ebda. Vater der beiden Folg.

Schüler von J. Valadon u. E. Delaunay. Anfänglich beeinflußt von G. Moreau, später von den Synthetisten. Hauptsächlich Bildnisse u. religiöse Motive (kirchl. Wandmalereien u. Kirchenfenster). In seinen Figurenbildern verbindet sich eine ekstatische Stimmung mit einer expressiven Farbe u. einer dekor. Form, die zum monumentalen Wandbild strebt. Wandmalereien u. a. in den Kirchen in Verneuil-sur-Avre, in Pawtucket, Rhode Island, USA, u. in der Kapelle des Schlosses s. Mäzens Jacques Rouché in Saint-Privat (Gard). Glasgemälde u. a. in der Totenkap. in Douaumont (1927). Im Luxembourg-Mus. das höchst ausdrucksvolle Halbfigurbildnis der Mutter des Künstlers im Lehnstuhl, Christus an der Martersäule u. Apotheose (Skizze zu e. Wandgem.). Im Mus. in Nîmes: Condottiere; im Mus. in Tourcoing: Brotsegnung. Im Ateneum in Helsinki ein kleines Bild: Hl. Jungfrau. Illustr. u. a. zu Musset's „Rolla" (1904), „La Princesse Lointaine" (1914) u. „La vie de Marie" (1928). — Theoretisch hat sich D. über das Wesen der christl. Kst ausgelassen in d. Aufsatz: Art chrétien, in: Notes d'Art et d'Archéologie, 1913 p. 181/85.

Lit.: Th.-B., 9 (1913). — Bénézit, ² 3. — Coquiot. — Joseph, 1, m. 3 Abbn u. Fotobildn. (irrig: Gaston O.) — L'Art et les Art., N. S. 1 (1919/20) 94 (Abb.); 2 (1920/21) 151 (Abb.), 153; 11 (1925) 251; 15 [recte 16] (1927/28) 29f., m. Abbn; 19 (1929/30) 1/32, m. Abbn, 38 (Abbn u. 1 Taf.). — Art et Décor., 1913/II, p. 180 (Abb.); 1914/II, p. 1/14; 29 (1925) Chron., Aprilh. p. 5 (Ausst.); 1950 II, p. 50 (Abb.), 52 (Nachruf). — Les Arts, 1920, Nr 188, p. 6, 17 (Abb.). — Beaux-Arts, 3 (1925) 121; 75ᵉ année Nr 235 v. 2. 7. 1937 p. 7; Nr 275 v. 8. 4. 1938, p. 4; Nr 238 v. 3. 6. 1938 p. 2 (Abb.); Nr 335 v. 2. 6. 1939, p. 8 (Abb.); Nr v. 11. 6. 1948 p. 4. — Bull. de l'Art, 1928 p. 297 (Abbn); 1929, p. 127 (Abb.), 133 (Abb.); 1930/I 15, m. Abb. — Gaz. d. B.-Arts, 1920/II 319 (Abb.), 323; 1922/II 327, 328 (Abb.). — La Renaiss. de l'Art franç., 12 (1929) 1, m. Abb., 41 (Abb.); 13 (1930) 262 [recte 304] (Abb.). — Revue de l'Art, 41

(1922) 381, 383 (Abb.); 46 (1924) 360f., m. Abbn; 50 (1926) 309 (Abb.), 312; 54 (1928) 29 (Abb.); 55 (1929) 147 (Abb.); 56 (1929) 243 (Abb.), 245 (Abb.); 66 (1934), Bull. p. 248, 249; 70 (1936) 41, m. Abb., 187 (Abb.).

Desvallières, Richard, franz. Kunstschmied, * 4. 1. 1893 Paris, ansässig in Seine-Port (Seine-et-Marne). Sohn des Vor.

Mitgl. der Soc. du Salon d'Automne, den er seit 1910 beschickt. Seine schmiedeeisernen Arbeiten (Gitter, Feuerböcke, Etageren, Konsolen usw.) zeichnen sich durch höchst stilvolle Formen aus. Tätig für die von André Mare u. Eugène Sue geleitete Möbelwerkstatt „Compagnie des Arts français". Gitter u. Türen der Kirche Saint-Agnès in Maisons-Alford.

Lit.: Joseph, I. — Art et Décor., 62 (1933) 261f., 263, 265 (Abb.). — L'Art décor., 28 (1912) 311 (Abb.); 29 (1913) 91 (Abb.). — Beaux-Arts, 75e année Nr 275 v. 8. 4. 1938 p. 4. — La Renaiss. de l'Art franç., 3 (1920) 513 (Abb.), 517; 12 (1929) 36 (Abb.). — Revue de l'Art, 49 (1926) 61 (Abb.). — Revue des Arts décor., 15 (1895) 456.

Desvallières, Sabine, franz. Kunststickerin, * 22. 2. 1891 Paris, ansässig ebda. Tochter des George.

Mitgl. der Soc. du Salon d'Automne, den sie seit 1908 beschickte.

Lit.: Joseph, 1. — Bénézit, [2] 3. — L'Art décor., 1913, April-H. p. 3ff. passim, m. Abb.

Desvarreux, Raymond, franz. Genre-, Militär- u. Bildnismaler, * 26. 6. 1876 Pau (Basses-Pyrénées), ansässig in Paris.

Schüler von Gérôme u. E. Detaille. Mitgl. der Soc. d. Art. Franç. (Salon-Kat. z. T. mit Abbn). Gold. Med. 1913.

Lit.: Th.-B., 9 (1913). — Joseph, 1. — Bénézit, [2] 3 (1950).

Desvignes, Louis, franz. Bildhauer u. Medailleur, * Le Creusot, ansässig in Paris.

Schüler von P. Auban, R. Verlet u. H. Dubois. Mitgl. der Soc. d. Art. Franç., beschickt deren Salon seit 1907.

Lit.: Forrer, 7. — Joseph, 1. — Art et Décor., 25 (1909) 192 (Abb.). — Revue de l'Art anc. et mod., 32 (1912) 41 (Abb.).

Detaille, Eugène Lucien, franz. Genre-, Landschafts- u. Tiermaler, * Paris, ansässig ebda.

Stellt seit 1925 bei den Indépendants aus.

Lit.: Joseph, I.

Deteix, Adolphe, franz. Figuren- u. Bildnismaler, * 7. 7. 1892 Amplepuis (Rhône), ansässig in Paris.

Mitgl. der Soc. d. Art. Franç. (Salon-Katal. z. T. mit Abbn). Stellte auch bei den Indépendants aus. Fresken u. Mosaiken in den Kirchen in Barcelonnette u. Le Ferreux (Seine).

Lit.: Joseph, I. — Beaux-Arts, 75e année Nr 324 v. 17. 3. 1939, p. 1 (Abb.).

Detering, Oskar, dtsch. Maler, * 25. 5. 1872 Barmen, ansässig in Düsseldorf.

Stud. an der Düsseld. Akad. Bildnisse, Genre, Historien, Landschaften. Fresken im Sitzungssaal der Maschinenbau- u. Kleineisen-Berufsgenossenschaft in Düsseldorf u. im Kasino des „Rheinmetall" ebda.

Lit.: Dreßler.

Determann, Walter, dtsch. Bildnis- u. Landschaftsmaler, * 7. 2. 1889 Hannover, ansässig in Weimar.

Lit.: Dreßler.

Determeyer, Paul, holl. Maler, * 29. 6. 1892 Amsterdam, ansässig in Loenen a. d. Vecht.

Schüler von Der Kinderen an d. Amsterd. Reichsakad. 1918 Rompreis. 1926/31 in Italien. Biblische Sujets, Bildnisse, Landschaften. Wandmalereien in der Altkath. Kirche in Hilversum.

Lit.: Waay. — Opgang, 6 (1926) 110f., m. Abb.

Dethleffs-Edelmann, Friedel, dtsche Malerin, * 30. 11. 1899 Karlsruhe, ansässig in Isny im Allgäu.

Erste Meisterschülerin der Karlsruher Akad. bei E. Würtenberger. 1930 Bad. Staatspreis im Wettbewerb „Künstlerselbstbildnisse"; prämiertes Bild angekauft von der Bayr. Staatsgal. München. 1932 Silb. Med. der Stadt Karlsruhe für Blumenstück. Studienaufenthalte in Frankreich, Italien u. der Schweiz. Mitgründerin u. Mitgl. der „Sezession Oberschwaben-Bodensee". Arbeitet im Stil der „neuen Sachlichkeit". In d. Lenbach-Gal. in München ein Damenbildn.

Lit.: D. Bild, 12 (1942) 57f., Abbn p. 59 u. 61.
J.

Dethlefsen, Johannes, dtsch. Landschaftsmaler u. Gebrauchsgraph., * 10. 9. 1890 auf der Nordseeinsel Pellworm, ansässig in Eberswalde.

Stud. an der Kstgewerbesch. in Hamburg, an der Kstsch. in Berlin u. an der Akad. in Amsterdam.

Lit.: Dreßler.

Dethomas, Maxime, franz. Aquarellmaler, Bühnenbildner u. Illustr., * 13. 10. 1867 Garches (Seine-et-Oise), † 1929 (Joseph: 1928) Paris.

Schüler von Gervex, Humbert, Bonnat u. Carrière. Beeinflußt von Toulouse-Lautrec. Mitgl. der Soc. du Salon d'Automne, den er seit 1913 beschickte. Seit 1926 Prof. für dekor. Malerei an der Pariser Ec. Nat. d. Arts Décor. Im Luxembourg-Mus. 2 Aquarelle. Illustr. (Zeichnungen, in Holz geschnitten von L. Pichon) u. a. zu: „Scaramouche" vom Grafen Gobineau, „Esquisses Vénitiennes" von H. de Régnier, „Amoureuse" von M. Donnay u. „Les Mauvais Bergers" von O. Mirbeau.

Lit.: Th.-B., 9 (1913). — Joseph, 1. — Bénézit, [2] 3. — L'Amour de l'Art, 1929 p. 81/86, m. Abb. — Art et Décor., 55 (1929), Februarh., Chron. p. 1. — Art et Industrie, 1913, Febr.-H., p. 1/2, m. 14 Abbn. — Beaux-Arts, 4 (1926) 99. — Bull. de l'Art, 1929, p. 105. — Bull. de la Soc. de l'Hist. de l'Art franç., 1928 p. 265f. — La Renaiss. de l'Art franç., 5 (1922) 401 (Abb.), 402 (Abbn), 409. — Revue de l'Art, 44 (1923) 378ff. (Abbn), 382. — The Studio, 84 (1922) 78/88.

Detilleux, Servais, belg. Figuren- u. Bildnismaler, * 10. 9. 1874 Heusy-lez-Verviers, ansässig in Brüssel.

Schüler der Akad. Lüttich bei Em. Delpérée u. der Akad. Brüssel bei Portaels. Im Vatik. Mus. in Rom: Überführung der Reliquien der hl. Agnes.

Lit.: Th.-B., 9 (1913). — Seyn, I. — Joseph, I.

Detmold, Edward Julius, engl. Radierer, Aquatintast., Holzschneider u. Aquarellmaler, * 21. 11. 1883 London, ansässig ebda.

Arbeitete anfängl. zus. mit s. Zwillingsbruder Charles Maurice († 9. 4. 1908). Hauptsächl. Tier- u. Pflanzendarstellgn. Beeinflußt von den Japanern. Hauptblätter (Rad., z. T. kombiniert mit Kaltnadel): Quiet of the Desert; At the Edge of the Lotus Pool; The Captive; A Present to the King; Pets of the Court; The Spirit of the East; The Oasis at Daybreak; Promised Land; Tiger; Changing Pastures. Illustr. zu: R. Kipling's „Jungle Book", J. H. Fabre's „Book of Insects", Maeterlinck's „Life of the Bee", Lemonnier's „Birds and Beasts". — Mappenwerk: 24 Nature Pictures by E. J. D., Produced in facsimile edit. of first proofs, Lo. 1920.

Lit.: Who's Who in Art, [3] 1934. — The Connoisseur, 56 (1920) 128; 61 (1921) 185. — Artwork, 1 (1924/25) 145 (Abb.), 146 (Abb.), 147/151. — Apollo (London), 9 (1929) 228 (Abb.). — The Print Coll.'s Quarterly, 9 (1922) 373/405, m. 12 Abbn. — The Studio, 91 (1926) 79, 83 (Abb.); 103 (1932) 363 (farb. Taf.).

Detoni, Marijan, kroat. Graphiker u. Maler.

Pflegt die Monotypie u. den Linolschnitt. Hauptsächlich Landschafter.

Lit.: Revue de l'Art anc. et mod., 67 (1935) 90. — Kat. d. Ausst. Kroat. Kst, Pr. Akad. d. Kste, Berlin, Jan./Febr. 1943, p. 18.

Detraux, Yvonne, franz. Landschafts- u. Interieurmalerin (Öl, Aquar. u. Gouache), * Saint-Aubin-sur-Mer (Calvados), ansässig in Paris.

Stellt seit 1912 bei den Indépendants aus.

Lit.: Joseph, 1. — Bénézit, [2] 3.

Détrez, Jules Henri, franz. Landschaftsmaler, * Valenciennes, ansässig in Paris.

Schüler von J. R. Hervé. Stellt seit 1929 im Salon der Soc. d. Art. Franç. aus.

Lit.: Joseph, I.

Detro, Alexander, ital.-dtsch. Maler, * 27. 6. 1873 Pinerolo, ansässig in München.

Stellte 1902ff. in der Münchner Sezession u. im Glaspalast aus.

Lit.: Dreßler.

Détroyat, Louis Hippolyte, franz. Landschaftsmaler, * Lorient (Morbihan).

Schüler von L. Loir. Stellte seit 1880 aus.

Lit.: Bénézit, [2] 3 (1950).

Detry, Arsène, belg. Landschaftsmaler, * 1897 Koekelberg-les-Bruxelles.

Schüler der Akad. Mons u. Brüssel. Zwischen 1922 u. 1926 wiederholt in Paris. Bild im Mus. Mons.

Lit.: Seyn, I. — Apollo (Brüssel), Nr 8 v. 1. 1. 1942 p. 20 (Abb.).

Detschev, Danail, bulgar. Landschaftsmaler, * 1894, ansässig in Sofia.

Stud. in Sofia. Studienaufenthalte in Deutschland, Frankreich u. Italien. Stellte auch im Ausland (Paris, Belgrad) aus.

Lit.: Kat. d. Ausst. Bulgar. Kstler in Deutschland, Leipzig, Kstver., 1941/42.

Dettár, György, ungar. Figurenmaler, * 8. 4. 1892 Mezőhegyes, Kom. Csanád, ansässig in Gödöllő.

Stud. in Budapest, 1911 in München, 1911/12 in Mailand. Bereiste Tripolis u. Ägypten.

Lit.: Szendrei Szentiványi.

Detthow, Eric, schwed. Maler, * 27. 2. 1888 Vassända-Naglum, Älvsborgs län, ansässig in Paris.

Stud. 1912/13 an der Akad. Stockholm, 1914/15 in Paris. Ließ sich 1919 zu dauerndem Aufenthalt in Paris nieder. Beeinflußt von Cézanne u. Manet. Stellt seit 1920 im Salon d'Automne aus, deren Mitglied er ist, 1920 u. 21 auch bei den Indépendants, seit 1923 im Salon des Tuileries. Koll.-Ausst. 1926 in der Gal. L'Etoile, 1927 in der Gal. Granoff in Paris. Bildnisse, Figürliches (bes. Akte), Landschaften, Blumenstücke, Stilleben. Bilder im Nat.-Mus. Stockholm.

Lit.: Vem är det?, 1935. — N. F., 21 (Suppl.). — Thomœus. — L'Art et les Art., N. S. 24 (1932) 272–76, m. 5 Abbn. — Beaux-Arts, Nr v. 29. 10. 1937, p. 1 (Abb.); Nr v. 18. 4. 1947, p. 5 (Abb.); v. 25. 4. 47, p. 5. — Konstrevy, 1928, p. 130 (Abb.); 1930, p. 114, 120 (Abb.); 1932, p. 107, 195 (Abb.); 1936, p. 63 (Abb.). — Ord och Bild, 33 (1924) 428. — La Renaiss. de l'Art franç., 9 (1926) 623 (Abb.).

Dettler-Paetzold, Gertrude, dtsche Malerin, * 16. 3. 1891 Berlin, ansässig in Naumburg/Saale.

Stud. an d. Städt. Kstgewerbesch. Charlottenburg (1907), an d. Kstsch. in Berlin (1908/10) u. an d. Unterrichtsanstalt des dort. Kstgewerbemus. (1915–16). Landschaften, Blumen, Stilleben, Köpfe, Interieurs. Kollektiv.-Ausstellgn: Gumbinnen 1929, Königsberg 1930, Naumburg 1932, Würzburg 1934.

Lit.: Briefl. Mitteilgn d. Kstlerin. — Naumburger Tagebl., Nr 282 v. 1. 12. 1932; Nr 289 v. 9. 12. 1932.

Dettmann, Edith, dtsche Malerin, * 4. 8. 1898 Stralsund, ansässig ebda.

Stud. an d. Unterrichtsanstalt des Kstgewerbemus. Berlin, dann an d. Akad. in Düsseldorf. Erste Meisterschülerin derselben. Landschaften, Figürliches, Stilleben. Bilder in den Museen Karlsruhe, Stettin u. Stralsund.

Lit.: Kat. d. Juryfreien Kstschau Berlin 1927. — Die Frau von Heute, 1948, Nr 19, m. Abb. — Landesztg f. Mecklenb., 25. 8. 1948. *J.*

Dettmann, Ludwig, dtsch. Maler, * 25. 7. 1865 Adelbye b. Flensburg, † 19. 11. 1944 Berlin.

Zu der ausführl. Würdigung bei Th.-B., sind folg. Angaben nachzutragen: Legte 1919 das Direktorat der Königsberger Akad. nieder und lebte seitdem in Berlin. Bis 1937 Vorsitzender des Vereins Berliner Künstler. Den Ertrag seiner Tätigkeit als Kriegsmaler im 1. Weltkrieg zeigte D. in e. Ausst. der Preuß. Akad. der Künste in Berlin (1915) u. in einer Ausst. des Königsberger Kstvereins, Mai 1916. Sonderschau anläßl s. 75. Geb.-Tages auf der Frühj.-Ausst. d. Pr. Akad. d. Kste April 1940 (Kat. p. 6f.). Gedächtnisausst. Sept./Okt. 1949 im Städt. Mus. in Flensburg.

Lit.: Th.-B., 9 (1913). — Dreßler. — Bie. — Das Bild, 4 (1934) Beibl. zu H. 10 p. 2, 324, 325 (Abb.), 327 (Abb.); 10 (1940) Umschlagseite d. Aug.-H. — D. Cicerone, 7 (1915) 159; 17 (1925) 917; 19 (1927) 227. — Die Horen, 1 (1924/25) 329/44. — D. Kunst, 35 (1916/17) 68, 459; 52 (1924/25) Beil. z. Sept.-H., p. XXII; 72 (1934/35) Beil. zu H. 12, p. 7; 81 (1939–40) Beil. z. Sept.-H., p. 12f. — D. Kunst i. Dtsch. Reich, 4 (1940), Juli-H. Beibl. p. II. — Kst u. Kstler, 13 (1915) 382; 14 (1916) 364. — Dtsche Kst u. Dekor., 36 (1915) 177ff. — Kstchronik, N. F. 26 (1914/15) 526ff.; 27 (1915/16) 147; 35 (1925/26) 349. — Mitteil. d. Ver. f. d. Gesch. von Ost- u. Westpreußen, 2 (1927) 42f. — Niedersachsen, 31/I (1926) 275 (Abb.), 278. — Ostdtsche Monatsh., 5 (1925) 984/1002. — Velhagen & Klasings Monatsh., 45/II (1930/31) farb. Taf. geg. p. 268, 351; 50/I (1935/36) farb. Taf. geg. p. 584, 686. — Westermanns Monatsh., 132 (1922) farb. Taf. geg. p. 548; 155 (1933/34) farb. Taf. geg. p. 512; 158 (1935) 465, m. 2 Abbn. — Aus dem Ostlande, 11 (1916) 26. — Schleswig-Holsteiner, 16 (1935) 207. — Völkische Kunst, 1 (1935) 219/23, Abb. zw. p. 224 u. 225. — Der Türmer, 37 (1935) 393/400. — Dtsch. Volkstum, 22 (1920) 318f. — D. Weltkst, 9 Nr 35/36 v. 8. 9. 1935 p. 3 (Abb.), 4, m. Abbn. — Leipziger Illustr. Ztg (J. J. Weber), Nr 4954 v. 25. 7. 1940 p. 56 u. 61. — Königsb. Allg. Ztg, 18. 5. 1916. — Flensburger Tagebl., 20. 9. 1949.

Detwiller, Frederick, amer. Maler, Rad.,

Lithogr., Illustr. u. Architekt, * 31. 12. 1882 Easton, Pa., ansässig in New York.

Stud. an der Ec. d. B.-Arts in Paris, am Ist. di B. Arti in Florenz, an der Ec. Amér. d. B.-Arts in Fontainebleau u. an der Art Student's League in New York. Kollektiv-Ausst. in den Ainslie Gall. in New York, März 1923.

Lit.: Fielding. — Amer. Art Annual, 30 (1933). — Who's Who in Amer. Art, I: 1936/37. — The Art News, 21, Nr 19 v. 17. 2. 1923, p. 3 (Abb.); Nr 21 v. 3. 3. 1923, p. 5 (Abb.), Nr 22 v. 10. 3. 1923, p. 2; 32, Nr 6 v. 11. 11. 1933, p. 8; 41, Nr v. 1. 12. 1942, p. 28 (Abb.); 42, Aug. 1943, p. 32 (Abb.); 47, Febr. 1949, p. 58 (Abb.); 50, März 1951, p. 50. — Print Coll.'s Quart., 24 (1937) 453 (Abb.); 25 (1938) 490 (Abb.); 26 (1939) 499 (Abb.); 30 (1949) 65 (Abb.). — Art Digest, 22, Nr v. 15. 4. 1948, p. 29; 23, Nr v. 15. 2. 1949, p. 23 (Abb.); 25, Nr v. 1. 2. 1951, p. 18.

Deurell, Sven, schwed. Bildnis-, Figuren- u. Landschaftsmaler, * 1904 Stockholm, ansässig ebda.

Stud. an der Malschule Valand in Göteborg u. an der Akad. Stockholm.

Lit.: Thomœus.

Deuringer, Hansjörg, tirol. Maler, * 13. 2. 1871 Rovereto, ansässig in München.

Bis Beendigung des 1. Weltkrieges aktiver Offizier. Ging dann zur Malerei über. Übersiedelte 1920 nach München. Stud. bei A. Schinnerer u. Jul. Diez. Hauptsächl. Porträts, daneben Landschaften u. Stilleben. Auch Graphiker.

Lit.: Karl, 1 (1929), m. 2 Abbn.

Deursen, Joh. Franciscus Hubertus van, holl. Maler, Lithogr. u. Rad., * 21. 9. 1896 Herzogenbusch, ansässig in Maastricht.

Schüler von Jan Visser, Jurres, van der Waay, Der Kinderen u. Aarts an der Reichsakad. Amsterdam. Landschaften, Stilleben, Stadtansichten, bes. aus Belgien u. Maastricht.

Lit.: Waay. — Waller.

Deusser, August, dtsch. Maler (Prof.), * 15. 2. 1870 Köln, † Nov. 1942 München.

Schüler von Peter Janssen an der Düsseldorfer Akad. Seit 1912 in Wiesbaden ansässig. Seit 1917 Prof. an d. Düsseld. Akad. Impressionist. Bauern- u. Reiterbilder. Sein Hauptwerk: Bildn. zweier Deutzer Kürassieroffiziere, im Wallraf-Rich.-Mus., Köln. Die reichste Smlg seiner Arbeiten im Hause Albert in Wiesbaden, dem des Künstlers Gattin, Else Deusser-Albert, Malerin, entstammt.

Lit.: Th.-B., 9 (1913). — D. Cicerone, 19 (1927) 288, 291 (Abb.); 20 (1928) 39. — D. Kunst, 35 (1916–17) 458 (Abb.), 459, 465 (Abb.), 468; 39 (1918/19) 73 (Abb.); 57 (1927/28) 327 (Abb.); 81 (1939/40) Mai-H. Beil. p. 10. — Frankfurter Ztg, 2. 12. 1942 (Nachruf). — Köln. Volksztg, 4. 11. 1917.

Deutsch, Boris, dtsch-russ. Maler, * 4. 6. 1895 Krasnogorka, ansässig in Los Angeles, Calif., USA.

Stud. in Warschau u. Berlin. Kam während des 1. Weltkrieges nach den USA, ließ sich in Chicago nieder. Vertreten u. a. in den Museen in Denver, Portland (Oregon) u. San Diego. Im Carnegie Inst. in Pittsburgh, Pa.: Mädchenkopf. — Kollektiv-Ausst. in der Univers. of California in Los Angeles, Nov. 1926.

Lit.: Who's Who in Amer. Art, I: 1936/37. — Amer. Art Annual, 30 (1933). — Monro. — The Art News, 25, Nr 7 v. 20. 11. 1926, p. 6; 32 (1933/34) Nr 19 p. 8; 45, Okt. 1946, p. 49 (Abb.); 49, April 1950, p. 50. — Carnegie Magaz., 19 (1946) 235f. — Art Digest, 20, Nr v. 15. 2. 1946, p. 20; 21, Nr v. 1. 10. 1946, p. 10 (Abb.). — Design (Columbus, Ohio), 48, Nov. 1946, p. 9 (Abb.).

Deutsch, Zsófia, ungar. Malerin, * 1888 Szeged.

Schülerin von Hollósy in München.

Lit.: Szendrei-Szentiványi. — Krücken-Parlagi.

Deutschmann, Willy, dtsch. Landschaftsmaler u. Radierer, * 28. 2. 1880 Oberflörsheim b. Alzey, ansässig in Petersbüchl b. Fischbach, Oberpfalz.

Stud. 1901/06 an d. Münchner Akad. Bei Ausbruch des 1. Weltkrieges in Odessa, wo er s. Frau, eine russ. Malerin, kennenlernte. Während des Krieges in mehreren russ. Gefangenenlagern, zuletzt in Astrachan. Seit 1917 in Petersbüchl. Hauptsächlich Motive aus dem Wasgau.

Lit.: Dreßler. — Pfälz. Mus., 47 (1930) 97f. — D. Bayerland, 41 (1930) 373 (Abb.), 374 (Abb.).

Deutzmann, Willi, dtsch. Maler, * 1897 Wald b. Solingen, ansässig ebda.

Gelernter Damaszierer. Nach Ausbildung als Maler Reisen in Deutschland, Holland u. Frankreich. Landschaften, Figürliches. Kollekt.-Ausst. 1951 im Studio f. Neue Kst in Wuppertal.

Lit.: Kstchronik, 4 (1950/51) 183. — Kat. Ausst. Dtsche Malerei u. Plastik d. Gegenwart im Staatenhaus in Köln v. 14. 5.–3. 7. 1949.

Deval, Pierre, franz. Bildnis-, Figuren- (bes. Akt) u. Landschaftsmaler, * 20. 8. 1897 Lyon, ansässig ebda.

Stud. in Lyon, weitergebildet in der Villa Abd-el-Tif in Algier. Mitgl. der Pariser Soc. des Art. Indépendants. Stellt auch im Salon d'Automne (1920ff.) u. im Salon des Tuileries (1928ff.) in Paris aus. Illustr. zu: „L'Ecole des Indifférents" von Jean Giraudoux (Éd. Crès).

Lit.: Joseph, 1. — Bénézit, [2] 3. — L'Amour de l'Art, 11 (1930) 65 (Abb.), 391 (Abb.). — Beaux-Arts, Nr 67 v. 13. 4. 1934, p. 6, m. Abb.; Nr v. 3. 5. 46, p. 2 (Abb.). — Bull. de l'Art, 1926, p. 316 (Abb.).

Devambez, André, franz. Genre- u. Bildnismaler u. Illustr., * 26. 5. 1867 Paris, † 1943 ebda.

Schüler von B. Constant, G. Guay u. J. Lefebvre. 1890 Rompreis. Prof. an der Pariser Ec. d. B.-Arts. Mitgl. des Institut. Mitgl. d. Soc. d. Art. Franç., beschickte deren Salon seit 1889 (Kat. z. T. mit Abbn). Im Luxembourg-Mus. in Paris: Genesung, u. Die Familie. Im Mus. Victor Hugo ebda: Die Elenden. In der Sorbonne ein Wandbild: Vereinigung der Ec. Normale mit der Sorbonne. Illustr. u. a. zu: La Fête à Coqueville von Em. Zola.

Lit.: Th.-B., 9 (1913). — Bénézit, [2] 3. — Joseph, 1, m. 2 Abbn. — Beaux-Arts, 8 (1930) Heft 2 p. 25f., m. Abbn; 75e année Nr 226 v. 30. 4. 1937, p. 1 (Abb.); Nr 331 v. 5. 5. 1939 p. 7 (Abb.). — Gaz. d. B.-Arts, 1917, p. 364f. (m. Abb. u. Taf.). — Revue de l'Art, 44 (1923) 67 (Abb.); 46 (1924) 34, 39 (Abbn); 48 (1925) 61 (Abb.); 50 (1926) 59 (Abb.); 52 (1927) 27 (Abb.); 54 (1928) 25 (Abb.); 66 (1934) 38, 43 (Abb.); 67 (1935), Bull. p. 245 (Abb.), 246, 297 (Abb.). — The Studio, 95 (1928) 285f. (Abbn).

Devarenne, Anatole, franz. Aquarellmaler u. Zeichner (Landschafter), * 25. 7. 1880 Audeville (Oise), ansässig ebda.

Schüler von G. Perrichon. Mitgl. der Soc. du Salon d'Automne, beschickt deren Salon seit 1921. Auch Mitgl. der Soc. d. Art. Franç.

Lit.: Joseph, 1. — Bénézit, [2] 3.

Devaux, Paul, franz. Holzschneider, * Bellerive-sur-Allier, ansässig ebda.

Stellt seit 1926 bei den Indépendants in Paris aus. Hauptsächlich Landschaften, Architekturen u. Interieurs. Folge: Moulins (12 farb. Holzschn.), Moulins 1931.

Lit.: Joseph, I. — Revue de Bourgogne, 1918–1919, H. 2, p. 94/98, m. 3 Abbn u. Taf.

Devaux, Roger, franz. Landschafts- u. Architekturmaler, * Samer (Pas-de-Calais), ansässig in Tourcoing (Nord).

Schüler von H. Lévy. Stellt seit 1929 im Salon der Soc. d. Art. Franç. aus.

Lit.: Joseph, 1. — Bénézit, [2] 3.

Devaux-Raillon, Anna, franz. Bildnis-, Landschafts- u. Figurenmalerin, ansässig in Paris.

Beschickt seit 1920 den Salon der Soc. Nat. d. B.-Arts.

Lit.: Joseph, I.

Déyay, Andor, ungar. Architekturmaler.

Lit.: Szendrei-Szentiványi. — Krücken-Parlagi.

Deventer, Johannes van, holl. Maler, * 21. 6. 1903 Leiden, ansässig in Amsterdam.

Schüler von Wassink an d. Handwerksch. in Leiden. Mitglied der „Onafhankelijken". Stadt- u. Marktansichten. Neo-Impressionist. Bild in der Teyler-Stiftung in Haarlem.

Lit.: Waay.

Deverin, Edouard, franz. Zeichner u. Schriftst., * 6. 6. 1881 Paris, ansässig in Paris. Bruder des Folg.

Begründete mit André Warnod 1925 den Salon des Ecrivains. Illustr. u. a. zu seinem eigenen Buch „Flânes" (zus. mit Roger D.) u. zu „Music-hall illustré".

Lit.: Joseph, I.

Deverin, Roger, franz. Landschaftsmaler, Illustr. u. Entwurfzeichner für Kstgew., * 14. 5. 1884 Paris, ansässig ebda. Bruder des Vor.

Stellt seit 1913 im Salon d'Automne, seit 1924auch bei den Indépendants u. im Salon des Tuileries aus. Illustr. u. a. zu „Le Latin mystique" von Rémy de Gourmont u. zu „Flânes" von Ed. Deverin.

Lit.: Joseph, I. — Bénézit, [2] III.

Devèze, Fernand, franz. Landschafts- u. Genremaler, * Avignon, ansässig ebda.

Stellt seit 1923 bei den Indépendants in Paris aus.

Lit.: Joseph, I.

Devi, Sunayani, ind. Malerin, * 1873 Kalkutta. Schwester von Gaganendranath u. Abanindranath Tagore.

Der Familie Tagore, der Begründerin der mod. ind. Renaissancekultur, angehörend. Erster weibl. Zögling der von ihren Brüdern begründeten Kstschule der Erweckungsbewegung. Völlige Autodidaktin, auch niemals im Zeichnen unterrichtet. Ging als erste Kstlerin, welche die geistigen Werte der „Pats" erkannte oder die Rollenbilder der ländl. Kstler in Bengalen studierte, auf den einfarbigen 2dimensionalen, wesentlich linearen Stil zurück. Begann mit 34 Jahren zu zeichnen, offenbar angeregt durch die wiederauflebende Swadeshi-Bewegung für die Befreiung Indiens. Komposition u. Entwurf direkt aus der inneren Vorstellung ohne vermittelnde Bleistiftskizze. Mythologische Szenen aus d. Mahabharata, Ramayana u. d. Puranas bilden die Motive. Stellte in Women's Club Soc. in London 1926 aus.

Lit.: G. Venkatachalam, Contemp. Indian Artists. — Modern Review (Kalkutta), passim. — Jahrb. d. jungen Kst, 1924 p. 241 f., m. Abb. — D. Cicerone, 16 (1924/II) 962, m. Abb.

Devienne, Georges, franz. Radierer, * 25. 8. 1881 Calais, fiel im 1. Weltkrieg (1914/18).

Lit.: Joseph, I.

Devilat Rocca, Fernando, chilen. Architekt (Prof.), * 30. 6. 1906 Santiago, ansässig ebda.

Seit 1927 Archit. im Büro der Öff. Wohlfahrt (Dirección General de Benificencia y Asistencia Social) in Santiago. Lehrer für Architektur an der Kathol. Universität ebda. Sanatorien, Hospitäler.

Lit.: Who's Who in Latin America, 1935.

Devillaire, Antoinette, franz. Stilleben- u. Genremalerin, * in Montereau (Seine-et-Marne), ansässig in Paris.

Stellt seit 1923 bei den Indépendants aus.

Lit.: Joseph, I.

Devillario, René, franz. Bildnis- u. Genremaler, * 2. 4. 1874 Saint-Didier-les-Bains (Vaucluse), † 1942 Paris.

Schüler von Henner, J. Lefebvre, J. P. Laurens u. T. Robert-Fleury. Mitgl. der Soc. d. Art. Franç., beschickte deren Salon 1896–1930 (Kat. z. T. mit Abbn). Silb. Med. 1914, Gold. Med. 1925. „Ländliches Konzert" in der Albert M. Todt-Smlg in Detroit, Mich.

Lit.: Th.-B., 9 (1913). — Joseph, 1. — Bénézit, [2] 3. — Amer. Art Annual, 27 (1930) 169.

Deville, Henry, franz. Architekt u. Radierer, * 24. 7. 1871 Nantes.

Arbeitete 1907, gefördert von Henry Winslow, in New York. Weitergebildet 1908 bei A. Lepère in Paris. Ging dann wieder nach Amerika, um erst bei Ausbruch des 1. Weltkrieges nach Frankreich zurückzukehren. 1919/24 hauptsächlich als Architekt, seitdem als Landschafts- u. Architekturradierer tätig. Hauptblätter: East River; Brooklyn Bridge; Notre-Dame de Paris; Le Pont Sauvetout; L'Ancien Moulin.

Lit.: Joseph, I, m. Abb. — Bénézit, [2] III.

Deville, Jean, franz. Maler u. Holzschneider, * 27. 11. 1872 Lyon, ansässig in Paris.

Stellte seit 1906 bei den Indépendants aus. Landschaften, Blumenstücke, Bildnisse, Genre. Im Mus. in Honfleur: Winterlandschaft.

Lit.: Th.-B., 9 (1913). — Bénézit, [2] 3. — Salmon, 1912 p. 99.

Deville, Jean, franz. Landschafts-, Blumen- u. Früchtemaler, * Charleville, ansässig ebda.

Stellt seit 1924 bei den Indépendants aus.

Lit.: Joseph, I.

Devine, Bernard, amer. Maler, * 19. 10. 1884 Portland, Me., ansässig in Willard, Me.

Schüler von Bridgman u. R. MacCameron in New York u. von J. P. Laurens u. Lionel Walden in Paris.

Lit.: Fielding. – Amer. Art Annual, 12 (1915) 360.

Devlin, May, schott. Aquarellmalerin (Landschaften, Marinen), * Dumbarton, ansässig in Glasgow.

Stud. an der Kunstsch. in Glasgow.

Lit.: Who's Who in Art, [3] 1934.

Devol, Pauline Hamill, amer. Malerin u. Illustr., * 7. 10. 1893 Chicago, ansässig in San Diego, Calif.

Schülerin der Acad. of F. Arts in Chicago u. Cyril Kay-Scott's. Leiterin der Acad. of F. Arts in San Diego.

Lit.: Who's Who in Amer. Art, I: 1936/37.

Devore, Marie, franz. Landsch.- u. Bildnismalerin (Öl u. Pastell), * Pontoise, ansässig in Paris.

Stellt seit 1926 bei den Indépendants aus.

Lit.: Joseph, I.

Devos, Léon, belg. Stilleben-, Bildnis- u. Figurenmaler, * 1897 Petit-Enghien.

Schüler von C. Montald u. Delville an der Brüsseler Akad. Trefflicher Aktmaler. Im Mus. Toledo, Ohio, USA: Susanna (Kat. 1939, m. Abb.).

Lit.: Seyn, I. — Jos. Segers, Le peintre L. D., 1930. — Museum News, Toledo, O., Nr 77, 1936, p. 7f., m. Abb. — Apollo (Brüssel), Nr 8 v. 1. 1. 1942, p. 19 (Abb.), 20, m. Abb. — The Studio, 131 (1946) 51 (Abb.). — Carnegie Mag., 24 (1950) 474 (Abb.).

Devoux, Georges Raymond, franz. Bildnis- u. Genremaler, * Sèvres, ansässig in Fontainebleau.

Schüler von J. Lefebvre, T. Robert-Fleury u. Cormon. Mitgl. der Soc. d. Art. Franç., beschickt deren Salon seit 1911.

Lit.: Joseph, I.

Devrim, Nejat, türk. Maler, * 1923 Istanbul (Konstantinopel), ansässig ebda.

Besuchte die Akad d. Sch. Künste zu Istanbul, arbeitete bis 1947 bei Léopold Lévy, weitergebildet in Paris. Nahm 1946 an der Unescu-Ausst. in Paris teil. Gehört der türk. mod. Schule an.

Dewasne, Jean, franz. Maler, * 1921 Lille, ansässig in Paris.

Abstrakter Künstler.

Lit.: Bénézit, [2] 3 (1950). — Beaux-Arts, 1. 8. 1947, p. 6 (Abb.); 6. 8. 1948, p. 4 (Abb.). — D. Kstwerk, 4 (1950) H. 8/9, p. 93.

Dewey, Julia, geb. *Henshaw,* amer. Malerin u. Illustr., * Batavia, N. Y., † 1928 New York.

Lit.: Fielding — Amer. Art Annual, 26 (1929): Obituary. — Who's Who in Art, 7 (1912). — Monro.

Dexel, Walter, dtsch. Maler, Gebrauchsgraph. u. Kstschriftst. (Dr. phil.), * 7. 2. 1890 München, ansässig in Jena.

Stud. Kstgesch. an der Univ. München. Als Maler ausgebildet an den Zeichensch. in München u. Jena u. in Paris. Von Cézanne ausgehender, strenger, aus kristallinischen Formflächen entwickelter Stil. Hauptsächlich Blumenstücke. Bilder u. a. in der Ruhmeshalle in Barmen, im Prov.-Mus. in Hannover, im Bes. des Kstvereins Jena u. im Schloßmus. in Weimar. — Buchwerk: Das Wohnhaus von heute, Jena 1928.

Lit.: Dreßler. — D. Cicerone, 17 (1925) 149. — D. Kstblatt, 3 (1919) 58f., m. Abb. — Artwork, 3 (1928) 224, 225.

Dexter, James Henry, engl. Landsch.- u. Stillebenmaler u. Werbezeichner, * 23. 7. 1912 Leicester, ansässig ebda.

Stud. am Leicester College of Art.

Lit.: Who's Who in Art, [3] 1934.

Dexter, Walter, engl. Maler, Rad. u. Illustr., * 12. 6. 1876 Wellingborough, Northampton, ansässig in East Winch bei King's Lynn, Norfolk.

Stud. an der Kunstsch. in Birmingham. Landschaften, Figürliches, Bildnisse, Interieurs, Stilleben (Öl u. Aquar.). Ölbild: Die Werkstatt, in der City Art Gall. in Norwich.

Lit.: Th.-B., 9 (1913). — Who's Who in Art, [3] 1934.

Dey, Manishi, ind. Maler, * 22. 9. 1909 Dacca, Ost-Bengalen (Ost-Pakistan).

Erzogen auf d. Santiniketan-Schule. Stud. 1925/28 an d. Indian Soc. of Oriental Art in Kalkutta unter A. Tagore als dessen direkter Schüler. Nach Abschluß des Kursus durchwanderte er 1929 ganz Indien auf Suche nach Anregung u. Motiven für s. Bilder. Veranstaltete 10mal Sonderschauen in einer Anzahl ind. Städte. Obwohl er in d. Neu-Bengal-Technik d. Erwecker geschult wurde, hat er verschiedene Malstile entwickelt. Gefällige Komposition u. zarte Ausführung kennzeichnen s. Frühwerke. Später neigte er zu kühnem Ausdruck u. Pinselstrich. Unterschiedliche Stilarten sind das Ergebnis stetig wechselnder Stimmungen. Auf. s. Wanderung malte er eine Anzahl Bilder, die in dem Volk ein Gefühl für religiöse Toleranz erwecken sollten. Bildnisse: Premierminister d. Ind. Volksvertretung; Ind. Gesandte in Moskau. Die Tata-Ölmühlen, Smlg Naoroji (†); Mysore-Palast, Sir C. P. Ramaswamy's Coll.; Travancore Palast, Rukmani Arundale's Coll. in Adyar.

Lit.: Indian Art through the Ages, p. 83. — Venkatachalam, Contemp. Artists of India. — Marg (Bombay), Vol. 5, Nr 1.

Dey, Mukul, ind. Maler u. Graph., * 23. 7. 1895 Sridharkhola, Dacca, Ost-Pakistan, ansässig in Kalika, Santiniketan.

Verbrachte s. frühe Schulzeit in d. vom Dichter Tagore gegründeten Pathabhavan Santiniketan. Stud. als einer der frühesten Schüler von Abanindranath Tagore 1912 an d. Ind. Soc. of Oriental Art. Ging 1916 nach Japan, wo er die Mod. Bengal-Malschule in Tokio begründete, von dort nach den USA. Stud. 1920–22 an d. Slade School in London unter Henry Tongs, genoß gleichzeitig ein Stipendium des dort. Roy. College of Arts. 1920/21 Kstlehrer an d. King Alfred School in Hampstead (London), 1925/27 Lektor für Ind. Kst am London County Council. 1925 malte er Wandbilder f. d. Wembley-Ausst. 1928 nach Indien zurückgekehrt, wurde er zum 1. Ind. Direktor d. Gov. School of Arts in Kalkutta ernannt, welchen Posten er bis 1944 innehatte. 1944 ließ er sich in Kalika, Santiniketan, nieder u. gründete die 1945 von Mahatma Gandhi eröffnete Mukul Dey Art Gall. Zur Zeit arbeitet er am Terrakotta-Tempel von Birbhum, Bengalen. Als Maler hauptsächlich Porträtist. Radierungen, Stiche u. Kopien nach Wandgemälden in den Höhlen von Ajanta, Bagh, Sittanavasal in Indien u. in den Höhlen von Sigirya u. d. Pollonnaruva Tempeln auf Ceylon. — Originale in: Brit. Mus. London; Samlg Hara, Japan; Mus. Philadelphia; Art Inst. Chicago; Art Gall. Glasgow; Elliot Druce Coll., London; Viktoria a. Albert Mus. ebda; Mus. Lahore; Rabindranath Tagore Coll.; Kalabhavan, Santiniketan; P. R. Das Coll. in Patna; Prince of Wales Mus. in Bombay; Treasurywalla Coll. ebda; Bishop Lacdasa u. Demel Coll., Ceylon. — Ausstellungen: Ind. Soc. of Oriental Art, Kalkutta (1912 u. 1928); Art Inst. Chicago (1916) u. Nagpur (1918); New English Art Club, Grosvenor Gall. u. Roy. Acad., London (1922/27); Philharmonie Berlin (1926); Buckingham Palace London (1927). Häufig prämiert.

Buch- u. Mappenwerke: 12 Portraits (1917); My Pilgrimage to Ajanta and Bagh (1925 u. 1950); My Reminiscences (1938); 15 Drypoints (1939); 20 Portraits (1943); Portraits of Mahatma Gandhi (1948).

Lit.: Who's Who in Art, [3] 1934. — Rai Govind Chandra, Sri M. D.'s Art, Benares 1950. — Indian Art through the Ages, p. 66. — G. Venkatachalam, Contemp. Indian Painters, p. 69/73. — Visva-Bharati, 1, Nr 1 (1935) p. 5/10 passim, m. Abb. (Bildnis Abindr. Tagore). — The Print Coll.'s Quart., 24 (1937) 336 (Abb.); 25 (1938) 277 (Abb.), 491 (Abb.); 26 (1939); 51/65, m. Abbn, 500 (Abb.). — Artibus Asiae, 15 (1952) Nr 3, p. 293.

Dey, Sailendranath, ind. Maler, * 7. 7. 1891 Allahabad, Uttar Pradesh, ansässig in Jaipur.

Legte seine Schlußprüfung an der Gov. School of Art in Kalkutta ab, die damals unter Leitung von Percy Brown stand. Setzte dann seine Malstudien unter Abanindranath Tagore fort. Wirkte ca. 5 Jahre als Kstlehrer in Benares Kalabhavan u. 4 Jahre an d. Ind. Soc. of Oriental Art in Kalkutta; verbrachte den Hauptteil s. Lebens, 26 Jahre, als Vizedirektor an d. Maharaja School of Arts a. Crafts in Jaipur Rajasthan. Später nochmals 1 Jahr Direktor d. Rajasthan Kala Samsthan in Jaipur. Hauptexaminator für Zeichnen u. Mitglied d. Prüfungsausschusses an d. Jaipur u. Rajputana Univ., auch Hauptexaminator an d. Univ. Agra. Bereiste das ganze ungeteilte Indien. Gehört zu den wichtigsten Vertretern d. Neu-Bengal-Malschule. Ausgesprochener Lyriker in s. Kunst. Tief religiöse Natur. Besonders beachtlich eine Reihe von Bildern unter d. Titel: Kalidasa's Meghduta. — Buchwerke: „Bharatija Chitra Kala Paddhati" u. „Roopa Rehka".

Deydier, René, franz. Bildnis- u. Genremaler, * 28. 10. 1882 Avignon, † 4. 7. 1942 Paris.

Stellt seit 1924 bei den Indépendants aus.

Lit.: Joseph, 1. — Bénézit, ² 3.

Deygas, Régis, franz. Landschafts- u. Genremaler, * 8. (Joseph: 18.) 1. 1876 Lyon, ansässig in Paris.

Schüler von Tollet in Lyon, dann von Cormon u. Maignan in Paris. Mitgl. der Soc. d. Art. Franç., beschickt deren Salon seit 1903 (Kat. z. T. mit Abbn). Dekor. Gemälde in der Präfektur in Agen. Bild im Mus. in Le Puy. War Korrespondent des Monde Illustré während des russ.-japan. Krieges in der Mandschurei.

Lit.: Th.-B., 9 (1913). — Joseph, 1. — Bénézit, ² 3 (1950).

Deykin, Henry Cotterill, engl. Landsch.- u. Bildnismaler, * 31. 5. 1905 Edgloston, ansässig in Olten b. Birmingham.

Stud. an d. Slade School in Birmingham.

Lit.: Who's Who in Art, ³ 1934.

Deyrolle, Jean Jacques, franz. Maler, * 21. 8. 1911 Nogent-sur-Marne (Seine).

Stud. an d. Ec. d. B.-Arts in Paris. Bereiste Marokko u. Spanien. Kriegsteilnehmer 1939ff. Beeinflußt von Sérusier. Ging zu den Abstrakten über. Stellt seit 1942 im Salon der Soc. Nat. d. B.-Arts, im Salon d'Automne, im Salon des Surindépendants u. im Salon de Mai aus.

Lit.: Bénézit, ² 3 (1950). — Beaux-Arts, Nr v. 23. 7. 1948, p. 6 (Abb.).

Dezaunay, Emile Alfred, franz. Genre- u. Marinemaler, * 25. 2. 1854 Nantes, † 1940. Vater des Folg.

Lit.: Th.-B., 9 (1913). — Bénézit, ² 3.

Dezaunay, Guy, franz. Bildnis- u. Landschaftsmaler, * 16. 11. 1896 Nantes, ansässig ebda. Sohn des Vor.

Schüler s. Vaters u. Ch. Guérin's. Mitgl. der Soc. du Salon d'Automne, beschickt deren Salon seit 1921.

Lit.: Joseph, 1. — Bénézit, ² 3.

Déziré, Henry, franz. Figuren- (bes. Akt-), Bildnis-, Landschafts-, Stilleben- u. Blumenmaler, * 6. 2. 1878 Libourne (Gironde), ansässig in Paris.

Schüler von Bouguereau, G. Ferrier u. Maignan, Mitgl. der Soc. d. Art. Franç. u. der Soc. du Salon d'Automne. Stellt seit 1923 auch im Salon des Tuileries aus. Beeinflußt von Corot u. Cézanne. Weibl. Akte in Ideallandschaft. Bedeutender Dekorator, Kolorist u. Pleinairist. Im Luxembourg-Mus.: Frau mit Pfau u. Bildnis e. jungen Mädchens. Im Mus. Buenos-Aires: Badende. Im Mus. Algier: Weibl. Akt (Rötelzeichng). Malte seit 1918 mit Vorliebe in der Bretagne (Szenen aus dem bäuerl. Leben).

Lit.: Th.-B., 9 (1913). — Joseph, 1. — Bénézit, ² 3. — L'Art et les Art., N. S. 5 (1922) 339/46, m. 8 Abbn. — Art et Décor., 24 (1920), Chron. Febr.-H., p. 7, m. Abb. — Beaux-Arts, 9 (1931), Nov.-H. p. 22, m. Abb. — Bull. de l'Art, 1930/I p. 59, m. Abb. — Gaz. d. B.-Arts, 1922/II p. 330 (Abb.), 331. — Dtsche Kst u. Dekor., 33 (1913/14) 192 (Abb.). — La Renaiss. de l'Art franç., 8 (1925) 177f. m. Abbn, 595, m. Abb.; 9 (1926) 612 (Abb.). — Revue de l'Art anc. et mod., 56 (1929) 254 (Abb.). — The Studio, 113 (1937) 46, 47 (Abb.).

Dezsö, Alajos, ungar. Maler u. Illustr., * 1888 Baja, ansässig in Budapest.

Schüler der Budapester Akad., weitergebildet in Paris u. Berlin.

Lit.: Szendrei-Szentiványi. — Krücken-Parlagi.

Dhotel, Jules, franz. Bildhauer, Medailleur u. Plakettenkstler, * 16. 11. 1879 Neufchâteau (Vogesen), ansässig in Paris.

Beschickte seit 1911 den Salon der Soc. d. Art. Franç. Hauptsächlich Büsten u. Statuetten.

Lit.: Joseph, I.

Dhuicque, Eugène, belg. Architekt, *1877 Brüssel.

Schüler von Janlet u. P. Selmersheim in Paris. 1910 Erster Preis im Wettbewerb um das Denkmal der Republik Argentinien für Buenos Aires, zus. mit dem Bildh. Jules Lagae (ausgef. 1911/14). 1912/21 Präsident der Soc. Centrale d'architect. de Belgique.

Lit.: Seyn, I. — L'Architecture d'aujourd'hui, 20, Okt. 1949, p, 40f.

Diagilew, Ssergeij Pawlow., s. *Jagileff*.

Diamondstein, David, russ. Maler, Plakatzeichner u. Schriftst., * 14. 4. 1883 Kurenitz, Gouv. Wilna, ansässig in Brooklyn, N. Y.

Schüler von Robert Henri, Jerome Myers u. Sigismund de Iwanowski, weitergebildet in Paris u. Düsseldorf. Federname: *Dobson.*

Lit.: Amer. Art Annual, 27 (1930) 522; 30 (1933). — Who's Who in Amer. Art, I: 1936/37.

Díaz de León, Francisco, mexik. Maler, Schriftkünstler u. Graph., * 1897 Aguascalientes, ansässig in Mexico City.

Stud. 1917 an d. Akad. San Carlos, später Prof. u. Direktor derselben. Gründete u. leitete eine Freiluftschule in Tlálpan. Direktor der Buchkunstsch. in Mexico City.

Lit.: Kirstein, p. 97, 109.

Díaz Olano, Ignacio, span. Genre- u. Bildnismaler, * Vitoria (Alava), ansässig ebda.

Kraftvoller Naturalist. Wiederholt durch Medaillen ausgezeichnet (1895, 99, 1901, 04). Stellte 1906 auf der Expos. gen. in Madrid 1 Bild: Wäscherinnen (Kat. m. Abb.), 1910 auf der Expos. Nac. 3 Bilder aus (Kat. Nr 152/54, m. Abb.).

Dibbert, Fritz, dtsch. Maler, Gebrauchsgraph. u. Raumkünstler, * 30. 5. 1896 Hitzacker a. d. E., ansässig in Hamburg.

Stud. an der Schule für freie u. angewandte Kst in Hamburg, dann im Meisteratelier Walter Klemm an der Kstschule in Weimar. Farbige Holzschnitte u. figürl. Pinselzeichngn.

Lit.: Dreßler. — Niederdtsche Welt, 8 (1933) 252/55, m. Abbn.

Dibdin, Sara Beatrice, geb. *Guthrie,* schott. Malerin u. Metallkünstlerin, * 24. 5. 1874 Edinburgh, ansässig in London.

Stud. an der Kunstsch. in Glasgow u. an der Kunstgewerbesch. in München.

Lit.: Who's Who in Art, [3] 1934.

Dichtl, Anton (Bruder Josef), tirol. Bildhauer, * 11.3.1852 Virgen, † 24.2.1935 Stams.

Lernte bei Wassler in Meran, weitere Ausbildung in München. Vorübergehend in Lienz, Schwaz u. Hall i. T. tätig. Seit 1895 Laienbruder im Stifte Stams. Kirchl. Plastiken u. Einrichtungsgegenstände in den Pfarrk. in Seefeld, Huben, Karrösten, Leutasch, Landeck u. im Stift Stams.

Lit.: Hochenegg, Die Kirchen Tirols, 1935. — Tir. Stimmen, 1889, Nr 199; 1891 Nr 169. — Tir. Anz., 1935, Nr 47. — Innsbr. Ztg, 1935 Nr 49 (Nachruf). *J. R.*

Dick, Hermann, dtsch. Bildnis- u. Landschaftsmaler, * 27. 2. 1875 Düsseldorf, ansässig in Ahrhütte, Eifel.

Stud. in München, Berlin u. Paris. Bei Kriegsausbruch 1914 in Paris interniert. Kehrte im Verlaufe des Krieges nach Deutschland zurück. Selbstbildnis im Wallraf-Rich.-Mus. in Köln. Weitere Arbeiten im Suermondt-Mus. in Aachen, in d. Ruhmeshalle in Barmen u. in d. Städt. Kstsmlgn in Düsseldorf.

Lit.: Dreßler. — D. Kstblatt, 14 (1930) 12, m. Abb. — Westermanns Monatsh., 153 (1932/33) 201f., m. farb. Abb.

Dick, Karl, schweiz. Bildnismaler u. Lithogr., * 16. 4. 1884 Niedereggenen, Amt Mülheim, Baden, lebt in Basel.

Stud. bei Rud. Löw in Basel, dann bei W. Balmer in Florenz u. bei J. P. Laurens an der Acad. Julian in Paris. Studienaufenthalte in Frankreich, Italien u. Griechenland. In d. Öff. Kstsmlg Basel: Bildnis der Mutter u. Bildn. des Bildh. Otto Roos. Im Bes. des dort. Kstvereins: Knabenbildnis.

Lit.: Th.-B., 9 (1913). — Brun, IV 497. — Schweizerland, 1 (1914/15) 544, m. ganzs. Abb. — Schweiz. Kst, 1944 p. 43 (Abb.: Selbstbildn.). — Jahresber. d. Öff. Kstsmlg Basel, N. F. 19 (1924) 11. — Basler Nachr., Sonntagsbl., 7. 7. 1929, Nr 27 p. 114, m. Abb.

Dick, Sir William Reid, schott. Bildhauer, * 13. 1. 1879 Glasgow, lebt in London.

Stud. an d. Kstschule in Glasgow. 1933/38 Präsid. der Roy. Soc. of Brit. Sculptors. Seit 1938 Sculptor-in-Ordinary to H. M. für Schottland. 1939 Ehrenmitgl. der Roy. Scott. Acad. — Büste König Georgs V. in Mansion House; Standbild Livingstone's an den Victoria-Fällen in Afrika; kgl. Grabmal in der St. George's Chapel in Windsor; Statuen Georgs V. in d. Crathie Church in Balmoral u. im Old Palace Yard in Westminster; Standbilder Lord Irwin's u. Lord Willingdon's in Delhi; Femina Victrix in d. New South Wales Art Gall. in Sydney; Nackter Knabe mit Katapult in d. Art Gall. in Bradford; Halbfig. einer Spinnerin über d. Eingang des Vigo House in Regent Street in London; Gedenkkapelle für Lord Kitchener in der St. Paul's Kathedr.; Adler am Roy. Air Force-Denkmal in London, Thames Embankment; Löwe am Menin Gate in Ypern; Denkmal mit 4 allegor. Figurengruppen für Lord Leverhulme vor der Art Gall. in Port Sunlight. Eine weitere Arbeit in der Tate Gall. in London.

Lit.: Who's Who in Art, [3] 1934. — Maryon. — The Internat. Who's Who, [16] 1952. — The Studio, 63 (1915) 134, m. Abb.; 66 (1916) 281; 67 (1916) 23 (Abb.), 29, m. Abb.; 30 (Abb.); 68 (1916) 175 (Abb.), 177; 83 (1922) 307, 308; 90 (1925) 370 (Abb.), 375. — Athenæum, 1920/I, p. 773. — The Art Index (New York), Okt. 1942/Okt. 1950. — Apollo (London), 11 (1930) 349, m. Abb. p. 346.

Dickert, Adolf, dtsch. Maler, * 15. 5. 1878 Leipzig, ansässig in Cospa b. Eilenburg.

1892/96 Lithographenlehre. Weitergebildet an der Akad. in Leipzig. Studienaufenthalte in Tirol u. Italien.

Lit.: Dreßler.

Dickey, Edward Montgomery O'Rorke, irischer Landschaftsmaler u. Holzschneider, * 1. 7. 1894 Belfast, ansässig in Newcastle-on-Tyne.

Stud. an der Kunstsch. in Westminster. Prof. u. Direktor der King Edward VII School of Art in Newcastle-on-Tyne.

Lit.: Who's Who in Art, [3] 1934. — Artwork, 2 (1925/26) 58 (Abb.), 59 (Abb.), 130 (Abb.), 141. — The Studio, 93 (1927) 206, m. Abb.

Dickins, Charles Bumpus, engl. Landschaftsmaler, * 1. 5. 1871 Liverpool, ansässig in Wallasey, Cheshire.

Lit.: Who's Who in Art, [3] 1934.

Dickinson, Edwin, amer. Maler, * 11. 10. 1891 Seneca Falls, N. Y., ansässig in New York.

Schüler von Du Mond, Wm. Chase u. Hawthorne. Hauptsächl. Landschafter. Bild (Ein Jahrestag) in d. Albright Art Gall. in Buffalo, N. Y.

Lit.: Mellquist. — Amer. Art Annual, 30 (1933). — Monro. — Painting in the Un. States 1949. Carnegie Inst. Pittsburgh, Kat. m. Taf. 52. — Art Digest, 19, August 1945, p. 13; 24, Nr v. 15. 10. 1949, p. 9 (Abb.); Nr v. 15. 11. 49, p. 15 (Abb.: Selbstbildn.). — The Art News, 44, Nr v. 15. 2. 1945, p. 7 (Abb.); 48, Sept. 1949, p. 26/28, m. Abbn; Dez. 49, p. 41 (Abb.).

Dickinson, Preston, amer. Maler (Öl u. Aquar.) u. Zeichner, * 1889 (1891?) New York, † 1930 in Spanien.

Stud. an d. Art Student's League in New York, tätig ebda. Beeinflußt vom franz. Postimpressionismus. Hauptsächlich Landschaften u. Stilleben. Virtuoser Zeichner. Vertreten im Smith College in Northampton, Mass., im Mus. in Cleveland, Ohio, im Inst. of Arts in Detroit u. in der Addison Gall. of Amer. Art in Andover, Mass. (Abb. im Handbook of Paintings etc., Taf. 97).

Lit.: Fielding. — Mellquist. — Monro. — Amer. Art Annual, 28 (1931): Obituary. — Artwork, 2 (1925/26) Nr 6 p. 94, 96 (Abb.). — Bull. of the Smith Coll. Museum of Art (Northampton), Nr 15 (1934) p. 14, m. Abb. — Bull. of the Cleveland Mus. of Art, 14 (1927) 10, 15 (Abb.), 102, 104; 15 (1928) 132; 24 (1937) 40, Taf. geg. p. 46. — Bull. of the Detroit Inst. of Arts, 11 (1929/30) p. LXXIII; 12 (1930/31) 51, 53 (Abb.); 17 (1937/38) 61, 63 (Abb.). — D. Cicerone, 18 (1926/II) 506, m. 2 Taf.-Abbn. — Dial, 73, Nr 1, Juli 1922, Abb. vor p. 73. — Prisma, 1 (1947) H. 7, p. 23 (Abb.). — The Studio, 105 (1933) 85 (Abb.). — Art Index (New York), 1928ff. passim.

Dickinson, Ross, amer. Maler, * 29. 4. 1903 Santa Anna, Calif., ansässig in South Gate, Calif.

Schüler von Hawthorne, Costigan, Ennis, Wright, Chamberlin u. Fletcher. Wandmalereien u. a. im Kleinen Theater u. in der Kunstschule in Santa Barbara, Calif.

Lit.: Amer. Art Annual, 30 (1933). — Who's Who in Amer. Art, I: 1936/37.

Dickinson, Sidney, amer. Porträtmaler, * 28. 11. 1890 Wallingford, Conn., ansässig in New York.

Schüler von Bridgman Volk u. Wm. Chase. Bilder u. a. in der Corcoran Gall. in Washington (Selbstbildn.), im Art Inst. in Chicago, im City Art Mus. in St. Louis u. in d. Municip. Art Gall. in Davenport, Ia. Kollektiv-Ausstellgn Okt. 1923 in den Milch Gall. in New York, Febr. 1926 in den Grand Central Gall. in Houston, Tex.

Lit.: Who's Who in Amer. Art, I: 1936/37. — Fielding. — Monro. — Amer. Art Annual, 30 (1933). — The Art News, 22, Nr 1 v. 13. 10. 1923, p. 1, m. Abb., 2; 24, Nr 20 v. 20. 2. 1926, p. 11 (Abb.); Nr 37 v. 19. 6. 1926, p. 5 (Abb.); 47, Sept. 1948, p. 50 (Abb.); Nov. 48, p. 15 (Abb.). — Painting in the Un. States 1949, Carnegie Inst. Pittsburgh, Pa., Kat. m. Taf.-Abb. 90. — Art Index (New York), 1928ff.

Diddel, Norma Louise, amer. Malerin, * 25. 1. 1901 Denver, Colo., ansässig ebda.

Stud. an d. California Univ., San Francisco.

Lit.: Who's Who in Amer. Art, I: 1936/37. — Amer. Art Annual, 30 (1933).

Dideron, Louis Jules, franz. Bildhauer, * 16. 4. 1901 Marseille, ansässig in Paris.

Schüler von Maillol, J. Coutan u. Boisson. Hauptsächlich Bildnisbüsten u. weibl. Akte in einer an Maillol erinnernden Stilisierung. Mitglied des Salon d'Automne.

Lit.: Joseph, 1. — Bénézit, [2] 3. — Beaux-Arts, 76e année Nr 328 v. 14. 4. 1939, p. 4 (Abb.). — Kat. Ausst.: La Sculpt. franç. de Rodin à nos jours, Zeughaus Berlin 1947, m. Abb.

Didier, Maxime, franz. Bildhauer, * 26. 5. 1876 Orleans, fiel im 1. Weltkrieg (1914/18).

Schüler von Gauquire u. Rolard. Stellte seit 1907 im Salon der Soc. d. Art. Franç. aus (Kat. z. T. mit Abbn). Hauptsächlich Porträtist.

Lit.: Joseph, I. — Bénézit, [2] III.

Didier-Tourné, Jean, franz. Landschafts- u. Genremaler, * 1. 5. 1882 Agen (Lot-et-Garonne), ansässig in Paris.

Schüler von Cormon. Mitgl. der Soc. d. Art. Franç. (Salon-Kat. z. T. mit Abbn). Stellt auch bei den Indépendants aus. Bilder in den Museen in Agen u. Lourdes, im Hôtel de Ville u. in der Opéra-Comique in Paris, im Theater in Agen u. im Hôtel de Ville in Sceaux.

Lit.: Joseph, 1. — Bénézit, [2] 3. — Gaz. d. B.-Arts, 1921/I p. 345 (Abb.).

Dieckmann, Heinrich, dtsch. Maler (bes. Freskant), Entwurfzeichner für Mosaik- u. Glasmalerei u. Gebrauchsgraph. (Prof.), * 7. 3. 1890 Kempen/Rhld, ansässig in Trier.

Stud. an der Kstgewerbesch. in Krefeld. Weitergebildet privat in München, Berlin u. Florenz. Wandmalereien in d. Kirche in Orsoy (1925). Glasfenster u. a. in d. Kirche in Marienthal bei Wesel, in d. Kirche des Schifferkinderheims in Duisburg-Ruhrort, in St. Aposteln in Köln u. im Franziskanerkloster in Hermeskeil. Kriegergedächtnismal in d. kath. Pfarrk. in Ruhrort. Sammelausst. veranstaltet von d. Dtsch. Ges. f. christl. Kst in München, 28. 2.–31. 3. 1951.

Lit.: Dreßler. — D. Christl. Kst, 24 (1927/28) 158; 27 (1930/31) 379; 29 (1932/33) 124/31, m. Abbn. — Pantheon, 23 (1939) 214. — Kstgabe d. Ver. f. Christl. Kst im Erzbist. Köln u. Aachen, 1939, p. 37 (Abb.), 38, m. Abb. — D. Münster, 2 (1949) 204; 5 (1952) 54, 55.

Dieckmann, Karl, dtsch. Maler u. Zeichner, * 22. 3. 1890 Charlottenburg, ansässig ebda. Schüler der Berliner Akad.

Lit.: Dreßler.

Diedenhoven, Walterus van, holl. Lithograph, Rad. u. Holzschneider, * 1. 9. 1886 Amersfoort, † 11. 12. 1915 Apeldoorn.

Stud. in Haarlem u. an d. Akad. Antwerpen.

Lit.: Waller.

Diederich, Hunt, ungar. Bildhauer (bes. Kleinplastiker) u. Kstgewerbler, * 3. 5. 1884 in Ungarn, ansässig in New York.

Mitglied der Soc. du Salon d'Automne u. des Salon des Tuileries in Paris, wo er 1911/24 ausstellte. Tiere (bes. Pferde, Hunde, Ziegen, Kampfstiere) u. Bildnisbüsten. Im Mus. in Cleveland, Ohio, eine Kleinbronze: Kämpfende Ziegen.

Lit.: Fielding. — Amer. Art Annual, 27 (1930); 30 (1933). — Who's Who in Amer. Art, I: 1936/37. — Mellquist. — Brooklyn Mus. Quarterly, 23 (1936) 83 (Abb.). — The Bull. of the Cleveland Mus., 28 (1941) 20/31 (Abb.). — D. Cicerone, 12 (1920) 449f.; 13 (1921) 514ff., m. Abbn. — Dial, 71 (1921) 253. — Jahrb. d. jungen Kst, 2 (1921) 310ff., m. Abbn. — The Studio, 113 (1937) 83 (Abb.). — Amer. Artist, 13, Febr. 1949, p. 35.

Diederichs, Thora von, schwed. Figurenmalerin u. Textilkünstlerin, * 1885 auf Nygård, Kalmar län, ansässig in Stockholm.

Lit.: Thomœus.

Diedricksen, Theodore, amer. Radierer, * 30. 5. 1884 New Haven, Conn., ansässig in Hamden, Conn.

Stud. an der Yale School of F. Arts in New Haven, dann bei Baschet u. Gervais in Paris.

Lit.: Who's Who in Amer. Art, I: 1936/37.

Diefenbach, Lucidus, dtsch. Bildnis- u. Landschaftsmaler, * 8. 10. 1886 Grünwald, Oberbay., ansässig in Törwang b. Rosenheim.

Stud. bei A. v. Schrötter an der Steiermärk. Meisterschule in Graz, dann bei Schmid-Reutte an der Akad. in Karlsruhe. Bilder im Bes. der Kstvereine Baden-Baden u. Kiel u. im Landesmus. in Schwerin.

Lit.: Dreßler.

Diefenthäler, Carl, dtsch. Architektur-, Landsch.- u. Theatermaler u. Gebrauchsgraph., * 10. 5. 1885 Mannheim, ansässig in Heidelberg.

Stud. an den Techn. Hochschulen Karlsruhe u. München.

Lit.: Dreßler. — Das sind Wir. Heidelberger Bildner usw., 1934 p. 71 (Abb.), 72, 73 (Abb.: Selbstbildn. [Holzschn.]).

Diehl, Gottfried, dtsch. Maler, * 26. 5. 1896 Frankfurt/Main, ansässig in Offenbach.

Stud. an der Städelschen Kstschule in Frankfurt. Seit 1946 Lehrer an der Werkschule in Offenbach.

Lit.: Prisma, 1 (1947) H. 8, p. 45 (Abb.).

Diehl-Wallendorf, Hans, dtsch. Landschaftsmaler, Radierer u. Raumkstler, * 13. 3. 1877 Pirmasens, ansässig in München.

Schüler von Th. Hagen in Weimar u. von B. Mannfeld am Städel-Institut in Frankfurt a. M.

Lit.: Th.-B., 9 (1913).

Dieke, Max, dtsch. Bildnisminiaturmaler u.-zeichner, * 26. 1. 1872 Leipzig, † Juli 1937 ebda.

Schüler von Ludwig Nieper an der Leipz. Akad. Pflegte bes. die Elfenbeinminiaturmalerei in reiner

Aquarelltechnik. Kollektiv-Ausst. im Leipziger Kstverein April 1928.
Lit.: Th.-B., 9 (1913). — Leipziger Neueste Nachr. v. 23. 4. 1928 u. 17. 7. 1935. — E. A. Seemanns „Meister der Farbe", 16 (1919) H. 9, Nr 8087.

Dieleman-Magendans, Johannes Caroline Frederika Henriëtte, holl. Landschaftsmalerin, * 7. 5. 1876 Minnertsga, Friesland.
Schülerin von Ger. Jacobs.
Lit.: Waay.

Dielman, Ernest Benham, amer. Bildhauer, * 24. 4. 1893 New York, ansässig ebda.
Schüler von Volk. Stellte 1928/33 im Salon d'Automne u. im Salon des Tuileries in Paris aus. Hauptsächlich Tiere u. Indianer.
Lit.: Fielding. — Bénézit, [2] 3 (1950). — Artwork, 2 (1925/26) H. 6, p. 96 (Abb.).

Dielmann, Emil, dtsch. Bildnis-, Genre- u. Landschaftsmaler, * 11. 6. 1897 Straßburg, ansässig in Frankfurt a. M.
Stud. am Städel-Instit. in Frankfurt. Bilder im Mus. in Darmstadt (Messe am Steg) u. im Hist. Mus. in Frankfurt (Am Frankf. Osthafen).
Lit.: Dreßler. — Westermanns Monatsh., 161 (1936/37) 390, m. farb. Abb. am Schluß d. Bdes.

Djem, Cemil, türk. Karikaturenzeichner, * 1882 Istanbul (Konstantinopel), † 1950 ebda.
Stud. zuerst Rechtswissenschaft in Paris, ging aber bald zur Malerei u. zum Karikaturzeichnen über. Schüler des französ. Karikaturisten Sem. Gab in Istanbul 2 Karikatur-Zeitschriften: Kalem und Cen, heraus. Galt zu Anf. des 20. Jahrh.s als der türk. Daumier. Einige Zeit Direktor d. Akad. d. Sch. Künste in Istanbul. Realist.
Lit.: Berk, p. 29.

Diem-Tilp, Ida, dtsche Malerin u. Graph., * 7. 9. 1883 München, ansässig ebda.
Schülerin von W. Trübner u. Schmid-Reutte an der Akad. in Karlsruhe; weitergebildet in Florenz. Bildnisse, Genre, Landschaften.
Lit.: Dreßler.

Djemal, Ali, türk. Historienmaler, * 1880 Istanbul (Konstantinopel), † 1941 ebda.
1901 von der Militärschule u. 1906 von d. Akad. d. Sch. Künste zu Istanbul diplomiert. Nahm 1918 an Berliner u. Wiener Ausstellgn teil. Einige Werke im Bilder- u. Statuenmus. in Istanbul. Realist.
Lit.: Berk, p. 21.

Dieman, Clare Sorensen, amer. Bildhauerin, * Indianapolis, Ind., ansässig in Houston, Texas.
Stud. am Art Inst. in Chicago. Bauplastik, u. a. für die Denver Nat.Bank u. das Gulf Building in Houston.
Lit.: Amer. Art Annual, 30 (1933). — Who's Who in Amer. Art, I: 1936/37.

Diemer, Zeno (Michael Z.), dtsch. Landschafts- u. Marinemaler, Illustrator, Musiker u. Komponist, * 8. 2. 1867 München, † 28. 2. 1939 Oberammergau.
Schüler von Hackl u. Liezen-Mayer. Mehrere Bilder, dar. Landung des Zeppelin in München am 1. 4. 1909, im Dtsch. Mus. in München.
Lit.: Th.-B., 9 (1913). — D. Bayerland, 43 (1932) 341 (Abb.). — D. Cicerone, 7 (1915) 271. — Augsb. Postztg, Nr 65 v. 9. 2. 1917 (zu D.s 50. Geb.-Tag). — Ill. Beobachter, Folge 5 (1937) p. 150, m. Fotobildn.). — Schulthess' Europ. Geschichtskal., hg. v. U. Thürauf, N. F. 55: 1939 p. 709 (Totenliste). — Westermanns Monatsh., 156 (1934) farb. Taf. vor p. 481.

Diemke, Albert, dtsch. Wandmaler u. Graph., * 14. 3. 1880 Elbing, ansässig in Düsseldorf.
Stud. an den Kstgewerbesch. in Nürnberg u. Straßburg u. an d. Akad. in Düsseldorf (E. v. Gebhardt). Studienreisen in Italien, Holland, Belgien, Frankreich. Altarbild (Herz-Jesu) in d. Pfarrk. in Königswalde, Nordböhm.; Hochaltar, Seitenaltarbilder u. Ausmalung des Chorraumes der Immakulatakirche in Vohwinkel. Kollektiv-Ausst. im Düsseld. Kstgew.-Mus., Febr./April 1921. Kreuzwegbild in der Elisabethk. in Krefeld.
Lit.: Dreßler. — D. Christl. Kst, 8 (1911/12) 226 (Abb.), 227 (Abb.), Beibl. p.25; 17 (1920/21) Beibl. p. 48; 19 (1922/23) Beibl. p. 63; 20 (1923/24) 101 ff. Abbn, Beibl. p. 34.

Diener, Henry, franz. Figuren- (bes. Akt-) u. Bildnismaler, * Paris, ansässig ebda.
Stellt seit 1923 bei den Indépendants aus.
Lit.: Joseph, I.

Diener, Siegmund, dtsch. Blumen- u. Landschaftsmaler, * 12. 1. 1888 Bayreuth, ansässig in Nürnberg.
Nach Lithographenlehre Studium an der Nürnb. Kstgewerbeschule.
Lit.: Dreßler.

Dienes, Hubert, amer. Radierer, * 20. 3. 1894 Russell, Kansas, ansässig in Kansas City.
Stud. am Art Inst. in Kansas City u. an der Acad. Julian in Paris. Hauptsächl. Buchdeckel u. -tafeln.
Lit.: Who's Who in Amer. Art, I: 1936/37.

Dienes, János, ungar. Graphiker.
Stud. bei V. Olgyai an der Budapester Akad.
Lit.: Szendrei-Szentiványi.

Dieninghoff, Wilhelm, dtsch. Maler, * 19. 3. 1903 Albachten/Westf., ansässig in Dachau b. München.
Nach Malerhandwerkslehre Studium an der Akad. in München. Studienreisen nach Frankreich, Griechenland u. dem Balkan. Landschaften u. Stilleben.
Lit.: Kst- u. Antiquitäten-Rundsch., 42 (1934) 369, m. Abb.

Dienst, Paul, dtsch. Maler u. Graph., * 7. 6. 1883 Dresden, ansässig ebda.
Stud. an d. Kstgewerbesch. Dresden (1910/15) u. an d. Akad. ebda (1919/23).
Lit.: Dreßler.

Dienz, Herm, dtsch. Maler, Holzschneider u. Illustr. (Prof.), * 8. 10. 1891 Koblenz, ansässig in Bonn.
Nach anfängl. jurist. Studien (Dr. jur., 1920) Übergang zur Malerei. Stud. nach längerer Italienreise an d. Akad. in Düsseldorf u. an d. Staatl. Kstschule in Berlin. Seit 1945 in Bonn. Gelangte über Realismus u. Expressionismus zur absoluten Malerei. Graph. Mappenwerke: Die Passion (10 Holzschnitte), Berlin 1922; Meier Helmbrecht (12 Holzschn., Zürich 1924). Zeichngn zu R. M. Rilke: Die Weise von Liebe u. Tod, 1921, u. zu Th. Däubler: Das Sternenkind, 1923. Sizilian. Lithographien, 1925. Kollektiv-Ausst. im Städt. Kstmus. in Duisburg, März/April 1949 (Verz. mit Einleitg von E. D'ham).
Lit.: D. Kst u.d. schöne Heim, 50 (1952) Beil.p.204.

Dieperink, Alexander Gerardus, holl. Maler, * 13. 10. 1901 Amsterdam, ansässig in Utrecht.
Schüler von Walken u. Jurres an d. Reichsakad. A'dam. Stilleben, Landschaften, Bildnisse.
Lit.: Waay.

Dieperink, Herman Bernard, holl. Landsch.- u. Stillebenmaler u. Graph., * 7. 5. 1887 Amsterdam, ansässig ebda.

Schüler von Klaas van Leeuwen u. B. W. Wierink.

Lit.: Wie is dat?, 1935. — Waay. — Waller.

Dier, Erhard Amadeus, gen. *Amadeus-Dier*, öst. Maler u. Graph., * 8. 2. 1893 Wien, ansässig in St. Gilgen.

Stud. an der Wiener Akad. (Cam. Sitte, Jungwirth). Bereiste Spanien, Italien u. die Schweiz. Begann als Illustrator. Malt in Öl u. Aquarell. Figürliches, Studienköpfe, Landsch., Blumenstücke, Tiere. Graph. Folgen: Don Quichote (Rad.); Ewige Melodien, Verl. L. Heidrich, Wien; Aus ernsten Tagen. Illustr. zu: Th. Coudenhove-Honrichs, Die Gesch. vom kleinen Tropfen, Wien 1928; R. H. Bartsch, Histörchen, Leipzig L. Staackmann, 1925 (12 Rad.); ders., Die kleine Blanchefleur, Wien 1926 (5 Rad.); Tieck, Pietro von Albano (Verl. Artur Wolf, Wien).

Lit.: Dreßler. — Teichl. — Belvedere, 1 (1922) H. 3, Beilage: Buchkunst u. Graphik, p. III (Abb.), u.: Kst d. Gegenwart, p. III/VI, m. 6 Abbn. — Velhagen & Klasings Monatsh., 42/I (1927/28) Taf. geg. p. 376; 44/II (1929/30) Taf. geg. p. 396, 447; 51/I (1936/37) farb. Taf. geg. p. 588, 678. — Westermanns Monatsh., 152 (1932) 468, m. Abb., 566, 568 (Abb.); 153 (1932/33) Taf. geg. p. 352, 382f.; 154 (1933) Taf. geg. p. 112, 183.

Dierckx, Pieter, belg. Maler, * 1871 Antwerpen.

Schüler von Verlat u. Jul. de Vriendt an der Antwerp. Akad. Direktor der Zeichenakad. in Tamise. Figürliches, Interieurs, Landschaften. Hist. Fresken im Rathaus in Lokeren.

Lit.: Seyn, I, m. Fotobildn. — Ons Volk ontwaakt, 1913 p. 402f., m. Bildnis u. 3 Abbn.

Dierkes, Paul, dtsch. Bildhauer (Prof.), * 4. 8. 1907 Cloppenburg im Oldenburg., ansässig in Berlin.

Gelernter Steinmetz. Arbeitet in allen Materialien. Seit 1933 in Berlin; seit 1947 Prof. an der Hochsch. für Bild. Kste ebda. Reisen in Frankreich u. Italien. — Vorliebe für Tiergestaltungen. Seine Arbeiten haben in ihrer Einfachheit entfernte Beziehungen zum romanischen Stil.

Lit.: Nemitz, m. Taf. — Sperling. — D. Kstwerk, 5 (1951) H. 2 p. 30, m. Abb., 39. — *Kat.:* Ausst.: Dtsche Bildh. d. Gegenw., Kestner-Ges. Hannover, 26. 4./17. 6. 1951, m. Abb.; Dtsch. Kstlerbund 1950, 1. Ausst. Berlin 1951, m. Abb; Gal. Rosen, Berlin 1946; Ausst. Berl. Kstler, Magistrat Groß-Berlin 1947; Deutsche Kst der Gegenw., Baden-Baden 1947; 11 dtsche Maler u. Bildh. d. Gegenw., Kstver. Konstanz 1948, p. 12f. m. Abbn. u. Fotobildnis; Neue Gruppe Berlin 1949 u. 1950: Berl. Kstler, Bonn 1950. — Die Welt (Hamburg), 29. 5. 1948, m. Abb.

Diernhöfer, Willi, dtsch. Maler, * 21. 2. 1904 Nürnberg, ansässig in Ingolstadt.

Stud. an d. Kstgewerbesch. Nürnberg, dann an d. Akad. in München. Studienreisen in Italien. Erhielt 2mal den Jubiläumspreis der Stadt München. Arbeiten in: Bayr. Staatsgemäldesammlg, Städt. Gal. u. Stadtmus. München. Altarwerke, Decken- und Wandfresken: Kath. Stadtpfarrk. in Vilseck/Oberpfalz; St. Georg in Amberg/Oberpfalz. Gesamtausmalung der Kirchen in Neidenfels/Rheinpf., Stetten b. Mindelheim u. Weißenhorn b. Neu-Ulm (Kath. Stadtpfarrk.).

Lit.: Neu-Ulmer Zeitg, 21. 7. 1950; 1. 11. 50; 24. 3. 51. — Donau-Kurier (Ingolstadt), 30. 7. 1950. — Nürnb. Zeitg, 8. 1. 1935. — Fränk. Tageszeitg, 4. 1. 1935 u. 20. 1. 35. *B. J.*

Diers, August, dtsch. Landschaftsmaler u. Rad., * 1885 Oldenburg, † 1915 ebda.

Lit.: Oldenb. Jahrbuch, 1915, p. 24/29. — Niedersachsen, 26 (1920/21) Taf. geg. p. 389.

Diesner (-Kampmann), Gerhild, tirol. Malerin, * 4. 8. 1915 Innsbruck, ansässig in Seefeld, Tirol.

Stud. 3 Jahre an e. Kstschule in Brighton, 1 Jahr bei A. Lhote in Paris, 2 Jahre an d. Münchner Akad. Bildnisse, Blumenstilleben, Landschaften, figürl. Kompositionen. Koll.-Ausst. 1946 in d. Neuen Gal. Wien. 1952 „Preis der Dolomiden" in Bozen.

Lit.: Teichl. — Innsbr. Nachr., 1942 Nr 161. — Stimme Tirols, 1947 Nr 27, m. Abb.; 1948 Nr 18, Nr 23, m. Abb.; 1950 Nr 5. — D. Wochenpost, 1946 Nr 42, m. Abb. — Tir. Tagesztg, 1948 Nr 121; 1951 Nr 217; 1952 Nr 150, 218. — Tir. Nachr., 1949 Nr 237; 1951 Nr 211; 1952 Nr 153, 302. — Tir. Bauernztg, 1948 Nr 42. — Bote f. Tirol, Kulturber., 1948 Nr 34; 1950 Nr 28; 1952 Nr 51/52. *J. R.*

Dieter, Hans, dtsch. Bildnis- u. Landschaftsmaler, * 14. 1. 1881 Mannheim, ansässig in Meersburg a. Bodensee.

Autodidakt. Bilder in d. Städt. Gem.-Smlg in Freiburg, in d. Fürstl. Fürstenberg. Gem.-Gal. in Donaueschingen u. in d. Ksthalle in Karlsruhe.

Lit.: Dreßler. — Das Bild, 5 (1935) 56 (Abb.), 57f., 60 (Abb.); 11 (1941) 21/24, m. 4 Abbn, dar. Selbstbildn., mit Schlittschuhläufer im Hintergrund, u. Triptychon: Ernte am Bodensee. — Rhein. Blätter, 18 (1941) 91. — Oberrhein. Kst, 3 (1928) Beibl. p. 6; 4 (1930) Beibl. p. 36. — Velhagen & Klasings Monatsh., 36 (1921) 112f., 118f., m. Abb.; 40/II (1925/26) Taf. geg. p. 648, 710; 42/I (1927/28) farb. Taf. geg. p. 144, 231; 47/II (1932/33) Taf.-Abb. geg. p. 28, 110; 48/I (1933/34) 136/37, farb. Taf., 231; 49/I (1934/35) farb. Abb. p. 219, 221. — Westermanns Monatsh., 136 (1924) Taf. geg. p. 252 u. 280, 298; 153 (1932/33) farb. Taf. geg. p. 124, 201.

Diéterle, Marie, geb. *van Marcke*, franz. Landschafts- u. Tiermalerin, * 19. 4. 1856 Sèvres, † 1935 Paris.

Schülerin ihres Vaters Emile v. M. Mitgl. der Soc. d. Art. Franç., deren Salon sie seit 1874 beschickte (Kat. z. T. mit Abbn). Hauptsächlich Weidevieh in Landschaft. Bilder außer in den bei Th.-B. gen. Museen in Boston u. in Brooklyn, N. Y.

Lit.: Th.-B., 9 (1913). — Joseph, 1. — Bénézit, [2] 3. — The Art News, 47 (1948), Juni p. 67 (Abb.).

Dieterle, Otto, dtsch. Bildnis- u. Landschaftsmaler, Karikaturenzeichner u. Gebrauchsgraphiker, * 10. 2. 1891 Feuerbach b. Stuttgart, ansässig in Walheim, O.-A. Besigheim, Württbg.

Stud. bei Pötzelberger, Landenberger u. Hölzel an der Akad. in Stuttgart. Im 1. Weltkrieg Kriegsmaler. Bilder im Konfirmandensaal in Feuerbach u. im Städt. Heimatmus. ebda.

Lit.: Dreßler.

Diéterle, Yvonne, geb. *Laurens*, franz. Bildhauerin u. Malerin, * 7. 3. 1882 Paris, ansässig ebda.

Schülerin von E. Hannaux, als Malerin Schülerin von F. Pelez. Mitgl. der Soc. d. Art. Franç., beschickt deren Salon seit 1900. Mit plast. Arbeiten vertreten in Rouen (Der Schlaf) u. Le Havre (Gipsgruppe: Ausfahrt zum Fischfang).

Lit.: Th.-B., 9 (1913). — Joseph, 1 u. 2.

Dieterlen, Hans, dtsch. Maler, * 16. 4. 1896 Kälberbronn/Wttbg, † 30. 11. 1948 Hohenaschau/Chiemgau.

Stud. an den Akad. Stuttgart u. München (C. Caspar). Figürl. Kompositionen, relig. Motive, Landschaften u. Blumenstücke. Altarbild in der ev. Kirche Westheim b. Augsburg.

Dietlin, Robert, schweiz. Tierbildhauer, im Hauptberuf Geometer, * 4. 7. 1881 Porrentruy, ansässig ebda.

Schüler von W. Nicolet u. Hans Gisler in Zürich. Jagdhunde, Rehwild, Füchse, Wildschweine, Fasanen, Reiher.

Lit.: Amweg, I, m. 2 Abbn.

Dietrich, Adolf, schweiz. Laienmaler, von Beruf Holzfäller, * 1877 Berlingen a. Bodensee, ansässig ebda.

Autodidakt. Malte bis zu seiner „Entdeckung" durch den Leiter des Mannheimer Kunsthauses, H. Tannenbaum, lediglich zu seinem Vergnügen. Teilt die tiefe, liebevolle Versenkung in Natur u. Objekt mit Henri Rousseau, geht aber stärker auf Vereinfachung der Form aus u. erreicht besonders in s. raumweiten Untersee-Landschaften u. Stilleben oft ganz reine künstler. Wirkungen. Auch Figürliches, Bildnisse u. Tierbilder. Arbeiten in d. Öff. Kstsmlg in Basel, im Ksthaus in Zürich, in d. Ksthalle in Mannheim u. in d. Gem.-Smlg in Winterthur. — Kollektiv-Ausstellgn in d. Gal. Neumann-Nierendorf, Berlin, 1927, in d. N. Sezession München 1928, in d. Gal. „Das Kunsthaus" in Mannheim 1928, im Ksthaus Zürich 1942 u. 1947 und bei Hans Ammann, Luzern, Aug./Sept. 1943.

Lit.: Margot Riess, D. Maler u. Holzfäller A. D., Berl. 1927, m. 32 Abbn. — Karl Hoenn, A. D., Frauenfeld/Lpzg 1942. Bespr. in: D. Werk (Zürich), 30 (1943) H. 2, Beil. p. XXXIII f., m. Fotobildn. u. Abb. — Das Bodenseebuch, 18 (1931) 82/85. — R. Bie, Dtsche Malerei d. Gegenw., Weimar 1930. — Die Kunst, 57 (1928) 55/62, m. 10 Abbn; 63 (1931) 14 (Abb.). — Kst u. Kstler, 25 (1927) 350f. — D. Kst u. d. schöne Heim, 50 (1951/52) Heft 2, Beil. p. 53, 164 (Abb.). — D. Kstblatt, 9 (1925) 259ff. (Abbn), 264f., 282 (Abb.); 11 (1927) 238f. — D. Kstwanderer, 1925–26 p. 368/70, m. 3 Abbn. — D. Kstwerk, 2 (1948) Heft 9 p. 11; 5 (1951) H. 3 p. 71, m. Abb. — D. Werk, 36 (1949) 239 (Abb.), 240/42, m. 3 Abbn. — Zeitschr. f. Kstgesch., 4 (1935) 290f., 293 (Abb.), 298, 299 (Abb.). — A. D. 6 Bilder aus Privatbes., Privatdr., Ansbach 1941. — Münchner N. Nachr., Nr 180 v. 4. 7. 1928. — Westermanns Monatsh., 144 (1928) 457/64, m. 8 Abbn.

Dietrich, Erich, dtsch. Maler, Bühnenbildner u. Lithogr., * 8. 3. 1890 Berlin, ansässig in Saarbrücken.

Schüler von E. Orlik in Berlin. Ließ sich nach dem 1. Weltkriege in Saarbrücken nieder; künstler. Beirat des dort. Stadttheaters. Kollektiv-Ausstellgn im Kstverein Saarbrücken, 1920 (Graphik, Bühnenbildentwürfe u. Gemälde), u. in Wiesbaden, 1922.

Lit.: Kstchronik u. Kstmarkt, N. F. 32 (1920/21) 710; 33 (1921/22) 367. — D. Schaffenden, I, 4. Mappe („Osterspaziergang", Lith.).

Dietrich, Franz Xaver, dtsch. Maler, * 3. 12. 1882 Bernhardsweiler i. Els., ansässig in München.

Schüler von C. Jordan in Straßburg, dann von M. Feuerstein, W. v. Diez u. R. v. Seitz an der Münchner Akad., zuletzt von W. Kolmsperger. 1907 mit Schack-Stipendium in Italien u. Spanien. Pflegt hauptsächl. die kirchl. Malerei, daneben das Genre u. Porträt. Deckenbilder in den Pfarrkirchen in Hirschegg, Vorarlberg, u. Immenstadt, Allgäu. Hochaltarbilder in: Kirche in Neustift b. Freising (Himmelfahrt Mariä, 1915), Magdalenenkirche in Straßburg (Einsetzung des Abendmahls, 1917), Kirche in Unterdiessen b. Landsberg a. Lech (Anbetung der Könige, 1920) u. St. Franziskuskirche in München-Untergiesing. Kreuzwegbilder für die kath. Hofkirche in Dresden. Entwurf zu einem Kriegerdenkmal (Tafel mit Friedensengel) für die Pfarrk. in Immenstadt (1920).

Lit.: Th.-B., 9 (1913). — Schnell, 1 (1934) Heft 52, p. 3, 4, 5 (Abb.); 6 (1939) H. 399/400, p. 6 (Abb.), 7, 22. — D. Christl. Kst, 11 (1914/15) Heft 9, p. 237ff. (Abbn), 241ff. u. Beibl zu Nr 10, p. 31; 12 (1915/16), Beibl. p. 19; 13 (1916/17) Abb. geg. p. 137, 156ff., m. Abbn u. Beibl. p. 54; 14 (1917/18), p. 121 (Abb.); 15 (1918/19) Beibl. p. 25f.; 16 (1919/20) 1ff., m. Abbn u. Beibl. p. 13; 17 (1920/21) 128, 136 (Abb.), Beibl. p. 13, 29, 57; 18 (1921/22) 57 (Abb.); 19 (1922/23) 56, 59 (Abb.); 22 (1925/26) 64; 23 (1926/27) 101ff., m. Abbn 346; 29 (1932/33) 86. — Kstchronik, N. F. 27 (1915–16) 248.

Dietrich, George Adams, amer. Maler (Öl u. Aquar.), Bildhauer u. Zeichner, * 26. 4. 1905 Borden, Ind., ansässig in Milwaukee.

Schüler von Charlotte R. Partridge, Girol. Piccoli, Viola Norman u. des Art Inst. in Chicago. Leiter der Skulpturenabteilung der Layton School of Art in Milwaukee. — Aquar. in der Layton Art Gall. in Milwaukee; Bronzedenkmal für Robert H. Witt ebda.

Lit.: Amer. Art Annual, 30 (1933). — Who's Who in Amer. Art, I: 1936/37. — Art Digest, 17, August 1943, p. 30. — The Studio, 126 (1943) 4 (Abb.).

Dietrich, Hanns, dtsch. Maler (Prof.), * 6. 10. 1882 Senden b. Ulm, ansässig in Kaiserslautern.

Leiter der kstgewerbl. Abteilung des Pfälz. Gewerbemus.

Lit.: Dreßler. — Pfälz. Museum usw., 40 (1923) 187.

Dietrich, Heinz (Heinrich), dtsch. Bildhauer, * 9. 2. 1882 Passau, ansässig in Dresden.

Lernte an der Keram. Fachschule in Passau u. (1911/12) an der Kstgewerbesch. in Dresden.

Lit.: Dreßler.

Dietrich, Karl, dtsch. Bildhauer u. Medailleur, * 4. 10. 1883 Karlsruhe, ansässig ebda.

Juristendenkmal am Oberlandesgericht Karlsruhe; Greifdenkmal für die im 1. Weltkrieg gefallenen bad. Leibgrenadiere ebda. Bildmünze auf Abraham a Santa Clara.

Lit.: Dreßler. — D. Christl. Kst, 27 (1930/31) 378f., m. Abb. — D. Rheinlande, 21 (1921) 57f., m. Abb.

Dietrich, Léopold, franz. Genre- u. Bildnismaler, * 10. 6. 1873 Paris, ansässig ebda.

Schüler von Chigot. Mitgl. der Soc. d. Art. Franç. (Salon-Kat. z. T. mit Abbn).

Lit.: Joseph, I.

Dietrich, Ludwig, sächs. Heimat- u. Blumenmaler, * 15. 10. 1889 Dresden, ansässig in Freital b. Dresden.

Stud. nach prakt. Lehrzeit (kunstgewerbl. Entwürfe) an d. Kstgewerbesch. Dresden bei Drescher u. an d. Privatsch. von Ewald Schönberg.

Dietrich, Paul, dtsch. Graphiker (Prof.), * 1. 4. 1907 Neustadt i. Schw., ansässig in Bodman a. Bodensee.

Stud. in Stuttgart, München u. Karlsruhe.

Lit.: Kat. Dtsche Gebrauchsgraphik. 10. Kst-Ausst. Augsburg, Schaezler-Palais, Nov. 1947 Nr 26.

Dietrich (Dieterich), Waldemar, amer. Porträtmaler u. Illustr., * 10. 11. 1876 Baltimore, Md., ansässig ebda. Dtscher Herkunft.

Sohn des 1842 * dtsch. Malers Louis D., der sich in Baltimore ansässig machte. Schüler von B. Constant, Lhermitte u. J. P. Laurens in Paris.

Lit.: Fielding (Dieterich). — Amer. Art Annual, 30 (1933). — Who's Who in Amer. Art, I: 1936/37.

Dietsch, Clarence Percival, amer. Maler u. Bildh., * 23. 5. 1881 New York, ansässig in Palm Beach, Florida.

Stud. 1906/09 an der Amer. Acad. in Rom. Im Peabody Inst. in Baltimore: Athlet; im Rice Inst. in Houston, Tex.: Tafeln. Kriegerdenkmal (Mutiger Bursche) in Deep River, Conn.

Lit.: Amer. Art Annual, 30 (1933). — Fielding. — Who's Who in Amer. Art, I: 1936/37.

Dietsch, Ernst, dtsch. Bildnis-, Figuren- u. Stillebenmaler, * 7. 6. 1893 Greiz, ansässig in Dresden.

Schüler von Sterl, G. Kuehl, Bantzer u. L. v. Hofmann an der Dresdner Akad. Weitergebildet in Paris. Studienaufenthalte in Spanien u. Südfrankreich. Herrenbildnis im Stadtmus. in Dresden; Bildnis des Malers Meyer-Buchwald als Soldat (1916) im Mus. in Greiz.

Lit.: Dreßler.

Dietsch, Friedrich, dtsch. Maler, * 8. 11. 1889 Zeulenroda/Th., ansässig in Plauen i. V.

Stud. an d. Kstschule in Plauen u. d. Kstgewerbesch. Dresden. Realist. Landschaften, Figürliches, Tiere. Arbeiten im Kreismus. Zwickau u. im Bes. der Stadt Meerane.

Lit.: Kat. 2. Ausst. Erzgeb. Kstler usw., Freiberg/Sa., Juni/Aug. 1947, m. Abb. — Freie Presse (Plauen), 5. 11. 1947. *J.*

Diettrich, Hanns, dtsch. Bildhauer, * 4. 4. 1905 Jahnsdorf, ansässig in Chemnitz.

Steinbildhauerlehre, sonst Autodidakt. Im Städt. Mus. in Chemnitz: Käthe-Kollwitz-Büste und Frauenbüste (Bronze). Am Eingang der Schule Chemnitz-Reichenheim: Kindergruppe (Stein). Am VVN-Ehrenmal in Chemnitz: Reliefs (Stein). *J.*

Dietz, Erich, dtsch. Maler, Bildhauer u. Zeichner, * 1903 Zissendorf, ansässig in Altenburg/Thür.

Lit.: Kat. 2. Dtsche Kstausst. Dresden 1949. — Tägl. Rundschau (Berlin), 16. 7. 1946.

Dietz, Günter, dtsch. Maler, * 12. 11. 1919 Lüneburg, ansässig in Bremen.

Lit.: Kst. d. 3. Dtsch. Kstausst. Dresden 1953.

Dietz, Jakob, dtsch. Maler u. Gebrauchsgraph., * 20. 3. 1889 Erlangen, ansässig in Nürnberg.

Stud. an der Kstgewerbeschule in Nürnberg, Schüler von Beck-Gran, gefördert von A. Schinnerer u. Barthelmess. Beeinflußt von Utrillo. Zw. 1927 u. 29 wiederholt in Südfrankreich. 1947 Gründungsmitgl. des „Kreis".

Lit.: Dreßler. — Nürnb. Hefte, I (1949) Heft 5, p. 36/41, m. 3 Abbn. — Kat. Ausst.: 150 J. Nürnbg Kst, Nürnberg, 1942. — Aussaat (Lorch-Stuttgt), 1 (1946/47) Heft 3, p. 26 (Abb.), 31, r. Sp.

Dietz, Lothar (irrig häufig Elmar), dtsch. Bildhauer, * 14. 4. 1896 Jesserndorf, Unterfr., ansässig in München.

Stud. bei Herm. Hahn an der Münchner Akad. Hauptwerke: Nixenbrunnen am Gollierplatz in München (1935); Brunnen im Hofe eines Wohnblocks an der Agnes-Bernauerstr. ebda (1936); Brunnen an der Hauptstr. in Lindau; Bismarckdenkm. am Hoierberg ebda; Kriegerdenkmal in Hof i. B. Beschickte die Gr. Dtsche Kstausst. in München 1943 mit einer lebensgr. Statue: Frau mit Krug (Abb. im Kat.).

Lit.: Dreßler. — D. Kst, 71 (1934/35) 104 (Abb.), 215 (Abb.) u. Beibl. zu H. 4 p. 2; 76 (1936/37) 112f.; 85 (1941/42) 251 (Abb.), 178, 179 (Abb.). — D. Weltkst, 16, Nr 21/22, v. 24. 5. 1942, p. 3. — Kst- u. Antiquitäten-Rundschau, 43 (1935) 275, m. Abb.; Kst rundschau, 51 (1943) 41 (Abb.), 42. — D. Bayerland, 50 (1939) 592, 595, m. Abb.

Dietze, Ernst Richard, dtsch. Maler u. Graph. (Prof.), * 29. 2. 1880 Obermeisa b. Meißen, ansässig in Dresden.

Schüler von L. Pohle, Bantzer u. G. Kuehl an der Dresdner Akad. Studienaufenthalte in Berlin, München u. Paris. Prof. der Dresdner Akad. Bildnisse, Landschaften, Figürliches (Öl u. Aquar.). Impressionist. Bilder im Stadtmus. in Dresden u. im Mus. in Chemnitz. In der Staatl. Gem.-Gal. in Dresden: Damenbilnis in Halbfig. u. Selbstbildnis von 1909. Ein Aquarell in der Ksthalle in Mannheim.

Lit.: Th.-B., 9 (1913). — Dreßler. — Der Gr. Garten, hg. von E. Haenel, Dresden 1925, p. 53 (Abb.). — D. Kunst, 33 (1915/16) 480 (Abb.); 42 (1919/20), Beil. zu H. 10, p. VIII; 59 (1928/29) Beil. p. CXLIV; 81 (1939/40) April-H. Beil. p. 10. — Dtsche Kunst u. Dekor., 48 (1921) 281 Abb.); 52 (1923) 326 (Abb.).

Dietze, Hermann, sudetendtsch. Maler (Öl u. Aquar.) u. Rad., * 23. 11. 1900 Welbine bei Teplitz, ansässig in Kempten/Allgäu.

Anfängl. im Lehrberuf tätig (Höhere Mathematik, Darstell. Geometrie, Kunstgesch.). Künstler. Stud. 1929/32 bei Lode u. Franz Gruss. Mitgl. des Metznerbundes. Ließ sich in Radonitz b. Kaaden a. d. E. nieder. Seit 1947 in Bayern, zuerst in Wertingen, dann in Kempten. Landschaften, Figürliches, Bildnisse. Bilder in der Mod. Gal. in Prag, im Bes. der Städte Berlin, Danzig, Kempten, Regensburg, Aussig, Karlsbad u. Komotau, i. Bes. des Bayer. Staatsminist. des Innern (3), des Bundesminist. Bonn u. des Staatsminist. Stuttgart.

Lit.: Kemptener Tagblatt, Nov. 1950 (z. 50 Geb.-Tag). — Revue Moderne (Paris), 15. 12. 1937, m. Abbn. — Dtsche Heimat (Plan b. Marienbad), 8 (1932) 191/94, m. Abbn u. Fotobildn.; 10 (1934) Abbn zw. p. 48/49, 56/57, Text p. 69/71, m. 5 Abbn; 11 (1935) 116 (Abb.), 117. *E. Horner.*

Dietze, Johannes, dtsch. Bildhauer, * 24. 6. 1903 Altenburg/Thür., ansässig ebda.

Nach Steinmetzlehre Studium an den Akad. in Leipzig u. Dresden.

Lit.: Dreßler.

Dietze, Kurt, dtsch. Illustrator u. Graph., * 8. 7. 1920 Liebertwolkwitz b. Leipzig, ansässig ebda.

Stud. an d. Staatl. Hochsch. f. Graphik u. Buchkst in Leipzig. Schüler von M. Schwimmer. Holzschnitt-Illustr. zu Willi Bredel, Die Väter, u. zu Howard Fast, Straße zur Freiheit.

Lit.: Kat. 3. Dtsche Kstausst. Dresden 1953, m. Abb.

Dietze, Martin, dtsch. Landschaftsmaler u. Holzschneider, * 30. 8. 1903 Dresden, ansässig in Olbernhau, Erzgeb.

Schüler von Tessenow. 1923/25 in Spanien. Stud. dann Theologie u. amtierte 1933/40 als Pfarrer in Olbernhau. Widmet sich seitdem wieder ganz der Malerei.

Lit.: Kat. 1. Ausst. Erzgeb. Künstler usw., Freiberg i. Sa. 23. 6.–31. 8. 1946, m. Abb.

Dietzel, Adelhelm, dtsch. Figuren- u. Landschaftsmaler u. Illustr., * 21. 2. 1914 Plauen i. V., ansässig in Dresden.

Stud. an der Akad. f. Kstgew. in Dresden.

Dietzi, Hans, schweiz. Genre- u. Bildnismaler u. Rad., * 1864 Bern, † 7. 2. 1929 ebda.
Bild: Das Erwachen (Pastell), Mus. in Bern. — D.s Gattin Hedwig, geb. *Bion*, Landsch.- u. Figurenmalerin (bes. Aquar.), * 30. 7. 1867 Bern, Schülerin von Chr. Baumgartner u. E. Linck.
Lit.: Brun, IV. — Die Schweiz, 1904, p. 126/27, m. Abb., 247ff., m. 4 Abbn; 1906, p. 564, m. Abb.; 1919, p. 405, m. Abb., 447ff., m. 5 Abbn u. Tafel. — Schweizer Kst, 1 (1929/30) 157f. (Nachruf).

Dieu, Victor, belg. Figuren- u. Landsch.-Maler u. Rad., * 1873 Quaregnon.
Schüler von A. Bourlard u. Aug. Danse. 1901 Erster Rompreis für Rad.
Lit.: Seyn, I, m. Fotobildnis.

Dieupart, Henri, franz. Genre- u. Porträtbildhauer u. Kstgewerbler, * 29. 7. 1888 Paris, ansässig ebda.
Schüler von Injalbert u. Auban. Mitgl. der Soc. d. Art. Franç. Stellt seit 1928 auch im Salon der Soc. d. Art. Décor. aus (figürl. verzierte Beleuchtungskörper, Vasen, Gläser usw.).
Lit.: Joseph, I. — Bénézit, [2] III.

Djevat, türk. Maler, * 1880 Scutari, † 1939 Istanbul (Konstantinopel).
1892 von der Militärschule diplomiert. Schüler von Ali Riza. Ausstellgn 1918 in Wien, 1932 in Istanbul, 1933 in Ankara. Realist.
Lit.: Berk, p. 21.

Dievenbach, Hendricus Antonius, holl. Maler u. Rad., * 25. 7. 1872 Haarlem, zuletzt ansässig in Laren.
Stud. 1892/96 an der Reichsakad. in Amsterdam bei Allebé u. van der Waay. Tätig in Laren, Brabant, Overijssel. Hauptsächlich Interieurs, Stilleben, Blumenstücke.
Lit.: Plasschaert. — Waay. — Waller.

Diez, Julius, dtsch. Maler, Entwurfzeichner für Kstgewerbe, Exlibris, Vignetten u. Plakatkünstler (Prof., Geh. Rat), * 8. 9. 1870 Nürnberg, ansässig in München.
Schüler von Hackl u. R. Seitz an der Münchner Akad. Begann als Illustrator u. Entwurfzeichner von Vorlagen für Zinngießereien, Kupferschmiede u. Kunsttöpfereien. Trat dann in Verbindung mit der „Jugend". Seit 1907 Prof. an der Kstgewerbesch. in München, seit ca. 1925 auch Prof. an der Akad. u. 2. Präsident der Sezession. Ein Sammelbd s. Vignetten erschien in Frankfurt a. M. 1910. Aus der maler. Produktion s. letzten Jahre seien hervorgehoben die Decken- u. Wandbilder im Schloß Wolfsbrunn b. Hartenstein i. Erzgb., das Deckenbild im Schloß Stein i. Erzg., Wandbilder in der Veranda des Seerestaurants in Starnberg, Deckenbilder im Ehrensaal des Deutsch. Museums in München. Graph. Folgen: Traumhafte Reise (1929); Jedermann (1932). Kollektiv-Ausst. anläßl. s. 70. Geb.-Tages in d. Städt. Gal. in München, Herbst 1940.
Lit.: Th.-B., 9 (1913). — Dreßler. — Breuer, m. 2 Abbn. — R. Braungart, J. D., München 1921. — D. Kunst, 29 (1913/14) 73/83, m. Abbn bis p. 93, 96; 30 (1913/14) 116, 208 (Abb.), 211; 34 (1915/16) 34, m. 2 Abbn; 35 (1916/17) 179/82, m. Abb.; 41 (1919/20) 105 (Abb.); 44 (1920/21), Beibl. z. Juni-H. p. IXf.; 51 (1924/25) 161/67, m. 1 farb. Taf. u. 6 Abbn; 54 (1925–26) 120/26 (Abbn); 71 (1934/35) 97/101, m. farb. Taf. u. Abbn; 74 (1935/36), Beibl. zu H. 6, p. 7; 83 (1940/41), Beibl. z. Okt.-H. p. 5, 63/65. — Kst u. Handwerk, 1913, p. 74 (Abb.), 75 (Abb.), 109 (Abb.); 1914, p. 33/39, m. Abbn bis p. 44, 49/64 (Abbn), 86 (Abbn); 1916, p. 1/16, 99/107, 175 (Abb.). — Velhagen & Klasings Monatsh., 30/I (1915) 33/44, m. Abb.; 38/I (1923/24) farb. Taf.-Abb. geg. p. 632. — Exlibris, 26 (1916) 149/56, m. Abb. — Glückauf, 55 (1935) 126f. — Kstchronik, N. F. 26 (1914/15) 552.

Diggs, Arthur, amer. Maler, * 16. 11. 1888 Columbia, Mo., ansässig in Chicago, Ill.
Stud. am Art Inst. in Chicago. 3 Wandgem. im Kinderheim in Maywood, Ill.; Die Rote Eiche, in d. Schoop School in Chicago.
Lit.: Amer. Art Annual, 30 (1933). — Who's Who in Amer. Art, I: 1936/37.

Dignam, Mary Ella, geb. *Williams*, kanad. Malerin (Öl, Aquar. u. Pastell), * Ontario, ansässig in Toronto, Canada.
Schülerin von L. O. Merson u. R. Collin in Paris. Studienaufenthalte in Holland u. Italien. Landschaften, Marinen, Interieurs.
Lit.: Who's Who in Art, [3] 1934. — Mallett.

Dignimont, André, franz. Maler, Graph. u. Illustr., * 22. 8. 1891 Paris, ansässig ebda.
Mitgl. der Soc. du Salon d'Automne, stellte dort seit 1921, seit 1927 auch im Salon des Tuileries, seit 1923 bei den Indépendants aus. Bevorzugt als Stoffgebiet das Milieu der Dirnen, Tänzerinnen, Barmädchen, Zuhälter. Malt hauptsächlich in Aquarell u. Gouache. Illustr. (meist Radiergn) u. a. zu: Balzac, „Le Colonel Chabert"; Jean Lorrain, „La Maison Philibert"; J. Violis, „Bonne Fille"; F. Carco, „Les Nuits de Paris"; Huysmans, „Marthe"; Colette, „La Vagabonde"; F. Mauriac, „Le Désert de l'Amour"; Tristan Bernard, „Amants et Voleurs"; Emmanuel Bove, „Mes Amis"; Maupassant, „Boule de suif", „La Maison Tellier", „Le Port".
Lit.: Joseph, 1, m. 2 Abbn u. Fotobildn. — Bénézit, [2] 3. — L'Amour de l'Art, 1927, p. 328/31, m. 4 Abbn. — L'Art et les Art., 16 [recte 17] (1928) 340 (Abb.). — Beaux-Arts, 5 (1927) 31; 8 (1930) Heft 4, p. 22 (Abb.); 75e année Nr 233 v. 18. 6. 1937. — La Renaiss. de l'Art franç., 10 (1927) 98. — P. Louys, Quatorze Images. Lith. inéd. de D., Paris [1925] 96 Ss., 28 Taf.

Dik, Jan, holl. Maler, Rad. u. Lithogr., * 15.9.1887 Ransdorp, ansässig in Amsterdam.
Schüler von H. Ellens u. K. van Leeuwen.
Lit.: Waller.

Dike, Philip Latimer, amer. Maler u. Entwurfzeichner für Wandteppiche, * 6. 4. 1906 Redlands, Calif., ansässig in Claremont, Calif.
Schüler von F. Tolles Chamberlin, Clarence Hinkle, George Bridgman u. George Luks.
Lit.: Amer. Art Annual, 30 (1933). — Who's Who in Amer. Art, I: 1936/37. — The Art News, 45, Juni 1946, p. 22 (Abb.); Nov. 1946, p. 54 (Abb.); 49, Jan. 1951, p. 51. — Art Digest, 21, Nr v. 1. 10. 1946, p. 15 (Abb.); 1. 11. 1946, p. 15 (Abb.). — Monro. — Amer. Artist, 14, März 1950, p. 39 (Abb.). — Who's Who in America, 27: 1952/53.

Dikmen, Halil, türk. Maler, * 1906 Istanbul (Konstantinopel), ansässig ebda.
Stud. an d. Akad. d. Sch. Künste in Istanbul, weitergebildet 1928ff. in Paris bei Albert Laurens u. A. Lhote. Beeinflußt von den Italienern des 15. u. 16. Jh.s. Nach 3 Jahren Rückkehr nach Istanbul. Seit 1937 Direktor des dort. Bilder- u. Statuenmus. Figürliches, Bildnisse, Landschaften. Gehört der türk. mod. Schule an.
Lit.: Berk, p. 29, Abb. 33.

Dikreiter, Heiner, dtsch. Maler u. Lithograph, * 28. 5. 1893 Ludwigshafen a. Rh., ansässig in Würzburg.
Stud. bei P. v. Halm an der Münchner Akad., im übrigen Autodidakt. Seit 1921 Lehrer für Freihandzeichnen am Polytechn. Zentral-Verein (Städt. Fach-

schule für Handel u. Gew.) in Würzburg. Hauptsächlich Bildnisse u. Landschaften. Mappenwerk: Von Würzburg bis Sulzfeld (10 Lith.), Würzbg 1921.

Lit.: Das schöne Franken, 2 Nr 12, Dez. 1931, p. 167, m. Abb. — Fränk. Heimat, 16 (1937) 135 (Abb.), 137 (Abb.), 164. — Kat. Kstausst. Würzburg 1920 Nr 209/32, m. Abb.

Dilger, Richard, dtsch. Landschaftsmaler, * 17. 9. 1887 Überlingen/Bodensee, ansässig in Allensbach.

Stud. an d. Akad. Karlsruhe. Studienreisen nach Frankreich u. der Schweiz.

Lit.: Karlsruher Tagblatt, 6. 5. 1935.

Diligent, Raphaël, franz. Bildhauer, * 17. 5. 1884 Flize (Ardennes), ansässig in Orgerus (Seine-et-Oise).

Stud. an d. Ec. Bernard Palissy u. d. Ec. Nat. d. B.-Arts in Paris, im übrigen Autodidakt. Mitgl. der Soc. d. Art. Indépendants, beschickt deren Salon seit 1913. Auch Mitgl. der Soc. des Dessinateurs Humoristes. Sucht Anschluß an die mittelalterl. franz. Plastik des 12. Jahrh. Hauptsächl. Bildnisbüsten u. Akte (Stein u. Holz).

Lit.: Joseph, 1. — Bénézit, [2] 3. — Mitteilgn d. Kstlers.

Diligeon, Emile, franz. Landschaftsmaler, * Rouen.

Stellte 1920/28 bei den Indépendants aus.

Lit.: Joseph, 1. — Bénézit, [2] 3.

Dill, Emil, schweiz. Maler, * 15. 4. 1861 Pratteln (nach and. Nachricht: Liestal), † 23. 5. 1938 Liestal.

Stud. an der Akad. Karlsruhe (Ferd. Keller), Paris (Bouguereau) u. München (L. v. Löfftz). Architekturstudien bei Fr. u. Aug. Thiersch u. Bühlmann an der Techn. Hochsch. München. Wandgem. im Rathaus in Radolfzell (zus. mit A. Fierz, 1897/99).

Lit.: Th.-B., 9 (1913). — Brun, IV 497. — Rhaue, p. 68f., 73, 77. — Schweizer Kst, 1938/39, p. 38/40, m. Foto.

Dill, Ludwig, dtsch. Landsch.-, Marine- u. Schlachtenmaler (Prof., Dr. ing. h. c.), * 2. 2. 1848 Gernsbach b. Baden-Baden, † 31. 3. 1940 Karlsruhe. Gatte d. Johanna Dill-Malburg.

Bilder außer in den bei Th.-B. gen. öff. Sammlgn in den Museen in Altenburg (Staatl. Lindenau-Mus.), Leipzig, St. Gallen u. in d. Nat.-Gal. in Budapest. Kollekt.-Ausst. im Bad. Kstverein in Karlsruhe 1919. Gedächtnis-Ausst. ebda 1940, in Dachau 1940 u. in d. Gal. Zinckgraf, München, 1941.

Lit.: Th.-B., 9 (1913). — Dreßler. — Das Bild, 4 (1934) 88, 92 (Abb.), 165 (Abb.), 166; 10 (1940), Abb. geg. p. 81, Beibl. vor p. 145. — Dtsche Bildkst, 3 (1933) H. 8, p. 19, m. Abb. vor p. 19. — D. Kst, 31 (1914/15) 429 (Abb.); 39 (1918/19) Beil. März-Heft p. IV; 57 (1927/28) Beil. März-H. p. XXVIf., 346f., m. Abb.; 78 (1937/38) Beil. April-H. p. 11; 80 (1938–39) Beil. Dez.-H. p. 15; 81 (1939/40) Beil. Mai-H. p. 10; 83 (1940/41) Beil. Aug.-H. p. 4. — D. Christl. Kst, 15 (1918/19) Beibl. p. 45. — Dtsche Kst u. Dekor., 18 (1915) 378ff., 392ff. (Abbn). — Dtsche Monatshefte, 1915 (Die „Rheinlande" 15. Jahrg.) p. 317/20, Abbn bis p. 327; 1919, Beibl. zu H. 2 (März/April): Ausst. Karlsruhe. — D. Weltkst, 14, Nr 15/16 v. 14. 4. 1940 p. 6 (Nachruf). — Westermanns Monatsh., 145 (1928/29) Taf. geg. p. 288, 329.

Dill, Otto, dtsch. Tier- u. Landschaftsmaler u. Lithogr. (Prof.), * 4. 6. 1884 Neustadt a. d. Hardt, Pfalz, ansässig in Bad Dürkheim.

1908/13 Schüler H. v. Zügels an der Münchner Akad. Bereiste Italien, Spanien, Holland u. Nordafrika. Ehrenmitgl. d. Gesellsch. der Zügelfreunde in Wörth a. Rh. Jagd- u. Sportbilder (bes. Pferderennen, Raubtierdarstellgn (Löwen, Tiger), die ihm den Namen „Löwendill" eintrugen. Meister in der Darstellung der flüchtigen Bewegung. Furios hingeworfene Freilichtimpressionen (Polo- u. Jagdszenen, Stierkämpfe), trotz weitgehender Formauflösung den Eindruck linearer u. farbiger Geschlossenheit wahrend. Bilder in der N. Staatsgal. München, in der Mod. Gal. Dresden, in der Städt. Gal. Nürnberg, in den Museen in Kaiserslautern u. Oldenburg u. in d. Nat.-Gal. in Budapest. Mappenwerke: Pferd u. Reiter (12 Orig.-Lith., mit Vorwort von H. Uhde-Bernays), Ludwigshafen a. Rh. 1932; Raubtiere (desgl.), ebda 1932. Zeichngn in der Graph. Smlg in München. Kollektiv-Ausst. im Hist. Mus. zu Speyer, Mai/Juni 1952.

Lit.: Dreßler. — Breuer, m. 2 Abbn u. Bi dnis D.s, gem. von Raimund Geiger. — D. Kunst, 47 (1923) 259/64, m. 9 Abbn; 51 (1925) 71 (Abb.). — D. Kst u. das schöne Heim, 48 (1949) p. 52, m. Abb. — Die Graph. Kste (Wien), 48 (1925) 71/76, m. 4 Abbn u. Orig.-Lith. — Dtsche Kst u. Dekor., 59 (1926/27) 88 (Abb.). — The Studio, 91 (1926) 62f., m. 2 Abbn. — Mitteilgsblatt d. Ges. d. Zügelfreunde E. V., Wörth a. Rh., Dez. 1951, p. [4]. — Westermanns Monatsh., 142 (1927) farb. Taf. geg. p. 248; 145 (1928/29) 317/24, m. 8 farb. Abbn; 155 (1933/34) 94, m. farb. Abb.; 157 (1934/35) 102 (farb. Abb.), 104. — D. Weltkst, 17 Nr 31/34 v. 20. 8. 1943, p. 3, m. Abb. — Kat. der Ausst. Pfälz. Secession, Speier a. Rh. 1949, m. Abb. — Stuttgarter Rundschau, Juli 1947. — Eberh. Lutze, Aus dem Schaffen um O. D. Ausst.-Kat., Nürnberg 1943, m. Abbn.

Dill-Malburg, Johanna, dtsch-ungar. Landschafts- u. Marinemalerin, * 1860 Großwardein (Nagyvárad), ansässig in Karlsruhe. Gattin des Ludwig.

Stud. an der Kstgewerbesch. in Wien u. bei Ludwig Dill in Dachau. Bilder u. a. in d. Ksthalle in Mannheim u. im Kurhaus in Bad Mergentheim.

Lit.: Dreßler.

Dillaway, Theodore, amer. Maler u. Schriftst., * 1. 11. 1874 Somerville, Mass., ansässig in Philadelphia, Pa.

Schüler von Delécluse in Paris.

Lit.: Amer. Art Annual, 30 (1933). — Who's Who in Amer. Art, I: 1936/37. — Monro.

Dillen, Petrus Martinus, holl. Maler u. Rad., * 6. 8. 1890 Mierlo-Hout, tätig ebda.

Schüler der Akad. Amsterdam (1915/18). Figürliches, Tiere.

Lit.: Plasschaert. — Waay. — Waller.

Diller, Burgoyne, amer. Maler, * 1906 New York, ansässig ebda.

Kollektiv-Ausst. Dez. 1946/Jan. 1947 u. Dez. 1949 in der Pinak. in New York.

Lit.: Mallett. — Art Digest, 21, Nr v. 1. 1. 1947, p. 14; 26, Nr v. 15. 11. 51, p. 20, m. Abb. — The Art News, 45, Dez. 1946, p. 52; 48, Dez. 1949, p. 43; 50, Dez. 1951, p. 50; 51, Jan. 1953, p. 26/29.

Diller, Richard, öst. Bildnis- u. Landschaftsmaler, * 15. 3. 1890 Wels, ansässig in Linz a. d. D.

Schüler von Jettmar u. Delug an der Wiener Akad. (bis 1917). Seitdem in Linz. Bild: Bergbauer, in d. oberöst. Landesgal. in Linz; Bergdorf, im Mus. in Wels.

Lit.: Krackowizer-Berger. — Dreßler. — Westermanns Monatsh., 142 (1927) Taf. geg. p. 472, 579. — Der getreue Eckart (Wien), 1928. — Christl. Kstblätter, 68 (1927) 119, 123 (Abb.). — D. ostbair. Grenzmarken, 17 (1928) 23f.

Dillinger, Karl, dtsch-öst. Maler (Prof.), * 14. 10. 1882 Karwin, Öst.-Schles., † 1942 Karlsruhe.

Stud. an d. Akad. in Stuttgart u. an d. Acad. Julian in Paris. Gedächtnis-Ausst. im Kstverein in Ludwigshafen a. Rh. März 1951, im Hist. Mus. d. Pfalz in Speier Juni/Juli 1951, im Kstver. Heidelberg März -April 1952.

Lit.: Dreßler. — Kstchronik, 4 (1951) 71, 135; 5 (1952) 105. — Jahrbuch Mannheimer Kultur, 1 (1913) Abb.zw.p.96/97. — Oberrhein. Kst, 3 (1928) Beibl. p.9.

Dillinger, Petr, tschech. Maler u. Graph., * 17. 9. 1899 Český Dub.

Stud. an der Prager Kstgewerbesch. u. Akad. (M. Pirner u. M. Švabinský) bis 1923. Studienaufenthalt in Paris (F. Kupka). Hauptsächlich Zeichner u. Holzschneider. Klare lineare Vereinfachung. Buchillustrationen (Goethe: Werther; Musset: Mimi Pinson; Neruda: Němcová, usw.), Bucheinbände, Exlibris. Strorow-Preis, 1936. Sonderausst. in Brünn 1931 („Skupina") u. in Prag 1941, 1947, 1950 („Hollar").

Lit.: Výtvarné snahy (Prag), 6 (1925) 186. — Hollar (Prag), 8 (1931/32) 9f., m.Abbn. — Forum (Brünn), 3 (1933) 342f. — Toman, I 160. *Blž.*

Dillistone, Beatrice, engl. Radiererin u. Aquarellmalerin, * 30. 8. 1899 Brighton, ansässig in London.

Stud. an d. Kunstsch. in Brighton u. am Roy. Coll. of Art in London.

Lit.: Who's Who in Art, ³ 1934.

Dillmann, Eugenie, dtsche Malerin u. Rad., * Kiel, † März 1940 Berlin.

Schülerin von J. Jacob in Berlin u. von B. Buttersack in Haimhausen b. Dachau.

Lit.: Th.-B., 9 (1913). — Dreßler.

Dillon, Frank H., amer. Maler, * 1886 Evanston, Ill., ansässig in Chicago, Ill.

Lit.: Amer. Art Annual, 30 (1933).

Dilly, F. H., dtsch. Maler (Prof.), * 9. 8. 1888 Düsseldorf, ansässig in Bremen-Oberneuland.

Studienreisen in Holland, Belgien, Schweiz, Italien, Dänemark. Ehemal. Lehrer an d. Folkwangsch. in Essen u. an d. Staatl. Kstgewerbesch. Bremen.

Dilly, Georges Hippolyte, franz. Porträt- u. Genremaler, * 16. 6. 1876 Lille, ansässig in Paris.

Schüler von L. Bonnat, P. Gervais u. Ph. Winter. Mitgl. der Soc. d. Art. Franç., beschickt deren Salon seit 1898 (Kat. z. T. mit Abbn). 1906 Reisestipendium. Anschließend 4 Jahre in Italien. Bilder u. a. in den Museen in Amiens, Lille, Tourcoing u. im Petit-Palais in Paris. Hauptsächl. Szenen aus dem flandr. Volksleben u. Interieurs.

Lit.: Th.-B., 9 (1913). — Joseph, 1. — Bénézit, ² 3 (1950).

Dimai, Rudolf, tirol. Maler (bes. Aquarell), * 17. 5. 1899 Innsbruck, ansässig in Salzburg.

Stud. an der Wiener Akad., Meisterschüler bei Sterrer. Seit 1926 Prof. an der Bunder-Realschule in Salzburg. 1943 in Tunesien. Aquarelle in d. Albertina in Wien u. im Städt. Mus. in Salzburg.

Lit.: Teichl.

Dimitriadis, Constantin (Costa), griech. Bildhauer, * 1879 Stenimachos, ansässig in Paris.

Stud. an der Kstschule in Athen. 1903 Reisestipendium. Weitergebildet bei Barrias u. Coutan an der Ec. d. B.-Arts. in Paris, wo er sich niederließ. Mitgl. der Soc. d. Art. Franç., beschickte deren Salon seit 1906. Hauptsächl. Porträtbüsten u. Akte, z. T. allegorisierenden Inhalts (Le Dilemme; Recueillement).

Lit.: Th.-B., 9 (1913). — Bénezit, ² 3 (1950). — L'Art et les Art., N. S. 5 (1922) 379/84, m. 11 Abbn. — Beaux-Arts, 75ᵉ année Nr 332 v. 12. 5. 1939, p. 3 (Abb.). — Bull. de l'Art anc. et mod., 1924 p. 212 (Abb.). — The Studio, 115 (1938) 194 (Abb.).

Dimitrov, Stephen Pope, bulgar. Wandmaler, * 9. 5. 1910 in Bulgarien, ansässig in Flint, Mich.

Schüler des Art Inst. in Chicago u. Diego Rivera's Wandmalereien im Madison House in New York.

Lit.: Who's Who in Amer. Art, I: 1936/37.

Dimitrov-Maistora, Vladimir, bulgar. Bildnis-, Figuren- (bes. Bauern-) u. Landsch.-Maler, * 1882 Kustendil, ansässig in Sofia.

Stud. in Sofia. Studienaufenthalte in Deutschland, Frankreich, Belgien, Italien, Rußland, Amerika u. der Türkei. Stellte auch im Ausland (New York, Prag, Athen) aus. Gemäßigter Expressionist. Arbeitet in einer besonderen Stricheltechnik.

Lit.: Filov, m. Abb. — Emporium, 66 (1927) 330 -41, ml. zahlr. Abbn. — The Studio, 115 (1938) 123 (Abb.). — Kat. d. Ausst. Bulgar. Kstler in Deutschland, Leipzig, Kstver., 1941/42.

Dimmel, Herbert, öst. Maler u. Entwurfzeichner für Mosaik- u. Glasmalerei, * 31. 8. 1894 Ried i. Innkreis, ansässig in Wien.

1921ff. Schüler der Wiener Akad. Seit 1927 Assistent bei Ferd. Andri in Wien, seit 1940 Lehrer an der dort. Akad. — Wandmalereien im Speisesaal in Mariazell; 3 gr. Glasfenster u. Mosaikbilder in d. Salesianerkirche in Laibach; 4 Wandbilder für die ehem. Karmelitenkirche in St. Pölten; Ausmalung des Treppenhauses im Hotel Winterbach in Wien.

Lit.: Krackowizer-Berger. — Die Christl. Kst, 22 (1925/26) 143. — D. ostbair. Grenzmarken, 17 (1928) 24. — Öst. Kst, 3 (1932) H. 1 p. 3 (Abb.); 7 (1936) H. 4 p. 8 (Abb.).

Dimo, Zita, russ.-franz. Bildhauerin, * Leningrad, ansässig in Paris.

Schülerin von Ségoffin u. Carli. Beschickt seit 1929 den Salon der Soc. d. Art. Franç., 1933/35 den Salon des Tuileries. Hauptsächl. Bildnisbüsten.

Lit.: Joseph, 1. — Bénézit, ² 3 (1950).

Dingemans, Henriette Gesina, geb. *Numans*, holl. Malerin, * 15. 8. 1877 Sintang (Borneo). Gattin des Folg.

Schülerin von H. van Thol u. Akkeringa an der Haager Akad. Bildnisse, Akte, Stilleben (bes. Feldblumen) u. malerische Straßenpartien. Bild in der Teyler-Stiftung in Haarlem.

Lit.: Plasschaert. — Waller, p. 241. — Waay. — Op de Hoogte, 22 (1925) 4/6.

Dingemans, Waalko, *d. Ä.*, holl. Maler u. Rad., * 16. 6. 1873 Lochem, zuletzt ansässig in Gorinchem. Gatte der Vor., Vater des Folg.

Schüler der Akad. Groningen u. Den Haag. Tiere (bes. Pferde) u. Städteansichten.

Lit.: Th.-B., 9 (1913). — Fierens. — Waay. — Waller. — Op de Hoogte, 22 (1925) 4/6.

Dingemans, Waalko, *d. J.*, holl. Maler, * 28. 8. 1912 Haarlem, ansässig ebda. Sohn des Vor. u. der Henriette Gesina.

Schüler von Huib Luns, dann von H. J. Wolter an der Reichsakad. Amsterdam. Bildnisse, Figürliches, Landschaften, Stilleben.

Lit.: Waay.

Dinger, Emil, dtsch. Maler u. Gebrauchsgraph., * 9. 2. 1891 Oberreichenbach i. V., ansässig in Leipzig.

Stud. 1909/11 an der Dresdner Akad. bei O. Gußmann, 1919/22 an der Leipziger Akad. Architektur, Bildnis, Landschaften, Bühnenbilder.

Lit.: Dreßler. — Kstgewerbeblatt, N. F. 19 (1908) 100.

Dingli, Edward Caruana, maltes. Bildnis- u. Genremaler (Öl u. Aquar.), * 10. 8. 1876 auf Malta, ansässig in La Valetta, Malta.

Stud. an d. British Acad. in Rom.

Lit.: Who's Who in Art, ³ 1934.

Diniz, Américo Lopes, portug. Landschafts- u. Porträtmaler u. Azulejoskstler, * 1903 Casas Novas, Coimbra.

Stud. a. d. Gewerbesch. in Coimbra. Schüler von Ant. Aug. Gonçalves u. Pereira Dias. Stellte u. a. im Salon der Soc. Nac. d. B. Artes in Lissabon aus. Werke im Mus. Nac. Machado de Castro in Coimbra u. im Mus. Santos Rocha in Figueira da Foz.

Lit.: Gr. Enc. Port. e Brasil., IX 42. — Pamplona, p. 400. — Quem é Alguém, 1947 p. 277.

Dinkel, Alexander, dtsch. Maler u. Graphiker, * 1897 Heidelberg, ansässig ebda.

Lit.: Das sind Wir. Heidelb. Bildner usw., 1934, p. 107 (Abb.), 108, 109 (Abb.: gez. Selbstbildn.).

Dinkel, Ernest Michael, engl. Maler u. Zeichner, * 24. 10. 1895 Huddersfield, ansässig in London.

Stud. am Roy. Coll. of Art in London.

Lit.: Who's Who in Art, ³ 1934.

Dinklage, Erna, geb. *Crodel,* dtsche Malerin, * 19. 6. 1895 München, ansässig ebda.

Tochter des Malers Paul Crodel (* 1862, † 1928). Schülerin von Mosson u. Fritz Rhein in Berlin (1910 –17). Studienaufenthalte in d. Schweiz u. in Italien. Bildnisse, Figürliches, Landschaften, Stilleben. Bild in der Städt. Smlg in München. Beschickte die Münchner Neue Sezession. Kollektiv-Ausst. Nov. 1930 in der „Juryfreien" in München.

Lit.: Dreßler. — D. Cicerone, 18 (1938) 236. — D. Kunst u. das schöne Heim, 48 (1950) 416/17, m. 3 Abbn. — Dtsche Kst u. Dekor., 57 (1925/26) 10 (Abb.); 63 (1928/29) 6 (Abb.), 9. — Kst u. Kstler, 29 (1930/31) 169f. (Abbn). — Zweijahrbuch 1929/30 dtscher Kstlerverb. die Juryfreien-München, p. [50] (Abb.), [51] (Abb.). — Münchener N. Nachr., Nr 316 v. 20. 11. 1930. — Münchn. Zeitg, Nr 310 v. 11. 11. 1930.

Dinnendahl, Hans, dtsch. Bildhauer, * 14. 2. 1901 Krefeld, ansässig in Telgte b. Münster i. W.

Schüler von Bernh. Bleeker an der Münchner Akad. (1922/25). Pflegt hauptsächl. die kirchl. Kunst. Arbeitete in Stein, Elfenbein, Holz u. für Bronzeguß. Hochaltar für die Alte Pfarrk. in Warendorf, Westf.; Ausschmückung des Kapellenraumes des Gesellenhauses in Münster (zus. mit Ludw. Baur). Kollektiv-Ausst. 1928 in der Gal. für Christl. Kst in München.

Lit.: Dreßler. — D. Kunst, 53 (1925/26), Beil. Sept.-H. p. XII. — D. Christl. Kst, 24 (1927/28) 346f.; 25 (1928/29) 234 (Abb.), 236ff., m. Abbn; 27 (1930/31) 321, 356. — D. Kstwerk, 5 (1951) H. 2, p. 39. — D. Münster, 2 (1948) 47/51, m. 6 Abbn; 6 (1953) 126, m. Abbn.

Dinnendahl-Benning, Trude, dtsche Kstgewerblerin, * 9. 2. 1907 Rheinhausen, ansässig in Krefeld.

Schülerin von Itten in Berlin u. von Thorn-Prikker in Köln. Entwürfe für Wandbehänge, Paramente u. Glasfenster. Wandbehänge in der Kirche in Marienthal b. Wesel u. St. Peter in Bottkop; Glasfenster in St. Elisabeth in Duisburg u. in der Kirche in Dingden i. Westf.

Lit.: Mitteil. d. Kstlers.

Dino, Abidin, türk. Maler, Zeichner u. Bühnenbildner, * 1911 Istanbul (Konstantinopel).

1933 Mitbegründer der „Gruppe D". Neigt als einziger Maler s. Landes dem Surrealismus zu. Beeinflußt von Picasso u. Cocteau. Auch Ausstattungen für Kinos u. Theater. — Sein Bruder Arif, * 1898, Maler u. Zeichner, gehört gleichfalls der mod. Schule an.

Lit.: Berk, p. 29, Abb. 61.

Dinter, Johannes, dtsch. Maler, * 2. 4. 1896 Oberplanitz, ansässig in Zwickau-Oberhohndorf.

Autodidakt. 2 Bilder im Mus. Zwickau.

Djo-Bourgeois, franz. Architekt, Raumkünstler u. Entwurfzeichner für Möbel u. Kstgewerbe, * Bezons (Seine-et-Oise), ansässig in Paris.

Mitgl. der Soc. du Salon d'Automne, deren Salon er seit 1922 beschickt. Auch Mitgl. der Soc. d. Art. Décorateurs. Ehrendiplom auf der Expos. d. Arts décor., Paris 1925. Die Vorlagen zu den in seinen Räumen verwendeten Textilien stammen von Elise Djo-Bourgeois (* Oran). Im übrigen entwarf D.-B. selbst die gesamte Ausstattung seiner Innenräume.

Lit.: Joseph, I. — Art et Décor., 1928/I p. 66/72, m. 20 Abbn; 1936, p. 27/34, m. 18 Abbn. — L'Art vivant, 1927, p. 742/44, m. 6 Abbn. — La Renaiss. de l'Art franç., 9 (1926) 633, 635 (Abb.). — The Studio, 1929 p. 239/46, m. 1 Taf. u. 9 Abbn. — Das Werk (Zürich), 18 (1931) 204/07 (Abbn).

Dionis du Séjour, Marie Thérèse, franz. Porträtminiaturmalerin, * 13. 11. 1881 Neuville-aux-Bois (Loiret), ansässig in Paris.

Schülerin von Mlle Wilmart u. E. Filliard. Stellt seit 1923 im Salon der Soc. d. Art. Franç. aus.

Lit.: Joseph, 1. — Bénézit, ² 3.

Dionisi, Pierre, franz. Porträtmaler, * Paris, ansässig ebda.

Schüler von Cormon u. Arus. Stellt seit 1921 im Salon der Soc. d. Art. Franç. aus. Rompreis 1923.

Lit.: Joseph, 1. — Bénézit, ² 3.

Dionysius, Dooley, amer. Maler, Illustr. u. Schriftst., * 17. 6. 1907 St. Louis, Mo., ansässig in Los Angeles, Calif.

Stud. an der Kunstsch. in St. Louis. — Buchwerke mit eigenen Illustr.: „The Black Opal" u. „Mother Goose Rhymes".

Lit.: Amer. Art Annual, 30 (1933). — Who's Who in Amer. Art, I: 1936/37.

Diosi, Ernest, franz. Bildhauer, * 4. 4. 1881 Paris, ansässig ebda.

Schüler von Barrias, Verlet u. Coutan. Mitgl. der Soc. d. Art. Franç., beschickt deren Salon seit 1908. Rompreis 1913. Silb. Med. 1924, Gold. Med. 1926. Hauptsächl. Bildnisbüsten.

Lit.: Joseph, 1. — Bénézit, ² 3. — Bull. de l'Art anc. et mod., 1913, p. 258.

Diósy, Antal, ungar. Maler.

Figürliches, Stadtansichten (Stockholm, Budapest), Landschaften, Marinen.

Lit.: Kat. d. Ausst. Ungar. Malerei d. Gegenw., Berlin u. a. O., 1942/43, m. Abb.

Diószeghy, László, ungar. Landschaftsmaler.

Stud. an der Münchner Akad. Seit 1907 in Ujszentanna, Kom. Arad.

Lit.: Szendrei-Szentiványi. — Krücken-Parlagi.

Di Pauli, Karl Freih. von, tirol. Maler, * 8. 12. 1911 Riva a. Gardasee, ansässig in Kaltern, Südtirol.

Stud. 1936/39 an d. Akad. in Florenz bei Felice Carena. Hauptsächlich Bildnisse u. religiöse Tafelbilder.

Lit.: Dolomiten, 1947 Nr 290. — Kath. Sonntagsbl. (Brixen), 1947 Nr 19. *J. R.*

Dippell, Harriet, finn. Landschafts- u. Interieurmalerin, * Wiborg, ansässig in Paris.

Stellt seit 1926 bei den Indépendants aus.

Lit.: Joseph, I.

Dirck, Anton, holl. Landschafts- u. Blumenmaler, * 6. 10. 1878 Rotterdam, † Anf. 1927 ebda.

Schüler der Rotterdamer Akad.

Lit.: Plasschaert. — Waay. — Waller. — Elsevier's geïll. Maandschr., 1 (1912) 428. — Op de Hoogte, 9 (1912) 217/20, m. Abbn. — De Kunst (A'dam), 5 (1912/13) 130/31, m. Abbn; 6 (1913/14) 355/59, m. 4 Abbn. — Kst en Kunstleven, 1 (1911) 234/45, m. Taf. u. 9 Abbn, 278/88, m. 2 Abbn. — Onze Kst, 23 (1913) 111.

Diriks, Anna Maria, norweg. Raumkünstlerin u. Glasmalerin, † 1. 3. 1932 Oslo.

1901/06 in Paris ansässig, stellte dort im Salon der Soc. Nat. d. B.-Arts aus.

Lit.: Hvem er Hvem?, ² 1930.

Diriks, Edvard, norweg. Landschaftsmaler, * 9. 6. 1855 Kristiania (Oslo), † 17. 3. 1930 Drøbak.

Stud. bei Th. Hagen in Weimar. Lebte lange Zeit in Paris. Mitgl. des Salon d'Automne. Stellte auch im Salon des Indépendants u. im Salon des Tuileries aus. 13 Bilder in d. Nat.-Gal. in Oslo (Kat. 1933, m. Abb.).

Lit.: Th.-B., 9 (1913). — N. F., 5 u. 21 (Suppl.). — Joseph, 1. — Bénézit, ² 3. — Atlantis, 2 (1920) 521f.

Dirk, Nathaniel, amer. Maler, * 21. 12. 1895 Brooklyn, N. Y., ansässig in New York.

Schüler von Max Weber, Kenneth H. Miller, Boardman Robinson u. F. Léger in Paris. — Bild im Whitney Mus. of Amer. Art in New York.

Lit.: Amer. Art Annual, 30 (1933). — Who's Who in Amer. Art, I: 1936/37. — Monro. — Art Digest, 21, Nr v. 15. 11. 1946, p. 29. — The Art News, 45 Juli 1946, p. 48; Nov. 1946, p. 43, m. Abb. — Design, 50, März 1949, p. 6 (Abb.).

Dirnhuber, Karl, öst. Architekt (Dr. Ing.), * 1889 Wien, ansässig ebda.

Schüler der Techn. Hochsch. Wien, arbeitete dann im Atelier Siegfr. Theiß. Wohnhausbauten, Siedlungen, Villen, Geschäfts- u. Bürohäuser, Arbeiter- u. Jugendheime, Kurhäuser, Spitale, Kliniken, Krematorien, Friedhofanlagen.

Lit.: Klang. — D. Architekt, 24 (1921) p. V, 72f. (Abb.). — Öst.'s Bau- u. Werkkst, 2 (1925/26) 291ff., m. Abbn; 4 (1926/27) 121f. (Abbn); 5 (1927/28) 25ff., 149ff. — Öst. Kst, 7 (1936) H. 11 p. 27, m. Abb. — The Studio, 97 (1929) 120 (Abb.).

Dirx, Willi, dtsch. Illustrator u. Holzschneider, * 1917 Recklinghausen, ansässig in Wuppertal.

Discanno (Di Scanno), Vittorio, ital. Landschaftsmaler (Öl u. Aquar.), * 21. 2. 1882 Neapel, ansässig ebda.

Sohn des Landschafters Geremia D. Schüler des Istit. di B. Arti in Neapel.

Lit.: Giannelli. — Comanducci

Discher, Camillo, öst. Architekt, * 11. 10. 1884 Wien, ansässig ebda.

Schüler von Otto Wagner. Geschäfts- u. Wohnhäuser, Villen, Fabrik- u. Hotelbauten. Volkswohnhäuser der Gemeinde „Pernerstorfer Hof"; Wohnbausiedlung „Am Gatterhölzel u. Südwestblock".

Lit.: Dreßler.

Discovolo (Di Scovolo), Antonio, ital. Landschafts-, Marine- u. Bildnismaler, * 25. 12. 1876 Bologna, ansässig in Bonassola (Spezia), vordem in Assisi.

Sohn des Malers Mario D. (* 1840, † 1877). Schüler von Fattori in Florenz u. von Norfini in Lucca. Seit 1900 in Rom. Mitgl. d. Verein. „In Arte Libertas". Kollektivausstellgn 1922 u. 1926 in d. Gall. Pesaro in Mailand. Anfänglich (1906/11) Divisionist unter Einfluß von E. Lionne. Bilder in den Gall. d'Arte Mod. in Mailand u. Rom u. in den Gall. Civ. in Novara u. Arezzo.

Lit.: Th.-B., 9 (1913). — I. B. Supino, Assisi nell'opera d'A. D., Mailand 1926. — Comanducci. — Chi è?, 1940. — Emporium, 56 (1922) 320/22, m. zahlr. Abbn u. Fotobildn.; 79 (1934) 182 (Abb.), 184; 83 (1936) 161. — The Studio, 94 (1927) 64/66, m. 2 Abbn.

Disertori, Benvenuto M., Trientiner Radierer, Holzschneider, Lithogr. u. Kstschriftst., * 17. 2. 1887 Trient, ansässig in Mailand.

Schüler von Gugl. Ciardi in Venedig. Weitergeb. an der Münchner Akad. Ansässig in Florenz, seit 1933 als Lehrer an der Brera-Akad. in Mailand. Höchst subtil gezeichnete Ansichten alter ital. Städte (Fiesole, Gubbio, Perugia, San Gimignano). Planetenfolge (unvollendet). Sein Radierwerk beschrieben bei Calabi. Holzschnitte (Hauptblätter): Die Nische; Die 5 Schüler; Fontana Piena di Terra; Vignetten zu Boccaccio's Decamerone; Stilleben mit aufgeschlagenem Folianten. — Buchwerk: L'Incisione Italiana, Florenz o. J.

Lit.: Comanducci. — N. Barbantini, Giovani Artisti: L'ironico (B. M. Disertori), Mail. 1914. — V. Pica, Attraverso gli albi e le cartelle (Sensazioni d'Arte), Bergamo 1920. — Chi è?, 1940. — Vita d'Arte, 13 (1914) 1/8, m. 8 Abbn u. Taf.; 15 (1916) 78f. (2 Abbn). — Emporium, 36 (1913) 238 (Abb.); 40 (1914) 273, 276 (Abb.); 46 (1917) 170/87, m. 15 Abbn u. Taf. — D. Kstwanderer, 1919/20 p. 339. — The Studio, 94 (1927) 288 (Abb.), 290. — The Print Coll.'s Quarterly, 22 (1935) 41/61, m. Kat. s. Rad. (Calabi). — Maso Finiguerra, 1 (1936) 68/71, m. 2 Abbn. — Amer. Artist, 14, Febr. 1950, p. 6, m. Abb.

Disertori, Mario, Trientiner Landschaftsmaler, * 1896 Trient, ansässig in Venedig.

Stud. an den Akad. Venedig u. Florenz. Bilder im Mus. in Trient, im Mus. Civ. in Padua, in der Sparkasse ebda u. in d. Gall. di Valle Giulia in Rom.

Lit.: Comanducci, m. Abb. — Emporium, 82 (1935) 221; 85 (1935) 116.

Dismukes, Mary Ethel, amer. Malerin, Kleinplastikerin u. Schriftst., * Pulaski, Tenn., ansässig in Biloxi, Miss.

Schülerin von Twachtman, Kenyon Cox, Loeb u. Carleton. — Ihre Schwägerin Adolyn D., geb. *Gale*, * Memphis, Tenn., ist gleichfalls Malerin u. Schrifst.

Lit.: Who's Who in Amer. Art, I: 1936/37. — Amer. Art Annual, 30 (1933).

Disney, Walt, amer. Plakat- u. Filmkünstler u. Zeichner, * 5. 12. 1901 Chicago, Ill., ansässig in Burbank, Calif.

Schüler der Acad. of F. Arts in Chicago. Zeichner von Trickfilmen; Erfinder der „Mickey Mouse", der „Three Little Pigs" u. der „Funny Little Bunnies".

Lit.: Who's Who in Amer. Art, I: 1936/37. — The Internat. Who's Who, [11] 1952. — Art Index (New York), Okt. 1941/Sept. 1945; März 1947. — Berliner Illustr. Ztg, 1935 Nr 1, p. 32. — Design, 10. 10. 51, p. 10.

Dissard, Clémentine, franz. Figurenbildhauerin, * 30. 3. 1890 Alfortville (Seine), ansässig in Créteil (Seine).

Schülerin von Marqueste u. Ségoffin. Mitgl. der Soc. d. Art. Franç., beschickt deren Salon seit 1914.

Lit.: Joseph, I.

Dissehoff, Maria Helena, holl. Bildnis-, Blumen- u. Stillebenmalerin, * 19. 2. 1878 Amsterdam.

Schülerin von L. J. Goudman.

Lit.: Waay.

Disselvelt, Antonie Gerardus, holl. Stillleben- u. Landschaftsmaler, * 24. 2. 1881 Leiden, † 19. 9. 1903 ebda.

Lit.: Th.-B., 9 (1913). — Waay.

Distel, Hermann, dtsch. Architekt u. Fachschriftst., * 5. 9. 1875 Weinsberg, Württemberg, ansässig in Hamburg-Bergedorf.

Schüler von K. Schäfer u. Fr. Ratzel an d. Techn. Hochsch. Karlsruhe. Praktisch tätig bei C. Moser ebda. Assoziierte sich 1905 mit August Grubitz (Fa. Distel & Grubitz) in Hamburg. Den bei Th.-B. gen. Bauten sind u. a. hinzuzufügen: Verwaltungsgeb. d. Hamburger Elektrizitätswerke; Molkerei-Neubau in Hamburg; Montanhof ebda; Umbau des Stadttheaters ebda; Haus der Volksfürsorge ebda. In dem 1925 ausgeschrieb Wettbewerb um ein Messehaus für Hamburg erhielt D. den 1. Preis. — Buchwerke: Hermann-Distel-Krankenhäuser; Rationeller Krankenhausbau; Die Wirtschaftlichkeit von Hochhäusern.

Lit.: Th.-B., 9 (1913). — A. Ant. Piper, Archit. H. D. in Arbeitsgemeinsch. mit Archit. A. Grubitz, Berlin o. J. [1929]. — Hamburg u. s. Bauten, 1914. — — D. Baumeister, 1935, p. 245/53. — Dtsche Bauzeitg, 60 (1926) 485ff.; 63 (1929) 153/64; 64 (1930) 265/72; 66 (1932) 165ff.; 70 (1936) 373. — Neudtsche Bauztg, 12 (1916), p. 27 u. Reg. — D. Kst, 54 (1925/26) 44 (Abbn). — D. Kstblatt, 1926, p. 391, 397 (Abb.). — Wasmuth's Monatsh. f. Baukst, 15 (1931) 119/25, m. Abb., 322/25, m. Abb. — The Internat. Who's Who, [8] London 1943/44.

Dítě, Emanuel, tschech. Maler, * 22. 9. 1862 Prag, † 24. 7. 1944 ebda.

Stud. 1880/82 an der Prager Akad. (F. Čermák, A. Lhota), seit 1882 in München (N. Gysis, O. Seitz, A. Liezen-Mayer), 1889/91 Studienaufenthalt in Rom. 1903/25 Prof. an der Kstgewerbesch. in Prag. Zuerst Historien- u. Genrebilder (Bau der Hungermauer in Prag, 1888f.), später Bildnisse u. Altarbilder (St. Egidi-, St. Thomas-, St. Peter-, St. Jakobskirche), sämtlich Prag.

Lit.: Th.-B., 9 (1913). — Padesát let Umělecko-průmyslové školy v Praze 1885–1935, Prag 1935, p. 34. — Dílo (Prag), 32 (1942) 221f., m. Abbn. — Umění (Prag), 16 (1945) 118f. — Toman, I 161.

Blž.

Ditscher, Otto, dtsch. Maler, * 29. 10. 1903 Neuhofen/Pfalz, ansässig ebda.

Stud. an den Akad. in München u. Karlsruhe. Studienreisen nach Holland, Österreich, Südfrankreich u. Paris. Zeigt in s. künstler. Entwicklung Tendenz zur Abstraktion.

Dittlinger, Marinus, holl. Maler, * 20. (24.?) 3. 1864 Breda, † 8. 1. 1942 Den Haag.

Schüler von A. J. Terwen in Dordrecht u. von Allebé an der Amsterdamer Reichsakad. Hauptsächlich Landschaften u. Blumenstücke. Bilder im Sted. Mus. A'dam, im Mus. Boymans in Rotterdam, in den Mus. in Breda u. Dordrecht, im Sted. Mus. im Haag u. im Mus. in Herzogenbusch.

Lit.: Waay. — Maandbl. v. beeld. Kunsten, 3 (1926) 162, m. Abb.; 4 (1927) 126.

Dittmann, Bruno, dtsch. Maler, * 3. 10. 1870 Nienhagen, Holst., ansässig in Wolfenbüttel b. Amelinghausen, Kr. Lüneburg.

Stud. an der Akad. in Berlin bei Ehrentraut, W. Friedrich u. Hugo Vogel, dann bei Lefebvre u. T. Robert-Fleury an der Acad. Julian in Paris. Ließ sich in Hamburg nieder. Bilder im Mus. f. Kst u. Gew. ebda (Vierländer Bauernfrühstück) u. im Mus. in Lüneburg (Landschaften).

Lit.: Th.-B., 9 (1913). — Dreßler.

Dittrich, Walter, öst. Holzschneider, * 10. 9. 1881 Haida (Böhmen), ansässig in Wien.

Schüler von Roller u. V. Myrbach an der Wiener Kstgewerbesch. 1905/10 in Paris. Hauptsächl. Landschafter.

Lit.: Th.-B., 9 (1913). — The Studio, 82 (1921) 80f. (Abb.), 82.

Dittrich, Zoltán, ungar. Bildnismaler, * 3. 5. 1878 Budapest, zuletzt ansässig in Berlin.

Schüler von Hollósy in Nagybánya u. München, 1904/05 von J. P. Laurens an der Acad. Julian in Paris. Weitergebildet 1906/07 bei K. Ferenczy in Budapest, dann in Paris. Seit Ausgang 1907 in Berlin.

Lit.: Szendrei-Szentiványi. — Krücken-Parlagi.

Ditz, Walter, sudetendtsch. Figurenmaler u. Plakatkstler, * 29. 2. 1888 Chodau, Böhm. (Bez. Elbogen), † 5. 8. 1925 München.

Stud. seit 1908 an d. Münchner Akad. bei C. v. Marr. Ließ sich in München nieder. 1923 Italienreise. Beeinflußt von Marées. Im Rößl-Salon des hist. Gasthauses zu Elbogen Wandbild: Goethe feiert s. 70. Geb.-Tag mit der Familie Levetzow. Seine Entwürfe für Ausmalung einer Kriegergedächtnishalle in Eger kamen nicht mehr zur Ausführung. Gedächtnis-Ausst. in der Gal. Heinemann in München, Jan. 1926 (Kat. m. Abbn u. Fotobildn.). Im Mus. in Elbogen zahlr. Bilder (dar. Wandbild zu Ehren der Gefallenen der Stadt E.) u. Zeichngn.

Lit.: Rechensch.-Ber. d. Kstver. München 1925. — Velhagen & Klasings Monatsh., 38/I (1923/24) farb. Taf. geg. p. 233, 351; 38/II (1923/24) farb. Taf. geg. p. 192 u. 561, 668f.; 46/II (1931/32) farb. Taf geg. p. 97. — Velhagen & Klasings Almanach 1923, p. 58/63, m. Abb. — D. Kunst, 49 (1924) 354 (Abb.), 356. — Unser Egerland, 26 (192?) 71/73; 29 (1925) 29. — Karlsbader Ztg, 21. 8. 1943.

Horner.

Djurberg, Ludvig, schwed. Maler, * 1909 Fredsberg, Skaraborgs län, ansässig in Stockholm.

Stud. an der Akad. in Stockholm. Bereiste Deutschland, Holland u. Italien. Bildnisse, Figürliches, Landschaften (bes. Getreidefelder), Stadtansichten.

Lit.: Thomæus.

Divéky, József, ungar. Maler, Graph. (bes. Exlibriskünstler), Buchillustrator u. Schriftkünstler, * 1887 Farmos, † Sept. 1951 Ödenburg (Sopron).

Schüler von Rud. Larisch u. Berthold Löffler an der Wiener Kstgewerbesch. Tätig in Zürich u. Brüssel, seit 1941 in Ungarn. Zeichnungen: Monatsbilder für Kalender. Illustr. zu: Klein Zaches von E. T. A. Hoffmann (Verlag Brüder Rosenbaum, Wien); H. Heine, Der Doktor Faust (Morawe & Scheffelt, Berlin); Gockel, Hinkel u. Gackeleia von Brentano: Reisen u. Abenteuer des Freih. von Münchhausen (Morawe & Scheffelt, Berlin). Künstlerpostkarten für die „Wiener Werkstätte"; Exlibris; Gebrauchgraphik; Plakate; Muster für Vorsatzpapiere; Kostümentwürfe; Entwürfe für Schmuck; Karikaturzeichnungen; Miniaturen auf Fächern u. Elfenbeinblättchen. Namentlich als Buchillustrator stark beeinflußt von Beardsley. Mappenwerk: Totentanz (Radiergn), 1913.

Lit.: Szendrei-Szentiványi. — Der getreue Eckart (Wien), 8 (1930/31), Abb. nach p. 278. — D. Graph. Kste (Wien), 31 (1908) 79; 39 (1916) 43/48, m. 4 Abbn u. 1 farb. Taf. — D. Kunst, 30 (1913/14) 124/26, m. Abb.; 35 (1916/17) 74/80, m. Abbn. — Kunst in's Volk (Wien), 4 (1952) 138/42, m. 6 Abbn. — Dtsche Kst u. Dekor., 25 (1909/10) 413/16 (Abbn); 30 (1912) 265/68, m. Abbn, 280 (Abb.). — Kst u. Ksthandwerk (Wien), 12 (1909) 102 (Abb.). — Bild. Kstler (Wien), 1911, p. 533 (Abb.), 535 (Abb.). — Magyar Grafika (Budap.), 1930 H. 5/6, m. 42 Abbn u. 5 Taf. — The Studio, 62 (1914) 166 ff., m. Abbn. — Westermanns Monatsh., 152 (1932) Taf. vor p. 328.

Dix, Eulabee, amer. Miniaturmalerin, * 1879 Greenfield, Ill., ansässig in New York.

Stud. in St. Louis, New York, London u. Paris.

Lit.: Fielding. — Amer. Art Annual, 30 (1933). — Who's Who in Amer. Art, I: 1936/37. — Earle.

Dix, John Adams, amer. Radierer, * 1881 (?), † 1945.

Lit.: Art Digest, 20, Nr v. 15. 10. 1945, p. 16. — Mallett.

Dix, Otto, dtsch. Maler (Öl, Tempera, Aquar.) u. Graph. (Prof.), * 2. 12. 1891 Untermhaus b. Gera, ansässig in Düsseldorf.

Aus d. Arbeitermilieu hervorgegangen. 1905/09 Lehrzeit als Dekorationsmaler in Gera, 1910/14 Studium an d. Kstgewerbesch. in Dresden bei Zwintscher, Rich. Müller u. R. Sterl. 1914/18 Soldat an d. Westfront. Nach dem Kriege 4 Jahre Schüler der Dresdner Akad.; Meisterschüler bei M. Feldbauer u. Gußmann. 1919 Mitbegründer der Dresd. Sezession. 1922/25 an d. Akad. in Düsseldorf, 1925/26 in Berlin. 1926/33 Prof. an d. Akad. in Dresden. Unter dem Naziregime als entartet diffamiert u. seines Lehramtes enthoben. Machte sich in Randegg im Hegau, 1936 in Hemmenhofen a. Bodensee ansässig. 1939 Verhaftung durch die Gestapo. 1945 zum „Volkssturm" eingezogen; kurze Zeit in französ. Kriegsgefangenschaft in Kolmar. Nach Freilassung wohnhaft in Hemmenhofen, zeitweilig in Dresden. Seit 1950 Leiter einer Malklasse an d. Düsseld. Akad.

Gehört mit George Grosz zu den richtunggebenden Schöpfern einer neuen Bildform, die man als „Neue Sachlichkeit" oder auch als „Magischen Realismus" bezeichnet hat, und die von plastischzeichner. Gestaltung des Objektes ausgeht, bei D. aber der Farbe u. ihrem Ausdruckswert eine gleichberechtigte primäre Rolle im Bilde zuweist. Eng damit zusammenhängend seine besondere stoffliche Interpretation, die einen erbarmungslosen, wie durch die Lupe des Naturforschers kühl u. ohne jede Voreingenommenheit beobachtenden Schilderer der Wirklichkeit zeigt, der kein Zurückweichen vor dem Brutalen und selbst Widerlich-Abstoßenden scheut, dabei nicht selten das Sensationelle u. Aufreizende, gelegentlich selbst das Literarische u. Tendenziöse streifend. Sein großes Schützengrabenbild, ehem. im Kölner Wallraf-Richartz-Mus., seit 1928 in d. Mod. Gal. in Dresden, seit 1933 verschollen, von dem es eine 1932/34 entstand., als Triptychon behandelte 2. Fassung gibt, u. sein rad. Kriegszyklus (50 Bll., Verlag K. Nierendorf, Berlin), die ihn mit einem Schlage bekanntgemacht haben, sind eine flammende Anklage gegen den Krieg, dessen Schrecken D. in erschütternder Weise schildert. Seine Porträts: Dichter H. Eulenberg, Tänzerin Anita Berber, Ksthändler Flechtheim, Mutter Ey, Maler Uzarski, Familie Trillhase, Dichter Theodor Däubler (Smlgn der Stadt Köln), das Elternbildnis der Öff. Kstsmlg Basel u. die zahlr. Selbstbildnisse sind von einem förmlichen Wahrheitsfanatismus diktierte Protokolle, in denen nur gelegentlich ein versteckter Humor das Groteske u. Häßliche der Erscheinung mildert. Aber der Humor hat bei D. nichts Befreiendes, sondern ist mehr Satire, oft mit dem Grauenvollen gemischt, wie in der am Beschauer vorbeifegenden „Witwe" mit dem wallenden Schleier u. dem Lilienbukett in der Hand (Ksthalle Mannheim) oder in den wahrhaft grausigen Dirnendarstellungen (Triptychon „Großstadt"), und geht gelegentlich in eine von soziologischer Kritik eingegebene, ätzende Karikatur über (Familienspaziergang am Sonntag; Tod u. Verklärung; Im Café; Mädchen am Spiegel (wurde der Gegenstand eines gerichtl. Verfahrens gegen D.). Ein Rückblick in das Kinderland der Romantik ist das an Runge erinnernde Bildnis des in einem Wald von Blumen stehenden Töchterchens des Künstlers. Ausgang der 1930er Jahre im Zusammenhang mit einem Wechsel des Stoffgebietes vom Menschenschilderer zum Landschafter Übergang zu einer altmeisterl. Manier im Sinne Altdorfers oder Baldungs. Um 1946 Schwenkung zu einem malerischen Stil expressionist. Prägung u. Bevorzugung religiöser Themen. — Bilder außer in den gen. Smlgn in d. Ruhmeshalle in Barmen (Mädchen am Sonntag), im Schloß Pillnitz b. Dresden (Versuchung des hl. Antonius) u. in der Gal. in Stuttgart (Der Arbeiter). — D. pflegt alle graph. Verfahren. Holzschnittmappen: Werden (1920); Zeitgenossen (1923); Rad.-Mappen: Tod u. Auferstehung, mit Einleitg von P. F. Schmidt, 1921, Dresdner Verlag, Klotzsche; Zirkus, desgl.; Farblithogr.: Dirnentypen. — Zahlr. Kollektiv-Ausstellgn: Gal. v. Garvesn, Hannover, 1923; J. B. Neumann, Berlin, 1923; „Fides" (R. Probst), Dresden, 1924 (Aquar. u. Graphik) u. 1928; Nierendorf, Berlin, 1926; Mod. Gal. Thannhauser, München, 1926; Nassauischer Kstverein, Wiesbaden 1926; Schaller, Stuttgart, 1926; Kstsalon Wolfsberg, Zürich, 1929 u. 1938 (ill. Kat.); Tübingen, 1946; Staatl. Kstsmlgn Dresden 1949; Dtsch. Kstlerbund Berlin 1951; Suermondt-Mus. Aachen März 1951; Osthaus-Mus. Hagen i. W. Aug./Sept. 1951; Städt. Ksthalle Mannheim Dez. 1951/Jan. 1952.

Lit.: P. F. Schmidt, O. D., Köln 1923. — O. D. (Veröff. d. Kstarchivs, Reihe I, Nr 2), 1926. — W. Wolfradt, O. D. (Junge Kst, Bd 41), Lpzg 1925. — F. Nemitz, Dtsche Malerei d. Gegenw. Münch. 1948. — Einstein. — Roh. — Schmidt. — Almanach zu den Kunstwochen in Tübingen u. Reutlingen 1946 (Herbert Minte, O. D.). — Antiquit.-Rundschau, 26 (1928) 138. — The Arts (Detroit), 1930/31, p. 235/51, m. 12 Abbn. — Aufbau, 6 (1950) 351 (Abb.), 356 (Abb.). — D. Cicerone, 13 (1921) 694 f.; 15 (1923) 117 f., 173/78, 359, 1112; 16 (1924) 8, 87, 90 f., 421 f., 832, 877, 938, 943/54; 17 (1925) 160, 662, 815, 818 (Abbn), 1043 f. (Abbn), 1045/49, 1051 (Abb.); 18 (1926) 364, 385 (Abb.), 558; 20 (1928) 602, 666 f., 668 (Abb.), 733; 21 (1929) 136/40, 152, 204 f.; 22 (1930) 262, 264 (Abb.). — Neue Blätter f. Kst u. Dichtung, 2 (1919/20) 119 ff., m. Abbn. — Hellweg (Essen), 4/II (1924) 669. — D. Horen, 4 (1927/28) vor p. 97 (Abb.), 865/72, m. Abbn. — Jahrbuch d. Jungen Kst, 4 (1923) 175 ff., 425 (Abb.), 429 f.; 5 (1924) 412, m. 3 Abbn. — D. Kreis (Hamburg), 4 (1927) 221/23; 9 (1932) 327. — Geraer Kulturspiegel, 2 (1947) 22 f., m. 2 Abbn u. 4 Taf. — D. Kst, 53 (1926) 105/11; 55 (1926/27) 9 (Abb.); 57 (1927/28) 50, 233, 248 (Abb.); 59 (1928/29) 349 (Abb.); 61 (1929/30) 377 (Abb.); 65 (1931/32) 325 (Abb.) 330; 67 (1932/33) 48 (Abb.); 71 (1934/35) 272

-76, m. Abbn. — Die Kst u. das schöne Heim, 48 (1949/50) H. 3, Beibl. p. 39, H. 6, Beibl. p. 97; 50 (1951/52) 111, 162, 163 (Abb.), H. 2, Beibl. p. 53. — D. Kst d. letzten 30 Jahre, 1935, p. 167, 172, m. 1 Taf.-Abb., 254 (2 Abbn), 255. — Dtsche Kst u. Dekor., 59 (1926/27) 103 (Abb.), 240; 62 (1928) 100 (Abb.), 219 (Abb.), 221 (Abb.), 223f.; 68 (1931) 334 (Abb.). — Kst u. Kstler, 24 (1925/26) 250, 442 (Abb.), 444; 25 (1926 -27) 130/34; 26 (1927/28) 275 (Abb.). — bild. kunst, 3 (1949) 58, Abb. geg. p. 311 (Selbstbildn. [Lith.]), 327 (Abb.), 342/47, m. 8 Abbn. — Oberrhein. Kst, 10 (1942) 193 r. Sp. — D. Kstblatt, 4 (1920) 118/26; 6 (1922) 543; 7 (1923) 97/102, 321 (Abb.); 10 (1926) 142/46; 11 (1927) 33 (Abb.), 97, 98 (Abb.); 12 (1928) 260f. (Abbn); 14 (1930) 45 (Abbn). — Kst-Chronik, 4 (1950/51) 70, 205, 206. — D. Kstwanderer, 1926/27, p. 288; 1928/29, p. 186f. — D. Kstwerk, 1 (1946/47) H. 3, p. 43; 2 (1948/49) H. 1/2, p. 62, H.3/4, p. 28 (Abb.), 74; 4 (1950) H. 1, p. 53, H. 4, p. 52 (Abb.), H. 5 p. 40 (Taf.), 41 (Fotobildn.); 5 (1951) H 3, p. 71, m. Abb.; 6 (1952) H. 1, p. 12 (2 Abbn). — D. Lücke, 3 (1948) H. 10, p. 10/14. — Maandbl. v. beeld. Ksten, 7 (1930) 156; 10 (1933) 171/73. — D. Münster, 2 (1949) H. 7/8, p. 209 (Abb.). — Prisma, 1 (1947) H. 2 p. VII (Abb.), H. 12/13 Taf. vor p. 33, H. 15 p. 9 (Abb.), 31 (Abb.), 44 (Abb.). — D. Schaffenden, 4, Mappe 4; 5, Mappe 1. — D. Schanze (Münster i. W.), 1 (1951) H. 1, p. 11, m. Abb. — Velhagen & Klasings Monatsh., 42/I (1927/28) 119, m. farb. Abb. — Weltkst, 20 (1950) Nr 23, p. 11 (Abb.). — D. Werk (Zürich), 25 (1938) 346/49 u. Beibl. H. 6, p. XX. — Zeitschr. f. Kst, 1 (1947) H. 2 p. 55 (Abb.: Selbstbildn. von 1931), 60, 62; 3 (1949) 173/93. — Zeitschr. f. bild. Kst, 61 (1927/28), Kstchronik, p. 15, 24, 80. — Kat. Ausst. Dtsche Malerei u. Plastik d. Gegenw. im Staatenhaus d. Messe in Köln v. 14. 5. -3. 7. 1949, m. Abb. — Tagesspiegel, 22. 2. 1947 (Eckstein). — Frankf. Rundschau, 25. 6. 1946. — — Bad. Ztg, 5. 11. 1946. — N. Dtschld, 17. 4. 1947. — Ruf, 15. 9. 1947. — Zürcher Ztg, 15. 4. 1929.

Dixon, Charles, engl. Marinemaler, * 8. 12. 1872 Goring, ansässig in Itchmor, Chichester.

Lit.: Th.-B., 9 (1913). — Who's Who in Art, [3] 1934. — The Studio, 67 (1916) 57.

Dixon, Francis Stillwell, amer. Landschafts- u. Marinemaler, * 18. 9. 1879 New York, ansässig ebda.

Schüler der Art Student's League in New York. Kollektiv-Ausst. in den Babcock Gall. in New York, April 1926 u. April 1927.

Lit.: Fielding. — Amer. Art Annual, 30 (1933). — Who's Who in Amer. Art, I: 1936/37. — The Art News, 24, Nr 26 v. 3. 4. 1926, p. 7; 25, Nr 28 v. 16. 4. 1927, p. 9.

Dixon, Frederick Clifford, engl. Radierer u. Maler (Öl u. Aquar.), * 5. 12. 1902 Derby, ansässig ebda.

Stud. am Roy. Coll. of Art in London. Landschaften, Figürliches.

Lit.: Who's Who in Art, [3] 1934. — Artwork, 3 (1928) 226 (Abb.), 228. — Apollo (London), 11 (1930) 328, m. Abb. geg. p. 326.

Dixon, George Scholefield, engl. Illustrator u. Gebrauchsgraph., * 20. 4. 1890 Leeds, ansässig in West Drayton, Middlesex.

Stud. an der Kunstsch. in Leeds. Zeichnete u. a. für „Punch", „Tatler" u. „Bystander".

Lit.: Who's Who in Art, [3] 1934.

Dixon, John, amer. Maler, * 14. 1. 1888 Philadelphia, Pa., ansässig ebda.

Schüler von Wm. Chase.

Lit.: Who's Who in Amer. Art, I: 1936/37.

Dixon, Mabel, amer. Malerin, * Auburn, Ia., ansässig in Des Moines, Ia.

Stud. am Art Inst. in Chicago, bei Randall Davey. Arthur W. Dow, André Strauss u. Bolonde in Paris. Bild (Viadukt in Moret) im Mus. in Fontainebleau.

Lit.: Amer. Art Annual, 30 (1933). — Who's Who in Amer. Art, I: 1936/37.

Dixon, Maynard, amer. Maler u. Illustr., * 24. 1. 1875 Fresno, Calif., † Nov. 1946 San Francisco, Calif.

Autodidakt. Pflegte seit 1921 bes. die Wandmalerei. Wandgemälde u. a. in der Techn. Hochschule in Oakland, Calif., u. im dort. Theater, im Lesesaal der California State Library in Sacramento, in der John C. Fremont High School in Los Angeles u. im Biltmore Hotel in Arizona. Kollektiv-Ausst. in den Macbeth Gall. in New York, Februar 1923, im Biltmore Salon in Los Angeles u. im Mus. in Los Angeles, Febr. 1946.

Lit.: Fielding. — Amer. Art Annual, 30 (1933). — Earle. — Who's Who in Amer. Art, I: 1936/37. — Monro. — Art Digest, 16, Aug. 1942, p. 19; 20, Nr v. 15. 2. 1946, p. 19; 21, Nr v. 1. 12. 1946, p. 14; 26, Nr v. 1. 11. 1951, p. 30 (Abb.). — The Art News, 21, Nr 19 v. 17. 2. 1923, p. 5. — The Studio, 106 (1933) 111 (Abb.); 113 (1937) 22 (Abb.).

Dizerens, Violette, schweiz. Architektur- u. Landschaftsmalerin, * 1888, ansässig in Lausanne.

Schülerin von M. Bastian u. der Acad. Julian in Paris.

Lit.: Brun, IV.

Dmitrijeff, W., sowjet. Bühnenmaler, * 1900.

Lit.: Encykl. d. Union d. S oz. Sowjetrepubl., (1950).

Dmitrijewskij, N., sowjet. Holzschneider, * 1890 Moskau.

Lit.: D. Graph. Kste (Wien), 55 (1932) 14 (Abb.), 16.

Dobbenburgh, Aart van, holl. Lithogr., Holzschneider, Plakettenzeichner u. Wandmaler, * 30. 9. 1899 Amsterdam, ansässig in Bentveld.

Stud. an d. Quellinus-Sch. Amsterdam. Stilleben, Bildnisse, Landschaften, Stadt- u. Hafenansichten, Blumen. Wandmalereien (Vögel u. Blumen) im Neubau des Städt. Geneeskundigen Dienst in A'dam. Reiste viel (Südfrankreich, Tirol, Eifelgebiet).

Lit.: Plasschaert, p. 378. — Waay. — Hall, Nrn 8646/54. — Waller. — Maandbl. v. beeld. Kunsten, 2 (1925) 108ff., m. Abbn; 8 (1931) 24; 9 (1932) 99/113, m. Taf. u. Abbn; 19 (1942) 276f., m. Abb. — Beaux-Arts, 22. 8. 1947, p. 3 (Abb.).

Dobe, Paul, dtsch. Pflanzenzeichner, * 13. 10. 1880 Magdeburg, ansässig in Weimar.

Stud. an der Hochsch. f. bild. Kste in Berlin u. an der Debschitzschule in München. Pflanzenstudien (Zeichngn) in den Museen Erfurt, Magdeburg u. Weimar.

Lit.: Dreßler. — D. Kunst, 72 (1934/35) Beibl. zu H. 11, p. 7.

Dobell, William, austral. Genremaler, * 1899.

Lit.: The Art News, 40, Nr v. 1. 10. 1941, p. 11 (Abb.); 43, Nr v. 1. 10. 1944, p. 13, m. Abb. — The Studio, 124 (1942) 130/32, m. Abbn; 129 (1945) 168; 138 (1949) 196, m. Abb. — Canad. Art, 7 (1950) 134 (farb. Abb.).

Dobert, Paul, dtsch. Architekt u. Raumkstler (Dr. ing.), * 21. 4. 1878 Magdeburg, ansässig ebda.

Stud. an den Kstgewerbesch. Magdeburg u. Kassel, dann an den Techn. Hochschulen Braunschweig u. Charlottenburg. Bauten der Friedrich-Krupp-Genossensch. in Magdeburg-Buckau (1920/23). Buchwerk: Bauten u. Baumeister in Ludwigslust: Ein Beitr. zur Gesch. des Klassizismus, Magdeburg 1920.

Lit.: Dreßler. — Innendekoration, 21 (1911) 328ff. (Abb.).

Dobie, Beatrice Charlotte, s. *Vernon.*

Dobihal, Karl, tirol. Graveur, Medailleur u. Illustr., * 28. 6. 1883 Innsbruck, † 29. 4. 1925 ebda.

Schüler s. Vaters Vinzenz u. der Wiener Akad. (Marschall). Modelle für Porträtmedaillen u. Schaumünzen, u. a. A. Hofer u. Speckbacher. Zeichngn zum „Heereszug Gottes" von K. E. Hirt.

Lit.: Fischnaler, Innsbr. Chronik, V 67. — Innsbr. Nachr., 1893 Nr 58; 1894 Nr 16, 83. — Tir. Bote, 1894, p. 114. — Tir. Stimmen, 1894 Nr 17. — D. Kstfreund (Bozen), 12 (1896) 65. — Tir. Anz., 1925, Nr 220, 223. *J. R.*

Doble, Frank Sellar, engl. Stilleben- u. Landschaftsmaler, * 27. 1. 1898 Liverpool, ansässig in Great Crosby b. Liverpool.

Lit.: Who's Who in Art, [3] 1934.

Dobler, Maud, amer. Malerin, * 3. 2. 1885 Rockford, Ill., ansässig ebda.

Schülerin von E. Reitzel, Carl Krafft u. H. A. Oberteuffer.

Lit.: Amer. Art Annual, 30 (1933). — Who's Who in Amer. Art, I: 1936/37.

Doblhoff, Hertha Freifrau von, geb. *Schrack* (Pseud.: Clo Hade), öst. Blumenmalerin, * 16. 12. 1886 Wien, ansässig ebda. Gattin des Folg.

Schülerin von H. Darnaut (1905/08), weitergebildet an d. Akad. Julian in Paris. Blumenstück im Mus. Detroit, USA.

Lit.: Wer ist Wer? (Wien), 1937. — Öst. Kst, 5 (1934) H. 1 p. 21, m. Abbn.

Doblhoff (-Dier), Robert Freih. von, öst. Bildnismaler, * 1. 4. 1880 Wien, ansässig ebda. Gatte der Vor.

Stud. bei L'Allemand an der Wiener Akad., dann bei J. Lefebvre u. T. Robert-Fleury an der Acad. Julian in Paris u. bei Ad. Hölzel in Dachau. 1903/14 in Paris, seitdem in Wien; zwischen 1924 u. 1932 7 längere Aufenthalte in den USA. Bildn. d. Großmutter des Kstlers im Wiener Kstlerhaus; Präs. Th. Roosevelt im Haager Friedenspalast (1907); Fürst Joh. von u. zu Liechtenstein im Mus. Troppau (1912). 3 Interieurs im Mus. d. Stadt Wien.

Lit.: Klang. — Wer ist Wer? (Wien), 1937. — Teichl.

Dobner, Josef (Sepp), sudetendtsch. Holzbildhauer, ansässig in Wien.

Schüler von Hanak an der Wiener Kstgewerbesch. Bildnisbüsten, Figürliches („Majaqualinde"); Gartenplastiken aus getöntem Zement.

Lit.: Der getreue Eckart (Wien), 5 (1927/28) 911–18, m. Abbn. — Österr.'s Bau- u. Werkkst, 2 (1925–26) 207 (Abb.). — Öst. Kst, 3 (1932) H. 1, Abb. zw. p. 8/9, 9 (Abb.), 10 (Abb.), 12. — Dtsche Heimat (Plan b. Marienbad), 5 (1929), m. 9 Abbn u. Taf. geg. p. 1. — Dtsche Kst u. Dekor., 63 (1928/29) 343ff., m. 3 Abbn. — Velhagen & Klasings Monatsh., 45/I (1930–31) 454, 456 (Abb.).

Dobos, Andrew, poln. Maler u. Lithogr., * 30. 11. 1897 in Galizien, ansässig in Oak Park, Ill.

Schüler von Fred. Grant. Bild (Nach dem Sturm) im Mus. in Springfield, Ill.

Lit.: Amer. Art Annual, 30 (1933). — Who's Who in Amer. Art, I: 1936/37.

Dobrev, Dobri, bulgar. Landsch.- u. Figurenmaler, * 1898, ansässig in Sliwen.

Stud. in Prag. Studienaufenthalte in Deutschland, Spanien, England, Frankreich u. Italien. Stellte auch im Ausland (Prag, Brünn, Preßburg, Paris) aus.

Lit.: Kat. d. Ausst. Bulgar. Kstler in Deutschland, Leipzig, Kstver., 1941/42, m. Abb. — D. Weltkst, 15, Nr 11/12 v. 16. 3. 1941, p. 3 (Abb.).

Dobrinskij, Isaac, russ. Figurenmaler, * Wilna, ansässig in Paris.

Stellt seit 1928 im Salon d'Automne aus.

Lit.: Joseph, I. — Beaux-Arts, 75ᵉ année, Nr v. 20. 5. 1938 p. 5, m. Abb.

Dobrodzicki, Adam, poln. Maler u. Entwurfzeichner für farbige Glasfenster u. Möbel, * 18. 4. 1883 Wadowice (Galizien).

Stud. an d. Akad. in Krakau. Ausmalung der Kathedr. in Kamieniec Podolski (Podolien).

Lit.: Th.-B., 9 (1913). — Czy wiesz kto to jest?, 1938.

Dobroff, Matweij Alexejewitsch, sowjet. Graphiker (bes. Rad.) u. Exlibriskünstler, * 1877.

Lit.: Encykl. d. Union d. Soz. Sowjetrepubl., 2 (1950). — Ssredi Kollekzioneroff, 1922, Heft 2 p. 55; H. 7 p. 70, 71. — N. J. Adarjukoff, M. A. D., in: Meister der zeitgenöss. graph. Künste (russ.), hg. von W. Polonskij, Moskau 1928, Bd II. — Isskustwo, 1935 Nr 6 p. 139ff. passim. — Kat. d. Staatl. Tretjakoff-Gal. Moskau, 1947.

Dobrović, Péter, serbischer Maler, * 1890 Pécs (Fünfkirchen), lebt in Dalmatien.

Schüler von E. Balló u. T. Zemplényi an der Budapester Akad., weitergebildet in Paris. Einige Zeit Lehrer an der Belgrader Akad. Hauptsächlich Bildnisse, Landschaften, Stilleben.

Lit.: Szendrei-Szentiványi. — Művészet, 15 (1916) 79, 91. — L'Art et les Art., N. S. 1 (1919/20) 91, m. Abb. — Der getreue Eckart (Wien), 16 (1938/39). Abb. nach p. 360. — The Studio, 97 (1929) 45, 46 (Abb.). — Die Weltkst, Jg 5 Nr 51/52 v. 20. 12. 1931, p. 2f., m. Abb. — Mus. du Prince Paul. Art Mod. Belgrad 1939, Taf.-Abb. 31.

Dobrowsky, Josef, sudetendtsch. Maler (Prof.), * 22. 9. 1889 Karlsbad, ansässig in Wien.

Stud. bei Griepenkerl u. R. Bacher an der Wiener Akad. Kriegsteilnehmer 1914/18. Seit 1929 Mitgl. der Wiener Sezession. Seit 1946 Prof. an d. Akad. Preis d. Stadt Wien 1949. Landschaften, Frauenbildnisse, figurale Kompositionen. Vertreten in d. Mod. Gal. in Wien (Abb. Taf. 27 im Kat. 1929), in den Städt. Smlgn ebda, in d. Staatsgal. in Prag, in d. Städt. Smlgn in Nürnberg u. im Nat.-Mus. in Budapest.

Lit.: Wer ist Wer? (Wien), 1937. — Dreßler. — Teichl. — Kst u. Ksthandwerk (Wien), 24 (1921) 57f. — Dtsche Kst u. Dekor., 65 (1929) 309/11, m. Abbn. — Öst. Kst, 1 (1929/30) H. 1 p. 28, H. 7 p. 18 (Abb.); 3 (1932) H. 6 p. 3 (Abb.). — Belvedere (Wien), X/2 (1931) 73f. — Kst in Öst. (Leoben), 1 (1934) 46 (Abb.), 51. — Der getreue Eckart (Wien), 13 (1935), farb. Abb. vor p. 77, 95/100, m. farb. Abbn; 17 (1939–40), farb. Abb. geg. p. 133. — The Studio, 138 (1949) 9, m. Abb. — D. Weltkst, 14, Nr 15/16 v. 14. 4. 1940, p. 3 (Abb.), Nr 17/18 v. 28. 4. 1940, p. 3; 16, Nr 43/44 v. 25. 10. 1942, p. 3, m. Abb.; 18, Nr v. 15. 8. 1944, p. 3 (Abb.). — Zeitschr. f. Kst, 4 (1950) 172 (Abb.), 174. — Kat. d. Ausst.: Junge Kst im Dtsch. Reich, Wien 1943, m. Abb.

Dobrzycki, Zygmunt, poln. Landschafts-

u. Stillebenmaler, * 1895 Olesza (Galizien), ansässig in Paris.

Lit.: Bénézit, [2] 3. — Kat. d. Ausst. Poln. Kst, Sezession Wien, 1928. — Beaux-Arts, 10. 10. 1947, p. 5, m. Abb.; 30. 1. 48, p. 3 (Abb.); 26. 3. 48, p. 4.

Dobson, Cowan, schott. Bildnismaler, * 26. 8. 1893 Bradford, ansässig in London. Bruder des Raeburn.

Sohn des Malers Henry John C. (* 1858, † 1928). Stud. am Watson Coll. in Glasgow. Zeigte im Salon der Soc. d. Art. Franç. in Paris 1930 ein Damenbildnis (Abb. im Kat.). In der Art Gall. in Glasgow ein Bildn. der Gattin des Kstlers. Koll.-Ausst. in den Frost Reed's Gall., New York, März 1946.

Lit.: Who's Who in Art, [3] 1934. — The Connoisseur, 117 (1946) 57, m. Abb.

Dobson, Frank, engl. Bildhauer (Marmor, Bronze, Terrakotta), * 1889 (1887?) London, ansässig ebda.

Schüler von Wyndham Lewis, Wm. Roberts u. Edw. Wadsworth. Mitglied der Gruppe der „X". Bildnisbüsten, Akte. Schritt von naturalist. Anfängen in Richtung einer streng-geometrischen Stilisierung zu einer immer stärker geballten, oft geradezu klotzigen Form fort, die sich kubistischen Zielen nähert. Kollekt.-Ausst. 1935 in den Leicester Gall. London. Arbeiten in der Tate Gall. in London, in der City Art Gall. in Manchester, im Whitworth Inst. ebda u. in den Museen in Glasgow u. Leeds.

Lit.: Underwood. — Who's Who in Art, [3] 1934. — The Internat. Who's Who, [16] 1952. — Kinston Parkes, The Art of Carved Sculpt., Lo. 1932. — The Studio, 67 (1916) 123 (Abb.); 110 (1935) 41 (Abb.); 113 (1937) 38 (Abb.). — Artwork, 1 (1924/25) 118, 142 (Abb.), 212 (Abb.); 2 (1925/26) 152. — The Burlington Magaz., 46 (1925) 170/177, m. 6 Abbn. — Dtsche Kst u. Dekor., 56 (1925) 161 f., m. Abb.; 59 (1926/27) 156 (Taf.). — Apollo (London), 5 (1927) 185; 8 (1928) 26 (Abb.), 85, 126/133, m. 10 Abbn; 11 (1930) Abb. geg. p. 456, 474; 14 (1931) 46 (Abb.), 344, m. Abb.; 24 (1936) 47, 48 (Abb.). — The Studio, 100 (1930) 76, m. Abb.; 115 (1938) 104, m. Abb., 300; 135 (1948) 186/88, m. 5 Abbn.

Dobson, Margaret, amer. Malerin, * 9. 11. 1888 Baltimore, Md., ansässig in Santa Monica, Calif.

Schülerin von Daniel Garber, Cecilia Beaux, Violet Oakley, Emil Carlsen, Robert Vonnoh, J. Alden Wier, Hugh Breckenridge, P. Baudouin u. J. Despujols. Fresken im Schloß u. Hospital Fontainebleau, in der Pennsylvania Acad. of the F. Arts in Philadelphia u. im La Ronda-Gebäude in Westwood, Calif.

Lit.: Amer. Art Annual, 30 (1933). — Who's Who in Amer. Art, I: 1936/37.

Dobson, Raeburn (Henry R.), schott. Figuren- u. Bildnismaler, * 29. 5. 1901 Edinburgh, ansässig ebda. Bruder des Cowan.

Stud. am Coll. of Art in Edinburgh.

Lit.: Who's Who in Art, [3] 1934.

Dobużyński, Mstislaw, s. *Dubujinskij.*

Dochow, Hans, dtsch. Maler, * 27. 5. 1912 Charlottenburg, fiel am 9. 6. 1942.

Schüler von Walter Eimer in Mannheim. Anfängl. vorwiegend Zeichner (Feder, Kreide, Pinsel). 1938 erste Freskoversuche. Seit Februar 1940 Soldat. Arbeiten in der Ksthalle in Mannheim.

Lit.: Kat. d. Ausst. „Junge Kst im Dtschen Reich", Wien 1943, m. Abb. 23 (Selbstbildn.).

Dodd, Francis, engl. Maler, Rad. u. Kaltnadelst., * 29. 11. 1874 Holyhead, † 1949 London.

Stud. an der Kunstsch. in Glasgow unter Francis Newbery. 1894 in Paris, Venedig, Florenz. Als Rad. Schüler von Muirhead Bone. Ließ sich 1897 in Manchester, 1904 in London nieder. Während des 1. Weltkrieges dem Informationsministerium zugeteilt, zeichnete damals über 150 Bildnisse von Admirälen u. Generälen der Alliierten, die in Reproduktionen (Mappenwerk: Generals of the British Army: Portraits in Colour, by F. D., I [1917] u. II [1918]) weite Verbreitung für Propagandazwecke auch in den USA fanden. Hauptsächlich Porträtist. Graph. Hauptblätter: M. Bone an der Druckerpresse; The Garden Door (Miss Isabel Dacre); Bildhauer Jacob Epstein; Polly; Maler Henry Rushbury, Maler Ch. Cundall; Reading Mrs. Carlyle's Letters (Gattin des Künstlers). Von seinen Architekturblättern ist das schönste wohl die 1912 entstandene Ansicht von Piazza Venezia in Rom. Einen Katalog seiner Rad., die Produktion der Jahre 1898–1926 umfassend u. 172 Blätter beschreibend, hat R. Schwabe aufgestellt. Bilder u. Zeichnungen (bes. Unterseeboote) im Imperial War Mus. in London. In der Tate Gall. 2 Damenbildnisse.

Lit.: Th.-B., 9 (1913). — Who's Who in Art, [3] 1934. — The Studio, 63 (1915) 217; 64 (1915) 140; 65 (1915) 182, 186; 68 (1916) 117, 118; 70 (1917) 68; 93 (1927) 268 (Abb.), 275; 138 (1949) 63. — Die graph. Künste (Wien), 38 (1915) 49, m. Abb. — The Connoisseur, 49 (1917) 170, 179; 51 (1918) 50. — The Print Coll.'s Quarterly, 13 (1926) 248/272, m. 11 Abbn (R. Schwabe), 369/375, m. 2 Abbn (R. Schwabe). — Apollo, 6 (1927) 285, m. Abb. — Artwork, 6 (1930) 53, 61 (Abb.). — Museums Journal, 41 (1941) 132a. — Velhagen & Klasings Monatsh., 52/II (1937/38) Taf.-Abb. geg. p. 568, 573. — Maandbl. voor beeld. Kunsten, 19 (1942) 23 (Abb.).

Dodd, Lamar (William L.), amer. Maler (Prof.), * 22. 9. 1909 Fairburn, Ga., ansässig in Athens, Georgia.

Schüler von Luks, Bridgman, Robinson, Lahey u. Charlot. Leiter der Kstabteilung der University of Georgia. Landschaften, Stilleben.

Lit.: Amer. Art Annual, 30 (1933). — Who's Who in Amer. Art, I: 1936/37. — Monro. — College art journal, 10 (1951) 223/32 (Aufsatz D.'s: A Juryman speaks), 256. — Mallett. — Art Index (New York), Okt. 1941/Okt. 1952. — Who's Who in America, 27: 1952/53.

Dodd, Mark Dixon, amer. Maler u. Radierer, * 28. 1. 1888 St. Louis, Mo., ansässig in St. Petersburg, Fla.

Schüler von Hawthorne, Miller, Johansen, Romanowskij u. der Art Student's League in New York. In der Öff. Bibliothek in Woods Hole, Mass.: Fischer am Pier. Wandgem. im State of Florida Building. Herrenbildnis im Hospital in Hyannis, Mass.

Lit.: Fielding. — Amer. Art Annual, 30 (1933). — Who's Who in Amer. Art, I: 1936/37.

Dodds, Albert Charles, schott. Landsch.- u. Bildnismaler (Aquar.), * 28. 5. 1888 Edinburgh, ansässig ebda.

Stud. am Coll. of Art in Edinburgh u. an der Roy. Scott. Acad. ebda.

Lit.: Who's Who in Art, [3] 1934.

Dodelfaure, Elisabeth, franz. Landschafts-, Blumen- u. Früchtemalerin, * Issoire (Puy-de-Dôme), ansässig in La Sauvetat (Gers).

Mitgl. der Soc. d. Art. Indépendants, beschickt deren Salon seit 1911. Stellt seit 1925 auch im Salon der Soc. Nat. d. B.-Arts aus.

Lit.: Joseph, 1. — Bénézit, [2] 3.

Dodero, Pietro, ital. Figuren- u. Bildnismaler, * 30.10. 1881 Genua, ansässig ebda.

Stud. an den Akad. in Genua u. München u. bei Grosso; weitergeb. nach Ende des 1. Weltkrieges in London. Bilder u. a. in d. Gall. d'Arte Mod. in Genua (Mutter mit 2 Töchtern) u. in d. Kirche S. Giacomo in Carignano (Joh. d. Täufer, predigend).

Lit.: Comanducci, m. Abb. — D. Kst, 25 (1912) 546 (Abb.). — The Connoisseur, 69 (1924) 119 (Abb.), 120. — Emporium, 70 (1929) 366 (Abb.); 80 (1934) 40, 41.

Dodge, Chester, amer. Maler u. Illustrator, * 21. 5. 1880 Salem, Me., ansässig in Providence, R. I.

Stud. an der Art Student's League in New York.

Lit.: Fielding. — Amer. Art Annual, 30 (1933). — Who's Who in Amer. Art, I: 1936/37.

Dods, Isabella Ann, verehel. *Withers*, engl. Landsch.- u. Blumenmalerin, * 5. 2. 1876 North Berwick, † 1939 London. Gattin des Alfred Withers.

Stud. in Edinburgh bei Christina P. Ross u. Alex. Roche. Bilder u. a. in d. Art Gall. in Manchester u. in d. Kunstsmlgn Düsseldorf.

Lit.: Th.-B., 9 (1913). — Who's Who in Art, [3] 1934. — The Studio, 41 (1907) 58 (Abb.), 148; 66 (1916) 74.

Dodson, John Gordon, engl. Maler (Öl u. Aquar.), * 9. 2. 1882 Bishop's Stortford, Herts., ansässig in Cringleford, Norwich.

Stud. am Vict. and Albert Mus. London.

Lit.: Who's Who in Art, [2] 1929.

Dodson, Nellie Plitt, amer. Malerin, * 1906 Pilot Montain, N. C., ansässig in Winston Salem, N. C.

Lit.: Amer. Art Annual, 30 (1933).

Döbel, Karl, dtsch. Maler (Öl u. Aquar.), * 13. 1. 1903 Kassel, ansässig ebda.

Lehrzeit in einem techn. Büro. Ging krankheitshalber zur Malerei über. Stud. an der Akad. München (2 Jahre) u. Kassel (Curt Witte). Studienaufenthalte in Italien, Korsika u. Paris. Mitgl. der „Novembergruppe". Bildnisse, Figürliches, Landschaften. Bedeutende kolorist. Begabung. 1 Aquarell (Zwielicht) im Detroit Inst. of F. Arts in Detroit (USA). Vertreten in: Nat.-Gal. in Berlin, Städt. Gal. u. Kupferstichkab. in Kassel u. Marburg. Erhielt 1928 den Preis der Stadt Kassel. Mitgl. d. Hess. Sezession. Sonderausst. August 1948 im Landesmus. in Kassel.

Lit.: Antiquit.-Rundschau, 26 (1928) 122. — D. Kstblatt, 11 (1927) 134f. (Abbn), 138; 12 (1928) 5 (Abb.), 7, 92, 134 (Abb.), 139; 14 (1930) 269 (Abb.). — Hessenland, 47 (1936) 225.

Döblin, Herbert, dtsch. Maler, Bühnenbildner u. Graph., * 5. 10. 1901 Königsberg, ansässig in Berlin.

Stud. an d. Unterrichtsanstalt des Berl. Kstgewerbe-Mus. u. an d. dort. Universität. Als Bühnenbildner tätig für das „Kabarett der Komiker".

Lit.: Dreßler. — Ill. Telegraf (Berlin), 30. 12. 1947.

Döbrich, Kurt Oscar, dtsch. Maler u. Graph.. * 17. 5. 1911 Metz, ansässig in Münster i. W.

Stud. an der Staatl. Kstschule in Berlin bei Hasler, Tappert u. Rössing. Hauptsächlich Zeichner (Feder, Kreide), Radierer u. Holzschneider. Landschaften, Architektur, Stilleben.

Lit.: Mitteil. d. Kstlers.

Döcker, Richard, dtsch. Architekt u. Fachschriftst. (Dr. Ing., Prof.), * 1894 Weilheim, Württbg, ansässig in Stuttgart.

Stud. an der Techn. Hochsch. Stuttgart. Lehrtätig an ders. Bedeutender Baukünstler. Hat sich bes. auf d. Gebiet des Krankenhaus- u. des Einzelwohnhausbaus hervorgetan. Durch konsequente Verwendung von Terrassen (vgl. s. Buch: Terrassentyp, Stuttgart 1928) erreicht er eine gleichmässige Zufuhr von Licht u. Luft für alle Räume u. einen allmählichen harmonischen Übergang des geschlossenen Hausblocks in seine landschaftl. Umgebung. Hauptbauten: Krankenhaus in Waiblingen; Friedensschule in Trossingen, die einen Teil der Volksschule, die Handels- u. Gewerbe-, die Frauenarbeits-, die Koch- u. die Industrieschule nebst Vortrags- u. Turnsälen unter einem Dach vereinigt; Verwaltungsgeb. in Tuttlingen; Villenbauten in Stuttgart u. Göppingen, meist in Eisenbeton mit flachem Dach ausgeführt.

Lit.: Dreßler. — Platz. — Baum, m. Abb. — Architektur u. Wohnform, 1949/50 p. 33, 41. — D. Baumeister, 22 (1924) 322. — Feuer (Saarbrücken), II/1 (1920/21) 548f. (Abbn), 550; 3 (1922) 278 (Abb.), 279 (Abb.). — D. Kst, 58 (1927/28) 62 (Abb.), 63, 66 (Abb.); 62 (1929/30) Taf.-Abb. vor p. 41, 41ff. (Abbn). — D. Kstblatt, 10 (1926) 69/73, m. 2 Abbn, 75 (Abb.); 12 (1928) 274/76, m. 3 Abbn. — Kstchronik, N. F. 34 (1922/23) 513f. — Wasmuths Monatsh. f. Baukst, 6 (1922) 375/90, m. Abb.

Döderhultaren s. *Petersson*, Axel.

Döhler, Heinz, dtsch. Bildnis- u. Landschaftsmaler, * 5. 1. 1928 Dresden, ansässig ebda.

Schüler von Hanns Herzing.

Dölker, Richard, dtsch. Maler u. Werkkstler, * 18. 6. 1896 Stuttgart.

Stud. an der Kstgewerbesch. in Stuttgart. Lebte längere Zeit in Italien (Vietri sul Mare, Prov. Salerno).

Lit.: Dreßler. — Velhagen & Klasings Monatsh., 52/II (1938) 283 (farb. Abb.), 284, 287 (Abb.).

Döll, Oskar, dtsch. Bildhauer, * 31. 3. 1886 Suhl, Thür., fiel am 20. 9. 1914.

Schüler von G. Wrba in Dresden (1907ff.). Vier Kindergestalten auf der Balustrade des Schauspielhauses in Dresden; Brunnen auf dem Marktplatz in Dippoldiswalde. Medaillen (Einweihung des Dresdner Rathauses, 1910; Dresdner Tagung für Denkmalpflege u. Heimatschutz, 1913).

Lit.: Dresdner Kalender, 5 (1920) 74. — D. Kunst, 30 (1913/14) 35/37 (Abbn); 31 (1914/15) 80. — Kstchronik, N. F. 26 (1914/15) 58. — D. Plastik, 2 (1912) Beibl. zu H. 5, p. IV.

Döllgast, Hans, dtsch. Architekt u. Graph. (Prof.), * 1891 Neuburg a. d. D., ansässig in München.

Stadtpfarrk. zum Hl. Blut in München-Bogenhausen; Pfarrk. St. Raphael in Hartmannshofen b. München; Wiederaufbau der Basilika St. Bonifaz in München; kath. Kirche St. Heinrich ebda. 2. Preis im Wettbewerb um die Frauenfriedensk. in Frankfurt a. M. (zus. mit Michael Kurz); St. Josephsk. in Augsburg (zus. mit Kurz).

Lit.: Schnell, 1 (1934) H. 55, p. 2. — D. christl. Kunst, 24 (1927/28) 300f. (Abbn), 304; 27 (1930/31) 329 (Abb.), 344f. — Monatsh. f. Baukst u. Städtebau, 18 (1934) 156/58. — D. Münster, 2 (1949) Umschlagbilder sämtl. Hefte; 4 (1951) 183. — Zentralbl. d. Bauverwaltg, 53 (1933) 569/73; 56 (1936) 280f., m. Abb., 282f.

Dölling, Ernst, schwed. Landschafts- u. Figurenmaler, * 1897 Hälsingborg, ansässig in Hedemora.

Stud. in Kopenhagen u. Paris.

Lit.: Thomœus.

Döményi, László, ungar. Genremaler,

* 21. 2. 1890 Tornally, Kom. Gömör, ansässig in Budapest.
Stud. bei F. Szablya-Frischauf, dann bei K. Ferenczy u. T. Zemplényi an der Budapester Akad. 1912 nach Italien u. Sizilien.
Lit.: Szendrei-Szentiványi.

Dönebön, Kord, s. *Riege,* Rudolf.

Doennecke, Elena Dorothy, amer. Porträtmalerin u. Lithogr., * 4. 6. 1910 Davenport, Ia., ansässig ebda.
Schülerin von Louis Ritman.
Lit.: Who's Who in Amer. Art, I: 1936/37.

Dönselmann, Karl, dtsch. Landschaftsmaler, * 1902 Hagenah b. Stade, ansässig in Goldberg, Niederschles.
Stud. an d. Kstschule in Hamburg u. an der Akad. in Berlin.
Lit.: Kat. Ausst. Niederschles. Kst. Berlin, Schloß Schönhausen, 1942, p. 52 (Abb.), 53.

Döpper, Friedrich Wilhelm, dtsch. Maler u. Graph., * 20. 2. 1885 Grüningen, Schles., zuletzt ansässig in Cammin, Pomm.
Stud. an d. Akad. Breslau u. in Paris.
Lit.: Dreßler.

Dörffel, Heinz (Heinrich), dtsch. Maler (Öl u. Aquar.), Rad., Lithogr. u. Holzschneider (Prof.), * 14. 2. 1890 Leipzig, ansässig ebda.
Stud. an d. Leipziger Akad. f. Graph. Kste; Prof. an ders. Studienaufenthalte in Dänemark u. der Schweiz. Kollektiv-Ausst. Mai 1940 im Gohliser Schlößchen in Leipzig. Hauptsächl. Landschaften u. Bildnisse. Illustr. u.a. zu: Erzählungen aus 1001 Nacht u. zu Dichtungen Adalb. Stifters.
Lit.: Leipzigs Wirken am Buch, hg. v. Präsid. d. Internat. Buchkst-Ausst. in Verbindung mit d. Graph. Industrie Leipzigs, 1927 (1 farb. Taf.-Abb.). — Leipz. N. Nachr., 11. 5. 1940. — Kat. Gr. Leipz. Kstausst. 1942, m. Abb. — Kat. Jahresschau Leipz. Kstler, Leipzig 1938, p. [4], [11] (Abb.).

Dörflein-Kahlke, Bertha, dtsche Malerin u. Lithogr., * 1. 2. 1875 Altona, ansässig in Kiel.
Schülerin von A. Jank u. Chr. Landenberger in München, dann von L. Simon in Paris. Bildnisse u. Figürliches.
Lit.: Th.-B., 9 (1913). — Dreßler. — Sauermann, Schleswig-Holst. Kstkalender, 1912, p. 54 (Abb.). — Kstchronik, 3 (1950) 21.

Dörfler, Hans, dtsch. Landschaftsmaler, * 31. 1. 1877 München, ansässig ebda.
Stud. an der Kstschule u. Akad. in München. Studienaufenthalt in Italien. Mitgl. der Gruppe „Die Unabhängigen", Dresden. Wandmalereien im Ratskeller in München u. in der St. Bennokirche ebda.
Lit.: Dreßler.

Doerfler, Julia, s. *Anderson.*

Doerfler, Ludwig, dtsch. Figurenmaler, * 11. 2. 1905 Schillingsfürst, Mittelfr., ansässig in München.
Anfängl. nebenberufl. als Maler tätig. Stud. 1935–40 bei Jul. Diez u. Herm. Kaspar an der Münchner Akad.
Lit.: Kat. Ausst. Junge Kst i. Dtsch. Reich, Wien 1943.

Döring, Rudolf, dtsch. Landschaftsmaler, * 24. 8. 1888 Dresden, ansässig ebda.
Schüler von Ferd. Dorsch. Ansichten vom Hamburger Hafen u. Industrielandschaften.
Lit.: The Studio, 109 (1935) 166 (Abb.).

Döring-Niederwiese, Wolf (Wolfgang) Henry, dtsch. Maler (Öl u. Aquar.) u. Graph., * 2. 3. 1888 Chemnitz, ansässig in Leipzig.
Stud. bei Bek-Gran in Nürnberg u. an d. Akad. in Leipzig. Hauptsächlich Landschaften, Blumenstücke u. Stilleben. Kollektiv-Ausst. im Kstsalon Gerstenberger in Chemnitz, Sept. 1912.
Lit.: Dreßler. — Allg. Ztg Chemnitz, Nr 214 v. 14. 9. 1912.

Dörmann, Hermann, dtsch. Bildnismaler, * 11. 10. 1888 Bölhorst, ansässig in Detmold.
Stud. an den Akad. in Kassel, Dresden u. Berlin u. in Paris. Je 1 Herrenbildnis im Mus. in Bielefeld u. in d. Univ. Tübingen.
Lit.: Dreßler.

Dörner, Adolf, dtsch. Bildnis- u. Figurenmaler, * 26. 7. 1892 Ilbesheim b. Landau (Pfalz), ansässig ebda.
Fresken in d. Kirche in Böckweiler b. Zweibrücken u. an der Außenwand der Kirche in Niederkirchen bei Deidesheim (1931).
Lit.: D. Westmark, 1933/34, Abb. vor p. 111. — Ausst.: Das Bildnis i. 20. Jh., Heidelberg 1943. — Pfälz. Mus. etc., 48 (1931) 364/66 (Abbn), 372.

Doerner, Max, dtsch. Maler u. Ksttheoretiker (Prof.), * 1. 4. 1870 München, † Anf. März 1939 ebda.
Stud. an d. Münchner Akad. Seit 1911 Lehrer (seit 1912 Prof.) für Maltechnik an der Münchner Akad. Zuletzt ansässig in Weßling a. See. Lehrte besonders das „Fresco buono", d. h. die Technik des „Naß in Naß" (Malerei auf frisch auf die Wand aufgetragenem Mörtel). Hauptsächlich Bildnisse u. Landschaften. Pflegte neben dem Fresko eine kombinierte Mischtechnik von Tempera und Öl. Buchwerk: Malmaterial u. s. Verwendung im Bild, 1921, häufig aufgelegt u. in fremde Sprachen übers., letzte Auflage hg. von Tonio Roth, Stuttgart 1949. Gedächtn.-Ausst. August 1939 in der Münchner Akad.
Lit.: Dreßler. — Breuer, m. Bildnis D.s, gez. von Jac. Huber. — Das Bild, 7 (1937), Beil. zu H. 6; 9 (1939), Beil. zu H. 3. — Jugend, 1939, p. 707/13. — Kst- u. Antiquitäten-Rundschau, 43 (1935) 129. — Kstchronik, N. F. 32 (1920/21) 727. — D. Weltkst, 13, Nr 10 v. 12. 3. 1939, p. 6; Nr 32/33 v. 20. 8. 1939, p. 6. — Leipz. N. Nachr., Nr 74 v. 15. 3. 1939.

Doerr, James Edward, amer. Maler, * 31. 7. 1909 Portsmouth, Ohio, ansässig ebda.
Schüler von Henry G. Keller, Rolf Stoll u. Peter Kalman.
Lit.: Amer. Art Annual, 30 (1933). — Who's Who in Amer. Art, I: 1936/37.

Dörr, Paul, dtsch. Bildnis- u. Landschaftsmaler u. Radierer, * 28. 4. 1892 Ergenzingen, ansässig in Stuttgart.
Schüler von Pötzelberger, Landenberger u. Eckener an der Stuttg. Akad.
Lit.: Dreßler.

Dörrfuß, Karl, dtsch. Aquarellmaler, * 2. 5. 1906 Fürth i. B., ansässig ebda.
Stud. an der Staatsschule für angewandte Kunst in Nürnberg. Hauptsächlich Landschafter. Seit 1939 Kriegsteilnehmer (1941 in Norwegen).
Lit.: Fränk. Heimat, 1939, p. 21f., 26, 33/34 (Abbn). — Kat. Ausst.: 150 J. Nürnberg. Kst, Nürnberg 1942, p. 46.

Dörries, Bernhard, dtsch. Figuren-, Bildnis- u. Stillebenmaler, Lithogr. u. Kstschriftsteller, * 26. 5. 1898 Hannover, ansässig ebda.
Stud. an der Berl. Akad., im wesentlichen Auto-

didakt. Staatspreis der Akad. 1925. Gr. Prix Weltausst. Paris 1937. Malt in Öl u. Aquar. Zarter, feiner Naturalist. Hauptsächlich junge Frauen u. Mädchen in Interieurs. Mappenwerke: Mittelalter (8 Lith.), Hannover 1919 (Buchfolge: Die Silbergäule, Verl. P. Stegemann). Aquarelle in d. Ksthalle in Bremen. — Buchwerk: Das schöne Wandbild, 1930.

Lit.: Das Bild, 9 (1939) 231, 232 (Abb.). — D. Cicerone, 12 (1920) 166; 18 (1926) 104. — D. Kst, 73 (1935/36) 286 (Abb.), 287; 79. (1938/39) 278 (Abb.), 281. — Kst- u. Antiquit.-Rundsch., 42 (1934) 149 (Abb.), 150, m. Abb; Kst-Rundschau, 46 (1938) 36 (Abb.), 37/38, m. Abbn. — D. Kst i. Dtsch. Reich, 4 (1940) 248, 255 (Abb.). — Kst u. Kstler, 23 (1924 –25) 325. — D. Kstwanderer, 1926/27 p. 168. — Niedersachsen, 44 (1939) 37. — Velhagen & Klasings Monatsh., 52/I (1937/38) farb. Taf. geg. p. 224, 282f. — Westermanns Monatsh., 156 (1934) Taf. geg. p. 36, 85; 157 (1934/35) 469/75, m. 7 Abbn; 159 (1935/36) Taf. geg. p. 124; 164 (1938) 426f., Abb. am Schluß d. Bdes. — Kat. Herbstausst. Hannov. Kstler, Hannover 1942, m. Abb.

Dörschug, Alfons, dtsch. Maler u. Graphiker, * 2. 8. 1926 Köln, ansässig in Augsburg.

Stud. an der Kstschule in Augsburg u. an der Akad. in München. Landschaften, Figürliches.

Lit.: Kat. 1. Ausst. Berufsverband bild. Kstler Schwaben. Gruppe der Augsburger Maler, Augsbg, Schaezler-Palais, Dez. 1947.

Dörwald, Arped Erich, balt. Landsch.- u. Figurenmaler, † 1924 Dorpat (Tartu).

Lit.: Ostdtsche Monatsh., 5 (1924) 472, m. 4 Abbn.

Does, Gustave van der, holl. Maler, * 20. 6. 1878 Den Haag, † 7. 3. 1922 ebda.

Stud. an der Antwerpener Akad., weitergeb. an der Acad. Julian in Paris. Arbeitete häufig zus. mit Karel de Nerée. Landschaften, Bildnisse, Stilleben.

Lit.: Plasschaert. — Waay. — Waller.

Does, Willem Jan Pieter van der, holl. Maler, * 20. 4. 1889 Rotterdam, lebt in Malang, Niederl.-Indien.

Stud. an den Akad. in Rotterdam u. Oslo. Bereiste Niederl.-Indien, Skandinavien (bes. Norwegen), Tasmania u. das Südpolgebiet. Buchwerk: Sturm, Eis u. Walfische (holl.), 1934.

Lit.: Wie is dat?, 1935, p. 451.

Doesburg, Elsa, geb. *van Woutersen*, holl. Miniaturmalerin u. Rad., * 7. 12. 1875 Amsterdam, ansässig in Haarlem.

Stud. an d. Akad. in A'dam, bei R. Haug in Stuttgart u. bei J. C. Ritsema in A'dam.

Lit.: Th.-B., 9 (1913). — Waller.

Doesburgh, Theo van, Pseudonym des *Küpper*, Christian (s. d.).

Doeser, Jacobus, holl. Maler u. Lithogr., * 8. 12. 1884 Utrecht, ansässig in Bennebroek.

Autodidakt, beeinflußt von van Gogh. Figürliches (Armeleutebilder mit betont sozialem Einschlag), Studien aus Irrenanstalten, Blumenstücke, Landschaften, Kircheninterieurs.

Lit.: Plasschaert. — Waay. — Waller. — Zeitschr. f. bildende Kst, N. F. 24 (1913) 42/46, m. Abbn. — Kstchronik, N. F. 24 (1913) 467/69. — Bedrijfsreklame, 1 (1916/17) 41/45. — Elseviers geill. Maandschr., 1913, p. 436.

Dötsch, Walter, dtsch. Maler u. Graph., * 19. 8. 1909 Sprottau, Schles., ansässig in Bitterfeld.

Schüler der Akad. Königsberg (Fritz Burmann) u. Breslau (Oskar Schlemmer). Arbeiten im Rathaussitzungssaal u. Standesamt in Bitterfeld.

Lit.: Kat. d. Ausst. „Neues Kstschaffen in Sachsen-Anhalt", Halle 1951, p. 18, m. Abb. — Bild. Kst (Dresden), 1953, H. 2 p. 43.

Doeve, J. F., holl. Zeichner u. Buchillustrator, * 1907.

Lit.: A. Glavimans, J. F. D., teekenaar (Beeld. kunstenaars, Nr 7), Rotterdam-Antw. 1947 (m. 24 Abbn). — Graphis (Zürich), 4 (1948) 352/57.

Doggett, Allen B., amer. Genremaler, * Groveland, Mass., † 1926 Brooklyn, N. Y.

Lehrtätig an der Erasmus Hall Haigh School in Brooklyn. Bild im Art Mus. in Brooklyn.

Lit.: Amer. Art Annual, 23 (1926): Obituary. — Brooklyn Mus. Quarterly, 14 (1927) 139f.

Dogliani, Ercole, piemont. Holzschneider, Kaltnadelstecher, Lithogr. u. Maler, * 8. 12. 1888 Turin, † 12. 10. 1929 ebda.

Schüler von Giac. Grosso, im übrigen Autodidakt. Hauptsächl. Porträtist: Aless. Manzoni, Maler Angelo Rescalli, Severino Cerutti, Selbstbildnis, 1921, usw. Graph. Folge: Vecchio Torino (12 Bll., zus. mit Marc. Boglione), Turin 1928.

Lit.: Comanducci. — Terenzio Grandi, E. D., silografo, Turin 1930. — Torino, Nr 6 (Juni 1934) p. 1/4, m. 11 Abbn u. Bibliogr.

Dogyû, Kstlername des *Okumura* (s. d.).

Dohanos, Stevan, amer. Maler u. Graph., * 1907 Lorain, O., ansässig in Cleveland, O.

Kollektiv-Ausst. im Mus. in Cleveland Okt. 1948: Bildnisse, Stilleben. Linolschnitte, Radierungen, Holzschnitte.

Lit.: Mallett. — Monro. — Bull. of the Cleveland Mus., 20 (1933) 74, 75 (Abbn), 80 (Abbn); 35 (1948) 199/200. — Art Index (New York), Okt. 1941 –Jan. 1953.

Dohlmann, Helen, dän. Genrebildhauerin, * 1870, ansässig in Kopenhagen.

Schülerin von St. Sinding. Stellte zuerst 1904 aui Charlottenborg aus.

Lit.: Th.-B., 9 (1913). — The Studio, 60 (1914) 73 (Abb.).

Dohm, Heinrich, dän. Figuren- u. Bildnismaler, * 1875, † 28. 1. 1940 Kopenhagen.

Im Mus. in Aalborg: Junge Mutter.

Lit.: Th.-B., 9 (1913). — Krak's Blaa Bog, 1950, Totenliste. — Weilbach, ³ I.

Dohna-Schlodien, Dagmar Gräfin zu, dtsche Bildhauerin, * 6. 8. 1907 bei Königsberg, ansässig in Berlin.

Schülerin von Ch. Despiau in Paris. Seit 1932 in Berlin. Figürliches (Akte) u. Bildnisbüsten. Kollektiv-Ausst. Nov. 1936 in der Gal. F. & F. (Marie Johanne Fritze) in Berlin (Plastik u. Zeichngn), Sept./Okt. 1951 im Karl-Ernst-Osthaus-Mus. in Hagen i. W.

Lit.: Grothe, m. 2 Abbn. — Nemitz, p. 24f. (Abb.). — Werner, p. 174 (Abb.), 180, 206. — D. Kst f. Alle, 53 (1937/38) 152 (Abb.), 153. — Kstchronik, 4 (1951) 277, 311 (Dohna-Baudissin). — D. Weltkst, 10 Nr 46 v. 22. 11. 1936, p. 2, m. Abb.; 21 (1951) Nr 20 p. 16 (Dohna-Baudissin). — Kat. Herbst-Ausst. Akad. Berlin 1942, p. 8, 14 (Abb.).

Doi, Kstlername: *Sōju*, jap. Maler, * 1895 in d. Prov. Hyōgo.

Schüler des Takeuchi Seihō, stud. die chines. Malerei der Sung u. Yüan u. die älteren Kano-Meister.

Lit.: Jap. Malerei d. Gegenw., Würfel-Verl., Berlin-Lankwitz 1931, Nr 111, m. Abb.

Doigneau, Edouard, franz. Tier- (bes. Pferde-) u. Landschaftsmaler, * 27. 9. 1865 Nemours (Seine-et-Marne), ansässig in Paris.

Schüler von J. Lefebvre u. T. Robert-Fleury. Mitgl. der Soc. d. Art. Franç. (Salon-Kat. z. T. m. Abbn), der Soc. d. Aquarellistes franç. u. der Soc. d. peintres de Chevaux. Bilder außer in den bei Th.-B. gen. Museen in den öff. Smlgn in Arles, Orleans u. Uzès.

Lit.: Th.-B., 9 (1913). — Joseph, 1. — Bénézit, [2] 3. — L'Art et les Art., N. S. 5 (1922) 267. — Revue de l'Art anc. et mod., 51 (1927/I), Suppl. p. 89 (Abb.).

Doigneau, Magde, franz. Landschafts- u. Interieurmalerin, * 23. 7. 1894 Orleans, ansässig in Paris.

Schülerin von Laparra u. H. Royer. Seit 1925 Mitgl. der Soc. d. Art. Franç.

Lit.: Joseph, 1. — Bénézit, [2] 3.

Doillon-Toulouse, Magdeleine, franz. Landsch.-, Blumen- u. Aktmalerin, * Vesoul (Haute-Savoie), ansässig in Paris.

Stellte seit 1909 im Salon der Soc. Nat. d. B.-Arts aus. Mitgl. der Soc. d. Art. Indépendants, beschickte deren Salon seit 1923. Erscheint seit 1924 auch im Salon des Tuileries.

Lit.: Joseph, 1. — Bénézit, [2] 3. — Beaux-Arts, 16. 1. 1948, p. 4 (Abb.); 23. 4. 48, p. 4 (Abb.).

Dokkum, Gerard van, holl. Maler, * 19.2. 1870 Utrecht, † 1931 ebda.

Lit.: Waay. — Waller. — Maandbl. van „Oud Utrecht", 6 (1931) 69f.

Dola, Georges, gen. *Edmond Vernier*, franz. Plakatzeichner, Bildnis- u. Landschaftsmaler, * 2. 11. 1872 Dôle (Jura), ansässig in Paris.

Mitgl. d. Soc. d. Art. Franç. Hauptsächlich Anzeigen für Theateraufführungen.

Lit.: Joseph, I.

Dolan, Elizabeth, amer. Wandmalerin, * 20. 5. 1887 Fort Dodge, Ia., ansässig in Lincoln, Nebr.

Schülerin von La Montagne St. Hubert, Paul Baudoin, F. Luis Mora, George Bridgman u. Th. Fogarty. Wandmalereien (z. T. Fresken) in Morrill Hall, State Museum, State Capitol u. All Souls Church, sämtl. Lincoln; ferner im Naturhist. Mus. in New York u. in d. Kathedr. in Fourqueux, Frankr.

Lit.: Amer. Art Annual, 30 (1933). — Who's Who n Amer. Art, I: 1936/37.

Dolberg, Helene, dtsche Landschaftsmalerin u. Graph., * 19. 6. 1881 Barkow bei Plau, Mecklenbg, ansässig in Rostock.

Stud. bei Hans Licht u. an d. Akad. Leipzig.

Lit.: Dreßler. — Mecklenb. Monatsh., 2 (1926) Taf. geg. p. 588; 4 (1928) 59 (Abb.), 299 (Abb.); 8 (1932) Taf. geg. p. 584.

Dolbin, B. F., öst. Karikaturenzeichner u. Buchillustrator, * 1883.

Ausgezeichnete Bildniskarikaturen (Gulbransson, Otto Dix, Kandinsky, Poelzig, Ole Olsen usw.). Illustr. u. a. zu Axel Eggebrecht, Katzen, Berlin 1927.

Lit.: Öst. Kunst, 4 (1933) H. 7, p. 14, m. Abb. (Selbstbildn., Karik.). — D. Kstwanderer, 1927/28, p. 237ff., m. Abbn, 439 (Abbn).

Dolch, Walter, dtsch. Bildnis- u. Landschaftsmaler, * 29. 12. 1894 München, ansässig in Amberg.

Stud. an der Kstgewerbesch. u. Techn. Hochsch. München, dann bei H. Groeber ebda. Seit 1927 in Amberg. Landschaft in d. Städt. Smlg Nürnberg.

Lit.: Dreßler. — Kat. Ausst.: 150 J. Nürnb. Kst, Nürnberg 1942, p. 46.

Dolcini, Ernst, dtsch-öst. Bildnis- u. Marinemaler, * 11. 5. 1888 Triest, ansässig in München.

Schüler von P. Halm u. A. Jank an der Münchner Akad.

Lit.: Dreßler.

Dole, Margaret, amer. Malerin, * 5. 5. 1896 Melrose, Mass., ansässig in New York.

Stud. an d. Schule des Mus. in Boston, bei Ch. Woodbury u. Philip L. Hale.

Lit.: Amer. Art Annual, 30 (1933). — Who's Who in Amer. Art, I: 1936/37.

Dolecheck, Christine, amer. Malerin, * 16. 12. 1894 Dubuque, Kansas, ansässig in Ellsworth, Kan.

Schülerin von Wm. Griffiths, Birger Sandzen, Wheeler, Hekking u. Frazier.

Lit.: Amer. Art Annual, 30 (1933). — Who's Who in Amer. Art, I: 1936/37.

Doležal, Johann, öst. Bildnis- u. Landschaftsmaler u. Graph. (Prof.), * 28. 11. 1874 Wien, ansässig in Budweis.

Schüler von Karger u. Myrbach an der Wiener Kstgewerbesch., dann von Delug an der dort. Akad.

Lit.: Th.-B., 9 (1913).

Doležel, Alois, tschech. Maler, * 20. 10. 1893 Prosnitz (Prostějov), wohnhaft ebda u. in Prag.

Stud. 1916/19 an d. Prager Akad. (J. Preisler, V. Nechleba, M. Švabinský). Große symbol. Kompositionen (Mythus des Äthers, Die 7 Schöpfungstage usw.). Ausst. in Prostějov 1925, in Prag 1924 (Kstverein), 1945.

Lit.: F. Žákavec im Kat. d. Ausst. in Prag (Kstverein) 1924. — Toman, I 169. *Blž.*

Dolezich, Norbert, dtsch. Maler u. Graph., * 16. 2. 1906 Bielschowitz, Oberschles., ansässig in Burgsteinfurt i. W.

Stud. bei Heinr. Wolff an der Akad. in Königsberg, dann bei Fritz Bormann ebda u. bei Willy Jaeckel in Berlin. 1944/45 Lehrer für Graphik an der Königsberger Akad. Hauptmasse s. Graphik (Platten u. Drucke) durch Kriegseinwirkung vernichtet. Hauptsächlich Radierungen (auch farbige) u. Aquarelle. Auf das Transzendente mit mystischem Einschlag gerichtet. Symbolische Blätter, die geistige Situation der Nachkriegszeit zu erfassen suchend.

Lit.: Mitteil. d. Kstlers.

Dolinar, Louis, serb. Bildhauer, ansässig in Paris.

Schüler von Ivan Meštrović in Agram (Zagreb). Denkmal für Lamartine (Büste) im Park Karageorgewitsch in Belgrad.

Lit.: Joseph, I. — Beaux-Arts, 72 (1933) Nr 50, p. 1, m. Abb.; 1934, Nr 53, p. 3, Sp. 4.

Dolinskij, Nathan, russ.-amer. Maler, * 9. 8. 1890 in Rußland, ansässig in New York.

Stud. an d. Nat. Acad. of Design, New York.

Lit.: Amer. Art Annual, 30 (1933). — Who's Who in Amer. Art, I: 1936/37. — Fielding.

Doll, Franz, dtsch. Maler u. Radierer, * 4. 4. 1899 München, ansässig in Düsseldorf.

Schüler von Becker-Gundahl u. Habermann an der Münchner Akad. Seit 1931 Mitglied der Neuen Sezession München. Seit 1939 Lehrer an d. Düsseld. Akad. Studienaufenthalte in Italien u. Sizilien. Hauptsächlich Landschaften (in der altmeisterl. Art W. Hubers oder Altdorfers) u. Bildnisse. In der Städt. Gal. in München: Tauwetter. Wandbilder in den Pschorrbräuhallen München, Neuhauserstraße (zus.

mit Rauh). Gobelinmalereien. Kollektiv-Ausst. 1928 bei Barchfeld in Leipzig. Goethe-Med. 1940.

Lit.: Dreßler. — Breuer, m. 5 Abbn. — D. Bild, 5 (1935) 61f., 62 (Abb.: Selbstbildn.); 10 (1940) H. 3, Beibl. vor p. 33. — D. Kst, 69 (1933/34) 332 (Abb.); 71 (1934/35) 322 (Abb.), 324; 73 (1935/36) 10, 14 (Abb.), 308 (Abb.), 310; 75 (1936/37) 116/22, m. 1 Taf. u. 7 Abbn, 245, 246 (Abb.); 83 (1940/41) 19/22, m. Abbn. — D. Kst f. Alle, 52 (1936/37) 100/04, m. 4 Abbn u. 1 Taf.; 56 (1940/41) 19/22, m. 4 Abbn. — Kst- u. Antiquität.-Rundsch., 42 (1934) 239, m. Abb. — D. Kst u. das schöne Heim, 48 (1950) H. 9, Beibl. p. 149. — Westermanns Monatsh., 154 (1933) 183 (farb. Abb.), 185. — Leipz. N. Nachr. v. 5. 4. 1928.

Doll, Georg, dtsch. Maler u. Bühnenbildner, * 1900 Diessen am Ammersee, ansässig ebda.

Schüler von Becker-Gundahl u. Klemmer an d. Münchner Akad. Figürliches, Bildnisse, Landschaften.

Lit.: D. Kunst, 75 (1936/37) 116/22, 245f., m. Abb., 276 (Abb.).

Dollerschell, Eduard, dtsch. Maler, Holzschneider u. Radierer, * 12. 5. 1887 Elberfeld, † 1948 ebda.

Schüler von A. Jank in München. Studienaufenthalte in Paris, Südfrankreich u. Italien. Anfänglich beeinflußt von Puvis u. Manet (Akte, Fischerszenen), später sich dem Expressionismus zuneigend. Figürliches, Landschaften, Stilleben, Blumenstücke. Im städt. Mus. Wuppertal-Elberfeld 4 Bilder, dar.: Knabe mit Früchten u. Bildnis der sterbenden Mutter des Kstlers. In der Ruhmeshalle Barmen ein Selbstbildnis. Graph. Zyklen: Totentanz (Holzschn.); Moloch (6 Rad.); Blumen u. Tiere (8 Kaltnadelbl.).

Lit.: Th.-B., 9 (1913). — Wedderkop, p. 9, 96 (Abb). — Hellweg (Essen), 1 (1921) 388/91, 394, 397 (Abbn); 2 (1922) 484 (Abb.); 7 (1927) 17/19, m. Abbn bis p. 27. — Dtsche Kst u. Dekor., 52 (1923) 77/81.

Dolley, Pierre, franz. Figuren-, Landsch.- u. Stillebenmaler, * Pauillac (Gironde), ansässig in Paris.

Stellt seit 1912 bei den Indépendants aus.

Lit.: Joseph, 1. — Bénézit, [2] 3. — Beaux-Arts, 75e année Nr 273 v. 25. 3. 1938, p. 4; Nr 329 v. 21. 4. 1939, p. 4.

Dollfus, Jean Charles Adrien Frédéric, franz. Architekturmaler (Öl u. Aquar.), * 15. 9. 1891 Paris, ansässig ebda.

Stellt seit 1920 im Salon d'Automne, seit 1923 im Salon des Tuileries aus.

Lit.: Joseph, 1. — Bénézit, [2] 3.

Dolliac, Henri, franz. Genremaler u. Bildh., * Paris, ansässig ebda.

Stellt seit 1923 bei den Indépendants aus. Bildnisbüsten, Genrestatuetten, Tiere.

Lit.: Joseph, 1. — Bénézit, [2] 3.

Dollian, Guy, franz. Maler u. Graph., * 22. 2. 1887 Paris, ansässig ebda.

Schüler von Valton u. Humbert. Stellt seit 1919 bei den Indépendants u. im Salon d'Automne aus. Figürliches, Akte. Illustr. u. a. zu: G. Flaubert, Julien l'Hospitalier; F. Mauriac, Destins; G. Duhamel, Scènes de la vie future. Entwurf u. innere Ausstattung eines Theaters in Rio de Janeiro.

Lit.: Bénézit, [2] 3 (1950).

Dollinger, Richard, dtsch. Architekt, * 11. 7. 1871 Stuttgart, ansässig ebda.

Schüler s. Vaters Conrad v. D. (1840–1925), A. Messels u. Halmhubers. Studienaufenthalte in Holland, Italien u. Frankreich. Hauptsächlich Schul- u. Wohnbauten. Krankenhäuser in Calw u. Geislingen a. St.

Lit.: Th.-B., 9 (1913). — Haenel u. Tscharmann, D. Einzelwohnhaus d. Neuzeit, 2 (1910) 40, 54, 142, 241. — Dreßler. — D. Baumeister, 7 (1908–09) 73/84, Taf. 49/53; 12 (1914) 41ff., Taf. 88/90; 15 (1917) Reg. u. Beibl. p. 59/60.

Dolmith, Rex, amer. Bildnismaler u. -zeichner, * 22. 1. 1896 East Canton, O., ansässig in Wilmington, Del.

Schüler des Art Inst. in Chicago, Rob. Graham's u. Sidney Bell's.

Lit.: Who's Who in Amer. Art, I: 1936/37.

Dolzycki, Leon, poln. Maler (hauptsächl. Porträtist), * 1888 Lemberg (Lwów), ansässig in Posen (Poznań).

Beeinflußt von den „Fauves" u. dem Formismus. Mitglied der Künstlergruppe „Plastyka".

Lit.: Sztuki Piękne, 1931 p. 129/37, m. 8 Abbn. — Kat. d. Ausst. Poln. Kst, Sezession Wien, 1928.

Dom, Elise, belg.-holl. Puppen-, Figuren- u. Stillebenmalerin, * 14. 7. 1913 Brüssel, ansässig im Haag. Tochter des Folg.

Schülerin ihres Vaters.

Lit.: Waay.

Dom, Paul (Pol), belg.-holl. Maler, Karikaturenzeichner, Rad. u. Illustr., * 4. 6. 1885 Antwerpen, ansässig im Haag. Vater der Vor.

Schüler von P. Verhaert, T. Vinçotte u. F. Lauwers an der Antwerp. Akad. Bildnisse, Stilleben, Landschaften.

Lit.: Th.-B., 9 (1913). — Waay. — Waller. — Eig. Haard, 1915, p. 667/71, m. Abbn.

Domac, Ivan, slawon. Maler.

Zeigte auf der Ausst. kroat. Kst in Berlin 1943 5 Aquarelle, 3 Ölbilder u. 1 Temperabild: Stilleben, Landschaften, Blumenstücke.

Lit.: Kat. d. Ausst. Kroat. Kst, Berlin, Pr. Akad. d. Kste, Jan./Febr. 1943, p. 14, 18, Abb. Taf. 22.

Doman, Charles Leighfield, engl. Bildhauer, * 31. 8. 1884 Nottingham, ansässig in London.

Stud. an der Kunstsch. in Nottingham. Bauplastik Entwürfe für Kanzeln, figürlich verzierte kunstgewerbl. Gegenstände, Medaillen, Siegel.

Lit.: Who's Who in Art, [3] 1934. — The Studio, 32 (1904) 324. — The Art Journal, 1905, p. 290 (Abb.). — Kst u. Ksthandwerk (Wien), 9 (1906) 661f., m. 2 Abbn.

Domanovszky, András, ungar. Maler u. Entwurfzeichner für Textilien, * 1907 Budapest, ansässig ebda.

Stud. 1926/33 an der Budap. Kunstschule, 1928 in Italien, dort bes. durch Masaccio u. Giotto beeindruckt. Wurde durch Vermittlung von Istv. Csók u. Vaszary mit der Kunst Cézanne's bekannt. Auch beeinflußt von Csontváry. Zeichnete 1933 den Entwurf zu einem gr. Bildteppich für das Rathaus in Pécs (Fünfkirchen): Hl. Stephan empfängt aus den Händen des Bischofs Bonipert die von diesem aus Frankreich zurückgeführten Bücher. Bild: Stilleben mit Korb, in der Städt. Gal. Budapest.

Lit.: Pogány, Taf. 147. — Nouv. Revue de Hongrie, 69 (1943/II) 97/100, m. 2 Abbn. — Kat. d. Ausst. Ungar. Kst, Dtsche Akad. d. Kste, Berlin, Okt./Nov. 1951, m. Abb.

Dombart, Theodor, dtsch. Architekt u. Fachschriftst. (Prof.), * 8. 10. 1884 Erlangen, ansässig in München.

Stud. an der Techn. Hochsch. München. Ev. Pfarrhaus in Bad Reichenhall. Schule in Obersulzbach. Kriegerdenkmäler in Douai, Niedersteinach, Steinbach u. Waldmannshofen. Grabmäler; Landhäuser. Buchwerke (Auswahl): Der Sakralturm, Münch. 1920; Das palatinische Septizonium zu Rom, Münch. 1922.

Lit.: Dreßler. — D. Plastik, 1917, Taf. 17.

Domberger, Carl, dtsch. Maler, * 14. 6. 1877 Tittmoning, ansässig in Pforzheim.

Stud. an der Münchner Akad. bei Herterich, Feuerstein, Löfftz, R. Seitz u. Gebh. Fugel.

Lit.: Dreßler.

Dombi, Lajos, ungar. Offizier, Maler u. Kstschriftst., * 26. 5. 1879 Somkerék, Kom. Szolnok-Doboka. Seit 1907 in Kecskemét.

Stud. 1902ff. an der Musterzeichensch. in Budapest bei Hegedűs, Révész u. B. Székely. 1907/09 in Italien, 1910 in Deutschland, Frankreich, England. Landschaften, Bildnisse, Blumenstücke, Stilleben, Interieurs. Bilder in mehreren ungar. Provinzmuseen, darunter in Kecskemét u. Dés.

Lit.: Szendrei-Szentiványi. — Krücken-Parlagi.

Dombrowski, Carl Ritter von, öst. Jagd- u. Tiermaler, Graph. u. Werkkünstler, * 16. 1. 1872 auf Schloß Ulitz, ansässig in Obermenzing b. München.

Stud. an den Akad. in Wien u. München. Buchwerke: Vom hohen Weidwerk, Berlin 1926; Die Vögel Niederösterreichs.

Lit.: Dreßler. — Kunstrundschau, 50 (1942) 13. — Niedersachsen, 34 (1929) 320 (farb. Taf.). — Velhagen & Klasings Monatsh., 44/I (1929/30) farb. Taf. geg. p. 272, 352; 52/II (1938) farb. Taf. geg. p. 368, 378f. — D. Weltkst, 16, Nr 5/6 v. 1. 1. 1942, p. 6; 22 (1952) Nr. 3, p. 11.

Dombrowski, Ernst von, öst. Maler u. Holzschneider (Prof.), * 12. 9. 1896 Emmersdorf, Niederöst., ansässig in Siegsdorf, Obb.

Stud. an d. Landeskstsch. in Graz u. an d. Akad. in Wien. Kriegsteilnehmer 1914/18. Seit 1939 Prof. u. Leiter einer Graphikklasse an der Münchner Akad. Pflegt als Maler hauptsächl. das relig. Fach. (Kreuzwegstationen in der Leechkirche in Graz). Holzschnitt-Illustrat. zu: Thyl Ulenspiegel (De Coster), Minna v. Barnhelm (Lessing), Pole Poppenspäler (Th. Storm), Das Wirtshaus im Spessart (Ad. Stifter). Ill. Bücher: Mit Brüderchen in Mexiko, Ebba Moe, Pustet, Salzburg, 1931; Vier Läuterbuben, F. Wibmer Pedit, ebda 1933; Hadschi Bratschis Luftballon, F. K. Ginzkey, ebda 1933; Volksbrauch im Kirchenjahr, Dr. Hanns Koren, ebda 1934; Adam u. Eva unter vier Augen, H. Haluschka, Verl. Styria, Graz, 1935; Auffig'stiegn/ohigfalln, M. Haager, ebda 1936; Steirische Geschichten, P. Rosegger, ebda 1936; Sinnsprüche aus den Alpen, H. Wlach, ebda 1936; Steirische Tänze, A. Novak, Verl. Reckla, ebda 1936; Die Wahrheit über Adam u. Eva, H. Haluschka, ebda 1936; Einmal bin ich doch ein Mann, H. Wlach, Verl. Pustet, Salzburg 1936; Die Legionen kommen, R. Ramlow, R. Schneider-Verl., Reichenau 1936; Nordmänner im neuen Land, G. Ramlow, R. Schneider, ebda 1936; Sina unter den Seeräubern, P. Etzel, ebda 1936; Das Reich als Schicksal u. Tat, F. Zoepfel, Herder Verl., Freiburg 1937; Sternbildjahrweiser, H. Wlach, R. Schneider, 1937; Tirol ist eins, K. Springenschmid, Adam-Kraft-Verl., Karlsbad 1938; Art und Arbeit, H. Wlach, Verl. W. Frick, Wien 1939; Das heimliche Haus, H. Baumann, Voggenreiter Verl., Potsdam 1939; Weihnachtslieder, H. Baumann, ebda 1939; Troubadourgeschichten, P. Ernst, A. Langen-G. Müller, München 1940; Dahoam, H. Kloepfer, Steir. Verlagsanstalt, Graz 1942; Herzhafter Soldatenkalender, Gesellsch. der Bibliophilen, Weimar 1944; Der Antichrist und unsere liebe Frau, P. Grogger, Brentano-Verl., Stuttg. 1949; Die Legende vom Rabenknäblein, P. Grogger, ebda 1949; Verliebt, verlobt, verheiratet, H. Haluschka, Styria, Graz 1950; Die Mappe meines Urgroßvaters, A. Stifter, Adam-Kraft-Verlag, Augsburg 1950/51; Der Kondor, Feldblumen, Heidedorf, A. Stifter, ebda 1951; Der Hochwald, A. Stifter, ebda 1951. Mappenwerk: Bauernkrieg, 1935. Aufsatz „Von meiner Arbeit", in: Das Innere Reich, 1937, August-H., p. 570/77, m. 13 Holzschnitten.

Lit.: Dreßler. — Rob. Graf, D. Holzschneider E. D., Graz 1944. — Licht u. Schatten, 4 dtsche Holzschneider, Woensam-Presse Wuppertal 1949. — Das Bild, 8 (1938) 7/9, m. Abbn; 10 (1940) 88 (Abb.). — Der getreue Eckart (Wien), 13 (1925/26) 409/12, m. Abbn. — D. Kunst, 73 (1935/36) 129/33 (= Kst f. Alle, 51 p. 105/09), m. 1 Taf. u. 7 Abbn. — D. Christl. Kst, 22 (1925/26) 276. — Kst in Öst. (Leoben), 1934, p. 18 (Abb.). — D. Kst u. das schöne Heim, 49 (1951) Beilage p. 142, 176, 235. — D. Völkische Kst, 1 (1935) 193/95, m. Abbn. — D. Christl. Kstblätter (Linz), 79 (1938) 119. — Mitteil. d. Akad. z. wissensch. Erforschung u. Pflege d. Dtschtums, 1935, p. 586/95. — Westermanns Monatsh., 164 (1938) 267f., m. Abb. — D. österr. Furche, 4. 4. 1951. — Kat. Ausst. „Junge Kst im Dtsch. Reich", Wien 1943. — E. D., Holzschnitte, m. Einl. von H. Riehl, Graz 1949. — Kat. Ausst. Illustr. u. polit. Zeichngn, Graph. Kab. beim Ver. Berliner Kstler, Berlin, 22. 7.–15. 9. 1940, m. Abb. — Teichl, Nachtr. p. 357.

Domela, César, eigentl. *Domela-Nieuwenhuis,* holl. Maler, Graph. u. Bildhauer, * 15. 1. 1900 Amsterdam, ansässig in Paris.

Autodidakt. Abstrakter Künstler. Stellt seit 1926 bei den Indépendants aus. Schloß sich der Vereinigung „Styl" an. Vertreten u. a. im Mus. f. Mod. Kunst in New York, im Wadsworth Atheneum in Hartford, im Smith Coll. Mus. of Art in Northampton u. im Solomon Guggenheim Mus. in New York.

Lit.: Bénézit, ² 3 (1950). — Beaux-Arts, 17. 10. 1947, p. 4, m. Abb. — Bull. of the Smith College Mus. of Art (Northampton), 1936, Nr 17, p. 16, m. Abb. — D. Cicerone, 17/I (1925) 153. — Emporium, 90 (1939) 40. — Kroniek van kunst en kultuur, 9 (1948) 28, 158, Abb. p. 121. — D. Kstwerk, 4 (1950) H. 8/9 p. 92 (Abb.), 93.

Domenge, Joseph Aristide, franz. Radierer, * Bordeaux, ansässig in Paris.

Mitgl. der Soc. d. Art. Franç., beschickt deren Salon seit 1926. Figürliches, Landschaften, Marinen.

Lit.: Joseph, 1. — Bénézit, ² 3.

Domenjoz, Raoul, schweiz. Landsch.-, Marine-, Interieur- u. Bildnismaler, * 26. 1. 1896 Lausanne, ansässig in Paris.

Stud. in Lausanne u. Genf, ging 16jährig nach Paris. Stellt seit 1923 bei den Indépendants, seit 1925 auch im Salon des Tuileries u. im Salon d'Automne aus. Bilder in den Museen in Basel, La Chaux-de-Fonds u. Zürich. Ein Landschaftsaquarell in der Smlg Thorsten Laurin in Stockholm. Malte mit Vorliebe in La Rochelle u. in der Provence. Bereiste Marokko.

Lit.: Joseph, I. — L'Amour de l'Art, 9 (1928) 24, m. Abb.; 10 (1929) 462 (Abb.); 11 (1930) 394 (Abb.). — L'Art vivant, 6 (1930) 152f., m. 3 Abbn. — Beaux-Arts, 75ᵉ année, Nr 308 v. 25. 11. 1938 p. 4, m. Abb. — Konstrevy, 1930, p. 105 (Abb.). — La Renaiss. de l'Art franç., 9 (1926) 366, m. Abb. — Revue de l'Art anc. et mod., 65 (1934/I), Bull. p. 128 (Abb.), 132.

Domergue, Emile Jean, franz. Landschafts-, Blumen-, Früchte-, Bildnis- u. Aktmaler (Öl u. Pastell), * 16. 7. 1879 Paris, ansässig ebda.

Schüler von Cormon. Mitgl. der Soc. d. Art. Franç., beschickte deren Salon seit 1908 (Kat. z. T. mit Abbn). Silb. Med. auf der Pariser Internat. Ausst. 1937.

Lit.: Joseph, 1. — Bénézit, [2] 3.

Domergue, Jean Gabriel, franz. Maler, Modezeichner u. Buchillustr., * 4. 3. 1889 Bordeaux, ansässig in Paris.

Schüler von J. Lefebvre, T. Robert-Fleury, J. Adler, Humbert u. Flameng. Mitgl. der Soc. d. Art. Franç., beschickt deren Salon seit 1906 (Kat. z. T. mit Abbn). Gold. Med. 1912 u. 1920. Nachfolger der Meister des galanten 18. Jh.s, malt mit Vorliebe Feerien, Serenaden, Pierrots, Kolombinen und die elegante Dame der Großen Welt. Dekorationen in der Halle des Schlosses Osmond bei Vimoutiers, die eine reiche u. liebenswürdige Improvisationsgabe zeigen. — Seine Gattin Odette, geb. *Maugendre,* * Gournay-en-Bray (Seine-et-Loire), beschickt seit 1907 als Bildhauerin den Salon der Soc. d. Art. Franç., deren Mitglied sie ist.

Lit.: Th.-B., 9 (1913). — Who's Who in Art, [3] 1934. — Joseph, 1, m. Abb. u. Fotobildn. — Bénézit, [2] 3, m. Taf. geg. p. 336. — L'Amour de l'Art, 1934, p. 349ff. passim. — L'Art et les Art., N. S. 7 (1923) 352 (Abb.). — Art et Décor., 61 (1932), Les Echos d'Art (Dez.-H.), p. IV. — Beaux-Arts, 72e année (1933) Nr 50, p. 3, m. Abb.; 75e année Nr 226 v. 30. 4. 1937, p. 8 (Abb.); Nr 280 v. 13. 5. 1938, p. 1 (Abb.); Nr 331 v. 5. 5. 1939 p. 1 (Abb.); Nr v. 25. 4. 47 p. 1 (Abb.). — Bull. de l'Art, 1926, p. 156. — La Renaiss. de l'Art franç., 1 (1918) 208/11 (Abbn); 4 (1921) 311 (Abb.), 313, 314, 315 (Abb.), 574 (3 Abbn), 575f., m. Abbn; 8 (1925) 339 (Abb.); 9 (1926) 124, 302f., m. 3 Abbn; 15 (1932) 120f., m. Abb. — The Studio, 83 (1922) 310; 91 (1926) 159, 160f. (Abbn); 95 (1928) 306/12, m. 8 Abbn. — Velhagen & Klasings Monatsh., 43/II (1928/29) 116, Taf.-Abb. geg. p. 118.

Domergue-Lagarde, Edouard, franz. Maler, * Valence d'Agen (Tarn-et-Garonne).

Seit 1918 Mitgl. des Salon d'Automne. Bildnisse, Landschaften, Blumenstücke, Stilleben.

Lit.: Bénézit, [2] 3 (1950).

Domján, [3] József, ungar. Figuren- u. Porträtmaler, * 1907.

Lit.: Kat. „Ausst. Ungar. Kst", Dtsche Akad. d. Kste, Berlin Okt./Nov. 1951, m. Abb.

Domingo y Fallola, Roberto, span. Maler (bes. Aquar. u. Guasch), * 1883 (Bénézit: 1867) Paris, ansässig in Madrid.

Schüler s. Vaters Francisco D. y Marques (* 1842, † 1920). Kühner Impressionist u. Luminist. Machte die Darstellung von Stierkampfszenen zu seiner Spezialität, in denen er eine vehemente dynamische Wucht entwickelt. Malt daneben dörfliche Szenen. Med. auf der Exp. gen. Madrid 1908ff.

Lit.: Th.-B., 9 (1913). — Bénézit, [2] 3. — Museum (Barcelona), 1 (1911) 9 (Abb.). — Por el Arte, Juni 1913, p. 19/22. — The Connoisseur, 39 (1914) 44. — Oude Kunst, 5 (1919/20) 72 (Abb.), 77. — Francés, 1918 p. 282; 1920 p. 293f.; 1923/24 p. 244. — The Studio, 82 (1921) 90 (Abb.), 91. — Bol. de la Soc. esp. de Excurs., 33 (1925) 92. — Apollo (London), 6 (1927) 92. — Kat. Exp. Nac. Madrid 1910, m. Abb. (Stierkampf). — Amer. Art Annual 1948, p. 424.

Dominicus, Josef, dtsch. Architektur-, Landschafts- u. Bildnismaler u. Gebrauchsgraph., * 27. 12. 1885 Paderborn, ansässig ebda.

Stud. an den Kstgewerbesch. in Krefeld u. Düsseldorf. Bilder in der Städt. Smlg in Paderborn. Adressen an den Hl. Vater 1922, 1925 u. 1926 in der Bibl. des Vatikans in Rom. Mappenwerke: Paderborn, 1918; Münster, Münster i. W. 1922.

Lit.: Dreßler.

Domizlaff, Hildegard, dtsche Bildhauerin, Malerin, Holzschneiderin, Zeichnerin u. Kstgewerblerin, * 1889 Erfurt, ansässig in Köln.

Stud. an d. Akad. in Weimar. Studienaufenthalte u. Reisen in Paris, Italien, Griechenland. Vielseitige Künstlerin, arbeitet in Stein u. Holz. Relig. Holzschnitte (Verklärung Christi, Darstellung im Tempel, Golgatha usw.). Entwürfe für Kstgewerbe, Altargerät, Prozessionskreuze, Metallantependien usw. Kriegerdenkmal an der Kirche zu Esch b. Köln: Kruzifixus über ruhendem toten Soldaten (Kalkstein); Herz-Jesu-Altar in Weiler b. Köln (Holz, farbig getönt u. Messing). Gruppe der Hll. Franziskus u. Antonius (Holz, farbig getönt) in der Propsteikirche in Wattenscheid; Hl. Anna Selbdritt ebda; Holzschnitte zur Illustrierung von Meßbüchern.

Lit.: D. Christl. Kst, 20 (1923/24) Beibl. p. 7; 23 (1926/27) 269/74, m. 6 Abbn; 24 (1927/28) 56 (Abb.); 25 (1928/29) 124, 225/30, m. 6 Abbn u. 1 Taf.; 28 (1931/32) 114f., m. 3 Abbn. — D. Kstwerk, 5 (1951) H. 2, p. 39. — Kat. Ausst. Dtsche Malerei u. Plastik d. Gegenwart, im Staatenhaus der Messe in Köln v. 14. 5.–3. 7. 1949.

Domnich, Günther, dtsch. Maler, * 1892 Guhrau, bis 1945 ansässig in Hindenburg.

Lit.: Der Oberschlesier, 21 (1939), Abb. vor p. 507.

Domogatzkij, Wladimir Nikolajewitsch, sowjet. Bildhauer u. Holzschneider, * 1876 (1871?), † 1939.

Anfänglich expressionist. Tendenzen zuneigend, später Realist. Bildnisbüste in der Staatl. Tretjakoff-Gal. Moskau (Kat. 1947). Holzschn.-Illustr. zu den Fabeln von Kryloff.

Lit.: A. Bakushinskij, W. D., Moskau 1936, m. 17 Taf. — Encycl. d. Union d. Soz. Sowjetrepubliken, 2 (1950) 1588. — Isskusstwo, 1933, Nr 3 p. 149ff. passim; Nr 4 p. 185ff. passim; Nr 5 p. 131ff. passim; 1935, Nr 1 p. 54/83, m. 23 Abbn.

Domokos, Ferencz Lénárd, ungar. Bildhauer, * 13. 7. 1879 Budapest.

Stud. bei L. Mátrai, dann bei M. Ligeti, weitergebildet an der Akad. Florenz, in Berlin, Paris, Rom u. Venedig. Figürliches, Bildnisbüsten.

Lit.: Szendrei-Szentiványi.

Dōmoto, Kstlername *Inshō,* jap. Genre- u. Tiermaler, * 1891 Kyōto, ansässig ebda.

Schüler des Nishiyama an d. Städt. Malerakad. Kyōto. Seit 1924 Mitglied der Jury des offiziellen Salon.

Lit.: Kat. d. Expos. d'Art jap., Paris, Grand Palais, 1922. — Kat. d. Ausst. von Werken leb. jap. Maler, Berlin, Pr. Akad. d. Kste, 1931, Nr 31. — Jap. Malerei d. Gegenw., Würfel-Verl., Berlin-Lankwitz 1931, Nr 31, m. Abb.

Domscheit, Franz, dtsch. Maler u. Graph., * 15. 9. 1881 Cropienz (a. d. ehem. ostpreuß.-litauischen Grenze), ansässig in Berlin.

Stud. an der Akad. in Königsberg unter Dettmann, dann bei Corinth in Berlin. Bildnisse, figürl. Kompositionen, Landschaften (Öl u. Aquar.). Poetisch-mystische Stimmung, bald an Barlach, bald an Munch erinnernd. Seine Figurenbilder (Vision, 1918; Der Zug nach Norden, 1919; Flüchtende, usw.) sind von einer merkwürdig fesselnden, geheimnisvollen Spiritualität erfüllt. Illustrationen u. a. zu K. Scheffler, Die Seele des Ostens. Im Mus. in Stettin: Wanderer.

Kollektiv-Ausst. in der Gal. v. d. Heyde in Berlin, Januar 1936.
Lit.: Th.-B., 9 (1913). — Bie, m. 2 Abbn. — D. Cicerone, 18 (1926) 500. — D. Graph. Kste (Wien), 54 (1931) 34. — D. Kst, 74 (1935/36), Beibl. zu H. 10 p. 7f. — Kst u. Kstler, 16 (1917/18) 427 (Abb.); 17 (1918/19) 448/55, m. 8 Abbn; 18 (1919/20) 84; 24 (1925/26) 415. — Kstchronik, N. F. 26 (1914/15) 482. — D. Kstwanderer, 1925/26, p. 424. — D. Weltkst, 10 Nr 3 v. 19. 1. 1936, p. 2.

Domtere, Renate, dtsche Bühnenbildnerin, Landschafts- u. Blumenmalerin (bes. Aquar.), * 15. 7. 1920 Leipzig, ansässig ebda.
Stud. an d. Kstgewerbesch. Leipzig.

Domville, Paul, kanad. Maler (bes. Wandmal.), * 16. 6. 1893 Hamilton, Can., ansässig in Philadelphia, Pa.
Stud. an d. Pennsylv. Acad. of F. Arts u. an d. Kunstsch. der Univ. of Pennsylv. — Wandmalereien u. a. in der St. Luke's Church in Germantown, Pa., im Seamens Church Inst. in Philadelphia u. im Uptown Theatre ebda.
Lit.: Fielding. — Amer. Art Annual, 30 (1933). — Who's Who in Amer. Art, I: 1936/37.

Dona, Johannes, holl. Stilleben-, Blumen- u. Landschaftsmaler, * 1. 2. 1870 im Haag, ansässig ebda.
Schüler der Haager Akad.
Lit.: Waay. — Elseviers geïll. Maandschr., 59 (1920) 214f.

Donadini, Ermenegildo Carlo, öst. Maler u. Restaurator, * 8. 10. 1876 Wien, ansässig in Dresden.
Sohn des Ermenegildo Antonio (1847–1936). Schüler von L. Pohle an d. Dresdner Akad. Schlachtenbilder (aus der Friderizian. Zeit), Jagdbilder, Bildnisse, Kirchenbilder (Garnisonkirche in Glogau, St. Mauritiusk. in Breslau). 15 Jahre Konservator der Gemälde des Hauses Wettin auf Schloß Moritzburg.
Lit.: Th.-B., 9 (1913). — Dreßler.

Donahey, James Harrison, amer. Illustrator, * 1875 Westchester, O., ansässig in Aurora, O.
Stud. an der Kstschule in Cleveland, Ohio.
Lit.: Fielding. — Amer. Art Annual, 28 (1931).

Donahey, William, amer. Maler u. Illustr., * 1883 Westchester, O., ansässig in Chicago.
Lit.: Fielding. — Amer. Art Annual, 30 (1933).

Donahue, William, amer. Maler, * 21. 12. 1881 New York, ansässig ebda.
Schüler von Henry R. Poore u. E. L. Warner.
Lit.: Amer. Art Annual, 30 (1933). — Who's Who in Amer. Art, I: 1936/37.

Donaldson, Alice Willets, amer. Malerin u. Illustratorin, * 28. 9. 1885 in Illinois, ansässig in New York.
Stud. an der Akad. in Cincinnati.
Lit.: Fielding. — Who's Who in Amer. Art, I: 1936/37.

Donaldson, Catherine, engl. Malerin, Holzschneiderin u. Rad., * 25. 11. 1901 London, ansässig ebda.
Stud. an der Slade School. 12 Holzschn. für Mallory's „Death of King Arthur" (ed. Macmillan).
Lit.: Who's Who in Art, ³ 1934. — The Studio, 91 (1926) 345 (Abb.).

Donaldson, Douglas, amer. Silberschmied, Juwelier u. Emailleur, * 1882 Detroit, Mich., ansässig in Hollywood, Calif.
Schüler von E. A. Batchelder, James Winn, Rud. Schaeffer u. Ralph Johonnot. Arbeiten u. a. im Detroit Art Inst., im Art Inst. in Chicago u. im Carnegie Inst. in Pittsburgh, Pa.
Lit.: Amer. Art Annual, 27 (1930) 522. — Who's Who in Amer. Art, I: 1936/37.

Donaldson, William, engl. Bauplastiker, * 21. 1. 1882 Brighton, ansässig in Edinburgh.
Stud. in Glasgow u. Edinburgh. Lehrer für Modellieren an der Kunstsch. in Glasgow.
Lit.: Who's Who in Art, ³ 1934.

Donath, József, ungar. Maler, * 1874 Pilismarót, † 1924 Budapest.
Stud. in München u. Holland. Arbeitete sommers stets in Feldwies a. Chiemsee. Freundschaftl. Beziehungen zu A. v. Kubinyi u. J. Exter. Figürliches, Interieurs.
Lit.: Szendrei-Szentiványi. — D. Kstwanderer, 1924/25, p. 121. — Krücken-Parlagi.

Donati, Carlo, ital. Maler (Öl u. Fresko), * 4. 4. 1874 Verona, ansässig ebda.
Schüler von Napol. Nani. Pflegt hauptsächl. das relig. Fach. Fresken u. a. in d. Capp. d. Vittoria in Sant'Apollinare Nuovo in Ravenna, in d. Kirche Santa Croce in Bleggio, in d. Capp. dei Caduti in San Luca in Verona, an der Fassade der Kapuzinerkirche in Trient, in den Kirchen in Pescantina (Verona) u. Vigo Lomaso (Trient), im Castello Campo nahe der Straße Brescia-Triest, in d. ital. Nationalkirche in Bukarest u. a. O. Im Mus. Civ. inVerona: Taufe des Zeno Bachit; im Mus. del Castello del Buon Consiglio in Trient: Die Tanne.
Lit.: Comanducci, m. Abb. — Emporium, 30 (1909) 282. — Arte Cristiana, 1 (1913) 17/19, m. Abb.; 2 (1914) 348 (Abb.). — Atti del R. Istit. Veneto, 86 (1926/27) 1332, m. Abb. — Vie d'Italia, 1929, p. 377–384, m. 11 Abbn. — L. Simeoni, La Prov. di Verona. Guida stor. artist., ³ Verona 1913.

Donato, Giuseppe, ital. Bildhauer, * 14. 3. 1881 Maida, Kalabrien, ansässig in Philadelphia, Pa.
Schüler von Grafly u. J. Liberty Tadd an der Pennsylv. Acad. of F. Arts, weitergebildet an der Ec. d. B.-Arts u. den Akad. Julian u. Colarossi in Paris. Arbeiten in der City Hall in Philadelphia (Der Quäker) u. in der Pennsylv. Acad. of F. Arts ebda.
Lit.: Amer. Art Annual, 30 (1933). — Who's Who in Amer. Art, I: 1936/37. — Fielding.

Donauer, Friedrich, dtsch. Landsch.- u. Architekturmaler (Aquar.), * 31. 5. 1880 Passau (Regensburg?), ansässig in München.
Studienaufenthalte in Böhmen, Holland, Luxemburg, Schweiz u. Italien.
Lit.: Karl, 2, m. 2 Abbn. — D. Bild, 6 (1936) 146–49, m. 3 Abbn.

Doncker, Ko, holl. Maler u. Illustr., * 6. 4. 1874 Haarlem, † 1917 ebda.
Schüler von Duco Crop, Oldewelt u. K. Sluiterman.
Lit.: Plasschaert. — Waay. — Onze Kst, 32 (1917) 64. — Elseviers geïll. Maandschr., 53 (1917) 401f., m. Abb.; 55 (1918) 231/43, m. Abbn. — De nieuwe Gids, 32 (1917) 893f.

Dondé, Ruggero, ital. Bildhauer, * 1878 Rimini, ansässig in Verona.
Stud. in Verona. Sieger im Wettbewerb Castelnuovo (Madonnina della Scoperta). In der Pinak. in Verona: Kinderkopf (Kat. 1910, p. 99).

Donelson, Earl Tomlinson, amer. Blumenmaler u. -zeichner, * 19. 7. 1908 Scranton, Pa., ansässig in Trenton, N. J.

Schüler von Jos. T. Pearson, Dan. Garber u. Hugh Breckenridge. Bilder u. a. im Pennsylv. Mus. of Art in Philadelphia u. im New Jersey State Mus. in Trenton.

Lit.: Amer. Art Annual, 30 (1933). — Who's Who in Amer. Art, I: 1936/37.

Dongen, Kees (Cornelis) van, holl.-franz. Maler, Bildh., Keramiker, Lithogr. u. Kstschriftst., * 26. 1. 1877 Delfshaven b. Rotterdam, ansässig in Paris. Seit 1929 als Franzose naturalisiert.

Stud. 1897ff. in Paris, wo er sich ansässig machte. Begann als Impressionist. Trat früh in Verbindung mit den „Fauves", den Neo-Impressionisten u. Henri Matisse, unter dessen Einfluß sein malerischer Vortrag eine glatte vertriebene Manier annahm. Von der Farbe ausgehend, schwelgt er in einer ganz hellen u. zarten, mit höchster Tonempfindlichkeit zusammengestellten Palette, die ihn zum beliebtesten Maler der mondänen Damenwelt von Paris u. seiner weiblichen Demimonde werden ließ. Das Weibchen, im Sinne des Animalisch-Naturgebundenen in seinen Modellen herausstellend, berührt er sich formal mit Jan Sluyters, der sich aber vitaler gibt als der auf das Distinguierte ausgehende v. D. Auch Blumenstücke u. Interieurs. Bilder u. a. im Luxembourg-Mus. in Paris, im Reichsmus. Amsterdam, im Mus. Antwerpen, im Mus. Elberfeld u. im Mus. f. Mod. Kunst in Moskau. Graph. Folge: Femmes (6 farb. Lith.), Paris, Ed. d. Quatre-Chemins.

Lit.: Th.-B., 9 (1913). — Salmon, p. 32/35. — Muls. — Plasschaert. — Fierens. — Niehaus, m. Abb. — Waay. — Huebner, p. 57ff., m. Abb. — Hall, Nrn 8675/98. — Waller. — E. des Courières, Van D., Paris 1921. — P. Fierens, Van D. (Coll. d. Art. Contemp.), Paris 1927. — C. Doelman, K. v. D., schilder (Beeld. kunstenaars Nr 6), Rotterd.-Antwerpen 1947 (m. 20 Abbn). — Bénézit, [3] 3, m. Taf. (weibl. Akt) geg. p. 384. — M. Raynal, Anthologie de la Peinture en France de 1906 à nos jours, Paris 1927, p. 109/12. — Kroniek van Kunst en Kultur, Nrn 21/22, Dez. 1940 (M. van Gilse). — Maandbl. v. beeld. Kunsten, 1 (1924) 267ff., m. Abbn; 4 (1927) 152f.; 8 (1931) 102/06, m. 6 Abbn; 9 (1932) 28; 12 (1935) 121/23, m. Abbn; 15 (1938) 26/28, 357; 17 (1940) 59f., m. Abb., 201, Abb. geg. p. 195. — Dtsche Kst u. Dekor., 59 (1926/27) 158 (Taf.-Abb.); 62 (1928) 27, m. 3 Abbn. — Forum, 1 (1946) 200, 276, m. 1 Abb. — Ganymed, 2 (1920) 180f., m. Abb. — Die Horen, 4 (1927/28) 145/60, m. Abbn. — L'Amour de l'Art, 1927 p. 229ff. passim, m. Abb.; 1933, p. 125/28, m. 5 Abbn (G. Bazin). — Apollo (London), 12 (1930) 135f., m. Abb. — Art et Décor., 1926/I p. 23/32, m. 10 Abbn. — L'Art moderne (Brüssel), 1911, p. 185f. (E. Faure). — L'Art vivant, 1925, Nr 6, p. 5/7, m. 6 Abbn; 1930, p. 399f., 427 (Abb.), 431; 1931, p. 260, 273, m. 5 Abbn. — Beaux-Arts, 7 (1929) Nr 7 p. 24f., m. 6 Abbn. — Le Centaure (Brüssel), 1 (1926/27) 46f., m. Abb., 105, m. Abb., 122. — Gaz. d. B.-Arts, 1914/16/II p. 141f., m. Taf.; 1924/II p. 92f., m. Abb., 337. — La Renaiss. de l'Art franç., 8 (1925) 62ff., m. Abbn; 13 (1930) 212, recte 254 (Abb.). — Revue de l'Art, 44 (1923) 366, 369 (Abb.). — The Studio, 128 (1944) 154 (Abb.); 138 (1949) 58 (Abb.), 60, 194 (Abb.); 139 (1950) 108 (Abb.). — D. Kstwerk, 5 (1951) Heft 2, p. 51 (Abb.) — Verslagen 's Rijks Verzamel. van Gesch. en Kunst, 66 (1944) 23. — Cat. Scènes et Figures paris., Paris, Gal. Charpentier, April 1947. Mit Vorw. v. Jean Cocteau (m. 30 Zeichngn u. Gem.).

Donghi, Antonio, ital. Figuren-, Bildnis-, Landschafts-, Blumen u. Stillebenmaler, * 16. 3. 1897 Rom, ansässig ebda.

Stud. am Istit. di B. Arti in Rom. Seit 1938 Lehrer für Maltechnik am Istit. del Restauro ebda. Anhänger der Neuen Sachlichkeit. Straffe, exakte Zeichnung, matte, gedämpfte Farben. Bilder in den Gall. d'Arte Mod. in Genua, Mailand, Rom, Turin u. Venedig u. in d. Gall. Pitti in Florenz.

Lit.: L. Sinisgalli, A. D. (Arte Mod. Ital., Nr 42), Mailand 1942. — Art and Archeology, 24 (1927) 187 (Abb.). — Bull. de l'Art, 1927, p. 338 (Abb.). — Dtsche Kst u. Dekor., 61 (1927/28) 127 (Abb.); 62 (1928) 74 (Abb.). — Emporium, 68 (1928) 139, 145 (Abb.); 91 (1940) 305f.; 93 (1941) 109 (Abb.), 110. — Le Arti, 1 (1938/39) Taf. 89. — Time, 54, Nr v. 18. 7. 1949, p. 55 (Abb.). — Kat. d. 6. Quadriennale, Rom 1951/52, m. Abb.

Dongworth, Winifred Cecilie, engl. Aquarell- u. Bildnisminiaturmalerin, * 6. 8. 1893 Richmond, Surrey, ansässig in London.

Stud. an der Kunstsch. in Brighton.

Lit.: Who's Who in Art, [3] 1934.

Doniphan, Dorsey, amer. Bildnismaler u. Illustr., * 9. 10. 1897 Washington, D. C., ansässig ebda.

Schüler von Tarbell, R. S. Meryman, Burtis Baker u. A. R. James.

Lit.: Fielding. — Amer. Art Annual, 30 (1933). — Who's Who in Amer. Art, I: 1936/37.

Donkers, Joh. Wouterus, holl. Aquar.- u. Pastellmaler, Rad. u. Lithogr., * 19. 12. 1902 Rotterdam, ansässig ebda.

Lit.: Waller.

Donna, Armando, ital. Maler u. Kupferst., * 5. 2. 1913 Vercelli, ansässig ebda.

Autodidakt; gefördert von Gazzone. Stud. den ital. Kupferstich der klassischen Zeit u. die Radierungen Rembrandts. Prof. für Kupferstichtechnik am Istit. di belle arti in Vercelli. Kollektiv-Ausst. Mailand 1950 (Kat. m. Text von S. Balestrieri).

Lit.: Sesia (Vercelli), 25. 4. 1950. — L. Servolini, Diz. d. Incisori ital. mod. e contemp., 1952. — Kat. d. 6. Quadriennale, Rom 1951/52, m. Abb.

L. Servolini.

Donnat, siehe *Canton,* Emile.

Donnay, Jean, belg. Maler, Rad. u. Illustr., * 31. 3. 1897 Chératte-lez-Liège, ansässig in Lüttich.

Schüler von Fr. Maréchal an der Akad. Lüttich. Prof. für Graphik an derselben. Landschaften, Bildnisse, Figürliches (Kreuzwegstationen, Industriearbeiter, Bauern bei der Feldarbeit). Illustr. zu Flaubert, Anat. France, zu den Gedichten von Noël Ruet („Muses, beau souci"), zu den „Rues et visages" von Valery-Larbaud; Passionsfolge (14 Bll.). Seine Einzelblätter behandeln hauptsächl. Szenen aus dem mit harter Arbeit erfüllten Leben der Industriearbeiter u. Bauern, ferner Landschaften u. Bildnisse.

Lit.: Seyn, I. — Joseph, I. — Byblis, 1930 p. 69–74, m. 1 Taf. — L'Art et les Artistes, N. Sér., 23 (1931/32) 84/91, m. Abbn, 140, m. Abb.; 1934 p. 298–303, m. 6 Abbn. — Apollo (Brüssel), Ephémérides, 1 (1943) Nr 7 p. 2f. — Bénézit, [3] 3.

Donndorf, Carl, dtsch. Bildhauer (Prof.), * 17. 7. 1870 Dresden, ansässig in Stuttgart.

Stud. bei s. Vater Adolf v. D. (1835–1916) u. an der Stuttgarter Kstschule, dann in Paris u. Rom. Bauplastik, Brunnen (u. a. in d. Villa Siegle in Stuttgart), Denkmäler, Bildnisbüsten, Kleinplastik. Zu den bei Th.-B. gen. Arbeiten kommen hinzu: Denkmal für d. Hofopernsängerin Anna Sutter in Stuttgart; Kriegerdenkmal an der Stadtkirche in Eßlingen a. Neckar; Zeppelinherme im Wallraf-Rich.-Mus. in Köln; Büste d. Großherz. Karl Alex. im Goethe-Archiv in Weimar; Büste der Großherzogin Sophie v. Sachsen-

Weimar im Reichsmus. in Amsterdam; Büste Nietzsches im Nietzsche-Archiv in Weimar.

Lit.: Th.-B., 9 (1913). — Dreßler. — D. Kstwelt, Jg III/1 (1913/14) 220 (Abb.), 225 (Abb.). — Velhagen & Klasings Monatsh., 45/II (1930/31), Taf. geg. p. 552, 568. — Zentralbl. d. Bauverwaltg, 35 (1915) 645.

Donndorf, Siegfried, dtsch. Landschafts- u. Blumenmaler, * 31. 10. 1900 Salbke b. Magdeburg, ansässig in Dresden.

Schüler von E. Orlik in Berlin u. von R. Dreher u. Ad. Mahnke in Dresden. Bilder im dort. Stadtmus. u. im Mus. in Magdeburg.

Donnelly, Thomas, amer. Maler (Öl u. Aquar.) u. Rad., * 25. 2. 1893 Washington, D. C., ansässig ebda.

Schüler von John Sloan. Vertreten im Whitney Mus. of Amer. Art in New York. Eine Landschaft im Weißen Haus in Washington.

Lit.: Amer. Art Annual, 30 (1933). — Who's Who in Amer. Art, I: 1936/37.

Donnér, Iwar, schwed. Bildnis- u. Landschaftsmaler u. Pressezeichner, * 31. 3. 1884 Sölvesborg, ansässig in Stockholm.

Stud. in Göteborg, Stockholm, Oslo, Kopenhagen u. Paris. Bereiste 1927/28 die Mittelmeerländer u. Afrika. Bilder in den Museen Norrköping u. Kalmar u. in der Smlg des Prinzen Eugen v. Schweden (†).

Lit.: Vem är det?, 1935. — Thomœus. — Vem är Vem i Norden, 1941 p. 1039.

Donnerhack, Rudolf, dtsch. Maler u. Graph., * 16. 7. 1903 Plauen i.. V, ansässig ebda.

Schüler von Al. Baranowsky in Dresden. Wandgemälde im Rathaus in Plauen i. V.

Donoso, Eduardo, chilen. Bildnis- u. Stillebenmaler, * Santiago, ansässig in Paris.

Beschickt seit 1928 den Salon der Soc. d. Art. franç. (Kat. z. T. m. Abbn).

Donovan, Ellen, amer. Landschaftsmalerin, * 24. 1. 1903 Philadelphia, ansässig ebda.

Stud. an der Pennsylv. Mus. School of Industr. Art in Philadelphia. Herbstlandsch. in d. Pennsylv. Acad. of the F. Arts ebda.

Lit.: Amer. Art Annual, 30 (1933). — Who's Who in Amer. Art, I: 1936/37.

Dony, Carolus, holl. Figurenmaler, * Herzogenbusch, ansässig ebda.

Schüler von Ch. Watelet. Zeigte im Salon der Soc. d. Art. franç. in Paris 1930: Verbannter aus dem Terekgebiet (Abb. im Kat.).

Donzé, Numa, schweiz. Maler u. Lithogr., * 6. 11. 1885 Basel, ansässig in Riehen b. Basel.

Stud. 1902/04 bei H. Knirr an der Münchner Akad. 1904/05 Studienaufenthalte in Italien (Rom). 1907/10 in Paris, wo er das Atelier Humbert besuchte. Längere Zeit in Südfrankreich (Avignon, Arles). Beeinflußt von Rubens u. Delacroix. Figürliches, Landschaften (Elsaß), Bildnisse. — Wandbild: Ansicht der Stadt Basel in der Eidg. Techn. Hochsch. Zürich; Fresken am Spalenbergbrunnen in Basel u. an der Fassade des Hauses der Nationalzeitung ebda. 6 Bilder in der Öff. Kstsmlg in Basel. 2 Lith. in der Ersten Künstlermappe der Schweizer Werkstätten, Basel 1914.

Lit.: Th.-B., 9 (1913). — Brun, IV 498. — Baur, m. Abb. — Schweiz. Zeitgen.-Lex., 1932. — Reinhart u. Fink, p. 84. — Graber, 1918 p. 23f., 37, m. 2 Taf.-Abbn. — Jenny. — Die Schweiz, 1908, p. 474; 1915, p. 123, m. Abb., 124. — D. Werk, 2 (1915) 69 (Abb.), 70; 5 (1918) 1 (Abb.); 23 (1936) Beibl. zu Heft 3, p. XXIII, m. Abb. — D. Kunst, 34 (1915/16) Beilage zu Heft 4 (1916) p. VI. — Basler Jahrbuch, 1916, p. 310. — D. Ksthaus, 1916, H. 2 p. 2. — D. Cicerone, 17 (1925) 154.

Donzé, Paul, schweiz. Landsch.- u. Bildnismaler, * 1891 Neuchâtel, ansässig in Florenz (seit 1920).

Im Mus. in Neuchâtel ein Bildnis des Malers Octave Matthey.

Lit.: Die Schweiz, 25 (1921) 525/29, m. 5 Abbn, 531 (Abb.), Taf.-Abb. vor p. 537.

Doolittle, Harold, amer. Radierer, * 4. 5. 1883 Pasadena, Calif., ansässig ebda.

Lit.: Amer. Art Annual, 28 (1931). — Fielding. — Who's Who in Amer. Art, I: 1936/37. — The Print Coll.'s Quarterly, 28 (1941) 392 (Abb.); 30 (1949) 62 (Abb.).

Dooner, Richard, amer. Maler, * 19. 5. 1878 Philadelphia, Pa., ansässig ebda.

Schüler von Anshutz u. Thouron. Gold. Med. Ausst. Dresden 1909, Paris 1910, Budapest 1912. — Seine Gattin Emilie, geb. *Zeckner*, * 1877 Philadelphia, ist Malerin.

Lit.: Fielding. — Amer. Art Annual, 30 (1933). — Who's Who in Amer. Art, I: 1936/37.

Doormael, Théo van, belg. Blumen- u. Genremaler, * 26. 7. 1871 Standaarbuiten (Nordbrabant), † 28. 3. 1910 Antwerpen.

Stud. an der Antwerp. Akad. Studienaufenthalt in Italien. 2 Aquarelle (Blumenstück; Les deux Éprouvés) u. 1 Ölbild (Der Sänger) im Mus. Antwerpen.

Lit.: Seyn, II 1044.

Doorman, Claudine Albertine, dtsch-holl. Malerin, * 1. 5. 1907 Berlin, lebt in Voorburg.

Schülerin der Haager Akad., der Münchner Akad. unter O. Gulbransson u. H. Troendle, von Adr. Holy in Paris, zuletzt von Henk Meyer. Bildnisse u. Landschaften.

Lit.: Waay.

Doornhein, Jeanettie, amer. Bildnismalerin, * 27. 7. 1906 Holland, Mich., ansässig in Chicago, Ill.

Schülerin von Carl Hoeckner.

Lit.: Who's Who in Amer. Art, I: 1936/37. — Mallett.

Doornik, Tine van, holl. Malerin, * 25. 7. 1906 Amsterdam, ansässig ebda.

Schülerin der Reichsakad. A'dam (1925/29). Bauernbilder, Tiere, Landschaften, Stilleben.

Lit.: Waay.

Dooijewaard, Jacob (Jaap), holl. Maler, * 12. 8. 1876 Amsterdam, ansässig in Olden, Nordfjord. Bruder des Folg.

Stud. 1891/93 an der Quellinus-Sch. in A'dam unter J. Visser d. J., 1894/97 an der Reichsnormal-Sch. ebda unter D. J. Huibers. Bereiste Spanien, Südfrankreich u. Norwegen. Tätig in Scheveningen, Edam, Laren, Nunspeet, Limburg u. Elspeet. Luminist. Bildnisse, Figürliches, Landschaften. Vertreten u. a. im Sted. Mus. A'dam, im Gem.-Mus. im Haag u. in den Mus. Barcelona, Washington u. Hoogerstown.

Lit.: Th.-B., 9 (1913). — Wie is dat?, 1935. — Waay. — Waller. — R. W. P. de Vries, J. D. en zijn werk, Bussom 1947 (m. 63 Abbn). Bespr. in: Maandbl. v. beeld. Ksten, 23 (1947) 144, u. Phoenix (Basel), 2 (1947) 238. — Maandbl. v. beeld. Ksten, 1 (1924) 288ff., m. Abbn; 4 (1927) 316; 24 (1948) 129f. — Phoenix (Basel), 2 (1947) 51, m. 2 Abbn. — Calker, p. 45ff., m. 2 Abbn u. Fotobildn; Taf. XI.

Dooijewaard, Willem (Wim), holl. Maler, * 7. 10. 1892 Amsterdam, ansässig in Blaricum. Bruder des Vor.

Schüler von Sturm u. R. Strasser. Reiste viel im Ausland. Impressionist. Figürliches (Szenen aus Japan, China, der Mongolei, Bali) u. Bildnisse.

Lit.: Waay. — Waller. — Maandbl. v. beeld. Ksten, 3 (1926) 232/41 (eigener Aufsatz über Reise nach Bali, m. zahlr. Abbn). — Calker, m. 4 Abbn u. Fotobildn.

Dopchie, Eugène, belg. Zeichner u. Maler, * 1873 Saint-Gilles (Termonde).

Lit.: Seyn, I.

Doppler, Gustav, s. i. Art. *Moser,* Karl.

Doran, Albert, franz. Landschaftsmaler, * Lyon, ansässig ebda.

Schüler von A. Barbier. Stellt seit 1929 im Pariser Salon der Soc. d. Art. Franç. aus (Kat. z. T. m. Abbn).

Lit.: Joseph, 1. — Bénézit, [2] 3.

Dorange, Hélène, franz. Bildnisminiaturmalerin, * 29. 8. 1909 Mortain (Manche), ansässig in Asnières (Seine).

Schülerin von Mlle Bougleux. Stellt seit 1927 im Pariser Salon der Soc. d. Art. Franç. aus (Kat. z. T. m. Abbn).

Lit.: Joseph, I.

Doray, Yvonne, franz. Blumenmalerin (Aquar.), * 8. 11. 1892 Paris, ansässig ebda.

Schülerin von Mlle Stella Samson u. Vignal. Mitgl. der Soc. d. Art. Franç.

Lit.: Joseph, I.

Dorbritz, Marguerite, franz. Bildnismalerin, * 4. 8. 1886 Paris, ansässig ebda.

Schülerin von Jeanne Maillart u. Biloul. Mitgl. der Soc. d. Art. Franç., beschickt deren Salon seit 1920.

Lit.: Joseph, 1. — Bénézit, [2] 3.

Dordio (Simão Dordio), Gomes, portug. Landschaftsmaler, * 26. 7. 1890 Arraiolos, ansässig in Porto.

Stud. an d. Kstschule in Lissabon, Schüler v. Luc. Freire u. Veloso Salgado (1902–1910), von J. P. Laurens an d. Acad. Julian in Paris (1911) u. von F. Cormon an d. dort. Kstschule (1921/22): Preise: 3. u. 2. Med. der Soc. Nac. de B. Artes 1913 u. 1915, Gold. Med. d. Intern. Ausst. Rio de Janeiro 1922, Columbano-Preis 1938, Ant. Carneiro-Preis 1944. Prof. der Kstschule in Porto u. Mitglied d. Akad. d. Kste Lissabon. Werke u. a. im: Nat.-Mus. zeitgenöss. Kst in Lissabon, im dort. Rathaus-Mus., im Mus. Regional in Évora, im Mus. in Santarém u. im Mus. Grão-Vasco in Vizeu.

Lit.: Gr. Enc. Port. e Brasil., IX 254. — Pamplona, p. 283. — Kat. d. 25. Biennale Venedig 1950.

Doré, Constant, franz. Landschaftsmaler, * 29. 3. 1883 Auvers-le-Hamon (Sarthe), ansässig in Enghien-les-Bains (Seine-et-Oise).

Schüler von Montézin. Mitgl. der Soc. d. Art. Franç., beschickt deren Salon seit 1908.

Lit.: Joseph, I.

Doré, Geneviève, franz. Landschafts- u. Interieurmalerin (Öl u. Pastell), * 15. 3. 1907 Paris, † 24. 1. 1936 ebda.

Stellte seif 1923 bei den Indépendants aus.

Lit.: Joseph, 1. — Bénézit, [2] 3.

Doren, Otto, dtsch. Dekorationsmaler u. Gebrauchsgraph., * 28. 11. 1893 Hamburg, ansässig ebda. Schwed. Abkunft.

Sohn des seit 1887 in Hamburg ansässigen Malers u. Kstgewerblers Gustaf D. Stud. an der Kstgewerbeschule in Hamburg.

Lit.: Dreßler.

Doren, Raymond van, belg. Figuren- u. Bildnismaler, * 1906 Uccle b. Brüssel.

Schüler von van Haelen, Bastien u. Is. Opsomer in Antwerpen. Weibliche Akte.

Lit.: Seyn, II 1045.

Dorfner, Otto, dtsch. Bucheinbandkünstler (Prof.), * 13. 6. 1885 Kirchheim-Teck, Württbg, ansässig in Weimar.

Stud. an der Buchbinderfachschule in Berlin (Meisterprüfung 1908). Kstgewerbl. Tätigkeit in Münster i. W. u. (1909/10) in Meiningen. 1910/15 Lehrer an der Kstgewerbesch. in Weimar. Seit 1926 Prof. an der Staatl. Hochsch. f. Handwerk u. Baukst ebda. Seit 1928 1. Vorsitzender des Bundes „Meister der Einbandkunst". Seit 1932 Direktor der Staatssch. f. Handwerk u. angewandte Kst in Weimar. 1937 Grand prix auf der Internat. Ausst. Paris. 1940 durch Verleihung des Gutenberg-Ringes ausgezeichnet. Umfassende Sonderausst. („Dtsche Buchkunst") in Weimar 1950. Technische Vollendung, materialgerechte Behandlung, Farbenschönheit u. Reiz des Ornamentes zeichnen seine meist handvergoldeten Einbände aus.

Lit.: Dreßler. — Loubier, p. 121. — Archiv f. Buchbinderei, 1926, p. 33/35, m. Abb. — Jahrb. d. Einbandkst, 1 (1927) 182, m. Abb. — D. Christl. Kst, 28 (1931/32) 127ff., m. Abb. — Dtsche Kst u. Dekor., 41 (1917/18) 100f. (Abbn). — D. Kstwanderer, 1921–22, p. 35 (Abb.), 37. — Zeitschr. f. Kst, 4 (1950) 297–99. — Leipz. N. Nachr., 24. 7. 1940.

Dorgan, Thomas Aloysius (Tad), amer. Karikaturist, * 1877 San Francisco, Calif., † 1929 Great Neck, N. Y.

Lit.: DAB. — Amer. Art Annual, 26 (1929): Obituary.

Dorgelo, Alexander, holl. Maler, * 10. 2. 1888 Winterswijk.

Stud. im Haag u. in Deventer. Tätig inRotterdam, Vlieland, Deventer. Landschaften, Blumen, Stilleben.

Lit.: Plasschaert. — Waay. — Waller.

Dorignac, Georges, franz. Maler, Zeichner u. Entwurfzeichner für Glasmalerei u. Tapisserien, * 8. 11. 1879 Bordeaux, † 21. 12. 1925 Paris.

Ein Jahr Schüler der Ec. d. B.-Arts in Bordeaux, dann 1 Woche im Atelier Bonnat in Paris, im übrigen Autodidakt. Mitgl. der Soc. Nat. d. B.-Arts. Hat seine Hauptbedeutung als Zeichner, bes. Aktzeichner (Rötel, Kohle). Die massig geballten Umrisse seiner Einzelfiguren u. Figurengruppen lassen in ihm den geborenen Monumentalmaler erkennen. Im Luxembourg-Mus.: Bildnis e. jungen Mädchens. In seinen Kartons für Tapisserien (ausgef. in Sèvres u. in d. Pariser Gobelinmanufaktur), Mosaiken u. farbige Fenster macht er Stilanleihen bei der persischen u. japan. Kunst; doch ist das Wenigste davon zur Ausführung gekommen.

Lit.: Joseph, 1, m. 2 Abbn. — Bénézit, [2] 3. — L'Amour de l'Art, 1934, p. 293f. passim, m. Abb. — L'Art et les Art., N. S. 2 (1920/21) 37/42, m. 6 Abbn; 12 (1925/26) 140. — Art et Décor., 34 (1913) 168f. (2 Abbn); 35 (1914) 65/74, m. 9 Abbn. — Beaux-Arts, 3 (1925) 61, m. Abb. — Gaz. d. B.-Arts, 1926/II 321 (Abb.). — La Renaiss. de l'Art franç., 11 (1928) 317, 318 (Abb.). — Revue de l'Art, 50 (1926) 123. — The Studio, 91(1926) 286ff., m. Abb.; 97 (1929) 350 (ganzseit. Abb.).

Dorise, Marcel, franz. Genremaler,

* Tours, ansässig in Montmorency (Seine-et-Oise).

Stellt seit 1924 bei den Indépendants aus.

Lit.: Joseph, I.

Dorival, Géo, franz. Plakat- u. Stillebenmaler, * 5. 11. 1879 Paris, ansässig ebda.

Studl an d. Ec. d. Arts Décor. Stellt im Salon d. Soc. d. Art. Franç. aus. Direktor der Zeitschrift „L'Art et la Mode".

Lit.: Joseph, I. — Le Musée du Livre, 1913, fasc. 27/28 (Tafeln). — Beaux-Arts, 76e année Nr 335 v. 2. 6. 1939 p. 7 (Abb.). — Bénézit, [2] III.

Dorival, Louise, franz. Stillebenmalerin, * 2. 5. 1894 Saint-Hilaire-Chalô (Seine-et-Oise), ansässig in Paris.

Schülerin von A. Guillou u. M. Bompard. Stellt seit 1921 im Salon der Soc. d. Art. Franç. aus.

Lit.: Joseph, 1. — Bénézit, [2] 3.

Dorival, Robert Emile, franz. Stillebenmaler, * 30. 3. 1896 Champrond (Seine-et-Oise), ansässig in Aix-en-Provence.

Schüler von Laparra, P. A. Laurens u. A. Guillou. Stellt seit 1924 im Salon der Soc. d. Art. Franç. aus.

Lit.: Joseph, I.

Dorlet-Meunier, Marthe, franz. Blumen- u. Stillebenmalerin (Öl u. Aquar.), * Cormeilles-en-Parisis (Seine-et-Oise), ansässig in Paris.

Schülerin von Suzanne Valadon. Seit 1929 Mitgl. des Salon d'Hiver. Stellt auch im Salon d'Automne aus.

Lit.: Joseph, 1. — Bénézit, [2] 3. — Beaux-Arts, 75e année Nr 282 v. 27. 5. 1938, p. 4; Nr 306 v. 11. 11. 1938, p. 3 (Abb.).

Dorn, Alois, österr. Bildhauer, * 20. 5. 1908 Mühlheim am Inn, ansässig in Hall i. T.

Stud. 1922/26 an d. Fachschule in Hallstadt, 1927–33 in München bei Jos. Wackerle u. Architekt G. Bestelmeyer. Studienfahrten: Deutschland, Frankreich, Italien, Norwegen. — Brunnen mit überlebensgr. Figuren vor der Arbeiterkammer Linz; Kolossalfigur an der Mattigbrücke in Burgkirchen; Relief in der Landwirtsch. Schule ebda; Brunnen in der Landwirtsch. Schule in Weyregg am Attersee; Kriegerdenkmale in Rainbach, Taufkirchen u. Wernstein; Hauptaltar in der Kirche in Bad Aibling, Obb.; Grabmäler in Salzburg, München, Regensburg, Dornbirn, Wels u. a. O. Büsten in d. Städt. Gal. München, in Belg. Staatsbes. u. in d. Innviertel-Gal. in Linz a. d. D.

Lit.: Tir. Tagesztg, 1953 Nr 136. *J. R.*

Dorn, Ernst, dtsch. Landschafts- u. Tiermaler, * 13. 4. 1889 Neustadt b. Coburg, ansässig in München.

Schüler von Hackl u. O. Seitz an der Münchner Akad. Bilder u. a. im Deutsch. Mus. in München u. im Stadtmus. in Jena.

Lit.: Dreßler. — Westermanns Monatsh., 139 (1925/26) 77/90 (18 [6 farb.] Abbn).

Dorn, Hans, dtsch. Maler, * 2. 6. 1913 Stuttgart, fiel am 1. 8. 1941 im Osten.

Lit.: Karl Cerff, Kst im Kriege (Gespräche zw. Heimat u. Front), Folge 5 (1944), m. Abb.

Dornbach, Hans, dtsch. Figuren-, Bildnis- u. Architekturmaler, * 26. 8. 1885 Düsseldorf, † 17. 1. 1952 Koblenz.

Stud. an der Kstschule in Weimar u. an d. Akad. in Berlin. Studienaufenthalte in Paris (angeregt durch Matisse) u. Italien. Später bei L. Corinth in Berlin u. bei E. R. Weiss.

Lit.: Dreßler. — Weltkst, 22 (1952) H. 3, p. 11. — Kat. 4 u. 5 Ausst. Gal. Flechtheim, Düsseldorf, 15. 2.–13. 3. 1920, p. 10, m. Abb.

Dornbusch, Friedrich, dtsch. Maler u. Graph., * 3. 8. 1879 Königsberg, ansässig in Nordhausen a. Harz.

Neffe des Landschafters Rudolf Petereit. Stud. an d. Kstschule (Phil. Frank) u. d. Akad. in Berlin. Lebte lange Zeit in Schleswig-Holstein (Hamburg, Insel Röm). Anfangs hauptsächl. Landschafter, dann Porträtist, als Radierer visionäre Stoffe behandelnd (Sehnsucht, Totentanz, Besuch aus d. Jenseits). Exlibris, Gelegenheitsblätter.

Lit.: Hellweg (Essen), 5 (1925) 647/50, m. 4 Abbn.

Dornier, Marcel, schweiz. Maler u. Graphiker, * 17.6.1893, ansässig in Langenargen.

Stud. an der Münchner Akad. Mitgl. der Gruppe: „Die Unabhängigen".

Lit.: Dreßler.

Dornoff, Hans, dtsch. Maler, * 1900, ansässig in Bielefeld.

Genrebilder, Landschaften, Stilleben. Kollektiv-Ausst. Sept. 1948 in der Schloßgal. in Detmold.

Lit.: Freie Presse (Bielefeld), 18. 9. 1948.

Dorph, Bertha, geb. *Green,* dän. Porträt- u. Genremalerin, * 4. 6. 1875 Kopenhagen, ansässig in Hellerup. Gattin des Folg.

Schülerin von Slott-Møller. Studienaufenthalte in Italien. Stellte erstmalig 1900 auf Charlottenborg aus (bes. Kinderbildnisse). Außer in den bei Th. -B. gen. Museen ein Bild im Mus. in Odense.

Lit.: Th.-B., 9 (1913). — Dahl-Engelstoft, I. — Krak's Blaa Bog, 1936. — Vem är Vem i Norden, Stockh. 1941, p. 86.

Dorph, Niels Vinding, dän. Porträt-, Figuren- u. Landschaftsmaler u. Kstkritiker, * 19. 9. 1862 Hadersleben, † 25. 9. 1931 Kopenhagen. Gatte der Vor.

Direktor der Kopenhag. Kunstakad. 2 Bilder im Mus. in Aalborg: Badeszene; Kohlenbrenner. Im Staatl. Kunstmus. in Kopenhagen: Bildnis Dr. Alfr. Bramsen. Im Nat.-Mus. Frederiksborg: Univ.-Prof. J. L. Heiberg; Reichsarchivar Kr. Erslev. In der Hirschsprung-Smlg in Kopenh.: Badende Mädchen.

Lit.: Th.-B., 9 (1913). — Dahl-Engelstoft, I. — Krak's Blaa Bog, 1931; 1940, Totenliste. — N. F., 5. — Kunstmus. Aarsskrift, 1921/23; 1926/28; 1941. — Kstwanderer, 1931/32, p. 80. — Schleswig-Holst. Jahrb., 1920, p. 49, 53, p. XVI (Abb.). — The Studio, 66 (1916) 144, m. Abb. — Weilbach, [3] I.

Dorph-Petersen, Viggo, dän. Architekt, * 9. 2. 1851 Barfredshøg, † 21. 9. 1931 Perpignan, Frankreich.

Schloß 1879 s. Studien an der Kopenhagener Akad. ab. Arbeitete dann bei den Architekten Ove Petersen, V. Dahlerup, Vilh. Friederichsen u. Hans Holm. — Badeanstalt in Vernet-les-Bains; Schloß Aubury; Schloß Valmy.

Lit.: Krak's Blaa Bog, 1936. — Kunstmus. Aarsskrift, 1943. — Weilbach, [3] I.

Dorrée, Emile, franz. Landschaftsmaler, * 27. 9. 1885 Paris, ansässig ebda.

Schüler von G. Moteley, J. Lefebvre u. T. Robert-Fleury. Impressionist. Mitgl. der Soc. d. Art. Franç. (Salon-Kat. z. T. mit Abbn). Bilder u. a. im Petit-Palais in Paris u. in den Mus. in Cherbourg u. Kopenhagen. Mappenwerk: La Hague.

Lit.: Joseph, 1. — Bénézit, [2] 3.

Dorrenbach, Franz, dtsch. Bildhauer (Prof.), * 11. 2. 1870 Düsseldorf, † Nov. 1943 Berlin.

Stud. an der Düsseld. Akad., bei Volz in Karlsruhe u. bei Herter in Berlin. Studienaufenthalte in Rom u. Paris. Gold. Staatsmed. im Salon Paris 1910. Denkmäler u. Genregruppen. In der Städt. Gal in Düsseldorf die Gruppe: Eine Mutter.

Lit.: Th.-B., 9 (1913). — Dreßler. — D. Weltkst, 17, Nr 45/48 v. 15. 11. 1943, p. 4.

Dorsch, Ferdinand, dtsch. Maler, * 10. 12. 1875 Fünfkirchen (Pécs), Ungarn, † 9. 1. 1938 Dresden-Blasewitz.

Schüler von L. Pohle an d. Dresdner Akad. 1895ff. Meisterschüler bei G. Kuehl. 1898/1901 in Wien, seitdem in Dresden ansässig. Mitgründer der Kstlervereinigung „Elbier". Genre, Bildnisse, Landschaften. Zu den bei Th.-B. gen. öff. Smlgn kommen hinzu: Mus. Leipzig (Sommerfest im Park); Mod. Gal. in Dresden (Der blaue Stuhl; Figurengruppe); Stadtmus. ebda (Der Schloßdiener). Gedächtnis-Ausst. anläßl. s. 50. Geb.-Tages im Sächs. Kstverein, Brühlsche Terrasse, Jan. 1926.

Lit.: Th.-B., 9 (1913). — Dreßler. — Heimatdank-Kalender, 1919 p. 74f., 96 (Abb.). — D. Cicerone, 5 (1913) 883; 18 (1926) 142. — D. Kunst, 33 (1915/16) 474 (Abb.); 37 (1917/18) 182 (Abb.); 51 (1924/25) 66, 68 (Abb.); 53 (1925/26) Beil. z. März-H. p. XII; 74 (1935/36) Beil. z. H. 4, p. 14; 78 (1937/38) Beil. z. März-H. p. 12. — Dtsche Kst u. Dekor., 59 (1926/27) 106 (Abb.). — Westermanns Monatsh., 139 (1925/26) 17/32, m. 25 (teilw. farb.) Abbn u. Taf.-Abb. — Leipz. N. Nachr. v. 17. 1. 1926.

Dorschel, Siegfried, dtsch. Maler, * 28. 1. 1912 Duisburg, ansässig ebda. Sohn des Folg.

Stud. an der Folkwangsch. in Essen u. an der Düsseldorfer Akad., 1936/40 b. P. J. Junghanns, W. Schmurr u. Ederer. Landschaften, Figürliches, Tiere.

Lit.: Mitteil.: von Wilh. D.

Dorschel, Wilhelm (Friedr. W.), dtsch. Maler, * 17. 2. 1883 Kupferdreh, ansässig in Duisburg. Vater d. Vor.

Stud. 1899/1904 bei H. Mündelein in Paderborn u. bei L. Seitz in Loreto, Ital. 1906 in Plattners Kunstanstalt in Steinach/Tirol. Figürliches, Tiere, Landschaften, bes. Jagdmaler. Beschickte u. a. die Ausstell. im Städt. Mus. in Hagen i.W. 1938, im Folkwang-Mus. in Essen 1939 u. im Haus der Deutschen Kunst in München 1938 u. 1940.

Lit.: Der Deutsche Jäger, Abreißkalender 1952 (München-Solln, F. C. Mayer-Verl.), m. Abb. — Der Deutsche Jäger (München-Solln), Jg 68, Nr 6 v. 16. 6. 1950, m. Abb. (Titelbild). — Mitteil. d. Künstlers.

Dorsey, Stanton Lindsay, amer. Maler, * 1890 Frankfort, Ky., ansässig in Washington, D. C.

Lit.: Amer. Art Annual, 30 (1933).

Dorsner, Silvine, dtsche Bildnis- u. Genremalerin, * 19. 7. 1883 Csik-Szeredas (Siebenbürgen), ansässig in München.

Stud. an d. Schule des Kstlerinnenver. in München u. an d. Acad. Colarossi in Paris.

Lit.: Dreßler.

Dort, Willem van, *d. Ä.*, holl. Landschaftsmaler, * 8. 9. 1875 Bergen op Zoom. Zuletzt ansässig in Overschie. Vater des Folg.

Schüler von Gips, A. de Vriendt u. P. v. d. Ouderaa in Antwerpen. Impressionist.

Lit.: Waay. — Maandbl. v. beeld. Ksten, 5 (1928) 345, m. Abb.; 8 (1931) 25f., m. Abbn. — Calker, p. 53ff. m. Fotobildn. u. 2 Abbn.

Dort, Willem van, *d. J.*, holl. Figurenmaler, * 9. 1. 1905 Bergen op Zoom, ansässig in Rotterdam. Sohn des Vor.

Schüler von van Maasdijk, H. E. Mees u. D. Bautz an der Rotterd. Akad. Bilder im Mus. in Bergen op Zoom.

Lit.: Waay.

Dorville, Jean, franz. Landschaftsmaler, * 1902 Paris, ansässig ebda.

Schüler von P. Renouard. Einige Zeit in den USA als Möbelzeichner. Stellt im Salon d'Automne u. — seit 1927 — bei den Indépendants aus.

Lit.: Joseph, 1. — Bénézit, ² 3.

Dosamentes, Francisco, mexik. Maler u. Lithogr., * 1911 Mexico City, ansässig ebda.

Stud. an der Akad. San Carlos.

Lit.: Kirstein, p. 97, Abb. p. 80. — The Art News, 45, Mai 1946, p. 14 (Abb.); Sept. 46, p. 43, m. Abb.; 46, Sept. 47, p. 10 (Abb.). — Art Digest, v. 1. 10. 46, p. 16, m. Abb. — Print (Woodstock, Vt.), 4 (1946) Nr 3 p. 76f. (Abb.). — The Print Coll.'s Quarterly, 30 (1949) 33 (Abb.). — bild. kunst, 2 (1948) Heft 3 p. 14, 15 (Abb.).

Dosenberger, Ernst, tirol. Maler, * 6. 12. 1898 Innsbruck, ansässig ebda.

Stud. an der Innsbr. Kstgewerbesch. u. der Malschule Haymann u. Seiler in München (1920/23). Bildnisse, Landschaften, Bauernbilder.

Lit.: Innsbr. Ztg, 1935 Nr 167. — Innsbr. Nachr., 1942 Nr 167; 1944 Nr 156. — Neueste Ztg, 1939 Nr 156, 167. — Tir. Tagesztg, 1948 Nr 91. — Tir. Nachr., 1948 Nr 86. *J. R.*

Doskow, Israel, russ. Maler u. Illustr., * 1881 in Rußland, ansässig in New York.

Stud. an der Pennsylv. Acad. in Philadelphia.

Lit.: Amer. Art Annual, 30 (1933).

Dos Prazeres, Hector, brasil. Maler u. Musiker, * 1918 Rio de Janeiro, ansässig ebda.

Autodidakt. Ölbild: Johannistag, im Mus. f. Mod. Kst in New York.

Lit.: Kirstein, p. 91, Abb. p. 40. — The Studio, 129 (1945) 90 (Abb.). — Beaux-Arts, 2. 4. 1948 p. 3, m. Abb.

Dosse, André, franz. Blumenmaler (hauptsächl. Aquar.), * Paris, ansässig ebda.

Stellt seit 1927 bei den Indépendants aus.

Lit.: Joseph, I.

Dossena, Alceo, ital. Bildhauer, berühmter Kunstfälscher, * 1878 Cremona, † 1936 bei Mailand.

Sohn armer Leute. Baute zunächst vorzügliche Geigen, erlernte die Holz- u. Steinbildhauerei und fertigte bis ins einzelne detailierte Entwürfe für Kirchen u. Wohnhäuser. Begann als bescheidener Grabmalplastiker in Cremona, ging dann nach Parma, um 1913 nach Rom. Nach langer zurückgezogener bildhauer. Tätigkeit rief er um 1928 einen Aufsehen erregenden Skandal hervor, nachdem mehrere unter berühmten Namen alter Meister von öff. Sammlungen, darunter die Museen in Cleveland u. Boston u. das Metrop. Mus. in New York, erworbene Plastiken als Werke D. s erkannt wurden. Mit einer erstaunlichen Einfühlung in den Geist von Künstlern wie Giov. Pisano, Desiderio da Settignano, Donatello u. a. u. der griech.-archaischen Plastik und einer unerhörten, jeder plastischen oder zeichner. Skizze entratenden virtuosen Hand, gelang es D. bzw. seinen Auftraggebern, jahrelang die bewährtesten Kenner ital. Renaissekunst zu täuschen. Von Cürlis mit wenig überzeugenden Gründen in Schutz genommen gegen die Anklage, daß es sich nicht um einen Fälscher, sondern um das Opfer betrügerischer Ksthändler handele. Kollektiv-Ausstellgn zum Zweck der Klärung des Tatbestandes 1929 in Neapel, 1930 in Berlin, Köln

u. im Ksthaus Brakl in München. D. arbeitete mit gleicher Geschicklichkeit in Marmor u. Holz, wie für Terrakotta, Bronze- u. Silberguß.

Lit.: H. Cürlis, Der Bildh. A. D., Berlin 1930. — Aug. Jandolo, Bekenntnisse e. Ksthändlers, Berlin-Wien-Lpzg 1939, p. 337/58. – Gisela M. A. Richter, Forgeries of Greek Sculpture, New York 1929, p. 3/5. — The Art News, 31 Nr 23 v. 4. 3. 1933, p. 3f., m. Abb., 5 (Abb.), 9, m. Abb. — Beaux-Arts, 8 (1930) H. 1, p. 31 (Abb.). — Bull. of the Cleveland Mus. of Art, 16 (1929) 66f. — D. Cicerone, 22 (1930) 57/58. — D. Kunst, 59 (1928/29) 197f. — Kst u. Kstler, 1928 –29 p. 491f., m. Abb.; 28 (1929/30) 216. — D. Kstwanderer, 1928/29 p. 280f.; 1929/30 p. 154/55 (Abbn). — Revue de l'Art anc. et mod., 63 (1933/I) Bull. p. 182, 183 (Abb.), 184. — D. Weltkst, 10 Nr 19/20 v. 17. 5. 1936 p. 6. — Zeitschr. f. bild. Kst, 63 (1929 –30), Kstchronik, p. 1ff., m. Abb. — Berliner Illustr. Ztg, Nr 50 v. 9. 12. 1928, m. Abb. u. Fotobildn. — Leipziger N. Nachr., v. 28. 11. 1928. — Münchner N. Nachr., v. 24. 4. 1930. — Das Tagebuch (Berlin) v. 11. 1. 1930, p. 72f., 73f., u. v. 25. 1. 1930, p. 156f.

Dossola, Piero, piemont. Bildnis- u. Figurenmaler, * 1. 6. 1887 Vigussolo (Alessandria), ansässig in Turin.

Schüler von Giacomo Grosso.

Lit.: Comanducci.

Dotterweich, Georg (Gedo), dtsch. Landschaftsmaler u. -zeichner, * 1. 10. 1914 Nürnberg, ansässig ebda.

Stud. an der Staatssch. f. angewandte Kst in Nürnberg. Hauptsächl. Aquarellist.

Lit.: Kat. Ausst.: 150 J. Nürnberg. Kst, Nürnb. 1942, p. 46. — Nürnb. Hefte, I (1949) Heft 11, p. 33, 40, 69 (Abbn).

Dottori, Gherardo, ital. Maler, * 11. 11. 1888 Perugia.

Futurist. Figürliches u. Landschaften.

Lit.: Chi è?, 1940. —Costantini, m. Abb.— Rass. d'Arte ant. e mod., 20 (1920), Cronaca, Heft 6, p. V u. VI. — D. Christl. Kst, 28 (1931/32) 8, m. Abb. — Emporium, 79 (1934) 372 (Abb.); 81 (1935) 70 (2 Abbn), 71. — D. Kstwerk, 5 (1951) H. 3, p. 7 (Abb.).

Dotzler, Carl, dtsch. Maler (Öl u. Aquar.) u. Radierer (Prof.), * 7. 12. 1874 Nürnberg, ansässig ebda.

Lehrzeit an der Graph. Kstanstalt E. Nister. Reisen nach Norwegen u. Paris. Stud. bei Hackl u. Löfftz an der Akad. München. 1920/41 Lehrer für Kopf- u. Aktzeichnen an der Staatssch. für angewandte Kst in Nürnberg. Landschaften, Bildnisse. In der Städt. Gal. Nürnberg: Nordischer Hafen; Blick auf Bergen; Nordische Stadt.

Lit.: Th.-B., 9 (1913). — Anzeiger d. Germ. Nat.-Mus., 1914, p. 51. — D. Cicerone, 17 (1925) 659. — Kat. Ausst.: 150 J. Nürnberg. Kst, Nürnb. 1942, p. 47.

Douba, Josef, tschech. Maler, * 15. 6. 1866 Divišov, † 8. 4. 1928 Domažlice.

Stud. 1881/91 an d. Akad. in Prag (F. Sequens, M. Pirner) u. in München, arbeitete dann in Prag, zuletzt in Domažlice. Zuerst Historien-, später Genremaler (St. Johannsfest auf d. Karlsbrücke zu Prag, 1888). Als Illustrator für die Zeitschr. „Zlatá Praha" u. a. tätig.

Lit.: Toman, I 172. *Blž.*

Doubek, František Bohumil, tschech. Maler, * 20. 3. 1865 Budweis (České Budějovice), ansässig in Prag.

Stud. 1880/85 an der Akad. in Prag (F. Sequens, F. Čermák, A. Lhota) u. München (O. Seitz, A. Liezen-Mayer). Nach Studienreisen in Frankreich, Italien u. Schweiz lebte D. bis zum 1. Weltkrieg in Bayern, seit 1924 in Budějovice, seit 1933 in Prag. Bildnisse, Genre, Altarbilder. Silb. Medaille d. Münchner Akad. für sein Bild: Ctirad u. Šárka, 1893. Auch Illustrator u. Zeitschriftenzeichner (Flieg. Blätter, Moderne Kunst, Gartenlaube u. a.). 1925 Ausst. in Budějovice.

Lit.: Th.-B., 9 (1913) 506. — Toman, I 172. *Blž.*

Douceret, Jules, franz. Landschaftsmaler, * Paris, ansässig in Juvisy-sur-Orge (Seine-et-Oise).

Stellt seit 1927 bei den Indépendants aus.

Lit.: Joseph, I.

Doucet, Henri, franz. Landschafts- u. Figurenmaler, * 16. 12. 1883 Châtellerault, nach Bénézit: Pleumartin (Vienne), fiel am 4. 3. 1915 bei Hooge an d. Yser (Belgien).

Schüler von G. Ferrier. Stellte 1908ff. im Salon d'Automne, 1911 bei den Indépendants aus. Studienreisen nach Italien (Florenz, Neapel, Palermo, Amalfi) u. Nordafrika (Tunis). Gedächtnis-Ausst. bei den Indépendants 1926 (Kat. p. 189) u. im Mus. in Poitiers 1948.

Lit.: Th.-B., 9 (1913). — Bénézit, ² 3. — Ginisty, 1916, p. 21ff. — Livre d'Or d. Peintres expos., 1921, p. XIXf. — Beaux-Arts, Nr v. 14. 5. 1948 p. 3, m. Abb. — Les Musées de France, 1948 p. 251f., m. Abb.; 1950 p. 223 (Abb.).

Doucet, Jules Amédée Jean, franz. Landschaftsmaler, * 25. 7. 1872 Paris, ansässig ebda.

Stellt bei den Indépendants aus. Impressionist.

Lit.: Joseph, 1. — Bénézit, ² 3.

Doucet, Marguerite, verehel. *Clementz,* franz. Bildhauerin u. Medailleurin, * 1. 4. 1876 Straßburg, ansässig in Paris.

Stud. an der Ec. d. B.-Arts in Genf u. bei Bartholomé. Stellt 1913ff. bei den Indépendants, 1914ff. im Salon der Soc. Nat. d. B.-Arts aus. Hauptsächlich Bildnisbüsten. Arbeiten u. a. im Mus. Calvin in Noyon.

Lit.: Joseph, I. — Bénézit, ² III.

Dougherty, Paul, amer. Marinemaler, * 6. 9. 1877 Brooklyn, N. Y., † 1947 New York.

Bildete sich autodidaktisch in Paris, London) Florenz u. München: Gold. Med. Panama-Pacific Expos. San Francisco 1915. Bilder in allen bedeutenderen öff. Smlgn der USA, so im Metrop. Mus. New York, im Art Inst. in Chicago, in d. Nat. Gall. of Canada in Ottawa u. in d. Nat. Gall. in Washington.

Lit.: Th.-B., 9 (1913). — Fielding. — Monro. — Amer. Art Annual, 10 (1913) Abb. geg. p. 165; 11 (1914) Abb. geg. p. 227; 30 (1933). — Who's Who in Amer. Art, I: 1936/37. — Earle. — The Art News, Nr 14 v. 10. 1. 1925, p. 1 (Abb.). — Art Digest, 21, Nr v. 15. 1. 1947, p. 18. — Brooklyn Mus. Quart., 1927, p. 6 (Abb.). — Addison Gall. of Amer. Art. Handbook of Paint. etc., Andover, Mass., Abb. Taf. 84.

Douglas, Aaron, amer. Wandmaler, * 26. 5. 1899 Topeka, Kans., ansässig in New York.

Schüler von Ch. Despiau u. Othon Friesz in Paris. Wandgem. in der Fisk Univ. Library in Nashville, Tenn., im Sherman Hotel in Chicago u. in d. New York Public Library.

Lit.: Who's Who in Amer. Art, I: 1936/37. — Mallett. — Monro. — Apollo (London), 11 (1930) 128. — Design, 46, April 1945, p. 10 (Abb.).

Douglas, Andrew, schott. Tier- u. Landschaftsmaler, * 11. 4. 1870 Midlothian, ansässig in Edinburgh.

Lit.: Th.-B., 9 (1913). — Who's Who in Art, [3] 1934. — The Studio, 64 (1915) 140; 65 (1915) 102.

Douglas, Chester, amer. Maler, * 6. 10. 1902 Lynn, Mass., ansässig ebda.

Schüler von John Sharman. Bild (Ruth) in d. Art Gall. in Reading, Pa.

Lit.: Amer. Art Annual, 30 (1933). — Who's Who in Amer. Art, I: 1936/37.

Douglas, Edward Bruce, amer. Bildhauer, * 1886 (?) Minneapolis, Minn., † Febr. 1946.

Lit.: Contemp. American Sculpture. Exhib. of the Nation. Sculpt. Soc., New York 1929. — Art Digest, 20, Nr v. 15. 2. 1946, p. 33.

Douglas, Haldane, amer. Maler, * 1893 Pittsburgh, Pa., ansässig in Hermosa Beach, Calif.

Lit.: Amer. Art Annual, 30 (1933).

Douglas, Hope, geb. *Smith*, engl. Miniaturmalerin, * 8. 10. 1883 London, ansässig in Settle, Yorks.

Stud. an der Frank Brangwyn's Life School u. bei Alyn Williams. Hauptsächl. Tierbilder.

Lit.: Who's Who in Art, [3] 1934.

Douglas, Laura Glenn, amer. Malerin, * 26. 4. 1896, ansässig in New York.

Stud. an d. Nat. Acad. of Design u. der Art Student's League in New York, bei A. Lhote u. Léger in Paris u. bei Hans (?) Hofmann in München.

Lit.: Who's Who in Amer. Art, I: 1936/37.

Douglas-Irvine, Lucy, engl. Aquarellmalerin, * 20. 4. 1874 Virginia Water, Surrey, zuletzt ansässig in Elie, Fife.

Stud. an der Kunstsch. in Glasgow.

Lit.: Who's Who in Art, [3] 1934.

Douglass, Lucille Sinclair, amer. Bildnis- u. Landschaftsmalerin u. Rad., * Tuskegee, Ala., † 26. 9. 1935 Andover, Mass.

Stud. in Paris, Italien, Spanien u. Holland, 1920 in Shanghai, wo sie die Motive zu vielen Rad. u. Gemälden fand. Mitglied der Soc. of Amer. Etchers, der Chicago Soc. of Etchers u. der India Soc. of Arts and Letters. Stellte 1911 in Paris im Salon d'Automne u. im Salon d. Indépendants aus.

Lit.: Bénézit, [2] 3. — Who's Who in Amer. Art, I: 1936/37, p. 496f. — Amer. Art Annual, 30 (1933). — The Print Coll.'s Quart., 23 (1936) 6.

Douhaerdt, Arthur, belg. Maler, Lithogr. u. Rad. (Prof.), * 1871 Saint-Gilles-lez-Bruxelles, ansässig in Uccle (Brüssel).

Schüler der Brüsseler Akad. Seit 1906 Prof. an der Fachschule für Lithogr., seit 1924 Leiter des Cercle d'Etudes lithogr. ebda.

Lit.: Seyn, I, m. Fotobildnis.

Doumenc, Eugène, franz. Medailleur u. Plakettenkünstler, * 12. 3. 1873 Genf, von franz. Eltern, ansässig in Paris.

Stud. an der Ec. d. B.-Arts in Genf u. Lyon. Silb. Med. 1924.

Lit.: Th.-B., 9 (1913). — Joseph, 1. — Bénézit, [2] 3 (1950).

Doumichaud de la Chassagne-Grosse, Laetitia, franz. Blumen-, Früchte-, Landschafts-, Bildnis- u. Aktmalerin, * Henrichemont (Cher), ansässig in Paris.

Schülerin von J. Lefebvre, Bouguereau, G. Ferrier, Flameng u. M. Baschet. Mitgl. der Soc. d. Art. Franç., beschickte deren Salon seit 1896. Fertigt auch keram. Kleinplastik.

Lit.: Joseph, 1. — Bénézit, [2] 3.

Dourouze, Daniel, franz. Landschafts- u. Architekturmaler (hauptsächlich Aquar.) u. Bühnenbildner, * 21. 3. 1874 Grenoble, † 4. 12. 1923 Paris.

Autodidakt. Stellte im Salon der Soc. Nat. d. B.-Arts u. bei den Indépendants (1910ff.) aus. Im Mus. Toma Stelian in Bukarest: Ansicht von Ajaccio (Aquar.).

Lit.: Th.-B., 9 (1913). — Joseph, 1, m. Abb. — Bénézit, [2] 3. — Chron. d. Arts, 1914, p. 163; 1920 105. — Art et Décor., 28 (1924), Chron., Jan.-Heft, p. 2. — Beaux-Arts, 1 (1923) 94; 2 (1924) 3. — Bull. de l'Art anc. et mod., 1924, p. 43, m. Abb.; Nr v. 6. 2. 48, p. 4 (Abb.); 13. 2. 48, p. 5. — Gaz. d. B.-Arts, 1922/II p. 333, m. Abb. — La Renaiss. de l'Art franç., 12 (1929) 358, m. 4 Abbn; 13 (1930) 79 (Abb.).

Douthat, Milton, amer. Maler, * 1905 Kansas City, Mo., ansässig in Chicago, Ill.

Lit.: Amer. Art Annual, 30 (1933).

Douzette, Fritz, dtsch. Landschaftsmaler (Öl u. Aquar.), * 6. 9. 1878 Berlin, ansässig in Berlin-Schlachtensee.

Schüler von Kallmorgen u. A. Hertel an der Berliner Akad. (1904/12). Bilder im Bes. der Stadt Berlin u. in der N. Pinak. München.

Lit.: Th.-B., 9 (1913). — Dreßler.

Dove, Arthur, amer. Maler (Öl u. Aquar.) u. Zeichner, * 2. 8. 1880 Canandaigna, N. Y., † 1946 Geneva, N. Y.

Stud. an der Cornell-Univ. in Ithaca. Zuerst Pressezeichner in New York. 1908 Europareise mit Alf Maurer u. Wm. Glackens. Ging in Paris unter dem Eindruck der Werke von Matisse von der Zeichnung zur Malerei über, und zwar zunächst zur Pastellmal. 1909 wieder in New York. Stellte dort 1910 u. 1912 mit der Gruppe „291" aus. Lebte 1912/18 auf dem Lande, dann auf einem Boot am äußersten Ende von Manhattan. Gehörte eine Zeitlang zu den Radikalen (Klebebilder unter Verwendung von Hölzern, Stoffen, Papierfetzen usw.), ging später zur gemäßigten Richtung über. Hauptsächlich Landschafter. Bilder in d. Memorial Gall. in Washington, D. C., u. im Inst. of Arts in Detroit. — Kollektiv-Ausst. in den Anderson Gall. in New York, Jan. 1926. Gedächtnis-Ausstellgn März 1947 in der Downtown Gall. in New York, April 1947 im Mus. in San Francisco, Calif.

Lit.: Fielding. — Amer. Art Annual, 30 (1933). — Who's Who in Amer. Art, I: 1936/37. — Mellquist, m. Taf. geg. p. 241. — Monro. — The Art Bull., 19 (1937) 586f., m. Abb. — The Art News, 24, Nr 15 v. 16. 1. 1926, p. 7. — Dial, 71 (1921) 692. — Prisma (München), 1 (1947) H. 6, Abb. zw. p. 16/17, Text p. 16. — Parnassus, Dez. 1937, p. 3/6, m. 4 Abbn. — Art Index (New York), Okt. 1941/April 1953. — Kat. d. Ausst.: Amerika schildert, Amsterdam, Sted. Mus., 1950, m. 4 Abbn p. 18f.

Dow, Alexander Warren, engl. Maler (Öl u. Aquar.), Rad. u. Kstkritiker, * 25. 4. 1873 London, ansässig ebda.

Schüler von Fr. Brangwyn. Landschaften, Stadtansichten, Stilleben. Vertreten im Whitworth Inst. in Manchester.

Lit.: Who's Who in Art, [3] 1934. — Joseph, I.

Dow, Harold James, engl. Bildhauer, * 15. 6. 1902 London, ansässig ebda.

Schüler von Sir Walter St. Johns. In der Art Gall. in Leeds: Eule. In Thame (Oxford): Pearce-Gedächtnisbrunnen.

Lit.: Who's Who in Art, [3] 1934.

Dowd, James, engl. Rad., Kaltnadelstecher u. Maler (Öl u. Aquar.), ansässig in London.

Lit.: Who's Who in Art, [3] 1934. — Apollo (London), 10 (1929) 301 (Abb.). — The Studio, 97 (1929) 54 (ganzseit. Abb.); 100 (1930) 407, 410, m. Abb.

Dowd, Roland Hall, engl. Landschaftsmaler, Radierer, Illustr. u. Reklamezeichner, * 29. 5. 1896 Oldham, ansässig in London.

Stud. an d. Kunstsch. in Manchester.

Lit.: Who's Who in Art, [3] 1934.

Dowden, Raymond Baxter, amer. Maler, Rad. u. Lithogr., * 25. 12. 1905 Coal Valley, Allegheny Co., Pa., ansässig in Pittsburgh.

Schüler des Carnegie Inst., von Edm. Ashe, C. J. Taylor u. Alex. Kostellow. Hauptsächl. Landschafter.

Lit.: Who's Who in Amer. Art, I: 1936/37.

Dowiatt, Dorothy, amer. Malerin u. Rad., * Pittsburgh, Pa., ansässig in Whittier, Calif.

Schülerin von Ed. Vysekal, E. Roscoe Shrader, Hans Hofmann u. Arthur Millier. Hauptsächl. Stillleben.

Lit.: Amer. Art Annual, 30 (1933). — Who's Who in Amer. Art, I: 1936/37.

Down, Vera, engl. Landschaftsmalerin (Öl u. Aquar.) u. Rad., * 8. 11. 1888 Fulham, ansässig in London.

Schülerin von Walter Donne in Paris.

Lit.: Who's Who in Art, [3] 1934.

Downing, George Henry, engl. Maler (Öl u. Aquar.), * 16. 7. 1878 Portsmouth, ansässig in Southsea, Hants.

Stud. in Portsmouth. Buchwerke: Drawing of Common Objects; Art Applied to Window Display.

Lit.: Who's Who in Art, [3] 1934.

Dows, Olin, amer. Maler, Radierer u. Lithogr., * 14. 8. 1904 Irvington-on-Hudson, N. Y., ansässig in Washington, D. C.

Schüler von C. K. Chatterton, Eug. Savage u. Edwin Cassius Taylor. Kollektiv-Ausst. in der Macbeth Gall., New York, Okt./Nov. 1946 u. April 1949.

Lit.: Amer. Art Annual, 30 (1933). — Monro. — Art Digest, 21, Nr v. 15. 10. 1946, p. 21 (Abb.); Nr v. 1. 11. 1946, p. 17; 23, Nr v. 15. 4. 1949, p. 27. — The Art News, 48, April 1949, p. 50.

Doyle, Camilla, engl. Möbel- u. Bildniszeichnerin u. Dichterin, * 8. 6. 1888 Norwich, ansässig in Rickmansworth, Herts.

Stud. an der Slade School in London.

Lit.: Who's Who in Art, [3] 1934.

Doyle-Jones, Francis, engl. Bildhauer, * 14. 11. 1873 West-Hartlepool, Durham, ansässig in London.

Schüler Lanteri's. Hauptsächl. Denkmäler, Bauplastik u. Bildnisbüsten. Stellte 1903/1933 in der Roy. Acad. aus. Eine Büste des Prince of Wales gelangte 1932 in den Besitz der Company of Master Mariners. Statue des hl. Patrick in Saul (Irland).

Lit.: Th.-B., 9 (1913). — The Connoisseur, 89 (1932) 347, m. Abb. — The Studio, 92 (1926) 116 (Abb.); 114 (1937) 341, m. Abb.

Doysié, Jeanne, franz. Bildnis- u. Figurenmalerin (Öl u. Pastell), * Paris, ansässig ebda.

Stellt seit 1928 bei den Indépendants aus.

Lit.: Bénézit, [2] 3. — Beaux-Arts, 5 (1927) 288, m. Abb. — Gand artistique, 1930 p. 191/97, m. 3 Abbn. — La Renaiss. de l'Art franç., 14 (1931) 188, m. Abb.

Dozier, Otis, amer. Maler (bes. Wandmaler), * 27. 3. 1904 Forney, Tex., ansässig in Dallas, Tex.

Bild im Mus. of F. Arts in Dallas.

Lit.: Who's Who in Amer. Art, I: 1936/37. — Art Index (New York), Okt. 1941/Okt. 1952. — Monro.

Dozy, Reinhart, holl. Maler, Holzschneider u. Illustr., * 28. 9. 1880 Nymwegen, † 27. 1. 1947 Assen (?).

Schüler von Lauwers in Antwerpen, von Humbert u. Carrière in Paris. Landschaften, Figürliches, Bildnisse. Malt haupts. Szenen aus dem Volksleben der Prov. Drenthe.

Lit.: Plasschaert. — Waay. — Waller. — Erica (Assen), 2 (1946/47) 12/14, m. 1 Abb., 136/40, m. 1 Abb. — Maandbl. v. beeld. Kunsten, 10 (1933) 50f. — Nieuwe Drentsche Volksalmanak, 65 (1947) 33/41, m. 4 Abbn.

Drabik, Wincenty, poln. Maler u. Bühnenbildner, * 1881, † August 1933 Warschau.

Prof. für dekor. Malerei an der Akad. Warschau.

Lit.: L'Amour de l'Art, 12 (1931) 501f. — Beaux-Arts, 72 (1933) Nr 33 p. 6, letzte Spalte. — Sztuki Piękne, 1934, p. 1/8, m. 16 Taf. — The Studio, 107 (1934) 196 (Aufs. D.s, m. Abb.). — Kopera.

Drache, Hans, dtsch. Bildnismaler, * 3. 5. 1879 Oberbärenburg, ansässig ebda.

Stud. an der Kstgewerbesch. in Stuttgart, bei L. v. Hofmann u. Sascha Schneider in Weimar u. bei Walter Thor in München. Zuletzt Meisterschüler bei Sascha Schneider in Florenz. Studienaufenthalte in Ägypten u. Paris. Kollektiv-Ausst. bei Pietro Del Vecchio in Leipzig, Juni 1910.

Draeger, August, dtsch. Bildhauer, * 16. 4. 1884 Wittkow, ansässig in Berlin.

Stud. an der Kstgewerbesch. u. Akad. in Berlin.

Lit.: Dreßler. — The Studio, 88 (1924) 171, m. Abb.

Draeger-Mühlenpfordt, Anna, dtsche Bildnis- u. Landschaftsmalerin u. Graphikerin, * 9. 10. 1887 Lübeck, ansässig in Braunschweig.

Vertreten im Landes-Mus. in Braunschweig. Koll.-Ausst. im Städt. Mus. ebda April/Mai 1953.

Lit.: Dreßler, p. 691. — D. Bild, 9 (1939) 274–77, m. 3 Abbn, 278 (Abb.). — Kstchronik (Nürnbg), 6 (1953) 139.

Draesner, Walter, dtsch. Maler u. Graph., * 16. 11. 1891 Leipzig, ansässig in Düsseldorf.

Stud. an der Kstgewerbesch. u. Akad. in Düsseldorf. Mappenwerk: Ein Totentanz, nach Scherenschnitten von W. D. Mit Geleitwort von M. v. Boehn, Berlin-Leipzig 1922.

Lit.: Dreßler.

Draewing, Peter Paul, dtsch. Landschaftsmaler u. Rad., * 29. 6. 1876 Schwaan, Mecklenbg, † März 1940 Eisenach.

Stud. bei Th. Hagen, Fritjof Smith u. H. Olde an d. Kstschule in Weimar, dann an der Akad. in Kassel. Ansässig in Weimar, seit ca. 1930 in Eisenach. 1907 in Norwegen. Bilder u. a. im Mus. in Plauen i. V. u. im Bes. der Stadt Weimar.

Lit.: Th.-B., 9 (1913). — Dreßler. — Mecklenb. Monatsh., 9 (1933) Taf. geg. p. 408; 11 (1935) 424f., m. Abb. u. Selbstbiogr. (plattdtsch). — Niedersachsen, 19 (1913/14) Abb. vor p. 1.

Drageon, Gabriel, franz. Aquarellmaler (Landschaften u. Marinen), * 22. 10. 1873 Toulon, ansässig ebda.

Mitgl. der Soc. d. Art. Franç., beschickt deren Salon seit 1908.
Lit.: Joseph, 1. — Bénézit, [2] 3.

Dragomir, Arambachitch, serb. Bildhauer, * Beograd (Belgrad), ansässig in Paris.
Stellte 1920 im Salon der Soc. d. Art. Franç. aus.
Lit.: Joseph, 1. — Bénézit, [2] 3 (1950).

Dragonetti-Cappelli, Maria, ital. Bildnis- u. Genremalerin, *1870 Aquila, ansässig ebda.
Schülerin von Teof. Patini.
Lit.: Giannelli, m. Fotobildn. — Comanducci.

Drăguţescu, Eugeniu, rumän. Figuren- u. Bildniszeichner u. Aquarellist, * 1914.
Stud. an der Akad. in Bukarest, weitergebildet in Rom. 2 Zeichngn, dar. Selbstbildnis (1938), im Mus. Stelian in Bukarest (Kat. 1939, p. 65).
Lit.: The Connoisseur, 124 (1949) 60.

Drahoňovský, Josef, tschech. Gemmenschneider u. Bildhauer, * 27. 3. 1877 Volavec b. Turnov, † 20. 7. 1938 Prag.
Lernte als Steinschneider in Turnov. Stud. seit 1896 an d. Prager Kstgewerbesch. (C. Klouček, S. Sucharda). Seit 1908 Prof. an ders. Mitglied d. tschech. Akad. der Wissensch. u. Künste. Gemmen u. Intaglien aus Onyx u. Kristall, geschnittene Kristallvasen u. Gläser. Arbeiten u. a. in den Kstgewerbemuseen in Prag u. Pilsen, im Cabinet d. Médailles in Paris, in den Museen in Sèvres u. Faenza u. in den Vatikan. Sammlungen (St. Wenzeslaus-Vase). Als Bildhauer hauptsächlich Bauplastiker (Athene am Portal d. Realschule in Česká Třebová, Reliefs der Jahreszeiten für d. Städt. Sparkasse in Pilsen usw.). Gefallenendenkmal- u. Tyrš-Denkmal in Turnov (1932), Porträtbüsten (L. J. Živný, Historiker J. V. Šimák), Brunnen (Knabe mit Delphin, für d. tschechosl. Gesandtschaft in Warschau). Umfassende Gedächtnis-Ausstell. in Prag 1939, veranstaltet v. Kstlerverein „Myslbek" (Kat. m. Vorw. von J. Čadík).
Lit.: J. Čadík, Dílo J. Drahoňovského, mit Vorw. v. J. Babelon, Prag 1933; ders., J. D. sochař a glyptik, mit engl. Vorwort von Kineton Parkes, Prag 1937; ders., J. D., Glyptiker u. Bildhauer, Prag 1939. — Topičův sborník (Prag), 3, p. 261f. — G. E. Pazaurek, Kstgläser d. Gegenw., Leipzig 1925. — K. Herain, J. D., Salon (Prag-Brünn), 5 (1927) Nr 10. — D. Architekt, 13 (1907) 53 (Abb.); 16 (1910) 57/58, Taf. 50. — Allgem. Glas- u. Keram.-Industrie, Ausg. 1, 20. Jahrg. (1929) p. 6 u. Taf. I/IV. — Apollo (London), 9 (1929) 229ff., m. Abbn; 18 (1933) 181/94, m. Abbn. — Aréthuse, 2 (1924/25) 105ff., 157/67, m. 7 Abbn. — Artwork, 1 (1924/25) H. 1, p. 40 (Abb.), 44 (Abb.). — The Studio, 93 (1927) 374f., m. Abbn; 110 (1935) 45, m. 2 Abbn. — Umění Prag, 12 (1939) 47f. — Dějepis výtv. umění v Československu (Sfinx), Prag 1935, p. 277. — J. Pavel, Dějiny našeho umění, Prag 1947, p. 304. — Toman, I 174. *Blažíček.*

Drake, Bertram Delaney, amer. Landschaftsmaler, * 1880, † 21. 8. 1930 Garrison, N. Y.
Lit.: Amer. Art Annual, 27 (1930) 409.

Drake, Heinrich, dtsch. Bildhauer (Prof.), * 15. 2. 1903 Ratsiek/Lippe-Detmold, ansässig in Berlin.
Lehrzeit als Holzbildhauer, dann mit Lippeschem Staatsstipendium bei Albiker an d. Akad. in Dresden. Während dieser Zeit mehrfach Preisauszeichnungen u. erste Italienreise. Fortsetzung des Studiums in Berlin unter Georg Kolbe. 1940 Rompreis. 1947 Berufung als Prof. an die Hochsch. f. angewandte Kst in Berlin-Weißensee. Seine lebensgr. Bronze: Junge Frau, wurde 1948 für die Nat.-Gal. angekauft. Eine überlebensgr. Karl-Marx-Büste in der Karl-Marx-Hochsch. in Klein-Machnow.
Lit.: D. Kstwerk, 5 (1951) Heft 2, p. 39. *J.*

Drake, Wilfrid, engl. Zeichner für Glasmalerei, * 25. 6. 1879 Teignmouth, ansässig in London.
Sohn des Glasmalers Frederick D. — Illustr. zu der „History of Engl. Glass Painting".
Lit.: Who's Who in Art, [2] 1929.

Drapče, Nora, lett. Malerin, ansässig in Würzburg.
Figürliches, Blumenstücke, Stilleben.
Lit.: Kat. d. Ausst. Lett. Kst in d. Fremde, Schaezler-Palais Augsburg, Juni 1948.

Drape-Dugalleix, Madeleine, franz. Landschafts- u. Stillebenmalerin, * Paris, ansässig ebda.
Stellt seit 1927 bei den Indépendants aus.
Lit.: Joseph, I.

Dratz, Constant, belg. Maler, Lithogr. u. Rad., * 23. 8. 1875 Laeken b. Brüssel.
Schüler der Brüsseler Akad. Landschaften, Figürliches, Bildnisse.
Lit.: Th.-B., 9 (1913). — Seyn, I.

Dratz, Jean, belg. Landschaftsmaler, * 1903.
Lit.: Seyn, I.

Dray, Simone, franz. Stilleben- u. Blumenmalerin, * 6. 6. 1904 Reims, ansässig in Paris.
Schülerin der Damen Debillemont-Chardon u. Sonja Routchine-Vitry. Mitgl. der Soc. d. Art. Franç., beschickt deren Salon seit 1927.
Lit.: Joseph, 1. — Bénézit, [2] 3.

Drayer, Reinder Juurt, holl. Stilleben-, Blumen- u. Landschaftsmaler, * 10. 7. 1899 Groningen, lebt im Haag.
Autodidakt. Mitglied der „Onafhankelijken". Bild im Gem.-Mus. im Haag.
Lit.: Waay. — D. Constgheselllen, 1 (1946) 68f. — Maandbl. v. beeld. Ksten, 22 (1946) 166.

Drayton, Grace Gebbie, amer. Illustratorin, * 14. 10. 1875 Philadelphia, Pa., † 1936 New York.
Hauptsächl. Illustr. für Kinderbücher.
Lit.: Th.-B., 9 (1913). — Fielding. — Amer. Art Annual, 30 (1933).

Drechsel, Karl Christian Hermann, dtsch. Bildnis-, Landsch.- u. Marinemaler, * 12. 11. 1870 Sommerhausen, Unterfr., ansässig in München.
Stud. an e. Privatsch. in München u. an d. Schule des Art Club in Philadelphia, USA. Erhielt dort den Grad: Artium Magister (Amerik. Professor).
Lit.: Dreßler.

Drechsler, Erich, dtsch. Bildnis- u. Landschaftsmaler u. Graph., * 10. 6. 1903 Gera (Thür.), ansässig ebda.
Schüler von Rich. Müller an der Dresdner Akad. Gemälde, Pastelle u. Zeichngn im Städt. Mus. in Gera. Folge: Totentanz (24 Bll. Zeichngn), in der Kupferstichsmlg in Greiz.
Lit.: Dreßler.

Drechsler, Georg, dtsch. Maler (Öl u. Aquar.), * 26. 11. 1879 Leipzig, ansässig in Wurzen.
Beschickte bis 1942 die Wurzner Kstausstellgn im Stadthaus zu Wurzen.

Dreesen, Max, dtsch. Maler u. Werkkünstler, * 21. 4. 1886 Lunden, Holst., ansässig in Düsseldorf.

Stud. an der Düsseld. Akad.

Lit.: Dreßler.

Dreger, Tom Richard von, mähr. Porträtmaler, * 2. 10. 1868 Brünn, † 30. 7. 1948 Wien.

Stud. bei L'Allemand u. H. v. Angeli an der Wiener Akad., dann bei E. Blaas u. L. Passini in Venedig. 7 Jahre in Paris. 2 Altarbilder in d. Votivkirche in Wien (1916). Buchwerk: Wie ich sehen gelernt, 1946.

Lit.: Th.-B., 9 (1913). — Wer ist Wer? (Wien), 1937. — Teichl, p. 370. — Öst. Kst, 3 (1932) H. 8 p. 17, m. Abb.

Dreher, Johannes, dtsch. Maler u. Bühnenbildner, * 26. 5. 1910 Chemnitz, ansässig in Meppen.

Nach Lehrbeendigung als Mechaniker zunächst einige Kunstreisen nach Italien u. der Schweiz. Stud. dann unter Dorsch u. Otto Dix an der Akad. in Dresden. 1935 als „entartet" exmatrikuliert. Als Bühnenbildner in Frankfurt, Tübingen u. Aschaffenburg wirkend. Erzielt in s. Landschaftsaquarellen feinste Farbwirkungen in toniger impressionist. Manier. Malt zunächst in expressiver Manier, geht dann zur realen Form über.

Lit.: Kalender: Kst im Osnabrücker Land, 1952. p. 29, m. Abb. *J.*

Dreher, Richard, dtsch. Maler (Prof.), * 10. 9. 1875 Dresden, † 29. 10. 1932 ebda.

Autodidakt. 1908/09 mit Villa-Romana-Preis in Florenz, 1912 in Südfrankreich. Hafen- u. Straßenbilder, Landschaften, Stilleben, Bildnisse, Aktstudien (Öl u. Aquar.). Kollektiv-Ausstellgn in d. Gal. Arnold in Dresden (1910 u. ö.) u. in der Mod. Gal. in München (1910).

Lit.: Th.-B., 9 (1913). — Dreßler. — D. Kunst, 41 (1919/20) 46f., Abb. geg. p. 52, 425 (Abb.), 428; 67 (1932/33), Beibl. p. XXXIV, LXXXVIII. — Dtsche Kst u. Dekor., 41 (1917/18) 268, 271 (Abb.); 42 (1918) 196 (Abb.). — D. Kstblatt, 1919, p. 214. — Velhagen & Klasings Monatsh., 46/I (1931/32), farb. Taf. geg. p. 408, 431. — Zeitschr. f. Bücherfreunde, 19 (1927) Beibl. Sp. 135. — Zeitschr. f. Kstgesch., 2 (1933) 68.

Drei, Ercole, ital. Bildhauer, Majolikakünstler u. Maler, * 29. 9. 1886 Faenza, ansässig in Rom.

Lernte in Faenza, 1905ff. in Florenz bei dem Bildh. Aug. Rivalta. Gewann 1911 u. 1912 in Bologna den Preis in den beiden Wettbewerben Baruzzi u. Curlandesi, 1913 den Pensilato Artistico Nazionale. Seitdem in Rom ansässig. Als Bildhauer hauptsächl. Porträtist u. Aktdarsteller, als Maler Landschafter. — Quadriga für den Justizpalast in Messina. Denkmäler u. a. in Faenza, Savignano di Romagna, Fusignano u. La Floretta. In d. Gall. d'Arte Mod. in Rom: Büste des Fed. Tozzi. In Ravenna: Denkmal des Alfr. Oriano.

Lit.: Fr. Sapori, Artisti di Romagna: Dom. Baccarini e il suo Cenacolo, Faenza. — Costantini, m. Abb. — Chi è?, 1940. — Vita d'Arte, 11 (1913) 30f. (Abb.), 161 (Abb.). — Boll. d'Arte, ser. 2, anno 4 (1924) p. 238 (Abb.). — Vita artistica, 1 (1926) 34, m. Abb. (Selbstbildn.). — Kst u. Kstler, 26 (1927/28) 397. — Emporium, 69 (1929) 175 (Abb.), 178; 79 (1934) 382 (Abb.). — Das Bild, 10 (1940) 122 (Abb.), 123 (Abb.), 126.

Dreier, Dorothea, amer. Landschaftsmalerin (Öl, Aquar., Pastell), * 1870 Brooklyn, N. Y., † 14. 9. 1923 Saranac, N. Y.

Malte bes. holl. Bauernszenen. Gedächtnis-Ausst. im Mus. in Brooklyn, N. Y., April 1925, u. in den Milch Gall. in New York, Dez. 1925.

Lit.: Amer. Art Annual, 20 (1923) 261. — The Art News, 23, Nr 27 v. 11. 4. 1925, p. 1, m. Abb.; Nr 28 v. 18. 4. 1925, p. 7; 24, Nr 9 v. 5. 12. 1925, p. 6, m. Abb; Nr 10 v. 12. 12. 1925, p. 9. — Art in America, 15 (1926/27) 188ff., m. Abb.

Dreier, Katherine, amer. Malerin (Öl u. Pastell) u. Schriftst., * 10. 9. 1877 Brooklyn, N. Y., † 1952 New York.

Schülerin von Walter Shirlaw u. Gust. Britsch. Mitgründerin der Gal. der Société Anonyme in New York. Besuchte Italien, Paris, Madrid, London. Deutschland u. Holland. Arbeiten im Houston Mus. of F. Arts (Pastell: Mutter u. Kind) u. im Mus. in Brooklyn (Unbekannte Kräfte). Übersetzte u. versah mit krit. Anmerkungen die „Personal Recollections of Van Gogh" von Elizabeth van Gogh (1913). Sonderausst. in d. Gal. Del Vecchio, Leipzig, Sept.–Okt. 1912 (ill. Kat.).

Lit.: Who's Who in Amer. Art, I: 1936/37. — Amer. Art Annual, 30 (1933). — Monro. — Fielding. — D. Kst u. d. schöne Heim, 50 (1952) Beil. p. 209. — D. Kstwelt, 2 (1912/13) 172 (Abb.). — Art Index (New York), Okt. 1941/April 1953.

Dreifoos, Byron Golding, amer. Maler, * 1890 Philadelphia, Pa., ansässig in Newark, N. J.

Lit.: Amer. Art Annual, 30 (1933). — Fielding.

Drennan, Vincent Joseph, amer. Maler, * 1902 New York, ansässig ebda.

Kollektiv-Ausst. in der Roko Gall. in New York, März 1945.

Lit.: Amer. Art Annual, 30 (1933). — The Art News, 44, Nr v. 15. 3. 1945, p. 29.

Dreossi, Alice, ital. Landschaftsmalerin, * 13. 5. 1883 Cervignano (Friaul).

Stud. in Venedig u. München.

Lit.: Comanducci.

Drésa, Jacques, franz. Blumenmaler, Illustr., kunstgewerbl. Zeichner u. Bühnenbildner, * 11. 1. 1869 Versailles, † 1929 Paris.

Mitgl. d. Soc. du Salon d'Automne u. der Soc. d. Art. Décorat. Stellt seit 1923 auch im Salon des Tuileries aus. Beeinflußt von persischer Kunst. Entwürfe für Theaterfigurinen, Wandbehänge, bedruckte Stoffe, Möbel (ausgef. in der Werkstatt von Mare u. Sue), Wandschirme usw.; Illustr. zu: Shakespeare's „Antonius u. Kleopatra" (Übersetzung von A. Gide). Zeichnungen im Mus. d. Arts Décor. in Paris.

Lit.: Th.-B., 9 (1913). — Joseph, 1. — Bénézit, ² 3. — L'Art et les Art., 18 (1913/14) 186. — Art et Décor., 35 (1914) 15 (Abbn), 21 (Abbn). — La Renaiss. de l'Art franç., 4 (1921) 312 (Abb.), 313, 643ff., m. Abbn.

Drescher, Arno, dtsch. Maler, Graph., Plakat- u. Schriftkstler (Prof.), * 17. 3. 1882 Auerbach i. V., ansässig in Leipzig.

Stud. bei Guhr u. Mebert an der Kstgewerbesch. in Dresden. Seit 1909 Lehrer an derselben. Seit 1940 Prof. an d. Staatl. Akad. f. Graph. Kste u. Buchgew. in Leipzig, 1942/45 deren Direktor. Landschaften, Blumenstücke, Entwürfe für Plakate u. Gebrauchsgraphik aller Art. Schöpfer der Druckschriften „Arabella" u. „Energos" u. weiterer Groteskschriften. Malt in Öl u. Aquarell. Plakate (u. a. „Heimatdank" [1915], Dresdner Gartenbau-Ausst., Düsseldorfer Ausst.: „Schaffendes Volk", Tannenbergfeier 1939, usw.). Entwürfe zu Banknoten, Diplomen, Bucheinbänden. Bilder im Stadtmus. in Dresden u. im Mus. in Leipzig. Beschickt seit 1941 die Leipz. Gr. Kstausst. (Kat. z. T. m. Abbn).

Lit.: Dreßler. — Gebrauchsgraphik, 2 (1925/26) H. 3, p. 3, 8f. (Abbn). — Mitteilgn Landesverein Sächs. Heimatschutz, 9 (1920) 53/54. — Kstchronik, N. F. 33 (1921/22) 161. — D. Kstwanderer, 1928/29, p. 561. — Leipz. N. Nachr., Nr 284 v. 10. 10. 1940, m. Fotobildn.

Dresco, Arturo, argentin. Bildhauer, * 1875 Buenos Aires.

Stud. an d. Akad. in Buenos Aires u. in Florenz. Hauptwerk: Christoph-Columbus-Denkmal in Rapallo, enthüllt 1914. Weitere Arbeiten im Mus. in Buenos Aires.

Lit.: Th.-B., 9 (1913). — La Cultura moderna, 46 (1913/14) 207f., m. Abb.

Dresler, Paul, dtsch. Keramiker u. Maler, * 16. 9. 1879 Siegen i. W., † 22. 3. 1950 in Krefeld.

Stud. als Maler an der Debschitzschule in München, als Keramiker an d. Fachsch. für Keramik in Landshut. Gründer der Töpferei Grootenburg, Paul Dresler, G.m.b.H. Vordem in St. Georgen b. Diessen a. Ammersee tätig. Sammelausst. im Mus. in Siegen 1939, im Kaiser-Wilh.-Mus. in Krefeld Sept./Okt. 1951. Wiedererwecker altpersischer Fayencen u. frühchin. Steinguts. 1948/49 Leiter der keram. Abteilung an der Werkkstsch. in Wiesbaden, 1949/50 in gleicher Stellung an d. Werkkstsch. in Krefeld. Bemalte Fayencen nach pers. Motiven im Kais.-Wilh.-Mus. in Krefeld, im Kstgew.-Mus. in Leipzig, in d. Kst-halle in Mannheim u. im Bayr. Nat.-Mus. in München.

Lit.: Dreßler. — Passarge, Dtsche Werkkst., p. 64/66. — Bossert, Gesch. d. Kstgew., VI 332, 335. — Gestaltendes Handwerk, Stuttg. 1940, I 21. — D. Kunst, 26 (1911/12) 504 (Abb.). — Dtsche Kst u. Dekor., 25 (1921) 114, Abb. p. 110, 111. — Kst u. Handwerk (München), 1913, p 40 (2 Abbn), 41 (Abb.). — Kstchronik, 4 (1951) 277. — Westfalen, 24 (1939) 224. — Mitteil. d. Künstlers.

Dressler, August Wilhelm, sudetendtsch. Maler, Lithogr. u. Rad., * 19. 12. 1886 Bergesgrün, Böhmen, ansässig in Berlin.

Stud. an den Akad. Dresden u. Leipzig. 1928 Gr. Staatspreis anläßl. der Berl. Akad.-Ausst. für Selbstbildnis mit Rückenakt, 1927. Silb. Med. in Nürnberg. 1930/31 in Rom. Gehört zu den Vertretern der neuen Sachlichkeit. — Figürliches (Hauptthema: Mutter u. Kind), Akte, Stilleben. Kollektiv-Ausst. in d. Gal. Franz, Berlin-Wilmersdorf, März 1947. Bild: Ehepaar, in d. Ksthalle Mannheim. Mappenwerk: 6 Steingravüren, mit Einleitg von O. Brattskoven, Ottens-Verlag, Berlin-Frohnau, 1927.

Lit.: Dreßler. — D. Cicerone, 18 (1926) 492 (Abb.), 495f. — D. Kunst, 55 (1926/27) 342 (Abb.); 57 (1927–28) 300, 356. — Dtsche Kst u. Dekor., 60 (1927) 209 (Abb.), 212; 62 (1928) 93. — Kst u. Kstler, 26 (1927–28) 373 (Abb.), 399; 29 (1930/31) 79 (Abb.); 31 (1932) 253 (Abb.), 261, 421 (Abb.). — Kst der Zeit, I/II (1927/28) 81/83. m. Abb. — D. Kstblatt, 11 (1927) 155f., m. Abbn. — The Studio, 101 (1931) 46/50, m. 5 Abbn; 116 (1938) 162 (Abb.). — Für Dich (Berlin), v. 30. 3. 1947, m. 2 Abbn u. Fotobildn. — Zeitschr. f. Kst, 3 (1949) 116/18 (A. W. D., Zur Psychologie heutigen Kunstschaffens), 119f., m. 9 Abbn. — Westermanns Monatsh., 144 (1928) Taf. geg. p. 620, 641 (Abb.), 642.

Drevill, André Georges, franz. Radierer, * 2. 12. 1872 Paris, ansässig ebda.

Schüler von Toudouze. Stellt seit 1923 im Salon der Soc. d. Art. Franç. aus.

Lit.: Joseph, I.

Drew, Lewis, amer. Maler, * 1885 Grand Rapids, Mich., † Juni 1915 Saranac Lake, N.Y.

Lit.: Amer. Art Annual, 12 (1915) 258.

Drewes, Werner, dtsch. Maler, Rad. u. Holzschneider, * 27. 7. 1899 Kanig (Niederlausitz), ansässig in Brooklyn, N. Y., USA.

Ein Jahr Architekturstudien in Stuttgart, 1921 Schüler Feiningers am Bauhaus in Weimar, anschließend Reisen durch Europa, Nord- u. Südamerika. 1927/29 wieder am Bauhaus, seit 1930 endgültig in den USA. 1937/40 Lehrer an der Universität Columbia, 1940/45 Lehrer am Brooklyn College. Abstrakter Maler, unter Einfluß Feiningers. Bildnisse, Landschaften (Öl, Aquarell, Zeichng). Bilder u. a. in d. Städt. Gal. in Frankfurt a. M. u. in d. Pennsylv. Acad. of the F.Arts in Philadelphia. Sonderausstellgn 1947 in d. Kleemann Gall., 1951 in d. Argent Gall. in New York.

Lit.: D. Cicerone, 20 (1928) 806. — Hellweg (Essen), 2 (1922), Heft 9, Umschlagbild, p. 287 (Abb.). — D. Kstwerk, 1 (1946/47) H. 8/9 p. 53, m. Abb.; 4 (1950) H. 8/9 p. 87, m. Abb. — Amer. Art Annual, 30 (1933). — Who's Who in Amer. Art, I: 1936/37. — Art Index (New York), Okt. 1941/Okt. 1951.

Drexel, Hans Christoph, dtsch. Maler, * 1886 Königstein i. T., ansässig in Berlin.

Expressionist, zeitweilig abstrakt malend. Mitgl. d. „Novembergruppe". Erste Kollektiv-Ausst. im Folkwang-Mus. in Hagen i. W., August 1913, weitere Kollektiv-Ausstellgn in d. Gal. Flechtheim, Düsseldorf, Jan./Febr. 1921 (Kat. m. Abbn), im Frankfurter Kstverein, Okt. 1931, u. im Köln. Kstver., Jan. 1948. Im Folkwang-Mus. in Essen 2 Aquarelle (Allegorie u. Abstrakte Landsch.). Ein Ölbild: Blumenfrau, wurde 1932 für die Berliner Nat.-Gal. erworben (Abb. in: D. Kunst, 65 [1932] 299).

Lit.: D. Cicerone, 5 (1913) 622. — D. Kunst u. d. schöne Heim, 49 (1950) H. 1, p. 18/20, m. 6 Abbn. — D. Kstblatt, 1 (1917) 259 (Abb.); 5 (1921) 108/10, m. 2 Abbn. — D. Querschnitt, 1 (1921) 74f., m. Abbn. — F. Nemitz, Dtsche Malerei d. Gegenw., Münch. o. J. [1948], m. Abb.

Dreydorff (-Knocke), Johann Georg, dtsch. Landschafts- u. Interieurmaler, * 21.5. 1873 Leipzig, † 24. 1. 1935 Krefeld.

Schüler der Düsseldorfer Akad. Längere Zeit in Knocke-sur-Mer (Belgien), seit 1914 in Krefeld. Beeinflußt von Paul Baum. Interieur: Am Linnenschrank, im Mus. in Leipzig. Weitere Bilder in den öff. Smlgn in Bremen, Krefeld u. Wuppertal. Jubiläumsausst. anläßl. s. 60. Geb.-Tages in Krefeld.

Lit.: Th.-B., 9 (1913). — Aachener Kstblätter, 2/3 (1908) 79 (2×).

Dreyer, Otto, schweiz. Architekt, ansässig in Luzern.

Schüler von Karl Moser. Kirche in Littau b. Luzern u. St. Josephskirche in Luzern.

Lit.: Dreßler. — D. Münster, 1 (1947/48) 157. — D. Werk, 25 (1938) 186f. (Abbn); 26 (1939) 157 (Abb.).

Dreyfus, Léopold, gen. *Dreyfus-Léo,* franz. Maler, * Fontenay-le-Comte (Vendée), ansässig in Paris.

Stellte 1920/27 bei den Indépendants aus.

Lit.: Joseph, 1. — Bénézit, [2] 3.

Dreyfus, Marguerite (Rita), geb. *Bouchet,* franz. Holzschneiderin, * 21. 3. 1879 Paris, ansässig ebda.

Stellte seit 1900 im Salon der Soc. d. Art. Franç. aus.

Lit.: Joseph, I.

Dreyfus, Raoul Henri, franz. Bildnismaler u. -zeichner, * 18. 9. 1878 London, von franz. Eltern, ansässig in Paris.

Schüler von Bouguereau u. G. Ferrier. Stellt seit 1904 im Salon der Soc. d. Art. Franç. aus.

Lit.: Joseph, I.

Dreyfus-Gonzalès, Edouard Vincent

Joseph, franz. Bildnismaler, * 3. 3. 1876 Paris, ansässig ebda.

Schüler von B. Constant u. P. Dubois.

Lit.: Th.-B., 9 (1913). — Bénézit, [2] 3.

Dreyfus-Lemaître, Henri, franz. Landschaftsmaler, * 15. 7. 1859 Amiens, † 1946 Paris.

Post-Impressionist. Befreundet mit Em. Bernard u. Schuffnecker. Mitglied des Salon d'Automne. Stellt seit 1927 auch bei den Indépendants aus. Arbeitete hauptsächl. in Auvers-sur-Oise u. im Depart. Creuse.

Lit.: Joseph, 1. — Bénézit, [2] 3.

Dreyfus-Stern, Jean, franz. Figuren- u. Stillebenmaler, * 20. 12. 1890 Paris, ansässig ebda.

Schüler von Ch. Guérin u. B. Naudin. Mitgl. der Soc. du Salon d'Automne, den er seit 1920 beschickt, und der Soc. d. Art. Indépendants. Stellt seit 1924 auch im Salon des Tuileries aus.

Lit.: Joseph, 1. — Bénézit, [2] 3. — Beaux-Arts, 76e année Nr 324 v. 17. 3. 1939, p. 7 (Abb.); Nr 335 v. 2. 6. 1939, p. 2 (Abb.).

Dreyfuss, Albert, amer. Maler, Bildh. u. Journalist, * 1880 New York.

Schüler von George Gray Barnard, Twachtman, Du Mond u. des Pratt Inst. — Pionier-Denkm. für Albion, Orleans Co., N. Y.; Arsenal Park Memorial für Pittsburgh, Pa.

Lit.: Amer. Art Annual, 30 (1933). — Fielding.

Dreyfuss, Henry, amer. Zeichner u. Kstgewerbler, * 2. 3. 1904 New York, ansässig ebda.

Entwürfe zu Kostümen u. Industrieerzeugnissen.

Lit.: Who's Who in American Art, I: 1936/37 — Vogue (New York), 1. 2. 1939, p. 145. — Architect. Forum, 77, August 1942, p. 46/48. — The Art Index, New York, Nov. 1950/Okt. 1952.

Drian, Etienne, franz. Maler, Rad. u. Illustr., ansässig in Paris.

Hat sich durch seine flotten Modezeichngn einen Namen gemacht. Illustr. u. a. zu den Contes von Perrault, zu H. de Régnier, La Canne de Juspe, J. Boulenger, De la Valse au Tango, u. J. Lorrain, Monsieur de Bougrelon. Auch Blumenstücke (bes. in Aquar.), Alben (Folge: Versailles) u. Gebrauchsgraphik. Kollektiv-Ausst. Nov. 1923 in der Gal. Jean Charpentier.

Lit.: Bénézit, [2] 3 (irrig A. D.). — Gebrauchsgraphik, 1 (1924/25) H. 8 p. 49ff. (Abbn); 4 (1927) H. 2, p. 59ff., m. Abbn. — La Renaiss. de l'Art franç., 1 (1918) Nr 1 p. 24ff., Nr 3 p. 25ff. (Abbn); 2 (1919) 459, m. 2 Abbn; 6 (1923) 706; 8 (1925) 247. — The Studio, 83 (1922) 328, m. Abb.; 88 (1924) 226ff., m. Abbn.

Driès, Jean, elsäss. Landschafts-, Stillleben-, Bildnis- u. Figurenmaler (Öl u. Aquar.), * 1905 Bar-le-Duc (Herzogenbar), Lothr., von elsäss. Eltern.

Ging 1925 nach Paris, stud. kurze Zeit an der Ec. d. B.-Arts. Wird mit den Werken Cézanne's bekannt. Von dort nach London, 1929 in die Provence. Beeinflußt von Cézanne, Manet u. Courbet. Stellt seit 1928 im Salon d'Automne aus.

Lit.: Bénézit, [2] 3. — L'Art et les Art., N. S. 24 (1932) 224/29, m. 6 Abbn. — Art et Décor., 62 (1933), Les Echos d'Art, August-H., p. IX.

Driesch, Johannes, dtsch. Maler, Radierer u. Lithogr., * 21. 11. 1901 Krefeld, † 18. 2. 1930 Erfurt.

Stud. nach vorübergehendem Aufenthalt in München bei Gerh. Marcks am Bauhaus in Weimar, 1928–29 in Frankreich. Folgte anfangs der Richtung der Neuen Sachlichkeit. Ging dann unter dem Einfluß von Rembrandt u. Marées zu einer ganz aus den Farbenwerten gewonnenen, weichen Helldunkelmalerei über (Familie d. Kstlers, Selbstbildn.). Figürliches, Bildnisse, Blumenstücke, Stilleben. Nachlaß-Ausst. im Kstver. in Erfurt, 1930. Ein Blumenstück im Städt. Mus. in Erfurt.

Lit.: D. Cicerone, 15 (1923) 1109; 16 (1924) 1148; 17 (1925) 1101; 18 (1926) 530; 22 (1930) 168, 479f. — Jahrb. d. Denkmalpflege in d. Prov. Sachsen u. in Anhalt, 1931, p. 68, m. Abb. — D. Christl. Kst, 28 (1931/32) 251. — D. Kstblatt, 7 (1923) 312, m. Abb.; 11 (1927) Abb. vor p. 416, 417ff., m. Abbn, 431f.; 13 (1929) 326; 14 (1930) 12, 13 (Abb.), 125, 331/35, m. Abbn; 15 (1931) 249 (Abb.), 254.

Driesten, Arend Jan van, holl. Landschaftsmaler u. Rad., * 12. 4. 1878 Leiden, ansässig ebda.

Gefördert von Th. de Bock; in der Hauptsache Autodidakt. Tätig 1898/1902 in Renkum, 1903/05 in Gulpen (Zus. mit Th. de Bock), 1906/11 in Noorden, seitdem in Eefde bei Zutphen.

Lit.: Plasschaert. — Waay. — Waller.

Driggs, Elsie, siehe *Gatsch.*

Dring, William, engl. Figurenmaler, * 26. 1. 1904 London, ansässig ebda.

Stud. an der Slade School London.

Lit.: Who's Who in Art, [3] 1934.

Drinkwater, George Carr, engl. Architekt u. Bildnis- u. Figurenmaler, * 10. 7. 1880 Oxford, ansässig in London.

Schüler von Sir T. G. Jackson.

Lit.: Who's Who in Art, [3] 1934.

Drippey, Béla, ungar. Landsch.- u. Stilllebenmaler, * 1879 Budapest.

Schüler von L. Hegedűs.

Lit.: Szendrei-Szentiványi. — Krücken-Parlagi.

Drivet, Pietro, piemont. Landschafts-, Figuren- u. Bildnismaler, * 26. 5. 1887 Turin, ansässig ebda.

Lit.: Comanducci.

Drivier, Léon, franz. Bildhauer, Medailleur, Aquarellmaler u. Entwurfzeichner für Möbel, * 22. 10. 1878 Grenoble, ansässig in Paris.

Schüler von Rodin, beeinflußt von griech. Kunst, wohl auch von Max Klinger. Pflegt wie dieser die polychrome Skulptur. Stellt seit 1910 im Salon der Soc. Nat. d. B.-Arts aus (Salon-Kat. z. T. m. Abbn), seit 1923 auch im Salon des Tuileries, zu deren Gründermitgliedern er gehört. Hauptsächlich Bildnisbüsten u. weibl. Akte. Ein Hauptwerk ist das 1936 enthüllte Denkmal für die im 1. Weltkrieg gefallenen Elsässer an der Place de la République in Straßburg. Im Mus. in Le Havre ein stehender weibl. Akt; im Luxembourg-Mus. in Paris eine Büste des Vaters des Künstlers; eine Bellona, Symbol der Verteidigung von Verdun, im Treppenhaus des Lyzée Buffon ebda. Weitere Arbeiten im Petit-Palais in Paris u. in den Museen in Grenoble, Lyon, Algier (Büste e. jungen Amerikanerin) u. Washington, USA.

Lit.: Th.-B., 9 (1913). — Joseph, 1, m. Abb. — Bénézit, [2] 3. — H. Classens, La Médaille franç. contemp., Paris 1930. — L'Amour de l'Art, 11 (1930) 387, 393 (Abb.). — Archives alsac. d'Hist. de l'Art, 15 (1936) 166/81, m. 7 Abbn. — L'Art et les Art., N. S. 7 (1923) 287; 13 (1926) 199/203, m. 8 Abbn; 19 (1929–30) 140 (Abb.); 30 (1935) Nr 159, p. 337/52, passim,

m. Abb. — Art et Décor., 1927/I p. 25ff., m. Abbn; 1927/II p. 15, 17 (Abb.); 1928/II p. 31 (Abb.); 1932/I p. 233, 235, 237 (Abb.). — Beaux-Arts, 6 (1928) 190, m. Abb.; 1935 Nr 119°v. 12. 4. 35, p. 2, m. Abb.; 75° année Nr 283 v. 3. 6. 1938, p. 12 (Abb.); Nr 336 v. 9. 6. 1939, p. 3 (Abb.). — Bull. de l'Art, 1926, p. 157, m. Abb.; 1929 p. 456 (Abb.). — Chron. d. Arts, 1920 p. 4f. — Gaz. d. B.-Arts, 1922/II p. 326, m. Abb.; 1924/II p. 99 (Abb.), 102; 1927/I p. 357 (Abb.), 359. — Revue de l'Art, 44 (1923) 108, 115 (Abb.); 50 (1926) 127 (Abb.), 128; 54 (1928/II) 35 (Abb.). — The Studio, 96 (1928) 67 (Abb.).

Drobek, Johann, dtsch. Maler, * 14. 5. 1887 Königshütte, † 21. 12. 1951 München.

Zuerst Stubenmaler, dann Schüler von Hans Roßmann an d. Akad. in Breslau. Farbige Ausgestaltung von Räumen (Marienkapelle der Liebfrauenkirche in Ratibor [Deckenbild], Pfarrkirchen in Krappitz, Gogolin, Cosel u. Kamitz, Gerhart-Hauptmann-Theater in Breslau). Bildnisse (bes. Kinderbilder) u. Landschaften. Eine Ansicht des Annaberges für den Sitzungssaal des Provinzial-Schulkollegiums in Oppeln.

Lit.: Schles. Heimatpflege, 1. Veröff., Breslau 1935, p. 88, 89 (Abb.). — Schles. Musenalmanach, 7 (1920) 93. — Der Oberschlesier, 17 (1935) 181/84, m. Abb., Abbn n. p. 188, nach p. 196 u. nach p. 204; 21 (1939) Abb. nach p. 506. — Kat. d. 10. Niederschles. Kstausst., Breslau, 1943, p. 15, Abb. nach p. 16.

Drobil, Michael, öst. Bildhauer (Prof.), * 19. 9. 1877 Wien, ansässig ebda.

Stud. 1897/1905 bei Hellmer an d. Wiener Akad. 1905 Rom-Stipendium, 1942 Raphael-Donner-Preis. Seit 1920 Mitgl. der Wiener Sezession, seit 1940 Mitgl. d. Wiener Kstlerhauses. Kriegerdenkm. für Ried i. Innkreis; Denkm. Prof. Billroth für d. Allg. Krankenhaus Wien; Bronzefigur eines Knaben in den städt. Smlgn in Wien.

Lit.: Wer ist Wer? (Wien), 1937. — Teichl. — Emporium, 84 (1936) 289 (Abb.), 290 (l. Sp.). — Der getreue Eckart (Wien), 15 (1937/38) 203/06, m. Abbn. — Westermanns Monatsh., 163 (1937/38) 95, m. Abb., 98 (Abb.). — Öst. Kst, 9 (1938) 17/21. — Kst dem Volke, 10 (1939) 9/14. — D. Weltkst, 16, Nr 23/24 v. 7. 6. 1942, p. 6. — The Studio, 136 (1948) 40 (Abb.).

Dröge, Karl, dtsch. Landsch.- u. Bildnismaler u. Graph. (Prof.), * 23. 6. 1893 Hildesheim, ansässig in Hannover-Kleefeld.

Lehrer an d. Kstgewerbesch. Hannover.

Lit.: Dreßler. — Dtsche Kst u. Dekor., 66 (1930), Beibl. p. [3]. — D. Bild, 5 (1935) 319 (Abb.), 322 (Abb.). — Velhagen & Klasings Monatsh., 49/II (1934/35), farb. Taf. geg. p. 208, 224. — Kat. 3. Dtsche Kstausst. Dresden 1953.

Dröge, Reinhard, dtsch. Landschafts- u. Marinemaler, * 21. 2. 1871 Hagel, Westprignitz, ansässig in Sellin auf Rügen.

Stud. an der Staatl. Kstschule in Berlin u. im Atelier Rummelspacher ebda.

Lit.: Dreßler.

Dröll, Carl, dtsch. Maler, * 1. 4. 1885 Frankfurt a. M., ansässig in Duisburg.

Schüler von Peter Halm u. A. Jank an der Münchner Akad.

Lit.: Dreßler.

Droesbeke, Albert, belg. Maler u. Holzschneider, * 1896 Schaarbeek, † 1929 Brüssel.

Schüler der Brüsseler Akad. Illustr. zu Theo Bogaerts: Het Oog op den Heuvel (1928). Mappenwerke: Album de Géographie (1926); Clocher et Horizon.

Lit.: Seyn, I, m. Fotobildn. — Gand artist., 1931 p. 19, m. 2 Abbn. — Rob. de Bendère, Le peintre et xylogr. A. D., Brüssel u. Paris 1933.

Droghetti, Augusto, ital. Genre- u. Landschaftsmaler u. Kstschriftst. (Prof.), ansässig in Ferrara.

Direktor der Pinac. Civ. in Ferrara.

Lit.: Arte et Storia, 1896, p. 182f.; 1912, p. 197, 227; 1914, p. 49/51, m. Abb.

Droisy, Emma Marie, franz. Bildnismalerin u. Pastellzeichnerin, * 19. 11. 1868 Rom, von franz. Eltern, ansässig in Saint-Denis.

Schülerin von J. Lefebvre u. Cormon. Stellt seit 1890 im Salon der Soc. d. Art. Franç. aus.

Lit.: Joseph, I. — Bénezit, [2] III.

Dromel, Germaine, franz. Stilleben- u. Bildnismalerin, * 26. 5. 1901 Aix-en-Provence, ansässig in Paris.

Schülerin von Cormon u. P. Laurens. Mitgl. der Soc. d. Art. Franç., beschickt deren Salon seit 1926.

Lit.: Joseph, 1. — Bénézit, [2] 3.

Dronsberg van der Linden, Cornelis, holl. Maler, * 1876 Dordrecht, ansässig in Blaricum.

Schüler von Lizzy Ansingh u. Piet van Wijngaerdt. Bildnisse, Figürliches, Blumen, Landschaften.

Lit.: Waay.

Droop, Hermann, dtsch. Maler, * 23. 3. 1879 Emden, ansässig in Dresden.

Schüler von L. Pohle, C. Bantzer u. H. Preller d. J. an d. Dresdner Akad. Landschaften, Stilleben, Bildnisse.

Lit.: Dreßler. — Das Bild, 7 (1937) 239/41 (Abbn).

Droppe, Marie, franz. Figuren- (bes. Akt-) Malerin, * Toulouse, ansässig in Paris.

Mitgl. der Soc. d. Art. Indépendants, beschickt deren Salon seit 1927. Stellt auch im Salon der Soc. Nat. d. B.-Arts aus.

Lit.: Joseph, I.

Dropsy, Henry, franz. Bildhauer, Medailleur u. Plakettenkstler, * 21. 1. 1885 Paris, ansässig ebda.

Sohn des Medailleurs Emile D., Bruder des Bildh. Lucien Emile D. (* 1. 6. 1886, fiel im 1. Weltkrieg). Schüler von Vernon, Injalbert, Patey u. Thomas. Mitgl. der Soc. d. Art. Franç.; beschickt deren Salon seit 1907 (Kat. z. T. mit Abbn). Silb. Med. 1914, Gold. Med. 1921, Reisestipendium 1922. Leiter der Medailleur-Abteilung an d. Pariser Ec. d. B.-Arts. Katalog s. Medaillen in: Aréthuse, 2 (1924/25) 4, m. Abb.

Lit.: Forrer, 7 u. 8. — Canale. — Joseph, 1. — H. Classens, La Médaille franç. contemp., Paris 1930. — Aréthuse, 3 (1926), Chron. p. III; 6 (1930) p. 18/20, m. zahlr. Abbn, Chron. p. VIIf., m. Abb. — L'Art et les Art., 79 (1935) Nr 153, p. 134/38, m. 9 Abbn. — Art et Décor., 30 (1926), Chron., Februar-H., p. 2. — Beaux-Arts, 3 (1925) 177, m. Abb.; 10 (1932) Juniheft, p. 13; Nr v. 2. 4. 1948 p. 5. — Demareteion, 1 (1935) 75/81, m. 6 Abbn. — Revue de l'Art anc. et mod., 55 (1929) 124 (Abbn), 127 (Abb.).

Drost, Freerk Joh., holl. Maler u. Graph. (bes. Reklamekünstler), ansässig in Voorburg.

Schüler von A. W. Kort in Groningen. Landschaften, Bildnisse, hauptsächlich aber Reklamekunst.

Lit.: Waay.

Drost, Gerardus, holl. Maler, * 28. 1. 1895 Amsterdam, ansässig ebda.

Landschaften, Stilleben, Stadt- u. Hafenansichten. Mitglied der „Brug".

Lit.: Waay. — Waller.

Drost, Hermann, dtsch. Landschaftsmaler (bes. Aquarellist), * 6. 12. 1912 Charlottenburg.

Stud. an der Hochsch. f. bild. Kste in Berlin.

Drouard, Maurice, franz. Bildhauer u. Zeichner, * 8. 5. 1886 Paris, fiel am 29. 9. 1915 bei Perthes-les-Hurluse (Marne).

Schüler von A. Mercié. Bildnisbüsten u. Medaillons. Eine Smlg s. Zeichnungen vom Montmartre wurde herausgeg. von dem Verlag Berger-Levrault, mit Vorwort von Delaw.

Lit.: Ginisty, 1919, p. 61/63. — Chron. d. Arts, 1917–19, p. 68. — Vieux Montmartre, fasc. 10 (1932) p. 283/42, m. Abbn.

Drouart, Raphaël, franz. Maler, Graphiker u. Illustr., * 25. 12. 1884 Choisy-le-Roi, ansässig in Paris.

Schüler von F. Cormon u. Maur. Denis. Pflegt alle graph.Techniken (Rad., Monotypie, Lith., Holzschn.). Debütierte 1919 im Salon der Soc. Nat. d. B.-Arts. Stellt seit 1923 auch bei den Indépendants aus. Hauptblätter: Überraschte Nymphen (Rad.); Die Nacht von Golgatha (Rad.); Die entdeckte Quelle (Rad.); Jakobs Kampf mit dem Engel (Monot.); Tannenzapfen (desgl.); Badende (desgl.); Die Jahreszeiten (Holzschn.). — Buchillustrat.: „Idylles" von Theokrit (Holzschn.); „Vingt Sonnets" von Ronsard (Holzschn.); „La Tentation de Saint-Antoine" von G. Flaubert (Holzschn.); „Laus Veneris" von Swinburne (Holzschn.); „L'Eve future" von Villiers de l'Isle Adam (Stiche); „L'Ame de la Danse" von P. Valéry (Lith.); „Poèmes" von Edg. Poe (Rad.); „Eloa" von A. de Vigny (Lith.); „Les Trophées" von J. M. de Heredia (Rad.); „Poésies" von Pierre Louys (Rad.).

Lit.: Joseph, 1, m. 2 Abbn u. Selbstbildn. (Zeichng). — Bénézit, [2] 3. — Courrier graph., 1937 Nr 4, p. I/VIII, m. 19 Abbn. — Cronache d'Arte, 5 (1928) 251 (Abb.), 252. — La Renaiss. de l'Art franç., 10 (1927) 395. — The Studio, 83 (1922) 340.

Drouet, Eugène, franz. Landschafts- u. Marinemaler, * Paris, ansässig ebda.

Stellt seit 1926 bei den Indépendants aus.

Lit.: Joseph, I.

Drouet-Cordier, Suzanne, franz. Genre-, Landschafts- u. Orientmalerin, * 2. 3. 1885 Paris, ansässig ebda.

Schülerin von Humbert. Stellt seit 1910 im Salon der Soc. d. Art. Franç. aus, seit 1923 auch bei den Indépendants, deren Mitglied sie ist.

Lit.: Joseph, 1. — Bénézit, [2] 3.

Drown, W. Staples, amer. Landschaftsmaler, * Dorchester, Mass., † 24. 9. 1915 Providence, R. I.

Schüler von J. Appleton Clark in Boston.

Lit.: Amer. Art Annual, 12 (1915) 258.

Droz, J., franz. Kirchenarchitekt, ansässig in Paris.

Kirchen u. a. in Saint-Eloi-les-Mines, Meudon-Val-Fleury, Nizza u. Huningue.

Lit.: Architecture, 1930 p. 89/100, m. 19 Abbn; 1931, p. 289/313, m. zahlr. Abbn. — Notes d'Art, 1928, p. 7/12, 17/21. — Gaz. d. B.-Arts, 1925/II p. 18; 1933/II p. 40 (Abb.), 43 (Abb.). — La Renaiss. de l'Art franç., 1934, p. 83ff. passim, m. Abb.

Drudis Biada, José, katal. Aquarellmaler, ansässig in Barcelona.

Landschaften u. Straßenansichten aus den verschiedensten Gegenden Spaniens (Asturien, Galicien, Guipúzcoa, Kastilien, Santander, Navarra, Aragonien). Koll.-Ausst. im Salón Vilches in Madrid 1918.

Lit.: Francés, 1918 p. 135/37, m. Abb.

Druja-Forsu, Elza, lett. Malerin.

Schülerin der Kstakad. in Riga. Kollekt.-Ausst. in d. Gal. Dahms in Wiesbaden März 1948. Naturalistisch behandelte Szenen aus dem Leben der lett. Bauern u. Fischer.

Lit.: Wiesbad. Kurier, 8. 3. 1948.

Drumaux, Angelina, belg. Blumen- u. Landschaftsmalerin, * 23. 1. 1881 Bouillon, ansässig in Brüssel.

Schülerin von Adr. de Witte. Stellt seit 1908 im Salon der Soc. d. Art. Franç. aus (Kat. z. T. mit Abbn).

Lit.: Joseph, 1. — Bénézit, [2] 3. — La Renaiss. de l'Art franç., 11 (1928) 169, m. 5 Abbn.

Drumpt, Jan Dirk Daniel van, holl. Landschaftsmaler, * 24. 8. 1886 Den Helder, ansässig in Enschede.

Schüler von Lechner in Utrecht.

Lit.: Waay.

Drupsteen, Wilhelmina, holl. Malerin, Rad. u. Lithogr., * 10. 10. 1880 Amsterdam, ansässig ebda.

Schülerin von Lauweriks. Bildnisse, Stilleben, Landschaften, Wandmalereien. Illustr. zu Märchen.

Lit.: Plasschaert. — Waay. — Waller. — Architectura, 21 (1913) 272f., m. Abb.

Drury, Alfred, engl. Bildhauer, * 11. 11. 1859 London, † März 1944 ebda. Vater des Paul.

Arbeitete ganz im Stil seines Lehrers Dalou. Bildnisbüsten (bes. Kinderköpfe), Figürliches, Bauplastik. Denkmal König Eduards VII. in Aberdeen. Bronzestatuen der Königin Victoria in Portsmouth, Bradford u. Wellington; Statue der Philanthropin Elizabeth Fry im Treppenhaus der Corporation of the City of London. Standbild Sir Jos. Reynolds' im Burlington House in London. Weitere Arbeiten in der Nat. Gall. in London, im Mus. in Nottingham u. in der Londoner Börse (Gefallenendenkmal).

Lit.: Th.-B., 9 (1913). — The Internat. Who's Who, [8] 1943/44. — Who's Who in Art, [3] 1934. — The Connoisseur, 38 (1914) 111. — The Studio, 66 (1916) 281; 67 (1916) 248, m. Abb.; 68 (1916) 40; 132 (1946) 84; 137 (1949) 130. — Bull. de l'Art, 1927, p. 199 (Abb.). — Artist, 29 (1945) 106/08, m. Abb.; 32 (1946–47) 2/4, 26/28, 50/52, 74/76, 98/100, 122/25. — Museums Journal, 44 (1945) 196. — The Burl. Magaz., 88 (1946) 98f.

Drury, Herbert R., amer. Maler, * 1873 Cleveland, Ohio, ansässig in Willoughby, O.

Lit.: Amer. Art Annual, 30 (1933).

Drury, Paul, engl. Radierer u. Zeichner, * 14. 10. 1903 London, ansässig ebda. Sohn des Alfred.

Stud. an der Westminster School, dann bei Malcolm Osborne u. Stanley Anderson am Goldsmiths' College. Beeinflußt von F. L. Griggs, auch von Hollar, Rembrandt u. Edw. Calvert. Hauptsächlich Bildnisse u. Landschaften, meist kleinen Formats. Ein Katal. s. Rad., die Produktion der Jahre 1922/28 umfassend, wurde von R. A. Walker aufgestellt. Seitdem entstanden u. a. folg Blätter: Crow Hanger; December Sunset; Miss Hilda Crossley; Nurse; Barn Interior; The Poet.

Lit.: Who's Who in Art, [3] 1934. — Artwork, 5 (1929) 133 (Abbn). — The Print Coll.'s Quarterly, 16 (1929) 85/92, m. 4 Abbn, 97/100, m. 2 Abbn (R. A. Walker); 24 (1937) 219 (Abb.); 26 (1939) 501 (Abb.). — The Connoisseur, 83 (1929) 316f. — The Studio, 93 (1927) 259, m. Abb.; 103 (1932) 249 (Abb.); 108

(1934) 51 (Abb.); 110 (1935) 132 (Abb.); 137 (1949) 130 (Abb.).

Drury, William H., amer. Marinemaler u. Illustr., * 10. 12. 1888 Fitchburg, Mass., ansässig in Newport, R. I.

Stud. an der Schule des Mus. of F. Arts in Boston, bei Tarbell u. Woodbury. Bilder u. a. in d. Nat. Gall. of Art in Washington, in den Museen in Brooklyn u. Los Angeles u. im Vict. a. Albert Mus. in London. — Seine Gattin Hope Curtis, * 1889 Pawtucket, R. I., ist Malerin.

Lit.: Fielding. — Amer. Art Annual, 30 (1933). — Who's Who in Amer. Art, I: 1936/37.

Dryák, Alois, tschech. Architekt, * 24. 2. 1871 Olšany bei Slaný, † 6. 6. 1932 Prag.

Stud. an d. Kstgewerbesch. in Prag, 1889/95 bei F. Ohmann. Seit 1898 lehrtätig an d. Prager Goldschmiedesch., 1903/13 an d. dort. Kstgewerbesch. Stadien der Sokolkongresse in Prag 1912, 1920, 1932; Haus d. Staatsverlages (1900), Druckerei u. Verlag „Orbis" (1925), Tabak-Monopol (1926/28), sämtl. Prag, Schule in Prag-Ořechovka; Palacký-Denkmal in Prag 1899, zus. mit d. Bildh. S. Sucharda; Architektur des St. Wenzeslaus-Denkmals von J. V. Myslbek ebda (1912/13).

Lit.: V. Šuman, Architekt A. D., Prag-Wien 1930, m. zahlr. Abbn. — J. E. Koula, Nová česká architektura, Prag 1940. — Toman, I 177. — D. Architekt, 3 (1897) 43; 7 (1901) Taf. 5f.; 15 (1909) 20 -22. — Styl, N. F. 4 (1923) 34, 35, 45/46, 49, 50; 17 (1932) 21f. *Blž.*

Drysdale, Alexander John, amer. Maler u. Illustr., * 2. 3. 1870 Marietta, Ga., † 9. 2. 1934 New Orleans, La.

Schüler von P. Poincy, Curran u. Du Mond. Vertreten u. a. im Delgado Mus. in New Orleans u. im Louisiana State Mus.

Lit.: Fielding. — Amer. Art Annual, 30 (1933). — Who's Who in Amer. Art, I: 1936/37, p. 497.

Držkovic, Valentin, tschech. Maler u. Graph., * 10. 2. 1888 Velká Polom, tätig in Schlesien (Hrušov n. Odrou).

Stud. an d. Wiener Akad. (R. Jettmar u. F. Schmutzer), in Karlsruhe (H. A. Bühler), in Berlin u. Paris. Bildnisse, Figürliches, Landschaften, Tierstudien, Illustrationen. Sonderausstellgn in Prag 1925, 1937, in Ostrava 1924, 1935, in Opava 1920, 1926, 1933.

Lit.: P. Alléon u. and., Malíř V. D., Opava 1928. — M. Čech, V. D., Opava 1938. — V. D. 1888–1948, Opava 1948. — Veraikon (Prag), 15 (1929) 70f., m. Abbn. — Les Artistes d'aujourd'hui, 15. 4. 1926. — La Parenthèse, Juvisy, 15. 5. 1932 (C. Hubert). — Die Internat. Kstwelt, 1935 p. 57. — Toman, I 177. *Blž.*

Dshashi, Grigorij Platonowitsch, sowjet. Figurenmaler, * 1914.

Mitglied der Georgischen SSR. Im Bes. der Verwaltung f. Kunstangelegenheiten beim Ministerrat der Georgischen SSR ein gr. Bild: Ein Fest in der Kollektivwirtschaft.

Lit.: Kat. d. Ausst.: Sowjet. Malerei, i. Haus der Kultur d. Sowjetunion, Berlin 1949.

Duarte de Almeida, Alvaro, s. *Almeida,* Álvaro.

Duarte (D. da Silva Santos), António, portug. Porträt- u. Dekorationsbildhauer, * 31. 1. 1912 Caldas da Rainha, ansässig in Lissabon.

Schüler von Franc. Elias u. Simões de Almeida (Sobrinho). Nat.-Preis 1941; Manuel-Pereira-Preis 1943; Soares dos Reis-Preis 1944. 1948 Erster Preis im Wettbewerb um ein Denkmal für Nuno Tristão, 1949 um ein Denkm. für Diogo Cão.

Werke im Nat.-Mus. f. zeitgenöss. Kst in Lissabon (Büste d. Dichters Ant. Navarro [Kat. 1945 p. 53]), im Mus. Grão-Vasco in Vizeu u. im Mus. José Malhôa in Caldas da Rainha. Standbild des Camilo Castelo Branco in Lissabon. Dekor. Statuen u. a. im Campo Grande (Lissabon) u. im Justizpalast in Guarda. Dekor. Gruppen in der Bibliothek der Universitätsstadt Coimbra. Porträtbüsten (Dr. Alfredo Bensaude, Techn. Hochsch. Lissabon; Dichter Ant. Correia de Oliveira u. Teixeira de Pascoais; Maler Ramon Rogent). Mehrere Arbeiten in Funchal (Madeira).

Lit.: A. Heilmeyer-R. Benet, La Escultura Mod. y Contemp., 1949, p. 252. — Portugal, S. N. I., 1946 p. 392. — Occidente, Nr 139, Nov. 1949, p. 230f. — 15 Anos de Obras Públicas, Livro de Ouro, p. 33. — Pamplona, p. 401. — Gr. Encicl. Port. e Brasil., IX 317. — Quem é Alquém, 1947 p. 28. — Die Weltkst, 16 Nr 21/22 v. 24. 5. 1942, p. 3.

Dubach, Hans, schweiz. Architekt, ansässig in Bern, assoziiert mit W. Gloor.

Kirchen in Moutier, Kt. Bern (1930/31), u. Riggisberg, Kt. Bern (1930); Ev.-ref. Kirchengemeindehaus in Bern.

Lit.: D. Baumeister, 1936, p. 109/13. — D. Werk (Zürich), 21 (1934) 178ff.; 22 (1935) 134f. (Abbn); 24 (1937) 269.

Dubaut, Jane, franz. Bildnis- u. Landschaftsmalerin, * 1. 9. 1885 Paris, ansässig ebda.

Schülerin von J. Adler u. J. B. Duffaud. Stellt seit 1909 im Salon der Soc. d. Art. Franç., seit 1923 auch bei den Indépendants aus.

Lit.: Joseph, I.

Dubaut, Pierre, franz. Pferde- u. Sportmaler (Öl u. Aquar.), * 14. 9. 1886 Paris, ansässig ebda.

Stellt seit 1923 bei den Indépendants, seit Ausgang der 30er Jahre auch im Salon des Tuileries aus.

Lit.: Joseph, 1. — Bénézit, [2] 3. — L'Art et les Art., N. S. 18 (1929) 229/33, m. 6 Abbn. — Beaux-Arts, 75e année, Nr 270 v. 4. 3. 1938 p. 7 (Abb.); Nr 283 v. 3. 6. 1938 p. 12 (Abb.). — Bull. de l'Art, 1929, p. 23 (Abb.).

Dubie, Edmond, belg. Porträtbildhauer, * 1907 Mesvin (Hennegau).

Schüler der Brüsseler Akad.

Lit.: Seyn, I.

Dubois, Anatole, russ. Bildhauer, * St. Petersburg (Leningrad), ansässig in Paris.

Stellt seit 1928 bei den Indépendants u. im Salon des Tuileries aus. Hauptsächlich Bildnisbüsten.

Lit.: Joseph, I. — Beaux-Arts, 76e année Nr 342 v. 21. 7. 1939, p. 4.

Dubois, Auguste, elsäss. Radierer, * Greßweiler (Bas-Rhin), ansässig ebda.

Stellt seit 1929 im Salon der Soc. d. Art. Franç. in Paris aus. Illustr. zu: B. Valloton, „On changerait plutôt le cœur de place..." (Coll. „Vie en Alsace"), Straßbg 1928.

Lit.: Joseph, I. — Elsaß-Lothr. Jahrb., 12 (1933) 292.

Dubois, Charles, s. Art. *Taillens,* Jean.

Dubois, Clémentine, franz. Blumen-, Früchte- u. Stillebenmalerin, * Denain (Nord), ansässig in Paris.

Schülerin von Bergès. Mitgl. der Soc. d. Art. Français.

Lit.: Joseph, I.

Dubois, Ernest, franz. Bildhauer, * 16. 3. 1863 Dieppe, † 1931 Paris

Schüler von Chapu, Falguière, A. Mercié u. J. C. Chaplain. Mitgl. der Soc. d. Art. Franç. (Salon-Kat. z. T. m. Abbn). Gold. Med. Weltausst. Paris 1900. In der Ny Carlsberg Glyptothek in Kopenhagen: Der verlorene Sohn. Im Mus. in Dieppe: Büste Alex. Dumas'. In La Rochelle ein Denkmal Eug. Fromentin's. Im Hof des Luxembourg-Mus. in Paris eine Kolossalgruppe: Verzeihung (Marmor).

Lit.: Th.-B., 9 (1913). — Joseph, 1. — Maryon. — Bénézit, [2] 3. — L'Art, 66 (1906) 20ff. — Bull. de l'Art, 1931, p. 58.

Dubois, Georges, franz. Bildhauer, * Paris, † 1934 ebda.

Schüler von P. Lehoux. Stellte seit 1887 im Salon aus.

Lit.: Bénézit, [2] 3. — Revue de l'Art anc. et mod., 66 (1934/II), Bull. p. 238.

Du Bois, Guy Pène, amer. Maler, * 4. 1. 1884 Brooklyn, N. Y., ansässig in New York.

Schüler von Chase, Du Mond u. Henri. Vertreten u. a. im Metrop. Mus. New York u. in d. Phillips Mem. Gall. in Washington, D. C.

Lit.: Who's Who in Amer. Art, I: 1936/37. — Monro. — The Studio, 107 (1934) 118, m. Abb.; 113 (1937) 17 (farb. Abb.). — Art Index (New York), Okt. 1947/April 1953.

Dubois, Heinrich, dtsch. Maler, † 1929 Nürnberg.

Mitgl. der Neuen Sezession. Selbstbildn. v. 1911 in den Nürnbg. Kstsmlgn (ausgest. in d. Schau: 150 J. Nürnbg. Kst, Nürnbg 1942).

Dubois, Heinz, dtsch. Maler (Öl, Pastell, Aquarell) u. Graph., * 1914 Schnirgstin, ansässig in Schwerin.

Hauptsächlich Landschaften u. Stilleben.

Lit.: bild. kunst, 3 (1949) 229 (Abb.), 325 (Abb.). — Aufbau, 5 (1949) 421, 464 (Abbn).

Dubois, Hermann, dtsch. Bildhauer, * 25. 9. 1895 Breslau, zuletzt ansässig in Raspenau b. Friedland (Bez. Breslau).

Stud. in Essen, Düsseldorf, Berlin u. Königsberg. Hauptsächl. Bauplastik. Brunnen im Städt. Rosengarten in Waldenburg u. in d. Siedlung Schweidnitz. In d. Städt. Gal. Königsberg: Künstlerfest-Plakette der Akad. Königsberg.

Lit.: Dreßler.

Dubois, Marguerite, franz. Porträtmalerin (Öl u. Pastell), * 14. 11. 1883 Paris, ansässig ebda.

Schülerin von Baschet, P. Thomas, H. Royer u. Déchenaud. Stellt seit 1901 im Salon der Soc. Nat. d. B.-Arts aus.

Lit.: Joseph, I.

Dubois, Marius Eugène, franz. Landsch.- u. Blumenmaler, * Montreuil-sous-Bois (Seine), ansässig in Paris.

Stellt seit 1926 bei den Indépendants aus.

Lit.: Joseph, I.

Dubois, Paul, franz. Landschaftsmaler, * Marseille, ansässig ebda.

Stellt seit 1927 in Paris bei den Indépendants aus.

Lit.: Joseph, I.

Dubois, Paul Elie, franz. Figuren- u. Bildnismaler, * 29. 10. 1886 Colombier-Châtelot (Doubs), ansässig in Paris.

Schüler von J. P. Laurens u. J. Adler. Mitgl. der Soc. d. Art. Franç., beschickt deren Salon seit 1909 (Kat. z. T. m. Abbn). Silb. Med. u. Reisestipendium 1920; Gold. Med. 1922, Nationalpreis 1923. 1920/22 in der Villa Abd-el-Tif in Algier. Seitdem häufig Orientmotive behandelnd. Beschickt seit 1926 auch den Salon des Tuileries. Im Luxembourg-Mus. in Paris: Die Felsen von Bou-Saada. Weitere Bilder im Petit-Palais in Paris, im Mus. in Algier u. im Metrop. Mus. in New York.

Lit.: Joseph, 1, m. Fotobildn. — Bénézit, [2] 3. — L'Art et les Art., N. S. 18 (1929) 284, m. Abb. — Beaux-Arts, 5 (1927) 109, m. Abb.; 9 (1931) Okt.-Heft p. 22. — Bull. de l'Art anc. et mod., 1929, p. 291 (Abb.). — Revue de l'Art anc. et mod., 51 (1927), Suppl. p. 154 (Abb.).

Dubois-Amiot, Louis, franz. Genre-, Interieur- u. Stillebenmaler, * in Paris, ansässig ebda.

Stellt seit 1923 bei den Indépendants aus.

Lit.: Joseph, I.

Dubos, Francis, franz. Stilleben- u. Architekturmaler, * Paris, ansässig in Montreuil.

Stellt seit 1927 bei den Indépendants aus.

Lit.: Joseph, I.

Dubreuil, André, franz. Architekt u. Architekturzeichner, * 23. 8. 1895 Lizy-sur-Ourcq (Seine-et-Marne), ansässig in Paris.

Schüler von Héraud. Mitgl. der Soc. d. Art. Franç., beschickt deren Salon seit 1921 mit Entwürfen für Kirchen, Lehranstalten, Bäder, Palais für die franz. Regierung in Marokko, Parkbauten usw.

Lit.: Joseph, I. — L'Architecte, 1934 p. 102/08 passim, m. Abbn. — Architecture, 1936, p. 51/60, m. Abbn. — Art et Décor., 1927/II, Chron. Aug.-Heft p. 2.

Dubreuil, Ferdinand, franz. Holzschneider, * Doyet-la-Presle (Allier), ansässig in Tours.

Schüler von A. Marzin. Stellt seit 1927 im Salon der Soc. d. Art. Franç. aus. Arbeitet nach eigenen u. fremden Vorlagen. Hauptsächlich Landschafter.

Lit.: Joseph, 1. — Bénézit, [2] 3.

Dubreuil, Pierre, franz. Bildnis-, Landsch.- u. Stillebenmaler u. Graph., * 8. 9. 1891 Quimper (Finistère), ansässig in Paris.

Schüler von H. Matisse. Stellt seit 1923 bei den Indépendants, 1925 auch im Salon des Tuileries aus. Wandmalereien in der Navigationsschule in Paimpol; Entwürfe für Tapisserien; Illustr. u. a. zu: H. de Régnier, La double Maîtresse, u. H. Rebell, La Nichina.

Lit.: Joseph, 1. — Bénézit, [2] 3. — Arts graph., Nr 41 (1934) 37/38, m. 1 Taf. u. 4 Abbn. — Beaux-Arts, 75e année Nr 230 v. 28. 5. 1937, p. 8, m. Abb. — Byblis, 1930 p. 119/22, m. 3 Abbn.

Dubuffet, Jean, franz. Maler u. Illustrator (Dilettant; im Hauptberuf Weingroßhändler), * 1904, ansässig in Paris.

Stellt seit ca. 1924 aus. Konstruktivist. Kollektivausst bei Drouin, Paris, Febr. 1948, in der Gal. Rive Gauche, 1951, u. in d. Gal. Pierre Matisse, New York, 1952.

Lit.: Bénézit, [2] 3. — D. Kst u. das schöne Heim, 49 (1950/51) Beil. p. 161; 50 (1951/52) Beil. p. 163. — D. Kstwerk, 1 (1946/47) H. 12, p. 54. — Vorwärts (Berlin), 3. 2. 1948. — Art Index (New York), Okt. 1945/April 1953.

Dubujinskij (Dobużyński, Doboujinski), Mstislaw Walerjanowitsch, litauisch. Maler, Bühnenbildner, Graph. u. Illustr., * 2. 8. 1875 Nowgorod, ansässig in Kaunas (Kowno).

Stud. an der Akad. St. Petersburg (Leningrad), dann bei A. Ažbè u. S. Hollósy an der Münchner Akad. Präsident der Kstlervereinigung „Mir Isskusstwa". Seit 1918 Prof. an d. Schule für Dekor.-Kunst in Leningrad, dann in Kaunas (Kowno). Lebte einige Zeit in Deutschland. Gemalte u. lithogr. Stadtansichten von Leningrad, Wilna, Pskoff, Witebsk, später auch aus dem Ausland (London, Paris, Berlin, Dresden, Rom, Neapel, Haarlem, Kopenhagen, Helsingör usw.), die durch originelle Auffassung überraschen. Mappenwerk: Petersburg (Lith.); 1922. Buchschmuck aller Art, Illustr. (u. a. zu Puschkin, Der Postmeister, u. zu Dostojewskij, Weiße Nächte), Gebrauchsgraphik, Plakate, Entwürfe zu Bühnenkostümen u. -dekorationen. Kollekt.-Ausst. Okt./Nov. 1926 in d. Gal. Quatre-Chemins in Paris. Arbeiten u. a. in der Staatl. Tretjakoff-Gal. in Moskau (Kat. 1947), im Russ. Mus. in Leningrad, im Mus. in Kiew, im Litauisch. Mus. in Kaunas, im Brit. Mus. u. Vict. a. Albert Mus. in London.

Lit.: Th.-B., 9 (1913). — The Internat. Who's Who, [8] 1943/44. — Umanskij, p. 11, 39. — Joseph, I (Dobuzinski). — Apollon (Moskau), 1910/11, Heft 2 p. 25/35, m. zahlr. Abbn; 1914 Nr 10 p. 22/46 passim, m. Abbn. — Ssredi Kollektzioneroff, 1922 Heft 4 p. 55, 57; H. 7 p. 71, 81; 1923 H. 7 p. 37, 45, 46, 55; H. 11/12 p. 35; 1924, H. 1/2 p. 46f. — Jar Ptitza, Nr 13 (1925) p. 33f., m. 2 Abbn. — The Studio, 92 (1926) 108/12, m. 4 Abbn; 110 (1935) 174 (Abbn); 117 (1939) 146, 147 (Abbn); 138 (1949) 20/23, m. (z. T. farb.) Abbn. — Pantheon, 15 (1935) 213. — La Renaiss. de l'Art franç., 9 (1926) 644. — Graphis (Zürich), 4 (1948), Nr 21, p. 49 (Abb.).

Dubuisson, Albert, franz. Landschaftsmaler, * 23. 4. 1850 Rouen, † 1937 Paris.

Mitgl. der Soc. d. Art. Franç.

Lit.: Th.-B., 10 (1914). — Joseph, I. — Les Echos du Bois sacré; Souvenirs d'un peintre, Paris 1924. — Revue de l'Art anc. et mod., 71 (1937) 62.

Dubuisson, Marguerite, franz. Landschaftsmalerin, * Lille, ansässig ebda.

Schülerin von F. Sabatté. Mitgl. der Soc. d. Art. Franç., beschickt deren Salon seit 1927 (Kat. z. T. mit Abbn).

Lit.: Joseph, I.

Dubuque, Edward William, amer. Maler, * 5. 11. 1909 Mossup, Conn., ansässig in Providence, R. I.

Schüler von Heintzelman, F. Gorguet, Laurens u. Boudouin in Paris. 3 Wandbilder in Seaman's Bank in New York (zus. mit Ernest Peixotto); Fresko im Chor der Christ Church in Birmingham, Mich. (zus. mit Katherine McEwen). Ausmalung der Josephsk. in North Grosvenordale, Conn., u. der St. Stephans-Missionsk. in Quinebaug, Conn.; 5 Wandbilder im Kinderlesesaal der Öff. Bibliothek in Providence.

Lit.: Amer. Art Annual, 30 (1933). — Who's Who n Amer. Art, I: 1936/37.

Dubut, Berthe, franz. Bildhauerin, Medailleurin u. Plakettenkünstlerin, * Saint-Ouen-sur-Seine, ansässig in Paris.

Schülerin von Ségoffin, Marqueste, Patey u. Carli. Mitgl. der Soc. d. Art. Franç., beschickt deren Salon seit 1920. Hauptsächlich Porträtbüsten.

Lit.: Joseph, I.

Duc, Marcelle, franz. Malerin, * Paris, ansässig in Saint-Ouen (Seine).

Stellt seit 1921 bei den Indépendants aus.

Lit.: Joseph, I.

Ducasse, Mabel Lisle, amer. Malerin, * 1895 Colorado, ansässig in East Providence, R. I.

Schülerin von Walter Isaacs, F. Du Mond, Will S. Taylor, George Bridgman, Luis Mora, Ch. Chapman u. Yasushi Tanaka.

Lit.: Amer. Art Annual, 30 (1933). — Who's Who in Amer. Art, I: 1936/37.

Duchamp, Marcel, franz. Porträt- u. Figurenmaler u. Schriftst., * 1887 Blainville (Seine-Infér.), ansässig in den USA. Bruder des Raym. Duchamp-Villon, Halbbruder des Jacques Villon u. Bruder der Suzanne.

Begründer des Dadaismus. 1912/17 in New York mit Francis Picabia. Gründete in den USA die Zeitschrift „The Blind". Nach s. Rückkehr nach Paris, künstlerisch nicht mehr tätig.

Lit.: Giedion-Welcker. — L'Amour de l'Art, 1934 p. 313ff. passim, m. Abb.; 336ff. passim, m. Abb. — Cahiers d'Art, 1932 Nr 1/2, p. 59 (Abb.), 60 (Abb.), 61 (Abb.), 62 (Abb.), 64, 65; 1936, p. 34/43, m. 7 Abbn. — Yale Univ. Associates in F. Arts. Bull. (New Haven, Conn.), 13. März 1945, p. 1/7, m. Abb.; März 1948 p. [3] (Abb.). — The Art News, 15. 3.45, p. 9. — Mus. of Mod. Art Bull. (N. York), 13, Sept. 46, p. 19/21. — Art Digest, 19, Nr v. 1. 12. 1944, p. 7 (Abb.); 15. 12. 44, p. 6 (Abb.); 1. 11. 46, p. 18; 22 (1948) Aug.-H. p. 15. — Architectural Forum (New York), Juli 1948, p. 160 (Abb.). — California Palace of the Legion of Honor Mus. Bulletin (San Francisco), 6 (1948) Nr 7, p. [5] (Abb.). — Bull. of the Detroit Inst. of Arts, 26 (1947) 65. — Die Kst u. d. schöne Heim, 49 (1951), Beilage p. 119. — Art Index (New York), 1928ff. passim.

Duchamp, Suzanne, franz. Genremalerin, * Blainville (Seine-Infér.), ansässig in Neuilly-sur-Seine. Schwester des Vor. u. des Folg., Halbschwester des Jacques Villon. Gattin des Jean Crotti.

Mitgl. der Soc. du Salon d'Automne, den sie seit 1921 beschickte, und des Salon des Tuileries, wo sie seit 1926 ausstellt. Stellt seit 1923 auch bei den Indépendants aus. Bildnisse, Genre, Landschaften, Blumenstücke.

Lit.: Joseph, I. — Beaux-Arts, 75e année, Nr 219 v. 12. 3. 1937, p. 8, m. Abb.; Nr 306 v. 11. 11.1938, p. 3 (Abb.). — Art News, 51, März 1952, p. 33 (Abb.: Selbstbildn.), 61 (Abb.).

Duchamps-Villon, Jacques, s. *Villon*, J.

Duchamp-Villon, Raymond, franz. Bildhauer u. Entwurfzeichner für Architektur, * 5. 11. 1876 Damville (Eure), † 7. 10. 1918 im Militärhospital in Cannes. Bruder des Marcel D. u. der Suzanne D., Halbbruder des Jacques Villon.

Schüler von Rodin. Anfänglich beeinflußt von diesem u. dem Jugendstil, später von Maillol. Stellte 1902/08 im Salon der Soc. Nat. d. B.-Arts, seit 1909 im Salon d'Automne u. seit 1908 bei den Indépendants aus. Ging um 1912 zum Kubismus über. Arbeitete in Stein, Holz u. Terrakotta. Starb an den Folgen von Überanstrengung im Frontdienst, den er als Hilfsarzt versah. — Bildnisbüsten (Baudelaire, im Luxembourg-Mus., Paris), Genre, Tiere. Entwürfe für Wohnhäuser u. Architekturteile (Giebel, Balkone). Im Städt. Mus. Wuppertal-Elberfeld: Mädchenkopf (Bronze). Holzrelief (zusammengerollt liegende Katze) im Inst. of Arts in Detroit, Mich.

Lit.: Th.-B., 10 (1913). — Apollinaire, p. 73ff., m. Abbn Nr 37/41. — Ginisty, 1919, p. 59/61. — Salmon, 1919, p. 92f. — Joseph, I; III 395f., m. 3 Abbn. — Bénézit, [2] 3. — L'Amour de l'Art, 12

(1931) 337f.— Giedion-Welcker. — Beaux-Arts, 4 (1926) 98. — Bull. of the Cleveland Mus. of Art, 16 (1929) 172. — Bull. of the Detroit Inst. of Arts, 26 (1947) 65/67, m. Abb. — Yale Associates Bull. (New Haven, Conn.), 13 (1945) März-Nr p. 1/7, m. Abb. — Buffalo. Fine Arts Acad. Albright Art Gall. Notes, 11, Juli 1946, p. 27. — Detroit Inst. of Arts. Art Quarterly, 10 (1947) 272 (2 Abbn). — Amer. Artist, 12 (1948) 40 (Abb.: Kopf Baudelaire's). — Chron. d. Arts, 1917 –19, p. 157. — D. Cicerone, 21 (1929) 114.— Formes, 1931, p. 84/85, m. 2 Abbn. — D. Kstwerk, 1 (1946/47) H. 12 p. 46, 48 (Abb.). — Art Index (New York), Okt. 1944/Okt. 1952 passim.

Duchâteau, Oliver, belg. Graphiker, * 1876 Lüttich.

Schüler von Adr. de Witte, gefördert von Maréchal u. Rassenfosse.

Lit.: Seyn, I.

Duchâteau, Théodore, franz. Bildnis- u. Genremaler (Öl u. Pastell), * 12. 2. 1870 Chaumont (Haute-Marne), ansässig in Tours.

Schüler von Robert-Fleury, Baschet, Humbert, Royer u. Flameng. Mitgl. der Soc. d. Art. Franç., beschickt deren Salon seit 1893 (Kat. z. T. m. Abbn).

Lit.: Th.-B., 10 (1914). — Joseph, 1.

Duchemin, François, franz. Radierer, * Paris, ansässig ebda.

Mitgl. der Soc. d. Art. Franç.

Lit.: Joseph, I.

Duchemin-Illaire, Mathilde, franz. Blumen- u. Landschaftsmalerin (Öl u. Pastell), * Lyon, ansässig in Paris.

Stellte 1911/29 bei den Indépendants aus.

Lit.: Joseph, 1. — Bénézit, [2] 3.

Duchêne, Jan, belg. Maler, * 1907.

Malereien in der Kuppel der Kapelle des Gefängnisses in Antwerpen (Allegorie der Barmherzigkeit).

Lit.: Lode Cantens, Kapel der gevangenis. J. D., schilder der barmhartigheid, Antw. 1948 (26 Abbn).

Duchêne, Jeanne, belg. Miniaturmalerin, * 1899 Brecht, Prov. Antwerpen.

Schülerin von Fr. Coppejans an der Genter Akad. Hauptsächl. biblische Vorwürfe.

Lit.: Seyn, I, m. Fotobildnis.

Duchêne, Yvette, franz. Genrebildhauerin, * Paris, ansässig ebda.

Schülerin von Benneteau u. Sicard. Stellt seit 1929 im Salon der Soc. d. Art. Franç. aus.

Lit.: Joseph, I.

Duchesne, Anna, russ. Stilleben- u. Figurenmalerin, * Petersburg (Leningrad), ansässig in Paris.

Mitgl. der Soc. du Salon d'Automne, beschickt denselben seit 1928.

Lit.: Joseph, I. — Bénézit, [2] 3 (1950).

Duckett, Lewis, engl. Maler u. Holzschneider, * 3. 2. 1892 Sunderland, ansässig in Northampton.

Lit.: Who's Who in Art, [3] 1934.

Duckett, Vernon Francis, amer. Maler, Architekt u. Textilzeichner, * 23. 4. 1911 Washington, D. C., ansässig ebda.

Stud. an der Univ. Washington u. an d. Kunstsch. in Fontainebleau. Entwürfe für das General Accounting Office in Washington.

Lit.: Who's Who in Amer. Art, I: 1936/37.

Duclos, Janine, franz. Blumen- u. Stilllebenmalerin, * Paris, ansässig ebda.

Schülerin von J. Grün u. L. Biloul. Mitgl. der Soc. d. Art. Franç. (Salon-Kat. z. T. mit Abbn).

Lit.: Bénézit, [2] 3 (1950).

Ducluzeaud, Marcel, franz. Bildhauer, * Paris, ansässig ebda.

Schüler von A. Mercié u. Larroux. Stellt seit 1908 im Salon der Soc. d. Art. Franç. aus.

Lit.: Bénézit, [2] 3. — Joseph, 1.

Ducommun, Albert, schweiz. Landsch.- u. Bildnismaler, * 18. 12. 1888 Tramelan-Dessous, ansässig in Basel.

Autodidaktisch gebildet durch das Studium der alten Meister, nach denen er vielfach kopierte.

Lit.: Amweg, I 264.

Ducos de la Haille, Pierre Henri, franz. Figurenmaler, * 26. 7. 1889 Poitiers, ansässig in Paris.

Schüler von R. Collin u. E. Laurent. Mitgl. der Soc. d. Art. Franç., beschickt deren Salon seit 1920. 1922 Gr. Rompreis. Fresko im Ratssaal des Rathauses zu Reims.

Lit.: Joseph, 1. — Bénézit, [2] 3. — Art et Décor., 1928/II p. 125 (Abb.).

Ducrot, Hélène, franz. Radiererin u. Kupferst., * Lyon, ansässig in Paris.

Schülerin von Jeanne Burdy u. Gauguet. Mitgl. der Soc. d. Art. Franç., beschickt deren Salon seit 1927. Arbeitet nach eigenen u. fremden Vorlagen.

Lit.: Joseph, I.

Ducruet, Pierre, franz. Landsch.- u. Blumenmaler, * Paris, ansässig ebda.

Stellte 1922/26 bei den Indépendants aus.

Lit.: Bénézit, [2] 3 (1950).

Duczyńska, Irma von, poln. Malerin, Holzschneiderin u. Bildhauerin, * 1869 Lemberg, † 19. 1. 1932 München.

Schülerin von H. Lefler u. F. Andri in Wien. Stellte seit 1901 in der Wiener Sezession, seit 1904 ebda im Hagenbund aus. Ansässig in Wien, seit 1914 in München. Bildnisse, Genre, Landschaften (Öl, Pastell, Kreidezeichng). Holzschnittzyklus: Parzival (23 Farbenholzschn.), Münch. 1925.

Lit.: Th.-B., 10 (1914). — D. Graph. Künste (Wien), 49 (1926) 75/79, m. 2 Abbn. — Münchner N. Nachr., Nr 40 v. 10. 2. 1932 (Nachruf).

Dudley, Dorothy, amer. Malerin, * 23. 12. 1892 Somerville, Mass., ansässig in New York.

Schülerin von Henry B. Snell.

Lit.: Amer. Art Annual, 30 (1933). — Who's Who in Amer. Art, I: 1936/37.

Dudley, Katharine, amer. Porträtmalerin, * 1884, ansässig in Chicago, Ill.

Bild im Art Inst. in Chicago.

Lit.: Amer. Art Annual, 14 (1917) 474.

Dudley, William Harold, engl. Landschafts- u. Bildnismaler, * 24. 2. 1890, ansässig in Newport, Monmouthshire.

Stud. am Roy. Coll. of Art in London.

Lit.: Who's Who in Art, [3] 1934.

Dudok, Willem Marinus, holl. Architekt, * 6. 7. 1884 Amsterdam, ansässig in Hilversum.

Ausgebildet an der Militärakad. in Breda, seit 1905 Genieoffizier. Begann damals autodidaktisch das Baustudium. Seit 1913 Ingenieur bei den Stadtwerken in Leiden, wo er sein erstes selbständiges Werk, das Haus des Leidensche Dagblad baute (Backsteinbau, 1916 vollendet). Seit 1915 Stadtbaumeister von Hilversum. Hat in über 15 jähr. Tätigkeit der Stadt ihr bauliches Gepräge gegeben. Sein Hauptwerk ist das 1932 vollendete dort. Rathaus, ein ebenso durch Zweckmäßigkeit seiner Anlage, wie vorzügliche Proportionen, materialgerechte Behandlung in allen Teilen u. reizvolle Farbigkeit ausgezeichneter Bau — Musterbeispiel für die Architektur der „neuen Sachlichkeit" in Holland. Weitere Bauten: mehrere Schulgebäude, Badeanstalt, Schlachthaus in Hilversum; Wohnbaukomplexe u. Landhäuser in dessen Umgebung; Kaufhaus „De Bijenkorf" in Rotterdam; Urnenhalle in Westerveld b. Haarlem; Heim der niederländ. Studenten der Cité Universitaire in Paris.

Lit.: Wie is dat?, 1935. — Brandes, Taf. 29, 30, 31. — Persoonlijkheden, m. Fotobildn. — G. Friedhoff, W. M. D., A'dam 1928 (m. 35 Abbn). — Platz. — G. Pagano, Architetti europei: W. M. D., in: La Casa bella, Sept. 1932. — Mieras-Yerbury. — H. P. Berlage, W. M. D. u. a., Mod. Bouwkst in Nederl., R'dam 1953. — De Bouwgids, 21 (1929) 67, 77. — Maandbl. v. beeld. Ksten, 1 (1924) 114/16, m. Abbn; 4 (1927) 115/24, 143/52, m. zahlr. Abbn; 5 (1928) 88f., m. Abb; 9 (1932) 8/19, m. Abb. — Urbanisme, 1936, p. 237/40, m. 6 Abbn. — Kunst u. Künstler, 31 (1932) 143f., 145 (Abb.). — Monatsh. f. Baukst u. Städtebau, 16 (1932) 583/90. — Wasmuth's Monatshefte f. Baukst, 8 (1924) 87ff., m. Abbn. — L'Art vivant, 1927, p. 704, m. 2 Abbn; 1932, p. 406f., m. Abbn. — Emporium, 82 (1935) 255, m. Abb., 256, m. Abb., 257, m. Abb. — Das Werk (Zürich), 9 (1922) 205ff., m. Abbn. — Dtsche Bauztg, 67 (1933) 66, Abbn p. 72ff. — Art Index (New York), Okt. 1945/Okt. 1952 passim.

Dudouit, Paul Félix, franz. Bildhauer, * 24. 8. 1887 Paris, ansässig ebda.

Schüler von A. Mercié, H. Dubois, Jean Boucher u. Gasq. Mitgl. d. Soc. d. Art. Franç., beschickt deren Salon seit 1907. 2. Rompreis 1921.

Lit.: Joseph, I. — Chron. d. Arts, 1921, p. 109.

Dudovich, Marcello, ital. Aquarellmaler, Plakatzeichner u. Illustr., * 21. 3. 1878 Triest, ansässig in Mailand.

Stud. in Mailand. Prof. an der Brera-Akad. ebda. Bis 1911 zeichner. Mitarbeiter des Münchner „Simplizissimus". Szenen aus dem Leben der eleganten Welt, bes. Sport- u. Modezeichnungen.

Lit.: Th.-B., 10 (1914). — Comanducci. — Vita d'Arte, 14 (1915) 193/204, m. 15 Abbn u. 1 farb. Taf. — Das Plakat, 5 (1914) 192ff., m. Abbn.

Dudreville, Leonardo, ital. Landschafts-, Figuren- u. Stillebenmaler, * 4. 4. 1885 Venedig, ansässig ebda.

Kurze Zeit Futurist, ging dann zum Naturalismus über. Mitgründer der Vereinigung „Novecento". Bilder in den Gall. d'Arte Mod. in Mailand u. Florenz.

Lit.: Comanducci, m. Abb. — Costantini, m. 2 Abbn. — La Cultura mod., 43 (1912/13) 270, m. Abb. — Vita d'Arte, 13 (1914) 117, m. Abb. — Emporium, 68 (1928) 139 (Abb.), 146; 83 (1936) 327f., 329 (Abb.); 91 (1940) 306; 93 (1941) 112, 115 (Abb.). — Vita artistica, 1 (1926) 56 (Abb.), 74 (Abb.), 75. — Kat. Sonderausst. L. D., Mailand, Gall. Dedalo, April 1936, m. 8 Taf., u. Gall. Gian Ferrari, März 1940.

Düblin, Jacques, schweiz. Bildnis- u. Landschaftsmaler u. Graph., ansässig in Oberwil.

Wandbilder in der Kantonalbank-Filiale in Binningen u. in d. reform. Kirche in Oberwil. Einige Federzeichngn i. d. Öff. Kstsmlg in Basel. Koll.-Ausst. Nov. 1943 in d. Ksthalle ebda.

Lit.: Basler Nachr., 1932 Nr 328; 1934 Nr 96. — Schweizer Kst, 1942, Heft 3 p. 19 (Abb.); 1943, H. 5 p. 37 (Abb.). — D. Werk (Zürich), 28 (1941) 107, 108 (Abb.); 31 (1944) Heft 1, Chronik p. IX. — Jahresber. Öff. Kstsmlg Basel 1933/35, p. 15.

Dülberg, Ewald, dtsch. Maler, Bühnenbildner, Holz- u. Linolschneider (Prof.), * 12. 12. 1888 Schwerin, † Juli 1933 Berlin.

Schüler von Knirr in München u. von A. Jank an d. dort. Akad., im übrigen Autodidakt. 1908/12 in München, dann Lehrer an d. Odenwaldschule in Oberhambach, seit 1912 künstler. Beirat für Ausstattungswesen am Hamburger Stadttheater, 1922 als Lehrer an die Kasseler Akad. berufen. Kubist. Bühnenentwürfe (bes. für Wagneropern) u. Bildnisse. Kraftvolle Holzschnitte. Folge: Passion (6 Holzschn.), Goltz-Verl. München 1916. Kollektiv-Ausstellgn Jan. 1917 bei Bock in Hamburg, März 1921 im Kstgewerbemus. in Köln. — Seine Gattin Hedwig Dülberg-Arnheim, Kststickerin u. Aktzeichnerin, übertrug den Stil ihres Gatten in seinen phantastischen, leuchtenden, oft grellen Farben auf ihre Stickereien.

Lit.: Th.-B., 10 (1914). — Dreßler. — Wedderkop. — Degener, Wer ist's, [10] 1935 (Nekrol.). — D. Cicerone, 12 (1920) 51 (Abb.), 64; 13 (1921) 453; 15 (1923) 359, 527. — Preuß. Jahrbücher, 240 (Mai 1935) 144/55. — Feuer (Saarbrücken), 3 (1922) 71 (Abb.), 268 (Abb.), 271 (Abb.), 273 (Abb.), 283 (Abb.), 287 (Abb.), 289 (Abb.), 291 (Abb.). — D. Christl. Kst, 22 (1925/26) 143, 229. — Dtsche Kst u. Dekor., 45 (1919–20) 133, 138, 143 (Abb.), 154 (Abb.); 46 (1920) 221, 227 (Abb.). — D. Kstblatt, 1926, p. 125 (Abb.); 14 (1930) 228f., 231 (Abbn). — Kstchronik, N. F. 31 (1919/20) 7, 182; 32 (1920/21) 468; 34 (1922/23) 686.

Dülfer, Martin, dtsch. Architekt (Geh. Hofrat, Prof. Dr. Ing. e. h.), * 1. 1. 1859 Breslau, † Dez. 1942 Dresden.

Die Liste der bei Th.-B. gen. Bauten zu ergänzen durch: Theater in Krefeld; Nationaltheater in Sofia (1929): Erweiterungsbau der Techn. Hochsch. Dresden; Umbau des Hotels Bellevue ebda.

Lit.: Th.-B., 10 (1914). — Dreßler. — Platz. — M. D. (Zirkel-Monogr., 1), Berlin 1914. — 4. Sonderheft der Architektur d. 20. Jh.s. — Architektur d. 20. Jh.s, 14 (1914) Taf. 35. — München u. s. Bauten, Münch. 1912. — Architekt. Rundschau, 22, Taf. 53ff.; 29, p. 17 (Abb.). — Mod. Bauformen, 11 (1912). — D. Baukst, Febr. 1943. — Dtsche Bauzeitg, 48 (1914) 517ff.; 68 (1934) Nr 2, Beibl. p. 4. — Neudtsche Bauztg, 9 (1913); 10 (1914). — Innendekoration, 12, p. 25ff., m. Abb. — D. Kst, 80 (1938/39) Beih. z. Febr.-H., p. 17f. — Kst-Rundschau, 51 (1943) 15. — D. Profanbau, 1911, p. 570, 573, 603f.; 1912, p. 589–603.

Dümke, Irmgard, dtsche Malerin u. Graph., * 28. 10. 1919 Posen, ansässig in Lübeck.

Stud. an der Akad. für graph. Künste in Leipzig. Dann Staatl. Hochschule für bild. Künste in Berlin. Impressionistisch- flüssige u. stimmunggeladene Bilniszeichnungen in Kohle u. Bleistift. *J.*

Dünkelsbühler, Otto, dtsch. Maler u. Graph., * 24. 4. 1898 München, ansässig in Berlin.

Stud. an der Kstgewerbesch. in München u. an der Akad. in Berlin. Kollektiv-Ausst. im Haus Stadelmann in Freiburg i. B., Sept. 1947. Hauptsächl. Landschaften u. Stilleben.

Lit.: Dreßler. — Südwestdtsche Volksztg, Freibg i. Br., 10. 9. 1947.

Duerinckx, Adrian Paul François, belg. Landschaftsmaler u. Illustr., * 15. 4. 1888 Schaarbeek.

Schüler der Brüsseler Akad.

Lit.: Seyn, I, m. Fotobildnis.

Dürnholz, Hubert, dtsch. Maler, * 27. 1. 1882 Eupen, ansässig in Düsseldorf.

Stud. an d. Gewerbesch. in München u. an d. Düsseld. Akad. Kirchenmalereien u. a. in Köln-Kalk, Bocklemünd, Siegburg-Welsdorf, Geistingen u. in der Elisabethk. in Düsseldorf. Im Städt. Mus. Elberfeld in Wuppertal: Schlittschuhläufer. Mehrere Zeichnungen in d. Städt. Kstsmlg in Düsseldorf.

Lit.: Dreßler. — D. Christl. Kst, 27 (1930/31) 377f.

Dürr, Louis, schweiz. Landsch.- u. Bildnismaler, * 27. 6. 1896 Burgdorf, ansässig ebda.

Stud. an der Acad. Julian in Paris u. in München.

Lit.: Schweiz. Zeitgen.-Lex., 1932. — L'Art en Suisse, 1932, Nr 4, m. 7 Abbn.

Dürrwang, Rudolf, schweiz. Maler, Rad. u. Lithogr., * 15. 5. 1883 Basel, † 30. 1. 1936 Neu-Münchenstein b. Basel.

Stud. in Basel u. München. Mitglied der „Walze". Illustr. (u. a. zu Hebel's Gedichten u. zu F. Liebrich: Hebel u. Basel), Plakate, Exlibris, Buchschmuck u. Gebrauchsgraphik aller Art. Bild: Häuser an der Birs, in d. Öff. Kstsmlg in Basel. Illustr. zur Basler Fibel von Ulr. Graf, Basel 1917, zu C. Hess, Ringe Ringe Rose, Basel 1920, zu S. Hämmerli-Marti, Es singt es Vögeli ab em Baum, Basel 1920. Mappenwerk: Weihnacht (6 Lith. mit Umschlag), Erlenbach 1921.

Lit.: Th.-B., 9 (1913). — Brun, IV 501f. — Schweiz. Zeitgen.-Lex., 1932. — Lonchamp, II Nr 1466. — D. Schweiz, 1908, p. 474. — Schweizerland, 1914/15, p. 32 (Abb.), 92, m. Abb; 1915/16, p.61, m. Abb., 424 (Abb.); 1918/19, p. 22 (Abb.). — O mein Heimatland, 1922, p. 144ff., m. Abbn. — Schweizer Kst, 1935/36, p. 90f. — Basler Jahrbuch, 1937, p. 192.

Dürschke, Max, dtsch. Bildnis-, Landsch.- u. Genremaler, * 1875 Glatz, zuletzt ansässig in Münsterberg, Schles.

Stud. 1892/94 an d. Akad. in Breslau, 1894/98 an d. Akad. in Berlin. Einige Zeit an d. Staatl. Porz.-Manuf. ebda tätig. Gold. Med. Brüssel Weltausst. 1910.

Lit.: Dreßler. — Das Bild, 6 (1936) 351ff., m. 2 Abbn; 12 (1942) 209 (Abb.), 210, m. Abb.

Düsing, Fritz, dtsch. Maler, * 14. 7. 1896 Hamburg, ansässig ebda.

Lit.: Kat. 3. Dtsche Kstausst. Dresden 1953.

Düssel, Eugen, dtsch. Bildnis- u. Genremaler, * 9. 12. 1879 Köln, ansässig in Düsseldorf.

Stud. bei E. Roeper, W. Spatz u. P. Janssen an der Düsseld. Akad., bei C. v. Marr an der Münchner Akad.; zuletzt Meisterschüler bei E. v. Gebhardt in Düsseldorf. In der Städt. Kstsmlg ebda: Die Hirten in der Weihnachtsnacht. Eine Bildnisskizze in d. Akad. ebda.

Lit.: Dreßler.

Düttmann, Hermann, dtsch. Bildhauer, Maler u. Werkkünstler, * 20. 4. 1893 Berlin, ansässig ebda.

Stud. an der Unterrichtsanstalt des Berl. Kstgewerbemus. Figuren an der Fassade des Apollotheaters ebda. Koll.-Ausst. (Ölbilder u. Aquar.) im Kst-Antiquariat Wasmuth, Berlin, 1952.

Lit.: Dreßler. — D. Kst u. d. schöne Heim, 50 (1951/52) Beil. p. 239.

Dufau, Hélène (Clémentine H.), franz. Malerin u. Lithographin, * 18. 8. 1869 Quinsac (Gironde), † 1937 Paris.

Schülerin von Bouguereau, T. Robert-Fleury u. G. Leferrier. Gründermitgl. des Salon d'Automne (1903) u. Mitgl. der Soc. d. Art. Franç. (Salon-Kat. z. T. mit Abbn). Anfängl. Impressionistin, ging sie später zu einer immer stärkeren Festigung der Bildform über. Äußere Anregung zu dieser Wandlung ihres Stils war ein längerer Aufenthalt in Spanien (1898/99). Ihr Stoffgebiet ist ziemlich unumschränkt, hauptsächlich Akte, Landschaften u. Bildnisse. — Bilder im Luxembourg-Mus. in Paris (Der Herbst) u. im Petit Palais ebda (Abend in Granada), ferner in den Museen in Bordeaux, Cognac, Nantes, Pau u. Rouen, im Ausland u. a. in Buenos Aires. Vielfach ausgezeichnet: 1895 Prix Marie Bashkirtseff; 1898 Reisestipendium; 1900 Silb. Med. Weltausst. Paris. — Illustr. u. a. zu Paul Adam, „Basile et Sophia", u. zu J. H. Rosny, „Les femmes de Setné".

Lit.: Th.-B., 10 (1914). — Bénézit, [2] 3. — Joseph, 1, m. Abb. u. Fotobildn. — Qui Êtes-Vous?, 1924. — Beaux-Arts, 75e année, Nr 221 v. 26. 3. 1937, p. 3. — Gaz. d. B.-Arts, 1917, p. 467/82, m. 6 Abbn u. Selbstbildnis (Luxembourg-Mus.). — Journal de Rouen v. 25. 2. 1914 u. v. 24. u. 29. 3. 1914.— Revue de l'Art anc. et mod., 50 (1926) 124f., m. Abb.; 52 (1927) 94 (Abb.); 71 (1937) 63. — Velhagen & Klasings Monatsh., 45/II (1930/31) Taf. geg. p. 468, 566.

Dufaut, Gustave Charles, franz. Landschafts- u. Figurenmaler, * 14. 4. 1892 Paris, ansässig in Boulogne-sur-Seine.

Stellt seit 1920 im Salon d'Automne, seit 1923 bei den Indépendants aus.

Lit.: Joseph, I.

Dufaux, Gabriel, schweiz. Emailmaler, * 5. 12. 1879 Genf, ansässig in Paris.

Schüler von Le Grand-Roy. Seit 1910 in Paris ansässig. Ausschließlich Porträtist. — Sein Bruder Antoine, * 17. 6. 1866 Genf, Schüler von B. Menn, war gleichfalls Emailmaler. Im Genfer Mus. d. Arts décor. ein kl. Bildnis s. Vaters Marc D.

Lit.: Brun, IV.

Duff, George, schott. Bildnismaler, * 1888 Glasgow, ansässig ebda.

Lit.: Who's Who in Art, [3] 1934.

Duff, John Robert Keitley, schott. Tier- u. Landschaftsmaler (Aquar., Pastell, Öl) u. Rad., * 1862 London, † 1938 ebda.

Lit.: Th.-B., 10 (1914). — Who's Who in Art, [3] 1934. — The Studio, 64 (1915) 181; 67 (1916) 51, 70; 83 (1922) 308.

Duffelen, Gerrit van, holl. Maler u. Rad., * 21. 9. 1889 Rotterdam, ansässig ebda.

Schüler von A. v. Maasdijk, Oldewelt u. Luns. Figürliches, Stadt- u. Hafenansichten, Stilleben, Blumenstücke, Bildnisse. Bilder im Mus. Dordrecht u. im Mus. Boymans in Rotterdam.

Lit.: Plasschaert. — Wie is dat?, 1935. — Waay. — Waller. — Maandbl. v. beeld. Ksten, 3 (1926) 222f., m. Abbn; 7 (1930) 58 (Abb.), 59, m. Abbn.

Duffy, Daniel, schott. Bildnis-, Landsch.- u. Stillebenmaler, * 16. 5. 1878 Coatbridge, ansässig ebda.

Stud. an d. Kstsch. in Glasgow u. in Italien.

Lit.: Who's Who in Art, [3] 1934.

Duffy, Edmund, amer. Illustrator u. Karikaturenzeichner, * 1899 Jersey City, N. J., ansässig in Baltimore, Md.

Stud. in New York u. Paris. Zeichnete für „The Baltimore Sun".

Lit.: Who's Who in Amer. Art, I: 1936/37.

Duflos, Robert Louis Raymond, franz. Landsch.-, Marine-, Bildnis- u. Aktmaler, * Rouen.

Stellt seit 1929 im Salon der Soc. Nat. d. B.-Arts aus. Mitgl. der Soc. d. Art. Franç.
Lit.: Joseph, 1. — Bénézit, [2] 3.

Duflot-Baillière, Georgette, franz. Pastellzeichnerin, * 17. 1. 1875 Paris, ansässig ebda.

Schülerin von Vignal u. Thévenot. Stellt seit 1909 im Salon der Soc. d. Art. Franç. aus. Bild im Mus. in Troyes.
Lit.: Joseph, 1. — Bénézit, [2] 3.

Dufner, Edward, amer. Maler, * 5. 10. 1872 Buffalo, N. Y., ansässig in New York.

Schüler von Bridgman an der Art Student's League in Buffalo, von Mowbray an d. Art Stud. League in New York und von Whistler u. Laurens in Paris. Studienaufenthalte in Spanien u. Italien. Vielfach ausgezeichnet, u. a. mit d. Gold. Med. der Nat. Art Comp., New York 1925. — Bilder u. a. in der F. Arts Acad. in Buffalo, im Brooklyn Inst. of F. Arts, in der Milwaukee Art Soc., in d. Öff. Bibl. in Rochelle, im Art Mus. in Montclair u. in d. Parthenon Art Gall. in Nashville, Tenn.
Lit.: Th.-B., 10 (1914). — Fielding. — Amer. Art Annual, 30 (1933). — Earle. — Who's Who in Amer. Art, I: 1936/37. — Monro.

Dufoix, Henri, franz. Porträtbildhauer, * La Ville-aux-Clercs (Loir-et-Cher), ansässig in Paris.

Stellt seit 1929 im Salon der Soc. d. Art. Franç. aus (Kat. z. T. m. Abbn).

Dufossez, Eugène Clément, belg. Bildhauer, * 1876 Thuin, ansässig in Paris.

Schüler der Pariser Ec. d. B.-Arts. Weibl. Torsen im Luxembourg-Mus. in Paris u. im Mus. Lüttich.
Lit.: Seyn, I.

Dufour, Alfred, schweiz. Architekt, * 3.3 1874, ansässig in Cologny b. Genf.

Schüler der Ec. d. B.-Arts in Genf. Studienaufenthalte in Frankreich, Deutschland u. England. Seit 1909 Direktor der Ec. d. Arts et Métiers in Genf. Mitarbeit am Bau des Postgeb., des Telephongeb. u. des Musée d'Art et d'Hist. in Genf.
Lit.: Schweiz. Zeitgen.-Lex., 1932.

Dufour, Jean Jules, franz. Landschaftsmaler u. Graphiker, * 1889 Toulouse, ansässig in Paris.

Schüler von J. P. Laurens u. Cormon. Mitgl. der Soc. d. Art. Franç. u. des Salon des Indépendants. Illustr. zu den Dichtungen s. Vaters Philippe D.: Ombres sur la Paix (1920); Paris, sonnets (1921); Le Trèfle d'Apollon; La Cathédrale (1923). Holzschnitte zu: Claude Harel, „Poèmes en Prose" (1921), u. zu G. A. Masson, „Calendrier du plaisir". Alben: Les Vieilles enseignes de Paris, mit Text von Fr. Boucher, 2 Bde, 1924 u. 1925 (20 Radier.); Pont Neuf, mit Text von Boucher (1926). Gemalte Ansichten aus dem Languedoc (Toulouse, Najac, Albi, Tenne-du-Tarn). Gelegentlich auch Bildnisse, Akte u. Stilleben. Im Petit-Palais in Paris: Herbst (Öl).
Lit.: Joseph, 1. — Bénézit, [2] 3. — L'Art et les Art., N. S. 4 (1921/22) 124; 14 (1926/27) 176; 16, recte 17 (1928) 236/40, m. 7 Abbn. — La Cité, Bull. de la Soc. hist. et archéol. du IVe Arrond. de Paris, 1911 p. 43ff. passim, m. Abb. — La Renaiss. de l'Art franç., 8 (1925) 133f.; 12 (1929) 109, m. Abb. — Beaux-Arts, 8. 3. 1946, p. 2 (Abb.); 15. 3. 46 p. 2.

Dufrasne, Gabriel, franz. Bildhauer, * 24. 6. 1875 Paris, ansässig ebda.

Schüler von Leroux u. Barrias. Seit 1902 Mitgl. d. Soc. d. Art. Franç., beschickt deren Salon seit 1898. Hauptsächlich Porträtbüsten u. kirchl. Skulpturen.
Lit.: Joseph, I. — Bull. de l'Art anc. et mod., 1929, p. 454 (Abb.).

Dufrène, Léon, franz. Bildhauer, * 27. 5. 1880 Paris, fiel im 1. Weltkrieg (1914/18).

Schüler von Barrias u. Desca.
Lit.: Ginisty, 1919, p. 63. — Joseph, I.

Dufrène, Maurice, franz. Raum- u. Möbelkünstler, * 1876 Paris, ansässig ebda.

Stud. an der Ec. des Arts Décor. Mitgl. d. Soc. du Salon d'Automne. Arbeitete anfänglich für die „Maison Moderne" von Meier-Graefe, später für das Haus „La Maîtrise". Tätig in allen Zweigen der Wohnungs-Einrichtung: Tapeten, Stoffe, Spitzen, Kristall, Steinzeug, Silbergegenstände usw.
Lit.: Th.-B., 10 (1914). — Joseph, 1. — Bénézit, [2] 3. — L'Art viv., 1930 p. 400; 1931, p. 97, m. 11 Abbn; 1935, p. 226/27, m. 5 Abbn. — Beaux-Arts, 3 (1925) 152 (Abb.), 157, 184f., m. Abb., 186, 188f., m. Abb. — Form, 1935, p. 133ff. passim, m. Abb. — La Renaiss. de l'Art franç., 7 (1924) 1 (Abb.), 8f., 388; 8 (1925) 7 (Abb.), 220ff., m. Abbn, 349ff., m. Abbn. — Revue de l'Art, 50 (1926) 94ff., m. Abbn.

Dufrène, Raymond, franz. Landschaftsmaler, * Périgueux (Dordogne), ansässig in Allauch (Bouches-du-Rhône).

Mitgl. der Soc. du Salon d'Automne, beschickt deren Salon 1921/38. Stellte seit 1923 auch bei den Indépendants aus.
Lit.: Joseph, 1. — Bénézit, [2] 3. — Beaux-Arts, 3 (1925) 297, 298 (Abb.).

Dufrenoy, Georges, franz. Landschafts-, Architektur-, Veduten-, Stilleben- u. Figurenmaler, * 20. 6. 1870 Thiais (Seine), † Febr. 1944 Paris.

Schüler von Désiré Laugée u. Doucet. Befreundet mit Em. Bernard u. P. Sérusier; beeinflußt bes. von Monet. Schloß sich der von Sérusier geführten Gruppe der „Nabis" (Nabi, hebräisch = Prophet) an. Mitgl. der Soc. du Salon d'Automne, wo er seit 1906 ausstellte. Beschickte auch den Salon des Indépendants (seit 1895), den Salon der Soc. Nat. d. B.-Arts u. den Salon des Tuileries (1923ff.). Gedächtnis-Ausst. im Musée Galliera in Paris 1948. Malte hauptsächlich in Venedig u. der Terra Ferma. Bilder im Luxembourg-Mus. in Paris (Die Violine) u. in den Museen in Nantes, Algier u. Gent. Eine Pietà in der Kapelle in Pradines (Vaucluse). — Illustr. zu G. Flaubert, „Par les champs et les grèves". Besonders geschätzt seine Ansichten aus dem Beaujolais u. der Provence.
Lit.: Th.-B., 10 (1914). — Gabr. Mourey, G. D. (Les Art. Nouveaux), Paris 1930. — Salmon, 1912, p. 65f. — Coquiot, m. Taf. — Bénézit, [2] 3, m. Taf. geg. p. 480. — Joseph, 1. — L'Amour de l'Art, 11 (1930) 310f., m. Abb. — L'Art et les Art., 6 (1925) 439/41, m. 4 Abbn; N. S. 15, recte 16 (1927/28) 44/49, m. 7 Abbn, 174, m. Abb. — Beaux-Arts, 3 (1925) 345; Nr v. 27. 2. 48 p. 1; Nr v. 12. 3. 48 p. 4. — Bull. Soc. d. l'Hist. de l'Art franç., 1928, p. 266. — Chron. d. Arts, 1914, p. 171. — Pro Arte (Genf), 3 (1944) Nr 22, p. 81 (Nekrol.). — La Renaiss. de l'Art franç., 13 (1930) 175 (recte 217), m. Abb.

Dufresne, Charles, franz. Maler (Öl, Aquarell, Pastell, Guasch), Radierer, Medaillenstecher, Bühnenkostümzeichner, Musterzeichner für Textilien u. Dekorateur, * 23. 11. 1876 Millemont (Seine-et-Oise), † 8. 8. 1938 Seyne-sur-Mer. Vater des Jacques Pierre.

Schüler des Bildhauer-Ateliers der Pariser Ec. d. B.-Arts. Begann als Naturalist, konzentrierte später sein Hauptinteresse auf die Farbe und schuf als Erster eine Synthese der 3 zeitlich aufeinanderfolg. Strömungen der Fauves, Kubisten u. Nachkubisten.

In seiner Farbe beeinflußt von Delacroix, als Dekorator großen Stils von Cézanne. Eng befreundet mit Dunoyer de Segonzac. Mitgl. der Soc. Nat. d. B.-Arts, deren Salon er seit 1899 ziemlich regelmäßig beschickte (Kat. z. T. mit Abbn). Stellte seit 1905 auch bei den Indépendants, seit 1923 im Salon des Tuileries aus. Wichtigste Kollekt.-Ausst. auf der Biennale in Venedig 1938. Sein Stoffgebiet ist unumschränkt, umfaßt religiöse wie profane Themen, vor allem Akte u. figürl. Kompositionen (Pastoralen, Allegorie, Orientszenen), Bildnisse u. Landschaften. Im Musée d'Art Mod. in Paris ist ihm ein ganzer Saal eingeräumt (hier u. a. Die Kreuzigung u. Die Oase). Im Mus. in Algier: Doppelbildnis zweier Jüdinnen; im Staatl. Kstmus. in Kopenhagen: Frau aus der Normandie (Abb. in Kstmuseets Aarsskr. 1929/31) u. Orpheus; im Art Mus. in Worcester, USA, eine seiner Marokkolandschaften; im Carnegie Inst. in Pittsburgh, Penna., ein Stilleben. Weitere Bilder in den Museen in Amsterdam, Grenoble, Limoges, Moskau u. Stockholm. — Radierungen: Pastorale, Löwenjäger, Negermusik, Triumph der Galathea, Badende, Kartenspiel, Versuchung des hl. Antonius, Sklavenmarkt, Die Giraffe usw.

Lit.: Muls. — Joseph, 1, m. 3 Abbn. — Raynal. — Bénézit, [2] 3, m. Taf. geg. p. 512. — L'Amour de l'Art, 11 (1930) 378 (Abb.); 1932, p. 307/12, m. 8 Abbn; 1934, p. 271/73, m. 4 Abbn. — Apollo (London), 5 (1927) 184f. — Art et Décor., 30 (1926) 97ff., m. Abbn. — The Art News, 23 Nr 7 v. 22. 11. 1924, p. 1, m. Abb. — The Arts, 16 (1929) 49, m. 3 Abbn. — Beaux-Arts, 5 (1927) 138, m. Abb.; 8 (1930) Nr 11, p. 22 (Abb.); 9 (1931) Juliheft, p. 22, m. Abb.; 75e année Nr 235 v. 2. 7. 1937, p. 7; Nr 273 v. 25. 3. 1938, p. 3 (Abb.); Nr 295 v. 26. 8. 1938, p. 1 f., m. 2 Abbn; Nr 305 v. 4. 11. 1938, p. 4, m. Abb.; Nr 335 v. 2. 6. 1939, p. 1 (Abb.); Nr v. 28. 3. 47, p. 1, m. Abb., 5; Nr v. 4. 4. 47, p. 4 (Abb.). — Bull. Worcester Art Mus., 14 (1923) 101/06, m. Abb. — Le Centaure (Brüssel), 3 (1929) 133 (Abb.), 155 (Abb.); 4 (1930) 171 (Abb.). — D. Cicerone, 14 (1922) 865, m. 3 Taf. — Gaz. d. B.-Arts, 1925/II p. 222, m. Abb. — Konstrevy, 1930, p. 195 (Abb.). — Die Graph. Kste (Wien), 49 (1926) 48 (Abb.). — Dtsche Kst u. Dekor., 67 (1930/31) 386, m. Abb., 380. — Kst u. Kstler, 20 (1921/22) 71, 73. — La Renaiss. de l'Art franç., 14 (1931) 215, m. Abb., 292/96, m. Abb. — The Studio, 96 (1928) 306, m. farb. Taf. — Art Digest, 17, Nr v. 1. 5. 43, p. 9 (Abb.).

Dufresne, Geneviève, franz. Bildnisminiaturmalerin, * 7. 2. 1892 Paris, ansässig in Asnières (Seine).

Schülerin von G. Grimblot u. Marg. Martinet. Mitgl. der Soc. d. Art. Franç., beschickt deren Salon seit 1912.

Lit.: Joseph, I.

Dufresne, Jacques Pierre, franz. Bildhauer, * 25. 10. 1922 Paris, ansässig ebda. Sohn des Charles.

Schüler von G. Wlérick. Stellt seit 1943 im Salon des Tuileries, seit 1945 im Salon de Mai aus.

Lit.: Bénézit, [2] 3 (1950).

Dufström, Gottfrid, schwed. Landschaftsmaler (Öl u. Aquar.), * 1896 Hosjö, Dalarne, ansässig in Vikmanshyttan.

Stud. an der Malsch. Wilhelmson.

Lit.: Thomœus.

Dufwa, Torgny, schwed. Landschaftsmaler, * 1876 Stockholm, ansässig in Nykvarn.

Stud. an der Akad. München. Bereiste Deutschland, Holland, Belgien, Frankreich u. Italien. Bilder im Nat.-Mus. in Stockholm u. in den Museen in Eskilstuna u. Buenos Aires.

Lit.: Thomœus.

Dufy, Jean, franz. Maler (Öl, Aquar., Porzellan), * 12. 3. 1888 Le Havre, Bruder des Raoul.

Schüler von A. Lamotte u. Courché in Le Havre. Hauptsächlich Marinen, Blumenstücke, Musikhallen- u. Zirkusszenen, Landschaften.

Lit.: Joseph, 1, m. Abb. — Bénézit, [2] 3. — Art et Décor., 61 (1932) 380 (Abb.). — The Internat. Studio, März 1931, p. 25, m. Abb. — La Renaiss. de l'Art franç., 8 (1925) 588f. m. Abbn; 10 (1927) 252. — Revue de l'Art anc. et mod., 52 (1927/II) 309 (Abb.). — Beaux-Arts, 16. 4. 1948, p. 4. — Art News, 51, Sept. 1952, p. 47.

Dufy, Raoul, franz. Maler (Öl, Aquar., Tempera), Graphiker, Dekorateur u. Keramiker, * 3. 6. 1877 Le Havre, † März 1953 Forcalquier (Dep. Vaucluse). Bruder des Jean.

Besuchte die Abendkurse der Zeichenklasse in der Akad. Le Havre. Trat 1897 in das Atelier Bonnat's an der Pariser Ec. d. B.-Arts ein, wo er 5 Jahre blieb. Debütierte 1901 im Salon der Soc. d. Art. Franç. (Abenddämmerung in Le Havre). Kurze Zeit Impressionist, gewann Fühlung mit den „Fauves", an ihrer Spitze Matisse, Rouault, Marquet, Braque, Derain u. sein Landsmann Othon Friesz. Stellte seitdem bei den Indépendants u. im Salon d'Automne aus. 1906 erste umfassende Kollektivschau in Paris. Unter dem Einfluß von Picasso, van Gogh u. Cézanne und mehreren Aufenthalten im Süden (Sizilien, Riviera) entwickelte er eine ganz persönliche Koloristik, die auf einer wirkungsvollen Modulierung, bald in lebhaften Gegensätzen von Schwarz und Weiß, bald in feinsten Farbübergängen beruht u. außerordentliche Lichtwirkung zaubert. Mit der Buchillustr. (Holzschnitt, Lithogr.) beginnend, kam D. zu den Handwerkskünsten (Textilien, Tapeten, Keramik), um sich erst dann stark auf die Malerei zu konzentrieren. Illustr. (in volkstümlich-derbem Stil) u. a. zu: G. Apollinaire, „Le Bestiaire ou Cortège d'Orphée" u. „Poète assassiné"; Georges Duhamel, „Elégies"; Verhaeren, „Poèmes légendaires de France et de Brabant"; R. Allard, „Elégies Martiales"; Mallarmé, „Madrigaux"; G. Coquiot, „Les Baigneuses" u. „La Terre frottée d'Ail"; Eug. Montfort, „La Belle Enfant". Sein Stoffgebiet als Maler ist unumschränkt. Besonders geschätzt sind seine Landschaftsaquarelle. Im Luxembourg-Mus. in Paris eine Ansicht von Vence (Var). Im Mus. in Nantes eine Ansicht des Hafens von Le Havre. Weitere Bilder u. a. im Ksthaus in Zürich u. in mehreren Museen der USA (Baltimore, New York, Philadelphia u. a.). Entwürfe zu Plakaten, Wandteppichen, Paravents, Phantasiestoffen, Keramiken usw. — Koll.-Ausst. 1951 in d. Acad. des Arts in Toulouse.

Lit.: Th.-B., 10 (1914). — Bénézit, [2] 3, m. Taf. geg. p. 528. — M. Berr de Turique, R. D., Paris 1930. — P. Courthion, R. D., Paris 1928, m. 40 Taf. — F. Fleuret, Eloge de R. D., Paris 1931. — Salmon, 1912, p. 14, 29f., 83, 86, 99. — Grautoff, p. 31 ff., m. Abbn u. Tafeln. — Joseph, 1, m. 9 Abbn u. Selbstbildn. — Muls. — Vanderpyl, Peintres de mon époque, Paris 1931. — Chr. Zervos, R. D., Paris 1929. — L'Amour de l'Art, 1921, p. 146/51, m. 5 Abbn; 1924, p. 268/72, m. 8 Abbn; 1927, p. 240/42, m. 5 Abbn; 1932, p. 203/11, m. 11 Abbn; 1933, p. 113/16, m. 9 Abbn. — Apollo (London), 9 (1929) 132f., m. Abbn; 13 (1931) 112 (Abb.); 24 (1936) 114; 25 (1937) 43, m. Abb.; 27 (1938) 95, 332. — L'Art et les Art., N. S. 23/24 (1931/32) 205f., m. Abb. — Art et Décor., 55 (1929) 97/112, m. 19 Abbn u. 1 Taf.; 1935, p. 17/20, m. 8 Abbn; 1937, p. 25/32 passim; 1948 Nr 11 p. 61. — The Art News, Nrn v. 1. 11. 1941 p. 23, 25, 32 (m. Abbn); 1. 5. 1942, p. 44; 15. 5. 1943, p. 18; 15. 12. 1944, p. 20; Bd 45 (1946/II) 116 (Abb.).

— L'Art vivant, 1928, p. 649f., m. Abbn; 397 (Abbn), 400, 425, m. Abbn; 1932, p. 587, m. Abb.; 1937, p. 122f., m. 6 Abbn. — The Artist, 28 (1944) 52 (Abb.). — The Arts, 1927/II p. 109/12 passim, m. Abb. — Baltimore Mus. of Art News, 4 (1942) Juni, p. 51; 8 (1946) Febr., p. 3. — Beaux-Arts, 8 (1930) Nr 10 p. 29 (Abb.); 9 (1931/32) Februarh. p. 17, m. Abbn, Märzh. p. 9 (Abb.), Julih. p. 8, 10; 73e année Nr 55 v. 19. 1. 1934, p. 1f., m. Abb., Nr 156 v. 27. 12. 1935, p. 1; 74e a. Nr 163 v. 14. 2. 1936 p. 1, Nr 169 v. 27. 3. 1936, p. 8 passim.; 75e a. Nr 233 v. 18. 6. 1937, p. 3, Nr 235 v. 2. 7. 1937, p. 2 (Abb.), 3, 7, 8 (Abb.), Nr 257 v. 3. 12. 1937, p. 1, 4, Nr 268 v. 18. 2. 1938, p. 4, m. Abb., 5; 76e a. Nr 340 v. 7. 7. 1939, p. 4. — Beaux-Arts, Nr v. 7. 6. 1946, p. 4 u. 8 (Abbn); 28. 6. 1946, p. 8 (Abb.); 27. 12. 1946, p. 4; 26. 9. 1947, p. 1 (Abb.); 23. 1. 1948 p. 5 (Abb.); 28. 5. 1948, p. 5 (Abb.); 4. 6. 1948, p. 5 (Abb.); 23. 7. 1948, p. 5 (Abb.). — Bull. de l'Art anc. et mod., 1929, p. 464 (Abb.). — Bull. of the Detroit Inst. of Arts, 19 (1939/40) 56. — Pennsylv. Mus. Bull., 24 (1928) Nr 122 p. 30. — Byblis, printemps 1931, p. 25/32, m. 6 Taf. — Cahiers d'Art, 1927, p. 17, m. 6 Abbn, 131/38, m. 10 Abbn, 219, m. 7 Abbn; 1929 p. 125/28, m. 10 Abbn. — Cahiers de Belg., 1928, p. 98f., m. 2 Abbn. — Le Centaure (Brüssel), 1 (1926/27) 11 (Abb.), 15, 91 (Abb.); 2 (1927/28) 67ff., m. Abbn, 76ff., m. Abbn, 102, 154, 155 (Abb.); 3 (1929) 251. — Formes, 1930 Nr 10 p. 5f., m. 8 Abbn u. 1 Taf. — Gaz. d. B.-Arts, sér. 6, vol. 33 (1948) 301/16. — D. Kunst, 61 (1929/30) 143 – 46, m. 4 Abbn. — Dtsche Kst u. Dekor., 46 (1920) 222 (Abb.); 64 (1929) 19/23, m. 3 Abbn u. 2 Taf. — Kst u. Kstler, 28 (1929/30) 29 (Abb.), 30/34, m. 6 Abbn, 126; 29 (1930/31) 66 (Abb.), 293. — D. Kunsthandel (Heidelberg), 45. Jahrg., Nr 4 p. 17. — Kunstmus. Aarsskr., 1929/31, m. 2 Abbn; 1933/34; 1940, m. Abb. — D. Kstwerk, 1 (1946/47), H. 3, p. 33, m. Abb., H. 4, p. 46, 48 (Abb.); 2 (1948), H. 8 p. 19f., m. farb. Taf. u. 5 ganzseit. Schw.-Weiß-Abbn. — Maandbl. voor beeld. Kunsten, 10 (1933) 52f., m. Abb. — Magaz. of Art (New York), 38 (1945) 83 (Abb.). — Parnassus, Febr. 1937, p. 15/17, 43. — Print Coll.'s Quart., 30 (1949) Junih. p. 22. — La Renaiss. de l'Art franç., 6 (1923) 46 (Abbn), 47; 8 (1925) 347 (Abb.), 392f. (Abbn); 9 (1926) 117ff., m. Abbn, 1019ff. [recte 670ff.]; 10 (1927) 51, 97, m. Abb., 98, 391 (Abbn); 12 (1929) 256 (Abb.); 13 (1930) 188 [recte 230] Abb., 214 [recte 256] Abb.; 14 (1931) 189, m. Abb.; 15 (1932) 42ff., m. Abbn, 189 (Abb.); 19 (1936) 13f. — Revue de l'Art anc. et mod., 54 (1928) 151 (Abb.); 55 (1929) 152 (Abb.); 65 (1934), Bull. p. 82. — The Studio, 97 (1929) 64 (Abb.); 100 (1931) 341 (ganzseit. Abb.); 112 (1936) farb. Taf. geg. p. 72, 167, 221f., m. Abbn; 122 (1941) 131; 128 (1944) 155 (Abb.); 132 (1946) 158 (Abb.), 169 (Abb.); 133 (1947) 86 (Abb.); 137 (1949) 122f., m. Abb., 187 (Abb.). — D. Weltkst, 22 (1952) Nr 15, p. 8; 23 (1953) Nr 7 p. 30. — The Art Index (New York), 1928ff. passim.

Dugar, Hirachand, ind. Maler, * Sept. 1896 Jiagany, Westbengalen, † 1951 auf einer Pilgerfahrt. Vater des Folg.

Einer jinist. Familie angehörend. Trat früh in die Gov. School of Arts & Crafts in Kalkutta ein, wechselte aber vor Abschluß des Kursus nach Santiniketan über als einer der ersten Zöglinge von Kalabhavan. Noch studierend, fand er Beachtung mit seinen Bleistiftzeichnungen Mutter u. Kind (veröff. in Rupam). Nachdem er einige Jahre in Kalabhavan verbracht hatte, bereiste er Kaschmir. Kehrte dann nach Jiagany zurück. Eine Familientragödie hemmte s. kstlerische Tätigkeit für 20 Jahre. Erst 1946 nahm er die Malerei wieder auf u. arbeitete fieberhaft, als ob er die verlorenen Jahre einholen wollte. Völlig frei vom Einfluß der Santiniketan-Schule. Entwickelte eine eigene Technik der Miniaturmalerei, die er von Iswari Prasad der Gov. Art School erlernte und übereinstimmend auch in den großen Leinwänden seiner Kaschmir-Landschaften anwandte, die ihm einen Ehrenplatz in d. ind. Kstgeschichte sichern. Sein hinterlassenes Werk ist nicht sehr umfangreich. Einige Bilder in den Smlgn von Kalabhavan, Santiniketan, des Marquis of Zetland, des Maharaja von Burdwan u. M. Nahata, Paris.

Lit.: Ind. Art through the Ages, p. 120. — Prabasi, Jaistha, 1328 B. S. — Chaitra 1357 B. S. — Modern Review, April 1950.

Dugar, Indra, ind. Maler, Buchillustr., Bucheinbandkstler u. Kstschriftst., * 31. 7. 1918 Jiagany, Westbengalen. Sohn des Vor.

Gefördert von Nandalal Bose u. s. Vater, genoß im übrigen keinerlei akad. Ksterziehung. Besonders begabt als Landschafter. Malte hauptsächlich in ind. Technik u. in Aquarell. Begann 1946 mit der Landschaftsmalerei in Rajgir u. malte dort wundervolle Studien mit Motiven bei Chaibasa, Santiniketan u. versch. Gegenden von Rajputana. Das Ergebnis intimer Beobachtung des sozialen Lebens d. Rajputs u. Bhils ist zu starker dekorat. Wirkung gebracht in der reizvollen Gestaltung seiner mit Figuren staffierten Landschaften. Beschickte die Unesco-Ausst. in Paris 1947; Sonderausst. in Kalkutta 1949. Beauftragt, den Sitzungsraum des Ind. Nat.-Kongresses 1939 in Ramgarh u. 1949 den Sitzungsraum in Jaipur auszuschmücken. In Jaipur führte er einen großen Fries mit Szenen aus dem Leben Gandhi's aus. Wandgemälde in Sir B. D. Goenka's House u. in Poddar Chatra Nivas; weitere Werke im Bes. der Marwari Relief Soc. u. im Gov. House in Kalkutta. — Als Kstkritiker tätig für „Desh" u. „Ananda Bazar Patrika". Buchwerk: Niriksha (Murshidabad): Nandal Bose-Nr (Kartic, 1351 B. S.), 1944 (1. Würdigung des Meisters in Indien).

Lit.: Indian Art through the Ages, p. 122. — Aswin, 1356 B. S. — Modern Review, Nov. 1949. — Prabasi, Agrahayan, 1350 B. S. — Roopalekha, 1950. — The World Grieves (Samlg v. Skizzen Mahatma Gandhi's). — Y. A. C. C. News, Febr. 1949.

Dugdale, Amy Katherine, geb. *Browning,* engl. Bildnis- u. Blumenmalerin, * Bramngham Hall, Bedfordshire, wohnhaft in London u. in Iken, Suffolk. Gattin des Folg.

Stud. am Roy. Coll. of Art in London. Stellte wiederholt im Salon der Soc. d. Art. Franç. aus (Kat. z. T. m. Abbn). Gold. Med. des Pariser Salon 1922. Vertreten im Luxembourg-Mus. in Paris.

Lit.: Who's Who in Art, [3] 1934. — Artist, 23 (1942) 116/18, m. Abbn. — The Studio, 105 (1933) 333 (ganzseit. farb. Abb.); 128 (1944) 36 (Abb.), 90 (Abb.); 134 (1947) 64/69, m. Abbn, 176 (Abb.). — Apollo, 56 (1952) 56/58, 87 (Abbn).

Dugdale, Thomas Cantrell, engl. Bildnis- u. Aktmaler, * 2. 6. 1880 Blackburn, Lancashire, † 1952 London. Gatte der Vor.

Stud. am Roy. Coll. of Art in London u. an der Acad. Julian in Paris. 1919 Kollekt.-Ausst. in den Leicester Gall. Gold. Med. auf der Expos. d. Arts Décor., Paris 1925. Zeigte im Salon der Soc. d. Art. Franç. in Paris 1930 ein Damenbildnis (Abb. im Kat.). Bilder in den Art Gall. in Manchester, Kapstadt, Rochdale und im War Mus. in London. Realist. Begabter Kolorist.

Lit.: Th.-B., 10 (1914). — Who's Who in Art, [3] 1934. — The Studio, 89 (1925) 95 (Abb.); 92 (1926) 329/32, m. 4 Abbn; 108 (1934) 13 (Abb.); 110 (1935) 20 (Abb.); 111 (1936) 319 (Abb.); 113 (1937) farb. Taf. geg. p. 226; 116 (1938) 73, 76 (Abb.); 124 (1942) 10f. (Abbn); 125 (1943) 77 (Abb.); 128 (1944) 59 (Abb.); 134 (1947) 64/69; 134 (1947) 64/69, m. 4 Abbn; 142 (1951) 60 (Abb.); 144 (1952) 151 (Abb.). — Apollo,

21 (1935) 174 (Abb.). — Illustr. London News, 214, Nr v. 7. 5. 1949, p. 625 (Abb.); 218, Nr v. 5. 5. 51, p.702 (Abb.). — D. Kst u.d. schöne Heim, 51 (1952/53) Beil. p. 86. — The Artist, 41 (1951) 109 (Abb.).

Duggins, James Edward, engl. Landsch.- u. Figurenmaler (Öl, Aquar., Pastell), * 27. 3. 1881 Cubbington, ansässig in Leamington.

Schüler von Algernon Talmage in St. Ives. Mappenwerk: „Unknown Warwickshire" (aquar. Zeichnungen), John Lane, The Bodley Head.

Lit.: Who's Who in Art, [3] 1934.

Dugmore, Arthur Radclyffe, amer. Tiermaler, * 1870.

Bereiste Afrika u. Nordamerika.

Lit.: Mallett. — Natural History, 1932, p. 229 –43, m. 22 Abbn. — Russell-Cotes Art Gall. and Mus. Bull., Okt. 1947, p. 6 (Abb.).

Duhamel (-Hormain), Jeanne, franz. Miniaturmalerin, * Pontivy (Morbihan), ansässig in Paris.

Schülerin von Jacquier, Mme Debillemont-Chardon u. E. Renard. Mitgl. der Soc. d. Art. Franç., beschickt deren Salon seit 1903. Bildnisse, Figürliches.

Lit.: Joseph, I.

Duhaupas, Maurice, franz. Landsch.- u. Tiermaler, * Paris, ansässig in Combault bei Pintault (Seine-et-Oise).

Stellt seit 1923 bei den Indépendants aus.

Lit.: Joseph, I.

Duhem, Rémy, franz. Maler (Öl u. Pastell), * 1. 10. 1891 Douai, fiel am 20. 5. 1915.

Sohn des Malers u. Kstschriftst. Henri D. (* 1860) u. s. Gattin, der Malerin Marie D. (* 1871, † 1918). Autodidakt. Figürliches, Szenen aus Pariser Konzertkaffeehäusern, Bildnisse, Blumenstücke, Stilleben. Mehrere Arbeiten im Mus. in Douai.

Lit.: Livre d'Or d. Peintres expos., 1921, p. XXf., m. Taf. (Selbstbildn.). — L'Art et les Art., N. S. 10 (1924/25) 184. — Beaux-Arts, 1 (1923) 298. — La Renaiss. de l'Art franç., 10 (1927) 153, m. Abb. (Selbstbildn.).

Dujardin-Beaumetz, Rose, franz. Figuren- (bes. Akt-) u. Landschaftsmalerin, * Paris, ansässig ebda.

Tochter des Militärmalers Etienne D.-B. (1852 –1913). Stellt seit 1906 bei den Indépendants aus.

Lit.: Joseph, 1. — Bénézit, [2] 3.

Duiker, Johannes, holl. Architekt, * 1. 3. 1890 im Haag, † 1935 Amsterdam.

Stud. an d. Techn. Hochsch. in Delft. Sanatorium „Zonnestraal" in Hilversum (1928, gemeinsam mit B. Byvoet); Hotel Grand Gooiland ebda (desgl.).

Lit.: Wie is dat?, 1935. — Brandes, Taf. 58. — Hegemann, p. 47, m. Abb. — Klapheck, p. 150 –52 (Abbn), 152f. — Cahiers d'art, 1928, p. 389ff.; 1931, p. 45ff. — Emporium, 82 (1935) 254 (Abb.), 255. — The Studio, 105 (1933) 256 (Abb.). — Architect. Review, 102 (1947) 127/30. — Urbanisme, 1936, p. 245ff., m. Abb. — Zentralbl. d. Bauverwaltg, 49 (1929) 165/67, m. Abbn.

Duittoz, Juliane Lily, franz. Bildnis- u. Landschaftsmalerin, * 28. 1. 1884 Nizza, ansässig in Vichy (Allier).

Schülerin von Mottez, Baschet, H. Royer u. Laparra. Mitgl. der Soc. d. Art. Franç., beschickt deren Salon seit 1910.

Lit.: Joseph, I.

Dulac, Edmund, franz.-engl. Illustrator, Bildnismaler, Karikaturen- u. Kostümzeichner u. Bühnenbildner, * 22. 10. 1882 Toulouse, ansässig in London. Naturalisierter Engländer.

Stud. an der Kunstsch. in Toulouse u. an der Acad. Julian in Paris. Längere Zeit in England tätig. Illustr. zu den auch in dtsch. Ausgaben (Müller & Co. Verl. Potsdam) erschienenen Märchen: „Prinzessin Badura" (10 Bilder); „Aladin und die Wunderlampe" (8 Bilder); „Der erwachte Schläfer"; „Die Geschichte von den 3 Derwischen" (10 Bilder); „Arabische Nächte" (41 Bilder); „Sindbad der Seefahrer"; „Die Gesch. der Prinzessin Deryabar" (14 Bilder); ferner zu den Märchen von Andersen u. zu den Gedichten von E. A. Poe. Mappenwerk: E. D.'s Picture Book for the French Red Cross, Lo. 1916.

Lit.: Th.-B., 10 (1914). — Bénézit, [2] 3. — The Studio, 63 (1915) 299; 64 (1915) 75, 241; 66 (1916) 204, 282; 82 (1921) Abb. zw. p. 262 u. 275; 92 (1926) 39 (farb. Taf.-Abb.), 47; 106 (1933) 343f., m. Fotobildn. D's.; 112 (1936) farb. Taf. geg. p. 156. — Atheneum, 1920/II p. 56. — The Studio, 122 (1941) 125 (Abb.). — Ill. London News, Nr v. 18. 11. 1948, Suppl. p. 43 (Abb.). — Art Digest, Nr v. 1. 5. 1943, p. 9 (Abb.). — The Internat. Who's Who, [16] 1952.

Dulac, Guillaume, franz. Figuren- (bes. Akt-), Bildnis-, Stilleben- u. Landschaftsmaler, * 1883 Fumel (Lot-et-Garonne), † Nov. 1929 Paris.

Schüler von Bonnat u. Humbert. Beeinflußt von Cézanne. Stellte seit 1905 bei den Indépendants, seit 1909 im Salon der Soc. Nat. d. B.-Arts, seit 1925 im Salon des Tuileries aus.

Lit.: Joseph, 1. — Bénézit, [2] 3. — L'Art et les Art., 20 (1930) 211f., m. 2 Abbn. — La Renaiss. de l'Art franç., 9 (1926) 1048 (recte 699).

Dulac, Jean, franz. Maler u. Illustr., * 11. 12. 1886 Soissons, ansässig in Paris.

Schüler der Pariser Ec. d. B.-Arts. Mitarbeiter an: Gaz. du Bon Ton, Comoedia ill., Fémina, Illustr. des Modes usw. Illustr. zu der Novelle von W. J. Locke, „The Beloved Vagabond", London 1922.

Lit.: Qui Êtes-Vous, 1924? — The Connoisseur, 64 (1922) 257. — The Studio, 92 (1925) 241 (Abb.); 97 (1929) 427/32, m. 4 Abbn u. 1 farb. Taf.

Dull, Christian Lawton, amer. Maler (Öl u. Aquar.) u. Rad., * 24. 5. 1902 Philadelphia, Pa., ansässig ebda.

Schüler von Dan. Garber, George Harding u. Earl Horter.

Lit.: Amer. Art Annual, 30 (1933).

Dull, John, amer. Landschaftsmaler (Aquar.), * 1859 Philadelphia, † 1949 ebda.

Prof. am Drexel Inst. in Philadelphia. Gedächtn.-Ausst. Mai 1949 in d. Pennsylvania Acad. ebda.

Lit.: Th.-B., 10 (1913). — Art Digest, 23, Nr v. 1. 5. 1949, p. 31.

Dulmen-Krumpelman, Erasmus Bernhard von, deutsch-holl. Landsch.-Maler, Rad. u. Lithogr., * 25. 8. 1897 Kreuznach, ansässig in Vries, Prov. Drenthe.

Schüler von Allebé, G. H. Breitner, Witsen u. Hendrick de Keyzer an der Reichsakad. in Amsterdam. Akte, Stadtansichten, Landschaften, Straßenszenen.

Lit.: Plasschaert. — Waay. — Erica (Assen), 12. 9. 1946, p. 12/14. — Kat. Tentoonst. van Nederl. beeld. Kst, Amsterd. 1942, m. Abb.

Dulout, Marie, franz. Miniaturmalerin, * 13. 3. 1870 Vire (Ille-et-Vilaine).

Schülerin von Rivoire u. Claude. Stellt seit 1889 im Salon der Soc. d. Art. Franç. aus.

Lit.: Joseph, I.

Duluard, François, franz. Lithograph, Rad. u. Maler, * 18. 11. 1871 Paris, ansässig ebda.

Schüler von Gérôme. Mitgl. der Soc. d. Art. Franç., beschickte deren Salon seit 1896. Gold. Med. 1920. Bildnisse, Genre, Städteansichten (Öl u. Aquar.). Im Petit Palais in Paris: Innenansicht eines Saales des Mus. Carnavalet.

Lit.: Th.-B., 10 (1914). — Bénézit, [2] 3.

Duluard, Georges Auguste Lucien, franz. Maler u. Lithogr., * Château-Gontier (Mayenne), ansässig in Paris.

Schüler von Cormon, L. Jonas, Leleu u. Sabatté. Seit 1927 Mitgl. der Soc. d. Art. Franç. (Salon-Kat. z. T. m. Abbn). Landschaften, Figürliches, Architektur. Silb. Med. 1924, Gold. Med. 1929.

Lit.: Joseph, 1. — Bénézit, [2] 3.

Dum, Alfons, tirol. Maler, * 4. 8. 1883 Matrei a. Br., ansässig in Innsbruck.

Stud. an d. Gewerbesch. in Innsbruck, bei Hayek in Dachau u. bei Hugo Grimm u. Tony Kirchmayr in Innsbruck. Märchenbilder, Phantasien, Landschaften, Stilleben.

Lit.: Kstler Tirols, 1927, Ms. Ferd. Innsbr. — Kat. d. Ausst. Tir. Kstler in Westfalen u. Rheinland, 1925/26, m. Abb. *J. R.*

Dumail, Jeanne, franz. Miniaturmalerin, * 16. 6. 1876 Paris, ansässig ebda.

Schülerin von Laforge u. J. P. Laurens. Beschickte seit 1909 den Salon der Soc. d. Art. Franç.

Lit.: Joseph, I.

Dumand-Saint-Hubert, Marthe Yvonne, franz. Genre-, Akt- u. Bildnismalerin, * 25. 12. 1892 Paris, ansässig ebda.

Schülerin von Humbert u. E. Laurent. Stellt seit 1912 im Salon der Soc. d. Art. Franç. aus. Silb. Med. u. Reisestipendium.

Lit.: Joseph, I.

Dumas, Alice Dick, franz. Malerin (Öl u. Miniat.), * 4. 1. 1878 Paris, ansässig ebda.

Schülerin von Pellez u. Carrière. Mitgl. der Soc. d. Art. Franç., beschickt deren Salon seit 1903 (Kat. z. T. m. Abbn). Hauptsächlich Porträtistin.

Lit.: Joseph, I.

Dumas, André Genès, franz. Landschaftsmaler, * 5. 6. 1880 Cambroude (Puy-de-Dôme), fiel 19. 4. 1916 bei Les Eparges.

Schüler von Gérôme u. P. Ferrier. Hauptsächlich Ansichten aus Alt-Paris.

Lit.: Ginisty, 1919, p. 20f. — Livre d'Or d. Peintres expos., 1921, p. XXI.

Dumas, Esther, schweiz. Marine- u. Bildnismalerin, * Genf, ansässig in Paris.

Stellt seit 1923 im Salon des Tuileries, seit 1927 auch bei den Indépendants aus.

Lit.: Joseph, I.

Dumas, Félix, franz. Genrebildhauer, * Lyon, ansässig ebda.

Mitgl. der Soc. d. Art. Franç., beschickt deren Salon seit 1907.

Lit.: Joseph, I.

Dumas, Fernand, schweiz. Architekt, ansässig in Freiburg/Schweiz.

Autodidakt. Entwarf mit Denis Honegger, einem Schüler Aug. Perret's, die Neubauten der Universität Freiburg-Schw. (Weihe 1941), die zu den fortschrittlichsten Bauschöpfungen der schweiz. Monumentalarchitektur der letzten Jahre gehören. Selbständig baute er die Kirche Écharlens, Kt. Freiburg (dekor. Ausgestaltung von Alex. Cingria), N.-D. du Valentin in Lausanne u. die Kirche Sainte-Marie in Bern (innere Ausschmückung von Marcel Feuillat).

Lit.: L'Amour de l'Art, 1930, p. 406 (Abb.), 409 (Abb.). — Art Sacré, 1937, p. 75/78, m. 6 Abbn. — Art en Suisse, 1933 Okt.-H. p. 19/21, m. 5 Abbn, Nov.-H. p. 23, m. 8 Abbn. — Vie, Art et Cité, Sonderh.: Les nouv. Bâtiments de l'Univers. de Fribourg, mit Beitr. von F. D. u. D. H., Freiburg/Schw. 1941. — D. Christl. Kst, 24 (1927/28) 131f. (Abbn), 136, 144, 148. — D. Werk, 28 (1941), Beibl. zu H. 9, p. XIII; 29 (1942) 33ff., m. Abbn; 30 (1943) 388f., m. Abbn.

Dumas, Gaëtan, franz. Figuren- u. Landschaftsmaler, * Marseille, ansässig in Paris.

Mitgl. des Salon des Tuileries, wo er seit 1927 ausstellt. Beschickt auch den Salon d'Automne u. den Salon des Indépendants.

Lit.: Joseph, I. — La Renaiss. de l'Art franç., 8 (1925) 334. — Bénézit, [2] III.

Dumas, Hectôr, franz. Genre- u. Bildnismaler (Öl u. Aquar.), Plakatzeichner, Lithogr. u. Rad., * Fontenay-sous-Bois (Seine-et-Oise), ansässig in Paris.

Mitgl. der Soc. Nat. d. B.-Arts, beschickt deren Salon seit 1899.

Lit.: Th.-B., 10 (1914). — Joseph, 1.

Dumas, Jean-Bapt., franz. Landsch.- u. Bildnismaler, * Lyon, ansässig in Paris.

Stellt seit 1912 bei den Indépendants aus.

Lit.: Joseph, I.

Dumas, Paul Alexandre, franz. reprod. Holzschneider, * Paris, ansässig in Ivry-sur-Seine.

Schüler von Blondeau u. Jouenne. Stellt seit 1928 im Salon der Soc. d. Art. Franç. aus. Schnitt u. a. nach Frans Hals u. Schreyer.

Lit.: Joseph, I.

Dumas, Pierre Ludovic, franz. Bildnis- u. Genremaler, * 8. 7. 1891 Limoges. ansässig in Paris.

Schüler von Cormon. Mitgl. der Soc. d. Art. Franç. (Salon-Kat. z. T. mit Abbn).

Lit.: Joseph, I.

Dumbleton, Bertram Walter, engl. Bildnis- u. Landschaftsmaler, * 11. 2. 1896 George, Südafrika, ansässig in Chichester, Sussex.

Stud. am Polytechn. in London u. an d. Acad. Julian in Paris.

Lit.: Who's Who in Art, [3] 1934.

Dumitrescu, Stefan, rumän. Landschafts- u. Figurenmaler, * 1886 Huşi, † 1933 Jassy.

Stud. an der Kstsch. in Jassy, 1912/13 in Bukarest, ging dann nach Paris, wo er den Einfluß der Impressionisten erfuhr. Längerer Aufenthalt in Italien. Gründete 1926 mit Sirato, Tonitza u. Han die „Grupul celor patru". Seit 1927 Prof., später Rektor der Akad. in Jassy. Malt mit Vorliebe die Landschaft u. Menschen der Dobrudscha. — 3 Bilder: Mutter u. Kind u. 2 Dobrudscha-Landschaften im Mus. Toma Stelian in Bukarest (Kat. 1939, m. Abb.).

Lit.: Oprescu, 1935, m. 2 Abbn; 1936 p. 19. — Kat. d. Ausst. Rumän. Kst d. Gegenw., Zürich,Ksthaus, März/April 1943, p. 11, 20, m. Abb.

Dumitriu, Horaţiu, rumän. Landschaftsmaler, Graph. u. Kstschriftst., * 1890 Târgul-Jiu, † 1926.

Stud. an der Kunstsch. in Bukarest, dann in München u. Paris. Verf. einer Monographie über den rumän. Maler Theodor Aman (1831–91). Aquarell im Mus. Toma Stelian in Bukarest (Kat. 1939).

Dumler, Hermann, dtsch. Landschaftsmaler, * 23. 2. 1875 (1876?) Frankfurt a. M., † Nov. 1944 ebda.

Stud. am Städel-Institut Frankfurt, dann einige Zeit in München u. Karlsruhe. Beeinflußt von Thoma. Bilder u. a. in den öff. Smlgn in Wiesbaden u. Speyer.

Lit.: Th.-B., 10 (1914), m. falsch. Geb.-Jahr. — Dreßler. — Kstchronik, N.F. 33 (1921/22) 442.

Dummer, H. Boylston, amer. Maler u. Illustr., * 19. 10. 1878 Rowley, Mass., ansässig in Rockport, Mass.

Schüler von Eric Pape, George Noyes, Ambr. Webster u. John Carlson. Illustr. zu naturwiss. Werken des Verlages Ginn and Co., der World Book Co. u. der Amer. Book Co.

Lit.: Amer. Art Annual, 30 (1933). — Who's Who in Amer. Art, I: 1936/37.

Dummett, Joan Katherine, engl. Bildhauerin u. Pastellzeichnerin, * 22. 1. 1905 London, ansässig ebda.

Schülerin von Jules van Biesbroeck.

Lit.: Who's Who in Art, [2] 1934.

Du Mond, Frank Vincent, amer. Maler u. Illustr., * 1865 Rochester, N.Y., † 1951 New York.

Schüler von Boulanger, Lefebvre u. B. Constant in Paris. Vielfach ausgezeichnet, u. a. Gold. Med. Boston 1892 u. Atlanta Expos. 1895; Silb. Med. Pan-Amer. Exp. Buffalo 1901 u. St. Louis 1904. Bilder in der Öff. Gal. in Richmond, Ind., u. in den Museen in Portland, Ore., u. Denver, Col. Wandgem. in d. Öff. Bibl. in San Francisco, im Künstlerhaus u. im Liberty Tower in New York. — Gedächtn.-Ausst. Juli 1952 in d. Nat. Acad. in New York. — Seine Gattin Helen, geb. *Savier*, * 31. 8. 1872 Portland, Ore., Miniaturmalerin u. Modelleurin, Schülerin ihres späteren Gatten u. Rob. Brandegee's in New York, Collin's u. Merson's in Prag.

Lit.: Th.-B., 25 (1931) 58. — Mallett. — Mellquist. — Who's Who in Amer. Art, I: 1936/37. — The Art News, 50, März 1951, p. 8; 51, Sept. 1952, p. 38. — Art Digest, 25, Nr v. 15. 2. 1951, p. 7, 28; 15. 3. 51, p. 9 (Abb.); 26, Juli 52, p. 18. — College Art Journal, 10 (1951) Nr 3, p. 285.

Dumont, Albert, belg. Architekt, * 1853 Lüttich, † 1920 Saint-Gilles (Brüssel). Vater des Alexis.

Schüler von Henri Beyaert. Hauptwerk: Hôtel communal in Saint-Gilles.

Lit.: Seyn, I, m. Fotobildnis.

Dumont, Alexis, belg. Architekt, * 1877 Molenbeek-Saint-Jean. Sohn des Albert.

Université du Travail in Charleroi; Université libre in Brüssel, Université des Arts et Métiers ebda; Kirchen in Locre u. Kemmel in Flandern.

Lit.: Seyn, I.

Dumont, Auguste, franz. Landschaftsmaler, * Lille, ansässig in Tourcoing (Nord).

Schüler von H. Léty. Mitgl. der Pariser Soc. d. Art. Franç.; beschickt deren Salon seit 1928.

Lit.: Joseph, I (irrig: Dumond).

Du Mont, Charles, schweiz. Bildnis-, Genre-, Interieur- u. Stillebenmaler, * 1880 Nyon, ansässig in Paris.

Stud. an der Münchner Akad. (1905/06) u. in Florenz. Ließ sich nach Rückkehr von einem Amerika-Aufenthalt in Paris nieder.

Lit.: Brun, IV 502.

Dumont, Gaston Aimé, franz. Bildhauer, * 21. 1. 1899 Beaumont-en-Argonne (Ardennes), ansässig in Pantin (Seine).

Schüler von Peter, Coutan u. Carli. Mitgl. der Soc. d. Art. Franç. (Kat. z. T. m. Abbn). Figürliches, Bildnisbüsten. Arbeiten in der Mairie in Pantin.

Lit.: Joseph, I.

Dumont, Pierre Jean, franz. Architektur-, Landschafts-, Blumen- u. Stillebenmaler, * 29. 3. 1884 Paris, † 10. 4. 1936 ebda.

Stellt seit 1914 bei den Indépendants aus. Malte hauptsächlich Ansichten von der Normandie u. den Kirchen der Stadt Rouen.

Lit.: Joseph, 1, m. 2 Abbn u. Fotobildn. — Bénézit, [2] 3. — Journal de Rouen, v. 8. 2. 1914.

Dumont-Duparc, Robert, franz. Marine- u. Landschaftsmaler, * Falaise (Calvados), ansässig in Paris.

Mitgl. der Pariser Soc. d. Art. Franç., beschickt deren Salon seit 1928 (Kat. z. T. mit Abbn).

Dumoulin, Albert, belg. Genremaler, * 1871 Maastricht, † 1935 Forest.

Schüler von van Laer u. Rosier an der Antwerp. Akad. u. von Bonnat an der Pariser Ec. d. B.-Arts.

Lit.: Seyn, I, m. Fotobildnis.

Dumoulin, Albert Edouard, franz. Landschaftsmaler, * Pont-Lévêque, ansässig in Bécon-les-Bruyères (Seine).

Stellt seit 1925 bei den Indépendants in Paris aus.

Lit.: Joseph, 1. — Bénézit, [2] 3.

Dumoulin, Edouard, franz. Figuren- (bes. Akt-) Maler, * Sennely (Loiret), ansässig in Paris.

Stellt seit 1927 im Salon der Soc. Nat. d. B.-Arts u. bei den Indépendants aus.

Lit.: Joseph, I. — Gaz. d. B.-Arts, 1927/I p. 281 (Abb.), 284. — Bénézit, [2] III.

Dumoulin, Georges Marcel, franz. Landschaftsmaler u. Glaskünstler, * 18. 5. 1882 Vitteaux (Côte-d'Or), ansässig in Paris.

Stellt als Kunstgewerbler seit 1913 im Salon der Soc. des Art. Décor., als Maler seit 1913 bei den Indépendants aus.

Lit.: Joseph, 1 (irrig unterschieden zw. Georges u. Georges Marcel u. falscher Geburtsort). — Bénézit, [2] 3 (desgl.). — Art et Décor., 1928/I p. 149ff., m. Abbn. — L'Art vivant, 1929, p. 844/45, m. Abbn. — Bull. de l'Art, 1929, p. 157 (Abb.).

Dumoulin, Léonce, franz. Bildhauer, * Limoges, ansässig in Paris.

Schüler von Verlet, seit 1907 Mitgl. der Soc. d. Art. Franç., beschickte deren Salon bis 1914. Hauptsächlich Bildnisbüsten.

Lit.: Joseph, 1. — Bénézit, [2] 3.

Dumoulin, Roméo, belg. Zeichner, Rad. u. Maler (bes. Aquar.), * 18. 3. 1883 Tournai, ansässig in Stockel b. Brüssel.

Autodidakt. Seine Kunst trägt einen sozial betonten, humoristisch-satirischen Zug, der bald an Steinlen, bald an Laermans oder auch an Zille erinnert. Illustr. zu: Cam. Lemonnier, „Un mâle", Georges Eekhoud, „Kees Doornik" u. zu dem Volksbuch „Broer Frutsel".

Lit.: Seyn, I, m. Fotobildnis. — Arm. Devigne, R. D., Brüssel-Courtrai o. J. — Joseph, I. — Maandbl. voor beeld. Kunsten, 16 (1939) 234/40, m. 6 Abbn.

Dunand, Jean, schweiz. Bildhauer, Metall- u. Werkkünstler, * 20. 5. 1877 Lancy b. Genf, † 1942 in Paris.

Stud. an d. Genfer Kstgewerbesch., dann bei Jean Dampt in Paris. Arbeitete als Metallkstler in allen Materialien (Gold, Silber, Kupfer, Stahl, Nickel, Blei, Messing). Seine Gefäße (Vasen, Schalen, Platten) zeigen schlichten Dekor in meist geometrischen Formen. Für seine Lackarbeiten (bes. mehrteilige Wandschirme u. Panneaus) war ihm Japan Vorbild. Die Motive seiner auf Holz ausgef. Lackdekorationen bilden hauptsächl. Tiere, bes. Fische u. Geflügel, auch Rehwild, Bären usw. Arbeiten u. a. in den Museen Genf, Lausanne, Zürich u. im Pariser Mus. d. Arts décor. Bildhauer. Arbeiten u. a. im Genfer Mus. d'Art et d'Hist. (Kind mit Schmetterling; Bronzebüste e. Jünglings) u. im Mus. in Lausanne (Bronzebüste e. jungen Mädchens).

Lit.: Th.-B., 10 (1914). — Brun, IV. — D. Schweiz, 1908, p. 475; 1909 p. 189, m. Abbn; 1910, p. 436. — Bull. de l'Art anc. et mod., 1919, p. 218. — Art et Décor., 1919, p. 118/26, m. 13 Abbn; 61 (1932) 225/32, m. 8 Abbn. — L'Art et les Art., N. S. 1 (1919 –20) 381ff., m. Abbn. — Chron. d. Arts, 1920, p. 146. — La Renaiss. de l'Art franç., 4 (1921) 408ff., m. Abbn, 412ff.; 8 (1925) 296f., m. Abbn; 9 (1926) 626 (Abb.); 10 (1927) 175ff., m. 4 Abbn; 12 (1929) 221f., m. Abb., 231 235 (Abb.); 14 (1931) 318/21, m. Abb. — Beaux-Arts, 3 (1925) 346f.; 5 (1927) 14; 8 (1930) H. 1, p. 16/17 (Abb.), 17; H. 10, p. 8 (Abb.); 73e année, Nr 60 v. 23. 2. 1934, p. 2, m. Abb.; 76e année, Nr 327 v. 7. 4. 1939, p. 1 (Abb.); Nr v. 2. 4. 1948, p. 4, m. Abb. — Kstchronik u. Kstmarkt, N. F. 35 (1925 –26) 40. — The Studio, 91 (1926) 235ff., m. Abbn. — Byblis. Miroir d. Arts du livre et de l'est., 1927, p. 142/46, m. 3 Abbn. — L'Art d'aujourd'hui, 1927, p. 10, m. 2 Abbn. — D. Kunst, 67 (1932/33) 206f., 208 (Abb.), 209 (Abb.), 210 (Abb.), 211 (Abb.). — Gaz. d. B.-Arts, 1936/I, p. 95/104, m. 6 Abbn. — Bull. of the Detroit Inst. of Arts, 24 (1944/45) 54.

Dunant, Charles, schweiz. Emailmaler, * 7. 7. 1872 Avully b. Genf, ansässig in Genf.

Schüler von B. Menn u. Le Grand-Roy. Bildnisse im Genre Limoges.

Lit.: Brun, IV.

Dunau, Wilhelm, dtsch. Maler, * 28. 11. 1875 Bremen, ansässig in Zeitz/Sa.

Stud. an der Kstgewerbesch. in Bremen u. an der Akad. in Leipzig. Landschaften, Figürliches.

Lit.: Dreßler.

Dunbar, Harold C., amer. Maler, * 8. 12. 1882 Brockton, Mass., ansässig in Chatham, Mass.

Schüler von E. L. Major, De Camp u. Tarbell, dann der Acad. Colarossi in Paris. Hauptsächl. Porträtist. Bilder im Boston Art Club, im Boston City Club, im State House in Vermont u. im Obersten Gerichtshof ebda.

Lit.: Th.-B., 10 (1914). — Fielding. — Amer. Art Annual, 30 (1933). — Who's Who in Amer. Art, I: 1936/37.

Dunbier, Augustus William, amer. Maler, * 1. 1. 1888 Osceola, Neb., ansässig in Omaha, Neb.

Schüler der Düsseldorfer Akad. u. des Art Inst. in Chicago. Bild: Wolken, in der Öff. Gal. in Omaha. — Kollektiv-Ausst. in den Smlgn der Omaha Soc. of F. Arts, Nov. 1923.

Lit.: Fielding. — Amer. Art Annual, 30 (1933). — Who's Who in Amer. Art, I: 1936/37. — The Art News, 22, Nr 4 v. 3. 11. 1923, p. 4, m. Abb.; Nr 6 v. 17. 11. 1923, p. 8, 3. Spalte.

Duncan, Charles Stafford, amer. Maler u. Lithogr., * 12. 12. 1892 Hutchinson, Kan., ansässig in San Francisco, Calif.

Gold. Med. San Francisco 1927 u. Pac. Southwest Expos. 1928.

Lit.: Amer. Art Annual, 30 (1933). — Who's Who in Amer. Art, I: 1936/37. — Monro.

Duncan, Frank Davenport, amer. Maler, * 1915, ansässig in New York.

Kollekt.-Ausstellg in d. Grand Central Gall. 1947.

Lit.: Painting in the United States 1949. Carnegie Inst. Pittsburgh, Kat. m. Abb. Taf. 76. — Monro. — Weltkst, 21 (1951) H. 4, p. 3, m. Abb. p. 4. — Magaz. of Art, 35 (1942) 216 (Abb.). — Art Digest, 21 Nr v. 15. 12. 1946, p. 12 (Abb.); 22, Nr v. 1. 12. 1947, p. 15 (Abb.), Nr v. 15. 12. 1947, p. 16. — The Art News, 46, Dez. 1947, p. 45. — The Art Index (New York), Nov. 1950/April 1953 passim.

Duncan, Frederick Alexander, amer. Maler, * 1881 Texarkana, Ark., ansässig in New York.

Stud. an der Art Student's League in New York.

Lit.: Fielding. — Amer. Art Annual, 30 (1933).

Duncan, Geraldine, siehe *Birch*, G.

Duncan, Jean, amer. Maler, * 26. 12. 1900 St. Paul, Minn., ansässig ebda.

Schüler von George Bridgman, Clar. Chatterton u. Ch. Hawthorne.

Lit.: Amer. Art Annual, 30 (1933). — Who's Who in Amer. Art, I: 1936/37.

Duncan, John, schott. Bildnis-, Legenden- u. Historienmaler u. Illustr., * Juli 1866 Dundee, † 1945 Edinburgh.

1902/04 in den USA (Prof. an d. Univ. Chicago). Bilder in d. Scott. Nat. Portr. Gall. u. in d. Scott. Gall. of Mod. Art in Edinburgh, in der Art Gall. in Glasgow u. in der Victoria Art Gall. in Dundee. Im Chicago Hull House: Tolstoj hinter d. Pfluge. Dekor. Gemälde mit Szenen aus dem schott. u. kelt. Sagenkreis in der University Hall in Edinburgh. Kreuzwegstationen in St. Peters' in Edinburgh. Illustr. zu den von Patrick Geddes 1895ff. hg. Northern Seasonal „The Evergreen".

Lit.: Th.-B., 10 (1914). — Who's Who in Art, [3] 1934. — The Studio, 65 (1915) 104, m. Abb.; 68 (1916) 124; 70 (1917) 93, m. Abb.; 80 (1920) 139/147, m. 6 Abbn; 103 (1932) 302, m. Abb. (Selbstbildn. der Ann D., Tochter [?] des John). — Scottish Art Review, 2 (1948) Nr 1, p. 9 (Abb.).

Duncan, Walter Jack, amer. Illustrator, * 1881 Indianapolis, Ind., ansässig in New York.

Schüler von John Twachtman.

Lit.: Fielding.

Dundas, Douglas Roberts, austral. Maler, * 1900.

Lit.: The Studio, 124 (1942) 126 (Abb.).

Dungert, Max, dtsch. Maler u. Graph., * 3. 9. 1896 Magdeburg, fiel 1945.

Stud. 1910/18 bei Bosselt an d. Kstgewerbesch. in Magdeburg, 1919/20 an der Akad. in Berlin. Studienaufenthalte in Italien, Frankreich u. der Schweiz. Figürliches, Bildnisse, Stilleben. Mitgl. der „Novembergruppe". Beeinflußt von Hofer. Seit 1921 in Berlin. Bild in der Nat.-Gal. ebda. Kollekt.-Ausst. 1947 in d. Gal. Franz, Berlin.

Lit.: Dreßler. — D. Graph. Kste (Wien), 48 (1925), Beibl. p. 83. — bild. kunst, 1 (1947) H. 4/5 p. 42; 2 (1948) H. 3, p. 26 (farb. Abb.), 27 m. Abb. (Selbstbildn.). — D. Kstblatt, 14 (1930) 60 (Abb.). — Kst d. Zeit, 1/2 (1927/28) 65, m. 2 Abbn; 3 (1928/29) 52 (Abbn).

Dunikowski, Ksawery, poln. Bildhauer, * 24. 11. 1875 Krakau, ansässig ebda.

Schüler von Alfr. Daun u. K. Laszczki an der Krakauer Akad. 1905 in Italien. Prof. an d. Kunstsch. in Warschau, später an d. Akad. in Krakau. Seit 1912 Vorsitzender der Künstlervereinigung „Sztuka". Arbeitet mit Vorliebe in Holz. Berührt sich in seinen vom Geist der Askese erfüllten und entschiedenste Abkehr vom Realismus propagierenden Frühwerken mit Künstlern wie George Minne u. Wilh. Lehmbruck; geht später mehr auf monumentale Wirkungen durch stärkere Vereinfachung der Form aus, die auf das Kubische ausgerichtet ist, indem er den grobflächigen Schnitzstil auch auf die Steinplastiken überträgt. — Steingruppe: Der Erlöser u. die leidende Menschheit, für das Portal der Jesuitenk. in Krakau (1912). Köpfe (Holz, polychrom.) des alten Kassettenplafonds im Wawel in Krakau. In der Staatl. Kstsmlg in Warschau ein Frauenbildnis.

Lit.: Th.-B., 10 (1914). — Kuhn, m. 3 Abbn. — Czy wiesz kto to jest?, 1938, m. Fotobildnis. — Miesiecznik Literacki i Artystyczny, 1911 p. 32/35, m. Taf.-Abb. — L'Art et les Artistes, Nouv. Sér., 3 (1921) 308, 310 (Abb.). — Sztuki Piękne, 1926/27 p. 429/51, m. 16 Abbn u. 6 Taf. — Przeglad Warszawski, 1923 p. 120ff. passim. — D. Cicerone, 22 (1930) 194ff., m. 2 Abbn. — Beaux-Arts, 75ᵉ année, Nr 254 v. 12. 11. 1937 p. 3, m. Abb. — The Studio, 107 (1934) 194 (ganzs. Abb.); 112 (1936) 169. — Neues Deutschland, 24. 4. 1949, m. 2 Abbn. — Ausst.-Kat.: Art Polonais, Paris, Soc. Nat. d. B.-Arts, 1921; Poln. Kst, Kstlerhaus Wien, 1915, m. Abb.; Sezession Wien 1928, m. Abb.; Berlin, Pr. Akad. d. Kste, 1935, m. Abb.

Dunin (-Piotrowska), Marja, poln. Holzschneiderin, * 1899 Kamienice Podolski, ansässig in Sierpc.

Schülerin von K. Krzyżanowski u. der Akad. in Warschau. Mitglied der Graphikervereinigung „Ryt". Pflegt eine zierliche Ornamentik, in die auch das Figürliche miteinbezogen ist. Folge der poln. Sprichwörter (6 Bll.); Illustr. zu der Dichtung: Lebende Steine, von Wacław Berent.

Lit.: Kuhn, m. Abb. — D. Kstwanderer, 1928/29 p. 563. — The Print Coll.'s Quarterly, 22 (1935) 343. — Kat.: Expos. Internat. de Grav. orig. sur bois, Warschau 1933, p. 63; Ausst. Poln. Kst, Berlin, Pr. Akad. d. Kste, 1935, p. 73.

Dunkel, William, schweiz. Architekt (Prof. Dr. Ing.), ansässig in Zürich.

Baute u. a. das mächtige Rheinparkhaus in Düsseldorf u. die Wohnbauten „Engepark" in Zürich. Gewann 1926 den 1. Preis im Wettbewerb um ein Hochhaus für Köln als Brückenkopf der bereits bestehenden Hängebrücke (zus. mit Wilh. Pipping).

Lit.: D. Cicerone, 18 (1926) 144. — D. Kunst, 53 (1925/26) Beibl. Maih., p. XIV; 58 (1927/28) 226. — D. Werk, 13 (1926) 68ff., m. Abbn; 31 (1944) 14/18. — Zeitschr. f. bild. Kst, 60 (1926/27), Kstchron., p. 13.

Dunkelberger, Ralph, amer. Maler u. Illustr., * 16. 8. 1894 Reading, Pa., ansässig ebda.

Schüler von Schearer u. Th. Oakley. Bild: Der Walnußbaum, in der Art Gall. in Reading; Wandbilder im Berks County Hist. Soc.'s Mus. ebda. — Illustr. zu Lewis Wallace, „Ben Hur" (Harper).

Lit.: Amer. Art Annual, 30 (1933). — Who's Who in Amer. Art, I: 1936/37.

Dunki, Rodolphe, schweiz. Maler, * 1897 Genf, † 1950 ebda.

Sohn des Malers u. Illustr. Louis D. (1856–1915). Koll.-Ausstellgn Jan. 1920 im „Künstlerhaus" in Genf, Nov. 1952 im Athenaeum (ebda), April 1953 bei Wolfsberg in Zürich. Stilleben, Landschaften, Figürliches.

Lit.: D. Kst in d. Schweiz, 1931 p. 28 (Abb.), 30. — D. Werk, 39 (1952) Beibl. p. 168; 40 (1953), Beibl. p. 87. — N. Züricher Ztg, 22. 1. 1920.

Dunlap, Helena, amer. Malerin, * Los Angeles, Calif., ansässig in Fullerton, Calif.

Schülerin der Pennsylv. Acad. of F. Arts, des Art Inst. in Chicago u. von A. Lhote in Paris. Bilder in d. F. Arts Gall. in San Diego u. im Mus. in Los Angeles.

Lit.: Fielding. — Amer. Art Annual, 30 (1933). — Who's Who in Amer. Art, I: 1936/37.

Dunlop, Aletta, geb. *Lewis*, engl. Malerin, * 5. 7. 1904 Orpington, ansässig in London. Gattin des Folg.

Stud. an der Slade School in London. 2 Kollekt.-Ausstellgn in Sydney, Austr., 1 in d. Gal. Bernheim jeune in Paris.

Lit.: Who's Who in Art, ³ 1934.

Dunlop, Denis Cheyne, engl. Bildhauer, * 9. 1. 1892 London, ansässig ebda. Gatte der Vor.

Lit.: Who's Who in Art, ³ 1934.

Dunlop, Ronald, irisch. Landsch.-, Blumen-, Bildnis- u. Figurenmaler, * 28. 6. 1894 Dublin, ansässig in Barnham, Sussex.

Stud. an den Kstschulen in Manchester u. Wimbledon. Mitbegründer der „Emotionist Group of Painters and Writers". Wiederholt in Paris. Stellte seit 1928 fast alljährlich in der Redfern Gall. in London, 1931 bei Georges Petit in Paris aus. Impressionist. Vertreten in d. Tate Gall., London.

Lit.: The Internat. Who's Who, ¹⁶ 1952. — Who's Who in Art, ³ 1934. — Apollo (London), 7 (1928) 192; 9 (1929) 259, m. Abb.; 13 (1931) 64, m. Abb.; 14 (1931) 323; 19 (1934) 225, m. Abb.; 22 (1935) 358, 359 (Abb.); 25 (1937) 226; 29 (1939) 301 (Abb.). — The Studio, 102 (1931) 212 (Abb.), 319/23; 110 (1935) 76 (Abb.); 111 (1936) farb. Taf. geg. p. 50; 113 (1937) 285 (Abb.), 310 (Abb.); 116 (1938) 82 (Abb.). — Maandbl. v. beeld. Kunsten, 10 (1933) 283f., m. Abbn. — Art Index (New York), Okt. 1942/Okt. 1952.

Dunn, Alan Cantwell, amer. Lithogr., Illustr. u. Maler, * 11. 8. 1900 Belmar, N. J., ansässig in New York.

Stud. an der Nat. Acad. of Design, an der Kstsch. in Fontainebleau u. an der Amer. Akad. in Rom.

Lit.: Amer. Art Annual, 30 (1933). — Who's Who in Amer. Art, I: 1936/37. — Magaz. of Art, 36 (1943) 155 (Abb.). — Art a. Industry, 41, Aug. 1946, p. 56 (Abb.). — Art Index (New York), Okt. 1947/Okt. 1950.

Dunn, Charles A. R., amer. Maler, * 9. 12. 1895 Washington, D. C., ansässig ebda.

Schüler von Edgar Nye u. C. W. Hawthorne. Hauptsächl. Landschafter.

Lit.: Amer. Art Annual, 30 (1933). — Who's Who in Amer. Art, I: 1936/37.

Dunn, David Rankin, schott. Maler u. Rad., * 1888 Paisley, ansässig in Elderslie, Renfrewshire.

Stud. in London, Glasgow u. Brüssel.

Lit.: Who's Who in Art, ³ 1934.

Dunn, Frances, engl. Altarbildmalerin u. Modelleurin, * 11. 6. 1878 Clifton, ansässig in Bath.

Altarbilder u. a. in St-André in Pau, Frankr., u. im Altersheim in Chiswick; Stationsbilder in St. Michael's Church in Teignmouth.

Lit.: Who's Who in Art, ³ 1934.

Dunn, Harvey Hopkins, amer. Illustrator, Schrift- u. Buchkünstler, * 9. 7. 1879 Philadelphia, Pa., ansässig ebda.

Schüler der Pennsylv. Acad. of F. Arts u. der Harvard Univ. unter Denman Ross. Umschlag- u. Einband-Entwürfe für den „International Studio", „The Gardens of Kijkuit" (für John D. Rockefeller), das „Journal of Heredity" (Washington, D. C.), „Literary Digest" (New York), usw.

Lit.: Amer. Art Annual, 27 (1930) 523; 30 (1933). — Who's Who in Amer. Art, I: 1936/37.

Dunn, Harvey T., amer. Illustrator u. Maler, * 8. 3. 1884 Manchester, S. Dakota, ansässig in Tenafly, N. J.

Schüler von Howard Pyle u. des Art Inst. Chicago.

Lit.: Amer. Art Annual, 30 (1933). — Who's Who in Amer. Art, I: 1936/37. — Mellquist. — Amer. Artist, 15, Sept. 1951, p. 32f., m. Abb.

Dunn, Louise M., amer. Malerin, * 1875 East Liverpool, Ohio, ansässig in Cleveland.

Schülerin von H. G. Keller. Malt in Öl, Aquarell u. Pastell.

Lit.: Amer. Art Annual, 30 (1933). — Who's Who in Amer. Art, I: 1936/37. — Bull. of the Cleveland Mus. of Art, Clevel., O., 17 (1930) 95 (Abb.); 32 (1945) 3.

Dunoyer de Segonzac, André, franz. Maler (Öl u. Aquar.), Rad. u. Buchillustrator, * 6. 7. 1884 Boussy-Saint-Antoine (Seine-et-Oise), ansässig in Paris.

1901/02 Schüler von L. O. Merson an der Pariser Ec. d. B.-Arts, dann von J. P. Laurens u. J. E. Blanche. Bildete sich seit 1906 selbständig weiter. Begann mit Stilleben, fing dann in Saint-Tropez mit Landschaften an. Seit 1913 Mitglied der Soc. du Salon d'Automne. Stellte schon seit 1911 auch bei den Indépendants aus. Erste, übrigens wenig beachtete Kollektivausstellg 1914 (Kat. m. Vorw. von René Jean). 1914/18 Kriegsteilnehmer. Seit 1919 Membre Associé der Soc. Nat. d. B.-Arts. — Anfänglich — 1906/08 — Berührung mit dem Impressionismus und kurze Zeit mit dem Kubismus. Dann machen sich Einflüsse von Cézanne, Manet u. Courbet bemerkbar, bis er um 1920 seinen eigenen Stil findet, der durch dicken u. schweren Auftrag der Farben, reiche farbige Nuancierungen u. rassige Zeichnung gekennzeichnet ist. Thematisch stehen im Mittelpunkt seiner Kunst die Frau u. die Landschaft. Völlig ausgeführte Ölgemälde größeren Umfangs nicht häufig; Hauptbilder: „Les Canotiers sur le Morin" (1924), „Les Baigneurs", „Les Baigneuses" u. „Printemps en banlieue"; vorbereitet durch eine Fülle von Aquarellen, Ölskizzen u. Zeichnungen. Besonders geschätzt seine durch leuchtende Farben sich auszeichnenden Aquarelle. — Im Luxembourg-Mus. in Paris eine Landschaft u. ein Stilleben. Im Kunsthaus in Zürich: Haus in Bäumen. In der College Collection in Dartmouth: Bar. — Das graph. Werk an Bedeutung hinter der Malerei nicht zurückstehend: Illustr. zu: „Chansons aigres-douces" von Fr. Carco (Zeichngn), 1912; „Poèmes" von René Kerdyk; „Les Croix de bois" von Roland Dorgelès (Rad. u. Zeichngn), 1920; „Le Cabaret de la belle femme" von dems., 1923; „La Boule de Gui" von dems.; „Tableau de la boxe" von Tristan Bernard (24 Rad. u. Kaltnadelstiche), 1922; „Education sentimentale" von G. Flaubert (Zeichngn); „Géorgiques" von Virgil (Rad.), 1931; „Bubu de Montparnasse" von Ch. L. Philippe; „La Treille muscate" von Colette. — Hauptfolgen: „Danses d'Isidora Duncan" (Zeichngn), 1911; „Plages"; „Jeunes Filles"; „Huit Illustr. de guerre"; „Dessins de nus". — Kollekt.-Ausst.: 1914 u. 1924 in d. Gal. Barbazanges, 1929 bei Bernheim, 1952 im Musée d'Art et d'Hist. in Genf.

Lit.: Th.-B., 30 (1936), s. v. Segonzac. — P. Jamot, D. de S., Paris 1929. — Joseph, 3 (1934) 278ff., s. v. Segonzac, m. 11 Abbn. — Bénézit,[2] 3 (1950), m. Taf. geg. p. 560. — A. D. de S. Vingt-huit reprod. de peinture et dessins etc., m. Vorw. v. René Jean (Coll. „Les Peintres franc. nouv."), Paris 1922. — P. Valéry, A. Roger u. a., Tableaux de Paris. Lith. et grav. sur cuivre orig. de Bonnard etc., Paris 1927. — Kstmus. Aarsskr., 1940, m. Abb. — L'Amour de l'Art, 1921, p. 141/45, m. 5 Abbn; 1927, p. 11/15, m. 7 Abbn; 1928, p. 225/30, m. 10 Abbn; 1934, p. 277/83, m. 11 Abbn. — Apollo (London), 29 (1939) 260. — Art Digest, 1. 5. 1945, p. 24 (Abb.); 15. 10. 47, p. 22. — L'Art vivant, 1932, p. 230/44, m. 15 Abbn; 1934, p. 18. — Art et Décor., 1924/II p. 11/19, m. 10 Abbn. — L'Art et les Artistes, N. S. 9 (1924) 265/70, m. 7 Abbn. — The Art News, Nrn v. 1. 11. 1941, p. 25; 15. 5. 42, p. 12; 15. 2. 43, p. 23 (Abb.); Sept. 45, p. 13 (Abb.); Dez. 45 p. 117 (Abb.). — B.-Arts, 2 (1924) 189; Nr 119 v. 12. 4. 1935 p. 1 u. 3, m. Abbn; Nr 208 v. 25. 12. 36, p. 1, 3 Abbn, 8; Nr 226 v. 30. 4. 1937, p. 1, m. Abb.; Nr 229 v. 21. 5. 37, p. 1f., m. Abb.; Nr 235 v. 2. 7. 37, p. 1 (Abb.,)7; Nr 252 v. 29. 10. 37, p. 1 (Abb.); Nr 270 v. 4. 3. 1938 p. 1 (Abb.); Nr 272 v. 18. 3. 1938, p. 1, m. Abb.; Nr 309 v. 2. 12. 1938, p. 1, m. Abb.; Nr 327 v. 7. 4. 1939, p. 1, 4, m. Abbn; Nr 338 v. 23. 6. 1939, p. 5, m. Abb.; Nr 339 v. 30. 6. 1939, p. 2 (Abb.); Nr v. 27. 2. 1948 p. 6 (Abb.); 7. 5. 48, p. 6 (Abb.); 14. 5. 1948, p. 1; 4. 6. 1948, p. 4. — Bull. d. Musées de France, 9 (1937) 94f., m. 2 Abbn. — Bull. of the School of Design of Rhode-Island, 1933, p. 26/28, m. Abb. — Byblis, Sommer 1931, p. 39/44, m. 5 Taf. — Formes et Couleurs, 10 (1948) Nr 1 p. [48]; Nr 4 p. [41], [50], [94], [95]; Nr 5/6 p. 6/24. — Ganymed, 2 (1920). — Konstrevy, 10 (1934) 178 (Abb.: Zeichn: weibl. Akt). — Kst u. Kstler, 29 (1930/31) 447 (Abb.), 449 (Abb.), 450/56, m. Abb. — Pagine d'Arte, 6 (1918) 10f., m. Abb. — La Renaiss. de l'Art franç., 10 (1927) 425/28, m. 4 Abbn. — Revue de l'Art anc. et mod., 51 (1927), Suppl. p. 154 (Abb.). — Revue de Paris, 1928, p. 691 –707 passim. — La Revue Rhénane (Rhein. Blätter), 1922, p. 181/83, m. 6 Abbn; 1924, p. 646ff. passim, m. Abbn. — The Studio, 96 (1928) 145 (Abb.); 112 (1936) 71 (Abb.); 132 (1946) 172 (Abb.); 136 (1948) 122, m. Abb. — Das Werk (Zürich), 35 (1948), Suppl. p. 159f. — The Art Index (New York), 1928ff. passim, s. v. Segonzac.

Dunton, William Herbert, amer. Maler u. Lithogr., * 28. 8. 1878 Augusta, Me., † 1936 Taos, New Mexico.

Schüler von Andreas M. Anderson, De Camp, F. V. Du Mond, Wm. L. Taylor, Ernest L. Blumenschein u. Leon Gaspard. Bilder u. a. im Mus. of New York in Santa Fé („Meine Kinder"), im Witte Memorial Mus. of F. Arts in San Antonio („Alt-Texas") u. im Weißen Haus in Washington, D. C. (Fall in the Foothills).

Lit.: Who's Who in Amer. Art, I: 1936/37. — Monro.

Duodo, Giuseppe, ital. Genre- u. Bildnismaler, * 1877 Venedig, ansässig ebda.

Schüler von L. Nono u. Ett. Tito.

Lit.: Comanducci.

Dupagne, Adrien, belg. Maler (Öl u. Aquar.) u. Zeichner, * 1889 Lüttich, ansässig ebda.

Schüler der Akad. Lüttich. Prof. an derselben. Akte, Landschaften, Stilleben. Im Mus. Lüttich: Alte Frau.

Lit.: Seyn, I.

Duparcq, René, franz. Bildhauer, * 28. 10. 1897 Valenciennes, ansässig in Paris.

Schüler von Jean Boucher. Mitgl. der Soc. d. Art. Franç.

Lit.: Joseph, I.

Dupas, Jean, franz. Maler, * 21. 2. (Th.-B.: 1.) 1882 Bordeaux, ansässig in Paris.

Schüler von G. Ferrier, Carolus-Duran u. A. Besnard. Mitgl. der Soc. d. Art. Franç., beschickt deren Salon sei 1909 (Kat. z. T. mit Abbn). 1910 Rompreis, 1922 Gold. Med. Hauptsächl. dekorat. Wandmalereien figürl. Inhalts (bes. Akte) in einem zeichnerisch betonten, dekorativ wirksamen Stil u. Bildnisse. Im Luxembourg-Mus. in Paris ein Damenbildnis. Kartons für Tapisserien, die in den Gobelins ausgeführt wurden.

Lit.: Th.-B., 10 (1914). — Joseph, 1. — Bénézit, ² 3. — L'Art et les Art., t. 30 (1935) 337ff. passim, m. Abb.; 32 (1936) 223/29, m. 7 Abbn. — Beaux-Arts, 76ᵉ année, Nr 327 v. 7. 4. 1939, p. 1 (Abb.). — Gaz. d. B.-Arts, 1925/II p. 223 (Abb.), 224. — La Renaiss. de l'Art franç., 5 (1922) 57 (Abb.), 59; 8 (1925) 338, m. Abb., 344; 10 (1927) 429/34, m. 6 Abbn; 11 (1928) 100 (Abb.), 101. — Revue de l'Art anc. et mod., 44 (1923) 51 (Abb.); 48 (1925) 298, 302 (Abb.); 54 (1928) 21 (Abb.); 55 (1929) 145 (Abb.). — The Studio, 91 (1926), farb. Abb. p. 154, 156; 95 (1928) 382/89, m. 8 (1 farb.) Abbn; 100 (1930) 465 (ganzseit. farb. Abb.).

Dupau, Louise, franz. Marine- u. Landschaftsmalerin, * 4. 6. 1874 Sancey-le-Grand (Doubs), ansässig in Martignes (Bouches-du-Rhône).

Mitgl. der Soc. d. Art. Franç., beschickte deren Salon bis 1929.

Lit.: Joseph, 1. — Bénézit, ² 3.

Duphiney, Wilfred Israel, amer. Porträtmaler u. Illustr., * 16. 9. 1884 Central Falls, R. I., ansässig in Providence, R. I.

Schüler der Art Student's League in New York, W. C. Loring's u. Alb. F. Schmitt's. Bildnisse u. a. in den City Hall u. im Court House in Providence.

Lit.: Who's Who in Amer. Art, I: 1936/37. — Fielding.

Dupire, Georges, franz. Architektur- u. Landschaftszeichner, * 1. 10. 1873 Paris, ansässig ebda.

Schüler von David. Zeichnete bes. Ansichten von Schloß Versailles, Interieurs, Statuen usw. Stellte im Salon der Soc. d. Art. Franç. aus.

Lit.: Joseph, I

Duplain, Ami Ferdinand, schweiz. Landschafts- u. Figurenmaler u. Illustr., * 16. 3. 1893 La Chaux-de-Fonds, ansässig in Lausanne.

Schüler von Maur. Denis in Paris. Beeinflußt von diesem u. von Cézanne. Studienaufenthalte in Italien, Deutschland, Österreich, Frankreich. Seit 1919 wieder in der Schweiz. Bilder in den Museen La Chaux-de-Fonds, Bern, Genf, Lausanne, Le Locle u. Neuchâtel. Illustr. zu den „Arbres" von L. Ch. Bauduin (10 Holzschn.).

Lit.: Amweg, I 264/69, m. 2 Abbn u. Selbstbildn., 446f. — L'Art en Suisse, 1931, Nr 5, m. 6 Abbn.

Duplaix, Georges, franz. Landschafts- u. Stillebenmaler, * 1898 Nevers (Nièvre), ansässig in Paris, 1935 in New York.

Mitgl. der Soc. du Salon d'Automne, beschickt deren Salon seit 1928.

Lit.: Joseph, I. — Mallett. — L'Art et les Art., N. S. 23 (1931/32) 69, m. Abb.

Dupon, Arthur, belg. Bildhauer, * 16. 8. 1890 Borgerhout (Antwerpen).

Schüler von J. Lagae u. Th. Vinçotte in Antwerpen. 1912 Erster Rompreis. Im Mus. Antwerpen: Marmorbüste eines Antwerpners.

Lit.: Seyn, I. — Ons volk ontwaakt, 1912 p. 470, m. Bildn. u. 2 Abbn.

Dupont, Carle, franz. Reproduktionsstecher, Rad. u. Maler, * 12. 5. 1872 Grenoble, ansässig in Paris.

Zuerst Malschüler von Bouguereau u. Gérôme, dann als Graphiker Schüler von J. Jacquet, Henriquel-Dupont u. Laguillermie. Mitgl. der Soc. d. Art. Franç. Gold. Med. 1914. Stach nach eigenen u. fremden Vorlagen. Hauptblätter: L'Indifférent u. L'Embarquement pour Cythère, beide nach Watteau; Marter des hl. Bartholomäus nach Ribera. Bildnisse (nach eigenen Vorlagen).

Lit.: Th.-B., 10 (1914). — Joseph, 1.

Dupont, Joseph, franz. Architekt, * 15. 4. 1873 Vanves (Seine), † 20. 1. 1918 ebda.

Hauptwerk: Rathaus in Sens.

Lit.: Th.-B., 10 (1914). — Chron. des Arts, 1917–19, p. 85.

Dupont, Louis Henry, franz. Radierer (bes. Landschaft u. Architektur), * Paris, ansässig ebda.

Schüler von Gérôme. Seit 1921 Mitgl. der Soc. d. Art. Franç.

Lit.: Joseph, I.

Dupont, Robert, franz. Landschafts-, Tier- u. Genremaler, * 28. 7. 1874 Caen, ansässig in Paris.

Schüler von G. Moreau u. E. Delaunay. Mitgl. der Soc. d. Art. Franç., beschickte deren Salon bis 1927. Stellte 1905ff. auch im Salon d'Automne aus. Im Mus. Carnavalet in Paris: Dessins sur Paris.

Lit.: Th.-B., 10 (1914). — Joseph, 1. — Bénézit, ² 3 (1950).

Dupont, Victor, franz. Figuren-, Bildnis- u. Landschaftsmaler, Radierer u. Lithogr., * 12. 7. 1875 Boulogne-sur-Mer, ansässig in Paris.

Schüler von Puvis de Chavannes, Cézanne u. Renoir. Mitgl. der Soc. du Salon d'Automne u. der Soc. d. Indépendants, bei der er seit 1900 ausstellt.

Lit.: Th.-B., 10 (1914). — Joseph, 1. — Bénézit, ² 3. — L'Art et les Art., N. S. 18 (1929) 338/41, m. 5 Abbn.

Dupont, Willem Frederik, holl. Graphiker u. Maler, * 25. 4. 1908 Hilversum, ansässig im Haag.

Stud. in Amsterdam. Landschaften u. Figürliches.

Lit.: Waay.

Dupont, Yvonne, franz. Pastellzeichnerin, * 12. 7. 1897 Paris, ansässig ebda.

Schülerin von Em. Renard u. Mlle Grimblot. Mitgl. d. Soc. d. Art. Franç., beschickt deren Salon seit 1921.

Lit.: Joseph, I.

Duprat, Albert Ferdinand, franz. Landschaftsmaler, * 12. 1. 1882 Venedig, ansässig ebda.

Stud. an d. Akad. in Venedig. Studienaufenthalte in Paris u. der Bretagne. Ansichten von Venedig (Öl, Guasch, Aquar.). Arbeiten u. a. in den Museen in Aix, Brest u. Laval.

Lit.: Th.-B., 10 (1914). — Bénézit, ² 3.

Dupré, Alfred, dtsch. Maler, * 15. 12. 1904 Köln, ansässig ebda.

Stud. 1920 an der Kstgewerbesch. in Köln, 1921 bei Fr. Weinzheimer, 1922/25 bei W. Heuser an d. Akad. Düsseldorf. 1925 Studienaufenthalte in Rom u. Anticoli Corrado, 1926 wieder in Rom, anschließend in München. 1927/29 in Paris u. Südfrankreich. Studienaufenthalte in Sanary mit Fr. Rhein. Starke Anregungen durch Courbet, Corot u. Utrillo. Seit 1930 ansässig in Köln. 1. Kollektiv-Ausst. 1925 in d.Ksthalle Düsseldorf, anschließend im Kstver. in Köln. 1930 umfassende Kollektiv-Ausst. in d. Dom-Gal. in Köln (ill. Kat.). 1931/42 Beteiligung an Ausstellgn in Berlin, Paris, München, Frankfurt a. M., Düsseldorf, Köln, Wien, Nürnberg, Brüssel u. a. O. 1942 Kollektiv-Ausst. im Wallraf-Rich.-Mus. in Köln. Bilder ebda, in den Städt. Kstsmlgn in Düsseldorf u. in den Landesmuseen Münster i. W. u. Wiesbaden.

Lit.: Rhein. Blätter, 11 (1934) Nr 5; 16 (1939) 63/64. — D. Kunst, 63 (1930/31), Beibl., p. LI; 65 (1931/32), Beibl. p. VII; 69 (1933/34) 345. — Kst- u. Antiquit.-Rundsch., 41 (1933) 437, m. Abb. — Dtsche Kst u. Dekor., 67 (1930/31) 249/53, m. Abbn; Beibl. p. 21. — D. Kst u. das schöne Heim, 50 (1951/52) 128, 129, m. 3 Abbn. — Westermanns Monatsh., 160 (1936) 96, Abb. am Schluß d. Bandes, 241/44, m. Abbn. — La Revue Moderne, 28 (1928) Nr 21.

Dupuis, Géo (Georges), franz. Buchgewerbezeichner, Illustr. u. Maler, * 1875 Le Havre, ansässig ebda.

Autodidakt. Zeichnete bes. für das Verlagshaus Ollendorf: Illustr. zu: Maupassant, Dimanches d'un bourgeois de Paris; J. Claretie, Amours d'un Interne; C. Lemonnier, Un Mâle, usw.

Lit.: Th.-B., 10 (1914). — Bénézit, [2] 3.

Dupuis, Maurice, belg. Stilleben-, Figuren- u. Interieurmaler, * 1882 Gent.

Schüler der Genter Akad. Bild im dort. Mus.

Lit.: Seyn, I.

Dupuis, Toon, belg.-holl. Bildhauer u. Medailleur, * 18. 10. 1877 Antwerpen, ansässig im Haag.

Schüler s. Vaters Louis (1842–1921) u. der Antwerp. Akad. unter Th. Vinçotte. Läßt sich 1898 im Haag nieder und als Holländer naturalisieren. Hauptsächlich Porträtbüsten. Im Reichsmus. Amsterdam Büsten des Malers Jozef Israëls, des ehem. Generaldirektors desselben, B. W. F. van Riemsdijk, u. des Architekten desselben, P. J. H. Cuypers. Standbilder Wilhelms III. in Breda, der Brüder de Witt in Dordrecht.

Lit.: Th.-B., 10 (1914). — Waay. — Wie is dat?, 1935. — Verslagen omtr. 's Rijks Verzamel. v. Gesch. en Kunst, 35 (1912) 6, m. Taf.-Abb.; 54 (1931) 5, m. Taf.-Abb. — Morks Magazine, 1917 p. 193/98. — Bull. v. d. Nederl. Oudheidk. Bond, N. S. 9 (1916) 113, m. Abb. — Maandbl. voor beeld. Kunsten, 4 (1927) 187.

Duquesnoy, Amélie, franz. Stilleben- u. Früchtemalerin, * 1. 11. 1872 Bordeaux, ansässig in Paris.

Schülerin von F. Carme u. Eug. Claude. Stellt seit 1924 im Salon der Soc. d. Art. Franç. aus (Kat. z. T. m. Abbn).

Lit.: Joseph, I.

Durá, Adolfo, levant. Bildnis-, Figuren- u. Landschaftsmaler u. Graph.

Pleinairist. Koll.-Ausst. im Salon „El Pueblo Vasco" in Madrid 1918.

Lit.: Francés, 1918 p. 282f., m. Abb.

Duran, Feyhaman, türk. Bildnismaler, * 1886 Istanbul (Konstantinopel). Gatte der Folg.

Stud. an d. Ec. d. B.-Arts in Paris u. an d. Acad. Julian ebda. 1914 Rückkehr nach Istanbul, wurde Lehrer an d. Akad. d. Schö. Kste. Tätig in dieser Stelle bis 1951. Vertreten im Bilder- u. Statuenmus. Istanbul. Gehört der türk. impressionist. Schule an.

Lit.: Berk, p. 19f., m. Abb. 6.

Duran, Gürzin, türk. Malerin, * 1898 Istanbul (Konstantinopel), ansässig ebda. Gattin des Vor.

Stud an d. Akad. der Schö. Künste zu Istanbul u. bei Feyhaman Duran. Seit 1925 Zeichenlehrerin an verschied. Schulen. Gehört der türk. impressionst. Schule an.

Lit.: Berk, p. 21.

Durán Camp (Durencamps), R., katal. Landschafts-, Stilleben- u. Bildnismaler, * Barcelona, ansässig in Paris.

Beeinflußt von Cézanne u. Matisse. Bedeutender Kolorist. Koll.-Ausst. im Mus. San Jelmó in San Sebastian 1939.

Lit.: Francés, 1923/24 p. 187. — L'Art et les Art., N. S. 24 (1932) 338/41, m. 5 Abbn. — L'Art vivant, 1931 p. 362, m. 3 Abbn. — Emporium, 83 (1936) 271, m. Abb. — D. Weltkst, Nr 16 v. 23. 4. 1939 p. 2.

Durand, Bennett, amer. Maler, * 5. 11. 1906 Washington, D. C., ansässig in Cambridge, Mass.

Schüler von Hawthorne.

Lit.: Who's Who in Amer. Art, I: 1936/37.

Durand, Georg, dtsch. Maler u. Graph., * 5. 12. 1896 Berlin, ansässig in Erfurt.

Stud. an d. Staatl. Kunsthochsch. Berlin. Studienreisen nach Spanien u. Frankreich. Direktor der Schule f. angew. Kst in Erfurt.

Durand, Georges Alexandre, franz. Genre- u. Porträtbildhauer, * 11. 2. 1881 Montpellier, ansässig in Paris.

Schüler von Baussan u. Mercié. Mitgl. der Soc. d. Art. Franç., beschickt deren Salon seit 1903. 2 Arbeiten: Mädchenkopf u. Statue eines jungen Flötenspielers, im Mus. Favre in Montpellier (Kat. 1910, p. 294f.).

Lit.: Joseph, I.

Durand, Henry Emmanuel, schweiz. Maler, * 11. 4. 1887 Rochefort (Neuchâtel), † 11. 10. 1929 Neuchâtel.

Stud. in Genf bei Gilliard, dann in Paris. Land, schaften, Blumenstücke, Stilleben, Figürliches (Öl, Aquar., Pastell). Gemäßigter Kubist. Umfassende Gedächtnis-Ausst. Febr./März 1930, veranstaltet von der Soc. d. Amis d. Arts in Neuchâtel. 3 Bilder im dort. Museum.

Lit.: Schweizer Kst, 1929/30, p. 159/61.

Durand, Jean Aimé Roger, franz. Maler u. Bildh., * 23. 6. 1914 Bordeaux, ansässig in Algier.

Stud. an d. Kunstsch. in Bordeaux. Anfänglich als Bildh. in Bordeaux, Paris u. Marokko tätig, ging 1938, in welchem Jahr er sich in Algier niederließ, zur Malerei über. Arbeiten in den Museen in Algier u. Oran.

Lit.: Bénézit, [2] 3 (1950).

Durand, Joanny, franz. Bildhauer, * 23. 7. 1886 Boën-sur-Lignon (Loire).

Schüler von Injalbert, Dampt u. Mariston.

Lit.: Joseph, I.

Durand, Victor Henri, franz. Bildhauer, * Paris, ansässig in Vanves (Seine).

Schüler von G. Maurel. Stellt seit 1924 im Salon der Soc. d. Art. Franç. aus.

Lit.: Bénézit, [2] 3 (1950).

Durand-Rosé, Auguste, franz. Maler, * 19. 2. 1887 Marseille, ansässig in Paris.

Stellte seit 1921 im Salon d'Automne, seit 1923 bei

den Indépendants aus. Figürliches (bes. Akte), Landschaften.

Lit.: Joseph, 1. — Bénézit, [2] 3. — Beaux-Arts, 75e année, Nr 273 v. 25. 3. 1938, p. 4, m. Abb.; Nr 278 v. 29. 4. 1938, p. 4, m. Abb.; Nr 332 v. 12. 5. 1939 p. 4; Nr v. 6. 2. 48 p. 8 (Abb.).

Durand-Roy, René Emile, franz. Maler u. Illustr., * 29. 10. 1894 Saintes (Charente-Maritime).

Sportzeichngn für Tageszeitungen u. Zeitschriften, u. a. für „New York Times". Illustr. u. a. zu: B. Dieudonné, Isabelle au volant, u. A. Reuze, Records du monde.

Lit.: Bénézit, [2] 3 (1950).

Durante, Domenico Maria, piemont. Bildnis- u. Genremaler (Öl u. Aquar.), * 17. 12. 1879 Murazzano (Cuneo), ansässig in Turin.

Bilder in den Mus. Civ. in Genua u. Turin.

Lit.: Comanducci, m. Abb. — Chi è?, 1940. — Emporium, 63 (1926) 274 (Abb.), 275, 394 (Abb.), 395; 69 (1929) 304 f.

Duras, Mary, öst. Bildhauerin, * 10. 5. 1898 Wien, ansässig in Prag.

Stud. an der Prager Akad. bei Jan Štursa. Studienreise in USA. Studienaufenthalt in Paris. Zuerst unter dem Einfluß von Štursa u. d. zeitgen. franz. Plastik (Maillol, Despiau), gelangte er zu eigenem lyrischen und doch expressiven Ausdruck einer stark vereinfachten, rein plastischen Bildform. „Selbst bei kleinen Formaten bewahrt sie den allgemeinen großen Zug ihres Formwillens" (Urzidil). Ihr Hauptthema die weibl. Gestalt. Stellte seit 1925 im Prager Kstverein aus; Aktstudien, Halbfiguren, auch einige vortreffliche Bildnisse. Einige Werke in der Prager N.-Gal. (Jiřina, 1928; Mädchen beim Fenster, 1929; Träumerisches Mädchen, 1930). Sonderausstell. in Prag: 1927 u. 1931 (zus. mit dem Maler Max Kopf, im Kstverein), 1934 (in der Gal. Feigl).

Lit.: Toman, I 182. — J. Urzidil, M. D., in: Forum 5, Bratislava 1935, p. 116, m. 4 Abbn; ders., Neue Werke v. M. D., in: Forum, 8 (1938) 85, m. 2 Abbn. — D. Cicerone, 21 (1929) 710 (Abb.). — D. Kunst, 61 (1929/30) 366 (Abb.). — Dtsche Kst u. Dekor., 66 (1930) 35 (Abb.), 175, m. Abbn. — Kstchronik, N. F. 34 (1922/23) 800. — The Studio, 115 (1938) 253 (Abb.). — Kat. d. Ausst. im Prager Kstverein, 1927 u. 1931. *Blž.*

Durassier, Eugène, franz. Bildhauer, * Paris, ansässig ebda.

Mitgl. der Soc. d. Art. Franç., beschickt deren Salon seit 1906 (Kat. z. T. mit Abbn). Bildnisbüsten, Zierstatuetten.

Lit.: Joseph, 1. — Bénézit, [2] 3.

Durck, Andrzej Piotr., poln. Bildhauer, * 26. 6. 1894 Małe, ansässig in Rzeszów.

Lit.: Czy wiesz kto to jest?, 1938.

Durden, James, engl. Bildnis- u. Landschaftsmaler u. Buchillustr., * 29. 11. 1878 Manchester, ansässig in London.

Stud. an d. Kstsch. in Manchester u. am Roy. Coll. of Art in London. Hauptsächl. an Licht- u. Luftproblemen interessiert. Damenbildnisse in Landschaft oder in Interieurs. Bild: Sommer in Cumberland, in der Art Gall. Manchester.

Lit.: Who's Who in Art, [3] 1934. — The Studio, 90 (1925) 288/92, m. 4 Abbn u. 1 farb. Taf.; 97 (1929) farb. Taf. geg. p. 366.

Durel, Gaston, franz. Maler, * 18. 2. 1879 Gaillac (Tarn), ansässig in Neuilly-sur-Seine.

Schüler von J. P. Laurens. Mitgl. der Soc. d. Art. Franç. (Salon-Kat. z. T. mit Abbn). Hauptsächlich Landschafter. Bilder in den Museen in Casablanca, Gaillac, Lille, Saint-Etienne u. Toulouse.

Lit.: Joseph, I.

Durelli, Augusto, ital. Genremaler, * 7. 8. 1898 Piacenza, ansässig in Verona.

Schüler von Ise Lebrecht.

Lit.: Comanducci.

Durey, René, franz. Landsch.- u. Stillebenmaler, * 1890 Paris, ansässig ebda.

Stellte seit 1912 bei den Indépendants, seit 1913 auch im Salon d'Automne, seit 1923 im Salon des Tuileries aus.

Lit.: Joseph, 1. — Bénézit, [2] 3. — L'Amour de l'Art, 1921, p. 305, m. Abb. — Art et Décor., 61 (1932) 380 (Abb.). — Beaux-Arts, 75e année Nr 286 v. 24. 6. 1938, p. 5; 76e a. Nr 335 v. 2. 6. 39, p. 1; Nr v. 6. 12. 46 p. 5; Nr v. 11. 6. 48 p. 8 (Abb.). — La Renaiss. de l'Art franç., 9 (1926) 618 (Abb.); 10 (1927) 156, m. Abbn; 13 (1930) 48 (Abb.).

Duriau, Alfred, belg. Bildnismaler u. Rad., * 1876 Mons, ansässig ebda.

Schüler von Aug. Danse u. der Pariser Ec. d. B.-Arts. Längere Zeit in Italien, bes. in Rom.

Lit.: Seyn, I. — Bénézit, [2] III.

Durieux, Caroline (Carrie), geb. *Wogan*, mexik. Malerin u. Lithogr., * 1896.

Bild im Arts a. Crafts Club in New Orleans.

Lit.: Amer. Art Annual, 27 (1930) 132. — L'Art vivant, 1930, p. 84, m. 2 Abbn. — Print (Woodstock, Vt.), 6 (1949) Nr 2 p. 29. — Print Coll.'s Quarterly, 29 (1949) Febr.-Nr p. 23.

Durieux, Robert, belg. Holzschneider, * 1905 Tournai. Benediktinermönch.

Schüler von M. Brocas u. der Akad. Löwen.

Lit.: Seyn, I.

Durin, Marie Mélanie, franz. Stillebenmalerin, * 3. 10. 1879 Paris, ansässig in Saint-Germain-en-Laye.

Schülerin von David u. Fraipont. Stellt seit 1921 im Salon der Soc. d. Art. Franç. aus.

Lit.: Joseph, I.

During, Fritz, dtsch. Bildhauer, * 31. 3. 1910 Burg im Spreewald, ansässig in Raisdorf b. Kiel.

Stud. an d. Akad. Berlin, Schüler von Ludwig Gies. Studienreisen nach Frankreich u. Italien. Hauptsächl. Bauplastik (Metall, Klinker, Stuck).

Durivault, Maxime Charles, franz. Landschafts- u. Stillebenmaler, * Paris, ansässig ebda.

Stellt seit 1927 bei den Indépendants aus.

Lit.: Joseph, I.

Durm, Leopold, dtsch. Maler (Dr. med.), * 3. 7. 1878 Karlsruhe, † 21. 3. 1918 ebda.

Sohn des Oberbaudirektors Josef D. (1837–1919). Stud. zuerst Medizin, ging dann zur Malerei über u. besuchte die Knirrsch. in München. Malte anfangs im Stil der „Scholle", später beeinflußt von Hodler u. Cézanne. Malt in Öl u. Aquarell. Bildnisse, Figürliches, Landschaften, Architektur.

Lit.: Th.-B., 10 (1914). — D. Cicerone, 6 (1914) 381. — D. Kunst, 38 (1917/18), Beil. zu H. 8, p. I. — Dtsche Kst u. Dekor., 34 (1914) 88, 93 (Abb.); 36 (1915) 386, 389 (Abb.); 40 (1917) 327/34, m. 8 Abbn.

Durnoff, Modest Alexandrowitsch, russ. Maler (Öl u. Aquar.) u. Architekt, * 24. 12. 1867, † 1928 Moskau.

Stud. an der Kstschule in Moskau. Als Maler hauptsächlich Bildnisse u. Stilleben.

Lit.: Th.-B., 10 (1914). — D. Cicerone, 20 (1928) 571.

Durousseau, Paul Léonard, franz. Bildhauer u. Medailleur, * 23. 5. 1879 Paris, ansässig ebda.

Seit 1907 Mitgl. d. Soc. Nat. d. B.-Arts. Genrefiguren, Bildnisbüsten, Plaketten.

Lit.: Th.-B., 10 (1914). — Forrer, 7.

Durozé, Fernand, franz. Genremaler, * Paris, ansässig in Montreuil-sous-Bois.

Beschickte 1903/13 den Salon der Soc. Nat. d. B.-Arts (Kat. z. T. mit Abbn).

Lit.: Joseph, 1. — Bénézit, [2] 3.

Durrer, Robert, schweiz. Kunstgelehrter, Federzeichner u. Kstgewerbler, * 3. 3. 1867 Stans, † 14. 5. 1934 ebda.

1883/84 Schüler von L. Vollmar in Bern u. von B. Menn in Genf. Ging dann zur Kstwissenschaft über, hat sich aber in späteren Jahren wiederholt als Zeichner bzw. Modelleur (Ton od. Wachs) für Goldschmiedearbeiten, Tafelaufsätze, Trinkgeschirre, Siegelentwürfe, Fahnen usw. und als Illustrator seiner kstwissensch. Schriften betätigt. Auch Karikaturen, in Gerichts- od. Kommissionssitzungen mit wenigen sicheren Strichen auf's Papier geworfen. Nach s. Entwürfen gefertigte, von Karl Bossard, Luzern, ausgeführte Goldschmiedearbeiten im Bes. der Gesellsch. d. Schildner zum Schneggen in Zürich. Wandbild an der inneren Eingangswand der unteren Kapelle in Ranft.

Lit.: Brun, IV 504. — Jenny. — J. Wyrsch, R. D., Stans 1950. — Festschrift Durrer, Stans 1928. — N. Zürcher Ztg, 4. 3. 1927. — Zeitschr. f. Schweiz. Archäol. u. Kstgesch., 11 (1950) 177/80. — D. Werk (Zürich), 9 (1922) 107 (Abb.).

Durrio, Francisco, span. Architekt, Bildhauer, Keramiker u. Goldschmied.

Denkmal Arriaga in Bilbao. Vasen in lebhaft bewegten Formen.

Lit.: L'Amour de l'Art, 1924, p. 168/70, m. 3 Abbn; 1928, p. 112, m. 2 Abbn. — La Revue de l'Art anc. et mod., 64 (1933/II) 384, Bull., p. 385 (Abb.).

Durruthy-Layrle, Zélie, franz. Genre- u. Bildnismalerin, * 1872 Paris, ansässig ebda.

Schülerin von Thirion u. J. F. Humbert. Beschickte seit 1891 den Salon der Soc. d. Art. Franç.

Lit.: Th.-B., 10 (1914). — Joseph, 1.

Durst, Alan, engl. Figurenbildhauer, Holz- u. Elfenbeinschnitzer u. Holzschneider, * 27. 6. 1883 Alverstoke, Hampshire, ansässig in London.

Stud. bei Rich. Garbe u. an der Central School of Arts and Crafts in London. Lehrer für Holzschnitzerei am Roy. Coll. of Art ebda. Silbermed. in Paris 1925. Massige, kubisch geschlossene plast. Form. — Altarkruzifix in der Marlborough College Chapel; Taufbrunnen für St. Christopher's Church in Manchester; Prozessionsgruppe: Mad. m. Kind (Holz, bemalt) im Kloster Saint Dominic in Haverstock Hill; Holzschnitzereien im Neuen Speiseraum der Rossall School. — Hauptblätter unter s. Holzschnitten sind: Hampstead Heath on a Bank Holiday; The Bathers; The Procession; Malay Hunting; Malay Play-acting; Harvest; Adam a. Eve - Out of Eden; The Fruit Seller. — Kollekt.-Ausst. 1935 in den Leicester Gall. London.

Lit.: Who's Who in Art, [3] 1934. — Apollo (London), 9 (1929) 31/35, m. 8 Abbn (Holzschnitte), 148–52, m. 5 Abbn; 22 (1935) 358, m. Abb.; 23 (1936) 51. — Artwork, 1 (1924/25) 76/80, m. 5 Abbn; 6 (1930) 298 (3 Abbn). — The Studio, 84 (1922) 138, m. Abb.; 110 (1935) 301 (Abb.), 357; 116 (1938) 255 (Abb.); 139 (1950) 10/13, m. 6 Abbn; 140 (1950) 176/84. — The Connoisseur, 124 (1949) 63 (Abb.).

Durst, Jacob, dtsch. Maler u. Graph., * 29. 9. 1875 Fürth i. B., ansässig in Nürnbg.

Lernte zuerst Lithograph, dann Schüler von Brochier, Fleischmann u. Heim an der Kstgewerbesch. in Nürnberg.

Lit.: Dreßler. — Kat. Ausst.: 150 J. Nürnbg. Kst, Nürnb. 1942, p. 47.

Durst, Josef Julius, öst. Maler, * 4. 9. 1878 Wien, † 26. 8. 1950 Brixen a. E.

1902/14 in Innsbruck, während des 1. Weltkrieges als Kriegsmaler an d. Südfront, später in Innsbruck, Meran u. Brixen tätig. Bildnisse, Landschaften, Stillleben. — Kollekt.-Ausst. in Innsbruck u. Meran.

Lit.: Fischnaler, Innsbr. Chronik, V 68. — Tir. Anz., 1909 Nr 284; 1910 Nr 193; 1911 Nr 206, 277. — Innsbr. Nachr., 1913 Nr 13. — Dolomiten, 1947 Nr 119; 1950 Nr 197, 205. — D. Schlern, 25 (1951) 136. *J. R.*

Duša, Ferdyš, tschech. Maler u. Graph., * 13. 1. 1888 Frýdlant, tätig in Schlesien u. Prag.

Zuerst Keramiker, seit 1924 ausschließlich Graphiker u. Maler. Holzschnittfolgen: Die Armen u. Ehrerbietigen (1920); Slowakische Bilder (1920); Das traurige Land (1921); Hölle der Arbeit (1922); Die Prager Brücken (1932); Die Hohe Tatra (1940). Als Maler bes. Landschafter. Illustrationen (Zürcher Edition der Büchergilde: K. Čapek, Hordubal u. a.). Sonderausstellgn in Prag 1923, 1931, 1935, 1948, in Warschau, Krakau, Posen 1928.

Lit.: Panorama (Prag), 5 (1928) Nr 1. — Toman, I 183. — Kat. d. D.-Ausst. im Kstgew.-Mus. Prag 1935. *Blž.*

Dusart, Lucienne, franz. Lithographin, * Valenciennes, ansässig in Paris.

Schülerin von Al. Leleu. Stellte seit 1926 im Salon der Soc. d. Art. Franç. aus. Genreszenen.

Lit.: Joseph, 1.

Duschek, Leopold, öst. Kleinplastiker u. Medailleur, * 14. 11. 1876 Alt-Weitra, Niederöst., ansässig in Wien.

Stud. bei Karl Waschmann, bei Trautzel u. an d. Schule des Öst. Kstgewerbemus. in Wien.

Lit.: Th.-B., 10 (1914). — Forrer, 7. — Dreßler.

Duschek, Richard, dtsch. Genre- u. Landschaftsmaler, * 29. 5. 1884 Berlin, ansässig ebda.

Schüler von P. Vorgang, Kallmorgen u. Jernberg, dann Meisterschüler bei Ulr. Hübner.

Lit.: Dreßler. — Daheim, 64, Nr 47 v. 18. 8. 1928 (farb. Umschlagbild).

Duschkin, Alexeij Nikolajewitsch, sowjet. Architekt.

2facher Stalinpreisträger. Untergrundbahnstationen „Revolutionsplatz", „Pawlezkaja", „Palast der Sowjets", „Stalinwerk" u. „Majakowskaja" in Moskau.

Lit.: 30 Jahre Sowjet. Architektur in der RAFSR, hg. v. d. Dtsch. Bauakad. (dtsche Ausg.), Taf. 123, 127, 138 f., 148.

Dušek, Jan Vítězslav, tschech. Bildhauer u. Medailleur, * 8. 6. 1891 Makov b. Tábor, ansässig in Tábor.

Stud. an d. Bildhauersch. in Hořice u. a. d. Akad. in Wien. Studienaufenthalte 1921 in Paris (bei E. A. Bourdelle), 1929 in Brüssel, 1931/32 in London. Masaryk-Denkmal in Hulín; Šťastný-Denkmal in Padařov;

Hus-Denkmal in Jindřichův Hradec; Rezek-Gedächtnistafel ebda; Sova-Denkmal in Pacov u. a. Figurale Ausschmückung d. Nat.-Bank in Tábor.

Lit.: Práce 1935, České Budějovice 1935. — Toman, I 184. *Blž.*

Dusouchet, Pierre Léon, franz. Maler u. Bildhauer, * 25. 4. 1876 Versailles, ansässig in Paris.

Stud. an der Ec. d. Arts Décor. Mitgl. der Soc. du Salon d'Automne u. des Indépendants, wo er seit 1904 ausstellt. Landschaften, Blumenstücke, Stilleben, Figürliches. Kartons für Tapisserien (bukolische Szenen).

Lit.: Th.-B., 10 (1914). — Bénézit, ² 3. — Joseph, 1. — Salmon, 1912 p. 69f. — Art et Décor., 24 (1920), Chron. Aprilheft p. 10, m. Abb. — Les Arts, 1920, Nr 188, p. 19 (Abb.).

Duss, Roland, dtsch. Bildhauer, * 23. 6. 1901 Urbach, Bez. Köln a. Rh., ansässig in Luzern-Emmenbrücke.

Stud. an der Münchner Akad. Studienaufenthalte in Rom u. Paris. Hauptsächl. weibl. Akte. Spitteler-Denkmal in Luzern. Koll.-Ausst. Febr./März 1944 im Kstmus. Luzern.

Lit.: Schweiz. Zeitgen.-Lex., 1932. — D. Werk (Zürich), 25 (1938) 176/78 (Abbn); 26 (1939) 126 (Abb.); 27 (1940) 321 (Abbn); 31 (1944) Heft 4 p. XXI; H. 6 p. XIV.

Dussart, Gustave, franz. Bildhauer, * 26. 9. 1875 Lille, ansässig in Paris.

Schüler von Gérôme. Beschickte seit 1899 den Salon der Soc. d. Art. Franç., in deren Mitgliedlisten er noch 1930 erscheint. 2 allegor. Gruppen an der Fassade des Museums in Monaco.

Lit.: Th.-B., 10 (1914). — Joseph, 1.

Dussault, Arthur, franz. Landschaftsmaler, * Villeneuve-sur-Yonne, ansässig in Charenton.

Stellt seit 1907 bei den Indépendants aus.

Lit.: Joseph, 1.

Dussour, Louis, franz. Landsch.-, Figuren- u. Bildnismaler, * Riom (Puy-de-Dôme), ansässig in Paris.

Stellte seit 1928 bei den Indépendants u. im Salon d'Automne aus. Fresko in d. Bischofskap. in Clermont-Ferrand.

Lit.: Joseph, 1. — Beaux-Arts, 75ᵉ année, Nr 301 v. 7. 10. 1938 p. 3 (Abb.); Nr 308 v. 11. 11. 38, p. 1 (Abb.); 76ᵉ a., Nr 338 v. 23. 6. 39, p. 5, m. Abb.

Dustin, Silas, amer. Landschaftsmaler, * Richfield, O., ansässig in Los Angeles.

Schüler von Wm. M. Chase. Bilder in den Museen in Seattle, Portland (Ore.) u. Pittsfield (Mass.).

Lit.: Amer. Art Annual, 30 (1933). — Who's Who in Amer. Art, I: 1936/37.

Dutheil, Georges Denys (gen. *Géo*), franz. Bildhauer, Maler u. Pastellzeichner, * 24. 5. 1888 Paris, ansässig ebda.

Mitgl. der Soc. Nat. d. B.-Arts, beschickte deren Salon seit 1907, stellte auch bei den Indépendants 1911 ff. u. im Salon d'Automne aus. Grabmäler, Kleinplastik (hauptsächlich in Terrakotta), Schmuckbrunnen usw.

Lit.: Joseph, 1. — Bénézit, ² 3.

Dutoit, Ulysse, schweiz. Maler u. Graph., * 23. 6. 1870 Neyruz-sur-Moudon, ansässig in Lausanne.

Stud. in Liverpool u. London. Seit 1907 in der Schweiz. Studienaufenthalte in Griechenland, Südfrankreich u. im Tessin. Öl-, Tempera- u. Pastellmalerei, Radierung u. Holzschnitt. Hauptsächl. Landschaften u. Stilleben. Illustr. zu: Coins de Lausanne, Notice de Paul Budry, Lausanne 1911. Im Kantonalmus. in Lausanne: A Cully (Ölstudie).

Lit.: Brun, IV. — Reinhart-Fink. — Lonchamp, II, Nr 885. — D. Ksthaus, 1916, H. 10, p. 3. — Gaz. de Lausanne, 14. 10. 1908 u. 1. 6. 1911.

Dutriac, Georges Pierre, franz. Genremaler, * Bordeaux, ansässig in Paris.

Stellte seit 1893 im Salon der Soc. d. Art. Franç. aus (Kat. z. T. mit Abbn), erscheint in deren Mitgliedlisten noch 1931. Hauptsächlich biblische Stoffe (Jesus u. die Sünder; Jesus u. die Fischer usw.).

Lit.: Joseph, I.

Dutt, Pulin Behari, ind. Maler, * 3. 8. 1896 Kalkutta, ansässig in Bombay.

Sohn eines Prof. am Krisnanath College in Berhampur, Bengalen. Stud. an d. Univ. Kalkutta. Wie die meisten Kstler der Bengal-Renaissance-Schule Schüler von Abanindranath Tagore an d. Indian Soc. of Oriental Art in Kalkutta. Dem Einfluß s. großen Lehrers verdankt er die ausdrucksvolle Linie, die gedämpften, zarten Farben u. den leichten Auftrag in dem charakteristischen Neu-Bengal-Stil, der die besten Eigenschaften von Ajanta u. Rayput-Mogul verbindet. Den Symbolismus, der ursprünglich starke Anziehung auf ihn ausübte, lehnt er jetzt ab. Ging um 1927 nach Ahmedabad, um Kinder zu unterrichten, dann nach Bombay als Leiter einer Schulgemeinschaft. Seiner Veranlagung nach Pädagoge, wirkte er bahnbrechend auf dem Gebiet der Ksterziehung des Kindes in Indien. Organisierte 1942 eine umfassende Kinderkst-Ausst. u. gründete die Child Art Soc. Sein Plan der Ksterziehung in den Elementar- u. der Unterstufe der höheren Schulen wurde in Bombay amtlich genehmigt. Bilder u. a. im Bharat Kala Parishad Mus. in Benares u. in d. Smlgn: Marquis of Zetland, Maharani von Cooch Behar, Gaganendranath Tagore, Surendranath Tagore, K. M. Munshi, Dharamsi M. Khatau u. Sir Chinubhai Madhablal. Beschickt die Jahresausst. der Ind. Soc. of Oriental Art in Kalkutta, der All Ind. Soc. of F. Arts & Crafts in Delhi, der Soc. for the Encouragement of Indian Art in Bombay u. die von Dr. James H. Cousins in Europa u. Amerika veranstalteten Wanderausst.

Lit.: Thacker-Venkatachalam, p. 66/68. — G. Venkatachalam, Contemp. Indian Painters, Bombay, p. 101/06. — Roopa-Lekha, Vol. 3, Nr 10–11, p. 47/52.

Dutta Gupta, Makhan, ind. Maler, Plakatkstler u. Buchillustr., * 1916 im Dorfe Mymensing, Ost-Bengalen (Ost-Pakistan), ansässig in Kalkutta.

Wuchs in Kalkutta auf. Legte 1933 die Aufnahmeprüfung für die dort. Univers. ab u. wurde im selben Jahr in die Gov. School of Art aufgenommen. Keiner besonderen Stilrichtung zuneigend, hielt er bis 1943 am akad. Charakter fest. Seitdem beeinflußten ihn die „Pats" des ländl. Bengalens besonders hinsichtlich linearer Klarheit u. eines kräftigen Pinselstriches. Übt durch Anwendung der schlichten „Pat"-Technik bezaubernde Wirkung aus. Begann als kärglich besoldeter Zeichenlehrer, verließ diese Stellung nach ungefähr 6 Jahren u. verband sich 1944 mit D. J. Keymer & Co, Ltd, als Chef-Illustrator. 1951 zum Prof. f. angewandte Kst am Gov. College of Art & Crafts in Kalkutta ernannt. Stellt seit 1934 in Kalkutta, Simla, Bombay, Delhi, Patna u. Lahore aus. Ein Bild war auf der Roy. Acad. Exh. of Indian Art, London 1947/48. Ein Plakat „Frieden durch internationale Einigkeit", wurde von Indien für den U.N.O. Plakat-Wettbewerb in Amerika gewählt. Empfing

1948 einen Sonderpreis im Briefmarken-Wettbewerb der Indien-Reg. Buchillustr. u. a. für „Sakuntala" von Abanindranath Tagore (Signet-Presse, Kalkutta).
Lit.: Indian Art through the Ages, p. 107. — Journal of the Indian Inst. of Art in Industry, 1946 (Ausstellgs-Nr). — Modern Publicity (London), 1950–51 p. 51.

Dutton, Harold John, engl. Landschaftsmaler (Öl, Aquar., Pastell), * 19. 9. 1889 Birmingham, ansässig in Beeston, Nottinghamshire.
Stud. an d. Kstschule in Birmingham.
Lit.: Who's Who in Art, [3] 1934.

Duval, Constant Léon, franz. Landsch.-, Architekturmaler u. Illustr., * 30. 10. 1877 Longueron (Yonne), ansässig in Levallois-Perret.
Schüler von A. Guillemet u. P. Dupuy. Mitgl. der Soc. d. Art. Franç., beschickte deren Salon seit 1907 (Kat. z. T. mit Abbn). Stellte auch im Salon d'Automne u. seit 1907 bei den Indépendants aus. Gold. Med. 1926.
Lit.: Joseph, 1. — Bénézit, [2] 3.

Duval, Jean Charles, franz. Landschafts- und Bildnismaler, * Paris, ansässig ebda.
Mitgl. der Soc. Nat. d. B.-Arts, wo er seit 1903, u. der Soc. du Salon d'Automne, wo er seit 1921 ausstellt. Beschickte seit 1923 auch den Salon des Tuileries.
Lit.: Joseph, 1. — Bénézit, [2] 3. — L'Art et les Art., N. S. 14 (1926/27) 105.

Duval, Jean Maurice, franz. Genre- u. Bildnismaler, * 10. 12. 1871 Paris, ansässig ebda.
Schüler von J. P. Laurens u. B. Constant.
Lit.: Th.-B., 10 (1914). — Bénézit, [2] 3.

Duval, Roger, franz. Maler u. Illustr., * 4. 5. 1901 Meudon, ansässig in Paris.
Mitgl. der Soc. du Salon d'Automne, wo er seit 1920 ausstellte. Beschickte seit 1926 auch den Salon des Indépendants. Figürliches, Stilleben, Landschaften.
Lit.: Joseph, 1. — Bénézit, [2] 3.

Duvallet, Charles Léon, franz. Blumen-, Landschafts- u. Stillebenmaler, * Damville, ansässig in Paris.
Stellt seit 1928 bei den Indépendants aus.
Lit.: Joseph, I.

Duvander, Gunnar, schwed. Maler (Öl u. Aquar.), * 1902 Malmö, ansässig ebda.
Autodidakt. Humorist. Volksschilderungen, Kaffeehaus-Interieurs, Blumenstücke.
Lit.: Thomœus.

Duvivier, Antoinette, franz. Landsch.- u. Stillebenmalerin, * 18. 7. 1894 Roubaix (Nord), ansässig in Paris.
Schülerin von Trébouchet. Mitgl. der Soc. d. Art. Franç., beschickt deren Salon seit 1924.
Lit.: Joseph, I.

Duvocelle, Julien Adolphe, franz. Bildnis- u. Figurenmaler, * 9. 1. 1873 Lille, ansässig in Paris.
Schüler von Bonnat u. Ph. de Winter. Mitgl. der Soc. d. Art. Franç., beschickt deren Salon seit 1897 (Kat. z. T. mit Abbn).
Lit.: Th.-B., 10 (1914). — Joseph, 1.

Duvoisin, Henri, schweiz. Maler, * 1. 5. 1877 Genf, ansässig ebda.
Schüler von E. Pignolat, B. Bodmer u. Léon Gaud. Studienaufenthalte in Florenz u. München, 1898/1901 in Paris. 4 Bilder im Mus. in Genf.
Lit.: Th.-B., 10 (1914). — Schweiz. Zeitgen.-Lex., 1932. — D. Schweiz, 1909, p. 76, m. Abb. — Pages d'Art, 1916, Nr 2, p. 1ff., m. Abbn. — D. Ksthaus, 1916, H. 3, p. 2; H. 10, p. 3.

Duwe, Arthur, dtsch. Reklame- u. Tapetenzeichner, * 13. 8. 1892 Braunschweig, ansässig ebda.
Schüler von Leschke in Braunschweig.
Lit.: Dreßler.

Duyll-Schwartze, Thérèse v., s. *Schwartze.*

Duyne, Jacob van, holl. Maler, * 23. 3. 1895 im Haag, ansässig in Scheveningen.
Schüler von P. Stordian. Figürliches, Bildnisse, Blumenstücke, Stilleben.
Lit.: Waay.

Duyvis, Debora, holl. Graphikerin, * 17. 2. 1886 Amsterdam, ansässig ebda.
Schülerin von Aarts u. Der Kinderen an der Reichsakad. A'dam. Figürliches, Hafenansichten, Exlibris.
Lit.: Elseviers geïll. Maandschr., 1933 p. 15/22. — Niehaus, m. Abb. p. 245. — Waay. — Waller. — Apollo (Brüssel), Nr 20, p. 20, m. Abb. — Maandbl. v. beeld. Ksten, 8 (1931) 216f.

Duyvis, Jan Andriaan Donker, holl. Bildnis-, Figuren- u. Landschaftsmaler, * 28. 11. 1887 Batavia, ansässig im Haag.
Autodidakt.
Lit.: Waay.

Duyvis, Lize, holl. Stillebenmalerin, * 12. 12. 1889 Utrecht, ansässig in Zaandam.
Schülerin von J. A. Zandleven, W. E. Roelofs jr. u. Coba Ritsema.
Lit.: Waay.

Dvořák, Bohuslav, tschech. Maler * 30. 12. 1867 Prag, † 16. 2. 1951 ebda.
1889/97 Schüler d. Prager Akad. (J. Mařák). Half bei Ausführung von Mařáks Ansichten d. böhm. Burgen im Nat.-Mus. in Prag. Wandte sich dann von der idealisierten Landschaft im Sinne Mařáks zur realistischen Auffassung - - unter d. Einfluß A. Chittussi's — u. zu einem persönlich abgewandelten Impressionismus. Befreundet mit A. Slavíček, F. Kaván u. A. Hudeček. Über 800 wissenschaftlich präzise Darstellungen der in Böhmen vorkommenden Pilze. Sonderausst. 1911 in Mladá Boleslav u. Pardubice, 1937–38 u. 1949 in Prag in d. Kstlervereinigung „Mánes", deren Mitglied er seit deren Begründung ist. In der Nat.-Gal. in Prag: Auf dem Damm, Der Feldweg, Riesengebirgslandschaft, Vor dem Sturm, u. a.; in der Gemeindegal.: Wolken, Wind im Birkenwald.
Lit.: Umění (Prag), 11 (1938) 90/92, m. Abbn. — Toman, I 186. — V. Šuman, Jul. Mařák a jeho škola, Prag 1929, p. 32, m. Abb. — Kat. der Ausst. Prag 1937 u. 1949 („Mánes"), m. Vorw. v. A. Matějčk, 1951, m. Vorw. v. J. Květ. *Blž.*

Dvořák, Karel, tschech. Bildhauer, * 1. 1. 1893 Prag, † 28. 2. 1950 ebda.
Stud. 1907/10 an d. Fachsch. für Goldschmiede, 1912 an d. Kstgewerbesch. in Prag (J. Drahoňovský), 1913/14 u. 1916/18 an der Akad. bei J. V. Myslbek u. J. Štursa. Studienreisen in Frankreich u. Italien. Seit 1928 Prof. an d. Kstgewerbesch. in Prag. Mitglied d. tschech. Akad. Anfänglich von J. Štursa u. O. Gutfreund beeinflußt, später immer reicher in der Form u. lyrischer im Ausdruck (Denkmal der tschechosl. Legionäre auf dem Père-Lachaise-Friedh. in Paris, 1934), zuletzt barockisierend weich u. bewegt.

Andrerseits aber auch dekorat. u. monumentale Tendenzen (Gruppe der hll. Cyril u. Methodius auf der Karlsbrücke in Prag, 1938; Reiterstatue des Jan Žižka, 1940; Neruda-Denkmal in Prag, 1936/50). Sehr bedeutend als Porträtist (Bronzebüsten: Maler V. Beneš, 1927; Präsid. Dr. E. Beneš, 1934, 1947). In d. Nat.-Gal. Prag ein Knabenkopf (Bronze, 1916), Maler Kremlička (1927), u. a. Sonderausstellgn in Prag 1936 u. 1943 („Mánes").

Lit.: J. Pečírka, K. D. (Coll. „Pramený"), Prag 1948. — Volné směry (Prag), 21 (1921/22) 20f., m. Abbn. — J. Pečírka in: Salon (Prag-Brünn), 5 (1926). — Kat. d. Ausst.: Sto let českého umění 1830–1930, Prag 1930. — Beaux-Arts, 1934 Nr 77, p. 1, m. Abb. — Revue de l'Art, 67 (1935/I), Bull. p. 94, m. Abb. — Volné směry (Prag), 36 (1942/44) 119f., m. Abbn. — J. Pavel, dějiny našeho umění, Prag 1947, p. 305. — Toman, I 189. — Kat. d. Ausstellgn Prag 1936, m. Vorw. v. K. Novotny, u. Prag 1943, m. Vorw. v. J. Pečírka. — The Internat. Who's Who, 16 1952. *Blž.*

Dvorský, Bohumír, tschech. Maler, * 21. 10. 1902 Paskov, ansässig in Olmütz.

Schüler der Prager Akad. (O. Nejedlý). Expressionist. Landschaften, Stilleben, Blumenstücke. Sonderausstellgn in Olmütz 1940, in Prag 1944 („Mánes"), 1946 (Gal. Vilímek). Mitglied des Kstvereins „Mánes".

Lit.: J. Pacák, Mladé umění na Hané, Prag 1942, p. 15f. — Volné směry (Prag), 38 (1942/44) 267f. — Toman, I 184. — Kat. d. Ausst. Prag 1944, m. Vorw. von O. F. Babler. *Blž.*

Dwiggins, William Addison, Pseudonym: *Hermann Püterschein,* amer. Holzschneider, Illustrator u. Schriftkünstler, * 19. 6. 1880 Martinsville, Ohio, ansässig in Hingham Center, Mass.

Erhielt 1929 die Gold. Med. des Amer. Inst. of Graphic Arts in New York.

Lit.: Fielding. — Who's Who in Amer. Art, I: 1936/37. — The Art News, 23, Nr 8 v. 29. 11. 1924, p. 3, 5. Spalte. — The Studio, 91 (1926) 383, 394 (Abb.). — The Art Index (New York), Okt. 1944–Okt. 1952.

Dwight, Julia S., amer. Malerin, * 2. 12. 1870 Hadley, Mass., ansässig in Boston, Mass.

Schülerin von Tryon u. Tarbell in Boston.

Lit.: Fielding. — Amer. Art Annual, 12 (1915) 365.

Dwight, Mabel, amer. Lithographin, * 29. 1. 1876 Cincinnati, O., ansässig in New York.

Stud. an der Hopkins-Kunstsch. in San Francisco, Calif., u. bei Arthur Mathews. Bereiste Frankreich, Italien, Indien u. Ceylon.

Lit.: Fielding. — Who's Who in Amer. Art, I: 1936/37. — Mellquist. — Amer. Art Annual, 29 (1932). — Brooklyn Mus. Quarterly, 20 (1933) Nr 2, p. 28, m. Abb. — Amer. Artist, 13, Juni 1949, p. 42–45, m. 4 Abbn. — The Art News, 41, Nr v. 1. 2. 1943, p. 21 (Abb.). — Monro.

Dworakowski, W., sowjet. Buchkünstler u. Holzschneider, * 1904.

Lit.: Encykl. d. Union d. Soz. Sowjetrepubl., 2 (1950).

Dyas, Edith Mary, s. *Netherwood.*

Dybwad, Peter, norweg. Architekt, * 17.2. 1859 Kristiania (Oslo), † 13. 10. 1921 Leipzig.

Lit.: Th.-B., 10 (1914). — Hvem er Hvem?, 1 1912. — Dtsche Bauztg, 1921 p. 375. — Neudtsche Bauztg, 9 (1913); 17 (1921) 264 (Nekrol.). — Byggekunst, 3 (1921) 78. — Leipz. Kalender 1906, p. 115, m. Abb. — Profanbau, 1912, p. 277/92. — Zentralbl. d. Bauverwaltg, 41 (1921) 540.

Dyck, Albert van, belg. Maler, Rad. u. Lithogr., * 1902 Turnhout, ansässig in Schilde, Campine.

Schüler von Opsomer, de Bruycker u. Ciamberlani in Antwerpen. Schloß sich der von Paul Haesaerts, Jacques Maes, Alb. Dasnoy u. a. gegründeten Vereinigung „L'Animisme" an, die sich eine Erneuerung der Kunst unter der Parole: Retour à l'humain, zum Ziele setzte. Landschaften, Figürliches (bes. Kinder, junge Bauernburschen u. -mädchen), Bildnisse. Im Mus. Antwerpen: Mädchen aus der Campine.

Lit.: Seyn, II 1047. — Marlier, p. 91ff., m. Abbn 51/53 u. farb. Taf. geg. p. 80. — P. Haesaerts, Retour à l'humain etc.: l'Animisme, Paris-Brüssel 1943. — Koninkl. Mus. voor Sch. Kunsten Antwerpen. Jaarboek 1939–1941, Taf. 9. — Apollo (Brüssel), Nr 15 v. 1. 10. 1942 p. 1/5, m. 3 Abbn; Nr 16 v. 1. 11. 1942 p. 19, m. Abb.; Nr 17 v. 1. 12. 1942 p. 21f. — Cahiers de Belg., 1931 p. 25/29, m. 4 Abbn. — D. Kst, 83 (1940/41) 151 (Abb.), 154. — Kat. d. Ausst.: Fläm. Graphik d. Gegenwart, Ksthalle Mannheim 1942, m. 2 Abbn.

Dyckerhoff, Henriette, dtsche Malerin, * 13. 2. 1873 Pforzheim, ansässig in Stuttgart.

Schülerin von Kleemann in Pforzheim, dann von Haßlinger an der Kstgewerbesch. in Karlsruhe. Hauptsächl. pädagogisch tätig. Buchwerk: Praktische Farbenlehre, Böblingen-Stuttgart o. J.

Lit.: Dreßler.

Dyckerhoff, Rosemarie, dtsche Bildhauerin, * 7. 10. 1917 Blumenau b. Wunstorf.

Stud. 1936 bei F. v. Graevenitz, dann bei Bleeker in München, zuletzt Meisterschülerin bei Graevenitz in Stuttgart. Figürliches, Bildnisse.

Lit.: Kat. Ausst. „Junge Kunst im Dtsch. Reich", Wien 1943. — Aussaat (Lorch-Stuttgt), 1 (1946/47) H. 8/9, p. 59.

Dyczkowski, Eugene, amer. Maler, Zeichner u. Plakatkstler, * 1. 5. 1899 Philadelphia, Pa., ansässig in Buffalo, N. Y.

Schüler von Eug. Zimmerman u. John Rummel an der Kunstschule in Buffalo.

Lit.: Who's Who in Amer. Art, I: 1936/37. — Mallett.

Dydykin, Aristarch, sowjet. Maler.

Mitgründer der „Palech"-Gruppe (1935).

Lit.: bild. kunst, 2 (1948) H. 1 p. 10.

Dye, Olive Bagg, amer. Maler, * 19. 8. 1889 Lincoln, Neb., ansässig ebda.

Schüler von Henry Howard Bagg u. der Acad. of F. Arts in Chicago.

Lit.: Amer. Art Annual, 30 (1933). — Who's Who in Amer. Art, I: 1936/37.

Dyer, Briggs, amer. Maler, Rad. u. Lithogr., * 18. 9. 1911 Atlanta, Ga., ansässig in Chicago, Ill.

Schüler von Fr. Chapin u. David McCosh.

Lit.: Amer. Art Annual, 30 (1933). — Who's Who in Amer. Art, I: 1936/37. — Amer. Art Index (New York), Okt. 1941/Okt. 1950. — Monro.

Dyer, Hezekiah Anthony, amer. Landschaftsmaler (Öl u. Aquar.) u. Lithograph, * 23. 10. 1872 Providence, R. I., ansässig ebda. Vater des Nancy.

Stud. in Holland u. Frankreich. Hauptsächl. Aquarellist. Arbeiten in d. Corcoran Gall. in Wa-

shington, im Art Club in Providence u. in d. Smlg der R. I.-Zeichenschule ebda.
Lit.: Th.-B., 10 (1914). — Fielding. — Amer. Art Annual, 30 (1933). — Who's Who in Amer. Art, I: 1936/37.

Dyer, Nancy, amer. Maler, * 20. 10. 1903 Providence, R. I., ansässig ebda. Sohn des Hezekiah Anthony.
Stud. an der R. I.-Zeichensch. in Providence u. in Paris. Bild im Art Club in Providence.
Lit.: Amer. Art Annual, 30 (1933). — Who's Who in Amer. Art, I: 1936/37.

Dyer, Nora, amer. Keramikerin, * 10. 9. 1871 Ohio, ansässig in Cleveland, O.
Schülerin von Ch. F. Binns. Vielfach ausgezeichnet. Arbeiten im Cleveland Mus. of Art.
Lit.: Who's Who in Amer. Art, I: 1936/37.

Dijk, Albertus Jan Marinus van, holl. Holzschneider, Rad. u. Lithogr., * 14. 5. 1892 Rotterdam, ansässig in Amsterdam.
Schüler von Lebeau in Haarlem, der Haager u. A'damer Akad.
Lit.: Waller.

Dijk, Cornelis van, holl. Stillebenmaler, * 12. 10. 1895 Dordrecht, ansässig ebda.
Schüler der Rotterdamer Akad. unter Heyberg, Nachtweh, van Maasdijk u. Oldewelt. Mitglied der „Pictura". Neben Stilleben auch Landschaften, Bildnisse u. Blumenstücke.
Lit.: Waay.

Dijk, Louis van, holl. Maler u. Lithogr., * 22. 9. 1910 Buitenzorg, lebt in Heemstede.
Stud. in Amsterdam. Stilleben, Blumenstücke, Landschaften, Tiere. Beeinflußt von den Japanern.
Lit.: Waay.

Dijk, Willem Jans, holl. Maler u.Graphiker, * 15. 2. 1881 Bergum, lebt in Rotterdam.
Autodidakt. Landschaften mit Ruinen, Hafenansichten, Marinen.
Lit.: Waay. — Maandbl. v. beeld. Ksten, 8 (1931) 26f., m. Abb.

Dijk, Wim L. van, holl. Maler u. Graph., * 1. 6. 1915 Westmaas, lebt in Laren.
Stud. an den Akad. Paris, Mailand u. Florenz. Fresken in Kirchen u. Privatpalästen in Florenz, Rom. Rotterdam u. Helsinki.
Lit.: Waay.

Dykaar, Moses Wainer, russ.-amer. Bildhauer, * 1884 Wilna, † 1933 New York.
Lit.: Amer. Art Annual, 30 (1933): Obituary.

Dyke, Louise Catherine, geb. *Cave*, engl. Landschaftsmalerin (Aquar.), * 27. 8. 1874 Hanbury, Glos., ansässig in Chagford, Devon.
Stud. an der Westminster School.
Lit.: Who's Who in Art, [3] 1934.

Dijkman, Alida Sara, holl. Radiererin, * 18. 1. 1876 Rotterdam, ansässig in Haarlem.
Schülerin der Akad. Rotterdam u. Den Haag.
Lit.: Waay.

Dykman-Lemonnier, Jeanne, franz. Miniaturmalerin, * 20. 5. 1872 Paris, ansässig ebda.
Schülerin von Lagoderie u. Leroy. Stellte seit 1891 im Salon der Soc. d. Art. Franç. aus.
Lit.: Joseph, I.

Dijkstra, Johan, holl. Maler u. Graph., * 28. 12. 1896 Groningen, ansässig ebda.
Schüler der „Minerva" in Groningen unter D. de Vries Lam u. der Reichsakad. Amsterdam unter van der Waay, Aarts u. Roland Holst. Wandmalereien für das Rathaus u. die Universität Groningen. Landschaften, Bauernbilder, Bildnisse. Bild im Mus. Triest. — Wohl Sohn des Joh. ist der in d. Provinz Drenthe ansässige Stillebenmaler S. D.
Lit.: R. Avermaete, La grav. sur bois de l'Occident. — Waay. — Waller. — De Holl. Revue, 33 (1928) 151/57, m. Abbn. — S. D. betr.: Erica, 4. 1. 1946 p. 12f., m. Abb.

Dijkwel, Mattheus (Thijs), holl. Maler u. Lithogr., * 15. 7. 1881 Dordrecht, ansässig ebda.
Stud. in Brüssel bei J. Delville u. Richir. 1913/14 in London. Blumenstücke, Früchte, Figürliches.
Lit.: Plasschaert. — Waay. — Waller.

Dyson, Irene Beatrice, engl. Tiermalerin, * 7. 8. 1907 Timperley, Cheshire, ansässig ebda.
Lit.: Who's Who in Art, [3] 1934.

Dyson, William H. (Will), austral. Karikaturenzeichner u. Radierer, * 1883 Ballarat, ansässig in London.
Mappenwerke: Cultur Cartoons, m. Vorwort von H. G. Wells, 1915; Artists among the Bankers, Lo. 1933; Australia at War: A Winter Record, m. Einleitg v. G. K. Chesterton, Lo. 1919. Kollektiv-Ausst. (Kriegszeichngn) in den Leicester Gall., Lo. 1915, u. im Savoy Hotel, Lo. 1916.
Lit.: H. R. Westwood, Modern Caricatur., Lo. 1932. — Artwork, 4 (1928) 176ff., m. Abbn. — The Connoisseur, 41 (1915) 113; 45 (1916) 240f.; 53 (1919) 59. — Gaz. d. B.-Arts, 1921/II 164. — The Brooklyn Mus. Quart., 22 (1935) 6 (Abb.). — The Studio, 62 (1914) 210; 64 (1915) 51; 73 (1918) 70.

Dijsselhof, Gerrit Willem, holl. Maler, Graph., Entwurfzeichner u. Batikkünstler, * 8. 2. 1866 Zwolle, † 14. 6. 1924 Bloemendaal. Gatte der Folg.
Schüler von Heemskerck van Beest u. der Haager Akad. Landschaften mit Bauernhäusern, hauptsächl. aber Fischbilder (Öl u. Aquar.), doch nicht als Stilleben; er malt den Fisch vielmehr in seinem Element, und zwar in einer höchst sorgfältig detaillierenden Manier. Entwürfe für Möbel, Zimmereinrichtungen. Bilder im Sted. Mus. u. Reichsmus. Amsterdam u. in den Mus. Dordrecht. Den Haag u. im Städt. Mus. Zutphen. Zeichnungen im Kupferst.-Kab. des Reichsmus. A'dam.
Lit.: Th.-B., 10 (1914). — R. W. P. de Vries Jr., G. W. D., A'dam 1912. — Plasschaert, p. 47f., 150. — Hall, Nrn 8815–26. — Waller. – Jaarboek voor graf. Kst, 1924. — Maandbl. v. beeld. Ksten, 1 (1924) 207, 229ff., m. Abbn; 2 (1925) 84; 3 (1926) 207, 208 (Abb.), 210f., m. Abb.; 7 (1930) 23f., m. Abb.; 11 (1934) 131–34, m. Abbn; 18 (1941) 216 (Abb.), 217, 325f.,327 (Abb.).—Verslagen omtr. 's RijksVerzamel., 48 (1926) 32, Abbn geg. p. 36, 40 u. 48. — Mededeel. v. d. Dienst v. Ksten en Wetensch., 2 (1926/32) 38, 253ff., m. Abbn.

Dijsselhof-Keuchenius, W., holl. Blumen- u. Bildnismalerin, * 12. 6. 1865 Modjokerto (?; etwa Djokjokarta?) auf Java, zuletzt ansässig in Overveen. Gattin des Vor.

Schülerin der Haager Akad.
Lit.: Maandbl. v. beeld. Ksten, 2 (1925) 192, m. Abb.

Dyzmański, Stanisław Bronisław, poln. Maler, * 18. 8. 1878 Warschau, ansässig ebda.
Stud. an der Münchner Akad., dann bei J. Fałat an der Krakauer Akad.
Lit.: Czy wiesz kto to jest?, 1938.

Dyzmański, Wacław, poln. Maler, * 1874 Warschau, ansässig ebda.
Lit.: Czy wiesz kto to jest?, 1938.

Dzbanski, Sixtus Ritter von, poln.-dtsch. Landschafts- u. Bildnismaler, * 28. 3. 1874 Danilcze, ansässig in Nürnberg.
Stud. zuerst Bildhauerei bei Marconi in Krakau u. an der dort. Akad. Dann Lehrer für Keramik am Polytechnikum in Lemberg, von dort nach Ungarn, Schüler von Szolnay in Fünfkirchen (Pécs), und weiter nach Passau zu Dressl. Ging 1900 zur Malerei über. Seit 1906 in Nürnberg ansässig. Während des 1. Weltkrieges Kriegsmaler beim öst. Oberkommando.
Lit.: Dreßler. — Mitteil. d. Künstlers.

Dzenis, Burkards, lett. Bildhauer, * 11. 7. 1879 bei Riga, ansässig in Riga.
Stud. an d. Stieglitz-Schule in St. Petersburg (Leningrad). 1905 mit Staatsstipendium ins Ausland. Später Direktor des Kstmus. in Riga. Mit eigenen Bildnisbüsten beteiligt an der Lett. Ausst. im Musée du Jeu de Paume in Paris, Jan./Febr. 1939. Männl. Büste (Granit) im Mus. in Riga.
Lit.: Latviešu Konvers. Vārdnica, 4 (Riga 1929–30), m. 4 Abbn, 1 Taf. u. Fotobildn. — Bénézit,[2] 3.

Dziekonskaja, Casimira, poln. Bildnismalerin, * 1851, † 31. 3. 1934 Warschau.
Stud. in Paris. 1896/1932 in den USA.
Lit.: Who's Who in Amer. Art, I: 1936/37, p. 497.

Dzierzbicki-Starża, Jan, poln. Astrologe, Maler u. Graph., * 1883 Latkowie, Gouv. Nieszawski, ansässig in Warschau.
Lit.: Czy wiesz kto to jest?, 1938.

Dziurzyńska-Rosińska, Zofia, poln. Malerin, * 18. 1. 1896 Husiatyn (Galizien), ansässig in Posen (Poznań).
Stud. in München, Dresden, in Italien, Wien u. Paris. Seit 1934 Mitglied der Künstlergruppe „Plastyka".
Lit.: Czy wiesz kto to jest?, 1938.

Dzubas, Willy, dtsch. Maler, * 21. 7. 1877 Berlin, ansässig ebda.
Lit.: Dreßler.